P9-DHQ-951

LE GRAND HÉRITAGE

L'ÉGLISE CATHOLIQUE ET LES ARTS AU QUÉBEC

MUSÉE DU QUÉBEC

LE GRAND HÉRITAGE
L'ÉGLISE CATHOLIQUE ET LES ARTS AU QUÉBEC

Québec ::

Cette publication a été réalisée par le Musée du Québec
pour l'exposition « Le Grand Héritage » – dont elle constitue la partie artistique –
présentée au Musée du Québec du 10 septembre 1984 au 13 janvier 1985.
Elle a été produite par la Direction générale des publications gouvernementales
du ministère des Communications
avec la collaboration de la Direction des communications
du ministère des Affaires culturelles.

La partie artistique de l'exposition, de même que la publication qui l'accompagne,
ont été préparées par monsieur Jean Trudel, historien de l'art
et consultant en muséologie. Il a été assisté dans son travail
par messieurs Mario Béland et Yves Lacasse ainsi que par une équipe
formée de messieurs François-Marc Gagnon, Laurier Lacroix et John R. Porter.
À cette équipe se sont ajoutés messieurs Pierre Lessard pour le chapitre 14
et Magella Paradis pour le chapitre 16.

Messieurs Louis Bilodeau et Yvan Lajoie ont effectué
la révision linguistique des textes.

La conception visuelle de cet ouvrage est de Couthuran
sous la direction artistique de monsieur Claude Gaudreau.
La composition typographique a été réalisée chez Compélec inc.
La photogravure est l'oeuvre de Lithochrome (1974) inc.
Le volume a été imprimé par
Les Lithographes Laflamme et Charrier inc.

ISBN 2-551-08907-7
Dépôt légal – 3ᵉ trimestre 1984
Bibliothèque nationale du Québec
Bibliothèque nationale du Canada
© Gouvernement du Québec, 1984

Monseigneur Louis-Albert Vachon,
Archevêque de Québec,
Primat du Canada,
Président de l'Assemblée
des évêques du Québec.

Monseigneur,

La visite pastorale de Sa Sainteté le Pape Jean-Paul II, en ce 450ᵉ anniversaire de notre histoire en Amérique, dit avec éclat l'attention toute particulière de Rome envers l'Église d'ici. Les profonds sentiments de joie et de fierté qui animent les Québécois depuis l'annonce de cet événement nous invitent tous à mieux mesurer la place très grande que l'Église a prise et occupe toujours dans notre société.

Ce regard, cette réflexion, nous avons choisi de l'accompagner en présentant Le Grand Héritage. *Par cette exposition au Musée du Québec, le Gouvernement veut aussi rendre hommage à l'Église dont l'action a tant compté dans la survivance et le développement du peuple québécois.*

Ces oeuvres d'art, parmi les plus belles de notre patrimoine, que Le Grand Héritage *réunit pour la première fois, sont autant de témoignages visibles du christianisme tel qu'il se vit chez nous depuis plusieurs siècles. Ce sera une façon de nous dire à nous-mêmes et d'expliquer à autrui quelle fut l'histoire de l'épanouissement de la foi de nos ancêtres et comment elle a constitué une motivation pour des générations de femmes et d'hommes qui se sont mis à la tâche de bâtir ici un nouveau monde.*

Ainsi, depuis la prière de Jacques Cartier et de son équipage au pied de la croix plantée à Gaspé au nom du roi de France, depuis la première messe qui présida à l'établissement de Ville-Marie, depuis les enseignements d'une Marguerite Bourgeoys, depuis les oeuvres fondatrices à Québec d'un François de Laval, toutes ces vies menées avec un

magnifique don de soi constituent autant de signes de la vigueur avec laquelle tant de fidèles ont servi l'Église et notre peuple. Le Grand Héritage nous rappellera les plus illustres parmi eux, mais il évoquera aussi toutes celles et tous ceux, plus anonymes face à l'histoire qui, par leur sens de l'idéal, ont permis aux valeurs les plus essentielles du christianisme de se déployer en cette terre d'Amérique.

Tous ces fidèles qui ont vécu leur foi au rythme de la vie laïque, toutes ces communautés de religieuses et de religieux, en oeuvrant dans l'enseignement, les soins aux malades, les services aux plus démunis, ont concrétisé une promesse de charité et apporté une dimension humanitaire à nos vies quotidiennes. Tous ces curés, chefs de nos paroisses, qui ont accompagné les étapes du peuplement de notre patrie en ont été pendant toute une époque l'élite naturelle. Notre histoire ne se comprend pas sans retenir les rôles indispensables qu'ont joués avec tout leur talent et leur force ces hommes et ces femmes de l'Église de l'enracinement.

Et ce n'est pas tout, c'est loin d'être tout. Car la dimension la plus éclatante de l'Église québécoise se situe dans son activité missionnaire, manifestation de son exceptionnel dynamisme. Ininterrompue depuis l'établissement des premiers habitants sur les rives du Saint-Laurent, la tâche d'évangélisation sur un territoire presque aussi vaste qu'un continent, d'abord auprès des Amérindiens et des Inuit, s'est transportée par la suite à travers le monde. Mission spécifique de la propagation de la foi, encore extraordinairement active, animée par les femmes et les hommes de l'Église du rayonnement.

Voilà en quelques mots, ce qui a inspiré Le Grand Héritage. *Les Québécoises et les Québécois d'aujourd'hui, là aussi, se souviennent et, en cette époque de changements majeurs, se souvenir de son passé c'est en même temps savoir mieux bâtir son avenir.*

C'est compte tenu de cela que vous me permettrez, au nom du Gouvernement, de vous offrir en votre qualité d'archevêque de Québec, de successeur de François de Montmorency Laval, cet hommage à l'Église que constitue Le Grand Héritage. *Je voudrais aussi vous remercier profondément d'avoir rendu possible la présence au Musée du Québec, à l'occasion de sa visite pastorale, de Sa Sainteté le Pape Jean-Paul II.*

Je vous prie de recevoir, Monseigneur, l'expression de mes sentiments très distingués et amicaux.

René Lévesque
Premier ministre

Monsieur René Lévesque,
Premier ministre du Québec

Monsieur le Premier ministre,

Sous les auspices du gouvernement du Québec, une exposition d'art religieux, Le Grand Héritage, *sera inaugurée lors de la visite pastorale du Pape Jean-Paul II à Québec.*

Le moment ne pouvait être mieux choisi! L'événement est de taille et souligne de votre part, monsieur le Premier ministre, avec une délicatesse remarquable, la place de l'Église dans notre histoire nationale. Vibrant et noble hommage rendu aux valeurs spirituelles de notre pays et à nos institutions religieuses!

Nous ne pouvons qu'être fiers d'un tel projet. La culture et l'art appartiennent largement au patrimoine de l'Église. L'expression artistique a toujours été perçue comme un chemin propre à guider l'homme et la femme jusqu'aux profondeurs mystérieuses de l'être humain, jusqu'à l'extrême pointe de la vérité. Jean-Paul II affirme dans une splendide synthèse: « L'Église et l'art ont pour objet l'homme, son image, sa vérité, la découverte de sa réalité ».

L'exposition Le Grand Héritage *ne manquera pas d'être le rendez-vous de l'Église, peuple de Dieu, et de tous ceux qu'intéresse notre patrimoine religieux, en notre Québec de 1984. Nous pourrons revivre avec gratitude et émotion les grands épisodes qui ont marqué l'action de l'Église au rythme d'une société progressant sans cesse dans la maturité et l'intégration de son identité.*

Notre regard se posera avec fierté et admiration sur les tableaux, les sculptures, les monuments illustrant les humbles gestes de la vie quotidienne des femmes et des hommes de foi qui ont bâti notre pays.

Existences pleines de lumière, de chaleur, d'héroïsme, dont les noms ne passeront pas dans la grande histoire, mais dont les vies courageuses et magnanimes ont enrichi le beau pays dont nous sommes les fils et les filles reconnaissants.

Au-delà des oeuvres d'art exposées devant nous, se profileront de beaux visages d'hommes et de femmes tous inspirés d'un même idéal: servir le Dieu créateur, infiniment bon, présent à leurs destinées et, dans un même élan de charité, répondre aux besoins imminents des frères et soeurs qui, comme eux, arrachaient à une terre vierge et amoureuse la promesse de vivre et de s'épanouir dans la justice, la paix, la liberté.

L'art rend visible des réalités cachées et suscite chez un peuple attentif un dynamisme insoupçonné, source d'une vitalité et d'une créativité sans cesse renouvelées. L'art, c'est l'âme d'une nation qui, dans l'expression esthétique, se dévoile, parfois avec une infinie tendresse et pudeur, parfois dans la violence de son secret trop longtemps enfoui.

La culture de notre peuple n'a-t-elle pas été, dès le début et tout au long de son histoire, pétrie de valeurs chrétiennes? L'engagement constant des nôtres à servir de leur mieux, sur la terre de nos ancêtres, l'Église et l'humanité, n'a vraiment d'autre explication.

Des oeuvres nombreuses et variées attestent la fécondité de ces vies données à Dieu et à leurs frères et soeurs. Les artisans du Grand Héritage*? Ils ne se comptent pas. Ils sont prêtres, religieux, religieuses, laïcs, tous marqués d'un trait commun: cette volonté ferme, tenace, audacieuse de réaliser, au sein du peuple de Dieu, une mission, signe indubitable d'amour et d'ouverture sur un monde nouveau plein de promesse.*

Avec quel émerveillement, nous pouvons contempler aujourd'hui le patrimoine légué par nos ancêtres: les bienheureux François de Laval et Marie de l'Incarnation, sainte Marguerite Bourgeoys, Marguerite d'Youville et tous les autres. Tout aussi digne d'admiration est la brillante manifestation de l'apostolat laïc attachée à la fondation de Ville-Marie, qui vient nous rappeler combien notre société a profité du dévouement de tous les baptisés engagés chez nous dans l'évangélisation, par le chemin providentiel du laïcat chrétien.

Le Grand Héritage *rive nos yeux et notre coeur sur un passé plein de grandeur et de beauté. Il nous relance en même temps dans un présent où se posent des défis capables de nous ouvrir sur un demain qui demeurera illuminé par les hauts faits de notre histoire. La place tenue par l'Église dans la vie des Québécois et des Québécoises, on le conçoit aisément, s'est considérablement modifiée avec l'avènement d'un style nouveau de société. Ses oeuvres traditionnelles, en ce qu'elles traduisaient dans une certaine mesure un rôle de suppléance, ont été remises à la société. Telle activité admirable de l'Église a pris une ampleur autre, commandée par le développement contemporain et la maturité grandissante de la nation.*

L'Église pourtant n'a jamais cessé de chercher à répondre aux besoins fondamentaux des femmes et des hommes d'ici. Cette ambition demeure encore entière. Elle s'exprime autrement; elle s'adresse aux impératifs de l'époque actuelle et s'adapte, dans son style d'action et de gouvernement, aux exigences pastorales de notre temps.

L'action de l'Église reste liée aux appels de la société. C'est pourquoi son discours fait écho aux cris et aux plaintes des jeunes chômeurs, des pauvres, des victimes de l'injustice sociale. Son coeur branché sur l'Évangile insuffle consolation et secours divers aux familles éprouvées, aux personnes solitaires, aux adolescents désemparés, à tous ceux et celles qui cherchent éperdument un peu d'amour, un coin de ciel bleu.

La vocation de l'Église d'aujourd'hui comme de celle d'hier est de servir. L'Église, à la suite de son divin chef, Jésus, est servante. Servante de charité, de vérité, d'unité! Quelques fois ses interventions peuvent étonner, voire déranger. Il est difficile d'être prophète. Il est difficile d'aller au bout de la vérité. Nos ancêtres dans la foi que célèbre aujourd'hui Le Grand Héritage n'ont pas toujours fait l'unité autour d'eux. Chercher dans le doute, conquérir la vérité: voilà qui fait partie des dures exigences de l'existence humaine.

En faisant aujourd'hui un bilan, même trop sommaire, des changements effectués au nom de notre foi, en nous remémorant certains gestes et faits dont ont bénéficié non seulement l'Église, mais encore toute la collectivité québécoise, c'est un immense chant d'action de grâces qui éclate sur notre peuple.

Notre société reste manifestement attachée aux valeurs chrétiennes. En fait, elle ne les a jamais abandonnées. Il est vrai qu'elles ont subi le choc d'un matérialisme envahissant et d'un contexte pluraliste, sans la formation adéquate requise pour ces temps de transition. L'unanimité religieuse, et il en est ainsi ailleurs, n'existe plus mais demeure une Église solidement enracinée dans un terroir fidèle à ses pères.

La présence, partout dans nos milieux, d'hommes et de femmes marqués des valeurs chrétiennes, engagés dans l'édification de la cité, témoigne d'une façon éloquente de la survivance de la foi reçue de nos ancêtres; disons mieux: de la résurgence d'une foi qui, après avoir été éprouvée, rend le son d'une pureté et d'une vitalité ancrées dans l'espérance.

L'initiative prise par le gouvernement de Québec d'inviter à l'exposition Le Grand Héritage *des missionnaires de chez-nous portant à travers le monde la croix de Jésus-Christ plantée à Québec, voilà un geste de générosité et de gratuité d'un à-propos exquis. Par cette démarche, vous mettez en valeur le rayonnement spirituel de ceux et de celles qui furent nos premiers ambassadeurs, et des meilleurs, auprès de nos frères et soeurs sur tous les continents, à travers tous les pays.*

Monsieur le Premier ministre, en vous renouvelant l'expression de ma très haute appréciation, permettez que je formule des souhaits ardents pour notre Église de Québec. Qu'elle continue avec persévérance et dignité l'oeuvre entreprise par ses fondateurs! Qu'elle sache discerner les moyens les plus aptes à répondre aux besoins actuels! Puissions-nous, Église et État, dans une collaboration loyale, intelligente, responsable, et en esprit de service, nous rapprocher de l'objectif ultime d'une civilisation selon l'Évangile, dans la visée de la fondation de ce pays.

Ainsi tendus vers l'idéal de nos pères, nous verrons surgir des femmes et des hommes resplendissants d'une maturité accomplie, gloire de la Cité de Dieu.

Veuillez agréer, Monsieur le Premier ministre, mes sentiments de respect et d'amitié.

† Louis-Albert Vachon
  Archevêque de Québec

Comme l'évoquait monsieur le Premier ministre dans sa lettre à Monseigneur Vachon, cette année 1984 est, à plusieurs titres, une année historique pour les Québécois. Le ministère des Affaires culturelles ainsi que le Musée du Québec ont reçu à cette occasion le mandat, mandat qui est aussi un grand privilège, d'évoquer notre histoire collective.

Cette évocation a d'abord été la commémoration de l'arrivée de Jacques Cartier, événement qui a alors donné lieu à la préparation, en collaboration avec les musées de France, de l'exposition Jacques Cartier, la France, la Nouvelle France et le Québec.

Le moment est désormais venu de pénétrer plus profondément encore dans l'intimité de notre histoire en évoquant cette fois plus particulièrement sa dimension religieuse, et c'est ce que permet cette importante exposition, Le Grand Héritage, *qui nous propose un cheminement au coeur même de notre passé.*

D'un point de vue esthétique, l'art religieux constitue la richesse la plus précieuse de notre patrimoine, et nulle ville ne pouvait mieux que Québec, autre joyau chargé de symboles et se situant au coeur géographique de notre passé, accueillir ce rassemblement unique d'oeuvres souvent inédites qui proviennent de toutes nos régions.

Cette ville de Québec dont il est opportun de souligner le destin exceptionnel n'est pas sans rappeler, par ses richesses historiques et culturelles, celui de Cracovie, dont le Saint Père a été pendant des années l'illustre archevêque.

Je ne puis m'empêcher de signaler également que la tenue de ces expositions d'envergure internationale a lieu à un moment où notre Musée d'État qui vient de fêter son cinquantenaire est à la veille de connaître un avenir encore plus prometteur. C'est en effet au cours de la présente exposition que sera complétée la mise en application de la loi des musées nationaux qui fait du Musée du Québec une société d'État autonome, témoignage de l'importance que le Gouvernement accorde au développement et à l'épanouissement de nos institutions culturelles.

Comme le mentionnait Monseigneur Vachon dans sa lettre au Premier ministre, l'Église a été chez-nous la plus fidèle protectrice de la culture. Le premier Visiteur de notre exposition Le Grand Héritage *est d'ailleurs éminemment conscient de l'importance de la réalité culturelle dans le développement et l'épanouissement de la communauté des hommes puisque c'est lui-même qui a créé le Conseil Pontifical pour la Culture.*

Sa Sainteté le Pape Jean-Paul II voudra bien nous permettre de placer cette exposition sous le signe de ce voeu qu'il formait lui-même, le 16 janvier 1984, alors qu'il recevait les membres des organismes directeurs du Conseil Pontifical pour la Culture : « Puissent nos contemporains retrouver le goût et l'estime de la culture, véritable victoire de la raison, de la compréhension fraternelle, du respect sacré pour l'homme, qui est capable d'amour, de créativité, de contemplation, de solidarité, de transcendance ! »

Clément Richard
Ministre des Affaires culturelles

Dans toute l'histoire du Musée du Québec, je crois bien, jamais un mandat ne fut aussi considérable et aussi poignant que celui qui nous a été confié par le ministre des Affaires culturelles à la demande du Premier ministre à l'occasion de la visite de Sa Sainteté le Pape Jean-Paul II. Peu de musées de par le monde ont eu l'honneur d'accueillir le Très Saint Père. La fierté que nous en ressentons n'a d'égale que l'inquiétude que nous a inspirée l'ampleur de la tâche à accomplir.

En effet, il n'est guère d'exemple, chez-nous tout au moins, d'entreprise aussi colossale. Le Grand Héritage prétend rendre compte non seulement des richesses de notre art religieux, non seulement de l'histoire de notre Église, mais des deux à la fois, et bien plus encore: cette vaste exposition thématique prétend donner la mesure de l'ensemble de la contribution de l'Église catholique à l'évolution de la société et au développement des arts au Québec, depuis les débuts de la Nouvelle France jusqu'à aujourd'hui.

L'ouvrage comporte deux volets, l'un et l'autre mis en relief de façon appropriée par une exposition thématique et un catalogue exhaustif. L'Église catholique et la société du Québec développe les deux pôles majeurs autour desquels se sont élaborés chez-nous les rapports Église-Société: d'une part, l'enracinement du catholicisme sur les bords du Saint-Laurent, d'autre part, le rayonnement progressif et spectaculaire de notre Église fermement engagée dans l'immense entreprise de propagation de la foi sur tous les continents. Par ailleurs, trois générations d'historiens d'art, déjà, ont montré à quel point l'Église catholique du Québec a été un acteur de premier plan dans le domaine de la production et de la promotion artistique. Dans

L'Église catholique et les arts au Québec, *plus de deux cent quatre-vingts oeuvres parmi les plus belles de notre patrimoine, regroupées de façon à fournir une mise en situation du contexte religieux, soutiennent et illustrent les principaux thèmes religieux qui ont inspiré nos meilleurs artistes depuis plus de trois siècles.*

Si cette double exposition introduit au Musée du Québec les approches muséologiques les plus neuves, et de façon audacieuse parfois, les deux catalogues qui l'accompagnent placent une fois encore notre institution au centre de la recherche scientifique de pointe. Pour l'histoire comme pour l'art, les deux ouvrages présentent, en plus d'une synthèse nouvelle, claire et précise, les acquis les plus récents de la connaissance. Dans certains cas, même, ce projet ambitieux a été l'occasion de nouveaux approfondissements et de découvertes importantes. Je suis donc particulièrement reconnaissant à messieurs Jean Simard et Jean Trudel, conservateurs invités, d'avoir assumé ce défi exceptionnel, l'un pour la partie historique, l'autre pour le volet artistique. Par leur travail acharné et en s'associant des équipes compétentes, ils ont permis au Musée de remplir une nouvelle fois sa mission.

Le personnel du Musée et ses différents services de restauration, de conservation et de design ont travaillé avec acharnement au succès de cette vaste opération; qu'ils trouvent ici, à travers la gratitude profonde que j'adresse à M. André Kaltenback, directeur adjoint et chef du service de l'éducation et des relations publiques, l'expression de mes remerciements les plus vifs.

*Cette exposition est rehaussée par la présence d'un grand nombre d'oeuvres magnifiques gracieusement prêtées au Musée du Québec pour l'occasion. Je tiens donc à exprimer ma gratitude à tous ces généreux prêteurs et à signaler la collaboration très précieuse que nous a fournie l'archevêque de Sherbrooke, M*gr* Jean-Marie Fortier.*

Enfin, la production des deux catalogues a exigé des efforts intenses et un savoir-faire admirable de la part de plusieurs personnes et organismes auprès desquels le Musée a acquis une dette éternelle: la Direction générale des publications gouvernementales du ministère des Communications, et la Direction des communications du ministère des Affaires culturelles – et tout particulièrement M. Pierre Murgia – ont ainsi droit à ma profonde reconnaissance.

Pierre Lachapelle
Directeur du Musée du Québec

REMERCIEMENTS

Nous désirons ici exprimer notre reconnaissance à tous ceux qui nous ont apporté leur collaboration à la réalisation de cette exposition et de ce catalogue. Nos remerciements vont tout d'abord à M. Jacques Vallée, Commissaire général à la visite du Pape, à M⁰ʳ Jean-Marie Fortier, archevêque de Sherbrooke, délégué par l'Assemblée des évêques du Québec auprès du Bureau du Commissaire général pour l'exposition *Le Grand Héritage*, et à M. Pierre Lachapelle, directeur du Musée du Québec.

Nos remerciements vont aussi à M. André Kaltenback, directeur adjoint du Musée du Québec et chargé de projet de l'exposition, et à tout le personnel du Musée du Québec, dont M. André Marchand, M. Gaétan Chouinard, Mme Michelle Laperrière, Mme Lyse Brousseau, Mme Lise Nadeau, Mlle Danielle Drouin, Mme Madeleine Turgeon, M. Patrick Altman, M. Guy Couture, M. Jean-Guy Kérouac, M. Denys Allison, M. Yvon Milliard, M. Michel Dumas, M. François Lafortune.

Au Bureau du Commissaire général à la visite du Pape, M. Luciano Dorotca s'est avéré d'un précieux secours.

Au ministère des Affaires culturelles du Québec, nous avons pu compter sur un appui constant de M. Guy-André Roy (Service du patrimoine), Mme Louise Frenette (Direction générale du réseau), M. Pierre Murgia (Direction des communications), et au ministère des Communications, sur celui de M. Pierre Bouchard (Direction générale des publications gouvernementales).

Tout au long des diverses étapes du projet, les personnes suivantes, membres de divers musées, institutions et communautés religieuses, nous ont apporté leur collaboration, aide et conseils: Mary Allodi et Donald B. Webster du Royal Ontario Museum, Toronto; André Bergeron, conservateur du Musée de l'Oratoire Saint-Joseph, Montréal; L'abbé Loïc Bernard et Michel Nadeau du Musée du Collège de Lévis; Pierre Brouillard, directeur du Musée du Château Ramezay, Montréal; Paul Carpentier du Musée national de l'Homme, Ottawa; Carmen Catelli et Daniel Olivier de la Bibliothèque de la Ville de Montréal; Glenn E. Cumming, directeur de l'Art Gallery of Hamilton; Carolle Gagnon, directrice du Musée du Séminaire de Québec; Lise Gobeil des Archives publiques du Canada, Ottawa; Conrad Graham, archiviste des collections, et Shirley Thomson, directrice du Musée McCord de Montréal; André Héroux, responsable de la collection Robert-Lionel Séguin de l'Université du Québec à Trois-Rivières; Charles C. Hill, Victoria Baker, Pierre Landry, Monique McCaig de la Galerie nationale du Canada, Ottawa; Luc d'Iberville-Moreau, directeur du Musée des arts décoratifs de Montréal; Soeur Yolande Laflèche, o.s.u., du Musée Pierre Boucher de Trois-Rivières; Gérard Lavallée, directeur du Musée d'art de Saint-Laurent; Thérèse Latour et Louise Lalonger de la Direction de la mise en valeur des collections d'ethnographie du Québec; L'abbé Paul-André Leclerc, directeur du Musée François-Pilote de Sainte-Anne-de-la-Pocatière; Dennis Reid, conservateur du Musée des beaux-arts de l'Ontario; Françoise Simard du Musée des beaux-arts de Montréal; François Tremblay, directeur du Musée régional Laure-Conan, La Malbaie.

Srs Marcelle Boucher, Gabrielle Dagnault et Suzanne Chouinard, des Ursulines de Québec; Srs Estelle Breton et Thérèse Payer, r.h.s.j., de l'Hôtel-Dieu de Montréal; Srs Gaétane Chevrier et Laurette Duclos des Soeurs Grises de Montréal; Srs Corinne Cloutier, Lucie Vachon et Marie-Paule Breton, a.m.j., supérieure, de l'Hôpital-Général de Québec; Sr Claire Gagnon, a.m.j., de l'Hôtel-Dieu de Québec; Sr Marthe Lacroix, s.n.j.m., du Centre Marie-Rose, Montréal; Sr Marie Lemire, s.g.m., du Musée des Soeurs Grises, Montréal; Sr Jeanne-Thérèse Messier, c.n.d., directrice du Musée Saint Gabriel de Montréal; Sr Marie-Berthe Méthot, a.m.j., de l'Hôtel Dieu du Sacré-Coeur de Québec; Sr Flore Pelchat des Soeurs de la Charité de Québec; Sr Hélène Tremblay, c.n.d., du Centre Marguerite Bourgeoys, Montréal; Sr Thérèse A. Yelle, prieure du Monastère du Carmel de Montréal.

Joseph Amyot, p.s.s., de Notre-Dame-de-Lourdes, Montréal; Père Maurice Delisle, o.m.i., de Saint-Gabriel-de-Valcartier; L'abbé Armand Gagné de l'Archevêché de Québec; Père Lucien Gagné, c.s.s.r., de Sainte-Anne-de-Beaupré; Roger Lachapelle, p.s.s., d'Oka; Mgr Fernand Lecavalier, p.s.s., de Notre-Dame de Montréal; Robert Maisonneuve, p.s.s., du Collège André Grasset de Montréal; Père Adrien Pouliot de la résidence des Jésuites de Québec; M⁰ʳ Louis-Albert Vachon, archevêque de Québec; M. le chanoine Jean-Charles Racine et frère Ambroise Milot, de Notre-Dame de Québec; M. Émilien Picard, président du Comité de l'église huronne.

Les abbés Jean Baillargeon de Saint-Étienne-de-Beaumont; Raoul Bellavance de Saint-Romuald d'Etchemin; Jean-Léon Carette de Charlesbourg; Jacques Casaubon de Saint-Joseph-de-Maskinongé; Antoine Després de Saint-Jean-Baptiste de Québec, Raymond Laplante de Saint-Augustin-de-Desmaures; Denis Lepage de Saint-Pierre-du-Sud; Jean-Jacques Mireault de Sainte-Rose-de-Laval; Lucien Pageau de Notre-Dame de Lorette; Jude Péloquin de Sainte-Famille de Boucherville; Jean-Guy Primeau de Notre-Dame de l'Île Perrot; Gilles Tanguay de Saint-Louis de Lotbinière.

À l'Université Laval, nous avons eu recours, à des titres divers, à l'aide de Mme Anne-Marie Desdouits, M. Jean Duberger, Mme Sylvie-Anne Jeanson, Mme Ginette Laroche-Joly, Mme Michelle Paradis, M. Jacques Mathieu, Mme Jocelyne Mathieu, Mme Carole Saulnier, M. Jean Simard, Mme Gynette Tremblay, tous membres du Centre d'études sur la langue, les arts et traditions populaires des francophones en Amérique du Nord (C.E.L.A.T.).

De précieuses informations nous ont été fournies par M. Denis Castonguay, M. Léopold Désy, Mme Lise Drolet, M. Serge Gagné, M. Carl Johnson, M. Ian Johnson, M. François Lachapelle, M. Denis Martin, M. Luc Noppen, M. Paul Trépanier, M. René Villeneuve.

Nous remercions également le Centre de conservation du Québec pour sa contribution à cette exposition, de même que M. Robin Ashton et Mme Jane Dalley. M. Jean Saint-Cyr, président de Design et communication Inc., et M. Denis Carrier, designer senior, qui ont apporté une aide de première qualité à l'installation et la présentation de l'exposition.

Jean Trudel,
conservateur invité,
Mario Béland,
adjoint au conservateur invité
et les collaborateurs.

PRÊTEURS ET COLLECTIONS

M. Jean Angers, Neuville

Archevêché de Québec

Archevêché de Sherbrooke

Archives départementales de la Gironde, Bordeaux, France

Art Gallery of Hamilton, Hamilton

Basilique – cathédrale Notre-Dame, Québec

Bibliothèque de la Ville de Montréal

Marcel et Paulette Bolduc, Scott-Jonction

M. Raymond Brousseau, Saint-Jean, (I.O.)

Chapelle Notre-Dame-de-Lourdes, Montréal

Château Dufresne, Musée des Arts décoratifs de Montréal

Collection privée, Québec

Collège André Grasset, Montréal

Direction de la mise en valeur des collections d'ethnographie, ministère des Affaires culturelles, Québec

Église Notre-Dame-de-Lorette, Village-des-Hurons

Fabrique Saint-Augustin, Saint-Augustin-de-Desmaures

Fabrique Saint-Charles-Borromée, Charlesbourg

Fabrique Saint-Étienne, Beaumont

Fabrique Sainte-Famille, Boucherville

Fabrique Saint-Gabriel, Valcartier

Fabrique Saint-Jean-Baptiste, Québec

Fabrique Sainte-Jeanne-de-Chantal, Notre-Dame de l'Île Perrot

Fabrique Saint-Joseph, Maskinongé

Fabrique Saint-Louis, Lotbinière

Fabrique Saint-Pierre, Saint-Pierre-de-la-Rivière-du-Sud

Fabrique Saint-Romuald, Saint-Romuald d'Etchemin

Fabrique Sainte-Rose, Sainte-Rose-de-Laval

Mgr Jean-Marie Fortier, Sherbrooke

Galerie nationale du Canada, Ottawa

Maison-mère des Soeurs Grises de Montréal

Maison-mère des Soeurs des Saints Noms de Jésus et de Marie (Centre Marie-Rose)

Jocelyne Mathieu et Pierre Lessard, Québec

Monastère des Augustines de l'Hôpital-Général, Québec

Monastère des Augustines de l'Hôtel-Dieu-du-Sacré-Coeur, Québec

Monastère des Ursulines, Québec

Monastère du Carmel, Montréal

Musée d'art de Saint-Laurent, Saint-Laurent

Musée de la Basilique de Sainte-Anne-de-Beaupré

Musée de l'église Notre-Dame, Montréal

Musée de l'Oratoire Saint-Joseph, Montréal

Musée des Augustines de l'Hôtel-Dieu de Québec

Musée des beaux-arts de l'Ontario, Toronto

Musée des beaux-arts de Montréal

Musée des Religieuses Hospitalières de Saint-Joseph, Montréal

Musée du Château Ramezay, Montréal

Musée du Collège de Lévis, Lévis

Musée du Québec, Québec

Musée du Séminaire de Québec

Musée François-Pilote, Collège de Sainte-Anne-de-la-Pocatière

Musée régional Laure-Conan, La Malbaie

Musée McCord, Montréal

Musée national de l'Homme, Ottawa

Musée Pierre Boucher, Pavillon des Ursulines, Trois-Rivières

Musée Saint-Gabriel, Montréal

Les prêtres de Saint-Sulpice, Oka

Résidence des pères Jésuites, Québec

M. Jean-Marie Roy, Québec

Royal Ontario Museum, Toronto

Soeurs de la Congrégation Notre-Dame, Montréal

Université du Québec à Trois-Rivières, Coll. Robert-Lionel Séguin

AUTEURS

Mario Béland (M.B.),
adjoint au conservateur invité.

Notices: nos 55 (en coll.), 56, 64, 87, 160, 161, 162, 163, 164, 167, 168, 169, 208, 211.

Nicole Cloutier (N.C.),
conservatrice de l'art canadien ancien au Musée des beaux-arts de Montréal.

Notices: nos 278, 279.

François-Marc Gagnon (F.M.G.),
professeur d'histoire de l'art à l'Université de Montréal.

Textes généraux: II. L'implantation de la foi; III. Les jésuites.
Notices: nos 12, 13, 14, 15 (en coll.), 17, 18, 22, 23, 24, 25, 26, 27, 28, 29, 30, 31, 33, 59, 93, 94, 106, 213, 237, 239, 256, 283.

Yves Lacasse (Y.L.),
conservateur adjoint de l'art canadien ancien au Musée des beaux-arts de Montréal.

Texte général: XI. Le baptême du Christ.
Notices: nos 51, 63, 165, 166, 212, 218 (en coll.), 220, 221, 222, 250, 251, 276 (en coll.).

Laurier Lacroix (L.L.),
professeur d'histoire de l'art à l'Université Concordia de Montréal.

Textes généraux: VI. Les portraits; VIII. Les estampes des ursulines de Québec
Notices: nos 57, 84, 89, 95, 96, 102, 104, 105, 107, 123, 124, 125, 126, 127, 128, 129, 130, 131, 132, 133, 134, 135, 136, 137, 138, 139, 141, 143, 144, 145, 146, 147, 148, 150, 152, 153, 154, 155, 156, 157, 158, 159, 209, 210, 215, 216, 217, 219, 247, 249, 252, 253.

Louise Lalonger (L. Lalonger),
ethnologue

Notices: nos 231, 232, 233, 234, 235, 236

Pierre Lessard (P.L.),
ethnologue, conservateur à Parcs Canada (région Québec).

Texte général: XIV. L'intérieur domestique rural
Notices: nos 54, 254, 255, 257, 258, 259, 260, 261, 262, 263, 264, 265, 266, 267, 268, 269, 270, 271, 272, 273, 274, 275.

Magella Paradis (M.P.),
conservateur au Musée du Séminaire de Québec.

Texte général: XVI. Au coeur de l'église canadienne.
Notices: nos I, II, III, IV, V, VI, VII, VIII, IX, X, XI, XII, XIII, XIV, XV, XVI, XVII, XVIII, XIX, XX, XXI, XXII, XXIII, XXIV, XXV, XXVI, XXVII.

John R. Porter (J.R.P.),
professeur d'histoire de l'art à l'Université Laval de Québec.

Textes généraux: IV. La dévotion à la Sainte-Famille; V. Les communautés de femmes; VII. La Vierge à l'Enfant; IX. L'église au coeur de la paroisse; X. L'intérieur de l'église; XII. Processions et défilés; XIII. La croix de chemin; XV. Le chrétien devant la mort.
Notices: nos 9, 10, 11, 16, 34, 35, 36, 37, 38, 39, 40, 41, 42, 43, 44, 45, 46, 47, 48, 49, 50, 58, 60, 61, 62, 65, 66, 67, 68, 69, 70, 71, 72, 73, 74, 75, 76, 77, 78, 79, 80, 81, 82, 83, 85, 86, 88, 90, 91, 92, 97, 98, 99, 100, 101, 103, 108, 109, 110, 111, 113, 114, 115, 116, 117, 118, 119, 120, 121, 122, 140, 142, 149, 151, 170, 171, 172, 173, 174, 175, 176, 177, 179, 180, 181, 182, 183, 184, 201, 202, 203, 204, 205, 206, 207, 214, 240, 245, 246, 248, 277, 280, 281, 282.

Jean Trudel (J.T.),
conservateur invité.

Texte général: I. L'épiscopat.
Notices: nos 1, 2, 3, 4, 5, 6, 7, 8, 15 (en coll.), 19, 20, 21, 32, 52, 53, 55 (en coll.), 112, 178, 185, 186, 187, 188, 189, 190, 191, 192, 193, 194, 195, 196, 197, 198, 199, 200, 218 (en coll.), 223, 224, 225, 226, 227, 228, 229, 230, 238, 241, 242, 243, 244, 276 (en coll.).

ABRÉVIATIONS

A.A.Q.	Archives de l'archevêché de Québec
A.J.Q.	Archives judiciaires de Québec
A.M.H.D.Q.	Archives du Monastère de l'Hôtel-Dieu de Québec
A.M.H.D.S.C.Q.	Archives du Monastère de l'Hôtel-Dieu du Sacré-Coeur, Québec
A.M.H.G.Q.	Archives du Monastère de l'Hôpital général de Québec
A.M.M.S.G.M.	Archives de la Maison-mère des soeurs grises de Montréal
A.M.U.Q.	Archives du Monastère des ursulines de Québec
A.N.Q.M.	Archives nationales du Québec, Montréal
A.N.Q.Q.	Archives nationales du Québec, Québec
A.N.Q.T.R.	Archives nationales du Québec, Trois-Rivières
A.P.C.O.	Archives publiques du Canada, Ottawa
A.S.Q.	Archives du Séminaire de Québec
B.N.P.	Bibliothèque nationale de Paris
B.N.Q.M.	Bibliothèque nationale du Québec, Montréal
B.V.M.	Bibliothèque de la Ville de Montréal
C.E.L.A.T.	Centre d'études sur la langue, les arts et les traditions populaires des francophones en Amérique du Nord (Université Laval)
G.N.C.O.	Galerie nationale du Canada, Ottawa
I.B.C.Q.	Inventaire des biens culturels de Québec
M.B.A.M.	Musée des beaux-arts de Montréal
M.N.C.	Musées nationaux du Canada
M.N.H.O.	Musée national de l'Homme, Ottawa
C.C.E.C.T.	Centre canadien d'études sur la culture traditionnelle
U.L.Q.	Université Laval de Québec

TABLE DES MATIÈRES

INTRODUCTION

Il n'existera sans doute jamais de circonstance plus appropriée pour présenter une exposition sur le thème de l'art religieux au Québec que la visite de Sa Sainteté le pape Jean-Paul II au Musée du Québec. Voilà, en effet, une occasion unique de présenter, pour la première fois, une synthèse et un résumé de l'état des connaissances sur l'art religieux au Québec dans le cadre d'une exposition en deux parties – art et histoire – dont le concept général fut mis au point à l'automne 1983.

Le double appui du Bureau du commissaire général à la visite du pape et de l'Assemblée des évêques du Québec nous a permis de rassembler des oeuvres d'art qui, en des circonstances normales, n'auraient pas quitté leurs lieux de conservation habituels. Il en va ainsi, par exemple, pour le portrait de Marguerite Bourgeois de Pierre Leber (cat. 94), pour un panneau de bois peint provenant du lambris de la chapelle de l'Hôpital général de Québec (cat. 16), pour l'ange à la trompette qui surmonte la chaire de l'église de Saint-Romuald (cat. 201) et pour bien d'autres oeuvres. Nous étions conscient, dès le début du projet, d'une part qu'une occasion semblable ne se représenterait pas de si tôt et, d'autre part, que les délais de présentation étaient tellement courts que la réalisation du projet – amorcée en janvier 1984 – tenait du miracle...

Depuis Émile Vaillancourt, Marius Barbeau et Gérard Morisset, précurseurs isolés de l'histoire de l'art au Québec, nos connaissances sur le sujet ont pu à la fois s'approfondir par des études spécialisées et s'élargir par des comparaisons avec l'art d'autres pays. Les vingt dernières années ont vu expositions et publications se multiplier,

tandis que les recherches se poursuivaient fort activement dans les musées et les universités. C'est un peu le résultat de tout ce travail qui se trouve résumé ici avec le concours de trois générations d'historiens de l'art.

L'exposition *L'Église catholique et les arts au Québec* a été élaborée avec, comme adjoints, tout d'abord M. Yves Lacasse (de janvier à avril) puis M. Mario Béland. Grâce aux avis d'un comité d'experts le concept et le contenu de l'exposition ont pris rapidement une forme finale. Le comité était composé des professeurs François-Marc Gagnon (Université de Montréal), Laurier Lacroix (Université Concordia) et John R. Porter (Université Laval). Ce dernier a mis à notre disposition les très riches ressources documentaires d'un projet de recherche (subventionné par le fonds de recherche F.C.A.C.), qu'il dirige depuis 1982, et qui porte sur l'iconographie de l'art ancien du Québec. À cette équipe se sont ajoutés, pour la rédaction du catalogue, Mme Nicole Cloutier, conservatrice au Musée des beaux-arts de Montréal, et deux ethnologues, Mme Louise Lalonger, et M. Pierre Lessard, conservateur à Parcs Canada. L'exposition et le catalogue sont donc le fruit de l'effort collectif d'une petite équipe multidisciplinaire et des nombreux conseils et avis de la part de prêteurs et de chercheurs, extérieurs à cette équipe.

Le concept de l'exposition a été élaboré en dressant une liste d'oeuvres maîtresses de l'art religieux du Québec, une sorte de musée imaginaire à la Malraux. La seconde étape a consisté à établir une série de thèmes à développer, thèmes établis pour la plupart autour de ces oeuvres maîtresses dont il s'agissait d'éclairer la signification par des oeuvres complémentaires. Ces thèmes ou îlots d'oeuvres d'art, au nombre de quinze et auxquels s'ajoute un seizième présenté par le musée du Séminaire de Québec, constituent le plan général de l'exposition et du catalogue et établissent le cheminement du visiteur à travers les divers aspects de l'art religieux du Québec.

Nous avons non seulement tenté de présenter des oeuvres qui comptent parmi les plus belles et les plus significatives de l'art québécois, mais aussi d'amener le visiteur à mieux comprendre ces oeuvres en les mettant en rapport les unes avec les autres par des regroupements à l'intérieur des îlots. Il nous a fallu, pour cela, abandonner les catégories traditionnelles de présentation (peinture, sculpture, orfèvrerie, etc.) auxquelles nous ont habitués les expositions antérieures pour viser à une mise en situation du contexte religieux de leur création ou de leur utilisation. Ainsi, les diverses sections de l'exposition, tout en constituant des unités autonomes, ont cependant des liens multiples entre elles puisqu'elles s'inscrivent dans un cheminement d'ensemble permettant, espérons-le, un éclairage nouveau sur l'art religieux au Québec.

On trouvera dans l'exposition à la fois des oeuvres très connues, comme le *Père Éternel* de Pierre-Noël Levasseur (cat. 203), et des oeuvres découvertes tout récemment, comme les dix-sept statuettes conservées à l'Hôtel-Dieu-du-Sacré-Coeur, à Québec (cat. 34 à 50). On

y trouvera des rapprochements qui tiennent compte autant de l'icono-graphie que de la chronologie, et autant de l'étude du contexte social que de l'étude du style des artistes. On y trouvera un mélange de techniques qui vont de l'oeuvre sur papier à la statue de plâtre. Et si, malgré tout, cette exposition conserve une unité, c'est que l'Église catholique, comme patronne des arts, est au coeur de la démarche et que les oeuvres qu'elle a suscitées n'étaient pas à l'origine coupées de leur contexte.

Certaines des oeuvres présentées ne sont pas dans un bon état de conservation : elles devaient faire l'objet d'une restauration que le temps n'a pas permis d'effectuer. Un examen rapide de quelques sculptures a révélé des surprises : sous la peinture blanche de l'ange de corbillard d'enfant du Musée du Québec (cat. 281), on a découvert une polychromie. Il en existe une aussi sous la dorure de l'ange à la trompette de l'église de Saint-Romuald (cat. 201). Par contre, la restau-ration, en vue de l'exposition, de l'*Ex-voto de la salle des femmes de l'Hôtel-Dieu de Montréal* (cat. 276) nous a permis de voir un tableau complètement différent de celui que nous connaissions. Il est certain que, à l'avenir, nous devrions accorder plus d'attention à la restaura-tion du patrimoine mobilier du Québec.

De nouvelles avenues de recherche se dégagent aussi à la suite de cette exposition : nous n'avons pratiquement pas développé d'experti-se en ce qui concerne les étoffes importées ou créées localement (parements et vêtements sacerdotaux) que nous commençons à peine à découvrir. Nous nous intéressons depuis peu aux gravures euro-péennes importées au Québec à partir du XVII siècle : en présentant, pour la première fois, une partie de la collection de gravures des ursulines de Québec, nous espérons susciter des recherches dans cette direction.

Nous avons inclu, dans cette exposition, des oeuvres de toutes sortes, dont des objets ethnographiques qui faisaient partie, autrefois, des collections du Musée du Québec. Nous avons eu largement recours aussi aux collections permanentes du Musée du Québec. Ce sont les plus considérables et les plus importantes relativement à l'art religieux du Québec. Ces collections, qui ont été rassemblées par l'État, de même que la documentation de l'Inventaire des biens culturels du Québec constituent des sources indispensables à toute étude sur l'art religieux et leur accès devrait normalement en être facilité non seulement pour les chercheurs, mais également pour le public.

En terminant, j'aimerais remercier le directeur du Musée du Québec, M. Pierre Lachapelle, de m'avoir accordé sa confiance. Cette exposition marquera un jalon important dans la diffusion de la connaissance de notre patrimoine et illustrera le rôle prépondérant que la religion catholique a joué dans le développement d'une culture visuelle au Québec.

Jean Trudel,
conservateur invité

CHAPITRE PREMIER
L'ÉPISCOPAT

En 1717, la Nouvelle France connut une seconde année de disette; le blé se faisait rare. Préoccupé du sort des pauvres, le second évêque de Québec, Mgr de Saint-Vallier (1653-1727), vendit le retable de bois sculpté de son palais épiscopal aux habitants de Pointe-aux-Trembles (Neuville, comté de Portneuf), qui, eux, étaient bien fournis en blé. Le baldaquin de la chapelle du palais épiscopal, commandé vers 1695 par Mgr de Saint-Vallier, est toujours visible à Neuville; son histoire a été retrouvée récemment par John R. Porter[1] (fig. 1).

L'ancien palais épiscopal de Québec était l'oeuvre de Mgr de Saint-Vallier. Nommé évêque du diocèse de Québec en 1688, il en avait commencé la construction, sur les hauteurs de Québec (l'actuel parc Montmorency), au début des années 1690. L'historien Bacqueville de la Potherie (1663-1736) le visita entre 1698 et 1701 :

« La chapelle est de soixante pieds de longueur, son Portail est de l'ordre composite, bâti de belle pierre de taille, qui est une espèce de Marbre brute. Ses Dedans seront magnifique par son retable d'Autel, dont les Ornemens sont un raccourci de celui du Val de Grâce »[2].

Les plans du baldaquin du Val-de-Grâce, à Paris, furent commandés au Bernin (1598-1680) en 1665, trente-cinq ans après ceux de Saint-Pierre de Rome. Mgr de Saint-Vallier

nommé évêque par la roi de France Louis XIV et confirmé officiellement dans ses fonctions par une bulle d'investiture du Pape Innocent XI, avait choisi comme modèle, pour le décor intérieur de sa chapelle, un baldaquin exécuté à Paris et ayant sa source à Saint-Pierre de Rome. La symbolique de la filiation à la France et à Rome était clairement exprimée, mais les dures conditions d'existence du diocèse de Québec ne permirent pas que cette oeuvre pût rester en place plus de vingt ans : le retable, on l'a dit, fut troqué contre du blé pour nourrir les pauvres, ce qui d'ailleurs lui évita une destruction certaine dans le bombardement de Québec de 1759.

Le diocèse de Québec, créé officiellement en 1674 après des démarches entreprises depuis 1657, était à la fois immense, pauvre et peu peuplé. Avec l'approbation du Saint-Siège, ses frontières s'étendaient à tout territoire d'Amérique du Nord sous la domination du roi de France[3]. Il comprenait donc à la fois Terre-Neuve, l'Acadie, la région des Grands Lacs et la vallée du Mississippi en plus de celle du Saint-Laurent (fig. 2). C'est ce territoire, avec ses Indiens à évangéliser, ses quelque 10 000 colons français, et sa centaine de prêtres et missionnaires dont la juridiction religieuse fut confiée, toujours en 1674, à Mgr de Laval (1623-1708), premier évêque de Québec. Son autorité peut être évoquée symboliquement par sa croix pectorale en or (fig. 3).

---

1. John R. Porter, « L'ancien baldaquin de la chapelle du premier palais épiscopal de Québec, à Neuville », *Annales d'histoire de l'art canadien*, vol. II, n° 2 (1982), p. 180-200.

2. *Idem*, p. 188.

3. Gustave Lanctot, *Une Nouvelle-France inconnue*, Ducharme, Montréal, 1955, p. 181.

Fig. 3 Anonyme, *Croix pectorale*, France, XVIIᵉ siècle; or, 9,6 × 6,3 cm; archevêché de Québec. (Photo Musée du Québec, Patrick Altman).

Fig. 1 *Vue du choeur de l'église de Neuville* (Portneuf): baldaquin exécuté vers 1695 et provenant de la chapelle du premier palais épiscopal de Québec; maître-autel de François Baillairgé, 1800-1803; voûte, corniche et boiseries des murs du choeur par François Normand, François Lafontaine et François Routhier, 1827-1828 (Photo I.B.C.Q., Fonds Gérard-Morisset, nég. 8343-48-F. 8).

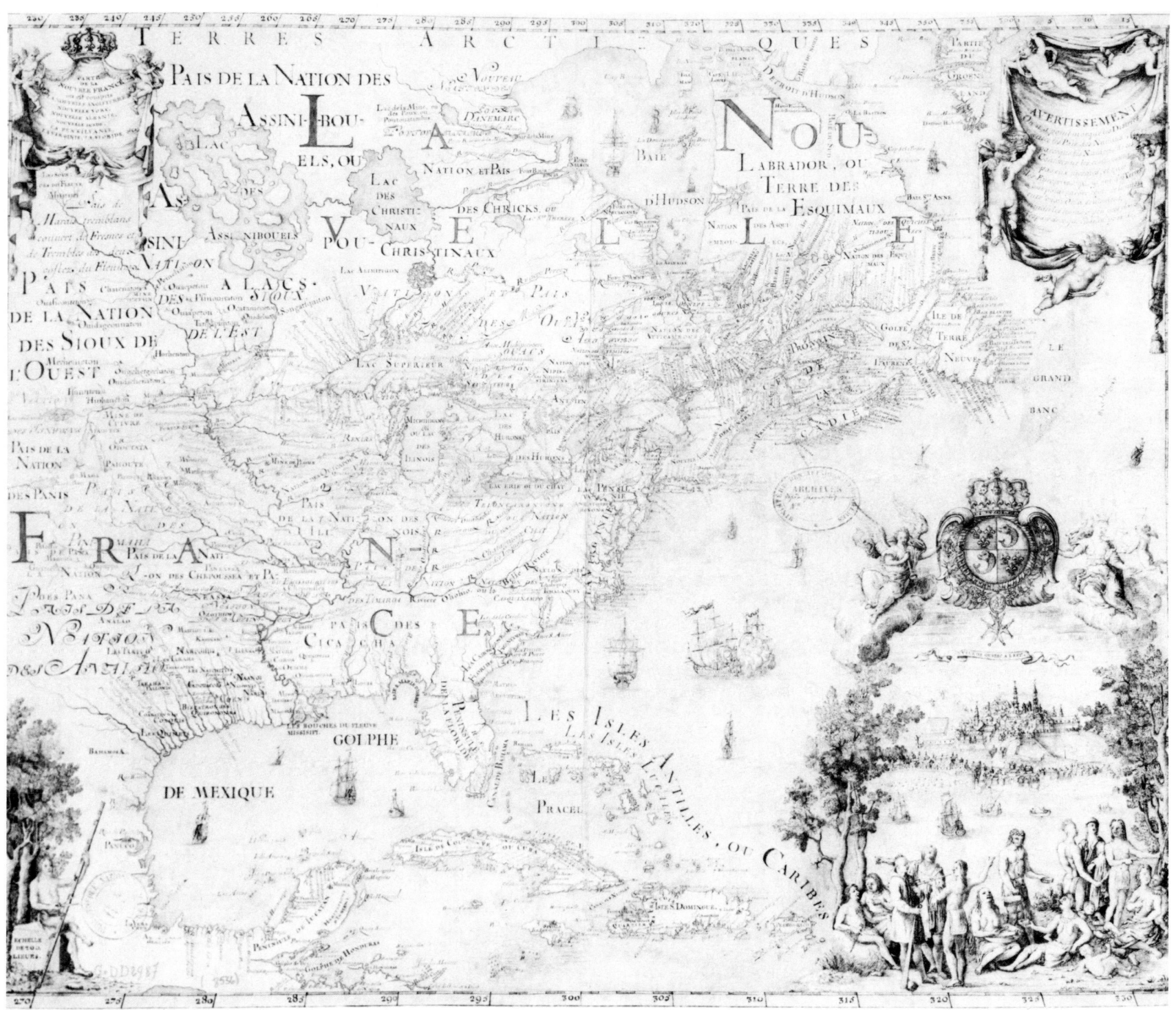

Fig. 2 Jean-Baptiste-Louis Franquelin
(vers 1651 — après 1712) att. à, *Carte de la Nouvelle France où est compris la Nouvelle-Angleterre, Nouvelle York, Nouvelle Albanie, Nouvelle Suède, la « Pensylvanie, la Virginie, la Floride, etc... »,* après 1702; encre et lavis sur papier, 47,5 × 63,5 cm;
Bibliothèque nationale de Paris,
cartes et plans
(Photo Musée du Québec, Patrick Altman).

Dans l'exercice de leurs fonctions, les évêques de Québec devaient composer avec les autorités civiles et militaires de Nouvelle France, de même qu'avec les récollets, jésuites et sulpiciens, sur lesquels ils n'avaient pas d'autorité directe et avec un manque chronique de ressources financières pour donner à l'Église d'Amérique du Nord des assises décentes. Si Mgr de Saint-Vallier engagea des ressources importantes pour créer un palais épiscopal, Mgr de Laval avait, lui, beaucoup investi pour doter Québec d'une cathédrale digne de ce nom.

Même dans ce pays froid et immense, l'évêque, représentant du Pape, se devait de maintenir l'apparat de son rang, avec ses vases sacrés d'argent et de vermeil, sa mitre, sa crosse, sa chape, ses vêtements sacerdotaux brodés de fil d'or et d'argent. C'est ainsi que Mgr de Laval se montrait aux Indiens au XVIIe siècle (cat. 27). Pour assurer leurs arrières auprès du clergé et de la cour, les évêques devaient entreprendre de temps à autre le périlleux voyage de France. Ils devaient aussi entreprendre la non moins périlleuse tournée de leur territoire : l'usure des vêtements sacerdotaux de Mgr de Pontbriand (1708-1760), dernier évêque du Régime français, témoigne bien de ces déplacements (cat. 3).

Le rôle des évêques en ce qui concerne le développement des arts religieux est si grand qu'on le mesure difficilement. C'était l'évêque qui décidait de l'érection de nouvelles paroisses. Mgr de Laval avait mis au point une formule dans laquelle il déclarait vouloir et ordonner « que les paroissiens ornent et décorent à leurs frais, d'une manière convenable et perpétuellement, la dite église, et qu'ils fournissent et donnent les vases, livres, ornements et tout ce qui sera nécessaire pour faire dignement l'office divin ... »[4]. C'était là mettre en branle tout le processus d'ornementation des églises, qui dure encore de nos jours. Il n'était pas rare non plus que l'évêque intervienne dans le choix de l'emplacement de l'église, comme dans l'approbation des plans de l'architecte.

Les livres de comptes et de délibérations des fabriques renferment souvent les recommandations écrites des évêques, exprimées lors de leurs tournées des paroisses du diocèse. Ces recommandations concernent aussi bien la fabrication d'un vase sacré (cat. 188) que la construction d'un baptistère (cat. 218). Aucun détail ne leur échappe. Le culte divin doit être célébré dignement, dans les formes et selon les règles. Dès 1698, Mgr de Saint-Vallier, après un rassemblement des curés, confesseurs et missionnaires de son diocèse, leur recommande « particulièrement la décoration de leurs Églises, la clôture des Cimetières, et de travailler pour avoir des Fonts Baptismaux; et pour pouvoir en venir à bout, nous leur conseillons de faire chaque année une quête pendant l'hiver dans l'étendue de leur Paroisse »[5].

En plus des interventions directes concernant la construction et l'ornementation des églises, les évêques influencèrent l'inconographie religieuse par l'implantation de dévotions comme celle de la Sainte Famille, dont les origines en Nouvelle France remontent à Mgr de Laval. Ces dévotions, encouragées et stimulées par les évêques, entraînèrent une multiplication d'images peintes, sculptées, gravées qui constituent aujourd'hui les grandes lignes de force de notre héritage artistique religieux.

Les évêques, leurs vicaires généraux, les curés furent de véritables promoteurs des arts, du fait que le culte catholique et romain reposait, dans sa pratique quotidienne, sur l'art religieux. Les églises servaient à l'enseignement, à l'exercice et au maintien de la foi. Elles étaient un avant-goût du paradis, avec leurs peintures, leurs sculptures, leurs dorures, leurs vases sacrés d'argent, leurs ornements brodés. Et si l'on ajoute à cela la musique, les chants, l'odeur de l'encens, le cérémonial des offices religieux et des processions, il s'y déroulait un spectacle total dans un splendide décor inspiré par une croyance profonde en un monde céleste dont la perfection était un modèle à imiter.

Héritiers de saint Pierre (cat. 9) et de saint Paul (cat. 10), princes des apôtres, les évêques du Québec s'appuyaient sur d'illustres prédécesseurs, comme saint Augustin (cat. 11), pour porter la lourde responsabilité de l'administration de leurs diocèses. Et le développement des arts était pour eux lié au développement de la foi.

Jean Trudel

---

4. Mgr H. Têtu et l'abbé C.-O. Gagnon, *Mandements, lettres pastorales et circulaires des évêques de Québec*, Québec, A. Côté et Cie, 1887, vol. I, p. 50.

5. *Idem*, p. 371.

Anonyme

1 à 8. *Les ornements de Mgr de Pontbriand*, France, XVIIIe siècle

C'est le 29 août 1741 que débarqua à Québec le sixième évêque de Québec, Mgr Henri-Marie Dubreuil de Pontbriand (1708-1760). Il avait appris sa nomination faite par Louis XV en décembre 1740 et il avait passé les mois précédant son départ à s'informer sur cet immense diocèse dont les frontières incertaines englobaient à la fois les rives du Saint-Laurent et celles du Mississippi. C'est sans doute aussi pendant ces mois qu'il s'était procuré les ornements voulus pour ses importantes fonctions.

Après la capitulation de Québec, en 1759, Mgr de Pontbriand, déjà gravement malade, se réfugia à Montréal, au séminaire Saint-Sulpice, afin de demeurer en territoire français. Par testament, le 1er mai 1760, il légua au séminaire de Saint-Sulpice « ...tous Les effets, tous les meubles toutes les provisions que Jy ai apporte et qui sont et pourroient venir de France, toute mon argenterie meme deglise... ». Les Sulpiciens conservent toujours, au Musée de l'église Notre-Dame de Montréal, une partie des « effets » de Mgr de Pontbriand.

La crosse et la mitre sont les symboles du pouvoir épiscopal. La crosse de Mgr de Pontbriand (cat. 1) a été faite en argent, probablement en 1741, par un orfèvre parisien non identifié. Sa volute et son pommeau sont ornés de motifs en losanges, avec des fleurs et des feuilles d'acanthe, tandis que le bâton porte des losanges dans lesquels s'inscrivent des fleurs de lys. Dans l'inventaire de ses biens dressé le 12 juin 1760, la volute et le bâton sont inventoriés séparément: le poinçon de l'orfèvre québécois François Ranvoyzé (1739-1819) et la date de 1781 indiquent peut-être une restauration ayant consisté à réparer le pommeau et à fixer le bâton à la volute. L'inventaire après décès mentionne aussi « deux Vieilles mitres dont une de moire fond dor Brode » qui est certainement la mitre qui nous est parvenue (cat. 2). Il n'est plus possible de distinguer l'étoffe moirée, qui a été recouverte de peinture blanche, sans doute parce qu'à l'usage elle avait perdu son éclat. Les motifs de rinceaux brodés à dominante de fils d'or nous donnent cependant une bonne idée de sa splendeur.

Toujours dans l'inventaire après décès de Mgr de Pontbriand, il est fait mention d'« ...une chasuble de Moiré Blanche Et Rouge Brodé En or a deux faces avec l'Étole Manipule Voile de calice Et Bourse... ». L'inventaire ne fait cependant pas mention d'une autre chasuble moirée, réversible turquoise et violet, avec manipule, étole, voile de calice et bourse qui, de toute évidence, a été exécutée à la même époque et par le même atelier. Des différences subtiles existent entre ces deux jeux d'ornements au décor sobre qui ont permis à Mgr de Pontbriand d'officier dès son arrivée à Québec dans des vêtements dignes d'un évêque et faits à sa mesure.

Le premier jeu de vêtements liturgiques, réversibles blanc et rouge (*chasuble*, cat. 3; *étole*, cat. 4; *manipule*, cat. 5; *bourse et voile de calice*), est orné de bordures et de franges de fil d'or. C'est du côté blanc qu'il a été le plus porté, comme en font foi l'usure et les réparations maladroites apportées à hauteur de poitrine, sur la chasuble, là où était suspendue la croix pectorale de l'évêque. Des motifs brodés de glands, de feuilles de vigne, de grappes de raisin, de gerbes de blé évoquant l'Eucharistie s'ajoutent à des croix et à des motifs floraux. Le second jeu de vêtements liturgiques, réversible turquoise et violet (*chasuble*, cat. 7; *étole*, cat. 6; *manipule*, cat. 8; *bourse et voile de calice*), est orné de bordures et de franges de fil d'argent. Le motif de croix est ici remplacé par un motif plus abstrait et dynamique. Si le vert (ou turquoise) était porté les dimanches après l'Épiphanie et la Pentecôte, le violet pendant l'Avent et le carême, le rouge, par contre, était porté à la Pentecôte et aux fêtes des martyrs et le blanc aux grandes fêtes solennelles.

L'évêque du diocèse de Québec, représentant du Pape, chef spirituel de l'Église catholique et romaine, se devait d'apparaître à ses fidèles avec les symboles de son autorité. Mgr de Pontbriand ne faisait pas exception à la règle, lui qui possédait dans sa bibliothèque un livre intitulé « Le Cérémonial d'Évêque ».   J.T

Bibliographie
Testament et Inventaire des biens de Mgr de Pontbriand, dernier évêque de Québec sous le Régime Français, *Rapport de l'Archiviste de la province de Québec*, 1959, p. 359-379. GOSSELIN, *L'Église du Canada*, 1914. LAVALLÉE, *Dubreuil de Pontbriand, Henri-Marie*, 1974, p. 206-213.

Collection
Musée de l'église Notre-Dame, Montréal.

Anonyme

1. *Crosse d'évêque*, Paris 1740-1742

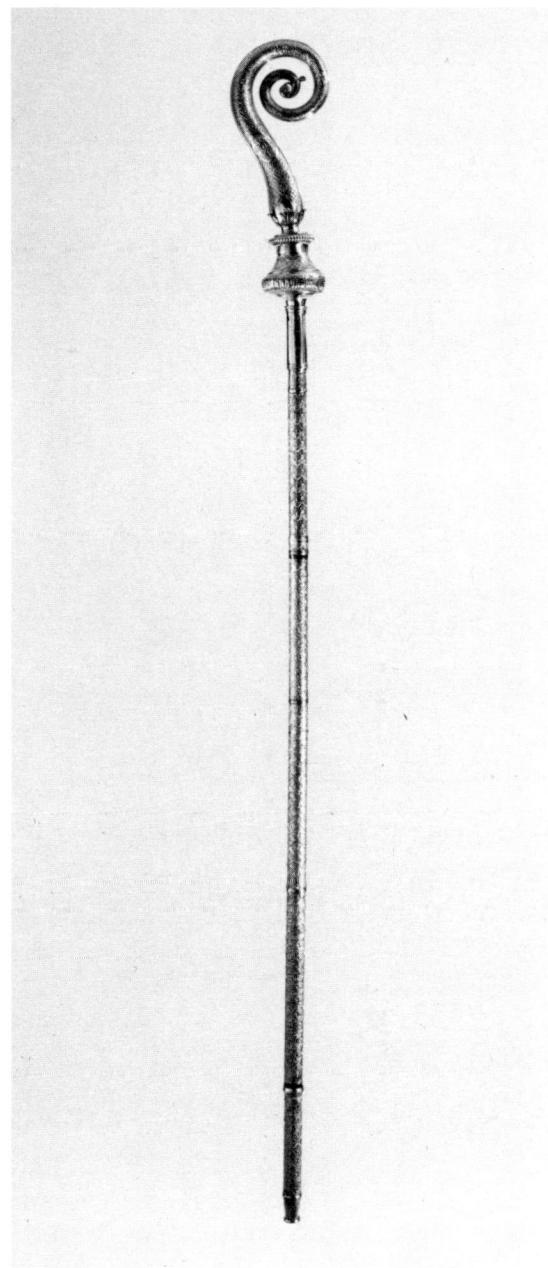

Argent. 200 cm.

Poinçons
Maison commune: A couronné.
Décharge de Paris: une tête de renard.
Poinçon illisible
FR (François Ranvoyzé) et « 1781 »

Expositions
1974, Ottawa, Galerie nationale du Canada, *L'orfèvrerie en Nouvelle-France*, no 19, repr. 1979, Montréal, Musée des beaux-arts de Montréal, *Trésors de Notre-Dame de Montréal*.

Bibliographie
BARBEAU, « Old Canadian Silver », 1941, p. 158, repr.

Collection
Musée de l'église Notre-Dame, Montréal.

Anonyme

2. *Mitre*, France, XVIIIe siècle

Anonyme

3. *Chasuble*, France, XVIIIe siècle

Soie moirée, fil d'or et d'argent. 110 × 59,5 cm (blanc et rouge).

Exposition
1979, Montréal, Musée des beaux-arts de Montréal, *Trésors de Notre-Dame de Montréal.*

Collection
Musée de l'église Notre-Dame, Montréal.

Soie peinte en blanc, fil d'or et d'argent. 77 × 30 cm.

Exposition
1979, Montréal, Musée des beaux-arts de Montréal, *Trésors de Notre-Dame de Montréal*

Collection
Musée de l'église Notre-Dame, Montréal.

Anonyme
4. *Étole*, France, XVIIIᵉ siècle

Anonyme
5. *Manipule*, France, XVIIIᵉ siècle

Anonyme
6. *Étole*, France, XVIIIᵉ siècle

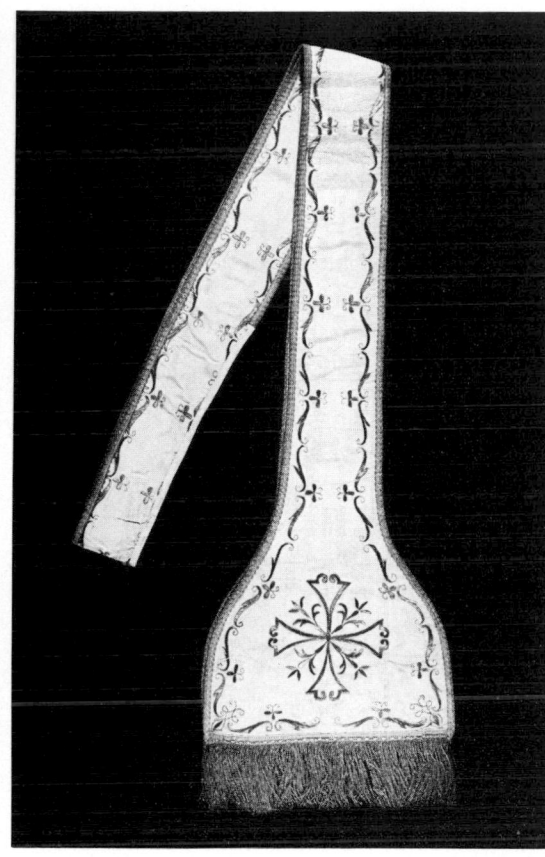 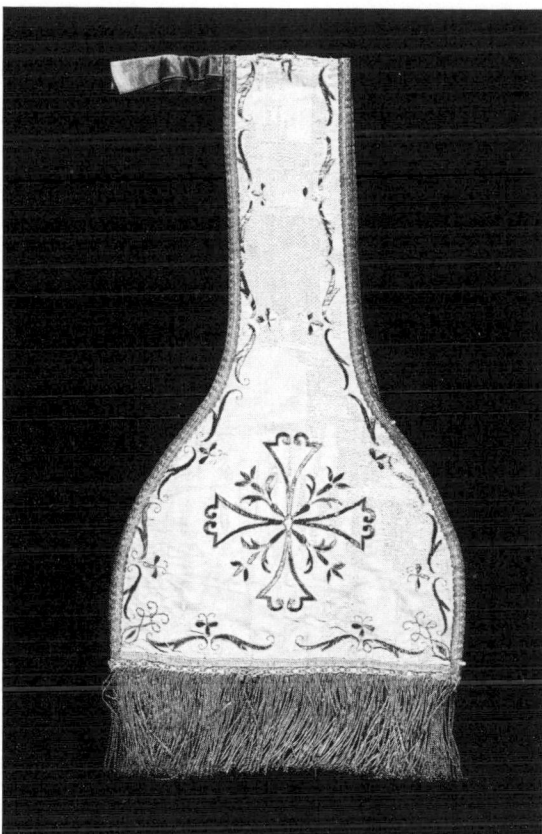 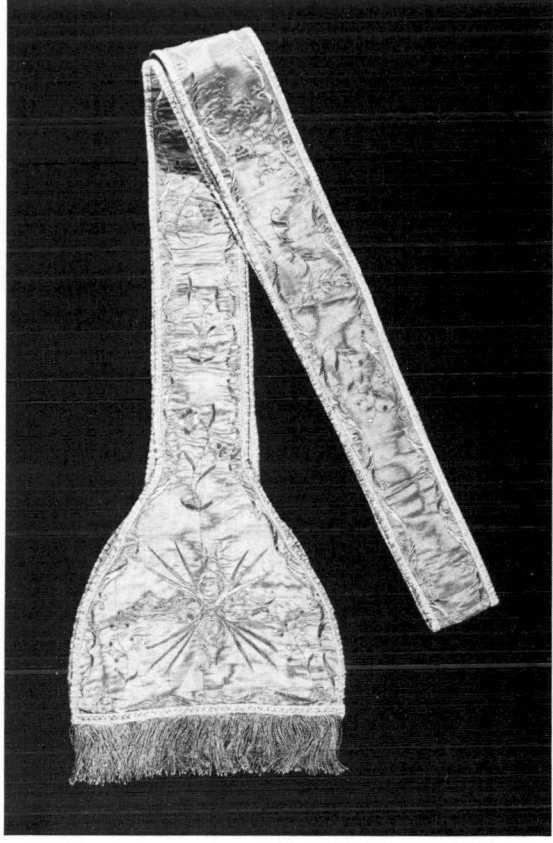

Soie moirée, fil d'or et d'argent. 240 × 23 cm (blanc et rouge).
Exposition
1979, Montréal, Musée des beaux-arts de Montréal, *Trésors de Notre-Dame de Montréal.*
Collection
Musée de l'église Notre-Dame, Montréal.

Soie moirée, fil d'or et d'argent. 93 × 22,7 cm (blanc et rouge).
Exposition
1979, Montréal, Musée des beaux-arts de Montréal, *Trésors de Notre-Dame de Montréal.*
Collection
Musée de l'église Notre-Dame, Montréal.

Soie moirée, fil d'or et d'argent. 240 × 24 cm (violet et turquoise).
Exposition
1979, Montréal, Musée des beaux-arts de Montréal, *Trésors de Notre-Dame de Montréal.*
Collection
Musée de l'église Notre-Dame, Montréal.

Anonyme

7. *Chasuble*, France, XVIIIᵉ siècle

Anonyme

8. *Manipule*, France, XVIIIᵉ siècle

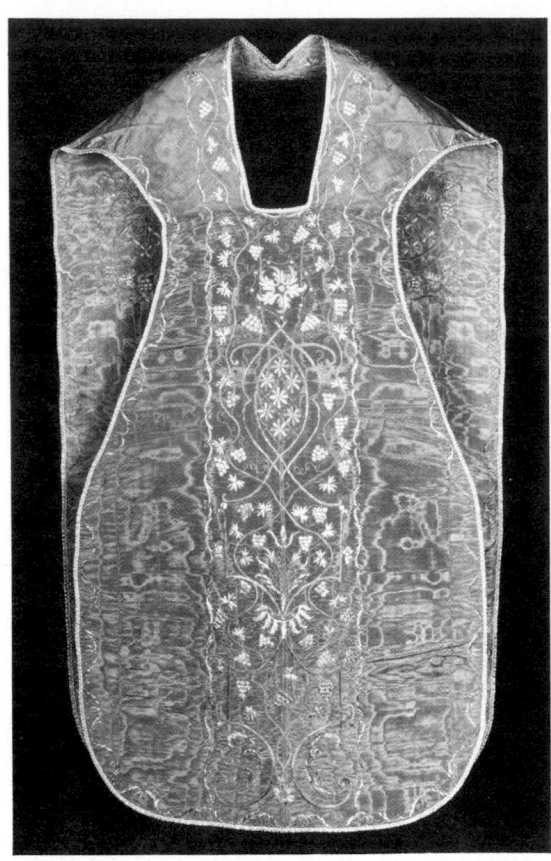
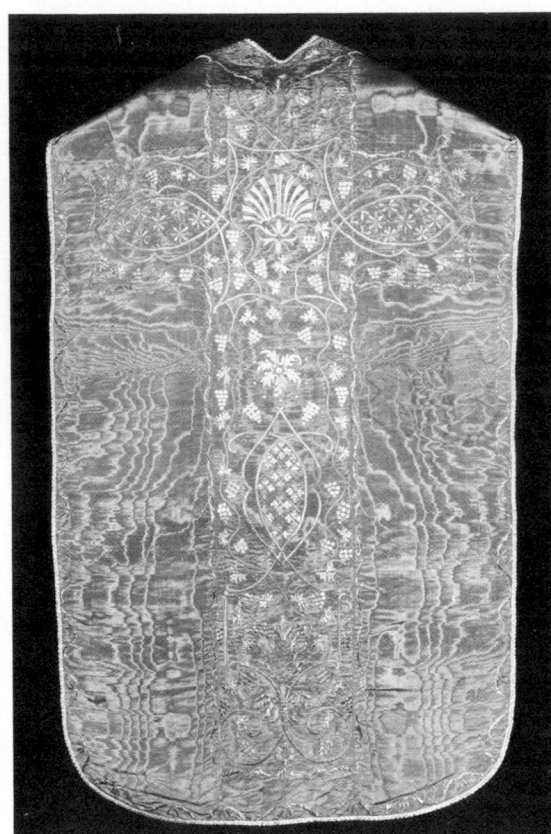

Soie moirée, fil d'or et d'argent. 110 × 59,5 cm (violet et turquoise).

Exposition
1979, Montréal, Musée des beaux-arts de Montréal, *Trésors de Notre-Dame de Montréal*.

Collection
Musée de l'église Notre-Dame, Montréal.

Soie moirée, fil d'or et d'argent. 93 × 22,7 cm (violet et turquoise).

Exposition
1979, Montréal, Musée des beaux-arts de Montréal, *Trésors de Notre-Dame de Montréal*.

Collection
Musée de l'église Notre-Dame, Montréal.

Pierre-Noël Levasseur, 1690-1770

9 et 10 *Saint Pierre* et *saint Paul*, 1742

Bois doré. 199,5 cm (y compris le socle).

Inscription
(en relief sur la moulure inférieure du socle des deux statues) : « P.LVr. S. ».

À l'instar de l'art religieux d'Occident, l'art du Québec associe très fréquemment les deux Princes des Apôtres, les saints Pierre et Paul. Patrons de Rome et figures essentielles du christianisme universel, ces deux saints ont inspiré un grand nombre de représentations. De toutes celles que l'on conserve au Québec, les statues qui occupent les niches du retable principal de l'église de Charlesbourg comptent parmi les plus remarquables. Ces oeuvres avaient été commandées originellement pour remplir une fonction identique dans l'ancienne église de la paroisse. Elles sont dues au ciseau de Pierre-Noël Levasseur, qui les exécuta en 1742. Fait exceptionnel, les statues sont signées, ce qui témoigne de la conscience artistique du sculpteur, qui reçut pour son travail une somme totale de 165 livres. Le *saint Pierre* et le *saint Paul* de Levasseur durent attendre jusqu'en 1784 pour être dorés par les augustines de l'Hôpital général de Québec. Depuis lors, ils ont été redorés et bronzés à quelques reprises. Par leur facture savante et leur caractère très expressif, ils comptent parmi les oeuvres maîtresses de notre art ancien.

Le visage inspiré et le regard tourné vers le ciel, le *saint Pierre* semble tout absorbé par la mission que le Christ lui a confiée. Il a le crâne chauve, marqué d'une touffe de cheveux sur le front, et il porte une barbe courte et bouclée. Par delà ces traits physiques très caractéristiques, on reconnaît le premier chef de l'Église à la clef du royaume des cieux qu'il tient dans la main droite et au livre de ses *Épîtres* déposé à ses pieds.

De son côté, le *saint Paul* impressionne par son allure dynamique et son regard décidé. Il incarne aussi bien la force de l'esprit que la vigueur de l'action. Son abondante chevelure et sa longue barbe relèvent d'une iconographie post-tridentine. Son attribut principal, l'épée, est à la fois l'emblème de la parole de Dieu et l'instrument de son martyre. Le grand livre qu'il tient contre son flanc et l'encrier qui se découpe à ses pieds font allusion à ses célèbres *Épîtres*.   J.R.P.

Expositions
1946, Détroit, The Detroit Institute of Arts, *The Arts of French Canada*, nᵒˢ 8 (repr.) et 9. 1952, Québec, Musée du Québec, *Exposition rétrospective de l'art au Canada Français*, nᵒˢ 162 et 163, repr. 1959, Vancouver, The Vancouver Art Gallery, *Les arts au Canada français*, nᵒ 63, repr. 1971, Québec, Musée du Québec, « Charlesbourg, atelier d'art traditionnel ».

Bibliographie
TRUDELLE, *Paroisse de Charlesbourg*, 1887, p. 69. BARBEAU, « The Arts of French Canada », 1946, repr. TRAQUAIR, *The Old Architecture of Québec*, 1947, p. 299. MORISSET, « Une dynastie d'artisans », 1950, p. 15, repr. MORISSET, « Le recensement de Québec en 1744 », 1950, p. 15. MORISSET, « La sculpture religieuse sous le régime français », 1950-1951, p. 26. MORISSET, « Pierre-Noël Levasseur », 1952, p. 36-37, repr. MORISSET, *Les églises et le trésor de Lothinière*, 1953, p. 48-49. MORISSET, « L'art français au Canada », 1957, p. 24. BARBEAU, *J'ai vu Québec*, 1957, repr. MORISSET, « Sculpture et arts décoratifs », 1962, p. 39. HUBBARD, *L'évolution de l'art au Canada*, 1964, p. 38-39, repr. NOPPEN et PORTER, *Les églises de Charlesbourg*, 1972, p. 26-27, 55 et 90, repr. TRUDEL, *La chapelle des Ursulines*, 1972, p. 28, 30-31, repr. PORTER, *L'art de la dorure au Québec*, 1975, p. 140. NOPPEN, *Les églises du Québec*, 1977, p. 96.

Collection
Fabrique Saint-Charles-Borromée, Charlesbourg.

François-Noël Levasseur (1703-1794)

11. *Saint Augustin*, seconde moitié du XVIIIe siècle

Ill. 11a François-Noël Levasseur (1703-1794), *Saint Augustin*, vers 1784; bois décapé, 78,4 cm; Monastère des augustines de l'Hôpital général de Québec (s. 37) (Photo John R. Porter)

Ill. 11b Anonyme, *Saint Augustin*, XVIIe siècle; bois polychrome et doré, 48,3 cm; Monastère des ursulines de Québec (Photo Musée du Québec, Patrick Altman).

Bois doré. 183,9 cm.

Saint Augustin (354-430) fut l'un des quatre grands docteurs de l'Église latine. Il fut sacré évêque d'Hippone en l'an 395. Il est à l'origine de la règle de vie monastique qui porte son nom, règle observée notamment par les augustines et les ursulines de Québec. Rien d'étonnant, par conséquent, que la statue aujourd'hui conservée au Musée du Québec ait d'abord appartenu à cette dernière communauté. C'est ce que l'on apprend à la lecture d'un passage du « Journal des recettes et dépenses » des ursulines, daté du 30 novembre 1826: « Reçu de Monsieur Painchaud curé de Ste-Anne de La Pocatière pour deux statues de la Ste Vierge et St Augustin Vendues et Dorées 1440 ». Ces deux oeuvres étaient peut-être au nombre de celles qu'un des sculpteurs Baillairgé avait réparées deux ans plus tôt chez les ursulines. Quoi qu'il en soit elles se retrouvèrent tour à tour dans la deuxième et la troisième églises – au-dessus du maître-autel – de Sainte-Anne de La Pocatière et échappèrent fort heureusement à l'incendie de cette dernière en 1917.

Coiffé d'une mitre, le *saint Augustin* du Musée du Québec est vêtu d'une soutane, d'un surplis et d'une chape. Il porte une large étole frangée et une croix pectorale. L'évêque a de toute évidence perdu la crosse qu'il tenait naguère de la main gauche. Par-delà la finesse des détails, la sculpture s'avère très frontale et quelque peu hiératique dans son ensemble. Elle témoigne d'une certaine schématisation des formes, que vient toutefois atténuer une dorure de bon aloi. À cet égard, on notera que la surface de la chape est particulièrement remarquable, parcourue qu'elle est de multiples motifs incisés dans les couches de blanc précédant la couche d'or.

Depuis son acquisition par le Musée du Québec, en 1958, la statue de saint Augustin a toujours été identifiée comme une représentation de saint Ambroise et attribuée à François-Noël Levasseur (vers 1775). Si le premier avancé est plus que douteux, le second paraît plus vraisemblable. À ce propos, il est éclairant de rapprocher le *saint Augustin* du Musée du Québec d'une statuette représentant le même sujet et conservée au musée de l'Hôpital général de Québec (ill. 11a). Au delà du geste de la main droite, qui est différent, il existe d'évidentes

parentés formelles entre les deux oeuvres. La statuette, qui a été décapée en 1934, est attribuée à François-Noël Levasseur. Celui-ci l'aurait sculptée vers 1784, lorsqu'il était pensionnaire à la retraite chez les augustines. On notera que les deux oeuvres découlent d'un modèle commun, le petit *saint Augustin* qui se dresse sur le tabernacle du retable du Sacré-Coeur, dans la chapelle des ursulines de Québec, oeuvre qui aurait été importée de France sous le Régime français (ill. 11b). J.R.P.

Expositions
1967, Québec, Musée du Québec, *Sculpture traditionnelle du Québec*, n° 57, repr. 1977, Québec, Musée du Québec, *L'art du Québec au lendemain de la conquête (1760-1790)*, n° 30, repr. 1983, Québec, Musée du Québec, *Le Musée du Québec. 500 oeuvres choisies*, n° 120, repr.

Bibliographie
A.M.U.Q., « Journal des recettes et dépenses », vol. 5, (1820-1836), 30 novembre 1826, cité dans Thibault, *Trésors des communautés religieuses*, (Cat. d'expos.), 1973, p. 83.

Collection
Musée du Québec, Québec, (A-58.539-S).

CHAPITRE DEUXIÈME
L'IMPLANTATION DE LA FOI

Le tableau qui résume le mieux les conditions dans lesquelles la foi fut implantée en Nouvelle France est le grand tableau conservé chez les ursulines de Québec et connu sous le titre de *La France apportant la foi aux Hurons de Nouvelle France* (cat. 13). Ce n'est pas qu'il soit de lecture facile. Il recourt à l'allégorie – genre moins prisé aujourd'hui qu'au Grand Siècle – et montre la France sous les traits d'Anne d'Autriche qui présente la foi, sous la forme d'un tableau, à un Indien agenouillé et couvert d'un manteau fleurdelisé.

L'iconographie du tableau tenu par la reine représente la Sainte Trinité, dont Jésus, avec ses parents, Marie et Joseph, et les parents de la Vierge, Anne et Joachim. Elle répète celle du groupe qu'on aperçoit sur des nuages dans le ciel, pour bien montrer que ce qui est présenté à l'Indien sous forme de tableau n'est qu'un reflet de ce qui se trouve au ciel.

C'était donner un bien grand rôle à l'image dans la transmission de la foi et nous n'hésiterions pas à n'y voir autre chose qu'un artifice du peintre pour exprimer le contenu du discours de la reine à l'Indien, s'il n'était pas connu par ailleurs que les missionnaires, tant récollets que jésuites, eurent recours à des gravures et à des peintures pour évangéliser les Indiens[1]. Le père Le Jeune allait jusqu'à dire, en parlant de ces sortes d'images : « Ces saintes figures sont la moitié de l'instruction qu'on peut donner aux Sauvages »[2]. L'autre moitié, il va sans dire, revenait à la parole d'évangélisation.

Pour qu'il en fût ainsi, il fallait que l'Église du XVIIᵉ siècle eût la conviction que le message chrétien pouvait se mettre en images. Si elle s'était fait une vue tout à fait transcendante de son message, à l'instar d'autres grandes religions comme le judaïsme[3] ou l'islam, la question ne se poserait même pas. Mais qu'à l'époque les protestants n'aient pas partagé l'enthousiasme des catholiques pour les images pieuses, y voyant, comme dans la Bible, des occasions d'idolâtrie, montre bien que, même dans le christianisme, il s'agissait là d'une option romaine, réaffirmée par le concile de Trente et entérinée par les missionnaires, spécialement les jésuites, champions de la Contre-Réforme. On ne s'étonnera pas dès lors de lire sous la plume du même père Le Jeune, que nous citions plus haut : « Les hérétiques sont grandement blâmables de condamner et de briser les images, qui ont de si bons effets »[4]. Autrement dit, jugez l'arbre à ses fruits : les images font des fruits de conversion, comment les suspecter ? Les dangers d'idolâtrie – si tant est qu'il y en ait – sont largement compensés par l'efficacité des images dans la présentation de la foi.

---

1. F.-M. Gagnon, *La Conversion par l'image. Un aspect de la mission des Jésuites auprès des Indiens du Canada au XVIIᵉ siècle*, Bellarmin, Montréal, 1975.

2. Relation de 1636 – 1637, dans G. R. Twaites, *The Jesuit Relations and Allied Documents*, Cleveland, 1896 – 1901, vol. 11, p. 96.

3. « Tu ne te feras aucune image sculptée, rien qui ressemble à ce qui est dans les cieux là-haut, ou sur la terre ici-bas, ou dans les eaux au-dessous de la terre », Exode, 20 : 4.

4. Voir note 2.

En réalité, l'utilisation des images à des fins de conversion posait un autre problème en contexte missionnaire. Comment étaient-elles perçues par les Indiens? Déjà, par leur style, elles ne pouvaient être que fort loin de la conception même qu'ils se faisaient d'une image d'art. Ne risquaient-ils pas d'y voir autre chose que de simples représentations des mystères? Quelque chose de l'ordre du rêve, qui, dans leur culture, occupait une si grande place? Une anecdote rapportée par Sagard en dit long à ce sujet. Il raconte que deux Montagnaises, la mère et la fille, poussées par la faim, avaient tué leurs maris et les avaient mangés. Les récollets avaient eu vent de cette affaire par « le petit Louys », un de leurs convertis.

« Une telle nouvelle attriste fort nos Freres pour l'affection qu'ils avoient a ce bon Oustachecoucou[5], mais d'ailleurs le procédé du petit Louys en fut fort agréable & plaisant, car venant tout esploré de Kébec, d'où il avoit appris ceste fascheuse histoire de la mort de son parent, demanda aux Religieux où estoit le père Joseph. Helas, dit-il, qu'il sera fasché de la triste nouvelle que je viens d'apprendre à Kébec, tost, tost, mon frere, dit-il à l'un de nos Religieux, ouvrez-moy promptement la porte de vostre chambre, que je voye si Oustachecoucou est dans l'Enfer, car il est mort sans estre baptisé. C'estoit un grand Jugement en taille-douce, dans l'Enfer duquel il le pensoit trouver depeint avec les autres damnez, car nos Religieux avoient accoustumé de leur monstrer cette image pour leur mieux faire comprendre les fins dernieres de l'homme, la gloire des bienheureux, la punition des meschans »[6].

Pour le « petit Louys » au moins, l'image conservée dans la chambre d'un religieux n'avait pas le caractère fixe que nous attribuons aux tableaux sans nous rendre compte qu'il s'agit là d'une donnée de notre culture, tant cela nous paraît aller de soi. Il lui paraissait que l'image pouvait s'additionner spontanément d'une figure, à la suite d'un événement réel, et il voulait vérifier le fait.

À vrai dire, pour éviter ce genre d'interprétations, les missionnaires disposaient de deux solutions: ou adapter l'image à la mentalité indigène ou demander à des artistes indiens de traduire la doctrine chrétienne dans leurs catégories esthétiques à eux. On trouve des exemples de l'une et de l'autre option.

Ainsi, quand, vers 1645, le père Charles Garnier passe une commande à son frère carme à Paris, il le supplie de tenir compte du goût des Indiens dans le choix des images qu'il lui demande pour sa mission de Teanaustaye.

« Je vais coucher icy certaines conditions qu'il seroit souhaittable qui se rencontrassent aux Images ou tableaux pour servir davantage a nos sauvages (...):

1e que les Personnages paroissent beaucoup telles qu'ils paroissent aux Images Polsnam et mesme de Huré;
2e qu'ils ne soient de pour fil [profil] mais qu'on voye tout le visage et ayent les yeux ouverts; ces Images leur plaisent qui regardent tous ceux qui les regardent et qu'il ny ait pas trop d'ombrage sur le corps;
3e quil ny ait une grande confusion de personnages et quils ne soient trop couverts dhabits mais qu'une partie du corps paroisse decouverte;
4e Les cheveux bien couchez et bien polis leur plaisent bien plus que les cheveux frisez, si faire se peut qu'ils ne soient chauves, et qu'ils nayent gueres de barbe;
5e Le meilleur seroit qu'il ny ait point ou peu d'arbres, de fleurs et d'animaux qui divertissent;
6e Que N.S., N.D. et les bienheureux fussent bien blancs;
7e Que la drapperie soit de couleur vive comme d'un beau rouge ou d'un beau bleu, d'une belle ecarlatte, ou mesme d'une etoffe figurée et meslée de couleurs les plus vives. Le jausne et le verd ne leur plaist gueres sur des habits;
8e Il vaut mieux qu'ils ayent la teste decouverte...? »[7]

On le voit, le père Garnier était parfaitement au fait du goût indigène et entendait bien en tenir compte dans sa pratique missionnaire. On se demande comment son frère carme put trouver en France des images qui pussent tenir compte de toutes ces spécifications! La solution était évidemment d'en produire de nouvelles, comme les pères Pierron et Chauchetière ne manqueront pas de le faire. Sauf exception, leurs oeuvres n'ont pas été conservées, mais un « Tableau synoptique de la doctrine catholique mise à la portée des sauvages qui n'ont encore reçu aucune instruction » (fig. 1), récemment découvert, peut nous donner une idée du résultat cherché. C'est une oeuvre tardive (vers 1872), mais elle est tout à fait dans l'esprit de la première peinture missionnaire.

L'autre option, avons-nous dit, aurait été de demander aux artistes indiens d'exprimer eux-mêmes le message chrétien dans leurs propres termes. Un obstacle majeur aurait pu retenir les missionnaires sur cette voie. Ils n'appréciaient pas beaucoup le talent artistique des Indiens et, sauf exception, ne voyaient dans leurs oeuvres d'art que « grotesques » et « marmousets », c'est-à-dire des oeuvres du plus bas étage, comparables à des productions folkloriques en France. Il est d'autant plus remarquable que des oeuvres de ce genre existent.

La plus extraordinaire est sans doute le magnifique *Wampum* indien de la collection du musée McCord à Montréal (cat. 12). On ne connaîtra sans doute jamais les circonstances exactes de la fabrication de ce *Wampum*. Du moins, son symbolisme est clair. D.R. McCord, qui en fit l'acquisition en décembre 1904 pour sa collection, le définissait ainsi:

---

5. Le mari de la plus âgée des deux Montagnaises.
6. *Histoire du Canada et voyages que les frère mineurs recollets y ont faicts pour la conversion des infidelles*, Paris, 1636. Nous citons l'édition d'E. Tross, Paris, 1865, vol. 3, p. 628–629.

7. *Rapport de l'Archiviste de la Province de Québec*, 1929–1930, p. 35–37.

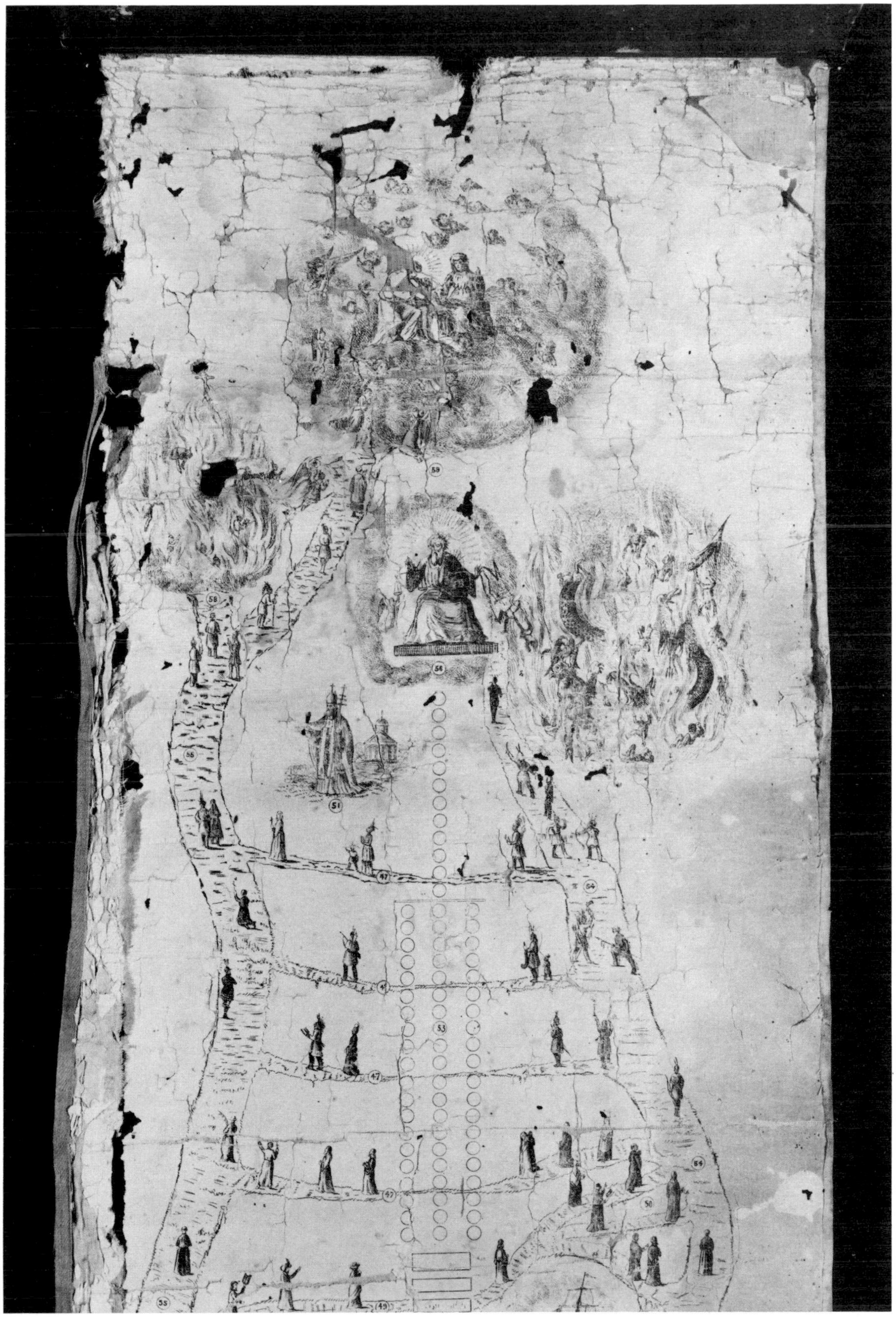

Fig. 1a, 1b, 1c, 1d   Anonyme, *tableau synoptique de la doctrine catholique mise à la portée des sauvages qui n'ont encore reçu aucune instruction*, vers 1872; gravure au burin, papier collé sur toile, 167,6 × 30 cm; Musée du Québec, Québec, (A-70-16-E) (Photo Musée du Québec, Patrick Altman).

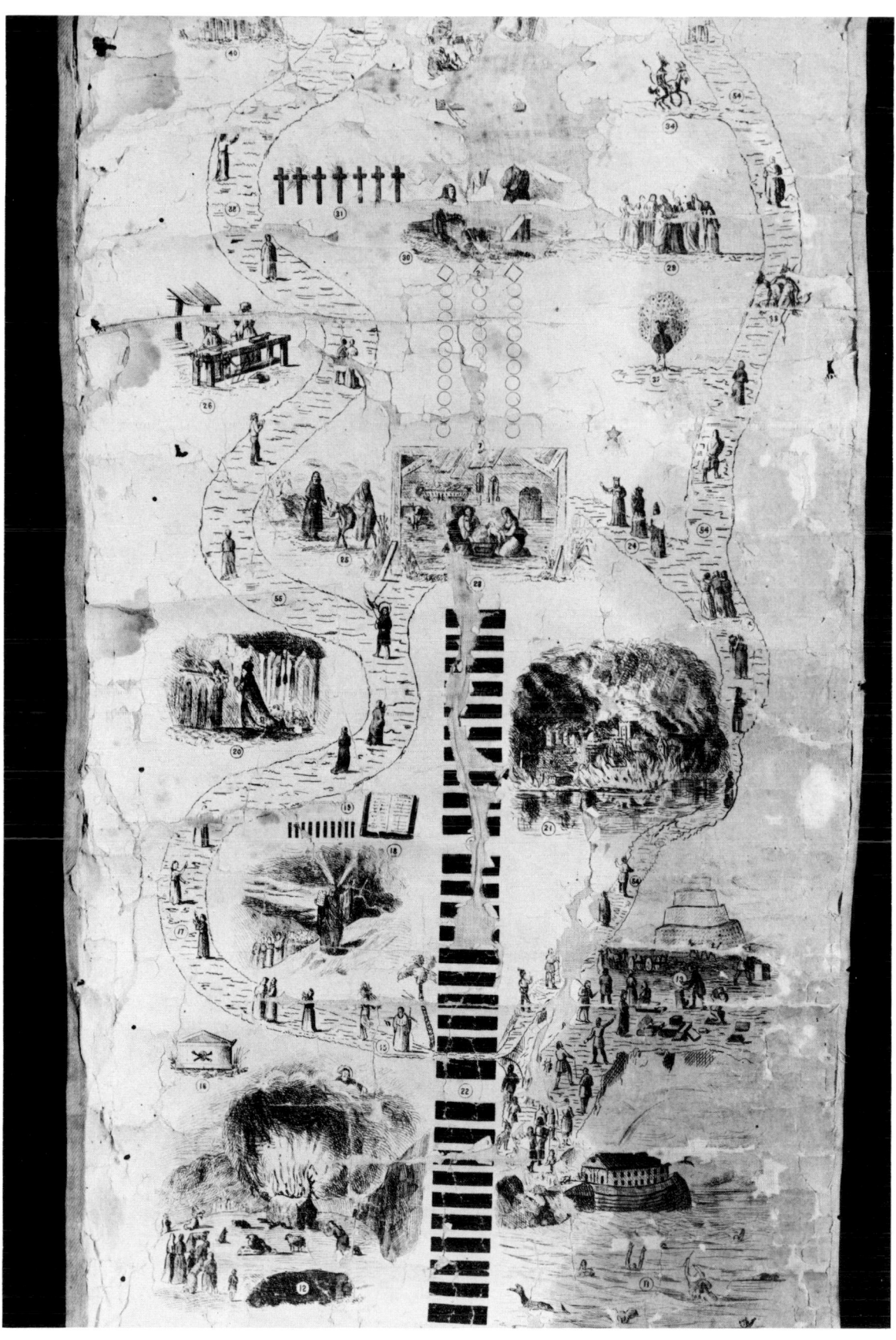

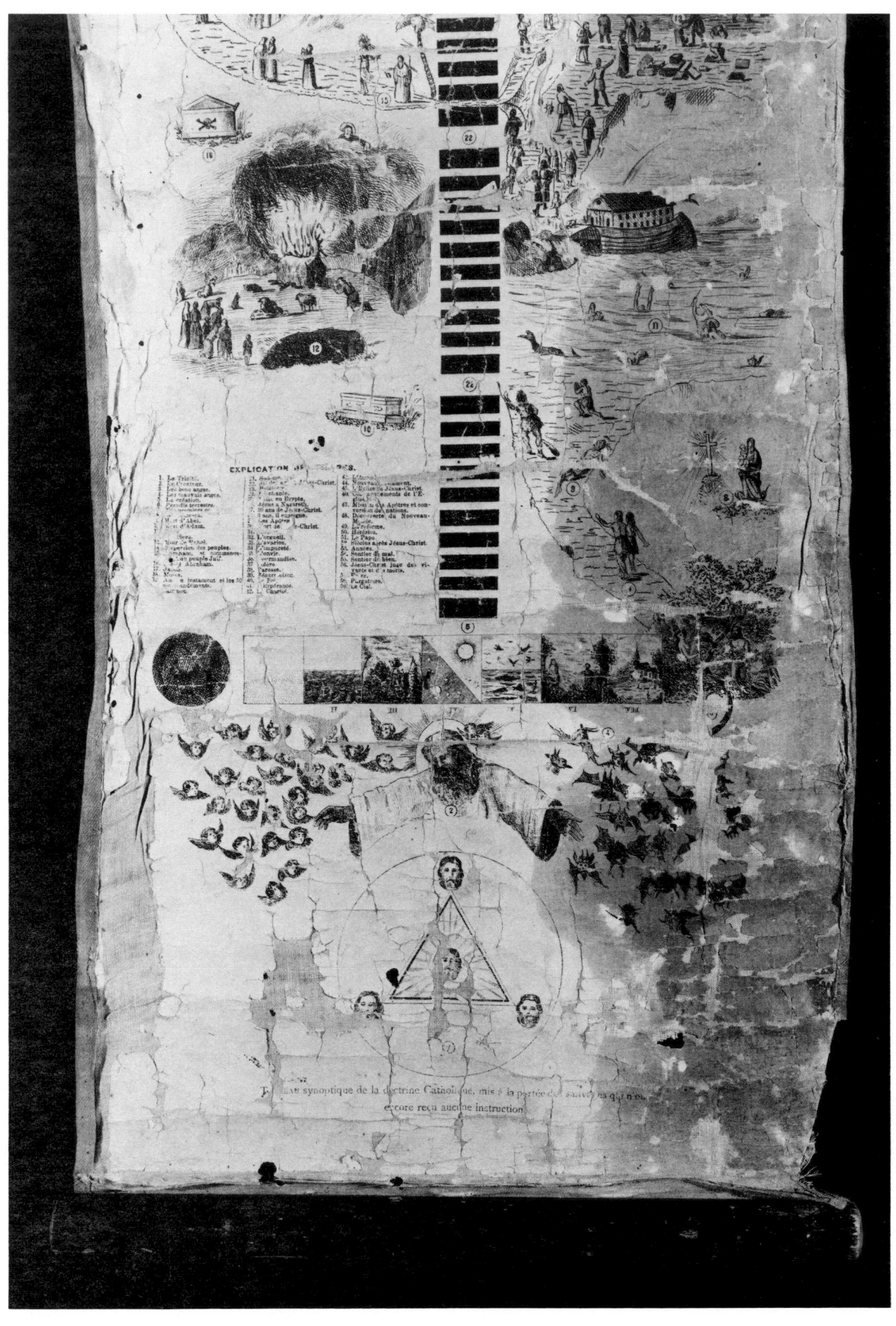

« Ceinture wampum. C'est une ceinture très ancienne et importante qui commémore la conversion d'une nation ou d'une tribu entière. Dessin: En blanc sur fond violet, une croix au centre sur une base solide – idée de permanence; de part et d'autre et touchant la croix, un Peau-Rouge suivi d'un Blanc, d'un Peau-Rouge et d'un Blanc, alternant ainsi des deux côtés, les huit personnages se tenant par la main, ce qui veut dire que les Indiens sont conduits dans la voie du bien; leur alignement se termine, aux deux bouts, par un agneau, qui représente soit l'Agneau de Dieu, soit la vie pacifique qu'en se convertissant ils se sont engagés à vivre. Un trait blanc le long de la basse indique leur nouvelle vie pacifique, et aux deux bouts sept barres doubles figurent l'accord intervenu... »[8] (traduction).

Ce *Wampum* se trouvait donc à exprimer de la manière la plus simple, mais la plus profonde, une des grandes aspirations du christianisme: que, dans la reconnaissance du Christ comme Seigneur, toutes les divisions entre les peuples soient oubliées et que l'humanité ne forme plus qu'une seule nation.

Bien que cela soit moins évident, il me semble que deux des beaux parements d'autel présentés à l'exposition (cat. 14 et 15) ont la même origine. Celui de l'église du Village-des-Hurons, à la Jeune-Lorette, près de Québec (cat. 14), en particulier, comporte, au bas, une scène gravée qui est d'un tout autre goût que les parties sculptées du centre et des coins. Ne pourrait-il pas s'agir d'une oeuvre composite: d'origine européo-canadienne pour les reliefs, et d'origine indienne pour la gravure? C'était déjà presque le sentiment de Ramsay Traquair, qui la décrivait ainsi: « À certains égards, elle paraît être une oeuvre indienne; elle fut faite, peut-être, par un artisan huron ayant étudié le dessin au séminaire »[9] (traduction). Depuis, le nom d'un sculpteur huron a été avancé: François Vincent. Il aurait exécuté cette oeuvre vers 1790[10].

Certes, ces oeuvres d'art d'inspiration indienne n'étaient pas à proprement parler des oeuvres missionnaires. Elles servaient soit, comme le *Wampum*, de « gage dans la transaction[11] » par laquelle les Indiens avaient échangé le christianisme contre leurs anciennes croyances, dans l'espérance d'une vie paisible avec les Blancs, soit, comme les parements, à décorer les lieux du culte dans un style qui parlât aux Indiens convertis. La première instruction chrétienne était-elle une matière trop importante pour qu'on en confiât même un aspect à des artistes indigènes? On ne voit pas ce qui aurait pu s'y opposer en principe. Après tout, on ne répugnait pas à recourir aux services de catéchètes indiens, comme ce « bon neophyte » dont il est question dans la *Relation* du père Dequen[12]. Si on leur laissait l'initiative de

la parole, pourquoi pas celle de la mettre en image? Le fait est, en tout cas, que nous ne connaissons pas d'oeuvres strictement missionnaires attribuables à des artistes indiens.

Les oeuvres missionnaires – gravures ou tableaux – dont nous avons des descriptions étaient ou importées de France ou faites sur place par les missionnaires eux-mêmes. Celui qui semble avoir eu le plus de facilité pour en faire était le père Jean Pierron, missionnaire chez les Iroquois. Il parle des « peintures spirituelles » sorties de sa main pour l'instruction des Indiens. Il leur avait même fait un « jeu » par le moyen duquel, disait-il, « nos Sauvages apprennent, en jouant, à se sauver », formule qui aurait sans doute fait sursauter Pascal s'il l'eut connue! Les intentions de Pierron étaient certainement au dessus de tout soupçon.

« C'est un jeu, pour prendre nos Sauvages, par ce qu'ils ayment le plus; car le jeu fait toute leur occupation, lorsqu'ils ne sont point à la guerre; & ainsi j'espère leur faire rencontrer leur salut, dans la chose mesme qui contribuoit souvent à leur perte. Mon dessein est de détruire par ce moyen l'étrange ignorance où ils vivent pour tout ce qui regarde leur salut, & de suppléer au défaut de leur mémoire. Ce jeu parle efficacement par ses peintures, & instruit solidement par les emblesmes, dont il est remply. Ceux qui veulent s'y divertir, n'ont qu'à le voir, pour apprendre tout ce qu'ils doivent faire afin de vivre chrestiennement, & pour retenir tout ce qu'ils auront appris, sans le pouvoir jamais oublier »[13].

De tous les moyens mis en oeuvre par les missionnaires pour convertir les Indiens, le jeu du père Pierron était certainement le plus curieux et le plus ingénieux. Il voulait « le faire graver afin d'en avoir plusieurs exemplaires. » Il rêvait même de le voir utilisé par « les Missionnaires de la France » qui auraient pu s'en servir « avec bien du fruit à l'égard des gens de la campagne ». On ignore s'il réussit à mener à bien ses projets. Pour imaginer la façon dont son jeu se présentait, nous en sommes réduits à sa description écrite et à des jeux didactiques dont les ursulines possèdent quelques exemples, mais sur des sujets plus variés que la seule instruction chrétienne: « jeu pour apprendre le nom des fleurs », « pour apprendre le Blason », etc... (cat. 124).

Quoiqu'il en soit, on imaginerait mal la reine de la *La France apportant la foi aux Hurons de Nouvelle France* en montrant un jeu à l'Indien agenouillé devant elle! Aussi bien, le jeu du père Pierron n'était qu'une variante, propre à ce bon missionnaire, d'une stratégie plus ambitieuse qui consistait à utiliser des tableaux ou des gravures pour convertir les Indiens. Le tableau conservé chez les ursulines était donc bien inspiré de s'en tenir à l'évocation de l'usage courant.

---

8. Musée McCord, Montréal, dossier des archives, cité ici en traduction.

9. « The Huron Mission Church and Treasure. Notre Dame de la Jeune Lorette, Québec », *The Journal, Royal Architectural Institute of Canada*, septembre – novembre 1930, p. 12.

10. I. B. C. Q., Fonds Gérard Morisset, Dossier *Lorette – Hurons*, cote T-10.

11. Voir Francis Martens, « Une hypothèse sur les wampums », *Recherches amérindiennes au Québec*, vol. IV, n° 3 (1974), p. 56.

12. Relation de 1643 – 1644, dans G. R. Twaites, *The Jesuit Relations and Allied Documents*, Cleveland, 1896 – 1901, vol. 26, p. 142.

13. Relation de 1669 – 1670, dans G. R. Twaites, *The Jesuit Relations and Allied Documents*, Cleveland, 1869 – 1901, vol. 53, p. 206 – 212.

Fig. 2 Grégoire Huret (1606-1670), *Le martyre des missionnaires jésuites* (détail); gravure extraite de François du Creux, *Historiae Canadensis seu Novae Franciae*, Paris, S. Cramoisy, 1664 (Photo A.P.C.O.).

L'était-il autant d'attribuer à la reine, plutôt qu'à un missionnaire, le geste même de présenter un tableau à l'Indien converti? Certes, au moment où le tableau avait été commandé, la reine Anne d'Autriche venait de mourir, et dans son oraison funèbre on n'avait pas manqué de rappeler son « zèle pour la conversion des infidèles » (cat. 12). Malgré tout, l'évocation d'une reine dans le présent contexte a de quoi surprendre. Sa présence, à vrai dire, ne s'explique que dans la perspective gallicane qui rendait les souverains responsables en dernier ressort de l'implantation de la foi sur toute l'étendue de leur royaume. Nous n'en étions pas encore à l'époque de la séparation de l'Église et de l'État. On ne voyait pas de difficulté, au XVII siècle, à faire symboliser par une souveraine l'effort missionnaire de la France tout entière.

La même mentalité préside à l'éclosion de ces témoignages de reconnaissance émue que sont les deux tableaux consacrés respectivement au cardinal de Richelieu (cat. 18) et à la duchesse d'Aiguillon (cat. 17) et conservés à l'Hôtel-Dieu de Québec. Sans ces grands personnages, l'Église n'aurait pu prendre racine en terre canadienne. Sans leurs largesses et leurs dons, ses institutions, évoquées par la vue de Québec qu'on aperçoit derrière la duchesse, n'auraient pu s'y établir, et les Indiens – on les voit derrière le cardinal – n'auraient connu ni la foi ni les moeurs chrétiennes.

Dans la longue chaîne des médiations, qui va de Dieu même au dernier des convertis, les rois, les reines, les ministres d'État, les grandes dames occupaient donc une place qu'on n'était pas prêt à reconnaître aux simples missionnaires. À vrai dire, dans le grand tableau des ursulines, un autre maillon de cette chaîne est évoqué par le navire que l'on voit sur la droite. Malgré ses canons, c'est un navire de commerce. On était très conscient, à l'époque, du rôle joué par les compagnies de commerce dans l'établissement de la colonie en Nouvelle France. On crut donc devoir les évoquer, au moins à l'arrière-plan, dans une allégorie consacrée essentiellement à l'implantation de la foi en Nouvelle France. Une fois de plus, on ne peut s'empêcher de se demander où sont les missionnaires dans cet ensemble? Ils y sont, mais bien discrètement, sur la gauche, dans ces wigwams surmontés de croix et donc transformés en chapelles. C'est là qu'à l'instar de saint Paul, « se faisant Indiens avec les Indiens », ils oeuvraient à la conversion des peuples du Nouveau Monde. Malgré tout, c'était leur donner une place bien modeste. Ils méritaient mieux. Certains d'entre eux n'y avaient-ils pas laissé leur vie? Les spectateurs avertis savaient-ils que la forme de ces cabanes-chapelles était tirée d'une gravure de Grégoire Huret illustrant les *Historiae canadensis seu Novae Franciae libri decem* du père François du Creux (fig. 2)? S'ils l'avaient remarqué, ils savaient aussi que la gravure où paraissaient ces cabanes était consacrée aux saints martyrs canadiens.

Dans cette présentation, nous avons forcément fait une place importante aux missionnaires jésuites. Deux autres oeuvres de l'exposition évoquent l'apport des récollets, auxquels nous avons déjà fait allusion, et celui des sulpiciens, dans l'oeuvre missionnaire. La première (cat. 16), prêtée par les augustines de l'Hôpital général de Québec, représente deux récollets dans un paysage. Elle remonte à la fin du XVII siècle. On en ignore l'auteur. Les récollets furent les premiers missionnaires en terre canadienne. Ils sont même les premiers à avoir eu l'idée de recourir à des tableaux pour l'évangélisation des Indiens, comme l'anecdote du « petit Louys » le fait voir.

La seconde oeuvre est une extraordinaire pièce d'orfèvrerie. Exécutée par l'orfèvre parisien Guillaume Loir en 1731-1732, cette *Vierge à l'Enfant* (cat. 19) fut donnée par le roi aux sulpiciens pour leur mission du lac des Deux-Montagnes, à Oka, près de Montréal. Nous ne sommes donc pas loin des circonstances évoquées dans *La France apportant la foi aux Hurons de Nouvelle France*.

L'histoire de cette pièce d'orfèvrerie est remarquable et démontre tout à fait que les méthodes de l'évangélisation par l'image n'étaient pas l'apanage des seuls jésuites. On connaît par un texte du sulpicien Jean-André Cuoq les circonstances de son arrivée au Canada:

« La belle statue d'argent que M. Picquet avait obtenue de la munificence royale à l'occasion de l'épidémie fut reçue avec enthousiasme par les Sauvages qui avaient survécu à la picote. Une consécration solennelle à la S.(ainte) V.(ierge) fut faite aux pieds de sa Statue; on y renouvela les anciennes promesses de ne pas boire au village; on renonça tout de bon aux danses nocturnes, aux sorcelleries de toute espèce. M. Picquet fit construire un grand et magnifique brancard pour porter la statue de Marie à la procession de l'Assomption dont la fête devait bientôt se célébrer. Cette procession fut très-édifiante, tous voulurent y prendre part, les cabanes se vidèrent, ceux qui étaient encore malades se croyaient guéris ».

John R. Porter et Jean Trudel, à qui j'emprunte cette citation[14], la commentent ainsi: « L'épidémie devient ici un fléau de Dieu qui, par l'intermédiaire d'un don du roi, permet de raviver la croyance des Indiens à la religion. Quand on sait la fascination des Indiens pour les objets d'argent, la *Vierge à l'Enfant* est l'expression de la puissance du roi de France autant que de l'attachement qu'il leur porte dans le malheur. La procession de la statue d'argent le jour de l'Assomption devient une coutume tentant de remplacer « danses nocturnes » et « sorcelleries ». » Certes, il ne s'agit plus d'un tableau, mais n'est-ce pas une image donnée par le roi aux Indiens pour les amener à quitter leurs croyances et embrasser la foi? Les formes ont changé, mais la structure est bien la même que dans le grand tableau des ursulines. On pourrait même dire que cette *Vierge* couronnée et tenant un sceptre à la main évoque elle aussi une reine. Malgré les apparences, nous sommes bien dans le même univers.

François-Marc Gagnon

---

14. John R. Porter et Jean Trudel, *Le Calvaire d'Oka*, Galerie nationale du Canada, Ottawa, 1974, p. 44.

Anonyme

12. *Wampum*, fin XVIIᵉ siècle

Perles, fils, cuir. 20,3 × 153,7 cm.

Bien qu'il soit difficile de savoir quelles furent les circonstances qui entourèrent la fabrication de ce très ancien *wampum*, il est certainement d'origine chrétienne. Son iconographie se lit assez bien: de part et d'autre de la croix qui occupe le centre, une chaîne humaine, où l'« homme rouge » alterne avec l'homme blanc, s'étend sur toute la longueur de l'ouvrage. Elle aboutit à chaque bout à un animal, peut-être l'Agneau mystique puisque la ceinture se termine par sept traits parallèles, les sept sceaux (?), et une frange. Comme tous les anciens *wampums*, celui-ci est fait de perles blanches et violacées tirées de coquillages, montées sur des fils de chanvre et fixées à une lanière de peau de daim. Le musée McCord conserve un autre *wampum* de même facture dont l'iconographie varie sensiblement en ce qu'un donné et des jésuites font partie de la chaîne humaine qui va de la croix au centre jusqu'à la chapelle située à la partie gauche du *wampum*. Celui-ci daterait de 1638 et proviendrait de la mission huronne d'Ossorne (Ontario). F.-M.G.

Exposition
1984, Toronto, Art Gallery of Ontario, *From the Four Quarters*, n° 73, repr.

Collection
Musée McCord, Montréal, (M 1904).

Anonyme

13. *La France apportant la foi aux Hurons de Nouvelle France*, XVIIᵉ siècle

Huile sur toile. 227,3 × 227,3 cm.

Ce tableau, conservé au monastère des ursulines, illustre à lui seul toute la conjoncture de l'évangélisation des Indiens telle qu'on la concevait au XVIIᵉ siècle. Tout d'abord c'est la France, ici symbolisée par la reine Anne d'Autriche, plutôt que l'Église, qui apporte la foi aux Indiens, comme le voulait la perspective gallicane de l'époque. De plus, la foi est présentée aux Indiens sous la forme d'un tableau, selon la pratique de la « conversion par l'image » adoptée par les jésuites. Enfin, l'Indien qui reçoit l'instruction à genoux est couvert d'un manteau fleurdelisé, la foi n'étant pas distinguée des valeurs de chrétienté qui en sont l'expression. Même les compagnies de commerce sont évoquées, par le navire qui occupe le fond de la composition à droite. Le message évangélique ne rejoint donc l'Indien que par une longue – et lourde – chaîne de transmission.

En réalité, l'intention du tableau était historique. Il s'agissait de faire un « tableau qui marque comme ils (les Hurons) ont embrassé la foy », comme l'indique un passage du *Journal des Jésuites* en date du 20 juin 1666. C'est en 1629 que le père Jean de Brébeuf avait pris contact pour la première fois avec les Hurons et c'est évidemment au temps de sa régence (1643-1661) et non à sa mort (en 1666) qu'Anne d'Autriche avait manifesté son zèle « pour le salut des infidèles », comme le rappellait l'oraison funèbre du père Dablon, à Québec, le 13 août 1666. À la mort d'Anne d'Autriche, il y avait presque vingt ans que la mission huronne était fermée. Les Hurons qui offrirent « 5. presens pour contribuer quelque chose à la batisse de nostre église, entr'autres un pour un tableau... » étaient des rescapés de massacres iroquois, réfugiés à Lorette près de Québec. C'est probablement aussi l'intention historique du tableau qui explique le blason de Guillaume de Bruc, à la poupe du navire à droite. Mort en 1653, de Bruc ne pouvait être le commanditaire d'un tableau payé par les Hurons en 1666, mais il était l'un des fondateurs de la Compagnie de Morbihan en 1629, c'est-à-dire précisément à la date du premier contact de Brébeuf avec les Hurons. Si le tableau était d'origine nantaise, comme il est probable, on s'expliquerait que l'artiste ait voulu évoquer la Compagnie du Morbihan par le blason d'une célébrité locale.

Il resterait à expliquer la présence du tableau chez les ursulines. Sa première destination semble bien avoir été l'église des jésuites de Québec, comme le suggère le passage du *Journal des Jésuites* que nous citions plus haut. D'ailleurs, non seulement l'allusion aux méthodes de « conversion par l'image » confirme-t-elle cette impression, mais même un détail comme les cabanes-chapelles sur la gauche provient d'une gravure célèbre de Grégoire Huret représentant les saints martyrs canadiens insérée dans les *Historiae canadensis...* du père François du Creux, publiées en 1664. Les ursulines n'ont pu avoir ce tableau qu'après 1800, date de la mort du père Casot, dernier jésuite canadien, voire même après 1807, date de la démolition de l'ancienne église des jésuites de Québec. Il est probable que l'abbé Philippe-Jean-Louis Desjardins, ami et exécuteur testamentaire du père Casot et chapelain des ursulines s'occupa de sauver ce tableau et le confia aux ursulines. Cela expliquerait que, dans l'*Inventaire* de son frère, l'abbé Louis-Joseph, il soit question de ce tableau comme d'un tableau « placé chez les Ursulines de Québec », sans impliquer il est vrai, comme on l'a dit, qu'il faisait partie de la fameuse collection Desjardins.

Quoiqu'il en soit, on doit aux ursulines de nous l'avoir conservé. En 1817, un voyageur américain du nom de Joseph Sansom, visitant leur chapelle, l'y avait vu et le décrivait avec assez de détails pour qu'il n'y ait pas de doute sur son identité. Il n'a pas changé de place depuis. F.-M.G.

Expositions
1945, Toronto, Art Gallery of Ontario, *Rétrospective canadienne. Le développement de la peinture au Canada 1665-1945*, n° 3. 1965, Londres, Royal Academy, *Treasures From the Commonwealth*, n° 310. 1966, Vancouver, Vancouver Art Gallery, *Images for a Canadian Heritage*, n° 3. 1967, Ottawa, Galerie nationale du Canada, *Trois cents ans d'art canadien*, n° 2, repr. 1967, Ottawa, Galerie nationale du Canada, *Pages d'histoire du Canada*, n° 43, repr. 1973, Austin, University Art Museum of Texas, *Canadian Landscape Painting 1670-1930*, n° 1, repr. 1984, Québec, Musée du Québec, *Le trésor du Grand Siècle*, n° 14, repr.

Bibliographie
Morisset, « L'oeuvre du Frère Luc », 1935, p. 2. Morisset, « La France apportant le bienfait de la foi », 1936, p. 91. Morisset, *Peintres et tableaux*, 1936, vol. I, p. 19-20, repr. Morisset, *La vie et l'oeuvre de frère Luc*, 1944, p. 120 (n° 65). Barbeau, « Les trois plus anciens paysages », 1945, p. 27-29 et 1946, p. 20, repr. Barbeau, *J'ai vu Québec*, 1957, repr. Hubbard, « Growth in Canadian Art », 1957, p. 116. Hubbard, *An Anthology of Canadian Art*, 1960, p. 31, repr. Hubbard, *L'évolution de l'art au Canada*, 1964, p. 47. Morisset, « François, Claude, dit Frère Luc », 1966, p. 322. Harper, *La peinture au Canada*, 1966, p. 8, repr. Reid, *A Concise History of Canadian Painting*, 1973, p. 16, repr. Lord, *The History of Painting in Canada*, 1974, p. 24, repr. Gagnon, *La conversion par l'image*, 1975, p. 109-119. Robert, *La peinture au Québec*, 1978, p. 15, repr. Gagnon, « *La France apportant la foi aux Hurons* », 1983, p. 5 – 20, repr.

Collection
Monastère des ursulines, Québec.

Anonyme

14. *Parement d'autel,* fin du XVIIᵉ siècle

Bois doré et argenté. 88,8 × 65,1 cm.

L'église Notre-Dame-de-Lorette, sise sur les bords de la rivière Saint-Charles à la Jeune-Lorette, près de Québec, est récente, l'ancienne église ayant brûlé en 1862, mais elle conserve des trésors beaucoup plus anciens, comme ce très beau parement d'autel. Il s'agit d'une pièce unique dans toute la sculpture ancienne du Québec, en ce qu'elle juxtapose des éléments propres aux deux cultures du pays. La Vierge à l'Enfant, entourée de roses et de vignes, ainsi que les quatre têtes ailées aux coins du parement sont sculptées et dorées dans le goût français, alors que le bas du parement s'orne d'une scène gravée et argentée dans le goût amérindien. On voit sur cette partie du parement, en plus des arbres, des fleurs et des oiseaux dans un paysage vallonné, une évocation symbolique d'un village huron traditionnel, avec sa petite église, un presbytère (?) et deux maisons longues typiques de l'habitation iro-

quoienne ancienne. Devant l'église, une Indienne couverte d'un voile croise les mains sur sa poitrine dans un geste de prière. Cette dernière figure est tout entière dépendante de la première iconographie de Catherine Tekakouitha, qui elle même remonte aux portraits de la sainte iroquoise exécutés après sa mort, en 1680, par le père Claude Chauchetière. Des versions gravées de ces portraits circulaient déjà au début du XVIIIᵉ siècle, dans les *Lettres édifiantes* en 1715 et dans l'*Histoire de l'Amérique septentrionale* de Bacqueville de la Potherie en 1722. Certes, ce seul détail n'est pas suffisant pour dater l'oeuvre, qui est probablement composite, mais il décourage les datations trop anciennes, au moins pour le décor qui occupe le bas du parement. On a suggéré qu'il pouvait être l'oeuvre d'un sculpteur huron de Lorette, François Vincent, et qu'il pourrait avoir été exécuté vers 1790. Quant à la partie centrale et aux chérubins, ils sont très probablement d'une autre main et plus anciens.　　　　　　　F.-M.G.

Expositions
1951, Detroit, the Detroit Institute of Arts, *French in North America, 1520-1880*, nᵒ 54, repr. 1967, Ottawa, Galerie nationale du Canada, *Trois cents ans d'art canadien*, nᵒ 9, repr.

Bibliographie
TRAQUAIR, « The Huron Mission Church », 1930, p. 6, 7 et 12, repr. BARBEAU, « Arts et métiers », 1932, p. 45, repr. BARBEAU, *Québec où survit l'ancienne France*, 1937, p. 24, repr. BARBEAU, « Traditional Arts », 1943, p. 304, repr. LASNIER et BARBEAU, *Madones canadiennes*, 1944, p. 163-164, repr. BARBEAU, « Trois plus anciens paysages », 1945, p. 27-29, et 1946, p. 20, repr. BARBEAU, *Saintes artisanes – II*, 1946, p. 34-36, repr. TRAQUAIR, *Old Architecture of Québec*, 1947, p. 181-185. BARBEAU, *Trésor des anciens jésuites*, 1957, p. 10, 118-121, repr. HUBBARD, *L'évolution de l'art au Canada*, 1964, p. 36, repr.

Collection
Église Notre-Dame-de-Lorette, Village-des-Hurons.

Anonyme

15. *Parement d'autel,*
fin XVIIᵉ siècle-début XVIIIᵉ

Fil et perles oblongues sur support de toile. 92 X 173,5 cm.

Comme l'indique son nom latin *antependium* (*ante*, devant, et *pendere*, suspendre), un parement d'autel était à l'origine une pièce d'étoffe tombant de la table d'autel sur sa face antérieure. Les parements d'autel en étoffe, montés sur cadre de bois et qu'on changeait selon la couleur liturgique du jour, étaient d'usage fréquent jusqu'à l'apparition des tombeaux d'autel en bois sculpté, à la fin du XVIIIᵉ siècle.

De tous les parements d'autel conservés au monastère des ursulines de Québec, celui-ci est le seul dont les motifs et la technique soient d'inspiration indienne. On sait que les ursulines, depuis leur établissement à Québec, enseignaient aux jeunes Huronnes, et il n'est pas impossible que ce parement ait été créé par leurs élèves. Sur un treillis de losanges, un champ de fleurs est entrecoupé d'un motif de cinq croix chevronnées, placées bout à bout.
F.-M.G. et J.T.

Collection
Monastère des ursulines, Québec.

Anonyme

16. *L'ermitage des récollets et la chapelle Saint-Roch*, 1697

Huile sur planches de bois. 63,6 × 119 cm.

Lorsqu'en 1692 Mᵍʳ de Saint-Vallier fit l'acquisition du couvent de Notre-Dame-des-Anges afin d'y fonder un hôpital général, il dut consentir un certain nombre d'avantages aux anciens occupants, les récollets. Il leur accorda notamment une somme de 1 200 livres « pour Les faciliter a avoir un terrain près cette ville [de Québec] sur le Bord de Leau ou il Leur permet de bâtir et establir [un] hermitage pour y faire Leurs Retraites, et d'y avoir une chapelle avec un petit clocheton pour y sonner La messe ». La chapelle et une modeste maison de retraite, dédiées à saint Roch, furent construites sur les bords de la rivière Saint-Charles en 1697. Ces données historiques recoupent parfaitement les composantes iconographiques d'un des panneaux du lambris de la chapelle de l'Hôpital général de Québec, panneau à l'avant-plan duquel apparaissent deux récollets. Qui plus est,

cette peinture sur bois fait partie d'un ensemble de vingt-deux unités anciennes, créé précisément en 1697. Morisset était porté à attribuer ces ouvrages à soeur Marie-Madeleine Maufils de Saint-Louis (1671-1702), une religieuse de l'Hôtel-Dieu de Québec dont on sait qu'elle peignit quelques paysages. Cette attribution ne repose sur aucun document précis et elle nous paraît peu probable, compte tenu des frictions qui existaient à l'époque entre l'Hôtel-Dieu et l'Hôpital général. Lors de la conquête de 1759, le capitaine John Knox remarqua la présence dans la chapelle de l'Hôpital général d'une série de panneaux peints dans des tonalités sombres et représentant des paysages des environs. En 1769, ces panneaux furent réparés et redistribués après le réaménagement intérieur de la chapelle. Abusivement repeints en 1960, ils ont heureusement retrouvé leur allure originelle à la suite d'une campagne de restauration amorcée en 1983.   J.R.P.

Bibliographie

A.M.H.G.Q., « Actes, contrats et autres documents concernant la Fondation de l'Hôpital-Général de Québec », document 2 (« Contrat de L'aliénation du Couvent de Notre-Dame des anges... » passé devant le notaire Genaple de Québec, le 13 septembre 1692); *Annales 1693-1709*, f. 41 (1697); *Annales 1743-1793*, f. 246-247 (1769). KNOX, *An Historical Journal*, 1769, vol. II, p. 155. HUOT, « La paroisse St-Roch de Québec », 1919, p. 45. MORISSET, *La peinture traditionnelle*, 1960, p. 16. TRAQUAIR, « The Architecture of the Hôpital-Général-Quebec », 1931, p. 279-281.

Collection

Monastère des augustines de l'Hôpital général, Québec, (P-106).

Anonyme

17 et 18. *La duchesse d'Aiguillon*
et *Le cardinal de Richelieu,*
vers 1754

Huile sur toile. 112,5 × 80 cm.

Inscriptions (au bas)
Le cardinal de Richelieu : « Mᵍʳ Armand De Richelieu DUC & Pair de France Cardl. Pʳᵉ Ministre detat Bienfaicteur de lHotel Dieu de Québec » La duchesse d'Aiguillon : « Mᵈ. Marie De Vignerot Duchesse Daiguillon Fondatrice de Lhotel Dieu de Québec Dedie au Precieux Sang 1639. »

Le *Livre des Recettes* de l'Hôtel-Dieu note pour l'année 1754 l'acquisition de « trois tableau (sic) pour la Sale, un de Mʳ Vincent de Paul, un de Mʳ le Cardinal de Richelieu, et un de Mᵉ la Duchesse Daiguillon a 15 # piesse ». Malheureusement, ce même document n'indique pas à qui ces tableaux avaient été payés. On ne peut donc les tirer de l'anonymat. L'attribution à Paul Beaucourt, jadis proposé par Gérard Morisset, n'est pas plus fondée que celle qui y voyait des œuvres de mère Marie-Madeleine Maufils de Saint-Louis, qui, morte en 1702 à Québec, n'aurait pu peindre ces tableaux.

Quoiqu'il en soit, le peintre s'est probablement inspiré d'une *Crucifixion* donnée par madame d'Aiguillon aux Hospitalières en 1640, car la description qu'en avait fait cette année-là la *Relation* des jésuites offre beaucoup de ressemblances avec les tableaux de l'Hôtel-Dieu.

« *Madame la Duchesse d'Aiguillon ayant envoyée en la Chapelle de son Hôpital un beau Crucifix, où d'un costé est la saincte Vierge, qui présente à Nostre Seigneur cette bonne Dame; et de l'autre Sainct Jean, qui présente Monseigneur le Cardinal et de petits Sauvages peints tout à l'entour : Ces bonnes gens des Indiens convertis, notamment les femmes et les filles, accouraient pour voir ce tableau vivant. Or comme les mères leur déclaraient les obligations qu'ils ont à cette grande Dame, ces bonnes gens ne se contentent pas de regarder simplement ce beau Portrait, il fallut exprimer les actions qui frappoient leurs yeux. Les filles se disaient l'une à l'autre, parlant de Madame la Duchesse : Elle est à genoux, là-dessus elles s'y mettaient toutes...* »

Plusieurs détails de cette description se retrouvent dans les tableaux de l'Hôtel-Dieu, y compris les « petits Sauvages peints tout à l'entour » qu'on aperçoit dans le portrait du cardinal de Richelieu. La vue de Québec qui paraît à l'arrière-plan de la duchesse d'Aiguillon n'est pas sans rapport avec une vue analogue qui orne un cartouche d'une carte de Franquelin. F.-M.G.

Expositions
1965, Ottawa, Galerie nationale du Canada, *Trésors de Québec*, n⁰ 8, repr. 1966, Vancouver, Vancouver Art Gallery, *Images for a Canadian Heritage*, n⁰ 7. 1968, Québec, Musée du Québec, *La Normandie à Québec*. 1973, Québec, Musée du Québec, *Trésors des communautés religieuses*, p. 11, repr.

Bibliographie
A.M.H.D.Q., Hôpital, Recettes et dépenses..., 1754, [f. 204]. KNOX, *An Historical Journal*, 1769, vol. II, p. 164. CASGRAIN, *Histoire de l'Hôtel-Dieu de Québec*, 1878, p. 116. MORISSET, « Expositions de souvenirs », 1934, p. 11. MORISSET, « Paul Malépart de Beaucours », 1934, p. 4. MORISSET, *Coup d'œil sur les arts*, 1941. HARPER, *La peinture au Canada*, 1966, p. 21 et 23, repr. GAGNON, *La conversion par l'image*, 1975, p. 52, repr. BOISCLAIR, *Catalogue des œuvres peintes de l'Hôtel-Dieu de Québec*, 1977, p. 50, n⁰ 75, p. 51, n⁰ 76.

Collection
Musée des augustines de l'Hôtel-Dieu, Québec.

Guillaume Loir, Paris, maître en 1716
19. *Vierge à l'Enfant*, Paris, 1731-1732

Argent, base en bois. 101 cm (y compris la base)
83,8 cm (statue).

Poinçons
Maître : une fleur de lys couronnée, deux grains, G L,
un croissant.

Maison commune : P couronné.

Charge de Paris : A couronné.

Inscription
(sur la base) : « M A » entrelacés.

Selon la tradition, c'est vers 1749 que les sulpiciens desservant la mission indienne d'Oka auraient obtenu du roi de France cette statue
d'argent. Les Algonquins et les Iroquois établis
à Oka – avant-poste important pour la défense
de la Nouvelle France – venaient alors d'être
décimés par une épidémie de petite vérole et il
était nécessaire de raffermir la foi des survivants
tout autant que leur attachement à la cause de
la France. Le don de la statue atteignit sans
doute ce double but, et on sait qu'elle était
portée en procession sur un brancard à l'occasion de la fête de l'Assomption.

Plusieurs statues d'argent furent importées sous
le régime français, particulièrement par les jésuites, qui avaient très tôt compris la fascination
des Indiens pour les oeuvres en argent (cat.
112). Une des planches de la *Narration Annuelle...* du jésuite Claude Chauchetière, intitulée
« Quelques personnes embrassent la virginité
et la continence » nous fait d'ailleurs voir un
groupe d'Indiennes agenouillées devant une
statue de la Vierge à l'Enfant qui est probablement en argent (cat. 29).

Beaucoup de pièces d'orfèvrerie religieuse de
l'orfèvre parisien Guillaume Loir furent importées de France dans la première moitié du
XVIIIᵉ siècle. Aucune d'entre elles ne surpasse
en qualité la majestueuse *Vierge à l'Enfant* d'O-
ka, au profil royal. Les couronnes de la Vierge
et de l'Enfant Jésus et le sceptre fleurdelisé tenu
à bout de bras en font un symbole d'autorité,
tandis que les bras ouverts de l'Enfant Jésus se
tendant vers les spectateurs en font un symbole
d'accueil et de protection. J.T.

Exposition
1974, Ottawa, Galerie nationale du Canada, *L'orfèvrerie en Nouvelle-France*, nᵒ 40, repr.

Bibliographie
MAURAULT, « *Oka, les vicissitudes d'une mission* »,
1930, p. 18. MAURAULT, « *Les trésors d'une église de
campagne* », 1947, p. 61-63, repr. MORISSET, « *Le tré-
sor de la mission d'Oka* », 1949, p. 18. MORISSET,
« *Madones canadiennes d'autrefois* », 1950, p. 35.
MORISSET, « *L'orfèvrerie française au Canada* », 1950.
p. 27 et 55, repr. MORISSET, « *Orfèvrerie* », 1952, p. 58.
MORISSET, « *Madones canadiennes* », 1971, p. 11. POR-
TER et TRUDEL, *Le Calvaire d'Oka*, 1974, p. 44.

Collection
Les Prêtres de Saint-Sulpice, Oka.

CHAPITRE TROISIÈME
LES JÉSUITES

Comment évoquer, dans l'espace restreint d'un tableau, le « souvenir des Jésuites de la Nouvelle France » ? Telle était la question que se posait le peintre Joseph Légaré après en avoir reçu la commande en 1843 de Mgr Joseph Signay, évêque de Québec, et de Mgr Pierre-Flavien Turgeon, son coadjuteur. L'occasion de cette singulière commande était non seulement la retraite pastorale du clergé du diocèse de Québec, prêchée par le père Pierre Chazelle, qu'on voulait remercier en lui offrant un tableau, mais surtout le fait que c'était à un jésuite qu'on avait confié ce ministère. Cet ordre, on le sait, avait été supprimé en 1773 par le pape Clément XIV et il s'était éteint au Canada avec la mort du père Jean Joseph Casot, « dernier jésuite canadien », en mars 1800. Mais Pie VII l'avait rétabli en 1814 et, en 1843, les jésuites venaient tout juste de rentrer au Canada.

Souvenirs des Jésuites de la Nouvelle France (cat. 21) est le fruit des méditations de Légaré, qui a d'abord placé au centre de son tableau le buste-reliquaire du père Jean de Brébeuf. Ce reliquaire existe toujours (cat. 20). Il est conservé au monastère des augustines de l'Hôtel-Dieu de Québec. C'est une pièce d'orfèvrerie remarquable. Le père Pierre-Joseph-Marie Chaumonot a raconté les circonstances de sa fabrication :

« La famille du serviteur de Dieu, justement fière d'une gloire qui rejaillissait sur elle, voulut honorer sa mémoire en faisant faire un buste d'argent de grandeur naturelle, qu'elle donna au collège de Québec. Il est revêtu du rochet pour rappeler sa mort dans l'acte même du ministère apostolique. Le socle sur lequel il repose est en ébène et de forme octogone. Il sert de reliquaire à la tête de l'héroïque missionnaire, que l'on aperçoit par une ouverture ovale garnie d'ornement en argent... »[1]

L'orfèvre, dont le poinçon de maître est malheureusement illisible, s'était sans doute inspiré, pour les traits du visage du père de Brébeuf, mort en Huronie le 16 mars 1649, de la gravure de Grégoire Huret. Cette gravure, dont on a des raisons de croire qu'elle circulait dès 1650-1651, avait été insérée dans l'ouvrage du père François du Creux, *Historiae Canadensis*, publié en 1664, l'année même de l'exécution de ce portrait en argent.

Lorsque Légaré peignit son tableau, ce buste-reliquaire était déjà chez les augustines de l'Hôtel-Dieu, à qui il avait probablement été confié par le père Casot avant sa mort (1800), comme d'autres « biens des Jésuites ». Il est facile de constater, en comparant les deux oeuvres, que Légaré avait pris sur lui de transformer quelque peu son modèle. Alors que, dans l'original, le buste repose à plat sur son socle de bois, Légaré l'avait surélevé sur un pied d'argent et l'avait terminé en ovale par le bas, sans doute pour se conformer de plus près au goût du jour, qui prisait les rappels de l'antique.

Dans le tableau de Légaré, le buste-reliquaire est posé sur une table chargée d'objets divers. Sur la gauche paraît un

---

1. Cité dans Jean Trudel, *L'orfèvrerie en Nouvelle France*, (cat. d'expos.) Ottawa, Galerie nationale du Canada, 1974, p. 61.

livre ouvert. Il s'agit de la célèbre *Histoire et description générale de la Nouvelle France*, du père Pierre François-Xavier de Charlevoix, dont le portrait est gravé sur la page de garde. Ce n'est d'ailleurs pas la seule allusion à cet ouvrage dans son tableau. À l'arrière-plan, sur la droite, une draperie soulevée découvre une fenêtre par laquelle on assiste à une scène de torture, directement inspirée de la gravure d'Antoine Humblot consacrée aux martyrs canadiens dans l'ouvrage de Charlevoix. Utilisant les ressources de la perspective pour suggérer en arrière-plan un événement passé et en avant-plan le présent, Légaré posait là la scène historique dont tous les mémentos du premier plan voulaient être le « souvenir ». L'intention historique de son tableau ne pouvait être plus clairement marquée.

De chaque côté du buste-reliquaire du père Brébeuf, Légaré avait enfin disposé les tributs imaginaires que les Indiens et les Blancs auraient pu faire à la mémoire des jésuites par l'entremise de leur illustre représentant. À droite se trouvent les naïves offrandes des Indiens : un carquois rempli de flèches, un arc, un panier à ouvrage et quelques oiseaux. À gauche, ceux des Blancs : des livres, un crucifix et des roses. Au dos des livres, on aperçoit quelques titres : l'*Histoire du Paraguay*, publiée à Paris en 1756, aussi par le père Charlevoix ; les *Moeurs des sauvages amériquains comparées aux moeurs des premiers temps*, du père Joseph François Lafitau ; les autres sont impossibles à identifier. D'ailleurs, Légaré possédait ces livres dans sa bibliothèque personnelle. Sur un bout de parchemin, enfin, on peut lire une inscription : » Le P. de Brébeuf brûlé en 1649 ». Il était difficile de dire plus en si peu d'espace[2]. Légaré pouvait penser s'être bien acquitté de sa tâche. Il ne restait à son tableau que de rejoindre ses destinataires.

Curieusement, les circonstances exactes de la manière dont on s'y prit pour remettre le tableau au père Chazelle sont connues, grâce à une lettre du père Félix Martin, datée du 1er juin 1843.

« *Le soir de ce même jour*[3], *avant la séparation de ce clergé renouvelé par la retraite, le Père fut entraîné au milieu d'eux. L'évêque et son Co-adjuteur l'attendaient pour lui adresser leurs remerciements au nom de tous. Ils lui offrirent en même temps un tableau plein d'intérêt pour nous*[4]; *il est dû à un artiste du pays et les prêtres venaient d'en faire les frais. On voit sur le premier plan la copie d'un buste en argent du P. de Bréboeuf (sic), de grandeur naturelle, conservé avec une relique considérable dans une des communautés de Québec. Tous les souvenirs qui se rattachent à l'histoire et aux productions du pays sont près de lui et dans le lointain on voit le martyre de cet homme héroïque et de ses généreux compagnons. Le cadre même est pour nous un objet précieux; c'était le bel ornement d'un des tableaux que possédait l'église de notre Collège à Québec* »[5]

2. Voir John R. Porter, *Joseph Légaré, 1795-1855. L'oeuvre*, (cat. d'expos.), Ottawa, Galerie nationale du Canada, 1978, p. 71-73.

3. De la clôture de la retraite.

4. Les jésuites. Le père Félix Martin est jésuite.

5. Dans Lorenzo Cadieux, *Lettres des nouvelles missions du Canada 1843-1852*, Montréal, Les éditions Bellarmin, 1973.

L'hommage que Légaré rendait, au milieu du XIXe siècle, aux premiers jésuites de la Nouvelle France s'appuyait donc sur les documents connus de son temps. Nous ne pouvons procéder autrement, si nous voulons évoquer leur souvenir. Le document le plus touchant sur les jésuites de la Nouvelle France, document ignoré de Légaré mais redécouvert en 1881 par le père Félix Martin, qui le recopia alors à Bordeaux, est sans doute la *Narration annuelle de la Mission du Sault depuis la fondation jusqu'à l'an 1686*, conservé maintenant aux Archives départementales de la Gironde (France) et dont le père Claude Chauchetière fut l'auteur. Ce missionnaire savait manier le pinceau. Il se déclare l'auteur d'un *Portrait de Catherine Tekakouitha*, la sainte iroquoise morte en 1680, à la mission du Sault justement. Il ne faut pas chercher ailleurs la raison pour laquelle la *Narration annuelle* était illustrée de dix dessins à la plume et au lavis. Son ouvrage aurait été plus illustré encore s'il l'avait terminé. Quatorze pages laissées en blanc dans son manuscrit et portant déjà des titres font voir qu'il avait eu l'intention de l'enrichir encore davantage.

Comme tels, les dix dessins de la *Narration annuelle* (cat. 22 à 31) constituent une remarquable suite d'images de la vie des convertis indiens de la mission de La Prairie de la Madeleine, dont les Mohawks de Caughnawagah, près de Montréal, sont aujourd'hui les descendants. Les pères avaient voulu faire de cette mission une sorte de *réduction*, sur le modèle de celles du Paraguay, c'est-à-dire une sorte de village modèle où, à l'abri du contact avec les Blancs, les néophytes indiens auraient vécu, sous leur direction, un catholicisme post-tridentin exigeant.

Il faudrait tenter de comprendre ce que pouvait signifier la conversion au christianisme pour les Indiens de l'époque. Très souvent, cette conversion signifiait la survie pure et simple. La présence des Blancs sur leur territoire avait profondément perturbé la situation qu'ils avaient connue auparavant. Les Indiens les plus attachés à leur identité culturelle, et donc ceux qui avaient résisté le plus à l'envahissement des Blancs, étaient ceux aussi qui avaient subi les plus lourdes pertes. Ayant à choisir entre la disparition pure et simple et l'assimilation au monde des Blancs par la conversion, il pouvait paraître raisonnable à plusieurs d'entre eux de se faire chrétiens. D'abord survivre! Qu'aurions nous fait à leur place?

Si les illustrations de la *Narration annuelle* sont intéressantes, elles ne nous révèlent qu'un aspect de la présence jésuite en Nouvelle France, l'aspect missionnaire. Mais les jésuites s'installèrent aussi dans les villes, y fondèrent des collèges, y bâtirent des églises et des résidences pour desservir, selon les traditions de leur ordre, la population d'origine française du Canada. Nous avons peine à nous représenter ce second aspect de leur ministère, parce que leurs anciennes églises et leur anciens collèges ont été détruits. Nous ne connaissons guère leurs installations à Québec que par deux gravures de Richard Short (fig. 1 et 2) et par les vestiges sauvées par miracle après la mort du père Casot.

Fig. 1   C. Grignion d'après un dessin de Richard Short, *Vue de l'église et du collège des Jésuites en 1759*, 1761 ; gravure au burin, 39,4 × 54,6 cm ; Musée du Québec, Québec, (A-54.122-E) (Photo Musée du Québec, Patrick Altman).

Fig. 2   Anthony Walker d'après un dessin de Richard Short, *Vue de l'intérieur de l'église des jésuites en 1759*, 1761; gravure au burin, 39,4 × 54,6 cm; Musée du Québec, Québec (A-54.123-E) (Photo Musée du Québec, Patrick Altman).

Par contre, ces vestiges sont assez nombreux et variés pour nous donner au moins une idée de l'ancienne splendeur des jésuites de Québec. Les deux statues en argent de l'orfèvre parisien Alexis Porcher, l'une consacrée à *saint Ignace de Loyola* (cat. 53), fondateur de l'ordre, et l'autre à *saint François-Xavier* (cat. 52), apôtre des Indes orientales, proviennent toutes deux de l'ancien collège des jésuites de Québec. La première, après bien des péripéties[6], est retournée chez les jésuites, à leur résidence de Québec. La seconde a abouti à la basilique-cathédrale Notre-Dame de Québec. Saint Ignace de Loyola est en habits sacerdotaux. Il est intéressant de rapprocher cette statue de la chasuble brodée (cat. 33) conservée au monastère des augustines de l'Hôtel-Dieu, qui est certainement d'origine jésuite: le monogramme I H S en témoigne. Comme leur nom l'indique, les jésuites avaient une dévotion particulière au Saint Nom de Jésus.

Par ailleurs, la statue de saint François-Xavier trouve son répondant dans la présente exposition dans le grand tableau de 1834 d'Antoine Plamondon représentant *Saint François-Xavier prêchant aux Indes* (cat. 51). La série de statuettes en bois sculpté récemment découverte par John R. Porter à l'Hôtel-Dieu du Sacré-Coeur de Québec (cat. 34 à 50), présentée ici pour la première fois, ornait le retable d'un des sanctuaires jésuites. Elles ont malheureusement été décapées. Elles devaient être dorées à l'origine et donner beaucoup d'éclat à l'ensemble sculpté dont elles provenaient. Il n'est pas enfin jusqu'à l'ancienne grille de tympan en fer forgé, originellement à l'église ou au collège des jésuites de Québec (cat. 32) et conservée comme une relique précieuse par les religieuses de l'Hôtel-Dieu de Québec, qui ne vienne ajouter quelque chose à cette image globale de la présence jésuite à Québec. Il faut, bien sûr, ajouter à cet ensemble les quelques tableaux qui ornaient aussi les murs de leur église et qui ont été dispersés lors de la distribution des « biens des Jésuites », pour se rendre compte de la richesse de l'environnement visuel que les jésuites avaient su créer.

Il leur paraissait que rien n'était trop beau, quand il s'agissait du culte divin et, dans ce domaine, rien n'était laissé au hasard, depuis la moindre sculpture sur bois jusqu'à la broderie d'une chasuble. Rappelons-nous que les jésuites étaient nés en pleine période baroque et que leur église du *Gesù*, à Rome, leur servait de modèle dans tous leurs établissements, fussent-ils ceux d'une région aussi éloignée que le Canada. Le grand mouvement de la Contre-Réforme, qui sous-tend toutes leurs formes d'expression, était volontiers triomphaliste. Saint Ignace, leur fondateur, ancien militaire, imaginait souvent leur action comme un combat contre les forces du mal et souhaitait de tous ses voeux le « triomphe » de la cause catholique.

François-Marc Gagnon

---

6. Voir Jean Trudel, *op. cit.*, p. 121.

Anonyme

20. *Reliquaire du père Jean de Brébeuf*, Paris, 1664-1665

Argent, base de bois. 53,5 × 53,3 cm (avec la base). 35,5 × 48,2 cm (buste).

Poinçons

Maître: illisible.
Maison commune: T couronné.

Les premiers contacts entre la civilisation amérindienne et la civilisation européenne furent parfois marqués de violence. Les premiers martyrs, au Canada, furent des jésuites. Le père Jean de Brébeuf, mort en Huronie le 16 mars 1649, était l'un d'eux. Pour tous les missionnaires faisant travail d'évangélisation, il devenait un exemple de dévouement total à la foi catholique. La Compagnie de Jésus diffusa largement les circonstances de sa mort, tant par les écrits que par les gravures, car la gloire de son martyre rejaillissait sur elle.

Il en était de même de sa famille, qui en 1664 fit exécuter par un orfèvre parisien un buste en argent grandeur nature dont elle fit don au collège des jésuites de Québec. À la fin du XVIIIe siècle, ce buste fut confié (avant la dispersion des biens des jésuites) aux augustines de l'Hôtel-Dieu de Québec, qui le conservent encore précieusement aujourd'hui.

Parmi les reliquaires qui se trouvaient dans l'église des jésuites de Québec (cat. 183-184), le buste de Brébeuf devait occuper une place d'honneur. Son socle en bois, en forme de cercueil et scellé par l'évêque de Québec, contient toujours une partie du crâne et des ossements de l'illustre martyr, visibles par une fenêtre de verre.   J.T.

Expositions

1973, Québec, Musée du Québec, *Trésors des communautés religieuses*, p. 56. 1974, Ottawa, Galerie nationale du Canada, *L'orfèvrerie en Nouvelle-France*, n° 4, repr. 1984, Québec Musée du Québec, *Le trésor du Grand Siècle*, n° 32, repr.

Bibliographie

BARBEAU, « Deux cents ans d'orfèvrerie », 1939, repr. BARBEAU, "Old Canadian Silver", 1941, p. 153, repr. BARBEAU, *Trésor des anciens Jésuites*, 1957, p. 62-63, repr. TRUDEL « L'orfèvrerie en Nouvelle-France », 1973-1974, repr. TRUDEL « La mission de l'argenterie française », 1974, p. 59, repr. POULIOT, *Il y a cinquante ans... les Martyrs Canadiens*, 1980, p. 22, repr.

Collection

Musée des augustines de l'Hôtel-Dieu, Québec.

Joseph Légaré, 1795-1855

21. *Souvenirs des Jésuites de la Nouvelle France*, 1843

Huile sur toile. 132 × 165 cm.

Inscriptions

(papier manuscrit): « Le P. de Brébeuf brûlé en 1649 ».

(au bas de la gravure): « J. LÉGARÉ Pinx. B. Retrouve SCULP. CHARLEVOIX ».

(dos des livres):
a) « Histoire du Paraguay » (3 vol.).
b) « Moeurs des Sauvages » (2 vol.).
c) « Histoire et description générale de la Nouvelle France » (2 vol.).

C'est le buste-reliquaire en argent du père Jean de Brébeuf (cat. 20) qui constitue l'élément principal du tableau peint par Joseph Légaré et offert en don au père Pierre Chazelle, s.j., en 1843, en remerciement de sa prédication lors d'une retraite pastorale de huit jours réunissant le clergé du diocèse de Québec. Par ce don symbolique, l'évêque de Québec, Mgr Joseph Signay, voulait marquer le retour des jésuites à Québec après une absence de plus de quarante ans. Par le contenu du tableau, c'est l'action des jésuites en Nouvelle France qu'évoquait le peintre Joseph Légaré.

De chaque côté du buste-reliquaire, transformé à l'antique pour l'occasion, le peintre a représenté des aspects différents de leur présence en Nouvelle France. À droite, derrière un trophée de chasse indien, s'ouvre un paysage avec montagnes et forêt dans lequel se déroule une scène de martyre. À gauche, derrière le premier volume de l'historien jésuite Charlevoix, d'autres volumes contiennent la description qu'ils ont eux-même faite de leur grande et périlleuse entreprise d'évangélisation.   J.T.

Exposition

1978, Ottawa, Galerie nationale du Canada; *Joseph Légaré 1795-1855. L'oeuvre*, n° 52, repr.

Bibliographie

CADIEUX, *Lettres des Nouvelles Missions du Canada 1843-1852*, p. 107-108 LANE et BROWN, *Portrait Index*, 1906, p. 285 BARBEAU, *Trésor des anciens Jésuites*, 1957, p. 204 HARPER, *Early Painters and Engravers*, 1970, p. 194 TRUDEL, *L'orfèvrerie en Nouvelle France*, (cat. d'expos.), 1974, p. 28, 60-61.

Collection

Résidence des pères jésuites, Québec.

37

Claude Chauchetière, 1645-1709

22 à 31. *Dessins (10) tirés de la « Narration annuelle de la Mission du Sault depuis la fondation jusqu'à l'an 1686 »*

Le père Claude Chauchetière est, avec le père Pierron et le père Louis Nicolas, un des missionnaires jésuites qui exercèrent leur talent de peintres. Un an après la mort de Catherine Tekakouitha, survenue le 17 avril 1680, il se mit à la peinture missionnaire : « Le premier ouvrage que j'entrepris fut les peines de l'enfer dessiné par un allemand et qui m'avait été envoyé par Mr *François Vachon* de Belmont *sulpicien*. Cet ouvrage plut fort aux Sauvages et les missionnaires m'en demandèrent copie ». Fort de ce premier succès, le père Chauchetière s'était mis ensuite au « portrait de Catherine qui était l'unique peinture que je souhaitais faire ». Aussi, quand il s'est agi pour lui de rédiger la *Narration annuelle de la Mission du Sault depuis la fondation jusqu'à l'an 1686,* il n'est pas étonnant qu'il lui soit venu à l'idée de l'illustrer de ses dessins. Le but de cet ouvrage et de ses illustrations était, comme il l'indique lui-même, de « faire connoistre aux sauvages la suitte de leur histoire et les graces qu'ils ont reçu de Dieu depuis qu'ils sont chrétiens ».

L'ensemble des dessins du père Chauchetière constitue une série remarquable, parce qu'on n'y sent pas d'apprêt ni de goût pour l'exagération et la propagande. Chauchetière a simplement voulu raconter ce dont il avait été témoin.

Expositions

1980, Saint-Germain-en-Laye, château et manège royal, *Le Canada de Louis XIV,* n° F-136, repr. 1984, Québec, Musée du Québec, *Le trésor du Grand Siècle,* n° 16, repr.

Bibliographie

Reid, *A Concise History of Canadian Painting,* 1973, p. 12-13. Gagnon, *La conversion par l'image,* 1975, p. 83-97, repr. Gagnon et Cloutier, *Premiers peintres de la Nouvelle-France,* tome I, 1976, p. 29-54, repr. Noppen, *Les églises du Québec,* 1977, p. 4, repr. Robert, *La peinture au Québec,* 1978, p. 17, repr. Vachon, *Rêves d'Empire,* 1982, p. 134-135 et 374, repr.

Collection

Archives départementales de la Gironde, Bordeaux (France).

Claude Chauchetière, 1645-1709

22. *Les six premiers sauvages de la prairie viennent d'Onneiout sur les neiges, vers 1686*

Encre et lavis sur papier, 20 × 15,5 cm.

Inscriptions

(en haut, à droite) : « 7 ».

(en bas) : « Le Six premiers Sauvages de la prairie viennent d'oneiut sur les neges et [*les glaces*] ».

La composition se divise en trois plans. Au premier, trois personnages portent raquettes aux pieds ou charge et fusil sur le dos, selon le cas. Au deuxième plan, à gauche, une sorte de traîneau attelé à un boeuf transporte du bois sur la neige. Au troisième plan, sur une colline à droite, un village de cinq maisons et une église dont on voit la lanterne. Quelques arbres complètent l'ensemble. Les deux personnages de droite sont respectivement Tonsahonten et sa femme, Gandeacteua. Le troisième personnage à gauche est probablement Charles Boquet, interprète qui les accompagna durant leur voyage vers Montréal. C'est ce noyau d'individus qui est à l'origine de la mission du Sault. F.-M.G.

Collection

Archives départementales de la Gironde, Bordeaux (France).

Claude Chauchetière, 1645-1709

23. *Les sauvages vont s'établir à la prairie de la magdeleine avec les français, vers 1686*

Encre et lavis sur papier. 20 × 15,5 cm.

Inscriptions

(en haut à droite) : « 8 ».

(au bas) : « Les sauvages vont s'établir à la prairie de la magdeleine avec le françois ils [...] ».

Ce dessin montre l'arrivée des Indiens, en canot. Ils sont accueillis par le père Pierre Raffeix, fondateur, de 1667 à 1671, du village iroquois de La Prairie de la Madeleine. F.-M.G.

Collection

Archives départementales de la Gironde, Bordeaux (France).

Claude Chauchetière, 1645-1709

24. *On travaille aux champs,* **vers 1686**

Claude Chauchetière, 1645-1709

25. *On en bannit les boissons,* **vers 1686**

Claude Chauchetière, 1645-1709

26. *On bannit les superstitions* ***des enterrements,* vers 1686**

Encre et lavis sur papier. 20 × 15,5 cm.

Inscriptions
(en haut à droite): « 9 ».
(au bas): « on travaille aux champs ».

On voit, au premier plan du dessin, une Indienne maniant la faux; derrière elle, deux Indiens dénichent des oiseaux. L'un d'entre eux est au sommet de l'arbre, en haut à gauche. L'arrière-plan est occupé par deux maisons longues et un côteau boisé. L'agriculture était une tâche traditionnellement dévolue à la femme iroquoise, comme la chasse l'était à l'homme.
F.-M.G.

Collection
Archives départementales de la Gironde, Bordeaux (France).

Encre et lavis sur papier, 20 × 15,5 cm

Inscriptions
(en haut à droite: « 10 »
(au bas): « on en bannit les boissons ».

On assiste ici à une sorte de cérémonie improvisée. Un groupe d'Indiens, assis par terre, entourent une croix fichée à travers le corps d'un démon femelle (image de la luxure?) et regardent l'un d'entre eux qui vide ostensiblement une bouteille d'eau de vie:

« *Ce fut alors* explique le père Claude Chauchetière dans la Relation des Jésuites de 1671, *qu'on mit à l'entrée du village deux arbres memorables à l'un des quels on attacha l'ivrognerie et a l'autre l'impureté toutes deux subjuguées par la foy; on fit un proverbe aux Iroquois de ce mot je m'en vais a la prairie c'est a dire je quitte la boisson et la pluralité des femmes parce que quand quelqu'un parloit de demeurer a la prairie on luy proposoit d'abord ces deux articles qu'il falloit passer sans restriction et sans limite – autrement on n'estoit pas receu.* »

Le *wampum* qui relie une branche de la croix au tronc principal, tel qu'on le voit sur l'illustration, montre que les Indiens avaient su traduire dans un langage qui leur était plus familier que « les arbres memorables », l'espèce de contrat que les pères missionnaires entendaient passer avec eux. F.-M.G.

Collection
Archives départementales de la Gironde, Bordeaux (France).

Encre et lavis sur papier. 20 × 15,5 cm.

Inscriptions
(en haut à droite): « 12 ».
(au bas): « on bannit les superstitions des enterrement ».

Le père Chauchetière explique qu'en 1673, à l'occasion de la mort de sa femme, le Huron converti Tonsahonten introduisit un changement important dans les usages funéraires des Indiens de La Prairie:

« *La coutume des Sauvages est de donner tous les biens du deffunct a leurs parens et à leurs amis pour pleurer leur mort et d'enterrer avec eux une partie de ce qu'ils ont eu durant leur vie et de dresser des tombeaux et de peindre des bêtes et des oiseaux qu'ils appellent génie ou maistre de la vie; mais le mary de nostre deffunte en qualité du premier capitaine assembla le conseil des entiens et leur dit qu'il ne falloit plus garder leurs premières coutumes, qui ne profitoient de rien a leurs morts que pour lui sa pensée estoit de parer le corps de la deffuncte de ce qu'elle avoit de plus pretieux, puis qu'elle devoit ressusciter un jour, et d'employer le reste de ce qui lui avoit appartenu à faire l'aumosne aux pauvres, cette pensée fut suivie d'un chacun et elle est devenue, comme une loy qu'ils ont observée depuis exactement ... *»
F.-M.G.

Collection
Archives départementales de la Gironde, Bordeaux (France).

Claude Chauchetière, 1645-1709
27. *On donne la confirmation la 1re fois*, vers 1686

Claude Chauchetière, 1645-1709
28. *On batit la première chapelle*, vers 1686

Claude Chauchetière, 1645-1709
29. *Quelques personnes embrassent la virginité et la continence*, vers 1686

Encre et lavis sur papier, 20 × 15,5 cm.

Inscriptions
(en haut à droite): « 14 ».
(au bas): « on donne la confirmation la 1re fois ».

Chauchetière voulut illustrer comme un événement d'importance la première « confirmation » administrée par « Monseigneur l'evesque de Québec » en 1676. Mgr de Laval aurait conféré la confirmation « a plus de quatre vingt sauvages » à cette occasion. L'évêque est représenté avec sa chape et sa mitre. Un membre du clergé tient sa crosse derrière lui. Ce dessin est particulièrement significatif à double titre : d'abord par le contraste entre la simplicité des vêtements des Indiens et la splendeur de ceux du premier évêque de Québec, qui se présente à eux avec ses attributs de représentant du chef de l'Église catholique et romaine et ensuite parce qu'il s'agit de la seule représentation de Mgr de Laval dans l'exercice de ses fonctions.
F.-M.G.

Collection
Archives départementales de la Gironde, Bordeaux (France).

Encre et lavis sur papier, 20 × 15,5 cm.

Inscriptions
(en haut à droite): « 16 ».
(au bas): « on batit la première chapelle ».

Quand la terre s'épuisait, les villages iroquois devaient se déplacer. Ce dessin porte sur la chapelle de Kahnawake, sur la rivière du Portage, après un premier déménagement de la mission vers l'ouest. Ce ne sera d'ailleurs pas le dernier déménagement que connaîtront ces Indiens convertis. Ils finiront par se fixer, à partir de 1720, à Caughnawaga, où ils sont toujours aujourd'hui.

On voit sur la droite un groupe de personnages diversement engagés dans la construction d'une charpente en bois, alors que les Indiens, à gauche, y semblent indifférents. Les trois personnages occupant le coin inférieur de la composition sont probablement des jésuites. L'un d'eux, à genoux près d'une pièce de bois, tient une équerre. Le personnage central a dans la main droite une règle et dans la gauche un compas. Près d'un groupe qui nous tourne le dos, on remarque un des « arbres memorables » ainsi qu'une croix.
F.-M.G.

Collection
Archives départementales de la Gironde, Bordeaux (France).

Encre et lavis sur papier, 20 × 15,5 cm.

Inscriptions
(en haut à droite): « 18 ».
(au bas): « quelques personnes embrassent la virginité et la continence ».

Un groupe de jeunes filles, dont l'une se coupe les cheveux, « le principal ornement des sauvagesses », note Chauchetière, s'agenouillent devant une statue de la Vierge à l'Enfant :

« Il y en a desia plusieurs qui ont portés leur virginité dans le ciel qui n'estoient que de treise, quatorze, quinze ou ving ans. Plusieurs vivent encore qui ayant souvent refusé de bons partis pour le mariage passent l'aage nubile et donnent à Dieu leurs corps et leur ame dans une grande pauvreté et s'habillent d'aumosne. Cet esprit a réuny cette année toutes ces personnes qui sont au nombre de treize, elles ont pour fin la plus haute perfection ».

Le lustre suspendu nous permet de penser que nous sommes ici à l'intérieur d'une église ou d'une chapelle, de même que le traitement de la Vierge à l'Enfant sur son piédestal nous permet de croire qu'il s'agit d'une statue en argent (cat. 19).
F.-M.G.

Collection
Archives départementales de la Gironde, Bordeaux (France).

Claude Chauchetière, 1645-1709

30. *On fait les processions du Saint Sacrement*, vers 1686

Claude Chauchetière, 1645-1709

31. *La foudre tombe au pied de la chapelle*, vers 1686

Anonyme

32. *Grille de tympan*, XVIIe ou XVIIIe siècle

Encre et lavis sur papier, 20 × 15,5 cm.

Inscriptions
(en haut à droite) : « 20 ».
(au bas) : « on fait les processions du St Sacrement ».

Ces processions devaient avoir quelque chose de singulier puisque Chauchetière note qu'« on vient *les* voir par rareté ». Elles s'accompagnaient de chants des Indiens. Ces chants étaient jugés fort beaux et harmonieux.

Si l'on en croit cette illustration, la procession de la Fête-Dieu ne différait pas du cérémonial que l'on connaît encore : une croix est portée en tête de la procession, tandis que le saint Sacrement est dans un ostensoir que porte le prêtre, vêtu d'une chasuble brodée. Le prêtre se déplace sous un dais, précédé d'un thuriféraire à reculons, qui manie l'encensoir (cat. 241-242). F.-M.G.

Collection
Archives départementales de la Gironde, Bordeaux (France).

Encre et lavis sur papier. 20 × 15,5 cm.

Inscriptions
(en haut à droite) : « 26 ».
(au bas) : « La foudre tombe au pied de la chapelle ».

Le dernier dessin de la série représente un incident de 1680. La foudre « tomba à quelques pas de la grand'porte de la chapelle et tomba sur deux chesnes qu'il écorcha ». Chauchetière s'est probablement représenté lui-même dans ce dessin, car il échappa au sinistre et y vit une intervention manifeste du ciel. Le dessin nous fournit une vue de la façade de la chapelle terminée (cat. 28). F.-M.G.

Collection
Archives départementales de la Gironde, Bordeaux (France).

Fer forgé. 107 × 213,5 cm.

Inscription
« I H S », le H surmonté d'une croix, les trois clous plantés dans un cœur au-dessous.

Il est certain que cette grille de tympan provient de chez les jésuites à Québec, mais il n'est pas possible de savoir si elle provient du dessus d'une des portes d'entrée de l'église (démolie en 1800) ou du collège (démoli en 1878). Les circonstances de son transfert chez les augustines de l'Hôtel-Dieu de Québec nous sont également inconnues.

Dans un demi-cercle où s'inscrivent en alternance des rayons droits et des rayons flamboyants entrecoupés de palmettes et d'étoiles, on trouve un autre demi-cercle dans lequel figure le sigle propre aux jésuites, I H S. À l'origine, ce sigle aurait comporté les trois premières lettres du nom de Jésus en capitales grecques ; avec le temps, on l'aurait couramment interprété comme étant l'invocation latine *Jesus Hominum Salvator* (Jésus Sauveur des hommes). Il est présenté ici avec la croix, les ronces du couronnement d'épines, deux étoiles, et un cœur transpercé de trois clous symbolisant les trois vœux des jésuites : pauvreté, chasteté, obéissance.

C'est ce sigle, à peu de choses près, qui s'inscrivait dans un cercle dans la voûte de l'église des jésuites (fig. 2). On le retrouve aussi, notamment, sur la chasuble de l'Hôtel-Dieu (cat. 33), sur la statue en argent de saint Ignace de Loyola (cat. 53) et sur la girouette en fer forgé qui surmontait le collège des jésuites et que les pères jésuites de la rue Dauphine, à Québec, conservent toujours. J.T.

Collection
Musée des augustines de l'Hôtel-Dieu, Québec.

Anonyme

33. *Chasuble*, France, XVIIᵉ siècle

Soie, fond de fils d'argent, fils d'or et de soie.
99,1 × 62,2 cm (devant).
121,9 × 73,7 cm (dos).

On commence à distinguer la chasuble de la chape dès le IVᵉ siècle. À l'origine, la chasuble était un vêtement liturgique enveloppant le corps tout entier, et non pas le vêtement à deux pans qui fut mis à la mode au XVIIᵉ siècle et dont on voit ici un exemple.

Cette chasuble appartenait aux jésuites de Québec. Dans son testament en date du 14 novembre 1796, le « dernier jésuite canadien », le père Jean-Joseph Casot (1728-1800) la léguait aux augustines de l'Hôtel-Dieu de Québec en la décrivant en ces termes: « 1 chasuble, surnommée belle, brodée en or et en argent » (A. J. Q., greffe Joseph Planté, 14 novembre 1796, nº 1333). Marius Barbeau l'attribue, de façon peu convaincante, aux ursulines de Québec en 1724. Il est plus probable qu'il s'agit d'une oeuvre importée de France. Le devant de la chasuble porte le sigle I H S (*Jesus Hominum Salvator*), propre aux jésuites. Le motif qui s'inscrit au dos, au centre d'une large croix, s'inspire d'un passage de l'Apocalypse sur l'Agneau et les sept sceaux. Ce vêtement somptueux illustre bien le faste dont les jésuites entouraient à Québec leur présence.
F.-M.G.

Bibliographie
BARBEAU, *Québec où survit l'ancienne France*, 1937, p. 49, repr. BARBEAU, « Fils d'or et d'argent », 1943, p. 58, repr. BARBEAU, *Saintes artisanes – I*, 1944, p. 32, 60-62, repr. BARBEAU, *Trésor des anciens Jésuites*, 1957, p. 93-97, repr.

Collection
Musée des augustines de l'Hôtel-Dieu, Québec.

Pierre-Noël Levasseur (att. à), 1690-1770

34 à 50. *Statuettes, (17) ayant appartenu aux jésuites, vers 1750*

La chapelle dite « de la fondation », à l'Hôtel-Dieu du Sacré-Coeur de Québec, recèle un étonnant ensemble de dix-sept statuettes de bois de facture savante, dont l'existence était jusqu'à maintenant inconnue des spécialistes de notre art ancien (ill. 34a). D'une qualité exceptionnelle, ces sculptures remontent à n'en pas douter au Régime français. Elles ont pour sujets saint Ignace de Loyola, saint François-Xavier, saint Paul, saint Jean Baptiste, sainte Anne, ainsi que les douze Apôtres. Il s'agit d'un programme iconographique aussi ambitieux que cohérent dont l'origine doit logiquement être associée aux jésuites, compte tenu de la présence caractéristique des deux plus grands saints de leur ordre. Or, les données documentaires les plus anciennes dont nous disposons rattachent expressément nos sculptures à des membres de la Compagnie de Jésus.

L'existence des dix-sept statuettes est signalée pour la première fois dans une lettre signée en 1844 par le peintre-collectionneur Joseph Légaré, dont voici la teneur :

« Québec 23 mai 1844

Liste des statues anciennement la propriété des Rév. Père Jésuites.

12. Apôtres
1. Ste Anne
1. St Jean Évangélistes
1. St Jean Baptiste
1. St Ignace
1. St François Xavier

Domage sur
St Simon les doigts d'une main
St Anne un doigts
St Mathieu les doigts d'une main
St François Xavier quelque doigts
St Jacque les doigts d'une main

J'ai fait l'inspection de mes petites statues je n'ai trouvé que ce peu de dommage sus mentionnées elles sont bien nétoyer je les laisseraient à prendre le tous à sept piastres la pièces et je me chargerai de l'emballage pour le transport.

Jos. Légaré Fils. »

Bien que nous ignorions l'identité du destinataire de la lettre, il est permis de penser que Légaré s'adressait aux jésuites eux-mêmes, qui étaient de retour au Canada depuis 1842 et pouvaient désirer racheter des biens ayant appartenu à leurs devanciers. Quoi qu'il en soit, la démarche de Légaré demeura sans lendemain, puisque les statuettes se trouvaient encore dans le salon de la résidence de la veuve du collectionneur en 1872. C'est cette année-là, ou l'année suivante, que le notaire Louis Falardeau, fondateur de l'Hôtel-Dieu du Sacré-Coeur, se porta acquéreur de l'ensemble statuaire, dans des circonstances qu'ont tour à tour évoquées l'annaliste de l'institution et le sculpteur Louis Jobin. La première nous rapporte ce qui suit :

« *Statues de bois des 12 apôtres et de Sainte Thérèse, et de trois autres Saints: St Jean Baptiste, St Ignace de Loyola et St François-Xavier – Elles ont été sculptées par un Jésuite, frère convers, dans les premiers temps du Canada.*

Elle furent d'abord au Séminaire de Québec – Elles sont au nombre de seize – Le Séminaire les céda ou donna à Mr. Legaré, peintre. Elles étaient dans le grenier de ce dernier, lorsque Mr Louis de Gonzague Baillairgé, avocat de Québec, voulut les acheter comme antiquités; mais, comme Mr. notre Fondateur voulait aussi les avoir, Mr. Baillairgé les lui laissa parce que c'était pour notre Hôpital. Notre Mère Fondatrice ne se souvient pas au juste de la date à laquelle nous avons eu ces statues; c'est à la fin de 1873 ou dans la deuxième année de notre fondation. C'est Mr. notre Fondateur (Mr. Ls. Falardeau) qui les a fait réparer à ses frais. – Un jour que le R^d Père Resther, Jésuite de Québec, avait visité notre chapelle, il dit à la R^de Mère St Zéphirin, en parlant des susdites statues: « Ce n'est pas vous autres qui devez avoir cela, ça nous appartient. » « C'est à nous, répondit avec assurance, la Mère St Zéphirin, nous les avons achetées et payées... »

Si l'on recoupe les informations qui précèdent avec une mention tirée d'une liste de dons conservée à l'Hôpital Général de Québec, c'est bien en 1873 que le notaire Falardeau donna les statuettes à l'Hôtel-Dieu du Sacré-Coeur. Quant au témoignage de Jobin, il est éclairant à sa façon, malgré les erreurs flagrantes qu'il comporte. Il faut dire que la mémoire du vieux sculpteur était quelque peu vacillante, en 1925, lorsqu'il fit part à Marius Barbeau de ses souvenirs relatifs à des faits d'un demi-siècle plus tôt :

« *Le notaire Falardeau m'a commandé une certaine portion de l'ouvrage dans la jeune chapelle du Sacré-Coeur, Québec. Là dedans y a douze statues en bois franc. L'auteur en est les Récollets. Très vieilles. Ces statues étaient dorées autrefois. C'est à l'hôpital du Sacré-Coeur à St-Sauveur. Des petites statues de dix-huit pouces. Elles ont été sauvées du grand incendie. Elles sont bien faites. Bien développées, style ancien. On les a trouvées, je crois, dans une chambre dans le grenier, je crois, au Séminaire. « Et le père Falardeau, le notaire, s'est mis dans la tête de les polir, parce qu'elles étaient dorées autrefois, et de les faire bouillir pour atteindre le bois naturel. Comme elles sont, elles le sont brunes au bois naturel. »*

Jobin ne fut pas le seul sculpteur du XIXe siècle à avoir apprécié la belle facture des statues que conserve aujourd'hui l'Hôtel-Dieu du Sacré-Coeur. Avant même que celles-ci ne se retrouvent dans cette institution, elles étaient bien connues d'un sculpteur comme François-Xavier Berlinguet. Certaines statuettes lui servirent en effet, – ou à l'un de ses compagnons – de modèles pour l'exécution de copies destinées à l'ornementation de trois maîtres-autels réalisés aux environs de 1860: celui de l'église Saint-Jean-Baptiste de l'Isle-Verte (vers 1857), celui de l'église Saint-Antoine de la Baie-du-Febvre (vers 1859) et celui de la chapelle des Soeurs de la Charité de Québec (vers 1863). On en trouve également des copies sur la chaire de l'église de la Nativité de Laprairie, dont l'exécution fut confiée au sculpteur Victor Bourgeault par un marché passé devant le notaire L. O. Hétu le 10 octobre 1865.

L'ensemble de la chapelle de la fondation de l'Hôtel-Dieu du Sacré-Coeur est sans équivalent connu dans l'histoire de la sculpture québécoise. Bien qu'il n'ait pas encore livré tous ses secrets, il contribue déjà à une meilleure compréhension de l'iconographie jésuitique en Nouvelle France. À ce chapitre, il est plus que probable que l'on découvrira un jour un groupe de gravures ayant servi à l'élaboration des statuettes. Il sera alors possible de lever toutes les ambiguïtés quant à l'identification de tel ou tel personnage. D'ici là, on ne doit pas se fier aveuglément aux inscriptions qui figurent au dos des statuettes, car, non seulement sont-elles tardives, mais elles sont parfois carrément inexactes.

Pour ce qui est de l'auteur des statuettes, nous sommes convaincus qu'il s'agit de Pierre-Noël Levasseur (1690-1770), un des plus fameux sculpteurs québécois du XVIIIe siècle. Nous en sommes venus à cette conclusion au terme d'un examen attentif et d'une série de comparaisons formelles et stylistiques des composantes de l'ensemble de l'Hôtel-Dieu du Sacré-Coeur et quelques oeuvres certaines de Levasseur, soit les deux grandes statues conservées dans l'église de Charlesbourg (cat. 9 et 10) et certains reliefs et rondes-bosses faisant partie du retable principal de la chapelle des ursulines de Québec (1730-1736). Évidentes et nombreuses nous sont alors apparues les parentés et les similitudes au chapitre des attitudes et du mouvement des drapés, de l'expression des visages, du rendu des cheveux et des barbes, et du dessin des yeux et des bouches. Il est d'ailleurs opportun de rappeler que Pierre-Noël Levasseur compta les jésuites de Québec parmi ses commanditaires. En effet, c'est lui qui, le 29 novembre 1750, signa un marché avec eux pour la réalisation du tabernacle et du retable de la chapelle de la Congrégation Notre-Dame, une chapelle intérieure distincte de « l'église du Colege » et certainement plus modeste que celle-ci par le volume et les dimensions. À la limite, nous n'excluons pas que nos dix-sept statuettes aient originellement été réalisées pour cette chapelle, ce qui serait conciliable avec leur petit format et avec la richesse du programme iconographique dans lequel elles s'inscrivent.

J.R.P.

Bibliographie
A.M.H.D.S.C.Q., *Journal 1873-1879*, p.2. A.M.H.G.Q., Lettres de l'Hôtel-Dieu du Sacré-Coeur de Jésus, Québec (1871-1943), n° 6 (Dons en faveur de l'hôpital du Sacré-Coeur, du 13 janvier 1872 au 7 septembre 1873). A.N.Q.Q., *Greffe du notaire P. A. F. Lanouillier*, n° 127, 29 novembre 1750, « Marché passé entre Mr. les officiers de la Congrégation de Québec et Led. Pierre-Noël le Vasseur sculpteur ». A.S.Q., *Fonds Verreau*, boîte 67, N° 285, « Liste des statues anciennement la propriété des Rév. Père Jésuites par Joseph Légaré ». M.N.H.O., C.C.E.C.T., *Fonds Marius Barbeau*, classeur 21, tiroire B, dossier 40, « Louis Jobin », transcription d'une entrevue avec le sculpteur. BARBEAU, *Louis Jobin statuaire*, 1968, p. 99-100. PORTER, *Un peintre et collectionneur québécois*, 1981, p. 365 et 428.

Collection
Monastère des augustines de l'Hôtel-Dieu du Sacré-Coeur, Québec.

Ill. 34a   *Vue de l'intérieur de la chapelle de l'Hôtel-Dieu du Sacré-Coeur de Québec.* Le décor intérieur fut réalisé principalement par Louis Jobin dans les années 1870. Plus anciennes, les statuettes distribuées sur la corniche furent données par le notaire Louis Falardeau en 1873 (Photo John R. Porter).

Pierre-Noël Levasseur (att. à), 1690-1770

34. *Saint Ignace de Loyola*, vers 1750

Pierre-Noël Levasseur (att. à), 1690-1770

35. *Saint François-Xavier*, vers 1750

Pierre-Noël Levasseur (att. à), 1690-1770

36. *Saint Paul*, vers 1750

Bois décapé. 51,8 cm (y compris la base).

Inscription

(au dos): « St. Ignace ».

Fondateur de la Compagnie de Jésus et grand artisan de la Contre-Réforme, saint Ignace de Loyola (1491-1556) fut canonisé en 1622. Il est reconnaissable à son front chauve, au livre de sa *Règle*, qu'il tient contre sa poitrine, et à sa chasuble. Il se peut que cette dernière ait été ornée de riches incisions à l'époque où la statuette était dorée. L'oeuvre s'apparente quelque peu à une sculpture conservée dans la chapelle de la Jeune-Lorette (Village-des-Hurons). J.R.P.

Monastère des augustines de l'Hôtel-Dieu du Sacré-Coeur, Québec.

Bois décapé. 50,5 cm.

Inscriptions

(au dos): « St. F. Xavier ».
(sur un papier collé sous la base): « Don de M^r. Louis Falardeau notre Fondateur à la fin de 1873 ou en 1874/Note relative à ces statues au journal de notre maison, Année 1873 ».

Saint François-Xavier (1506-1552) est souvent associé à saint Ignace de Loyola dans la décoration des églises de l'ordre des Jésuites. Célèbre pour son oeuvre missionnaire aux Indes et patron de la compagnie de Jésus, il fut canonisé en 1622. Il est vêtu de la soutane et d'un surplis aux grandes manches, comme dans une version appartenant à la chapelle du Village-des-Hurons. Il tient de la main droite le crucifix que lui avait donné saint Ignace avant son départ pour les Indes, crucifix qui porte les traces de fixation d'un corpus qui a disparu. J.R.P.

Collection

Monastère des augustines de l'Hôtel-Dieu du Sacré-Coeur, Québec.

Bois décapé. 53,4 cm

Inscription

(au dos): « St Paul ».

Saint Paul ne fut pas un apôtre à proprement parler – il n'avait pas connu le Christ –, même s'il a mérité le titre d'Apôtre des Gentils. Son image est ici conforme à celle que lui ont réservée la plupart des artistes, soit celle d'un géant majestueux. On l'identifie à l'instrument de son martyre, l'épée, et à ses épîtres. Il est probable qu'originellement il s'appuyait sur la poignée de son épée. Au plan formel, la statuette présente une parenté certaine avec une gravure des Wierix représentant saint Mathieu (voir Mauquoy – Hendrickx, *Les estampes des Wierix*, vol. II, p. 126, n° 891). J.R.P.

Collection

Monastère des augustines de l'Hôtel-Dieu du Sacré-Coeur, Québec.

Pierre-Noël Levasseur (att. à), 1690-1770

37. *Saint Pierre, apôtre*, vers 1750

Pierre-Noël Levasseur (att. à), 1690-1770

38. *Saint Jacques le Majeur, apôtre*, vers 1750

Pierre-Noël Levasseur (att. à), 1690-1770

39. *Saint Barthelemy, apôtre*, vers 1750

Bois décapé, 53,8 cm.

Inscription
(au dos): « S.ᵗ Pierre ».

Saint Pierre a été le premier chef de l'Église universelle. On le reconnaît ici à sa clef et à ses épîtres. Il existe deux copies de la statuette – dont l'une assez libre – sur la chaire de l'église de Laprairie; on en trouvait une également dans une niche du maître-autel des sœurs de la Charité de Québec – Barbeau l'a photographiée en 1974 (M.N.C., négatif 103247) – mais elle a été remplacée par un moulage vers 1968.
J.R.P.

Collection
Monastère des augustines de l'Hôtel-Dieu du Sacré-Cœur, Québec.

Bois décapé. 51,7 cm.

Inscription
(au dos): « St. Jacques ».

Le sculpteur exploite ici le type iconographique de saint Jacques pèlerin. Ainsi s'explique le chapeau-parasol à larges bords. Le saint s'appuie sur une lance qui lui tient lieu de bâton de pèlerin.   J.R.P.

Collection
Monastère des augustines de l'Hôtel-Dieu du Sacré-Cœur, Québec.

Bois décapé. 49,3 cm (sans la base ajoutée).

Inscription
(au dos): » Sᵗ. Barthelemy ».

Dans cette version, le saint ne possède pas d'attribut distinctif. On trouve une copie de la statuette sur la chaire de l'église de Laprairie. Une copie ayant appartenu aux sœurs de la Charité (M.N.C, nég. 103 257) se trouve aujourd'hui dans une collection particulière en Ontario (voir Dobson, *A Provincial Elegance,* cat. d'expos., 1982, notice 5)   J.R.P.

Collection
Monastère des augustines de l'Hôtel-Dieu du Sacré-Cœur, Québec.

Pierre-Noël Levasseur (att. à), 1690-1770

40. *Saint Philippe, apôtre, (alias saint Matthias), vers 1750*

Pierre-Noël Levasseur (att. à), 1690-1770

41. *Saint André, apôtre,* vers 1750

Pierre-Noël Levasseur (att. à), 1690-1770

42. *Saint Matthias, apôtre, (alias saint Jude), vers 1750*

Bois décapé. 52,1 cm.

Inscription
(au dos): « St. Mathias » (sic).

On identifie saint Philippe à la croix de son martyre.   J.R.P.

Collection
Monastère des augustines de l'Hôtel-Dieu du Sacré-Coeur, Québec.

Bois décapé. 53,3 cm.

Inscription
(au dos): « St. André ».

Dans cette version, d'une facture maniériste, saint André se tient devant la croix de son martyre, qui est une croix en sautoir à branches obliques.   J.R.P.

Collection
Monastère des augustines de l'Hôtel-Dieu du Sacré-Coeur, Québec.

Bois décape. 52,8 cm.

Inscription
(au dos): « St. Jude » (sic).

Saint Matthias fut l'apôtre qui remplaça le traître Judas Iscariote. Son attribut est la hache, allusion à sa décapitation devant le Temple de Jérusalem. Il existait une copie inversée de la statuette sur le maître-autel des soeurs de la Charité (M.N.C., nég. 103249).   J.R.P.

Collection
Monastère des augustines de l'Hôtel-Dieu du Sacré-Coeur, Québec.

**Pierre-Noël Levasseur (att. à),
1690-1770**

**43. *Saint Jacques le Mineur, apôtre,*
(alias saint Philippe), vers 1750**

**Pierre-Noël Levasseur (att. à),
1690-1770**

44. *Saint Thomas, apôtre,* vers 1750

**Pierre-Noël Levasseur (att. à),
1690-1770**

**45. *Saint Jude Thaddée, apôtre,*
(alias saint Marc), vers 1750**

Bois décapé. 52 cm.

Inscription
(au dos): « S.ᵗ Philippe » (sic).

Saint Jacques le Mineur mourut le crâne fracassé d'un cou de bâton de foulon. On connaît deux copies de la statuette, façonnées dans l'atelier de Berlinguet. La première se trouve toujours dans l'église de l'Isle-Verte. Quant à la seconde, elle était sur l'ancien maître-autel de la Baie-du-Febvre, que Barbeau photographia en 1946 (M.N.C., nég. 100265).   J.R.P.

Collection
Monastère des augustines de l'Hôtel-Dieu du Sacré-Coeur, Québec.

Bois décapé. 51,1 cm.

Inscription
(au dos): « Sᵗ. Thomas ».

La présente version de saint Thomas ne comporte pas d'attribut distinctif. On en trouve une copie sur le maître-autel de l'église de l'Isle-Verte.   J.R.P.

Collection
Monastère des augustines de l'Hôtel-Dieu du Sacré-Coeur, Québec.

Bois décapé. 52,2 cm

Inscription
(au dos): » St Marc » (sic).

Saint Jude fut martyrisé en l'an 70. Il fut assommé à coups de massue.   J.R.P.

Collection
Monastère des augustines de l'Hôtel-Dieu du Sacré-Coeur, Québec.

**Pierre-Noël Levasseur (att. à),
1690-1770**

46. *Saint Matthieu, apôtre*, vers 1750

**Pierre-Noël Levasseur (att. à),
1690-1770**

47. *Saint Simon, apôtre*, vers 1750

**Pierre-Noël Levasseur (att. à),
1690-1770**

**48. *Saint Jean l'Évangéliste, apôtre*,
vers 1750**

Bois décapé. 52 cm.

Inscription
(au dos): « St. Mathieu »

Le saint évangéliste est ici dépourvu de tout
attribut vraiment distinctif, puisque la croix
qu'il tient dans sa main droite est une addition
récente. Nous avons retrouvé quatre copies de
la statuette: à l'Isle-Verte, à la Baie-du-Febvre
(localisation actuelle inconnue; M.N.C., nég.
100267-8), chez les soeurs de la Charité (localisation actuelle inconnue; M.N.C., nég. 103251)
et à Laprairie.   J.R.P.

Collection
Monastère des augustines de l'Hôtel-Dieu du Sacré-
Coeur, Québec.

Bois décapé. 52.1 cm.

Inscription
(au dos): « St. Simon ».

D'après la *Légende dorée*, saint Simon aurait été
coupé en deux avec une scie, d'où son présent
attribut.   J.R.P.

Collection
Monastère des augustines de l'Hôtel-Dieu du Sacré-
Coeur, Québec.

Bois décapé. 49,5 cm (sans la base rajoutée).

Inscription
(au dos): « S.ʳ J. L'Evangéliste ».

Le calice que tient saint Jean – le seul apôtre
imberbe – fait allusion à un épisode au cours
duquel il fut obligé de boire une coupe empoi-
sonnée qui avait précédemment foudroyé deux
malfaiteurs. Saint Jean fit le signe de la croix et
but sans être incommodé. On notera que l'hostie qui surmonte la coupe ne faisait pas partie, à
l'origine, de la sculpture. Dans les représentations du XVIIᵉ siècle, en Europe, on donna
souvent la forme d'un calice à la coupe de
poison. Au Québec, on ne connaît que deux
autres représentations sculptées qui partagent
l'iconographie de notre statuette: l'une est sur
le baldaquin de l'église de Neuville; l'autre est
conservée au musée historique de Vaudreuil.
J.R.P.

Collection
Monastère des augustines de l'Hôtel-Dieu du Sacré-
Coeur, Québec.

Pierre-Noël Levasseur (att. à), 1690-1770

49. *Saint Jean-Baptiste*, vers 1750

Pierre-Noël Levasseur (att. à), 1690-1770

50. *Sainte Anne*, (alias sainte Thérèse), vers 1750

Bois décapé, 50 cm.

Inscriptions
(au dos): « Ste Thérèse » (sic),
(sur un papier collé sous la base): « Donné par Mr notre Fondateur Mr Ls Falardeau à la fin de 1873 ou en 1874. Note relative à ces statues au Journal de notre Maison, Année 1873 ».

Il s'agit du seul personnage féminin de l'ensemble de statuettes ayant appartenu à Légaré. Celui-ci l'identifiait comme une sainte Anne, ce qui est tout à fait vraisemblable. Femme d'âge mûr aux traits graves, elle a la tête couverte d'un voile. Elle tient de la main droite un livre et lève l'autre main dans un geste d'enseignement. Ces traits distinctifs font allusion à la croyance populaire selon laquelle c'est sainte Anne elle-même qui aurait appris à lire à la Vierge Marie.

Les jésuites furent les premiers missionnaires à introduire en Nouvelle France la dévotion à sainte Anne, qui était déjà très bien établie au sein de leur Compagnie en Europe (voir Cloutier, *L'iconographie de sainte Anne au Québec*, 1982, p. 26-29). En 1667, les *Relations* font longuement état des guérisons que la sainte thaumaturge avait opérées depuis 1662 dans le fameux sanctuaire de la côte de Beaupré. Ajoutons enfin qu'à compter de son achèvement, en 1750, la nouvelle église de Tadoussac, desservie par les jésuites, constitua pendant une trentaine d'années un haut lieu de la dévotion à sainte Anne (voir Pouliot, « La vieille chapelle de Tadoussac », 1947, p. 226-227)   J.R.P.

Collection
Monastère des augustines de l'Hôtel-Dieu du Sacré-Coeur, Québec.

Bois décapé, 51,8 cm (à la tête), 60,5 cm (totale).

Inscriptions
(au dos): « St. J. Batiste »,
(sur la banderole de la croix): « (A) G (NUS) DEI ».

Précurseur du Christ et dernier des prophètes, saint Jean-Baptiste est bon premier dans la hiérarchie des saints et il n'est pas rare qu'il soit associé, dans l'art chrétien, à saint Jean l'Évangéliste (v. g. les deux statuettes de baldaquin de Neuville). Il est vêtu, ici, de la tunique en poil de chameau qu'il portait dans le désert. Par son index levé, il exprime sa mission d'annonciateur du Christ. De la main droite, il tend une croix à laquelle est fixée une banderole portant l'inscription « Ecce Agnus Dei » (« Voici l'Agneau de Dieu »), paroles par lesquelles il avait salué le Christ. Ainsi s'explique la présence d'un agneau – son attribut le plus fréquent – à ses pieds. Le mouvement dynamique et la pose maniériste de la statuette en font l'une des plus remarquables de l'ensemble de la chapelle de l'Hôtel-Dieu du Sacré-Coeur.   J.R.P.

Collection
Monastère des augustines de l'Hôtel-Dieu du Sacré-Coeur, Québec.

Antoine Plamondon, 1804-1895

51. *Saint François-Xavier prêchant aux Indes*, 1834

Huile sur toile. 226,7 × 160,3 cm.

Inscription
(en bas, à droite): « Ant. Plamondon pxit 1834 ».

Parmi les nombreuses représentations iconographiques rattachées au culte de saint François-Xavier, les scènes illustrant la mort de ce missionnaire, de même que celles montrant sa prédication aux Indes, ont connu une grande popularité au Québec. On ne dénombre en effet pas moins d'une vingtaine de ces représentations. La scène de la prédication aux Indes, en mettant bien en évidence la mission évangélisatrice de saint François-Xavier, avait valeur de symbole aux yeux d'un clergé investi d'une mission analogue.

Le tableau de la Galerie nationale du Canada, daté de 1834, ornait à l'origine la nef de l'église de Saint-Augustin-de-Portneuf. Tout comme il l'avait fait en 1833 pour son tableau de l'église Saint-Jean de l'île d'Orléans, Antoine Plamondon reprend ici, dans ses grandes lignes, la composition d'un tableau anonyme importé de France en 1733 par la paroisse de Saint-François-Xavier de Batiscan, aujourd'hui conservé au Musée du Québec (ill. 51a). L'artiste fit d'ailleurs de même à l'église Saint-Charles-de-Bellechasse quand on lui commanda, quelques années plus tard, un nouveau tableau de saint François-Xavier. Quoi de plus logique, en effet; dans le contexte colonial de l'époque, une oeuvre européenne possédant nécessairement un grand prestige ne pouvait que s'imposer comme modèle à Plamondon.   Y.L.

Bibliographie
I.B.C.Q., fonds Gérard Morisset, *Dossier église Saint-Augustin* de Portneur. I.B.C.Q., Fonds Gérard Morisset, *Dossier Antoine Plamondon*

Collection
Galerie nationale du Canada, Ottawa, (18616).

Ill. 51a   Anonyme, *Saint François-Xavier*, France, 1733; huile sur toile, 208,6 × 221 cm; Musée du Québec, Québec (C-69.30-P) (Photo Musée du Québec, Patrick Altman).

Alexis Porcher, Paris, maître en 1725

52 et 53. *Saint François-Xavier et saint Ignace de Loyola*
Paris, 1751-1752

Canonisés en 1622, saint Ignace de Loyola (1491-1556) et saint François-Xavier (1506-1552) sont les deux saints exemplaires de la Compagnie de Jésus. Saint Ignace de Loyola a été le fondateur de la Compagnie et l'auteur de ses règles, tandis que saint François-Xavier, par son oeuvre d'apostolat aux Indes, en a été le missionnaire modèle. Leurs deux statues en argent, formant la paire, se trouvaient autrefois à l'ancien collège des jésuites de Québec, siège central des jésuites en Nouvelle France, où elles parvinrent quelques années avant la fin du régime français. Après la dispersion des biens des jésuites, en 1800, la statue de saint Ignace fut confiée à la garde des augustines de l'Hôtel-Dieu de Québec, qui, en 1856, après le retour des jésuites à Québec, la leur remirent. La statue de saint François-Xavier fut peut-être confiée aux augustines de l'Hôpital général de Québec et se retrouva ensuite (du moins après 1832) à la cathédrale de Québec.

Saint Ignace de Loyola est représenté en surplis, avec étole et manipule, et portant une chasuble dont l'ornementation n'est pas sans évoquer la chasuble des jésuites que conserve toujours l'Hôtel-Dieu de Québec (cat. 33). Il est donc représenté comme célébrant la messe, les bras ouverts, la tête levée vers le ciel dans une attitude d'adoration. Sur sa main droite est posé assez curieusement un soleil en forme d'ostensoir à pied tronqué, dans la lunule duquel s'inscrit le symbole des jésuites, I H S (*Jesus Hominum Salvator*). La base de cette statue est récente, tandis que la statue de saint François-Xavier a conservé sa base d'origine, montée sur pieds, portant une applique frontale où s'inscrivent les lettres I H S et qui est surmontée aux quatre coins de fleurs de lys. Saint François-Xavier est représenté prêchant, en surplis, ce qui est sa représentation iconographique habituelle, et brandissant de la main gauche un grand crucifix. Saint Ignace de Loyola représente la contemplation et l'adoration, tandis que saint François-Xavier représente la prédication et l'action, les deux pôles de la philosophie de la Compagnie de Jésus.   J.T.

Argent, base en bois.
Saint Ignace: 49,5 cm (avec la base),
45,4 cm (statue).
Saint François: 73,3 cm (avec la base),
53,3 cm (statue).

Poinçons
Maître: une fleur de lys couronnée, deux grains, A P, une corbeille.

Maison commune: L couronné.

Charge de Paris: A couronné avec palme et laurier.

Décharge: une tête de sanglier.

Inscription
Saint Ignace (dans le soleil de la main droite): « I H S » surmonté d'une croix.

Saint François (au sommet de la croix): « INRI »; (sur la base): « I H S », le H surmonté d'une croix, les trois clous plantés dans un coeur au-dessous.

Exposition
1974, Ottawa, Galerie nationale du Canada, *L'orfèvrerie en Nouvelle-France*, nᵒˢ 54 et 55, repr.

Bibliographie
Barbeau, *Trésor des anciens Jésuites,* 1957, p. 61 et 237. Résidence des pères jésuites, Québec, (saint Ignace de Loyola).

Collection
Basilique-cathédrale Notre-Dame, Québec, (saint François-Xavier).

CHAPITRE QUATRIÈME
LA DÉVOTION À LA SAINTE FAMILLE

« Ce culte a été en grand honneur dès le XVIIe siècle, et, après s'être largement propagé en Italie, en France et en Belgique, il s'est répandu dans presque toute l'Europe. Franchissant ensuite la vaste étendue de l'Océan, il s'est implanté en Amérique, dans la région du Canada, où il devint très florissant, grâce principalement à la sollicitude et à l'activité du vénérable François de Montmorency Laval, premier évêque de Québec, et de la vénérable servante de Dieu Marguerite Bourgeoys »[1].

Cette citation est extraite du bref publié le 14 juin 1892 par le pape Léon XIII pour l'établissement de l'Association universelle de la Sainte Famille. À elle seule, elle constitue un témoignage privilégié de la très grande popularité de la dévotion à la Sainte Famille au Canada français.

Les manifestations de ce culte par excellence remontent aux premiers temps de la Nouvelle France, ainsi qu'en fait foi ce passage de la *Relation* du père Paul Le Jeune, supérieur des missions du Canada, en 1637 :

« Le 1. jour de May, Monsieur le Gouverneur fit dresser devant l'Église de Québec un grand arbre enrichi d'une triple couronne, au bas de laquelle il y avoit trois grands cercles l'un sur l'autre, enrichis de festons, qui portoient ces trois beaux noms escrits, comme dans un Écusson, Iesus,

Maria, Ioseph. C'est le premier May dont la nouvelle France ait honoré l'Église. Il fut salué d'une escoüade d'harquebusiers, qui le vindrent entourer »[2].

Il n'est pas indifférent que cet événement ait été rapporté par un jésuite, puisque les missionnaires de la Compagnie de Jésus étaient de grands dévots à la Sainte Famille. Sans cesse ils faisaient spontanément appel à Jésus, Marie et Joseph dans les circonstances difficiles. Dans la *Relation* de 1664, le père Jérôme Lalemant témoignait ainsi de sa gratitude envers l'« Auguste Trinité visible » :

« Ayant commencé ma première campagne sous les favorables auspices de la Sainte Famille de Iesus, Marie, et Ioseph, j'ay experimenté en diverses rencontres combien Dieu agrée qu'on luy demande des graces par la mediation de Iesus-Christ, qui nous les a toutes meritées, et qu'on s'adresse à la Sainte Vierge et à Saint Joseph, comme aux plus puissants Advocats que nous puissions avoir auprés de nostre adorable Sauveur »[3].

L'implantation de la dévotion à la Sainte Famille en terre canadienne ne fut pas étrangère aux courants qui marquèrent la spiritualité française au cours du XVIIe siècle. À cet égard, on ne saurait taire l'influence déterminante d'un mystique comme Jean-Jacques Olier. Fondateur du séminaire de Saint-Sulpice de Paris, Olier était convaincu que, par

---

1. Cité dans Honorius Provost, « La dévotion à la Sainte Famille en Canada », dans *La Revue de l'Université Laval*, vol. XVIII, nos 5-6 (janvier-février 1964), p. 3. Nous avons beaucoup emprunté à l'article de l'abbé Provost pour la rédaction de la première partie de ce texte.

2. *Les Relations des Jésuites*, tome 2 (1637-1641), année 1637, p. 82. Nous utilisons ici la réédition parue aux Éditions du Jour en 1972.

3. *Idem*, tome 5 (1656-1665), année 1664, p. 9.

l'intercession des membres de la Sainte Famille, une grande mission pourrait être implantée sur l'île de Montréal. À cette fin, il forma une association de personnes, aussi zélées que bien nanties, qui prit le nom de Société de Notre-Dame de Montréal. En février 1642, à quelques mois de la fondation effective de Ville-Marie, les associés de la Compagnie réunis à Notre-Dame de Paris se consacrèrent, ainsi que l'île de Montréal, à la Sainte Famille[4]. À leur exemple, une compagnie militaire mise sur pied par Maisonneuve en 1663 pour défendre le nouvel établissement contre les attaques des Iroquois adopta le nom de Milice de la Sainte Famille de Jésus, Marie et Joseph[5]. Ce dernier épisode est évoqué dans l'un des vitraux (1931) de l'actuelle église Notre-Dame de Montréal.

Quand la Société de Notre-Dame fut dissoute, en 1663, un groupe de dévots de Ville-Marie se concerta en vue de fonder une confrérie « où l'on fût instruit de la manière dont on pourrait dans le monde même imiter Jésus, Marie, Joseph »[6]. Ce groupe comprenait le père Pierre-Joseph-Marie Chaumonot, grand zélateur de la dévotion, ainsi que Barbe de Boullogne, ex-membre de la Société Notre-Dame et veuve de Louis d'Ailleboust, Marguerite Bourgeoys (cat. 94), fondatrice des soeurs de la Congrégation, le sulpicien Gabriel Souart, curé de Notre-Dame, et Judith de Brésoles, supérieure de l'Hôtel-Dieu[7]. Mis au courant du projet à son retour de France, Mgr de Laval en convoqua à Québec les deux principaux initiateurs, le jésuite Chaumonot et la veuve d'Ailleboust, à l'automne de la même année. Ancien disciple des jésuites, le premier évêque de la Nouvelle France vouait lui-même un culte particulier à la Sainte Famille, à laquelle il venait tout juste de dédier son séminaire de Québec. Fort de l'expérience des dévots de Montréal, il décida d'ériger la confrérie à Québec par un mandement daté du 14 mars 1664[8]. De plus, il rédigea lui-même les règlements de la Nouvelle confrérie, dont il précisa ainsi les finalités:

« Le dessein et la fin de cette dévotion est d'honorer la sainte Famille de Jésus, Marie et Joseph, et les saints Anges et de règler les ménages chrétiens sur l'exemple de cette sainte Famille, qui doit être le modèle de toutes les autres; de sanctifier les mariages et les familles; d'en exclure le péché, particulièrement celui de l'impureté, cette peste des mariages, qui est la source de tant de maux, et qui peuple la terre et les enfers d'enfants de Satan, qui blasphémeront toute l'éternité, leur Créateur; d'y établir les vertus chrétiennes, particulièrement la chasteté, l'humilité, la douceur, la charité, l'union des coeurs, la patience dans les tribulations et la vraie dévotion: et par ce moyen de peupler la terre et le ciel

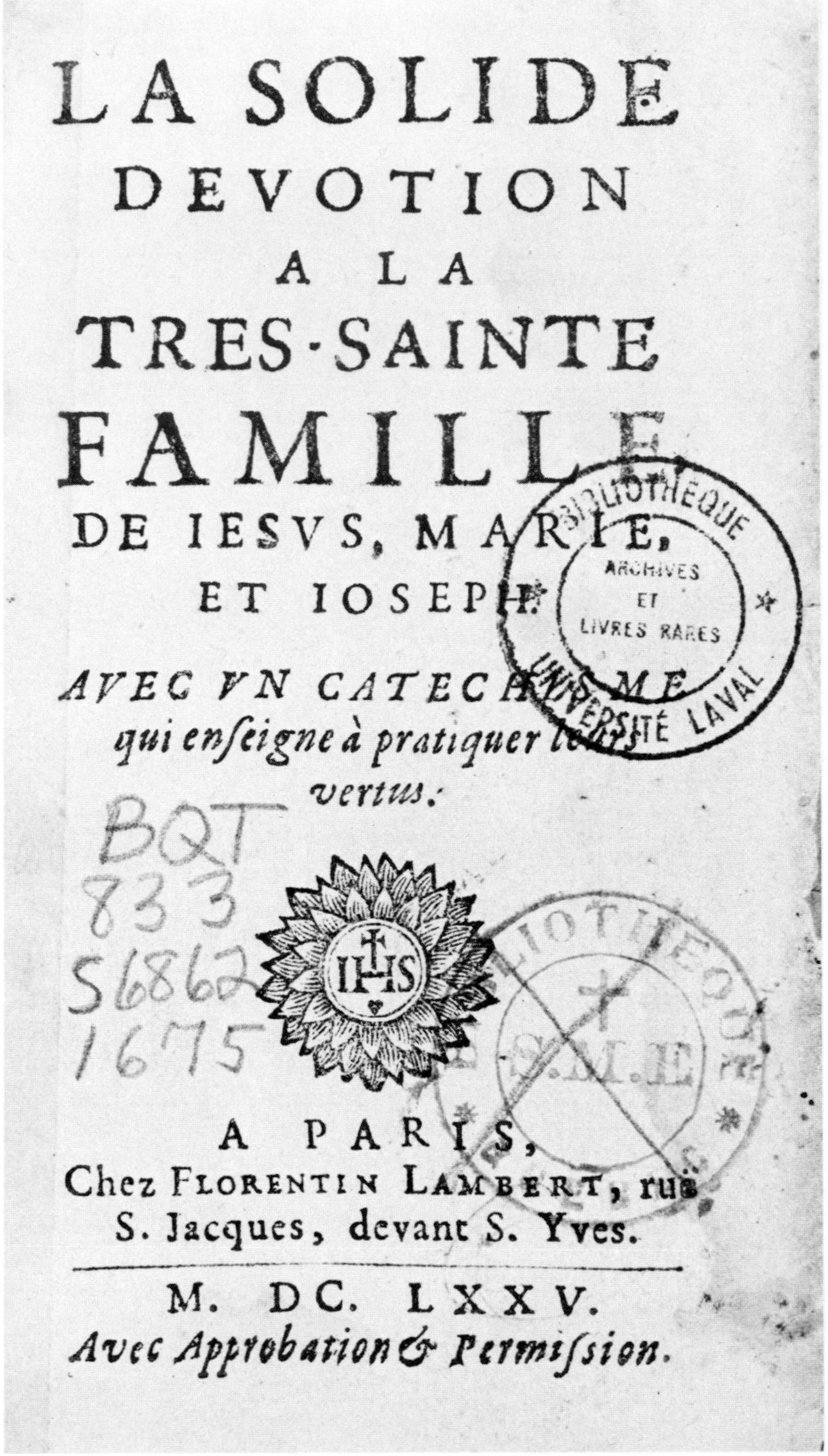
LA SOLIDE
DEVOTION
A LA
TRES-SAINTE
FAMILLE
DE IESVS, MARIE,
ET IOSEPH.
AVEC VN CATECHISME
qui enseigne à pratiquer leurs vertus.

A PARIS,
Chez FLORENTIN LAMBERT, ruë S. Jacques, devant S. Yves.
M. DC. LXXV.
Avec Approbation & Permission.

BIBLIOTHÈQUE ARCHIVES ET LIVRES RARES UNIVERSITÉ LAVAL
BQT 833 S6862 1675

Fig. 1 Page titre de l'ouvrage intitulé *La solide dévotion à la très Sainte-Famille...*, publié à Paris en 1675, 14,4 × 8 cm; bibliothèque de l'université Laval, Québec, (archives et livres rares) (Photo François Lachapelle).

4. Marie-Aimée Cliche, « La confrérie de la Sainte-Famille à Québec sous le régime français, 1663-1760 », dans *La Société canadienne d'histoire de l'Église catholique*, Sessions d'étude no 43, 1976, p. 79; *Joseph-Papin* Archambault, *La dévotion à la sainte Famille*, L'oeuvre des tracts (no 270), Montréal, décembre 1941, p. 2-3.

5. Maria Mondoux, « La dévotion à saint Joseph dans la Congrégation des religieuses hospitalières de Saint-Joseph, et particulièrement à l'Hôtel-Dieu de Montréal », p. 436, dans *Le patronage de saint Joseph* (Actes du Congrès d'études tenu à l'oratoire Saint-Joseph, Montréal 1er – 9 août 1955), Fides, Montréal et Paris, 1956, 669 pages.

6. Provost, *op. cit.*, p. 5.

7. Adrien Pouliot, « La dévotion à la Sainte Famille en Nouvelle France au XVIIe siècle », dans *Cahiers de Joséphologie*, vol. XXIX, 1981, p. 1025.

8. Provost, *op. cit.*, p. 4-6.

d'enfants de Dieu qui loueront et béniront éternellement leur Père céleste. C'est ce que procureront les bons et saints mariages, suivant ce que nous enseigne Notre-Seigneur, qu'un bon arbre ne peut produire de mauvais fruits. C'est à cela que doivent tendre et contribuer toutes les âmes dévotes à la sainte Famille, comme le moyen le plus efficace pour la faire honorer »[9].

À compter de 1665, deux bulles d'indulgence furent accordées par le pape Alexandre VII, la première étant attachée à une visite à la chapelle de la confrérie dans l'église paroissiale de Québec le deuxième dimanche après l'Epiphanie[10]. Originellement réservée aux femmes et aux filles, la confrérie de la Sainte Famille ne tarda pas à élargir ses rangs aux hommes. Connaissant une rapide expansion, elle vit bientôt ses cellules se multiplier un peu partout dans la colonie. Fait révélateur, la première paroisse de l'île d'Orléans fut érigée sous le patronage de la Sainte Famille, en 1666 (voir chap. IX). Quant à la population amérindienne, elle ne demeura pas étrangère au mouvement, comme en témoigne ce passage relatif aux Hurons de Québec, tiré de la *Relation* de 1664 (cat. 59):

« L'esprit de Dieu opere ses merveilles où il luy plaist. Ce n'est pas seulement chez les peuples Policez, et parmy les personnes consacrées à Dieu, que se trouve la devotion: les Sauvages en sont capables, et les Cabanes d'escorce cachent autant de vertu, qu'on en peut souhaiter dans les cloistres. Depuis qu'on a introduit dans l'Église des Hurons de Québec, une devotion qui fait de grands fruits parmy les Francois de ce pays, et qu'on leur a inspiré le dessein de regler leurs familles sur celle de Iesus, Marie *et* Ioseph, *on ne peut croire jusques où va la ferveur de ces pauvres Barbares »*[11].

Du côté de Montréal, on rapporte que des missionnaires firent même graver de petits anneaux en cuivre marqués du monogramme de la Sainte Famille (JMJ) pour les distribuer aux Amérindiens et aux colons blancs comme gages de protection[12].

Confronté au développement très rapide de la confrérie qu'il avait érigée, Mgr de Laval jugea opportun d'en mieux diffuser les règlements. À cette fin, il fit paraître en 1675 un manuel officiel intitulé « *la solide dévotion à la très-sainte famille de Iesus, Marie et Ioseph. Avec un Catechisme qui enseigne à pratiquer leurs vertus* » (fig. 1). En page frontispice apparaissait une gravure signée Huret (Grégoire Huret?) dans laquelle les saints Anges étaient associés aux membres de la Sainte Famille (fig. 2). Il est permis de penser que cette estampe d'esprit jésuitique était du même type que celles que le premier évêque de Québec avait fait imprimer et distribuer dans les familles pour leur permettre de respecter l'une des pratiques qu'il avait lui-même édictées dans ses règlements de 1664:

Fig. 2   Grégoire (?) Huret (1606-1670), *La Sainte-Famille et les saints anges*, gravure ornant la page frontispice de *La solide dévotion à la Très Sainte-Famille...*, 11 × 7 cm (image); bibliothèque de l'université Laval, Québec (archives et livres rares) (Photo François Lachapelle).

---

9. Cité dans Archambault, *op. cit.*, p. 7.

10. Provost, *op. cit.*, p. 11.

11. *Les Relations* des Jésuites, tome 5 (1656-1665), année 1664, p. 20-21.

12. Mondoux, *op. cit.*, p. 440.

« Elles (les femmes et les filles) auront dans les maisons quelque image de la Sainte Famille, devant laquelle elles feront leurs prières, soir et matin, à genoux, et renouvelleront tous les jours, la donation et la consécration qu'elles lui ont faites d'elles-mêmes, de leur mari, de leurs enfants et de toutes leurs familles, et elles encourageront leur mari à faire de même »[13].

Désirant officialiser une pratique déjà bien établie, Mgr de Laval publia en novembre 1684 un mandement instituant une fête annuelle en l'honneur de la Sainte Famille[14]. Son successeur, Mgr de Saint-Vallier, contribua à magnifier cette fête par le biais de son *Rituel*, publié en 1703 :

« Le 2° Dimanche après Pâques, y écrivait-il, le curé dira : Dimanche prochain nous célébrerons une Fête, qui est propre à ce Diocèse. C'est la Fête de la Sainte Famille de Jésus, Marie & Joseph. Offrez à N. S. ce jour-là vos familles & tous ceux qui les composent ; mettez les sous sa protection, & demandez-lui tous ensemble la grâce, que les familles qui composent cette Paroisse soient des familles saintes, en qui la paix, la pureté & la charité règnent, dont toutes les personnes qui les composent s'édifient & s'animent à remplir toute justice »[15].

Il serait trop long de décrire ici l'évolution ultérieure de la dévotion à la Sainte Famille au Canada français. Contentons-nous de dire qu'elle ne perdit rien en intensité et ne cessa de gagner de nouveaux adeptes jusqu'au milieu du XXe siècle. Pour en témoigner, il suffit de rappeler que le petit manuel de la confrérie de la Sainte Famille connut une douzaine de rééditions jusqu'en 1954[16]. L'institution de l'Association universelle de la Sainte Famille par le pape Léon XIII, en 1892, vint d'ailleurs donner un nouvel élan à une dévotion déjà bien développée. Forts de la reconnaissance papale et des recommandations de leurs évêques, les curés de paroisse se firent un devoir d'annoncer chaque année la fête de Jésus, Marie et Joseph en lisant ces mots tirés de l'*Appendice du Rituel* :

« Nous exhortons toutes les familles chrétiennes de cette paroisse à entrer dans cette Association universelle, à faire ou à renouveler, dimanche prochain, leur acte de consécration à la Sainte Famille, et à réciter tous les jours, devant l'image de la Sainte Famille, la prière approuvée par le Souverain Pontife, afin de s'assurer ainsi la protection de Jésus, Marie et Joseph, et de gagner les très nombreuses indulgences dont le Pape a voulu enrichir l'Association universelle »[17]

―――――

« Les miracles opérés par l'intercession de la sainte Famille et les bienfaits sans nombre que les fidèles en ont obtenus, ont rendu cette dévotion une des plus populaires du pays durant de longues années. La plupart des anciens tableaux peints dans le pays, ou même en France, ont pour sujet la sainte Famille de Jésus, Marie, Joseph. Nous avons l'avantage de posséder deux ou trois de ces tableaux, qui dénotent un bon goût chez les artistes. C'était un tableau de la sainte Famille qu'en 1690, on avait placé dans le clocher de la Cathédrale, et qui défia tous les boulets que l'amiral Phipps fit tirer pour l'abattre »[18]

Cet extrait de l'histoire des ursulines de Québec est un bon indice du grand nombre de représentations de la Sainte Famille qui existent en terre québécoise. De fait, au cours de la seconde moitié du XVIIe siècle, les habitants de la Nouvelle France qui désiraient se placer sous la protection des membres de la Trinité terrestre eurent naturellement recours à diverses « images » leur permettant de matérialiser l'objet de leur dévotion. Ainsi, lors de l'attaque de Phipps, « il y avoit dans le Coeur [le choeur des religieuses de l'Hôtel-Dieu de Québec] des figures de Jésus Marie Joseph devans lesquelles brusloit continuellement un cierge ardent »[19]. Dans le sillage des initiatives de Mgr de Laval, l'iconographie de la Sainte Famille se répandit rapidement, sous la forme de gravures, de peintures et de sculptures, aussi bien dans les communautés religieuses que dans les paroisses.

À la suite de l'établissement de la confrérie, le sulpicien Souart donna à Marguerite Bourgeoys une toile française ayant pour thème la Sainte Famille, toile que les soeurs de la Congrégation Notre-Dame conservent toujours. En 1666, les Hurons firent présent aux jésuites de Québec d'« un tableau qui marque comme ils ont embrassé la foy », tableau dans lequel la foi était symbolisée par une représentation de la Sainte Trinité et de la Sainte Famille (cat. 13). Pour leur part, les ursulines de Québec placèrent la nouvelle chapelle de leur monastère sous la garde de Jésus, Marie et Joseph en faisant marquer les trois noms sur la croix de clocher façonnée par le ferronnier Lozeau en 1724 (cat. 165). Les hospitalières de l'Hôtel-Dieu de Québec, qui avaient déjà reçu de la veuve d'Ailleboust, en 1685, un tableau de la Sainte Famille, acceptèrent avec joie deux nouvelles représensations du même thème en 1742 et 1749 (cat. 57). Ces toiles leur avaient été expédiées de France par le jésuite François-Xavier Duplessis. Par ailleurs, les soeurs grises de Montréal sont demeurées très attachées à une gravure de la Sainte Famille faite au milieu du XVIIIe siècle par le graveur français Anne Louise Chereau, gravure qui avait originellement appartenu à mère d'Youville, leur fondatrice.

Du côté des paroisses, on ne fut pas en reste. À Notre-Dame de Québec, on profita du passage du frère Luc dans la colonie, en 1670-1671, pour lui faire exécuter un grand

―――――

13. Cité dans Fernand Porter, *L'Institution catéchistique au Canada. Deux siècles de formation religieuse 1633-1833*, Éditions franciscaines, Montréal, 1949, p. 27.

14. Provost, *op. cit.*, p. 13-14.

15. Cité dans *Idem*, p. 17.

16. Voir *Idem*, p. 12, et Charles Nadeau, *Saint Joseph dans l'édition Canadienne*, Oratoire Saint-Joseph du Mont-Royal, Montréal, 1967, p. 18-19, et 62-63 (nos 85, 86 et 329).

17. Cité dans Provost, *op. cit.*, p. 20.

18. *Les Ursulines de Québec, depuis leur établissement jusqu'à nos jours*, C. Darveau, Québec, 1878, tome I, p. 263.

19. « Annales de 1639 à 1822 » citées dans Claude Thibault, *Trésors des communautés religieuses de la ville de Québec*, (cat. d'expos.) Musée du Québec, Québec, 1973, p. 81.

tableau de la Sainte Famille. À Sainte-Famille de l'île d'Or-léans, on fit appel au même artiste récollet pour la réalisa-tion d'une toile qui, par-delà des éléments iconographiques exceptionnels, réunissait Jésus, sa mère et son père nourri-cier. En 1709, l'église de Saint-Pierre, la paroisse voisine, recelait pour sa part une grande image de papier représen-tant la Sainte Famille ainsi que « trois petites statues de bois des trois personnes de la ste famille »[20]. Cinq ans plus tard, la nouvelle paroisse de Cap-Santé était placée sous le patro-nage de l'auguste trinité. On peut encore y voir une toile anonyme du XVIIIᵉ siècle réunissant l'Enfant Jésus, la Vierge et Joseph, Anne et Joachim – parents de la Vierge –, Dieu le Père, le Saint-Esprit et deux anges[21]. Dans la région de Montréal, les sulpiciens de la mission du lac des Deux-Montagnes importèrent une toile française de Jean-Charles Frontier datée de 1749 et réunissant les trinités céleste et terrestre ainsi que sainte Anne et saint Joachim. Tout porte à croire que cette peinture était destinée aux exercices de la confrérie de la Sainte Famille du village, qui réunissait plusieurs Amérindiennes[22]

Dans les années 1770, le curé-peintre Jean-Antoine Aide-Créquy exécuta à Notre-Dame de Québec un tableau de la Sainte Famille pour remplacer la toile du frère Luc qui avait été détruite en 1759. – L'oeuvre de Créquy devait connaître le même sort en 1866; une toile de Théophile Hamel la remplaça en 1867, qui fut brûlée à son tour en 1922. – À la même époque, la fabrique de Sainte-Foy, près de Québec, fit faire un tabernacle sur lequel étaient une fois de plus réunis l'enfant Jésus et ses parents (cat. 60 à 62).

Tout au long du XIXᵉ siècle, les représentations de la Sainte Famille se multiplièrent de façon quasi phénoménale, parti-culièrement en peinture. Image fort appréciée des fidèles comme des amateurs de peinture, une toile française appar-tenant au séminaire de Québec s'avéra l'un des modèles privilégiés des artistes de l'époque. De fait, ceux-ci nous ont laissé une bonne trentaine de copies de ce *Repos de la sainte Famille en Egypte* (ou *Sainte Famille trinitaire*), naguère attribué à Jean-Baptiste Van Loo et qui l'est mainte-nant à Jean Restout. Avant d'être gravement endommagée dans l'incendie de 1888 de la chapelle du séminaire, l'oeu-vre avait été copiée tour à tour par les Louis Dulongpré, Jean-Baptiste Roy Audy, Joseph Légaré, Antoine Plamondon, Yves Tessier et Théophile Hamel (fig. 3) sans compter les soeurs de l'atelier du Bon Pasteur. Typique de l'art de la Contre-Réforme issu du concile de Trente, l'iconographie

Fig. 3   Théophile Hamel (1817-1870), *Repos de la Sainte-Famille en Égypte*, 1842; huile sur toile, 274 × 213 cm (env.); église de Saint-Ours (Richelieu) (Photo I.B.C.Q., nég. 74.392 (22) 6).

du tableau du séminaire de Québec rejoint celle de plu-sieurs autres représentations conservées au Québec, dans la mesure où elle nous présente la trinité terrestre placée sous la protection de la trinité céleste. La première est disposée horizontalement, tandis que la seconde correspond à l'axe vertical de la composition[23]

20. Archives paroissiales de Saint-Pierre, île d'Orléans, *Registre I (1680-1789)*, Inventaire de 1709, folios 21 (no 21,2) et 27 (no 15).

21. Note critique de Laurier Lacroix dans Gérard Morisset, *Le Cap-Santé, ses églises et son trésor*, Musée des beaux-arts de Montréal, Montréal, 1980 (réédition critique de l'ouvrage paru en 1944 dans la collection Champlain aux Éditions Medium), p. 130 et 326 (repr.).

22. John R. Porter et Jean Trudel, *Le Calvaire d'Oka*, Galerie nationale du Canada, Ottawa, 1974, p. 44 et 45 (repr.).

23. Louis Réau, *Iconographie de l'art chrétien*, tome II: *Iconographie de la Bible*, Presses universitaires de France, Paris, 1956-1957, vol. 2, p. 149.

Fig. 4 La Fosse d'après Lazerges, *La Sainte Famille*,
deuxième moitié du XIXᵉ siècle; lithographie imprimée et éditée
par la maison L. Turgis de Paris, 66 × 53 cm;
Monastère des augustines de l'Hôtel-Dieu de Québec
(Photo I.B.C.Q., nég. 76.1099 (35) 19).

Fig. 5 *Pacte d'union éternelle entre la famille chrétienne
et la Sainte-Famille*; lithographie enregistrée en 1892,
62 × 41 cm; inscription dans la partie basse: « La famille
Magloire Turcotte s'est consacrée à la Ste Famille de Jésus,
Marie Joseph A St-Jean I.O., le 18 mars 1900 »;
collection Raymond Brousseau
(Photo Musée du Québec, Patrick Altman).

À compter du milieu du XIXᵉ siècle, les groupes en plâtre de la Sainte Famille se répandirent au Québec du fait d'importations ou de l'établissement d'ateliers italiens au pays (cat. 64). En 1887, l'un de ces groupes fut installé dans l'église de Saint-Sauveur de Québec. Destiné à l'autel de la Sainte Famille, il fut donné à la paroisse par des dames appartenant à la confrérie du même nom[24]. Parallèlement, l'imagerie populaire assura aux représentations de Jésus, Marie et Joseph une diffusion encore plus large. En 1895, les rédacteurs de *L'Abeille paroissiale* signalaient à leurs lecteurs qu'ils possédaient » à peu près tout ce qui a été édité en fait d'images, chromos, photographies, médaillons, etc., se rattachant à la dévotion »[25]. Les oeuvres en plâtre, tout comme les chromolithographies importées d'Europe ou des États-Unis, fournirent de nouveaux modèles aux sculpteurs locaux qui continuaient à travailler le bois. Pour répondre à la sensibilité populaire, Louis Jobin s'inspira d'un chromo sorti de la maison de Turgis de Paris (fig. 4) pour réaliser le grand relief polychrome qu'il destinait à la paroisse Saint-Valentin (cat. 55). Ajoutons qu'à compter de la promulgation du bref de Léon XIII, en 1892, les membres de l'Association de la Sainte Famille eurent droit à un exemplaire d'une lithographie qui, tout en faisant officiellement état de leur adhésion, véhiculait une grande image de la Sainte Famille ainsi qu'une série de petites vignettes liées au même sujet (fig. 5).

Au cours du XXᵉ siècle, nombre de nouvelles représentations de la Sainte Famille vinrent peupler l'univers visuel des Québécois. Parallèlement aux importations de tous ordres qui persistaient, un décorateur d'églises comme Ozias Leduc exploita le thème de la Sainte Famille au travail à Nazareth, type iconographique bien adapté à l'évolution du milieu. Prolongeant le rayonnement du sujet jusqu'à l'orée des années 1960, le sculpteur Elzéar Soucy adopta la même vision intimiste dans son groupe destiné à la chapelle du Sacré-Coeur, à Notre-Dame de Montréal.

Au milieu du XXᵉ siècle encore, « nombre de bonnes familles canadiennes *conservaient* cette belle coutume d'avoir, dans la pièce « familiale », un cadre de la Sainte Famille, devant lequel se *faisaient* toutes les prières en commun »[26] (cat. 256). Parfois, il arrivait que ce « cadre » cède la place à un petit groupe sculpté, de facture populaire, pieusement exécuté par un artisan local (cat. 54). Dans certains endroits, la dévotion allait jusqu'à faire intégrer les personnages de Jésus, Marie et Joseph dans le décor historié d'une canne sculptée (cat. 262).

Au fil des quelque 350 années d'existence de la dévotion à la Sainte Famille au Canada français, nombreuses sont les oeuvres consacrées à la trinité terrestre qui ont disparu. Malgré cela, on compte encore des centaines de représentations du thème : gravures, petites images dévotes, peintures, bannières (cat. 56), parements d'autel, vitraux, reliefs ou rondes-bosses (en bois, en pierre, en plâtre ou en fonte), cires sous globe (cat. 58), médaillons de chandeliers (cat. 182) ou de vases liturgiques, ouvrages de ferronnerie, sans compter les inscriptions et monogrammes (JMJ). Originellement exposés aux quatre vents à la façade d'une église (cat. 160 à 164) ou d'un couvent (cat. 63), certains de ces témoins d'un culte naguère très populaire ont trouvé un nouveau souffle sous la cimaise des musées.

John R. Porter

---

24. *Le Courrier du Canada*, 12 décembre 1887, p. 2.

25. *L'Abeille paroissiale*, novembre et décembre 1895, p. 245.

26. Fernand Porter, *op. cit.*, p. 27, note 46.

Anonyme

54. *Sainte Famille*, fin du XIXᵉ siècle

Louis Jobin, 1845-1928

55. *La Sainte Famille*, 1875

Bois polychrome. 36 × 36 cm.

Sous l'influence toujours croissante, surtout à partir du milieu du XIXᵉ siècle, des « Confréries de la Sainte Famille », créées par le clergé local dans un très grand nombre de paroisses, ce culte devint bientôt la dévotion par excellence des familles.

En plus des tirages successifs du « Petit manuel de la Confrérie », de très nombreux objets de piété furent alors distribués dans les foyers. Les grandes images encadrées, y compris les « diplômes d'affiliation », de l'« Association universelle de la Sainte Famille », occupaient toujours la place d'honneur dans la maison, là où se réunissait toute la famille pour prier.

S'inspirant probablement d'une illustration de grand format de la fin du XIXᵉ siècle qui représentait l'Enfant Jésus tenant ses parents par la main, l'auteur de ce petit groupe sculpté a logé ses personnages dans une niche décorée d'un paysage en arrière-plan. Empreinte de sincérité, cette Sainte Famille, sans doute placée bien en vue dans la maison, dut susciter la piété de ceux qui en faisaient le modèle par excellence de la famille chrétienne.   P.L.

Collection
Collection Mᵍʳ Jean-Marie Fortier, Sherbrooke.

Bois polychrome. 184 × 135 × 16 cm (env.).

Inscription
(au bas, à droite): « L. Jobin 1875 ».

Parmi les rares panneaux exécutés par le statuaire Louis Jobin, trois sont associés à son atelier montréalais: le *Bon Pasteur*, conservé à la Galerie nationale du Canada, l'*Apparition de Notre-Dame-de-Lourdes*, de l'église du Sault-au-Récollet (1873), et enfin la *Sainte Famille*, du monastère des carmélites (1875). Cette dernière sculpture est, non seulement l'une des premières oeuvres religieuses majeures de Jobin, mais aussi l'une des plus achevées de toute sa production. Les circonstances exactes de la commande à Jobin nous sont encore inconnues. Quant à l'itinéraire du relief, il se résume ainsi: originellement à la sacristie de l'église de Saint-Valentin, il fut transféré le 1ᵉʳ mai 1969 au Carmel de Montréal, où il orne encore la chapelle conventuelle.

Bien qu'on lui ait enlevé son cadre originel de bois doré, le relief de la *Sainte Famille* se rapproche beaucoup plus d'un tableau que d'une sculpture, un tableau sculpté destiné à décorer un mur. En effet, plusieurs éléments soutiennent cette observation: l'aspect pictural de la composition, l'arrière-plan peint plutôt que sculpté, et surtout le jeu des regards, sorte de triangle inversé savamment calculé pour être vu à une certaine hauteur. De fait, lorsque le relief est suspendu à environ trois mètres du sol, le spectateur a l'impression que l'Enfant Jésus le regarde droit dans les yeux.

Par ailleurs, l'aspect pictural du relief de Jobin n'étonne guère quand on sait qu'il est une transposition d'une lithographie du même sujet, imprimée et éditée par la maison L. Turgis de Paris, maison dont l'imagerie religieuse connut une grande diffusion au Québec à la fin du siècle dernier (fig. 4).

La *Sainte Famille* du Carmel reprend la même composition que la scène du modèle gravé. Le groupe de trois personnages, debout sur un massif rocheux, est formé par l'Enfant Jésus; encadré par saint Joseph à sa droite et la Vierge à sa gauche. De la main droite, saint Joseph tient un bâton dont l'extrémité supérieure est cassée alors que, de la gauche, la Vierge esquisse un geste qui pourrait être celui de présenter son Fils au spectateur.

De nombreuses modifications, quoique mineures, peuvent être relevées dans le relief de Jobin par rapport à la source imprimée, notamment la pose frontale du corps de l'Enfant de même que l'emplacement des trois figures sur un plan horizontal plutôt que légèrement diagonal. Cela a pour effet de présenter chacun des personnages dans une attitude un peu hiératique et de rendre le groupe presque statique. Mais, comparé à la *Sainte Famille* stylisée et exubérante de Jean-Baptiste Côté (voir Trudel, 1974-1975, p. 19, repr.), aussi inspirée du même modèle (collection privée), le traitement du tableau sculpté de Jobin manifeste un évident souci de réalisme et d'austérité. Cette *Sainte Famille* nous montre également que, si Jobin est surtout réputé pour sa prolifique production statuaire, il n'en demeure pas moins un excellent sculpteur de relief. À cet égard, la *Sainte Famille* constitue l'une des oeuvres majeures de sa longue carrière.   J.T. et M.B.

Bibliographie
TRUDEL, « La Sainte Famille de Louis Jobin », 1974-1975, p. 16-19, repr.

Collection
Monastère du Carmel, Montréal.

Anonyme

56. *Bannière de la Sainte Famille,*
   fin du XIXe siècle

Soie, fils d'or et d'argent, huile sur toile.
184 × 103 cm.

Inscriptions
(face, en haut) : « ASSOCIATION Ste FAMILLE
BOUCHERVILLE »
(dos, en bas) : Ste ANNE PRIEZ POUR NOUS ».

La représentation peinte sur la bannière de
l'Association Sainte Famille de Boucherville
prend pour modèle la gravure *Jésus, Marie,
Joseph* publiée par la maison L. Turgis de Paris
(fig. 4). De fait, la présentation du groupe sur la
bannière reproduit fidèlement, tant par la couleur que par le dessin, la composition de la
lithographie, à cette différence près que le
peintre a campé ses personnages dans un pay-

sage esquissé à la droite de la scène. La *Sainte
Famille* de la maison Turgis est également la
source directe de deux tableaux datés de la
même période – l'un à l'église Saint-Laurent
(attribué à L. V. Gadbois), l'autre à l'église Saint-
Sébastien d'Iberville (signé par Louis-Saint-
Hilaire en 1898) –, ce qui atteste la large utilisation qu'a connue l'imagerie populaire à la fin
du XIXe siècle.

La scène peinte sur l'autre côté de la bannière
de procession est probablement, elle aussi,
tirée d'une image pieuse imprimée à cette époque. En effet, le revers présente une *Éducation
de la Vierge*, thème qui, lié à la popularité de la
dévotion à Sainte-Anne, a joui d'une grande diffusion dans l'art religieux québécois (cat. 208).

La juxtaposition de ces deux sujets sur une
même bannière n'est guère surprenant. Boucherville et une paroisse voisine, Varennes,
étant placées sous les patronages respectifs de
la Sainte Famille et de Sainte Anne. Les deux
thèmes, la *Sainte Famille* et l'*Éducation de la
Vierge*, ont d'ailleurs autre chose en commun :
ils représentent le Christ et la Vierge enfants
accompagnés de leurs parents.   M.B.

Bibliographie
Lavallée, *Les églises et le trésor de Saint-Laurent*, 1983,
p. 143.

Collection
Fabrique Sainte Famille, Boucherville.

Anonyme

57. *Sainte Famille à la Trinité*, France, XVIIᵉ siècle

Ill. 57a   Anonyme, *Sainte-Famille*, envoyée de France en 1749;
huile sur toile, 49,5 × 59,2 cm; Monastère des augustines
de l'Hôtel-Dieu de Québec (Photo I.B.C.Q., nég. 73.586 (22)).

Huile sur toile. 112,3 × 102,4 cm.

Inscriptions

(au dos, sur un papier recouvrant toute la toile):
« *Tableau... en.../R... plessis/... de la Cᵗᵉ de J.../Québec.* »;
(au dos, sur un autre morceau de papier):
« *Ce tableau a été envoyé en 1742 par le Rᵈ Pere Duplessis/missionnaire Apostolique en france, a Ses cheres Soeurs Religieuses/hospitalières a Lhotel Dieu de Québec. il a été tiré par providence/sur les lestample que monseigneur de Laval premier Eveque du-/Canada fit faire pour être distribué dans toutes les familles/chretienne de cette nouvelle Colonie après quil eut etablit la/Confrérie de la Sᵗᵉ famille en ce pays.* »

François-Xavier Duplessis, né à Québec en 1694, passa définitivement en France en 1716 et y devint jésuite. Sa soeur Marie-Andrée, en religion la Rév. mère Duplessis de Sainte-Hélène (1687-1760), fut annaliste et supérieure, à partir de 1732, des augustines de l'Hôtel-Dieu de Québec. Selon la correspondance du père Duplessis et les inscriptions que l'on trouve au dos de deux tableaux, il aurait envoyé en 1742, 1749 et 1750 trois oeuvres se rapportant au thème de la Sainte Famille (Boisclair, 1977, cat. 41, 46, 294). Il aurait également envoyé, par l'intermédiaire de sa mère, trois autres tableaux figurant sainte Hélène, saint Bruno et le portrait d'un

oncle religieux, tous destinés à mère Sainte-Hélène (Boisclair, 1977, p. 74). *La Fournaise de l'amour divin*, envoyée en 1750 et aujourd'hui disparue, « représente un autel où sont représentés les Coeurs de Tous ceux/a qui nous sommes unis en Jésus-Christ qui s'offrent tous ensemble à Dieu/par les Sacrés coeurs de Jésus, Marie et Joseph » (cité par Boisclair, 1977, p. 156). Celui envoyé en 1749 (ill. 57a) et identifié par une inscription au dos et une lettre du père Duplessis reprend l'iconographie du tableau de 1742, sauf que les personnages sont vus en pied dans un paysage et Dieu le Père est entouré d'anges.

L'envoi de 1742, selon l'inscription qui figure au dos, traite d'un thème nouveau du XVIIᵉ siècle, celui des deux trinités. Jésus, qui en est l'élément commun, est placé à la base de l'axe vertical représentant la trinité céleste et à la pointe inférieure du triangle qui, avec Marie et Joseph, forme la trinité terrestre. L'oeuvre porte, dans le traitement de la Vierge et de l'Enfant Jésus, les traces d'un vocabulaire maniériste. Cet archaïsme pourrait s'expliquer, s'il faut en croire l'énigmatique inscription qui se trouve au dos de la toile, par le fait que l'oeuvre fut exécutée à partir d'une gravure, dont aucune épreuve n'a encore été retrouvée, qui fut

tirée à l'occasion de la fondation de la confrérie de la Sainte-Famille à Québec en 1664. Les augustines avaient une dévotion particulière à Saint-Joseph et au Sacré-Coeur de Marie (*Les Annales de l'Hôtel-Dieu de Québec, 1636-1716*, rééd. de Dom Albert Jamet, 1939, p. 16, 263, 269, 279, 412), mais elles participèrent à la dévotion à la Sainte Famille, largement répandue dans le diocèse de Québec.

Il existe une copie en plus petit format de ce tableau (Boisclair, 1977, no 197), exécutée à l'aquarelle sur carton. L'abbé Louis-Joseph Desjardins, dans une lettre à mère Saint-Henri en date du 12 avril 1843 (Arch. ursulines de Québec), parle-t-il de cette oeuvre lorsqu'il écrit: « ... peut-être y joindrai-je (à un envoi à une mission) une Sᵗᵉ famille sur Carton... » ? Ce serait le signe d'une persistance de cette imagerie bien au-delà du Régime français.   L.L.

Exposition
1963, Québec, séminaire de Québec, *Pour les fêtes du tricentenaire du séminaire*

Bibliographie
Boisclair, *Catalogue des oeuvres peintes de l'Hôtel-Dieu de Québec*, 1977, p. 29-30, repr.

Collection
Musée des augustines de l'Hôtel-Dieu, Québec.

Atelier des soeurs de la Charité de Québec

58. *La Sainte Famille*, fin du XIXe siècle

Cire sous cloche de verre. 35,5 cm.

Au Québec, l'usage de la cire pour l'exécution de petites sculptures remonte à la fin du XVIIIe siècle. Divers ateliers de communautés religieuses façonnèrent de telles oeuvres, aussi bien pour des paroisses ou des institutions que pour des particuliers. Si les ouvrages de cire étaient en règle générale coulés dans des moules de plâtre, la *Sainte Famille* issue de l'atelier des soeurs de la Charité de Québec fait exception, puisqu'elle fut modelée. Comme elle représente la trinité terrestre sous un palmier fantaisiste, on est en droit de situer la scène durant l'épisode de la fuite en Égypte. Conformément à la mode, le petit groupe repose sur un amoncellement de fleurs et de feuilles artificielles. De tels arrangements de fleurs ou de fruits en cire étaient chose courante dans les pensionnats et communautés au XIXe siècle et au début du XXe. On en voit un certain nombre dans les aquarelles que Duncan réalisa en 1853 à la demande de Jacques Viger (cat. 69 et 76). Comme ces ouvrages de fantaisie étaient fragiles et sujets à s'empoussiérer, il était d'usage de les abriter sous des cloches de verre. Dans son édition du 15 juillet 1854 (p. 3), le *Journal de Québec* publiait une annonce de Thomas Bickell informant le public de la réception d'« une quantité de bocaux de différentes grandeurs, pour couvrir les fleurs artificielles, figures de cire, etc. »   J.R.P.

Collection
Collection de Jocelyne Mathieu et Pierre Lessard, Québec.

Claude François, dit Frère Luc, 1614-1685

59. *La Sainte Famille à la Huronne*, vers 1671

Huile sur toile. 121,9 × 106,7 cm.

Chrestien Le Clercq, dans son livre *Premier establissement de la foy en Nouvelle France* (1691) – notre meilleure source pour tout ce qui concerne le passage de Frère Luc au Canada – ne mentionne pas la chapelle des ursulines parmi les lieux qui « ont esté pareillement gratifiez de ses ouvrages ». Aussi l'attribution au Frère Luc de ce tableau non signé est-elle conjecturale. Il peut s'agir d'un tableau qu'il aurait peint après son retour en France. Ce tableau illustrerait l'une des nombreuses visions de Marie de l'Incarnation : saint Joseph, patron de la Nouvelle France, présente à Marie une jeune Indienne, prémice de l'évangélisation des populations autochtones. On notera que la fillette porte à sa ceinture une de ces médailles que les missionnaires donnaient aux convertis. Saint Joseph paraît à gauche, tête penchée. La Vierge est de l'autre côté, vêtue d'un manteau bleu retenu par une agrafe. Jésus est un bel enfant joufflu sur les genoux de sa mère, mais il ne sourit pas à la petite Huronne. Par l'échancrure de la draperie rouge, on voit au loin le rocher mauve de Québec. Au pied de la falaise, on aperçoit les *wigwams* des Indiens.

En 1690, lorsque la flotte anglaise commandée par l'amiral Phipps vint mettre le siège devant Québec, le gouverneur Frontenac décida de résister à l'attaque ennemie malgré le mauvais état des fortifications. Mgr de Laval ordonna, à cette occasion, de placer une toile représentant la Sainte Famille et appartenant aux ursulines sur la tour de l'église paroissiale. S'agissait-il de notre tableau ? On raconte que, malgré les ravages de la canonnade ennemie, la toile demeura intacte ! Si le fait est exact, il s'agit d'une bien curieuse utilisation d'un tableau sous le régime français...   F.-M.G.

Bibliographie
MORISSET, « L'oeuvre du frère Luc », 1935, I, p. 2. MORISSET, *Coup d'oeil sur les arts*, 1941, p. 18-19. MORISSET, *La vie et l'oeuvre du frère Luc*, 1944, p. 52, 119-120, repr. MORISSET, « Notre art religieux », 1950, p. 27, repr. MORISSET, *La peinture traditionnelle*, 1960, p. 16 et 35, repr. MORISSET, « L'influence française sur l'art », 1962, p. 33, repr. MORISSET, « François, Claude, dit Frère Luc », 1966, p. 322. HARPER, *La peinture au Canada*, 1966, p. 13, repr.

Collection
Monastère des ursulines, Québec.

Atelier de François-Noël Levasseur, 1703-1794

60 à 62. *La Sainte Famille de l'ancien tabernacle de l'église de Sainte-Foy, vers 1770*

Ill. 60a Atelier de François-Noël Levasseur (1703-1794), *Corps central de l'ancien tabernacle de l'église de Sainte-Foy*, vers 1770; église de Saint-Gabriel-de-Valcartier (Photo John R. Porter).

La petite église de Saint-Gabriel de Valcartier abrite un tabernacle qui, peut-être à cause de ses disproportions, n'avait pas jusqu'ici retenu l'attention des spécalistes. Il s'agit pourtant d'un ouvrage ancien, mais qui fut singulièrement « augmenté » vers la fin du XIXᵉ siècle pour devenir plus conforme au goût du jour. Ainsi que nous l'apprennent des inscriptions placées derrière les reliquaires en 1872, le meuble provient de l'ancienne église de Sainte-Foy. Selon toute vraisemblance, nous sommes devant le tabernacle que la fabrique dut commander pour le maître-autel de l'église paroissiale après que celle-ci eut été partiellement détruite par le général Murray, le 25 avril 1760. Parmi les parties anciennes de l'ouvrage de Saint-Gabriel,

on remarque une Sainte Famille constituée de deux statuettes et d'un haut-relief (ill. 60a). Placées dans les niches latérales du corps central, les statuettes sont celles de la Vierge Marie et de saint Joseph. Quant à l'Enfant Jésus, il est sur la porte de la monstrance.

Si l'on excepte le cas des Vierges à l'Enfant complétées d'un saint Joseph (cat. 85 et 86; 108 et 109), le groupe de Valcartier constitue l'une des plus anciennes versions sculptées de la Sainte Famille que l'on connaisse au Québec. Par sa facture, il s'apparente à diverses oeuvres sorties de l'atelier de François-Noël Levasseur aux environs de 1770. L'iconographie de cette Sainte Famille est exceptionnelle du fait que

l'Enfant Jésus, personnage autonome, tient un globe à la main. Le seul cas analogue que nous ayons trouvé est le groupe de trois statues du musée du collège de Lévis, groupe qui provient d'une ancienne église de Montmagny où il fut photographié par Jacques Rousseau en 1939 (ill. 60b). On n'en sait guère davantage sur la provenance et l'utilisation première de cet ensemble anonyme du XIXᵉ siècle.   J.R.P.

Collection
Fabrique Saint-Gabriel, Valcartier.

Atelier de François-Noël Levasseur, 1703-1794

60. *La Vierge Marie (Immaculée Conception), vers 1770*

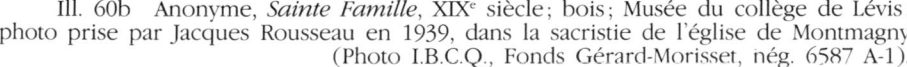

Ill. 60b Anonyme, *Sainte Famille*, XIXe siècle; bois; Musée du collège de Lévis; photo prise par Jacques Rousseau en 1939, dans la sacristie de l'église de Montmagny (Photo I.B.C.Q., Fonds Gérard-Morisset, nég. 6587 A-1).

Bois bronzé. 31,1 cm.

Tout comme dans le cas du saint Joseph et de l'enfant Jésus, la statuette de la Vierge était dorée à l'origine. Aujourd'hui, elle paraît quelque peu empâtée par le malheureux revêtement de bronze qu'on lui a appliqué et qui ne fait qu'accentuer le caractère massif du personnage. Cette impression est toutefois atténuée par l'élégant drapé du manteau qui enveloppe Marie. De son pied gauche, elle écrase la tête d'un serpent dont la queue se termine par un dard. Il s'agit donc d'une représentation de l'Immaculée Conception triomphant du péché originel. Le même modèle iconographique – avec ou sans le serpent – réapparaît dans diverses sculptures de la seconde moitié du XVIIIe siècle ainsi que du XIXe siècle. C'est ainsi qu'on le retrouve sur le maître-autel des églises de Saint-Sulpice (haut-relief attribué aux Levasseur), de Berthier-en-Haut (statuette attribuée à Amable Gauthier, vers 1826) et de Saint-Antoine-de-Tilly (statuette attribuée à Raphaël Giroux, 1867). Il y avait également une petite statue du même type dans l'ancienne collection de Sylvio Lacharité, à Sherbrooke. J.R.P.

Collection

Fabrique Saint-Gabriel, Valcartier.

Atelier de François-Noël Levasseur, 1703-1794

61. *Saint Joseph*, vers 1770

Bois bronzé. 31,1 cm.

D'une facture plutôt lourde, la statuette représentant saint Joseph frappe autant par sa frontalité que par son schématisme. Sa partie basse est particulièrement maladroite. On s'explique mal, par exemple, le volume exagéré des souliers à bout carré dont le sculpteur a chaussé le père nourricier de Jésus. De son bras droit, saint Joseph retient contre lui un pan de son manteau, tout en posant modestement la main sur sa poitrine. Tout laisse croire qu'à l'origine il tenait un bâton fleuri dans sa main gauche. À l'instar de la Vierge Marie, le même type de saint Joseph réapparaît sur le maître-autel des églises de Saint-Sulpice, Berthier-en-Haut et Saint-Antoine-de-Tilly. Il s'agit de statuettes dans les trois cas.   J.R.P.

Collection

Fabrique Saint-Gabriel, Valcartier.

Atelier de François-Noël Levasseur, 1703-1794

62. *L'Enfant Jésus au globe*, vers 1770

Bois bronzé et peint en blanc. 49,5 × 26 cm (la monstrance), 20,3 cm. (l'Enfant Jésus).

Le tabernacle de Saint-Gabriel de Valcartier est le seul où l'Enfant Jésus apparaisse entre ses parents. Debout sur un petit cul-de-lampe, il prend place dans une niche cintrée dont la partie supérieure est ornée d'une coquille. La niche s'inscrit dans un gros cadre sous lequel se découpe une applique finement ouvragée. Une croix placée au milieu d'un soleil enveloppé de rinceaux de feuillage constitue le motif central de cette applique.

Sujet principal de la monstrance, l'Enfant Jésus est rendu assez sommairement. Malgré ses petites dimensions, il s'avère de lecture facile. Regardant droit devant lui, il tient dans sa main gauche un globe surmonté d'une croix et il lève le bras droit dans un geste de bénédiction. S'il est courant de voir l'Enfant Jésus au globe dans les bras de sa mère (voir chap.VII), il est beaucoup plus rare de le trouver seul. Dans un article publié par la revue *Vie des Arts* au cours de l'hiver 1967-1968 (n° 49, p. 28-31, 62, 63), Jean Trudel n'en recensait que six versions québécoises en bois, y compris le Jésus qui a depuis peu retrouvé ses parents au musée du collège de Lévis. Entre-temps, le Musée du Québec a fait l'acquisiton d'un septième de ces Enfants, mais celui-ci fait figure d'exception, puisqu'il tient le globe dans sa main droite.

La dévotion à l'Enfant Jésus au globe aurait été introduite en Nouvelle France par les jésuites, au XVIIe siècle. – On notera au passage que plusieurs composantes de l'ancien tabernacle de Sainte-Foy sont d'inspiration jésuitique. – Cette dévotion devait être supplantée vers le milieu de XIXe siècle par la dévotion à l'Enfant Jésus de Prague. (Une statue en plâtre correspondant à ce type iconographique est conservée dans la sacristie de l'église de Saint-Marcel-de-l'Islet.) Dans les deux types de représentation, le Sauveur du monde est « présenté comme un enfant dont la pureté a raison des forces du mal ».   J.R.P.

Collection

Fabrique Saint-Gabriel, Valcartier.

Atelier de Joseph Saint-Hilaire, 1858-1943

63. *La Sainte Famille*, 1889

Ill. 63a *Vue de la façade du couvent de la Sainte-Famille de Cap-Rouge*, photo prise par Marius Barbeau en 1925 (Photo M.N.C., nég. 66025).

Bois décapé. 120 cm (Saint Joseph), 120 cm (Vierge), 70 cm (Enfant Jésus).

C'est le 19 mars 1890 que furent couronnés « par une grand'messe d'action de grâce en l'honneur de saint Joseph » les travaux de construction du couvent de Saint-Félix de Cap-Rouge, placé sous le patronage de la Sainte Famille (*Le courrier du Canada*, 24 mars 1890). En accord avec le vocable de la nouvelle institution, et comme ce fut longtemps la coutume au Québec, une niche fut aménagée sur la façade du couvent pour y loger une représentation de la Sainte Famille (ill. 63a).

Le couvent de la Sainte-Famille de Cap-Rouge (ou Académie Jésus-Marie-Joseph) conserva sa vocation de maison d'enseignement jusqu'en 1958. Désaffecté, le bâtiment fut acquis par la fabrique en 1960, puis démoli en 1965 pour faire place à un terrain de stationnement. C'est pourtant bien avant la démolition du couvent que la niche de la façade allait être dépossédée de ses occupants, comme nous l'apprennent, en 1952, les *Annales* des soeurs de la Charité de Cap-Rouge :

« Au cours du mois de juillet ont lieu les réparations du portique, le peinturage des ouvertures de la façade, et l'enlèvement des statues de la Ste Famille afin de percer une fenêtre dans la chapelle ».

Longtemps attribuée soit à Louis Jobin, soit à Jean-Baptiste Côté, on sait aujourd'hui que la *Sainte Famille* du Musée des beaux-arts de Montréal fut commandée à Joseph Saint-Hilaire en 1889 (Archives des soeurs de la Charité de Cap-Rouge, *Journal des Dépenses...*, 1889), qui était alors entrepreneur pour le couvent de Cap-Rouge.

Apprenti chez Ferdinand Villeneuve (1831-1909) de 1874 à 1880, Saint-Hilaire deviendra vite un entrepreneur et un bâtisseur d'églises très réputé. Bien qu'il se soit adonné à la sculpture, on ne saurait dire pour l'instant s'il est l'auteur du groupe de la *Sainte Famille* ou s'il s'est contenté d'en confier l'exécution à l'un des nombreux sculpteurs rattachés à son atelier.   Y.L.

Expositions

1955, Montréal, Musée des beaux-arts de Montréal, *Les arts anciens au Canada français,* n° 75. 1960, Montréal, Musée des beaux-arts de Montréal, Galerie de l'Étable, *Maîtres sculpteurs du Québec,* 1970, Montréal, Musée des beaux-arts de Montréal, *Noël 70,* 1973-1979 (?), Montréal, musée de l'Oratoire, dépôt temporaire 1982, Montréal, musée de l'Oratoire, *St-Joseph dans notre tradition,* n° 39.

Bibliographie

Archives des soeurs de la Charité de Cap-Rouge (conservées à la Maison généralice de Beauport), *Annales des Soeurs de la Charité de Cap-Rouge,* deuxième cahier, juillet 1952; *Journal des Dépenses pour la construction du Couvent,* 2 mars, 4 mai, 28 octobre, 2 novembre et 27 décembre 1889, 31 janvier 1890. *Vie des arts,* n° 13 (Noël 1958), p. 8, repr. SARRAZIN, « Les maîtres sculpteurs du Québec », 1960, p. 29, repr. *The Elizabethan* (Montréal), avril 1962, page couverture repr. FUNKE, « Wood Sculpture of Quebec », 1966, p. 281, repr. An., « Un sanctuaire pour la collection d'art », 1973, p. 12, repr. TRUDEL, « La Sainte Famille de Louis Jobin », 1974-1975, p. 18, repr. DESY, *Lauréat Vallière,* 1983, p. 27-30 et 233-240 (pour Joseph Saint-Hilaire).

Collection

Musée des beaux-arts de Montréal, Montréal, Achat, legs Annie White Townsend (955. Df. 6a, b, c).

Anonyme

64. *La Sainte Famille,*
début XXᵉ siècle

Plâtre polychrome. 67 × 48 × 32 cm.

Le groupe en plâtre conservé chez les ursulines de Québec pourrait fort bien n'être qu'une synthèse de trois statuettes distinctes de la Vierge, de saint Joseph et de l'Enfant Jésus. Le mouleur les aurait reliées par une base commune en un groupe de la *Sainte Famille*. D'une part, chacun des personnages correspond à un type iconographique relativement défini: Vierge aux mains jointes de l'Immaculée Conception; saint Joseph, main droite sur la poitrine et tenant de la gauche un bâton fleuri (son attribut habituel); et Enfant Jésus serrant entre ses bras les instruments de sa passion (croix et couronne d'épines). D'autres part, le sculpteur n'a établi aucun lien réel – action ou situation commune – entre les figures du groupe, chacune étant conçue comme une entité indépendante. La création d'un groupe à partir de modèles individuels était pratique assez courante chez les fabricants de plâtres.

Comme le moulage ne porte ni signature ni marque particulière, il n'est pas aisé de déterminer s'il s'agit d'une oeuvre importée et distribuée par l'un des nombreux commerçants d'objets religieux établis au Québec ou d'une oeuvre fabriquée par l'un ou l'autre des statuaires italiens locaux, tels que l'atelier des Carli-Petrucci de Montréal ou celui des Rigali de Québec.

Si la *Sainte Famille* en cire (cat. 58) relève du procédé du modelage, le plâtre des ursulines n'a pu être obtenu que par la technique du moulage. De fait, le groupe de la *Sainte Famille* est une épreuve de série provenant d'un moule à bon-creux. En coulant dans ce moule réutilisable un matériau à l'état liquide ou pâteux – en l'occurrence du plâtre –, le procédé permet de façonner un nombre plus ou moins important d'épreuves. De par ses opérations rapides et son coût peu élevé, le procédé du moulage a permis de produire en série, en même temps que de rendre accessible au plus grand nombre, des « images » religieuses alors très à la mode, comme celle de la Sainte Famille. On a eu trop tendance à négliger ce genre de production, naguère omniprésent dans nos églises et qui témoigne d'une facette importante de l'évolution du goût dans la société québécoise.   M.B.

Collection
Monastère des ursulines, Québec.

CHAPITRE CINQUIÈME

LES COMMUNAUTÉS DE FEMMES

En 1840, le peintre Joseph Légaré mettait la dernière main à une toile commémorative intitulée *Premier monastère des Ursulines de Québec*. Dans la partie inférieure droite de son oeuvre, il représenta l'arrivée des hospitalières et des ursulines à Québec, le 1er août 1639. Animées d'un esprit missionnaire, ces religieuses étaient les premières à s'établir en Nouvelle France. Les hospitalières de la miséricorde de Jésus avaient traversé l'Atlantique pour fonder le premier hôpital de la colonie tandis que les ursulines étaient venues se consacrer à l'éducation des jeunes filles. Les religieuses des deux communautés étaient, en quelque sorte, à l'avant-garde de nombreuses autres congrégations de femmes qui, par la suite, viendraient assumer des tâches reliées essentiellement à l'assistance publique et à l'enseignement.

Dans le *Précis historique* qu'il rédigea pour accompagner une série d'illustrations de James Duncan, Jacques Viger a bien démontré la diversité des communautés de femmes du Bas-Canada au milieu du XIXe siècle ainsi que le large éventail de leurs vocations (cat. 65 à 81): pensionnats et externats pour jeunes filles, écoles mixtes à la ville comme à la campagne, établissements d'enseignement pour les pauvres et les handicapées, maisons de retraites spirituelles, hôpitaux pour le soin des malades des deux sexes, orphelinats, établissements pour l'hébergement des pauvres, des vieillards, des enfants trouvés, des infirmes, des « femmes pécheresses » et des mères célibataires, maisons de force pour les aliénés et ainsi de suite. Sous la ferme gouverne d'évêques comme Mgr Bourget (cat. 157), l'Église québécoise cherchait, à l'époque, à confirmer son emprise sur l'enseignement et l'assistance publique, emprise qu'elle allait conserver, avec l'accord des pouvoirs publics, jusqu'au mi-

lieu du XXe siècle. On ne saurait donc s'étonner que, dans son étude de 1929, le père Archambault ait recensé pas moins de 70 congrégations de femmes établies dans la seule province de Québec[1]. Quand on sait que les communautés comptaient souvent plusieurs missions et filiales, en plus de leur maison mère, on imagine sans peine que les religieuses étaient présentes sur toute l'étendue du territoire québécois. Tout en assumant localement nombre d'entreprises nouvelles, certains instituts contribuèrent, de surcroît, à l'oeuvre des missions étrangères.

La fondation des communautés de femmes fut souvent le fait des autorités ecclésiastiques. Ainsi, c'est à la suite d'une décision personnelle de Mgr de Saint-Vallier que furent établis l'Hôpital général de Québec et les ursulines de Trois-Rivières, dans la dernière décennie du XVIIe siècle. Au milieu du XIXe, Mgr Bourget joua également un rôle déterminant dans l'implantation au Québec de nouvelles communautés, qu'elles soient nées ici ou venues de l'étranger. Ceci dit, on lui a parfois attribué la fondation de certaines communautés canadiennes, alors qu'il n'avait fait que « donner l'existence canonique à de pieuses associations de charité mises sur pied par des femmes exceptionnelles pour répondre aux besoins de leur temps »[2]. Nous pensons,

---

1. Joseph Papin Archambault, *Sur les pas de Marthe et de Marie. Congrégations de femmes au Canada français*, Imprimerie du Messager, Montréal, 1929, p. 5.

2. Marguerite Jean, *Évolution des communautés religieuses de femmes au Canada de 1639 à nos jours*, Fides, Montréal, 1977, p. 92.

notamment, aux instituts qui furent créés dans les années 1840 grâce à l'initiative et à la persévérance de Madame Gamelin, d'Eulalie Durocher (cat. 102) et d'Esther Blondin.

Se montrant toujours très attachées à la mémoire de leurs bienfaiteurs et fondateurs, les communautés de femmes ont tout naturellement cherché à en immortaliser l'image au moyen de portraits. Il n'est donc pas surprenant de trouver, encore aujourd'hui, un tableau représentant la duchesse d'Aiguillon à l'Hôtel-Dieu de Québec (cat. 17) ou encore la physionomie de Mgr de Saint-Vallier à l'Hôpital général. Dans ce dernier cas, la volonté de perpétuer la mémoire du deuxième évêque de Québec entraîna non seulement la création de plusieurs portraits mais également la commande d'un grand « mausolée » sculpté (cat. 88). De la même façon, les religieuses ont voulu garder le souvenir des traits de leurs fondatrices et premières supérieures. Il s'agissait, dans la plupart des cas, de femmes remarquables par leur esprit décisionnel, leur persévérance, leur efficacité, leur renoncement ou leur mysticisme. Par souci d'abnégation, nombre de ces femmes refusèrent qu'on peigne leur portrait, de sorte que leur visage ne nous est connu qu'à travers des portraits posthumes. Nous pensons aux effigies, entre autres, de Marguerite Bourgeoys (cat. 94), de Louise Soumande de Saint-Augustin (cat. 92) et de Mère d'Youville (cat. 93).

Tout en vénérant les grands noms de son histoire, chaque congrégation s'est attachée à des dévotions particulières, polarisées autour d'oeuvres d'art de diverses natures. À l'Hôtel-Dieu de Montréal, on privilégia le culte à saint Joseph et à la sainte Famille (cat. 85 et 86). À l'Hôtel-Dieu de Québec, les hospitalières rendirent de grands honneurs à Notre Dame de Toutes Grâces, représentée par une statue votive venue de France en 1738 (cat. 82). De leur côté, les ursulines de Québec acquirent, réalisèrent ou reçurent en don diverses représentations de sainte Ursule, leur patronne (cat. 84). Quant aux religieuses de l'institut de la Providence de Montréal, elles adoptèrent Notre Dame des Sept Douleurs comme modèle (cat. 83).

───────

On ne saurait trop insister sur l'importance de la contribution des religieuses à la vie des arts, que ce soit par leur encouragement aux peintres, sculpteurs et orfèvres, par leur enseignement aux jeunes filles, par leurs ateliers communautaires ou, encore, par leur souci de conserver l'héritage de leurs devancières.

Nombre d'artistes québécois ou étrangers obtinrent des commandes des communautés de femmes. Au XIXe siècle, les ursulines de Québec firent appel aux peintres William Berczy, Jean-Baptiste Roy-Audy, Louis-Hubert Triaud, Joseph Légaré, James Bowman (fig. 1), Antoine Plamondon et Charles Huot, tantôt pour l'exécution ou la restauration de tableaux, tantôt pour des cours de dessin et de peinture. Qui plus est, elles ouvrirent leurs portes aux artistes qui désiraient reproduire certaines toiles de maîtres européens faisant partie de leur collection.

Aux jeunes filles qui fréquentaient leur pensionnat, plusieurs communautés dispensèrent un enseignement relatif aux beaux-arts ou, tout simplement, aux « arts d'agrément » : cours de musique et de chant, travaux à l'aiguille, broderie de perles et sur le point, fabrication de fleurs artificielles ou d'ouvrages de cire (cat. 68, 70, 72 et 73), cours de dessin ou de peinture.

Quelques religieuses furent des artistes ou des artisanes accomplies dont la production rayonna parfois à l'extérieur de leurs établissements. Sous le régime français, les ursulines de Québec pouvaient compter sur un groupe de brodeuses remarquables dont les travaux rivalisaient en qualité avec des ouvrages européens. Ancienne élève du monastère, Jeanne Le Ber se retira chez les soeurs de la congrégation de Montréal et s'adonna, pendant des années, à des travaux de broderie qui exigeaient patience et habileté (cat. 87). Au XIXe siècle, les procédés de la broderie se simplifièrent mais celle-ci demeura très en vogue. On sait qu'à l'époque, des religieuses de différents instituts confectionnèrent des ornements liturgiques destinés au clergé (cat. 96). Après avoir travaillé à ce genre de production, les soeurs grises de Montréal excellèrent dans la création de statues en carton-pâte. Entre les années 1843 et 1852, leur atelier produisit un grand nombre de statues religieuses – principalement des représentations de la Vierge Marie – tant pour les fabriques paroissiales que pour les couvents (cat. 90). Elles exportèrent même leur technique partout où la communauté possédait des résidences, par exemple à Saint-Boniface, au Manitoba.

Quant à la dorure, un métier d'art essentiel au parachèvement des ouvrages de sculpture, les religieuses ne furent pas en reste. Au fil de leur histoire, une dizaine de communautés de femmes appliquèrent tel ou tel procédé de dorure sur des pièces destinées à des églises ou à des chapelles québécoises. Le travail des doreuses était aussi important que celui du sculpteur, par rapport au résultat final. Particulièrement habiles, des ursulines et des hospitalières de l'Hôpital général de Québec surent souligner les valeurs plastiques et esthétiques des sculptures qu'on leur confia, notamment par l'inclusion de motifs décoratifs dans les couches de blanc précédant la couche d'or[3] (cat. 11 et 202).

La peinture trouva également des adeptes dans les communautés, particulièrement au XIXe siècle. Chez les ursulines de Québec, il faut souligner la contribution de mère Sainte-Ursule Coothe et celle de soeur Georgina Van Felson. En 1847, c'est vraisemblablement cette dernière qui mérita les compliments de l'abbé Louis-Joseph Desjardins et de Joseph Légaré pour une copie de la toile de ce dernier représentant le premier monastère des ursulines[4] (fig. 2).

───────

3. Voir John R. Porter, *L'art de la dorure au Québec du XVIIe siècle à nos jours*, Garneau, Québec, 1975, *passim*.

4. Voir la notice de Jean Trudel dans John R. Porter, *Joseph Légaré 1795-1855. L'oeuvre* (cat. d'expos.), Galerie nationale du Canada, Ottawa, 1978, p. 64 (notice 41).

Fig. 1   James Bowman (1793-1842),
Mère Saint-Henry McLaughlin, vers 1832;
huile sur toile, 77,5 × 62 cm;
Monastère des ursulines de Québec
(Photo Musée du Québec, Patrick Altman).

Fig. 2   Soeur Georgina Van Felson, att. à, *Vue du premier monastère des ursulines de Québec*, 1847; huile sur toile marouflée sur masonite, 63,8 × 81,9 cm; Galerie nationale du Canada, Ottawa (15852) (Photo G.N.C.O.).

Mentionnons que l'oeuvre de Légaré fut utilisée comme modèle dans l'enseignement artistique chez les ursulines et maintes fois copiée par des religieuses enseignantes ou par leurs élèves. Cependant, il reste qu'en peinture les deux plus importants ateliers communautaires furent ceux des soeurs du Bon Pasteur et des soeurs de la Charité de Québec, à compter du milieu du siècle dernier. De ces ateliers méconnus sont sorties plus d'un millier d'oeuvres – surtout d'inspiration religieuse – disséminées un peu partout dans des paroisses et des établissements, principalement du Québec. On constate, par exemple, que la figure dominante de l'atelier des soeurs de la Charité fut soeur Marie de l'Eucharistie tandis que les soeurs Marie de la Croix, Marie de Jésus, Sainte-Virginie, Saint-Amable, Saint-Aubin et Saint-Jean-Berchmans furent très souvent à l'honneur chez les soeurs du Bon Pasteur[5] (cat. 246).

Ce bref aperçu de la place des beaux-arts dans la vie des communautés religieuses serait sans doute incomplet, si l'on ne faisait pas état du respect du passé qui les a animées et qui les anime encore. De fait, le visiteur d'un monastère ou d'un couvent s'étonne souvent de voir le nombre et la qualité des oeuvres d'art et des autres éléments patrimoniaux que ces lieux renferment. Sans les communautés de femmes, un nombre incalculable de témoins précieux du passé seraient disparus depuis longtemps. Pensons à l'exemple fameux de la décoration intérieure de la chapelle des ursulines de Québec, réalisée entre les années 1726 et 1736 (fig. 3). N'eût été la ferme volonté des moniales, cette remarquable décoration aurait sans doute été démantelée lors de la construction d'un nouvel édifice en 1902[6]. Et que

5. Communication de Lise Drolet qui prépare, sous notre direction, un mémoire de maîtrise sur l'atelier des soeurs du Bon Pasteur de Québec.

6. Jean Trudel, *Un chef d'oeuvre de l'art ancien du Québec. La chappelle des Ursulines*, Presses de l'université Laval, Québec, 1972, p. 23-24.

Fig. 3   *Vue du décor intérieur (1726-1736) de la chapelle des Ursulines de Québec* (Photo Musée du Québec, Patrick Altman).

dire du trésor des anciens jésuites dont plusieurs composantes essentielles nous ont été conservées par les religieuses (cat. 20, 32, 33, 34 à 50). Comment pourrions-nous étudier l'histoire de la gravure depuis les débuts de la Nouvelle France, sans les riches collections rassemblées par quelques congrégations[7]? La même question pourrait se poser relativement à un grand nombre de peintures et de sculptures, réalisées au pays ou importées d'Europe (cat. 57). Ajoutons,

enfin, qu'au XXᵉ siècle plusieurs communautés contribuèrent spontanément à la mise en valeur de leurs trésors, tantôt par le prêt de documents et d'oeuvres d'art à des établissements canadiens, américains ou européens, tantôt par la création de petits musées à vocation historique et artistique. À titre d'exemple, en 1937, les ursulines de Québec ouvrirent un modeste musée de « souvenirs historiques » pendant la saison estivale. Aujourd'hui, au terme d'une évolution remarquable, le musée des ursulines possède des locaux spacieux, aménagés conformément aux normes muséologiques modernes. L'an dernier, il a accueilli pas moins de 28 324 visiteurs du Québec, du Canada ou de l'étranger.

John R. Porter

---

7. Voir la section du présent catalogue consacrée à la collection de gravures des ursulines de Québec.

James Duncan, 1806-1881

65 à 81. *Costumes (17) des communautés religieuses de femmes au Canada, 1853*

Ill. 65a   Page dédicace de l'Album Viger-Duncan intitulé *Costumes des communautés religieuses de femmes au Canada* (Photo Musée du Québec, Jean-Guy Kérouac)

Inscriptions

(page du faux-titre): « COSTUMES des COMMUNAUTÉS RELIGIEUSES de FEMMES AU CANADA 1853, »;
(page du titre): « COSTUMES des COMMUNAUTÉS RELIGIEUSES de FEMMES en CANADA avec UN Précis historique de leur formation, de leur but, &c. et le Tableau de leur État en 1853, DESSINS par Mr. James Duncan, TEXTE par Mr. Jacques Viger. »;
(page de dédicace): « A SON EXCELLENCE Mgr CAJÉTAN BEDINI Archevêque de Thèbes Nonce Apostolique de S. S. Pie IX au Brésil, &c. &c. &c. LES CATHOLIQUES DU CANADA. TÉMOIGNAGE de respect et de reconnaissance en SOUVENIR de sa GRACIEUSE VISITE EN 1853/Jacques Viger, ancien premier Maire de Montréal, 1853 » (ill. 65a).

Au terme d'une tournée mouvementée aux États-Unis, Mgr Cajetan Bedini, nonce apostolique au Brésil, vint visiter le Canada durant l'été de 1853. Pendant environ deux mois, « des honneurs extraordinaires furent partout rendus à l'envoyé du souverain pontife ». Comme en font foi plusieurs témoignages, l'accueil fut particulièrement chaleureux dans les communautés religieuses de femmes. À juste titre impressionné par leur nombre, leur diversité et leur vitalité, le prélat manifesta le désir de posséder un recueil illustrant les costumes et les œuvres de ces communautés. L'appel de Mgr Bedini fut entendu par Jacques Viger qui se mit bientôt à la tâche avec l'appui du haut clergé. En plus de rédiger un *Précis historique* d'une trentaine de pages, le célèbre collectionneur confia l'exécution de quatorze aquarelles à son collaborateur habituel, l'artiste montréalais James Duncan. Les frais de l'entreprise furent couverts grâce à une souscription, à laquelle participèrent, notamment, les religieuses de l'Hôpital général de Québec en versant £ 1 et 5 shillings.

Comme le rapporta *Le Journal de Québec*, le travail de Viger fut sanctionné l'année suivante par le concile – le deuxième – des neuf évêques canadiens réunis à Québec:

« Les Pères du Concile ont, le 4 juin, 1854, au nom des catholiques du Canada, adressé deux magnifiques albums à Mgr. Bedini, en témoignage de reconnaissance et de respect; les deux albums préparés avec une scrupuleuse exactitude historique par M. Jacques Viger, ancien maire de Montréal, contiennent, le premier, « Un précis historique de la formation, du but, etc., des communautés religieuses de femmes en Canada, accompagné d'un tableau statistique de leur état en 1853; » le second, « Quatorze peintures à l'eau représentant le costume et l'objet de chacune des quatorze institutions ».

Dans la lettre de remerciements qu'il adressa, six mois plus tard, à Viger, Mgr Bedini fit remarquer que tout était parfait dans l'ouvrage qu'on lui avait fait parvenir, se disant particulièrement heureux « du choix du sujet, de la beauté des desseins et de l'intérêt des précis historiques ». Il devait, par la suite, témoigner de sa gratitude en expédiant un bon nombre de gravures destinées, entre autres, aux communautés religieuses (cat. 140).

On ignore ce qu'il est advenu du présent offert à Mgr Bedini en 1854. Fort heureusement, Viger avait eu la bonne idée d'en faire exécuter un double. À sa mort, cet exemplaire passa entre les mains de son exécuteur testamentaire, Raphaël Bellemare, et une descendante de ce dernier l'offrit à la Bibliothèque de la Ville de Montréal, en 1953. La version de la bibliothèque municipale est en tous points conforme à ce que nous connaissons de l'album offert à Mgr Bedini, sauf qu'elle compte trois aquarelles additionnelles. Dans l'original, « Viger n'avait décrit que les communautés du Bas-Canada ». Dans son propre exemplaire, il ajouta des illustrations se rapportant à deux communautés du Haut-Canada (les « Nos 13 et 16 ») ainsi qu'à une troisième, fondée en 1853 dans le diocèse de Saint-Hyacinthe (« No 17 »).

Les aquarelles réalisées par Duncan, pour le compte de Viger, sont numérotées de 1 à 17. Chaque représentation est chapeautée par les armes de la compagnie, de l'évêque ou du diocèse dont relevait la communauté lors de sa fondation. Au bas de chacune des illustrations est indiqué le nom de l'institut, l'endroit où il fut établi et la date de son érection. Cette dernière donnée a d'ailleurs servi de base à la séquence chronologique dans laquelle furent disposées les aquarelles.

L'album Viger-Duncan constitue, à n'en pas douter, un précieux document historique. Tout en nous renseignant sur les costumes et les vocations des communautés, il nous fournit des indications relatives à l'architecture intérieure ou extérieure de plusieurs types d'édifices, au matériel pédagogique des maisons d'enseignement, au costume des élèves et de la population laïque, aux dévotions des religieuses, à des peintures et à des sculptures anciennes, etc. Tout cela est rendu avec exactitude par un artiste qui semble avoir élaboré ses représentations en se rendant chaque fois sur place. Par ses qualités artistiques, l'ensemble d'aquarelles va beaucoup plus loin qu'une simple compilation documentaire. C'est un tout vivant et varié où chaque composante comporte une mise en page originale. En outre, la présence de petites naïvetés, la spontanéité du lavis et la délicatesse du coloris confèrent une fraîcheur particulière à cet ensemble remarquable.   J.R.P.

Bibliographie

A.M.H.G.Q., *Journal de la Dépense et de la Recette* (1844-1866), 26 décembre 1853. B.V.M. (salle Gagnon), trois documents accompagnant les aquarelles de l'Album Viger-Duncan: Jacques Viger, *Précis historique de la formation, du but &c. des Communautés religieuses de Femmes en Canada, et tableau de leur État en 1853*, manuscrit de 32 pages daté de 1854; *Lettre de Mgr Cajetan Bédini adressée de Rome à Jacques Viger de Montréal*, 31 décembre 1854 (imprimé); *Costumes des communautés religieuses de femmes en Canada, accompagnés d'un Précis historique sur leur formation, but, etc., et d'un tableau de leur état en 1853 – Opinion de la presse canadienne sur cet ouvrage*, John Lovell, Montréal, 1854, 8 pages (*Journal de Québec*, 10 juin 1854; *The Quebec Mercury*, 15 juin 1854; *La Minerve*, 16 juin 1854; *The Montreal Herald*, 21 juin 1854). *Monseigneur de Saint-Vallier*, 1882, p. 537-539. BAZIN, « L'album de Consolation de Jacques Viger », 1959, p. 26-30. TODD, *James D. Duncan (1806-1881)*, 1978, p. 57-58 et 89-91. TODD, « James D. Duncan », 1982, p. 313-314. (Les titres suivants ont été consultés relativement à l'histoire des différentes communautés religieuses). *Almanach de l'Action sociale catholique*, années 1917, 1929 et 1930, passim. ARCHAMBAULT, *Sur les pas de Marthe et de Marie. Congrégations de femmes au Canada français*, Imprimerie du Messager, Montréal, 1929, 672 pages. LE JEUNE, *Dictionnaire général de biographie, histoire, littérature, agriculture, commerce, industrie et des arts, sciences, moeurs, coutumes, institutions politiques et religieuses du Canada*, Université d'Ottawa, Ottawa, 1931, 2 tomes. JEAN, *Évolution des communautés religieuses de femmes au Canada de 1639 à nos jours*, Fides, Montréal, 1977, 324 pages.

Collection

Bibliothèque de la Ville de Montréal.

James Duncan, 1806-1881
65. *L'Hôtel-Dieu de Québec*, 1853

Aquarelle 36,8 × 31,8 cm.

Inscriptions

(en haut) « N° 1 » et « IHS » (dans un blason),
(en bas) « HÔTEL-DIEU (Québec)/A.D. 1639 ».

C'est grâce à l'initiative de la duchesse d'Aiguillon (cat. 17), nièce du cardinal de Richelieu (cat. 18), qu'un Hôtel-Dieu fut fondé à Québec en 1639. Sensible à l'appel lancé par le père Paul Le Jeune, jésuite chargé des missions du Canada, la duchesse s'assura le concours des hospitalières de la miséricorde de Jésus de Dieppe en vue d'établir le premier hôpital de la Nouvelle France. Escortées par le père Barthélémy Vimont, s. j., les trois premières religieuses, envoyées de Dieppe, arrivèrent à Québec le 1er août 1639. Elles se mirent aussitôt à la tâche dans une maison appartenant à la Compagnie des Cent-Associés. Il leur fallut, toutefois, attendre jusqu'en 1644 avant de pouvoir entrer dans leur monastère dont la construction avait été amorcée cinq ans plus tôt. Entre-temps, elles avaient établi un hôpital dans la bourgade amérindienne de Sillery en 1640, hôpital qu'elles durent abandonner devant la menace iroquoise.

L'aquarelle de Duncan est surmontée par les armes des jésuites qui avaient sous leur tutelle les religieuses, au moment de leur établissement, la Nouvelle France n'ayant pas d'évêque à l'époque. Dans la partie gauche de l'illustration, une religieuse soigne des malades reposant sur des lits à baldaquin et à courtines. Au premier plan, une autre hospitalière jette un coup d'oeil à une toile posée sur une chaise. Pour emprunter les mots de Viger, ce petit tableau « tend à rappeler l'établissement de *Sillery*, près de Québec, où les Hospitalières habitèrent, dans les premières années de leur arrivée en Canada, *au milieu des Sauvages*. » Les religieuses portent l'habit des chanoinesses de Pontoise, soit la robe blanche et le rochet. La présence d'une grille à l'arrière-plan de l'aquarelle rappelle qu'elles appartenaient à un ordre cloîtré. On notera, au passage, que les hospitalières de la miséricorde de Jésus ne portent le titre d'augustines que depuis 1967.　　　　J.R.P.

Collection

Bibliothèque de la Ville de Montréal.

James Duncan, 1806-1881
66. *Les Ursulines de Québec*, 1853

Aquarelle 36,8 × 31,8 cm.

Inscriptions
(en haut) » N° 2 » et « IHS » (dans un blason),
(en bas) «LES DAMES URSULINES (Québec)/A.D.
1639 ».

Détachées des couvents de Tours et de Dieppe,
les premières ursulines débarquèrent à Québec, le 1ᴱᴿ août 1639, en même temps que les
hospitalières de l'Hôtel-Dieu. Au nombre de
trois, elles étaient accompagnées du père Vimont, jésuite, et de leur bienfaitrice, Madame
de la Peltrie. La fondatrice et première supérieure, mère Marie de l'Incarnation, venait se
consacrer à l'enseignement et à l'éducation des
jeunes filles, tant amérindiennes que françaises.
Les religieuses de sa petite communauté portaient l'habit des ursulines de Bordeaux. Elles
étaient cloîtrées et soumises à la *Règle* de saint
Augustin. En 1853, les ursulines de Québec
étaient au nombre de 59 (55 professes et 4
novices) et comptaient 307 élèves (87 pensionnaires, 81 demi-pensionnaires et 139 externes).
Leur école jouissait depuis longtemps « d'une
haute réputation, même à l'étranger ».

Dans son aquarelle consacrée à l'établissement
des dames ursulines, James Duncan a évoqué
aussi bien l'enseignement des lettres et des
sciences que celui des arts d'agrément comme
la peinture et la musique. Quant au paysage
que l'on aperçoit par la fenêtre, il s'agit d'un
souvenir des débuts de l'oeuvre des ursulines
en Nouvelle France. Il nous « laisse voir la
Rév.ᵈᵉ Mère de l'Incarnation instruisant les Sauvages *dans la forêt, voisine du monastère* des
Ursulines ». Et Viger ajoute dans son *Précis
historique* :

« *On voyait encore debout, en 1850, dans l'enclos du monastère, l'unique arbre qui restât de
la forêt de 1639. C'étoit un gros Frêne, au pied
et à l'ombre duquel « la Thérèse de la Nouvelle
France » avoit rassemblé les petites filles sauvages, pendant plus de 32 années, pour les instruire des vérités de la religion; il étoit donc
pour les Dames Ursulines une relique précieuse,
et elles l'ont vu, avec tristesse, tomber de vieillesse, le 19 juin 1850.* »   J.R.P.

Collection
Bibliothèque de la Ville de Montréal.

James Duncan, 1806-1881

67. *L'Hôtel-Dieu de Montréal*, 1853

Aquarelle 36,8 × 31,8 cm.

Inscriptions
(en haut) « N° 3 » et « NOTRE-DAME-DU-
MONTRÉAL. » (sur le pourtour du sceau de la Compagnie de Montréal),
(en bas) « HÔTEL-DIEU (Montréal)/A.D. 1642 ».

La fondation de l'Hôtel-Dieu de Montréal coïn-
cida avec celle de Ville-Marie en 1642. D'abord
situé dans la propre maison de Jeanne Mance,
l'établissement fut, par la suite, transporté dans
un bâtiment érigé rue Saint-Paul, grâce au
concours financier de la duchesse de Bullion.
Conformément aux volontés de la Compagnie
de Montréal, l'Hôtel-Dieu devait éventuellement
être administré par des hospitalières de Saint-
Joseph de La Flèche, en France, une communauté fondée par Jérôme Royer de la Dauversière. À la mi-octobre de l'année 1659, trois
religieuses purent enfin se rendre à Montréal et
prendre en charge l'Hôtel-Dieu dont Jeanne
Mance avait, jusque-là, assuré la gérance. Dès
lors, ces moniales allaient « recevoir et soigner
les malades des deux sexes ».

Placée sous le sceau de la dévote Compagnie de
Montréal, l'aquarelle de Duncan nous montre
une reconstitution – à certains égards fantaisiste
– des deux salles de l'Hôtel-Dieu de la rue
Saint-Paul : à gauche, celle des hommes, dédiée
à saint Joseph ; à droite, celle des femmes, sous
la protection de sainte Marie. Les motifs circulaires des plafonds correspondent à des bouches de chaleur permettant de rendre habitable
les locaux des religieuses à l'étage. L'artiste a
situé les deux salles des malades dans le prolongement d'une chapelle dont on n'aperçoit
que le plancher carrelé au premier plan. Quant
au tableau suspendu à la muraille, il représente,
selon Viger, « une petite chapelle et autres bâti-
mens élevés *au milieu d'un bois* et vers lesquels on transporte un blessé. Le motif de ce
dessin est de faire ressouvenir que Melle Mance
bâtit son premier hôpital et sa première demeure *dans la forêt même* ».   J.R.P.

Collection
Bibliothèque de la Ville de Montréal.

James Duncan, 1806-1881

68. *La Congrégation de Notre-Dame de Montréal*, 1853

Aquarelle 36,8 × 31,8 cm.

Inscriptions:

(en haut) « N° 4 » et « NOTRE-DAME-DU-MONTRÉAL. » (sur le pourtour du sceau de la Compagnie de Montréal),
(en bas) « CONGRÉGATION DE NOTRE-DAME (Montréal)/A.D. 1653 ».

Le texte qui suit est emprunté au *Précis historique* de Jacques Viger:

« *Les « Soeurs de la Congrégation de Notre-Dame » de Montréal, communément appelées les « Soeurs de la Congrégation ». Le but unique de cette Communauté est « d'instruire et de former les jeunes personnes »: elle n'est point cloîtrée. Cette précieuse Communauté doit son origine à une pauvre et pieuse fille, native de Troyes, en Champagne, du nom de Marguerite Bourgeoys, qui vint à Montréal le 16 nov.ᵇʳᵉ 1653, à la demande des Associés de la Compagnie de Montréal, pour y « établir des Petites Écoles de filles ». Elle se mit de suite à l'ouvrage et jeta, en 1659, les fondations de la « Congrégation », en s'associant quatre demoiselles qu'elle alla chercher en France en 1658, et qui se nommoient Catherine Crolo, Marie Raisin, Aimée Chatel et Anne Hioux.*

« *Le Noviciat de cette Congrégation de Filles séculières et paroissiennes a toujours été à Montréal, où se trouve le Chef-d'Ordre ou la Maison mère, qui a pu fournir de ses Soeurs dans trente « Missions » différentes répandues dans tout le Canada: elles sont maintenant réduites à vingt-cinq ».*

L'aquarelle de l'artiste représente deux soeurs de la congrégation en train de remplir leur tâche d'éducatrice. L'une dirige une séance musicale tandis que l'autre montre à une élève un buste de Mère Bourgeoys pour susciter chez elle de l'émulation. Le globe terrestre et la carte du premier plan font allusion à l'enseignement de la géographie, quant au tableau de l'arrière-plan, il a encore plus d'importance, comme en témoigne ce commentaire de Viger:

« *Le petit Tableau appendu à la muraille de la Salle d'École fait voir la Montagne de Montréal surmonté de la Croix que la soeur Bourgeoys y planta en 1653, et la 1ʳᵉ chapelle de N. Dame de Bonsecours bâtie par elle (en bois) sur le bord du fleuve: la Sr. jeta les fondements (en pierre) de ce pieux Monument à la très sainte Vierge en 1657 ».*   J.R.P.

Collection
Bibliothèque de la Ville de Montréal.

James Duncan, 1806-1881

69. *L'Hôpital-Général de Québec*, 1853

Aquarelle 36,8 × 31,8 cm.

Inscriptions :
(en haut) « N° 5 » (au dessus des armoiries de Mgr de Saint-Vallier),
(en bas) « HÔPITAL GÉNÉRAL (Québec)/A.D. 1693 ».

L'Hôpital général de Québec fut fondé par Mgr de Saint-Vallier à l'image des hôpitaux généraux de France, ces institutions créées sous Louis XIV afin d'héberger les pauvres, les mendiants, les vieillards et les invalides des deux sexes. En avril 1693, quatre hospitalières détachées de l'Hôtel-Dieu de Québec furent chargées du nouvel établissement dont les bâtiments, sis près de la rivière Saint-Charles, avaient été acquis des récollets l'année précédente. La tâche des religieuses cloîtrées devait toutefois s'accroître d'une façon très sensible au cours du premier quart du XVIIIe siècle. De 1717 à 1845, les hospitalières furent d'abord chargées de la garde des aliénés. Puis, toujours par souci d'assurer la viabilité de l'établissement, Mgr de Saint-Vallier autorisa les religieuses à ouvrir un pensionnat pour jeunes filles en 1725, pensionnat qui n'allait fermer ses portes qu'en 1868.

Coiffée des armoiries épiscopales de Mgr de Saint-Vallier, l'aquarelle consacrée à l'Hôpital général constitue, avec sa double perspective, une image synthèse des deux grandes oeuvres de l'institution en 1853. La religieuse représentée à l'avant-scène est nulle autre que la supérieure de l'établissement, Mère Saint-Anselme (cat. 103). Mgr Baillargeon, coadjuteur de l'évêque de Québec et supérieur de la communauté, avait exigé qu'elle pose devant Duncan. Elle porte une croix en argent, conformément à la tradition établie par Mgr de Saint-Vallier en 1718. La religieuse s'entretient avec une vieille femme appuyée sur une canne. Un aveugle tenant un chien en laisse est assis derrière cette dernière, à proximité de l'entrée de la salle des hommes. À gauche, tout près d'une grille du cloître, deux petites pensionnaires conversent avant d'entrer dans une salle de cours. Dans cette pièce, une hospitalière explique à des élèves le fonctionnement du « planéter » que l'abbé Laurent-Thomas Bédard, aumônier de la maison, leur avait donné en 1845. Le contenu de la salle renseigne aussi bien sur le matériel pédagogique utilisé par les enseignantes (livres, globe terrestre et télescope) que sur les travaux d'agrément des pensionnaires (arrangement floral placé sous globe et « écran » peint ou brodé représentant un oiseau perché sur une branche). J.R.P.

Collection
Bibliothèque de la Ville de Montréal.

82

James Duncan, 1806-1881

70. *Les Ursulines de Trois-Rivières, 1853*

Aquarelle 36,8 × 31,8 cm.

Inscriptions
(en haut) « Nᵒ 6 »,
(en bas) « LES DAMES URSULINES (Trois-Rivières) /A.D. 1697 ».

C'est à la demande de Mᵍʳ de Saint-Vallier que le monastère des ursulines de Trois-Rivières fut fondé par la maison mère de Québec en 1697. La vocation du nouvel établissement était double, les religieuses se chargeant à la fois de l'éducation des jeunes filles et du soin des pauvres malades. Ces deux fonctions existaient toujours en 1853 année où les ursulines accueillirent 205 élèves et 104 malades dans leur maison.

Duncan nous introduit dans une classe du monastère dont la porte s'ouvre sur une scène illustrant le transport d'un malade vers l'aile de l'hôpital. Au premier plan, une religieuse assise tourne momentanément le dos à ses élèves pour parler à une femme à travers une grille claustrale. On aperçoit à ses pieds un pouf dont la partie supérieure est brodée, sans doute une allusion aux travaux de fantaisie des pensionnaires, qui s'explique, d'ailleurs, par la présence, à droite, d'une élève qui tient un sac à ouvrage et une broderie inachevée, montée sur un châssis. Au fond de la pièce, une autre ursuline enseignante complète un calcul sur un tableau noir. Sur le même mur sont accrochées une viole, une toile représentant l'éducation de la Vierge et une croix.   J.R.P.

Collection
Bibliothèque de la Ville de Montréal.

Nᵒ 6

LES DAMES URSULINES (Trois Rivières)

A.D. 1697

James Duncan, 1806-1881

71. *Les Soeurs Grises de Montréal, 1853*

Aquarelle 36,8 × 31,8 cm.

Inscriptions
(en haut) « N° 7 », et le chiffre des Sulpiciens (A et M imbriqués dans un écu),
(en bas) « LES SOEURS GRISES (Montréal)/A.D. 1747 ».

Les soeurs de la Charité de Montréal sont communément appelées « soeurs grises », à cause de la couleur de leur habit. L'institut fut fondé en 1747 par Mère Dufrost de Lajemmerais, veuve d'Youville (cat. 93). Celle-ci fut, à l'origine, secondée par cinq « filles pieuses dont plusieurs vivoient avec elle depuis dix ans, en prenant soin des femmes pauvres et infirmes ». Par l'entremise des Messieurs du Séminaire de Saint-Sulpice, ces femmes furent chargées de l'Hôpital général de Montréal que les frères hospitaliers de Saint-Joseph de la Croix – les Frères Charon – avaient été forcés d'abandonner à cause de leur petit nombre et de difficultés financières. L'établissement en question avait été mis sur pied par François Charon, en 1692, avec pour buts de soigner les vieillards infirmes et d'instruire les petits garçons de la ville et des campagnes. Après sa prise en charge par Mère d'Youville, l'Hôpital général de Montréal poursuivit de multiples fins. Au soin des vieillards infirmes des deux sexes s'ajoutèrent, notamment, l'oeuvre des enfants trouvés, en 1754, un orphelinat pour les filles irlandaises, en 1824, et la « visite et le soin des pauvres et malades à domicile, en 1846 ».

Les diverses tâches des soeurs grises sont clairement évoquées par Duncan aux premier et deuxième plans de son aquarelle. Quant à la façade de l'Hôpital général, qui occupe une large part de la composition, Jacques Viger y voyait un intérêt tout particulier :

« Partie de cette façade est un reste de la première construction des Frères hospitaliers ou Charon, et méritoit, ce semble, d'être reproduite dans un travail du genre de celui-ci, comme l'une des antiquités de « Ville-Marie ». Ce monument qui compte en 1853 de 162 à 165 années d'ancienneté, se fait remarquer par des [esses] de fer et par de petits cintres au dessus des croisées ». J.R.P.

Collection
Bibliothèque de la Ville de Montréal.

James Duncan, 1806-1881

72. *L'institut des Soeurs de la Providence de Montréal, 1853*

Aquarelle 36,8 × 31,8 cm.

Inscriptions

(en haut) » N° 8 » (au-dessus des armoiries du diocèse de Montréal),
(en bas) « LA PROVIDENCE (Montréal)/A.D. 1828 ».

Communément appelé institut des soeurs de la Providence, l'institut des filles de la Charité servantes des pauvres fut érigé canoniquement par Mgr Ignace Bourget en 1844. L'oeuvre n'en existait pas moins depuis 1828 alors que Émélie Tavernier, veuve de Jean-Baptiste Gamelin, et un groupe de femmes affiliées à l'Association de charité de Montréal s'étaient chargées de la visite des pauvres et de la desserte d'un refuge pour les femmes âgées et infirmes les plus démunies. Entre 1844 et 1853, l'oeuvre des soeurs de la Providence s'accrut considérablement, comme en témoigne Viger dans son *Précis historique :*

« ... l'ardente charité des Soeurs, écrivait-il, les a portées à se charger du « Soin des Orphelines » et des « Aliénes », de celui des « prêtres âgés et infirmes », de l'« Instruction des petites filles pauvres », tant à la Ville qu'à la campagne. Elle reçoivent en pension « les femmes et filles de médiocre aisance ». Elles « enseignent les muettes de naissance »...elles ne reculent enfin devant aucune oeuvre de charité ».

L'artiste s'attarde ici à souligner deux des vocations essentielles de l'institut de la Providence, soit l'hébergement des femmes âgées et infirmes ainsi que le soin des orphelines. Dans son aquarelle, une petite fille regarde par la fenêtre le paysage de la Ville de Montréal, caractérisé par les tours de l'église Notre-Dame. Debout, aux côtés d'une religieuse, une autre orpheline tient un panier de fruits en cire qui fait référence à une petite industrie dans laquelle excellaient les soeurs de la Providence (voir *Le Journal de Québec,* 27 septembre 1855, p. 2). Entre les deux fenêtres est accroché un tableau qui a pour thème Notre-Dame des Sept-Douleurs. La présence de cette image rappelle une dévotion particulière de la fondatrice de l'institution, Mère Gamelin, qui écrivait ce qui suit dans son journal de retraite :

« Dans cette même année (1828), M. Saint-Pierre me fit présent d'une image de Notre-Dame des Sept-Douleurs, et tous les jours j'allais prier au pied de cette image. Je lui demandais du courage pour supporter à son exemple les croix et les sacrifices que le bon Dieu m'envoyait... » J.R.P.

Collection

Bibliothèque de la Ville de Montréal.

James Duncan, 1806-1881

73. *Les religieuses du Sacré-Coeur de Jésus,* 1853

Aquarelle 36,8 × 31,8 cm.

Inscriptions
(en haut) « N⁰ 9 »
(en bas) « LES DAMES DU SACRÉ COEUR (Les Écorres)/A.D. 1842 ».

Envoyées par leur maison mère de Paris, quatre religieuses du Sacré-Coeur de Jésus arrivèrent à Montréal en décembre 1842. Elles s'établirent d'abord à Saint-Jacques-de-l'Achigan où elles se consacrèrent à l'éducation des jeunes filles et à l'accueil de retraites spirituelles réservées aux femmes. En 1846, une partie de la communauté et du pensionnat se transporta à Saint-Vincent-de-Paul (dit « Les Écorres »), dans l'Île-Jésus. La communauté allait finalement céder son établissement de Saint-Jacques aux filles de Sainte-Anne, en 1853 (cat. 79). Au cours de cette même année, la maison des « Écorres » accueillit 170 élèves dont 90 pensionnaires et 80 externes.

La composition que Duncan a réservée à celles que l'on appelait communément les dames du Sacré-Coeur frappe par sa symétrie. En plein centre, sous un élégant luminaire suspendu au plafond, une religieuse jette un coup d'oeil à sa montre et s'apprête à quitter la pièce pour aller faire ses oraisons. De part et d'autre de la religieuse, deux petits groupes s'affairent sous des tableaux aux sujets pieux. Le groupe de droite est constitué d'une religieuse et de deux élèves qui examinent un globe terrestre. Celui de gauche nous présente une jeune fille assise qui, tournant le dos à un piano, se penche sur un travail de broderie monté sur un chevalet, sous l'oeil attentif d'une éducatrice. Le mur de droite est percé d'ouvertures, tandis que son pendant est agrémenté d'une grande carte géographique. J.R.P.

Collection
Bibliothèque de la Ville de Montréal.

LES DAMES DU SACRÉ COEUR (Les Écorres)

A. D. 1842

James Duncan, 1806-1881

74. *Les Soeurs des Saints Noms de Jésus et de Marie*, 1853

Aquarelle 36,8 × 31,8 cm.

Inscriptions
(en haut) « N° 10 »,
(en bas) « SOEURS DES S.S. NOMS DE JÉSUS ET MARIE (Longueil)/A.D. 1843.

La congrégation des soeurs des Saints Noms de Jésus et de Marie fut établie à Longueuil, en 1843, par Eulalie Durocher et deux de ses compagnes. Le but du nouvel institut, fondé par Mgr Bourget, était « de travailler à l'instruction chrétienne des jeunes personnes de leur sexe ». À cette fin, la fabrique de Longueuil mit à la disposition de la communauté naissante, d'abord une maison d'école, puis une maison plus spacieuse. En 1844, au terme de leur postulat, les trois fondatrices firent leur profession religieuse, au moment même où Mgr Bourget érigeait canoniquement leur congrégation. Première supérieure, Eulalie Durocher prit le nom de Mère Marie-Rose (cat. 102). Elle et ses compagnes adoptèrent le costume et les constitutions de la congrégation de Marseille, une communauté qui avait renoncé à s'établir en terre québécoise. En 1853, après seulement dix ans d'existence, l'institut comptait cinq missions en plus de la maison mère, et assurait l'enseignement à 705 élèves pensionnaires ou externes.

L'aquarelle représentant les soeurs des Saints Noms de Jésus et de Marie est l'une des plus simples que Duncan ait réalisées pour Viger. Elle ne comprend que deux personnages : une religieuse et une élève. Un petit « souvenir archéologique », singularise toutefois l'illustration : une vue, à l'arrière-plan, des ruines de l'ancien fort de Longueuil. « Ce Fort, bâti par le premier Baron de Longueuil et qui renfermoit une « belle église », fut élevé de 1685 à 1691. Il était en pierre, flanqué de quatre tours ». Entièrement démoli en 1810 et 1811, on en aurait utilisé la pierre pour la construction de la deuxième église de Longueuil. Selon Joseph Papin Archambault, la maison d'école où s'étaient réunies Eulalie Durocher et ses compagnes, en 1843, aurait même occupé l'endroit où s'élevait autrefois une des tours du fort de Longueuil.
J.R.P.

Collection
Bibliothèque de la Ville de Montréal.

James Duncan, 1806-1881

75. *Les religieuses du Bon Pasteur de Montréal*, 1853

Aquarelle 36,8 × 31,8 cm.

Inscriptions
(en haut) « Nº 11 »,
(en bas) « BON PASTEUR (Montréal)/A.D. 1844. »

Le 11 juin 1844, quatre religieuses de l'ordre de Notre-Dame de Charité du Bon Pasteur débarquèrent à Montréal en provenance de la maison générale d'Angers, en France. À la demande de Mgr Bourget, elles venaient fonder une maison cloîtrée dont les buts principaux étaient la réhabilitation des filles et des femmes pécheresses et la préservation des jeunes personnes exposées à se perdre. À ces oeuvres s'ajouta l'instruction des jeunes filles afin d'assurer la viabilité de l'institution. Les dames du Bon Pasteur habitèrent d'abord une grande maison de bois, sise au faubourg Québec, avant d'emménager en 1847 dans un beau monastère de pierre, érigé par Victor Bourgeau dans le faubourg Saint-Laurent. En 1853, elles offraient l'hospitalité à 61 « pénitentes » et à 51 élèves pensionnaires ou externes.

Debout, près d'une fenêtre grillagée dont le carreau est ouvert, une religieuse du Bon Pasteur présente de sa main gauche un groupe apparemment composé d'une novice – ou d'une soeur tourière – et de deux « femmes repenties ». La première s'affaire à repriser, tandis que ses protégées s'occupent de la lessive et du repassage. Au mur sont accrochés un crucifix et un tableau représentant le Bon Pasteur. J.R.P.

Collection
Bibliothèque de la Ville de Montréal.

BON PASTEUR (*Montréal*)

A. D. 1844

James Duncan, 1806-1881

76. *Les Soeurs de Notre-Dame de Sainte-Croix*, 1853

Aquarelle 38,8 × 31,8 cm.

Inscriptions
(en haut) « Nº 12 »,
(en bas) « SOEURS DE N. DAME DE Ste CROIX (St Laurent/A.D. 1847 ».

La congrégation des soeurs de Sainte-Croix et des Sept-Douleurs (ou marianites) fut fondée au Mans, en France, par le père Basile-Antoine Moreau en 1841. Six ans plus tard, l'évêque de Montréal obtenait de ce dernier qu'il envoie au Canada quatre soeurs professes afin d'y fonder une maison consacrée à l'éducation et à l'instruction chrétienne des jeunes filles. Les religieuses étaient également appelées à visiter les malades à domicile. Les soeurs arrivèrent à Montréal au printemps de 1847, accompagnées de Mgr Bourget qui revenait d'un voyage en France. Pendant deux mois, elles demeurèrent dans une maison particulière du village de Saint-Laurent en attendant que la construction de leur couvent fut achevée.

Duncan a situé ses personnages – une religieuse enseignante et trois élèves – dans une petite pièce dont la décoration est particulièrement éloquente. La statue de Notre-Dame des Sept-Douleurs et le petit Christ en croix font référence au nom et aux dévotions particulières de la communauté. Quant au tableau qui domine la religieuse, il s'agit d'une allusion au saint patronyme de la paroisse de Saint-Laurent : sous le regard de deux tortionnaires, le martyr est allongé sur un gril et subit le supplice du feu. J.R.P.

Collection
Bibliothèque de la Ville de Montréal.

James Duncan, 1806-1881

77. *Les Soeurs de Lorette*
de Toronto, **1853**

Aquarelle 38,8 × 31,8 cm.

Inscriptions
(en haut) « N° 13 » et « IN CORDE DECUS ET HO-
NOR » (au-dessus des armoiries du diocèse de Toronto),
(en bas) « LES DAMES DE LORETTE (Toronto)/A.D.
1847 ».

Les soeurs de Lorette appartiennent à l'institut
de la Bienheureuse Vierge Marie, fondé à Munich (Bavière), en 1650. C'est de Dublin, en
Irlande, qu'elles vinrent au Canada en 1847.
Elles établirent leur maison à Toronto d'où
elles rayonnèrent par la suite.

Comme en témoigne l'aquarelle de Duncan, les
religieuses de Lorette se consacraient à l'enseignement destiné aux jeunes filles. Par la variété
des regards des élèves assises à leurs pupitres,
l'artiste a su donner une certaine vitalité à une
composition qui apparaît, de prime abord,
quelque peu figée et stéréotypée. Au premier
plan de son aquarelle, le peintre a campé une
religieuse dont la main gauche est placée sur
l'épaule d'une de ses élèves. Flattée d'avoir été
choisie, cette élève disciplinée croise les mains
et tient sagement la pose en attendant que
l'artiste ait terminé. Signalons la présence d'une
statuette de saint Joseph entre les deux premières fenêtres de la salle de classe.   J.R.P.

Collection
Bibliothèque de la Ville de Montréal.

LES DAMES DE LORETTE (Toronto)

A.D. 1847

James Duncan, 1806-1881

78. *Les Soeurs de Miséricorde*
   de Montréal, 1853

Aquarelle 38,8 × 31,8 cm.

Inscriptions

(en haut) « N° 14 » (au-dessus des armoiries du diocèse de Montréal),
(en bas) « SOEURS DE MISÉRICORDE (Montréal)/A.D. 1848 ».

La mission de la communauté des soeurs de Miséricorde – communément appelées « Soeurs de Ste Pélagie » ou « Soeurs de la Maternité » – est « d'assister, dans leurs maladies, les personnes enceintes, tant pauvres qu'aisées, mais particulièrement les pauvres ». Fondé en 1848 par Mgr Bourget, avec le concours d'une veuve, Marie-Rosalie Cadron-Jetté, cet institut offrait un asile aux mères célibataires en détresse. Tout en travaillant à leur réhabilitation morale, il veillait à assurer le baptême et une éducation chrétienne à leurs enfants.

La scène illustrée par Duncan se déroule devant le portail principal de la maison des soeurs de Miséricorde, au faubourg Québec. Bien que toute simple, elle s'avère l'une des plus subtiles et des plus « vraies » qu'ait réalisées l'artiste. Jules Bazin l'a décrite avec à-propos: « Les mains croisées, la soeur regarde avec un air de compassion et de doux reproche la jeune coupable dont la mère raconte la triste histoire ». Comme dans plusieurs autres aquarelles de la série peinte par Duncan, la religieuse porte un rosaire, une grosse clef et une paire de ciseaux suspendus à la ceinture de son habit.
J.R.P.

Collection

Bibliothèque de la Ville de Montréal.

James Duncan, 1806-1881

79. *Les Filles de Sainte-Anne, 1853*

Aquarelle 38,8 × 31 cm.

Inscriptions
(en haut) « Nᵒ 15 »,
(en bas) « LES FILLES DE S.ᵗᵉ ANNE (L'Achigan)/A.D. 1848 ».

C'est à Marie Esther Blondin, directrice d'une école rurale à Saint-Michel de Vaudreuil, que l'on doit la fondation des filles ou soeurs de Sainte-Anne. En 1848, cette institutrice de carrière s'adjoignit cinq compagnes désireuses, comme elle, de vivre en communauté. Avec l'accord de l'évêque de Montréal, elles s'initièrent à la vie religieuse pendant deux ans sous la protection de leur bienfaiteur, le curé Paul Loup Archambault. Le nouvel institut fut finalement érigé canoniquement le 8 septembre 1850. Jacques Viger en a rappelé les fins dans son *Précis historique* :

« *1ᵒ l'« Enseignement des petites filles » et le « soin des malades et des pauvres infirmes des deux sexes » dans la Maison-mère; en outre, la « Visite des malades à domicile »;*

« *2ᵒ l'« Instruction des enfants des deux sexes dans les écoles mixtes », et la « Visite des malades à domicile », dans les concessions des paroisses où la Maison-mère aura de ces missions; et*

« *3ᵒ l'« Enseignement des filles pauvres propres à entrer dans l'Institut. » »*

En pleine expansion, la communauté dut bientôt faire face à une insuffisance de locaux. Comme la paroisse de Vaudreuil n'était pas en mesure d'assurer les dépenses d'un nouveau couvent, Mᵍʳ Bourget décida, en 1853, de transférer à Saint-Jacques-de-l'Achigan la maison mère des filles de Sainte-Anne. Ces dernières purent ainsi occuper le grand couvent que les dames du Sacré-Coeur venaient de quitter (cat. 73).

Au premier plan de sa belle aquarelle, Duncan a peint une institutrice et cinq de ses protégées. Assise sur un banc à l'ombre d'un feuillu, la surveillante écoute la prière d'une petite élève. Derrière elle se découpe une école dotée d'un clocheton et de nombreuses fenêtres. À proximité de la porte, on aperçoit un groupe d'écolières et une religieuse qui s'adresse à deux consoeurs assises dans une voiture à cheval. Un cocher s'apprête à les conduire au chevet de malades. Plus loin, sur la droite, deux hommes viennent d'accoster leur canot et s'affairent au transport d'un blessé allongé sur une civière. Derrière eux se dresse l'ancien couvent des dames du Sacré-Coeur, spacieux et de belles proportions, qui fait face à la rivière l'Achigan. Plantée sur le bord du rivage, une croix de bois se profile devant cet édifice qui, aux dires d'Archambault, était entouré de beaux jardins.
                                                J.R.P.

Collection
Bibliothèque de la Ville de Montréal.

LES FILLES DE Sᵗᵉ ANNE (L'Achigan)

A.D. 1848

James Duncan, 1806-1881

80. *Les Soeurs de Saint-Joseph de Toronto*, **1853**

Aquarelle 38,8 × 31 cm.

Inscriptions
(en haut) » Nᵒ 16 » et « IN CORDE DECUS ET HO-NOR » (au-dessus des armoiries du diocèse de Toronto),
(en bas) « SOEURS OU FILLES DE Sᵀ. JOSEPH (Toronto)/A.D. 1851 ».

Dédiée à l'assistance charitable sous toutes ses formes, la communauté des soeurs de Saint-Joseph fut fondée au Puy (France), en 1648. Au fil de son histoire, elle essaima dans plusieurs diocèses dont celui de Philadelphie, aux États-Unis. C'est de là que quelques filles de Saint-Joseph immigrèrent au Canada en 1851, à l'invitation de Mᵍʳ Armand de Charbonnel, évêque de Toronto. Les religieuses y furent chargées d'un orphelinat qui avait, jusque-là, été desservi par des laïques.

La scène par laquelle Duncan a voulu représenter les soeurs de Saint-Joseph frappe d'abord par la construction symétrique de son décor. L'axe de la composition épouse la ligne de rencontre de deux murs, tandis que la partie visible du plafond dessine un triangle isocèle. Qui plus est, chacun des murs possède deux ouvertures. Une statue de la Vierge à l'Enfant apparaît entre les fenêtres du mur de gauche, tandis qu'un crucifix naïvement dessiné est accroché entre les hautes portes du mur de droite. Des petits lits sont alignés en rangée sous les fenêtres de gauche et un gros bouquet de fleurs, dressé sur une table couverte d'une nappe ouvragée, anime l'extrême droite de la composition. Ces éléments de même que le glissement vers la droite du groupe des quatre personnages de l'aquarelle contribuent à atténuer la symétrie du décor. Encadrée de deux grandes orphelines, une religieuse au regard débonnaire s'impose d'emblée par sa forte carrure. Assise sur une chaise au dossier en arc de mitre, elle a le pied droit posé sur un tabouret et tient contre elle un bébé joufflu qui paraît apprécier le confort que lui assure sa protectrice.   J.R.P.

Collection
Bibliothèque de la Ville de Montréal.

James Duncan, 1806-1881

81. *Les Soeurs de la Présentation de Marie*, 1853

Aquarelle 38,8 × 31 cm.

Inscriptions

(en haut) « N° 17 » et « DIOECESIS SANCTI HYACINTHI » (autour des armoiries du diocèse de Saint-Hyacinthe),
(en bas) « SOEURS DE LA PRÉSENTATION DE MARIE (Monnoir)/A.D. 1853. »

La congrégation des soeurs de la Présentation de Marie vit le jour en 1796, en pleine Révolution française. À l'instigation de sa fondatrice Anne-Marie Rivier, la communauté se consacra dès lors à l'instruction de la jeunesse, et plus particulièrement à la formation des jeunes filles. Répondant à l'appel de Mgr Jean-Charles Prince, premier évêque du tout nouveau diocèse de Saint-Hyacinthe, six religieuses vinrent s'établir dans le village de Saint-Marie-de-Monnoir (Marieville) à l'automne de 1853. Elles n'y demeurèrent toutefois que deux ans, leur maison s'avérant bientôt trop étroite. Elles se transportèrent d'abord à Saint-Hughes en 1855, puis à Saint-Hyacinthe en 1858.

Contrairement à son habitude, James Duncan ne fait pas référence ici à un lieu physique propre à la communauté illustrée. Il choisit plutôt de représenter les religieuses et leurs pupilles, devant le bel enclos paroissial de Saint-Marie-de-Monnoir. Grâce aux deux personnages du premier plan, il est une fois de plus possible de faire une excellente lecture du costume des soeurs de la Présentation et de celui de leurs élèves. S'inscrivant dans le prolongement des deux femmes, une rangée de jeunes filles, vues de dos, s'apprête à entrer dans l'église de la paroisse sous la direction d'une seconde religieuse. L'édifice peint par l'artiste avait été béni par le vicaire-général Pierre Conefoy, en 1813. Cette première église de Marieville devait être détruite dans un incendie au cours de l'hiver de 1907.   J.R.P.

Collection
Bibliothèque de la Ville de Montréal.

94

Anonyme

82. *Notre-Dame de Toutes Grâces,* 1re moitié du XVIIIe siècle.

Bois peint et doré. 76,2 cm.

Inscriptions
(sur la base): « NOTRE-DAME DE TOUTES GRÂ-CES »;
(sur une planchette de bois qui voisinait naguère la statuette): « L'AN MIL SEPT CENS-TRENTE HUIT CETTE IMAGE FUT CONSACRÉE À LA ST. VIERGE ET ENVOYÉE DE FRANCE POUR ÊTRE HONORÉE DANS CE LIEU EN MÉMOIRE DU SECOURS QUE PLUS DE TRENTE PERSONES SUR LE POINT DE PÉRIR AVOIENT REÇU DU CIEL APRÈS AVOIR INVOQUÉ LA MÈRE DE DIEU SOUS LE TITRE DE NÔTRE DAME DE TOUTE GRÂCE ».

Ainsi que nous l'apprend l'inscription qui l'accompagnait autrefois, cette statuette de la Vierge à l'Enfant, d'origine française, fut offerte comme ex-voto à l'Hôtel-Dieu de Québec, en 1738. Lorsqu'elle parvint à l'établissement le 12 septembre, elle fut accueillie d'une façon triomphale. Une bénédiction solennelle, une fête d'installation et une procession au milieu des malades se succédèrent dans une atmosphère de liesse collective. Dès lors, Notre-Dame de Toutes Grâces présida à toutes les fêtes de la communauté et c'est à elle que s'adressèrent d'abord les prières des religieuses.

La prestigieuse Vierge à l'Enfant est aujourd'hui installée sur le tabernacle latéral gauche de la chapelle extérieure de l'Hôtel-Dieu. Utilisée pendant plusieurs années lors des processions, elle a dû subir un certain nombre de retouches depuis 1738. Lors du centenaire de son arrivée à Québec, elle fut redorée par les soeurs de l'Hôpital général de Québec, le peintre Antoine Plamondon acceptant de peindre les figures « gratis ». Après que Joseph Légaré en eut refait à nouveau des carnations en 1847, la précieuse statuette votive fut réparée par les bons soins des soeurs du Bon Pasteur de Québec, à l'occasion du 150e anniversaire de son installation à l'Hôtel-Dieu. Ces diverses marques d'attachement s'inscrivaient dans le sillage de la description admirative que Mère Marie-Andrée Duplessis de Sainte-Hélène faisait de la statuette, dans une lettre qu'elle adressait à une amie française le 18 octobre 1738:

« La statue a deux pieds et demi de haut, couronnée; elle est de bois de chêne, blanche et dorée, en partie, de fort bonne grâce; elle est bien prise, a un air actif, des yeux d'émail qui la rendent plus attrayante et plus on la regarde, plus on la trouve belle... » J.R.P.

Exposition
1973, Québec, Musée du Québec, *Trésors des communautés religieuses,* p. 47, repr.

Bibliographie
« La statue de N.-D. de Toute-Grâce, à l'Hôtel-Dieu de Québec », dans *L'Abeille* (journal du Petit Séminaire de Québec), vol. XI, no 3, 29 novembre 1877, p. 1-2. GOSSELIN, « Notre-Dame de Toutes-Grâces », 1929, p. 81-89, repr. BARBEAU, « Anciens maîtres-sculpteurs », 1937, p. 41, repr. BARBEAU, *Québec où survit l'ancienne France,* 1937, p. 24, repr. *Hôtel-Dieu de Québec,* 1939, p. 18, repr. LASNIER et BARBEAU, *Madones canadiennes,* 1944, p. 65, 66 et 70, repr.

Collection
Musée des augustines de l'Hôtel-Dieu, Québec.

Anonyme

83. *Vierge à l'Enfant* ou *Notre-Dame du Coeur,* XIXe siècle

Bois décapé, 91,4 cm.

Avant d'entrer dans les collections de la Galerie nationale du Canada, par l'entremise d'un collectionneur en 1973, cette *Vierge à l'Enfant* avait été la propriété des soeurs de la Providence de Montréal. De passage à la maison mère de cette communauté, en 1943, Marius Barbeau avait trouvé l'oeuvre dans un grenier et l'avait photographiée (M.N.C., nég. 93055). Elle était alors peinte. D'allure classique et d'une facture savante, elle est en bois de tilleul et il n'est pas exclu qu'elle ait été faite en France. Ce qui la rend exceptionnelle, c'est que la Vierge Marie tient à la main un gros coeur, surmonté d'une croix. En fait, nous sommes devant une représentation de Notre-Dame du Coeur, un thème voisin de celui de Notre-Dame des Douleurs. Dès lors, il n'est pas étonnant que la sculpture se soit trouvée chez les soeurs de la Providence puisque, à l'instar de leur fondatrice, ces religieuses ont toujours eu une dévotion toute particulière pour Notre-Dame des Sept Douleurs (cat. 72). J.R.P.

Bibliographie
LASNIER et BARBEAU, *Madones canadiennes,* 1944, p. 185-186, repr. HUBBARD, *L'évolution de l'art au Canada,* 1964, p. 38-39, repr.

Collection
Galerie nationale du Canada, Ottawa, (17263).

Charles Meynier (att. à), 1768-1832, atelier des soeurs ursulines de Québec

84. *Parement du Martyre de sainte Ursule*, dit *Parement de la Pentecôte*, vers 1815-1825

Fils d'or et d'argent, cannetille et paillettes sur velours de soie rouge monté sur toile. 94,5 × 265,5 cm.

Inscription

(dans le bas) : « Cum Virginis Flore A Viriginis flore ».

Médaillon central

Charles Meynier (1768-1832), att. à

Martyre de sainte Ursule et de ses compagnes, vers 1818

Huile sur toile 60 × 51 cm (ovale).

Inscription

(sur le chassis, à l'encre) : « Don du R. P. Philippe Desjardins – V. G. ».

L'importante collection de parements d'autel (antependium), conservée chez les ursulines, couvre une production de deux siècles et témoigne des différentes techniques de peinture et de broderie développées pour leur confection. L'évolution des styles, le rôle des parements qui marquent les temps de l'année liturgique et leur adaptation aux différents tombeaux d'autels en font un ensemble significatif

sous plusieurs aspects et témoignent d'un des arts les plus raffinés, réalisés au monastère de Québec.

Ce parement fut exécuté dans l'esprit des motifs créés par le décorateur anglais Robert Adam (1728-1792) et se caractérise par la disposition symétrique, linéaire et un peu sèche, des éléments classiques de rinceaux et de palmettes entourant le médaillon peint. Celui-ci fut envoyé de Paris, à l'été 1818, et offert aux religieuses ursulines par leur ancien aumônier, l'abbé Philippe-Jean-Louis Desjardins (cat. 125). (Bibliothèque du Séminaire Saint-Sulpice de Paris, carton Desjardins, Lettres de Louis-Joseph Desjardins à Philippe J.-L. Desjardins, 2 juin et 24 juillet 1818, fol. 64 et 67.) Nous proposons d'y voir, étant donné le sujet et le format du tableau, une commande de l'abbé Desjardins à Charles Meynier, peintre-décorateur néoclassique qui prit part au renouveau de la peinture religieuse en France au moment de la Restauration. La scène décrit le moment légendaire où Ursule et ses 11 000 compagnes furent

martyrisées près de Cologne. L'artiste comprime l'espace pour y insérer le navire en ruine, Ursule et d'autres vierges, le commandant des troupes barbares et les anges s'apprêtant à couronner les saintes martyres. Les couleurs riches et contrastantes, le coup de pinceau rapide, les textures variées, la combinaison des différents points de vue ajoutent encore à l'animation de la scène.

Les livres de comptes et le Journal de la procure révèlent, pour 1823 et 1824, des paiements de 1 076# pour du fil d'or, des paillettes et des « diamants » devant être appliqués sur ce parement. Mère Sainte-Ursule Coothe (1857-1898) réalisera même une copie du médaillon que l'on conserve toujours.   L.L.

Bibliographie

MORRISET, « La collection Desjardins au Couvent des Ursulines », 1935, p. 47.

Collection

Monastère des ursulines, Québec.

Paul-Raymond Jourdain, dit Labrosse, 1697-1769

85 et 86. *Vierge à l'Enfant* **et** *Saint Joseph*, **1755**

Les statues de la *Vierge à l'Enfant* et de *Saint Joseph* étaient, à l'origine, associées l'une à l'autre puisqu'elles occupaient les deux niches de la façade de l'ancienne chapelle de l'Hôtel-Dieu, rue Saint-Paul. Elles s'inscrivaient, par conséquent, dans le sillage de la dévotion à la Sainte Famille, dévotion particulièrement prisée par les religieuses de l'Hôtel-Dieu. Bien que les deux oeuvres aient été décapées, on peut se faire une idée de leur ancienne polychromie en regardant des photographies prises par Marius Barbeau, en 1942 (M.N.C., négatifs 91985 et 92401) (ill. 85a et 86a). Si les deux rondes-bosses sont attribuées à Jourdain, dit Labrosse, il reste que seule la *Vierge à l'Enfant* est signée. Stylistiquement, le *Saint Joseph* peut certes être rapproché de la *Vierge à l'Enfant*, mais les parentés formelles qu'il partage avec le grand *Christ en croix* (1741) de Notre-Dame de Montréal sont plus évidentes. Originaire de Montréal, Labrosse fut, à n'en pas douter, un sculpteur accompli, capable de rivaliser avec ses homologues venus d'outre-Atlantique. Le fait qu'il ait pris la peine de signer certaines de ses statues nous laisse croire qu'il se considérait davantage comme un artiste que comme un simple « ouvrier ». J.R.P.

Paul-Raymond Jourdain, dit Labrosse, 1697-1769

85. *Vierge à l'Enfant*, **1755**

Bois décapé. 104 cm.

Inscription

(au dos de la statue): « PAUL LABROSSE SEULPTEUR 1755 FECIT ».

La mère incline légèrement la tête vers son fils qu'elle porte dans ses bras. Enfant joufflu, Jésus tient une croix dans sa main droite et pointe l'index de la main gauche vers le ciel. La Vierge a le corps appuyé sur la jambe gauche et on devine le mouvement harmonieux de la jambe droite sous le drapé de son long manteau. Remarquables par leurs plis ondulés et variés, les vêtements de Marie témoignent de la maîtrise du sculpteur. Par sa facture savante, la *Vierge à l'Enfant* de l'Hôtel-Dieu de Montréal peut être rapprochée d'une version similaire, quoique plus petite, aujourd'hui conservée dans la paroisse de l'Immaculée-Conception, à Montréal. Cette seconde version se trouvait, à l'origine, dans la chapelle de la Congrégation des hommes de Montréal, que desservaient les jésuites. J.R.P.

Expositions

1967, Ottawa, Galerie nationale du Canada, *Trois cents ans d'art canadien*, nº 25, repr. 1973, Montréal, Hôtel-Dieu, *Exposition commémorative du tricentenaire de la mort de Jeanne Mance, 1673-1973*, nº 96.

Bibliographie

MORISSET, « Le trésor de l'Hôtel-Dieu », 1942, p. 457. LASNIER et BARBEAU, *Madones canadiennes*, 1944, p. 115-116, repr. MONDOUX, « La dévotion à saint Joseph », 1955, p. 468. TRUDEL, *Profil de la sculpture québécoise, (cat. d'expos.)*, 1969, p. 56.

Collection

Musée des religieuses hospitalières de Saint-Joseph, Montréal.

Ill. 85a Paul-Raymond Jourdain dit Labrosse (1697-1769), *Vierge à l'Enfant*, 1755; bois polychrome; photo prise par Marius Barbeau en 1942; Hôtel-Dieu des hospitalières de Saint-Joseph de Montréal (Photo M.N.C., nég. 91985).

Paul-Raymond Jourdain, dit Labrosse, (att. à), 1697-1769

86. *Saint Joseph*, 1755

I11. 86a. Paul-Raymond Jourdain dit Labrosse (1697-1769) att. à, *Saint-Joseph*, 1755; bois polychrome; photo prise par Marius Barbeau en 1942; Hôtel-Dieu des hospitalières de Saint-Joseph de Montréal (Photo M.N.C., nég. 92401).

Bois décapé, 104 cm.

La main gauche modestement posée sur la poitrine, saint Joseph porte une longue tunique ceinturée à la taille ainsi qu'un manteau frangé. La tunique tombe quelque peu lourdement sur le sol tout en laissant voir les gros pieds du personnage. D'un geste élégant de la main droite, l'époux de la Vierge tient un grand bâton dont l'extrémité supérieure est fleurie, un ajout tardif puisque les fleurs sont en plâtre. La qualité première de cette sculpture réside dans le caractère aussi vigoureux qu'expressif des traits de la figure, que mettent en valeur une barbe frisée et une longue chevelure ondulante. Dans une étude rédigée en 1955, soeur Maria Mondoux a longuement démontré l'importance que les religieuses hospitalières de Saint-Joseph accordaient à la dévotion au père nourricier de Jésus. Encore aujourd'hui, saint Joseph est perçu comme le chef, le père et le protecteur de la communauté.   J.R.P.

Exposition
1973, Montréal, Hôtel-Dieu, *Exposition commémorative du tricentenaire de la mort de Jeanne Mance, 1673-1973*, n° 102.

Bibliographie
MORISSET, « Le trésor de l'Hôtel-Dieu », 1942, p. 457.
MONDOUX, « La dévotion à saint Joseph », 1955 p. 468.

Collection
Musée des religieuses hospitalières de Saint-Joseph, Montréal.

Jeanne Le Ber, (attr. à), 1662-1714
87. Chape

Tissu damassé, fils d'argent et fils de soie de couleurs, 133 × 222 cm.

Fille d'un riche négociant montréalais, Jacques Le Ber, et soeur de Pierre Le Ber qui réalisa le portrait de Marguerite Bourgeoys (cat. 94), Jeanne Le Ber aurait appris l'art de la dentelle et de la broderie lors de son pensionnat (de 1674 à 1677) chez les ursulines de Québec. Bien qu'elle ne fît pas partie de la congrégation Notre-Dame de Montréal, Jeanne Le Ber y fut étroitement liée, à partir de 1679, autant comme amie et bienfaitrice que comme habile travailleuse à l'aiguille.

Avec le parement d'autel du musée de l'église Notre-Dame de Montréal, la *chape* constitue certainement l'oeuvre la plus remarquable qui soit attribuée à la célèbre recluse de Ville-Marie. La pièce brodée, d'ailleurs, a fait l'objet d'une description enthousiaste de la part de Marius Barbeau, en 1939 :

« Le champ principal en est ouvré de fleurs et de feuillages en manière de verdure sur tapisserie, dont les couleurs brillantes et variées et les nuances délicates sont gracieusement émaillées sur toute la surface, qui est à fond compact de fil d'argent. Les fleurs et les feuilles, bien que tirées de la nature, sont hautement stylisées [...]. Ces fleurs, ces feuillages et ces fruits, qui rappellent certaines tapisseries du moyen âge, sont exotiques; ils sont tirés de la flore jardinière et se rattachent pour la plupart au répertoire courant de l'époque [...]: roses, épanouies ou en boutons, oeillets, pivoines, pavots, giroflées, épis de blé en or, feuilles et grappes de vigne, fleurettes à quatre pétales, grandes fleurs conventionnelles, au centre et ailleurs, et feuilles de fougère ou d'acanthe. Les couleurs qui s'émaillent sur le fond d'argent, où il y a aussi des paillettes, sont le bleu, le rouge, le rose, le vert, le violet et le jaune.

La bordure et le haut de la chape diffèrent sensiblement du champ principal tout en rehaussant par contraste sa grande richesse. La décoration sur fond blanc consiste, de chaque côté, en deux grands festons classiques, à base de palmettes, enguirlandés de roses, de feuilles et de bouquets; au centre, d'une guirlande ornée de fleurs autour d'un médaillon brodé, contenant le monogramme de Jésus-Christ IHS surmonté d'une croix. La bordure et la frange sont de manufacture plus récente. »

Selon Barbeau, les multiples motifs floraux dont est décorée la *chape* des soeurs de la congrégation Notre-Dame de Montréal, sont de la composition personnelle de Jeanne Le Ber. Pour sa part, le mélange des couleurs est, encore aujourd'hui, d'une richesse et d'un éclat peu communs.

L'originalité et la beauté exceptionnelle de cette oeuvre suffiraient non seulement à établir que Jeanne Le Ber était d'une adresse et d'une patience inouïes, mais également que les religieuses ursulines de la Nouvelle France avaient atteint une maîtrise, peu surpassée par la suite, dans l'art et la technique de la broderie. M.B.

Bibliographie
BARBEAU, « Jeanne Le Ber », 1935, p. 45, repr. BARBEAU, *Québec où survit l'ancienne France*, 1937, p. 46, repr. BARBEAU, « Jeanne Le Ber », 1939, p. 514-515. BARBEAU, *Maîtres artisans*, 1942, p. 15, repr. BARBEAU, *Saintes artisanes – I*, 1944, p. 28 et 62, repr. BARBEAU, « Jeanne Le Ber », 1945, p. 7, repr. BARBEAU, « Jeanne Le Ber », 1946, p. 254, repr.

Collection
Musée Saint-Gabriel, Montréal, (11 1962).

Anonyme

88. *Mausolée de Mgr de Saint-Vallier*, 1728

Bois décapé, 262,9 cm.

De tout temps, les augustines de l'Hôpital général de Québec ont eu une profonde vénération pour leur fondateur et premier bienfaiteur, Mgr Jean-Baptiste de la Croix de Chevrières de Saint-Vallier (1653-1727). Lorsque le deuxième évêque de Québec rendit l'âme, les religieuses s'empressèrent de perpétuer sa mémoire d'une façon tangible. À cette fin, elles firent peindre un grand tableau – représentant un monument funéraire imaginaire – qui fut placé dans la chapelle latérale de leur église, là où avait été inhumé le corps du prélat. *De chaque côté de* cette chapelle dédiée au Sacré-Coeur de Marie, elle accrochèrent *deux grandes toiles* – tenant lieu d'épitaphes commémoratives – dont le long texte, dicté par le père Pierre de la Chasse, jésuite, avait été écrit en lettres d'or sur fond noir par le père François Rey, récollet. De plus, « *L'on tira (le) coeur (de Mgr de Saint-Vallier) qu'on Enferma dans un boëte de plomb qui fut Soudée Et remis dans une D'argent, Et L'on fit faire aussi promptement qu'il fut possible un ange sculpté, de grandeur humaine sur un piedestal, tenant un mosolé sur sa tête; deux Anges assis tiennent Le Coeur, Et deux autres Le Couronne, tel qu'on Le peut voir au fond du choeur* ».

De part et d'autre du grand ange du mausolée, les hospitalières placèrent quatre inscriptions réalisées de nouveau avec le concours des pères Rey et de la Chasse et qui se lisaient comme suit :

« *Ce coeur qu'icy vous conservez,*
Tandis qu'il respira n'eut d'autre inquiétude
Que de vous procurer les biens que vous avez.
Sanctifiez-vous donc, Vierges, vous le devez:
C'est tout ce qu'il attend de votre gratitude. »

« *Ce fut le coeur d'un séraphin;*
Il brûla des plus saintes flammes:
La gloire de Dieu et le salut des âmes
De tous ses mouvements fut le but et la fin;
Il fut tout embrasé de charité, de zèle;
De votre illustre Fondateur
Formez-vous, Vierges, sur le coeur. »

« *Ce coeur entre les mains des anges,*
Est autant charmé qu'autrefois
Lorsque de ses enfants il entendait le voix
Qui de Dieu chantait les louanges. »

« *Des anges soutenu, si tranquille aujourd'huy,*
Ce Coeur fut agité des plus grandes traverses
Mais, dans ces épreuves diverses,
Comme il n'aimait que Dieu,
le Ciel fut son appuy. »

Le mausolée proprement dit fut réalisé dans le cours de l'année 1728 par un sculpteur dont les archives ne précisent pas le nom. Si l'on se fie à la *Suite des annales*, il comptait à l'origine deux anges de plus que ceux qu'on y voit aujourd'hui, des anges chargés de couronner le coeur en argent du prélat. Dans sa forme actuelle, le mausolée n'en constitue pas moins un ouvrage de belle facture qui surprend autant par ses dimensions que par l'originalité de sa conception.

Debout sur un piédestal en forme de nuage, un ange s'avance d'un pas décidé. Dans sa marche, son long vêtement se plisse contre son corps et se soulève à la hauteur de la taille. Paradoxalement, les larges pans de vêtement, qui tombent derrière les jambes de l'ange, se ramassent harmonieusement entre ses pieds, un peu comme si le personnage était au repos. Les ailes déployées et une palme à la main droite, l'ange maintient en équilibre, de sa main gauche, une large plate-forme rectangulaire sur laquelle repose un édicule ajouré. Cette structure plutôt massive est constituée de quatre colonnes à chapiteaux ioniques supportant un entablement d'où s'élève un dais à volutes. Au centre de la partie la plus avancée du couronnement se profilent les attributs de l'évêque, soit la mitre, la crosse et la croix épiscopale. C'est sous ce trophée délicat, au milieu de l'édicule, que se trouvait naguère le coeur en argent de Mgr de Saint-Vallier. Le coeur reposait sur un piédestal en forme de piédouche et était tenu par deux petits anges assis de part et d'autre. Avec sa partie basse nettement nerveuse et dynamique et sa partie haute plutôt lourde et statique, le

mausolée donne l'impression d'un ensemble composite. Le fait que l'ange à la palme ne paraisse pas du tout affecté par la lourde charge qui repose sur sa tête accentue cette impression.

Après avoir été « racommodé » en 1768, le mausolée quitta l'arrière du choeur des religieuses en 1862, et fut placé au-dessus d'une ouverture permettant de voir l'intérieur de la chapelle où reposaient les cendres de Mgr de Saint-Vallier (ill. 88a). Repeint par les peintres décorateurs Gauthier en 1897, puis par une religieuse en 1934, le mausolée fut finalement déposé dans le musée de l'établissement en 1961, à la faveur de travaux de réfection apportés à la chapelle et au choeur. À cette occasion, on chercha à retrouver la dorure à la colle qui recouvrait originellement le groupe sculpté mais, devant les difficultés rencontrées, on dut se résoudre à décaper l'oeuvre intégralement. Tout en entraînant des réparations et des modifications mineures, ce travail rendit nécessaire une consolidation de l'oeuvre à l'aide de nouvelles ferrures. Quant au coeur en argent de l'évêque, il fut monté sur un écusson en 1962, et il est depuis lors vénéré dans la salle capitulaire des hospitalières.

J.R.P.

Bibliographie
A.M.H.G.Q., *Suite des annales des Religieuses de La Miséricorde de jésus* (1709-1729), f. 58 (1727); *Annales*, tome III (1793-1843), année 1841; *Journal 1874-1907*, f. 516 (26 juillet 1897); *Journal 1960-1968*, f. 43-47 (18 mai 1961) et f. 102 (10 novembre 1962); *Journal et grand journal depuis 1718 jusqu'à 1738* (recettes et dépenses), avril et août 1728; *Journal du Musée*, tome II (1958-   ), f. 7-8 (1961); *Journal du noviciat*, tome II (1858-1884), f. 24 (1862) et tome IV (1923-1964), f. 133 (avril 1934); *Livre de comptes 1727-1750* f. 50 (1728-1729); *Livre de comptes 1751-1776*, f. 79 bis (1768-1769). Knox, *An Historial Journal*, 1769, vol. II, p. 156. *Monseigneur de Saint-Vallier*, 1882, p. 287, 288 et 523.

Collection
Monastère des augustines de l'Hôpital général, Québec, (S-16).

Ill. 88a Anonyme, *Mausolée de Mgr
de Saint-Vallier*, 1708; bois polychrome;
photo prise par Ramsay Traquair en 1928;
Monastère des augustines
de l'Hôpital-Général de Québec
(Photo Université McGill, Redpath Library,
Section Blackhader,
Fonds Ramsay-Traquair).

Anonyme

89. *L'Enlèvement du corps de Sainte Catherine par des anges,* Anvers, XVIIᵉ siècle

Ill. 89a *Vue du choeur de la chapelle du collège de Sainte-Anne-de-la-Pocatière*, fin du XIXᵉ siècle (Photo A.N.Q.Q., fonds collection initiale).

Huile sur toile. 57,5 × 49,5 cm.

Parmi les nombreuses scènes qui nourrissent la riche iconographie inspirée par la légende de la jeune sage d'Alexandrie et de son martyre, figure le moment où, après sa décapitation, son corps fut transporté par des anges au mont Sinaï, où un monastère lui est encore dédié. L'artiste a traité la scène comme un sujet nocturne, dans un espace indéfini, au moment où les anges retiennent soigneusement le corps de la martyre. Le traitement de l'anatomie et des drapés des trois anges de gauche diffère du groupe de Sainte-Catherine et de l'ange qui lui retient la tête, rendu avec plus de soin dans le dessin et le coloris. En rendant visible la source lumineuse, et en remplaçant par du sang le lait qui, selon la légende, aurait coulé de son corps, un traitement plus naturaliste de la scène miraculeuse est suggéré. Gérard Morisset attribuait le tableau au cercle de Gerrit van Honthorst (1590-1656); nous aimerions proposer qu'il s'agit d'une oeuvre anversoise de la deuxième moitié du XVIIᵉ siècle.

Selon toute vraisemblance, ce tableau entra dans les collections du monastère des ursulines de Trois-Rivières à la mort de l'abbé Jacques Ladislas de Calonne (1742-1822). L'abbé de Calonne, frère du ministre des finances de Louis XVI, émigra en Angleterre au moment de la Révolution française. Exilé, il exerça son ministère dans les Maritimes, puis retourna en Angleterre en 1804, l'abbé Philippe J.-L. Desjardins (cat. 125) était déjà repassé à Paris en 1803. Au cours de ce séjour en Angleterre, il aurait, « Dans l'espoir d'aller en Canada (...) acheté ici plusieurs tableaux » (*Ursulines de Trois-Rivières*, tome II, 1892, p. 506), comme il s'en ouvre à Mᵍʳ Plessis dans une lettre de juillet 1806. Le marché d'art londonien, à la suite de la révolution en France et des guerres napoléoniennes, est extrêmement florissant.

À son retour au Canada, en 1807, l'abbé de Calonne devint aumônier des ursulines de Trois-Rivières. Son exécuteur testamentaire, l'abbé Louis-Marie Cadieux relève, entre autres, 17 tableaux en sa possession lors de son décès (*Ursulines de Trois-Rivières*, tome II, p. 516).

Ce tableau de belle qualité fut emprunté par l'abbé Louis-Joseph Desjardins pour être copié par Joseph Légaré. Ce dernier en exécuta deux versions: l'une de même format (Musée du Québec; Porter, *Joseph Légaré*, 1978, nᵒ 170) et une autre de plus grande dimension (Archives des ursulines de Trois-Rivières, lettre de Louis-Joseph Desjardins à Barthélémy Fortin, 31 juillet et 10 août 1840). Cette version et son pendant, une *Madeleine dans le désert*, ornèrent la chapelle du collège de Sainte-Anne-de-la-Pocatière, probablement à partir de l'inauguration de la chapelle, terminée en 1842 (ill. 89a), jusqu'à une date indéterminée. Les deux tableaux sont aujourd'hui disparus.   L.L.

Bibliographie

Les Ursulines de Trois-Rivières, 1898, tome III, p. 250. MORISSET, « Épaves de la révolution française », 1935, p. 9. MORISSET, *Peintres et tableaux*, 1936, vol I, p. 108-109. PORTER, *Joseph Légaré, 1795-1855, L'oeuvre*, (cat. d'expos.), 1978, p. 130.

Collection

Musée Pierre Boucher, Pavillon des ursulines, Trois-Rivières.

Photo prise avant restauration

Atelier des soeurs grises de Montréal

90. *Immaculée Conception* ou *Notre-Dame de la Garde*, vers 1843

Carton-pâte polychrome, 180 cm (env.).

« La statue est en papier mâché et peut avoir six pieds et quelques pouces de hauteur. La figure est jolie et gracieuse, coloriée d'une teinte blanche rosée. Un beau médaillon d'or est suspendu à son cou par un ruban blanc. Sa robe est de couleur crême, plissée à la taille et sans ceinture, parsemée d'étoiles dorées; une double robe, sorte de manteau flottant de couleur bleue, est drapée sur ses épaules. Un voile couvre sa tête et sur ce tissu est passée assez élégamment une petite couronne crénelée. La Vierge est debout sur une boule sphérique de papier mâché, tenant sous son pied droit un serpent se tordant sur le globe; ses mains sont étendues comme pour attirer sur ses bras. Cette statue doit être l'oeuvre d'un artiste d'une grande âme. Elle révèle, si je puis dire ainsi, de beaux sentiments religieux et une noble piété. ».

La description qui précède est empruntée à l'abbé V. Carrière, curé de Sainte-Jeanne-de-Chantal. Dans la monographie qu'il a consacrée à l'histoire de l'Île-Perrot, l'abbé Carrière a longuement fait état des grandes cérémonies de juin 1849, à l'occasion de l'intronisation de la dite statue sous le vocable de Notre-Dame de la Garde. Entouré de Messeigneurs Guignes et Prince, de son vicaire-général et d'une vingtaine de prêtres ou curés, c'est l'évêque de Montréal, Mgr Bourget, qui dirigea alors la translation de la statue jusque dans l'église de l'Île-Perrot. Il cherchait ainsi à faire participer la population des campagnes aux fêtes grandioses qui venaient d'entourer l'installation, à Notre-Dame de Bonsecours, d'une « belle statue de bronze doré ». En consacrant la paroisse à Notre-Dame de la Garde, il voulait du même coup assurer un nouveau secours aux nombreux marins et voyageurs qui devaient emprunter les rapides

du Saint-Laurent à proximité de l'île Perrot. À compter de 1849, le 20 juin de chaque année fut l'occasion d'une procession et de diverses festivités locales en l'honneur de Notre-Dame de la Garde. En 1886, l'autel du côté de l'évangile – au-dessus duquel la statue était placée en temps normal – fut officiellement dédié à la Vierge Marie sous ce même vocable.

L'abbé Carrière rapporte, en outre, que la statue de Notre-Dame de la Garde avait été donnée par les sulpiciens au curé de l'île Perrot, l'abbé Huot, en guise de remerciement pour son insigne contribution à la décoration de l'église Notre-Dame de Bonsecours, lors de l'intronisation de la statue de bronze dont il a été question plus haut. Il ajoute même que la Vierge en carton-pâte avait remplacé pendant environ dix-huit ans, sur l'autel de Bonsecours, une figurine miraculeuse disparue en 1831. À notre humble avis, il est plus que douteux que la statue en papier mâché ait été en place avant 1843, puisqu'il s'agit d'une production tout à fait typique de l'atelier des soeurs grises de Montréal. Or, nous savons que ces religieuses ne fabriquèrent de telles statues que lorsque les pères oblats de Marie Immaculée – arrivés à Montréal en décembre 1841 – leur en eurent dévoilé le procédé en 1843. Un article paru cette année-là dans le journal *L'Artisan* de Québec vient donner encore plus de poids à notre affirmation. On y lit notamment ce qui suit:

« Les Mélanges Religieux font de grandes louanges d'une Statue de la Ste. Vierge faite par les Soeurs-Grises de Montréal, avec un carton d'une solidité à toute épreuve. La statue est une copie de l'image de la Médaille Miraculeuse. La Vierge repose sur un globe, et d'un pied elle foule le serpent infernal. « La tête, disent les Mélanges, est d'une expression ravissante de vie, de modestie et de douceur; la carnation est

parfaite; les yeux en particulier semblent être animés; de magnifiques tresses de cheveux, qu'on dirait véritables, se déroulent avec profusion sur les épaules et encadrent modestement ce chaste visage; c'est vraiment là une tête de Vierge, et parfaite comme nous en avons vues rarement. Les proportions sont au-dessus de tout éloge, et l'on s'oublie dans la contemplation de cet ouvrage. » La statue avec le socle dépasse une hauteur de six pieds. Les Mélanges ajoutent qu'il n'y a rien de plus beau et de plus riche que les ornements. Les Soeurs-Grises pourront faire de ces statues à un prix modique ».

La description qui précède correspond en tous points à l'iconographie de la statue de Notre-Dame de la Garde. Il est même possible qu'il s'agisse de la même oeuvre, puisqu'un document, tiré des archives des soeurs grises, indique qu'elles donnèrent la deuxième statue en carton-pâte, qu'elles avaient réalisée, à leur « supérieur », en l'occurrence le sulpicien Quiblier, curé de Notre-Dame et desservant de Notre-Dame de Bonsecours...

La statue de l'île Perrot est fidèle au modèle iconographique de la médaille miraculeuse frappée à la suite des apparitions de la Vierge Marie à sainte Catherine Labouré, à Paris, en 1830. Cette médaille de protection, qui répondit aux attentes de la piété populaire, connut une très large diffusion. L'image en fut même répandue par une gravure dont les ursulines de Québec conservent encore deux exemplaires (cat. 142).

J.R.P.

Bibliographie

« Les Statuaires », dans *L'Artisan* de Québec, 6 février 1843, p. 3. CARRIÈRE, *Histoire de l'Île Perrot*, 1949, p. 110-121.

Collection

Fabrique Sainte-Jeanne-de-Chantal, Notre-Dame de l'Île Perrot.

CHAPITRE SIXIÈME
LES PORTRAITS

Si les portraits de religieux forment un groupe, ou plutôt des sous-groupes, c'est moins en raison de la spécificité du genre (portrait de religieux) que du fait de conditions extérieures, qui régissent à leur tour certaines lois pour ce qui est de la présentation formelle du sujet.

Le clergé, au Québec, ne forme pas un groupe social unifié. Aux différences créées par la hiérarchie ecclésiastique s'ajoutent celles entre religieux et religieuses. Tous les membres du corps ecclésiastique ne font pas l'objet d'un portrait (sauf de groupe, à des fins documentaires, après l'avènement de la photographie), et tous les portraits ne sont pas nécessairement des oeuvres d'art. Selon leurs différents rôles sociaux, ou selon l'exemplarité de leur vie, la représentation des religieux s'impose plus ou moins. Les portraits de religieux, à cause de la nature même du modèle, ne peuvent répondre aux motifs habituels principaux: narcissisme, vanité, orgueil, pouvoir (se survivre, en quelque sorte), qui poussent les laïcs à se faire peindre.

Les vertus d'humilité et de pauvreté qui modèlent la vie du religieux s'opposent spécifiquement à cela même que résume le portrait: attachement au corps et aux biens matériels. Le désir de conserver un souvenir des traits humains ne doit donc venir que d'autrui, de la perception des autres. Seuls les membres du clergé ayant un parcours valorisé par la société ou par leur milieu de vie seront représentés, ce qui signifie que leurs effigies ne seront réalisées qu'à un âge relativement avancé du modèle, ou en tout cas à un moment où sa supériorité ou l'aspect exceptionnel de sa personnalité se seront manifestés.

Le portrait de religieux n'existe donc qu'en tant que portrait public, destiné à une large audience, celle de ses collaborateurs, de la communauté et de la société. Le milieu commanditaire et bénéficiaire du portrait ne veut pas tant marquer sa reconnaissance et son estime que se souvenir, sous les traits de la personne figurée, de ses qualités, de ses vertus, de son statut particulier. Portraits pris à la dérobée, à l'insu du modèle, portraits posthumes[1], portraits figés et solennels, les portraits de religieux nient le présent et traversent les siècles, le regard fixé sur l'éternité.

Parce que le portrait figurera au presbytère, dans la salle capitulaire ou dans une galerie de portraits, le portraitiste et son modèle, tout en restant conscients de ce qu'il faut représenter la physionomie et la personnalité le plus fidèlement possible – le mensonge serait-il permis? –, savent qu'ils ne doivent jamais se départir d'un aspect officiel et cérémonieux. Le sujet sera rarement à l'aise; son costume, ses attributs rappelleront son titre, sa fonction, et devront communiquer un enseignement, être un modèle. Hiératisme et conservatisme traversent donc toute la production, qu'il s'agisse des rares portraits en pied ou du portrait en buste si courant. C'est pour cette raison que la miniature et le profil, qui s'imposèrent à la fin du XVIIIe siècle et au début du XIXe chez les civils, ne sont pas des formes de portraits utilisées

---

1. À ce sujet, voir cat. 94 et, également, au sujet du *Portrait de Marie de l'Incarnation* (1672), ce texte: « Aussi (...) MM. De Courcelles et Talon convinrent-ils avec les ecclésiastiques présents et avec la communauté qu'il fallait avant de sceller cette tombe, conserver à la postérité les traits de cette vénérée défunte ». Cité par François-Marc Gagnon, *Premiers peintres de la Nouvelle-France*, tome II, Québec, ministère des Affaires culturelles, 1976, p. 102. Le récit, relatif au *Portrait de l'abbé Sattin* (soeurs Grises de Montréal) indique qu'il fut exécuté à l'insu de celui-ci.

couramment pour les ecclésiastiques. Le genre en est trop personnel, tout comme la destination, et la ressemblance du profil est trop éphémère. Si le pastel est admis sous les doigts de Dulongpré et pendant tout le XIXᵉ siècle, ainsi que le fusain, c'est une solution de facilité que les curés de campagne se permettent. Mais l'huile sur toile, par sa solidité, sa permanence et son format, s'impose. De la même façon, c'est moins par orgueuil que l'on recherche les artistes reconnus, que pour s'assurer un peu mieux de cette permanence que confère l'autorité d'une réputation bien établie.

Répétons-le, le portrait de religieux n'a pas à plaire, ou s'il plaît c'est par surcroît, car sa qualité fondamentale est de suggérer une abstraction de lieu et de temps que seules les vicissitudes de la mode et des changements de style picturaux pourront trahir.

Parce qu'on a beaucoup écrit sur les portraits de religieux, il est peut-être facile de conclure que ces portraits occupent une place importante dans la production de ce genre au Québec, principalement sous le Régime français, où plusieurs des artistes étaient des ecclésiastiques. La disproportion, si elle existe, est encore accentuée par la perte que subit la colonie du fait du départ de l'administration civile et militaire, dont les portraits constituaient le pendant de ceux qui furent commandés et qui sont encore conservés dans les communautés et institutions religieuses. En fait, nous ne possédons que très peu de portraits originaux des religieux et religieuses qui ont oeuvré en Nouvelle France[2]. La gravure ou des copies postérieures nous conservent les traits de quelques jésuites, de fondatrices ou supérieures de couvents, des évêques de Québec et de quelques autres ecclésiastiques[3].

Leur rareté les rend encore plus précieux, car ils témoignent de l'héroïcité de la vie de ces personnages et de l'implantation des formes de la vie culturelle de la mère-patrie dans une colonie éloignée et aux faibles ressources humaines. Particulièrement significatifs sont les portraits posthumes de religieuses, ainsi que l'un des rares portraits historiés de toute notre peinture religieuse, celui qui représente les pères jésuites lors de leur martyre (fig. 1). Portrait collectif et rétrospectif, le *Martyre des Pères Jésuites* ne représente les traits que de trois des dix martyrisés : les PP. Brébeuf[4] et Lallemant, attachés aux poteaux de torture et représentés au premier plan avec le P. Jogues. Grégoire Huret ne connaissant pas les traits des autres suppliciés, il a placé ceux-ci de telle sorte que l'aspect spectaculaire de leur mort prend le pas sur celui de la fidélité de la représentation de leur visage. À travers la mort héroïque des pères

jésuites, tous réunis sur la même surface, ce qui prime, c'est la symbolique de leur martyre commun pour la même foi. Leur message, au-delà du document qui tente de recréer les derniers instants de leur vie, anime la foi des missionnaires et des dévots qui s'intéressent à la vie religieuse de la colonie.

De la même façon, les portraits posthumes de religieuses (cat. 94) tentent de faire le pont entre la simple représentation et l'image pieuse. Ces personnages qui méditent ou qui prient deviennent une sorte d'icône devant laquelle, à leur tour, les religieuses peuvent prier.

L'évolution du portrait de religieuse, assez paradoxalement, va échapper à la sobriété et à la monotonie du portrait d'ecclésiastique, variation sur le rabat, le surplis et l'étole. Depuis les portraits de mère Juchereau de Saint-Ignace (cat. 91) et de mère Louise Soumande de Saint-Augustin (cat. 92) jusqu'à celui de soeur Saint-Alphonse (cat. 100), on retrouve une expression individualisée par la candeur de ces religieuses, qui viennent de poser leur livre d'heures ou qui poursuivent leur ouvrage (mère Coutlée, cat. 96) tout en se prêtant à l'attention du peintre.

Leur costume semble offrir de plus grandes qualités picturales, en même temps que la simplicité de leur caractère autorise plus de liberté dans la pose. Il suffit de comparer le taffetas et la dentelle des évêques de Québec avant Mgr Signay et Mgr Turgeon[5] pour sentir qu'ils sont reproduits sans intérêt. Ce caractère répétitif convient aux galeries de portraits, où l'uniformité est garante de l'unité de l'ensemble mais entraîne une synonymie qui fait que les portraits viennent à se ressembler. L'avènement de la photographie et la production de fusains inspirés par des portraits photographiques viendront accentuer cette perte d'identité du sujet, le caractère et la psychologie du modèle étant complètement absents derrière le masque doublement retouché.

L'aisance feinte des portraiturés, dans les oeuvres de Plamondon et de Hamel, si elle est symptomatique de la position d'autorité et de sécurité du clergé dans la société québécoise du XIXᵉ siècle, a des antécédents chez des portraitistes possédant une formation et une expérience moindres, comme Jean-Baptiste Roy-Audy ou James Bowman (chap. cinquième, fig. 1), ou même chez un habile technicien comme Louis Dulongpré. Un geste, même discret, la franchise d'un regard, la lumière sur le visage et sur le fond réussissent à animer plusieurs de leurs oeuvres. Même le portrait sommaire de l'abbé Delaunay (fig. 2) prend une force convaincante. Toutes les maladresses sont accumulées autour de ce visage rendu de façon appliquée, mais aplati par la calotte noire. Malgré cela, la tête mal assurée sur les épaules attire notre sympathie, ou est-ce cette main-prothèse au bas d'un torse inconfortable, ou le rabat déplacé ?

---

2. Aux textes plus nombreux et enthousiastes de Gérard Morisset, l'historien Gustave Lanctot répondait dès 1943 : « Le régime français a laissé derrière lui très peu de matériaux iconographiques », *in* « Images et figures du Montréal sous la France (1642-1763) », *Mémoire de la Société royale du Canada*, 3ᵉ série, tome XXXVII, 1943, p. 53.

3. Les portraits originaux de Marie de l'Incarnation et de Mgr de Laval, du père Le Jeune, s. j., ont disparu ; celui de Catherine de Saint-Augustin gît sous des repeints.

4. Un buste-reliquaire en argent, conservé à l'Hôtel-Dieu de Québec, reproduit les traits du père Jean de Brébeuf (cat. 20). Même si elle fut exécutée en France, cette sculpture est un des seuls « portraits » sculptés de religieux d'avant la fin du XIXᵉ siècle que nous possédions.

5. Les deux prélats ont été représentés successivement par Plamondon et par Hamel. Voir Robert H. Hubbard, *Deux peintres de Québec : Antoine Plamondon 1802-1895, Théophile Hamel, 1517-1870*, (cat. d'expos.), Ottawa, Galerie nationale du Canda, 1974, p. 71, 74, 99, 106-107, repr.

Fig. 2   Jean-Baptiste Roy-Audy (1778-vers 1848), *L'abbé Louis Delaunay*, 1832; huile sur toile, 71 × 58,4 cm; Séminaire de Trois-Rivières (Photo I.B.C.Q., Fonds Gérard Morisset, nég. 15816-c-1).

Fig. 1   Anonyme, *Le Martyre des missionnaires jésuites*, XVIIᵉ siècle; huile sur toile, 128 × 160 cm; Monastère des augustines de l'Hôtel-Dieu de Québec (Photo I.B.C.Q., nég. 73.658 (22)).

Le sentiment qu'un individu se cache derrière l'habit sombre et sobre, les détails qui retiennent l'attention sur toute la surface du tableau sont essentiels pour créer un portrait qui ne soit pas que transcription mécanique de la physionomie. Les vingt-sept portraits connus de Mᵍʳ Joseph-Octave Plessis (cat. 156)[6] offrent un bon exemple de la « perte d'identité » qui se produit dans la reproduction gratuite de certaines lignes sur le tableau. Ici le nombre, témoin de l'étendue de l'autorité, suggère déjà l'anonymat des reproductions imprimées qui deviendront monnaie courante avec le développement de la lithographie, au XIXᵉ siècle.

La manière la plus fréquente d'échapper à cette banalité est la mise en scène, la mise en place du corps dans l'espace avec l'adjonction d'accessoires. L'abbé Montgolfier, par exemple (artiste non identifié, vers 1791, soeurs Grises, Montréal) tient à la main un parchemin sur lequel apparaît

un dessin de colonnes; l'abbé Patrick Mc Mahon (Théophile Hamel, 1847, Musée du Québec) pose lui aussi la main sur une feuille déroulée portant un dessin d'architecture. Sur le mur de la pièce où se tient Mᵍʳ Antoine Gauvreau (Charles Huot, 1908, Musée du Québec) est accrochée une vue d'un édifice. La référence à l'architecture est d'un grand secours, comme la plume, le crucifix, le bréviaire, le livre d'heures. Elle indique l'un des prolongements d'activité publique les plus fréquents chez les religieux, le rôle de bâtisseur. La feuille de papier indiquant le prédicateur ou l'administrateur sera un autre « artefact » couramment cité.

La bibliothèque ou le salon d'apparat seront les lieux favoris du peintre pour saisir son modèle, à moins qu'il ne le fasse devant la toile imaginaire de lumière et d'ombre qui vient se poser à proximité du corps juste derrière la surface du tableau. Lourd fauteuil, colonnes monumentales, épais tapis, rideaux tendus, nous sommes dans un espace composé, impersonnel, où s'il domine et règne sur ces objets, le religieux en est distancié. Rarement le regard s'y pose; le corps n'y fait pas de référence directe, et si le sujet marque un rapprochement vers l'objet, subitement le portrait devient scène historique ou scène de genre. Les formes d'art

6. Le mémoire de maîtrise de Lucille Rouleau-Ross, *Les versions connues du portrait de Monseigneur Joseph-Octave Plessis (1763-1825) et la conjecture des attributions picturales au début du XIXᵉ siècle*, université Concordia, 1983, 236 p., révèle l'utilisation de trois prototypes principaux regroupant 18 oeuvres, avec des variantes dues à des artistes plus talentueux (James, Plamondon) ou à l'utilisation d'un médium autre que la peinture (gravure, miniature).

autres que la peinture, comme les sculptures en ronde-bosse ou en relief, les murales, les vitraux, sont souvent consacrées à des scènes contemporaines où le modèle est en action. Les reliefs à la base du monument de Mgr Bourget à Montréal, de Philippe Hébert (1903, cathédrale), le monument du curé Hébert à Hébertville, les cartons des vitraux de Jean-Baptiste Lagacé pour l'église Notre-Dame de Montréal ou la grande murale de Guido Nincheri décorant l'abside de Notre-Dame « della Difesa » (1933), toujours à Montréal, sont quelques exemples de ces représentations d'ecclésiastiques (commanditaires), qui posent et agissent en même temps. Le geste commémoratif nous amène ici en dehors du portrait, car ce n'est pas tant l'individu que l'on veut rappeler que l'activité à laquelle il est rattaché.

Si nous avons souligné plus tôt le moment de la mort comme un temps de réalisation privilégié des portraits, il ne faudrait pas oublier ces autres « occasions » que sont les événements majeurs de la vie des membres du clergé: accession à un nouveau poste, anniversaires de vie sacerdotale, inauguration d'un édifice ou grandes fêtes religieuses. Toutes ces circonstances sont des raisons supplémentaires de se faire portraiturer, mais d'une manière plus anecdotique, pour souligner l'épisode. Les voyages, parce qu'ils offrent davantage de loisirs, seront un moment propice pour faire réaliser son portrait. Un tableau signé du nom d'un artiste de Rome sera la confirmation perpétuelle d'un séjour dans cette ville[7].

Trop peu d'exemples témoignent d'une amitié véritable entre un prêtre et un artiste, qui ferait entrer le portrait dans une sphère plus ambiguë. Il semble que le portrait de l'abbé Joseph Chabert[8], qui ouvrit une école d'art à Montréal au début des années 1870, n'ait jamais été exécuté, non plus que celui de l'abbé Jérome Demers, conseiller de l'architecte Thomas Baillairgé. Soeur Sainte Hélène de la Croix, de la congrégation des soeurs de Sainte-Anne, élève de William Raphael, n'a fait que des portraits sans naturels. Même Ozias Leduc, s'il se laisse aller à des « mises en page » moins conventionnelles, comme dans le *Portrait de l'abbé Charles-Philippe Choquette* (coll. particulière, vers 1899)[9], ne dépassera pas les limites d'un symbolisme entendu. Louise Gadbois, dans son admirable *Portrait du Père Couturier*, o. p., au Musée du Québec (cat. 106), transmet toute la force et la faiblesse de cet homme tendu vers un idéal mais habité par le doute.

Après l'invention de la photographie, dans la deuxième moitié du XIXe siècle, le portrait, en se modifiant, a évolué vers une exploration psychologique du caractère, exploration traduite par la valorisation de la ligne et de la couleur. Mais la représentation des religieuses et des ecclésiastiques n'autorise pas un tel changement. Si les portraits du Régime français et de la première partie du siècle dernier nous intéressent davantage, c'est qu'ils assurent justement cette adéquation entre le caractère de personnages au destin exceptionnel et la force d'expressivité avec laquelle on a traduit leurs traits.

Laurier Lacroix

7. Voir cat. 105. Aussi, à titre d'exemple, les portraits de Mgr Fabre signés de E. Maccagnani, et de Mgr Bruchési par G. Roggi, à l'archevêché de Montréal.

8. Sur l'action de l'abbé Chabert, voir l'article de Céline Larivière-Derome, « Un professeur d'art au Canada au XIXe siècle: L'abbé Joseph Chabert », *Revue d'histoire de l'Amérique française*, vol. 28, n° 3 (décembre 1974), p. 347-366.

9. Reproduit dans l'ouvrage de Jean-René Ostiguy, *Ozias Leduc peinture religieuse et symboliste*, (cat. d'expos.), Ottawa, Galerie nationale du Canada, 1974, p. 133.

Anonyme

91. *Mère Juchereau de Saint-Ignace*, vers 1713

Huile sur toile. 68,4 × 56,1 cm.

Inscription
(à l'encre brune sur un papier collé au revers de la toile) : « Religieuse Professe de l'Hôtel-Dieu de Québec/La Révérende Mère Françoise Juchereau de Saint-Ignace/Première Mère Supérieure Canadienne et qui l'a été 24 ans/dans cette maison décédée en cette communauté le 14 janvier 1723 ».

« *À voir son portrait on a l'impression d'une femme charmante, intelligente, douce de manières; sa figure rosée, peinte d'une main souple, se détache du fond sombre de la toile et du noir enfumé du costume; le bandeau et la guimpe accentuent le contraste* ».

Cette description de Gérard Morisset correspond au remarquable portrait de mère Jeanne-Françoise Juchereau de Saint-Ignace (1650-1723), qui fut la première supérieure canadienne de l'Hôtel-Dieu de Québec. Au cours de sa carrière religieuse, elle fut élue à huit reprises au supériorat et elle rédigea une tranche importante des *Annales* de l'institution hospitalière. Son portrait a été tour à tour attribué à Jacques Leblond de Latour et à Jean Guyon. Il est plus prudent d'y voir une oeuvre anonyme exécutée, non pas dans les années 1680, mais plutôt vers 1713, ainsi que le suggère Marie-Nicole Boisclair. De fait, malgré la vivacité du regard, le visage de mère Juchereau n'est plus celui d'une jeune femme.

Par sa composition, le portrait de l'ancienne supérieure de l'Hôtel-Dieu est à rapprocher de trois toiles anonymes conservées à l'Hôpital général de Québec, dont le portrait de mère Louise Soumande de Saint-Augustin qui était jusqu'à maintenant attribué à tort à Michel Dessaillant (ill. 92a). Le tableau de l'Hôtel-Dieu dénote toutefois un métier plus alerte et une meilleure observation du modèle que les trois autres.   J.R.P.

Expositions
1934, Québec, Hôtel-Dieu, *Exposition de souvenirs historiques*, n° 112. 1945, Toronto, The Art Gallery of Ontario, *Le développement de la peinture au Canada (1665-1945)*, n° 5. 1967, Ottawa, Galerie nationale du Canada. *Trois cents ans d'art canadien*, n° 4, repr. 1982, La Rochelle, Hôtel Fleurian, le Musée du Nouveau Monde, *Une autre Amérique*, n° 213, repr.

Bibliographie
Casgrain, *Histoire de l'Hôtel-Dieu de Québec*, 1878, p. 381. Roy, *La famille Juchereau Duchesnay*, 1903, p. 36. Morisset, « Exposition de souvenirs », 1934, p. 11. Morisset, « Portraits de mortes », 1935, p. 2. Morisset, « Michel Dessaillant de Richeterre », 1936, p. 2. Morisset, *Peintres et tableaux*, vol. 2, 1937, p. 53. Jamet, édit., *Les Annales de l'Hôtel-Dieu... 1636-1716*, 1939, p. 254 ter, repr. Morisset, « Michel Dessailliant de Richeterre », 1950, p. 26. Morisset, « Portraits de cadavres », 1956, p. 32. Barbeau, *J'ai vu Québec*, 1957, repr. Morisset, *Les arts au Canada français* (cat. d'expos.), 1959, p. 39. Morisset, *La peinture traditionnelle*, 1960, p. 15 et 37, repr. Harper, *La peinture au Canada*, 1966, p. 13 et 15, repr. Morisset, « Jean Guyon », 1966, p. 369. Lord, *The History of Painting in Canada*, 1974, p. 33, repr. Gagnon et Cloutier, *Premiers peintres de la Nouvelle-France*, 1976, tome I, p. 124 et 134, repr. Boisclair, *Catalogue des oeuvres peintes de l'Hôtel-Dieu de Québec*, 1977, p. 75-76, n° 112, repr. Robert, *La peinture au Québec*, 1978, p. 18-19, repr. Dumont et autres, *L'histoire des femmes au Québec*, 1982, p. 46, repr. Vachon, *Rêves d'empire*, 1982, n° 205, repr.

Collection
Musée des augustines de l'Hôtel-Dieu, Québec.

Michel Dessailliant,
actif entre 1701 et 1710

92. *Mère Louise Soumande de Saint-Augustin*, 1708

Huile sur plaque de bois (sectionnée du côté droit). 24,8 × 18,6 cm.

Inscription (au revers)
« La Mère Louise Souman^{de} de St Augustin premiere sup^{re} du Monastere des hospitalieres de Notre Dame des anges de Quebec decedee Le 28e. 9bre 17(08) a la 45e. annee de son age et le 30e. de Religion. Peinte apres sa mort par M^r. Dessaillant a Quebec. »

Née à Québec le 28 novembre 1664, Louise Soumande commença sa carrière religieuse en 1678, à l'Hôtel-Dieu de Québec. Elle y prononça ses voeux en 1680. Treize ans plus tard, elle fut l'une des quatre religieuses que Mgr de Saint-Vallier chargea de s'occuper de l'Hôpital général, qu'il venait de fonder dans l'ancien couvent récollet de Notre-Dame des Anges. Mère Soumande fut la première supérieure du nouvel établissement, à compter du 26 juin 1694. Si l'on excepte un bref intervalle, elle occupa ce poste jusqu'en mai 1708. Elle s'éteignit le 28 novembre de cette année-là. Sa notice nécrologique souligne qu'elle avait un zèle particulier pour la maison de Dieu. De fait, c'est sous sa direction que la chapelle de l'Hôpital général fut réparée, ornée de lambris peints (cat. 16) et dotée d'une chaire à prêcher (cat. 201).

Jusqu'à maintenant, la physionomie de mère Soumande nous a été connue essentiellement par une huile sur toile que les historiens et les historiens de l'art ont souvent reproduite, exposée et commentée (ill. 92a). Par sa facture, cette toile s'apparente à deux autres portraits également conservés à l'Hôpital général, celui de la mère Geneviève Duchesnay de Saint-Augustin (1684-1730) et celui de la mère Marie-Joseph Duchesnay de l'Enfant Jésus (1699-1760). On a attribué le portrait de mère Soumande au peintre Michel Dessailliant en se fondant sur une longue inscription placée au revers de la toile. Or, il semble qu'il s'agisse là d'une transcription et que la toile elle-même ne soit qu'une copie, à la fois plus grande et moins adroite, d'un petit portrait posthume plus ancien et peint sur bois.

Longtemps cachée sous un papier collé, l'inscription d'époque qui apparaît au dos du petit portrait nous apprend que mère Soumande fut

Ill. 92a Anonyme, *Mère Louise Soumande de Saint-Augustin*, première moitié du XVIIIe siècle; huile sur toile, 73,4 × 59,3 cm; Monastère des augustines de l'Hôpital général de Québec (P-86) (Photo John R. Porter).

« Peinte apres sa mort par M^r. Dessaillant a Quebec ». Vue de trois quarts, la religieuse fixe le spectateur de ses grands yeux et indique de la main gauche un passage du livre qu'elle tient à la main droite. Ce geste harmonieux confère un caractère dynamique au portrait. De plus, l'artiste s'est surpassé en redonnant une physionomie très alerte à son modèle mort. Contrastant avec la rigidité du bandeau et de la guimpe, les traits de la religieuse sont délicatement dessinés : le regard est captivant, le nez est bourbonien et les lèvres fines. En 1843, le « vrai portrait » de mère Soumande fut prêté aux augustines de l'Hôtel-Dieu de Québec, qui profitèrent de l'occasion pour en faire une copie qu'elles conservent toujours dans leur musée (ill. 92b).

Ill. 92b Anonyme, *Mère Louise Soumande de Saint-Augustin*, 1842; huile, crayon et gouache sur papier, 24,7 × 18,9 cm; Monastère des augustines de l'Hôtel-Dieu de Québec (Photo I.B.C.Q., nég. 73.688 (22)).

La petite huile sur bois de l'Hopital général de Québec est la seule oeuvre certaine de Michel Dessailliant, un ariste talentueux mais dont la difficile carrière coloniale est encore mal connue.   J.R.P.

Bibliographie

BOISCLAIR, *Catalogue des oeuvres peintes de l'Hôtel-Dieu de Québec*, 1977, p. 49, notice 72 (copie). GAGNON, *Premiers peintres de la Nouvelle France*, 1976, tome II, p. 111-131. *Monseigneur de Saint-Vallier*, 1882, p. 189-201. PAQUIN, « Louise Soumande dite de Saint-Augustin », 1969, p. 639-640.

Collection

Monastère des augustines de l'Hôpital général, Québec, (P. 67).

**François Malepart de Beaucourt,
1740-1794**

93. *Mère d'Youville*, 1792

Huile sur toile. 75,4 × 60,5 cm.

Inscriptions

(au bas à gauche): « F. Beaucourt. pinxit. »;
(au bas à droite): « A Montréal. 1792. »

À la mort de mère d'Youville (née Marie Marguerite Dufrost de la Jemmerais), fondatrice de la communauté des soeurs Grises de Montréal, le peintre et sculpteur Philippe Liébert (1732 ou 1734-1804) avait fait, du mieux qu'il le pouvait, le 24 décembre 1771, une rapide aquarelle représentant la Mère sur son lit de mort.

Peu satisfaite de cette esquisse, mère Despins commanda « vingt ans plus tard » un portrait de mère d'Youville à François Malepart de Beaucourt, qui venait de rentrer au Canada en 1792 après un long séjour en Europe. Malgré les apparences, Beaucourt s'en tint aux données de l'aquarelle de Liébert et transforma son portrait posthume en un portrait de vivante. Il existe deux versions de ce tableau par Beaucourt. La première n'est ni signée ni datée et se trouve à la maison-mère des soeurs Grises de Montréal. La seconde porte l'inscription: » F. Beaucourt. pinxit./A Montréal. 1792. » et appartient au Musée du Québec. F.-M.G.

Expositions

1974, Québec, Musée du Québec, *Le diocèse de Québec, 1674-1974*, nº 13. 1977, Québec, Musée du Québec, *L'art du Québec au lendemain de la conquête (1760-1790)*, nº 11, repr. 1982, La Rochelle, Hôtel Fleurian, Le Musée du Nouveau Monde, *Une autre Amérique*, nº 214, repr.

Bibliographie

Vie de la Vénérable Mère d'Youville, 1929, p. 225. MORISSET, « Le peintre François Beaucourt », 1965, p. 198. MAJOR – FRÉGEAU, *La vie et l'oeuvre de François Malepart de Beaucourt*, 1979, p. 65 et 74, repr.

Collection

Musée du Québec, Québec, (A-56.421-P).

Pierre Le Ber, 1669-1707

94. *Marguerite Bourgeois*, 1700

Huile sur toile. 64 × 51,4 cm.

Le *Portrait de Marguerite Bourgeois* peint par Pierre Le Ber « un peu après qu'elle fut morte », le 12 janvier 1700, est sans contredit, l'un des chefs d'oeuvre de la peinture en Nouvelle France. Son style direct et sans apprêt ne fut pas toujours apprécié, cependant. Le XIXᵉ siècle goûtait moins que le nôtre les manifestations d'art populaire, dans lesquelles il avait tendance à ne voir que « manque d'habilité » et « caricature ». Aussi en vint-on à vouloir « améliorer » ce portrait. À deux reprises, semble-t-il, au cours du XIXᵉ siècle, on se servit de cet ancien tableau comme d'une toile de fond pour en repeindre un nouveau par-dessus. Si les Dames de la Congrégation, en 1963, n'avaient pas pris l'initiative – courageuse, il faut le dire – de le faire restaurer, nous n'aurions pas connu ce *Portrait* dans son état primitif. Le *Portrait de Marguerite Bourgeois* appartient à la catégorie des portraits posthumes. C'est un portrait de morte. C'est ce qui explique les yeux mi-clos, les traits tirés du visage, la position des mains... Le Ber s'en est tenu à une palette très restreinte: le blanc, le noir et l'ocre, c'est-à-dire précisément les couleurs dont son atelier était le mieux fourni à sa mort, comme en témoigne l'inventaire après décès de ses biens. Ajouté au style linéaire du tableau, ce coloris très sobre donne toute sa force au *Portrait* et nous révèle le « vrai visage » de cette « femme forte » que fut Marguerite Bourgeois. F.-M.G.

Expositions

1967, Montréal, Pavillon du Québec à Terre des Hommes. 1973-1974, Ottawa, Galerie nationale du Canada, *L'art populaire: L'art naïf au Canada*.

Bibliographie

MORISSET, « Portraits de mortes », 1935, p. 2. MORISSET, « Michel Dessaillant de Richeterre », 1936, p. 2. MORISSET, *Peintres et tableaux*, 1936, vol. 2, p. 52. MORISSET, « Le portrait de femme dans la peinture », 1937, p. 5. MORISSET, « Montréal et ses artisans », 1941, p. 897. MORISSET, *Coup d'oeil sur les arts*, 1941, p. 51. MORISSET, « Les Arts au Canada », 1948, p. 26. MORISSET, « Michel Dessaillant de Richeterre », 1950, p. 26. MORISSET, « Portraits de cadavres », 1956, p. 22, repr. MORISSET, *La peinture traditionnelle*, 1960, p. 31 et 45. BAZIN, « Le vrai visage de Marguerite Bourgeoys », 1964, p. 12-17, repr. MORIN, « Du nouveau sur Marguerite Bourgeoys », 1964 « Restauration du portrait authentique », 1966. HARPER, *La peinture au Canada*, 1966, p. 26, repr. GAUTHIER – LANDREVILLE, « La compassion de Mère Bourgeoys », 1967, p. 2. VADEBONCOEUR, « Un Americain découvre le vrai visage », 1970, p. 10. GAGNON et CLOUTIER, *Premiers peintres de la Nouvelle France*, 1976, p. 140-142, repr. ROBERT, *La peinture au Québec*, 1978, p. 18, repr. VACHON, *Rêves d'empire*, 1982, p. 362, repr.

Collection

Soeurs de la Congrégation Notre-Dame, Montréal.

Anonyme

95. *L'abbé Augustin-David Hubert,* dernier quart du XVIIIe siècle

Louis Dulongpré (att. à), 1759-1842

96. *Mère Thérèse-Geneviève Coutlée*

Huile sur toile. 80 × 66 cm.

Ce tableau a été attribué au peintre d'origine alsacienne Louis-Chrétien de Heer (connu au Québec entre 1775 et 1808) sur la foi de deux documents contemporains: d'une part, une annonce parue dans la *Gazette de Québec* le 16 août 1787, dans laquelle il offre ses services pour exécuter portraits (à l'huile et au pastel), paysages et tapisseries ainsi que pour enseigner le dessin; et d'autre part, ce passage d'une lettre de l'abbé Gravé à Mgr Jean-François Hubert, en date du 11 février 1788: « La coutume est venue à Québec de se faire peindre. Le portrait du curé est très vrai. J'ai fait consentir Mgr l'Ancien à se faire tirer, il n'est pas si bien. » (Ces deux documents cités dans Morisset, 1936, p. 83-84).

Le curé, c'est l'abbé Hubert, et Mgr l'Ancien, Mgr Jean-Olivier Briand. Comme Morisset a mis sur le compte de Chrétien de Heer des portraits des styles les plus divers et que les seules commandes dont on soit sûr ne permettent pas la comparaison (1789, tableaux et décoration pour l'église Saint-Charles de Bellechasse – disparus – ; 1790, dorure du retable de l'église de l'Islet), il paraît préférable de ne pas proposer d'attribution et de continuer les recherches. Signalons toutefois que le Musée du Québec conserve un portrait au pastel du curé Hubert, également attribué à Chrétien de Heer (A-78.374-d).

Augustin-David Hubert (1751-1792) se vit confier, en 1775, la cure de Notre-Dame de Québec, charge qu'il occupa jusqu'à sa mort, survenue accidentellement dans le fleuve Saint-Laurent. Moins d'un an après sa noyade, l'abbé Hubert devait presque faire l'objet d'un culte, puisque la *Gazette de Québec* annonçait le 11 avril 1793 la publication d'une gravure qui, selon Mary Allodi, pourrait être le premier portrait imprimé réalisé au Canada. Les archives du séminaire de Québec conservent un exemplaire de ce portrait gravé, inspiré du pastel du Musée du Québec, où le curé de Québec est qualifié d'« homme charitable et tendre ».

Le tableau de Notre-Dame de Québec nous fait voir le curé qui, d'un geste de prédication, tient à la main un livre dont il indique un passage. La position de face et la tête, au regard rêveur, contredisent ce geste et en font un portrait plus solennel. Il faut noter l'aisance qu'a mis l'artiste à placer le corps immédiatement sur le plan du tableau et à créer une légère modulation de

l'espace par les ombres portées et les ondulations peu profondes du surplis.   L.L.

Expositions
1952, Québec, Musée du Québec, *Exposition rétrospective de l'art au Canada français,* n° 52, repr. 1965, Québec, Musée du Québec, *Trésors de Québec,* n° 10 repr. 1974, Québec, Musée du Québec, *Le diocèse de Québec 1674-1974,* n° 108, repr. 1977, Québec, Musée du Québec, *L'Art du Québec au lendemain de la Conquête (1760-1790),* n° 18, repr.

Bibliographie
TÊTU, « Souvenirs d'un voyage en Bretagne », 1911, p. 132-133. MORISSET, « Le portraitiste De Heer », 1936, 1, p. 3 et 11, p. 7. MORISSET, *Peintres et tableaux,* vol. 1, 1936, p. 83-84, 89, 93-95. MORISSET, *Coup d'oeil sur les arts,* 1941, p. 55. MORISSET, *La peinture traditionnelle,* 1960, p. 63-65. ALLODI, *Les débuts de l'estampe imprimée au Canada,* 1980, p. 14-15.

Collection
Basilique-cathédrale Notre-Dame, Québec.

Huile sur toile, 76 × 58 cm.

Née à Montréal le 23 novembre 1742, Thérèse Coutlée se joignit à la communauté de madame d'Youville en 1762 et fit profession en 1764. Elle occupera la charge d'économe avant de succéder, en 1792, à mère Marguerite-Thérèse Lemoine-Despins et de devenir ainsi la troisième supérieure des soeurs grises, poste qu'elle occupera pendant 29 ans, soit jusqu'à sa mort, survenue en 1821.

L'artiste a représenté la religieuse, non pas dans un moment de prière ou de méditation, mais telle qu'elle devait poser pour lui, toujours active et profitant de ses moments de récréation pour s'occuper à quelque tâche manuelle. Elle brode un liséré de fil d'or sur un manipule. Les religieuses conservent encore un ensemble de vêtements sacerdotaux de la même couleur, rose et blanc, fait d'une soie brocardée qui semble être celui sur lequel travaille mère Coutlée.

Le buste, rapproché du plan du tableau, est placé sur une diagonale s'enfonçant légèrement vers la gauche, alors que la tête est tournée vers la droite et que le regard fixe le spectateur. La composition tente donc de suggérer un temps d'arrêt rapide par les plans multiples et le geste de la main tirant sur le fil. Le portrait est rehaussé par l'éclat et la transparence des différentes textures du manipule, du dé, de la croix en argent et de la coiffe de gaze.

Le portrait est attribué à l'artiste français Louis Dulongpré, actif dans la région de Montréal principalement après 1794. Une étiquette qui se trouvait au dos jusqu'à une restauration récente indiquait que le tableau aurait été payé par soeur Louise Lepellé-Mezière (1761-1842, profession en 1793) qui, en juin 1792, acquitta les frais d'un portrait posthume de mère d'Youville exécuté par François Beaucourt (1740-1794) (A.M.M.S.G.M., *Registre des dépenses,* 20 juin 1792, p. 201). Aucune mention n'est faite dans les archives du portrait de mère Coutlée; l'âge de la portraiturée ne facilite pas non plus une datation dans la fructueuse carrière du Dulongpré, qui attend encore son historien.   L.L.

Exposition
1967, Montréal, Musée des beaux-arts de Montréal, *Le peintre et le nouveau Monde,* n° 80, repr.

Bibliographie
MORISSET, *La peinture traditionnelle,* 1960, p. 69. HARPER, *La peinture au Canada,* 1966, p. 59, repr. HARPER, « Painting in Canada 1604-1867 », 1967, p. 68, repr. BÉLANGER et al., *Catalogue des oeuvres d'art des Soeurs grises de Montréal,* 1973, n° 73-A-024.

Collection
Maison-mère des soeurs Grises, Montréal.

Antoine Plamondon, 1804-1895
97. *Pierre Pelletier*, vers 1835

Huile sur toile, 73 × 60,3 cm.

Négociant prospère établi dans la basse-ville de Québec, Pierre Pelletier incarne bien l'image du bourgeois canadien-français qui a réussi. Dans le sobre portrait qu'en a brossé Plamondon, Pelletier présente la figure expressive d'un homme volontaire, sûr de lui et décidé. La plus grande part du tableau est peinte dans des tons sombres qui contribuent à mettre en valeur le beau modelé du visage et les dégradés subtils du jabot.

Devant ce portrait, on devine sans peine les difficultés que sa fille Marie-Louise-Émilie dut rencontrer après qu'elle eut résolu de se faire religieuse (cat. 99). Nous savons en effet que Pierre Pelletier « cherchait en toutes choses à prévenir les désirs de cette fille si chère, et [*que*] son plaisir le plus grand était de l'introduire lui-même dans la société ». Sans doute espérait-il la voir épouser quelque bon parti issu de la bourgeoisie de Québec. De guerre lasse, il lui fallut toutefois se plier aux volontés de sa fille aînée. Durant le stage probatoire de celle-ci, le marchand fit don à la communauté de l'Hôpital général de deux tableaux religieux de Joseph Légaré. Le 14 octobre 1839, il assista à la signature de l'acte de profession de sa fille sous le nom de soeur Saint-Alphonse-de-Liguori (cat. 100). Il paya alors deux cents livres en espèces aux dames religieuses, subvenant ainsi à la dot, à la nourriture, à l'entretien et au trousseau de sa fille. Il assura par la suite une pension viagère s'élevant à dix livres par année. Il est plus que probable que Pierre Pelletier commanda également à François Sasseville, le plus important orfèvre de Québec à l'époque, la croix pectorale que devait porter sa fille. L'annaliste de l'Hôpital général signale que le riche marchand « était surnommé le *père des pauvres* et [*que*] lui-même aimait à faire passer ses aumônes par les mains innocentes de ses chers enfants ». Pierre Pelletier devait succomber à une attaque cardiaque en 1843, laissant dans le deuil sa seconde épouse (cat. 98). Il fut inhumé dans la chapelle de l'Hôpital général.

J.R.P.

Expositions
1958, Paris, Grands Magasins du Louvre, *Exposition de la Province de Québec*. 1959, Ottawa et Québec, Galerie nationale du Canada et Musée du Québec, *Portraits canadiens du 18ᵉ et 19ᵉ siècles*, nᵒ 13, repr. 1967, Québec, Musée du Québec, *Peinture traditionnelle du Québec*, nᵒ 44, repr. 1970, Ottawa, Galerie nationale du Canada, *Deux peintres de Québec, Antoine Plamondon (1802-1895)/Théophile Hamel (1817-1870)*, nᵒ 16, repr.

Bibliographie
MORISSET, *Coup d'oeil sur les arts*, 1941, p. 73. MORISSET, « Antoine Plamondon », 1956, p. 8, repr. MORISSET, « Un grand portraitiste », 1960, p. 15. TREMBLAY, préf., *Collections des musées d'état du Québec*, 1967, nᵒ 36, repr. DUMAS « Antoine Plamondon et Théophile Hamel », 1970, p. 21, repr. PORTER, *Antoine Plamondon, Soeur Saint-Alphonse*, 1975, p. 12 et 28.

Collection
Musée du Québec, Québec, (A-54.44-P).

Antoine Plamondon, 1804-1895
98. *Madame Pierre Pelletier* née Élizabeth Moreau, vers 1835

Huile sur toile. 75,4 × 63,7 cm.

Acquis en 1983 par le Musée des beaux-arts de Montréal, le portrait de Madame Pelletier est le pendant du *Pierre Pelletier* du Musée du Québec (cat. 97). Il s'agit hors de tout doute d'une représentation d'Élizabeth Moreau, seconde femme du marchand Pelletier et belle-mère de Marie-Louise-Émile (cat. 99). Lorsque cette dernière lui fit part de ses projets d'avenir, Madame Pelletier fit montre d'une neutralité prudente, ainsi que le note la rédactrice du *Journal* de l'Hôpital général :

« *Enfin elle s'ouvrit à sa belle-mère sur son dessein de se faire religieuse à l'exemple de ses deux amies* [Lucie Bégin et Catherine Motz]. *Madame P., voyant dans la jeune fille le travail de la grâce, ne chercha pas à combattre sa résolution; néanmoins elle refusa de la seconder pour lui faire obtenir le consentement de son père* ».

Antoine Plamondon a peint Madame Pelletier sous les traits d'une belle et élégante bourgeoise coiffée de volants transparents, parée de bijoux et habillée avec recherche, voire avec coquetterie. Ce magnifique portrait s'apparente à celui de Madame Louis Moreau que conserve le Musée du Québec.

J.R.P.

Expositions
1970, Ottawa, Galerie nationale du Canada, *Deux peintres de Québec. Antoine Plamondon (1802-1895)/Théophile Hamel (1817-1870)*, nᵒ 17, repr. 1973, Ottawa, Galerie nationale du Canada, *Peintres du Québec. Collection Maurice et Andrée Corbeil*, nᵒ 22, repr.

Bibliographie
MORISSET, *Coup d'oeil sur les arts*, 1941, p. 73. HARPER, *La peinture au Canada*, 1966, p. 83 et 88, repr. PORTER, *Antoine Plamondon. Soeur Saint-Alphonse*, 1975, p. 12 et 28.

Collection
Musée des beaux-arts de Montréal, Montréal, don de M. Maurice Corbeil (1983.23).

Antoine Plamondon, 1804-1895
99. *Marie-Louise-Émilie Pelletier,* vers 1835

Huile sur toile. 75,4 × 63,8 cm.

Marie-Louise-Émilie Pelletier naquit à Québec le 29 juin 1816. Elle avait à peine trois ou quatre ans lorsque sa mère, Marie-Madeleine Morin, succomba à la phtisie. La jeune fille fréquenta successivement l'école des soeurs de la Congrégation, dans la basse-ville, et le pensionnat des ursulines, dans la haute-ville. Douée, elle fit des progrès rapides. Sa notice nécrologique, tirée du *Journal* (1825-1867) de l'Hôpital général, note qu'« à sa sortie du couvent, elle pouvait passer à juste titre pour une jeune personne accomplie » :

« Aux charmes d'un esprit cultivé, elle joignait l'élégance des formes et les grâces de la figure; sa beauté si remarquable était encore rehaussée par l'éclat et la richesse des parures, car la fortune de M Pelletier lui permettait des dépenses... ».

Le portrait que Plamondon a fait d'Émilie vers 1835 correspond tout à fait à l'image brossée par l'annaliste. Il nous la présente vêtue d'une robe bleue rehaussée d'un transparent blanc et d'une ceinture à boucle d'or. Sa haute coiffure est retenue par un peigne marron et elle porte de longs pendants dorés aux oreilles. Un collier en grosses perles de cristal contribue à souligner ses traits délicats. Il s'agit en somme d'un portrait aussi charmant que spontané, un portrait typique du style de Plamondon dans ses meilleures années. Restauré en 1984, ce tableau faisait à l'origine partie d'un groupe de portraits de famille où se retrouvaient également Pierre Pelletier (cat. 97), sa seconde épouse (cat. 98) et deux de leurs enfants. Ce genre d'entreprise collective n'était pas exceptionnel pour Plamondon. En 1842, encore, un visiteur remarquait dans son atelier les portraits en buste « d'une famille entière de Québec, père, mère, fils, fille &c. ». (voir *L'Encyclopédie canadienne*, octobre 1842, p. 311). J.R.P.

Bibliographie
MORISSET, *Coup d'oeil sur les arts*, 1941, p. 73. MORISSET, *La peinture traditionnelle*, 1960, p. 96-d, repr. MORISSET, « Un grand portraitiste », 1960, p. 14-15, repr. HUBBARD, *Deux peintres de Québec* (cat. d'expos.), 1970, p. 18, 28, et 80, repr. PORTER, *Antoine Plamondon. Soeur Saint-Alphonse*, 1975, p. 11-12, repr. MELLEN, *Les grandes étapes de l'art au Canada*, 1981, p. 112.

Collection
Collection privée, Québec.

Antoine Plamondon, 1804-1895
100. *Soeur Saint-Alphonse*, 1841

Huile sur toile. 91,4 × 72,4 cm.

Inscriptions

(sur le bras du fauteuil, en bas à droite): « A. Plamondon 1841 » ;

(au revers, inscription à l'encre de la main de l'artiste, recouverte lors du rentoilage de l'oeuvre en 1944): « D^elle Marie Émilie Pelletier./Québec » ;

(au revers, texte imprimé sur papier et collé sur la toile, retiré lors du rentoilage de l'oeuvre et déposé dans le dossier de conservation en 1944, négatif 4297): « S^r. Émilie Pelletier dite de S^t. Alphonse, entrée au Noviciat de l'Hôpital Général de Québec, le 19 avril 1838. Prise d'Habit 10 octobre 1838. Profession 15 octobre 1839. Décédée le 11 février 1846 agée de 29 ans, 7 mois et 13 jours. ».

Le portrait de soeur Saint-Alphonse est à juste titre considéré comme l'un des chefs-d'oeuvre de la peinture canadienne du XIXe siècle. Depuis qu'il est entré à la Galerie nationale du Canada, en 1937, il s'est gagné aussi bien l'intérêt des spécialistes que l'affection du grand public. La subtilité de la composition, la sobriété de la palette, la beauté des harmonies, la finesse du rendu des textures et le naturel de l'expression constituent les qualités maîtresses de cette oeuvre d'Antoine Plamondon.

Soeur Saint-Alphonse fut peint en 1841 en même temps que deux autres portraits de religieuses de l'Hôpital général de Québec, *Soeur Saint-Joseph* et *Soeur Sainte-Anne*. Comme Plamondon était plutôt fier de son travail, il voulut le faire valoir dans les journaux. C'est ainsi que son mentor, Joseph-Edouard Cauchon, accepta de faire paraître une longue lettre ouverte dans les colonnes du *Canadien* du 20 août. Tout en mettant en lumière les problèmes qu'avait dû surmonter l'artiste pour le visage et le costume, notre anonyme « ami de la peinture » félicitait chaleureusement le peintre pour son sens incomparable du coloris. Cette opinion à sens unique ne rencontra pas, toutefois, l'assentiment unanime et « un ami des peintres » s'empressa de lui donner la réplique dans *Le Fantasque* du 23 août. L'auteur de cette seconde lettre chercha surtout à dénoncer la manoeuvre du tandem Plamondon-Cauchon et le « ton doctoralement pédantesque » du texte paru dans *Le Canadien*. S'il décriait les trois portraits de Plamondon – dont il reconnaissait mal-

gré tout qu'il avait « droit certainement à des louanges » –, c'est qu'il avait du mal à tolérer les attaques répétées de l'artiste et «son désir de nuire à d'autres confrères par des comparaisons » déplacées.

Tout vaniteux et irascible qu'il fût, Plamondon possédait une indéniable sensibilité artistique. Dans sa *Soeur Saint-Alphonse*, il fait montre d'originalité tout en restant fidèle à la grande tradition des portraits de religieuses inaugurée en France au XVIIe siècle. Pour illustrer cette filiation, on pourrait par exemple rapprocher son oeuvre de l'*Elizabeth Trockmorton* de Nicolas de Largillière, un portrait de religieuse peint en 1729 et conservé à la National Gallery de Washington.

Le portrait de soeur Saint-Alphonse fut commandé à Plamondon par la famille de la jeune religieuse deux ans après que celle-ci eut prononcé ses voeux perpétuels au monastère de l'Hôpital général en présence de la supérieure de l'institution, mère Saint-Anselme (cat. 103), et de plusieurs dignitaires. Ses parents voulaient conserver ainsi une image tangible de celle qui avait quitté à tout jamais leur foyer. Née Marie-Louise-Émilie Pelletier, soeur Saint-Alphonse, une « mère de choeur », fut chargée de l'enseignement de l'anglais et des bienséances aux pensionnaires de l'institution. De santé très délicate, elle tomba malade en janvier 1846 et expira un mois plus tard. *Le Journal de Québec* du 12 février (p. 3) annonça son décès. Elle avait 29 ans.

Soeur Saint-Alphonse était la fille aînée de Pierre Pelletier (cat. 97) et la belle-fille d'Élizabeth Moreau (cat. 98). Plamondon avait déjà fait un portrait d'elle au milieu des années 1830 (cat. 99).

J.R.P.

Expositions

1938, Londres, Tate Gallery, *A Century of Canadian Art*, n° 185. 1944, New Haven (Connecticut), Yale University Art Gallery, *Canadian Art 1760-1943*, sans numéro. 1945, Toronto, The Art Gallery of Ontario, *Le développement de la peinture au Canada (1665-1945)*, n° 15. 1946, Albany (New York), Albany Institute of History and Art, *Painting in Canada. A Selective Historical Survey*, n° 18. 1946, Détroit (Michigan), The Detroit Institute of Arts, *The Arts of French Canada*, n° 226. 1949, Richmond (Virginie), Virginia Museum of Fine Arts, *Exhibition of Canadian Painting, 1668-1948*, n° 60. 1951, Détroit (Michigan), Detroit Institute of Arts, *The French in North America 1520-1880*, n° 87. 1957, Calgary, Jubilee Audita, Dedication Week, Alberta Jubilee. 1967, Ottawa, Galerie nationale du Canada, *Trois cents ans d'art canadien*, n° 93, repr. 1970, Ottawa, Galerie nationale du Canada, *Deux peintres de Québec. Antoine Plamondon (1802-1895)/Théophile Hamel (1817-1870)*, n° 28, repr.

Bibliographie

Archives et sources manuscrites (voir *infra*: John R. Porter, *Soeur Saint-Alphonse*). Uy (sic) ami de la peinture, « Correspondance », dans *Le Canadien* de Québec, 20 août 1841, p. 2. Un Ami des Peintres, « Lettre au rédacteur du *Fantasque* », dans *Le Fantasque* de Québec, 23 août 1841, p. 436-439. « Peintres du Québec anciens et modernes », 1939, p. 6. MORISSET, *Coup d'oeil sur les arts*, 1941, p. 73. ALFORD, « The Development of Painting in Canada », 1945, p. 95, repr. MORISSET, « A propos d'une illusion de perspective », 1945, p. 4. HUBBARD, « Growth in Canadian Art », 1957, p. 117. HUBBARD, « Primitives with Character », 1957, p. 27, repr. HUBBARD, *An Anthology of Canadian Art*, 1960, n° 34, repr. HUBBARD, éd., *The National Gallery of Canada*, 1960, p. 250, repr. HARPER, « Three Centuries of Canadian Painting », 1962, p. 415, repr. HUBBARD, *The Development of Canadian Art*, 1963, p. 57. HUBBARD, *L'évolution de l'art au Canada*, 1964, p. 57. GREENING, « Nineteenth-Century Painting », 1964, p. 289-290, repr. GARLICK, *Great Art and Artists of the World*, 1965, p. 60 et 158, repr. HUYGHE, *Larousse Encyclopedia of Modern Art*, 1965, p. 76, repr. HARPER, *La peinture au Canada*, 1966, p. 83 et 86. « La Galerie nationale du Canada », 1967, p. 12, repr. HUBBARD, « Ninety-Year Perspective », 1970, p. 25, repr. OSTIGUY, « Les arts plastiques », 1970, p. 106, repr. DUMAS, « Antoine Plamondon et Théophile Hamel », 1970, p. 21 et 22, repr. BOGGS, *The National Gallery of Canada*, 1971, p. 108, repr. REID, *A Concise History of Canadian Painting*, 1973, p. 49-50, repr. PORTER, *Antoine Plamondon. Soeur Saint-Alphonse*, 1975, 32 pages, repr. GODSELL, *Enjoying Canadian Painting*, 1976, p. 48-49, repr. L. O., « Les petites études », 1978, p. 90-91, repr. SAMUEL, *Treasures of Canada*, 1980, p. 185, repr. MELLEN, *Les grandes étapes de l'art au Canada*, 1981, p. 112-113.

Collection

Galerie nationale du Canada, Ottawa, (4297).

Jean-Baptiste Roy-Audy, 1778-vers 1848

101. Mgr *Rémi Gaulin*, 1838

Théophile Hamel, 1817-1870

102. *Mère Marie-Rose, s.n.j.m.*, 1849

Huile sur toile. 84,5 × 71,2 cm.

Inscription
(sur le bras du fauteuil, en bas à gauche): « CAP^T ROY AUDY FECIT ET PINXIT 1838 ».

Quand Roy-Audy portraitura Mgr Rémi Gaulin (1787-1857), celui-ci était coadjuteur de l'évêché de Kingston depuis cinq ans et il était appelé à en devenir le deuxième évêque en 1840. Assis dans un fauteuil, Mgr Gaulin est vu de trois quarts et son corps est coupé à hauteur des cuisses. L'espace pictural est fermé et sans véritable profondeur, malgré la présence d'un rideau drapé et de rayons de bibliothèque à l'arrière-plan. Ces poncifs hérités du portrait classique sont rendus avec maladresse, le soin du détail ne parvenant pas à faire oublier une stylisation excessive et d'évidentes fautes de perspective.

Le tableau de Roy-Audy est une oeuvre d'autodidacte. Manquant d'une formation suffisante, l'artiste a recours à une série de recettes quand le moment vient de dessiner une oreille, un oeil, une joue ou une bouche. Malgré ces naïvetés, le peintre arrive assez bien à donner la ressemblance et à traduire le prestige de son modèle. Par moments, il s'attarde et prend un plaisir évident à rendre la riche texture d'un vêtement et les détails d'une croix ou d'une bague. Au terme de son travail de création, il aboutit à une composition additive qui, par son schématisme, transgresse les règles de l'art savant et débouche sur une oeuvre au caractère typiquement populaire. Tout « primitif » qu'il soit, son art n'en est pas moins sincère et attachant. Le hiératique *Mgr Gaulin* de Roy-Audy est décidément de la même trempe que les portraits de certains peintres naïfs ou populaires travaillant à la même époque aux États-Unis. Nous pensons notamment à un John S. Blunt (1798-1835), ou encore à un Horace Bundy (1814-1883).
J.R.P.

Expositions
1966, Toronto, Art Gallery of Ontario, *Semaine française* 1967, Québec, Musée du Québec, *Peinture traditionnelle du Québec*, n° 49, repr. 1972, Québec, Musée du Québec, *Jean-Baptiste Roy-Audy*. 1974, Montréal, pavillon du Québec à Terre des Hommes, *Les arts du Québec*, n° 56 (peintures). 1975, Montréal, Place des Arts, *Portraitistes du Québec au XIXe siècle*. 1975, Sherbrooke, galerie d'art de l'Université, *Portraits anciens du Québec*, n° 29. 1983, Québec, Musée du Québec, *Le Musée du Québec, 500 oeuvres choisies*, n° 62, repr.

Bibliographie
MORISSET, *Coup d'oeil sur les arts,* 1941, p. 74. MORISSET, « Jean-Baptiste Roy-Audy – Son existence », 1953, p. 450. MORISSET, « Jean-Baptiste Roy-Audy – Son oeuvre », 1953, p. 545-546, repr. MORISSET, *La peinture traditionnelle,* 1960, p. 89-90. TREMBLAY, *Collections des musées d'état du Québec,* 1967, n° 28, repr. HARPER, *La peinture au Canada,* 1966, p. 94 et 97, repr. CAUCHON, *Jean-Baptiste Roy-Audy,* 1971, p. 101, 102, 104, 106 et 129, repr. LORD, *The History of Painting in Canada,* 1974, p. 35, repr.

Collection
Musée du Québec, Québec, (A-56.469-P).

Huile sur toile. 100 × 76 cm.

Inscription
(en bas, à gauche): « T.H. ».

Eulalie Durocher (1811-1849), en religion mère Marie-Rose, fut la fondatrice et la première supérieure, de 1844 à sa mort, de la congrégation des soeurs des Saints Noms de Jésus et de Marie, communauté vouée à l'éducation des jeunes filles (cat. 74).

L'exécution de ce portrait, relatée dans les « Chroniques de la Communauté », en date du 29 septembre 1849, le situe à la charnière de deux traditions du portrait de religieuses; le portrait posthume et la photographie. L'humilité et l'esprit de pauvreté de la sainte religieuse – elle fut béatifiée par S.S. le pape Jean-Paul II le 23 mai 1982 – lui fit toujours refuser de se faire portraiturer. Sur l'ordre de Mgr Bourget (cat. 157), elle consentit à poser pour le peintre Théophile Hamel, qui séjournait alors à Montréal. L'état de santé de la religieuse ne lui permettant pas de longues séances de pose, Hamel aurait utilisé le daguerréotype en conjonction avec l'observation directe du sujet (une autre religieuse, mère Marie Élizabeth-Hortense Benoît, 1824-1850, aurait même posé pour les mains). Une copie d'un daguerréotype (ill. 102a) subsiste toujours et présente la religieuse avec des traits prématurément vieillis par la maladie.

Hamel compose le portrait d'une religieuse dans son meilleur état de santé et d'une stature imposante, dans cette oeuvre toute de vigueur et de sobriété. Le plan de la tête est équilibré par le mouvement oblique du crucifix et des mains; celles-ci retiennent le premier livre des constitutions, placé à l'horizontale sur le bord inférieur du tableau.
L.L.

Bibliographie
L'oeuvre a été reproduite, sans commentaires, dans la plupart des biographies qui ont paru depuis 1895 sur la bienheureuse Marie-Rose. On consultera sur l'ouvrage le mieux documenté, récemment paru: GERMAINE DUVAL, *Par le chemin du roi une femme est venue,* Montréal, Les Éditions Bellarmin, 1982 Voir aussi: VÉZINA, *Théophile Hamel,* 1975, p. 101, 103, repr. VÉZINA, *Catalogue des oeuvres de Théophile Hamel,* 1976, p. 42.

Collection
Maison mère des soeurs des Saints Noms de Jésus et de Marie, Outremont, (Centre Marie-Rose).

Ill. 102a Anonyme, *Mère Marie-Rose,
s.n.j.m.*, 1849; copie d'un daguerréotype;
résidence des soeurs des Saints Noms
de Jésus et de Marie d'Outremont
(Photo Archives des soeurs des
Saints Noms de Jésus et de Marie
d'Outremont).

Léon-Antoine Lemire,
actif entre 1850 et 1854

103. *Mère Saint-Anselme*, 1854

Ill. 103a L.A. Lemire (actif entre 1850 et 1854),
L'Hôpital général de Québec vu du sud-ouest, 1854;
daguerréotype rehaussé de couleurs, 16,5 × 21,6 cm;
Monastère des augustines de l'Hôpital général de Québec
(Photo G.N.C.O.).

Daguerréotype. 15 × 11 cm.

C'est en 1839 que le Français Louis-Jacques Daguerre mit au point le fameux procédé photographique auquel il devait donner son nom: le daguerréotype. En septembre, moins d'un mois après l'annonce de la découverte en Europe, les journaux de Québec en parlaient à leur tour. Dès l'année suivante, il fut loisible aux Québécois de se faire daguerréotyper. L'âge d'or du procédé allait durer jusqu'aux environs de 1855, permettant notamment à Léon-Antoine Lemire, un Canadien d'origine, de faire sa marque. En novembre 1854, celui-ci fit part de son intention de partir bientôt pour l'Europe afin de compléter ses études sur la photographie (*Le Canadien*, 3 novembre 1854, p. 3). Le 21 du mois précédent, il avait reçu 10 livres et 10 schillings des religieuses de l'Hôpital général de Québec pour trois vues de cet établissement (ill. 103a). Par la suite, les mêmes commanditai-

res eurent à nouveau recours à ses services, comme en fait foi cet extrait du *Journal de la Depense et de la Recette* en date du 30 décembre 1854 : « Payé à Mr Lemire 2 portraits de la Mère St-Anselme Supre au dauguerreotype à 15/& 25/... 2/ / ».

L'un de ces portraits est toujours conservé dans les archives de l'Hôpital général. Il s'agit d'une demi-plaque incrustée dans un boîtier précieux et représentant mère Marie-Anne Sirois-Duplessis de Saint-Anselme (1795-1867), celle-là même qui était supérieure au moment où soeur Saint-Alphonse fit sa profession. Un an avant d'être daguerréotypée par Lemire, elle avait posé devant le peintre Duncan, qui préparait alors les illustrations de l'album destiné à Mgr Bédini (cat. 69).

On aura sûrement noté que le daguerréotype reproduisant les traits de mère Saint-Anselme présente une composition analogue à celle

qu'avait adoptée Plamondon pour son portrait de soeur Saint-Alphonse. La chose n'a rien d'étonnant, puisque les premiers photographes adoptèrent souvent des dispositions propres aux peintres afin de les mieux concurrencer. Plus tard, ce fut au tour des artistes à devoir composer avec les « ressemblances » des photographes. Ainsi, lorsque Plamondon brossa son second autoportrait, en 1882, il utilisa une photographie, conformément à une habitude qu'il avait prise au début des années 1870.   J.R.P.

Bibliographie
A.M.H.G.Q., *Journal de la Depense et de la Recette* (1844-1866), 30 décembre 1854. CLOUTIER, « Les disciples de Daguerre à Québec », 1980, p. 36, repr. LESSARD, « Avec la collection de l'Hôpital-Général », 1984, p. 36-37, repr.

Collection
Monastère des augustines de l'Hôpital général, Québec.

Théophile Hamel, 1817-1870
104. *L'abbé Edouard Faucher*, 1855

Huile sur toile. 107 × 81 cm.

Inscription
(au centre, à gauche): « T. H. ».

L'abbé Edouard Faucher (1802-1865) fut ordon-né prêtre à 22 ans. Il exerça d'abord son minis-tère à Carleton, puis à Saint-Jean de l'île d'Or-léans et à Trois-Pistoles avant d'être chargé de la cure de Lotbinière pendant 34 ans, soit de 1831 à sa mort. Il s'identifia à cette paroisse, qu'il dota en 1863 d'un couvent dirigé par les soeurs du Bon Pasteur. L'église paroissiale fut grandement enrichie par son zèle: la chaire et le banc d'oeuvre furent confiés en 1832 à Tho-mas Baillairgé (1791-1839); l'ornementation sculptée des murs fut exécutée par Léandre Parent (1809-1889) et André Paquet (1789-1860) entre 1838 et 1845. En 1846, il acquit l'ancien orgue de la cathédrale anglicane de Québec, due au facteur londonien Elliott; puis, en 1851, il commada à François Sasseville (1797-1864) un calice, un encensoir et une navette.

La date de ce portrait se situe entre l'année de son trentième anniversaire de prêtrise et son vingt-cinquième anniversaire comme curé de Lotbinière. On a voulu voir sous les traits de l'abbé Faucher, avec son physique généreux et son allure débonnaire, le curé-type des parois-ses québécoises. Un personnage à l'image de son peuple: robuste et gaillard, parfaitement adapté à la nature à la fois rude et généreuse de la vallée du Saint-Laurent.

Par le choix d'un coloris clair et au moyen d'une composition basée sur l'ellipse, Hamel maîtrise picturalement son monumental sujet. Le curé a revêtu un ample surplis et une étole richement brodée, signes de son actif ministère dans une paroisse aisée de la région de Qué-bec.   L.L.

Expositions
1952, Québec, Musée du Québec, *Exposition rétro-spective de l'art au Canada français*, n° 47, repr. 1959, Vancouver, The Vancouver Art Gallery, *Les arts au Canada Français*. n° 149. 1970, Ottawa, Galerie nationale du Canada, *Deux peintres de Québec, An-toine Plamondon (1802-1895)/Théophile Hamel (1817-1870)*, n° 79, repr.

Bibliograhie
MORISSET, *Coup d'oeil sur les arts*, 1941, p. 74. MORIS-SET, *Les églises et le trésor de Lotbinière*, 1953, p. 46-47, 66, repr. MORISSET, *La peinture traditionnelle*, 1960, p. 120. VÉZINA, *Théophile Hamel*, 1975, p. 96, 102, repr. part. VÉZINA, *Catalogue des oeuvres de Théophile Hamel*, 1976, p. 42.

Collection
Fabrique Saint-Louis, Lotbinière.

Giorgio Szoldaticz, 1873-?

105. Mgr *Paul Toussaint Larocque*, vers 1905

Huile sur toile. 110 × 75 cm.

Inscriptions
(en bas à gauche): « Szoldaticz/Roma »;
(en bas à droite): « S. Exc. R. Mgr/Larocque/
2e Évecque (sic)/de Sherbrooke/1893 1926 ».

Le voyage de Mgr Joseph-Octave Plessis (cat. 156) à Rome en 1819-1820 devait ouvrir un itinéraire que suivirent plusieurs centaines d'ecclésiastiques du Québec au cours du XIXe siècle. Des raisons administratives et les études attirèrent dans la Ville éternelle des membres du clergé, qui semblaient toujours trouver quelque raison pour allonger leur séjour. « Quand on a vécu à Rome, on n'est jamais surpris de voir le règlement d'une affaire remis de jour en jour et se faire attendre pendant des mois entiers », écrivait Mgr Larocque le 25 février 1895, et il ne s'en plaignait pas (archives archevêché de Sherbrooke, fonds Larocque). Ces voyages, nourris par l'ultramontanisme, le conservatisme, les zouaves et les pèlerinages, allaient être à l'origine d'un commerce d'importation d'oeuvres d'art italien (romain) au Québec, et d'une émigration d'artistes, principalement des muralistes et des statuaires.

Mgr Larocque (1846-1926) fit quatre voyages à Rome. De 1880 à 1884, il y séjourna afin de préparer un doctorat en théologie et en droit canonique. Au cours des 33 ans de son épiscopat (1893-1926), il aura l'occasion de faire trois visites *ad limina*. Lors de son tout premier voyage, il fit connaissance avec Antonio Petriglia, qui fit le portrait de son frère Charles (1852-1904), futur curé de la paroisse Saint-Louis-de-France de Montréal (archives archevêché de Sherbrooke, 1883). Petriglia réalisera la plus grande partie des tableaux qui décorent cette église (1895-1896). En 1895, Mgr Larocque fera faire son portrait par ce même artiste (l'esquisse et le tableau terminé – 1896 – sont conservés à l'archevêché de Sherbrooke), qui a également signé le chemin de croix de l'église St-Patrick de Montréal.

C'est lors de son troisième voyage, en 1904-1905, que Mgr Larocque aurait posé pour Szoldaticz. Né à Rome, de père hongrois, Giorgio Szoldaticz gagna la faveur des cercles catholiques dès la fin du XIXe siècle. En 1899, il se fit remarquer au concours international Alinari par un tableau représentant une *Mater Amabilis* (*Emporium*, vol. XI, n° 62, fév. 1900, p. 150, repr.). Le grand tableau de la *Sainte Famille* qu'il exécuta en 1902 pour un concours parrainé par Léon XIII est maintenant conservé à l'archevêché de Sherbrooke. Szoldaticz reçut plusieurs commandes, dont la *Thérèse de l'Enfant-Jésus* qui orne la première chapelle de droite de l'église Santa Maria della Vittoria à Rome. L'Hôtel-Dieu de Québec, l'archevêché et les soeurs de la Congrégation de Montréal possèdent également de ses oeuvres.

Une réplique du portrait de Mgr Larocque conservé au séminaire de Sherbrooke laisse voir davantage l'influence des peintres *macchiaioli* sur son oeuvre. L'empâtement et les fines touches de couleurs semblent ici s'en laisser imposer par le sujet, qui, tourné vers la droite, fixe le spectateur de son regard à la fois dominateur et bienveillant. La taille physique du sujet (5′ 6″) et son fragile état de santé sont sublimés dans ce portrait qui mise sur le léger contraste entre le rendu détaillé de la tête et le traitement plus suggéré du reste du tableau. Au cours de son épiscopat, Mgr Larocque accueillit dans son diocèse, où fleurissait le protestantisme, les rédemptoristes, les religieuses du Précieux-Sang et les filles de la Charité du Sacré-Coeur. Il fit construire le palais épiscopal (cat. 217) et mit la cathédrale en chantier.
L.L.

Collection
Archévêché de Sherbrooke, Sherbrooke.

Louise Gadbois, 1896-

106. *R. P. Marie-Alain Couturier,*
   1941

Huile sur toile. 76,2 × 66 cm.

Inscription
(en bas, à droite): « Louise Gadbois ».

Le rôle joué par le père Marie-Alain Couturier, o.p., dans le renouvellement de l'art sacré en France est bien connu. L'importance de son passage au Canada, dont témoigne ce tableau peint en 1941 à Montréal par Louise Gadbois, l'est moins. C'est lui qui organisa la première *Exposition des Indépendants,* tant à Québec qu'à Montréal, en 1941 et qui cautionna de son autorité le jeune mouvement pour l'« art vivant » à Montréal. Dans le Québec d'alors, la voix d'un religieux prenant partie pour l'« art moderne » avait un poids qu'elle aurait moins aujourd'hui. Louise Gadbois, qui avait été l'élève d'Edwin H. Holgate, était alors membre de la Société d'art contemporain, fondée en 1939 par John Lyman. Curieusement, son tableau n'est pas sans affinité stylistique avec la peinture du père Couturier, qui se voulait lui-même disciple de Cézanne.   F.-M.G.

Exposition
1941, Québec, Galerie municipale, *Les peintures de Louise Gadbois,* n° 25. 1966, Québec, Musée du Québec, *Peinture vivante du Québec,* repr. 1979, Montréal, Musée d'art contemporain, *Le portrait dans la peinture, Louise Gadbois,* n° 16, repr. 1982, Ottawa, Galerie nationale du Canada, *Les esthétiques modernes au Québec de 1916 à 1946,* n° 58, repr. 1983, Québec, Musée du Québec, *Le Musée du Québec. 500 oeuvre choisies,* n° 228, repr.

Bibliographie
GAGNON, « La couleur et le mouvement dans l'art de Mme Gadbois », 1942, p. 4. GAGNON, *Sur un état actuel de la peinture,* 1945, pl. XII. LECOUTEY, « Le P. Marie-Alain Couturier O. P. » 1954, repr. couv. VIAU, « La revue de l'art sacré », p. 3, repr. BRUNET – WEIMANN, « Gadbois, la femme et l'oeuvre », 1983, p. 13.

Collection
Musée du Québec, Québec, (A 67.82-P).

Ozias Leduc, 1869-1955

107. *Monsieur Olivier Maurault, p.s.s.*, vers 1917-1942

Huile sur toile. 132,7 × 73,7 cm.

Inscription
(au bas, à droite): « OZIAS LEDUC ».

La carrière d'Ozias Leduc a dû beaucoup à la rencontre de M. Olivier Maurault, p.s.s. (1886-1968). Par sa culture, ses intérêts et ses occupations, l'abbé Maurault joua un rôle important dans l'affirmation symboliste de l'oeuvre de Leduc, en même temps qu'il lui permit d'élargir son public. En 1916, il organisa à la bibliothèque Saint-Sulpice, dont il était directeur, la première exposition rétrospective de quarante oeuvres du peintre de Saint-Hilaire. Il le recommanda pour plusieurs contrats de décoration religieuse et l'engagea même pour décorer le baptistère de l'église Notre-Dame de Montréal (1927), dont il était alors curé. Maurault signa plusieurs textes et articles présentant et analysant l'oeuvre de son ami. Lorsqu'il était recteur de l'Univerité de Montréal, il fit décerner un doctorat honorifique à Leduc (1935). De plus, il protégea un élève de Leduc, Paul-Emile Borduas (1905-1960), qu'il aida à aller étudier l'art sacré en France et qu'il employa à son retour comme professeur d'art à l'externat classique Saint-Sulpice (Grasset), dont il était alors supérieur.

Une importante correspondance (conservée dans les archives du séminaire de Saint-Sulpice et dans les Archives nationales du Québec à Montréal), ainsi que des échanges de livres, de dessins et de tableaux, témoignent de ces rapports privilégiés, dont le présent portrait est un autre exemple. Le traitement, à la fois formel par la pose et la disposition, et intime par l'atmosphère, suggérée au moyen du dessin et du coloris, hésite entre le portrait d'apparat et l'évocation psychologique. Leduc, pour réaliser ses portraits, utilisait et la photographie et les séances de pose. Sa manière lente de faire évoluer ses oeuvres peut expliquer pour une part la distance prise dans cet hommage à un ami qui occupait des fonctions importantes. La date de l'exécution du portrait est inconnue, mais la correspondance indique que dès janvier 1917 Leduc s'était mis au travail; trois dessins subsistent, qui laissent voir les différentes étapes de la composition de ce portrait (ill. 107a et 107b). Maurault fut d'abord placé sur un fond représentant une silhouette de cathédrales gothiques auxquelles s'ajoutait l'église Notre-Dame de Montréal. Ici, deux bandeaux de feuilles de laurier encadrent l'abbé Maurault, asso-

Ill. 107a Ozias Leduc (1864-1955), *Monsieur Olivier Maurault, p.s.s.*, 1918; fusain, 47 × 32 cm; collection université de Montréal (Photo Charles Bélanger).

Ill. 107b Ozias Leduc (1864-1955), *Monsieur Olivier Maurault, p.s.s.*, 1919; fusain, 45,6 × 27,9 cm; Musée du Québec, Québec, (A-77.114-D) (Photo Musée du Québec, Claude Bureau).

ciant le modèle aux significations mythologiques et chrétiennes de cet arbre. Le 8 mai 1924, un poème intitulé « Pour l'envoi d'un portrait » (A.N.Q.M.) signale la livraison de l'oeuvre à son destinataire, auquel Leduc recommande:

« Ne le regardez pas de trop loin, de trop près
Non plus. La lumière sera sa vie
Pour elle il a été conçu. Et par exprès
Cette toile, aux tons sourds est asservie. »
L.L.

Exposition
1974, Ottawa, Galerie nationale du Canada, *Ozias Leduc peinture symboliste et religieuse*, n° 55, repr.

Bibliographie
A.N.Q.M., fonds Ozias Leduc. MAURAULT, *Confidences*, 1959, p. 235. OSTIGUY, « Étude des dessins préparatoires », 1970, p. 10. LACROIX et autres, *Dessins inédits d'Ozias Leduc*, 1978, p. 53, repr.

Collection
Collège André Grasset, Montréal.

CHAPITRE SEPTIÈME
LA VIERGE À L'ENFANT

Il nous a paru opportun, en abordant la question des représentations de la Vierge à l'Enfant, de citer trois passages substantiels d'un sermon prononcé au séminaire de Québec le 15 août 1701, jour de la fête de l'Assomption de la Vierge Marie. Nous espérons qu'ils feront saisir d'emblée toute l'importance qu'on accordait à la Vierge en Nouvelle France et qu'ils feront mieux comprendre différentes facettes de la grande dévotion dont la Mère de Dieu y fut l'objet. On notera que ce sermon fut lu en présence de Monseigneur l'Ancien – Mgr de Laval –, qui venait d'assumer les frais de la dorure d'une chapelle dédiée à la Sainte Vierge :

« ... mais qui pouroit raconter dignement ses actions ? qui pouroit exprimer les biens qu'elle a faits dans le monde, les victoires qu'elle a remportées, les faveurs dont elle a comblé tout le genre humain et les services qu'elle a rendus a Dieu Son Souverain Seigneur ? n'est-ce pas elle qui a écrasé la teste de l'ancien Serpent, qui a reparé le mal que la premiere femme avoit causé, qui nous a donné un Sauveur et liberateur, et qui a ouvert les portes du ciel pour y faire entrer ceux qui en étoient bannis ? n'est ce pas elle qui a merité d'etre le refuge des pecheurs, l'avocate des miserables, la dispensatrice des besoins de Dieu, la mediatrice de nostre Salut et le canal par lequel toutes les graces coulent sur nos ames ? Ô qu'elle est parfaitte, qu'elle est accomplie, qu'elle est aimable, qu'elle est digne de triompher et de recevoir les honneurs qui peuvent être faits au dessous des honneurs divins ! »

« ... comme reyne des martyrs elle mérite l'auréole ou la couronne du martyre, comme Reyne des vierges, la couronne des vierges, comme Reyne des docteurs celle des docteurs.

Mais pourquoy pensez vous que la Ste Vierge est aujourd'hui si élevée si honorée et pourquoy triomphe-t-elle si glorieusement ? pour plusieurs raisons mais principalement à cause de son humilité, de sa tres pure virginité et de sa maternité divine (...) Comme mere de Dieu elle doit être la plus exaltée après Dieu (...) Si on demandoit aujourd'huy à tous les chretiens s'ils veulent suivre Marie et l'imiter dans son exaltation je m'assure qu'il n'y a personne qui ne le voulut avec bien de la joye (...) »

« Joignons à ces deux belles vertus [l'humilité et la chasteté] le zele du Salut des ames qui est la vertu par laquelle nous pouvons et devons honorer la maternité de la Ste V. car c'est le zele du Salut des ames qui rend spirituellement féconds ceux qui ont le bonheur d'en gaigner quelques unes a Dieu, tâchons de l'avoir et tachons de l'avoir du moins pour nous mesmes, soyons zelés pour le salut de notre ame propre, sauvons nous c'est la le seul necessaire, employons pour cela le credit de la très Ste V. qui est plus grand qu'on ne se le peut imaginer. Elle est toute puissante apres Dieu, elle est médiatrice entre Dieu et les hommes, elle est montée au ciel pour être leur avocate et pour leur faire des graces (...) elle en a le pouvoir parce qu'elle est la Reyne des cieux (...), elle en a la volonté parce qu'elle est toute misericordieuse (...), enfin elle est la mere du fils unique de Dieu (...) cela doit beaucoup nous exciter à recourir a elle avec confiance et a luy avoir une particuliere devotion (...) Soyons lui donc veritablement devots mais d'une devotion qui ne consiste pas seulement a lui reciter quelques prieres en courant et sans attention mais surtout à eviter le peché (...) Si nous faisons ainsi, ce sera le moyen qu'elle nous prenne sous sa

protection pendant nostre vie, qu'elle nous assiste a l'heure de notre mort et qu'elle nous conduise heureusement au port de la gloire. ainsi soit-il »[1].

À la lecture d'une telle envolée oratoire, on ne s'étonnera pas que, la même année, l'abbé Charles de Glandelet, du séminaire de Québec, ait écrit à l'un de ses correspondants que « la dévotion à la très Ste Vierge était du goût de bien des gens en ce pays »[2]. De fait, le sentiment marial pénétrait alors la vie dans toutes ses actions : nombreuses fêtes en l'honneur de la Vierge, exercices religieux (chapelet, angelus, etc.), invocations sous divers vocables, dévotions particulières ou publiques... Indice pour le moins révélateur, près de la moitié des cellules paroissiales de la colonie étaient à l'époque placées sous un vocable de Marie.

Plusieurs témoignages et événements, remontant parfois aux débuts de la colonie, peuvent expliquer pourquoi la dévotion à la Vierge Marie était si fortement enracinée en Nouvelle France[3]. Les récollets furent les premiers membres du clergé à venir s'établir à Québec, et l'on rapporte que, dès leur arrivée, en 1615, ils s'empressèrent d'y vénérer une image de la Vierge. Quand les frères Kirke s'emparèrent de la ville, en 1629, Champlain promit d'élever un temple à Marie si le Canada était rendu à la France. Son voeu ayant été exaucé, il fit bâtir une petite église, en 1633, et la plaça sous le vocable de Notre-Dame de la Recouvrance. Cette chapelle renfermait une image sculptée de la Vierge à l'Enfant qu'un jésuite avait sauvée du naufrage d'un navire. À l'instar des récollets, les membres de la Compagnie de Jésus se firent les promoteurs infatigables du culte marial dans la colonie. Non seulement la Vierge fut-elle choisie comme patronne de leur église de Québec, mais ils lui dédièrent la première chapelle qu'ils érigèrent en pays d'évangélisation, en 1639 (Sainte-Marie-des-Hurons). Trois ans plus tard, Ville-Marie était fondée par des colons envoyés par la Société Notre-Dame de Montréal, mise sur pied par le sulpicien Jean-Jacques Olier. En 1650, les ursulines de Québec reconnurent la Vierge Marie « pour première et principale supérieure ». La même année, mère Marie de l'Incarnation était frappée du caractère solennel qu'avait la procession du jour de l'Assomption :

« Deux Pères de la Compagnie de Jésus portèrent l'image en relief de la Sainte Vierge, cette Mère de bonté, sur un brancard bien orné, aux trois maisons religieuses (l'Hôtel-Dieu, les ursulines et la maison des RR. PP. jésuites) qui étaient destinées pour les stations. Comme les lieux sont assez éloignés les uns des autres, deux autres Pères étaient préparés pour leur succéder et les soulager en cette sainte charge. Outre le gros des Français, il y avait environ six cents sauvages qui marchaient en ordre. La dévotion de ces bons néophytes était si grande qu'elle tirait les larmes des

yeux de ceux qui les regardaient. J'eus la curiosité de les garder d'un lieu où je ne pouvais être vue, et je vous assure que je n'ai point vue en France de procession où il y eût tant d'ordre, et en apparence tant de dévotion »[4].

La dévotion à la Mère de Dieu était particulièrement vive du côté des habitants. Parlant de ceux de Trois-Rivières qui avaient échappé à la guérilla iroquoise, le jésuites Ragueneau écrivait dans sa relation de 1650-1651 :

« Aux Trois Rivières, quelques François et quelques Hurons ont esté tuez cet Esté par des bandes Iroquoises. Le secours qui nous est venu cette année de France est absolument necessaire en ce lieu ; car a vray dire, il n'a pû subsister que par miracle. Les habitans attribuent leur conservation au recours extraordinaire qu'ils ont eu à la saincte Vierge, dont il y avoit un petit oratoire en chaque maison : l'un estoit dédié a Nostre Dame de Liesse, les autres à Nostre Dame des Vertus, de bon Secours, de bonne Nouvelle, de la Victoire, et à quantité d'autres titres sous lesquels on honore la saincte Vierge en divers lieux de la Chrestienté. C'estoit une devotion ordinaire à ces pauvres habitans, d'aller visiter ces petites oratoires en divers jours de la semaine, principalement les samedis, que les concours y estoit plus grand, et en chaque maison, matin et soir, tout le monde se rassembloit pour y faire les prieres en commun et l'examen de leur conscience, et pour y dire les Litanies de la tres-saincte Vierge, le chef de la famille estant d'ordinaire celuy qui faisoit les prieres, et auquel tous les autres répondoient, femmes, enfans et serviteurs »[5].

Désireux de canaliser le recours de la population laïque à la Mère de Dieu, les jésuites de Québec devaient établir en 1657 une congrégation mariale pour les hommes, et une seconde en 1664, la « petite congrégation », pour grouper les garçons de la ville.

Le courant marial entraîna la création de différents centres de dévotion et de pèlerinage. En 1669, les jésuites construisirent à la Côte Saint-Michel, près de Québec, une chapelle dédiée à l'Annonciation de Marie et destinée aux Hurons dont ils avaient la charge. L'année suivante, ils y déposèrent une petite statue de la Vierge à l'Enfant, taillée dans un chêne dans lequel on avait trouvé une image de la Vierge à Foye, en Belgique. La petite chapelle devint dès lors un lieu de pèlerinage et la mission prit le nom de Notre-Dame de Foy. En 1673, ce fut au tour de la montréalaise Marguerite Bourgeoys de déposer solennellement une petite Vierge dans la chapelle qu'elle venait de faire construire et de dédier à Notre-Dame de Bonsecours. Cette fois, la figurine avait été sculptée dans le bois du chêne miraculeux de Montaigu, toujours en Belgique. Ce nouveau lieu de dévotion devait attirer lui aussi nombre de fidèles. L'échec de

---

1. Le sermon est attribué à M. Jean-Baptiste de Varennes. A. S. Q., *Polygraphie 2, n° 23*, 19 folios.

2. Cité dans John R. Porter et Léopold Désy, *L'Annonciation dans la sculpture au Québec*, Presses de l'Université Laval, Québec, 1979, p. 11.

3. Au fil des lignes qui suivent, nous avons beaucoup emprunté à l'un des articles (« Le culte marial en Nouvelle France ») de l'ouvrage de Gustave Lanctot intitulé *Une Nouvelle France inconnue*, Ducharme, Montréal, 1955, p. 21-54.

4. *Les Ursulines de Québec, depuis leur établissement jusqu'à nos jours*, C. Darveau, Québec, 1878, tome I, p. 148.

5. *Les Relations des Jésuites*, tome 4 (1647-1655), année 1650-1651, p. 2. Nous utilisons ici la réédition parue aux Éditions du Jour en 1972.

Fig. 1   Thomas Baillairgé (1791-1859), *Tombeau de l'autel de l'ancienne chapelle du Saint-Coeur de Marie*, 1827; bois doré, 97,2 × 247,6 cm; Musée de l'Hôpital général de Québec (S-29) (Photo John R. Porter).

Phipps devant Québec, en 1690, donna encore plus d'ampleur aux sentiments de reconnaissance de la population envers la Mère de Dieu et entraîna la redédicace de l'église de la basse-ville de Québec sous le nom de Notre-Dame-de-la-Victoire (appelée à devenir Notre-Dame-des-Victoires après le naufrage de Walker en 1711).

Les deux premiers évêques de Québec concoururent, bien sûr, à maintenir et accentuer le culte marial en Nouvelle France. Héritier spirituel des jésuites, Mgr de Laval sut donner durant son épiscopat un relief remarquable aux fêtes de Marie. Quand à Mgr de Saint-Vallier, il recommanda à ses curés « de continuer à établir et à soutenir leurs [ouailles] dans la pratique d'une dévotion solide à la Sainte Vierge »[6]. Non content de donner une place éminente au culte de la Vierge dans son *Catéchisme* de 1702, il y insista sur les leçons qu'on pouvait tirer des fêtes de la Conception, de la Purification, de l'Annonciation, de la Visitation, de l'Assomption, de la Nativité de Marie, de la Présentation, du Très-Saint-Nom-de-Marie, du Saint-Rosaire et de Notre-Dame-de-la-Victoire.

Par-delà la spontanéité de certaines de ses manifestations, le culte marial qui fleurit en Nouvelle France s'explique en bonne partie par le renouveau dévotionnel qu'engendra le concile de Trente. Perméable aux courants de la Contre-Réforme, la France des XVIIe et XVIIIe siècles accorda une place primordiale au culte de la Vierge. En Bretagne, par exemple, ce culte était célébré dans toutes les paroisses. En règle générale, une chapelle latérale était dédiée à Marie, quand ce n'était pas la paroisse elle-même[7]. Dans la correspondance qu'il échangea avec l'abbé Glandelet, du séminaire de Québec, l'archidiacre d'Évreux, Henri-Marie Boudon, se fit le véhicule du renouveau spirituel que vivait la métropole. Grand vulgarisateur, il expédia dans la colonie de nombreux exemplaires de ses ouvrages de dévotion, de même que des images de la Vierge Marie. Dans une lettre datée du 30 septembre 1699, l'abbé Glandelet le remerciait en ces termes:

« Ce m'est toujours une grande consolation quand je recoy de vos lettres. J'ai receu celle que vous m'avez fait la grâce de m'écrire cette année avec le livre de la dévotion de la très Ste Vierge et le paquet d'images que je distribueray en temps et lieu selon votre désir. Je vous réjouïray quand je vous apprendray que l'image de la Mère de Dieu sous le titre de Notre Dame de Grâce, dont vous m'avez envoyé plusieurs exemplaires, est placée avec honneur dans un grand nombre de lieux de dévotion où elle est visitée avec beaucoup d'assiduité et que beaucoup de personnes en ont retiré bien du profit pour leur âme »[8].

6. Mgr de Saint-Vallier, cité dans Lanctot, *op. cit.*, p. 47-48.

7. Voir Jacques Salbert, *Les ateliers de retabliers lavallois aux XVIIe et XVIIIe siècles: étude historique et artistique*, Librairie C. Klincksieck, Paris, 1976, p. 481-482. « La Vierge et ses proches, écrit Salbert, occupent donc une place primordiale dans la statuaire et il faut y voir l'affirmation du culte de Marie, dans un esprit de lutte contre la Réforme protestante. Elle apparaît sous trois types iconographiques principaux (...): la Vierge à l'Enfant, la Pietà et le Rosaire. Le sujet le plus répandu est la Vierge à l'Enfant, qui comporte quelques variantes » (p. 481).

8. A. S. Q., *Séminaire 6, n° 73*, x, lettre de l'abbé Charles de Glandelet à l'abbé Henri-Marie Boudon, 30 septembre 1699.

Fig. 2   Anonyme, *Vierge à l'Enfant* dite *Notre-Dame du Prisonnier*, premier quart du XVIIIe siècle; bois peint et doré (revêtement récent), 153,7 cm. (avec la base, en excluant les couronnes rapportées); chœur des religieuses de l'Hôpital général de Québec (S-78) (Photo John R. Porter).

Image tutélaire aussi bien qu'image de tendresse, la Vierge à l'Enfant était appelée à connaître une fréquence et un rayonnement remarquables dans la colonie française d'Amérique. En fait, ce type de représentation était sans doute celui qui pouvait contribuer le plus à rapprocher la Sainte Vierge du cœur des fidèles[9]. Au Québec, on trouve la Vierge à l'Enfant partout: pièces d'orfèvrerie, gravures, peintures, vitraux, etc. En sculpture, elle prend place tantôt sur l'ambon d'une chaire (v. g. à Saint-François de l'île d'Orléans) ou sur le dorsal d'un banc d'œuvre (v. g. à Saint-Joseph de Lauzon), tantôt sur un tombeau d'autel [v. g. à l'église de la Jeune-Lorette, au Village-des-Hurons (cat. 14) et à l'Hôpital général de Québec (fig. 1)] ou dans un relief indépendant (v. g. à Sainte-Marie-de-Beauce). Mais c'est en ronde-bosse que le thème a le plus d'éclat. À côté de quelques dizaines de statues telles que la *Notre-Dame du Prisonnier* de l'Hôpital général de Québec (fig. 2)[10], c'est par centaines que l'on compte les statuettes de la Vierge à l'Enfant à partir du milieu du XVIIIe siècle.

Les petites sculptures représentant la Vierge Marie et son Fils ont connu des emplacements ou des utilisations fort variés: ornement central ou secondaire d'un tabernacle (cat. 110 et 119), chapelle de dévotion dans un monastère (v.g. *Notre-Dame du Grand Pouvoir* chez les ursulines de Québec), chapelle processionnelle d'une paroisse (cat. 115), niche d'une croix de chemin, objet de pèlerinage (v.g. *Notre-Dame de Lorette*, au Village-des-Hurons), etc. En 1682, la supérieure de l'Hôtel-Dieu de Québec plaça elle-même une statuette de la Vierge à l'Enfant dans une niche pratiquée dans le haut d'un mur récemment rebâti. À côté de la petite sculpture, elle déposa un document qui nous éclaire sur les intentions des religieuses et sur leur ferveur à l'endroit de la Mère du Sauveur:

« *Le 12e de septembre 1682 (...) a été (...) posée cette petite figure en relief représentant la sacrée et immaculée Mere de Dieu, tenant son cher Fils entre ses bras, avec des reliques qui sont attachées autour, et ce, pour la supplier que, comme Mere et Superieure de ce monastere, il luy plaise de prendre toutes les Religieuses soûs sa spéciale et maternelle protection, et que, par le pouvoir qu'elle a auprès de Jesus Christ, son Fils, nôtre divin Rédempteur, elle empêche et éloigne de cette maison toutes les choses qui pourroient ruïner et détruire son adorable esprit dans le cœur de toutes les filles qui y sont et seront au tems avenir; la suppliant en outre, de donner a cette communauté les aides et moyens temporels necessaires et suffisants pour maintenir la regularité de nôtre saint Institut; luy promettant que, de nôtre part, nous nous employerons avec zele a l'augmentation du regne de Jesus Christ en nos ames, et qu'a perpétuité elle sera reconnuë pour Dame et Regente de ce monastere* »[11].

9. Louis Réau, *Iconographie de l'art chrétien*, tome II: *Iconographie de la Bible*, Presses universitaires de France, Paris, 1956-1957, vol. 2, p. 99.

10. À propos de Notre-Dame du Prisonnier, voir *Monseigneur de Saint-Vallier et l'Hôpital Général de Québec*, Darveau, Québec, 1882, p. 287.

11. Dom Albert Jamet, édit., *Les Annales de l'Hôtel-Dieu de Québec 1636-1716*, Presses de Garden City, Montréal, 1939, p. 205.

S'agissait-il d'une oeuvre importée? C'est bien possible, puisque l'importation de petites sculptures était chose très fréquente au XVIIe siècle. Ainsi, nous avons déjà fait état des statuettes de Notre-Dame de la Recouvrance[12], de Notre-Dame de Foy et de Notre-Dame de Bonsecours. Exécutée par le jésuite Chauchetière vers 1678, la représentation d'un groupe d'Amérindiennes agenouillées devant une statuette de la Vierge (cat. 29) nous met vraisemblablement en présence d'une oeuvre en argent venue de France, une oeuvre analogue à celle que l'on trouve aujourd'hui à Oka (cat. 19). Lorsqu'elles quittèrent l'Hôtel-Dieu de Québec pour aller fonder l'Hôpital général, en 1693, les protégées de Mgr de Saint-Vallier apportèrent avec elles une petite Vierge à l'Enfant en bois de buis (fig. 3). Cette figurine avait été apportée de Bayeux (France), en 1648, par soeur Catherine de Saint-Augustin. À son arrivée à l'Hôpital général, elle fut établie fondatrice et première supérieure. D'abord vénérée sous le vocable de Notre-Dame de la Fondation, elle devait prendre le nom de Notre-Dame de Protection dans la seconde moitié du XIXe siècle et connaître par la suite un rayonnement pour le moins remarquable[13]. Ce recours à des vocables particuliers est intéressant à plus d'un titre, puisqu'il singularise les pratiques dévotionnelles de tel groupe ou de telle communauté. Chez les ursulines, telle Vierge à l'Enfant prendra le nom de *Notre-Dame du Grand Pouvoir* (1724); à l'Hôtel-Dieu de Québec, ce sera *Notre-Dame de Toutes Grâces* (cat. 82); chez les soeurs de la Providence, *Notre-Dame du Coeur* (cat. 83), etc.

À compter du début du XVIIIe siècle, il est courant de commander des Vierges à l'Enfant aux sculpteurs établis dans la colonie. Bien souvent on leur impose comme modèle telle ou telle sculpture d'origine française. Ainsi les statuettes de Beaumont et de Trois-Rivières dérivent-elles d'une même Vierge française conservée chez les ursulines de Québec (cat. 110 et 111). Vers 1717, Mgr de Saint-Vallier fit exécuter une petite réplique de la Vierge de Fondation de l'Hôpital général afin qu'elle servît pendant une procession dominicale hebdomadaire[14]. Douze ans plus tard, Noël Levasseur façonna une Vierge à l'Enfant dont on ignore la destination première, mais qui fait partie aujourd'hui du trésor de l'église du Village-des-Hurons (Jeune-Lorette) après en avoir orné le porche pendant plusieurs années[15]. Or cette statue portait naguère une inscription pour le moins éloquente, ainsi que le notait l'abbé Lionel Saint-George Lindsay dans un ouvrage paru en 1900:

12. Il est fait expressément mention d'une « statue de N. dame et son Fils en bras étoffé d'or » de deux pieds de haut dans l'Inventaire de la chapelle de Notre-Dame-de-Recouvrance en 1640. Voir Archives de Notre-Dame de Québec, Ms 1A.

13. « Notre-Dame-de-Protection, statue en vénération au monastère de Notre-Dame-des-Anges, Hôpital-Général de Québec », dans *La société canadienne d'histoire de l'église catholique*, Rapport 1955-1956, p. 125-140.

14. Cette figurine (22,8 cm) est aujourd'hui conservée au musée de l'Hôpital général de Québec (S-32). Sa polychromie et sa dorure ont été refaites avec un bonheur relatif en 1960.

15. À ce sujet, voir Ramsay Traquair, « The Huron Mission Church and Treasure of Notre Dame de la Jeune Lorette, Québec », dans *McGill University publications*, Séries XIII, n° 28 (1930), p. 15 et 17; Marius Barbeau, *Trésor des anciens Jésuites*, dans *Bulletin* n° 153 (1957) du Musée national du Canada, « Série anthropologique », n° 43, p. 169-170.

Fig. 3 Anonyme, *Vierge à l'Enfant* dite *Notre-Dame de Protection*, première moitié du XVIIe siècle; bois de buis, 22,6 cm; grand escalier du cloître de l'Hôpital général de Québec (S-67) (Photo John R. Porter).

« Je suis donné par noël levasseur sculpteur et son Epouse marie madeleine turpin, le 1er mars, 1729, pour faire la procession du scapulaire et du rosaire tous les 1 de chaque mois. Priez, sainte Vierge, s'il vous plait, pour eux et leurs familles, et soyez leur advocatte pour le temps et pour l'éternité. Amen »[16].

Vers 1750, le sculpteur Labrosse exécuta une statuette de la Vierge à l'Enfant pour la chapelle de la Congrégation des hommes de Montréal, dont il faisait partie[17]. En 1755, il devait reprendre le même modèle pour façonner une statue destinée à orner l'une des deux niches de la façade de l'Hôtel-Dieu de Montréal, l'autre étant occupée par un saint Joseph (cat. 85 et 86). Dans ce dernier cas, la Vierge à l'Enfant se trouvait en quelque sorte intégrée à une représentation globale de la Sainte Famille, conformément à un choix iconographique dont les manifestations sont assez fréquentes dans la sculpture québécoise. Nous pensons notamment à deux statuettes anciennes faisant partie de la collection des augustines de l'Hôtel-Dieu de Québec (cat. 108 et 109).

Pour un oeil peu averti, les statuettes de la Vierge à l'Enfant se ressemblent toutes. De fait, on peut dire qu'elles partagent foncièrement la même attitude. La Vierge, vêtue d'une robe et d'un grand manteau, la tête recouverte d'un voile, le buste discrètement évoqué et le corps légèrement déhanché, porte en général l'Enfant Jésus sur son bras gauche. Elle a les pieds nus, ou bien chaussés de sandales ou de souliers. Tantôt l'Enfant est nu, ou vêtu d'un simple pagne, tantôt il a le corps pudiquement enveloppé d'une robe. Au départ, le thème comporte donc assez peu de variantes iconographiques. Une couronne ceindra parfois la tête d'un personnage (cat. 110 et 113), voire des deux (cat. 112 et 122). Au lieu de retenir son long manteau, Marie portera parfois un sceptre ou un coeur dans sa main (cat. 113 et 83). Quant à Jésus, il lui arrivera de tenir un petit globe terrestre (cat. 108, 111, 113, 114, 116, 117, 119 et 122), un sceptre, une couronne de fleurs (cat. 110 et 111), une croix (cat. 85), parfois même deux de ces attributs à la fois (cat. 117).

Par-delà ces particularités pour la plupart exceptionnelles, un examen attentif permettra de découvrir bien d'autres nuances subtiles qui feront de chaque Vierge à l'Enfant une représentation unique. Arrêtons-nous d'abord aux attitudes des deux personnages. Marie regarde-t-elle ou non son fils (cat. 114 et 115)? Le tient-elle appuyé contre elle ou à quelque distance? Est-elle tendre ou solennelle, joyeuse ou mélancolique, pensive ou craintive? L'enfant Jésus ouvre-t-il les bras au fidèle qui le regarde (cat. 115 et 116), ou passe-t-il un bras autour du cou de sa mère (cat. 114 et 118)? A-t-il un geste oratoire ou bénit-il (cat. 85 et 112)? Est-il souriant ou grave, calme ou agité, indifférent ou espiègle? Et que

Fig. 4   Louis Jobin (1845-1928), *Vierge à l'Enfant*, mars 1886; bois polychrome, 64,5 cm; presbytère de Saint-Joseph de Lauzon. (Photo I.B.C.Q., nég. A.77.2516.27A (35)).

16. Lionel Saint-George Lindsay, *Notre-Dame de la Jeune-Lorette en la Nouvelle France*, La compagnie de publication de la Revue canadienne, Montréal, 1900, p. 153.

17. Barbeau, *op. cit.*, p. 172-174; Jean Trudel, *Profil de la sculpture québécoise* (cat. d'expos.), Musée du Québec, Québec, 1969, p. 56.

dire de la facture tantôt savante, tantôt plus ou moins populaire de la Vierge à l'Enfant? À considérer le seul mouvement des drapés, on se rend compte que chaque sculpteur y va d'inventions et de stylisations reflétant sa maîtrise ou les limites de sa formation (cat. 115 et 120).

Bon an, mal an, les interprétations du thème de la Vierge à l'Enfant conservèrent une idéniable cohésion jusqu'au milieu du XIXe siècle. Assez répandue, la pratique du mimétisme – c'est-à-dire le recours à une oeuvre plus ancienne comme modèle ou prototype – contribua largement à la persistance de certains types (cat. 110, 111, 113, 119 et 122). À compter des années 1850, des changements sensibles se manifestèrent toutefois avec la percée qu'effectuaient les ouvrages de plâtre. Les sculpteurs sur bois abandonnèrent souvent, dès lors, le thème de la Vierge à l'Enfant à leurs concurrents, préférant exploiter tel ou tel type marial mieux adapté à l'évolution de la sensibilité populaire et aux nouvelles dévotions: Immaculée-Conception (Vierge de Lourdes), Vierge du Calvaire, Notre-Dame du Sacré-Coeur, etc. Ainsi, dans tout l'oeuvre du prolifique Louis Jobin, on ne compte que six Vierges à l'Enfant, dont seulement deux statuettes (fig. 4). Qui plus est, toutes les Vierges du sculpteur sont couronnées, ce qui laisse croire à l'utilisation de différents vocables de Notre-Dame[18]. Par ailleurs, les exigences de la clientèle et le renouveau dévotionel amenèrent des sculpteurs sur bois à emprunter des modèles inédits provenant de modeleurs italiens. C'est le cas d'une Notre-Dame du Sacré-Coeur façonnée en 1873 par Léandre Parent, oeuvre qui dénote non seulement une mutation du thème de la Vierge à l'Enfant mais également une contamination de ce thème par deux dévotions alors très en vogue (cat. 121).

Avec le XXe siècle, les catalogues de maisons comme Daprato et l'Union artistique de Vaucouleurs continuèrent de favoriser la diffusion de divers types de Vierges à l'Enfant, principalement des grands formats. Parallèlement, un Médard Bourgault multiplia les Notre-Dame, mais il en créa peu qui tiennent un Enfant Jésus. Il y a bien sa Notre-Dame des Oiseaux (1938) ou sa Notre-Dame du Clergé (1944), mais ce sont des statues empreintes de modernisme et dans lesquelles les attributs ont tendance à jouer un rôle très marqué[19]. À cet égard, on pourrait en dire autant de la Notre-Dame des Sept Allégresses que sculpta Lauréat Vallière pour l'église du même nom à Trois-Rivières, en 1959[20]. Toutes ces oeuvres, qu'elle soient en plâtre ou en bois, n'en constituent pas moins autant de témoignages du maintien d'un solide culte à la Vierge Marie au Québec au XXe siècle.

À l'occasion du premier Congrès marial, tenu à Québec en 1929, on mit en évidence diverses « madones » de paroisses ou de maisons religieuses, dont quelques statuettes anciennes de la Vierge à l'Enfant[21]. À l'Hôpital général de Québec, par exemple, on célébra un triduum solennel à la louange de Notre-Dame de Protection, dont la dévotion était alors en pleine expansion[22]. Lors du Congrès marial de 1954, on devait utiliser, non pas la précieuse figurine qui avait présidé à la fondation de l'institution, mais une copie de 1947 du sculpteur Henri Angers (cat. 122). Dans ce cas précis, on pouvait donc constater un décalage chronologique de quelque 300 ans entre le modèle et la copie. Illustration extrême du phénomène du mimétisme, l'oeuvre d'Angers n'était qu'une étape de plus dans la diffusion de l'image de Notre-Dame de Protection, une Vierge à l'Enfant du XVIIe siècle dont la dévotion s'était étendue en 1914 à tout le diocèse de Québec, dévotion à laquelle des indulgences étaient attachées. En effet, entre 1887 et 1952, on fit tirer pas moins de 1 300 photographies, 26 000 médailles, 35 000 calendriers, 327 000 images pieuses et un nombre indéfini de plâtres à l'effigie de la figurine miraculeuse que Catherine de Saint-Augustin avait apportée en Nouvelle-France en 1648[23].

John R. Porter

---

18. Communication de Mario Béland, qui achève sous notre direction une thèse de maîtrise sur le sulpteur Louis Jobin.

19. Angéline Saint-Pierre, *L'oeuvre de Médard Bourgault*, Garneau, Québec, 1976, p. 90.

20. Léopold Désy, *Lauréat Vallière et l'École de sculpture de Saint-Romuald 1852-1973*, Éditions La liberté, Québec, 1983, p. 78-79.

21. Voir *Madones du Diocèse de Québec*, pages d'histoire religieuse écrites en collaboration à l'occasion du premier Congrès Marial de Québec, publication du Comité d'organisation du premier Congrès Marial de Québec, Québec, 1929, 141 pages.

22. « Notre-Dame-de-Protection... », *op. cit.,* p. 130.

23. *Idem*, passim. Nos données statistiques sont fondées sur plusieurs sources, dont le *Journal* et le *Journal du dépôt* conservés dans les archives de l'Hôpital général de Québec.

Anonyme
108. *Vierge à l'Enfant*, (?) XVIIe siècle

Bois polychrome. 66 cm.

Inscription

(sur un morceau de papier collé dans une cavité au dos de la statuette): long texte manuscrit devenu illisible.

Comme c'est souvent le cas dans la sculpture ancienne du Québec, la Vierge à l'Enfant est ici associée au père nourricier de Jésus, saint Joseph. Pareille association n'étonne guère quand on connaît la remarquable dévotion dont la Sainte Famille fut l'objet en Nouvelle France dès le XVIIe siècle. C'est d'ailleurs au XVIIe siècle que Jean Trudel situe l'exécution des deux statuettes conservées à l'Hôtel-Dieu de Québec. Fait à noter, la chapelle des religieuses recelait déjà en 1648 « deux images en relief de la sainte Vierge et de saint Joseph », « images » qui leur avaient été envoyées de Paris. Il ne s'agit évidemment pas de nos deux statuettes, car la facture de celles-ci laisse deviner qu'elles furent faites à Québec

Dans cette sculpture, la Vierge semble songeuse, perdue dans ses pensées. À l'inverse, l'Enfant a la mine joyeuse et insouciante. Tenant contre lui un petit globe, le jeune Sauveur du monde esquisse un geste de bénédiction.
J.R.P.

Exposition

1969, Québec, Musée du Québec, *Profil de la sculpture québécoise*, n° 5, repr.

Bibliographie

BARBEAU, « Notre-Dame de Recouvrance », 1946, p. 13, repr.

Collection

Musée des augustines de l'Hôtel-Dieu, Québec.

Anonyme

109. *Saint Joseph*, (?) XVIIᵉ siècle

Bois polychrome. 71,8 cm.

Les religieuses de l'Hôtel-Dieu de Québec avaient une dévotion toute spéciale pour celui qui avait été donné pour patron à la Nouvelle France en mars 1624. À lire les *Annales* de l'établissement, on constate que saint Joseph était perçu comme le protecteur par excellence de la maison et le gardien des biens de la communauté.

Dans le cas présent, saint Joseph est représenté debout sur un petit piédestal en forme de rocher. Conformément à un type iconographique qui a longtemps eu la faveur des sculpteurs québécois (cat. 61), il tient humblement la main droite sur sa poitrine et avance l'autre bras pour mettre en évidence son attribut, un bâton fleuri. Chose courante, ce bâton, qui était à l'origine fiché dans sa main gauche, a disparu. L'époux de la Vierge est vêtu d'un longue tunique ceinturée à la taille et il est enveloppé d'un ample manteau au dessin élégant mais empreint de naïveté. La figure s'avère la partie de loin la mieux réussie de l'ouvrage. Les traits de saint Joseph sont inspirés et ils sont savamment soulignés par une barbe et une chevelure aux ciselures mouvementées. Au plan stylistique, le *saint Joseph* de l'Hôtel-Dieu est à rapprocher du *saint Roch* que le Musée du Québec a acquis en 1976 (A-76. 172-S). J.R.P.

Exposition
1969, Québec, Musée du Québec, *Profil de la sculpture québécoise*, n° 4, repr

Collection
Musée des augustines de l'Hôtel-Dieu, Québec.

Anonyme

110. *Vierge à l'Enfant*, vers 1700

Bois doré, 45,7 cm.

Depuis longtemps placée sur le maître-autel de Beaumont, cette Vierge à l'Enfant a traditionnellement été attribuée au sculpteur Noël Levasseur (1680-1740) et datée tantôt de 1718, tantôt de 1719-1720. Cette proposition de Gérard Morisset découlait tout simplement du fait qu'un nouveau tabernacle avait été installé dans l'église de Beaumont en 1719 et que ce meuble paraissait être de la main de Noël Levasseur, l'un des sculpteurs les plus actifs de la région de Québec à l'époque. À ce jour, on n'a pas encore découvert d'indice probant permettant d'attribuer la statuette à un sculpteur donné. Par ailleurs, il se pourrait bien que l'oeuvre ait été acquise peu après la construction de la première chapelle de Beaumont, à la toute fin du XVIIᵉ siècle.

La *Vierge* de Beaumont, couronnée, souriante, est vêtue d'une longue robe et d'un élégant manteau parsemé de fleurs de lis incisées. Elle porte l'Enfant sur son bras gauche, un enfant à l'allure espiègle qui semble s'amuser avec la couronne de roses, qu'il tient de la main droite. Jean Trudel a identifié le prototype d'après lequel la *Vierge* de Beaumont fut sculptée. Il s'agit d'une oeuvre conservée au monastère des ursulines de Québec et qui fut vraisemblablement importée de France au XVIIᵉ siècle (ill. 110a). À la différence de la statuette de Beaumont, les deux protagonistes de la version originale ont la mine sérieuse et la Mère de Jésus n'est pas couronnée. Trudel a souligné avec à-propos que le sculpteur de la copie avait su saisir l'élégance de son modèle, mais qu'il l'avait rendu avec plus de molesse et moins de précision. Une seconde copie de la *Vierge à l'Enfant* des ursulines de Québec est conservée chez leurs consoeurs de Trois-Rivières (cat. 111). J.R.P.

Expositions

1952, Québec, Musée du Québec, *Exposition rétrospective de l'art au Canada français*, nᵒ 159, repr. 1959, Vancouver, Vancouver Art Gallery, *Les arts au Canada français*, nᵒ 59, repr.

Bibliographie

Morisset, « Une dynastie d'artisans: les Levasseur », 1950, p. 14, 15 et 19, repr. Morisset, « Madones canadiennes d'autrefois », 1950, p. 35, repr. Trudel, « Un aspect de la sculpture ancienne, 1969, p. 30, 31 et 33. Morisset, « Madones canadiennes », 1971, p. 12, repr. Noppen et Villeneuve, *Le trésor du Grand Siècle* (cat. d'expos.), 1984, p. 94, repr.

Collection

Fabrique Saint-Étienne, Beaumont.

Anonyme

111. *Vierge à l'Enfant*, vers 1700

Ill. 110a Anonyme, *Vierge à l'Enfant*, début du XVIIIᵉ siècle; bois doré et peint, 35,5 cm; Monastère des ursulines de Québec
(Photo Musée du Québec, Patrick Altman).

Bois doré et polychrome, 36 cm.

La petite *Vierge à l'Enfant* que conservent les ursulines de Trois-Rivières remonte au même modèle que la *Vierge* de Beaumont (cat. 110). Au strict point de vue iconographique, elle est plus conforme à la statuette des ursulines de Québec, puisque ni l'un ni l'autre des deux personnages ne sourit et que Marie ne porte pas de couronne. Par contre, elle n'a pas toute la finesse de la première copie. Plus schématisée de facture, elle présente un revêtement dont l'apparence est plus sommaire. En effet, elle n'a conservé qu'une partie de sa dorure d'origine – une dorure sans incision – et ses carnations plutôt fortes ne semblent remonter qu'au XIXᵉ siècle. Sans doute furent-elles refaites par une religieuse bien intentionnée à l'époque où la statuette fut entourée de fleurs de cire et placée sous une cloche de verre.

D'après la tradition orale, la *Vierge à l'Enfant* aurait été exécutée par la première supérieure des ursulines de Trois-Rivières, mère Marie Lemaire des Anges, qui l'aurait apportée de Québec. Pareille attribution est évidemment sujette à caution, mais elle s'avère éclairante quand on sait que la *Vierge à l'Enfant*, à l'instar de son modèle, a servi de statuette de procession jusque dans les années 1950. Dès lors, il y a tout lieu de croire que les premières ursulines de Trois-Rivières aient cherché de façon délibérée à perpétuer dans leur nouvel établissement une tradition de la maison mère de Québec.
J.R.P.

Bibliographie

LAFLÈCHE, « La collection d'art religieux du musée des ursulines », 1981, p. 10, repr.

Collection

Musée Pierre-Boucher, pavillon des ursulines, Trois-Rivières.

Anonyme

112. *Vierge à l'Enfant,* Paris 1717-1718

Argent, base en bois, 57,1 cm (y compris la base), 39,3 cm (statue).

Inscription
(sur le cartouche de la base): « I H *formé par les lettres AM superposées* S », le tout surmonté d'une croix.

Poinçons:
Maison commune: A couronné.
Charge de Paris: A couronné avec deux palmes.

L'orfèvre français qui façonna en argent cette Vierge à l'Enfant à Paris, en 1717-1718, a su lui donner un caractère intimiste qui vient de ce que la composition de l'oeuvre force l'attention vers l'Enfant Jésus bénissant. La tête de la Vierge tournée vers sa droite, son bras gauche qui tient délicatement le pied de l'Enfant, les plis du drapé de son vêtement qui descendent de son bras gauche constituent un jeu savant de lignes de force nous amenant à regarder l'Enfant Jésus. C'est une oeuvre toute en douceur et en sensualité où s'exprime l'amour maternel, mais où cependant les lourdes couronnes à motifs de fleurs de lys de la Vierge et de l'enfant (de même que le bras droit de celui-ci levé pour bénir) viennent nous rappeler qu'il s'agit de la mère et de l'enfant. Le contraste est frappant entre l'attitude de ce groupe et celui de la Vierge à l'Enfant d'Oka (cat. 19), où apparaissent plutôt la reine et son fils.

La provenance de la Vierge à l'Enfant du Village-des-Hurons n'est pas établie avec certitude, mais il est possible que la statuette ait été à l'origine chez les jésuites de Québec.   J.T.

Exposition
1974, Ottawa, Galerie nationale du Canada, *L'Orfèvrerie en Nouvelle France,* n° 14, repr.

Bibliographie
LINDSAY, *Notre-Dame de la Jeune-Lorette,* 1900, p. 188-190. JONES, "Old Church Silver in Canada", 1918, p. 41. BARBEAU, *Trésor des anciens Jésuites,* 1957, p. 58-59 et 234, repr.

Collection
Église Notre-Dame-de-Lorette, Village-des-Hurons.

Anonyme

113. *Vierge à l'Enfant,* (?) fin du XVIIIe siècle

Bois bronzé, 42,5 cm.

Coiffée d'une couronne et tenant un sceptre à la main, la Vierge Marie est représentée avec ses attributs de reine des cieux. Contrairement à l'habitude, elle porte l'enfant sur son bras droit. Le petit globe que tient Jésus fait référence au salut qu'il a apporté au monde en venant sur terre (cat. 62). Considérée dans son ensemble, la statuette a une allure solennelle, et sa facture est quelque peu maniérée. Le bronzage dont on l'a naguère revêtue cache peut-être une polychromie ou une dorure plus ancienne, car il était d'usage de « rafraîchir » périodiquement les oeuvres sculptées.

Avant d'entrer au Musée du Québec, en 1977, la statuette appartenait à M. Rosaire Saint-Pierre. Dès 1969, Jean Trudel l'avait à juste titre rapprochée d'une *Vierge à l'Enfant* plus ancienne, acquise deux ans plus tôt par le Musée (ill. 113a). Comparant les deux oeuvres, il écrivait alors:

« Dans la collection de M. Rosaire Saint-Pierre, à Beaumont, il se trouve une petite réplique très fidèle de la Vierge à l'Enfant du Musée. Il y a des différences dans la façon de tenir l'Enfant, dans le drapé de la cape de la Vierge et surtout dans la base qui a perdu sa fonction de reliquaire. La Vierge a conservé son sceptre. Nous sommes portés à penser qu'il s'agit d'une copie de la Vierge du Musée exécutée pour une paroisse qui en connaissait la réputation. Il est difficile de savoir si elle a été faite par le même sculpteur; il y a des différences assez marquées dans le maintien de la Vierge, mais il y a aussi beaucoup de ressemblance. »

En 1980, Christine Beauregard devait mettre en comparaison les deux oeuvres du Musée et une troisième *Vierge à l'Enfant* conservée à l'église de Cap-Santé, version dans laquelle, toutefois, Jésus est porté sur le bras gauche de sa mère. Par delà les différences qu'elles présentent, les trois statuettes ont un air de famille et il est probable qu'elles découlent d'un modèle commun. À ce titre, elles constituent une belle illustration du phénomène de mimétisme mis en évidence par Jean Trudel. Tout en témoignant de la faveur d'un modèle donné, elles confirment l'esprit inventif des sculpteurs québécois, qui savaient se démarquer d'un prototype imposé par les commanditaires.   J.R.P.

Expositions
1980, Montréal, Musée des beaux-arts de Montréal, *Cap-Santé, comté de Portneuf,* n° 44, repr. 1984, Québec, Musée du Québec, *Musée du Québec, 500 oeuvres choisies,* n° 113, repr.

Bibliographie
TRUDEL, « Un aspect de la sculpture ancienne », 1969, p. 32 et 33, repr.

Collection
Musée du Québec, Québec, (A-77.35-S).

Ill. 113a Anonyme, *Vierge à l'Enfant*,
XVIIIᵉ siècle ; bois doré,
traces de polychromie, 79,1 cm ;
Musée du Québec, Québec, (A-67.59-S)
(Photo Musée du Québec, Patrick Altman).

Anonyme

114. *Vierge à l'Enfant*, XVIIIᵉ siècle

Bois polychrome et doré. 49,5 cm.

Marius Barbeau voulait tellement retrouver la *Vierge à l'Enfant* de l'ancienne chapelle Notre-Dame de la Recouvrance de Québec qu'il multiplia les hypothèses et avança des propositions pour le moins hasardeuses. Constatant la présence d'une statuette ancienne au château Ramezay, il s'enquit de sa provenance auprès du gardien du petit musée. Sans preuve à l'appui et selon une habitude encore courante il n'y a pas si longtemps, le gardien lui indiqua une provenance qui se voulait aussi prestigieuse qu'évocatrice : la chapelle de l'ancienne mission des jésuites de Sillery, établie au XVIIᵉ siècle! Il n'en fallait pas davantage pour que l'imagination fertile de Barbeau se mît en branle. Se fiant à la bonne foi du gardien, l'ethnographe-anthropologue passa vite aux conclusions :

« *Si l'ancienne statue de Notre-Dame de recouvrance, apportée de France par les Jésuites arrivés au pays en 1633, subsiste encore – ce dont on peut douter –, elle ne serait autre que la jolie statue du Château de Ramesay; elle est de bois dur, comme le sont toutes les anciennes statues de bois importées de France* » (...) « *La Notre-Dame de Recouvrance du Château de Ramesay n'est probablement pas la vraie Notre-Dame des débuts de Québec, mais une réplique ancienne faite au pays : elle n'a que 19½ pouces de hauteur, au lieu des deux pieds indiqués à l'inventaire de l'église Notre-Dame de Recouvrance en 1640. Elle doit, toutefois ressembler de très près à l'original, dont on conserve encore au pays trois ou quatre autres répliques anciennes...* »

Comme on le voit, les avancés de Barbeau étaient aussi contradictoires que gratuits. En fait, nous sommes vraisemblablement devant une statuette faite en Nouvelle France au XVIIIᵉ siècle. L'oeuvre est finement exécutée, bien qu'un peu schématique dans le traitement des vêtements. Les visages de la Vierge et de l'Enfant s'avèrent particulièrement remarquables, empreints qu'ils sont d'une indicible spiritualité. On notera au passage que la Vierge même présente certaines affinités d'attitude générale avec la statuette de l'Hôtel-Dieu de Québec (cat. 108). Naguère recouverte de deux couches de dorure, la statuette du château de Ramezay a maintenant retrouvé une bonne part de sa polychromie d'origine.   J.R.P.

Bibliographie
BARBEAU, « Notre-Dame de Recouvrance », 1946, p. 11-12, repr. BARBEAU, « Notre-Dame-de-Recouvrance », 1947, p. 41-43, repr. BARBEAU, *Trésor des anciens Jésuites*, 1957, p. 157-158, repr. CARRIER et LEFEBVRE, *Catalogue du Musée du Château de Ramezay*, 1962, p. 115, n° 1466.

Collection
Musée du château Ramezay, Montréal.

Anonyme

115. *Vierge à l'Enfant*, seconde moitié du XVIIIᵉ siècle

Bois doré et polychrome. 67,3 cm.

Le premier livre de comptes (1723 1810) de Saint-Nicolas ne fait pas mention de la *Vierge à l'Enfant* provenant de cette paroisse et qui est en dépôt au Musée du Québec depuis 1974. Le curé Pettigrew fut le premier à en signaler l'existence, dans un mot qu'il adressait en 1957 à Gérard Morisset, directeur de l'Inventaire des oeuvres d'art :

« *Nous avons trouvé dans une de nos « chapelles de procession » une Statue sculptée et dorée, haute de 20 pouces (Vierge et Enfant). Je la crois très ancienne... Viens donc voir... tu seras le bienvenu.* »

Morisset se rendit à l'invitation de son ami et put ainsi découvrir une splendide Vierge à l'Enfant de facture savante. Les formes de la statuette sont pleines et l'ensemble dessine un beau mouvement curviligne aboutissant à l'Enfant Jésus. Celui-ci manifeste sa spontanéité en ouvrant grand les bras, tandis que sa mère a la mine songeuse et empreinte d'humilité. L'oeuvre pourrait aussi bien être française que canadienne.   J.R.P.

Bibliographie
I.B.C.Q., fonds Gérard-Morisset, dossier *église et chapelle de Saint-Nicolas*, lettre du curé Pettigrew à Gérard Morisset, 4 juillet 1957.

Collection
Musée du Québec, Québec, (dépôt de la fabrique Saint-Nicolas) (L-74.1-S).

René Saint-James dit Beauvais (att. à), 1785-1837

116. *Vierge à l'Enfant*, vers 1815

Bois doré. 44,5 cm.

Cette statuette provient de Saint-Philippe de Laprairie, paroisse d'origine du sculpteur auquel elle est attribuée. Entièrement dorée, elle est en bois de tilleul, montée sur une base de pin ornée d'un coeur enflammé. Ce symbole d'amour et de sacrifice explicite sans doute le sens qu'on a voulu donner à la sculpture. Celle-ci est plutôt massive, malgré les multiples plis qui animent sa surface. Le mouvement de Jésus parvient à peine à atténuer l'effet de lourdeur qui se dégage de l'ensemble. De fait, la vitalité de l'Enfant contraste avec l'expression de résignation qu'affiche sa mère.   J.R.P.

Expositions
1952, Québec, Musée du Québec, *Exposition rétrospective de l'art au Canada français*, n° 186. 1953, Joliette. 1958, Paris, Grands Magasins du Louvre, *Exposition de la Province de Québec*. 1959, Vancouver, Vancouver Art Gallery, *Les arts au Canada français*, n° 79. 1959, Québec, café du Parlement, *Art religieux*. 1961, Beauport, Académie Sainte-Marie, *Art religieux*. 1967, Québec, Musée du Québec, *Sculpture traditionnelle du Québec*, n° 80, repr.

Collection
Musée du Québec, Québec, (34.625 S).

Urbain Brien dit Desrochers, vers 1780-1860

117. *Vierge à l'Enfant*, vers 1815

Bois doré, 53,5 cm (avec la base), 47,5 cm (sous la base).

Urbain Brien, dit Desrochers, effectua d'importants travaux dans l'église de Varennes entre les années 1810 et 1819. C'est vraisemblablement au cours de cette période qu'il fut amené à sculpter cette *Vierge à l'Enfant*, qu'on lui a attribuée avec assez de vraisemblance. Cette madone est peut-être l'une des deux Vierges que mentionne l'inventaire de l'église dressé en 1864. Quoi qu'il en soit, il semble que la statuette ait servi aux processions pendant de longues années.

L'oeuvre, qui a été mise en dépôt au Musée du Québec en 1971, présente un curieux alliage de souplesse et de raideur. D'une part, on apprécie le dialogue des regards, les traits mélancoliques de la Vierge et le beau mouvement stylisé de son voile. D'autre part, on s'étonne de la rigidité du bras droit de Marie et du singulier fléchissement de son genou gauche. Cette pose est illogique en ce qu'elle produit un déséquilibre de l'ensemble. En effet, c'est le genou droit de la Vierge qui devrait être plié, puisque c'est du côté opposé qu'elle tient l'Enfant Jésus. Quant à l'attitude de ce dernier, on conviendra qu'elle est fort amusante, le sculpteur ayant campé son petit personnage comme s'il était sagement assis sur une chaise !   J.R.P.

Exposition
1984, Québec, Musée du Québec, *Le Musée du Québec. 500 oeuvres choisies*, n° 126, repr.

Bibliographie
Archives du diocèse de Saint-Jérôme, document n° 6A/310, *Inventaire des ornements, linges, argenteries et meubles de Varennes*, 25 juin 1864. MORISSET, *Les églises et le trésor de Varennes*, 1943, p. 30, fig. XIII.

Collection
Musée du Québec, Québec, (dépôt de la fabrique Sainte-Anne de Varennes) (L-71.3-S).

David-Fleury David, 1793-1841
118. *Vierge à l'Enfant*, vers 1820

Bois doré. 48 cm.

Dans un article paru en 1969, Jean Trudel a démontré qu'il existait des liens stylistiques évidents entre la *Vierge à l'Enfant* du Musée du Québec et celle qui est conservée dans l'église du Sault-au-Récollet. Compte tenu de diverses données documentaires, l'attribution de cette dernière à David-Fleury David est tout à fait justifiée. Il semble d'ailleurs que notre sculpteur ait réalisé une troisième statuette, apparentée aux deux premières, pour l'église de Rivière-des-Prairies. Au dire de Trudel, cette diffusion d'un même modèle constitue une belle illustration de la rivalité qui existait autrefois entre les paroisses en matière d'ornementation des églises.

Autant l'attribution de la statuette du Musée à David est convaincante, autant il est douteux qu'elle provienne de la paroisse Sainte-Geneviève-de-Pierrefonds, puisque, à notre connaissance, le sculpteur n'a jamais travaillé pour cette fabrique. Avant d'être acquise par le Musée du Québec, en 1955, la *Vierge à l'Enfant* avait appartenu au collectionneur Paul Gouin. À son entrée au Musée, elle possédait un revêtement bleu et blanc. Conformément à un usage hélas très répandu à l'époque, on la décapa entièrement pour ensuite la revêtir de feuilles d'or.

J.R.P.

Expositions
1958, Paris, Grands Magasins du Louvre, *Exposition de la Province de Québec*. 1959, Vancouver, Vancouver Art Gallery, *Les arts au Canada français*, n° 18. 1959, Québec, café du Parlement, *Art religieux*. 1961, Beauport, Académie Sainte Marie, *Art religieux*. 1962, Bordeaux, Musée des beaux-arts, *L'art au Canada*, n° 67. 1967, Québec, Musée du Québec, *Sculpture traditionnelle du Québec*, n° 19, repr. 1969, Québec, Musée du Québec, *Profil de la sculpture québécoise*, n° 43, repr. 1982, La Rochelle, Le Musée du Nouveau Monde, *Une autre Amérique*, n° 222, repr. 1983, Québec, Musée du Québec, *Le Musée du Québec. 500 oeuvres choisies*, n° 129, repr.

Bibliographie
Morisset, « Sculpture ancienne du Québec », 1959, p. 257, repr. Trudel, « Un aspect de la sculpture ancienne », 1969, p. 30 et 33, repr.

Collection
Musée du Québec, Québec, (A-55.298-S).

Anonyme

119. *Vierge à l'Enfant,* première moitié du XIXᵉ siècle

Bois doré. 48 cm.

La composition de la *Vierge à l'Enfant* du collè-ge Sainte-Anne de La Pocatière – institution fon-dée en 1827 – autorise un certain rappro-chement avec l'oeuvre de David-Fleury David conservée au Musée du Québec (cat. 118). Les attitudes sont en effet les mêmes et les deux statuettes ont un certain nombre de points en commun. Il existe, toutefois, des différences insignes dans le drapé du manteau de la Vierge et la tenue vestimentaire de l'Enfant. Ceci dit, notre petite *Vierge* s'apparente davantage à une statuette conservée à Saint-Barthélémy, statuette que le père Wilfrid Corbeil attribuait à René Saint-James, dit Beauvais (voir *Trésors des Fa-briques du Diocèse de Joliette,* 1978, p. 51 et 77); (ill. 119a). Il n'est pas exclu que la premiè-re ait été exécutée d'après la seconde, tout comme il est possible que les deux oeuvres remontent à un même prototype non encore identifié. Quoi qu'il en soit, la facture de notre statuette s'avère moins fine, moins savante que celle de la version de Saint-Barthélémy. On y constate une certaine usure stylistique et une nette tendance à la schématisation, notamment dans le rendu des vêtements.

Selon Denis Castonguay, il se pourrait que la statuette ait été installée dès les années 1840 dans la première chapelle du collège de La Pocatière. Chose certaine, elle fut intégrée dans la conception du maître-autel que l'abbé Stanis-las Vallée réalisa en 1869 pour la chapelle construite en 1856 (ill. 89a). La *Vierge à l'En-fant* demeura dans la niche du couronnement de l'imposant tabernacle lorsque celui-ci fut transféré dans la chapelle actuelle après avoir subi quelques modifications. L'installation d'un meuble de marbre, en 1956, devait finalement la faire retirer de la chapelle.

Patronne des études et des vocations, la Vierge Marie fut l'objet d'un culte particulier au collè-ge de Sainte-Anne de La Pocatière. En 1837, on y établit une congrégation de la Sainte Vierge, quatre ans avant l'instauration de la dévotion du Rosaire vivant et huit ans avant la création d'une archiconfrérie du Saint-Coeur de Marie. Dès lors, on comprend qu'un emplacement privilé-gié ait été réservé pendant près d'un siècle à notre *Vierge à l'Enfant* dans la chapelle de l'institution.   J.R.P.

Collection
Musée François-Pilote, Sainte-Anne de La Pocatière.

Amable Gauthier, 1791-1876
120. *Vierge à l'Enfant*, vers 1845

Bois doré, 33 cm.

Au moment de son acquisition par le Musée du Québec, cette *Vierge à l'Enfant* était attribuée à François Baillairgé et elle l'est curieusement demeurée depuis lors. Il s'agit pourtant d'une oeuvre qui relève d'un art populaire vigoureux et qui, de ce fait, n'a pas grand-chose à voir avec les réalisations sophistiquées d'un Baillairgé. En réalité, nous sommes devant une madone faite vers 1845 par le sculpteur Amable Gauthier pour l'église de Saint-Isidore de Laprairie, une madone que Morisset décrivait en ces termes : « Brave villageoise toute joyeuse de porter son fils, ce Jésus solidement bâti qui ressemble à sa mère ». Ce bref commentaire nous paraît tout à fait pertinent, dans la mesure où la Vierge du Musée du Québec possède la forte saveur des oeuvres issues du terroir. Elle a d'ailleurs un caractère à ce point familier qu'on se croirait presque devant une représentation profane.
J.R.P.

Bibliographie
MORISSET, « Madones canadiennes d'autrefois », 1950, p. 35 et 37, repr. MORISSET, « Madones canadiennes », 1971, p. 15-16, repr.

Collection
Musée du Québec, Québec, (A-70.13-S).

Ill. 119a René Saint-James dit Beauvais (1785-1837) att. à ; *Vierge à l'Enfant*, bois doré ; église de Saint-Barthélemy (Maskinongé)
(Photo I.B.C.Q., nég. 77.062 (45)).

Léandre Parent, 1809-1889

121. *La Vierge et l'Enfant Jésus*
    ou *Notre-Dame*
    du Sacré-Coeur, 1873

Chêne verni, 51,2 cm.

Inscription

(sur un papier collé sous la base) : « Cette statue a été donnée par Mr Louis Falardeau, notre fondateur ; elle a été bénite par Mᵍʳ. l'Achevêque de Québec, Elzéar Alexandre Taschereau, au choeur le jour de l'installation des Hospitalières de l'hopital 8 septembre 1873 ».

Cette statuette est l'oeuvre de Léandre Parent, un sculpteur qui, en 1873, habitait le faubourg Saint-Jean-Baptiste, à Québec. Elle fut donnée le 6 septembre de cette année-là aux religieuses de l'Hôtel-Dieu du Sacré-Coeur par leur fondateur, le notaire Louis Falardeau. Sa dénomination correspondant au vocable de la nouvelle institution, on comprend qu'elle ait été au coeur des cérémonies d'inauguration qui se déroulèrent deux jours plus tard.

Le 28 avril 1871, le notaire Falardeau avait déjà fait don d'une première statue de Notre-Dame du Sacré-Coeur destinée aux processions dans les salles du futur hôpital. Il s'agissait d'une « statue en plâtre et peinte avec goût ». C'est peut-être d'après ce modèle que Parent exécuta en 1873 sa statuette de chêne. En tout cas, on ne peut douter qu'il se soit inspiré d'un plâtre identique à celui que conserve aujourd'hui l'Hôpital général de Québec (S-106) (ill. 121a). Polychrome, ce dernier porte la marque de fabrique de la maison Carlo Catelli (1817-1906), fondée à Montréal en 1850. À comparer les deux oeuvres, on constate que le sculpteur sur bois s'est montré rigoureusement fidèle à son modèle obligé.

L'iconographie de la statuette de Parent reflète bien l'évolution des dévotions religieuses au Québec dans la seconde moitié du XIXᵉ siècle. À l'époque, les fidèles catholiques avaient une prédilection toute particulière aussi bien pour l'Immaculée-Conception (ou la Vierge de Lourdes) que pour le Sacré-Coeur. C'est ainsi que, par la voie d'une singulière contamination iconographique, nous nous retrouvons face à une « Vierge à l'Enfant » intégrant une Immaculée-Conception et un petit Sacré-Coeur de Jésus. Ce nouveau type de représentation devait connaître une large diffusion par le biais de petites images dévotes et de chromolithographies. On nous a même signalé une version brodée conservée chez les pères missionnaires du Sacré-Coeur de la rue Sainte-Ursule, à Québec.   J.R.P.

Bibliographie

A.M.H.D.S.C.Q., *Notes de Mère Sainte-Anastasie sur l'origine de la fondation*, f. 13 (28 avril 1871) ; *Liste du produit de différentes loteries et de divers dons pour la fondation de l'hôpital du Sacré-Coeur de Jésus selon le registre des dons et aumônes de l'Hôpital Général 1871-1872-1873*, 6 septembre 1873. A.M.H.G.Q., *Lettres de l'Hôtel-Dieu du Sacré-Coeur de Jésus, Québec (1871-1943)*, nᵒ 6 (dons en faveur de l'hôpital du Sacré-Coeur, du 3 janvier 1872 au 7 septembre 1873).

Collection

Monastère des augustines de l'Hôtel-Dieu du Sacré-Coeur, Québec.

Henri Angers, 1870-1963

122. *Vierge à l'enfant* dite *Notre-Dame de Protection*, 1947

Ill. 121a   Maison Carlo Catelli (1817-1906), *Notre-Dame du Sacré-Coeur*; plâtre polychrome, 84,5 cm; Monastère des augustines de l'Hôpital général de Québec (S-100) (Photo John R. Porter).

Bois verni. 61,9 cm. (sans le socle).

Inscriptions

(sur la base, au dos): « H. Angers/1947, (sur le socle rivé à la statue): « Notre-Dame de Protection ».

Nous avons déjà fait état des divers moyens qui furent mis en branle, à compter de la fin du XIXᵉ siècle, pour diffuser l'image de la *Notre-Dame de Protection* de l'Hôpital général de Québec. C'est l'exceptionnel essor de la dévotion à cette Vierge à l'Enfant du XVIIᵉ siècle qui devait amener Henri Angers à en exécuter quelques répliques, dont celle qui nous occupe ici. Un extrait substantiel du *Journal* de l'Hôpital général nous renseigne sur la contribution du sculpteur et sur les circonstances qui entourèrent son travail:

« *Au mois d'octobre 1945, Mademoiselle Pauline St-Louis nous fit don d'un moule pour statues de N.-D. de Protection. Elle le paya 26.00 $; il fut fait à Montréal par Monsieur Petrucci. Notre Soeur Marie de la Protection a coulé cinquante statues avec ce moule. Monsieur Enrico, représentant à Québec de Monsieur Petrucci, lui montra à mouler. En juin 1946, le même nous fit un second moule de gélatine pour remplacer le premier devenu inutilisable. Tout fut fait gratuitement de sa part. En reconnaissance, la Communauté lui offrit une statue de N.-D. de Protection (valeur de 5.00 $) et un enfant Jésus en cire estimé à 7.00 $. Avec le nouveau moule, il n'a été coulé que vingt-six statues; à cause de la saison d'été, il brûla plus vite.* »

« *En 1946, Monsieur Henri Angers nous fit une petite statue de bois pour nous permettre de faire des moules sur cette forme; elle mesure neuf pouces, et nous coûta 27.50 $. Nous ferons des moules « à bon creux » et non en colle; cela durera indéfiniment. Cette année même, Monsieur Angers a fait une statue en bois de Notre-Dame de Protection mesurant deux pieds sans piédestal et trois pieds avec le sous-pied, également pour faire un moule. Cela nous a coûté 65.00 $. En ces derniers mois, le même sculpteur a fait une statue de notre Madone de six pieds et deux pouces. Il a demandé 150.00 $ pour ce travail. Monsieur William de Beaurivage, frère de notre Soeur Marie de la Protection s'est chargé de nous procurer le pin exigé pour ce travail. Cet arbre mesurait deux pieds et quart de diamètre. Tous ceux qui contribuèrent à nous en mettre en possession le firent gratuitement. « Cette statue a été peinte par notre Soeur Marie de la Protection pour imiter autant que possible notre petite statue originale.* »

Les religieuses de l'Hôpital général conservent toujours la grande statue de Notre-Dame de Protection ainsi que la version mesurant deux pieds. Dans l'un et l'autre cas, la Vierge et l'Enfant sont couronnés, puisqu'au moment où Angers s'exécuta les têtes des personnages de la figurine lui servant de prototype étaient parées de couronnes rapportées. Pendant l'année mariale 1954, la plus petite des deux oeuvres fut vénérée dans plusieurs paroisses du diocèse au cours de deux tournées. Aujourd'hui, c'est cette oeuvre qui accueille le visiteur au monastère des augustines du boulevard Langelier.   J.R.P.

Bibliographie

A.M.H.G.Q., *Actes des discrètes*, tome II (1941-1961), f. 45-46 (29 novembre 1946); *Journal 1944-1950*, f. 299 (10 juin 1947); *Journal 1951-1955*, f. 342 (25 avril 1954) et 384-385 (6 septembre 1954). « Notre-Dame-de-Protection, statue en vénération au monastère de Notre-Dame des anges, Hôpital-Général de Québec », 1955-1956, p. 133

Collection

Monastère des augustines de l'Hôpital général, Québec, (S-76).

CHAPITRE HUITIÈME
LES ESTAMPES DES URSULINES DE QUÉBEC

Qu'elle soit gravée sur le bois ou le métal, ou dessinée sur la pierre, l'estampe peut être multipliée à plusieurs centaines d'exemplaires et son coût est alors minime. Étant donné qu'elle est imprimée sur du papier, elle prend peu de place, ce qui en facilite le transport et la conservation. Toutes ces qualités rendent essentielle l'étude des gravures importées ou imprimées localement, la connaissance de leur diffusion et de leurs usages au sein de la communauté religieuse et civile du Québec, comme le révèle l'examen des exemplaires généreusement prêtés par les ursulines de Québec. L'on s'aperçoit que l'origine de l'estampe est reliée autant à la présence de l'Église catholique qu'à celle du pouvoir politique et militaire. En effet, les membres du clergé comptaient parmi les plus fréquents importateurs et utilisateurs d'estampes jusqu'au XXᵉ siècle. À cette production d'origine européenne, s'ajoutaient les vues d'édifices et les portraits de religieux gravés au Québec.

La gravure d'interprétation ou de reproduction[1] – et c'est surtout de celle-là dont il s'agit ici, car il y a peu de gravures originales dans les collections religieuses québécoises – permet d'avoir accès aux oeuvres d'artistes de qualité, anciens ou contemporains. Elle a eu plusieurs fonctions où les aspects utilitaire, documentaire et esthétique sont reliés.

L'estampe a appuyé l'oeuvre des missionnaires, servi à décorer les édifices religieux, stimulé les dévotions collectives ou encouragé les dévotions privées[2] et, ainsi, elle a aidé à l'édification personnelle. Les images sont des récompenses que l'on offre, des souvenirs que l'on conserve. Parce qu'on peut les accumuler sans trop d'encombrement, on les collectionne, on les admire pour leur intérêt documentaire autant que pour la qualité de leur impression[3], c'est pour cette dernière raison qu'on fit des galeries[4] ou des albums factices, si populaires au XIXᵉ siècle.

Le traitement des gravures et le rendu de certaines scènes étaient souvent tellement convaincants que les peintres, à leur tour, allaient refaire le chemin inverse et copier la gravure pour en faire un tableau.

---

1. L'étude la plus complète (avec lexique et bibliographie) parue récemment est due à Michel Melot, Anthony Griffiths, Richard S. Field et André Béguin, *Histoire d'un art, l'estampe*, Genève, Skira, 1981, 287 p.

2. Dans les textes anciens, les gravures sont souvent associées aux chapelets et aux médailles ; ce sont alors de « petites images » dont Pierre Lessard a décrit les divers types dans *Les petites images dévotes. Leur utilisation traditionnelle au Québec*, Québec, Presses de l'université Laval, 1981, p. 10-24.

3. L'abbé Philippe Jean-Louis Desjardins, récemment arrivé à Québec, écrit à son frère Louis-Joseph, qui habite Londres, le 20 octobre 1793 :

   « *Rappelle à Madame Gautherot ... une demande que je lui ai faite et la promesse qu'elle voulut bien me faire de me procurer une petite collection, mais choisie, des oeuvres de M. Bartolozzi. M. Violet, s'il est à Londres, aura, je pense, bien des facilités pour me rendre ce service, d'autant plus qu'il est l'ami de Bartolozzi et que ses portraits ont été gravés par ce grand maître. Il ne faut rien de plus pour leur éloge. Je ne vise pas précisément au nombre, mais au mérite des pièces et à celui des épreuves. J'ai vu de petits sujets, des bacchanales, des allégories etc... traitées à ravir par le prince des graveurs de notre temps.* »

   (Archives Jacqueline Lefebvre, Viroflay).

4. Denis Martin, dans son mémoire de maîtrise *Les collections de gravures du séminaire de Québec (Histoire et destins culturels)*, université Laval, 1980, p. 136 et sv., montre même comment la constitution d'une galerie de gravures historiques, en 1908, au séminaire de Québec, avait appuyé le sentiment nationaliste porté à son paroxysme lors des fêtes marquant le tricentenaire de la fondation de Québec et le bicentenaire de la mort de Mᵍʳ de Laval.

La richesse et la variété des collections proviennent du fait que les gravures religieuses arrivèrent continuellement et de plusieurs sources : elles furent envoyées par des correspondants, rapportées par des voyageurs, importées par des marchands ou encore fournies pour illustrer des ouvrages dont elles furent parfois détachées. Malheureusement, aucune des nombreuses collections accumulées et qui sont conservées dans les établissements et les communautés religieuses n'a encore fait l'objet d'un examen systématique[5], ce qui rend toute conclusion impossible et nous amène à ne soulever ici, à l'aide de quelques exemples, que des questions traitant de l'importation, de la production et de l'utilisation des gravures dans le milieu catholique québécois, et ce dès les débuts.

François-Marc Gagnon[6] a très bien démontré comment les jésuites ont utilisé, dès les années 1630-1640, les images gravées à des fins de conversion. « Ces saintes figures sont la moitié de l'instruction qu'on peu donner aux Sauvages, »[7] écrivait le père Le Jeune, s.j., dans sa relation de 1636-1637. La force de conviction de l'image jointe à la parole avait conduit les missionnaires à une utilisation très subtile de la gravure. Le message chrétien et son support visuel exigeaient que les prédicateurs épuisent toutes les ressources de l'image. Le père Garnier, s.j., dans une lettre datée aux environs de 1645[8], démontre qu'il avait une grande familiarité avec le monde de la gravure, des graveurs et de leurs ressources. Non seulement le père Garnier précise-t-il les sujets iconographiques à représenter (thèmes eschatologiques, Passion du Christ, Vierge), la manière de les traiter (frontalité et grande lisibilité du sujet, pas d'ombre, système pileux réduit, pas d'auréole, etc.), mais encore il indique les formats et le nom des éditeurs ou des graveurs (Grégoire Huret, Polzman et Mariette) susceptibles de lui fournir satisfaction.

À cause du lieu d'utilisation de ces gravures, le problème de leur identification reste entier, de même que celui qui consiste à retracer les oeuvres importées par les colons sous le régime français. Les inventaires de biens meubles tenus régulièrement par les communautés religieuses, tout comme les inventaires après décès fournissent des indications sur des oeuvres dont le temps ou les incendies nous ont souvent ravi la trace. L'inventaire de l'église Saint-Pierre, Ile d'Orléans, en 1709, est éloquent et frustrant à souhait. Devant l'incapacité de le reproduire ici en entier, la citation des passages concernant la gravure s'avérera révélatrice. Sur

plus de 120 tableaux, gravures, reliquaires, 91 sont des oeuvres sur papier, encadrées ou non, de formats différents :

« (...)

15. *Dix sept petits cadres dorés de demy pied environ de haut, avec des glaces de verre, scavoir contenant les images, de l'enfant Jésus couché sur une croix, de st Pierre, de st André, De st Augustin, de St françois de Sales, de st Francois de paule, de st louis, de st michel, de ste magdelaine, ... de st Jean baptiste, de Jesus dormant, et de six sentences...*

16. *Sept petits cadres de bois decedre avec des glaces de verre a peu pres de mesme. scavoir. trois crucifix de papier, deux images de velain, et deux sentences.*

« ... »

19. *Douze images enluminées qui representent l'etat d'un homme en etat de grace, ou de peché mortel sa fin heureuse et malheureuse, dans des cadres noirs; de deux pieds de haut environ...*

20. *Douze images enluminees representant l'etat d'une femme qui est en grace ou en peché mortel et sa fin heureuse ou malheureuse sans cadres ...*

21. *Vingt deux grandes images de papier dont dix huit ont des cadres noirs. scavoir 1 un grand crucifix de 5 pieds environ de haut. 2 une ste famille. 3 le mariage de la ste vierge avec st Joseph... 4 l'annonciation, 5 la nativité, 6 l'assomption, 7. le Rosaire, 8. le scapulaire 9. st Pierre, 10 st Paul. 11 le st Sacrement. 12 l'ange gardien, 13 la bonne mort, 14 le triomphe de la grace. 15 la famille de st Joachim, 16. st francois d'assise; 17 st ignace de loyola, 18. ste Therese. 19. l'enfant Jesus. 20. une vierge tenant l'enfant Jesus qui tient une couronne d'épines a la main. 21, un ecce homo. 22. un st Joseph.*

22. *quatre petites images de papier qui sont au costé du tabernacle. 1. St Jean Baptiste. 2. l'ange-gardien, 3. un ecce homo. 4. le portrait de la ste vierge, tire sur celuy de st luc qui est a rome..*

23. *seize petites images qui sont dans des cadres faicts en maniere de petits reliquaires ou agnus, qui servent a mettre dedans et autour de l'armoire qui sert de niche a la Ste vierge dorée des congreganistes...*

24. *une image fort petite de la ste vierge qui est miraculeuse. dans un cadre doré. numéro 14*

(...)[9]. »

5. Ces collections de gravures forment la partie la plus négligée du patrimoine religieux des communautés et des établissements religieux. En règle générale, elles sont mal conservées et non inventoriées. La tâche s'avère considérable dans plusieurs cas. Au séminaire de Québec, on a dénombré 26 577 images, en 1967. Des répertoires sommaires dressés chez les ursulines de Québec (421 estampes), à l'Hôtel-Dieu de Québec, chez les sulpiciens et les soeurs grises de Montréal ne donnent qu'une bien petite idée des ensembles de gravures qui existent dans les autres communautés religieuses et dans les maisons d'enseignement.

6. François-Marc Gagnon *La conversion par l'image*, Montréal, Bellarmin, 1975, 141 p.

7. *Idem*, p. 99.

8. *Idem*, p. 42-44.

9. Archives paroissiales de Saint-Pierre (I. O.), *Registre 1 (1680-1789)*, « Inventaire de 1709, Section ... tableaux, Reliquaires, Images », folio 21. La transcription de ce document m'a été fournie par John R. Porter et je tiens à le remercier.

La profusion des images, la prolifération des sujets et leur répétition créent une confusion dans ce qui devait être un intérieur d'église bien tapissé. Plusieurs saints sont représentés plus de deux fois (ex. Marie, la sainte Famille, saint Pierre, saint Jean-Baptiste, l'ange gardien). On note également une prédilection pour les thèmes eschatologiques (nos 19 et 20): Jésus méditant sur les instruments de la passion et le crucifix (4 fois). Les saints du paradis y sont réunis en grand nombre y compris les apôtres, les fondateurs d'ordres, les docteurs de l'Église.

Une telle richesse de gravures contenues dans une même église, même si elle n'est pas courante, est significative du nombre imposant d'oeuvres religieuses qui furent importées dans la colonie française, et ce non seulement par le clergé. Des marchands, tel Jacques LeBer, importent des oeuvres de divers formats dès la fin du XVIIe siècle[10]. Un relevé de la décoration des intérieurs montréalais entre 1740 et 1760[11], démontre que, même si l'interprétation de ces textes sybillins reste encore à faire, sur 165 oeuvres dont les sujets sont connus le tiers sont à contenu religieux et une très grande partie sont des oeuvres sur papier[12].

Au fur et à mesure que la clientèle locale va augmenter, ses besoins se préciseront. À ce sujet, l'approvisionnement présente une difficulté constante pour la colonie, sise de ce côté-ci de l'Atlantique, qui doit se satisfaire de ce qu'on lui envoie: des oeuvres conçues et réalisées en Europe. Les jésuites, comme nous l'avons vu, puis les sulpiciens tenteront de trouver des solutions pour répondre à leurs besoins tout en réduisant les coûts. Ainsi, ces derniers commanderont des planches et tenteront même de faire venir une presse. « Je vous fais graver les trois planches que vous désirés, j'y en ajouterai même une 4e de la même grandeur qui représentera d'une manière très devote, la Ste Famille », écrit monsieur Roques, p.s.s., à monsieur Le Saulnier, supérieur du séminaire de Montréal, le 22 juillet 1798[13]. Un crucifix, une Vierge et un Saint-Joseph, des images de la première communion, d'autre images des saints Louis de Gonzague, Stanilas de Kotska et du Salvator Mundi sont également mentionnés parmi les planches gravées et imprimées en Angleterre pour les sulpiciens[14].

Il est impossible, dans l'état actuel de la recherche, de savoir si les sulpiciens de Montréal réussirent à acquérir une presse, au début du XIXe siècle[15], mais des imprimeurs et des graveurs sont actifs à Montréal, dès la fin du XVIIIe siècle[16], et ils répondent partiellement aux demandes locales pour des gravures et des images.

La multiplication des presses, au début du XIXe siècle, et l'apport de la lithographie, à partir des années 1830[17], vont contribuer au changement d'attitude des graveurs qui, profitant d'une certaine actualité, vont solliciter le marché plutôt que de l'attendre d'une façon passive. L'érection de nouveaux édifices religieux, le sacre des évêques, de grands événements, telle la venue de Mgr Forbin-Janson, vont donner cours à l'édition de vues et de portraits, gravés à Montréal ou aux États-Unis[18] où existent d'excellents imprimeurs. Ainsi, l'iconographie des personnages illustres de l'Eglise canadienne, qui avaient d'abord été traitée par des graveurs français, sera prise en charge par les éditeurs et les graveurs locaux[18] au XIXe siècle. Les portraits, tels que ceux de Mgr de Laval, de Marie de l'Incarnation, du père Le Jeune, de Jean-Jacques Olier, du père Casot, furent gravés en Europe et connurent une grande diffusion jusque dans la deuxième moitié du XIXe siècle. C'est à ce moment que, dans la foulée de l'écriture de l'histoire du Canada français, l'on eût besoin de ces visages et de ceux de leurs contemporains que l'on copia et créa selon les besoins[19].

Le phénomène de la copie, par des peintres, d'oeuvres, célèbres ou non, connues par la gravure, est encore plus important. Le dessin à partir de gravures était une technique d'enseignement courante dans les académies, les écoles privées ou dans les ateliers. Pour plusieurs artistes autodidactes, ou qui avaient été formés à une époque où l'enseignement des arts était assez rudimentaire au Québec et

10. Cité par Nicole Cloutier, « Pierre Leber », dans François-Marc Gagnon, Nicole Cloutier, *Premiers peintres de la Nouvelle France*, tome I, Québec, Ministère des Affaires culturelles, 1976, p. 136. Les annonces de journaux indiquent les marchands pour le XIXe siècle.

11. Luce Vermette, « Le décor mural dans les intérieurs montréalais entre 1740 et 1760 », dans *La vie quotidienne au Québec. Mélanges à la mémoire de Robert-Lionel Séguin*, Québec, Presses de l'université du Québec, 1983, p. 233-245.

12. *Idem*, p. 238-241.

13. Bibliothèque Saint-Sulpice, Paris, fonds Canada, Saint-Sulpice, Bourret, no 55.38, p. 1.

14. Bibliothèque Saint-Sulpice, Paris, fonds Canada, Saint-Sulpice, Bourret, no 55.39, 5 septembre 1799; 55.32, 1 août 1805; 53.30, 9 avril 1806. Ces envois ne donnent qu'une indication des milliers de gravures et de petites images que les sulpiciens reçurent d'Angleterre au cours de ces années. L'abbé Louis-Joseph Desjardins ayant eu vent de cette pratique écrit à M. Le Saulnier p. s. s.; « J'enverrai un bon modèle, à M.r Bourret, de S.t francs xavier prêchant le crucifix à la main, pour en avoir une planche. » (Bibliothèque Saint-Sulpice, Paris, fonds Canada, Saint-Sulpice, dossier 112, 21 novembre 1803).

15. La lettre de M. Bourret à Le Saulnier du 6 avril 1805 mentionne l'envoi d'encre d'imprimerie noire et rouge et indique les différents prix d'une presse. (Bibliothèque Saint-Sulpice, Bourret, 55.28, p. 4).

16. Voir le mémoire de maîtrise de Louise Dusseault-Letocha, « *Les origines de l'art de l'estampe au Québec* », université de Montréal, 1976, qui traite des illustrations parues dans les journaux, les almanachs et dans les livres publiés au Québec à la fin du XVIIIe siècle. L'ouvrage met en évidence le rôle des Mesplets, J. G. Hochstetter, Michel Létourneau et donne les renseignements sur l'impression de plusieurs oeuvres à sujets religieux.

17. L'ouvrage de Mary Allodi, *Les débuts de l'estampe imprimée au Canada Vues et portraits*, Toronto, Royal Ontario Museum, 1980, 244 p. relate le développement de l'édition de gravures au Canada, de 1780 à 1850. Une place importante est faite aux graveurs et aux éditeurs actifs dans le Bas-Canada.

18. Plusieurs exemples sont reproduits dans l'ouvrage de M. Allodi., *op. cit.* Ex.: *Portrait de l'abbé Hubert*, 1792, p. 14; *Portrait de Mgr Panet*, 1833, p. 102; *Portrait de Mgr Forbin-Janson*, 1840, p. 140; *Mort de saint François-Xavier*, 1833, p. 90; *Saint Roch*, 1833, p. 100; *Vues de Notre-Dame de Montréal*, 1829, p. 62; 1830, p. 66; 1834, p. 126; 1841, p. 148; 1847, p. 214; *Vues du monument national érigé sur le mont Saint-Hilaire*, 1841, p. 150-152. Voir aussi cat. 156 et 157. Cela ne signifie pas pour autant que le nombre d'oeuvres importées va diminuer: il suffit de se rappeler l'estimation fait par John R. Porter, basée sur des dépouillements de journaux entre 1816 et 1855, et qui indique que plus de 18 000 gravures importées sont alors mises en vente à Québec. John R. Porter, *Un peintre et collectionneur québécois engagé dans son milieu: Joseph Légaré (1795-1855)*, thèse de doctorat, département d'histoire, université de Montréal, 1981, p. 382.

19. La lithographie, faite par Gerome Fassio en 1844, du portrait gravé de Mgr de Laval, dû à Claude Duflos (Allodi, 1980, p. 186) au XVIIe siècle, est l'un des premiers exemples de ces copies de gravure.

s'attachait surtout à la technique, les gravures fournissaient une banque de sujets et de modèles extrêmement précieuse[20]. Les artistes suivants: Louis-Augustin Wolf (connu à partir de 1765) (cat. 129), l'abbé Jean-A. Aide-Créquy (1749-1780), François Beaucourt (1740-1794), François Baillairgé (1759-1830), Jean-Baptiste Roy-Audy (1778-v.1848), Joseph Légaré (1795-1855), Antoine Plamondon (1804-1895), Charles Huot (1855-1930), Ozias Leduc (1864-1955)[21], pour n'en nommer que quelques-uns, sont redevables à la gravure (puis à la reproduction) puisque celle-ci a été la source de leur production d'oeuvres religieuses. La plupart d'entre eux collectionnèrent avidement les estampes et les reproductions. Joseph Légaré accumula un grand nombre de recueils, de suites et de planches séparées qui constitua, avec sa collection de tableaux, le noyau initial autour duquel fut créé un musée d'art à l'université Laval, en 1874[22]. Il est alors intéressant d'analyser comment le « copiste » interprète la couleur, le format et l'espace dans sa traduction picturale de l'estampe. Chez Légaré, Plamondon et Huot, on assiste à des sortes de collages où le tableau est constitué de diverses sources qui lui permettent ainsi de composer une oeuvre originale.

Certains sujets furent multipliés à satiété, comme *La mort de Saint-François-Xavier*, (cat. 153). Les oeuvres de Raphaël et de Guido Reni, par exemple, ont été pillées par le biais des nombreuses versions gravées de leurs tableaux. Des traductions des grandes oeuvres classiques trouvèrent place dans la décoration religieuse par le moyen de la feuille imprimée retransposée sur une toile (cat. 150).

C'est véritablement au milieu du XIXe siècle que des membres du clergé et des maisons d'enseignement commencent à collectionner plus systématiquement les gravures. Denis Martin signale les conséquences du renforcement des structures religieuses au Québec à une époque où « l'acquisition d'oeuvres d'art devient caractéristique à la fois de la situation sociale du clergé et du rôle de diffuseur et de conservateur officiel de la culture qu'il entend jouer[23]. » À côté de l'artiste-collectionneur, prennent place des amateurs qui privilégieront l'estampe. Georges-Barthélémy Faribault (1789-1866), l'abbé Hospice-Anthelme Verreaut (1828-1901), Philéas Gagnon (1854-1915), le chanoine Henri-Arthur Scott (1858-1931)[24] introduisirent dans leur collection des oeuvres à sujets historiques, géographiques et religieux. Des collectionneurs de moindre envergure colligeaient dans des « Albums » des portraits, des vues, des planches d'intérêt scientifique et des scènes religieuses[25].

Le développement de l'édition de périodiques et de livres illustrés au Canada aurait dû entraîner l'expansion du métier de graveur, à partir des années 1870, même si les procédés photo-mécaniques rendirent vite périmée cette activité commerciale[26]. Les maisons d'édition empruntaient fréquemment les plaques à des firmes américaines et européennes et les besoins limités du marché local n'encouragèrent que faiblement le développement de la gravure originale[27].

Peu d'artistes ont consacré leur oeuvre à une thématique d'inspiration religieuse[28]. Rodolphe Duguay (1891-1973), à côté de ses paysages à l'huile de la région de Nicolet, a traité, à partir de 1925, sur de grands bois qu'il a gravés, des sujets nourris par les textes de saint François[29]. Ces bois ont été réunis en albums ou servirent à illustrer des poèmes de Jeanne L'Archevêque-Duguay. Le chanoine Albert Tessier de Trois-Rivières fut l'un de ses ardents collectionneurs et cette région met aujourd'hui son oeuvre bien en valeur.

20. De François Baillairgé à Paul-Émile Borduas, de nombreux exemples nous sont conservés.

21. Voir les textes suivants: John R. Porter, « L'abbé Jean-Antoine Aide-Créquy (1749-1780) et l'essor de la peinture religieuse après la Conquête », *Annales d'histoire de l'art canadien*, vol. VII, n° 1, 1983, p. 55-72; Madeleine Major-Frégeau, *La vie et l'oeuvre de François Malpart de Beaucourt (1740-1794)*, Québec, Ministère des Affaires culturelles, 1979; Musée du Québec, *François Baillairgé et son oeuvre (1759-1830)*, (cat. d'expos.), Québec, 1975; Michel Cauchon; *Jean Baptiste Roy-Audy, 1778 -c. 1848*, Québec, Ministère des Affaires culturelles, 1971; John R. Porter, *Joseph Légaré (1795-1855) L'oeuvre* (cat d'expos.), Ottawa, Galerie nationale du Canada, 1978; Yves Lacasse, *Antoine Plamondon, Le chemin de croix de l'église Notre-Dame de Montréal*, (cat. d'expos.), Montréal, Musée des beaux-arts de Montréal, 1983; Jean-René Ostiguy, *Charles Huot 1855-1930*, Ottawa, Galerie nationale du Canada, 1979; Sylvain Allaire, « Les tableaux de Charles Huot à l'église Saint-Sauveur », *Bulletin annuel 2*, Ottawa, Galerie nationale du Canada, p. 16-30; Jean-René Ostiguy, *Ozias Leduc Peinture symbolique et religieuse*, Ottawa, Galerie nationale du Canada, 1974.

La gravure servit également de modèle pour les sculpteurs québécois au XIXe siècle qui s'inspiraient des livres d'ornements et même de compositions gravées (cat. 209). Selon Mario Béland, le statuaire Louis Jobin (1845-1928), par exemple, possédait des catalogues illustrés de manufactures étrangères d'art religieux, des images pieuses, des illustrations tirées de biographies des saints, etc., dont il se servait pour exécuter ses personnages sculptés.

22. Denis Martin, *op. cit.*, 1980, p. 93-104.

23. *Idem*, p. 57.

24. *Idem*, p. 104 et sv.

25. À côté des Albums constitués d'oeuvres originales, comme l'album Viger (Bibliothèque municipale de Montréal), ou des albums de sujets traités en miniature, on retrouve, dans les maisons d'enseignement, des recueils factices constitués de gravures et d'illustrations tirées des journaux.

26. Les membres du clergé occupèrent une place importante parmi les écrivains actifs au Québec, au début du XXe siècle. Plusieurs romans et essais furent ornés d'illustrations originales, dessins reproduits photomécaniquement. Citons quelques exemples: Lionel Groulx, *Les Rapaillages*, Montréal, Bibliothèque de l'Action française, 1916; pour la réédition de 1919, Joseph-Charles Franchère exécuta une suite de 12 dessins. Monsieur Arthur Guindon, p. s. s., illustra ses contes et récits historiques de ses propres huiles et fusains (*En mocassins*, 1920; *Aux temps héroïques*, 1922; *Les trois combats du Long-Sault*, 1923). Ozias Leduc exécuta de grands fusains pour illustrer la réédition de *La campagne canadienne* d'Adélard Dugré, s. j., 1927. *Un frère mariste chez les sauvages*, 1931, fut orné des dessins de Jean Paul Lemieux. La Société Saint-Jean-Baptiste à partir de 1916 édita les résultats de concours littéraires à thème nationaliste et religieux: 1916, *La croix de chemin*, illustrée par Jean-Baptiste Lagacé; 1917, *La Corvée*; 1918, *Fleur de lys*; 1919, *Au pays de l'érable*; ces trois dernier ont été illustrés par plusieurs artistes.

27. La consultation de l'*Opinion publique* ou du *Canadian Illustrated News*, publié par Desbarats à partir des années 1870, démontre l'utilisation de grandes plaques reproduisant des tableaux français et italiens. L'album-souvenir publié par Desbarats pour la cathédrale de Montréal, en 1891, contenait des reproductions fournies par le magazine français l'*Illustration*, alors que la couverture avait été confiée au peintre François-X. E. Meloche (*Paris-Canada*, 9e année, n° 21, 7 nov. 1891, p. 2).

28. Les tentatives du peintre et lithographe Robert J. Winckenden de s'imposer dans ce domaine avec les portraits du cardinal Taschereau et de Mgr Bégin furent mal accueillies à Québec, en 1898. Voir Denis Martin, *op. cit.*, 1980, p. 55-56. Les portraits lithographiés de Adolphe Rho (1839-1905) le sont à partir d'huiles ou de dessins. Voir le catalogue dressé par Louis Fréchette dans *Les cahiers nicolétains*, vol. 6, n° 1, mars 1984.

29. Jean-René Ostiguy, « Quarante gravures de Rodolphe Duguay », *Journal*, n° 6, Ottawa, Galerie nationale du Canada, 1975.

Les forces créatrices et les intérêts de la communauté religieuse sont actuellement davantage confondus dans un fait social qui rend difficile l'identification d'une inspiration religieuse ayant une origine proprement catholique. Si certains graveurs sont sensibles au message chrétien, tels que Marie-Anastasie et André Bergeron, leur langage permet une lecture plurielle et une interprétation qui peut être autre que religieuse.

Le rôle traditionnel et majeur de l'estampe à grand tirage était de servir à des fins de documentation et de propagande. De nouveaux moyens de communication et les progrès de la technique ont ramené le champ de la gravure à celui de l'édition originale où la forme prime sur le contenu, évoqué plutôt que clairement énoncé. Cette transformation, cependant, laisse derrière elle trois siècles d'oeuvres importées ou fabriquées au Québec qu'il est nécessaire de se rapproprier parce qu'en tant que production à grande diffusion elle nous permettra de comprendre davantage les sources et les dimensions de notre culture visuelle.

Laurier Lacroix

A. d'Angely,
actif en France au XIXᵉ siècle

123. *La vraie vigne chrétienne,* vers 1843

Pointe sèche et aquatinte. 84 × 60,5 cm.

Inscriptions

(sous le trait carré, à gauche): « A. d'Angely inv./La vraie vigne chrétienne dédié à monsieur l'abbé Bautain, Chevalier de la légion d'Honneur,/Docteur en théologie, en médecine et ès lettres,/Supérieur du Collège de Juilly(?) par Vᵛᵉ Turgis, Éditeur, Rue St-Jacques, nº 16 à Paris »

(en bas, à droite): « Chez (?) vanzo Frères à Toulouse et Casse Frères, à Sᵗ Gaudens. »
(Le texte principal est repris en espagnol à droite)
(en haut): « médaille décernée à l'Auteur – en témoignage d'approbation/par Sa Sainteté – Grégoire XVI. »

L'auteur a utilisé la formule du tableau synoptique pour symboliser, par une allégorie viticole, l'histoire de la chrétienté. Les noms des papes figurent sur le tronc de la vigne et celle-ci a la croix comme tuteur. Les sarments et les feuilles représentent les villes, les provinces, les événements et la date qui les rattachent au catholicisme. Les source de renseignements de l'artiste demeurent discutables, puisque le Canada, Québec et Montréal sont associés aux dates de 1554 et 1799. Au sommet, le Christ, entouré des évangélistes, est comparé au pressoir mystique. Il rejette les sarments secs et morts, qui retombent de chaque côté de la vigne, et qui portent sur leurs branches les noms des schismes et des schismatiques. L'on ne peut pas douter des avantages didactiques d'un tel tableau, à condition, bien entendu, d'être muni d'une bonne loupe.
                                                    L.L.

Collection
Monastère des ursulines, Québec.

LA VRAIE VIGNE CHRÉTIENNE.   LA VERDADERA VIÑA CRISTIANA

André Basset,
fin du XVIIIe-début du XIXe siècle

124. *Jeu instructif des fables*
      de La Fontaine, **1780**

Burin. 43,5 × 56,5 cm.

Inscriptions

(au centre de l'image): « Jeu instructif des fables de La Fontaine », suivie du mode d'emploi. [Chacune des 62 cases porte un numéro, avec le nom de la fable à laquelle elle se rattache. Les angles sont également décorés d'une scène qui est identifiée].

C'est problablement parce que cette estampe a été utilisée trop souvent qu'elle a perdu ses marges de même que l'inscription que l'on retrouve sur un autre exemplaire conservé à la Bibliothèque nationale de Paris (Kh 446, format 4, tome I) et qui se lit comme suit: « À Paris chez Basset Md. d'Estampes et Fabricant de Papiers peints Rue St. Jacques au coin de celle des Mathurins No 64 ».

Cette méthode pédagogique d'instruction par le jeu était courante. François-Marc Gagnon rapporte comment le P. Pierron instruisait ainsi les Iroquois des mystères de la foi, à la fin des années 1660 (*La conversion par l'image,* 1975,

p. 75 et sv.). Selon Sr Marcelle Boucher, archiviste de la communauté, ces jeux étaient utilisés à l'infirmerie afin de divertir utilement les élèves malades. Les ursulines conservent des exemples de planches de même format portant sur la botanique et les rebus.   L.L.

Bibliographie

BÉLAND et LACHAPELLE, *Répertoire des gravures,* 1982, n° 396, repr.

Collection

Monastère des ursulines, Québec.

**Zéphirin-Félix Bélliard, 1798-?
d'après Paulin Guérin**

**125. *Philippe Jean-Louis Desjardins,*
1833**

Marco Carloni, 1742-1796

126. *Sainte Angèle Mérici*

Philippe-Jean-Louis DESJARDINS,

Vicaire Général de Paris, Archidiacre de Ste Geneviève

Lith. de Lemercier   Paris, chez Potey, rue du Bac, 46, au profit des Pauvres Enfans

S. Angela Merici
Fondatrice dell'Istituto di S. Orsola

Lithographie. 40 × 30 cm (feuille).

Inscriptions

(en bas, à gauche): « Paulin Guérin Pinx. 1828 ». (en bas, à droite): « Belliard del ». (au centre): « Philippe Jean-Louis Desjardins/Vicaire Général de Paris, Archidiacre de Ste Geneviève ». (à gauche): « Lith. de Lemercier ». (à droite): « Paris, chez Potey, rue du Bac, n° 46, au profit des Pauvres enfans ».

Philippe Jean-Louis Desjardins (1753-1833) séjourna à Québec de 1793 à 1803, et conserva, à son retour à Paris, des liens d'amitié avec plusieurs membres du clergé québécois et avec les ursulines dont il avait été l'aumônier. Son nom reste attaché à une activité paroissiale et administrative intense et à l'envoi de près de deux cents tableaux religieux à Québec, en 1817 et 1820. (Lefebvre, *L'abbé Philippe Desjardins,* 1982).

L'abbé Desjardins célébra, en 1828, son jubilé de vie sacerdotale et il posa alors pour l'artiste Paulin-Jean-Baptiste Guérin (1783-1855). Ce dernier avait accepté à son atelier le peintre

Antoine Plamondon (1804-1895), venu étudier à Paris en 1826. Antoine Plamondon rapporta à Québec, en 1830, une copie du portrait de Guérin (Coll. Hôtel-Dieu de Québec) que lithographia Belliard, en 1833. La correspondance Desjardins (A.M.U.Q., fonds Desjardins, 31 septembre 1834) nous apprend que, dès 1834, des exemplaires de cette lithographie étaient à Québec.   L.L.

Exposition

1973, Québec, Musée du Québec, *Trésors des communautés religieuses,* p. 91, repr.

Bibliographie

LARAN, *Inventaire du fonds français après 1800,* tome II, 1937, p. 137. BOISCLAIR, *Catalogue des oeuvres peintes de l'Hôtel-Dieu de Québec,* 1977, p. 71-72. BÉLAND et LACHAPELLE, *Répertoire des gravures,* 1982, n° 303, repr.

Collection

Monastère des ursulines, Québec.

Burin. 20,6 × 14,1 cm.

Inscriptions

(sous la bordure): « Marco Carloni inv. e inc. » (au centre): « S. Angela Merici/Fondatrice dell'Instituto di s. Orsola ».

Angèle Mérici (1474-1540), fondatrice de l'ordre de sainte Ursule (Brescia, 1535), est représentée ici comme une contemplative, méditant devant le Christ en croix.

Le graveur Carloni est principalement connu pour ses suites, gravées dans les années 1780, reproduisant les fresques qui ornent des monuments de l'Antiquité romaine.   L.L.

Bibliographie

BÉLAND et LACHAPELLE, *Répertoire des gravures,* 1982, n° 233, repr.

Collection

Monastère des ursulines, Québec.

**Manuel Salvador Carmona,
1734-1820, d'après Carle Vanloo**

127. *La Résurrection*, 1755

Burin. 57,8 × 30,5 cm.

Inscriptions

(sous le trait carré, à gauche): « Carolus Van Loo Eques pinx ». (sous le trait carré, à droite): « M.ᵗ Salvador Carmona. Sculp. 1755 ». (de chaque côté des armoiries). « Triumphator Mortis   Christus Jesus/ Ex.ᵐᵒ D.D. – Ricardo Wall/Equiti Sancti Jacobi, in Peña Usende – Commendatori regiorum exercetuum/Legato, Regi a consilijs, et in generali rei publicae a administratione, a Secretis/Supremo Tabellariorum Praefecto, Regiae – Sancti Ferdinandi Academiae Protectori/Tiré du Cabinet de Mʳ Jullienne. À Paris chez la Veuve – de F. Chereau, rue St. Jacques aux deux Pilliers d'Or ».

Le tableau de Carle Van Loo (1705-1765), peint en 1734, est aujourd'hui disparu. Il appartenait au collectionneur Jean de Jullienne au moment où il fut gravé.

Carmona étudia à Paris avec Charles Dupuis (1685-1742) et, très jeune, il atteignit une grande maîtrise technique, comme le montre cette gravure d'interprétation tirée en contre-partie. Il fut reçu en 1761 à l'Académie Royale de Peinture et de Sculpture, puis retourna en Espagne. Cette estampe est dédiée à Richard Wall, protecteur de l'académie San Fernando, fondée à Madrid en 1751. Vanloo était déjà connu en Espagne puisqu'il reçut de Philippe V, en 1737, la commande pour participer à la décoration de l'un des salons de la Granja.　　L.L.

Bibliographie

SAHUT, *Carle Van Loo*, 1977, p. 92, repr. BÉLAND et LACHAPELLE, *Répertoire des gravures*, 1982, nº 170, repr.

Collection

Monastère des ursulines, Québec.

D'après Jérôme Chastelain (?)
128. *La carte du royaume des cieux*

Pointe sèche. 85,7 × 54,7 cm (env.) 2 planches.

Inscriptions

(en haut du trait carré) « La carte du royaume des cieux/avec le chemin pour y aller, suivant le raport véritable de/celui qui en est venu et qui y est retourné, et selon les révéla-/tions qui en ont été faites à ceux qui y ont été après luy. » (en bas, à gauche, sur un phylactère) « Cette carte du Royaume des cieux a été composée par le Sr Hierosme/Chastelain à la gloire de Dieu Roy/des Roys. » (en bas, à droite) la même inscription, en espagnol.

Cette estampe, dont la conception semble être du XVIIe siècle, repose sur une vision symétrique de l'univers terrestre et céleste, basée sur la symbolique du chiffre neuf. La terre et le ciel prennent la forme d'un cône et, à la conception de Denys l'Aéropagite des neuf chœurs des anges (« Neuf est la trinité multipliée par Elle-même et rapprochée du monde humain ») (Gilles, *Le symbolisme dans l'art religieux*, 1961, p. 49), répondent les neuf voies pour parvenir au ciel. Le monde est limité par l'enfer, tout comme le royaume des cieux est ceint de fortifications.

Sur la terre, des hommes et des femmes de différents états vaquent à des fonctions diverses, côtoyant l'enfer ou se dirigeant dans les allées qui mènent au rocher-tunnel, gardé par le Sauveur et donnant accès au ciel. Dans la Jérusalem céleste, la Trinité et quelques saints règnent sur les chœurs des anges.

La fonction didactique de cette carte, partiellement dédiée aux hispanophones, est évidente, mais l'on ignore sa destination véritable et le moment de sa venue à Québec.   L.L.

Collection

Monastère des ursulines, Québec.

François Chéreau, éditeur, 1670-1729
d'après François Lemoine
129. *L'annonciation*

Burin. 79 × 50 cm.

Inscriptions
(sous le trait carré, à gauche): « Peint par F. le Moine p.ᵉʳ Peintre du Roy » (à droite): à Paris chés Chereau rue St Jacques « Avec Privilége du Roy » (au centre): « Annuntiatio Beatissimae Virginis Mariae/Ecce ancilla Domini fiat mihi secundum verbum tuum – Voici la servante du Seigneur, qu'il me soit fait selon votre parole. »

François Chéreau racheta, en 1718, de la veuve de son maître, Gérard Audran, le fonds d'estampes et de planches gravées de cet atelier. À son tour, la veuve de Chéreau continua, après 1729, le commerce des estampes (Roux, *Inventaire du fonds français. Graveur du XVIIIᵉ siècle*, tome 4, 1940). La mention « chés (sic) Chereau » nous invite à penser qu'il s'agit d'un tirage, effectué après 1729, de planches qui ne sont pas l'oeuvre de Chéreau et qui rendent d'ailleurs assez maladroitement le tableau de François Lemoyne (1688-1737) (Saint-Sulpice, Paris). Le graveur place la scène dans un environnement décoratif fait de fleurs et d'un motif rocaille.

L'oeuvre de Lemoyne fut gravée à plusieurs reprises (par Laurent Cars, B.N.P. Est. Db24; les ursulines de Québec en conservent un autre exemplaire par Lucas) et elle est importante parce qu'elle figura parmi les images transformées en grands tableaux d'église après la conquête, à la fois par Louis-Augustin Wolf (connu à partir de 1765 à cause de ce tableau de l'église Notre-Dame des Victoires) et par l'abbé Jean-Antoine Aide-Créquy (1749-1780, L'Islet, 1776), et participa involontairement au maintien de la peinture religieuse dans la colonie, privée de contacts directs avec la France. (Porter, «L'Abbé Jean-Antoine Aide-Créquy », 1983, p. 55-72, repr.)   L.L.

Bibliographie
BÉLAND et LACHAPELLE, *Répertoire des gravures*, 1982, n° 200, repr.

Collection
Monastère des ursulines, Québec.

**Hieronymus Cox, éditeur
vers 1510-1570**

130. *Pieter Coecke van Alost*

**Charles Dupuis, 1685-1742
d'après Carle van Loo**

131. *Le Mariage de la Vierge*, 1735

PETRO COECKE ALOSTANO. PICTORI.

Burin. 19,5 × 12,8 cm.

Inscriptions

(en bas): « Petro Coecke Alostano Pictori » (suivi de
six vers en latin).

Hollstein a catalogué 3 éditions de la suite des
peintres hollandais et flamands, publiée à Anvers à partir de 1572, avec des vers de Lampsonius, sous le titre *Pictorum aliquot celebrium
Germaniae inferioris Effigies*. La première édition, parue du vivant de Cox, comprenait 23
portraits mais sans le texte de Lampsonius. C'est
sa veuve qui, en 1572, fut responsable de l'impression augmentée d'un texte, comme celui
que l'on retrouve dans l'estampe de la collection des ursulines. Dans les deux éditions sub-
séquentes, non datées, le nombre de portraits
passa à 68, puis 71. Il y eut même une 5ᵉ édition
en Angleterre, en 1691, tellement la suite était
populaire.

On ignore si les ursulines possédèrent une des
éditions complètes. Le portrait de Pieter Coecke
van Alost (1502-1550), peintre d'histoire et graveur, qui se représente en train de faire son
auto-portrait, pouvait être un exemple stimulant
pour plusieurs religieuses du monastère qui
étudiaient la peinture.   L.L.

Bibliographie

HOLLSTEIN, *Dutch and Flemish Etchings Engravings
and Woodcuts ca. 1450-1700*, 1949, vol. IV, p. 184.
BÉLAND et LACHAPELLE, *Répertoire des gravures*, 1982,
nᵒ 317, repr.

Collection

Monastère des ursulines, Québec.

Burin. 58 × 30 cm.

Inscriptions

(sous le trait carré, à gauche): « Carolus Van Loo
pinxit » (sous le trait carré, à droite): « Carolus Du-
puis sculp. » (sous le trait carré, au centre): « a Paris
chez la Veuve de F. Chereau graveur du Roy rue Sᵗ.
Jacques aux deux pilliers d'Or Avec Privilege du
Roy » (sous le trait carré, de chaque côté des armes
du cardinal Melchior de Polignac) « Eminentissimo
S. R. C. – Cardinal Melchiori/ de Polignac, Sponsalia –
B.ᵗᵃᵉ Virginis, devonet et consecrat/Dionysius Le
Blond Abbace – S.ⁱⁱ Romani de Blaia, Prior/Montis
Desiderÿ et – S.ⁱⁱ Petri de Flaba. »

Ce tableau fut peint à Rome en 1730 par le
jeune Carle Van Loo (1705-1765) – il n'a alors
que 25 ans –, qui connut une brillante carrière
comme professeur puis directeur de l'Académie
des beaux-arts de Paris et accéda, en 1762, au
titre de premier peintre du roi. La gravure est
tirée en contre-partie de l'oeuvre maintenant
conservée au musée Cheret de Nice. Charles
Dupuis fut agréé en 1720, puis reçu en 1730 à
l'Académie Royale de Peinture et de Sculpture.
                                                  L.L.

Bibliographie

« Nouvelles littéraires, des beaux-arts, xc » *Mercure
de France*, 1735, mai, p. 968. ROUX et POGNON, *Inventaire du fonds français. Graveurs du dix-huitième
siècle*, 1955, p. 370-371. SAHUT, *Carle van Loo*, 1977,
p. 28. BÉLAND et LACHAPELLE, *Répertoire des gravures*,
1982, nᵒ 197 repr.

Collection

Monastère des ursulines, Québec.

Étienne Gantrel, éditeur, 1640-1706
132. *Saint Augustin*, avant 1695

Gebhardt (?) d'après Ribera (?)
chez Turgis

133. *La mort de saint Joseph*,
imprimé vers 1853-1855

Burin. 11,1 × 17,4 cm.

Inscription

(sur la plaque, en bas à droite): « Gantrel ex C.P.R. »

La règle de saint Augustin (354-430) fut adoptée par plusieurs ordres religieux. Les ursulines et les augustines hospitalières de l'Hôtel-Dieu de Québec et de l'Hôpital général s'en réclamaient également et la dévotion à saint Augustin était très développée, comme en témoignent les sculptures, les tableaux et les gravures (Trudel, *La chapelle des ursulines*, 1972, p. 45, 63, 65; Boisclair, *Catalogue des oeuvres peintres de l'Hôtel-Dieu de Québec*, 1977, nᵒˢ 21, 29, 50).

La gravure publiée chez Gantrel interprète une oeuvre de Philippe de Champaigne (1602-1674), connue par des copies et plusieurs autres versions gravées (Dorival, *Catalogue raisonné de l'oeuvre de Philippe de Champaigne*, vol. 2, 1976, p. 147, repr.). L'évêque d'Hippone, à sa table de travail, tient à la main un coeur « d'où sort de la flamme ou plutôt de la lumière, car c'est parce qu'il aime qu'il comprend ». (Mâle, *L'art religieux de la fin du XVIᵉ, du XVIIᵉ et du XVIIIᵉ siècle*, 1951, p. 458).

Un autre état de cette planche (la signature a été substituée par des hachures) illustre (p. 468) le *Bréviaire tiré du romain accomodé à l'usage des religieuses Ursulines contenant tous les offices des Mystères & des Saints que leurs constitutions ordonnent de célébrer* (Paris, Louis Josse, 1695). Les ursulines de Québec conservent encore un exemplaire de ce bréviaire. L.L.

Bibliographie

BÉLAND et LACHAPELLE, *Répertoire des gravures*, 1982, nᵒ 246, repr.

Collection

Monastère des ursulines, Québec.

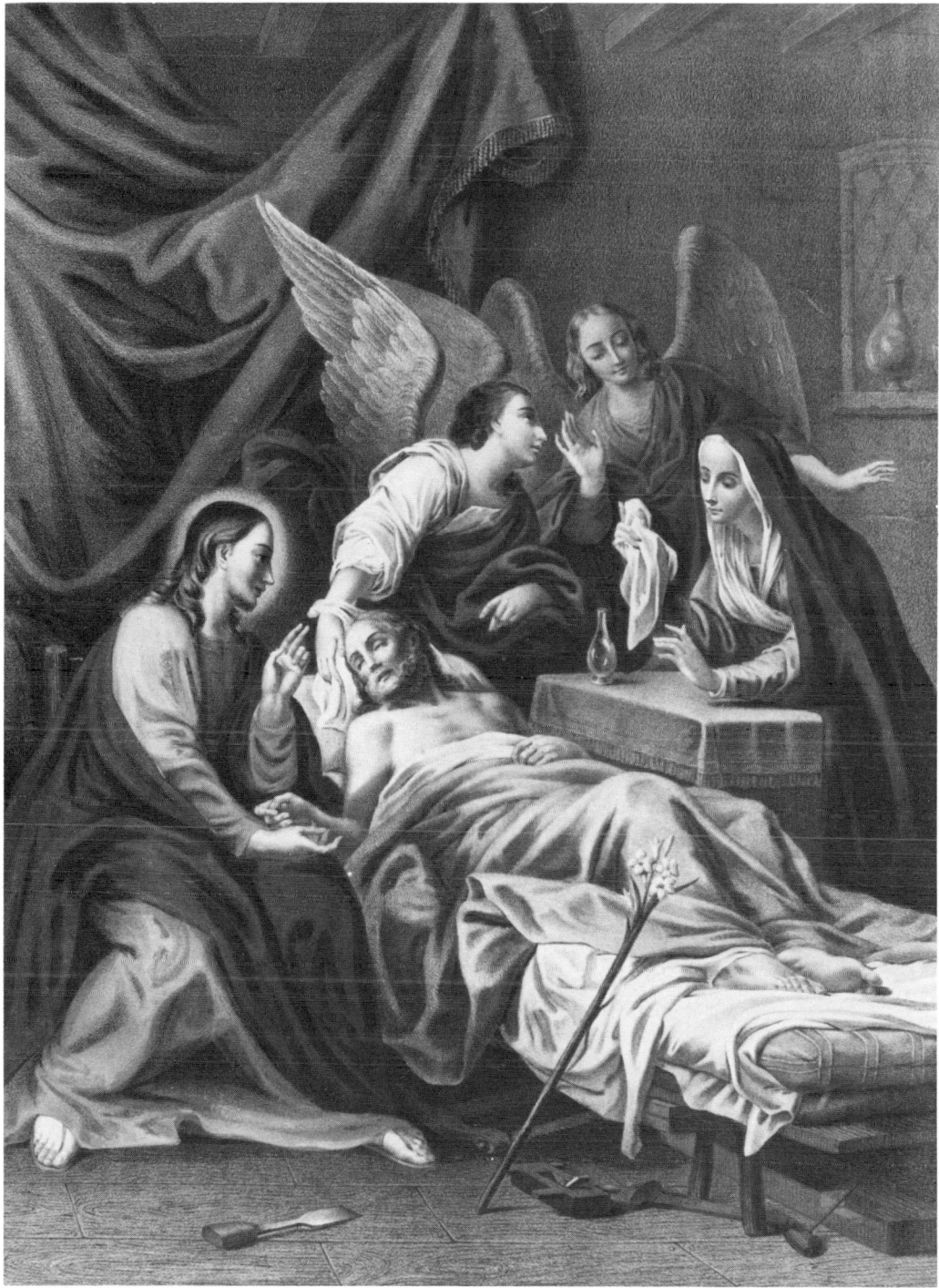

Lithographie rehaussée de couleurs et de vernis. 43 × 31,8 cm.

Inscriptions

(en haut, à droite): « Nᵒ 31 » (en bas, à gauche): « Paris, V.ᵉ Turgis, éditeur, 10 rue Serpente ». (à droite): « Lith. par Gebhardt d'après Ribeira ». (au centre): « Lith. de Turgis ». (plus bas, à gauche): « S.ᵗ Joseph/Proposé pour modèle aux mourants ». (à droite): la même inscription, en espagnol.

Plusieurs personnes revendiquent la paternité de cette lithographie à laquelle on a voulu donner un air de chromolithographie. La maison Turgis publia pendant plus d'un siècle, de 1828 à la deuxième guerre mondiale. « Litho Turgis » signifie probablement que la lithographie fut dessinée avant 1853; mais, après cette date, la « veuve Turgis » continue l'édition que son fils, « Turgis jeune », reprendra en 1855. Bénezit cite plusieurs artistes allemands du nom de Gebhardt sans que nous puissions attribuer le dessin à quelqu'un en particulier; de même, il est difficile de retrouver une composition de Jusepe de Ribera (1591-1652) dans cette image peu inspirée.

Parce qu'il mourut entre Marie et Jésus, selon un évangile apocryphe, Joseph devint le patron de la bonne mort, invoqué par toute la population chrétienne. L.L.

Collection

Monastère des ursulines, Québec.

Hendrik Goltzius, 1558-1616

134 à 139. *La Passion du Christ*
(six estampes d'une série
de douze, certaines sont
coupées au trait
et remontées), 1596-1598

Hendrik Goltzius (1558-1616)

134. *La dernière Cène,* 1598

Hendrik Goltzius, 1558-1616

**135. *L'agonie au jardin
des oliviers,* 1597**

Les ursulines de Québec ne semblent conserver que six des douze estampes que Henrik Goltzius consacra, entre 1596 et 1598, aux thèmes de la Passion du Christ et de sa Résurrection. Ce sont les quatre premières scènes et les deux dernières – *Le Christ devant Pilate, La Flagellation, Le Couronnement d'épines, Ecce homo, Le Portement de la croix* et la *Crucifixion* – manquent de cette importante série qui avaient, sous cette forme, des précédents dans l'oeuvre de Dürer (1471-1528) et de Lucas van Leyden (1494-1533). Chaque plaque porte un numéro qui permet de la replacer dans la suite car les estampes ne furent pas exécutées dans l'ordre. W. Strauss souligne qu'en fait la *Cène* fut la dernière gravure exécutée, soit en 1598; elle porte une dédicace au cardinal Federigo Borromeo, archevêque de Milan et fondateur de la célèbre bibliothèque ambrosienne. On ignore dans quelle circonstance une suite aussi importante entra dans les collections du monastère de Québec.
L.L

Burin. 19,6 × 13 cm.

Inscription
[monogramme], « 1 »
(sur une cartouche, à la partie supérieure, la dédicace): « I11^mo. Reverendissimog D^no, D./Frederico Borromeo, Cardinal. S/Mariae de Angelis, Archiepiscopo/Medeolanenfi. H Goltzius in debiti officy,/Atq amoris testimonium D. D. » (au bas, à droite, mention du privilège impérial accordé à Goltzius en 1595): « Cum privil. Sa. Cae. M. »

Collection
Monastère des ursulines, Québec.

Bibliographie
STRAUSS, *Hendrik Goltzius 1588-1617*, 1977, vol. 2, p. 612, 614, 632, 634, 660 et 662, repr. BÉLAND et LACHAPELLE, *Répertoire des gravures*, 1982, n°s 164, 161, 162, 163, 169 et 171, repr.

Collection
Monastère des ursulines, Québec.

Burin. 19,6 × 13 cm.

Inscription
[monogramme], « 2 »

Collection
Monastère des ursulines, Québec.

Hendrik Goltzius, 1558-1616

136. *Le baiser de Judas,* **1598**

Hendrik Goltzius, 1558-1616

137. *Le Christ devant Caiphe,* **1597**

Burin. 19,6 × 13 cm.

Inscription
[monogramme], « 3 »

Collection
Monastère des ursulines, Québec.

Burin. 19,6 × 13 cm.

Inscription
[monogramme], « 4 »

Collection
Monastère des ursulines, Québec.

Hendrik Goltzius, 1558-1616

138. *La mise au tombeau,* 1596

Hendrik Goltzius, 1558-1616

139. *La Résurrection,* 1596

Burin. 19,6 × 13 cm.

Inscription
[monogramme], « 11 »

Collection
Monastère des ursulines, Québec.

Burin. 19,6 × 13 cm.

Inscription
[monogramme], « 12 »

Collection
Monastère des ursulines, Québec.

Frederick W. Halpin, 1805-1880
140. *Vierge de miséricorde*, vers 1854

Burin et aquatinte. 24 × 18,3 cm.

Inscriptions

(au-dessus de l'image) « MISERICORDES OCULOS AD NOS CONVERTE » (au centre, sous l'image) « Engraved by – F. Halpin » – (sous l'inscription précédente) « MATER MISERICORDIAE./Cette image est la copie fidèle du tableau vénéré dans/l'Église de Santa Chiara à Rimini (États de l'Église) dans/lequel les yeux de la Sainte Vierge ont apparu à différentes/reprises, miraculeusement animés et en mouvement, devant un/concours très nombreux de fidèles, durant les années 1850 et 1851. » (sous l'inscription précédente) « Aux catholiques des États-Unis – et du Canada/C. BEDINI, arch.que de THEBES, – NONCE APOSTOLIQUE,/ÉDIFIÉ ET – RECONNAISSANT/Présente cette image – de la puissante/Vierge Marie – Mère de Dieu » (en bas, à droite) « Printed by Wellstood & Peters ».

Nous avons déjà évoqué la tournée que Mgr Cajetan Bedini effectua aux États-Unis et au Canada en 1853 (cat. 65 à 81). L'année suivante, le prélat fit expédier au Canada plusieurs gravures en guise de remerciement. La chose est ainsi relatée dans *Monseigneur de Saint-Vallier et l'Hôpital général de Québec* (1882, p. 539) :

« De retour sous le beau ciel de l'Italie, monseigneur le nonce n'oublia pas l'Amérique et ses habitants. Aux évêques des divers diocèses où Son Excellence avait reçu un si bienveillant accueil, elle envoya des souvenirs pour être distribués particulièrement au clergé et aux communautés religieuses. C'est ainsi que nous reçûmes les gravures de la Vierge *Virgo mater Dei*, de Saint-François Xavier et de Notre-Dame de Rimini. »

Cette dernière image fut également offerte aux ursulines de Québec. Sans doute fut-elle gravée à New York où Halpin faisait alors carrière avec succès.   J.R.P.

Bibliographie

BÉLAND et LACHAPELLE, *Répertoire des gravures*, 1982, n° 184, repr.

Collection

Monastère des ursulines, Québec.

**Charles Letaille, éditeur,
connu à Paris de 1837 à 1873**

**141. *Souvenir de première
communion*, avant 1855**

C. L.

**142. *L'Immaculée-Conception de
la médaille miraculeuse*,
vers 1840**

Burin rehaussé à l'aquarelle. 15,5 × 10 cm.

Inscriptions

(en bas, à gauche): « Paris, chez Letaille, édit. » (à droite): « Rue St-Jacques, 30 » (au centre): « Mlle Rebecca Blakiston/a fait sa première communion dans l'Eglise/ des Ursulines de Québec le/29 d'avril 1855. » En plus, 5 pensées inscrites sur 4 médaillons et un cartouche.

Charles Letaille occupa au 30, rue Saint-Jacques, de 1839 à 1860, la succession de Pintard (Rosenbaum-Dondaine, *L'image de piété en France 1814-1914*, 1984, p. 14-15; Lethève et Gardey, *Inventaire du fonds français après 1800*, 1967, tome 14, p. 198). La bordure, par des symboles de l'Eucharistie, du Sacré-Coeur et par de courtes pensées, complète la scène principale où les jeunes filles, retenant la nappe, s'apprêtent à recevoir la communion (voir cat. 155).   L.L.

Bibliographie

BÉLAND et LACHAPELLE, *Répertoire des gravures*, 1982, n° 384b, repr.

Collection

Monastère des ursulines, Québec.

Burin et aquatinte montés sur toile. 38,5 × 30 cm.

Inscriptions

(autour des quatres médaillons des angles): diverses inscriptions relatives à des miracles, etc. (encerclant le haut du corps de la Vierge): « Ô MARIE CONÇUE SANS PÉCHÉ PRIEZ POUR NOUS QUI AVONS RECOURS À VOUS! » (sous la gravure): « LA MÉDAILLE MIRACULEUSE/APPROUVÉE/comme parfaitement conforme à la Vision par M^xxx. »; « Nota. Voir pour de plus amples détails sur les Guérisons l'intéressante notice historique sur la Médaille par M^xxx. Prêtre de la Cong^n. de la Maison de S^t. Lazare. » (en bas, à droite): « Déposé à la Dir^n. » (en bas, à gauche): « À Paris chez Pintard J^e. Édit^r. Rue S^t. Jacques n° 30 » (au centre): « N°. 256 » (en bas, à gauche): « C. L. del. »

Cette estampe de l'Immaculée-Conception reproduit la Vierge aux mains écartées et rayonnantes qui fut frappée sur des milliers de médailles, à la suite des apparitions de Marie à sainte Catherine Labouré, à Paris en 1830. Le verso de la médaille est illustré, en médaillon, dans la partie supérieure de la gravure. La médaille miraculeuse était censée protéger celui où celle qui la portait .Elle fut très vite adoptée par la piété populaire et la gravure contribua à faire connaître les miracles qu'on lui attribuait. Il est intéressant de noter que les soeurs grises de Montréal utilisèrent le motif principal de la médaille comme référence iconographique dans la fabrication de certaines de leurs statues en carton-pâte, au milieu du XIXe siècle (cat. 90).   J.R.P.

Bibliographie

BÉLAND et LACHAPELLE, *Répertoire des gravures*, 1982, n° 193.

Collection

Monastère des ursulines, Québec.

**François Maradan,
fin du XVIIIe, début du XIXe siècle,
d'après Charles LeBrun**

143. *Sainte Thérèse d'Avila*

Jean-baptiste Massard, 1740-1822

144. *Jean-Jacques Olier*, 1818

Massard s'inspire ici du portrait de Monsieur Olier gravé par Jean Boulanger (1608-1680) (voir Weigert, *Inventaire du fonds français. Graveurs du XVIIe siècle*, tome 2, 1951, p. 32 et 44, un des 2 états illustrait l'édition des *Lettres spirituelles de M. Olier*, réunies par M. de Tronson, Paris, E. Langlois, 1672; un troisième état, signé Boulanger d'après Henri Stresor (1613-1679), est conservé à la salle Gagnon (B.V.M. C7-42234)). C'est ce portrait, en buste de trois-quart inséré dans un médaillon, qui sera continuellement repris pour illustrer les biographies successives du fondateur des prêtres de Saint-Sulpice (1645).

Monsieur Olier créa avec M. de la Dauversière la société Notre-Dame de Montréal qui fut responsable de la colonisation de Ville-Marie à partir de 1642. Dans les collections de portraits historiques que constituèrent les maisons d'enseignement au XIXe siècle, il était normal que figure cet homme inspiré dont l'activité a eu un effet direct sur le développement de la colonie française et catholique en Nouvelle France.
L.L.

Bibliographie

Béland et Lachapelle, *Répertoire des gravures*, 1982, n° 298, repr.

Collection
Monastère des ursulines, Québec.

Burin et aquatinte. 13,3 × 8,5 cm [rogné].

Inscriptions

(sur le prie-dieu): « Souffrir/ou/mourir » (à gauche, sous le trait carré): « Maradan sculpt » (plus bas): « Maubert, N°. 22 » (au centre): « L'Esprit Saint innondoit, des plus vives lumières,/Thérèse dans ses oraisons;/C'est trop peu d'admirer ces faveurs singulière;/Songeons, que son amour lui méritoit ces dons. »

L'éditeur parisien Maradan, actif Place Maubert, à Paris, publia plusieurs séries d'images de petits formats, qui reprenaient les sujets des apôtres, des docteurs de l'église, des saints ou des saintes. Il reproduisait des compositions d'artistes célèbres (B. N. Estampes Ef 225 fol.). Il s'inspire, pour cette Thérèse d'Avila, d'une oeuvre aujourd'hui disparue de Charles LeBrun (1619-1690) mais connue par plusieurs gravures (chez Mariette, chez N. Bazin).

La dévotion thérésienne a correspondu à un idéal mystique du XVIIe siècle qui a largement répandu la pensée et l'iconographie de la sainte, canonisée en 1622. Les communautés de femmes au Québec ont été sensibles à ce mouvement et l'on retrouve plusieurs tableaux et gravures reproduisant les traits et les actions de la sainte. Les ursulines conservent, entre autres, un tableau basé sur cette composition et une édition de *La vie de sainte Thérèse écrite par elle-même*, Dezallier, 1691. L.L.

Bibliographie

Béland et Lachapelle, *Répertoire des gravures*, 1982, n° 283, repr.

Collection
Monastère des ursulines, Québec.

Burin. 14,3 × 9,1 cm.

Inscriptions

(dans l'image en bas, au centre): « Jean Jacques Olier/Curé de S^t. Sulpice, Fondateur et Premier/Supérieur de Séminaire du même nom;/Né à Paris le 20 septembre 1608, mort le 2 Avril 1657. » (sous le trait carré): « Gravé par J. Massard père, de l'Anc.^{ne} Acad.^{mie} de Peinture » (en bas à droite): « A. D. 1818 ».

Pietro Monaco, 1707 ou 1710, connu à Venise de 1735 à 1775, d'après Francesco Zuccarelli

145. *Saint Jean Baptiste prêchant dans le désert*

Pointe sèche. 55 × 37 cm.

Inscriptions

(sur la planche, en bas): « Pietro Monaco del. Scol. – e forma in Venezia ». (sous le trait carré, au centre): « S. Gio. Battisia nel deserto/In diebus illis venit Ioannes Baptista, predicans in deserto Iudee... Ipse autem Ioannes habebat vestimentum de pilis camelorum, et Zonam pelliceam.../Tunc exibat ad eum Hierosolÿma, et omnis Iudea. Matt. Cap. III. V. I. 4. 5./Pittura di Francesco Zucarelli posseduta dal sig. Carlo Orsolini. »

Cet album factice, composé de 22 estampes de grand format, contient une partie de la suite des 112 planches que Monaco publia à Venise, en 1763, sous le titre *Raccolta di opere scelte rappre le storie del Vecchio & Nuovo Testamento dipinte dai più celebri maestri*. Ces estampes, commencées vers 1745, furent tirées à part avant d'être ainsi réunies. La série des ursulines comprend des gravures d'après les maîtres vénitiens et italiens du XVIe siècle (Titien, Veronèse, A. Carrache, Castiglione, Bordone, Strozzi, Crespi, Piazzetta, les Tiepolo, etc). Les légendes, en plus d'indiquer le sujet (ici, une erreur s'est glissée puisqu'il s'agit de la scène montrant non pas Jean-Baptiste baptisant mais plutôt prêchant), donnent le nom du propriétaire de l'oeuvre. Monaco se montre un interprète sensible de l'oeuvre de F. Zuccarelli (1702-1788), particulièrement dans le traitement de la lumière qui tombe sur la feuillée.   L.L.

Bibliographie

BÉLAND et LACHAPELLE, *Répertoire des gravures*, 1982, n° 87, repr.

Collection

Monastère des ursulines, Québec.

S. GIO: BATTISIA NEL DESERTO.

In diebus illis venit Ioannes Baptista, predicans in deserto Iudee... Ipse autem Ioannes habebat vestimentum de pilis camelorum, et Zonam pelliceam Tunc exibat ad eum Hierosolÿma, et omnis Iudea. Matt. Cap. III. V. I. 4. 5.

PITTURA DI FRANCESCO ZUCCARELLI POSSEDUTA DAL SIG. CARLO ORSOLINI

G. Montbard (?)
d'après Giuseppe Rusconi

146. *Saint Louis de Gonzague et Stanislas de Kotska*

Burin. 25,8 × 18 cm.

Inscriptions
(sur la plaque): « S.ᵗ Louis de Gonzague/de la compagnie de Jesus mort/au collège Romain agé/de 23 ans. Sᵗ. Stanislas Koska/Novice de la compagnie de/Jesus mort au Noviciat des/Jésuites a Rome agé de 18 ans ». (sous le trait carré, à droite): « Joseph Rusconus invenit Rome ». (sous le trait carré, à gauche): « G. Montbard parisii Ex. »

Cette estampe, essentielle comme source pour comprendre l'iconographie sculptée des jésuites au Québec, pose plusieurs problèmes. L'identité du graveur demeure une énigme: le seul Montbard qui nous soit connu est Charles-Auguste Loye (Montbard, 1841 – Londres, 1905) qui utilisait ce pseudonyme; puisque l'estampe semble être antérieure à la deuxième moitié du XIXᵉ siècle, elle doit être l'oeuvre d'un autre artiste. Le modèle gravé par ce Montbard est identifié comme une oeuvre de Giuseppe Rusconi (1687-1758), sculpteur, membre de l'académie de Saint-Luc (1728), qui fut associé à quelques commandes des milieux jésuites (statue de saint Ignace pour la nef de Saint-Pierre de Rome, d'après le modèle de Camillo Rusconi, conservé à l'église Saint-Ignace (vers 1728); participation à la réalisation (vers 1737) de l'autel de saint Ignace, au Gèsu).

Les deux saints furent canonisés en 1725 et 1726 et les deux sculptures des saints Louis de Gonzague et Stanislas de Kotska (non localisées) fonctionnent comme une paire, un prolongement complémentaire des pendants que formaient celles des saints François-Xavier et Ignace de Loyola. La représentation ne tient d'ailleurs pas à dissimuler qu'il s'agit de sculptures, puisque la base et le socle portant l'inscription occupent une place importante de la composition.

Les ursulines de Québec conservent deux sculptures de composition analogue avec une base reliquaire. Il en existe une autre version à l'église des Hurons de la Jeune-Lorette et un Saint Stanislas de Kotska se trouvait également chez les ursulines de Trois-Rivières (Barbeau, *Trésor des anciens jésuites*, 1957, p. 183, repr.; Trudel, *Sculpture traditionnelle du Québec*, (cat. d'expos.), 1967, p. 54, repr.; Trudel, *Profil de la sculpture québécoise*, (cat. d'expos), 1969, p. 50, 52, repr.)   L.L.

Bibliographie
BÉLAND et LACHAPELLE, *Répertoire des gravures*, 1982, n° 212, repr.

Collection
Monastère des ursulines, Québec.

175

Jacques-Jean Pasquier, 1718-1785

147. *La dévotion au Sacré-Coeur de Jésus,* 1765

Burin. 41,5 × 27 cm.

Inscriptions
(sous le trait carré) « La dévotion au – Sacré-Coeur de Jésus/Établie en France par – le clergé assemblé en 1765./Dédié a – la reine/Par son très humble et très-/respectueux serviteur J.J. Pasquier./ »(à gauche) « Présentement chez Lenoir et Pillot, rue St-Jacques nº. 6 Paris. »

Cette allégorie représente la France, agenouillée auprès de la Religion chrétienne, tenant un coeur embrasé et transpercé d'un glaive, secondée par la foi, l'espérance et la charité. Les quatre continents assistent, ébahis, à la scène que dominent Dieu le père et le Saint-Esprit.

Le graveur parisien Pasquier, qui s'inspire ici du style des Vanloo, dédie l'oeuvre à Marie Lesczynska (1703-1768), épouse de Louis XV.

La dévotion au Sacré-Coeur se répandit en France à la suite des apparitions du Christ à sainte Marguerite-Marie Alacoque (1647-1690), entre 1673 et 1675, mais ce n'est qu'en 1865 que la solennité de la célébration de la fête du Sacré-Coeur fut étendue à l'Église catholique universelle.   L.L.

Bibliographie
Béland et Lachapelle, *Répertoire des gravures,* 1982, nº 150, repr.

Collection
Monastère des ursulines, Québec.

LA DÉVOTION AU SACRÉ CŒUR DE JÉSUS
Établie en France par le Clergé assemblé en 1765.
DÉDIÉE A LA REINE
Par son très humble et très respectueux serviteur J.J. Pasquier.

François de Poilly, 1632-1693
d'après Pierre Mignard

148. *Saint Charles Borromée administre la communion aux pestiférés de Milan*

Burin. 56 × 44,5 cm.

[l'oeuvre déchirée au centre a été restaurée en y intégrant une autre gravure]

Inscriptions

(sur la plaque, à gauche): « F. Poilly ex. cum. pri. Regis » (sous le trait carré, à droite): « De Poilly Sculp. et exc. Romae Superior licentia cum privil. Regis Christmi. » (autour de l'armoirie d'Henri Arnauld, évêque d'Angers): « Bonus Pastor animam suam – dat pro ovibus suis/Joan. cap. 10. v. 11 » (en bas, à gauche): « A Paris chez Jean, rue Jean de Beauvais, Nº. 10 » (au bas de la plaque, à l'encre): « St. Charles Borromée administrant les pestiférés de Milan. »

François de Poilly grava cette planche durant son séjour à Rome, entre 1649 et 1656, d'après le tableau maintenant disparu, de Pierre Mignard (1612-1695). Hecquet fait grand cas de l'erreur qui s'était glissée dans le premier état de la gravure, faite en contre-partie et, où le saint donnait la communion de la main gauche. La plaque fut corrigée, avec la permission du peintre: le graveur plaça le ciboire et l'hostie dans l'autre main, sans rien changer au reste de la composition. Il s'agit probablement ici d'une impression tardive, puisqu'en 1752, selon Hecquet, l'oeuvre était distribuée par la veuve Chereau, rue Saint-Jacques. La boutique Chez Jean distribuait l'état des ursulines.

La dévotion au saint archevêque milanais fut populaire dès le régime français (paroisses dans les comtés de Bellechasse et de Richelieu) et son iconographie fut largement répandue dans les maisons d'enseignement religieux.
L.L.

Bibliographie

Hecquet, *Catalogue de l'oeuvre de F. de Poilly*, 1752, p. 50-52. Lhote, *François de Poilly graveur et marchand d'estampes*, s. d., p. 241-242. Béland et Lachapelle, *Répertoire des gravures*, 1982, nº 254, repr.

Collection

Monastère des ursulines, Québec.

Nicolas Jean-Baptiste de Poilly, 1712-?
149. *La croix d'Arras*, vers 1738

Natale Schiavoni, 1777-1858, d'après Tiziano Vecellio, le Titien.
150. *L'Assomption*, vers 1815-1825

Hieronymus Wierix, 1553-1619
151. *La Vierge tenant l'enfant Jésus sur son genou, vénérée par saint Stanislas Kotska et sainte Barbe*

Burin monté sur toile et rehaussé à l'aquarelle et à l'huile avec motifs de fruits, fleurs et oiseaux collés et aquarellés. 37,4 × 23,5 cm (feuille rognée).

Inscriptions
(dans la planche) « N De Poilly » (sous le trait carré) « Représentation de la Croix miraculeuse plantée – sur le rempart de la Ville d'Arras, par les/soins du R. P. François Xavier Duplessis de la – Compagnie de Jésus, et Missionnaire Apostolique ».

Dans la France du XVIIIᵉ siècle, il était courant de placer de grandes croix aux carrefours ou dans des endroits élevés afin de perpétuer le souvenir de la prédication d'un missionnaire. Le jésuite Duplessis, originaire de Québec, avait l'occasion de bénir de nouvelles croix monumentales lors de ses missions apostoliques dans le Nord-Ouest de la France. Un miracle étant survenu après qu'il eut planté une croix sur les remparts de la ville d'Arras le 19 mars 1738, le missionnaire s'empressa de faire connaître l'événement au moyen d'une gravure exécutée par les soins du réputé de Poilly. Il en expédia notamment des exemplaires à Québec, et ceux-ci furent distribués dans les communautés et les paroisses. Ce fut l'une des façons que Duplessis utilisa pour encourager l'érection de calvaires et de croix de chemins dans la colonie. Ajoutons, enfin, qu'il faut peut-être voir une volonté d'illustrer les « fruits » de la dévotion au calvaire dans les ajouts fantaisistes dont la gravure des ursulines a fait l'objet. J.R.P.

Bibliographie
ROY, *Lettres du P. F.-X. Duplessis*, 1892, p. XLVII.
BÉLAND et LACHAPELLE, *Répertoire des gravures*, 1982, nᵒ 182, repr.

Collection
Monastère des ursulines, Québec.

Burin. 80 × 44,3 cm.

Inscriptions
(sous le trait carré, à gauche) : « Tiziano Vecellio, inv. e dip. » ; (à droite) : « Natale Schiavoni, dis ed. inc. » ; (sous le trait carré, à droite) : « in Venezia presso l'incisore » ; (à gauche) : « Adamo Bozza impresse » ; (au centre) : « Assumpta est Maria in coelum gaudent Angeli/Alla Maesta Alessandro I – Imperatore ed Autocratore/di tutte le Russie – Re di Polonia ᴂc ᴂc ᴂc./In segno di profunda divozione – l'incisore Natale Schiavoni D.D.D. ».

Le tableau de Tiziano Vecellio (1488-1576), qui se trouve à l'église Santa Maria Gloriosa dei Frari à Venise (1516-1518), fut gravé à de nombreuses reprises. Schiavoni se fit une réputation d'interprète, des oeuvres du Titien, sur des planches de grand format, et redonna à ses tableaux une grande popularité au XIXᵉ siècle. Ozias Leduc (1864-1955) s'inspira de cette composition lors de la décoration de la cathédrale de Joliette, en 1893 (*Dessins inédits d'Ozias Leduc*, 1978, p. 16-17, repr.)

Cet état, dédié à Alexandre 1ᵉʳ (1777-1825), doit être daté après 1815, date du congrès de Vienne où l'empereur se fit céder la Pologne. L.L.

Bibliographie
BÉLAND et LACHAPELLE, *Répertoire des gravures*, 1982, nᵒ 196, repr.

Collection
Monastère des ursulines, Québec.

Burin. 9 × 5,5 cm.

Inscriptions
(sous le trait carré) : « B. Stanislaus. – S. Barbara. » « Per te accessum habemus ad Filium ô benedicta inventrix/gratiae, genetrix vitae, Mater Salutis. Bern. Ferm. 2 de Advento. » « Hieronymus Wierix fecit et excud. Cum Gratia Privilegio. Piermans. »

La famille des Wierix occupe une place privilégiée dans l'histoire de la gravure. Antoine et ses fils, Jean, Jérôme (Hieronymus) et Antoine, furent en effet des artisans accomplis qui pratiquaient leur métier avec autant de facilité que de virtuosité. Nombre de leurs oeuvres produites à Anvers étaient destinées à un commerce d'images religieuses. De toute évidence, la petite gravure de Hieronymus, conservée chez les ursulines de Québec, appartient à cette catégorie. La présence d'une telle image pieuse dans cette communauté s'explique par la grande vénération que les religieuses ont toujours eu pour la Mère de Dieu. Quant à la dévotion à saint Stanislas Kotska, il ne fait pas de doute qu'elle a largement dépassé celle dont Sainte Barbe aurait pu faire l'objet. *La Vierge tenant l'enfant Jésus* est recensée dans le catalogue raisonné de Marie Mauquoy-Hendrickx (*Les estampes des Wierix*, 1978, vol. 1 p. 144, nᵒ 185, repr). J.R.P.

Bibliographie
BÉLAND et LACHAPELLE, *Répertoire des gravures*, 1982, nᵒ 186.

Collection
Monastère des ursulines, Québec.

Graveur français non identifié

152. *La sage met sa bouche au milieu de son coeur*, XVIIe siècle

Burin. 7 × 11,2 cm.

Inscriptions

(dans la planche, en haut, au centre) : « In corde sapientium os illorum./Eccli. 2j v. 29. » ; (sous le trait carré) : « Le sage met sa bouche au milieu de son coeur/Et l'on ne lentend point faire un discours moqueur/De ses ennemis mesme il parle avec estime./Il cache leurs pecher lors qu'ils en ont commis,/Car s'il les découvroit il croiroit faire un crime,/Ainsi par tous endrois il se fait des amis./XLIII ».

Cette estampe est probablement tirée d'un livre d'emblèmes (le n° 43 renvoie à une suite) paru en France au XVIIe siècle. Ici, à partir d'un texte de l'Écclésiastique : « mais la bouche des sages c'est leur coeur », (2,26), l'auteur du commentaire fait une paraphrase du texte biblique et il va jusqu'à faire l'éloge du mensonge et de l'hypocrisie. L'illustration en propose une interprétation, à la fois littérale et surréaliste, où le coeur, comme surmonté d'une fente, porte une bouche. Une main sortant des nuages le propose en exemple à l'univers, représenté par un paysage. Mario Praz établit la liste des ouvrages dont l'examen pourrait permettre d'identifier cet emblème. (« A Bibliography of Emblembooks », 1965, p. 233 et sv).

La symbolique du coeur est extrêmement riche au XVIIe siècle tant pour représenter l'amour sacré et profane que la foi. « C'est le coeur qui sent Dieu et non la raison » (Pascal, *Pensées*, 278) (voir Knipping, *Iconography of the Counter Reformation in the Netherlands*, 1974, vol. I, p. 97-105).   L.L.

Bibliographie

BÉLAND et LACHAPELLE, *Répertoire des gravures*, 1982, n° 226, repr.

Collection

Monastère des ursulines, Québec.

Graveur français non identifié

153. *La mort de saint François-Xavier*, XVIIe siècle

Burin 5,8 × 10,4 cm (rogné).

Inscriptions

(sous le trait gravé) : « S.F. Xavier meurt dans/l'abandon, et en crucifié en/l'isle de Sancian proche de/la Chine ».

Parmi les deux scènes les plus fréquemment représentées de la vie de saint François-Xavier (1506-1552) figurent sa prédication à Goa et sa mort à l'île de Shangchwan, sur la côte de la Chine. La canonisation du saint, en 1622, entraîna une vaste diffusion de l'image du compagnon d'Ignace de Loyola. Les jésuites propagèrent son iconographie en Nouvelle France et l'on compte de nombreuses versions du sujet ainsi traité et produites localement (voir Porter, *Joseph Légaré*, cat. d'expos., 1978, p. 28-30, 120-121, ainsi que les collections de l'Hôtel-Dieu de Montréal, des ursulines de Québec, du séminaire de Québec, de l'église Saint-François du Lac et des jésuites à Saint-Jérôme, Tracadie, Notre-Dame de Montréal, Lavaltrie, Nicolet, soeurs grises de Montréal ; informations communiquées par Yves Lacasse et Paul Bourassa qui préparent un mémoire de maîtrise à l'université du Québec à Montréal sur ce sujet).

Le moribond est représenté au bord de la mer, seul, sous une cabane improvisée, tenant un crucifix, un livre à ses côtés. Deux anges apparaissant dans le ciel lui annoncent sa participation prochaine à la vie glorieuse.

Ill. 153a   François de Poilly, 1623-1693, *La mort de saint François-Xavier* ; burin, n.d. ; Bibliothèque nationale de Paris (Cabinet des estampes, Rd 2) (Photo Bibliothèque nationale).

Si l'on ignore le nom du graveur et la destination de cette oeuvre : petite image de dévotion, illustration d'un livre de prières ou d'une biographie de saint (ainsi l'on conserve chez les ursulines de Québec un livre intitulé : *De la Dévotion de saint François-Xavier à Jésus-Christ crucifié*, Paris, chez Jacques de Laize de Bresche, 1679, annoté sur le revers de la couverture « pour le séminaire de Québec 1684 » et orné de planches de Lenoir), il est possible d'avancer toutefois qu'elle s'inspire d'une gravure de François de Poilly (1623-1693, cat. ; Hecquet, 1752, n° 30, p. 74 ; B.N.P., Ed 49b res ; Est. Rd 2). L'éditeur et collectionneur Pierre-Jean Mariette, dans ses « notes manuscrites » (B.N.P., Y a 4 pet. in fol. tome VI, fol. 268 verso et 277), en décrivant cette estampe avance qu'elle est faite d'après une oeuvre de Simon François (1606-1671). L'oeuvre peint de François, qui fut reçu à l'Académie en 1663, reste peu connu, et le tableau permettant de vérifier l'assertion de Mariette n'est pas encore localisé.   L.L.

Bibliographie

HECQUET, *Catalogue de l'oeuvre de F. de Poilly*, 1752, p. 74, n° 30. BÉLAND et LACHAPELLE, *Répertoire des gravures*, 1982, n° 258, repr. LHOTE, *François de Poilly*, n. d., p. 194, n° 72.

Collection

Monastère des ursulines, Québec.

Graveur français non identifié

154. *Jésus contemplant la croix,* XVIIᵉ siècle

Éditeur français non identifié

155. *Souvenir de première communion,* vers 1839

Burin rehaussé d'encre noire et de papier doré. 59 × 45 cm (dimensions actuelles avec les additions).

Inscription

(en bas) « Jésus Ayez Pitié De Nous ».

La dévotion à Jésus portant la croix et à d'autres instruments de sa passion se développa en Europe, au XVIIᵉ siècle, à l'instigation des augustins et des carmélites (Mâle, *L'art religieux de la fin du XVIᵉ siècle, du XVIIᵉ siècle et du XVIIIᵉ siècle*, 1951, p. 327 et sv.).

La transformation de cette estampe par les ursulines est particulièrement révélatrice de l'usage que l'on faisait de ces grandes images de piété (cat. 149).

La gravure fut d'abord utilisée dans son état original mais, la bordure s'abîmant, elle fut agrandie et renforcée, puis ornée de motifs étoilés et d'une invocation qui la rendirent ainsi plus visible et décorative en incitant directement à la prière. Cette gravure a inspiré une copie fidèle (Porter, *Joseph Légaré*, cat. d'expos., 1978, p. 110, repr.) dont on ignore les circonstances de production. L.L.

Bibliographie

BÉLAND et LACHAPELLE, *Répertoire des gravures*, 1982, nº 175, repr.

Collection

Monastère des ursulines, Québec.

Burin, rehaussé à la plume et à l'aquarelle monté sur papier gaufré. 14,5 × 9,5 cm.

Inscriptions

(sur la planche, en bas, au centre): « Mlle. Zoé Simon a fait sa 1ᵉʳᵉ/Communion dans l'Église des Ursulines/de Québec le 14 de Avril 1839; (à droite): « T. Maguire VG ».

La mécanisation de l'édition au XIXᵉ siècle a permis la production en série et la mise en marché de petites images de dévotion, personnelles et portatives. Marques de piété, souvenirs de pèlerinage, souvenirs individuels, ces images puisaient librement à l'iconographie religieuse des siècles passés et l'on commanda à des artistes des oeuvres qui correspondaient à la sensibilité contemporaine (voir Lessard, *Les petites images dévotes*, 1981, et Rosembaum-Dondaigne, *L'image de piété en France 1814-1914*, 1984; de même que la biliographie qui accompagne ces oeuvres).

Dans une chapelle d'inspiration gothique, huit jeunes filles s'apprêtent à recevoir la communion. La riche bordure en dentelle, produite mécaniquement, permet d'obtenir cette décoration architecturale ajourée. Le procédé apparaît sur le marché à cette époque, laissant ainsi croire que les ursulines ou leur aumônier, l'abbé Maguire, suivaient « religieusement » la production courante. La détentrice de cette image était-elle Marie-Zoé Simon, fille de Hubert Simon, née à Baie-Saint-Paul le 13 novembre 1827? (voir cat. 141). L.L.

Bibliographie

BÉLAND et LACHAPELLE, *Répertoire des gravures*, 1982, nº 384a, repr.

Collection

Monastère des ursulines, Québec.

Asher B. Durand, 1796-1886
d'après John James

156. *Mgr Joseph-Octave Plessis*,
vers 1826

Ill. 156a John James, *Mgr
Joseph-Octave Plessis*,
vers 1824; huile sur toile, 229 × 157 cm;
Musée du Québec, Québec
(Photo Musée du Québec, Patrick Altman).

Burin. 47,5 × 34 cm.

Inscriptions

(sous le trait carré, en bas, a droite): « Eng. by
Durand »; (en bas, à gauche). « Painted by James »;
(au centre): « Joseph Octave Plessis/Catholic Bishop
of Quebec ».

L'iconographie de Mgr Joseph-Octave Plessis
(1763-1825), évêque de Québec de 1806 à 1825,
a longuement été étudiée par Lucille Rouleau-
Ross qui a inventorié vingt-sept portraits de
l'évêque. La longue durée de son épiscopat et la
personnalité du prélat à l'esprit entreprenant
peuvent justifier l'importance du grand nombre
de portraits encore connus. Bien que la gravure
donne la paternité de cette oeuvre à John James
(connu de 1811 à 1845), il existe trop de différences entre le *Portrait de Mgr Plessis*, exécuté
par James vers 1824 (ill. 156a), et la gravure.
Durand doit avoir basé sa composition sur une
autre oeuvre, peut-être un dessin apporté par
James à New York où l'oeuvre fut réalisée,
selon l'abbé Bois, peu après la mort du prélat.
(Archives du séminaire de Nicolet, succession
Bois, vol. XXVIII, p. 380).   L.L.

Expositions
1887, Montréal, Numismatic and Antiquarian Society
of Montreal, n° 659. 1973, Québec, Musée du Québec, *Trésors des communautés religieuses*, p. 98,
repr. 1980-1981, Montréal, Les galeries d'art Sir
George Williams de l'université Concordia, *L'iconographie de Mgr Plessis*, sans cat.

Bibliographie
Oeuvre reproduite sans commentaires dans plusieurs ouvrages biographiques ou historiques. Voir
l'ouvrage de Lucille Rouleau-Ross pour la liste complète. HART, *Catalogue of the engraved Work of asher
B. Durand*, 1895, p. 52. BÉLAND et LACHAPELLE, *Répertoire des gravures*, 1982, n° 304 repr. ROULEAU-ROSS,
*Les versions connues du portrait de Mgr Joseph-Octave
Plessis*, 1983, p. 110 sv., 233-234, repr.

Collection
Monastère des ursulines, Québec.

George Endicott, 1802-1848,
d'après Yves Tessier

157. Mgr *Ignace Bourget*, 1840

Lithographie. 57 × 37 cm.

Inscriptions

(en bas, au centre): « Ignace Bourget/Né le 28 octobre 1779, consacré Évêque de Telmesse en Lycie le 25 juillet 1837/et transféré au siège de Montréal le 23 avril 1840 »; (au centre): « Publiée par Yves Tessier, Montréal, 1840 »; (à droite): « Litho of Endicott N.Y. ».

Yves Tessier (1800-1847) fut l'apprenti de Jean-Baptiste Roy-Audy (cat. 101 et 219) avant de devenir peintre d'histoire et de portraits (*Gazette de Québec,* 25 janvier 1830, p. 2). Sa production, qui n'a pas encore fait l'objet d'une étude particulière, est principalement composée de tableaux religieux et circonscrite à la région de Montréal. Elle nous fait voir un artiste de grande qualité.

Peu de portraits sont attribués à Yves Tessier et, même s'il est identifié ici comme éditeur, l'on peut supposer qu'il fut également l'auteur du portrait que reproduit la lithographie (maison des jésuites, Saint-Jérôme, repr. en frontispice de Pouliot, *Monseigneur Bourget et son temps,* tome I, 1955). George Endicott travailla comme lithographe à Baltimore et à New York, à partir de 1830. Les tirages produits entre 1834 et 1845 ne portent que son nom car, pendant cette période, il travaille sans associé. Tessier mit en vente un portrait de Mgr Lartigue, premier évêque de Montréal, le 8 juin 1840 (*Le Canadien,* p. 2): l'on peut penser qu'il fit imprimer celui-ci, peu de temps après, afin de proposer une paire formée des portraits de l'ancien et du nouveau prélat de Montréal.

La présence de Mgr Bourget (1799-1885) au siège épiscopal de Montréal aura une influence déterminante sur l'histoire de l'église catholique canadienne. La situation économique, commerciale et sociale de la ville se modifiant du tout au tout pendant les 36 années de son règne, Mgr Bourget fit face à ce changement rapide par une écoute attentive mais, il donna une réponse souvent conservatrice aux besoins de ses fidèles.

L'évolution de son iconographie résume d'ailleurs, par l'apport des techniques et des styles nouveaux, la fabrication « moderne » d'une image où l'on voit l'évêque se transformer, passant de ce type de portrait assez archaïque et raide aux poses d'un homme affable, vieillard souriant et plus accessible. Son biographe, L.-O. David, le décrit comme le « type accompli que l'artiste, voulant peindre la vertu sous des traits humains, devrait prendre comme modèle » (*Monseigneur Bourget,* 1872, p. 6).   L.L.

Bbliographie

BÉLAND et LACHAPELLE, *Répertoire des gravures,* 1982, n° 305, repr.

Collection

Monastère des ursulines, Québec.

George J. Gebhart, imprimeur, Montréal, et E. J. Dubeau, éditeur

158. *Souvenir de la grande fête nationale des Canadiens français*, 1880

Lithographie rehaussée de couleur or. 65,5 × 41 cm.

Inscriptions

(en haut, au centre) : « Relique patriotique/Souvenir/ de la/Grande fête nationale/des/Canadiens francais/ Célébrée à Québec le 24 juin 1880./sous les auspices de la Société S.t Jean-Baptiste » ; (en bas, à droite) : « Imprimé par Geo. J. Gebhardt & Co. Lith., Montréal » ; (en bas, à gauche) : « Publié par E. J. Dubeau et enregistré conformément a la loi en l'année 1880 au bureau du ministre de l'agriculture » ; (en bas, au centre) : « Ce souvenir/offert par l'auteur à la jeunesse candienne,/tout en rappelant la glorieuse fête du 24 juin,/1880, restera comme un monument du/Patriotisme de la Nation./E. J. D. [en plus des noms des personnes, des villes et des drapeaux illustrés, on y trouve plusieurs autres légendes et deux poèmes, un de Pamphile Le May et un de Louis-Honoré Fréchette].

La société Saint-Jean-Baptiste, fondée en 1834 par Ludger Duvernay, donna un éclat tout particulier aux fêtes du 24 juin 1880 de façon à marquer l'adhésion des Acadiens à la Société et ainsi identifier la Société à toute la collectivité francophone en Amérique. Toutes les sociétés Saint-Jean-Baptiste des villes canadiennes et américaines se trouvèrent donc réunies à Québec en une convention où était renouvelé leur programme commun :

« *...unir entre eux les Canadiens-Français de tous les rangs, prêter main-forte à tout ce qui peut contribuer au développement matériel, intellectuel et moral de la nation; conserver parmi nous le culte du passé et l'amour de notre belle langue; rappeler souvent au peuple les événements dramatiques de notre histoire et graver profondément dans sa mémoire les noms des grands citoyens qui ont aimé et servi la patrie...* » (tiré du « Manifeste de la Société Saint-Jean-Baptiste de Québec », publié dans Chouinard éd., *Fête nationale des Canadiens-français célébrée à Québec en 1880*, 1881, p. 100-101).

Cette « affiche » – souvenir veut être comme le raccourci visuel de ce manifeste où l'iconographie nationaliste canadienne-française est réunie. Autour des représentations de Montréal, Québec et Ottawa (développement de la nation) sont regroupés les portraits des héros-fondateurs : religieux (Mgr de Laval, Marie de l'Incarnation) et civils (Cartier et Champlain). La découverte du Canada, au nom du roi de France et de la chrétienté, est encadrée des noms de deux faits d'armes. Deux textes des poètes participants à la convention (Chouinard, p. 251) célèbrent la pérennité de la religion et l'avenir de la patrie. Des slogans appellent à l'unité, à la célébration et à la reconnaissance, mots-clés de ces jours de fêtes patriotiques. Le premier président et le président en exercice de la section de Québec de la Société « signent » en quelque sorte ce « souvenir », composé d'une riche typographie.

L'éditeur Dubeau ne figure pas parmi les membres du comité des fêtes, ce qui laisse peut-être supposer que cette publication fut produite in-

dépendamment de la Société. L'imprimeur George J. Gebhart fut actif à Montréal à partir de 1866. Auparavant (dès 1862), il exerçait le métier de peintre d'enseignes et d'ornements. Son atelier était installé, en 1880, sur la rue Craig, à l'angle de la ruelle des Fortifications. L.L.

Bibliographie
BÉLAND et LACHAPELLE, *Répertoire des gravures*, 1982, n° 358, repr.

Collection
Monastère des ursulines, Québec.

Robert Sproule, 1799-1845
édité chez E.R. Fabre & Cie

159. *Saint-François-Xavier*, 1833

Lithographie. 19,1 × 15,4 cm (émargé).

Inscriptions
(dans l'image, en bas, à gauche): « Sproule »; (en bas de l'image, au centre): « St. François Xavier./Apôtre des Indes./Montréal, chez E.R. Fabre & Cie/Bourne Lithographer ».

Grâce aux recherches récentes de Mary Allodi, la personnalité et les recherches de l'imprimeur Adolphus Bourne (1795-1886) et de Robert Sproule, ainsi que les débuts de l'édition et de la gravure à Montréal nous sont mieux connus. Bourne et Sproule collaborèrent à l'édition de plusieurs images, dont une suite de six vues de Montréal, dès 1830 (Allodi, *Les débuts de l'estampe*, 1980, p. 64-77). Lors d'un voyage en Angleterre en 1832, Sproule rapporta une presse lithographique.

La lithographie de Saint-François-Xavier, une des toutes premières tirées à Montréal, fut dessinée par Sproule, imprimée par Bourne aux dépens du libraire Édouard-Raymond Fabre qui agissait comme éditeur. *La Minerve* du 4 mars 1833 annonce sa parution qui sera suivie, la même année, d'un *Saint-Roch* et du *Portrait de Mgr Panet*, mort la même année. L'édition d'une image représentant saint François-Xavier souligne la persistance de l'iconographie jésuite dans le Bas-Canada, même en l'absence de cet ordre religieux, mais elle est également, tout comme le *Saint-Roch*, reliée à l'actualité des épidémies de choléra qui frappèrent cruellement la population, au début des années 1830 (voir Lacasse, « *La contribution du peintre américain James Bowman* », 1983, p. 74-91). Sproule a adapté ici une composition qui était déjà rendue célèbre par la gravure et de nombreuses copies exécutées au Canada (cat. 153).
L.L.

Bibliographie
ALLODI, *Les débuts de l'estampe imprimée au Canada*, 1980, p. 89, repr. BÉLAND et LACHAPELLE, *Répertoire des gravures*, 1982, n° 259, repr.

Collection
Monastère des ursulines, Québec.

CHAPITRE NEUVIÈME
L'ÉGLISE AU COEUR DE LA PAROISSE

« L'église, avec son clocher, incarne la stabilité, la perma nence, la présence constante de Dieu au milieu des colons et des paysans; c'est le lieu de rencontre, corps et âmes, du peuple, près du cimetière, où reposent les ancêtres; c'est comme un raccourci d'histoire »[1].

À la ville comme à la campagne, l'église a marqué le paysage québécois de son empreinte. Par ses dimensions imposantes, cette pittoresque balise qu'apprécie tant le voyageur de passage témoigne des valeurs essentielles qu'elle a incarnées au fil des siècles. L'église, c'est autant la demeure de Dieu que le lieu de rassemblement d'une communauté. C'est là que s'organisait et qu'évoluait la vie de nos ancêtres. On y baptisait les nouveaux-nés, on s'y mariait et on y passait une dernière fois avant d'aller reposer dans le cimetière voisin. C'est sur le perron de l'église qu'on faisait les encans ou la criée. Au plan religieux, le temple paroissial était en quelque sorte un microcosme de l'Église, voire une « image agrandie de la Sainte Famille »[2]. Au plan social, il servait de cadre à l'administration civile, puisque c'est là qu'on informait la population des décisions de l'État.

Englobant l'église, le presbytère et le cimetière, le terrain de la fabrique se trouvait en règle générale au coeur de la localité, et c'est autour de lui que s'articulait et se développait le village. Comme l'église appartenait à toute la collecti-vité catholique, chaque paroissien, quelles que fussent les ressources dont il disposait, était fier de contribuer à son érection et à son entretien. Souvent, d'ailleurs, le contraste était frappant entre la richesse de la maison du Seigneur et la simplicité des maisons des fidèles. Haut lieu de ralliement aussi bien social que spirituel, l'église dominait au sens propre comme au sens figuré la topographie des villes et des campagnes.

Les premières églises furent érigées le long du couloir fluvial du Saint-Laurent. À l'origine, elles se dressaient fréquemment au coeur du domaine seigneurial, près du manoir. Ce n'est que plus tard que s'organisèrent les villages, lieux de résidence des notables et des artisans. Avec le temps, de nouvelles paroisses furent fondées dans les rangs en conformité avec les cadres imposés par le régime seigneurial. Après la Conquête, la colonisation des cantons devait engendrer d'autres modèles d'établissement.

En 1659, la colonie ne comptait que 5 paroisses, mais leur nombre passa à 36 en 1695, à 82 en 1722 et à 118 en 1784. On devait finalement franchir le cap des 200 en 1840. Naguère fort homogène, le système paroissial était appelé à se diversifier de façon très nette au XXᵉ siècle: paroisses rurales agricoles, minières, forestières, de pêcheurs, de colons, etc.; paroisses urbaines industrielles, bourgeoises, ouvrières, cosmopolites, pluralistes, etc.[5]

Bon nombre de paroisses de la Nouvelle France possédaient à l'origine de modestes chapelles de bois pouvant répondre aux besoins de la population[4]. Au fil des années, on en vint à construire des temples en pierre à la fois plus durables et plus vastes. La population continuant de s'accroître, les

---

1. Maurice Lebel, « Les cadres religieux », dans *Structures sociales du Canada français*, études de membres de la Section I de la Société royale du Canada éditées par Guy Sylvestre, Presses de l'Université Laval, Québec, 1966, p. 21-22.

2. *Idem*, p. 20.

3. *Idem*, p. 23.

4. En 1665, la colonie comptait 28 églises et chapelles, dont 19 étaient construites en bois.

fabriques furent amenées tantôt à agrandir les églises, tantôt à en construire de nouvelles. Un regard rétrospectif nous fait d'ailleurs constater que l'église québécoise demeure une entité pour le moins vulnérable, victime qu'elle est des rigueurs du climat, des incendies, des guerres et de l'évolution du goût. Selon une enquête menée en 1925 par la Commission des monuments historiques de la province de Québec, il ne restait plus alors qu'une quinzaine d'églises ou de chapelles du Régime français ayant conservé quelques parties de construction antérieures à la Conquête de 1759. Et encore ces rares survivantes – dont quelques-unes ont succombé depuis – avaient-elles toutes subi des modifications importantes[5].

La construction et l'entretien des églises n'était pas l'affaire que du curé. Chef spirituel de la paroisse agissant sous l'autorité de l'évêque, le curé devait néanmoins composer avec les représentants des paroissiens, les marguilliers. De fait, ceux-ci constituaient – et constituent toujours – le conseil d'administration des biens de la paroisse, un conseil désigné sous le nom de « l'oeuvre » ou sous celui de « la fabrique ». Toutes les décisions prises par les marguilliers, de même que toutes les dépenses pour l'administration des biens de la fabrique, devaient être consignées dans le « livre des comptes et délibérations ». Le terrain de la fabrique et les constructions s'y élevant étaient des propriétés communautaires financées par les dîmes, les quêtes, les messes, les dons et les achats de lots (au cimetière) ou de bancs (à l'église). On comprend dès lors que le fidèle ait tenu à avoir un droit de regard lorsque le temps venait de bâtir, de réparer ou d'embellir le temple paroissial. En de telles circonstances, on allait même jusqu'à élire des syndics chargés spécialement de veiller aux intérêts de la fabrique et de rendre compte de la bonne marche des travaux.

La construction d'une église n'était pas une mince affaire. Elle supposait en effet une concertation de toutes les parties, depuis le simple paroissien jusqu'à l'évêque en passant par le curé et les autorités civiles. Au départ, il fallait s'entendre sur l'étendue du terrain de la fabrique et sur l'emplacement du temple. Chacun souhaitant se trouver aussi près que possible de l'église, il était difficile de faire un choix sans déplaire à une partie de la population. Dans certains cas, il fallut des années et des années pour ramener la paix dans des paroisses déchirées par l'épineuse question de l'emplacement de l'église[6]

Au départ, l'architecture de l'église était fonction de l'importance numérique de la population et des conditions économiques qui prévalaient. Plus on était prospère, plus on investissait d'argent et plus les travaux allaient rondement. Dans les paroisses les moins riches, les travaux pouvaient s'étirer sur plusieurs années. Érigées par des corvées sous la

direction d'un charpentier ou d'un maçon, les premières chapelles et églises de campagne ne présentaient que des formes simples (cat. 169). Dans les villes plus populeuses de Québec et de Montréal, on s'efforça très tôt d'imiter des églises de la mère-patrie, ce pour quoi on eut recours aux meilleurs architectes disponibles (cat. 168). Certains de ces édifices de prestige furent perçus comme de telles réussites qu'on n'hésita pas à les imiter çà et là dans les campagnes.

Prise dans son ensemble, l'architecture des églises québécoises n'a pas cessé d'évoluer depuis le XVIIe siècle. Tout en s'adaptant au climat et aux modes, elle a progressivement assimilé diverses influences. De même les plans adoptés ont-ils passablement varié, ce qui devait avoir des incidences sur les décors intérieurs. Pour le maçon, le charpentier-menuisier (cat. 167), le ferronnier (cat. 165) ou le ferblantier (cat. 166), la construction d'une église représentait une occasion privilégiée de démontrer son savoir-faire.

Avec son église, son presbytère (le troisième en 1888) et son cimetière, le coeur du village de Sainte-Famille constitue un éloquent témoin de ce que nous venons d'évoquer (fig. 1). Fondée en 1666, cette paroisse est la plus ancienne de l'île d'Orléans. Sa première église fut construite en 1669 et fut plusieurs fois réparée avant de céder la place à une nouvelle construction dans les années 1743-1748. Guy-André Roy et Andrée Ruel ont souligné justement que l'apparence de cette église était à l'origine bien différente de celle d'aujourd'hui. De fait, l'édifice fit l'objet au XIXe siècle[7] (fig. 2) de modifications et d'ajouts importants. Notons qu'il y a à Sainte-Famille une petite chapelle processionnelle, plantée à une certaine distance de l'église, le long du chemin principal qui traverse le village (fig. 3). Remarquable de simplicité, ce type d'édifice se retrouve encore aujourd'hui dans quelques vieux villages tels que l'Ange-Gardien, Lauzon et Beaumont. Selon toute apparence, la chapelle processionnelle était le lieu de dévotions particulières et l'on s'y rassemblait pour des célébrations religieuses coïncidant avec la belle saison (la Fête-Dieu).

En règle générale, l'extérieur de l'église québécoise ancienne se caractérise par la sobriété de son décor, l'ornementation sculptée se limitant essentiellement à des ouvrages en ronde-bosse de moyen ou de grand format. Il s'agit tantôt d'une statue du saint patronyme, placée dans la niche de la façade ou encore sur le pignon de l'église, tantôt d'un groupe de deux ou trois statues disposées dans des niches. Il en fut ainsi jusque dans les années 1870. Les ensembles statuaires commencèrent alors à se multiplier à l'extérieur des églises[8]. Dans cette perspective, on conviendra que

---

5. D'après Louise Voyer, il subsiste à peine 80 des quelque 300 églises et chapelles construites au Québec entre 1600 et 1850. Louise Voyer, *Églises disparues*, Libre expression, Montréal, 1981, p. 7.

6. Georges-Pierre Léonidoff rappelle avec à-propos les célèbres conflits qui marquèrent les paroisses de Louiseville et de Trois-Pistoles. Georges-Pierre Léonidoff, « Les lieux de regroupement. L'église, le presbytère et le cimetière », dans *Présence du passé* (Service des transcriptions et dérivés de la radio, Radio-Canada), n° 25 (12 avril 1979), p. 3.

7. Guy-André Roy et Andrée Ruel, *Le patrimoine religieux de l'île d'Orléans*, ministère des Affaires culturelles, Québec, 1982, p. 67-68.

8. L'ensemble de la façade de la cathédrale Marie-Reine-du-Monde, à Montréal, compte treize statues monumentales en bois recouvert de cuivre, exécutées entre 1892 et 1900 par Olindo Gratton. Plus modeste mais non moins remarquable, la façade de l'église Saint-Henri de Lévis rassemble quant à elle sept statues représentant le saint patronyme de la paroisse, les quatre évangélistes et les saints Pierre et Paul. Ajoutons que l'on place parfois des sculptures au transept, au sommet de l'abside, dans les jardins avoisinants ou encore sur le terrain du presbytère ou encore sur la place de l'église. Dans ce dernier cas, il s'agit le plus souvent d'un monument patronymique ou encore d'un monument dédié au Sacré-Coeur. À Sainte-Famille, c'est un monument en pierre artificielle, en hommage à l'Immaculée-Conception, qui a été érigé devant l'église, au XXe siècle.

Fig. 1 *Vue aérienne du coeur de la paroisse Sainte-Famille de l'Île d'Orléans avec l'église, le presbytère et l'enclos du cimetière* (Photo I.B.C.Q., (nég. C78.0382 (35) 16).

Fig. 3 *Vue du village de Sainte-Famille avec la chapelle processionnelle au premier plan* (Photo Office du film du Québec).

Fig. 2 *Vue de l'extérieur de l'église de Sainte-Famille, I.O.* (Photo I.B.C.Q., Fonds Gérard-Morisset, nég. 7238-D-4).

l'église de Sainte-Famille fut en quelque sorte à l'avant-garde, puisque sa façade, dès 1749, ne compta pas moins de cinq statues. Ces sculptures, dues au ciseau d'un des Levasseur, furent réparées à quatre reprises avant de devenir tout à fait irrécupérables. Jugées indécentes parce que pourries, elles furent brûlées. En 1889, la fabrique confia à Jean-Baptiste Côté l'exécution de cinq nouvelles statues qui, une quarantaine d'années plus tard, durent être retirées à leur tour à cause de leur détérioration. Les statues de Côté sont conservées au Musée du Québec depuis 1936 (cat. 160 à 164). Aujourd'hui, ce sont des oeuvres de Lauréat Vallière qui occupent les niches de la façade de l'église Sainte-Famille. Réalisées en 1928-1929, ces oeuvres ont été réparées au cours de l'hiver 1972-1973.

Comme on le constate, les sculptures placées à l'extérieur des églises québécoises eurent toujours à souffrir des rigueurs du climat. Exposées aux intempéries et à de singuliers écarts de température, ces oeuvres devaient faire l'objet d'un entretien minutieux qui allongeait leur espérance de vie. Dans ces conditions, on ne saurait s'étonner qu'au Québec la sculpture en ronde-bosse et les ornements décoratifs en relief aient été concentrés à l'intérieur des églises.

Tout comme la question de l'emplacement de l'église, l'ornementation intérieure de la maison de Dieu pouvait donner lieu à de singulières confrontations. Ainsi notre village de Sainte-Famille fut-il, en 1812, le théâtre d'un conflit en règle entre le curé et les marguilliers à propos du décor de la voûte de l'église (fig. 4). Les fabriciens avaient en effet décidé de confier l'exécution des travaux à Louis-Basile David, disciple de Louis Quévillon, contre la volonté de l'abbé Gagnon[9]. Ne prisant guère les voûtes à caissons à la Quévillon et préférant sans doute les voûtes d'inspiration néo-classique des Baillairgé, le curé manifesta son désarroi dans une lettre qu'il adresse à son évêque :

« *Un nommé David, élève de M. Cuvillon, écrivait-il, travaille maintenant dans l'église de Sainte-Famille. Ce jeune homme a gagné un certain nombre d'habitants à qui il a montré des dorures et des sculptures qu'il a fait à St Jean et leur a mis l'idée de faire ici des entreprises à tort et à travers* »[10].

Les paroissiens répliquèrent en addressant une pétition à l'évêque et ils eurent finalement gain de cause. Mais quand le temps fut venu de réaliser le retable du sanctuaire, en 1821, ce fut vers Thomas Baillairgé qu'on se tourna! Fidèle à ses principes et à l'idéal défendu par son protecteur l'abbé

Fig. 4 *Vue d'ensemble de l'intérieur de l'église de Sainte-Famille,* photo prise par Edgar Gariépy vers 1925 (Photo I.B.C.Q., Fonds Gérard-Morisset, nég. 7259-F-7).

---

9. Dans son *Précis d'Architecture*, l'abbé Jérôme Demers mentionne « un très-grand nombre d'exemples, où des curés de très-grands talens & d'un goût exquis, ont été contraints, pour conserver la paix dans leurs paroisses, d'abandonner les projets les plus judicieusement concertés avec d'autres artistes, & d'accepter des plans de décoration dont ils connaissaient parfaitement les défauts ». Dans l'esprit de Demers, les bons projets étaient évidemment le fait des Baillairgé, tandis que les plans défectueux étaient celui de leurs concurrents directs, les adeptes du « quévillonnage ». Voir A.S.Q., *Précis d'architecture pour servir de suite au traité élémentaire de Physique à l'usage du Séminaire de Québec* (Manuscrit M-131, tablette 4), 1828, folio 291.

10. Cité dans Marius Barbeau, « Louis Quévillon (1749-1823) (École des Écorres, à Saint-Vincent-de-Paul) », dans *Revue trimestrielle canadienne*, 22e année, no 125 (printemps 1946), p. 14-15.

Jérôme Demers, le sculpteur mit en place un décor respectueux des règles de l'architecture classique. Il le fit sans tenir compte de la retombée des arcs de la voûte de David, espérant sans doute que celle-ci serait éventuellement remplacée par une structure plus conforme à ses canons personnels...

La petite histoire de la voûte de l'église de Sainte-Famille ne doit pas nous faire oublier que le clergé avait très souvent, sinon le plus souvent, le dernier mot quant aux options soumises à la fabrique par les sculpteurs. Peu instruits et généralement très respectueux de l'autorité du curé, les marguilliers n'hésitaient pas, tout comme les habitants de leur paroisse, à se fier au bon goût d'un homme qui avait fait des études et qui occupait de surcroît un des rares postes influents de son milieu. À cet égard, certains curés considéraient pratiquement l'église dont ils avaient la garde comme un bien personnel plutôt qu'un bien collectif. Cela se dégage notamment d'une lettre que le curé de Baie-du-Febvre, l'abbé Vincent Charles Fournier, Français d'origine, expédia en Europe à l'intention de madame de Loynes le 20 juillet 1817 :

« *Mon église, écrivait-il, belle, vaste, dans le goût moderne, est bâtie sur un coteau charmant et très élevé (...)* « *N'en déplaise à M. Raimbault* curé de Nicolet *qui cherche à me surpasser, la mienne sera d'abord plus belle par la beauté de son architecture et par sa richesse (...)*

« *mon église me délasse de mes travaux (...) Le soin que je prends à la demeure de mon Dieu me fera peut-être obtenir la grâce d'habiter, à la fin de ma pénible carrière dans une demeure éternelle qui est l'objet continuel de mes soupirs et de mes voeux* »[11].

John R. Porter

---

11. Cité dans Richard Chabot, *Le curé de campagne*, Hurtubise H M H, Montréal, 1975, p. 145. Plus d'un curé a cherché à laisser son empreinte sur l'église qu'on lui avait confiée. Cette volonté de marquer son passage n'a malheureusement pas toujours eu de bons résultats.

Jean-Baptiste Côté, 1832-1907

160 à 164. *La Sainte Famille,*
Sainte Anne
et Saint Joachim, 1889

Ill. 160a *Vue de la façade de l'église*
de Sainte-Famille avec les statues
de Jean-Baptiste Côté,
photo prise par Marius Barbeau en 1925
(Photo M.N.C., nég. 66415).

Jean-Baptiste Côté, 1832-1907

160. *Enfant Jésus*, 1889

Jean-Baptiste Côté, 1832-1907

161. *Sainte Vierge*, 1889

Bois décapé.

Au Québec, le phénomène de la statuaire monumentale et décorative devait prendre son essor vers 1860 avec l'avènement du triomphalisme religieux ultramontain associé à une nouvelle conception du décor des édifices. Cela est particulièrement vérifiable dans l'ornementation des portails d'églises. Il est vrai que le climat rigoureux du pays n'avait guère favorisé le déploiement de statues à l'extérieur des bâtiments, jusqu'à ce qu'on eût recours à certains procédés pour protéger les sculptures en bois des intempéries (par exemple : au recouvrement en métal). D'ailleurs, nos historiens de l'art ont beaucoup souligné le grand contraste qui a toujours existé entre la sobriété de la maçonnerie extérieure de nos églises et l'exubérance de leur décoration intérieure.

C'est avec la réalisation de la façade néogothique de Saint-Henri-de-Lévis (1871), ornée de sept rondes-bosses grandeur nature, que débute l'ère des programmes iconographiques élaborés à l'extérieur. Jusque-là, les portails pourvus de plus côté deux statues avaient été l'apanage exclusif des églises de Notre-Dame-des-Victoires, de Cap-Santé, de Saint-François et de Sainte-Famille, de l'île d'Orléans. Ce dernier

Bois décapé. 196,5 cm.
Bibliographie
TRUDEL, « Six Enfants Jésus au globe », 1967-1968, p. 31 et 32, repr.
Collection
Musée du Québec, Québec, (34.275s).

édifice constitue d'ailleurs un cas unique avant le dernier quart du XIXᵉ siècle puisque la façade compte cinq niches abritant chacun des membres de la *Sainte Famille*, titulaire de la paroisse : l'Enfant Jésus au centre du pignon, la Vierge et saint Joseph aux niches intermédiaires et les parents de la Vierge aux niches inférieures.

L'ensemble de la *Sainte Famille*, conservé au Musée du Québec, a soulevé beaucoup de confusion quant à son auteur et à sa date d'exécution. En fait, comme l'a démontré Léopold Désy, la façade de l'église de Sainte-Famille a connu au moins trois ensembles statuaires successifs. Le premier, réalisé vers 1748-1749 par les frères Noël et François Levasseur, aurait nécessité des réparations en 1767, 1818, 1833 et

Bois décapé. 195,5 cm.
Collection
Musée du Québec, Québec, (34.274s).

1868 avant d'être remplacé, en 1888-1889, par celui-là même qui est aujourd'hui déposé au Musée du Québec. Au cours de ces deux années-là divers travaux furent effectués aux niches de la façade et, le 12 mai 1889, l'ensemble statuaire reçut la bénédiction solennelle de Mgr L.-N. Bégin (livres de comptes et de délibérations de la Fabrique). Si, dans les archives paroissiales, on ne trouve aucune donnée relative à des paiements versés au sculpteur, c'est que les statues furent vraisemblablement acquises grâce à des dons de paroissiens. Marius Barbeau a pu toutefois les attribuer à Jean-Baptiste Côté, sur la foi de témoignages de deux enfants du statuaire. Une photographie prise par Barbeau en 1925 (ill. 160a) nous montre les statues polychromes encore en pla-

Jean-Baptiste Côté, 1832-1907
162. *Saint Joseph*, 1889

Jean-Baptiste Côté, 1832-1907
163. *Sainte Anne*, 1889

Jean-Baptiste Côté, 1832-1907
164. *Saint Joachim*, 1889

Bois décapé. 199,5 cm.
Collection
Musée du Québec, Québec, (34.276s).

Bois décapé. 196 cm.
Bibliographie
NOPPEN, *Les églises du Québec*, 1977, p. 219, repr.
Collection
Musée du Québec, Québec, (34.272s).

Bois décapé. 196 cm.
Bibliographie
BARBEAU, *Québec où survit l'ancienne France*, 1937, p. 87, repr. BARBEAU, *Côté, The Wood Carver*, 1943, p. 20, repr.
Collection
Musée du Québec, Québec, (34.273s).

---

ce, avant qu'elles ne soient à leur tour délogées, vers 1930, par un autre ensemble, commandé à Lauréat Vallière. Comme on le constate, les réparations et remplacements réguliers suscités par l'état de conservation des pièces témoignent du destin précaire et éphémère auquel étaient vouées les sculptures en plein air.
Le sculpteur Jean-Baptiste Côté a sciemment appliqué à son ensemble concerté et homogène les règles de correction optique exigées par le lieu de destination, notamment par les larges surfaces du modelé ainsi que par une disproportion calculée pour chacun des personnages. Il va de même pour les dimensions presque identiques des cinq statues, qui faisaient paraître l'Enfant Jésus plus petit dans sa niche au sommet de la façade. Dès l'origine, les person-

nages de la *Sainte Famille* de Côté étaient parfaitement intégrés à l'élévation architecturale, avec leur volume adapté à la hauteur de leur niche respective. De plus, l'ensemble statuaire présente à la fois une unité et une diversité visuelle; chaque ronde-bosse est conçue de façon autonome et peut être perçue séparément du reste de l'ensemble. A cet égard, la *Sainte Famille* du Musée du Québec demeure un jalon important dans le phénomène des ensembles décoratifs et monumentaux.   M.B.
Exposition
1967, Québec, Musée du Québec, *Sculpture traditionnelle du Québec*, nᵒˢ 14 à 18, repr.
Bibliographie
« Fêtes à la Ste-Famille », *L'Événement*, 13 mai 1889. ROY, *Les vieilles églises de la province*, 1925, p. 172-

173. TRAQUAIR et BARBEAU, « The Church of Sainte-Famille », 1926. BARBEAU, *Québec où survit l'ancienne France*, 1937, p. 87, repr. BARBEAU, « Jean-Baptiste Côté », 1941, p. 18, repr. BARBEAU, « Côté, sculpteur », 1942, p. 100-101. BARBEAU, *Côté, The Wood Carver*, 1943, p. 15, 20 et 22, repr. GAUVREAU, « Lauréat Vallière, sculpteur » 1945, p. 464. BARBEAU, *J'ai vu Québec*, 1957, non paginé, repr. GOWANS, *Looking in Architecture*, 1958, p. 50. SOUCY, « L'église de Sainte-Famille », 1969, p. 4. DÉSY, « Les statues de la façade de l'église Sainte-Famille », 1974, p. 12-17. NOPPEN, *Les églises du Québec*, 1977, p. 218-219, repr. DÉSY, *Lauréat Vallière*, 1983, p. 89-94. DÉSY, « Lauréat Vallière et les statues de Sainte-Famille », 1983, p. 307-317.
Collection
Musée du Québec, Québec, (34.272s à 34.276s).

Jean-Baptiste Lozeau, vers 1694 - vers 1744

165. *Croix de clocher*, 1724

Fer et fer-blanc, traces de dorure (dans les inscriptions).
225,5 × 90 cm.

Inscriptions

(devant; montant): « FAˊT P.M. LOZEAˊ. 1724 MS PIERRE DAˊ SITAIRE.
(traverse): « IESUS MARIA IOSEPH ».
(dos; montant): « Mᴱ DELINCARNATION ASISTANT (E) ».
(traverse): « M DELACONCEPTION SVPERIEVRE ».

À l'été de 1722 eut lieu la bénédiction de la seconde chapelle extérieure du monastère des ursulines de Québec, la première ayant brûlé en 1686. Afin de couronner le clocher de leur nouvelle chapelle, les ursulines avaient commandé en 1721 au « Sieur Loiseau » – sans doute Jean-Baptiste Loseau, maître serrurier, ferblantier et forgeron, célèbre pour la qualité de ses ouvrages et dont la présence à Québec est attestée dès 1713 – une croix en fer forgé, qui ne sera installée que trois ans plus tard. Cette croix est conservée actuellement au musée du monastère des ursulines de Québec, après la démolition de l'ancienne chapelle, qui a été remplacée au début du 20ᵉ siècle par l'actuel édifice de la rue du Parloir. Terminée à ses extrémités par des fleurs de lis en lames de fer battu, et décorée en son centre par un jeu complexe de volutes agrafées à la hampe et à la traverse, la croix de la seconde chapelle extérieure du monastère des ursulines de Québec est remarquable tant par le raffinement de son décor que par son élégance et sa légèreté. Le musée du Saguenay-Lac-Saint-Jean et celui de Richibouctou, au Nouveau-Brunswick, possèdent chacun une croix semblable, la première datée de 1726 et la seconde de 1734. Y.L.

Bibliographie

A.M.U.Q., *Livre Journal du Reçu et de la Dépense de chaque jour. Journal 1, 1715 à 1746*, juillet et août 1721, août et septembre 1724; dans Thibault, *Trésors des communautés religieuses de la ville de Québec* (cat. d'expos.), 1973, p. 71-72. TRAQUAIR, *The Old Architecture of Quebec*, 1947, p. 280-281, repr. BARBEAU, *Trésor des anciens Jésuites*, 1957, p. 201. MOOGK, « Lozeau, Jean-Baptiste », 1974, p. 442-443. DUPONT, *L'artisan forgeron*, 1979, p. 90, repr. Bird, *Canadian Folk Art*, 1983, p. 37, repr.

Collection

Monastère des ursulines, Québec.

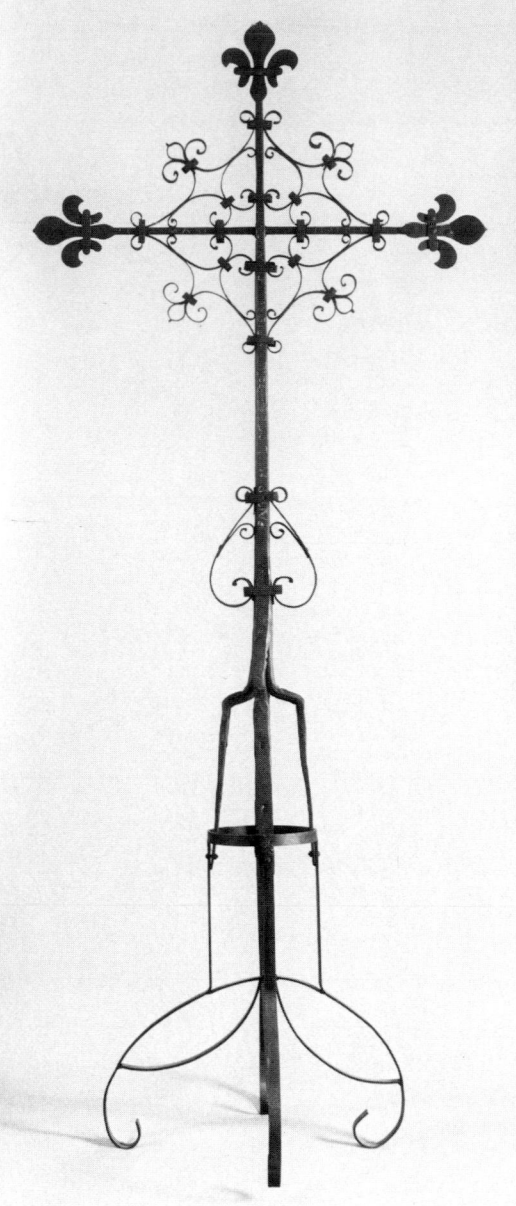

Anonyme

166. *Coq de clocher*, XVIIIᵉ siècle (?)

Tôle découpée et martelée, autrefois dorée.
55 × 64 cm.

On a longtemps prétendu que ce coq, oeuvre d'un ferblantier anonyme, acheté de Paul Gouin en 1951, provenait d'une église de la région de Montréal. Dans le catalogue partiel de la collection du Musée du Québec publié en 1978, on précise qu'il s'agit de l'église de Lachenaie et que l'oeuvre daterait par conséquent du XVIIIᵉ siècle, l'ancienne église de Lachenaie ayant été érigée dans les années 1724-1730. Quoiqu'il en soit, la facture soignée de l'oeuvre et les dimensions respectables du gallinacé nous laissent effectivement supposer qu'à l'origine cette girouette couronnait le clocher d'une église.

La tradition de placer un coq aux clochers des églises remonterait au IXᵉ siècle. Des gravures du début de la colonie nous confirment que cette coutume fut très tôt implantée en Nouvelle-France. Comme le note Francyne Lord:

« La présence du coq cache toute une symbolique liée principalement à la religion. Image de vigilance selon une croyance populaire, on le place au sommet de l'église pour éloigner les maléfices de la nuit; symbole de l'aurore, il rappelle aux croyants le reniement de Saint-Pierre. »

Le coq est parfois même associé à la résurrection du Christ: son chant aurait prévenu le Christ au tombeau que l'heure de ressusciter était arrivée. Y.L.

Expositions

1952, Québec, Musée du Québec, *Exposition rétrospective de l'art au Canada français*, nᵒ 339, repr. 1958, Paris, Grands Magasins du Louvre, *Exposition de la Province de Québec*. 1959, Vancouver, Vancouver Art Gallery, *Les arts au Canada français*, nᵒ 425, repr. 1959, Québec, café du Parlement, *Exposition d'Art religieux*. 1962, Bordeaux, Musée des Beaux-Arts, *L'Art au Canada*. 1975, Québec, Musée du Québec, *Arts populaires du Québec*, repr.

Bibliographie

M.N.C., *Québec*, 1972, p. 3-4 et 20, repr. LORD, « Trésors d'autrefois », 1976, p. 4-5, repr. HARDY, *Le forgeron et le ferblantier*, 1978, p. 12, repr. *Le Musée du Québec, Oeuvres choisies*, 1978, p. 136-137, repr.

Collection

Direction de la mise en valeur des collections d'ethnographie, Québec, (51-2).

Jean Baillairgé, 1726-1805

167. *Plan du clocher de la cathédrale Notre-Dame de Québec*, **après 1770**

Encre et lavis sur papier. 93 × 54 cm.

Le plan de Jean Baillairgé, sans aucun doute le plus achevé que l'architecte ait dessiné durant sa carrière, montre bien toute l'importance visuelle qu'avait le symbole du clocher paroissial dans l'environnement social. En superposant deux tambours ajourés et surmontés de coupoles, Baillairgé propose pour la cathédrale de Québec un clocher léger et élégant, destiné à recevoir des éléments décoratifs en fer forgé. À cet effet, le dessinateur accorde une attention particulière et un traitement recherché aux ornements traditionnels de la croix et du coq (cat. 165 et 166). Dans le cas présent, l'architecte agrémente le motif de la croix d'un soleil à visage humain, à la croisée des traverses et du montant, de même que des fleurs de lys à chacune des extrémités. M.B.

Expositions
1977, Québec, Musée du Québec, *L'art du Québec au lendemain de la conquête*, n° 8, repr. 1983, Québec, Musée du Québec, *L'art de l'architecte*, n° 17, repr.

Bibliographie
NOPPEN, *Notre-Dame de Québec*, 1974, p. 150, repr. DUPONT, *L'artisan forgeron*, 1979, p. 131.

Collection
Basilique-cathédrale Notre-Dame de Québec, Québec.

Gaspard Chaussegros de Léry, 1682-1756

168. *Plan de la façade de la cathédrale Notre-Dame de Québec*, 1744

Encre et lavis d'encre sur papier, 39,5 × 25 cm.

Inscriptions

(au dessus de l'église): « Élévation du portail », (à gauche): « Paraphé ne variatur a quebec Le 31X[bre] 1744 Daine ».

Autant le plan Maillou d'une église non identifiée (cat. 169) témoigne des besoins modestes des paroisses rurales, autant le projet de Chaussegros de Léry pour la reconstruction de Notre-Dame-de-Québec reflète les aspirations d'une élite vivant en milieu urbain.

Ce dessin d'exécution, comportant deux retombes, propose en fait deux versions d'une même façade: un projet simple et un projet riche. Le premier concerne la structure de base du bâtiment, alors que le deuxième, feuilles volantes rabattues prévoit l'élévation à long terme, c'est-à-dire l'ornementation sur l'aplat du gros oeuvre.

Le plan simple de l'élévation répond à l'organisation intérieure de l'édifice élaborée par le même architecte: le pignon est exhaussé selon la hauteur projetée pour la nef, alors que des surfaces latérales ferment, de part et d'autre de la section centrale, les nouveaux bas-côtés. Pour sa part, le plan riche présente une vision ultime de la façade: un double étagement d'ordre classique ainsi qu'un élargissement du portail devant les deux tours. Le clocher est tout simplement augmenté d'un tambour sur ce qui existait déjà. L'ensemble de ce décor en arc de triomphe rend compte également de l'ordonnance des parties intérieures du bâtiment, en même temps qu'il dénote un grand souci d'unité. D'après Luc Noppen, ce type d'architecture à l'italienne était encore très répandu en France dans la première moitié du XVIIIe siècle.

Le plan de la façade de Notre-Dame est à rattacher à la coupe longitudinale de la nef ainsi qu'au plan au sol de l'édifice, soumis par de Léry en 1744 (déposés aux archives de l'université Laval et au musée du séminaire de Québec). D'ailleurs, l'architecte devait les rassembler l'année suivante dans un dessin de présentation, ou dessin-synthèse, qu'il envoya en France pour faire connaître son projet (conservé aux Archives nationales de France, Paris). Sur celui-ci, de Léry avait noté que le projet riche « ne se faira que dans la suitte quand la fabrique sera en État », c'est-à-dire quand elle en aura les moyens.

La façade dessinée par Chaussegros de Léry fait preuve de réalisme et de prudence, d'abord en ne proposant qu'un projet modeste, ensuite en prévoyant, selon les moyens éventuels de la fabrique, un programme d'ornementation somptueux. La façade construite entre 1744 et 1748 ne le sera que d'après l'élévation du portail simple. La construction définitive, comprenant l'ornementation architecturale, ne sera jamais réalisée. En effet, l'édifice fut détruit lors de la Conquête avant qu'on ait eu le temps de lui superposer son décor riche. Néanmoins, après les travaux de 1744-1748, la cathédrale de Québec avait été sans aucun doute le monument le plus grandiose de la Nouvelle France. Toujours selon Luc Noppen, la réalisation du projet d'ornementation aurait fait de la façade de Notre-Dame l'égale des grandes façades françaises, et même l'édifice tout entier aurait compté parmi les grandes églises européennes des XVIIe et XVIIIe siècles. **M.B.**

Exposition

1983, Québec, Musée du Québec, *L'art de l'architecte*, n° 9, repr.

Bibliographie

Noppen, *Notre-Dame de Québec*, 1974, p. 93-104 et 108-109, repr. Noppen, *Les églises du Québec*, 1977, p. 20, repr. Noppen et al., *Québec, trois siècles d'architecture*, 1979, p. 156 et 254, repr.

Collection

Basilique-cathédrale Notre-Dame de Québec, Québec.

Elevation du Portail.
Simple.

Elevation du Port
Simple.

Jean Maillou, 1668-1753

169. *Plan d'une église non identifiée*, vers 1715

Encre et lavis sur papier. 47 × 36,3 cm.

Inscriptions

(en dessous de l'église): « J. Maillou »
(au verso): « Plan d'église par Mr Jean Maillou. Ce plan n'est pas assez large. Il n'a que 30 pieds. Il en faut 36 le mur doit avoir au moins 2 pieds ½ au dessus du rez de chaussée et réduit à 2 pieds en haut, quatre rangées de bancs de 5 pieds font 20 pieds l'allée du milieu au moins 4 pi reste 7 pieds pour les allées des côtés ».

Le célèbre « plan Maillou » a été qualifié par plus d'un de document d'une qualité remarquable dans l'histoire de l'architecture au Québec. Proposé par l'architecte du roi pour la construction d'une église non identifiée, et annoté au verso par l'évêque ou son délégué, le dessin de Maillou est très caractéristique des églises simples et modestes qu'on érigeait dans les nouvelles paroisses rurales au début du XVIIIe siècle. L'élévation de même que le plan au sol illustrent un type d'église conçu par Mgr de Laval au siècle précédent, puis diffusé à l'époque de Mgr de Saint-Vallier: élévation basse, nombre réduit de fenêtres, grande porte cintrée surmontée d'une niche et d'un oculus, nef deux fois plus longue que large, terminée par une abside circulaire de même dimension. Le « plan Maillou » présente cependant des innovations par l'importance accordée au clocher, maintenant déplacé vers la façade, de même que par le traitement du protail, orné de pierres de taille.

À la fois par volonté et par nécessité, le caractère économique de cette formule « canadianisée », c'est-à-dire adaptée aux conditions locales (climat, main-d'oeuvre et ressources financières), fut sans contredit un facteur déterminant de la diffusion et de l'utilisation assez large de ce modèle d'église en milieu rural.   M.B.

Exposition

1983, Québec, Musée du Québec; *L'art de l'architecte*, n° 7, repr.

Bibliographie

MORISSET, *Le Cap-Santé, ses églises et son trésor*, 1944.
NOPPEN, *Notre-Dame de Québec*, 1974, p. 73-76, repr.
NOPPEN, *Les églises du Québec*, p. 24, repr.

Collection

Musée du Séminaire de Québec, Québec.

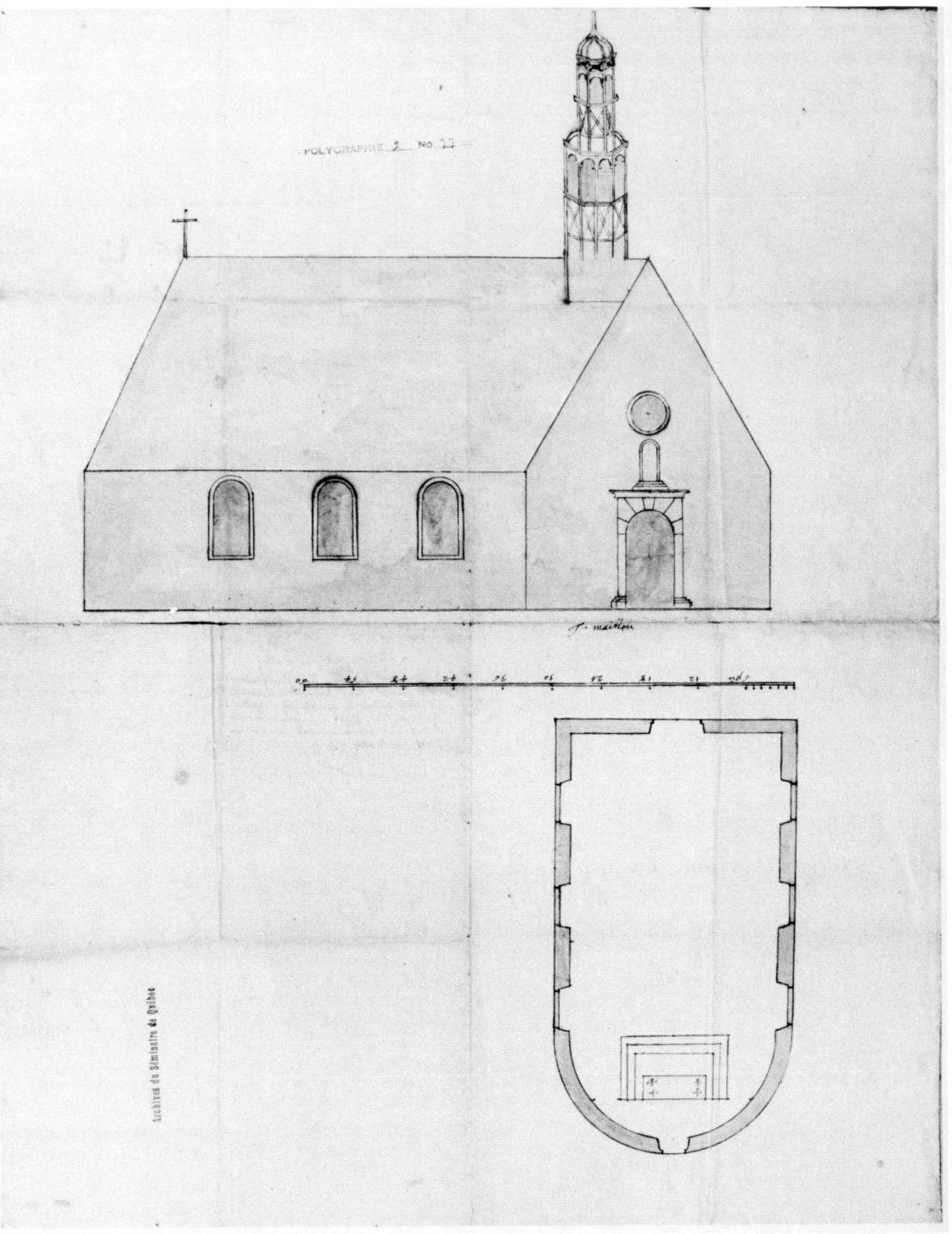

CHAPITRE DIXIÈME
L'INTÉRIEUR DE L'ÉGLISE

« *Les catholiques savent bien que leur religion n'a besoin ni d'entourages ni d'accessoires pour être indépendante de tout ce qui n'est pas elle. Mais d'un autre côté, une religion sans culte extérieur, si elle était religion serait morbide de sa nature glaçant toutes les intelligences et les conduisant infailliblement à une funeste indifférence. C'est ce culte extérieur, qui lui donne chaleur et cette vie qui la distingue de toutes les autres religions; cet esprit est essentiel même au catholicisme; c'est cet esprit qui a produit des temples si vastes et si magnifiquement décorés...* »[1].

Au Québec, l'art religieux se concentre principalement dans les églises. Par leurs dimensions et par les valeurs qui s'y rattachent, celles-ci constituent des lieux d'expression artistique de premier ordre. Au contraire des temples protestants dont la décoration est fort sobre, les églises catholiques québécoises possèdent de riches intérieurs sculptés qui contribuent à la splendeur du culte (fig. 1). Dans ce contexte, les artistes ne pouvaient que profiter largement du mécénat des collectivités paroissiales. Sans relâche, ils se sont empressés de satisfaire les moindres besoins des fabriques, besoins qui n'ont fait que croître avec les années. Au XIXe siècle, par exemple, les travaux de sculpture nécessaires à l'ornementation d'une église pouvaient s'échelonner sur plusieurs années[2]. Dans certains cas, des sculpteurs entreprirent successivement les ouvrages de la voûte, des retables, des autels, de la chaire, du banc d'oeuvre, du baptistère, des confessionnaux et ainsi de suite.

À l'origine du travail du sculpteur le besoin exprimé ou latent d'une oeuvre d'art existe toujours. Ce besoin est suscité soit par la personne ou l'organisme qui commande l'oeuvre, soit par le sculpteur lui-même. Dans un cas comme dans l'autre, et lorsque l'importance des travaux le justifie, des plans sont soumis aux responsables de la paroisse qui en font l'examen (cat. 170). Quand l'heure est venue d'accorder un contrat à tel ou tel artisan, le plan remis à la fabrique joue un rôle aussi crucial que la commission qui l'accompagne et que la réputation de son auteur. En effet, la proposition du sculpteur sera évaluée, dans une certaine mesure, à partir de la qualité du plan. Si le plan est clair, il est alors facile aux marguilliers et au curé d'entrevoir quelle allure aura l'oeuvre achevée.

Plus on recule dans le temps, plus les plans conservés se font rares. Ceci, toutefois, ne devrait pas nous faire oublier que, très tôt, l'on a eu recours à des plans pour l'attribution des travaux de sculpture. Ainsi, le 24 décembre 1693, le sculpteur Denis Mallet s'engagea à faire un tabernacle pour les récollets de Québec d'après un « dessein » bien précis[3]. De quelque nature qu'il fût, le plan soumis par le sculpteur

---

1. *Le Journal de Québec*, 16 janvier 1844, p. 2

2. Pour rédiger le présent texte sur l'intérieur de l'église, j'ai puisé abondamment dans trois chapitres d'un ouvrage qui s'intitulera *La Sculpture ancienne au Québec* et que je suis à compléter, de concert avec M. Jean Bélisle. Ces emprunts ont été faits uniquement dans des sections que j'ai rédigées.

3. A.N.Q.Q., Greffe du notaire François Genaple, 24 décembre 1693, *Marché entre Denis Mallet, sculpteur, et Louis de Buade de Frontenac, gouverneur et protecteur spirituel des Récollets.*

Fig. 1 *La messe dans l'église paroissiale de Trois-Rivières en 1882*, gravure extraite de *Picturesque Canada, the Country as it was and is*, édité par George Monro Grant, Breden Bros, Toronto, 1882, vol. 1, p. 95 (Photo B.N.Q.M.).

pouvait être reçu de différentes façons par celui qui l'avait commandé. Parfois, le plan était accepté tel quel ou encore on exigeait que l'artiste lui apporte des modifications. Pour éviter d'avoir à modifier le plan, il arrivait quelquefois que le sculpteur présente un projet comportant plusieurs possibilités. Cette façon de faire est illustrée par le plan du maître-autel que Pierre-Florent Baillairgé soumit à la fabrique de Maskinongé en 1790 (cat. 173). Au terme des travaux, il était d'usage que les marguilliers ou des experts nommés par eux examinent les ouvrages sculptés pour voir s'ils étaient conformes aux plans initialement acceptés par les parties.

Bien des sculpteurs participèrent à une certaine surenchère décorative dans les églises en exploitant l'esprit de rivalité qui existait entre les paroisses. Dans leur for intérieur, les habitants de chaque localité désiraient vivement que l'église de leur village dépasse en éclat et en faste la demeure spirituelle d'une paroisse voisine. Ainsi, l'ambition des habitants de Pointe-aux-Trembles se manifeste-t-elle lorsque Urbain Brien, dit Desrochers, vient conclure un marché de sculpture le 10 février 1823. La fabrique tient alors à s'assurer que le sculpteur fera une voûte à losanges, ornée de trois gloires dont la principale « sera pour le goût et la richesse, comme la plus magnifique qui soit en Canada... »[4].

L'évolution des goûts et certaines modes ont souvent occasionné le démantèlement de pièces de sculpture. Lorsqu'on consulte les archives paroissiales, on en vient à la conclusion que les églises du Québec furent de véritables chantiers perpétuels : tantôt on remplaçait la chaire ou on renouvelait la décoration de la voûte ; tantôt on achetait de nouveaux autels ou on commandait de nouvelles statues. Ceci peut expliquer qu'un grand nombre d'églises québécoises contiennent des éléments de décoration du XVIIIe siècle qui en côtoient d'autres du XIXe, et ainsi de suite. Par exemple, à l'église du Sault-au-Récollet, dans l'île de Montréal, on peut voir, au maître-autel, un tabernacle de Liébert datant de 1793 et un tombeau de Quévillon exécuté en 1806, une voûte de David Fleury David terminée en 1820 et la chaire de Vincent Chartrand, façonnée en 1836, qui remplaça celle que Liébert avait faite en 1791.

Qui dit sculpture ancienne du Québec, dit souvent vulnérabilité et mobilité. En règle générale, les sculptures dont les fabriques n'avaient plus besoin connaissaient un destin peu enviable. Lors du démantèlement des éléments sculptés à l'intérieur d'une église, on récupérait parfois des fragments décoratifs, des reliefs ou des statues pour les entreposer dans les combles ou dans la cave de l'église, voire dans le hangar ou dans la grange d'un paroissien (cat. 171). Bien des pièces importantes ont pu ainsi être sauvées (cat. 201). Hélas, il arrivait plus fréquemment encore que l'on brûle tout simplement des ouvrages considérés alors comme inutiles. Toutefois, il était d'usage de céder ou de vendre à d'autres paroisses des pièces du mobilier liturgique, des sculptures et même tous les éléments décoratifs d'une église. De fait, les vieilles paroisses ou les communautés religieuses consentaient volontiers à donner aux nouvelles fabriques ou aux institutions religieuses des pièces de mobilier usagées susceptibles de satisfaire leurs besoins immédiats : tabernacles, tombeaux, chaires, chandeliers, etc. Il n'est donc pas rare de découvrir des pièces des XVIIIe ou XIXe siècles dans des églises construites plusieurs décennies

---

4. A.N.Q.T.R., Greffe du notaire François-Louis Dumoulin, n° 2395, 10 février 1823, *Marché entre Urbain Brien dit Desrochers, sculpteur, et la fabrique de Pointe-aux-Trembles* (Montréal).

plus tard. Parmi des dizaines de cas, on peut citer celui du tabernacle de l'église de Saint-Maurice qui provient de l'ancienne chapelle des récollets de Trois-Rivières[5].

L'historien de l'art québécois qui désire déterminer la provenance de certaines pièces de sculpture religieuse doit souvent surmonter de très grandes difficultés. En effet, dans les archives paroissiales, on ne trouve qu'une fois sur deux des indications de provenance relativement aux ouvrages conservés dans les églises. Même si les archives demeurent muettes, il ne faut pas pour autant s'avouer vaincu. Ainsi, tout récemment, nous avons résolu l'énigme du baldaquin de Neuville d'une façon quelque peu inopinée. En parcourant les archives de l'Hôpital général de Québec, nous avons découvert, contre toute attente, le document qui allait nous permettre, au terme d'une série de recoupements, d'affirmer qu'il s'agissait bien du baldaquin qu'avait commandé Mgr de Saint-Vallier pour la chapelle de son palais épiscopal à la fin du XVIIe siècle[6].

Le patrimoine sculpté québécois comprend un très grand nombre d'ouvrages dont la provenance est inconnue et qui, à toutes fins utiles, sont destinés à demeurer à jamais anonymes et datés d'une façon imprécise. Par surcroît, plus on remonte dans le temps, plus les oeuvres conservées se font rares. Le feu est probablement la première cause de destruction des oeuvres d'art. Ainsi, dans le premier quart du XXe siècle, une série d'incendies désastreux devait détruire des ensembles aussi remarquables que ceux de Trois-Rivières, Louiseville et Notre-Dame de Québec. Or, il suffit de regarder des documents visuels anciens pour constater l'importance de ces pertes. Dans le cas de l'église de l'Immaculée-Conception de Trois-Rivières, par exemple, il s'agissait d'une splendide décoration ouvragée dont les parties composantes dataient des XVIIIe et XIXe siècles et qui étaient dues au travail de sculpteurs et d'ornemanistes chevronnés (fig. 2). Étant donné la qualité de cet ouvrage, il nous a paru opportun de le décrire pour expliquer les grandes lignes de la décoration intérieure de nos vieilles églises.

Le maître-autel, situé dans l'axe de l'église, en constitue le point névralgique. Toutes les lignes de force de la décoration convergent, en effet, vers cette table où le sacrifice de la messe se déroule. À Trois-Rivières, le maître-autel était surmonté d'une statue représentant la patronne de la paroisse. Le tableau accroché au fond du sanctuaire jouait un peu le même rôle que cette statue puisque la sainte patronne y était peinte. Quant au baldaquin, sa présence y était exceptionnelle puisque la décoration architecturale du retable suffisait généralement à mettre le maître-autel en valeur. Ici, des pilastres subdivisent les murs du choeur en travées ornées d'arcades ou de panneaux de bois sculpté. Les chapelles latérales étaient situées de part et d'autre du choeur. À Trois-Rivières, elles avaient été placées dans les bras du transept et adossées aux murs faisant face à la nef. Elles étaient ornées d'un tabernacle secondaire qui était mis en évidence par une paire de pilastres et un tableau correspondant à la dénomination de la chapelle. On notera au passage que le traitement accordé aux chapelles était toujours plus sobre que celui réservé au retable principal. Le choeur – ou sanctuaire – et les chapelles étaient séparés de la nef par la balustrade ou table de communion. Au mur gauche de la nef, à proximité du transept, était fixée la chaire du prédicateur (fig. 3) tandis que l'on apercevait, de l'autre côté, le banc d'oeuvre ou banc des marguilliers (fig. 4). Ces ouvrages de style Louis XIV, à l'exception de l'ange aux trompettes et de l'ange annonciateur qu'on leur avait ajoutés au XIXe siècle, étaient l'oeuvre de Gilles Bolvin et dataient des années 1735-1738. L'ensemble des éléments de la décoration intérieure de l'ancienne église de Trois-Rivières était dominé par une fausse voûte de bois reposant sur une corniche continue. L'ouvrage avait été entrepris conjointement par les maîtres-sculpteurs François Normand et François Lafontaine en 1818.

Par ses dimensions et par le traitement privilégié dont il a été l'objet, l'autel qui se dresse dans le choeur – le maître-autel – surpasse aussi bien les autels des chapelles latérales que celui de la sacristie. Ceci dit, il comprend les mêmes parties composantes fondamentales. Vient d'abord la table où se déroule le saint sacrifice. Cette table prend parfois la forme d'une boîte rectangulaire ornée d'un parement brodé, peint ou sculpté, placé dans un cadre ouvragé (cat. 14), ou encore la forme d'un tombeau à la romaine en bois sculpté (cat. 180). C'est sur la boîte ou sur le tombeau que le tabernacle repose (cat. 179). Nous entendons par tabernacle non seulement l'armoire où sont conservées les Saintes Espèces mais aussi tous les ouvrages d'ornementation qui l'entourent. Il est composé de trois parties principales superposées : le premier étage est formé des gradins ou degrés, dont la face verticale avant est appelée prédelle, qui encadrent la porte de l'armoire. Le second étage est celui de la monstrance. C'est dans l'avancée de la partie centrale de cet étage qu'est exposé – ou « montré » – en certaines occasions l'ostensoir renfermant le saint Sacrement. En ce qui concerne la sculpture, l'étage de la monstrance est de loin le plus important : il donne lieu à l'exécution de niches, de statuettes (cat. 174 à 177), de reliefs (cat. 181), de panneaux ouvragés (cat. 179) et d'un ensemble de colonnettes supportant un mini-entablement. La partie supérieure du tabernacle est non continue et comprend divers éléments dont le principal est sans contredit le couronnement de la monstrance qui est constitué d'un dôme ou d'un baldaquin surmonté d'une croix. Aux extrémités du tabernacle, de part et d'autre du couronnement, on trouve enfin des reliquaires ou encore des éléments purement décoratifs, tels que de petits dômes ou des pyramides. Les tabernacles anciens du Québec ont des formes très variées et certains comportent même des particularités qui les font différer sensiblement du meuble type que nous venons de décrire (cat. 181).

5. Voir John R. Porter et Léopold Désy, « L'ancienne chapelle des récollets de Trois-Rivières », dans *Bulletin* de la Galerie nationale du Canada, no 18, 1971, 36 pages.

6. Voir John R. Porter, « L'ancien baldaquin de la chapelle du premier palais épiscopal de Québec, à Neuville », dans *Annales d'histoire de l'art canadien*, vol. VI, no 2, 1982, p. 180-201.

Fig. 2 *L'intérieur de l'église de l'Immaculée-Conception de Trois-Rivières avant l'incendie du 22 juin 1908,*
photo prise par Pinsonneault en 1907 (Photo I.B.C.Q., Fonds Gérard-Morisset).

En plus du maître-autel qui est un ouvrage essentiel au culte, le chœur peut comprendre d'autres pièces de mobilier d'une importance relative. À droite de l'autel on voit assez souvent une console d'appui ou crédence sur laquelle on a posé le plateau à burettes ainsi que l'aiguière et la piscine servant aux ablutions du prêtre (fig. 2). Il arrive exceptionnellement que l'on trouve une seconde crédence, du côté gauche de l'autel, destinée à recevoir le missel et son support, l'antiphonaire ou le graduel, voire la navette de l'encensoir. La partie basse des murs latéraux du chœur est ornée d'un lambris qui est constitué de boiseries à corniche devant lesquelles sont disposées une ou deux rangées de stalles. Dans le prolongement des stalles et à proximité du transept, on découvre, dans certaines églises, deux trônes que mettent en évidence un petit dais supporté par des consoles à tête d'ange ou encore un couronnement cintré reposant sur une paire de colonnes. Le trône curial, placé du côté de l'épître (à droite) est réservé au curé, tandis que le trône épiscopal, destiné à l'évêque, lui fait pendant du côté de l'évangile (à gauche) (fig. 2).

La chaire et le banc d'œuvre constituent les deux pièces de mobilier les plus importantes de la nef. Sauf exception, la petite tribune de la chaire est placée du côté gauche de la nef et, du haut de celle-ci, le prêtre s'adresse à ses ouailles à l'occasion du prône (fig. 3). La chaire comprend deux grandes parties : la cuve ou l'ambon et l'abat-voix, un petit dais servant à améliorer la portée de la voix du prédicateur. Souvent surmonté d'un ange à la trompette (cat. 201), l'abat-voix est rattaché à l'ambon par un dorsal ou panneau de bois sculpté. L'escalier qui conduit à la chaire peut donner lieu à l'exécution d'une série de panneaux ajourés ou historiés. De l'autre côté de l'église le banc d'œuvre ou banc de la fabrique (fig. 4) fait pendant à la chaire. Équivalent laïque du trône curial, le banc d'œuvre est réservé aux marguillers, administrateurs des biens de la fabrique, qui sont nommés pour trois ans. La décoration du banc d'œuvre est le plus souvent indissociable de celle de la chaire. Un dorsal, constitué d'éléments architecturaux et de motifs en relief (cat. 202), s'élève derrière le banc proprement dit. Dans certains cas, le banc d'œuvre est surmonté d'un dais. Pendant longtemps, il fut d'usage de baptiser les nouveaux-nés au banc d'œuvre. À compter du XIXe siècle, on préférera, toutefois, ériger un meuble distinct conformément aux prescriptions liturgiques (voir le chapitre XI).

Fig. 3   *La chaire de l'ancienne église de Trois-Rivières sculptée par Gilles Bolvin entre 1735 et 1738 et détruite dans l'incendie de l'église en 1908,* photo prise par Pinsonneault en 1907 (Photo I.B.C.Q., Fonds Gérard-Morisset).

Fig. 4   *Le banc d'oeuvre de l'ancienne église de Trois-Rivières sculpté par Gilles Bolvin entre 1735 et 1738 et détruit dans l'incendie de l'église en 1908,* photo prise par Pinsonneault en 1908 (Photo I.B.C.Q., Fonds Gérard-Morisset).

Le buffet de l'orgue, installé dans les tribunes à l'arrière de l'église, peut comporter une riche ornementation sculptée. La prestance de l'instrument est soulignée tantôt par des chapiteaux, des trophées ou des bouquets, tantôt par des guirlandes, des volutes ou une statue en ronde-bosse (cat. 245).

L'énumération qui précède n'a évidemment pas la prétention d'être exhaustive. Ainsi, nous aurions pu parler de l'ornementation des confessionnaux et de l'utilisation des châsses (cat. 183-184), dire un mot des pièces de sculpture indépendantes, placées çà et là dans l'église (cat. 211), ou expliquer la présence de certains chemins de croix sculptés du XXᵉ siècle (cat. 212). Nous nous contenterons seulement de rappeler que, si les ouvrages décrits jusqu'à maintenant relèvent pour une bonne part de l'ornemaniste et meublier, ils n'en sont pas moins susceptibles d'intégrer nombre de

sculptures en relief ou en ronde-bosse. Ainsi, tel retable pourra être dominé par un Père éternel (cat. 203), être agrémenté de reliefs représentant des anges (cat. 204-205) ou comporter des niches renfermant des statues de format moyen (cat. 206) ou grandeur nature (cat. 208-209). Tel tabernacle pourra être orné de représentations symboliques, de reliefs historiés (cat. 181) et de statuettes dévotionnelles (cat. 174 à 177), et ainsi de suite. Toutes ces facettes de la décoration intérieure de l'église ne pouvaient évidemment que favoriser la créativité des sculpteurs québécois.

Née de besoins précis, dépendante des sources européennes, liée aux contraintes du milieu et tributaire des divers niveaux d'apprentissage des artisans, la sculpture des églises du Québec se présente comme une mosaïque où tradition et innovation s'entremêlent, une mosaïque aussi fascinante par les éléments savants que par les éléments populaires

qu'elle recèle[7]. Grâce à la relative perméabilité de la colonie, d'abord, et de la province, par la suite, aux influences extérieures, on assista à un renouvellement périodique des formes, alors que l'évolution des goûts suscitait des décorations et des pièces de mobilier religieux aux styles les plus divers : Louis XIV, Louis XV, Louis XVI, néo-classique, victorien, etc.

Les dépendances stylistiques, qui sont évidentes dans les boiseries des retables et des tabernacles, ne sont pas moins manifestes dans les divers accessoires liturgiques utilisés à l'église, qu'il s'agisse de pièces sculptées ou de pièces façonnées en métal vil ou précieux : chandelier pascal (cat. 182), lampe du sanctuaire (cat. 178), jeux de chandeliers (cat. 193 à 196), croix d'autel (cat. 190) ou de procession (cat. 192), etc. À cet égard, on peut dire que le trésor d'orfèvrerie d'une église ancienne témoigne autant de la vie des formes que des pratiques culturelles de la foi catholique (cat. 185 à 200).

L'intérieur de l'église n'était pas l'apanage des seuls sculpteurs et orfèvres. Nombre de peintres y travaillèrent au fil des siècles. Sous le régime français, on assista, dans la colonie, à une importation massive de peintures provenant de la métropole, et cette politique mercantiliste de la métropole retarda l'émergence de la peinture locale. Pour ne citer qu'un exemple, prenons le cas du frère Luc, le peintre le plus célèbre de la période française. Cet artiste de formation européenne n'a séjourné que quinze mois dans la colonie, en 1670 et 1671. Pendant son séjour au pays, il a exécuté divers grands tableaux destinés, pour la plupart, au maître-autel de certaines églises de Québec et des environs (cat. 213). Il ne faudrait pas négliger non plus la gravure qui, autrefois, occupait une très grande place dans certaines églises. L'étonnant inventaire qui fut réalisé en 1709 et que nous avons découvert dans les archives de la paroisse Saint-Pierre est on ne peut plus révélateur à cet égard. Il faisait état non seulement de l'existence d'une quinzaine de peintures – dix sur toile, quatre sur cuivre et une sur bois – dans cette église de l'île d'Orléans, mais également de la présence de 25 gravures, de 38 images de divers formats, de 24 enluminures et de 8 images sur vélin[8].

Après la conquête de 1759, la colonie se trouva soudainement isolée de ses sources d'approvisionnement traditionnelles et elle fut obligée de se suffire à elle-même en matière picturale. Cela ne pouvait que favoriser l'affirmation d'une production québécoise. Faute d'académie et de traditions bien établies, les artistes se tournèrent naturellement vers les modèles disponibles pour satisfaire les besoins grandissants de la colonie. Par la copie des oeuvres européennes, ils assimilèrent peu à peu une part de cette

tradition tout en donnant une certaine touche personnelle à leur production. Leur originalité, évidemment, se situait moins dans la création de formes nouvelles que dans l'interprétation de formes reçues, ce qui était tout à fait normal dans une situation coloniale. À partir d'un même modèle, deux artistes en arrivaient quand même à des rendus nettement différenciés[9]. À compter du XIXe siècle, l'arrivée de toiles européennes anciennes (notamment des XVIIe et XVIIIe siècles) contribua au ressourcement du milieu québécois et encouragea même quelques personnes à entreprendre une carrière artistique. Ainsi, Joseph Légaré fut l'un de ceux qui utilisèrent des toiles de la collection Desjardins comme modèles pour l'exécution de copies destinées à l'ornementation des églises (cat. 214).

Dans la seconde moitié du XIXe siècle, les contacts avec l'Europe se généralisèrent. Tandis qu'un plus grand nombre d'artistes québécois allaient se perfectionner sur le vieux continent, des membres du clergé en revenaient, impressionnés par les décorations murales qu'ils avaient pu y admirer. Certains curés voulurent recréer dans leurs églises des ensembles décoratifs comparables à ceux de l'Europe. À cette fin, ils recoururent tantôt à des peintres allemands ou italiens comme Wilhelm Lamprecht, Luigi Cappello ou Guido Nincheri, tantôt à des artistes québécois comme Napoléon Bourassa (cat. 215 et 216), Charles Huot ou Ozias Leduc. D'autres investirent des sommes considérables dans l'achat de vitraux. Dans ce nouveau domaine, les artistes locaux, désireux d'imposer leurs cartons, durent une fois de plus faire face à la forte concurrence d'importateurs dont la production était souvent aussi répandue que dénuée d'originalité (cat. 217).

Depuis les années 1960, l'Église québécoise a vécu à l'heure du renouveau liturgique issu du concile Vatican II. Dans toutes les paroisses, on s'est efforcé d'adapter l'intérieur des édifices religieux aux nouvelles exigences du culte. Certaines fabriques l'ont fait dans le respect des oeuvres héritées du passé ; d'autres, trop nombreuses, ont procédé sans le moindre discernement en faisant disparaître toutes les décorations ou en dilapidant une foule de boiseries, de tableaux, de meubles, de statues et de pièces d'orfèvrerie. À bien des endroits, des décorateurs peu scrupuleux et des antiquaires avides accélérèrent le mouvement. Fort heureusement, cette saignée patrimoniale est, en règle générale, chose du passé car, aujourd'hui, un nombre grandissant de fabriques et de curés sont conscients de la richesse des trésors artistiques dont ils sont dépositaires et s'efforcent d'en assumer la conservation et la mise en valeur.

John R. Porter

7. Voir John R. Porter, « La sculpture ancienne du Québec et la question de l'art populaire », dans *Questions d'art populaire* (sous la direction de J. R. Porter), Cahiers du Celat (université Laval), n° 2, mai 1984, p. 49-76.

8. Archives paroissiales de Saint-Pierre, île d'Orléans, *Registre I (1680-1789)*, Inventaire de 1709, section « Tableaux, Reliquaires, Images », folio 21. Laurier Lacroix a fait état de ce document dans son texte sur la gravure.

9. Voir John R. Porter, « L'abbé Jean-Antoine Aide-Créquy (1749-1780) et l'essor de la peinture religieuse après la conquête », *Annales d'histoire de l'art canadien*, vol. VII, n° 1, 1983, p. 55-72.

Thomas Baillairgé, 1791-1859

170. *Plan du décor du choeur de l'église de Baie-Saint-Paul*, 1818

Encre et lavis sur papier. 19,5 × 95,3 cm.

Inscriptions

(dans les vides du dessin) « croisées » (quatre fois); « Statue faite » (deux fois); « tabernacle »; « Autel »; (sous le dessin) « Copie exacte du plan que j'ai présenté et que je Doit Exécuter dans l'église de St Pierre de la Baie St Paul et dont les prix sont détaillé dans le devis ci joint./F^r et Thomas Baillairgé »; (en bas, à droite) « NB je prie M^r. Lièvre de croire que le temps ne m'a pas/permi de dessiner exactement les ornements joint à la petitesse du plan. TB ».

Ce plan fut dessiné en 1818 en vue de la décoration du choeur de l'église de Baie-Saint-Paul. Il porte la signature de François Baillairgé et celle de son fils Thomas qui, à l'époque, travaillaient de concert à l'ornementation des églises. Malgré la double signature, c'est au seul Thomas Baillairgé qu'il faut attribuer l'exécution du plan. En effet, non seulement le dessin est-il typique des travaux ultérieurs de Thomas, mais encore il porte une inscription initialée fort révélatrice. Qui plus est, on trouve dans les archives de la paroisse de Baie-Saint-Paul une lettre signée « Thas Baillairgé », adressée au curé Lelièvre et dont le contenu est susceptible d'effacer toute ambiguïté quant à la paternité du dessin. En voici d'ailleurs un extrait:

« Je vous envoye un plan tel qu'il conviendrait au meilleur de mes connaissances. Dans votre Sanctuaire et d'après l'avis de Mr. le Supérieur nous avons fait entrer vos statues dans le retable de l'autel chaque côté des collones, ce qui je crois aussi, ferais très bien, comme vous pouvez le voir au plan où j'ai distingué le centre ou retable de l'autel par une couleur différente de celui du choeur. »

Le dessin et lavis que Thomas Baillairgé fit parvenir au curé de Baie-Saint-Paul était une copie d'un plan plus détaillé que le concepteur garda en sa possession. Il s'agit, malgré tout, d'une élévation très descriptive nous permettant aujourd'hui de bien situer l'emplacement premier des divers fragments qui ont été conservés de la décoration entreprise en 1818 et démantelée vers 1907. Bon nombre de ces fragments font aujourd'hui partie des collections du Musée du Québec. Signalons, entre autres choses, le grand relief du Père éternel qui couronnait le retable et les médaillons de saint Étienne et de sainte Apolline (cat. 171).
J.R.P.

Expositions

1975, Québec, Musée du Québec, *François Baillairgé et son oeuvre (1795-1830)*, n° 64, repr. 1983, Québec, Musée du Québec, *L'art de l'architecte*, n° 32, repr.

Bibliographie

Archives paroissiales de Baie-Saint-Paul, « Recueil de lettres et de notes concernant la paroisse de la Baie St Paul. 1859 » suivi de « Notes historiques sur la Baie St-Paul » (manuscrit complété par des notes des successeurs de l'abbé Trudelle jusqu'en 1899), *Lettre de Thomas Baillairgé au curé de Baie Saint-Paul*, 27 octobre 1818. TRUDEL, *Profil de la sculpture québécoise* (cat. d'expos.), 1969, p. 96. VOYER, *Églises disparues*, 1981, p. 47, repr.

Collection

Musée du Québec, Québec, (A-71.7-D).

François Baillairgé, 1759-1830

171. *Sainte-Apolline*, vers 1818

Jean, 1726-1805, ou Pierre-Florent, 1761-1812, Baillairgé, ou les deux

172. *Ancienne porte du tabernacle de Maskinongé*, 1791

Bois peint et doré. 61 × 38 cm.

Le médaillon de sainte Apolline était situé à la partie supérieure d'un entrecolonnement, entre les deux croisées du mur de gauche, dans le choeur de la troisième église de Baie-Saint-Paul (cat. 170). Représentée à mi-corps et la mine débonnaire, la sainte tournait autrefois les yeux en direction du maître-autel

Sainte Apollonie – ou Apolline – d'Alexandrie fut martyrisée en l'an 249. Selon la légende, un bourreau lui aurait arraché une à une toutes les dents avec une pince parce qu'elle refusait d'adorer les idoles. Dans la version du Musée du Québec, la sainte tient d'une main la palme du martyre, et de l'autre une pince fermée sur une dent. Elle avait décidément tout pour être reconnue comme la patronne des dentistes et de tous ceux qui souffrent du mal de dents ! J.R.P.

Exposition

1975, Québec, Musée du Québec, *François Baillairgé et son oeuvre (1759-1830)*, nº 58, repr.

Collection

Musée du Québec, Québec, (A-67.209-S).

Bois doré. 41 × 37,5 cm.

Cette porte et son encadrement furent acquis de l'antiquaire Samuel Breitman en 1968. Ils firent partie de l'ornementation du tabernacle du maître-autel de Maskinongé jusque dans les années 1940, alors que fut installée une porte métallique, jugée plus sécuritaire (cat. 173). Dans le cas présent, il est pratiquement impossible de départager la contribution respective de Jean Baillairgé et de son fils, Pierre-Florent, même si l'on sait que le premier travailla surtout comme menuisier, tandis que le second fit plutôt sa marque comme sculpteur-ornemaniste.

La porte de l'armoire, où étaient déposés le ciboire et le calice, est cintrée à oreilles et ornée d'un lourd ciboire en relief dont les côtés sont partiellement cachés par un voile aux plis rigides. La surface de l'encadrement de la porte est parcourue par quatre tiges végétales – dont deux chutes – agrémentées de fleurs qui émergent de deux anneaux placés dans les coins supérieurs.

Le recours à un ciboire ou à un calice pour orner la porte des tabernacles était chose courante dans la sculpture ancienne du Québec. Tout en indiquant le contenu de la boîte eucharistique, ces vases liturgiques faisaient allusion au sacrifice du pain et du vin. Parmi les autres motifs sculptés que l'on retrouve sur les portes de nos tabernacles anciens, mentionnons l'agneau du sacrifice allongé sur la croix ou sur le livre aux sept sceaux, le pélican symbolique ouvrant ses entrailles pour nourrir ses petits, le sacré-coeur saignant, le Bon Pasteur – plus fréquent encore sur la porte de la monstrance –, le Christ aux instruments de la Passion, la Cène, le Souper d'Emmaüs et la Résurrection. J.R.P.

Bibliographie

(*Nota* : bien qu'aucun texte ne traite particulièrement de la porte et de son encadrement, il nous a semblé opportun d'indiquer les principaux écrits se rapportant à l'ensemble du tabernacle): MORISSET, « Jean Baillairgé (1726-1805) », 1947, p. 423 et 425, repr. NOPPEN et PORTER, *Les églises de Charlesbourg*, 1972, p. 27, 28 et 92, repr. GAUTHIER, *Les tabernacles anciens du Québec*, 1974, p. 43, 44 et 98, repr.

Collection

Musée du Québec, Québec, (A-68.308-S).

Pierre-Florent Baillairgé, 1761-1812

173. *Plan du maître-autel et d'un chandelier pour l'église de Maskinongé*, 1790

Encre et lavis sur papier. 43,3 × 41,4 cm.

Inscriptions

(sur le dessin du tombeau) « inventit et fecit Petrus florentius Baillairgé natu minor/1790 »; (à droite du dessin du tombeau) « Le tabernacle parroit trop avancer sur L'autel mais c'est un defaut dattente en faisant Le plan »; (à droite du dessin du chandelier) « 2 pied 6 pouces de hauteur »; (sous le dessin du chandelier) « inventit et fecit Petrus florentius Baillairgé natur minor »; (au recto) chiffres, lettres et notes se rapportant à l'échelle et aux dimensions des meubles projeté; (collées au verso) soumissions pour le maître-autel des églises de Maskinongé et de Saint-Roch-des-Aulnaies.

Lorsqu'il présenta son projet pour le maître-autel, incluant le tabernacle, le tombeau et les chandeliers, de l'église de Maskinongé en 1790, Pierre-Florent Baillairgé prit la peine de le signer à deux reprises: « inventit et fecit Petrus florentius Baillairgé natur minor ». Devant une inscription aussi explicite, on a de la peine à s'expliquer comment certains ont pu aller jusqu'à attribuer le plan en question à François Baillairgé, le frère de Pierre-Florent. Pour nous, la cause est entendue et il n'y a pas lieu de contester à ce dernier la paternité du plan de Maskinongé.

Malgré les pertes que l'on constate à sa partie supérieure, le dessin s'avère d'une qualité exceptionnelle tant par sa précision que par la finesse de son exécution. Il comporte une élévation, une coupe horizontale et une échelle. Il est lavé de façon à faire ressortir aussi bien les éléments végétaux et les motifs architecturaux que les éléments historiés. Ce plan offrait également une autre possibilité à celui qui en avait fait la commande, dans la mesure où ses deux moitiés présentent des différences quant à l'ordonnance et au répertoire décoratif. Il comporte même, en marge, le dessin très détaillé du chandelier type que l'artiste proposait pour le maître-autel.

Le meuble fut finalement réalisé de concert par Pierre-Florent Baillairgé et son père Jean. S'il a toujours conservé sa place dans le chœur de l'église de Maskinongé, il est loin de présenter la même allure que celle qu'il avait à l'origine. En effet, le couronnement du meuble fut altéré d'une façon radicale à la fin du XIXe siècle, et la porte de l'armoire eucharistique (cat. 172) fut remplacée par une porte en acier vers 1940. De plus, des couches de peinture successives furent apposées sur sa surface. Le même traitement fut d'ailleurs réservé aux quatre statuettes des niches et au relief de la monstrance – un Bon Pasteur –, des œuvres dont Jean Baillairgé avait confié l'exécution à son fils François par voie de sous-traitance (cat. 174-177). En terminant, il importe de rappeler que le plan soumis à Maskinongé, en 1790, fut réutilisé pour une seconde soumission, deux ans plus tard, comme nous l'indique le document collé à son revers. En 1792, le curé de Saint-Roch-des-Aulnaies signa, en effet, un marché avec Jean Baillairgé pour l'exécution du tabernacle du maître-autel de sa paroisse. Augmenté d'un gradin en 1822, il fut offert à la fabrique de Sainte-Louise de l'Islet en 1875 et il s'y trouve encore.
J.R.P.

Exposition

1977, Québec, Musée du Québec, *L'Art du Québec au lendemain de la conquête (1760-1790)*, n° 9, repr.

Bibliographie

TRUDEL, *Profil de la sculpture québécoise* (cat. d'expos.), 1969, p. 72 CASTONGUAY et autres, *Les Aulnaies 1656-1981*, 1981, p. 95, repr. NOPPEN et GRIGNON, *L'art de l'architecte* (cat. d'expos.), 1983, p. 171, repr.

Collection

Musée du Québec, Québec, (A-69.128-D)

François Baillairgé, 1759-1830

174 à 177. *Statuettes (4) du maître-autel de Maskinongé*, 1791

C'est en tant que sous-traitant de son père que François Baillairgé accepta, en 1791, de sculpter les éléments historiés du tabernacle de Maskinongé (cat.173). Dans son *Journal* (1784-1800), (collection particulière, Québec), il fait non seulement état de la durée de son travail, mais également de la rétribution – insuffisante à ses yeux – qu'il en obtint :

(le 11 juin 1791) : « *finit les quatre petittes statues pour le tabernacle du maître autel des Maskinongé travallée environ 21 journée* »

(le 21 juin 1791) : « *Finit le bas-relief sur la porte du tabernacle de Masquinongé. Travallé 2 jours à faire le modèle et six jours à le sculpter* »

(le 10 octobre 1791) : « *recue de Jean baillairgé vingt piastres à compte des statues du tabernacle des masquinongés* »

(le 18 octobre 1791) : « *Recue du même [Jean Baillairgé] dix sept livres quatre sol pour lentier payement des petites statues faittes pour le tabernacle des masquinongé. Cetoit en tout quatre vingt livres, on me fait perdre a ma cotte part huit livres huit sol et me retient trente quatre livres dix sous pour treize jours que girouar a travallé pour moy au compte de Mon perre* »

Quand Baillairgé fait mention du « bas-relief sur la porte du tabernacle », il ne s'agit évidemment pas de la petite porte de l'armoire eucharistique (cat. 172), mais bien du relief du Bon Pasteur placé sur la porte de la monstrance de ce tabernacle. On voit mal, en effet, comment un artiste de son calibre aurait pu prendre six jours pour sculpter un ciboire d'une facture plutôt rudimentaire, après avoir consacré deux jours à l'exécution d'un modèle ! Quant à l'identité des quatre « petites statues », nous partageons tout à fait l'avis de Gérard Morisset et de Jean Trudel qui y ont vu saint Joseph, la Vierge Marie et les parents de celle-ci, saint Joachim et sainte Anne. Si l'on met ces quatre personnages en relation avec le Christ de la monstrance, l'on se retrouve devant une interprétation fort originale du thème de la sainte Famille. Il est à noter que seul saint Joseph portait naguère un attribut à la main, vraisemblablement un bâton fleuri. Le fait qu'il a été le patron de la paroisse explique peut-être cette singularité. Quoi qu'il en soit, on pourra être surpris par la robustesse paysanne des quatre saints représentés. Enveloppés dans de lourdes draperies traitées d'une façon un peu sommaire, ils impressionnent surtout par la force expressive qui émane de leurs visages.   J.R.P.

Collection
Fabrique Saint-Joseph, Maskinongé.

François Baillairgé, 1759-1830

174. *Vierge Marie*, 1791

Bois peint et doré, 43,2 cm.

Expositions
1969, Québec, Musée du Québec, *Profil de la sculpture québécoise*, n° 31, repr. 1975, Québec, Musée du Québec, *François Baillairgé et son oeuvre (1759-1830)*, n° 46, repr.

Bibliographie
MORISSET, « Jean Baillairgé (1726-1805) », 1947, p. 425.

Collection
Fabrique Saint-Joseph, Maskinongé.

François Baillairgé, 1759-1830

175. *Saint Joseph*, 1791

Bois peint et doré. 41,9 cm.

Expositions
1969, Québec, Musée du Québec, *Profil de la sculpture québécoise*, n° 30, repr. 1975, Québec, Musée du Québec, *François Baillairgé et son oeuvre (1759-1830)*, n° 48, repr.

Bibliographie
MORISSET, « Jean Baillairgé (1726-1805) », 1947, p. 425.

Collection
Fabrique Saint-Joseph, Maskinongé.

François Baillairgé, 1759-1830
176. *Sainte Anne*, 1791

François Baillairgé, 1759-1830
177. *Saint Joachim*, 1791

François Ranvoyzé, 1739-1819
178. *Lampe de sanctuaire*

Argent, 36,2 cm.

Bien qu'elle ne porte aucun poinçon, cette lampe de sanctuaire, qui provient de l'église de l'Ancienne-Lorette, a sans aucun doute été exécutée par François Ranvoyzé dans les années 1780. On peut imaginer que la lampe du sanctuaire de l'église Saint-Augustin (cat. 185 à 200), que Ranvoyzé exécuta en 1783-1784 et qui est aujourd'hui disparue, devait ressembler beaucoup à celle-ci tant par sa forme que par sa décoration.   J.T.

Exposition
1977, Québec, Musée du Québec, *L'art du Québec au lendemain de la conquête*, nº 57, repr.

Bibliographie
Morisset, *Coup d'oeil sur les arts*, 1941, p. 98. Morisset, *Évolution d'une pièce d'argenterie*, 1943, p. 15. Allard, *L'Ancienne-Lorette*, 1977, p. 326-327, repr.

Collection
Musée du Québec, Québec, (A-75.383-0).

Bois peint et doré. 41,9 cm.

Expositions
1969, Québec, Musée du Québec, *Profil de la sculpture québécoise*, nº 33, repr. 1975, Québec, Musée du Québec, *François Baillairgé et son oeuvre (1759-1830)*, nº 47.

Bibliographie
Morisset, « Jean Baillairgé (1726-1805) », 1947, p. 425, repr.

Collection
Fabrique Saint-Joseph, Maskinongé.

Bois peint et doré. 41,9 cm.

Expostions
1969, Québec, Musée du Québec, *Profil de la sculpture québécoise*, p. 76-77, nº 32, repr. 1975, Québec, Musée du Québec, *François Baillairgé et son oeuvre (1759-1830)*, nº 45.

Bibliographie
Morisset, « Jean Baillairgé (1726-1805) », 1947, p. 425, repr.

Collection
Fabrique Saint-Joseph, Maskinongé.

179 et 180. *Maître-autel*
de Saint-Joseph
de Soulanges, **XIXᵉ siècle.**

Nicolas Manny, 1812-1883

179. *Tabernacle de l'ancien maître-autel de Saint-Joseph de Soulanges*, vers 1850

Bois doré. 258,5 × 260 cm.

Le Musée du Québec a acquis ce somptueux tabernacle de la fabrique de Saint-Joseph de Soulanges (Les Cèdres), en 1958. Il s'agit d'une oeuvre de Nicolas Manny, un virtuose du ciseau, qui misait sur une sculpture fouillée et exubérante pour donner à sa production un effet visuel d'une grande richesse. Cette intention est on ne peut plus manifeste dans le tabernacle du Musée du Québec, un meuble surchargé où la décoration prend le pas sur l'ordonnance des parties. Les surfaces sont en effet recouvertes d'une végétation foisonnante et de nombreux motifs rocaille, d'inspiration Louis XV, sont exploités d'une façon fantaisiste. Même les éléments architecturaux – colonnettes et pyramides –, mis en place pour rythmer la composition, sont envahis par des enroulements de motifs végétaux et floraux. À toutes fins utiles, le petit Christ en croix qui domine le couronnement et les prédelles, décorées avec des bottes de blé et des grappes de raisin symbolisant le pain et le vin, sont les seuls éléments du tabernacle à connotation religieuse ou liturgique. Par l'*horror vacui* qui le caractérise, le luxuriant tabernacle des Cèdres avait tout pour rejoindre la sensibilité de la clientèle à l'époque victorienne, pour qui la richesse décorative avait plus d'importance que la rigueur de l'ordonnance et le respect de la grammaire des styles. J.R.P.

Expositions
1952, Québec, Musée du Québec, *Exposition rétrospective de l'art au Canada français*, n° 178, repr. 1967, Québec, Musée du Québec, *Sculpture traditionnelle du Québec*, n° 75, repr.

Bibliographie
Morisset, « Le sculpteur Nicolas Manny », 1952, p. 28-29, repr. Lavallée, *Anciens ornemanistes et imagiers*, 1968, p. 47-48. Trudel, « Quebec Sculpture and Carving », 1974, p. 47, repr.

Collection
Musée du Québec, Québec, (A-58.50-S).

Joseph Pépin, 1770-1842

180. *Tombeau de l'ancien maître-autel de Saint-Joseph de Soulanges*, vers 1815

Détail

Bois peint et doré. 103,5 × 280,7 cm.

Tout comme le tabernacle (cat. 179) qu'il supporte, le tombeau du Musée du Québec provient de l'église de Saint-Joseph de Soulanges (Les Cèdres). Il est toutefois plus ancien puisqu'il a été exécuté aux environs de 1815. Cette datation, ainsi que l'attribution de l'ouvrage à Joseph Pépin, reposent sur de nombreuses indications contenues dans les livres de comptes de la fabrique et qui font état des sommes d'argent importantes versées à ce sculpteur entre les années 1811 et 1820.

L'ancien tombeau d'autel des Cèdres est conforme au type de tombeau, dit « à la romaine », mis de l'avant par Philippe Liébert à la fin du XVIIIᵉ siècle, et propagé par la suite dans la région de Montréal par Louis Quévillon, ses collaborateurs (dont Joseph Pépin) et leurs disciples. Il s'agit d'un meuble galbé dont la forme générale rappelle celle de certaines consoles d'appui de style Louis XV. Les angles en forme de S sont ornés de têtes d'anges ailées dans le prolongement desquelles se découpent des pattes de lion fermées, sur une sphère. L'ornementation de la face principale du tombeau comporte des zones vierges contribuant à mettre en valeur une paire de guirlandes florales, ainsi que deux grandes bandes horizontales constituées de motifs végétaux et de coquilles d'inspirations rocaille.

Un petit relief, placé au centre de la partie haute du tombeau, donne une touche particulière à l'ouvrage. Il s'agit d'une représentation du songe de saint Joseph qu'enserrent deux volutes de coquillages (voir le détail). On y aperçoit un ange faisant irruption dans la chambre à coucher de saint Joseph pour le prévenir qu'il doit fuir en Égypte avec Jésus et Marie. Si la scène présente beaucoup d'analogies avec l'épisode de l'Annonciation de l'ange Gabriel à Marie, il reste qu'elle constitue la seule version connue du songe de saint Joseph dans la sculpture québécoise ancienne. Sa présence sur le tombeau du maître-autel des Cèdres s'explique, bien sûr, par le fait que la paroisse avait pour saint patron le père nourricier de Jésus. J.R.P.

Expositions
1952, Québec, Musée du Québec, *Exposition rétrospective de l'art au Canada français*, n° 185, repr. 1967, Québec, Musée du Québec, *Sculpture traditionnelle du Québec*, n° 79, repr.

Collection
Musée du Québec, Québec, (A-58.347-S).

Philippe Liébert, 1732-1804
181. *Autel latéral*, 1790

Bois peint, doré et marbré. 197,5 × 223,5 cm.

Originaire de Nemours, en France, Philippe Liébert arriva dans la colonie une dizaine d'années avant la conquête. Son destin devait l'amener à marquer d'une façon tangible l'évolution de la sculpture montréalaise des dernières décennies du XVIIIᵉ siècle et à exercer, par-delà sa mort, une nette influence sur Louis Quévillon et ses collaborateurs. Après s'être absenté de la colonie pour participer à la guerre de l'indépendance américaine, à titre de major au sein des troupes du congrès (voir A.N.Q.M., greffe du notaire Peter Lukin, père, 25 août 1792, n° 149), Liébert reprit en main ses outils de sculpteur en 1785 et entreprit, dès lors, de réaliser une série d'oeuvres qui font aujourd'hui son renom.

Réalisé en 1790, pour l'une des chapelles latérales de l'ancienne maison mère des soeurs grises, l'autel du Sacré-Coeur de l'Hôpital général de Montréal constitue l'une des plus belles réussites de Liébert. L'ouvrage est de dimensions modestes, mais bien proportionné. Qui plus est, le tombeau à la romaine et le petit tabernacle constituent un ensemble harmonieux.

Finement ouvragé, le tombeau impressionne autant par la grâce de son galbe que par la qualité de sa marbrure ancienne. Il est orné de motifs Louis XV et de deux têtes d'anges à ses angles supérieurs. Il a pour motif principal un coeur enflammé, entouré d'une couronne d'épines et d'un cercle de nuages. Il s'agit là d'un symbole propre aux soeurs grises. Plus bas, à proximité du sol, se détache un relief représentant saint Jean-Baptiste enfant, véritable petit chef-d'oeuvre de grâce. Le précurseur du Christ, tenant une croix, est assis sur un rocher, à proximité d'un agneau symbolique. (Voir Morisset, « Après le traité de Paris », 1942, p. 184; Morisset, « Arts en Nouvelle France », 1952, vol. 2, p. 544).

Par son ordonnance générale, le tabernacle s'apparente nettement à ceux que Liébert réalisa pour les chapelles latérales des églises de Vaudreuil et de Saint-Martin. Comme il ne possède qu'une seule prédelle parcourue d'entrelacs, il est dépourvu de porte dans sa partie basse. Par sa légèreté, la sculpture ornementale du tabernacle s'harmonise bien avec les trois reliefs cintrés à oreilles et dorés qui agrémentent les panneaux de la monstrance et des ailes. Le Bon Pasteur de la monstrance, le premier bas-relief, est à rapprocher de celui qui provient de l'ancienne église de Saint-Martin et que conserve le Musée du Québec: il est surmonté d'une gloire parsemée de têtes d'anges, un motif que Quévillon se plut à imiter par la suite. Le second nous montre sainte Marguerite d'Antioche tenant Satan en laisse avec une chaîne. Le dragon symbolique a beau cracher le feu et agiter sa queue pointue, il ne parvient pas à perturber le courage de la vigoureuse sainte Marguerite. Le dernier bas-relief a pour sujet la légende de saint Augustin. Représenté en évêque avec sa mitre et sa crosse, le prélat ne semble pas prêter l'oreille aux propos du jeune garçon qui s'agenouille à ses pieds. Cette curieuse scène veut être une illustration de l'épisode le plus populaire de la légende de saint Augustin: comme il expliquait à un enfant qu'il était impossible de chercher à transvider la mer dans un trou de sable à l'aide d'un coquillage, l'évêque se serait fait répondre qu'il était aussi vain de vouloir expliquer le mystère de la trinité divine !

Dans son ouvrage sur Liébert, Gérard Morisset a su exprimer d'une façon colorée ce qui fait le charme particulier des reliefs de l'Hôpital général de Montréal:

« *Leur composition, écrivait-il, est si naïve, leur facture si dépouillée de toute trace d'inutile virtuosité, leur style si frais, qu'ils se gravent dans la mémoire à la manière des mélodies d'autrefois, dont le temps n'a pas altéré la candeur.* » J.R.P.

Bibliographie

I.B.C.Q., Fonds Gérard-Morisset, dossier *Hôpital général de Montréal*, références diverses. MORISSET, « Un très grand artiste: Philippe Liébert », 1942, p. 28, repr. MORISSET, *Philippe Liébert*, 1943, p. 23-24, repr. (ensemble et détails). MORISSET, « Saint Jean-Baptiste dans l'art canadien », 1950, p. 25, 35 et 39, repr. (détail). LAVALLÉE, *Anciens ornemanistes et imagiers*, 1968 p. 49.

Collection

Maison mère des soeurs grises, Montréal.

François Dugal (att. à), 1796-1862

182. *Chandelier pascal*, 1824

Bois bronzé. 170 cm.

Le chandelier pascal supporte le cierge que l'on allume durant le temps de Pâques et lors des baptêmes. Celui de Sainte-Rose dérive en ligne directe de la torchère française de l'époque Louix XIV. Le visiteur qui parcourt le bosquet des Rocailles, au château de Versailles, a d'ailleurs le loisir d'en voir encore de beaux exemples. Dans l'état actuel des connaissances, ce type de chandelier, d'aspect plutôt massif aurait été introduit au pays par Philippe Liébert, à la toute fin du XVIIIe siècle. Nous savons, en tout cas, que le grand chandelier qu'il réalisa pour la fabrique de Saint-Martin, en 1799, fut à l'origine d'une chaîne de répliques, ainsi que l'a démontré François Cormier dans son article sur le chandelier de l'abbé Raimbault. Louis Quévillon et ses collaborateurs furent ceux qui contribuèrent le plus à la diffusion du nouveau modèle.

Le chandelier pascal de Sainte-Rose est l'oeuvre d'un sculpteur ornemaniste. Il s'agit d'un accessoire liturgique à l'allure imposante, dont les trois grandes parties qui le composent soit la base, le fût et la vasque, sont abondamment décorées. La base tripode du chandelier est formée de trois volutes saillantes se terminant par des pattes de lion fermées sur des boules. Entourés de rameaux, trois petits médaillons ornent les faces de la base. On y retrouve, une fois de plus, les membres de la sainte Famille, c'est-à-dire la Vierge Marie en prière, saint Joseph tenant son bâton fleuri et Jésus qui croise les bras sur sa poitrine. Chacun des pans de la base se termine par un chapiteau ionique servant de support au fût. Le balustre qui, repose sur trois feuilles d'acanthe renversées, est orné de godrons, de volutes et de motifs végétaux. Il se termine lui aussi avec des chapiteaux ioniques servant d'appui à une vasque ou bobèche posée sur un noeud. La décoration de la vasque comporte un treillis semé de roses, quatre petites consoles et un cercle de perles.

Les livres de comptes nous apprennent que le chandelier pascal de Sainte-Rose fut acquis en 1824, pour la somme de 360 livres. Bien que le nom de l'artiste ne soit pas précisé, il y a tout lieu de croire qu'il s'agit de François Dugal – membre de l'« école » de Quévillon – puisqu'il était, à l'époque, le sculpteur attitré de la fabrique. L'oeuvre était originellement dorée, mais elle se présente aujourd'hui avec un revêtement de bronze. Le chandelier a perdu quelques-uns de ses motifs, résultat d'une utilisation prolongée. Il est à rapprocher de deux chandeliers d'autel acquis l'an dernier par le Musée des beaux-arts de Montréal. Ces accessoires liturgiques sont attribués à Dugal (vers 1816) et proviennent de la paroisse de Sainte-Thérèse de Blainville.   J.R.P.

Bibliographie

Archives paroissiales de Sainte-Rose, *Livre de comptes 1 (1797-1838)*, année 1824. CORMIER, « Le chandelier de monsieur Raimbault », 1980, p. 62.

Collection

Fabrique Sainte-Rose, Sainte-Rose-de-Laval.

Anonyme

183 et 184. *Reliquaires* (2),
première moitié
du XVIIIe siècle

On connaît de multiples manifestations du culte des reliques dans l'histoire religieuse du Québec. Ainsi, Mère Marie de l'Incarnation relate qu'en 1666 les quatre églises et chapelle de la ville de Québec, furent le théâtre d'une grande procession de saintes reliques, à la laquelle participèrent Mgr de Laval, le gouverneur de Courcelles, l'intendant Talon et quarante-sept ecclésiastiques en tenue d'apparat. Pour entretenir ce culte particulier, il était courant d'intégrer des reliquaires dans l'ornementation des tabernacles ou de faire sculpter des réceptacles indépendants (châsses) pour abriter les reliques. Dans son *Cathéchisme* de 1702 (p. 431-432), Mgr de Saint-Vallier recommandait d'honorer les reliques des saints et ajoutait « que les ossemens des saints que nous voyons dans les Églises, seront brillants comme des soleils au jour de la resurrection ».

Le culte des reliques était particulièrement florissant, dans les communautés religieuses. Au début du siècle, les augustines de l'Hôpital général de Québec possédaient pas moins de cent seize reliques placées un peu partout dans leur établissement et, notamment, dans leurs différentes chapelles. Avant 1892, dix reliquaires étaient disposés de part et d'autre du tableau du maître-autel de l'église des hospitalières. Lors de la réfection du retable, les dix châsses furent retirées et deux d'entre elles furent placées dans la chapelle latérale dédiée au Sacré-Coeur de Marie (ill. 183a). Dans ce cas particulier, il s'agissait de véritables pièces architecturales en miniature, de petites constructions respectant rigoureusement le vocabulaire des traités d'architecture classique. Ces reliquaires renfermaient d'une part les reliques des saints Quintilien et Amant, d'autre part celles des saints Martyr et Justin. Les reliques les plus importantes parmi celles-ci avaient été données par le supérieur des jésuites, M. de Glapion, en 1789, dans des circonstances qu'a évoquées l'annaliste des religieuses:

« Nous possédions depuis 1712 plusieurs Stes Reliques qui avaient été à cette époque [...] exposées à la vénération dans notre Église; mais n'ayant aucune pièce pour assurer leur authenticité, Mgr Hubert les retira cette année de leurs chasses et nous engagea à nous en pourvoir d'autres avec l'authenticité requise pour être exposées dans une église.

Le Rved Père de Glapion à qui nous nous adressâmes, nous fit le don précieux de onze parcelles dont voici les noms: 1° Une parcelle de la machoire supérieure de St Quintilien 2° Une parcelle d'os de St Marcien 3° Une Côte d'un St Martyr compagnon de St Denis 4e Une parcelle d'os de St Sisine 5e idem de St Fortunat M. 6° Idem de St Marcien M. 7° Idem de St Vital Martyr 8° Idem de St Exupérance M. 9° Idem de St Cosme M. 10° Idem de St Denis Martyr 11° Idem de St Juste martyr. Ces reliques avaient été durant plusieurs années exposées dans l'Église du Collège des Jésuites à Québec et retirées au commencement du bombardement de Québec en 1759 et vérifiées depuis pour authentiques par Mgr Ol. Briand comme le prouve un acte autorisé de sa signature. Aussitôt après leur réception, nous priâmes Mr Gravé de les en-

Anonyme

183. *Reliquaire de saint Quintilien et de saint Amant, martyr,* première moitié du XVIIIᵉ siècle

Anonyme

184. *Reliquaire de saint Martyr et de saint Justin, martyr,* première moitié du XVIIIᵉ siècle

Ill. 183a, 184a *Vue de la chapelle latérale du Sacré-Coeur de Marie dans l'église de l'Hôpital-Général de Québec,* photo prise par Ramsay Traquair en 1928 (Photo Université McGill, Redpath Library, Section Blackader, Fonds Ramsay-Traquair).

chasser, ce qu'il eut la bonté de faire le vingt avril assisté de Mr Robitaille et en dressa le procès verbal: conformément à la permission que nous avait donnée Mᵍʳ Hubert de remettre dans les chasses quelques unes des reliques qu'il en avait tirées, comme ayant par leur ancienneté de grandes vraisemblances d'authenticité, il y plaça les suivantes· 1° Dans le reliquaire de St Quintilien (ainsi nommé parce que dans l'étage d'en bas se trouve une relique de ce saint) un os étiqueté de St Amand Martyr [...] 2° Dans le reliquaire du compagnon de St. Denis, les reliques étiquetées de St Justin.... »

En 1961, les anciens reliquaires de la chapelle du Sacré-Coeur de Marie furent réunis avec d'autres dans une grande armoire vitrée qui se trouve aujourd'hui dans les locaux des archives de la communauté. Ils ont été redorés en 1966.   J.R.P.

Bibliographie

A.M.H.G.Q., *Actes capitulaires* 1699-1882, f. 150-151 (3 et 20 avril 1789); *Actes des discrètes*, tome I (1838-1940), f. 234 (9 août 1892) et 305 (24 février 1906); *Suite des Annales des Religieuses de la miséricorde de Jésus* (1709-1729), f. 13-14 (1712); *Annales*, tome II (1743-1793), f. 471-472 (année 1789); *Journal 1760-1825*, f. 221-223 (1789); *Journal 1874-1907*, f. 681 (20 avril 1906); *Journal 1960-1968*, f. 34-35 (2 février 1961) et f. 247 (avril 1966). *Monseigneur de Saint-Vallier*, 1882, p. 456. TRAQUAIR, « The Architecture of the Hôpital Général-Québec », 1931, p. 277-279.

Collection

Monastère des augustines de l'Hôpital général, Québec.

Bois doré. 79,7 × 57,4 × 21,9 cm.

Inscriptions

(dans l'ouverture centrale supérieure): « S. AMANT, M. »; (dans l'ouverture centrale inférieure): « S. QUINTILIEN »; (au revers, sur un papier dactylographié et collé): « *AUTHENTIQUE 16* (n° de la Chanc. 743)/Cette châsse ne doit être ouverte qu'avec l'autorisation du chancelier de l'archevêché et en sa présence. ».   J.R.P.

Collection

Monastère des augustines de l'Hôpital général, Québec, (S. 90).

Bois doré. 74,9 × 57,6 × 21,7 cm.

Inscriptions

(dans l'ouverture centrale supérieure): « S. JUSTIN, M. »; (dans l'ouverture centrale inférieure): « S. MARTYR/Compagnon de S. Denis l'Aré. »; (au revers, sur un papier dactylographié et collé): « *AUTHENTIQUE 19* (n° de la chanc. 746)/CETTE CHASSE NE DOIT ÊTRE OUVERTE QU'AVEC L'AUTORISATION DU CHANCELIER DE L'ACHEVÊCHE ET EN SA PRÉSENCE. ».   J.R.P.

Collection

Monastère des augustines de l'Hôpital général, Québec, (S. 91).

185 à 200. *Trésor (22 oeuvres) de la Fabrique Saint-Augustin*

L'église de la paroisse Saint-Augustin (Comté de Portneuf) se dresse au coeur de la municipalité, qui est située à quelques kilomètres de Québec, en amont du Saint-Laurent, sur la rive nord. Une première chapelle en bois avait été construite à Saint-Augustin, en 1694, puis une seconde sur un nouvel emplacement, 1713. En 1723, une autre église en pierre fut bénite à l'Anse-à-Maheu et, enfin, sur l'emplacement actuel, à partir de 1809, une église fut remaniée plusieurs fois et agrandie. L'érection canonique de la paroisse eut lieu en 1691.

On trouve encore à Saint-Augustin, comme dans beaucoup d'autres paroisses anciennes du Québec, un trésor d'orfèvrerie témoignant de la volonté de ses habitants de pourvoir les lieux du culte catholique des plus belles oeuvres façonnées en argent qu'ils pouvaient se procurer, soit en les important de France, soit en les commandant à des orfèvres de renom. Cependant les trésors d'orfèvrerie des paroisses du Québec ont subi, au cours des ans, comme les églises et leurs décorations intérieures, des transformations, des destructions et des dispersions qui en rendent l'étude fort difficile. Celui de l'église Saint-Augustin ne fait pas exception.

Dans un « Mémoire des vaisseaux, ornements et linge de l'Église de Saint-Augustin », dressé en 1713, il n'est fait mention que de quelques oeuvres en argent, soit un calice et sa patène, un boîtier aux Saintes Huiles et ses ampoules et « une petite boëte d'argent a porter le St. Sacrement ». Le pied de l'ostensoir est en bois argenté et doré; les deux paires de burettes et leurs plateaux sont l'une en fayence et l'autre en étain et on se sert d'« une petite chaudière pour bénitier ». Un inventaire de 1731 mentionne « un ciboire d'argent valeur cinquante franc a paris donné par Mr. Aubert Seigneur du lieu ». Ce même inventaire indique, par contre, que l'encensoir et sa navette sont en cuivre, et que la croix « avec son manche tourné pour servir aux processions et aux mortuaires » est en cuivre doré. Comme on le voit, sous le régime français, cette paroisse qui comptait à l'origine, en 1691, environ 200 âmes et, en 1760, plus de 800 âmes, se contentait de quelques oeuvres en argent seulement pour l'exercice du culte, car elle ne disposait pas de ressources suffisantes pour faire autrement.

Il ne reste actuellement que deux oeuvres dont on peut établir avec certitude qu'elles servaient sous le régime français : le *calice* de Guillaume Loir (cat. 185) et le *ciboire* de Paul Lambert (cat. 188). Le *calice* de Guillaume Loir ne peut pas être celui qui est mentionné dans l'inventaire de 1713, puisque cet orfèvre ne devint maître à Paris qu'en 1716. Avec sa fausse-coupe, il s'agit d'une oeuvre typique de cet orfèvre parisien dont une grande partie de la production religieuse fut importée en Nouvelle-France.

Il ne s'y trouvait alors que peu d'orfèvres actifs, mais il existait une grande demande venant des paroisses et des communautés en expansion.

Le trésor de Saint-Augustin renferme deux autres calices français. L'un date du régime français (cat. 186) et fut donné à la fabrique, en 1962, par l'abbé Charles East qui l'avait acquis, en 1957, d'un antiquaire de Québec, à une époque où beaucoup de paroisses se sont départies de leurs trésors et où les personnes qui, comme Gérard Morisset, prônaient la conservation du patrimoine, étaient fort peu nombreuses. L'autre calice date vraisemblablement de la deuxième moitié du XIXe siècle (cat. 187) au moment où, à nouveau, les importations françaises étaient nombreuses à la suite de l'invention de procédés de fabrication mécaniques moins coûteux que les techniques du XVIIIe siècle employées par les orfèvres québécois. Avec sa décoration historiée, c'est une oeuvre typique de l'époque.

Les circonstances entourant la commande du *ciboire* (cat. 188) à Paul Lambert, dit Saint-Paul, un orfèvre français actif à Québec de 1729 à 1749, sont connues. Le 22 juillet 1744, l'évêque de Québec, Mgr de Pontbriand, ordonnait, selon A. Béchard, « de faire faire un ciboire plus grand, de façon que le pied puisse servir au soleil, et qu'il soit fait une quête et que l'on supplée à cette dépense de l'argent de la fabrique ». L'évêque visait par là à faire remplacer le pied de l'ostensoir, en bois argenté et doré, par un grand ciboire d'argent dont le pied pourrait servir à la fois au soleil de l'ostensoir (qui devait être en argent) et à la coupe du ciboire. Les livres de comptes de la fabrique nous apprennent que Paul Lambert exécuta à la fois un ciboire et un pied en argent pour l'ostensoir (aujourd'hui disparu).

Entre 1775 et 1809 (date du début de la construction de l'église sur son emplacement actuel), la fabrique Saint-Augustin fit appel aux deux plus grands orfèvres de Québec, François Ranvoyzé et Laurent Amiot, pour constituer l'essentiel de son trésor d'orfèvrerie. Elle commanda d'abord, en 1775, en encensoir d'argent à François Ranvoyzé, encensoir qui ne nous est plus connu que par une photographie de Gérard Morisset, prise en 1944, et sur laquelle on voit aussi une navette (cat. 189). Cette navette est certainement française, mais elle porte aussi un poinçon qui est peut-être celui de Ranvoyzé auquel elle a été attribuée par Gérard Morisset. En fait, il est possible que cette navette française ait été en possession de Ranvoyzé et qui l'ait vendue à la fabrique Saint-Augustin pour accompagner l'encensoir : Ranvoyzé s'inspirait des décorations d'oeuvres françaises semblables à celle-ci.

En 1778, la fabrique commande à Ranvoyzé un *crucifix* d'autel en argent (cat. 190), l'une des très belles oeuvres connues de cet orfèvre. En

1782, elle commande deux petits *chandeliers* d'argent (cat. 191) pour accompagner le crucifix. L'année suivante, c'est au tour d'une lampe de sanctuaire en argent, aujourd'hui disparue, mais qui devait se rapprocher de celle de l'Ancienne-Lorette (cat. 178). En 1784, un bénitier en argent fut commandé à Ranvoyzé. Ce bénitier, soit parce qu'il était trop petit ou abîmé, eût la vie brève puisque Laurent Amiot en utilisa la matière première pour en faire un nouveau, en 1803 (cat. 199).

La *croix de procession* (cat. 192) en argent, dont il n'y a d'exceptionnel que le bâton, aussi en argent, ait été conservé, fut exécutée par Ranvoyzé en 1785. Enfin, Ranvoyzé fut chargé de faire, entre 1787 et 1793, deux grands *chandeliers d'acolytes* (cat. 193) et six *chandeliers* d'autel (cat. 194 à 196). Ainsi, entre 1775 et 1793, la fabrique Saint-Augustin avait commandé à François Ranvoyzé quinze grandes pièces d'orfèvrerie, y compris une garniture d'autel dont, à notre connaissance, il n'existe pas d'exemple aussi élaboré. Ces commandes laissent certainement entrevoir qu'il existait un lien entre le cinquième curé de Saint-Augustin, M. Michel Bériau (qui y exerça son ministère de 1765 à sa mort, en 1801), et François Ranvoyzé.

Après la mort de M. Bériau, c'est à Laurent Amiot, le rival de Ranvoyzé, que la fabrique commanda quelques oeuvres : un second *encensoir* (cat. 197), un *instrument de paix* en 1802 (cat. 198) et un *bénitier* en 1803 (cat. 199). Mais comme la paroisse était alors fort bien pourvue en orfèvrerie et que la construction d'une nouvelle église mobilisait les ressources financières, les commandes d'orfèvrerie se firent moins nombreuses.

Le désir qui existait, dans les paroisses, de se procurer, ce qu'il y avait de plus beau et de plus précieux pour l'exercice du culte catholique romain a été tellement exacerbé, parfois, qu'on est allé jusqu'à faire exécuter en argent la fleur de lis et les ferrures de la verge de bedeau de l'église Sainte-Anne de Varennes (en dépôt au Musée du Québec, L-75.19-0). Les priorités étaient cependant différentes à Saint-Augustin où la fleur de lis et les ferrures de la *verge de bedeau* (cat. 200) sont de cuivre plaqué d'argent. Il ne faudrait pas oublier que ces oeuvres, même modestes, font aussi partie du patrimoine religieux.

J.T.

Bibliographie

GOBEIL-TRUDEAU, *Bâtir une église au Québec. Saint-Augustin-de-Desmaures: de la chapelle primitive à l'église actuelle*, Montréal, Libre Expression, 1981, 125 p. BÉCHARD, *Histoire de la paroisse de Saint-Augustin (Portneuf)*, Québec, Brousseau, 1885, 395 p. Archives de la fabrique Saint-Augustin, *Délibérations 1713-1835*.

Collection

Fabrique Saint-Augustin, Saint-Augustin-de-Desmaures.

Guillaume Loir, Paris, maître en 1716
185. *Calice,* Paris, 1719-1720(?)

I. R.
186. *Calice* France,
XVIIᵉ ou XVIIIᵉ siècle

Anonyme
187. *Calice,* France XIXᵉ siècle

Argent, coupe dorée. 26,6 cm.

Poinçons
Maître: une fleur de lis couronnée, deux grains G L, un croissant. Décharge: une fleur de lis couronnée

Collection
Fabrique Saint-Augustin, Saint-Augustin-de-Desmaures.

Argent. 25 cm.

Inscription
(sous le pied): « CE * CALICE * PESANT * VINGT * DEUX * ONCE * DEVX * GRO ».

Poinçons
Maître: IR couronnée. Autre poinçon illisible.

La boîte contenant ce calice renferme une carte sur laquelle se trouve cette note.

« Ce calice a été acheté en 1957 au prix de $1 500 chez Belleville à Québec. Je le croyais canadien mais d'après Gérard Morissette il est français et du XVIIᵉ siècle. Il l'a trouvé très beau et très bien ciselé. Il est signé J P : j'avais cru voir F R François Ranvoyzé. La patène n'est tout de même pas sa patène. J'ai donné ce calice à la Fabrique de St-Augustin en 1962 : Charles East Pᵗʳᵉ curé de St-Malo ». J.T.

Collection
Fabrique Saint-Augustin, Saint-Augustin-de-Desmaures.

Argent, coupe dorée. 29 cm.

La fausse-coupe est ornée de trois médaillons représentant saint Pierre, la sainte Famille avec saint Jean-Baptiste et l'Ecce Homo. On trouve aussi sur ce calice une décoration faite de quenouilles, de grappes de raisins et de feuilles de vigne. J.T.

Collection
Fabrique Saint-Augustin, Saint-Augustin-de-Desmaures.

Paul Lambert dit Saint-Paul, 1691 ou 1703-1749

188. *Ciboire*, 1745

Anonyme

189. *Navette* France, XVIIIᵉ siècle

François Ranvoyzé, 1739-1819

190. *Crucifix*, 1778-1779

Argent. 25,4 cm.

Poinçons
une fleur de lis, PL, une étoile (5)

Exposition
1974, Ottawa, Galerie nationale du Canada, *L'orfèvrerie en Nouvelle France,* nº 121, repr.

Bibliographie
MORISSET, *Paul Lambert dit Saint-Paul,* 1945, p. 69, 83 et 84, repr.

Collection
Fabrique Saint-Augustin, Saint-Augustin-de-Desmaures.

Argent. 8 cm.

Poinçons
FR dans un rectangle (?); Poinçon de maître français à peine lisible; Poinçon de décharge.

En 1775, la fabrique faisait l'acquisition d'un encensoir d'argent, aujourd'hui disparu, de Ranvoyzé. Il n'est pas fait mention de la navette attribuée à Ranvoyzé par Gérard Morisset. Des poinçons à peine lisibles nous permettent cependant d'affirmer qu'il s'agit d'une oeuvre française de la première moitié du XVIIIᵉ siècle.   J.T.

Bibliographie
MORISSET, « Un quart d'heure chez Ranvoyzé », 1947, p. 4, repr.

Collection
Fabrique Saint-Augustin, Saint-Augustin-de-Desmaures.

Argent. 51,5 cm.

Poinçon
FR dans une oriflamme (4)

Exposition
1968, Québec, Musée du Québec, *François Ranvoyzé, orfèvre*, nº 48, repr.

Bibliographie
BARBEAU, « Old Canadian Silver », 1941, p. 155, repr.

Collection
Fabrique Saint-Augustin, Saint-Augustin-de-Desmaures.

François Ranvoyzé, 1739-1819
191. *Chandeliers* (2), 1782

François Ranvoyzé, 1739-1819
192. *Croix de procession*, 1785

François Ranvoyzé, 1739-1819
193. *Chandeliers d'acolytes* (2), 1787

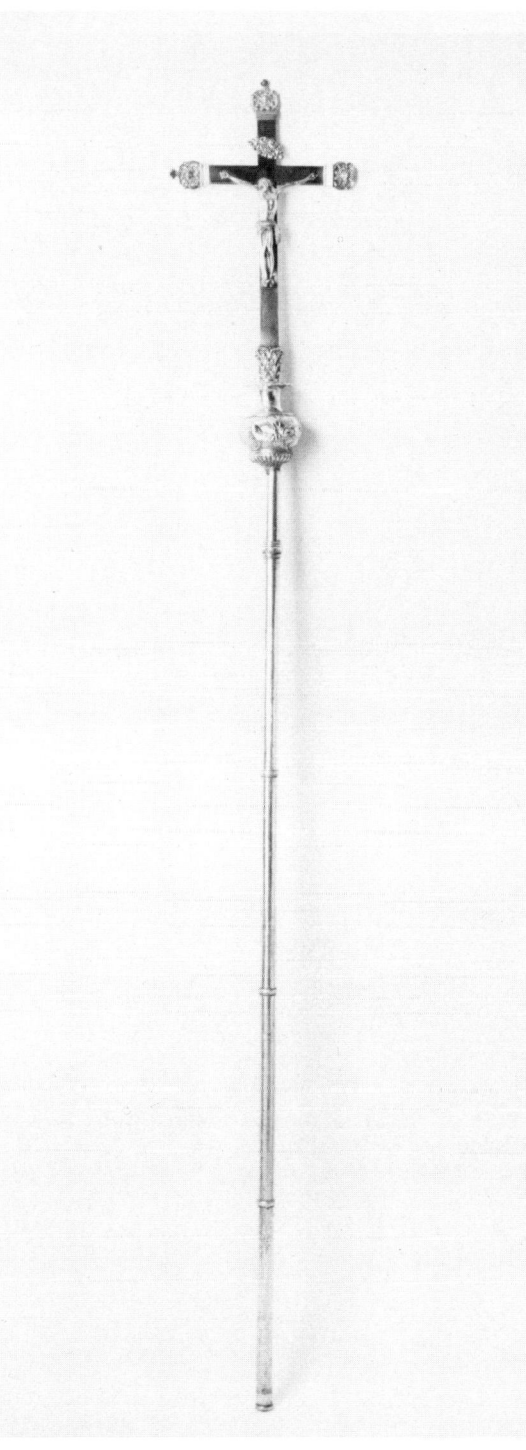

Argent. 27,5 cm.

Poinçon
Fr dans un rectangle (2)

Ce sont les deux plus petits chandeliers d'argent conservés à l'église Saint-Augustin. Ils furent exécutés pour accompagner le crucifix d'autel en argent (cat. 190). J.T.

Collection
Fabrique Saint-Augustin, Saint-Augustin-de-Desmaures.

Argent. 156 cm.

Inscription
(sur titulus) « INRI ».

Poinçon
FR dans un rectangle (3)

Exposition
1968, Québec, Musée du Québec, *François Ranvoyzé, orfèvre*, n° 45, repr.

Collection
Fabrique Saint-Augustin, Saint-Augustin-de-Desmaures.

Argent. 55 cm.

Poinçon
FR dans une oriflamme (3)

Ces grands chandeliers étaient portés par des acolytes ou des servants lors de cérémonies religieuses. J.T.

Exposition
1968, Québec, Musée du Québec, *François Ranvoyzé orfèvre*, n° 32, repr.

Bibliographie
BARBEAU, « Deux cents ans d'orfèverie », 1939, pl. X

Collection
Fabrique Saint-Augustin, Saint-Augustin-de-Desmaures.

François Ranvoyzé, 1739-1819
194. *Chandeliers* (2)

François Ranvoyzé, 1739-1819
195. *Chandeliers* (2)

François Ranvoyzé, 1739-1819
196. *Chandeliers* (2)

Argent. 35,5 cm.

Poinçon
FR dans un rectangle (3)

Ce sont les deux plus grands chandeliers d'une garniture de six chandeliers d'autel exécutés par Ranvoyzé pour la fabrique Saint-Augustin, avant 1793. J.T.

Exposition
1968, Québec, Musée du Québec, *François Ranvoyzé, orfèvre*, n° 31, repr.

Collection
Fabrique Saint-Augustin, Saint-Augustin-de-Desmaures.

Argent. 33 cm.

Poinçon
FR dans un rectangle (3).

Ces chandeliers font partie d'une garniture de six chandeliers d'autel exécutés par Ranvoyzé pour la fabrique Saint-Augustin, avant 1793. J.T

Collection
Fabrique Saint-Augustin, Saint-Augustin-de-Desmaures.

Argent. 32 cm.

Poinçon
FR dans un rectangle (3).

Ce sont les deux plus petits chandeliers d'une garniture de six chandeliers d'autel exécutés pour la fabrique Saint-Augustin par Ranvoyzé, avant 1793. J.T.

Collection
Fabrique Saint-Augustin, Saint-Augustin-de-Desmaures.

Laurent Amiot, 1764-1839
197. *Encensoir*, XIXe siècle

Laurent Amiot, 1764-1839
198. *Instrument de paix*, 1802

Laurent Amiot, 1764-1839
199. *Bénitier* et *goupillon*, 1803

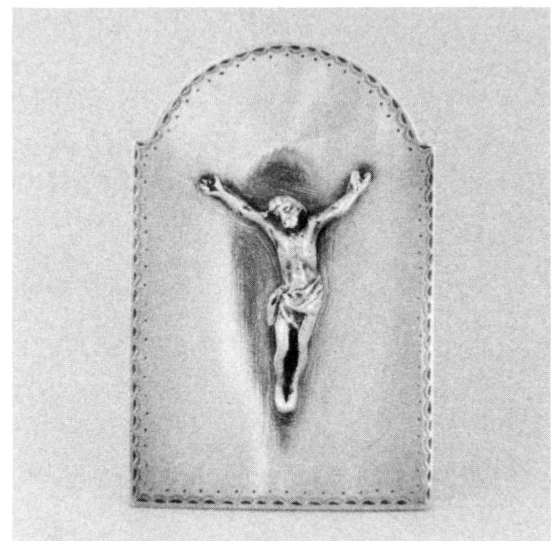

Argent. 23 cm.
Poinçon
LA dans un rectangle (3)
Collection
Fabrique Saint-Augustin, Saint-Augustin-de-Desmaures.

Argent. 8,8 cm.
Poinçon
LA dans un rectangle.

Un inventaire partiel des biens de l'église Saint-Augustin, datant de 1744, mentionne « une paix dont le fond est de velour rouge garnies de morceau dctoffes or et argent avec un Tafetas vert dessus et Limage de St. Augustin dedant ». C'est dans la deuxième moitié du XVIIIe siècle que se fixa la forme des instruments de paix en argent comme celui qui a été façonné par Amiot.   J.T.
Collection
Fabrique Saint-Augustin, Saint-Augustin-de-Desmaures.

Argent. Bénitier 20 cm.
goupillon 24,5 cm.
Poinçon
Bénitier: LA dans un rectangle(2).
Collection
Fabrique Saint-Augustin, Saint-Augustin-de-Desmaures.

Anonyme

200. *Verge* **de bedeau, XIXᵉ siècle**

Anonyme

201. *Ange à la trompette*, **1697**

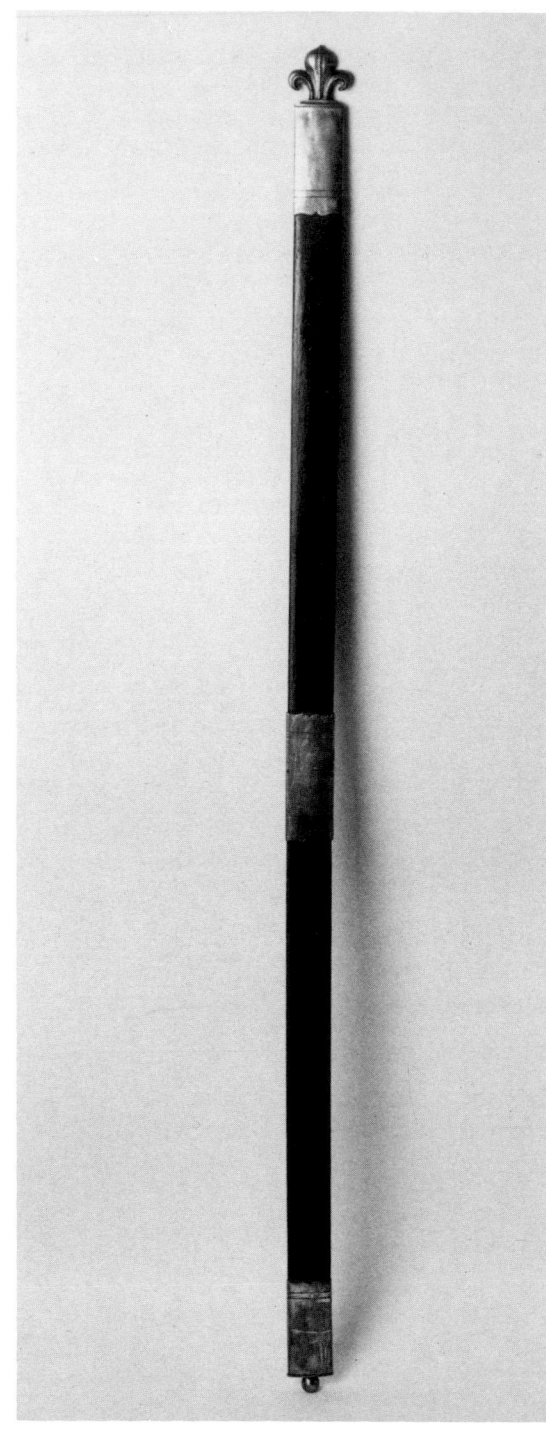

Bois teint en rouge et verni, cuivre plaqué argent. 125 cm.

Collection

Fabrique Saint-Augustin, Saint-Augustin-de-Desmaures.

Bois doré. 154 cm.

Les archives de l'Hôpital général de Québec nous apprennent qu'on avait placé une chaire de prédicateur dans l'église de l'établissement en 1697 et qu'elle était disposée de façon à être vue à la fois du choeur des religieuses cloîtrées et de la nef de la chapelle extérieure. La chaire était dominée par un ange à la trompette et sa cuve mettait en évidence les armoiries de Mᵍʳ de Saint-Vallier, fondateur de la maison. Elle fut déplacée en 1769, à la suite de l'élimination de deux petits autels latéraux, puis redorée par les religieuses, en 1825. Des travaux importants furent effectués dans l'église en 1892, en vue des fêtes du deuxième centenaire de l'établissement, et l'on profita de l'occasion pour enlever la chaire qui, au dire de l'annaliste, « avait cessé d'être en usage depuis plusieurs années ». Conformément à une pratique courante à l'époque, on décida de l'offrir à la fabrique Saint-Zacharie de Metgermette, paroisse de colonisation fondée en 1882, et qui était à parachever la construction de sa première église de pierre. Ayant appris la nouvelle, le curé J.H. Bouffard écrivit à la supérieure de l'Hôpital général, le 10 août 1892, pour lui exprimer sa joie : « Je suis amateur de vieilles reliques et je ne donnerais pas la vôtre pour la plus belle chaire moderne. » Il devait récidiver, le 13 septembre, après avoir reçu la précieuse pièce de mobilier :

« Votre vénérable chaire, écrivait-il, est donc arrivée parmi nos souches, saine et sauve. Je n'ai encore déballé que le bon ange avec sa trompette de St-Jérôme, et il plane maintenant, les ailes déployées, dans une salle de mon presbytère. »

Mise en place dans l'église Saint-Zacharie au mois de décembre 1892, la chaire y demeura jusqu'en 1900, année où l'entrepreneur Joseph Saint-Hilaire fut chargé de compléter la décoration intérieure de l'église. Ayant installé une nouvelle chaire, l'entrepreneur obtint de la fabrique qu'elle lui cède l'ange à la trompette de l'ancienne. C'est en novembre 1977, que Maurice Saint-Hilaire apprit à Léopold Désy que son père, Joseph Saint-Hilaire, remisa d'abord l'ange dans un hangar. En 1909, après avoir obtenu le contrat de la chaire de l'église de Saint-Romuald, Joseph Saint-Hilaire décida de tirer parti du vieil ange en le faisant placer sur l'abat-voix du meuble dont il venait de superviser l'exécution.

Entièrement doré, l'ange de Saint-Romuald porte les traces d'une polychromie ancienne. Il se dresse aujourd'hui sur un gros globe qui ne paraît pas être d'origine. Ces altérations sont relativement secondaires et n'affectent en rien les qualités propres de la sculpture. À n'en pas douter, nous sommes devant l'un des chefs-d'oeuvre de l'art québécois ancien. Représenté en plein mouvement, l'ange a le corps arqué et les ailes déployées. Son vêtement est analogue à celui que porte l'ange Gabriel de l'ancien retable de l'Ange-Gardien (cat. 207), mais il est rendu avec plus de souplesse. La maîtrise du sculpteur est manifeste dans cette robe fouillée qui se plisse et se soulève sous l'action du vent. Lorsqu'on regarde l'oeuvre de côté, on est fasciné par la grâce avec laquelle un pan de vête-

ment s'enroule sur lui-même et se détache du corps pour dessiner un U audacieux. Le dynamisme de l'oeuvre est également évident dans le geste de l'ange qui, tient, de la main gauche, une longue trompe courbée dans laquelle il souffle à pleine bouche. Le messager céleste maintient son équilibre en tendant le bras droit vers l'avant, ce qui permet d'apprécier le mouvement raffiné des doigts de la main. J.R.P.

Bibliographie

A.M.H.G.Q., *Actes capitulaires*, tome II (1821-1858), f. 7 (10 mai 1825) et tome III (1859-1922), f. 207 (6 août 1892); *Annales 1693-1709*, p. 41 (1697); *Annales* tome II (1743-1793), f. 247 (1769); *Journal 1874-1907*, f. 444-447 (copies et extraits de lettres datant de 1892); *Journal du dépôt*, tome I (1692-1909), f. 7-8 (1697). *Monseigneur de Saint-Vallier*, 1882, p. 118 et 286. LECOURS, *Saint-Zacharie de Metgermette*, 1909, p. 30-31 et 35-36. TRAQUAIR, « The Architecture of the Hôpital général Quebec », 1931, p. 19. *75ᵉ Anniversaire, St-Zacharie, cté Dorchester, P.Q.* 1957, p. 37. Notes prises lors d'une entrevue accordée à Léopold Désy par M. Maurice Saint-Hilaire, fils de Joseph Saint-Hilaire, à Saint-Romuald, le 7 novembre 1977. DÉSY, *Lauréat Vallière*, 1983, p. 157 à 159 et 234-235, repr.

Collection

Fabrique Saint-Romuald, Saint-Romuald d'Etchemin.

François Baillairgé, 1759-1830
202. *Saint Ambroise*, vers 1816

Pierre-Noël Levassseur, 1690-1770
203. *Père éternel*, vers 1768

Bois doré. 202 × 103 cm.

Ce relief ornait, à l'origine, le dorsal du banc d'oeuvre de l'église Saint-Ambroise de Loretteville. Recueilli dans un hangar où il avait été abandonné, il fut mis en dépôt au Musée du Québec, en 1947. Il s'agit d'une oeuvre de François Baillairgé, façonnée vers 1816, et qui représente saint Ambroise, patron de la paroisse de Loretteville.

Élu évêque de Milan en 374, saint Ambroise est l'un des quatre grands docteurs de l'Église latine. Dans le relief du Musée du Québec, l'évêque est coiffé de sa mitre et il porte une belle chape frangée. Il tournait, à l'origine, son regard inspiré vers le maître-autel de l'église de Loretteville. Représenté à mi-corps, l'évêque tient la main droite sur sa poitrine et pose l'autre sur un livre. Artiste accompli, Baillairgé a su donner un beau volume à son ouvrage qu'il a exécuté en très faible relief. Il y est parvenu à la fois par le jeu subtil des plis du vêtement et par le recours à une draperie et à un motif architectural suggérant la profondeur de l'arrière-plan. Le relief s'inscrit dans un médaillon ovale entouré de feuilles et de fleurs. Il fut doré à la colle, par les augustines de l'Hôpital général de Québec, à l'automne de 1816. Aujourd'hui, la dorure est usée par endroits et laisse voir la couche de blanc sur laquelle les minces feuilles d'or étaient posées. Pour se faire une idée de la façon dont l'oeuvre s'inscrivait, autrefois, dans la composition du banc d'oeuvre de Loretteville, le curieux pourra toujours jeter un coup d'oeil au banc des marguilliers de Charlesbourg – réalisé par André Paquet, en 1843 – qui comporte lui aussi un relief représentant le saint patron de la paroisse (saint Charles-Borromée).   J.R.P.

Expositions
1946, Detroit (Michigan), The Detroit Institute of Arts, *The Arts of French Canada (1613-1870)*, n° 32, repr. 1952, Québec, Musée du Québec, *Exposition rétrospective de l'art au Canada français*, n° 92. 1959, Vancouver, The Vancouver Art Gallery, *Les arts au Canada français*, n° 4. 1967, Ottawa, Galerie nationale du Canada, *Trois cents ans d'art canadien*, n° 55, repr. 1975, Québec, Musée du Québec, *François Baillairgé et son oeuvre (1759-1830)*, n° 52, repr.

Bibliographie
BARBEAU, « The Arts of French Canada », 1946, p. 336, repr. MORISSET, « François Baillairgé 1759-1830 », 1949, p. 235-236, repr. MORISSET, « Le sculpteur Louis-Thomas Berlinguet », 1949, p. 50. MORISSET, « Thomas Baillairgé. III Le sculpteur », avril 1951, p. 247. BARBEAU, *J'ai vu Québec*, 1957, repr. PORTER, *L'art de la dorure*, 1975, p. 128 et 146, repr.

Collection
Musée du Québec, Québec, (dépôt de la fabrique Saint-Ambroise de Loretteville) (L-47.135-S).

Bois polychrome, 127 × 79 cm.

Cet impressionnant haut-relief polychrome provient, semble-t-il, de l'ancienne église de Saint-Vallier, où Pierre-Noël Levasseur et son fils, Stanislas, travaillèrent à la fin des années 1760. Assis sur un nuage, le Père éternel serre contre lui un gros globe terrestre et tient de la main droite la couronne qu'il vient de retirer de sa tête. Si le bas du corps semble curieusement rendu au premier coup d'oeil, c'est que la sculpture fut conçue pour être vue d'en bas. De fait, on ne doute pas qu'elle ait originellement couronné un retable. Cet emplacement privilégié s'expliquait, bien sûr, par le statut hiérarchique du « Très-Haut » que l'on avait, avec à-propos, représenté sur des nuages évoquant l'univers céleste. Alors que le globe voulait être un rappel de la création du monde, la couronne symbolisait la toute puissance divine. Quant à la barbe et à la longue chevelure grises, elles suggéraient l'ancienneté de Dieu, son éternité. La tête légèrement penchée vers l'avant, le Père éternel semble toujours s'interroger sur l'univers qu'il a créé. Aux yeux du pénitent, ce regard, à la fois désabusé et accueillant, constituait sans doute une invitation au repentir et au dialogue. Par sa composition, le Père éternel du Musée du Québec s'apparente à l'un des bas-relief – celui de saint Pierre – du retable principal de la chapelle des ursulines de Québec. Comme l'a suggéré Jean Trudel, les deux oeuvres pourraient bien découler d'un même modèle gravé. Par sa facture générale et par le traitement stylisé des nuages, en particulier, le *Père éternel* est à rapprocher des quatre reliefs représentant les évangélistes que conserve le Detroit Institute of Arts (ill. 203a).

L'usage de représenter Dieu le Père au couronnement des retables ayant été assez répandu dans la France des XVIIe et XVIIIe siècles, il n'est pas étonnant que la tradition ait eu un écho dans quelques-unes de nos églises. Si les exemples de la chapelle de l'Hôpital général et de l'église de Sainte-Famille (chapitre IX, fig. 4) sont bien connus, bien peu d'entre nous ont déjà remarqué qu'un Père éternel apparaissait au-dessus du retable de l'ancienne chapelle des jésuites, comme nous l'apprend un examen de la gravure exécutée d'après un dessin de Richard Short (chapitre III, fig. 2). Il n'est pas inutile de rappeler que le Musée du Québec possède trois versions du même sujet: celle de Levasseur, celle de François Baillairgé – qui provient du retable de l'ancienne église de Baie-Saint-Paul (cat. 170) – et une troisième qui remonte au XVIIIe siècle, mais dont on ne connaît ni l'auteur ni la provenance. Un Père éternel de la seconde moitié du XIXe siècle surmonte également le maître-autel de la petite « chapelle de la Fondation » de l'Hôtel-Dieu du Sacré-Coeur de Québec (ill. 34a). Signalons, enfin que la figure de Dieu le Père s'inscrit toujours dans la voûte des églises de Saint-Jean-Port-Joli et de Saint-Rémi de Napierville, de même que sur la monstrance du maître-autel des églises de Saint-Grégoire et de Saint-Sulpice. Tout en présentant de multiples variantes iconographiques, ces différentes versions confirment le caractère unique du remarquable haut-relief de Levasseur.

Ill. 203a   Pierre-Noël Levasseur (1690-1770)
att. à, *Saint-Matthieu*, milieu
du XVIIIᵉ siècle ; bois polychrome, 51 cm ;
The Detroit Institute of Arts (46.351).
Ce relief ornait à l'origine la cuve
d'une chaire
(Photo The Detroit Institute of Arts).

Expositions

1946, Détroit (Michigan), The Detroit Institute of Arts, *The Arts of French Canada (1613-1870)*, nᵒ 20, repr. 1952, Québec, Musée du Québec, *Exposition rétrospective de l'art au Canada français*, nᵒ 166. 1966, Vancouver, The Vancouver Art Gallery, *Images for a Canadian Heritage*, hors catalogue, repr. 1967, Québec, Musée du Québec, *Sculpture traditionnelle du Québec*, nᵒ 68, repr. 1977, Québec, Musée du Québec, *L'Art du Québec au lendemain de la Conquête (1760-1790)*, nᵒ 34, repr. 1983, Québec, Musée du Québec, *Le Musée du Québec. 500 oeuvres choisies*, nᵒ 117, repr.

Bibliographie

MORISSET, « Pierre-Noël Levasseur (1690-1770) », 1952, p. 37, repr. MORISSET, *Les églises et le trésor de Lotbinière*, Québec, 1953, p. 48-49. BARBEAU, *J'ai vu Québec*, 1957, repr. MORISSET, « Sculpture et arts décoratifs », 1962, p. 39. TREMBLAY, préf., *Collections des musées d'État du Québec*, 1967, nᵒ 10, repr. LAVALLÉE, *Anciens ornemanistes et imagiers*, 1968, p. 74 et 76, SOUCY , « L'art traditionnel au Musée du Québec », 1969, p. 39-40, repr. TRUDEL, *La chapelle des ursulines*, 1972, p. 30, 31 et 77, repr. *Le Musée du Québec*, 1978, p. 24-25, repr. MELLEN, *Les grandes étapes de l'art au Canada*, 1981, p. 100-101, repr. *À la découverte du patrimoine avec Gérard Morisset*, 1981 p. 56, repr.

Collection

Musée du Québec, Québec, (A-55.193-S).

Anonyme

204 et 205. *Anges volants* (2),
  deuxième moitié
  du XIXe siècle

Bois polychrome et doré. 96,5 × 157,5 cm.

C'est en 1968 que le Musée du Québec a acquis ces deux anges de Marius Barbeau, qui les avait lui-même achetés à l'atelier Jos. Villeneuve, de Saint-Romuald, en 1925. Il ne faudrait pas pour autant en conclure que les anges ont été façonnés par des sculpteurs de cette maison. Comme celle-ci se voyait souvent confier la tâche de démanteler une ancienne décoration d'église avant d'en installer une nouvelle, il était courant que l'on profite de l'occasion pour en récupérer des fragments à cause de leurs grandes qualités artistiques ou parce qu'ils étaient susceptibles de servir un jour de prototypes pour les employés de l'atelier. À notre avis, c'est ce qui s'est passé dans le cas qui nous occupe.

Exécutés pour être fixés sur une surface plane, les deux anges ailés se répondent d'une façon très symétrique, chacun étant pratiquement le

négatif de l'autre. Ils ne se démarquent vraiment que par la couleur de leurs vêtements et par la position de leurs têtes : celui de gauche porte une robe bleue, ornée de petits traits, et il est vu de profil ; celui de droite a le corps enveloppé dans un vêtement rose, parsemé de pois, et sa tête est vue de face. Portés par de grandes ailes très travaillées, les deux anges partagent le même dynamisme, la même élégance. Leurs robes moulantes, aux plis stylisés, se froissent sous l'action du vent et se terminent en des gerbes de tissu à l'allure quasi végétale. Malgré leurs lignes quelque peu suggestives, les deux anges féminins devaient répondre aux critères de décence correspondant au rôle qu'ils avaient à remplir. Il est possible que ces anges, placés dans le choeur d'une église, aient à l'origine tenu des banderoles, ou qu'ils aient tout simplement orné des écoinçons, comme ceux qui se trouvent dans la chapelle « de la Fondation » de l'Hôtel-Dieu du Sacré-Coeur de Québec. (ill. 34a)   J.R.P.

Expositions
1946, Detroit (Michigan), The Detroit Institute of Arts, *The Arts of French Canada (1613-1870)*, n°s 45-46, repr. 1960, Mexico, Museo Nacional de Arte Moderno, *Arte Canadiense*, n° 74, repr. 1967, Ottawa, Galerie nationale du Canada, *Trois cents ans d'art canadien*, n° 139-140 repr.

Bibliographie
Barbeau, *J'ai vu Québec*, 1957, repr. Hubbard, *L'évolution de l'art au Canada*, 1964, p. 44, repr. Barbeau, *Louis Jobin statuaire*, 1968, p. 131, repr. Hubbard, « Masters Cavers of French Canada », 1969, p. 61. Désy, *Lauréat Vallière*, 1983, p. 224.

Collection
Musée du Québec, Québec, (A-68.118 et 119-S).

Anonyme

206. *Saint Rémi*, milieu du XIXᵉ siècle

Bois polychrome. 139 cm.

Cette statue polychrome représente saint Rémi, l'archevêque de Reims. Oeuvre patronymique, elle ornait naguère le retable de Saint-Rémi de Napierville, avec deux autres statues de même facture (*saint François-Xavier* et *saint Joseph de Calasanz*, MQ). Il s'agit d'un beau cas de sculpture populaire, caractérisé, d'une part par du schématisme et une recherche de la symétrie, d'autre part par une profusion de détails et d'éléments décoratifs plaqués sur l'ensemble de la surface. Ajoutons à cela une faible individualisation des traits du visage.

On a écrit, l'an dernier, que le *Saint Rémi* du Musée du Québec était certainement une oeuvre de Louis-Thomas Berlinguet. Nous en doutons. S'il est incontestable que l'oeuvre provient de Saint-Rémi et que Berlinguet y a travaillé à l'ornementation de l'église entre les années 1845 et 1854, rien ne prouve que ce dernier soit effectivement l'auteur de la statue. Pour y voir plus clair, on peut se reporter à une oeuvre véritable de Louis-Thomas, conservée dans les réserves du Musée du Québec, en l'occurrence un *Christ mort*, marqué des initiales « L.T.B. » (les lettres « erlinguet » ont été effacées lors de l'application d'une couche de peinture). Lorsque l'on compare la tête de ce *Christ* (ill. 206a) et celle du *Saint Rémi*, on constate un net écart qualitatif entre les deux oeuvres. Dans un cas, le rendu est plutôt habile, tandis que dans l'autre, il est carrément populaire. Il y a donc lieu de souhaiter qu'un jour prochain une étude rigoureuse viendra jeter un nouvel éclairage sur la question des Berlinguet et de leurs ateliers.   J.R.P.

Ill. 206a Louis-Thomas Berlinguet (1790-1863), *Le Christ mort* (détail) XIXᵉ siècle; bois peint, 47,3 × 151 × 56 cm; Musée du Québec, Québec (G-64.55-5) (Photo Musée du Québec).

Expositions

1948, Québec, Musée du Québec, *Exposition du Centenaire de l'Institut canadien de Québec*. 1952, Québec, Musée du Québec, *Exposition rétrospective de l'art au Canada français*, nᵒ 97, repr. 1959, Vancouver, The Vancouver Art Gallery, *Les arts au Canada français*, nᵒ 10. 1959, Québec, Café du Parlement, *Art religieux*. 1969, Guelph, Université de Guelph, *L'art religieux du Québec*, nᵒ 1. 1974, Montréal, Terre des Hommes, Pavillon du Québec, *Les arts du Québec*, Sculpture, nᵒ 6.

Bibliographie

MORISSET, « Le sculpteur Louis-Thomas Berlinguet », 1949, p. 50. MORISSET, « Notre art religieux », 1950, p. 27, repr. MORISSET, « Trésors d'art de la Province », 1953, p. 38, repr. *Le Musée du Québec*, 1978, p. 38-39, repr. PORTER, « La sculpture ancienne du Québec et la question de l'art populaire », 1984, p. 64 et 66, repr.

Collection

Musée du Québec, Québec, (34.553-S).

Jacques Leblond de Latour (att. à), 1671-1715

207. *Saint Gabriel*, vers 1705

Bois doré. 155,5 cm.

L'ange Gabriel occupait naguère l'une des niches latérales du retable de l'Ange-Gardien, un ensemble attribué à Jacques Leblond de Latour, sculpteur originaire de Bordeaux, arrivé à Québec en 1690. Comme c'est souvent le cas dans l'art chrétien, il avait pour pendant un saint Michel terrassant le dragon. Saint Gabriel est l'ange qui annonça à Marie qu'elle allait enfanter le Fils de Dieu. Il porte sur sa poitrine l'inscription « AVE MARIA », qui correspond aux premiers mots de la salutation angélique, et il annonce son message en levant la main droite vers le ciel, à la manière des philosophes de l'Antiquité. Il devait tenir autrefois dans sa main gauche une tige de lis symbolisant la pureté virginale de Marie. Pour bien marquer qu'il appartient au monde céleste, le sculpteur l'a représenté debout, sur un nid de nuages.

La longue chevelure frisée du messager de Dieu met en évidence un visage doux et tendre, aux formes pleines. L'archange porte un vêtement qui demeure massif, malgré les nombreux plis qui animent sa surface. Cette lourdeur est quelque peu atténuée par les lignes harmonieuses du pan de la robe qui, après s'être enroulé autour du bras droit, dessine deux grandes courbes avant de se détacher du corps. L'ange Gabriel du Musée du Québec est de la même trempe que l'ange à la trompette de l'église de Saint-Romuald, avec lequel il partage certaines caractéristiques formelles (cat. 201).   J.R.P.

Expositions
1967, Québec, Musée du Québec, *Sculpture traditionnelle du Québec*, n° 39, repr. 1983, Québec, Musée du Québec, *Le Musée du Québec. 500 oeuvres choisies*, n° 104, repr.

Bibliographie
ROY, *Les vieilles églises de la province*, 1925, p. 43, repr. MORISSET, « Le sculpteur Jacques Leblond dit Latour », 1950, p. 18 et 46. MORISSET, « L'école des Arts et Métiers de Saint-Joachim », 1950, p. 27. LAVAL-LÉE, *Anciens ornemanistes et imagiers*, 1968, p. 73, repr. *Le Musée du Québec*, 1978, p. 18-19, repr. PORTER et DÉSY, *L'annonciation dans la sculpture au Québec*, 1979, p. 103 à 105, repr.

Collection
Musée du Québec, Québec, (A-74.255-S).

Louis Jobin, 1845-1928

208. *Éducation de la Vierge*, 1879

Bois peint et doré. 215,5 cm (totale); 183,5 cm (sans base).

Inscription (sur la base, à droite):
« L. JOBIN/ DÉCEMBRE 1879 »

Cette imposante *Éducation de la Vierge* de Louis Jobin fait partie d'une commande prestigieuse que le curé J.-F. Laliberté de Saint-Henri-de-Lévis passa au sculpteur pour la nouvelle église néo-gothique de cette paroisse. En effet, entre 1878 et 1884, Jobin devait réaliser à cet endroit un programme statuaire de plus d'une trentaine de personnages de grandes dimensions. L'*Éducation de la Vierge* est la seule oeuvre de Saint-Henri qui soit expressément mentionnée dans les archives de la fabrique lors d'un paiement de 20 $ inscrit dans les livres de comptes, le 17 janvier 1880. Par surcroît, elle est, à notre connaissance, la seule statue de cette paroisse qui ait été signée et datée par le sculpteur.

Cette représentation de l'*Éducation de la Vierge* est un modèle unique dans l'abondante production de Jobin relative à sainte Anne. Le groupe, en effet, se caractérise par quelques détails très particuliers: sainte Anne, pied gauche posé sur un petit tabouret ou marchepied, tient avec Marie le livre des Saintes Écritures. Des représentations similaires de petites dimensions sont conservées à l'église Notre-Dame de Lévis de même qu'au monastère du Bon-Pasteur à Québec. À l'autel latéral droit de l'église de Berthier-sur-mer, on retrouve ce même modèle, à la fois en peinture et en sculpture.

L'*Éducation de la Vierge* est indissociable de son pendant, un *Ange Gardien* (ill. 208a). À l'origine, les deux groupes statuaires occupaient une place privilégiée dans l'église de Saint-Henri. En effet, des photographies anciennes, publiées dans *Esquisse de Saint-Henri* (p. 119), nous montrent les deux groupes posés sur d'impressionnantes consoles, contre le mur du choeur, de chaque côté du maître-autel. D'ailleurs, l'architecte Zéphirin Perreault avait prévu, dès 1873, l'emplacement et le thème de l'*Éducation de la Vierge* sur une coupe transversale du choeur (déposée aux archives de la fabrique). Ici, le lieu de destination commandait les dimensions presque colossales des deux oeuvres. Les deux groupes furent, vers les années 1930, transportés à la sacristie, puis au grenier, avant d'être acquis, en 1966, et avec l'accord de l'archevêché, par le musée du collège de Lévis.

L'*Éducation de la Vierge* et l'*Ange-Gardien* se distinguent du reste de l'ensemble statuaire par de nombreuses particularités iconographiques, techniques et matérielles. D'abord, les deux groupes correspondent au plan symbolique: une fillette de même qu'un jeune garçon sont guidés, l'une par sa mère, l'autre par son ange gardien, vers la voie du Salut. Ensuite, les deux oeuvres se répondent au plan visuel par leur décoration polychrome traditionnelle. En effet, la tête et les mains de chacun des personnages sont soulignées par des carnations naturelles tandis que leurs vêtements sont dorés et richement incisés de motifs décoratifs dans la

Ill. 208a   Louis Jobin (1845-1928),
Ange Gardien, 1879; bois doré
et polychrome, 226,5 cm;
Musée du Collège de Lévis
(Photo John R. Porter.

couche d'apprêt. Excessivement rare dans l'oeuvre de Jobin, ce revêtement mixte de peinture
et de dorure fait référence à un procédé courant au siècle précédent.   M.B.

Bibliographie
Archives de la Fabrique de Saint-Henri-de-Lévis, *Livres de comptes II* et *Délibérations*. BARBEAU, *Louis
Jobin statuaire*, p. 89 et 92. LEMAY et MERCIER, *Esquisse
de Saint-Henri*, 1979, p. 176, 181, 183 ct 525.

Collection
Musée du collège de Lévis, Lévis.

Louis-Philippe Hébert, 1850-1917

209. *Saint Michel terrassant le dragon*, vers 1878-1879

Tilleul et teinture. 160 cm.

Inscription
(sur la base, à droite): « HÉBERT »

Le rêve de Napoléon Bourassa (cat. 215-216) de réaliser une oeuvre architecturale, où sculpture et peinture seraient parfaitement intégrées au message et à la fonction religieuse du bâtiment, vit le jour avec la construction de la chapelle Notre-Dame-de-Lourdes (1872-1880). Le dessein de Bourassa s'accompagnait du désir de recréer un atelier, où des apprentis formeraient avec le maître une communauté de travail unie par un idéal commun (Hébert, *Philippe Hébert sculpteur*, 1973, p. 45, et « Causerie par N. Bourassa à la chapelle Notre-Dame-de-Lourdes de Montréal, le 22 juin 1880 », repr. dans LeMoine, *Napoléon Bourassa l'homme et l'artiste*, 1974, p. 220-231). « J'ai pris, chez moi, ces jours derniers, un sculpteur en herbe, pour en faire un Phidias en chair et en os », écrit Napoléon Bourassa de l'arrivée de Hébert à son atelier, en septembre 1873 (*Lettres d'un artiste canadien: N. Bourassa*, Bruges, Paris, 1929, p. 133). En fait, Hébert n'était alors qu'un « gosseux » ébloui par ce qu'il avait vu lors d'un séjour en Italie en tant que zouave pontifical (1869-1870).

Les détails de l'organisation du travail d'un sculpteur à l'atelier de Bourassa ne nous sont pas connus, mais l'on peut penser que Bourassa fournit des dessins et aide par ses conseils à corriger le travail de Hébert. Le maître-d'oeuvre sera absent pendant toute l'année 1877, et c'est à son retour que l'exécution des travaux de décoration proprement dits commenceront à la chapelle. Hébert se voit confier la réalisation de parties secondaires de l'ornementation sculptée en même temps que celle de figures en ronde bosse: l'*Immaculée Conception* ornant la façade, *Notre-Dame de Lourdes* et *Bernadette Soubirous* pour l'autel principal, mais aussi *Sainte-Agnès*, *Saint-Jean évangéliste*, *Sainte-Anne* et *Marie* en plus de *Saint-Michel*, pour orner les transepts.

Hébert aura l'occasion de reprendre dans les débuts de sa carrière le sujet de saint Michel à trois autres reprises (Notre-Dame d'Ottawa, Notre-Dame de Montréal, commande de l'abbé Maillé) (Hébert, 1973, p. 142-145).

Perrin a noté que Hébert copia le tableau de Raphaël (1483-1520), *Saint-Michel terrassant le dragon*, dit *Le Grand saint Michel* (1518), (ill. 209a) conservé au Louvre. Il s'agit, en fait, de la transposition d'une oeuvre en deux dimensions en une sculpture en ronde bosse. Vue de face, la composition sculptée apparaît assez statique parce que les accessoires sont traités lourdement et que le corps est placé presque sur un seul plan. Mais la draperie, la position des ailes et du diable dynamisent la sculpture par l'intégration de l'espace négatif qui transforme ainsi le volume qu'elle occupe.   L.L.

Bibliographie
PERRIN, *La chapelle Notre-Dame-de-Lourdes*, 1954, p. 28. DELORME, « Visitons notre chapelle », 1973. BEAUREGARD, *Napoléon Bourassa: La Chapelle Notre-Dame-de-Lourdes*, 1983, p. 106-111.

Collection
Chapelle Notre-Dame-de-Lourdes, Montréal.

Sylvia Daoust, 1902-
210. *Sainte Jeanne-d'Arc*, 1943

Ill. 209a Raphaël (1483-1520),
Saint Michel terrassant le dragon dit
Le Grand saint Michel, 1518;
huile sur toile, 268 × 160 cm, Louvre
(Photo Réunion des Musées Nationaux).

Pin polychrome. 137 cm.

Inscription

(sur la base, au centre): « Ste Jeanne/D'Arc »; (à gauche): « Sylvia Daoust/1943 ».

Jeanne d'Arc (vers 1412-1431) fut l'objet d'un grand intérêt après sa canonisation en 1920. Bernard Shaw (1923), Carl Dreyer (1927), Arthur Honegger (1935), Jean Anouilh (1953), Otto Preminger (1957) interprétèrent tour à tour des aspects de la biographie mythique de cette jeune guerrière nationaliste qui, au Québec, allait surtout être associée aux cercles antialcooliques Lacordaire et Jeanne-d'Arc qui prirent leur essor après 1935.

Les pères de Sainte-Croix définirent, à partir de 1943, un programme iconographique d'oeuvres sculptées pour la chapelle de leur collège de Saint-Laurent. Ils placèrent comme modèle pour la jeunesse Jeanne d'Arc au sein d'un groupe comprenant *saint Jean-Baptiste*, *saint Thomas d'Aquin*, *sainte Cécile*, *saint Joseph* et *Notre-Dame de Sainte-Croix*.

La carrière de Sylvia Daoust qui débuta durant les années 1930 est doublement associée à l'apparition des femmes comme artistes professionnelles au Canada français et au renouveau de la sculpture sur bois. Suivant les conseils du peintre-sculpteur français Henri Charlier, (1883-1975) pour qui « le retour à la taille directe est sinon indispensable, du moins très précieux pour retrouver le moyen fondamental d'expression des arts plastiques, le rythme de la forme » (Charlier, *Peinture sculpture, Broderie et vitrail*, 1942, p. 107), elle favorisera cette technique pour la statuaire religieuse, en délaissant le bronze qui était le matériau qu'elle utilisait précédemment. Elle prit une part active, par son enseignement à l'École des beaux-arts de Québec (1930-1943) et de Montréal (1943-1968) et par son oeuvre, à la réforme des arts sacrés au Québec, qui commença avec la visite du R.P. Alain-Marie Couturier, o.p. (1897-1954), lequel porta un jugement sévère dans son ouvrage *Art et catholicisme* (1941) où il traitait cette production d'archéologique et de commerciale.

La forme de la pièce de bois est respectée, et la sculpture se développe comme une longue silhouette sinueuse coupée par les deux bras de la croix. Alors que l'anecdote du bûcher est schématisée dans le poteau, dont la polychromie rappelle le bois de la croix, deux lanières et quelques flammes, le drapé reprend ce lent mouvement ascendant qui enserre le corps pour aboutir sur le geste symbolique des mains et du regard qui convergent vers la croix.
L.L.

Expositions

1946, Montréal, Collège de Saint-Laurent, *Sculptures de Sylvia Daoust et pièces d'orfèverie de Gilles Beaugrand*. 1950, Rome, via della Conciliazione, *Exposition internationale d'art sacré*. 1951, Montréal, Galerie du magasin Eaton, organisée par la Société des sculpteurs du Canada. 1953, Toronto, Hart House, *First Exhibit of Liturgical Works under Secular Auspices*. 1974, Québec, Musée du Québec, *Sylvia Daoust*. 1975, Dorval, Centre culturel, *Sylvia Daoust Sculptures*. 1982, Ottawa, Galerie nationale du Canada, *Les esthétiques modernes au Québec de 1916 à 1946*, n° 109, repr.

Bibliographie

GAGNON, « Une Jeanne d'Arc au bûcher », 1946, p. 6, repr. CHAPLEAU, « L'équipe à l'atelier de Mlle Sylvia Daoust », 1945, p. 6-9, repr. BLAIN, « Notre Sainte Cécile », 1946, p. 3. LASNIER, « Sylvia Daoust sculpteur », 1946, p. 202-207. « Actualités dans l'art religieux au Québec », 1947, p. 53, repr. BENAVIDES, « Sylvia Daoust », 1948, p. 12, 81 repr. « Expositions d'art sacré et des missions », 1951, p. 6. CLOUTIER, « Sylvia Daoust, Sculptor », 1951, p. 155. DESJARDINS, « Sylvia Daoust sculpteur », 1967, p. 1, 4, 6, 8, repr.

Collection

Musée de l'Oratoire Saint-Joseph, Montréal.

Jean-Baptiste Côté, 1832-1907

211. *Pietà* ou *Notre-Dame-de-Pitié*, vers 1885

Bois polychrome. 157,5 × 140 × 76 cm.

Inscription
(effacée sur la base, à droite): «J. B. Côté» (?).

Parmi les sujets sentimentaux fort prisés par la dévotion populaire au début du triomphalisme religieux, il y a ceux qui sont directement reliés aux divers épisodes de la Passion: calvaire, Ecce Homo, Mater Dolorosa, etc. Ces sujets généralement empruntés à l'imagerie de Munich ou de Saint-Sulpice, traduisent chez les fidèles un certain goût pour les visions exacerbées de la douleur. À cet égard, s'il est un thème ancien qui connut un nouveau souffle dans la seconde moitié du XIX⁰ siècle, c'est bien celui de Notre-Dame-de-Pitié.

Curieusement, les sculpteurs sur bois qui subissent l'influence de ce courant victorien ont traité d'une façon très épisodique le sujet de la Pietà. En effet, on ne connaît guère que les exemples conservés à l'église de Saint-Augustin (Portneuf), au musée d'art de Saint-Laurent de même qu'à l'église de Saint-Pierre de la Rivière-du-Sud. À l'exception de leur revêtement actuel – l'une est décapée, l'autre polychrome – les représentations de ces deux derniers groupes sculptés sont tout à fait identiques. Cependant, seul l'auteur de la *Pietà* de Saint-Pierre peut être identifié: le groupe a été signé par le sculpteur bien connu, Jean-Baptiste Côté.

Morisset écrivait en 1950, à propos de la *Pietà* de Côté, qu'«elle est recouverte de tons si suaves qu'au premier coup d'oeil on la prend pour un groupe en plâtre [...] dans la tradition italienne la moins originale». À ce jugement sévère sur l'oeuvre du statuaire, le témoignage de Barbeau en 1942 apporte quelques données éclairantes: «Partout il cherchait des images pour se renseigner. Il sculptait d'après elles, comme par exemple, sa *Notre-Dame-de-Pitié*».

À cet égard, si la source précise du groupe de Côté nous est encore inconnue, il est certain que le sculpteur s'inspira pour son oeuvre de l'image d'une Pietà en plâtre, d'autant que le thème fut largement diffusé par les statuaires mouleurs à la fin du XIX⁰ siècle. De fait, des moulages de Notre-Dame-de-Pitié, semblables à la *Pietà* de Saint-Pierre-du-Sud, sont dispersés dans les églises du Québec: Saint-Bernard (ill. 211a) et Saint-Isidore-de-Dorchester, Saint-Gervais-de-Bellechasse etc. Selon Gérard Lavallée, ce type de Notre-Dame-de-Pitié prendrait pour modèle le prestigieux groupe de Coustou, vénéré à Notre-Dame-de-Paris (Le Voeu de Louis XIII).

La *Notre-Dame* de Côté reprend non seulement l'iconographie des oeuvres moulées mais également leur présentation matérielle et visuelle: le tragique un peu mièvre de l'ensemble, la mollesse des draperies et la décoration polychrome

quelque peu insistante. Pas étonnant donc que le visiteur confonde encore le groupe de Saint-Pierre avec un modèle en plâtre.

En comparaison avec le groupe calme et replié sur lui-même de Saint-Augustin, la *Pietà* de Côté met l'accent d'une façon on ne peut plus ostentatoire, sur le pathétique de la scène: la détresse des gestes et du visage de la Vierge est ici exaltée par l'extrême abandon du corps du Christ. Toutefois, les multiples facettes du groupe (vêtements, membres et rochers) sont réunies en une puissante composition pyramidale.   M.B.

Bibliographie
BARBEAU, «Côté, sculpteur sur bois», 1942, p. 7-8. BARBEAU, *Côté, The Wood Carver,* 1943, p. 4. MORISSET, «La passion du Christ», 1950, p. 41. MORISSET, «L'église de Saint-Pierre», 1950, p. 26. LAVALLÉE, *Images taillées du Québec,* p. 6, repr. NOPPEN, *Les églises du Québec,* 1977, p. 268. CHOUINARD, *Les églises de Saint-Pierre-du-Sud,* p. 24, repr.

Collection
Fabrique Saint-Pierre, Saint-Pierre-de-la-Rivière-du-Sud.

Médard Bourgault, 1897-1967

212. *Jésus est condamné à mort*, 1934

Ill. 211a   Anonyme, *Pietà* ou *Notre-Dame-de-Pitié*, plâtre polychrome, église Saint-Bernard (Dorchester) (Photo I.B.C.Q., nég. 83.017 (22) 5A).

Bois 111,4 × 54,5 cm.

Inscription
(en bas, à droite): « Med. Bourgault 34 »

La légende veut que le chemin parcouru par le Christ durant sa Passion ait été soigneusement relevé dès les premiers temps du Christianisme. Ce n'est pourtant qu'à partir du XVIᵉ siècle que s'imposera peu à peu la tradition d'un chemin de la croix en quatorze stations. Implantée dans le diocèse de Québec en 1820, cette dévotion connaîtra ici une très large diffusion.

Parmi les nombreux artistes qui ont peint ou sculpté des chemins de croix pour nos églises, Médard Bourgault – avant tout connu du public par son oeuvre profane – fut l'un des plus prolifiques. Selon Angéline Saint-Pierre, il aurait sculpté pas moins de quatre-vingt-huit chemins de croix. Certains de ces chemins de croix ne furent, par contre, jamais terminés. C'est ainsi qu'en 1950 le Musée du Québec put se procurer, directement de l'artiste, la première – et sans doute la seule – station d'un chemin de croix que Bourgault jugeait peut-être trop conventionnelle. Du moins sait-on que, dans la lignée du renouveau des arts sacrés, le sculpteur cherchera, dès les années 40, à créer des oeuvres beaucoup plus personnelles.   Y.L.

Bibliographie
Saint-Pierre, *L'oeuvre de Médard Bourgault*, 1976, p. 49.

Collection
Musée du Québec, Québec, (A-50.66-S).

Claude François dit frère Luc, 1614-1685

213. *L'Ange gardien*, 1671

Huile sur toile. 248 × 159,5 cm.

Nous savons par le père Chrestien le Clercq que l'église de l'Ange-Gardien, près de Québec, fut l'une des églises que le frère Luc avait « gratifiez de ses ouvrages » lors de son passage au Canada en 1670-1671. L'ange pointe du doigt le monogramme divin écrit en hébreu (avec la faute d'orthographe habituelle : JECHOVA, au lieu de JEHOVA). Un serpent, représentant la tentation, paraît au pied du jeune homme. Les sentiments du jeune homme semblent refléter ceux qui sont exprimés dans la devise latine qui surmonte le blason, à droite : « Potius mori quam foedari » (Plutôt mourir que se souiller). Le blason lui-même, d'« hermine, aux armes de France, broché sur le tout » appartient peut-être à une relation bretonne de Monseigneur de Laval, donateur du tableau à la paroisse de l'Ange-Gardien.

C'est sans doute à ce tableau que Monseigneur de Laval fait allusion quand il recommande, dans une ordonnance de 1671, « aux marguilliers de l'Ange-Gardien de commencer au plus tôt à bâtir une église, n'y ayant, dit-il, qu'un petit logement très méchant où la pluie et la neige peuvent gâter le tableau et tout ce qui est sur l'autel. » Si c'était le cas, cette ordonnance fournirait un bon indice pour établir la datation du tableau, soit 1671, et confirmerait par le fait même son attribution au frère Luc. Le tableau n'est ni signé, ni daté.   F.-M.G.

Expositions

1967, Québec, Musée du Québec, *Peinture traditionnelle du Québec*, n° 19, repr. 1983, Québec, Musée du Québec, *Le Musée du Québec. 500 oeuvres choisies*, n° 44, repr.

Bibliographie

CASGRAIN, *Histoire de l'Ange Gardien*, 1903, p. 93. MAGNAN, « Peintres et sculpteurs du terroir », 1922, p. 315. ROY, *Les vieilles églises de la province*, 1925, p. 35-36 et 43, repr. HUGOLIN, « Un peintre de renom », 1932, p. 71. MORISSET, « Coup d'oeil sur notre histoire », 1937, p. 6. MORISSET, *Coup d'oeil sur les arts*, 1941, p. 52. MORISSET, « Entretiens sur les arts », 1942, p. 212. MORISSET, *La vie et l'oeuvre du frère Luc*, 1944, p. 33, 49-50, 118-119 (n° 63). MORISSET, *La peinture traditionnelle*, 1960, p. 25. MORISSET, « François, Claude, dit frère Luc », 1966, p. 322. HARPER, *La peinture au Canada*, 1966, p. 8. GAGNON, *Premiers peintres de la Nouvelle-France*, 1976, p. 75-76. *Le Musée du Québec* 1978, p. 16-17, repr. ROBERT, *La peinture au Québec*, 1978, p. 15 et 169, repr. THIBAULT, « La place de l'art religieux », 1981, p. 22.

Collection

Musée du Québec, Québec, (A-74.255-P).

Joseph Légaré, 1795-1855

214. *Saint François de Paule ressuscitant l'enfant de sa soeur, vers 1821*

Huile sur toile. 292 × 173 cm.

Inscription

(en bas, à gauche): « J. LÉGARÉ ».

Ce tableau de Joseph Légaré est la copie d'une toile originale du peintre français Simon Vouet, aujourd'hui accrochée dans l'église de Saint-Henri de Lévis. La toile de Vouet faisait partie du premier lot de tableaux religieux que l'abbé Philippe-Jean-Louis Desjardins (cat. 125) envoya dans la colonie canadienne en 1816.

Bien que l'oeuvre de Légaré soit datée de 1821, nous savons que l'artiste ne parvint à la vendre qu'en 1836, à la fabrique de Saint-Augustin. Elle a été acquise par la Galerie nationale en 1976. Il faut dire que le sujet de l'oeuvre était peu courant et ne correspondait pas à une dévotion particulière au pays. On y voit le fondateur de l'ordre des Minimes exercer son pouvoir de thaumaturge au profit de sa soeur. Vêtu de l'ample bure de son ordre, saint François s'appuie sur un bâton et tend la main droite vers l'enfant mort. La barbe longue, il lève les yeux au ciel en direction d'une groupe d'angelots qui entourent sa devise rayonnante. La scène se déroule à proximité d'un autel surmonté d'un tableau et encadré d'imposantes colonnes torses. La copie de Légaré est considérée comme très fidèle à l'original.

Les recherches que nous avons menées, il y a quelques années, nous ont révélé que Légaré exécuta une seconde copie intégrale (au Musée du Québec) de la toile de Vouet et qu'il en emprunta, à tour de rôle, les différents personnages pour meubler quatre de ses compositions religieuses. Ce faisant, le peintre contribua à enrichir la jeune tradition artistique coloniale et à élargir, à sa façon, l'univers pictural des Québécois. On aurait tort de négliger de tels aspects, d'autant qu'ils ajoutent à l'intérêt intrinsèque de la copie comme mode de diffusion des formes et comme véhicule iconographique.
J.R.P.

Exposition

1978, Ottawa, Galerie nationale du Canada, *Joseph Légaré 1795-1855*, nº 1, repr.

Bibliographie

BÉCHARD, *Histoire de la paroisse de Saint-Augustin (Portneuf)*, 1885, p. 198. EAST, « Saint-Augustin de Portneuf », 1934, p. 5. MORISSET, « La collection Desjardins – À Saint-Henri-de-Lauzon », 1934, p. 320-321.

Collection

Galerie nationale du Canada, Ottawa, (18619).

Napoléon Bourassa, 1827-1916

215 et 216. *Deux projets de décoration de la cathédrale de Saint-Hyacinthe*, 1891

L'association de Napoléon Bourassa avec la ville de Saint-Hyacinthe lui permit d'exercer son talent dans les deux genres picturaux auxquels il s'intéressa. Dans un premier temps (1866-1868), il exécuta dix-sept portraits de religieuses et d'ecclésiastiques (coll. du monastère du Précieux-Sang, évêché et séminaire; LeMoine, 1974, p. 251-252) et, par la suite, lors d'un séjour prolongé (1891-1896), il conçut la décoration de la cathédrale (projet non réalisé) et le corps central du monastère des dominicains.

Architecte autodidacte qui ne rencontrait pas le bâtisseur capable d'exprimer son idéal, il dut lui-même suppléer à cette lacune et réussit à s'imposer comme architecte d'églises (Fall River, Montebello). Le projet de construction de la chapelle Notre-Dame-de-Lourdes, terminée en 1880, (cat. 209) permettait de concevoir l'édifice en même temps que sa décoration et ainsi de mettre en valeur son talent de muraliste.

L'art du muraliste qui demande à la fois la capacité de développer un programme iconographique et d'intégrer cette décoration dans l'environnement architectural et sculptural est particulièrement exigeant. La technique et le goût en furent introduits au Québec à partir des années 1830, avec la décoration de l'église Notre-Dame de Montréal par l'artiste gênois Angelo Pienovi (mort à Montréal en 1845). Les murales, qui furent d'abord le fait d'artistes d'origine italienne et allemande, conquirent les administrateurs des paroisses les plus modestes et, dans les années 1880, le règne des artistes-décorateurs prospéra (Lacroix, « La peinture murale dans les églises du Québec », 1980, p. 95-98).

La carrière et l'activité de Napoléon Bourassa contribuèrent grandement à cette appropriation du marché par les artistes canadiens. Au cours de ses années d'études en Italie et en France (1852-1855). Bourassa, à l'exemple des Nazaréens et de Hippolyte Flandrin (1809-1864), fut convaincu que la forme d'art la plus élevée était celle qui s'adressait au sentiment religieux et que l'art mural était sa plus noble expression.

La cathédrale de Saint-Hyacinthe fut confiée à Adolphe Lévesque, le premier maître-d'oeuvre de Notre-Dame-de-Lourdes, qui compléta les travaux en 1880. Seul le mobilier essentiel orne alors le bâtiment et, si l'on hésite aussi longuement à entreprendre la décoration, c'est que des vices de construction apparaissent presque aussitôt (Voyer, *Saint-Hyacinthe, De la seigneurie à la ville québécoise*, 1980, p. 76). En 1885, à l'invitation de Mgr Moreau, Bourassa entreprend la conception de la décoration: « Je viens d'entreprendre de transformer l'intérieur de la cathédrale de St-Hyacinthe... reprendre l'architecture et faire tous les dessins pour le décor » (1885). Il s'agit de: « 18 compositions de la vie de St-Hyacinthe, ayant tous les développements de sujets importants. Et il me faut inventer tout cela avec les éléments que nous trouvons dans notre désert, et le fabriquer avec une machine bien avariée » (1892) (*Lettres d'un artiste canadien*, 1929, p. 276, 376-377).

Peu de dessins subsistent de l'élaboration de ce programme, dont figurent ici deux projets. Éclairage, mobilier, sculpture, peinture, tout est pris en considération. La décoration s'inspire de l'art roman. Bas-relief, hauts-reliefs et sculptures en ronde bosse soulignent l'organisation géo-métrique de l'espace, basée sur le cercle, le carré et l'arc mitré.

Les arcs qui surplombent la galerie du choeur sont ornés avec les figures des docteurs de l'Église. Seuls neuf dessins illustrent les dix-huit compositions de la vie de saint Dominique qui devaient remplir les panneaux au niveau de la tribune (Coll. Musée du Québec). Les gestes expressifs et hiératiques des personnages amplifient la solennité des docteurs. La légende, inscrite dans un arc surbaissé sur le pan coupé de la voûte, identifie la scène placée au-dessous.

La soumission que Bourassa avait faite restera lettre morte et ce n'est qu'après les travaux de rénovation, en 1908, que la cathédrale recevra une décoration à laquelle collaborera, cette fois, Ozias Leduc.   L.L.

Expositions
1976, Ottawa, Archives publiques du Canada, *Napoléon Bourassa 1827-1916*, n°s 2 et 3. 1980, Ottawa, Galerie nationale du Canada, *Fonder une Galerie nationale*, sans cat. 1983, Québec, Musée du Québec, *Le Musée du Québec. 500 oeuvres choisies*, n°s 321-320, repr.

Bibliographie
ANONYME, « Napoléon Bourassa, (sa vie, son oeuvre) » 1916, p. 289-313. *Lettres d'un artiste canadien; Napoléon Bourassa*, 1929, p. 276, 349, 376-77. LeMoine, *Napoléon Bourassa l'homme et l'artiste*, 1974 p. 144-145, 165, 167-168. Vézina, *Napoléon Bourassa*, 1976, p. 124-128, 137, 139-40, repr.

Collection
Musée du Québec, Québec, (G-43.55-d184 et G-43.55-d185).

Napoléon Bourassa, 1827-1916
215. *Choeur et chapelle latérale, coupe transversale*, 1891

Dessin au trait rehaussé de lavis sur papier collé sur toile. 85,7 × 122,4 cm.

Inscriptions

(en haut, à droite): « Projet/pour compléter et déco-rer/l'intérieur de la cathédrale/de/St. Hyacinthe./N Bourrasa/1891. »; (au centre, à droite): « Un des quatre panneaux de la demie–/coupole de l'abside du choeur vu sur/plan droit. »; (en bas, à droite): « Élévation d'une des quatre travées de l'abside/du choeur vue sur plan droit avec une coupe en travers du/panneau. »; (en haut, à gauche): « Plan par terre de la moi/tié d'une des chapelles latérales,/avec plafond lumineux, si l'on/désirait un meilleur éclai-rage. »; (en bas, à gauche): « Élévation, de face, du choeur et d'une chapelle latérale sur une coupe perpendiculaire en travers de la première travée des nefs/les stalles étant supprimées. »; (en bas, au cen-tre): « Élévation du choeur sur une coupe perpendi-culaire en travers des/stalles. »

Collection

Musée du Québec, Québec, (G-43.55-d185).

Napoléon Bourassa, 1827-1916

216. *Choeur et première travée de la nef, coupe longitudinale*, 1891

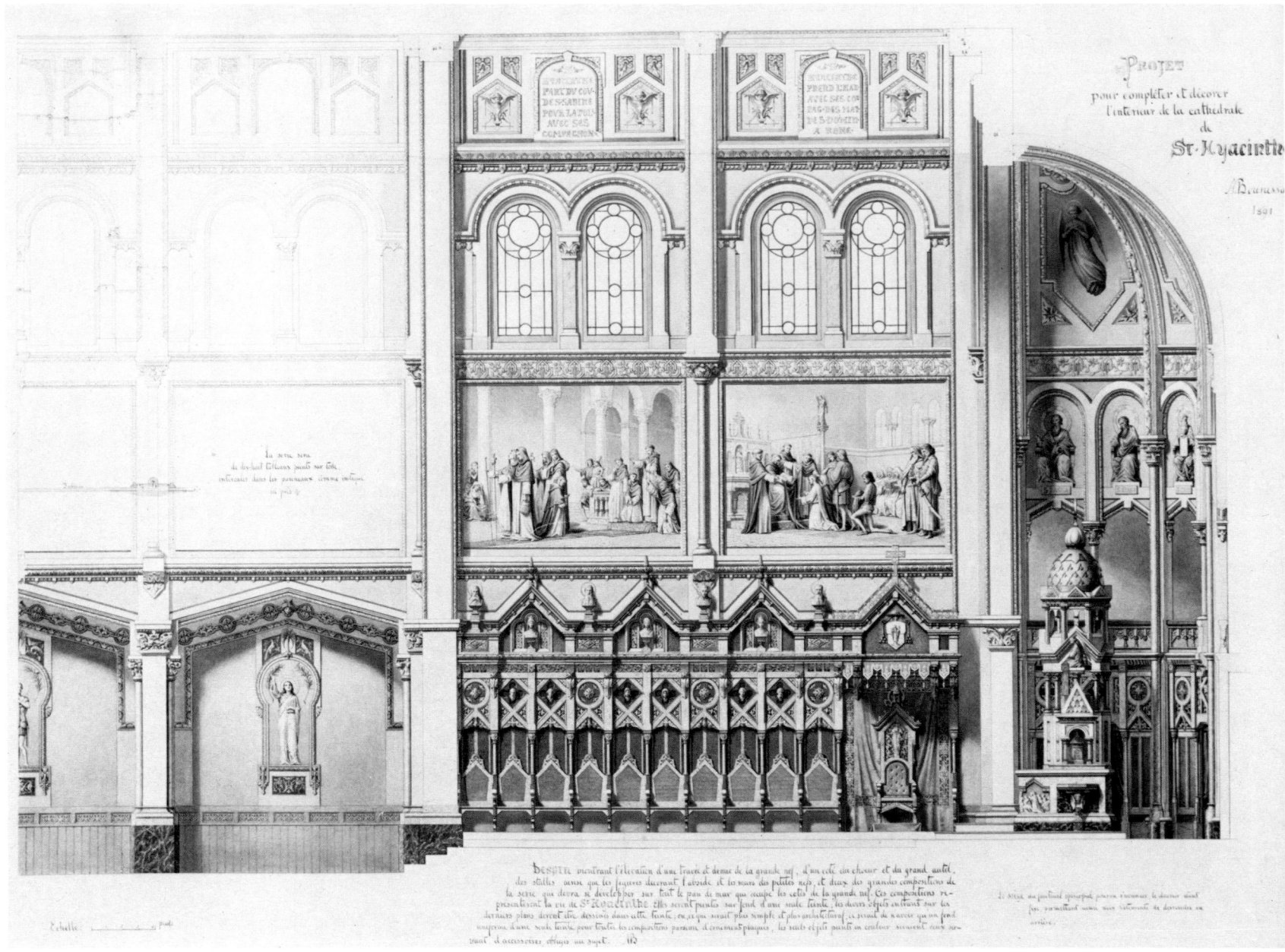

Dessin au trait rehaussé de lavis sur papier collé sur toile. 82,1 × 111,7 cm.

Inscriptions

(en haut, à droite): « Projet/pour compléter et décorer/l'intérieur de la cathédrale/de/St-Hyacinthe/N. Bourassa/1891. »; (en bas au centre): « Dessin montrant l'élévation d'une travée et demie de la grande nef, d'un côté du choeur et du grand autel,/des stalles ainsi que les figures décorant l'abside et les murs des petites nefs, et deux des grandes compositions de/la série qui devra se développer sur tout le pan de mur qui occupe les côtés de la grande nef. Ces compositions re/présenteront la vie de St. Hyacinthe. Elles seront peintes sur fond d'une seule teinte; les divers objets entrant sur les/derniers plans devront être dessinés dans cette teinte; ou, ce qui serait plus simple et plus architectural, ce serait de

n'avoir qu'un fond/uniforme d'une seule teinte pour toutes les compositions, parsemés d'ornements plaqués, les seuls objets peints en couleur seraient ceux ser/vant d'accessoires obligés au sujet. NB. »; (en bas, à droite): « Le siège du fauteuil épiscopal pourra s'avancer, le dessus étant/fixe, permettant ainsi aux vêtements de descendre en/arrière. »; (au centre, à gauche, dans l'encadrement d'un tableau): « La série sera/de dix-huit tableaux peints sur toile,/intercalés dans les panneaux, comme indiqué ici près. »; (en haut, au centre, médaillon de gauche): « HYACINTHE/PART DU COU. DE S. SABINE/POUR LA POL°/AVEC SES/COMPAGNONS »; (en haut, au centre, médaillon de droite): « HYACINTHE/PREND L'HAB./AVEC SES COM./PAG. DES MAI./DES DOMIN../A ROME. ».

Collection

Musée du Québec, Québec, (G-43.55-d184)

236

Ozias Leduc, 1864-1955, vitrail exécuté par la firme Perdriau et O'Shea

217. *Le Martyre de saint Paul*, 1917-1919

Verre coloré et peint. Panneau supérieur : 296 × 142,5 cm ; panneau inférieur : 107 × 142,5 cm.

Inscriptions

(en bas, à droite) : « Perdriau et O'Shea, Montréal » ; (sur le panneau du bas) : « Bonum/certamen/certavi/cursum/consummavi/fidem/servavi – In/reliquo/reposita/est/mihi/corona/justitiae ».

La *Décapitation de saint Paul* est le premier vitrail conçu par Ozias Leduc pour la chapelle Pauline (sous-sol actuel) de la cathédrale de Sherbrooke. Deux scènes représentant sa conversion et sa prédication devant l'Aéropage complètent l'ensemble.

Le vitrail est divisé en trois parties de façon à s'adapter aux besoins de l'architecture. La scène principale du martyre, inscrite dans un rectangle, est surmontée de la figure glorieuse du saint placée dans un médaillon qui est inséré dans l'arc en ogive. Le panneau inférieur, qui pivote à des fins de ventilation, porte une inscription témoignant de la confiance de l'apôtre (« J'ai combattu le bon combat, j'ai achevé ma course, j'ai gardé la foi. Dès maintenant m'est réservée la couronne de justice... » II, Timothée, 4,7).

Mgr Larocque (cat. 105) avait, dès 1905, formulé le projet de la construction d'un évêché et d'une cathédrale à Sherbrooke. C'est l'architecte Louis-N. Audet qui sera responsable du chantier, commencé en 1914 et terminé en 1919, pour marquer les fêtes des noces d'or de vie sacerdotale et des noces d'argent de l'élévation à l'épiscopat de Mgr Larocque (Biron, *Jubilé d'argent et d'or de Monseigneur Paul Larocque, évêque de Sherbrooke*, 1919).

À partir du printemps 1917, Leduc réalisa les cartons de ces vitraux (A.N.Q.M., *fonds Ozias-Leduc*, une vingtaine de lettres, entre l'architecte et le peintre, datées du 7 mars 1917 au 27 mars 1919, donnent des renseignements sur cette commande). Les nombreuses modifications au programme iconographique, à la forme générale, aux bordures, symboles et emblèmes, à tout ce qui entoure l'éxécution de ces trois vitraux, témoignent de la volonté commune, qui existe entre la personne qui commande l'oeuvre, l'architecte et l'artiste, de produire une oeuvre intégrée et réussie, tant sur le plan de la forme que du contenu.

L'intérêt pour le vitrail qui se développa dans la deuxième moitié du XIXe siècle, avec l'essor que prirent les arts décoratifs à cette époque, fut souvent servi par des importateurs ou des fabricants locaux se souciant peu de l'originalité du sujet traité et de la qualité du verre. Les techniques mixtes étaient courantes (mélange de différentes sortes de verre, de procédés – émail, peinture, gravure –) afin de créer des effets qui hésitent entre le marbre et la lithographie.

À Sherbrooke, le verre colorié et peint était utilisé de façon à rendre les effets picturaux. Les conventions des vitraux gothiques furent cependant respectées : la scène, traitée en clair, se découpe sur un fond, et des bordures aux couleurs plus sombres. Celles-ci sont très importantes à la fois par leur motif de mosaïque et pour le symbolisme des feuilles de chêne. Le texte ajoute au didactisme de la représentation. Le vitrail met en opposition le martyre et l'apothéose, système binaire qui traverse tout l'oeuvre de Leduc. L'homme déchu cherche à retrouver son Dieu par la beauté et la connaissance. La souffrance, le texte et la gloire de Paul illustrent bien cette pensée.

L.L.

Bibliographie

LACROIX, *La décoration religieuse d'Ozias Leduc*, 1973, p. 38-70. LACROIX et autres, *Dessins inédits d'Ozias Leduc*, 1978, p. 55, repr.

Collection

Archevêché de Sherbrooke, Sherbrooke.

CHAPITRE ONZIÈME
LE BAPTÊME DU CHRIST

La scène du baptême du Christ nous est relatée par les quatre Évangélistes[1]. Ainsi mis en relief, le premier épisode de la vie publique de Jésus fera l'objet de représentations multiples au long des âges. Des récits évangéliques, il ressort que la scène se compose de deux éléments bien distincts : « la purification dans l'eau du fleuve et la théophanie ou Descente du Saint-Esprit »[2]. Si les textes sacrés nous donnent une bonne description de la théophanie, ils se montrent par contre peu loquaces en ce qui concerne le rite de la purification, et c'est ailleurs que les artistes durent puiser leur inspiration.

« Faute d'une description suffisamment précise dans les Évangiles, la scène du baptême du Christ a été représentée dans l'art chrétien en conformité avec la liturgie du sacrement baptismal. Elle s'est modelée sur les rites de ce sacrement qui a été administré successivement sous deux formes : par immersion dans un fleuve ou une piscine de Baptistère ou par simple infusion dans la chapelle des Fonts baptismaux »[3].

Cette dernière tradition s'imposera définitivement à partir du 14e siècle[4] et fixera les traits essentiels de la composition du baptême du Christ tel que nous le concevons encore aujourd'hui : une scène à deux personnages principaux : le Christ et Jean-Baptiste, auxquels se rajoute le Saint-Esprit

apparaissant sous la forme d'une colombe. Notons également la présence fréquente d'anges ou de têtes d'angelots qui viennent meubler et équilibrer la composition.

Le baptême du Christ étant considéré comme le prototype du baptême chrétien, il est tout à fait logique d'en avoir fait le sujet prédestiné de la décoration des baptistères, des chapelles des fonts et des fonts baptismaux eux-mêmes. Comme le note par contre Gérard Lavallée :

« La coutume de construire un baptistère comme édifice indépendant pourvu d'une architecture propre n'a jamais existé ici dans le passé. Tout au plus, trouvons-nous, soit à l'arrière de l'église, soit dans la sacristie, un endroit prévu pour l'administration du baptême »[5].

Le *Rituel du diocèse de Québec*, publié en 1703 par Mgr de Saint-Vallier et dans lequel sont consignés les rites pour l'administration des sacrements, stipule à cet effet que :

« Il doit y avoir dans chaque Églife Paroiffiale, & dans les Églifes, ou Chapelles deftinées pour l'adminiftration des Sacremens, des fonts baptifmaux. Ils doivent être placez au bas de l'Églife du côté de l'Évangile dans un endroit environné d'un baluftre fermant à clef, autant qu'il fera poffible, & couvert d'un petit dome de menuiferie »[6].

1. Mathieu 3, 13-17 ; Marc 1, 9-13 ; Luc 3, 21-22, Jean 1, 29-32.

2. Louis Réau, *Iconographie de l'art chrétien, tome second : Iconographie de la Bible, II : Nouveau Testament*, Paris, Presses universitaires de France, 1957, p. 295.

3. *Ibid.*, p. 297.

4. *Ibid.*

5. Gérard Lavallée, *Anciens ornemanistes et imagiers du Canada français*, Québec, ministère des Affaires culturelles, 1968, p. 58-59.

6. *Rituel du diocèse de Québec publié par l'ordre de Monseigneur de Saint-Vallier évêque de Québec*, Paris, Simon Langlois, 1703, p. 28.

Le *Rituel* de Saint-Vallier étant épuisé, Mgr Joseph Signay publia en 1836 l'*Extrait du Rituel de Québec*, qui reprenait, avec quelques compléments, le texte du précédent. Le nouveau *Rituel* donnait, entre autres, la permission de baptiser dans la sacristie durant l'hiver, ce qui évitait d'avoir à chauffer l'église au complet durant la saison froide[7]. Plus intéressant pour notre propos est le passage où il est mentionné que les fonts baptismaux doivent être décorés d'« un tableau représentant le baptême de Notre-Seigneur par St. Jean-Baptiste »[8]. L'*Extrait du Rituel de Québec* ne fait en somme que mettre ici l'accent sur une pratique déjà établie. À titre d'exemple, on sait qu'en 1823, Yves Tessier peignit un *Baptême du Christ* pour le baptistère de l'église de Saint-Denis-sur-Richelieu[9]. Le rituel romain que faisait observer au début de la colonie Mgr de Laval stipulait d'ailleurs que l'on devait, « où la chose pourra se faire commodément », retrouver au baptistère une représentation peinte du Baptême du Christ[10].

Bien que les différents rituels tour à tour en usage dans le diocèse de Québec aient accordé beaucoup d'importance à l'emplacement et à la décoration des fonts baptismaux, il semble que plusieurs paroisses, pour diverses raisons, aient eu tendance à négliger ces normes. Ainsi, lors de sa visite épiscopale à Louiseville, en 1807, Mgr Joseph-Octave Plessis ordonne « qu'un baptistère soit disposé au bas de la nef » de la nouvelle église[11]. L'évêque écrit au curé du même endroit en 1811 pour lui rappeler qu'« un beau retable est moins urgent qu'un baptistère décent »[12]. En visite à Louiseville le 13 juin 1819, Mgr Plessis insiste de nouveau pour que « le baptistère soit transféré au bas de l'église, conformément à notre ordonnance de visite du 2 juillet 1807 »[13]. En 1835, c'est à Mgr Joseph Signay d'ordonner que la prescription du 2 juillet 1807 « concernant l'érection d'un baptistère en bas de l'Église » soit enfin mise à exécution[14]. Cinq ans plus tard, aucun changement ne s'est produit et l'évêque doit revenir à la charge :

« *Nous avons renouvelé et renouvelons, et avec injonction spéciale de s'y conformer, les ordonnances réitérées à chaque visite épiscopale depuis 1807, de placer un baptistère au bas de l'Église, du côté de l'Évangile et avec un tableau de S.J. Bte baptisant N.S. comme il est prescrit page 1 de l'Extrait du rituel...* »[15]

En 1841, l'église de Louiseville dispose enfin de fonts baptismaux convenables[16]. Ils disparaîtront avec l'ancienne église au début du XXe siècle. Le cas de Louiseville est loin d'être isolé ; nous pourrions multiplier les exemples où les évêques durent intervenir à plusieurs reprises pour que l'on mette à exécution leurs ordonnances concernant l'aménagement des fonts baptismaux. De ce fait, il nous faut constater ici le rôle déterminant joué par l'Église dans l'implantation et la diffusion d'un thème iconographique comme le baptême du Christ. N'allons pourtant pas croire que les représentations du baptême du Christ soient exclusivement réservées au baptistère, puisqu'on les retrouve, entre autres, au maître-autel de certaines églises dédiées à saint Jean-Baptiste[17]. Ajoutons d'ailleurs que la scène du baptême du Christ n'est pas la seule, comme pourrait le laisser croire le rituel, à être utilisée pour la décoration des fonts baptismaux[18].

En insistant, par de nombreuses ordonnances épiscopales, sur les normes à suivre dans la mise en place et la décoration des baptistères, normes établies par son rituel, l'Église allait offrir à nos artistes une belle occasion de mettre à profit leurs talents. Si la majorité des représentations du baptême du Christ connues dans l'art québécois (une centaine d'oeuvres) sont peintes, il reste que l'on conserve encore plus d'une dizaine de reliefs en bois sculpté représentant ce thème. Pour un peintre comme Antoine Plamondon, à qui l'on doit au moins sept versions du baptême du Christ, rien n'est préférable bien entendu à un bon tableau pour décorer une église :

« *Quel autre genre d'ornementation pourra être préférable à celui-là ? Serait-ce cette multitude de petits morceaux de bois sculptés sur toutes les faces, dont toute la voûte et le pourtour du temple sont parsemés, ces retables et ces bas-reliefs ? Mais, je vous le demande, qu'est-ce que tout cela dit au coeur de l'homme comparativement aux représentations des beaux faits de l'histoire sacrée ?* »[19]

Tout le monde, on s'en doute bien, n'allait pas être du même avis. Le sculpteur Thomas Fournier réplique au peintre, en le parodiant, que si la sculpture ornementale « *n'est pas l'ornement le plus magnifique, le plus majestueux, le plus noble, le plus instructif, le plus édifiant, enfin celui qui émeut le plus le coeur de l'homme, elle n'en est pas moins susceptible de toutes ces qualités* »[20]. Il en veut pour preuve le riche décor sculpté d'une quelconque église de campagne avec son retable, ses colonnes, ses trophées, sa chaire

7. *Extrait du Rituel de Québec... publié par l'ordre de Monseigneur l'Évêque de Québec*, Québec, imprimé par T. Cary et Cie, 1836, p. ix.

8. *Ibid.*, p. vii.

9. Signé et daté en bas, à gauche : « Y. Tessier pinxit 1823 ». Le tableau est toujours en place.

10. « ... in ecque, ubi commode fieri potest, depingatur Imago Sancti Joannis Christum baptizantis », cité dans une lettre de l'abbé Armand Gagné adressée à M. Jean Trudel en date du 14 avril 1975.

11. Germain Lesage, o.m.i., *Histoire de Louiseville 1665-1960*, presbytère de Louiseville, 1961, p. 139.

12. *Ibid.*, p. 140.

13. *Ibid.*, p. 154.

14. *Ibid.*, p. 165.

15. *Ibid.*, p. 181.

16. *Ibid.*, p. 182.

17. Tableau de Louis Dulongpré à l'église de Saint-Jean-Port-Joli ; tableau d'Antoine Plamondon pour l'ancienne église des Écureuils (dans la nef de l'église actuelle) ; tableau de Joseph Légaré pour l'ancienne église Saint-Jean-Baptiste de Québec (détruit).

18. Ainsi, le dorsal des fonts baptismaux de l'église Saint-François de l'île d'Orléans, datant de 1854, est orné d'un panneau sculpté où est représenté le Serpent enroulé autour de l'Arbre du fruit défendu. Le rapport est ici évident avec le sacrement de baptême, qui viendra effacer la faute originelle dont est entaché, aux yeux de la religion catholique, chaque nouveau-né.

19. *Le Journal de Québec*, 23 février 1850, p. 3.

20. *Le Journal de Québec*, 7 mars 1850, p. 1.

et son baptistère. Croire qu'Antoine Plamondon n'eut pas le dernier mot dans cette chicane artistique étalée dans les journaux serait mal le connaître. Ne concédant aux sculpteurs que la décoration de la corniche et de quelques éléments du mobilier liturgique, comme le tabernacle, la chaire et le banc d'oeuvre, Plamondon réplique à Fournier que :

« Pour ce qui est des représentations du baptême du Christ sculptées en bois… je dois vous dire qu'elles font votre honte! si peu elles ont forme humaine »[21].

Comment donner raison à Plamondon devant une oeuvre aussi articulée que le *Baptême du Christ* sculpté par François Baillairgé, dans les années 1807-1808, pour le baptistère de l'ancienne église de Saint-Ambroise-de-la-Jeune-Lorette? (cat. 218) Tout au plus, ces propos montrent bien les rivalités qui ont pu exister entre peintres et sculpteurs quand venait le temps de solliciter de nouvelles commandes auprès des fabriques. Les peintres et les sculpteurs ne sont d'ailleurs pas les seuls à avoir traité le thème du baptême du Christ, puisqu'on le retrouve également dans le vitrail et l'orfèvrerie.

Plutôt que de demander à un peintre ou un sculpteur une représentation du baptême du Christ, certaines fabriques se contentaient d'orner leur baptistère d'une simple gravure. C'est ainsi que, jusqu'en 1922, on trouvait à l'église de Saint-Jean-Port-Joli une piscine baptismale « surmontée d'un beau cadre brun et doré contenant une image d'environ 18 × 14 pouces, représentant le baptême de Notre-Seigneur, par Saint-Jean-Baptiste dans le Jourdain »[22].

Si l'occasion se présentait, ou si les moyens le permettaient, on remplaçait la gravure par une oeuvre plus somptueuse. La première pouvait alors servir de modèle au peintre ou au sculpteur. C'est ainsi que, le 23 mars 1789, le peintre Louis de Heer s'engage auprès de la fabrique de Saint-Charles-de-Bellechasse à « faire en peinture » un « St-Jean Baptiste pour les fonds pareils à l'Estampe qui y est… »[23]. L'une des plus anciennes, sinon la plus ancienne, de ces gravures du baptême du Christ qui aient circulé ici est celle de Gérard Audran (1640-1703), tirée d'après une composition du peintre français Pierre Mignard (1612-1695) et dont un exemplaire orne toujours le baptistère de l'église de l'Islet (fig. 1). La composition de Mignard, gravée à maintes reprises, connaîtra une très grande popularité tout au long des XVIIe, XVIIIe et XIXe siècles[24], pas moins d'une dizaine de représentations peintes ou sculptées du baptême du Christ, dans l'art québécois, en découlent directement[25]. Retenons également, pour leur grande popularité, les compositions de Guido Reni, de Poussin, de Cornelis de Vos et de Carlo Maratta, souvent connues ici par la gravure. Largement diffusée, la gravure devenait donc un modèle facile à se procurer et qui offrait certaines qualités plastiques que l'on aimait à conserver. Les tableaux importés d'Europe joueront également, aux yeux des artistes et des commanditaires, le rôles de modèles prestigieux. C'est ainsi que le *Baptême du Christ* de Claude-Guy Hallé (1692-1736), de la collection Desjardins, détruit dans l'incendie de la chapelle du séminaire de Québec en 1888, ne nous est connu que grâce à de nombreuses copies peintes ou sculptées (cat. 219).

Longtemps, au Québec, les fonts baptismaux ont adopté la forme d'un meuble de style classique dont l'élément essentiel était une table-armoire posée sur une plate-forme qu'entourait une balustrade et que couronnait un fronton supporté par des pilastres encadrant une représentaion peinte ou sculptée du baptême du Christ. Dans le dernier quart du XIXe siècle apparaît un type de baptistère tout à fait différent, formé d'un bassin posé sur un piédestal et protégé par un couvercle souvent couronné d'une représentation en ronde-bosse du baptême du Christ (cat. 222). À cette première représentation sculptée du baptême du Christ pouvait, à l'occasion, s'ajouter un tableau reprenant le même thème et qui était placé au-dessus de la piscine baptismale. Comme le note Gérard Morisset : « … à mesure qu'on avance vers le vingtième siècle, les fonts baptismaux appartiennent de plus en plus à ce qu'on appelle communément l'art commercial »[26]. Les fonts baptismaux en marbre, en pierre ou en métal que les fabriques pouvaient se procurer par catalogue auprès de compagnies comme Daprato allaient obliger nos artistes à s'adapter aux nouvelles contraintes du marché.

Tout comme il inaugure la vie publique du Christ, le baptême ouvre la vie chrétienne aux fidèles. Le rôle primordial du premier des sept sacrements, qui est d'effacer la trace du péché originel, confère une grande importance à la cérémonie du baptême. La croyance voulait même qu'un enfant qui mourait sans avoir été baptisé allât aux limbes. Les parents s'efforçaient donc, traditionnellement, de faire baptiser leur nouveau-né le plus tôt possible, habituellement dans la journée qui suivait la naissance. Généralement, le baptême avait lieu en fin de journée, soit vers trois heures de l'après-midi. Comme la mère devait encore garder le lit, c'est à la porteuse, accompagnée du parrain, de la marraine et du père, que revenait la tâche de transporter le bébé, revêtu du trousseau de baptême (cat. 231 à 236), de la maison familiale aux fonts baptismaux. Avant de verser, avec

21. *Le Journal de Québec*, 4 avril 1850, p. 2.

22. Arthur Fournier, *Mémorial de Saint-Jean Port-Joli*, cité dans Angéline Saint-Pierre, *L'église de Saint-Jean-Port-Joli*, Québec, Éditions Garneau (1977), p. 207.

23. Abbé Georges Côté, *La Vieille Église de Saint-Charles-Borromée*, (Québec, L'Action Sociale Ltée, 1928), s.p.

24. Bien que l'on sache que des graveurs comme François de Poilly (1622-1693) ou Claude Duflos (1665-1727) ont gravé la composition de Mignard, aucun exemplaire de ces gravures n'a encore été retrouvé au Québec. Par contre, le musée de l'Hôpital général de Québec conserve une gravure coloriée inspirée de la composition de Mignard, oeuvre tardive signée Philippeau. Encore plus récente semble être la gravure, également inspirée de Mignard, qui orne toujours les fonts baptismaux de l'église de Maskinongé.

25. Le même phénomène peut être observé dans l'art provincial français, comme nous l'apprend Michèle Ménard dans son étude sur les retables de l'ancien diocèse du Mans (*Une histoire des mentalités religieuses aux XVIIe et XVIIIe siècles*, Paris, Beauchesne, 1980, p. 174):
« Une des oeuvres les plus reproduites dans le diocèse du Mans fut le Baptême du Christ peint par Pierre Mignard pour le maître-autel de l'église Saint-Jean à Troyes… Plus de la moitié des représentations du Baptême du Christ dans le diocèse (soit une dizaine de tableaux ou de reliefs) s'inspirent de Mignard, par l'intermédiaire de la taille douce ».

26. Gérard Morisset, « Saint-Jean-Baptiste dans l'art canadien », *La Patrie*, 25 juin 1950, p. 35.

Fig. 1 Gérard Audran (1640-1703) d'après Pierre Mignard (1612-1695),
Le Baptême du Christ; gravure au burin, 70,5 × 49,6 cm; église de l'Islet (L'Islet)
(Photo I.B.C.Q., nég. 81.093 (22) 5).

l'aiguière baptismale, l'eau sur la tête du nouveau-né, le célébrant devait oindre l'enfant avec les saintes huiles. Comme le stipule le *Rituel* :

« *Il faut avoir deux sortes de saintes huiles pour l'administration du Baptême, à savoir : l'huile des Catéchumènes et le Saint-Chrême... Les vases destinés à contenir ces huiles, doivent être d'argent, ou au moins d'étain fin, et enfermés ensemble dans une boîte particulière. Ils seront tenus dans une grande propreté, et ils seront distingués, l'un par cette inscription,* Sanctum Chrisma, *et l'autre par celle-ci,* Oleum Catechumenorum, *ou au moins par les initiales S.C. – O.C.* »[27].

Tout comme les ampoules et le boîtier aux saintes huiles (cat. 223), l'aiguière baptismale devait être, de préférence,

en argent[28] (cat. 224 à 230). Après le baptême, on inscrivait le nom de l'enfant dans les registres des actes de baptême.

« *Au baptême, l'enfant recevait au moins trois prénoms : d'abord, celui de Joseph pour les garçons ou de Marie, pour les filles, ensuite, le prénom du parrain ou de la marraine, selon le sexe du rejeton et, en dernier lieu, le prénom usuel de l'enfant qui était souvent celui du saint du jour (dont on attendait la protection) ou d'un des ancêtres de la famille (dont on voulait honorer la mémoire)* »[29].

Comme les registres des actes de baptême jouaient également le rôle de registres publics d'état civil, le nouveau baptisé était simultanément intégré au sein de la collectivité civile et de la communauté chrétienne, qui longtemps, au Québec, n'ont formé qu'une seule entité.

Yves Lacasse

---

27. *Extrait du Rituel de Québec,...* p. viii.

28. *Ibid.*, p. ix.

29. Jean-Philippe Gagnon, *Rites et croyances de la naissance à Charlevoix*, (Montréal), Leméac (1979), p. 103.

François Baillairgé, 1759-1830
218. *Le Baptême du Christ*, 1807-1808

Bois doré et peint en blanc. 246,5 × 127 cm.

La première église de Saint-Ambroise de la Jeune-Lorette fut commencée en 1798. Le 28 mai 1807, l'évêque de Québec, Joseph-Octave Plessis (1763-1825), ordonnait lors de sa visite « (...) de faire un baptistère dans le bas de l'Église entre la grande porte et la petite du côté du sud, d'ici à un an (...) » (archives de la fabrique Saint-Ambroise, *Livre des recettes dépenses...*, 1807). Dans les dépenses de la fabrique pour l'année 1808, on trouve un versement de 790 livres « pour l'ouvrage du baptistère » (*Idem*, 1808). Dans celles de 1809, on paye pour le baptistère 21 livres 10 au forgeron, 62 livres au menuisier, 7 livres « pour frange, gallon broquettes... », 335 livres « pour peinture et façon pour le baptistère » (*Idem*, 1809). Le baptistère est donc complètement terminé en 1809.

Le baptistère de François Baillairgé s'imposa vite comme modèle. Le 4 septembre 1832, un marché passé entre les marguilliers chargés de la construction de la nouvelle église de Saint-Joseph de la Pointe Lévy et l'architecte-sculpteur François Fournier (1792-1865) stipule que ce dernier est tenu de faire « des fonts baptismaux, sous un escalier du jubé, dans le goût de ceux de St.-Ambroise », aujourd'hui conservés à la Galerie nationale du Canada (6781) (A.J.Q., Greffe de Jean-Baptiste Couillard, 4 septembre 1832, n° 2134). Parallèlement aux travaux qu'il effectuait à la Pointe Lévy, François Fournier travaillait à la construction et au décor intérieur de l'église de Saint-Thomas de Montmagny (archives de la fabrique Saint-Thomas, *Livre de comptes et délibérations...*, 1819 à 1851).

Ayant à réaliser un baptistère pour cette église, Fournier reprendra à nouveau la composition du Baptême du Christ de Baillairgé. Encore en place en 1930 lorsqu'ils furent photographiés par Marius Barbeau (M.N.C., nég. n° 74558), les fonts baptismaux de l'ancienne église de Saint-Thomas (incendiée en 1950) sont aujourd'hui conservés dans la sacristie de l'église de Saint-Pierre de Montmagny (repr. dans Chouinard, *Les églises de Saint-Pierre-du-Sud*, 1978, p. 17).

En 1891, moins de cent ans après sa construction, l'église de Saint-Ambroise de Loretteville fut démolie pour faire place à une église plus grande : le relief de Baillairgé fut remisé dans un hangar jusqu'en juin 1947, puis mis en dépôt au Musée du Québec. Tel que nous le connaissons, le baptistère de Saint-Ambroise n'est pas complet. Il manque de chaque côté pilastres et chapiteaux complétant le cadre architectural d'origine. Il manque probablement aussi deux éléments de forme pyramidale, ornés de serpents mordant une pomme, que l'on pouvait voir sur une photo ancienne du baptistère de l'église de Saint-Joseph de la Pointe Levy, prise sur place par Marius Barbeau en 1925 (M.N.C., nég. n° 66628). Saint Jean-Baptiste devait, à l'origine, tenir de la main gauche un bâton de marche ou une croix à longue hampe, qui a aussi disparu. La colombe qui couronne généralement le fronton des baptistères de ce type est ici remplacée par une gloire entourant la tête du Précurseur. Concevant son baptistère un peu sur le modèle d'une porte, il est tout probable que, pour le réaliser, Baillairgé s'est inspiré d'une planche d'un traité de menuiserie comme *The Practical Builder* (ill. 218a). Reste à trouver la source de son très beau *Baptême du Christ*. À cet égard, on ne peut accepter que Baillairgé ait pris pour modèle « une oeuvre de Pierre Mignard exposée dans une église de Troyes » (*Le Musée du Québec. 500 oeuvres choisies*, cat. d'expos., 1983, p. 113). Le *Baptême du Christ* de Mignard dont il est ici question, duquel découle la célèbre gravure de Gérard Audran, n'a strictement rien à voir avec l'oeuvre de François Baillairgé.   J.T. et Y.L.

Expositions
1946, Detroit, The Detroit Institute of Arts, *The Arts of French Canada*, n° 33. 1952, Québec, Musée du Québec, *Exposition rétrospective de l'art au Canada français*, n° 91, pl. 19. 1966, Vancouver, The Vancouver Art Gallery, *Images for a Canadian Heritage*, n° 20. 1967, Québec, Musée du Québec, *Sculpture traditionnelle du Québec*, n° 3. 1975, Québec, Musée du Québec, *François Baillairgé et son oeuvre (1759-1830)*, n° 53, repr. 1983, Québec, Musée du Québec, *Le Musée du Québec. 500 oeuvres choisies*, n° 127, repr.

Bibliographie
Archives de la fabrique Saint-Ambroise de la Jeune-Lorette, *Livre des recettes dépenses et autres affaires concernant la fabrique... Commencé en 1796*. A.J.Q., greffe Jean-Baptiste Couillard, *Devis et marché des ouvrages à faire à l'église de la Pointe Levy entre les Marguilliers et Mrs. François Fournier, Architecte*, 4 septembre 1832, n° 2134. Archives de la fabrique Saint-Thomas de Montmagny, *Livre de comptes et délibérations pour les années 1767 à 1881*. MORISSET, « François Baillairgé (1759-1830) », 1948, p. 31. MORISSET, « François Baillairgé – Le sculpteur », 1949, p. 235-236, repr. MORISSET, « Une dynastie d'artisans : les Baillairgé », 1950, p. 43, repr. MORISSET, « Thomas Baillairgé – Le sculpteur », 1951, p. 247 MORISSET Saint-Jean-Baptiste dans l'art », 1950, p. 25 MORISSET, « Trésors d'art de la province », 1953, p. 41, repr. BARBEAU, *J'ai vu Québec*, 1957, repr. TRUDEL, « Québec Sculpture and Carving », 1974, p. 49.

Collection
Musée du Québec, Québec, (Dépôt de la fabrique Saint-Ambroise de Loretteville) (L-47.135s).

Ill. 218a *Frontispieces for Doors*, planche XXXIV extraite
de William Pain, *The Practical Builder*, sixième édition,
London, 1799 (Photo Jean Trudel).

Jean-Baptiste Roy-Audy, 1778-vers 1848, d'après Claude-Guy Hallé

219. *Le baptême du Christ*, 1824

Huile sur toile. 82,9 × 67 cm.

Inscription
(en bas à droite): « J.B.R. Audy p¹ 1824 ».

Le tableau de Claude-Guy Hallé (1652-1736) arriva à Québec en 1817 avec 120 autres oeuvres provenant de l'abbé Philippe Jean-Louis Desjardins (cat. 125). Il fut porté au numéro 21 de l'inventaire et on nota qu'il mesurait 8'10″ × 4'5″ (A.M.U.Q., fonds Desjardins, inventaire de la collection Desjardins). Il orna d'abord la chapelle du séminaire de Québec, jusqu'à l'incendie de 1888; placé alors à Notre-Dame de Québec, il y sera détruit par les flammes en 1922.

De par sa localisation et sa composition, à la fois claire et mouvementée, où le naturel et le spirituel se combinent heureusement, cette version du *Baptême du Christ* allait devenir la plus légitime et la plus souvent copiée par les artistes québécois de la première moitié du XIXᵉ siècle. Roy-Audy semble l'avoir reproduite le premier et, outre cette version qui provient de Deschambault, Michel Cauchon en signale quatre autres (Louiseville, Lotbinière, St-Augustin, Deschambault; Cauchon, 1971, p. 124-126).

Par la suite, Joseph Légaré (7 versions répertoriées entre 1828 et 1850 par John R. Porter, *Joseph Légaré*, (cat. d'expos.), 1978, p. 110-112), Antoine Plamondon (7 tableaux du même sujet, qui m'ont été signalés par Yves Lacasse: Beauceville, Sainte-Marie de Beauce, Saint-Michel de Bellechasse, Saint-Louis (île aux-Coudres), Sainte-Jeanne de Chantal (?), Neuville, coll. Alary auraient été exécutés entre 1840 et 1858), sans compter la version tardive de Joseph Dynes à l'hôpital Notre-Dame du Sacré-Coeur de Québec (1878) et les versions anonymes de Neguac, N.-B., et de Saint-Paul de Joliette qui reprennent le même sujet. On en compte même une version sculptée, conservée au musée McCord (n° 14370). En tout, vingt-trois copies, et l'inventaire reste à compléter tout comme les attributions, à vérifier.

Toutes ces copies présentent entre elles des différences notables, dans l'adaptation du format du tableau, dans le coloris et dans le dessin. Et, tout en tenant compte du fait que plusieurs de ces tableaux ne sont plus dans leurs conditions d'origine on peut se demander si les copies ont été réalisées à partir de l'original ou à partir d'une reproduction, esquisse ou autre, que l'artiste aurait conservée à son atelier.
L.L.

Exposition
1972, Québec, Musée du Québec, *Jean-Baptiste Roy-Audy.*

Bibliographie
HARPER, *La peinture au Canada*, 1966, p. 94, repr.
CAUCHON, *Jean-Baptiste Roy-Audy.*, 1971, p. 75, 126, repr.

Collection
Musée du Québec, Québec, (L-69.17-D.).

Joseph Pépin (att. à), 1770-1842
220. *Le Baptême du Christ*, vers 1830 ?

Bois polychrome rehaussé de feuilles d'or et d'argent. 55,9 × 28,6 cm.

Malgré ses petites dimensions, il n'est pas impossible que le *Baptême du Christ* du musée d'art de Saint-Laurent ait, à l'origine, orné le baptistère d'une église de campagne. Sa provenance nous étant inconnue, il n'existe malheureusement, pour l'instant, aucun document pouvant nous le certifier. Des comparaisons stylistiques avec le médaillon du tombeau d'autel provenant de l'ancienne église des Cèdres, le *Songe de saint Joseph* (cat. 180), ont permis d'attribuer avec une certaine vraisemblance ce *Baptême du Christ* à Joseph Pépin. Il est amusant de noter que le sculpteur a ici remplacé par une tête d'ange ailée la colombe tradionnellement associée à la scène du baptême du Christ, et dont le sens a pu lui échapper. Y.L.

Collection
Musée d'art de Saint-Laurent, Saint-Laurent.

Jean-Baptiste Côté, 1832-1907
221. Le Baptême du Christ

Bois polychrome 73 × 48,9 cm.

Inscription
(en bas, à droite): « J B Côté ».

Nous ne savons rien de l'emplacement d'origine de ce relief, acheté en 1956 chez l'antiquaire S. Breitman, à Montréal, par le Musée de l'Homme, bien que l'on puisse douter qu'il ait jamais orné un baptistère. Le fait que nous connaissions de Côté deux autres *Baptême du Christ* presque identiques à celui du Musée de l'Homme – une version conservée dans une collection particulière de la région de Québec et une autre, non localisée (Barbeau, *Côté, the Wood Carver*, 1943, p. 9) – nous porte à faire des rapprochements entre cette oeuvre et d'autres reliefs à sujets religieux de l'artiste, comme *La Résurrection du Christ* et *L'Adoration des bergers* du Musée du Québec, dont on sait qu'il existe également plusieurs versions. La facture un peu « naïve » de l'oeuvre de Côté s'explique en grande partie par le type même du modèle dont se serait servi le sculpteur, sans doute une de ces innombrables reproductions du *Baptême du Christ* largement diffusées au Québec sous forme d'images de piété à la fin du XIXe siècle. Y.L.

Bibliographie
BARBEAU, « Côté, sculpteur sur bois », 1942, p. 8.
BARBEAU, *Côté, the Wood Carver*, 1943, p. 4 et 9, repr.
BARBEAU, *J'ai vu Québec*, 1957, repr.

Collection
Musée national de l'Homme, Ottawa, (70-4).

Nicolas Manny, 1812-1883

222. *Fonts baptismaux*, vers 1880

Bois bronzé. 150 cm (totale), 28,5 cm (baptême du Christ).

Le 11 novembre 1882, le journal *La Minerve* signale que :

« Mgr Bourget a célébré à Boucherville jeudi matin la première messe dans la chapelle où se trouve le nouveau baptistaire. Ce baptistaire, qui a été longtemps exposé dans une vitrine sur la rue Notre-Dame à Montréal, est un chef-d'oeuvre dû au ciseau de M. Manny, de Beauharnois. »

Placés à proximité du tableau du baptême du Christ que venait de signer pour l'église de Boucherville la firme Lavoie et Beaulieu – une copie de l'oeuvre de Carlo Maratta de l'église Sainte-Marie-des-Anges à Rome – les fonts baptismaux de Manny conviendront admirablement au faste dont on entourait à l'époque la cérémonie du baptême et que décrit le père Louis Lalande (*Une vieille seigneurie*, 1890).

« Faites mouvoir cette légère poulie, près de la fenêtre, à gauche : voilà que monte jusqu'à la voûte le voile ouvré qui recouvre les fonts baptismaux. C'est toujours une agréable surprise d'apercevoir soudain, porté sur un élégant piédestal et sur un faisceau de colonettes, ce grand vase étincelant de dorure, aux bords recourbés en volutes, ou délicatement ciselé en forme de dentelle, et dont le couvercle hémisphérique porte à son sommet les statues, sculptées sur bois, de Notre-Seigneur et de son divin Précurseur lui conférant le baptême. Au moyen d'une poignée d'ivoire, on fait glisser ce couvercle sur deux lames d'acier, et l'on a sous les yeux un bassin en marbre et les autres vases servant aux cérémonies baptismales ». Y.L.

Bibliographie

I.B.C.Q., fonds Gérard-Morisset, *Dossier église Sainte-Famille de Boucherville*, et pré inventaire, *Dossier église Sainte-Famille de Boucherville*. *La Minerve* (Montréal), 11 novembre 1882, p. 3. LALANDE, *Une vieille seigneurie*, 1890. MORISSET, « Saint-Jean-Baptiste dans l'art canadien », 1950, p. 35. MORISSET, « Le sculpteur Nicolas Manny », 1952, p. 28-29, repr.

Collection

Fabrique Sainte-Famille, Boucherville.

François Sasseville, 1797-1864

223. *Boîtier et ampoules (2) aux saintes huiles*

224 à 230. *Les aiguières baptismales en argent*

Joseph Schindler, avant 1763-1792

224. *Aiguière baptismale*

Dans les représentations du baptême du Christ, c'est généralement une coquille que saint Jean Baptiste tient à la main pour verser l'eau du baptême sur la tête du Christ. Dans la cérémonie du sacrement du baptême, l'officiant doit verser de l'eau sur la tête du néophyte et, pour cela, il se sert d'un récipient que l'on nomme aiguière baptismale. Nous savons qu'il existait en France, au XVIIIᵉ siècle, des aiguières baptismales en argent ayant la forme de coquilles. En Nouvelle France, cependant, nous ne connaissons pas d'aiguière baptismale en argent : elles étaient en étain, en cuivre ou en fer blanc. L'argent était réservé à des vases sacrés plus importants.

C'est après la Conquête qu'apparaissent les aiguières en argent : ce sont des vases tout petits, qui ont pris des formes surprenantes et atteignent une pureté de lignes rarement égalée dans l'orfèvrerie québécoise.

L'aiguière de Joseph Schindler (cat. 224) est en réalité une théière (avec anse, bec verseur et couvercle) miniaturisée. Il en est de même de l'aiguière de Paul Morand (cat. 225), dont les formes plus droites indiquent une date plus tardive. Le couvercle de cette aiguière n'est pas fixé à la panse (comme c'est le cas pour l'aiguière de Schindler) et il devait tomber chaque fois qu'on s'en servait.

Laurent Amiot créa, au début du XIXᵉ siècle, une forme d'aiguière baptismale aux lignes sobres, simples et efficaces. Au lieu de la doter d'un couvercle encombrant, il en ferma la moitié de l'ouverture, rendant par là sa manipulation et son usage fort aisés. Cette même forme fut évidemment reprise par son successeur et disciple François Sasseville (cat. 226), et par Ambroise Lafrance (cat. 227).

François Ranvoyzé créa, quant à lui, la forme la plus exotique d'aiguière baptismale dérivant d'une théière : la panse est en forme d'oeuf d'autruche et le bec verseur en forme de tête d'autruche (cat. 228). Il existe peu d'oeuvres aussi surprenantes.

Un autre type d'aiguière fut aussi créé au début du XIXᵉ siècle. Il semble dériver de la forme de la tasse à goûter (anse en forme de coquille et anneau pour passer le doigt), mais d'une tasse allongée se terminant par un bec verseur. Laurent Amiot (cat. 229) et François Sasseville (cat. 230) utilisèrent souvent cette forme.   J.T.

Argent. Boîtier 8,3 × 5 cm, ampoules 6,3 × 3 cm.

Poinçons
F S dans un rectangle (deux fois sous le boîtier et sous chacune des ampoules).

Inscription
(sur panse et couvercle des ampoules) :
« S.C. ».
« O.C. ».

Dans la cérémonie du baptême, le prêtre utilise, pour les onctions, les saintes huiles que contiennent de petites ampoules, elles-mêmes contenues dans un boîtier qui facilite leur rangement et leur transport.   J.T.

Collection
Musée du Québec, Québec, (A-69. 41-0 (3)).

Argent. 5,5 cm.

Poinçon
I S dans un carré.

Expositions
1983, Québec, Musée du Québec, *Le Musée du Québec. 500 oeuvres choisies,* nᵒ 438, repr.

Collection
Musée du Québec, Québec, (A-60. 520-0).

Paul Morand, 1784-1854
225. *Aiguière baptismale*

François Sasseville, 1797-1864
226. *Aiguière baptismale*

Ambroise Lafrance, 1847-1905
227. *Aiguière baptismale*

Argent. 7,6 cm.

Poinçon
PM dans un rectangle.

Collection
Musée du Québec, Québec, (A-56. 296-0).

Argent. 6,4 cm

Poinçon
FS dans un rectangle (3).

Collection
Musée du Québec, Québec, (A-69. 40-0).

Argent. 6,2 cm

Poinçon
Tête tournée vers la droite, dans un ovale,
QUÉBEC dans un rectangle,
LA dans un ovale.

Exposition
1983, Québec, Musée du Québec, *Le Musée du Québec. 500 Oeuvres choisies,* n° 487, repr.

Collection
Musée du Québec, Québec, (A-69. 37-0).

François Ranvoyzé, 1739-1819
228. *Aiguière baptismale*, 1783

Laurent Amiot, 1764-1839
229. *Aiguière baptismale*

François Sasseville, 1797-1864
230. *Aiguière baptismale*

Argent. 7,6 cm.

Poinçon
FR dans un oriflamme (2).

Cette aiguière provient de la fabrique Saint-Michel de Yamaska. Il existe au moins une autre aiguière de Ranvoyzé du même type, qui se trouve dans une collection particulière hors du Québec.   J.T.

Expositions
1975, Sherbrooke, Galerie d'art du Centre culturel de l'université de Sherbrooke, *Orfèvrerie traditionnelle du Québec*. 1977, Québec, Musée du Québec, *L'art du Québec au lendemain de la Conquête*, n° 67, repr. 1983, Québec, Musée du Québec, *Le Musée du Québec. 500 oeuvres choisies*, n° 440, repr.

Bibliographie
TRUDEL « A New Light on Ranvoyzé », 1969, p. 1 et 11, repr. TRUDEL, « Early Canadian Silver », 1972, p. 21. GIGUÈRE, « L'Orfèvre François Ranvoyzé », 1972, p. 42. « Exposition d'orfèvrerie à l'université », 1975, p. 12, repr.

Collection
Musée du Québec, Québec, (A-69. 268-0).

Argent. 3,3 × 13,3 cm.

Poinçon
LA dans un ovale.

Collection
Musée du Québec, Québec, (dépôt de la fabrique Notre-Dame de Liesse de Rivière-Ouelle) (L-70. 4-0).

Argent. 4,7 × 15 cm.

Poinçon
FS dans un rectangle (2).

Collection
Musée du Québec, Québec, (A-69. 38-0).

Anonyme

231 à 236. *Trousseau de baptême,*
vers 1880

Le trousseau de baptême, costume d'apparat que revêt le nouveau-né lorsqu'il reçoit son premier sacrement, est un élément important de la layette. Les parents accordent une attention particulière à ces vêtements qui officialisent l'entrée de l'enfant dans la vie civile et religieuse. Pour cette occasion, on s'efforcera de donner au trousseau toute la splendeur possible. Quelle que soit leur classe sociale, tous ont le souci d'utiliser des tissus de première qualité et d'orner les vêtements baptismaux de broderies et de dentelles. Ces pièces sont destinées sans distinction aux garçons et aux filles.

Transmis de mère en fille ou d'une soeur à l'autre, un trousseau de baptême peut servir à plusieurs générations. Peu de trousseaux nous parviennent en entier. Certains vêtements trop usés, mités ou démodés sont remplacés ou adaptés au goût du jour. Il arrive même qu'au décès d'un enfant on l'enterre dans sa robe de baptême.

Nous ne possédons pas la robe et le jupon d'origine du trousseau présenté ici. Heureusement, nous conservons encore des pièces importantes de cet ensemble de la fin du XIXe siècle, exceptionnel tant par le choix des matériaux que par la qualité du travail. Nous pouvons présumer que la robe et le jupon manquants étaient faits de soie, de coton ou de linon, qui sont des tissus plus fragiles que le cachemire, donc plus difficiles à conserver.

À cette époque, on trouve les robes de ligne Princesse dont la coupe et le décor forment un faux-tablier à l'avant. Pour une robe en tissu fin, le faux-tablier se compose de dentelles, de rubans et de petits plis, et pour une robe en lainage, le devant est brodé. Le jupon est généralement plus long, laissant voir des dentelles ou des broderies.

De façon générale, les trousseaux de baptême présentent des broderies aux motifs végétaux. L'emploi de fleurs souligne la pureté de l'âme, la jeunesse. La présence d'épis de blé évoque la vie, la renaissance perpétuelle. Accompagné de grappes de raisin, ce dernier motif rappelle l'eucharistie, la communion et, par conséquent, l'appartenance de l'enfant à l'Église.

S'il y a occasionnellement des manteaux de couleur, la robe est toujours blanche, comme la plupart des accessoires du trousseau, le blanc symbolisant la pureté. C'est une couleur de passage qui indique un changement de condition, un nouvel état, et qui se porte pour d'autres sacrements, tels que la première communion et le mariage. Dans le cas du baptême, cette couleur symbolise la grâce, qui libère du péché originel et régénère l'enfant.

La cérémonie du baptême terminée, la porteuse revêt le nouvel adepte de son bonnet et de son manteau. Par ce geste, on veut protéger la vie spirituelle que vient d'acquérir l'enfant.

L. Lalonger

Bibliographie
BERNARD, LALONGER, LAURENT, *Tendre enfance*, 37 p.
BAUDET, *L'art de s'habiller soi-même*, 1914, 98 p.
Collection
Direction de la mise en valeur des collections d'ethnographie, Québec, (74-261-1 à 6).

Anonyme

231. *Bonnet,* vers 1880

Satin, lin, soie. 23 × 14 cm.

Inscription
(brodée à l'intérieur) : « M ».

Le bonnet se compose de trois pièces : un fond, une passe et une ruche. Confectionné en satin froncé par des coutures, il est agrémenté de trois rosettes de valenciennes et de rubans de satin. Le tissu retenu à la nuque forme un volant, ou ruche, et recouvre le cou pour le protéger du froid. Des mentonnières de satin retiennent le bonnet.

L. Lalonger

Collection
Direction de la mise en valeur des collections d'ethnographie, Québec, (74-261-1).

Anonyme

232. *Châle,* vers 1880

Cachemire, fil de soie. 97,7 × 92 cm.

On a brodé le châle de cachemire d'une manière ingénieuse pour que, lorsqu'il est replié en pointe, les broderies nous apparaissent à l'endroit sur les deux pans. Sa fonction est purement esthétique. Au baptême, il enveloppe l'enfant et retombe sur le bras de la porteuse, ce qui laisse voir des motifs de grappes de raisin et de feuilles.

Selon les saisons, on complète parfois le trousseau par un second châle de laine, de plus grandes dimensions, tricoté ou crocheté à la main. Il protège l'enfant du froid.

L. Lalonger

Collection
Direction de la mise en valeur des collections d'ethnographie, Québec, (74-261-5).

Anonyme

233. *Pèlerine*, vers 1880

Anonyme

234. *Manteau*, vers 1880

Cachemire, satin, fil de soie.
70,5 × 126 cm (circonférence).

Inscription
(brodée à l'intérieur): « M ».

Faite d'une seule pièce, la pèlerine est une petite cape avec col. Elle recouvre le manteau pour former avec celui-ci une pelisse.

L. Lalonger

Collection
Direction de la mise en valeur des collections d'ethnographie, Québec, (74-261-2).

Cachemire, satin, fil de soie,
97,5 × 158 cm (circonférence)

Inscription
(brodée à l'intérieur): « M ».

Le manteau et la pèlerine sont en cachemire, tissu très coûteux, mais très recherché pour la fabrication des trousseaux de baptême à la fin du XIXᵉ siècle et au début du XXᵉ. Les broderies au fil de soie, où alternent des motifs de fleurs, de grappes de raisin et d'épis de blé, se placent principalement dans les coins inférieurs de ces deux pièces. Les bordures sont découpées en festons. Une doublure de satin, piquée à la machine à coudre, donne plus de corps à la pelisse.

L. Lalonger

Collection
Direction de la mise en valeur des collections d'ethnographie, Québec, (74-261-3).

Anonyme

235. *Lange*, vers 1880

Anonyme

236. *Boléro*, vers 1880

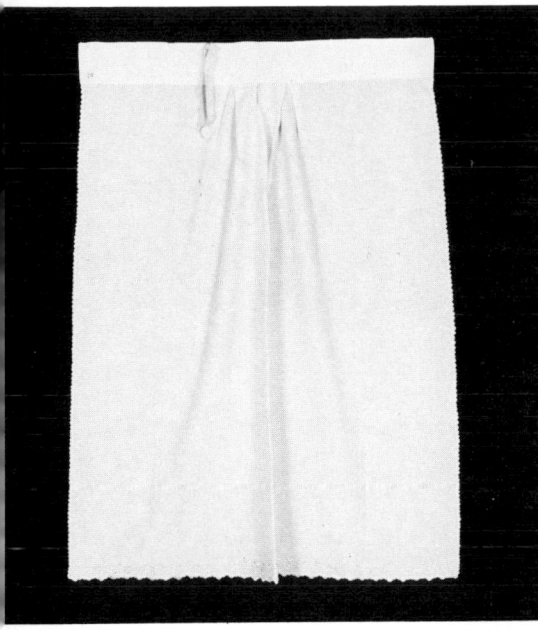

Laine, coton, soie. 79,3 × 67,5 cm.

Inscription

(brodée sur la ceinture): « M ».

Porté sous un jupon, le lange permet d'emmail-lotter le nouveau-né. Dans ce cas-ci, il est de forme rectangulaire et brodé en bordure de motifs floraux et de festons. On l'utilise spéciale-ment pour le baptême. Celui de tous les jours est en coton et sans ornement. Des plis creux à la ceinture donnent de l'ampleur au lange et assurent plus d'aisance au bébé.

Pour faire le maillot, on replie la pièce de tissu sur les pieds de l'enfant et on rabat les côtés. Le tout est retenu par des épingles. L'enveloppe ainsi formée couvre tout le corps, jusque sous les bras. Elle permet de tenir le bébé au chaud et lui assure un meilleur maintien. Selon la croyance populaire, le maillot empêche la dé-formation des jambes du poupon.

L. Lalonger

Collection

Direction de la mise en valeur des collections d'eth-nographie, Québec, (74-261-6).

Cachemire, fil de soie. 27,3 × 54 cm (circonférence).

Dans les trousseaux les plus anciens, on trouve le boléro, lequel fut remplacé plus tard par un tricot de laine. De même étoffe que le manteau, le boléro couvre les épaules et les bras. Il se porte par-dessus la robe, sans le manteau. Des broderies au fil de soie garnissent les ouvertu-res. Les pointes de l'encolure se replient pour former des revers.

L. Lalonger

Collection

Direction de la mise en valeur des collections d'eth-nographie, Québec, (74-261-4).

CHAPITRE DOUZIÈME
PROCESSIONS ET DÉFILÉS

La procession est une manifestation de nature presque universelle dont les origines remontent aux fêtes religieuses de la Rome antique. Après avoir combattu les marches chantées et rythmées dans lesquelles elle voyait un héritage du paganisme, l'Église de la Contre-Réforme chercha à diriger cette forme d'expression populaire vers l'exaltation de la foi et du sentiment religieux. Un tel changement d'orientation devait contribuer à la naissance et à l'essor d'une foule de processions, les unes modestes, les autres grandioses.

En parcourant le présent ouvrage, le lecteur trouvera plusieurs mentions de processions se déroulant tantôt à l'intérieur de maisons de communautés religieuses, tantôt dans les paroisses des villes ou des campagnes : processions de statues de la Vierge ou des saints; processions de reliques; processions du scapulaire et du rosaire; procession de la fête de l'Assomption; processions dans les salles des hôpitaux; convois funèbres, etc. Au cours de la seule année 1646, les *Relations des jésuites* font état de quatre défilés religieux[1]. En plus de la Fête-Dieu, d'une procession destinée à « rendre plus auguste » le cimetière de la mission Saint-Joseph de Sillery et de la procession du 15 août en l'honneur de la Vierge, il y est question de la longue marche effectuée par un groupe d'Amérindiens de Sillery à l'occasion du Jubilé de la naissance du Sauveur. Le père Jérôme

Lalemant relate ainsi le déroulement de cette marche qui amena ses néophytes à visiter tour à tour les églises des ursulines, de la paroisse Notre-Dame et de l'Hôtel-Dieu de Québec avant de revenir à la chapelle de la mission Saint-Joseph :

« Quant à l'oraison, [les Sauvages] ne manquerent pas de faire leurs Stations, et avec celu d'assister tous à une Procession assez fascheuse et difficile qu'ils firent depuis S. Joseph jusques à Kebec; il y a environ une lieuë et demie de chemin. Elle se fit le jour de sainct Estienne, le lendemain de Noël, par un temps extremement froid, ils marchoient tous deux à deux en bel ordre, les enfans voulurent estre de la partie. La croix et la banniere marchoient devant, les Peres qui ont soin de cette petite Eglise conduisoient leur troupeau; ils entonnent des Hymnes en sortant de l'Eglise, ils continuent leur Procession, recitans leur Chapelet et faisans d'autres prieres »[2].

Chaque cortège ou défilé religieux poursuivait un but particulier. Lors des fêtes de saint Marc et des Rogations, les processions servaient à obtenir la rémission des péchés, à apaiser la colère de Dieu et, surtout, à « le prier de bénir les fruits de la terre qui commencent à pousser »[3]. Les chrétiens qui participèrent à un défilé en l'honneur de saint Roch et de saint Sébastien, en 1702, espéraient échapper à l'épidé-

---

1. *Les Relations des jésuites*, tome 3 (1642-1646), année 1646, p. 41, 59, 18 et 23. Nous utilisons ici la réédition parue aux Éditions du Jour en 1972.

2. *Idem*, p. 23.

3. Mgr de Saint-Vallier, *Catéchisme du diocèse de Québec*, 1702, réédition présentée et commentée par le père Fernand Porter, Éditions franciscaines, Montréal, 1958, p. 379 et 382.

mie de petite vérole qui frappait alors la population de Québec[4]. À compter de 1717, on instaura à l'Hôpital général de la même ville une procession, en l'honneur de la Sainte Vierge, qui visait à préserver l'établissement contre les incendies. Précédé d'un vieillard tenant le crucifix, Mgr de Saint-Vallier portait, chaque dimanche, une figurine de la Vierge à l'Enfant. Après la mort de leur fondateur, les hospitalières maintinrent cette pratique dévotionnelle, se joignant même aux pauvres qui en composaient jusque-là le cortège[5]. En 1722, l'évêque de Québec ordonna des prières publiques pour implorer le Ciel de mettre fin à une sécheresse de trois mois. « Le peuple, rempli de confiance en la Mère de Dieu demanda à venir en procession à Notre-Dame des Anges. Au jour assigné, le clergé sortit de la cathédrale portant les châsses où reposaient les reliques du grand apôtre saint Paul, et celles des bienheureux martyrs, saint Flavien et sainte Félicité. Monseigneur de Saint Vallier assista à cette procession; il y fit chanter les litanies des saints et le Miserere »[6]. À l'Hôpital général, une grand-messe fut chantée et l'évêque donna la bénédiction du saint Sacrement. Au retour, la pluie commença à tomber et cela continua pendant trois jours! Sous le régime français, les processions se faisaient, en règle générale, dans les rues avec la milice sous les armes. Celle-ci ponctuait les défilés de décharges de mousqueterie et de coups de canon. Après la conquête, la tradition se maintint pendant de longues années mais l'usage du canon fut interdit[7].

On connaît également la vogue durable de divers centres de pèlerinage québécois. Qu'ils fussent axés sur la passion du Christ, sur une fête patronale ou sur une dévotion à la Vierge, la plupart de ces centres donnaient lieu à des défilés rituels. Il s'agissait tantôt de modestes cortèges, tantôt de processions d'une grande ampleur. Créé par les sulpiciens pour les Amérindiens du village du lac des Deux-Montagnes au début des années 1740, le calvaire d'Oka devait connaître ses heures de gloire à compter du milieu du XIXe siècle. Le 14 septembre de chaque année, jour de la fête de l'Exaltation de la croix, une foule pouvant compter jusqu'à 30 000 pèlerins, venus de partout, faisait l'ascension de la montagne située derrière le village d'Oka et s'arrêtait devant les diverses stations du calvaire. Le parcours n'était pas facile et certains ajoutaient à l'épreuve en effectuant la procession les pieds nus[8]. Le village de Sainte-Anne-de-Beaupré demeure un centre de pèlerinage à la fois plus ancien et plus renommé que celui d'Oka. Dès le XVIIe siècle, on y venait en procession implorer une guérison ou demander la protection de la grande thaumaturge. Encore aujourd'hui, on s'y rassemble en foule dans la semaine qui précède la fête patronale du 26 juillet. Il y eut aussi, pendant le dernier quart du XIXe siècle et au début du XXe siècle, une prolifération de nouveaux sanctuaires dont la plupart étaient dédiés

à la Vierge et dont beaucoup recréaient la grotte de Lourdes. Il était courant d'y voir défiler des groupes de pèlerins portant chacun une bannière à l'effigie de la Vierge.

Parallèlement aux pèlerinages locaux, il existait des solennités communes à toutes les paroisses du territoire. Nous pensons, notamment, aux mémorables célébrations de la fête du Sacré-Coeur qui se déroulaient par beau temps, un soir du mois de juin, plus précisément le vendredi suivant la Fête-Dieu. La paroisse entière se rassemblait alors pour la procession. Les fidèles étaient regroupés derrière leurs bannières respectives, et tous tenaient un lampion dont la flamme était protégée du vent par un cornet de carton. Fermement arrimée à un brancard, la statue du Sacré-Coeur constituait le point central de la procession, et l'honneur de la porter était normalement dévolu à quatre membres de la Ligue du Sacré-Coeur. Cette « procession aux flambeaux » dans les rues de la ville ou du village comportait des arrêts à différents reposoirs. Elle se terminait toujours là où elle avait commencé, c'est-à-dire à l'église[9]. Célébrée en grande pompe à compter des années 1870, la procession du Sacré-Coeur est différente de celle de la Fête-Dieu, célébration dont l'implantation remonte aux débuts de la colonie. Comme la Fête-Dieu a donné lieu aux processions les plus grandioses de l'histoire religieuse du Québec, il nous a paru opportun de lui accorder une attention particulière.

───────────────

« Dimanche dernier a eu lieu à la Cathédrale, la procession du très St. Sacrement (...) Dans toute cette grande fête, une chose nous a frappé par-dessus toutes les autres; la foi du peuple. Qu'est-ce qui attire ce grand concours à la suite de celui qui se cache sous le voile d'un peu de pain? La foi. Qu'est-ce qui organise ces chants joueux, ces accords et ces concerts de musique? La foi. Voyez ces arcs-de-triomphe, ces innombrables pavillons, ces voiles, ces rubans, ces drapeaux qui ondoyent au gré des vents, cette bordure sans fin d'arbres qui ornent toutes les maisons; qu'est-ce qui a mis toutes ces images religieuses pour faire honneur à ce Dieu qui passe en triomphe comme un roi au milieu de son peuple? C'est la foi. Qui a mis aux fenêtres ces petits anges, portant à la main des étendards de diverses couleurs, ces petits anges vêtus de robes blanches comme celles des vierges qui suivent l'agneau sans tache? La foi des parens. Qui a rassemblé toute cette troupe si édifiante des différentes écoles, sous la conduite de leurs pieux précepteurs; tout ce grand peuple qui marche avec tant de piété et de dévotion? Qui fait de toute cette multitude comme un seul corps, une seule âme? C'est encore la foi. La foi voilà ce qui anime, ce qui vivifie tout ce peuple, toutes ces nombreuses confréries, qui marchent avec piété et dévotion, à la suite de leurs bannières »[10].

4. Pierre-Georges Roy, *Le Vieux Québec*, 1re série, Québec, 1923, p. 114.

5. *Monseigneur de Saint-Vallier et l'Hôpital général de Québec*, Darveau, Québec, 1882, p. 249.

6. *Idem*, p. 248.

7. *Idem*, p. 427.

8. John R. Porter et Jean Trudel, *Le Calvaire d'Oka*, Galerie nationale du Canada, Ottawa, 1974, p. 52 et 57.

9. Anne-Marie Desdouits, *La vie traditionnelle au pays de Caux et au Canada français*, thèse de doctorat présentée à l'université de Caen en janvier 1984, p. 351. Nous tenons à remercier madame Desdouits de nous avoir gentiment donné accès à cette remarquable synthèse.

10. *Le Journal de Québec*, 18 juin 1846, p. 2 et 3.

Cette description de la Fête-Dieu à Montréal, en 1846, illustre à merveille le but premier de la procession qui est d'exalter la foi des fidèles. Appelée également fête du saint Sacrement ou *Corpus Christi*, la Fête-Dieu fut établie, au XIIIe siècle, à la suite du concile du Latran qui avait défini la doctrine de la transsubstantiation. Cette croyance se fonde sur la présence du corps du Christ dans le saint Sacrement, lequel est solennellement proposé à l'adoration des chrétiens sous les espèces de l'hostie[11]. Le *Catéchisme* de Mgr de Saint-Vallier (1702) mentionne que les processions de la Fête-Dieu devaient poursuivre trois finalités principales: remercier le Seigneur d'avoir institué le sacrement de l'Eucharistie, célébrer sa victoire sur les ennemis de la foi et réparer les outrages qu'il « souffrit le long des rües de Jerusalem dans le temps de sa Passion [*et*] les injures qu'il reçoit encore (...) par ceux qui le reçoivent indignement »[12].

Dans le calendrier liturgique, la Fête-Dieu tombe toujours le jeudi de l'octave de la Pentecôte, mais c'est le dimanche suivant qu'on la célèbre. Au Québec comme ailleurs, la procession présente une remarquable stabilité dans sa forme et dans ses composantes essentielles. Précédé d'une croix, de lanternes et de bannières processionnelles, ainsi que de thuriféraires marchant à reculons et manipulant des encensoirs, l'ostensoir du saint Sacrement est tenu par un prêtre vêtu d'une riche chape et portant un voile huméral sur les épaules. L'officiant et son précieux objet sacré sont abrités sous un dais tenu par quatre hommes. Certaines pièces d'orfèvrerie utilisées le jour de la Fête-Dieu pouvaient servir à d'autres fins liturgiques, à l'intérieur comme à l'extérieur de l'église (cat. 238 et 241 à 244). Ainsi, la croix d'argent ou de bois doré montée sur une hampe était-elle utilisée dans les convois funèbres, lors des enterrements.

C'est à deux jésuites, les pères Lalemant et Chauchetière, que l'on doit respectivement la plus ancienne description et la première illustration des cérémonies de la Fête-Dieu en Nouvelle France. Dans sa relation de 1646, le premier fait ainsi écho à la participation des Amérindiens à la procession du jour du saint Sacrement:

« *On fit marcher une escoüade d'arquebusiers François, les Payens estoient de la partie aussi bien que les Chrestiens. Ils marcherent tous deux à deux, avec un bel ordre et une belle modestie, depuis la Chapelle jusques à l'Hospital, où on avoit dressé un beau Reposoir. Il est bien difficile de voir Jesus-Christ honoré par des Barbares, sans en ressentir de la joye jusques au profond du coeur* »[13].

Pour sa part, Chauchetière nous a laissé une encre et lavis sur papier représentant la procession du saint Sacrement à la mission amérindienne du Sault Saint-Louis, en 1686 (cat. 30).

Se trouvant dans l'impossibilité de participer activement aux cérémonies de la Fête-Dieu à cause de leur statut de moniales cloîtrées, les religieuses de l'Hôtel-Dieu de Québec cherchèrent à manifester leur dévotion envers le saint Sacrement d'une façon particulière, à compter de 1701. Voici ce que rapporte leur annaliste à ce propos:

« *Le jour de la Fête-Dieu, qui se rencontra cette année 1701 le 26e de may, nous envoyâmes pour la première fois à la cathédrale les quatre faneaux de verre que nous avons fait faire pour être portez devant le tres saint Sacrement, afin de témoigner à Nôtre Seigneur que nous le suivons d'esprit et de coeur, et que nous voulons luy rendre tout l'honneur qu'il merite si nous en êtions capables. Ce qui nous donna cette vuë, c'est que nous avions souvent entendu loüer la piété de plusieurs Seigneurs de France qui, ne se contentant pas d'aller à la procession du saint Sacrement, y font porter par leurs dommestiques des torches allumées ou sont attachées leurs armoiries. Nous voulûmes seulement imiter leur dévotion et non pas leur fast, et depuis ce tems la nous n'avons point manqué d'envoyer nos faneaux et de mettre dedans quatre belles bougies. Nous en avons encore fait faire depuis deux plus petits, parce que, pendant les maladies populaires qui sont tres fréquentes en ce païs, les Prêtres qui assistent les malades prennent le saint Sacrement dans les églises les plus proches des personnes qui sont en danger, afin de leur donner le saint Viatique plus promptement. Le mauvais temps empêchoit souvent que l'on pût porter aucune lumiere, et ces petits faneaux sont fort propres à cela. On s'en sert aussy quand on communie nos Religieuses dans l'infirmerie* »[14].

Les manifestations les plus grandioses de la fête du saint Sacrement eurent lieu au XIXe siècle. Divers documents visuels et plusieurs descriptions détaillées témoignent, en effet, de cérémonies empreintes d'une magnificence et d'une pompe exceptionnelles. Examinons d'abord une petite aquarelle de Cockburn, conservée au monastère des ursulines de Québec, et qui nous montre le défilé de la Fête-Dieu à Québec, en 1831[15] (fig. 1). Le chemin emprunté par la procession est balisé de sapins, coupés pour la circonstance; les maisons sont pavoisées de drapeaux et une foule nombreuse agite de petits étendards. Tout ceci ne fait qu'ajouter au grand décorum d'un cortège composé de prêtres, d'anges et d'enfants de choeur que précèdent un sacristain portant bannière et celui que l'on considérait à l'époque comme le dernier des récollets, le frère Louis Bonami. C'est vraisemblablement l'année suivante que le peintre Joseph Légaré peignit sa *Fête-Dieu à Nicolet*, oeuvre qui illustre la volonté du curé Raimbault de donner une splendeur inégalée à la fête du saint Sacrement (cat. 240). Après les troubles de 1837-1838, les autorités ecclésiastiques

---

11. *Religions et traditions populaires*, catalogue d'une exposition préparée sous la direction de Jean Cuisenier et présentée au Musée national des arts et traditions populaires, Éditions de la Réunion des musées nationaux, Paris, 1979 (270 pages), p. 158.

12. Mgr de Saint-Vallier, *Catéchisme*, p. 393.

13. *Les Relations des jésuites*, tome 3 (1642-1646), année 1646, p. 41.

14. Dom Albert Jamet, édit., *Les Annales de l'Hôtel-Dieu de Québec 1636-1716*, Presses de Garden City, Montréal, 1939, p. 301.

15. Voir Christina Cameron et Jean Trudel, *Québec au temps de James Patterson Cockburn*, Éditions Garneau, Québec, 1976, p. 121. Les ursulines conservent également une toile célèbre, peinte par Louis-Hubert Triaud en 1821, et représentant la procession de la Fête-Dieu sortant de la cathédrale Notre-Dame de Québec.

Fig. 1 James P. Cockburn (1779-1847), *La procession
de la Fête-Dieu à Québec*, 1831; aquarelle, 15,2 × 23,8 cm;
Monastère des ursulines de Québec (Photo John R. Porter).

Fig. 2 *La procession du saint Sacrement à Saint-Roch de Québec
en 1894*, photographie tirée du Fonds Philippe Gingras (P-585)
(Photo A.N.Q.Q., nég. N-80-1-71).

redoubleront d'efforts pour « maintenir bon et paisible le peuple canadien »[16]. Dans une lettre datée du 24 juillet 1848, Mgr Bourget rappellera au gouverneur Elgin que « le peuple depuis huit ans est entretenu dans des dispositions pacifiques par des fêtes et exercices religieux »[17]. La même année, *Le Journal de Québec* commentera la procession annuelle de la Fête-Dieu en ces termes :

« *L'Église en ce jour de triomphe déploie la magnificence de son culte si bien fait pour saisir l'âme et le coeur; et le Dieu des chrétiens, le Dieu de l'Univers porté majestueusement par un prêtre, s'offre aux adorations du peuple sous la voûte infinie des cieux, et en face de l'immensité de sa création. À la vue du rédempteur, les fidèles s'agenouillent, se courbent le front dans la poussière, et prient dans un indécible recueillement. L'incrédule lui-même, se sent involontairement plier sous cette bénigne influence de l'amour et de la vénération de tout un peuple prosterné en adoration profonde...* »[18].

À compter du XIXe siècle, il est fréquent que, dans les grandes villes, un « corps de musique » accompagne la procession de la Fête-Dieu[19]. Quant à la masse des participants, elle se subdivise en diverses unités: membres d'une communauté religieuse, filles et garçons des écoles, juges et avocats, etc. De préférence, on se rassemble derrière la bannière du groupe auquel on appartient: enfants de Marie, élèves des frères des écoles chrétiennes, congrégations d'hommes et de femmes, société de Tempérance, société Saint-Patrice, société Saint-Jean-Baptiste, séminaristes, ligue du Sacré-Coeur, union Saint-Joseph, Zouaves, association de la Sainte-Famille, etc.[20] (fig. 2 et 3) (cat. 237 et 239). Là où la procession passe, il est d'usage de dresser des arches de verdure, de répandre des fleurs[21] et de parer les maisons de tentures, de drapeaux, de rameaux verts, voire de gravures et de peintures[22].

En règle générale, on cherchait à modifier le parcours, d'une année à l'autre, afin de ne pas faire de jaloux. Après la messe, la procession du saint Sacrement se mettait en branle pour se rendre au moins à deux reposoirs, aménagés pour la circonstance dans des églises, des chapelles processionnelles, dans la cour d'un couvent ou encore devant la maison d'un particulier (fig. 4). À chacun des reposoirs, le prêtre récitait une oraison, encensait l'ostensoir et donnait la bénédiction du saint Sacrement. La procession regagnait

16. Michel Brunet, « L'église catholique du Bas-Canada et le partage du pouvoir à l'heure d'une nouvelle donne (1837-1854) », dans Jean-Paul Bernard, *Les idéologies québécoises au 19e siècle*, Les éditions du Boréal-Express, Montréal, 1973, p. 92. Dans son édition du 22 juin 1838 (p. 2), *Le Canadien* de Québec publiait un article fort éclairant emprunté aux colonnes du *Populaire* de Montréal et dont voici un extrait: « La procession de la paroisse s'exécuta avec un cortège peut-être plus nombreux et plus respectable que dans les autres années; on s'apercevait facilement que la ville était débarrassée d'une grande partie de ces petits esprits forts, que les idées d'indépendance poussaient aux actes d'irréligion, et qui tournaient en ridicules les manifestations du dogme dans lesquels ils avaient été élevés. »

17. Mgr Bourget, cité dans Brunet, *op. cit.*, p. 93.

18. *Le Journal de Québec*, 27 juin 1848, p. 2.

19. Voir par exemple *Le Canadien* des 31 mai 1837 (p. 3) et 22 juin 1838 (p. 2).

20. Voir par exemple *Le Journal de Québec* des 8 juin 1847 (p. 2) et 27 juin 1848 (p. 2).

21. *Le Canadien*, 22 juin 1838, p. 2 et Desdouits, *op. cit.*, p. 349-350.

22. *Le Canadien*, 22 juin 1838, p. 2; *The Quebec Mercury*, 2 juin 1842, p. 2; *Le Journal de Québec*, 27 juin 1848, p. 2.

Fig. 3   *La procession de la Fête-Dieu à l'Ange-Gardien en 1913*, Archives de la paroisse de l'Ange-Gardien (Université Laval, Fonds photographique du C.E.L.A.T.).

Fig. 4   *La procession de la Fête-Dieu à Sainte-Marie de Beauce vers 1930*, collection Société du patrimoine des Beaucerons, Saint-Joseph-de-Beauce (Photo université Laval, Service de l'audio-visuel).

finalement l'église où l'officiant donnait la dernière bénédiction[23]. Dans les campagnes, la procession de la Fête-Dieu conserve encore aujourd'hui une bonne part de son cachet traditionnel (cat. 237).

───────────

« Depuis la fondation de la Société Saint-Jean-Baptiste, le 24 juin est regardé comme un jour de fête nationale et religieuse »[24].

Comme forme d'extériorisation, les grands défilés de la Saint-Jean-Baptiste qui eurent lieu à Montréal, en 1874, et à Québec, en 1880, présentent de prime abord nombre de parentés avec les processions contemporaines de la Fête-Dieu. Ceci dit, il faut convenir que la Saint-Jean avait un très net caractère profane puisqu'il s'agissait non seulement d'une manifestation de foi religieuse, mais plus encore d'une expression de ferveur patriotique.

Aux débuts de la Nouvelle France les colons venus de la mère-patrie transplantèrent en sol d'Amérique la belle tradition européenne des feux de la Saint-Jean[25]. Le soir du 23 juin, veille de la fête de saint Jean-Baptiste, on érigeait en face de l'église un bûcher recouvert de branches de sapin. Après le salut du saint Sacrement, le curé sortait de l'église,

récitait quelque prière et allumait le feu au milieu des acclamations et des coups de fusil. Correspondant au solstice d'été, cette fête était particulièrement suivie dans les paroisses placées sous le patronage du saint précurseur.

La Saint-Jean commença vraiment à gagner en importance à la suite de la fondation de la société Saint-Jean-Baptiste (SSJB) de Montréal par le patriote Ludger Duvernay en 1834. Un commentaire paru dans *Le Canadien* du 27 juin 1834 nous donne d'ailleurs une bonne idée du nouveau sens que l'on entendait donner à la fête :

« Il y a longtemps qu'on donne au peuple l'appellation de Jean-Baptiste, comme on donne à nos voisins celui de Jonathan, aux Anglais celui de John Bull, et aux Irlandais celui de Patrick. Nous ignorons qui a pu donner lieu à ce surnom familier des Canadiens, mais nous ne devons pas le répudier, non plus que la patronisation que viennent d'établir nos amis de Montréal. C'est d'un bon augure pour les patriotes canadiens que d'avoir pour patron le précurseur de l'Homme-Dieu, qui est venu prêcher l'égalité des hommes aux yeux du Créateur, et délivrer le monde de l'esclavage des puissances ennemies d'un autre monde ».

L'échec du mouvement révolutionnaire de 1837-1838 mit une sourdine aux festivités patriotiques de la Saint-Jean jusqu'à ce que soit fondée une nouvelle SSJB, à Québec, en 1842. Ce n'est toutefois qu'au prix de l'abandon des tendances radicales antérieures que la nouvelle société put se gagner l'appui du clergé. Elle allait, dès lors, militer en faveur d'un nationalisme de survivance et de conservation. D'emblée, la fête de saint Jean-Baptiste prit une double coloration religieuse et profane. Le 24 juin 1842, une longue

───────────

23. Desdouits, *op. cit.*, p. 351.

24. Mgr Louis-Nazaire Bégin, archevêque de Québec, cité dans Frédéric Saintonge, *Témoin de la lumière. Jean le Baptiste, sa vie – son culte*, Les éditions Lumen, Montréal, 1945, p. 244.

25. *Les Relations des jésuites* en font mention dès 1636. À l'époque, la fête de saint Joseph rivalisait de popularité avec celle de saint Jean-Baptiste.

LA GRANDE FÊTE NATIONALE DES 24 25 JUIN 1874, À MONTRÉAL

LA PROCESSION PASSANT DANS LA RUE St. JACQUES

Fig. 5　*La procession de la Saint-Jean-Baptiste, rue Saint-Jacques, à Montréal, en 1874*, gravure extraite de l'*Opinion publique* du 2 juillet 1874, p. 324
(Photo Musée du Québec, Patrick Altman).

procession partit de l'hôtel de ville pour se rendre à la cathédrale où fut célébrée une grand-messe en l'honneur du précurseur. Cette messe avait été recommandée par la société de Tempérance qui avait invité l'abbé Chiniqui, apôtre de la sobriété, à prononcer le sermon. Les convives, qui participèrent ensuite au banquet de la SSJB, purent admirer la bannière processionnelle que Joseph Légaré avait achevée depuis peu et qui reflétait parfaitement l'idéologie de la société nationale naissante :

« *La bannière (...) est verte et blanche, et porte comme emblème principal Saint Jean-Baptiste, debout, sur les bords du Jourdain ; d'une main, il tient le signe de la rédemption et de l'autre montre le ciel ; le paysage est éclairé par le soleil*

levant présage d'un meilleur avenir ; (...) au bas du dessin un ruban porte l'inscription Société St Jean Baptiste de Québec, *et sur une guirlande de feuilles d'érable, est peinte en vert plus lumineux et plus tendre la devise nationale :* « Nos institutions notre langue et nos lois »[26].

Au cours des décennies qui suivirent, les sections de la SSJB se multiplièrent sur tout le territoire du Québec, et même à l'extérieur de ses frontières. Quant au cérémonial de la fête patronale, il ne varia guère : messe solennelle, sermon, processionnistes défilant dans les rues pavoisées, discours et banquet[27]. Dans une allocution prononcée le 24 juin 1863 à Montréal, le président de la société nationale rappela le caractère à la fois civil et religieux de la fête : « Pour être bon Canadien, déclarait-il, il faut d'abord être bon chrétien, car je suis de ceux qui pensent que la religion est la base la plus solide de notre nationalité ; c'est la raison pour laquelle nous avons mis notre fête nationale sous la protection de la religion »[28].

La Saint-Jean-Baptiste devient une fête pleinement nationale avec les « conventions » de 1874 et 1880, alors que « des délégations de tout le Canada et des États-Unis [*vinrent*] jurer fidélité à leur race et à leur foi »[29]. À Montréal, le défilé du 24 juin 1874 compta 10 000 hommes formant un cortège long de près de trois milles. Jalonné de six arcs de triomphe en verdure, il rassemblait 91 sections de la SSJB, 31 « corps de musique », 12 ou 15 « chars allégoriques », 131 drapeaux et 53 bannières (fig. 5). Le défilé fut suivi d'une messe triomphale que chanta Mgr Fabre à l'église Notre-Dame.

Tout comme celui de Montréal, le défilé qui eut lieu à Québec en 1880 ressemblait à certains égards à celui de la Fête-Dieu (fig. 6). Précédé d'une messe pontificale et d'un sermon sur les Buttes-à-Neveu (fig. 7), il donna lieu à un impressionnant cortège mettant à l'honneur saint Jean-Baptiste, cortège dont le parcours était agrémenté de nombreuses décorations, d'oriflammes, de drapeaux et d'inscriptions, sans compter les arches érigées dans les quartiers Saint-Roch et Saint-Sauveur[30]. Des haies temporaires, constituées de petits érables, étaient dressées par endroits. Plusieurs groupes ayant une croyance religieuse contribuèrent, par ailleurs, à la réussite de la manifestation. C'est ainsi que défilèrent de nombreuses sections de la SSJB, les unions de Saint-Joseph, les zouaves pontificaux, les élèves de collèges, les séminaristes, les membres de la société musicale Sainte-Cécile, etc. Tous ces groupes brandissaient des bannières ou des drapeaux à motifs religieux (cat. 246). Il en allait de même de la Société des cordonniers dont la bannière, exécutée par les soeurs du Bon Pasteur, était ornée d'un saint Crépin brodé en relief[31]. Des 22 chars du défilé, 7

26. John R. Porter, *Joseph Légaré 1795-1853. L'oeuvre*, (cat. d'expos.), Galerie nationale du Canada, Ottawa, 1978, p. 146-147, notice 254.

27. Saintonge, *op. cit.*, p. 257.

28. Olivier Berthelet, cité dans *Idem*, p. 261-262.

29. *Idem*, p. 264.

30. Claude Paulette et France Amyot, *Je me souviens depuis 1834*, Leméac, Montréal, 1980, p. 52-55.

31. H.-J.-J.-B. Chouinard, *Fête nationale des Canadiens français célébrée à Québec en 1880*, Imprimerie Côté et Cie, Québec, 1881, p. 189-194.

Fig. 6 *La célébration de la grande fête nationale à Québec en 1880,*
détail d'une gravure extraite de l'*Opinion publique* du 1ᵉʳ juillet 1880, p. 322-323
(Photo John R. Porter).

Fig. 7 *La grande fête nationale à Québec en 1880*, gravure d'Henri Julien
extraite de l'*Opinion Publique* du 8 juillet 1880, p. 334 (Photo John R. Porter).

Fig. 8 *Le char de Saint-Jean-Baptiste exécuté en 1880, d'après les plans de l'architecte Eugène-Étienne Taché et réutilisé lors du défilé de la Saint-Jean à Québec en 1895,* photographie tirée du Fonds Philippe Gingras (P-585) (Photo A.N.Q.Q., nég. N-80-1-129).

Fig. 9 *Une partie du défilé de la Saint-Jean-Baptiste à Québec en 1895,* photographie tirée du Fonds Philippe Gingras (P-585) (Photo A.N.Q.Q., nég. N-80-1-122).

comportaient des ouvrages sculptés en ronde-bosse. Quatre d'entre eux revêtaient un aspect religieux puisqu'ils représentaient des saints patrons: saint Jean Baptiste (SSJB de Québec), sainte Cécile (sociétés musicales), saint Joseph (menuisiers et couvreurs) et saint Barthélémy (tanneurs, corroyeurs et mégissiers) (fig. 7). On aperçoit les deux premiers de ces chars dans une gravure parue dans *L'Opinion publique* du 1ᵉʳ juillet 1880 (fig. 6). Par son aménagement et ses composantes, le char de sainte Cécile s'apparentait davantage à un char de métier ou à un char de triomphe qu'à un char allégorique à proprement parler (cat. 245).

La nef de saint Jean-Baptiste constituait le char qui incarnait le mieux le double caractère de la fête du 24 juin. Sa description, publiée dans *L'Opinion publique* du 1ᵉʳ juillet 1880, s'avère à cet égard on ne peut plus explicite:

« *La forme générale de ce char est celle d'une nef antique, supportant une terrasse sur laquelle est érigée au pied d'un palmier, une statue de St-Jean-Baptiste prêchant dans le désert.* »

« *À la proue de la nef est attaché l'écusson de la province de Québec, entouré d'un feston de feuilles d'érable dorées, et surmonté de la couronne royale* ». « *Encadré dans la poupe, sur un médaillon sculpté, sont représentées les armes de la Ville de Québec avec la devise:* Natura fortis industria crescit, *accompagnées de deux rameaux d'érable, avec guirlande festonnée au feuillage doré. (...)* »

« *Sur la poupe est implantée la bannière de la St-Jean-Baptiste accompagnée d'un côté, par l'oriflamme de France, portant l'inscription* « conserver religieusement la foi et la langue de la France de nos aïeux », *de l'autre un drapeau en forme d'oriflamme, aux couleurs d'Angleterre, avec l'inscription* "Heureux et fiers de vivre sous l'égide des libertés britanniques".

Le char de saint Jean-Baptiste – dont la sculpture était l'oeuvre de Jean-Baptiste Côté – ne fut pas démantelé après les fêtes de 1880. Il fut réutilisé à au moins trois reprises en 1882, 1889 et 1895, mais nous ignorons ce qu'il en advint par la suite. Fort heureusement, on en conserve encore une bonne photographie (fig. 8) prise lors du défilé de 1895 qui semble avoir été particulièrement solennel, si l'on en juge par un autre document tiré du fonds Gingras des Archives nationales du Québec (fig. 9). Celui-ci nous montre un groupe d'hommes et d'enfants, en habits du dimanche, entourant deux bannières de l'union Saint-Joseph, à proximité du tricolore français.

Fig. 10 Fleurimond Constantineau, *Projet de char ayant pour thème « Nos artistes au service de Notre-Dame » réalisé pour le défilé de la Saint-Jean-Baptiste à Montréal en 1954*, croquis rehaussé à l'aquarelle, 53 × 66,5 cm; archives de la Société Saint-Jean-Baptiste de Montréal (Photo Musée du Québec, Guy Couture).

La dévotion nationale que les Canadiens français vouaient à saint Jean-Baptiste fut sanctionnée en 1908, alors que Pie X reconnut le précurseur du Christ comme le « patron spécial auprès de Dieu des fidèles franco-canadiens »[32]. Quant à la tradition des grands défilés patriotiques du 24 juin, elle se généralisa d'abord, puis s'éteignit peu à peu à compter des années 1960. Quoi qu'il en soit, il faut convenir que ce genre de manifestation contribua, pendant des années, à stimuler l'esprit inventif de plusieurs concepteurs, décorateurs et artistes, tout en encourageant le développement d'une conscience nationale. La plupart des défilés du XXᵉ siècle furent axés sur les héros et les traditions de notre histoire. Si celui qui eut lieu à Montréal en 1954 avait un caractère nettement religieux, c'est qu'on était alors en pleine année mariale. Pour l'occasion, on jugea opportun de placer le cortège de la Saint-Jean sous le thème de la « fidélité mariale ». Parmi les projets retenus figurait, notamment, un char intitulé « Nos artistes au service de Notre-Dame ». Conçu par Fleurimond Constantineau, ce char illustrait fort bien le rôle capital joué par l'Église dans le développement des arts au Québec (fig. 10).

John R. Porter

---

32. Saintonge, *op. cit.*, p. 280.

Blanche Bolduc, 1907-

237. *La procession de la Fête-Dieu,*
   1972

Huile sur masonite. 42,5 × 70 cm.

Inscription
(en bas à droite): « Blanche Bolduc/72 ».

Artiste naïve de Baie-Saint-Paul, Blanche Bolduc
situe sa « procession de la Fête-Dieu » en milieu rural plutôt qu'à la ville, comme l'avait fait
Jean-Paul Lemieux. Il s'agit bien du même sujet,
mais, comme on peut le voir dans le tableau de
Blanche Bolduc, à la campagne la procession
n'attirait pas une foule de badauds, pour la
bonne raison que tout le village y participait.
Seuls les vieillards, incapables de gravir la colline où se trouvait le reposoir, et les mères avec
leurs bébés dans le carosse faisaient partie des
spectateurs. Blanche Bolduc a su exprimer,
mieux que ne l'avait fait Lemieux, l'espèce de
terreur sacrée qui accompagnait, jadis, la vue
du Saint Sacrement hors de l'église. On s'age-
nouillait au passage de l'hostie, en baissant les
yeux.   F.-M.G.

Exposition
1975, Québec, Musée du Québec, *Arts populaires du
Québec*, repr.

Collection
Musée du Québec, Québec, (A-73. 358-D).

Laurent Amiot, 1764-1839
238. *Croix de procession*, 1822

Argent. 72 cm.

Inscription

(sur le titulus): « INRI ».

Lors de processions (comme celles de la Fête-Dieu) ou d'enterrements, le cortège était ouvert par un servant qui portait une croix bien visible de tous, montée au bout d'un bâton. Cette croix processionnelle n'était pas toujours en argent: elle était souvent en cuivre ou en bois. La plus ancienne croix d'argent qui nous soit conservée est celle de Notre-Dame de Québec (1665-1666) et elle fut importée de France. Toujours sous le régime français, la fabrique Saint-Pierre (île d'Orléans) en commanda une, en 1746, à l'orfèvre Paul Lambert: elle était ornée d'un saint Pierre en relief et il ne nous en reste plus que le bâton d'argent (Musée des beaux-arts de Montréal).

Pendant la période de 1780 à 1830, beaucoup d'églises du Québec se dotèrent de croix de procession en argent. Celle de Laurent Amiot, qui provient de Rivière-Ouelle, en est un excellent exemple. Comme pour la majorité des croix en argent, le bâton devait être en bois. Les extrémités supérieures de la croix se terminent en fleurs de lis. D'une façon ingénieuse, l'orfèvre a utilisé une plaque de fixation ouvragée à l'embranchement des traverses: derrière la tête du Christ, elle a l'effet d'un soleil rayonnant sans en avoir la forme   J.T.

Exposition

1983, Québec, Musée du Québec, *Le Musée du Québec. 500 oeuvres choisies*, n° 465, repr.

Collection

Musée du Québec, Québec, (dépôt de la fabrique Notre-Dame-de-Liesse de Rivière-Ouelle) (L-70. 6-0).

Jean-Paul Lemieux, 1904-
239. *La Fête-Dieu à Québec*, 1944

Huile sur toile. 152,4 × 121,9 cm.

Inscription

(en bas à droite): « Jean-Paul Lemieux 1944 ».

Pour ceux d'entre nous qui associons spontanément la peinture de Jean-Paul Lemieux aux grands espaces blancs, au *Train de midi*, aux *Noces d'or*, ce tableau a de quoi surprendre. Il semble prendre l'exact contre-pied de tout ce qui caractérisera par la suite la peinture de Lemieux. Aussi bien il s'agit d'un tableau ancien de Lemieux, fait une douzaine d'années avant son séjour en Californie.

Lemieux a représenté ici une procession typique de la Fête-Dieu parcourant les rues de la vieille capitale, de la cathédrale dans la haute ville à la petite église Notre-Dame des Victoires, dans la basse-ville. Rien n'a échappé au regard amusé du peintre: ni les rues grouillantes de monde, ni les couventines accompagnées de religieuses, ni les zouaves pontificaux, ni les porte-bannières, ni, bien sûr, le Saint-Sacrement sous son dais porté aux quatre coins par des notables de la ville et précédé par des thuriféraires, marchant à reculons comme il se doit. Au sommet de sa composition, Lemieux a placé le château Frontenac et la Citadelle.

Il est intéressant de rapprocher ce tableau de la peinture de Blanche Bolduc sur le même sujet (cat. 237). On saisit immédiatement la distance prise par Lemieux par rapport à son sujet qu'il traite en folkloriste, soucieux de documentation exacte et ne dédaignant pas, à l'occasion, une pointe d'humour.   F.-M.G.

Expositions

1945, Québec, Musée du Québec, *Concours artistiques de la Province de Québec*. 1967, Montréal, Musée d'art contemporain, *Panorama de la peinture au Québec 1940-1966*, n° 42. 1967, Montréal, Musée des beaux-arts de Montréal, *Jean-Paul Lemieux*, n° 17, repr.

Bibliographie

BARBEAU, *J'ai vu Québec*, 1957, n. p., repr. OSTIGUY, *Un siècle de peinture canadienne*, 1971, p. 58. ROBERT, *Lemieux*, 1973, p. 74-77, repr. ROBERT, *La peinture au Québec*, 1978, p. 114, repr.

Collection

Musée du Québec, Québec, (A-45. 41-P).

Joseph Légaré, 1795-1855

240. *La Fête-Dieu à Nicolet*, vers 1832

Huile sur toile. 40 × 62,2 cm.

Commandé par le curé Jean Raimbault (1770-1841), ce petit tableau de Légaré nous amène au coeur du petit village de Nicolet, vers 1832. Dans le registre supérieur de la toile on aperçoit, de gauche à droite, la colonne du jubilé de 1825, un lourd presbytère du XVIIIᵉ siècle, la quatrième église de la paroisse (construite en 1783 et agrémentée de tours en 1817) et la façade du premier séminaire de Nicolet, fondé en 1807, et dont l'abbé Raimbault avait été le premier supérieur. En 1831, cette institution avait inauguré un nouveau collège, à quelque 300 mètres de l'ancien.

L'harmonieux ensemble architectural saisi par Légaré sert en quelque sorte de décor à la procession solennelle de la Fête-Dieu. C'est la diagonale d'un sentier, esquissé dans la section inférieure de la composition, qui nous amène au coeur de la procession, au moment où l'ostensoir du saint Sacrement, tenu par le curé Raimbault, passe vis-à-vis de l'entrée principale de l'ancien collège. Voici d'ailleurs la description que nous faisions de la scène dans notre catalogue de 1978 :

« [Le prêtre officiant] *est abrité par un dais processionnel que tiennent quatre hommes en grande tenue. Marchant à leurs côtés, quatre enfants de choeur ont chacun un chandelier dans les mains. Devant le dais, deux thuriféraires encensent le Saint-Sacrement. Ils sont précédés d'un long chapelet d'écclésiastiques et d'enfants de choeur en surplis, lequel aboutit à la porte principale de l'église où l'on devine une croix et une bannière processionnelle. Un grou-*

pe d'hommes, de femmes et d'enfants de la paroisse prolonge le cortège derrière le dais ».

Dans la biographie qu'il a consacrée à l'abbé Raimbault, curé de Nicolet de 1806 à 1841, l'abbé Louis-Edouard Bois souligne ainsi l'intérêt tout particulier que ce prêtre portait aux cérémonies de la Fête-Dieu :

« *Dès les premières années qu'il fut curé de Nicolet, M. Raimbault mit tout en oeuvre pour donner à la fête du Saint-Sacrement une splendeur qu'elle n'avait pas atteinte jusque là, et, chaque année, il enchérissait sur les démonstrations des années précédentes, avec un zèle dont on a conservé la tradition au collège, à la cure et dans toute la paroisse. Il avait même fait faire un petit tableau, qu'on voyait encore, peu d'années avant sa mort, dans ses appartements, représentant la procession du Saint-Sacrement sortant* [sic] *de l'église paroissiale de Nicolet. Cette charmante petite toile, placée entre deux gravures, l'*Incarnation du Verbe *et la* Cène, *produisait un bel effet, et montrait la tendre dévotion de ce pieux pasteur à Jésus-Christ fait chair pour nourrir les siens* ».

Pour sa part, l'abbé J. A. I. Douville (*Histoire du collège-séminaire de Nicolet*, 1903, tome I, p. 262) rapporte qu'à compter de 1831 les offices religieux du séminaire de Nicolet se déroulèrent dans la chapelle du nouveau collège. Il précise toutefois qu'il y eut une exception à la règle, exception dont la toile de Légaré nous semble l'illustration parfaite :

« *Il n'y a depuis lors qu'une circonstance de l'année où le Séminaire en corps assiste à l'office de l'église paroissiale et y prend part, c'est le dimanche de la procession du Saint-Sacrement ou de la solennité de la Fête-Dieu. L'usage antique et solennel veut qu'en ce jour les élèves y fassent toutes les cérémonies, y compris les figures, d'ancienne tradition, exécutées par un groupe de thuriféraires et de fleuristes. Cette procession est toujours très solennelle et se fait avec pompe, au milieu d'un grand déploiement de drapeaux, d'oriflammes, d'insignes portés par les élèves et autres, et d'ornements sacrés dont se revêtent les prêtres et les séminaristes. Tous ceux qui en ont été témoins ne l'oublient pas.* »

J.R.P.

Expositions

1962-1963, Canada, *Painting in Canada 1840-1900*. 1966-1967, Ontario, *Artist in Early Canada*. 1974, Montréal, Terre des Hommes, *Chez Arthur et Caillou la pierre/From Macamic to Montréal*. 1978, Ottawa, Galerie nationale du Canada, *Joseph Légaré 1795-1855*, nᵒ 20, repr.

Bibliographie

A.N.Q.T.R., Greffe du notaire L. M. Cressé, 24 juin 1841, f. 11. Bois, *Étude biographique sur M. Jean Raimbault*, 1869, p. 85. Bellerive, *Artistes-peintres canadiens-français*, 1925, p. 16. Colgate, *Canadian Art*, 1943, p. 109. Morisset, *La peinture traditionnelle*, 1960, p. 98-99. Hubbard, éd., *The National Gallery of Canada*, vol. III, 1960, p. 170, repr. Ostiguy, « Les arts plastiques », vers 1965, repr. Giroux, « Le choléra à Québec: un tableau de Joseph Légaré », 1972, p. 3 et 7, repr. Tremblay, *L'oeuvre profane de Joseph Légaré*, 1972, f. 161. Porter, *Un peintre et collectionneur québécois*, 1981, f. 115.

Collection

Galerie nationale du Canada, Ottawa, (6459).

Laurent Amiot, 1764-1839
241. *Encensoir,* 1823

François Sasseville, 1797-1864
242. *Encensoir*

Laurent Amiot, 1764-1839
243. *Navette,* 1823

Argent. 26,7 cm.
Poinçon
LA dans un ovale (3).

Les thuriféraires, en marchant à reculons, balançaient les encensoirs devant le prêtre qui tenait l'ostensoir lors des processions de la Fête-Dieu. Leurs mouvements rythmés, le bruit des chaînes heurtant la panse de l'encensoir, les nuages d'encens se répandant autour du Saint Sacrement ajoutaient beaucoup à cette procession déjà haute en couleur.

L'encensoir était fréquemment utilisé pour les messes et les cérémonies à l'église, et il existe peu d'encensoirs en argent qui ne portent les marques laissées par les jeunes garçons qui les manipulaient avec énergie. Celui de Laurent Amiot, qui provient de Rivière-Ouelle, n'a pas été épargné lui non plus.

La partie inférieure de l'encensoir, en forme d'urne, sert à brûler l'encens dont les fumées s'échappent par la partie supérieure qui est ajourée. Quatre chaînes reliées à un anneau servent à balancer l'encensoir pour accélérer la combustion: la chaîne fixée au sommet de la cheminée sert à soulever celle-ci pour y déposer l'encens que l'on y fait brûler.   J.T.

Exposition
1983, Québec, Musée du Québec, *Le Musée du Québec. 500 oeuvres choisies,* n° 466, repr.

Collection
Musée du Québec, Québec, (dépôt de la fabrique Notre-Dame-de-Liesse de Rivière-Ouelle) (L-67. 22-0).

Argent. 28 cm.
Poinçon
FS dans un ovale (2).

À la mort de l'orfèvre québécois Laurent Amiot en 1839, François Sasseville prit la relève à la fois dans son atelier et auprès de sa clientèle. Beaucoup des oeuvres de Sasseville, comme cet encensoir provenant de l'église Saint-Nicolas, témoignent de l'influence de son maître. J.T.

Collection
Musée du Québec, Québec, (A-73. 30-0).

Argent. 10,2 cm.
Poinçon
LA dans un ovale (2).

La navette sert à contenir l'encens que l'on brûle dans l'encensoir. Il s'agit généralement d'un petit vase en forme de nef dont une partie du couvercle à penture se soulève.   J.T.

Exposition
1983, Québec, Musée du Québec, *Le Musée du Québec. 500 oeuvres choisies,* n° 467, repr.

Collection
Musée du Québec, Québec, (dépôt de la fabrique Notre-Dame-de-Liesse de Rivière-Ouelle) (L-67. 21-0).

Paul Morand, 1784-1854
244. Ostensoir

Argent et or. 50 cm.

Poinçons
- PM dans un rectangle,
- tête de profil regardant vers la droite, dans un ovale,
- lion passant vers la gauche,
- tête de léopard.

À l'occasion de la Fête-Dieu ou fête du saint Sacrement (dont l'institution remonte à 1264), c'est l'hostie consacrée qui est offerte à l'adoration des fidèles et qui est au centre de leur attention. L'ostensoir est une pièce d'orfèvrerie destinée à contenir l'hostie consacrée, de telle façon que les fidèles puissent la voir. L'hostie est placée dans la lunule, boîte de verre en forme de croissant et parfois en forme de cercle, dont les montants sont en or ou en métal doré car elle vient en contact avec l'hostie consacrée. La partie supérieure de l'ostensoir (souvent appelée « soleil » dans les textes anciens) est entourée de rayons et surmontée d'une croix: elle est vissée à un noeud qui lui-même est vissé à un pied. Le décor de l'ostensoir de Paul Morand (grappes de raisins, feuilles de vignes, épis de blé, agneau mystique) est lié à la symbolique du saint Sacrement.

On célèbre la procession de la Fête-Dieu (cat. 30) depuis les premiers temps de la Nouvelle France: le célébrant, sous un dais, porte alors l'ostensoir contenant l'hostie consacrée depuis l'église jusqu'à un reposoir (cat. 237, 239, 240). L'ostensoir ne servait pas uniquement lors de la procession de la Fête-Dieu: généralement, on le plaçait au-dessus du tabernacle du maître-autel, lorsque l'hostie consacrée était offerte à la vénération des fidèles dans l'église.　　J.T.

Expositions
1952, Québec, Musée de la province de Québec, *Exposition rétrospective de l'art au Canada français*, n° 271. 1959, Vancouver, Vancouver Art Gallery, *Les arts au Canada français*, n° 320. 1969, Guelph, University of Guelph, *L'art religieux au Canada* orfèvrerie, n° 5. 1975, Sherbrooke, université de Sherbrooke, Galerie d'art du Centre culturel, *Orfèvrerie traditionnelle du Québec*.

Collection
Musée du Québec, Québec, (A-52. 22-0).

Louis Jobin, 1845-1928

245. *Sainte Cécile*, 1880 ou 1885

Bois polychrome. 200 cm.

Inscription

(gravée sur la base): « L. JOBIN 1885 ».

Lors du grand défilé du 24 juin, tenu à Québec en 1880, le char de la société Saint-Jean-Baptiste de Québec était suivi de celui des sociétés musicales. En effet, c'est ce dernier que l'on devine derrière la nef de saint Jean-Baptiste dans la partie gauche d'une gravure d'Henri Julien, parue dans *L'Opinion publique* du 1er juillet (fig. 6). Une semaine plus tard, Julien récidiva avec une illustration représentant six des principaux chars de la parade du 24 juin (fig. 7). Ce document nous permet, notamment, de visualiser dans ses grandes lignes le char des sociétés musicales dont H.-J.-J.-B. Chouinard a publié la description officielle, rédigée par Paul Cousin (ill. 245a):

« Ce char à été exécuté d'après les plans et sous la surveillance de M. P. Cousin, architecte, par M. Edmond Patry, maître-menuisier; les peintures et décorations par M. [Paul-Gaston] Masselotte, peintre-décorateur français. Les statues sont l'oeuvre de M. Jobin, statuaire, rue Claire-Fontaine. Sur une plate-forme de 12 pieds de long et 8 de large, étaient placés aux angles, des pilastres, imitation de marbre, supportant des anges en renommée, sonnant la trompe, et tenant d'une main, une banderolle contournant les pilastres, et sur laquelle étaient inscrits les noms des grands compositeurs de musique. Ces pilastres étaient reliés entre eux, par une galerie couverte en damas cramoisi, orné de fleurs et de verdure, et sur les côtés étaient des écus avec les armes et devises des sociétés musicales: L'Association musicale de Québec; Le Cercle musical de Québec; Choeur de l'Église Saint-Jean-Baptiste; Société musicale de Sainte-Cécile; Société Sainte-Cécile de Deschambault; Amateurs et amis de la musique. En arrière, une splendide couronne en fleurs artificielles, portant au centre, une lyre d'argent. En avant, une lyre canadienne, composée de deux énormes castors de trois pieds et demi de haut, assis et supportant de leurs pattes, une lyre ornementée de feuilles d'érable. Au centre de la galerie et à son niveau, un talus où étaient plaqués des panneaux peints en relief imitation de bronze, représentant des instruments de musique, et sur lequel s'élevait un piédestal, imitation de marbre, avec sculptures et ornementations, panneaux bronzés, sur lesquels se lisaient les noms de Palestrina, Beethoven, Mozart, Bach, et surmonté de la statue de Sainte-Cécile, patronne des musiciens, exécutée d'après la peinture de Raphaël. Des angles supérieurs du piédestal, partaient des guirlandes de verdure et de fleurs, qui allaient s'attacher aux pilastres supportant les renommées ».

Le char dessiné par Paul Cousin fut démantelé dans les jours suivant le défilé et, le 29 juin, ses différentes parties étaient exposées dans l'Église de la paroisse Saint-Jean-Baptiste de Québec.

Ill. 245a *Le char des Sociétés musicales*, détail d'une gravure de Henri Julien parue dans l'*Opinion publique* du 8 juillet 1880, p. 334 (Photo John R. Porter).

Cette exposition temporaire s'explique bien, puisque l'initiative de la construction du char de sainte Cécile avait d'abord été prise par le choeur de l'église Saint-Jean-Baptiste, groupe fondé en novembre 1879. Dix ans plus tôt, on avait célébré, dans le même temple, l'inauguration de deux tableaux d'Antoine Plamondon dont une copie de la *Sainte Cécile* de Raphaël, oeuvre conservée à la pinacothèque de Bologne, en Italie. Toujours selon *Le Courrier du Canada* du 10 novembre 1869 (p. 2), l'événement s'était déroulé le jour de la fête de sainte Cécile. Si les tableaux de Plamondon furent détruits dans l'incendie de l'église, le 8 juin 1881, rien n'indique que la *Sainte Cécile* façonnée par Louis Jobin en 1880, ait connu le même sort. Il est possible qu'elle ait été conservée ailleurs au moment du sinistre, puisqu'elle était la propriété des sociétés musicales de Québec.

Dans la paroisse Saint-Jean-Baptiste, une nouvelle église fut bénie le 27 juillet 1884 et, le 25 septembre suivant, *Le Journal de Québec* annonçait qu'on avait confié à l'architecte Joseph-Ferdinand Peachy l'exécution des plans du buffet d'orgue. Au terme des travaux, on couronna l'imposant ouvrage d'une belle statue polychrome représentant sainte Cécile, statue dont la paternité ne fait pas de doute puisqu'elle porte l'inscription « L. JOBIN 1885 ». Cette signature est typique de celles que le statuaire apposait sur la base de certains de ses ouvrages. Elle

s'avère toutefois exceptionnelle dans la mesure où elle est gravée plutôt que creusée. Une telle particularité rend plausible l'hypothèse que voici: la statue serait celle que les sociétés musicales avaient commandée à Jobin en 1880, mais le sculpteur ne l'aurait signée qu'au moment de son installation, en 1885. Cet avancé n'a rien de gratuit puisqu'un examen attentif nous révèle la présence de quatre cavités sous la base qui auraient pu servir à fixer l'oeuvre sur le char des sociétés musicales. Or, au moment de l'installation de la statue sur l'orgue de l'église Saint-Jean-Baptiste, on n'utilisa pas ces cavités, puisqu'on se servit de clous pour la faire tenir. À la lumière de ces constatations et en tenant compte de l'iconographie, des dimensions et de la polychromie soignée – les carnations sont d'origine mais la robe rose fut repeinte en turquoise – de l'ouvrage, il est donc permis de croire que la *Sainte-Cécile* de l'église du faubourg Saint-Jean provienne du char de 1880. Dans leurs articles publiés en 1926, Georges Côté et Damase Potvin ne paraissent pas avoir envisagé l'hypothèse d'une réutilisation, puisqu'ils parlent tour à tour de la *Sainte Cécile* du char de 1880 et de celle du nouvel orgue de Saint-Jean-Baptiste. Par contre, il ne disent absolument rien des circonstances qui auraient entouré la commande de cette sculpture ou de son installation au sommet de l'orgue dessiné par Peachy.

Selon Mario Béland, qui a étudié à fond l'ensemble de la production de Jobin, il aurait été tout à fait logique que l'union musicale de l'église Saint-Jean-Baptiste obtienne de disposer de la statue de 1880 pour contribuer à l'ornementation du temple, reconstruit en 1884. On ne pouvait envisager meilleure façon de tirer parti de la sculpture de la patronne des organistes, d'autant que les auditions du groupe musical, fondé en 1866, étaient appelées à se dérouler au pied de l'orgue de Saint-Jean-Baptiste. Ajoutons que nous connaissons d'autres cas où des oeuvres sculptées pour le défilé de 1880 furent recyclées à d'autres fins. D'une part, le *Salaberry* de Jobin servit aussi bien de monument devant l'église de Beauport, que d'ornement d'une construction de glace lors du carnaval de Québec, en 1896. D'autre part, le *Saint Jean Baptiste* de Jean Baptiste Côté aurait été placé au sommet d'un des arcs de triomphe éphémères, érigés à Québec pour les cérémonies entourant l'accession de Mgr Elzéar-Alexandre Taschereau au cardinalat, en 1886. Par ailleurs, si nous ignorons tout du sort réservé aux quatre anges à la trompette, sculptés par Jobin pour le char des sociétés musicales, il ne nous semble pas exclu qu'ils aient poursuivi leur carrière dans quelque cimetière, puisque ce type de sculpture y était fort courant à l'époque. Ainsi, on voyait naguère des anges de Jobin, analogues à ceux de 1880, dans les cimetières de Charlesbourg et de Saint-Nicolas (MNC négatif 66073).

Conformément à l'iconographie de la toile brossée par Raphaël en 1516, la *Sainte Cécile* de l'église Saint-Jean-Baptiste a pour attribut un petit orgue portatif renversé. Les yeux levés vers le ciel, la vierge et martyre écoute la musique des anges. Pour l'exécution de sa statue, Jobin s'est inspiré soit d'une gravure, soit de la toile de Plamondon, placée dans l'église Saint-Jean-Baptiste en 1869. Son atelier était, en effet, situé à deux pas de l'édifice religieux, ce qui lui permettait d'examiner la toile à loisir. Signalons, enfin, qu'il existe une autre *Sainte Cécile* due au ciseau Jobin. De dimensions moyennes, elle fait partie de la décoration intérieure de l'église de Saint-Henri de Lévis. Naguère polychrome, elle découle de la même source que sa grande soeur de l'église Saint-Jean-Baptiste.   J.R.P.

Bibliographie
L'Événement, 25 juin 1880, p. 2. *Le Courrier du Canada*, 28 (p. 2) et 30 (p. 2) juin 1880. *L'Opinion publique*, 1er (p. 318 et 322, repr.) et 8 (p. 334, repr.) juillet 1880. *The Canadian Illustrated News*, 10 juillet 1880, p. 25, repr. CHOUINARD, *Fête nationale des Canadiens-français célébrée à Québec en 1880*, 1881, p. 194, 506 et 507. CÔTÉ, « Le clos de la tour N° 3 », 1926, p. 11. POTVIN, « Louis Jobin, un humble artiste du terroir », 1926, p. 37.

Collection
Fabrique Saint-Jean-Baptiste, Québec.

Atelier des soeurs du Bon Pasteur de Québec et Louis Jobin, 1845-1928

246. *Bannière de la Société Saint-Jean-Baptiste de Charlesbourg,* 1880

Soie blanche moirée et glacée, huile sur toile, bois polychrome, broderie, cordes et glands en fil d'or mi-fin, etc. 194 × 116 cm.

Inscriptions

(sur la face principale, au-dessus du saint patronyme de la paroisse) « Sᵗ CHARLES BORROMÉE »,
(sur la face secondaire, au-dessus et en-dessous du médaillon peint représentant saint Jean-Baptiste) « SOCIÉTÉ ST JEAN-BAPTISTE »; « 24 Juin 1880/CHARLESBOURG ».

À l'occasion des fêtes québécoises de la Saint-Jean-Baptiste de 1880, pas moins de 10 000 personnes formaient la procession nationale. Le défilé comprenait 22 chars tirés par des chevaux et regroupait des représentants de quelque 112 associations. Au moins 40 d'entre elles avaient leur propre bannière : section locales, provinciales, acadiennes, ontariennes ou américaines de la société Saint-Jean-Baptiste (SSJB), unions de Saint-Joseph, sociétés musicales, collèges, associations professionnelles (bouchers, cordonniers, charrons et relieurs), cercles divers, etc. Les fabricants de 25 de ces bannières nous sont connus. Dix étaient l'oeuvre des soeurs du Bon Pasteur de Québec, neuf de la maison Beullac (manufacturier français d'ornements d'église établi à Montréal), trois de peintres-décorateurs de Québec, deux des soeurs de Jésus-Marie (Lauzon et Sillery) et une des hospitalières de l'Hôtel-Dieu de Montréal. L'ornementation d'une bonne quizaine de ces ouvrages comportait des éléments historiés, sculptés en bois. Il en allait ainsi de six des bannières sorties de l'atelier du Bon Pasteur : celle de l'Union musicale de Québec était ornée d'une sainte Cécile en relief, exécutée d'après l'oeuvre de Raphaël, celle de la SSJB d'Ottawa d'un saint Joseph, celle de la SSJB de Charlesbourg d'un saint Charles Borromée et celles de trois des sections de la SSJB de Québec d'une Notre-Dame (section de Notre-Dame), d'un saint Roch (section de Saint-Roch) et d'un castor (section de Saint-Jean-Baptiste).

Il ne fait pas de doute que l'exécution des parties sculptées des bannières attribuées aux soeurs du Bon Pasteur ait été confiée à un sous-entrepreneur professionel. Ainsi, bien que le rédacteur de la description officielle du défilé de 1880 n'en fasse pas mention, nous savons que la bannière de la section de Saint-Roch ne fut pas l'oeuvre exclusive des religieuses du Bon Pasteur. Rapportant que cet ouvrage était sur le point d'être achevé, *Le Journal de Québec* du 12 avril 1876 (p. 2) avait en effet précisé que Louis Jobin y avait mis la main en ciselant un saint Roch accompagné de son chien.

À la lumière de ce qui précède, il nous semble tout à fait vraisemblable que Jobin ait à nouveau prêté son concours aux religieuses du Bon Pasteur pour l'exécution des éléments sculptés de la bannière commandée par la SSJB de Charlesbourg en mai 1880, bannière dont Chouinard a publié la description sommaire que voici :

« Cette bannière a six pieds de long, sur quatre et demi de large; sa face principale en soie moire antique blanche, porte au centre, un saint Charles en relief, entouré de guirlandes d'érables, brodées en or mi-fin; au-dessus les mots: « Saint Charles-Borromée » brodés en or. Le revers de soie glacée blanche, porte un médaillon, peinture à l'huile, représentant saint Jean-Baptiste; et en tête l'inscription Société Saint-Jean-Baptiste de Charlesbourg, entrelacée d'arabesques, composées de feuilles d'érable. Cette bannière a été exécutée par les Révérendes Soeurs du Bon Pasteur ».

Sur le côté principal de la bannière, saint Charles Borromée est représenté debout, paré de vêtements rapportés. Il porte une soutane rouge, un surplis de dentelle et un camail d'hermine. Le saint patron de Charlesbourg a toutefois la tête, les mains (incluant la croix) et les pieds sculptés en bois. Il y a tout lieu de croire que les carnations sont l'oeuvre des religieuses du Bon Pasteur, car elles s'avèrent particulièrement soignées. Au revers de la bannière, les religieuses ont peint saint Jean-Baptiste sous les traits d'un enfant grassouillet, joignant les mains dans un geste de prière et ils l'ont placé au milieu d'un paysage. On le reconnaît au bâton à banderolle qu'il tient contre lui et au petit agneau couché à ses côtés. Par sa facture et son iconographie, l'oeuvre est typique de l'imagerie pieuse diffusée par les artistes du Bon Pasteur, à compter du milieu du XIXe siècle. La bannière a été restaurée en 1984.

D'après les données recueillies par René Villeneuve, il appert qu'en mai 1880 les membres de la SSJB de Charlesbourg et les marguilliers de la même paroisse payèrent chacun une somme de 200 $ pour les frais relatifs à la réalisation de la bannière. Il est légitime de voir dans la bannière de Charlesbourg un symbole de fierté collective, puisque la contribution de la SSJB avait fait l'objet d'une souscription. Par ses deux facettes, l'ouvrage témoigne, en outre, d'un double sentiment d'appartenance, la communauté charlesbourgeoise cherchant à se singulariser tout en participant pleinement aux fêtes de la nation.   J.R.P.

Bibliographie
Charlesbourg, *Journal de Ferdinand Verret,* vol. II, 2 mai 1880 (communication de René Villeneuve). Archives de la fabrique de Charlesbourg, *Comptes et délibérations,* vol. 5, folio 92 (23 mai 1880) (communication de René Villeneuve). L'Opinion publique, 1er juillet 1880, p. 318. CHOUINARD, *Fête nationale des Canadiens-français célébrée à Québec en 1880,* 1881, p. 190 et 489.

Collection
Fabrique Saint-Charles-Borromée, Charlesbourg.

LA CROIX DE CHEMIN

« *Au bord du fleuve immense et le long des chemins*
Comme un poème doux qu'on fait stance après stance,
Nos pères ont planté, de distance en distance,
De hautes croix de bois qui sont nos parchemins »[1].

Louis Franquet traversait le lac des Deux-Montagnes en direction du village du même nom – aujourd'hui Oka – lorsqu'il aperçut « un calvaire établi sur la croupe d'une des hauteurs les plus élevées »[2]. Si l'on en croit les *Lettres édifiantes et curieuses*, ce calvaire était « le plus beau monument de la Religion en Canada, par la grandeur des croix qui y furent plantées sur le sommet d'une des deux montagnes (fig. 1) [*et*] par les différentes chapelles & les différents oratoires, tous également bâtis de pierre, voûtés, ornés de tableaux, & distribués par stations, dans l'espace de trois quarts de lieue »[3]. Le calvaire datait des années 1740-1742 et il était dû à l'initiative d'un missionnaire sulpicien, M. Hamon Le Guen[4]. Constitué de quatre oratoires et de trois chapelles, cet ensemble s'inspirait de traditions et de dévotions chrétiennes qui avaient cours en Europe depuis la fin du XVe siècle. Alors que le mot « calvaire » désignait la colline au sommet de laquelle le Christ avait été crucifié, la dénomination de « mont Calvaire » en usage au lac des Deux-Montagnes était empruntée à la France du XVIe siècle

et traduisait un effort de reconstitution des lieux de la Passion. L'élaboration de notre mont Calvaire coïncidait par ailleurs avec un courant de dévotion au chemin de la Croix alimenté en Italie par saint Léonard de Port-Maurice. Ne donnant pas toujours lieu à des créations aussi élaborées que les montagnes sacrées, cette dévotion avait souvent pour unique objet la croix où était mort le Christ[5].

La croix rappelant le sacrifice du Christ eut ses propagateurs en Nouvelle France. Le plus important semble bien avoir été François-Xavier Regnard Duplessis, un jésuite qui, bien que né à Québec, devait passer presque toute sa vie de missionnaire en France. De fait, c'est lui qui fit connaître dans la colonie un miracle survenu à Arras (Pas-de-Calais) en 1738 et qui était attribué à la croix du calvaire de cette ville. Le miracle ayant donné lieu l'année suivante à la publication d'un livre de J.B. Lefebvre intitulé *La dévotion au Calvaire*, Duplessis s'empressa d'en faire parvenir des exemplaires à Québec et il y joignit plusieurs images représentant le fameux calvaire[6] (cat. 149). En 1744, il publia lui-même un ouvrage intitulé *Avis et pratiques pour profiter de la Mission & de la retraite & en conserver le fruit*, dans lequel il précisait tout un éventail de cérémonies et de rites rattachés à la croix et au calvaire : solennités, bénédictions, translations, lieux d'érection, litanies et neuvaines. Dans ce livre,

1. Pamphile Lemay, « Nos croix », premier quatrain, cité dans Paul Carpentier, *Les croix de chemin : au-delà du signe*, Musées nationaux du Canada (Musée de l'Homme, collection Mercure, C.C.E.C.T., dossier 39), Ottawa, 1981, p. 38.

2. John R. Porter et Jean Trudel, *Le Calvaire d'Oka*, Galerie nationale du Canada, Ottawa, 1974, p. 21.

3. *Lettres édifiantes et curieuses, écrites des missions étrangères* (1780-1783), vol. 26, p. 5, cité dans *Ibidem*.

4. Porter et Trudel, *op. cit.*, p. 22-24.

5. *Idem*, p. 35-36.

6. John R. Porter et Léopold Désy, *Calvaires et croix de chemins du Québec*, Hurtubise HMH, Montréal, 1973, p. 48 et 50.

Fig. 1 Anonyme, *Vue du village du Lac, du sud au nord, à demie lieu sur le lac* (détail), seconde moitié du XVIIIᵉ siècle ; encre sur papier ; archives du Séminaire de Québec (Photo John R. Porter).

qui ne tarda pas à être distribué en Nouvelle France, Duplessis incitait fortement les fidèles à pratiquer la dévotion à la croix :

« Allons donc à la Croix, écrivait-il ; elle est le signe de Jésus-Christ, le signe de l'Église, le signe qui nous distingue du Juif et du Gentil : l'idolatrie, la superstition, le péché, l'enfer et le monde ont été vaincus par la Croix » [7].

Dans les lettres qu'il adressa à l'époque à ses deux soeurs, Marie-Andrée Duplessis de Sainte-Hélène et Geneviève Duplessis de l'Enfant-Jésus, deux religieuses de l'Hôtel-Dieu de Québec, le jésuite relatait par surcroît ses expériences de missionnaire en France et il parlait abondamment de ses nombreuses tournées en Normandie, qu'il ponctuait de bénédictions de nouveaux calvaires.

Il ne fait pas de doute que le père Duplessis ait exercé une forte influence aussi bien sur les communautés religieuses que sur les curés de paroisse. L'érection d'une croix à Saint-Augustin en 1741 et la multiplication des croix de chemin dans la colonie à la même époque sont là pour en témoigner. D'ailleurs, un passage d'une de ses dernières lettres (9 février 1749) confirme en quelque sorte les retombées importantes de son apostolat en faveur de la dévotion au calvaire : « Je suis charmé, y écrivait-il, qu'on commence à planter des calvaires en Canada. Cela fait faire aux passants bien des actes d'amour de Dieu » [8].

En 1747 [9], on avait fixé un corpus sur la croix plantée six ans plus tôt dans la seigneurie de Saint-Augustin, propriété de l'Hôtel-Dieu de Québec (cat. 248). Économe de l'institution hospitalière et instigatrice du projet, soeur Geneviève Duplessis nous a laissé une relation fort éclairante de l'événement. D'une part elle souligne que la cérémonie se déroula le 14 septembre, jour de la fête de l'Exaltation de la Sainte Croix, en présence d'un nombre considérable d'habitants. D'autre part, elle mentionne que la croix de chemin devenue calvaire était située « sur un chemin qui se croise et par lequel on passe de tout côté » [10]. Le climat social des années 1740 étant perturbé par la maladie, la famine et la menace anglaise, la croix de Saint-Augustin constituait en quelque sorte un appel pressant à la protection divine [11].

De passage dans la vallée du Saint-Laurent en 1749, le voyageur suédois Pehr Kalm fut à même de constater la fréquence des croix de chemin dans la colonie :

« De distance en distance, [écrivait-il], on voit des croix plantées le long du chemin qui court parallèlement au rivage. Cet emblème est très fréquent au Canada et sert à

7. Cité dans Claire Gagnon, a.m.g., « Le Calvaire de Saint-Augustin et l'Hôtel-Dieu de Québec », p. 32. Un exemplaire de cette étude manuscrite datée du 13 avril 1972 est déposé dans le dossier « Comté de Portneuf, calvaire du Lac Saint-Augustin » faisant partie du « Corpus des croix de chemin du Québec » constitué par le professeur Jean Simard. Cet impressionnant corpus est déposé dans les archives du CELAT, à l'université Laval.

8. Porter et Désy, *op. cit.*, p. 50.

9. Paul Carpentier avance la date de 1749, alors que l'étude manuscrite de Claire Gagnon à laquelle il se réfère fait bel bien mention de l'année 1747. Carpentier, *op. cit.*, p. 346.

10. Cité dans Gagnon, *op. cit.*, p. 4-5.

11. *Idem*, p. 36.

favoriser la piété du voyageur. Ces croix de bois ont une hauteur de cinq à six verges et leur largeur lui est proportionnelle. Le côté qui fait face au chemin présente une niche carrée renfermant une image de notre Sauveur crucifié ou de la Vierge avec l'Enfant dans les bras, niche devant laquelle on a mis un carreau de verre pour éviter qu'elle ne soit détériorée par les intempéries. Quiconque passe devant la croix lève son chapeau ou pose un autre geste de révérence. Ces croix situées non loin des églises sont très ornées et on y a placé tous les instruments dont ont dû se servir les Juifs pour crucifier notre Seigneur, comme un marteau, des pincettes, des clous, un récipient de vinaigre, et peut-être beaucoup plus qu'ils n'en ont employé en réalité. Une représentation du coq qui chanta lorsque saint Pierre renia notre Seigneur est communément placée au sommet de la croix »[12].

Kalm nous a même laissé le croquis de la « croix de la Magdalaine », un monument fort chargé. On n'y compte pas moins de quinze des instruments de la Passion[13].

Les nombreuses croix que le voyageur suédois vit à la fin des années 1740 avaient eu un certain nombre de devancières. Ainsi, nous savons que Jacques Cartier planta au total cinq croix lors de ses voyages de 1534 et de 1535. Par ce geste, il entendait notamment prendre possession du pays, comme l'indique sa relation de l'érection de la croix de Gaspé, le 24 juillet 1534 :

« Le XXIIIIe jour dudict moys, nous fismes faire une croix de trente pieds de hault, qui fut faicte devant plusieurs d'eulx [les Amérindiens], sur la poincte de l'entrée dudit Hable, soubz le croysillon de laquelle misme ung escriteau en boys, engravé en grosse lettre de forme, où il y avait, Vive le Roy de France. Et icelle plantasmes sur ladicte pointe devant eux, lesquelz la regardoyent faire et planter. Et après qu'elle fut eslevé en l'air, nous mismes tous à genoulx, les mains joinctes, en adorant icelle devant eux, et leur fismes signe, regardant et leur montrant le ciel, que par icelle estoit nostre redemption, dequoy ils firent plusieurs admyradtions, en tounant et regardant icelle croix »[14].

Pour leur part, les jésuites et les récollets du XVIIe siècle avaient l'habitude de planter des croix pour marquer la fondation des nouvelles missions. Souvent la croix précédait la construction d'une chapelle. On trouve des illustrations de cet usage dans *On bâtit la première chapelle* (cat. 28), de Chauchetière, et dans *L'ermitage des Récollets et la chapelle Saint-Roch* (cat. 16).

Dans les communautés de femmes cloîtrées, la dévotion au calvaire était également manifeste. Ainsi, soeur Claire Gagnon signale-t-elle qu'un oratoire dédié au calvaire existait déjà en 1689 à l'intérieur du monastère de l'Hôtel-Dieu de Québec[15]. Par ailleurs, on conserve encore à l'Hôpital général de la même ville trois des personnages d'un calvaire sculpté en 1782 par François-Noël Levasseur. Les circonstances entourant l'exécution de cet ouvrage ont été notées par l'annaliste de la maison :

« La Mère Thérèse de Jésus, notre Supérieure, pour procurer aux Religieuses l'avantage d'avoir sous leurs yeux un souvenir familier et toujours présent de la croix de leur époux et leur rappeler en même temps que leur qualité d'épouse les oblige à partager avec lui sa pauvreté et ses souffrances dont la croix est le symbole fit dès cette année sculpter par ce Monsieur un crucifix de taille humaine qui fut placé à la Com[té] ainsi que les statues de la Ste Vierge, de St Jean et de Ste Magdeleine »[16].

Rares sont les paroisses québécoises qui n'ont jamais été pourvues d'une croix de chemin. Généralement faite en bois, cette croix s'avère très vulnérable, son espérance de vie étant limitée par son exposition aux intempéries[17]. Il est donc difficile de se faire une idée précise de l'évolution numérique des monuments de ce genre, puisque seules les croix les plus récentes nous sont parvenues. Jean Simard en a recensé plus de 3 000 au Québec. De son côté, Paul Carpentier a tiré parti d'un inventaire composé de 2 695 de ces croix pour étudier de façon précise plusieurs facettes essentielles de la croix de chemin. Nombre des commentaires qui suivent constituent un condensé de ses observations.

L'emplacement des croix est très variable. On en trouve dans les cimetières[18] ou sur les montagnes[19], près des cours d'eau ou en forêt. Elles sont plus nombreuses encore le long des chemins ou à la croisée des routes, aux limites du village ou au fond des rangs (cat. 247). Entourée d'une clôture assurant sa protection, la croix de chemin se dresse souvent sur une petite éminence, à proximité de la maison de celui qui en assure l'entretien.

Chaque croix possède sa petite histoire. Grâce à une longue enquête, Carpentier a pu dégager cinq grands types de croix latines : croix commémoratives rappelant le souvenir d'une personne ou d'un événement lié à l'histoire locale, nationale ou internationale ; croix-voeu faisant appel à la protection divine ; croix ex-voto remerciant le ciel pour une faveur obtenue ; croix possessoire marquant une prise de possession (croix de pionniers, croix-limites, croix toponymiques et croix-églises) ; croix talismanique pour conjurer un fléau ou protéger la terre contre les cataclysmes[20]. Dans la vie quotidienne de nos ancêtres, la croix jouait souvent un rôle

---

12. Cité dans Porter et Désy, *op. cit.*, p. 50-51.

13. Voir *Idem*, p. 51-52, et Carpentier, *op. cit.*, p. 346.

14. Cité dans Porter et Désy, *op. cit.*, p. 45.

15. Gagnon, *op. cit.*, p. 30.

16. A.M.H.G.Q., *Annales 1743-1793*, f. 398. On fit disparaître la *sainte Madeleine* en 1947 parce qu'on n'appréciait pas sa pose.

17. « Certaines croix ont été remplacées à plusieurs reprises. À Sainte-Marie-de-Beauce, par exemple, la croix située à l'extrémité de la route Carter, au milieu du rang Saint-Gabriel, apparaît comme la plus ancienne dont les annales de la paroisse aient fait mention. Si la date de la première érection nous échappe, nous pouvons quand même affirmer qu'elle a été remplacée à trois reprises soit le 24 août 1879, le 7 juillet 1895 et le 10 juillet 1938. Les cas analogues abondent », Porter et Désy, *op. cit.*, p. 59 et 61.

18. Compte tenu du thème abordé dans le présent chapitre, nous ne reviendrons pas sur les croix et calvaires érigés dans les cimetières par les fabriques.

19. Comme la grande croix érigée en 1841 sur la montagne de Saint-Hilaire et dont Mgr Forbin-Janson fit la bénédiction le 6 octobre de la même année.

20. Carpentier, *op. cit.*, p. 40-97. Il existe aussi des croix provenant de manifestations de la religion officielle ainsi que des croix érigées par simple mimétisme culturel (p. 95).

essentiel, à la fois comme point de repère et comme point de référence. Égaré dans une tempête de neige, le voyageur se rassurait lorsqu'il voyait la majestueuse balise émerger de la bourrasque (cat. 249).

Une fois la croix plantée, on demandait au curé de la bénir. Par la suite, celui qui passait devant la croix la saluait, se signait ou s'arrêtait pour une brève prière. Dans certaines circonstances, la croix pouvait plus ou moins remplacer l'église. Ainsi les fidèles dont la demeure était éloignée du temple paroissial se réunissaient-ils au pied de la croix pendant les mois de Marie, du Sacré-Cœur et du Rosaire, voire à l'occasion de certaines fêtes du calendrier liturgique (par exemple la fête de sainte Anne). Le succès particulier du mois de Marie à la croix fut favorisé par l'institutrice de l'école de rang, qui se prêtait volontiers à l'organisation de la cérémonie. Pour bien des garçons, les petits rassemblements du mois de Marie représentaient de bonnes occasions de rencontrer les belles des environs[21]. Il y avait des processions et des neuvaines à la croix dès qu'un fléau menaçait une paroisse ou un rang. À plusieurs égards, on peut donc dire que la croix était un centre de vie sociale autant que de vie religieuse.

Dans la très grande majorité des cas, la croix de chemin était ornée des instruments de la Passion[22] (fig. 2). Au fil de ses recherches, Carpentier a relevé l'utilisation de vingt-trois éléments de la Passion, pour la plupart mentionnés dans les récits évangéliques, que nous énumérons ici par ordre de fréquence décroissante : le golgotha, le titulus (INRI), la lance de la transfixion, l'échelle, le marteau, les tenailles de la descente de croix, les clous, le coq du reniement de saint Pierre, l'éponge de fiel, la croix, la couronne d'épines, le calice, la main qui souffleta le Sauveur, le suppedanum, l'épée, la hache, le pot de fiel, la lanterne, les dés avec lesquels on tira au sort le manteau du Christ, le fouet, la colonne de la flagellation, l'égoïne et le perizonium[23]. La croix porte parfois des symboles ayant trait au Christ et à la religion chrétienne : le cœur, les grappes de raisin, l'ostensoir, le chapelet, le soleil, l'hostie, les tables de la Loi et le crâne d'Adam. On peut aussi y trouver un millésime, une invocation ou une inscription complémentaire[24]. Ajoutons enfin qu'il y avait une niche sur 40% des croix de chemin. Élément rapporté, en général, elle renfermait une statuette de la Vierge, du Christ (par exemple un Sacré-Cœur) ou d'un saint[25].

Plus complexe d'exécution et plus coûteux, le calvaire était beaucoup moins fréquent que la croix aux instruments[26]. Il est d'ailleurs révélateur que les fidèles devaient parfois patienter des années avant d'être en mesure d'ajouter un

Fig. 2 Philip John Bainbridge, *Une croix de chemin à Lévis en hiver*, vers 1835, aquarelle, Archives publiques du Canada, Ottawa (Photo A.P.C.O., c 11898).

corpus sur une croix de chemin existante (par exemple à Saint-Augustin). À partir du milieu du XIXe siècle, le calvaire a occupé une place appréciable dans l'activité de quelques sculpteurs spécialisés. Avant cela, les Christ en croix étaient plutôt rares. Bien que la longévité du calvaire ait été sensiblement plus longue que celle de la croix de chemin, il ne reste que fort peu de calvaires antérieurs à 1850. Si le grand *Christ* du calvaire de Saint-Augustin est parvenu jusqu'à nous, c'est qu'il était haut juché sur une croix, qu'un grand édicule le protégeait du gros des intempéries et que l'ensemble a toujours fait l'objet de soins attentifs exigeant des déboursés périodiques appréciables. Bien des ouvrages postérieurs à cet ensemble n'ont pas connu le même sort. Certains n'existent plus qu'à travers des documents écrits, des représentations peintes ou des photographies. C'est le cas des anciens calvaires de Boucherville (1781) et de Cap-Santé (1887).

Le plus ancien marché pour la sculpture d'un Christ que nous ayons retrouvé remonte au 13 juillet 1781. Mettant en présence le menuisier-sculpteur Joseph Doré, de Varennes, et des représentants des notables et des autres habitants de Boucherville, le document énonce une série de spécifications relatives au matériau, au revêtement, au modèle et à l'iconographie du corpus à réaliser. Voici d'ailleurs la citation presque intégrale de ce document inédit :

« Par devant Le notaire Royal Resident au bourg de Boucherville Soussignés temoins enfin nommés fut present Maitre joseph dorer Sculpteur demeurant a varennes Lequel a promis & promet faire & parfaire Bien & duement au dire dexperts a Ce Connoissant (...) un Christ Representant jésus Christ mourant sur une Croix même hauteur Couleur &

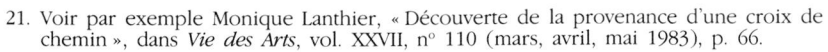

21. Voir par exemple Monique Lanthier, « Découverte de la provenance d'une croix de chemin », dans *Vie des Arts*, vol. XXVII, n° 110 (mars, avril, mai 1983), p. 66.

22. Paul Carpentier évalue leur fréquence à 86,57%. Carpentier, *op. cit.*, p. 138.

23. *Idem*, p. 344-356.

24. *Idem*, p. 378.

25. *Idem*, p. 373-376.

26. Seulement 12,94% des croix de chemin existantes sont chargées d'un corpus sculpté. *Idem*, p. 138.

Représentant Generalement Celui de Varennes, une Croix sur Laquelle sera attacher le Christ trois fleures de Lis Au bord dicelle le tout Represente le plus naturelle que possible sera la pozé dans La place destiné lequel Christ sera transporté aux frais & depens des dit sieur, Laquelle ouvrage sera faite & parfaite & Sujette a visite & Livrable pour toutes perfexion & delays a la fin de Septembre prochain a peine &c pour faire Laquelle ouvrage promettent Les dits Srs Lui fournir Larbre de la Croix icellui de noyer ou pin jaune. Ce present marché fait pour & moyennant Le prix & somme de quatre Cent cinquante Livres ou Schelings ancien Cour payé a fure & amesure que le M^e fera louvrage Soblige de plus penturé La Croix en Gros Rouge & Les autres Couleur Conformes au Christ du dit Varennes (...) »[27].

Soixante ans plus tard, Alexandre Naud, cultivateur à Deschambault, eut recours aux services de Léandre Parent, de Québec, pour la sculpture d'un corpus destiné à un calvaire situé sur sa ferme. Les deux parties signèrent un marché par lequel Parent s'engageait à « faire un Christ sans croix (Calvaire) de la hauteur de celui de St. Augustin, forme ordinaire, peint en couleur naturelle, le tout en bons matériaux »[28]. Contrairement au marché de Boucherville, la référence à un calvaire plus ancien n'obligeait en rien Parent à s'inscrire dans un processus de mimétisme. De fait, le sculpteur n'a retenu du corpus de Saint-Augustin que sa hauteur, son oeuvre en différant tout à fait pour le reste[29].

Le calvaire de Cap-Santé dont Louis Jobin entreprit la réalisation en 1887 était plus ambitieux que les précédents, dans la mesure où il comportait trois personnages, soit le Christ et les deux larrons. Commandé au sculpteur par Ferdinand De Lille, l'ouvrage fit l'objet d'un acte passé devant notaire. Nombreuses et précises, les spécifications du marché sont d'autant plus intéressantes que des photographies ont été conservées de ce calvaire aujourd'hui disparu[30] (fig. 3):

« Le dit Sieur Louis Jobin s'oblige de faire et exécuter pour le compte du dit Ferdinand De Lille un calvaire, consistant en trois croix de vingt six pieds de longueur avec travers proportionnés et trois statues L'une représentant Notre Seigneur et les deux autres les bon et mauvais Larrons ; lesquelles statues devront avoir sept pieds pour celle du Sauveur et les deux autres un petite différence, suivant les proportions données par la tradition, recouvertes en plomb et peintes en couleurs naturelles à l'huile et thérébentine avec le nombre de couches nécessaires pour être bon et durable et seront exécutées suivant les règles de l'Art avec des bons matériaux, le tout au dire de gens à ce connaissants, livrables à bord du vapeur tenant la ligne du Cap Santé dans le Comté de Portneuf; etant entendu que le dit Sieur Jobin devra se rendre lui-même ou envoyer un ouvrier habile et compétent pour surveiller la montée à bord du vapeur et la pose en

Fig. 3   Louis Jobin (1845-1928), *Le calvaire de Cap-Santé*, 1887; bois recouvert de plomb et polychrome, aujourd'hui disparu (Photo I.B.C.Q., Fonds Gérard-Morisset, nég. 8123-A-2).

place en la dite Paroisse du Cap Sante, le dit F. De Lille, devant payer les passages et pension du dit ouvrier en sus du prix convenu pour le dit ouvrage »[31].

Fidèle à une vieille tradition, Jobin distingua clairement les larrons du Sauveur en attachant les bras des premiers par des cordes. De plus, il ne manqua pas de différencier l'un de l'autre le bon larron (Dismas) et le mauvais (Gestas). Ainsi plaça-t-il Dismas à la droite du Christ et le représenta-t-il jeune et imberbe, tandis que son compagnon Gestas était plus âgé et barbu. Autant le premier était calme et résigné, autant le second gesticulait, en insultant le Christ[32].

À lui seul, Jobin devait sculpter quelque quatre-vingts calvaires au cours de sa longue carrière[33]. La plupart de ses oeuvres ne comptaient qu'un seul personnage, le Christ en croix. La version optimale de ce type de sculpture pouvait toutefois rassembler jusqu'à six personnages sculptés sur bois: le Christ, la Vierge, saint Jean, Marie-Madeleine et les deux larrons (par exemple le calvaire du lac Bouchette)[34]. L'emploi des personnages de la Vierge et de saint Jean était beaucoup plus fréquent que celui des larrons ou de Marie-Madeleine. Toujours debout, dans une attitude soit recueillie, soit éplorée, ils se faisaient pendant de chaque côté du Christ, la Vierge étant placée à sa droite et saint Jean à sa gauche.

27. A.N.Q.M., greffe du notaire François Racicot, 13 juillet 1781.

28. La famille Naud, à Deschambault, conserve toujours ce document passé sous seing privé.

29. Voir Porter et Désy, *op. cit.*, p. 62.

30. Exposé aux quatre vents, le calvaire de Cap-Santé a disparu prématurément. S'il avait été abrité sous un édicule, il subsisterait encore.

31. A.J.Q., greffe du notaire Edmond J. Angers, n° 5054, 4 avril 1887.

32. Porter et Désy, *op. cit.*, p. 87-88.

33. D'après un relevé effectué par Mario Béland. Ce nombre comprend les monuments érigés dans les cimetières ainsi que ceux qui sont situés en dehors des frontières du Québec.

34. Porter et Désy, *op. cit.*, p. 95, ill. 43.

Environ la moitié des calvaires encore *in situ* ne sont pas le fruit de l'activité d'un sculpteur professionnel. Le Christ « paysan » est généralement l'oeuvre unique d'un artisan de village mu par la seule intensité de ses sentiments religieux. Schématisé ou simplifié à outrance, il est reconnaissable de prime abord à ses naïvetés, ses disproportions ou ses fautes anatomiques. Ceci dit, on oublie vite de tels défauts quand on constate la forte charge émotive que dégagent certains de nos corpus de facture populaire. Il en est ainsi du *Christ* sculpté entre 1890 et 1910 par un dénommé Pierre Plante, oeuvre que le Musée des beaux-arts de Montréal conserve depuis 1965 et dont Monique Lanthier a établi depuis peu qu'elle provenait de l'ancien calvaire de Sainte-Victoire, près de Sorel[35] (fig. 4).

Tout comme il existe des croix de chemin récentes en fer forgé, en ciment, en métal, en granit ou en poussière de pierre, on voit encore dans le paysage québécois un nombre appréciable de calvaires réalisés avec des matériaux plus durables que le bois. Coulé dans les ateliers de l'Union artistique de Vaucouleurs (France), le monument à huit personnages mis en place à Saint-Célestin-de-Nicolet en 1932 est le plus complexe de tous les calvaires érigés au Québec[36].

Avant de connaître une nette récession à partir des années 1960, la croix aux instruments de la Passion et le calvaire ont inspiré bien des écrivains québécois de la première moitié du XXᵉ siècle. Baignant dans l'idéologie nationaliste et agriculturiste de leur époque, ceux-ci n'ont vu dans la croix de chemin qu'un symbole de foi et de tradition, qu'une illustration de la ferveur religieuse de nos paysans de souche française. Cette vision sentimentale se dégage notamment des textes qui furent soumis en 1918, au premier concours littéraire de la Société Saint-Jean-Baptiste de Montréal, un concours placé sous le thème de « la croix du chemin ». En guise d'illustration du phénomène, nous nous contenterons de citer un extrait fort révélateur de la nouvelle de Léo-Paul Desrosiers intitulée « Notre Croix » :

« Je les ai vues, les blanches croix lumineuses, disséminées partout le long de nos routes, comme une floraison de l'âme canadienne, comme l'esprit du sol remué par les ancêtres ; j'ai vu leur rayonnement splendide d'idéal dans les « habitants » prosternés à leur pied, j'y ai trouvé la source des énergies profondes et sourdes de notre race, le principe latent de notre survivance héroïque, le sens glorieux de notre histoire. En elles gisent un gage de moralité, un lieu puissant et mystique, une influence assainissante. Elles donnent aux paysages une physionomie, une signification morale, les illuminent, les spiritualisent et les agrandissent dans un geste d'infini, elles sont révélatrices de l'âme canadienne »[37].

Fig. 4   Pierre Plante, *Christ en croix provenant de l'ancien calvaire de Sainte-Victoire*, entre 1890 et 1910, bois polychrome, Musée des beaux-arts de Montréal (Photo M.B.A.M.)

La vision sentimentale d'un Desrosiers a été en quelque sorte partagée par le peintre Horatio Walker, un émule de Millet établi dans l'île d'Orléans et qui s'est plu à souligner la foi simple et authentique du paysan (cat. 252). Quant au sculpteur Alfred Laliberté, il a fixé dans le bronze deux scènes se rapportant à la croix de chemin, scènes qui font partie de sa fameuse suite consacrée aux légendes, coutumes et métiers du terroir (cat. 250 et 251). Fait symptomatique, il s'inspira dans les deux cas de sources littéraires évoquant les châtiments qui, selon la légende, étaient réservés au passant qui osait manquer de respect au calvaire.

John R. Porter

---

35. Voir Lanthier, *op. cit.*, p. 66.

36. Voir Porter et Désy, *op. cit.*, p. 76 et 78.

37. Cité dans *Idem*, p. 132 et 134.

Frederick W. Hutchison, 1871-1953

247. *Sur la route de La Malbaie, vers 1935*

Huile sur toile. 101,6 × 127 cm.

Inscription

(en bas, à gauche): « F. W. Hutchison ».

La région de Charlevoix, colonisée à partir du Régime français, fut remarquée dès la seconde moitié du XIXᵉ siècle comme un site touristique privilégié. Les communications et les facilités d'hébergement facilitèrent les séjours des visiteurs et des artistes, qui y recherchaient le pittoresque des paysages et des habitants.

Hutchison étudia à l'école de l'*Art Association* de Montréal, où il dut entendre parler de cette région que fréquentait déjà son premier maître William Brymner (1855-1925). Devenu en 1905

professeur d'art au College of City of New York, Hutchison séjournait pendant l'été au Québec, et Charlevoix fut l'un de ses lieux de villégiature préférés.

Le point d'observation dominant permet de présenter une vue en raccourci des fermes, qui semblent ainsi plus rapprochées. Les couleurs ravivées par une percée de soleil sur la ligne d'horizon et la riche matière picturale dynamisent ce paysage vallonneux de l'intérieur des terres en début d'automne. La croix de chemin est étroitement associée à la maison du premier plan et à la route, qu'elle croise à plusieurs reprises. Par sa position, elle domine le paysage tout en y étant parfaitement intégrée.

Il existe une réplique de ce tableau de plus petites dimensions (62,2 × 74,9 cm), au Mount Royal Club de Montréal.   L.L.

Exposition

1940, Montréal Art Association, *Exhibition of Paintings by F. W. Hutchison, N. A., R. C. A.,* n° 86

Bibliographie

« Lower St. Lawrence Area Scenes Inspire Brush of F. W. Hutchison ... », 1940. AYRE, « Vivid Impressions by F. Hutchison », 1940. Montréal Museum of Fine Arts, *Catalogue of Paintings*, 1960, p. 20. THOMAS, *Frederick William Hutchison*, 1982, p. 81-82.

Collection

Musée des beaux-arts de Montréal, Montréal, achat, fonds Dr. F.J. Shepherd (946.964).

Anonyme

248. *Christ de l'ancien calvaire de Saint-Augustin*, 1747

Bois polychrome. 198 × 175 cm.

Les circonstances de l'érection, en 1741, de l'ancienne croix de chemin de Saint-Augustin et de l'installation d'un corpus en bois sur cette croix en 1747 ont été relatées par soeur Geneviève Duplessis de l'Enfant-Jésus dans le livre de comptes de l'Hôtel-Dieu de Québec, à la fin de cette même année 1747 :

« *Ce fut aussi pour notre consolation que le 14e septembre jour de la feste de l'Exaltation de la Ste Croix de cette année 1747 le Christ fut placé dans le petit calvaire au bout de la Cote du moulin de St Augustin sur le domaine des Pauvres, qui se trouvent heureux davoir Jesus Christ pour Pere et pour Seigneur, sa providence ayant voulu que leur hotel Dieu fut fondé sous les auspices de son précieux Sang et dédié à la Croix. Depuis sept ans* [en 1741] *ils* [« Les Pauvres », c'est-à-dire l'Hôtel-Dieu] *avoient fait leur possible pour luy donner par cet errection une marque de confiance.(...) Ainsi les pauvres de cet hopital en ont fourni seulement les matériaux avec la figure du Christ, qui attire la confiance et la piété des passants étant exposé sur un chemin qui se croise et par lequel ont passe de tout côté* ».

« *Un nombre considérable d'habitants assistèrent a la cérémonie de l'élévation de la Croix qui se fit lapres mydi de cette feste, Monsieur Denoyers assisté de Mr le Curé de la pointe aux tremble y fit une exhortation touchante qui tira les larmes des yeux de toute cette assemblée qui sortirent de ce saint lieu plain de componction, comme ceux de Jerusalem revinrent du Calvaire ou ils avoient vû expirer Jesus Christ, en frapant leur poitrine, on ne peut voir cette représentation qu'on ne soit touché de devotion, et les pelerains y viennent meme d'assez loin* ».

Ainsi donc, le calvaire de Saint-Augustin appartenait à l'origine à l'Hôtel-Dieu de Québec, qui était propriétaire depuis 1734 de la seigneurie du même nom. Au milieu du XIXe siècle, les hospitalières consentirent à le céder à la fabrique de Saint-Augustin, à condition que celle-ci continue à en assurer l'entretien. Jusque-là, le passant avait pu contribuer à cet entretien en déposant une offrande dans le tronc qu'on avait à l'origine placé au pied de la croix. Déjà réparé en 1797, le calvaire fit à nouveau l'objet d'importants travaux de restauration – voire de reconstruction – en 1885 et en 1931. De toute évidence, ces travaux visaient essentiellement à assurer la pérennité du grand édicule clôturé qui abritait le Christ en croix (ill. 248a). En 1939, la fermeture du chemin public le long duquel le calvaire était érigé entraîna le déplacement de l'ouvrage depuis le haut de la côte du moulin (à quelque dix arpents au sud-ouest du lac Saint-Augustin) jusqu'à proximité d'une école sise trois arpents plus loin. Le 29 août 1977, une violente tempête devait finalement renverser l'édicule du calvaire et briser la croix sur laquelle le corpus était fixé. Le *Christ* de 1747 fut aussitôt mis à l'abri dans l'église de Saint-Augustin, où il est demeuré depuis.

L'impressionnant corpus en bois sculpté de Saint-Augustin représente le Christ après qu'il

Ill. 248a   H. Ivan Neilson, *Le calvaire de Saint-Augustin*, 1916, eau-forte, 42,6 × 32,5 cm ; Musée du Québec (34.479-E) (Photo Musée du Québec).

eut rendu le dernier soupir. Il n'a pour tout vêtement qu'une perizonium, simple linge tenu en place par un bout de corde. Conformément à un usage quasi constant au Québec, le corpus est fixé à la croix par quatre clous. La qualité des traits du visage du Sauveur avait tout pour inciter le passant à la prière et au recueillement. Dans son ensemble, la pose du personnage paraît toutefois plutôt raide et hiératique. Le contraste est d'ailleurs frappant entre l'ossature schématisée de la poitrine et le beau mouvement du perizonium. Quant à la polychromie de l'ensemble de la sculpture, elle n'est évidemment pas d'origine. De fait, les corpus de nos calvaires étaient repeints périodiquement, pour en maintenir la décence et assurer leur conservation. Les revêtements successifs du

Christ de Saint-Aujustin font en quelque sorte partie intégrante de son histoire. C'est pourquoi on s'est contenté de consolider la sculpture aux fins de la présente exposition.   J.R.P.

Bibliographie

A.M.H.D.Q., *Livre de recettes et dépenses de l'Hôtel-Dieu de Québec* (1732-1775), f. 146 (année 1747). BÉCHARD, *Histoire de la paroisse de Saint-Augustin (Portneuf)*, 1885, p. 180, 343, 345 et 370. GAGNON, « Le Calvaire de Saint-Augustin et l'Hôtel-Dieu de Québec », 1972, 46 pages et annexes, repr. PORTER et DÉSY, *Calvaires et croix de chemins du Québec*, 1973, p. 48-49, repr. « Avenir incertain pour le *Calvaire du Lac* », 1977, p. 4. CARPENTIER, *Les croix de chemin : au delà du signe*, 1981, p. 38.

Collection

Fabrique Saint-Augustin, Saint-Augustin-de-Desmaures.

Cornelius Krieghoff, 1815-1872

249. *Le blizzard*, 1857

Huile sur toile. 33,4 × 46,1 cm.

Inscription

(en bas, à droite): « C. Krieghoff/Québec 1857 ».

Sur la route enneigée, tandis que la tempête fait rage, deux voyageurs se rencontrent devant la croix de chemin. Dans le dur combat que se livrent la nature et la culture (rapidement évoquées par la forêt, la neige, le traîneau (suisse), les animaux domestiques, les clôtures), la croix, centrale et fantaisiste, se dresse comme le point de convergence de cet univers, La croix de chemin est ici borne de la route, limite de terrains et lieu fortuit de rencontre.

Cette croix clôturée, surmontée d'une boule et d'un coq, avec au centre un soleil à quatre rayons, et aux extrémités de laquelle s'accrochent une forme arrondie et le motif fleurdelysé, revient comme un leitmotiv dans l'oeuvre de Krieghoff (*La malchance du boulanger,* coll. hon. K.R. Thomson, Toronto; *Le blizzard,* musée McCord, Montréal). Elle constitue une sorte de commentaire sur le gallicanisme encore vivant au Québec à cette époque.

La carrière professionnelle de Krieghoff commença assez tardivement, lors de son établissement à Montréal en 1846, après un séjour d'études en Europe. À Montréal jusqu'en 1853 et à Québec jusqu'en 1863, il jouit d'une réputation enviable, mais instable, en tant que paysagiste, peintre de scènes de genre et portraitiste. Adaptant au Québec les compositions hollandaises et anglaises, il proposa une vision malgré tout exotique de la nature et souvent caricaturale des habitants. Habile technicien et observateur remarquable, il sut le premier créer une iconographie variée des différents aspects de la vie au Canada.   L.L.

Exposition

1971, Québec, Musée du Québec, *Cornelius Krieghoff 1815-1872,* n° 95, repr.

Bibliographie

New International Illustrated Encyclopedia of Art, 1967, vol. 4, p. 803, repr. VÉZINA, *Cornelius Krieghoff,* 1972, p. 175, 215, repr. PORTER et DÉSY, *Calvaires et croix de chemin,* 1973, p. 32 et 33, repr. HARPER, *Krieghoff,* 1979, p. 78.

Collection

Galerie nationale du Canada, Ottawa, (9012).

Alfred Laliberté, 1878-1953

250. *Le blasphémateur devant le calvaire*, 1928-1932

Bronze. 56,9 cm.

Inscriptions

(sur la base, derrière): « A. Laliberté », (sur la base, devant): « Le blasphémateur devant le calvaire ».

« Un campagnard avait l'habitude d'arrêter son attelage pour prier devant la croix. Un jour qu'il était de mauvaise humeur il voulut passer outre et frappa ses bêtes. Mais celles-ci ne se remirent en marche qu'après qu'il se fut age-nouillé et qu'il eut demandé pardon. »

C'est avec ce texte que le folkloriste Edouard-Zotique Massicotte présente *Le blasphémateur devant le calvaire* dans le luxueux album con-sacré aux ouvrages de Laliberté qu'édita la Li-brairie Beauchemin, de Montréal, en 1934.

Bien que la légende des « boeufs qui s'arrêtent au calvaire » soit une création littéraire, elle s'inscrit dans un thème connu du peuple, celui des animaux immobilisés par une force invisi-ble. Comme le note Paul Carpentier dans son étude sur *La légende dans l'art québécois*:

« L'ampleur de la réaction (les boeufs qui s'ar-rêtent devant le calvaire) témoigne bien de l'importance du rituel. La croix de chemin et le calvaire sont des objets sacrés au sens fort du terme. La coutume d'y faire une prière en re-connaissance de ce caractère sacré est aussi bien ancrée que le respect que l'on doit donner au prêtre en tant que représentant de Dieu. Manquer à ces obligations, c'est contester la vérité religieuse, et ultimement, l'ordre qu'elle représente. »   Y.L.

Expositions

1976, Victoria, Art Gallery of Greater Victoria, *Légen-des: Alfred Laliberté. Collection du Musée du Québec*, n° 1, repr. 1978, Québec, Musée du Québec, *Les Images d'Alfred Laliberté*, 1978, n° 65, repr. 1979, Québec, Musée du Québec, *La légende dans l'art québécois*, n° 45, repr.

Bibliographie

Légendes, Coutumes, Métiers de la Nouvelle France, 1934 n° 8, repr. *Catalogue partiel des Bronzes d'Al-fred Laliberté*, 1935, p. 6, n° 8

Collection

Musée du Québec, Québec, (34.456-S).

Alfred Laliberté, 1878-1953
251. *Jacques le réprouvé*, 1928-1932

Horatio Walker, 1858-1938
252. *Ave Maria*, 1906

Bronze, 54,2 cm.

Inscriptions
(sur la base, derrière): « A. Laliberté »,
(sur la base, devant): «Jacques le réprouvé ».

Avec *Jacques le réprouvé*, Alfred Laliberté montre bien qu'il ne possédait qu'une connaissance littéraire du corpus légendaire québécois. En effet, l'histoire de ce cultivateur en colère qui donne un coup de fourche au Christ en croix et dont la fourche se brise et lui perce du coup le coeur nous est racontée par Pamphile Lemay dans ses *Contes vrais* et n'a aucun écho, comme tel, dans la tradition orale.   Y.L.

Expositions
1976, Victoria, Art Gallery of Greater Victoria, *Légendes: Alfred Laliberté, Collection du Musée du Québec*, n° 18, repr. 1978, Québec, Musée du Québec, *Les ouvrages d'Alfred Laliberté*, 1978, n° 113, repr. 1979, Québec, Musée du Québec, *La légende dans l'art québécois*, n° 73, repr.

Collection
Musée du Québec, Québec, (34.432-S).

Huile sur toile, 116,8 × 86,4 cm.

Inscription
(en bas, à droite): « 1906 by Horatio Walker ».

Horatio Walker a traité à plusieurs reprises du thème du paysan sur le chemin de son travail, accompagné de ses bêtes, et recueilli au pied d'une croix de chemin (*De Profundis*, 1914-1916, Galerie nationale du Canada; *Ave Maria*, 1919, chapelle Saint-Bernard du Mont-Tremblant). L'échelle des personnages, choisie dans ce tableau de format vertical, suggère une société hiérarchisée; l'union du laboureur adressant une prière au Christ en croix s'opère par l'épaisse et chatoyante lumière du ciel. Bien que la silhouette du paysan émerge au-dessus de la ligne d'horizon, il fait bloc avec les deux boeufs, et le mouvement courbe produit par cette masse est répercuté dans la lumière du ciel qui effleure le corpus.

Même si Horatio Walker résidait une grande partie de l'année dans sa propriété de Sainte-Pétronille, dans l'île d'Orléans, depuis 1888, sa carrière fut essentiellement américaine. C'est aux États-Unis qu'il étudia, vécut et qu'il exposa, entre de fréquents voyages en Europe. Sa thématique, inspirée du peintre Jean-François Millet, s'intéresse aux habitants, ces paysans-propriétaires vus dans le contexte de ses différents séjours saisonniers. Ni la géographie de l'île d'Orléans, ni son architecture, ni les activités caractéristiques de ses habitants ne jouent de rôle particulier dans ses oeuvres. Il s'intéresse autant à l'observation des animaux qu'aux différentes activités agricoles, toujours inscrites sur un sol humide et gras devant des ciels nuageux et bariolés de couleurs. Paul Carpentier (*Les Croix de chemin: au-delà du signe*, 1981) n'a pas retrouvé au Québec de croix ayant aux extrémités le même motif que celle-ci. Même si elle se fonde sur l'observation et sur une expérience directe de la nature, l'oeuvre de Walker propose une conception idéalisée de ses sujets.   L.L.

Expositions
1941, Ottawa, Galerie nationale du Canada, *Horatio Walker*, n° 4 *prêté par the Corcoran Gallery, Washington* 1941, Toronto, Art Gallery of Toronto, *Thomson – Walker, prêté par the Corcoran Gallery, Washington*. 1965, London, Burlington House, *Festival of the Arts*. 1973, Tom Thomson Memorial Gallery; Robt. Mc Laughlin Gallery. 1975, Washington, Smithsonian Institution, *American Art in the Barbizon Mood*, n° 84, repr. 1975, Toronto, York University, *100 Years of Canadiana*. 1976, Kitchener – Waterloo, Art Gallery, *La Belle Époque*. 1977, Kingston, Agnes Etherington Art Centre, Queen's University, *Horatio Walker 1858-1938*.

Bibliographie
CAFFIN, *The Story of American Painting*, 1907, p. 126. repr. HAMMOND, « Horatio Walker », 1919, repr. PRICE, « Horatio Walker, the Elemental », 1923, p. 359-362. PRICE, *Horatio Walker*, 1928, p. II, repr. ROY, *L'île d'Orléans*, 1928, p. 24, repr. « Farm Art Is Fertile Theme », 1936. HARPER, *La peinture au Canada*, 1966, p. 212, repr. KILBOURN, *Great Canadian Painting*, 1966, p. 59, repr. PORTER et DÉSY, *Calvaires et croix de chemin*, 1973, p. 34-35, repr.

Collection
Art Gallery of Hamilton, Hamilton, (gift of the Women's Committee).

CHAPITRE QUATORZIÈME
L'INTÉRIEUR DOMESTIQUE RURAL

Comme l'ont montré des recherches récentes, les objets de piété étaient plutôt rares dans les intérieurs domestiques québécois des XVIIe et XVIIIe siècles. Seuls quelques privilégiés aisés, principalement « ... des administrateurs, des officiers et des marchands... »[1], possédaient un décor intérieur à connotation religieuse. S'approvisionnant, à partir du début du XVIIIe siècle, auprès de quelques commerçants qui « ... offrent à leur clientèle des images, chapelets, petites croix, des livres d'heures et de cantiques... »[2], ces citadins, dont les contacts avec le clergé étaient fréquents, soulignaient le confort de leurs demeures en les embellissant[3].

Par contre, « ... chez les habitants et les artisans, l'absence totale d'objets de piété s'accorde avec le caractère rudimentaire du mobilier »[4]. Dans les demeures des ouvriers des Forges du Saint-Maurice « ... aucun crucifix, aucune image pieuse et aucun livre religieux n'est relevé »[5]. Pour leur part, les habitants de la région de Québec ne possédaient que quelques rares crucifix, images et bénitiers[6]. Établis dans les régions rurales, où ils « ... échappent pratiquement à l'influence directe du clergé... »[7], les habitants, vraisemblablement peu enclins aux pratiques dévotes, se préoccupaient surtout d'accroître leur patrimoine terrien.

Des lendemains de la Conquête aux premières décennies du XIXe siècle, les ruraux canadiens, quelque peu repliés sur eux-mêmes, se montraient parfois réfractaires aux appels répétés des gens d'Église, qui établissaient progressivement leur emprise par un « ... encadrement toujours plus serré de la population ... »[8]. Le développement des paroisses, l'expansion des communautés religieuses, l'institution des écoles rurales, la multiplication des confréries et des associations changeront peu à peu, au cours du XIXe siècle, des mentalités et des attitudes énergiquement stimulées par les prédications pastorales[9].

Pendant la seconde moitié du XIXe siècle, le décor domestique s'enrichit graduellement. Les croisades de tempérance, exceptionnellement populaires entre 1840 et 1850, stimulent l'installation de la célèbre « croix noire » « ... que le

1. Luce Vermette, « Le décor mural dans les intérieurs montréalais entre 1740 et 1760 », *La vie quotidienne au Québec, Histoire métiers, techniques et traditions*, Québec, Presses de l'Université du Québec, 1983, p. 234.

2. Louise Dechêne, *Habitants et marchands de Montréal au XVIIe siècle*, Paris et Montréal, Plon, 1974, p. 476.

3. Le voyageur Kalm, reçu à la haute-ville de Québec, constate que : « *l'intérieur des maisons est bien meublé : différentes sortes de tapisseries, comme chez nous, une commode placée entre deux fenêtres et munie de nombreux tiroirs, un grand miroir à encadrement doré au-dessus de la commode ; divers contrefait sic sur les murs, au nombre desquels pas mal de prêtres et de moines ; également de nombreuses images ou peintures de saints, ainsi que d'assez nombreuses reproductions de Notre Sauveur en croix ou de la Vierge Marie portant Notre Sauveur dans les bras.* » *Voyage de Pehr Kalm au Canada en 1749*, Jacques Rousseau et Guy Béthune éd., Montréal, Pierre Tisseyre, 1977, p. 325 (f° 777).

4. Louise Dechêne, *Ibid.*

5. Luce Vermette, *La vie domestique aux Forges du Saint-Maurice*, Ottawa, Direction des lieux et des parcs historiques nationaux, Parcs Canada, 1982, p. 116.

6. Jocelyne Mathieu, *Les intérieurs domestiques comparés Perche-Québec, XVIIe, XVIIIe siècles*, Paris, École des Hautes Études en Sciences sociales, 1983, thèse de doctorat, p. 302, tableau 11 : Nombre des inventaires à posséder des éléments de décor.

7. Denis Monière, *Le développement des idéologies au Québec des origines à nos jours*, Montréal, Québec/Amérique, 1977, p. 68.

8. Guy Laperrière, « Religion populaire, religion de clercs? Du Québec à la France, 1972-1982 », *Religion populaire Religion de clercs?* Benoît Lacroix et Jean Simard éd., Québec, Institut québécois de recherche sur la culture, 1984, p. 23.

9. Comme le démontrent Serge Gagnon et René Hardy dans *L'Église et le village au Québec 1850-1930*, Montréal, Leméac, 1979, p. 174.

chef de famille tempérant reçoit solennellement à l'église, installe dans sa maison à la place d'honneur et, à sa mort, transmet à son héritier... »[10]. Dès lors se multiplient les oeuvres et associations, aussi nommées archiconfréries, confréries, ligues, sociétés et unions, qui diffusent, en plus des petits manuels, des quantités de petites et de grandes images servant de certificats ou de diplômes d'association[11]. Régulièrement distribuées par les membres du clergé et des communautés religieuses, les images, dont la majorité sont importées d'Europe et, plus tard, des États-Unis, envahissent bientôt l'intérieur domestique (cat. 253): « ... on retrouvait les images en place d'honneur sur les murs de la « grande chambre » : l'Enfant Jésus, la Vierge, la Sainte Famille, le Calvaire, sainte Anne »[12], sans compter les Sacrés-Coeurs grand format.

À la fin du siècle, la circulation des biens s'accentue. Les écoles rurales, établies graduellement durant la seconde moitié du XIXᵉ siècle, conduisent filles et garçons à la première communion, les ayant instruits des vérités et des représentations contenues dans les « grands catéchismes en images ». Les centres de pèlerinage[13], de mieux en mieux organisés et de plus en plus fréquentés, attisent la dévotion des visiteurs, qui s'y approvisionnent en images, médailles, chapelets, croix et crucifix, cierges, eau bénite et huile miraculeuse, statuettes et statues, pour ne nommer que ceux-là. Intimement liée à l'accroissement des pratiques dévotes[14], la popularité des objets de piété va sans cesse grandissant. Les procures des communautés, les librairies et les établissements spécialisés, les magasins généraux, les colporteurs qui visitent les régions éloignées, les grands magasins qui distribuent des catalogues, plus tard les journaux et les périodiques, offrent de tout à une clientèle devenue friande.

Disséminés dans la maison et rendant compte de l'ensemble des dévotions individuelles, les signes de religiosité, parfois surabondants[15], composent un décor omniprésent. Les objets pieux sont regroupés en un lieu précis, dans la pièce où se réunit la famille (cat. 256), et ils sacralisent l'espace réservé au culte domestique.

Les « cadres » des Sacrés-Coeurs de Jésus et de Marie (cat. 254 et 255), signes explicites du décor quotidien, illustrent particulièrement bien le cheminement de l'artiste populaire, dont l'imaginaire est meublé des symboles et des représentations de sa foi. S'inspirant des thèmes et des modèles fournis, il ornemente ses objets usuels et agrémente son intérieur d'oeuvres personnelles dans lesquelles il met sa sensibilité, car l'artiste populaire exprime dans son univers quotidien tout son vécu, son enracinement dans le milieu naturel et sa mémoire de travail. Il adapte ce qu'il connaît aux représentations mentales qu'on lui a inculquées depuis l'enfance et aux modèles qu'on lui propose. C'est dans sa maison que l'artiste s'exprime d'abord. Alliant le sacré et le profane, les objets à caractère religieux glissent aisément vers une fonction décorative. Tout comme les moules à sucre, les cannes ou les couvertures de lit abandonnent leur seule fonction utilitaire pour mettre en valeur un décor religieux, les crucifix, tableaux et statuettes à sujet religieux ne sont pas qu'objets de piété, mais aussi ornements dans l'intérieur domestique. Et l'étalage de ces oeuvres permet à l'artiste populaire d'être lui aussi admiré, comme en témoignent ces beaux exemples...

Pierre Lessard

---

10. Nive Voisine, « Mouvements de tempérance et religion populaire », *Religion populaire Religion de clercs?*, p. 69.

11. Pierre Lessard, *Les petites images dévotes. Leur utilisation traditionnelle au Québec*, Québec, Les Presses de l'université Laval, 1981, p. 161-166; l'auteur identifie 223 oeuvres et associations ayant diffusé des images entre 1860 et1950.

12. Jean-Charles Falardeau, « Religion populaire et classes sociales » *Religion populaire Religion de clercs?*, p. 289.

13. Guy Laperrière, « Les lieux de pèlerinage au Québec, Une vue d'ensemble », *Les pèlerinages au Québec*. Pierre Boglioni et Benoît Lacroix éd., Québec, Les Presses de l'université Laval, 1981, p. 56-58; l'auteur dresse la liste des lieux de pèlerinage au Québec au milieu du XXᵉ siècle.

14. Les pratiques et les dévotions des Québécois sont décrites et illustrées dans: Jean Simard et autres, *Un patrimoine méprisé, La religion populaire des Québécois*, Montréal, Hurtubise HMH, 1979, p. 309.

15. Pour constater leur étonnante diversité, il faut lire: *Religions et traditions populaires*, Paris, Musée national des arts et traditions populaires, Ministère de la Culture et de la Communication, Édition de la Réunion des Musées nationaux, 1979, p. 267.

**Marc-Aurèle de Foy Suzor-Coté,
1869-1937**

253. *L'enfant malade*, 1895

Huile sur toile. 66,4 × 89,1 cm.

Inscription
(en bas à droite): « Suzor-Coté/95 ».

Les épidémies fréquentes et le travail des enfants frappèrent particulièrement la jeunesse au XIXe siècle, donnant naissance à une nouvelle iconographie où des parents éplorés veillent auprès de jeunes malades. *The Doctor* (1891), de Sir Luke Fields (1843-1927), est sans doute le prototype le plus populaire et le plus contemporain de l'oeuvre de Suzor-Coté.

Par l'accumulation de détails, comme s'il s'agissait de faire plus vrai que le vrai, l'artiste évoque deux univers sous les combles de cet intérieur modeste: la piété catholique avec son foisonnement d'images, encadrées ou non; crucifix, bénitier et rameau voisinent avec le monde rural suggéré par le mobilier rustique et dépareillé, les tapis tressés et les sabots. La misère règne dans le foyer de ce veuf, et l'hy-

giène, qui semble être la seule médecine en vigueur, est fortement remise en question par tout ce linge mis à sécher sans qu'aucune source de chaleur ne soit visible. Le plancher est soulevé, afin de mieux déployer toute la panoplie misérabiliste, qui est paradoxalement rendue par une palette vive et un pinceau alerte. Le premier plan, dégagé, permet de saisir l'attitude pathétique du père tourné vers le visage du malade, dont le corps est aplati sous le poids des couvertures. S'agit-il d'une jeune fille, comme les traits fins et la coupe de cheveux pourraient le laisser deviner?

Peintre ambitieux et prolifique, Suzor-Coté en 1895 est de retour à Arthabaska après un premier séjour d'études à Paris (1891-1894), dans les ateliers de Léon Bonnat (1833-1922) et de Fernand Cormon (1845-1924). Il est en train d'acquérir, par sa participation à plusieurs expositions, une réputation de paysagiste, de peintre de nature morte et de portraitiste. Avec

L'Enfant malade et *Le Collectionneur* (Galerie nationale du Canada, 1899), le jeune artiste semble vouloir affronter un genre plus ambitieux. Ici, il attache ses pas à ceux d'autres artistes canadiens ayant également reçu une formation académique, et qui tendent de définir un art qui soit adapté au Canada, par la représentation de sujets locaux.   L.L.

Expositions
1895, Montréal, kermesse Hôpital Notre-Dame, sous le titre: « Intérieur de pauvre »? 1983, Québec, Musée du Québec, *Le Musée du Québec. 500 oeuvres choisies*, p. 147, repr.

Bibliographie
Jouvancourt, *Suzor-Coté*, 1967, p. 21; 1978, p. 25, repr. Roussan, « À la recherche de Suzor-Coté », 1968, repr. Falardeau, « *Marc-Aurèle-alias-Suzor-Coté* », 1969, n° 15, repr. (avec le titre « *Vieillard guettant le réveil de sa compagne* ».)

Collection
Musée du Québec, Québec, (A-78.45-P).

Anonyme

254 et 255. *Sacré-Coeur de Marie* et
**   *Sacré-Coeur de Jésus*,**
**   début du XXᵉ siècle**

Ill. 255a *Sacré-Coeur de Jésus*, Suisse,
début du XXᵉ siècle; chromolithographie,
43 × 33 cm; Archives de folklore
(Coll. Larouche-Villeneuve), C.E.L.A.T.,
université Laval (Photo Musée du Québec,
Jean-Guy Kérouac).

Ill. 254a *Sacré-Coeur de Marie,* Suisse,
début du XXᵉ siècle; chromolithographie,
43 × 33 cm; Archives de folklore
(Coll. Larouche-Villeneuve), C.E.L.A.T.,
université Laval (Photo Musée du Québec,
Jean-Guy Kérouac).

Bois polychrome. 74 × 62 cm.

Étroitement liée, dans l'art chrétien ancien, à la vénération des plaies du Christ, l'iconographie du Coeur de Jésus fut radicalement renouvelée, à partir du XVIIᵉ siècle, sous l'influence combinée de Jean Eudes, fondateur des Eudistes et apôtre de la dévotion aux Sacrés-Coeurs de Jésus et de Marie, et de Marguerite-Marie Alacoque, visitandine de Paray-le-Monial, propagatrice de la dévotion au Sacré-Coeur de Jésus. À la fin du XIXᵉ siècle, après la béatification de Marguerite-Marie Alacoque (19 août 1874) et à la suite du Voeu National de la France au Sacré-Coeur (16 juin 1875), un fort mouvement de dévotion s'étendit sur toute la chrétienté.

Au Québec, ce courant s'implanta rapidement et il s'amplifia très tôt par la multiplication d'oeuvres et d'associations dédiées au Sacré-Coeur. Ces « Ligues du Sacré-Coeur », presque exclusivement consacrées à la sauvegarde du fait catholique français, diffusèrent une très grande variété de représentations du thème par une distribution massive d'images, pour la plupart imprimées en Europe. Ainsi, dès la fin du XIXᵉ siècle, on vit apparaître, dans le décor de l'intérieur domestique québécois, de grandes images, souvent vendues en paires, des Sacrés-Coeurs de Jésus et de Marie, qui influencèrent très certainement les nombreuses représentations du coeur dans l'art populaire local.

S'inspirant sans aucun doute de chromolithographies (Ill. 254a et 255a) éditées en Europe et largement diffusées au début du siècle, l'auteur de ces oeuvres a donné libre cours à son inspiration en sculptant des cadres ornés de motifs religieux et décoratifs qu'il a rehaussés de vives couleurs. Bien agencés et de facture soignée, ces bas-reliefs polychromes illustrent bien la sensibilité de l'artiste populaire qui personnalise ses objets de dévotion.   P.L.

Exposition
1975, Québec, Musée du Québec, *Arts populaires du Québec*, n. p., repr.

Collection
Musée du Québec, Québec, (A-68. 333-S et A-68. 334-S).

Simone-Mary Bouchard, 1912-1945
256. *La famille à l'ouvrage*, vers 1938

Huile sur soie. 40,5 × 61 cm.

Inscription

(en bas à droite): « Mlle S. Mary Bouchard »

Bien avant qu'on s'intéressât ici à sa production, Mary Bouchard, artiste naïve du comté de Charlevoix, était connue à Boston et à New York grâce aux riches touristes américains qui venaient faire la pêche au saumon dans la région. Ils y voyaient sans doute une sorte de Grandma Moses locale.

Grâce à l'appui de Jean-Marie Gauvreau, directeur de l'École du Meuble, puis de John Ly-man, fondateur de la Société d'Art Contemporain (S. A. C.), le talent de Mary Bouchard fut reconnu également au Québec.

Dans le climat de rattrapage culturel qui caractérisa la peinture au Québec durant les années quarante, Mary Bouchard joua dans l'avant-garde montréalaise le rôle que le Douanier Rousseau avait joué à Paris. Elle fut admis à la S. A. C. et exposa avec les membres de cette société aux côtés de Borduas, Pellan, Lyman, Roberts, Cosgrove, etc... Le père Couturier (cat. 106) l'avait invitée en 1940 à participer à la première Exposition des Indépendants, à Québec et à Montréal.

Dans *La famille à l'ouvrage*, elle s'est représentée elle-même, à gauche, en train de peindre. Ailleurs dans le tableau, son frère s'adonne à la sculpture sur bois. Une de ses soeurs fait de la broderie. Leur mère s'affaire à ses chaudrons et ses petites soeurs à leurs études. On notera au mur la présence d'images religieuses: une Sainte Famille à gauche; une croix de tempérance; et un Sacré Coeur à droite.   F.-M.G.

Collection

Musée régional Laure-Conan, La Malbaie, collection privée.

Anonyme

257 et 258. *Saint Joseph* **et**
Sacré-Coeur de Jésus,
fin du XIXe siècle ou
début du XXe

Bois polychrome, 52 cm.

L'auteur de ces oeuvres, fort probablement destinées au culte domestique, a représenté les
deux saints personnages de la même façon que
la statuaire et l'imagerie religieuse diffusées
dans les foyers québécois à partir de la seconde
moitié du XIXe siècle. Saint Joseph se distingue
essentiellement par son attribut usuel, le lis
qu'il tient à la main, tandis que le Sacré-Coeur
relève directement de l'iconographie savante de
la vision de Marguerite-Marie Alacoque, où le
Christ apparaît à la sainte, dévoilant son
coeur. P.L.

Exposition

1975, Québec, Musée du Québec, *Arts populaires du
Québec*, n. p., repr.

Collection

Musée du Québec, Québec, saint Joseph (A-74.
240-S), Sacré-Coeur de Jésus (A-75. 16-S).

Philippe Roy, 1899-1982
259. *Saint Isidore le laboureur*, 1979

Bois polychrome et tôle. 40 cm.

Le culte de ce saint espagnol légendaire, valet de ferme mort en 1130, essaima au XVIIᵉ siècle dans certaines provinces de France, dont la Bretagne. Patron des laboureurs et des fermiers, dont il devait protéger les récoltes, il était représenté en paysan du terroir avec, pour attributs, des instruments aratoires comme la charrue, le fléau ou la faux, la serpe ou encore la gerbe d'épis de blé.

Son culte ne semble pas s'être étendu, sinon très tardivement, de ce côté-ci de l'océan, où s'établirent pourtant bien des agriculteurs. Parmi les quelques rares illustrations du saint qui soient connues, plusieurs relèvent d'une série d'images de petit format distribuées, après 1940, par les Clercs de Saint-Viateur, qui tenaient quelques écoles d'enseignement agricole. Le plus souvent représenté derrière la charrue (ill. 259a), dans un paysage tout à fait québécois, le saint demeure pourtant vêtu à la manière des paysans européens de son époque. S'inspirant d'une des petites images, l'auteur de ce saint Isidore reproduit les mêmes vêtements dans les mêmes couleurs, ajoutant même l'auréole.

Philippe Roy, de Saint-Philémon (Bellechasse), rapporta de ses nombreux hivers en forêt, un goût de sculpter le bois qui se traduisit plus tard par des dizaines de pièces inspirées de deux sources intimement liées : la nature et la religion. Toute sa vie, il sculpta les animaux de la ferme et des bois, qu'il entourait d'oiseaux, de fleurs et d'arbres, attribuant à chacun un rôle essentiel dans l'univers. Féru d'histoire sainte, connaissant bien l'Ancien et le Nouveau Testament, qui lui avaient été enseignés à la petite école, Philippe Roy exécuta une étonnante variété de compositions où figuraient plusieurs personnages, comme « Adam et Eve au Paradis », la « Nativité de Jésus », la « Sainte Famille », le « Christ et ses larrons », la « Vierge et saint Jean au Calvaire », pour ne nommer que celles-là. Inspiré par les scènes du grand catéchisme, influencé par la statuaire de l'église locale et par l'imagerie dévote, il interprétait naïvement les personnages et les décors, « embellissant » chacune de ses oeuvres de vives couleurs. Sensible à tout ce qui est nature, il laissa une oeuvre statuaire qu'il qualifiait lui-même de « fleurie ».   P.L.

Collection
Collection privée, Québec.

Ill. 259a *Saint Isidore*, chromolithographie imprimée à Montréal en 1942, 6,5 × 11 cm; Archives de folklore (Coll. Larouche-Villeneuve) C.E.L.A.T., université Laval (Photo Musée du Québec, Jean-Guy Kérouac).

Oscar Héon, 1901-1976

260. *Notre-Dame du Rosaire*

Anonyme

261. *Notre-Dame-du-Cap,*
    début du XXᵉ siècle

Ill. 261a *Notre-Dame-du-Cap,*
Reine du Saint-Rosaire, chromolithographie,
début du XXᵉ siècle, 6,8 × 11,7 cm;
Archives de folklore
(Coll. Larouche-Villeneuve),
C.E.L.A.T., université Laval
(Photo Musée du Québec, Patrick Altman).

Bois polychrome et tôle. 32 cm.

Dans les dernières années de sa vie, Oscar Héon, du Cap-de-la-Madeleine, fit de la sculpture sur bois son activité principale. N'utilisant que des matériaux de récupération, s'inspirant de tout et de rien, il fabrique une variété de pièces: petits animaux, jouets animés, girouettes, saints personnages, scènes de la vie quotidienne.

Toujours rehaussés de couleurs vives, ses personnages à l'allure lourdaude sont empreints de sincérité, comme cette Notre-Dame du Rosaire inspirée de la dévotion qui fut à l'origine du pèlerinage de Notre-Dame-du-Cap.   P.L.

Exposition
1975, Québec, Musée du Québec, *Arts populaires du Québec,* n. p., repr.

Bibliographie
SIMARD, et al. *Un patrimoine méprisé,* 1979, p. 113.

Collection
Direction de la mise en valeur des collections d'ethnographie, Québec, (A-75-635).

Bois polychrome et doré. 38 cm.

En 1854, à l'occasion de la proclamation du dogme de l'Immaculée Conception, un citoyen du Cap-de-la-Madeleine offrit à la paroisse une statue provenant des ateliers Carli de Montréal.

Le plâtre s'inspirait des représentations déjà existantes de l'Immaculée apparue à Catherine Labouré: la Vierge, debout sur un demi-globe, la tête légèrement inclinée par devant, les yeux baissés et les mains ouvertes, écrase du pied gauche la tête du serpent.

En 1904, cinquante ans plus tard, la statue, qui avait déjà acquis une grande renommée, dut être restaurée. Elle revint des ateliers Carli richement parée: le manteau, devenu bleu azur, et la robe avaient été parsemés de motifs floraux stylisés et dorés, les pans du manteau galonnés d'entrelacs de roses sur fond or. Il la fallait étincelante, car elle allait être au centre des grandioses célébrations qui eurent lieu cette année-là à l'occasion du jubilé d'or de la définition du dogme de l'Immaculée. Ainsi, le

12 octobre, la statue fut couronnée solennellement au nom du souverain pontife, rare privilège qui n'est accordé qu'aux statues conservées dans les lieux de pèlerinage les plus honorés et les plus fréquentés.

L'auteur de cette Notre-Dame-du-Cap, sans doute destinée au culte domestique, a repris les traits caractéristiques de la Reine du Saint Rosaire (ill. 261a), dont le rayonnement s'est étendu, au cours des décennies suivantes, bien au-delà des frontières provinciales. Devenue depuis Reine canadienne du Rosaire, la statue conserve la faveur populaire et elle attire encore un bon nombre de visiteurs au sanctuaire du Cap-de-la-Madeleine, construit après une succession d'événements merveilleux.   P.L.

Bibliographie
LESSARD et MARQUIS, *L'art traditionnel au Québec,* 1975, p. 61. SIMARD et al., *Un patrimoine méprisé,* 1979, p. 111, repr.

Collection
Université du Québec à Trois-Rivières, Trois-Rivières, (Collection Robert-Lionel Séguin).

Anonyme

262. *Canne*,
fin XIXe ou début XXe siècle

Bois verni. 87 cm.

Inscription
(sur la bague): « PC ».

Bâton de route parfois utile pour se défendre, objet d'apparat ou marque d'aisance, la canne, qui fut un des insignes du compagnonnage, est souvent un objet richement décoré. L'artiste populaire, qu'il s'agisse du berger français, du paysan slave ou de l'hivernant québécois, sculpte avec patience et finesse cet objet considéré comme précieux. Il orne son bâton de marche de têtes d'animaux sculptées dans le pommeau, ou bien encore il multiplie les motifs géométriques tout au long de la tige, où s'enroule fréquemment un serpent, symbole universel du début et de la fin.

Inspiré du récit de la vie du Sauveur, l'auteur de cette pièce, mélangeant l'ordre de succession des scènes, auxquelles il ajoute plusieurs représentations d'animaux, propose une série de petits tableaux choisis:
(de bas en haut)
– Jésus est mené à la croix par trois soldats romains munis de leurs outils: une pelle et un marteau, une équerre et une échelle, des tenailles et une égoïne.
– Un couple, vêtu en long, récite le chapelet.
– Saint Pierre, entouré du boeuf et de l'âne, tient d'une main une clef et de l'autre une canne à pêche au bout de laquelle s'agite un poisson.
– Un groupe d'animaux, qui comprend un lézard et une tortue, une belette (?) et un castor (?).
– Un panier, un poisson et trois pains ronds rappellent la multiplication des pains.
– Trois bergers s'approchent de la crèche où repose l'Enfant-Jésus entouré du boeuf et de l'âne; dans le ciel, l'étoile de Bethléem.
– Une Sainte Famille; l'enfant est au centre, tenant ses parents par la main.
– Le Christ au tombeau, avec deux femmes en prière.
– Le Sauveur, le coeur transpercé d'une épée et surmonté d'une croix, gît sur les genoux de sa Mère.
– Jésus sur la croix, surmontée d'un coq et du titulus et entourée de divers instruments de la passion: lance, marteau, échelle, tenailles, clous, couronne d'épines, équerre et égoïne.
– Adam nu et Eve vêtue d'une robe longue se tiennent par la main près du pommier, au-dessus de la tête du serpent, qui s'enroule autour de la canne dans le dernier tiers de celui-ci.　　　　　　　　　　　　　P.L.

Exposition
1975, Québec, Musée du Québec, *Arts populaires du Québec*, n. p., repr.

Bibliographie
LESSARD et MARQUIS, *L'art traditionnel au Québec*, 1975, p. 187 (castor), p. 196 (tortue), p. 197 (lézard), p. 276 (pommier), p. 383 (Christ en croix), repr. SIMARD et al., *Un patrimoine méprisé*, 1979, p. 207.

Collection
Direction de la mise en valeur des collections d'ethnographie, Québec, (A-68. 160-S).

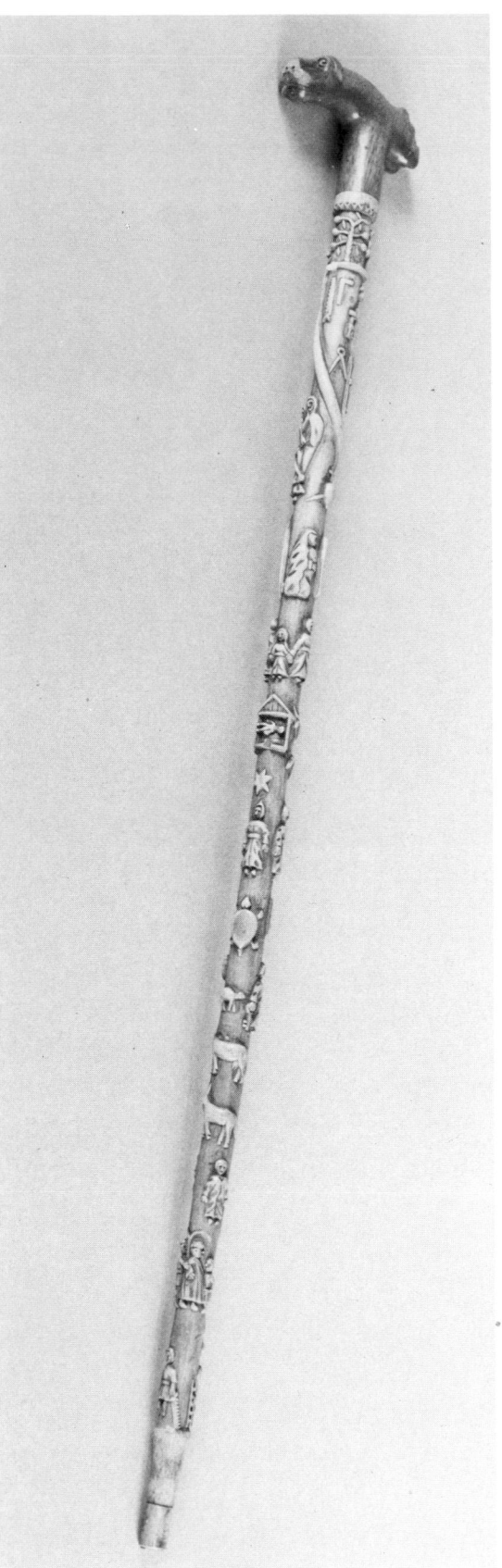

Détail

Anonyme

263. *Calvaire en bouteille*, fin du XIXᵉ siècle

Ill. 263a Florian Fradette, *Messe en bouteille*, 1953; verre, bois polychrome et doré, carton, papier, métal, tissu et cire 30 cm; Coll. Jocelyne Mathieu et Pierre Lessard, Québec (Photo Musée du Québec, Patrick Altman).

Verre, bois polychrome, cire, pierres. 30 cm.

L'assemblage en bouteille, qui exige patience et adresse, est un art à secret: l'objet doit donner l'impression d'être impossible à réaliser par le commun des mortels. Toutes les pièces, d'abord fabriquées et montées hors du contenant, puis insérées par le goulot, sont mises en place à l'aide de ficelles et de broches; il faut un bon tour de main pour réussir ensuite à les assembler solidement.

Connu en Europe depuis le XVIIIᵉ siècle, l'art du travail en bouteille s'est répandu rapidement autour de deux thèmes principaux. Les bateaux en bouteille, très prisés par les populations côtières et que fabriquaient les gens de mer et en particulier les gardiens de phare, eurent une grande vogue à l'époque de la marine à voile. D'autre part, la fabrication des calvaires en bouteille, inspirés des représentations traditionnelles de la croix et de la Passion, devint très populaire auprès de ceux qui savaient occuper leurs temps libres.

L'art du calvaire en bouteille, pratiqué au Québec depuis la seconde moitié du XIXᵉ siècle particulièrement, a donné lieu à de nombreux exemples d'ingéniosité. Les pièces les plus simples comprennent au moins une croix avec instruments, ou encore un Christ en croix. Plusieurs bouteilles contiennent trois croix avec leurs personnages, en plus d'une variété d'instruments. D'autres assemblages plus complexes, souvent réalisés dans des cruches, présentent des scènes beaucoup plus développées. C'est le cas de cette pièce exceptionnelle qui réunit, autour du Christ et des larrons, saint Jean et Marie, ainsi que trois soldats romains, tous ces personnages étant rehaussés de couleurs.

Notons aussi que d'autres thèmes pieux ont inspiré les artisans locaux, comme « La célébration de la messe » (ill. 263a), où le défi consiste à assembler un autel complet dans une bouteille ou dans une cruche.   P.L.

Exposition
1980, Toronto, Art Gallery of Ontario, *Trésors d'art populaire québécois*, nᵒ 9, repr.

Collection
Château Dufresne – Musée des Arts décoratifs de Montréal, Montréal, (coll. Paul Gouin).

264 à 268. *Crucifix (4) et croix*

Anonyme
264. *Crucifix*, vers 1800

Oscar Héon, 1901-1976
265. *Crucifix*

Les croix et crucifix sont des signifiants majeurs de la foi chrétienne. Dans l'intérieur domestique québécois, ils sacralisent les lieux de la vie quotidienne et incitent à la piété. Cet objet-symbole est le plus répandu de tous les artefacts à caractère religieux.

Rien n'indique qu'avant la fin du XVII⁰ siècle les croix domestiques aient été très répandues, mais aux XIX⁰ et XX⁰ siècles, plusieurs témoignages en confirment la multiplication. La chambre, témoin de tous les passages de la vie, de la naissance à la mort, devait en être dotée. Les religieuses de la Congrégation Notre-Dame enseignaient dès l'élémentaire, dans leur cours d'économie domestique, à donner à la chambre une « atmosphère de sanctuaire », où le crucifix, talisman bénit, représentait à la fois force, soutien et consolation (*L'économie domestique à l'école élémentaire*, Québec, 1945, p. 21-22).

Relativement facile à se procurer, le crucifix est probablement la pièce d'art populaire la plus fréquente de notre répertoire. Issu d'une volonté de l'artiste populaire de personnaliser ses créations, le corps du Christ emprunte diverses expressions, tantôt naïve du fils de Dieu, tantôt doloriste du Rédempteur. Ces représentations très figuratives traduisent des émotions, des perceptions face au châtiment et au rachat.
P.L.

Bibliographie
Barbeau, « Crucifix du Québec », 1962, p. 34-38. Mendel, *Les crucifix du Québec*, 1980, 125 pages.

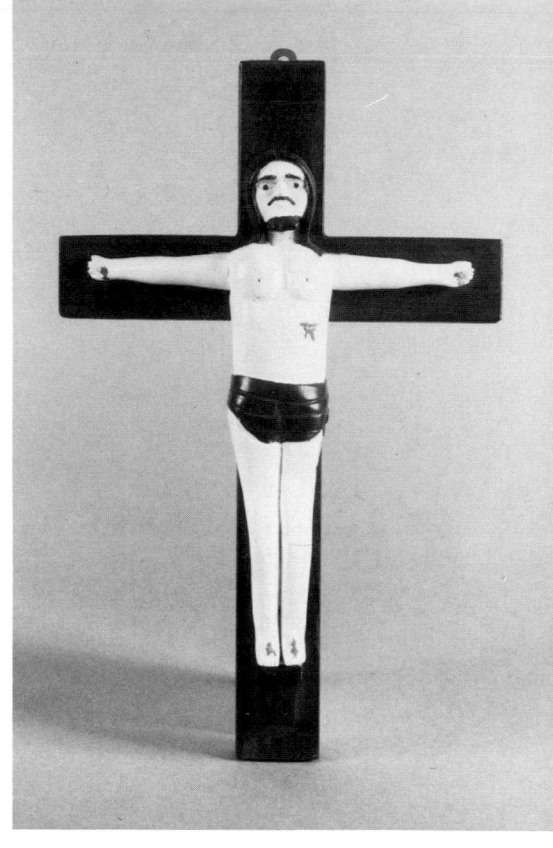

Bois polychrome. 33,5 × 20,3 cm.

Collection
Direction de la mise en valeur des collections d'ethnographie, Québec, (75-234).

Bois peint. 56,4 × 26,8 cm.

Exposition
1952, Québec, Musée du Québec, *Exposition rétrospective de l'art au Canada français*, nᵒ 114.

Collection
Musée du Québec, Québec, (A-51. 134-S).

Anonyme
266. *Crucifix,* **fin XIXe siècle**

Anonyme
267. *Crucifix,* **vers 1780**

Anonyme
268. *Croix,* **début du XXe siècle**

Bois polychrome. 71,7 × 43 cm.
Collection
Musée du Québec, Québec, (A-54. 51-S).

Bois peint. 74 × 40,6 cm.
Collection
Musée du Québec, Québec, (A-55. 272-S).

Bois peint en brun et doré. 46 × 36 cm.
Collection
Collection Jocelyne Mathieu et Pierre Lessard, Québec.

269 à 273. *Les moules à sucre à motifs religieux*

Anonyme

269. *Moule à sucre (église),* fin XIXᵉ siècle ou début XXᵉ

Anonyme

270. *Moule à sucre,* fin XIXᵉ siècle ou début XXᵉ, L'Islet

Dès leur arrivée en Amérique, les nouveaux habitants apprirent des autochtones à tirer et à faire bouillir la sève de l'érable pour la transformer en sucre. Utilisant d'abord, comme les Amérindiens, des moules éphémères faits d'écorce, puis, plus tard, de papier, ils en vinrent à se servir de leurs ustensiles domestiques pour mouler le sucre dont ils faisaient provision pour l'année. À partir du début du XIXᵉ siècle, l'usage du moule de bois se répandit et l'on vit apparaître, après les simples moules rectangulaires servant à former des « pains » de sucre, des modèles de plus en plus variés dans leurs formes et dans leurs motifs.

Souvent simplement creusés dans une seule pièce de bois ou bien assemblés à planchettes et à clous, parfois faits de deux volets jumelés retenus par des chevilles ou par des clés, les moules à sucre se raffinèrent jusqu'à donner des pièces composées de multiples éléments sculptés, ingénieusement assemblés.

S'inspirant principalement de la nature et de la religion, l'habitant reproduisit sur ses moules une grande diversité de sujets. Les animaux domestiques y étaient très souvent représentés, chevaux, coqs ou poules et poissons composant la majeure partie du répertoire animalier. Le coeur, motif le plus fréquent de notre art populaire, y prenait les allures les plus variées, allant du simple coeur droit, associé aux couleurs du jeu de cartes, jusqu'aux coeurs chargés des symboles de l'iconographie chrétienne: croix, couronne d'épines, flammes, épées ou glaives, etc. Ces derniers étaient d'ailleurs parfois accompagnés, dans le même moule, d'autres sujets comme la croix ou le crucifix, l'ostensoir ou le calice. D'autres moules, plus complexes, comme le missel (cat. 272) ou la petite église (cat. 269), venaient s'ajouter à la variété des sujets et des thèmes influencés par le fait religieux, qui imprégna profondément l'art populaire québécois du XIXᵉ siècle et de la première moitié du XXᵉ. P.L.

Bois. 24,5 × 10,5 × 10,2 cm.

Collection
Collection Raymond Brousseau, Saint-Jean, île d'Orléans.

Bois. 24 × 11 cm.

Inscription
« SOUVENIR ».

Exposition
1980, Toronto, Art Gallery of Ontario, *Trésors d'art populaire québécois*, nº 28, repr.

Collection
Musée François-Pilote, Sainte-Anne-de-la-Pocatière.

Anonyme

271. *Moule à sucre*, **fin XIXe siècle, Saint-Prosper (Dorchester)**

Anonyme

272. *Moule à sucre (missels),* **fin XIXe siècle, Terrebonne**

Anonyme

273. *Moule à sucre (missel),* **XXe siècle**

Bois. 38 × 23 × 5,5 cm.
Inscription
« E L ».
Collection
Collection Marcel et Paulette Bolduc, Scott-Jonction.

Bois. 61 × 15,2 × 7,6 cm.
Inscriptions
« M J-F A » « PAROISSIEN » (2 fois sur la tranche).
Collection
Université du Québec à Trois-Rivières, Trois-Rivières,
(collection Robert-Lionel Séguin).

Bois. 11 × 11 × 7,5 cm.
Collection
Collection Jean-Marie Roy, Québec.

Anonyme

274. *Petit coffret en forme de livre,*
    XIXᵉ siècle

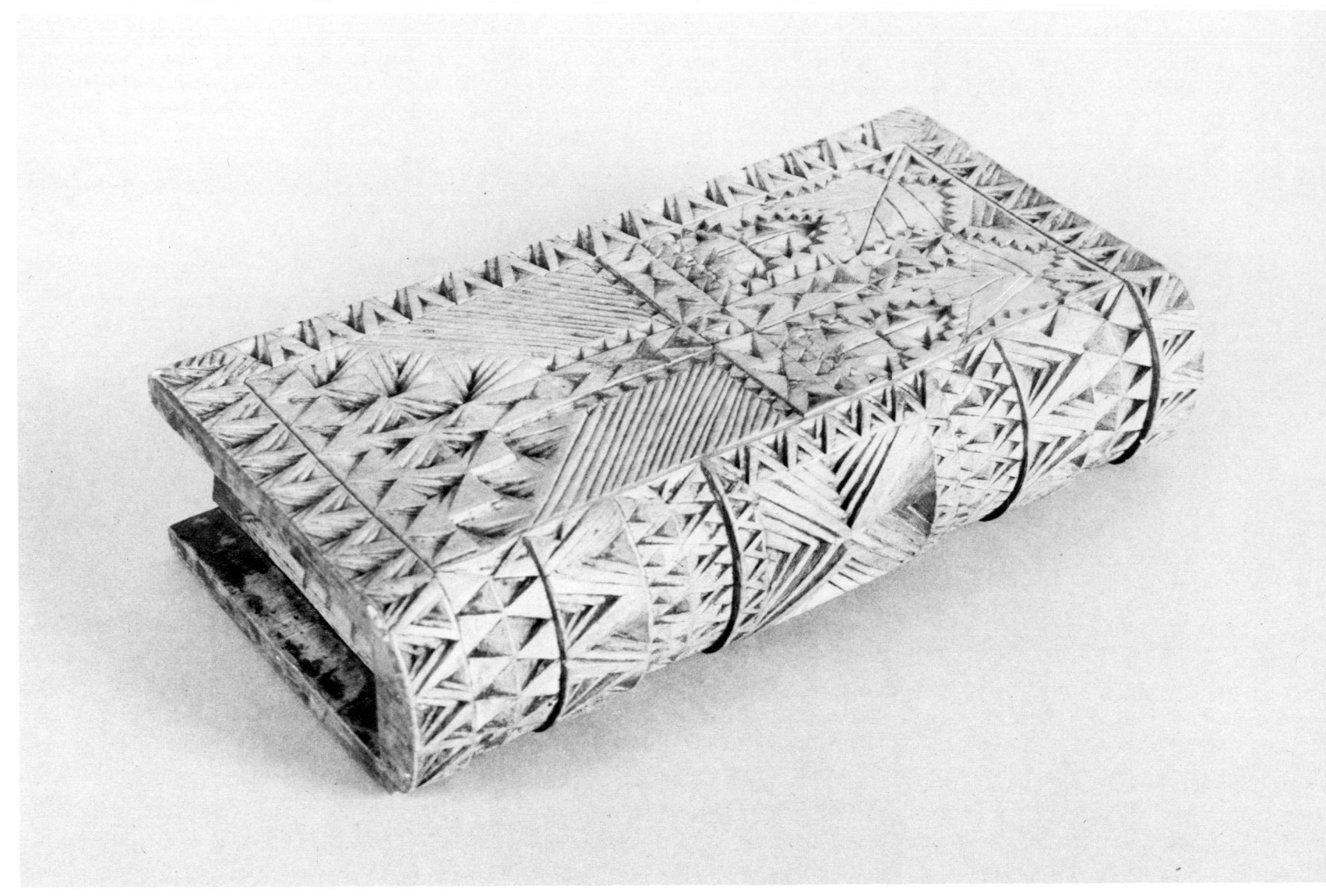

Bois verni. 25,6 × 12 cm.

Ceux qui passaient leurs hivers dans les camps
de bûcherons combattaient souvent l'ennui en
sculptant, avec leur seul couteau de poche, de
nombreux petits objets, dont les plus populaires étaient les coffrets en forme de livre, qui
connurent une diffusion croissante à partir de
la seconde moitié du XIXᵉ siècle. Creusés dans
une seule pièce de bois, fermés à l'aide de
languettes coulissantes, décorés de mille et une
manières, ces petits ouvrages étaient habituellement remplis de gomme de sapin ou d'épinette
et ils étaient offerts, au printemps, à l'être aimé.
Souvent ornés de symboles religieux, particulièrement de croix flanquées de motifs géométriques, ces coffrets servaient ordinairement à
ranger des objets pieux comme le chapelet, le
livre de prières ou le missel.   P.L.

Bibliographie
LESSARD et MARQUIS, *L'art traditionnel au Québec*,
1975, p. 192, repr.

Collection
Direction de la mise en valeur des collections d'ethnographie, Québec, (69-155).

Anonyme

275. *Courtepointe,* 1938

Coton. 233 × 171 cm.

Inscription

Brodée (au coin supérieur droit): « 4 avril 1938 ».

Issue d'une longue tradition, la courtepointe telle que nous la connaissons, composée de motifs appliqués cousus sur un fond de tissus piqué, est probablement apparue vers le milieu du XIXᵉ siècle. Les femmes du pays, peu à peu dégagées des lourdes contraintes qui mobilisaient naguère leurs énergies, peuvent alors exprimer leur sens de la couleur et leur talent d'invention. Réutilisant les vieux tissus, profitant des nouvelles sources d'approvisionnement en imprimés, les ménagères se mettent à la confection de couvertures d'apparat ingénieusement décorées.

La courtepointe fabriquée de tissus épais et chauds pour l'hiver, ou encore de retailles de coton pour l'été, était souvent destinée à garnir le trousseau des jeunes filles. Oeuvre de patience exigeant de grands soins, elle devait son originalité à la disposition des formes, des tissus, des couleurs, au dessin du piquage et à la qualité des broderies. L'art de la courtepointe, où se manifestaient l'individualité et le talent de nos artisanes, a engendré une incroyable diversité d'agencements, composés principalement de motifs géométriques et floraux.

Certaines pièces exceptionnelles, comme celle-ci qui fut confectionnée par une artisane de Saint-Cyrille-de-l'Islet en 1938, se distinguent par un sujet hors du commun. Inspirée de la façade de l'église paroissiale, cette courtepointe spectaculaire, entièrement piquée à la main, regroupe autour du motif central une variété de formes fréquentes dans l'art traditionnel. Empreinte de sensibilité et de fantaisie, elle conserve, malgré l'usure marquée, une fraîcheur qui l'enjolive.   P.L.

Collection

Collection Jocelyne Mathieu et Pierre Lessard, Québec.

CHAPITRE QUINZIÈME
LE CHRÉTIEN DEVANT LA MORT

« *Quand l'homme va mourir, quand la mort sur sa bouche*
Pose sa main glacée et répand sa pâleur,
Saint patron des mourants, sur ma funèbre couche
Penchez-vous pour calmer la suprême douleur.

« *Protégez-nous. La mort est un (cruel) rude passage*
Qui fait pâlir d'effroi le plus pur, le plus fort.
Sur l'océan du temps, la mort est le naufrage
Qui nous engloutit tous, mais le ciel est le port.

« *Quand la mort me viendra prendre et faucher moi-même,*
Quand le temps sonnera pour moi l'éternité,
Saint Patron des mourants, à mon heure suprême,
Souvenez-vous qu'un jour mon coeur vous a chanté »[1].

Si de nos jours la mort se fait plutôt discrète au coeur de
nos villes, il ne faudrait pas croire qu'il en fut toujours ainsi.
La mort était naguère omniprésente et elle occupait une
place importante dans les pensées de chacun. Bien qu'il soit
très difficile de saisir l'inconscient de l'homme, certaines
manifestations extérieures ne trompent pas. Nous savons par
exemple qu'à l'époque de la Nouvelle France la présence de
la mort était non seulement très marquée, mais qu'elle était
de surcroît soulignée par le discours des clercs et par
diverses pratiques religieuses destinées à influencer le com-
portement quotidien du chrétien. Dans son *Catéchisme* de

1702, Mgr de Saint-Vallier n'affirmait-il pas que « le meilleur
preservatif contre le peché est de penser souvent à nos
dernieres fins, puisque l'Ecclesiastique nous apprend que
nous ne pecherons point, tant que nous ferons reflexion à
ce qui nous arrivera à la fin de nôtre vie & du monde ».[2] À
l'image de leur évêque, les curés de paroisse n'hésitaient
pas à décrire à leurs ouailles les beautés du ciel et plus
encore les terreurs de l'enfer pour les inciter à la conversion. À cette fin, il eurent parfois recours à des illustrations
susceptibles d'ébranler les résistances les plus farouches. En
1709, par exemple, on trouvait dans l'église de Saint-Pierre de
l'île d'Orléans une « grande image de papier » représentant
« la bonne mort » de même que « douze images enluminées
qui represent l'etat d'un homme en etat de grace, ou de
peché mortel sa fin heureuse et malheureuse », et « douze
images enluminees representant l'etat d'une femme qui est
en grace ou en peché et sa fin heureuse ou malheureuse ».[3]
Par ses contrastes dramatiques, une telle imagerie[4] ne pouvait que frapper l'imagination et la sensibilité des fidèles.

---

1. A.M.H.G.Q., « Salut à la chapelle de Saint-Joseph », dans *Cérémonial des saluts aux diverses chapelles du Monastère et de l'Hôpital général de Québec*, manuscrit, milieu du XIXe siècle, p. 16 et 16 v. Nous avons corrigé sensiblement la ponctuation.

2. Mgr de Saint-Vallier, *Catéchisme du diocèse de Québec*, 1702, réédition présentée et commentée par le père Fernand Porter, Éditions Franciscaines, Montréal, 1958, p. 311.

3. Archives paroissiales de Saint-Pierre de l'île d'Orléans, *Registre 1 (1680-1789)*, inventaire de 1709, section « Tableaux, reliquaires, images », folio 21, nᵒˢ 21 (13), 19 et 20.

4. Pour plus de précisions sur ce genre d'imagerie, voir Philippe Ariès, *Essais sur l'histoire de la mort en Occident du Moyen Âge à nos jours*, Seuil, Paris, 1975, p. 40-41. Jocelyne Mathieu et Pierre Lessard conservent dans leur collection deux lithographies anonymes intitulées *La mort du juste* et *La mort du pécheur*. La première nous montre la fin paisible d'un chrétien entouré de saint Joseph, de l'archange saint Michel des saints évêques. Dans la seconde, le mourant est tourmenté par le souvenir de sa vie de péché et harcelé par Satan et ses monstres terrifiants.

Du côté des communautés religieuses, la pensée de la mort n'était pas moins vive. Elle pouvait être entretenue par la vénération des reliques – crâne, os, etc. (cat. 20, 183 et 184) – des saints et martyrs, ou encore par des tableaux et des objets suggérant la fuite du temps, les illusions du monde, la précarité de l'existence et la fin inévitable de tout être humain. Un exemple tardif de ces « vanités » est conservé au monastère des ursulines de Québec. Il s'agit d'une toile que signa Antoine Plamondon en 1832 et dont le thème macabre avait de quoi impressionner l'âme sensible des nonnes. Ce tableau a pour unique motif un squelette allongé qu'une inscription latine identifie comme le « miroir de la misère et de la fragilité humaine » (fig. 1).

La conscience de la fragilité de l'être gagnait en acuité à l'occasion des épidémies qui frappaient périodiquement la colonie :

« La fin de l'année 1702 fut tristement remarquable par les ravages que commença à faire la petite vérole, qui fut apportée à Montréal par un Sauvage venu de la Nouvelle-Angleterre. Cette maladie, qui en France n'est point méchante et qui, au plus, ne fait mourir que quelques enfants, fut si cruelle en ce pays, qu'elle enleva un grand nombre de personnes de tous les âges, depuis un bout de la colonie jusqu'à l'autre. Dans la ville de Québec, il mourut la quatrième partie des habitants en moins de trois mois : des familles entières furent détruites »[5].

À l'appel du clergé, on multiplia alors les voeux, les prières et les saluts. Chez les ursulines, on invoqua saint Roch, le patron des pestiférés, et l'on porta son image en procession. Par les rues de la ville, un cortège nombreux défila également derrière des statues de saint Roch et de saint Sébastien – auquel on attribuait aussi le pouvoir d'arrêter les épidémies –, dans l'espoir d'enrayer le progrès de la contagion[6] (cat. 277).

En règle générale, la perspective d'une mort prochaine amenait non seulement le pénitent à implorer certains saints en particulier, mais aussi à faire amende honorable. Vers 1685, Mᵍʳ de Saint-Vallier fut d'ailleurs à même de constater les bienfaits spirituels que pouvait provoquer un péril imminent, à l'occasion d'une traversée dangereuse :

« L'équipage et les passagers, écrivait-il, crurent le péril si grand que tout le monde se confessa. J'eus même la consolation dans le reste de la traversée de recevoir plusieurs confessions générales, de communier plus d'une fois les mêmes personnes, voir tout le monde si réglé et si retenu, qu'il y avait sujet de bénir Dieu de nous avoir menés jusqu'aux portes de la mort »[7].

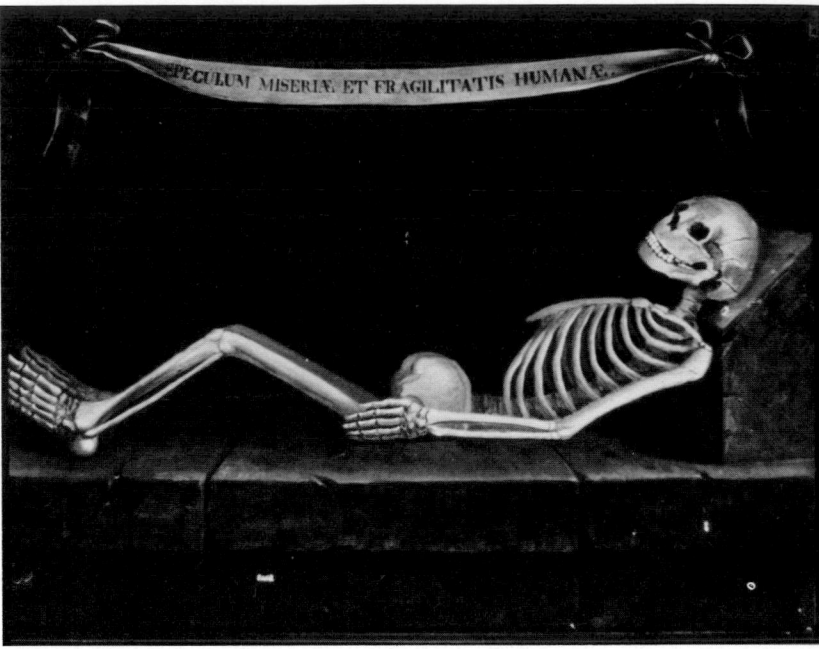

Fig. 1   Antoine Plamondon (1804-1895), *Vanité*, 1832; huile sur toile, 61,5 × 83 cm; Monastère des ursulines de Québec (Photo François Lachapelle).

Sentant sa vie menacée par la maladie ou par un naufrage en mer, le chrétien faisait souvent la promesse de témoigner sa reconnaissance à la Vierge ou à un saint patron s'il échappait à la mort. Lorsque son voeu était exaucé, il s'empressait de déposer dans un sanctuaire un objet évoquant les bienfaits dont il rendait grâce. Ce pouvait être une maquette de navire, une sculpture, par exemple de Notre-Dame de Grâce[8] (cat. 82), un calvaire ou une croix de chemin, etc., ou plus souvent un tableau peint. La puissance céleste apparaissait alors sur une nuée dans la partie supérieure de l'oeuvre, tandis que la partie basse évoquait l'irruption des forces surnaturelles dans la vie du donateur. Oeuvre d'un peintre professionnel ou d'un artiste populaire, l'ex-voto pouvait être lié à la guérison d'une maladie (cat. 276), à un événement tel qu'un naufrage vécu ou redouté (cat. 278), ou encore à un fait heureux qu'on imputait à la protection céleste (cat. 279). Dans ce dernier cas, la reconnaissance que l'on manifestait n'impliquait pas nécessairement un voeu préalable.

Pour celui qui jugeait avoir bénéficié d'une protection céleste, la mort ne demeurait pas moins une réalité inéluctable à laquelle il lui fallait se préparer. L'un des moyens les plus courants consistait à rédiger un testament, dans lequel on indiquait le lieu de sa sépulture, on donnait des instructions

5. *Monseigneur de Saint-Vallier et l'Hôpital Général de Québec*, Darveau, Québec, 1882, p. 163-164. L'épidémie dura de décembre 1702 à la fin de février 1703 et environ 350 personnes en moururent. Voir Pierre-Georges Roy, *Le vieux Québec*, Québec, 1923, 1ʳᵉ série, p. 115-116.

6. Roy, *op. cit.*, p. 114. Saint Roch connaîtra un regain de popularité au XIXᵉ siècle à l'occasion des épidémies de choléra des années 1832 et 1854.

7. Mᵍʳ de Saint-Vallier, lettre où il rend compte à un de ses amis de son premier voyage au Canada et de l'état où il a laissé l'Église de la colonie, dans Henri Têtu et C.O. Gagnon, *Mandements et lettres pastorales des évêques de Québec*, Côté, Québec, 1887, tome 1, p. 264.

8. Étoile de la mer, Notre-Dame de Grâce était en France le recours privilégié des matelots et des passagers.

pour ses funérailles, on recommandait son âme à Dieu et on faisait un legs pieux pour le salut de son âme. Ce dernier volet était essentiel, aux XVIIᵉ et XVIIIᵉ siècles, puisqu'il donnait au chrétien l'assurance qu'on prierait et qu'on chanterait des messes à son intention après son décès.

À l'époque, les rites de la mort s'accomplissaient d'une façon sereine et résignée, sans émotion excessive. Pour emprunter la belle expression de Philippe Ariès, la mort était « apprivoisée »[9]. Voici, en guise d'exemple, les commentaires révélateurs de l'annaliste de l'Hôpital général de Québec sur les derniers moments de la sœur Marie Bourdon de Sainte-Thérèse de Jésus, décédée en 1660 à l'âge de vingt ans :

« *Les douleurs de la maladie firent éclater ses vertus. Sa résignation était telle qu'elle ne voulait demander ni la vie ni la mort, mais seulement l'accomplissement de la sainte volonté de Dieu. Elle avait même plus de tendresse pour la mort que pour la vie. Je porte, disait-elle, le paradis dans mon cœur, et je n'eusse jamais cru que la mort fût si douce* »[10].

Pendant des siècles, on a souhaité être enterré « ad sanctos », c'est-à-dire dans l'église ou à proximité de celle-ci. Avaient un droit reconnu, ou privilège, à l'inhumation dans l'église les évêques, les curés, les seigneurs et certains bienfaiteurs fortunés. Dans le cas de Mᵍʳ de Saint-Vallier, non seulement l'usage fut-il respecté, mais le deuxième évêque de la Nouvelle France fit vraiment les choses en grand. Fidèle à une vieille tradition médiévale, il se fit aménager une chapelle particulière dans l'église de l'Hôpital général de Québec, en 1724 :

« *La dévotion spéciale de notre fondateur Envers La mère de Dieu L'Engagea à faire Ériger dans notre Église une chapelle dediée au Sacré Cœur de Marie, un Enfoncement qui si trouva lui parut propre à son dessein, il y fit travailler diligemment, Et comment Elle Étoit fort petite Elle fut achevée En peu de temps, La voute fut faite En pierre, Et le tableau représentait Le Sacré cœur de Marie transpersé d'un glaive, Et Monseigneur à genoux lui rendant Ses hommages, ainsi qu'on le voit Encore à présent... c'est dans cette chapelle qu'il choisit Sa Sépulture Et fit faire Sa tombe* »[11].

L'annaliste de l'institution raconte, en outre, que le prélat aimait à se retirer dans cette chapelle de dévotion destinée à devenir un jour sa chapelle mortuaire, pour y méditer les vérités éternelles.

Après la mort de l'évêque, survenue en 1727, les religieuses firent sculpter un mausolée renfermant le cœur du disparu et qu'elles placèrent au fond de leur chœur (cat. 88). Par surcroît, elles complétèrent la décoration de la chapelle de

Fig. 2 Anonyme, *Épitaphe de Mgr de Saint-Vallier*, vers 1728; huile sur toile, 220,4 × 277,8 cm; Monastère des augustines de l'Hôpital général de Québec (P-78) (Photo John R. Porter).

leur fondateur avec deux grandes inscriptions commémoratives tenant lieu d'épitaphes et avec un étonnant tableau représentant un monument funéraire inscrit dans un paysage imaginaire[12] (fig. 2). L'ornementation de ce tableau-épitaphe met toujours en évidence les armoiries épiscopales de Mᵍʳ de Saint-Vallier, que voisinent deux petits anges assis. Le premier pleure à chaudes larmes tandis que le second renverse une torche symbolique pour éclairer un grand parchemin déroulé tenant lieu de « ci-gît ». La vanité des biens terrestres est soulignée par le bris et la chute de la partie supérieure du monument de marbre que surmontait naguère une croix et une tête de mort placée sur deux tibias.

Prise dans son ensemble, la décoration de la chapelle mortuaire de Mᵍʳ de Saint-Vallier avait tout pour inciter les religieuses à prier pour le repos de l'âme du défunt. L'évêque y était représenté en « orant », son épitaphe signalait la présence de ses restes et deux longs textes rappelaient les mérites de sa vie exemplaire. Dans de telles conditions, la communauté ne pouvait manquer de respecter les clauses pieuses du testament du prélat. Aux douze messes basses annuelles que prévoyait le contrat de fondation, elles s'empressèrent d'ailleurs d'ajouter d'autres charges spirituelles à l'intention de l'âme de leur fondateur[13]. En 1769, elles

9. Ariès, *op. cit.*, p. 28.

10. *Monseigneur de Saint-Vallier, op. cit.*, p. 173. Soeur Marie Bourdon était religieuse à l'Hôtel-Dieu de Québec.

11. A.M.H.G.Q., *Suite des annales des religieuses de La Miséricorde de Jésus* (1709-1729), f. 46-47 (1724).

12. On ne sait ni par qui ni quand exactement fut peinte cette toile conservée au Musée de l'Hôpital général de Québec depuis 1959. L'œuvre pourrait avoir été réalisée lors de l'aménagement de la chapelle, en 1724, après la mort de l'évêque, en 1728 – hypothèse la plus vraisemblable –, ou encore à l'occasion de la réfection de la chapelle, en 1769. Son état actuel accuse par ailleurs la présence de nombreux repeints.

13. *Monseigneur de Saint-Vallier, op. cit.*, p. 291-292.

rapprochèrent même la chapelle du Sacré Coeur de Marie de leur choeur et profitèrent de l'occasion pour l'orner de peintures murales représentant leur « St-Fondateur exerçant quelques fonctions de son ministère ou quelque acte de vertu »[14].

Aux XVIIe et XVIIIe siècles, le culte des disparus se manifestait parfois par l'exécution de portraits posthumes. D'humbles fondatrices ou premières supérieures d'établissements religieux, qui de leur vivant s'étaient toujours refusées à la perpétuation de leurs traits physiques, se trouvèrent ainsi représentées en portrait malgré elles une fois la mort venue (cat. 92, 93 et 94).

D'une façon générale, on réservait une place importante au culte des morts à l'époque. Ainsi Mgr de Saint-Vallier conseillait-il à ses ouailles d'avoir une dévotion particulière pour les âmes du purgatoire, comme nous le confirment ces extraits de son Catéchisme :

« (...) si nous ne prions pas pour les ames du Purgatoire, elles ne prieront pas pour nous lorsque nous y serons, & qu'elles seront dans le ciel ».

« Il faut principalement prier pour les ames de nos parens, amis & bien-faicteur, & pour les ames qui sont les plus abandonnées ou qui souffrent le plus; & enfin pour celles qui sont les plus prêts de sortir du Purgatoire »[15] (fig. 3).

Les membres des confréries du Scapulaire et du Rosaire exprimaient d'ailleurs leur solidarité en cherchant à gagner des indulgences applicables à leurs confrères disparus. Très populaires, les dévotions au scapulaire et au rosaire étaient considérées tout aussi efficaces pour les défunts que pour les vivants. Depuis l'apparition de la Vierge Marie à saint Simon Stock, le port du scapulaire était censé assurer au chrétien la protection constante de la Mère de Dieu et le préserver des flammes de l'enfer une fois la mort venue[16]. On trouve, encore aujourd'hui dans certaines églises québécoises, des représentations de Saint Simon Stock recevant le scapulaire des mains de la Vierge[17] et de Saint Dominique recevant le rosaire des mains de la Vierge[18], qui confirment la persistance de la dévotion aux âmes du purgatoire. Ailleurs, des tableaux ayant pour sujet La mort de Saint Joseph.[19] incitaient le fidèle à prier pour obtenir la grâce d'une

Fig. 3   Anonyme, Dévotion aux âmes du Purgatoire, (?) deuxième moitié du XVIIIe siècle; huile sur toile, 145 × 101,6 cm (dimensions apparentes); Monastère des augustines de l'Hôpital général de Québec (P-91) (Photo John R. Porter).

14. A.M.H.G.Q., Annales 1743-1793, f. 248-249 (1769).

15. Mgr de Saint-Vallier, Catéchisme, op. cit., p. 421-422.

16. Philippe Ariès, L'homme devant la mort, Seuil, Paris, 1977, p. 301.

17. Par exemple, à Saint-André de Kamouraska (un tableau d'Antoine Plamondon datant de 1843), à Beauceville (toile de J. Alphonse Ferland) et à Saint-Flavien de Lotbinière (oeuvre de J.J. Scherrer).

18. En plus de nombreuses statues de plâtre et de quelques vitraux (Saint-Anne de Chicoutimi-Nord, Saint-Pierre-Apôtre et Saint-Vincent de Paul à Montréal), on trouve des tableaux à Berthierville (Louis Dulongpré, 1798), Saint-Marc-de-Verchères, Saint-Paul-de-Joliette, Saint-Denis-de-Yamaska, Saint-Alban-de-Portneuf, Saint-Vital-de-Lambton, Saint-Antoine-sur-Richelieu (J. Uberti. Paris, 1916), Portneuf (atelier des soeurs du Bon-Pasteur, 1931), Saint-Hyacinthe, etc. Cette nomenclature succincte ne tient pas compte des nombreuses représentations intitulées La Vierge du Rosaire apparaissant à Saint-Dominique et à Sainte Catherine de Sienne.

19. En 1694, les religieuses de l'Hôtel-Dieu de Québec reçurent un tableau représentant l'agonie de saint Joseph, qu'elles avaient commandé en France deux ans plus tôt. Au XIXe siècle, le peintre Antoine Plamondon peignit au moins quatre toiles ayant pour titre La mort de Saint Joseph : Saint-Jean de l'île d'Orléans (1848), maison provinciale des jésuites à Saint-Jérôme (1875), Cap-Santé (1876) et Saint-Joseph-de-Carleton (1882).

bonne mort, c'est-à-dire une mort consciente qui laisse le temps de se préparer d'une façon calme et édifiante. Selon la tradition, saint Joseph avait eu le privilège d'être assisté de Jésus et de Marie au moment de rendre l'âme. C'est pourquoi on l'invoquait à titre de patron de la bonne mort. Aux XIXe siècle, comme au XXe, il était également courant de réclamer la protection de saint Joseph pour les âmes des disparus.

Chaque année, le jour des morts – le 2 novembre – permettait au chrétien d'exprimer de différentes façons son attachement au souvenir des disparus. On récitait le rosaire en famille ou à l'église et on assistait à un service solennel pour les défunts de la paroisse. Venait ensuite la criée des âmes,

au cours de laquelle on vendait aux enchères les biens – fruits, légumes, animaux, etc. – donnés par les différentes familles. L'argent ainsi recueilli était remis au curé et servait à payer des messes pour les morts.

À partir du XIXe siècle, il fut également d'usage d'aller faire une prière sur la tombe des membres de sa famille, ce qui témoignait d'une nouvelle attitude collective vis-à-vis de la mort. De fait, au siècle dernier, le culte des disparus prit des couleurs et des proportions insoupçonnées. La mort était désormais perçue comme une rupture provoquant des manifestations de douleur ostensibles de la part des vivants. Comme l'a si bien dit Ariès, la « mort de l'autre » prit le pas sur la « mort de soi »[20]. La nouvelle sensibilité populaire ne fut d'ailleurs pas étrangère à la vogue remarquable que connurent, à partir du milieu du XIXe siècle, certains types de représentations. Que l'on pense à la Pietà, cette image de la Vierge éplorée tenant sur elle le corps inanimé de son fils (cat. 211), ou encore au Christ du Calvaire que pleurent sa mère, saint Jean et Marie-Madeleine.

Au sein de la famille, la mort d'un être aimé provoquait l'expression d'une vive émotion, proportionnée aux sentiments d'affection que l'on nourrissait pour le disparu. Cette émotion se matérialisait dans des sculptures funéraires à l'imagerie fort touchante. Nous pensons surtout aux reliefs ou rondes-bosses qui ornaient naguère les petits corbillards blancs destinés au transport des cercueils d'enfants depuis l'église jusqu'au cimetière. Ici, un ange venait cueillir un enfant allongé sur sa couche funèbre (cat. 281). Là, il enlevait au ciel la petite âme de l'enfant dont la pureté était soulignée par la représentation d'un lys (fig. 4). Pour les bourgeois du XIXe siècle, la mort d'un enfant était sans doute celle qu'on avait le plus de mal à tolérer. Aussi l'imagerie funéraire contribuait-elle à apaiser la douleur en alimentant l'espoir de retrouvailles prochaines dans l'au-delà[21].

Jusqu'aux environs de 1830, il était d'usage de recourir à des paroissiens pour qu'ils transportent le cercueil sur leurs épaules, de l'église au cimetière[22]. En 1834, la fabrique de Charlesbourg fut l'une des premières à faire l'acquisition d'un chariot, ou corbillard, pour les morts[23]. Remisé à proximité de l'église, le corbillard était à la disposition des fidèles en retour d'une somme nominale. Contrairement à ce qui se passait dans les campagnes, la gestion des pompes funèbres et celle, en particulier, des corbillards ne tarda pas, dans les villes, à se retrouver entre les mains d'entrepreneurs spécialisés[24]. Le 4 août 1866, la maison Joseph Marcoux annonçait, dans les colonnes du *Journal de Québec*, qu'elle avait un grand et un petit corbillards à louer « à aussi bas prix que partout ailleurs ». Au début du XXe siècle, la

Fig. 4   Anonyme, *Ange emportant au ciel l'âme d'un enfant*, deuxième moitié du XIXe siècle, bois peint en blanc avec filets de dorure et métal (tiges de lys), 100 cm, Montréal, Musée du Château Ramezay. (Photo Musée du Québec, Guy Couture). Nota: les ailes de l'ange et l'une des mains de l'enfant ont disparu. Cette sculpture est censée provenir de l'ancienne église Saint-Jacques, incendiée en 1852. Il s'agit, soit d'un fragment de corbillard, soit d'une partie du décor d'une chapelle dédiée aux morts.

maison Germain Lépine, à Québec, possédait à elle seule au moins huit corbillards de tous modèles, formats et catégories. En 1952, alors que la mortalité infantile diminuait, cette entreprise racheta celle d'Adélard Laberge, du quartier Saint-Sauveur, qui comptait sept corbillards pour enfants. Ces corbillards étaient de couleur blanche – symbole de pureté –, tandis que ceux des adultes était peints en noir. De quelque catégorie qu'il fût, le corbillard s'ouvrait par derrière et, en règle générale, ses côtés étaient vitrés. Le véhicule était toujours surmonté d'une croix, mais pour le reste son ornementation sculptée présentait beaucoup de variété.

Le corbillard avait une allure plus ou moins pompeuse, selon le style du char et la richesse de sa sculpture. Certains véhicules de première classe évoquaient d'ailleurs la magnificence des carrosses royaux. Les uns relevaient uniquement de l'art de l'ornemaniste, tandis que d'autres laissaient une place importante aux éléments historiés. Au sortir de l'église, le convoi funèbre se mettait en marche selon un ordre bien établi. Derrière la croix venait le corbillard, suivi de la voiture des porteurs, de celle des plus proches parents – les hommes étaient suivis des femmes –, et ensuite venaient les

20. Ariès, *Essais, op. cit.*, p. 51 et 57.

21. Voir Ariès, *L'homme, op. cit.*, p. 435, 446 et 453.

22. Les données relatives à la sculpture funéraire qui apparaissent dans le présent chapitre sont empruntées à des textes que nous avons rédigés en vue de la publication d'un ouvrage qui s'intitulera *La sculpture ancienne au Québec*.

23. Charles Trudelle, *Paroisse de Charlesbourg*, A. Côté et cie, Québec, 1887, p. 206-207.

24. Pierre-Georges Roy, « Les chariots ou corbillards autrefois », dans *Bulletin des recherches historiques*, vol. 45, no 12, décembre 1937, p. 371-372.

Fig. 6   Félix Gauthier (voiturier)
et un sculpteur anonyme de Montréal,
*Corbillard de l'ancienne maison funéraire
Gauthier & Frère de Trois-Rivières*,
1898; bois peint noir et matériaux divers,
193 (hauteur) × 348 (longueur)
× 172 (largeur) cm;
Musée national de l'Homme, Ottawa.
(Photo Germain Langlois, 1977).

Fig. 5   *Translation des restes du cardinal Louis-Nazaire Bégin à Québec,
le 24 juillet 1925*, photographie provenant de la collection
de Louis Lemieux (Photo A.N.Q.Q., collection initiale, N 876-C).

amis et les connaissances du défunt. La longueur du défilé donnait la mesure de l'importance du défunt et de la considération dont jouissait sa famille[25]. Les funérailles reflétaient évidemment le statut social du défunt.[26]. Celles de certains hommes publics ou membres du haut clergé avaient même un caractère quasi triomphal. Pour s'en convaincre, il suffit de jeter un coup d'oeil sur la photographie prise, le 24 juillet 1925, lors de la translation des restes du cardinal Louis-Nazaire Bégin (fig. 5). Pour l'occasion, on utilisa le plus imposant corbillard de la maison Lépine, un véhicule construit en 1900-1901 et qui devait servir aux obsèques d'évêques, de ministres, de lieutenants-gouverneurs, de maires et de notables. Selon l'importance du défunt, ce corbillard était tiré par deux, quatre ou six chevaux noirs.

L'ancienne maison Gauthier et Frère, à Trois-Rivières, possédait un « magnifique corbillard à trois chevaux, pour funérailles de luxe, construit en 1898 »[27]. Acquis par le Musée de l'homme d'Ottawa en mai 1983, ce véhicule mortuaire présente un riche programme iconographique ne comportant pas moins de douze personnages en ronde bosse (fig. 6). À notre connaissance, il s'agit par surcroît du seul corbillard historié québécois qui n'ait pas été démantelé à des fins commerciales ou autres. Sauf exception, nos musées ne possèdent, en effet, que des fragments de sculpture provenant des anciens chars funéraires (cat. 280), ces chars que la venue des véhicules motorisés a soudainement rendus désuets.

Sous le régime français, les morts étaient enterrés dans l'église ou à proximité de celle-ci. Les corps étaient en

25. Madeleine Doyon, « Rites de la mort, dans la Beauce », dans *Journal of American Folklore*, vol. 67, n° 264, avril-juin 1954, p. 141.

26. Sous le régime français, plus une famille était fortunée, plus nombreux étaient les ecclésiastiques participant au service funèbre.

27. Voir « Troisième centenaire trifluvien », numéro spécial de l'*Almanach trifluvien* de 1934, C.A. St-Arnaud, Trois-Rivières, 1934, p. 206.

quelque sorte abandonnés à l'Église, le lieu exact de la sépulture important peu. De fait, l'église et le cimetière ne faisaient qu'un aux yeux des chrétiens de l'époque. Dans les débuts de la colonie, plusieurs habitants inhumaient leurs proches dans l'église même. Afin de respecter les normes post-tridentines en la matière et de préserver la pureté du culte religieux, Mgr de Saint-Vallier chercha à enrayer cette pratique en imposant des frais élevés à ceux qui tenaient à être inhumés dans l'église. Ceci amena les familles à prendre la direction du cimetière voisin. Aussi la sépulture dans l'église devint-elle bientôt le fait des curés, des seigneurs et des gens fortunés ou influents, la plupart des fidèles optant pour le cimetière paroissial, par économie ou par esprit d'humilité. L'enterrement dans l'église se continua toutefois, dans certains cas, jusque dans la seconde moitié du XIXe siècle. À Saint-Jean-Port-Joli, par exemple, le curé François Boissonnault fut inhumé dans l'église, le 9 février 1854. Quant à Philippe Aubert de Gaspé, il fut enseveli sous le banc seigneurial, le 1er février 1871, conformément à un privilège ancestral. Une petite plaque de marbre fixée au mur indique encore sa sépulture[28].

Dans les campagnes, le cimetière était situé à côté de l'église. Tout comme elle, il faisait partie intégrante des biens de la fabrique, au coeur du village. Avec le temps, on en vint souvent à déménager le cimetière à l'extrémité du village, tantôt pour des raisons d'hygiène, tantôt par manque d'espace. L'enclos paroissial du XVIIIe siècle et de la première moitié du XIXe (cat. 81) existe encore aujourd'hui dans certaines paroisses peu populeuses. Que l'on pense à celui de Sainte-Famille de l'île d'Orléans (voir le chapitre IX, fig. 1) ou encore à celui de Saint-Mathias-de-Rouville, créé en 1818. Ces cimetières sont entourés de murs de pierre et une seule porte y donne accès.

Dans les villes, l'accroissement de la population provoqua une évolution plus rapide pour ce qui est de l'emplacement des cimetières. À Québec, par exemple, l'église Notre-Dame était, à l'origine, entourée des cimetières Sainte-Famille, Sainte-Anne et Saint-Joseph. Au début du XVIIIe siècle, les épidémies de grippe et de petite vérole obligèrent la fabrique à acheter un terrain de l'Hôtel-Dieu, qui fut bientôt connu sous l'appellation de « cimetière des picotés ». Finalement, en 1861, le cimetière de la paroisse fut transféré en périphérie de la ville. C'est le cimetière Belmont que nous connaissons aujourd'hui. Dessiné par l'architecte Charles Baillairgé, ce cimetière rappelle les jardins anglais de l'époque romantique en ce qu'il tire parti de la topographie irrégulière de son emplacement. Inversement, l'ordonnance symétrique proposée par Baillairgé en 1854 pour le cimetière Saint-Charles – originellement rattaché à la paroisse Saint-Roch de Québec –, est tributaire des jardins français du XVIIIe siècle[29]. Ces cimetières sont divisés en lots rectangulaires séparés par des allées. Chaque lot appartient à une famille qui en assure l'entretien. Dans chaque nécropole, il y avait un édicule en pierre, dépourvu de fenêtres, où étaient accueillis les cercueils des chrétiens morts au cours de l'hiver. Le printemps venu, les dépouilles mortelles quittaient le charnier pour être inhumées.

Tout cimetière devait être bénit, afin que les défunts pussent reposer en paix dans une terre consacrée. C'est ainsi que le présent cimetière de Lauzon (Pointe-Lévy) fut solennellement bénit, le 25 juillet 1875, par Mgr Elzéar-Alexandre Taschereau. On y érigea même un monument en l'honneur du Sacré-Coeur, pour commémorer l'événement ainsi que la mémoire du premier colon, du premier curé et de la première messe célébrée à la Pointe-Lévy[30]. Fait à noter, chaque cimetière avait normalement une section non consacrée réservée aux enfants morts sans baptême, aux inconnus et aux suicidés.

À l'entrée du cimetière, il était courant d'ériger une statue représentant l'ange du Jugement dernier qui sonnait la trompette de la résurrection des morts. À Deschambault, naguère, se faisaient pendant un ange à la trompette et un ange tenant un balancier pour la pesée des âmes. À Saint-Augustin, l'ange à la trompette était placé au coin ouest du cimetière, à quelque distance de l'entrée, laquelle était gardée par deux petits hiboux impassibles. Ces oiseaux de nuit soulignaient d'une façon saisissante la frontière entre le monde des vivants et le domaine des morts. Dans le cimetière de Montmagny, on trouvait six grandes statues représentant les évangélistes, le Sacré-Coeur et saint Joseph, sculptures qui provenaient de l'ancienne façade de l'église paroissiale. Bien qu'il n'eût pas été conçu pour le cimetière, le *saint Joseph* était particulièrement approprié pour l'endroit. De fait, les fabriques élevèrent parfois des monuments au patron de la bonne mort. Signalons par exemple que, dans le cimetière de Lauzon, une statue en fonte est accompagnée de l'inscription « Saint Joseph/patron des mourants/veillez sur nous ». Il était encore plus courant d'ériger un calvaire dans l'aire des sépultures. Toujours à Lauzon, on trouve aujourd'hui un calvaire à quatre personnages, exécuté par Lauréat Vallière en 1946[31], calvaire qui fut vraisemblablement précédé d'un ensemble analogue, réalisé par le fameux Louis Jobin dans le dernier quart du XIXe siècle.

Pour le chrétien, la croix – ou le calvaire – du cimetière est à la fois le signe de la mort et celui de l'espérance. C'est d'ailleurs par la croix qu'au XVe siècle on commença à désigner, en Europe, les sépultures, individuelles ou groupées. Aux XVIIe et XVIIIe siècles, l'usage de la croix était chose courante. Inventée pour des notables, la tombe à croix devint l'apanage des pauvres et des petites gens[32]. Ceci dit, il est pratiquement impossible de mesurer l'évolution

28. Selon Philippe Ariès, ces petites plaques murales constituèrent la forme de monument funéraire la plus répandue en Europe jusqu'au XVIIIe siècle. Très fréquentes aux XVIe, XVIIe et XVIIIe siècles, elles traduisaient une volonté grandissante d'individualiser le lieu de la sépulture. Ariès, *Essais, op. cit.*, p. 48.

29. Voir Pierre-Georges Roy, *Les cimetières de Québec*, imprimerie Le Quotidien, Lévis, 1941, passim.

30. Communication de Mme Irène Bernier-Porter et de M. Robert Bernier, de Lauzon.

31. Voir Léopold Désy, *Lauréat Vallière et l'École de sculpture de Saint-Romuald (1852-1973)*, Éditions Laliberté, Québec, 1983, p. 126.

32. Ariès, *L'homme, op. cit.*, p. 266.

Fig. 7 *Vue d'une partie du cimetière Saint-Charles à Québec avec au premier plan une Pleureuse façonnée vers 1900 par Jean-Baptiste Côté (1832-1907).* (Photo Thérèse Labbé-Garcia et Lise Nadeau).

de l'usage de la croix dans nos anciens cimetières, puisque les premières croix de bois ont depuis longtemps disparu. Il reste que le recours progressif à ce repère topographique témoignait à la fois d'une volonté d'individualiser la sépulture et de ce que Jean-Didier Urbain a interprété comme « un désir inavoué de conservation indéfinie, d'immortalité »[33]. En plantant ne fût-ce qu'une simple croix de bois, la famille du disparu cherchait en quelque sorte à immortaliser son passage et à rappeler sa mémoire, ce qui correspondait tout à fait à la sensibilité nouvelle dont nous parlions plus haut. Aux XIXe et XXe siècles, ce culte du souvenir s'est manifesté

aussi bien par les cartes mortuaires et les albums de famille que par des deuils prolongés ou par l'acquisition d'un lot destiné à la sépulture des membres d'une même famille. C'est le même sentiment qui est à l'origine du culte moderne des tombeaux et des cimetières.[34]

Pour illustrer cette fidélité nouvelle au souvenir des défunts, nous aurons recours à deux monuments funéraires façonnés en bois aux environs de 1900. Le premier se dresse dans le cimetière Saint-Charles, à Québec (fig. 7), sur un lot appartenant à la famille Édmond[35]. Il s'agit d'une pleureuse appuyée sur un pilier recouvert d'une draperie. Ce motif fut

33. Jean-Didier Urbain, *La société de conservation, étude sémiologique des cimetières d'Occident*, Payot, Paris, 1978, p. 29.

34. Ariès, *Essais, op. cit.*, p. 58.

35. Communication de Mmes Lise Nadeau et Thérèse Labbé-Garcia, qui poursuivent d'intéressantes recherches sur les monuments funéraires de divers cimetières de Québec.

Fig. 8 *Monument de (?) tempérance érigé dans le cimetière de Lauzon vers la fin du XIXe siècle*, photo prise par Marius Barbeau en 1930, qui attribuait la sculpture des anges, du piédestal et de la Vierge à l'Enfant, à Louis Jobin (1845-1928) (Photo M.N.C., nég. 74556).

quité et exprime d'une façon émouvante la douleur des survivants lors de la perte d'un être aimé. En l'absence des parents, la pleureuse veille jour et nuit sur la tombe du disparu. Le second monument s'élevait naguère dans le cimetière de Neuville. Il s'agit d'une grande stèle cruciforme sculptée par Henri Angers à la mémoire de son père Cyrille (cat. 282). Ici, un petit médaillon rappelle d'une façon tangible les traits du défunt, tandis qu'une inscription perpétue le souvenir de son passage dans le monde des vivants. Objet d'un amour filial, le disparu est placé sous l'insigne protection de saint Joseph et des anges.

Tout comme le corbillard qui transporte le défunt vers sa dernière demeure, le monument funéraire sera le miroir fidèle du statut de celui que l'on met en terre. De fait, le pauvre se contentera généralement de peu, tandis que le bien-nanti cherchera à manifester sa richesse et ses privilèges par-delà les frontières de la mort. En ce sens, le monde des morts n'est qu'une transposition du monde des vivants : de la modeste croix de bois au somptueux mausolée, il y a les croix de fer ou de pierre, les stèles de pin, de calcaire ou de fonte, les socles, piliers et colonnes de granit ou de marbre[38], les obélisques et les pyramides en pierre de taille, les reliefs historiés et les rondes-bosses de bois plombé, de pierre ou de bronze[39]. Mais par-delà l'apparence de leurs monuments respectifs, le pauvre et le riche partagent les mêmes sentiments d'angoisse et d'espérance devant la mort, sentiments que résument bien les inscriptions placées sur les quatre murs d'un somptueux monument de tempérance érigé dans le cimetière de Lauzon vers la fin du XIXe siècle[40] : « Il faut mourir » / « Un jugement à subir » / « Un enfer à éviter » / « Un paradis à gagner » (fig. 8). À l'instar de tous les chrétiens conscients de la fragilité de l'existence, les tempérants devaient prêter une oreille attentive lorsque le curé de leur paroisse commentait en chaire l'épisode de l'évangile de saint Jean relatant la résurrection de Lazare (cat. 283). Sans doute nourrissaient-ils alors le ferme espoir qu'au jour du Jugement dernier ils pourraient, à leur tour, répondre à l'appel du Christ et vaincre la mort à jamais[41].

John R. Porter

sans doute emprunté au médaillon d'une stèle de pierre dont on retrouve encore plusieurs spécimens dans nos cimetières[36]. Ainsi s'expliquerait la simplicité relative du modelé de cette oeuvre, que l'on peut attribuer à Jean-Baptiste Côté[37]. Le thème de la pleureuse remonte à l'Anti-

36. Voir I.B.C.Q., fonds Gérard-Morisset, dossier Sainte-Anne-de-Beaupré, cimetière, stèle de F.X. Goulet.

37. Il y a deux ans, on pouvait encore voir une oeuvre identique à celle-ci dans le cimetière de Charlesbourg. Or, si l'on se fie au témoignage de Laure Côté, recueilli par Marius Barbeau, la *Désolation* de Charlesbourg était l'oeuvre de son père, Jean-Baptiste Côté.

38. Le recours à des matériaux durables pour les monuments de cimetière se généralisa à compter du milieu du XIXe siècle. Voir par exemple l'annonce parue dans *Le journal de Québec* du 6 juillet 1854 (p. 2) par laquelle le statuaire William Cunningham, de Montréal, offrait ses services pour sculpter des pierres tumulaires, des monuments et des tombes en marbre importé des États-Unis.

39. Signalons, par exemple, les monuments de Louis Archambault (1909) et de Joseph Versailles (1932) exécutés en granit et en bronze par Alfred Laliberté au cimetière de la Côte-des-Neiges, à Montréal.

40. Les responsables de la corporation du cimetière Sainte-Marie, à Lauzon, n'ont pas été en mesure de nous éclairer sur ce monument. Une nonagénaire de Lauzon nous a toutefois affirmé qu'il s'agissait d'un monument de tempérance. La grosse inscription que l'on devine à gauche de la photographie aurait sans doute pu nous éclairer davantage mais le cartouche a été arraché de ce monument abandonné dont l'état de conservation laisse fort à désirer.

41. Dans son *Catéchisme* de 1702 (p. 422), Mgr de Saint-Vallier disait qu'« en répandant de l'eau bénite sur les corps morts, on marque qu'il y a espérance qu'ils reviront, de même qu'on n'arrose les arbres et les plantes que lorsqu'on espère qu'elles porteront des fleurs et des fruits ».

Anonyme

276. *Ex-voto de la salle des femmes*
de l'Hôtel-Dieu de Montréal,
XVIIIᵉ siècle

Avant restauration

Huile sur toile. 93,5 × 131 cm.

Inscriptions
(sur une feuille, dans la main gauche du Christ): « Mi [...] Fecis [...] »; (sur les écriteaux des baldaquins de trois lits). « S. [...] ».

Si, dans la peinture québécoise, les ex-voto les plus connus commémorent généralement des scènes de désastres maritimes auxquels on a échappé de justesse, il existe aussi des descriptions d'autres circonstances de la réalité quotidienne, comme une maladie pouvant entraîner la mort, pour lesquelles on a senti le besoin de remercier le ciel.

Comme la majorité des ex-voto, celui de l'Hôtel-Dieu de Montréal se divise en deux registres distincts qui démarquent le monde céleste du monde terrestre. Le registre supérieur gauche est occupé par le Christ assis sur des nuages, tenant sa croix de la main droite, et de la main gauche une feuille portant une inscription presque effacée. La salle des femmes de l'Hôtel-Dieu de Montréal occupe le registre inférieur du tableau (cat. 67). Des femmes, à droite, sont alitées dans des lits à baldaquins aux tentures vertes, identifiés par des noms de saints, et des religieuses s'affairent auprès d'elles. À l'avant-

plan de la perspective de l'allée de gauche se place le groupe le plus important du tableau: une femme à l'article de la mort est assise par terre, soutenue par un homme (peut-être son mari) au visage angoissé, tandis qu'une religieuse qui se dirige vers eux esquisse un geste d'accueil. Nous ignorons tout des circonstances de l'entrée de cet ex-voto à l'Hôtel-Dieu, tout comme sa date et son auteur.

Restauré en 1984, le tableau dans son état actuel est devenu complètement différent de celui qui nous était connu. Vers la fin du siècle, une

Après restauration

religieuse s'était avisée d'y faire des repeints considérables (probablement afin de vêtir le Christ d'une façon plus décente.) L'oeuvre qui nous était connue avec ses repeints était à classer dans la catégorie des oeuvres dites naïves, alors qu'elle est, au contraire, très raffinée, exécutée par un peintre de métier. Les tableaux des communautés religieuses ont souvent été repeints (cat. 94) au cours des temps, et leur restauration nous réserve parfois de véritables surprises.

Dans ce cas-ci, nous avons affaire maintenant à une oeuvre d'une grande qualité dont le sujet, tiré du quotidien, est exceptionnel, une oeuvre dont il faudra dorénavant tenir compte dans l'histoire de la peinture québécoise.
J.T. et Y.L.

Expositions
1967, Montréal, Musée des beaux-arts de Montréal, *Le peintre et le Nouveau Monde,* n° 26, repr. 1973, Montréal, Hôtel-Dieu de Montréal, *Exposition commémorative du tricentenaire de la mort de Jeanne Mance,* n° 2.

Bibliographie
HARPER, *La Peinture au Canada,* 1966, p. 21-22 et 24, repr. *L'Hôtel-Dieu de Montréal 1642-1973,* 1973, p. couverture, repr.

Collection
Musée des religieuses hospitalières de Saint-Joseph, Montréal.

Anonyme

277. *Saint Roch*, fin du XVIIᵉ siècle

Bois doré. 76,2 cm.

Au Québec, la dévotion à saint Roch remonte à la fin du XVIIᵉ siècle. C'est à lui que les récollets dédièrent la chapelle du petit ermitage qu'ils aménagèrent en 1697 sur la berge de la rivière Saint-Charles (cat. 16). Un document de 1731 signale, d'ailleurs, que les habitants des environs vouèrent un culte particulier au saint protecteur à la suite des mortelles épidémies de grippe et de petite vérole qui avaient frappé la colonie :

« Le secours visible que le ciel a accordé aux peuples de cette ville et du pays par la protection de St-Roch (...) a tellement accru la dévotion au grand Saint qu'il se fait un concours continuel et si considérable à cette chapelle que sa petitesse ne le peut contenir, ce qui a fait voir aux religieux la nécessité qu'il y a de l'agrandir afin que les messes s'y puissent célébrer avec décence et les peuples y assister avec la commodité nécessaire à leur dévotion » (voir Huot, « La paroisse St-Roch de Québec », 1919, p. 45).

Saint Roch serait né à Montpellier au milieu du XIVᵉ siècle. À la mort de ses parents, il distribua ses biens aux pauvres et entreprit un pèlerinage à Rome. Sur sa route, il soigna des pestiférés et en guérit plus d'un en traçant sur eux le signe de la croix. Atteint à son tour par la maladie mortelle, il se retira dans une forêt pour ne pas semer la contagion. Ayant pitié de lui, Dieu assura sa subsistance en lui envoyant chaque jour un chien porteur d'un pain. Miraculeusement guéri, le saint homme regagna sa ville natale, mais personne ne le reconnut. Mis aux arrêts par erreur, il serait mort en prison vers l'âge de trente ans. Dès lors, on l'invoqua contre toutes les maladies contagieuses, et particulièrement lors des épidémies de peste qui ravagèrent l'Europe.

Dans la version sculptée conservée à Toronto, saint Roch incline la tête et pose la main droite sur sa poitrine, dans un geste de compassion. Chaussé de bottes, il porte une tunique et maintient contre lui un long manteau. Son vêtement principal est soulevé pour laisser voir le bubon pestilentiel qui marque sa cuisse droite. L'identité du saint guérisseur nous est confirmée par deux attributs complémentaires : le chien accroupi à ses pieds et qui tient un pain dans sa gueule, ainsi que la coquille posée sur une croix qui se découpe en relief sur son vêtement, près de son épaule droite. La coquille a pour objet de souligner le statut de pèlerin de saint Roch, alors que la croix rappelle les guérisons qu'il effectua sous ce signe. Le *saint Roch* de Toronto a perdu sa main gauche, mais a conservé sa dorure d'origine. La statuette est censée provenir de Québec, et il n'est pas exclu qu'elle ait un jour orné la chapelle de l'ermitage des récollets. Quoi qu'il en soit, il s'agit d'une oeuvre savante dont on peut apprécier la grande finesse d'exécution. Il y a tout lieu de croire que cette belle sculpture fut importée de France vers la fin du XVIIᵉ siècle.   J.R.P.

Exposition

1946, Détroit (Michigan), The Detroit Institute of Arts, *The Arts of French Canada (1613-1870)*, p. 22, nᵒ 6, repr.

Bibliographie

BARBEAU, « Traditional Arts of Quebec », 1943, p. 307, repr. BARBEAU, « The Arts of French Canada «, 1946, p. 332, repr. BARBEAU, « J'ai vu Québec », 1957, repr. HUBBARD, *L'évolution de l'art au Canada »*, 1964, p. 34-35, repr.

Collection

Royal Ontario Museum, Toronto.

Anonyme

278. *Ex-voto des cinq naufragés*, 1754

Huile sur bois. 31,7 × 52,1 cm.

Inscription

« Ex-voto. J.B.T. Aucler, Louis Bouvier, Marthe Feuilleteau, tous 3 Sauvés, Mᵃ. chamar ag de 21 a Margᵗᵉ. champagne agé de 20. ants, un jour, tout deux noyez. Le 17ᵉ juin. 1754, a 2 heurs. du matin. tous 5 dans ce triste etaᵗ Se recommandant à la bienheureuse Sᵗᵉ Ane ».

La scène du naufrage est le fleuve Saint-Laurent. Au centre du tableau, à l'arrière-plan, on distingue une île qui semble être l'île d'Orléans. Sur la rive droite, l'artiste a représenté l'église de Pointe-Lévis et sur la gauche, une autre église qui pourrait être celle de Beauport.

Deux jeunes hommes sont assis sur les extrémités d'un canot renversé, tandis qu'une jeune femme s'y agrippe désespérément. Dans les vagues du Saint-Laurent, à l'avant-plan, deux autres jeunes filles tendent vainement les bras : elles périront, comme nous l'apprend l'inscription du tableau. Le canot d'écorce, fréquemment utilisé, était une embarcation très légère qui avait tendance à chavirer.

C'est à sainte Anne – dont la dévotion était bien implantée en Nouvelle France – que les naufragés se recommandèrent pour qu'elle les tire de ce mauvais pas. On voit la sainte, entourée de nuages, placée tout au haut de la composition, entre les deux parties du texte relatant l'événement tragique. Les trois survivants, en faisant peindre un tableau, voulurent rendre un hommage public à son intervention.

Jusqu'en 1945, ce tableau a toujours été considéré comme anonyme. Lors de l'exposition « Le développement de la peinture au Canada », on l'attribua à Paul Beaucourt (1700-1756). Gérard Morisset retient cette attribution, alors que Russell Harper lui conserve l'anonymat. Les critères d'attribution à Beaucourt étant peu fondés, il nous semble qu'à la suite de Hubbard et Ostiguy, dans le catalogue de la Galerie nationale *Trois cents ans d'art canadien*, nous devrions lui conserver l'anonymat. N.C.

Expositions

1945, Toronto, Art Gallery of Ontario, Ottawa, Galerie nationale du Canada, *Le développement de la peinture au Canada 1665-1945*, nᵒ 10. 1959, Vancouver, Vancouver Art Gallery, *Les arts au Canada français*, nᵒ 98, repr. 1959, Québec, Musée du Québec, *Art religieux*. 1962, Bordeaux, Musée de Bordeaux, *L'Art au Canada*, nᵒ 2. 1965, Ottawa, Galerie nationale du Canada ; *Trésors de Québec*, nᵒ 7, repr. 1967, Ottawa, Galerie nationale du Canada, *Trois cents ans d'art canadien*, nᵒ 2, repr. 1973, Ottawa, Galerie nationale du Canada, *L'Art populaire*, nᵒ 16, repr.

Bibliographie

ANON., « La fête de la Bonne Sainte-Anne », *Le Courrier du Canada*, 1ᵉʳ août 1870, p. 2. WADE, *Les Canadiens français*, 1955, p. 40, repr. DALE, « Primitives and Provincials », 1956, p. 31-32, repr. MORISSET, « Paul Beaucourt (1700-1756) », 1956, p. 21, repr. BARBEAU, *J'ai vu Québec*, 1957, n., repr. HUBBARD, « Growth in Canadian Art », 1957, p. 116. MORISSET, *La peinture traditionnelle*, 1960, p. 41, repr. PICHER, « Les ex-voto », 1961, p. 222, repr. MORISSET, « L'influence française sur l'art », 1962, p. 36, repr. HUBBARD, *L'évolution de l'art au Canada*, 1964, p. 47-49, repr. HARPER, *La peinture au Canada*, 1966, p. 17, repr. GAGNÉ et ASSELIN, *Sainte-Anne de Beaupré*, 1967, p. 63. ANON., « Ces vieux objets », 1974, p. 164-165. RODRIGUE, « Les ex-voto », 1978, p. 51-53, repr. BOULLET, *Ex-voto marins*, 1978, p. 141. ROBERT, *La peinture au Québec*, 1978, p. 16, repr. CLOUTIER, « Les ex-voto marins », 1981, p. 87-88. CLOUTIER, « La collection d'ex-voto de Sainte-Anne », 1981, p. 11-12. BIRD, *Canadian Folk Art*, 1983, p. 90-91, repr. CLOUTIER, « La peinture votive à Sainte-Anne », 1984, p. 161-162, 178, repr.

Collection

Musée de la basilique, Sainte-Anne-de-Beaupré.

Anonyme

279. *Ex-voto de d'Iberville*, vers 1696

Huile sur toile. 80 × 57 cm.

Pierre Le Moyne d'Iberville (1661-1706) et son frère de Serigny (1668-1734) quittèrent Québec, le 10 août 1694, pour prendre la baie d'Hudson aux Anglais. D'Iberville commandait le navire « Le Poli » et son frère commandait « La Salamandre ». L'aumônier de l'équipage, le jésuite Pierre-Gabriel Marest (1662-1714), nous raconte que, du 8 au 10 septembre, le vent ne soufflant pas, il demanda aux marins de prier sainte Anne. Quelques jours plus tard, les vents devinrent contraires. Cette fois, les officiers et les matelots promirent de consacrer une partie de leurs gains à sainte Anne. Dès la nuit suivante, les vents leur devinrent favorables.

Fin octobre, les Anglais capitulaient et, dans l'été 1695, d'Iberville se dirigea vers La Rochelle. Au printemps 1696, il repartit de France pour une expédition contre les Anglais à Terre-Neuve. L'équipage n'étant pas revenu au Canada avant 1696, ce n'est que cette année-là que le voeu put être accompli.

Cette interprétation de l'ex-voto explique bien la présence du navire de l'arrière-plan qui, toutes voiles dehors, ne semble pourtant pas avancer. Ce vaisseau, armé d'au moins quatorze canons, ne peut pas être postérieur au début du XVIIIᵉ siècle. En effet, son beaupré n'a pas encore de bout dehors, caractéristique apparue dans la construction navale vers 1705; de plus, le château arrière est très élevé et on remarque l'absence de cacatois. Ces trois particularités montrent que le navire ne peut avoir été construit après les premières années du XVIIIᵉ siècle.

L'hypothèse que nous avançons sur l'interprétation de cet ex-voto expliquerait fort bien pourquoi d'Iberville, agenouillé aux pieds de sainte Anne, lui présente deux documents sur une écritoire. Le premier est le texte des conditions de capitulation que les Français imposèrent aux Anglais et le second est la lettre de capitulation des Anglais.

L'« Éducation de la Vierge » de cet ex-voto est caractéristique du XVIIᵉ siècle. Bien que la scène du registre supérieur gauche se situe dans des nuages et dans un espace spatial fort différent de la scène du registre inférieur, l'artiste a tout de même créé une unité dans ce tableau. En effet, sainte Anne et la Vierge regardent d'Iberville, qui lui-même les regarde. L'écritoire que d'Iberville présente est peinte sur un nuage. Entre les deux registres, il y a un lien, ce qui est rare dans la peinture votive. L'écritoire crée ce lien; située sur la diagonale entre les yeux de la Vierge et ceux de d'Iberville, cette écritoire constitue l'élément important de la composition. L'artiste qui a peint cet ex-voto a su créer une bonne composition, tout en conservant la différenciation spatiale caractéristique de la peinture votive.   N.C.

Bibliographie

Lettres édifiantes et curieuses, 1819, tome 4, p. 9-16. MORISSET, « La peinture en Nouvelle-France », 1933, p. 217-221 et 228. MORISSET, *Peintures et tableaux*, 1936, p. 45-50, 53 et 58. MORISSET, « Coup d'oeil sur les trésors artistiques », 1947-1948, p. 62. MORISSET, « Les ex-voto de Sainte-Anne », 1950, p. 17 et 46, repr. GAGNÉ et ASSELIN, *Sainte-Anne de Beaupré*, 1967, p. 16 et 56-57. BOULIZON, *Les Musées du Québec*, 1976, tome 2, p. 120, repr. CLOUTIER, « Les ex-voto marins au Québec », 1981, p. 83. CLOUTIER, « La collection d'ex-voto de Sainte-Anne », 1981, p. 11-12. VACHON, *Rêves d'Empire*, 1982, p. 379, repr. CLOUTIER, « La peinture votive à Sainte-Anne », 1984, p. 152-155, 176, repr.

Collection

Musée de la basilique, Sainte-Anne-de-Beaupré.

Anonyme

280. *Figure funéraire*, fin du XIX⁰ siècle

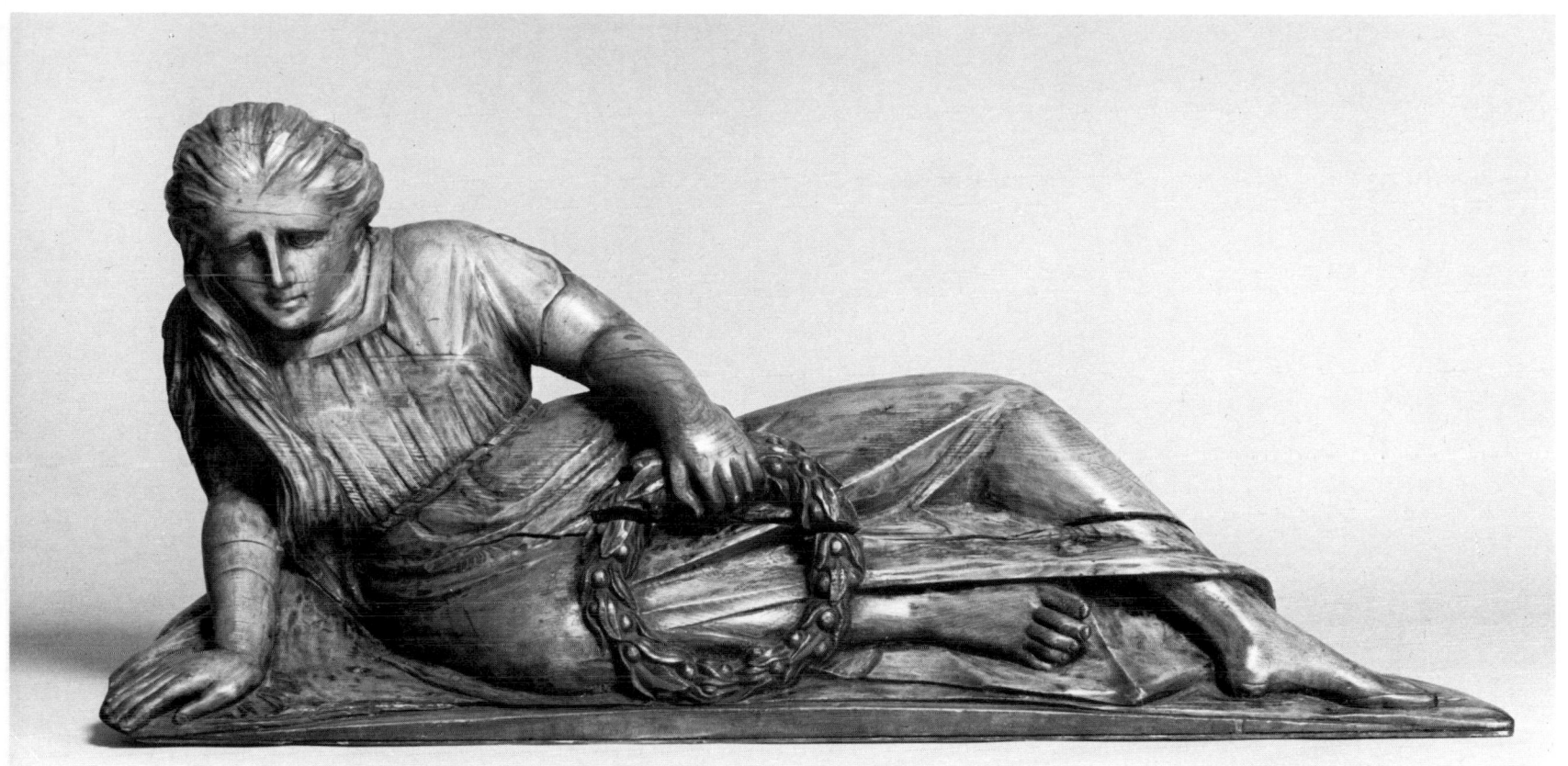

Bois décapé. 53,5 × 115 cm.

On commence à peine à s'intéresser à la sculpture funéraire québécoise, volet particulièrement négligé de notre patrimoine artistique. Nos musées conservent certes quelques pièces intéressantes mais, comme dans le cas présent, il s'agit presque toujours de fragments anonymes provenant d'anciens corbillards démantelés. Qui plus est, on a souvent cherché à atténuer le caractère funèbre de ces sculptures en les soumettant à un décapage aussi radical qu'inopportun.

La figure funéraire du Musée des beaux-arts était naguère entièrement revêtue d'une couche de peinture noire, ce qui indique qu'elle ornait à l'origine un corbillard pour les adultes. Comme type de représentation, elle est à rapprocher d'une sculpture (ill. 280 a) faisant partie de la décoration du corbillard de l'ancienne maison Gauthier et Frère de Trois-Rivières (fig. 6). Dans les deux cas, nous avons affaire à une pleureuse allongée qui soutient le haut de son corps sur un bras et qui tient de l'autre une couronne de lauriers, symbole d'éternité.
J.R.P.

Bibliographie
M.B.A.M., archives du musée, dossier de recherche établi par Yves Lacasse, 1982.

Collection
Musée des beaux-arts de Montréal, Montréal, achat, legs Horsley et Annie Townsend (1984, Df. 4).

Ill. 280a Anonyme, *Figure funéraire* 1898; bois peint en noir, Personnage faisant partie du décor historié de l'ancien corbillard de la maison Gauthier & Frère de Trois-Rivières, Musée national de l'Homme, Ottawa (Photo Germain Langlois, 1977).

Anonyme

281. *Ange penché sur un enfant,*
   deuxième moitié du XIXe siècle

Henri Angers, 1870-1963

282. *Stèle funéraire*, 1891

Bois. 243,8 × 61 cm.

Inscription

(dans la partie basse): « À la mémoire de CYRILLE ANGERS décédé le 9 août 1891 à l'âge de 75 ans et de son épouse MARIE ANGÉLIQUE SAVARD décédée à l'âge de 48 ans le 20 juillet 1880 ».

Henri Angers sculpta cette stèle de huit pieds de haut à l'époque où il était apprenti chez Louis Jobin. À l'origine, l'ouvrage s'enfonçait de quelque deux pieds de plus – cette partie a été retranchée – dans le sol et indiquait le lieu précis de la sépulture des parents d'Angers, dans le cimetière de Neuville. Lorsque l'on déplaça le cimetière, en 1938, un membre de la famille jugea bon de mettre la stèle à l'abri. C'est sans doute à cette intervention que nous devons de pouvoir encore admirer ce remarquable monument funéraire, façonné dans une seule pièce de bois.

La stèle présente une forme composite qui allie la croix à l'obélisque. Deux volutes ornementales se découpent sur les bras, tandis qu'au-dessous se profilent deux petites têtes d'anges. La surface de la stèle est marquée çà et là d'incisions décoratives propres au mobilier victorien québécois de l'époque (par exemple, fleurs de lys stylisées). Quant à la décoration historiée, elle comporte quatre motifs essentiels distribués de bas en haut de l'ouvrage: une inscription « in memoriam », un portrait du défunt, un saint Joseph et une petite croix chanfreinée. L'inscription nous apprend que la stèle était destinée à la fois à la sépulture de Cyrille Angers et à celle de son épouse, bien qu'elle ne porte l'effigie que du premier. Conformément à un usage très répandu, la partie supérieure de l'« in memoriam » est entourée d'un rideau soulevé que tiennent en place des glands placés aux angles et au milieu. Tout en créant une illusion de perspective, le voile mortuaire souligne en quelque sorte la présence des corps des défunts et fait allusion à leur passage dans un autre monde. Placé au point de rencontre de la hampe et de la traverse, le médaillon circulaire a pour but premier d'immortaliser les traits du disparu. Il s'agit d'un petit buste qui fut vraisemblablement exécuté d'après une huile sur bois de Félicité Angers (ne pas confondre avec Laure Conan), sœur du sculpteur (ill. 282a). L'effigie du défunt est placée sous la protection d'un saint Joseph en relief représenté en pied. Le recours à ce type de représentation ne constitue pas un cas exceptionnel, puisque l'on retrouve l'image du patron des mourants sur d'autres stèles de la fin du XIXe siècle. Signalons, en guise d'exemple, le monument d'Onésime Gagné dans le

Bois peint en blanc. 63,5 × 99,5 cm.

Au début des années 50, le Musée du Québec fit l'acquisition de deux sculptures pratiquement identiques provenant de la collection de Paul Gouin, amateur d'art québécois à qui nous devons la conservation de plusieurs œuvres d'art importantes. Ces sculptures provenaient d'un corbillard pour les enfants. L'une d'elles fut décapée en 1955: les deux pouces de l'ange, l'index de la main droite et les deux ailes furent reconstitués par M. Joseph Dorion en 1959. L'autre sculpture nous est parvenue presque intacte et un examen récent révèle qu'il existe une polychromie sous la peinture blanche.

Allongé sur sa couche, l'enfant a la tête appuyée sur deux coussins. Il a pour tout vêtement un simple pagne qui laisse voir un corps plutôt massif et charnu. Sur le point de rendre l'âme, l'enfant fait un dernier effort et tend les bras à l'ange qui l'invite à l'accompagner dans l'éternité. Le messager céleste est représenté sous les traits d'une belle jeune femme vêtue d'une robe aux plis mouillés stylisés. Il épouse une ligne diagonale et dynamique qui contraste avec l'horizontalité et la relative lourdeur du corps de l'enfant. Par-delà le subtil dialogue des mains de l'ange et de l'enfant, on pourra apprécier la douceur, la tendresse, voire la sensualité de cet ensemble, qui avait tout pour apaiser la douleur des familles éplorées.   J.R.P.

Collection
Musée du Québec, Québec, (A-55.253.S2).

Ill. 282a Félicité Angers (1854-1921),
Cyrille Angers, huile sur bois
de petites dimensions, collection
de la famille Angers de Québec
(Photo Paul Trépanier).

Ill. 282b Anonyme, *Stèle funéraire
d'Onésime Gagné*, bois peint,
cimetière de Saint-Anselme de Dorchester
(Photo François Brault).

cimetière de Saint-Anselme de Dorchester (ill. 282b). Pour ce qui est de la croix placée au sommet du monument, rappelons qu'elle symbolise à la fois la mort et l'espérance de la résurrection.

Henri Angers n'est pas le seul sculpteur québécois qui ait rendu hommage à la mémoire de ses parents par une stèle funéraire façonnée de sa main. Alfred Laliberté fit de même pour son père, vers 1916, dans le cimetière de Sainte-Cécile-de-Whitton et pour sa mère, en 1933, dans le cimetière de Saint-Norbert. Dans les deux cas, il réalisa des stèles en ciment et en béton, ornées de profils en reliefs.   J.R.P.

Collection
Collecion de M. Jean Angers, Neuville.

Jean Paul Lemieux, 1904-

283. *La résurrection de Lazare*, 1941

Huile sur masonite. 101 × 83,5 cm.

Inscription

(en bas, à gauche): « Jean-Paul Lemieux/1941 ».

À la manière de Thomas Hart Benton et des peintres régionalistes des États-Unis, Jean Paul Lemieux, dans sa peinture des années 40, voulait se faire l'interprète du sentiment populaire. Dans ce tableau, il lui semblait que, devant les horreurs de la Seconde Guerre mondiale, le bon peuple québécois aurait mis spontanément sa confiance dans la Parole de Dieu. Le récit évangélique, qui raconte comment Jésus, ému de compassion devant le chagrin des soeurs de Lazare, Marthe et Marie, avait ressuscité leur frère d'entre les morts, ne permet-il pas tous les espoirs? Comment ne pas penser que, si Jésus revenait parmi nous aujourd'hui, il agirait autrement? Les *Negro Spirituals* expriment souvent des sentiments de ce genre.

C'est ce qui explique à la fois la composition du tableau et le style d'imagier populaire adopté par Lemieux. À l'arrière-plan, à gauche, il évoque les horreurs de la guerre moderne; au centre, un prédicateur raconte une fois de plus au peuple chrétien l'histoire de Lazare; enfin, en haut à droite, le Christ en costume moderne ressuscitant Lazare devant Marthe et Marie, et un bon fossoyeur en bretelles qui en échappe sa bêche de surprise. Le cortège funèbre, en bas à droite, rappelle que toutes les morts, mêmes moins cruelles que celles de la guerre, font renaître les mêmes espoirs dans le coeur des chrétiens.   F.-M.G.

Expositions

1941, Toronto, Art Gallery of Toronto, *Charles Goldhamer, Jean-Paul Lemieux, Peter Haworth, Tom Wood*. 1946, Paris, Musée d'art moderne, UNESCO, *Exposition internationale d'art moderne*, n° 17. 1963, Toronto, Art Gallery of Toronto, *Religious Art, a Loan Exhibition*, n° 12, repr. 1964, London (Ont.), London Public Library and Art Museum, *Surrealism in Canadian Painting*, n° 50. 1966, London (Ont.), The Art Gallery of London, *Jean-Paul Lemieux, Retrospective Exhibition*, n° 3, repr. 1967, Ottawa, Galerie nationale du Canada, *Trois cents ans d'art canadien*, n° 259, repr. 1967, Montréal, Musée des beaux-arts de Montréal, *Lemieux*, n° 13, repr.

Bibliographie

BARBEAU, *Painters of Quebec*, 1946, p. 35, repr. *The Arts in Canada*, 1957, p. 101. A.G.T., *Painting and Sculpture*, 1959, p. 80, repr. HUBBARD, *The Development of Canadian Art*, 1963, p. 115. WALLACE, « A Review of Two Exhibitons », 1963, p. 331, repr. HARPER, *La peinture au Canada*, 1966, p. 333, repr. KILBOURN, *Great Canadian Painting*, 1966, p. 33, repr. WITHROW, *Art Gallery of Ontario*, 1970, p. 241, repr. ROBERT, *Lemieux*, 1975, p. 68-74, repr.

Collection

Musée des beaux-arts de l'Ontario, Toronto, (2574).

CHAPITRE SEIZIÈME
PRÉSENTATION

Si l'Église, dans sa clairvoyance, a commandé, acheté, utilisé, conservé et exposé des objets d'art, c'est qu'elle y a attaché une solennelle importance. Il s'agit ici de l'objet d'art appelé à parler à l'âme et au contact duquel *le ciel s'ouvre*. Pour lui, l'Église a consenti des sacrifices.

Alors que la communauté devait combler des besoins immédiats et vitaux, souvent avec certaines difficultés, cette Initiée donnait des cours de dessin et de sculpture et décorait à l'envi les églises. Elle envoyait de jeunes artistes en Europe et avec les dons des fidèles, commandait des objets de culte.

Associé à la Révélation, l'objet d'art en transmettait l'essence par sa beauté et sa perfection. Le Beau était attribué à une valeur existant en soi, l'Idée, l'Esprit, Dieu. Les chefs-d'oeuvre exposés au Musée du Séminaire incarnent cette Beauté recherchée comme image de la perfection morale.

Cette définition mystique de la beauté partagée par un grand nombre de philosophes de l'histoire et d'hommes de toutes cultures et religions, nous est transmise directement par les oeuvres exposées. Les oeuvres présentées par le Musée du Séminaire, oeuvres d'artisans, constituent une objectivation de valeurs traditionnelles héritées de l'Antiquité. Quels trésors, en effet, ne sacrifiait-on pas aux dieux? Ses parfums, ses biens les plus précieux étaient offerts sur l'autel afin que quelque espérance brille. Avec l'Église, l'art devenait sacré au contact du corps et du sang de Jésus-Christ.

Le conservateur du Musée, monsieur Magella Paradis, a préparé soigneusement les textes accompagnant les oeuvres de l'exposition. Le choix des pièces a été réalisé avec le concours de notre distingué conservateur du patrimoine artistique du Séminaire, monsieur Jean-Marie Thivierge. Qu'ils soient remerciés ainsi que monsieur Pierre Lachapelle, directeur du Musée du Québec, qui a permis la présente intégration des textes et illustrations au catalogue, alors que les oeuvres sont exposées au Musée du Séminaire.

Les objets d'art exposés présentent Monseigneur de Laval, fondateur de l'Église canadienne, du Séminaire et de la paroisse Notre-Dame, première paroisse en Amérique du Nord. Les liens sont étroits entre l'Évêché, la paroisse et le Séminaire également sous l'épiscopat de Monseigneur Briand. Chacune des pointes du triangle formé par leur association est représentée par des oeuvres magistrales dont les plus remarquables sont peut-être le plateau d'argent ciselé par l'orfèvre François Ranvoyzé, de l'Archevêché; le Saint-Jérôme de style néo-classique par le peintre français Louis David, de la Cathédrale; enfin, l'incomparable calice et la patène de Monseigneur de Laval faits à Paris en 1673 par Nicolas Dolin, conservés au Séminaire de Québec.

De ces objets, beaux entre tous, se dégagent l'ultime sens de la mesure de l'art et la pureté, ici enchanteresse, de son inspiration. Puissions-nous, agités par de mouvants espoirs et mille pensées diverses, puiser à leur contact un moment de repos et de sérénité.

Carolle Gagnon,
directrice
Musée du Séminaire de Québec

AU COEUR DE L'ÉGLISE CANADIENNE

Il était temps que Mgr de Laval arrive afin d'organiser la colonie qui, depuis sa fondation, était ni plus ni moins entre les mains de commerçants. Bien sûr, l'évangélisation avait commencé avec les récollets, en 1615[1], et avec les jésuites, en 1625[2], mais ces efforts restaient fragmentaires. Déjà en 1629, plus de cent Français vivaient dans la colonie[3] et les centres d'habitation allaient se multipliant : Québec, Tadoussac, Trois-Rivières (1634), Montréal (1642). Ainsi, vu la croissance constante de la population et le désir des habitants de bénéficier des services religieux autres que ceux dispensés dans les « pays de missions », il devenait urgent de construire une Église stable, à l'abri des dissensions politiques et économiques. Le maître-d'oeuvre choisi pour cette édification fut Mgr François de Montmorency-Laval, un être simple dont Marie de l'Incarnation dira qu'il était : « ...l'homme du monde le plus austère et le plus détaché des biens de ce monde »[4].

François de Laval naquit à Montigny-sur-Avre, dans le diocèse de Chartres, le 30 avril 1623[5]. Destiné à l'Église dès l'enfance, il fut tonsuré à l'âge de huit ans et nommé chanoine de la cathédrale d'Évreux à l'âge de quatorze ans.

Il fit ses études chez les jésuites, au collège de la Flèche, en Anjou, et à celui de Clermont, à Paris. Après le décès de son père, puis de ses deux frères, il devient l'héritier des Laval de Montigny, en 1645. Cela n'ébranle en rien sa vocation et il est ordonné prêtre le 1er mai 1647[6]. Dès 1653, il est pressenti pour devenir vicaire apostolique ; humblement, il se démet de son archidiaconé d'Évreux et, par la suite, de ses titres et droits seigneuriaux qu'il cède à son frère cadet. En 1654, il se retire à l'Ermitage de Caen chez son ami Jean de Bernière-Louvigny.

C'est la congrégation de la Propagande, à Paris, appuyée largement par le roi Louis XIV, qui prend l'initiative de proposer Mgr de Laval comme vicaire apostolique, en 1658, à Alexandre VII[7]. Le pape entérine ce choix et, le 3 juin de la même année, Mgr de Laval est nommé évêque et vicaire apostolique du Canada. Pressé de se rendre au Canada, Mgr de Laval arrive à Québec le 16 juin 1659[8].

La population est à la fois ravie et étonnée d'accueillir, sur les rives du Saint-Laurent, le premier évêque de la Nouvelle France : ravie parce qu'enfin son voeu était exaucé, et étonnée parce qu'elle s'attendait bien à la nomination d'un évêque, mais non pas à ce qu'il arrive la même année. Aussi,

1. Lucien Campeau, *L'Évêché de Québec (1674)*, Québec, Société Historique de Québec, 1974, p. 8.

2. E.J. Devine, s.j., *Les Jésuites Martyrs de la Nouvelle France*, Paris, éd. Gabrielle Beauchesnes, 1927, p. 1.

3. Cyrille Labrecque, *Album-Souvenir de la Basilique de Québec*, Québec, 1947, p. 11.

4. Benjamin Sulte, *Lettres historiques de la vénérable mère Marie de l'Incarnation sur le Canada*, Québec, éd. L'Action Sociale Limitée, 1927, p. 120.

5. Noël Baillargeon, *Le Séminaire de Québec sous l'épiscopat de Mgr de Laval*, Québec, P.U.L., 1972, p. 4.

6. *Idem*, p. 4.

7. *Idem*, p. 10.

8. Auguste Gosselin, *Le vénérable François de Montmorency-Laval premier évêque de Québec*, Québec, Dussault et Proulx, 1906, p. 81.

rien n'était prêt pour accueillir le prélat qui était accompagné de trois prêtres séculiers. Les nouveaux arrivants séjournèrent au collège des jésuites et à l'Hôtel-Dieu; puis, ils louèrent l'ancienne maison de madame de la Peltrie qui appartenait aux ursulines[9].

Où en était la colonie à l'arrivée de Mgr de Laval? Sur les deux mille cinq cents colons de la Nouvelle France, mille huit cents d'entre eux habitaient la région de Québec, de Cap-Rouge à Cap-Tourmente et sur la Côte-de-Lauzon. Environ cinq cents personnes habitaient la ville de Québec et le faubourg Saint-Jean[10]. À l'horizon, se profilaient le couvent des ursulines (arrivées en 1639), le collège des jésuites, légèrement en retrait, le couvent des augustines hospitalières (arrivées en 1639)[11] et, à l'emplacement actuel de la cathédrale, une église en pierre, en forme de croix latine, de cent pieds de long sur trente-huit pieds de large[12].

Malgré ce développement apparent, la colonie se trouvait aux prises avec de graves problèmes. En effet, les Iroquois harcelaient constamment la population et il était hasardeux de s'aventurer loin des centres habités. De plus, la vente d'alcool aux nations alliées faisait de véritables ravages dans leurs rangs. Enfin, l'arrivée du prélat ne s'est pas faite sans que surviennent des difficultés avec l'administration civile du gouverneur d'Argenson.

Le premier mandement[13] de Mgr de Laval portait sur la reconnaissance de la compagnie de Jésus:

« ...*Après avoir reconnu et considéré les grands services rendus à Dieu par les Pères de la Compagnie de Jésus en toutes ces contrées, tant au regard de la conversion des sauvages que de la culture de la colonie française, et spécialement par le soin charitable qu'ils ont apporté en l'administration de la paroisse, tant pour le spirituel que pour le temporel, et ce l'espace d'environ trente ans... Nous avons jugé juste et raisonnable qu'il y ait à jamais quelque marque de reconnaissance de la part de la dite paroisse de Québec envers les dits Pères de la Compagnie de Jésus, et à cette fin nous avons ordonné que tous les ans, au premier jour de janvier que se célèbre la fête de la Circoncision ou du St Nom de Jésus qui est le titre et le patron de leur église de Québec...* »[14].

Par ce document, Mgr de Laval reconnaissait l'énorme tâche effectuée par les jésuites. Il ne manquait pas cependant de leur rappeler que, dorénavant, la responsabilité de la paroisse lui imcombait: « ... de laquelle administration nous les aurions déchargés lorsque nous sommes arrivés en ce pays... »[15]. Par la suite, il dut faire face à deux problèmes

graves: la vente d'alcool aux Indiens et la reconnaissance de sa juridiction en Nouvelle France[16]. Le premier se régla avec le temps et le deuxième, non sans peine. En effet, l'archevêque de Rouen prétendait rattacher la Nouvelle France à son diocèse et, par le fait même, en tirer quelque profit.

Comment aurait-il été possible pour un archevêque qui vivait dans la métropole de répondre aux besoins de la population locale? Mgr de Laval fit part de ses craintes à Louis XIV lui-même qui ne fit aucune difficulté pour le rassurer et répondre à sa demande.

D'autres difficultés s'ajoutèrent à celles-ci. En effet, deux des trois prêtres qui accompagnaient Mgr de Laval à son arrivée partirent, l'année suivante, car ils ne pouvaient supporter les conditions de vie et le climat. Cela fit comprendre à Mgr de Laval qu'il lui serait difficile d'attirer des prêtres et de les garder dans la colonie. Aussi songea-t-il à fonder un séminaire, afin de former un clergé apte à répondre aux besoins de la colonie, dans le pays même.

L'idée d'un séminaire n'est pas né d'une façon spontanée. En effet, lorsque Mgr de Laval était abbé de Montigny, il eut l'occasion de rencontrer le jésuite Alexandre de Rhodes, missionnaire au Tonkin[17]. Celui-ci préconisait la formation d'un clergé autochtone. Mgr de Laval croyait que cette formule s'imposait au Canada. Cependant, il apporta une vision originale au projet. Dans la colonie naissante, l'existence temporelle de nombreux établissements était presque impossible à assurer. L'évêque eut donc la prévoyance d'associer, dans un même lieu physique, le séminaire, le presbytère et le palais épiscopal.

Ainsi, le premier édifice que fit construire Mgr de Laval fut un presbytère aux fonctions multiples. Il occupait l'emplacement du presbytère actuel. Construit sous la direction de M. de Bernière[18], le presbytère fut terminé en octobre 1662[19]. Quelques mois plus tôt, Mgr de Laval s'était embarqué pour la France, afin de régler des affaires et d'assurer des revenus pour son établissement. Le 26 mars 1663, il signait à Paris, le décret d'érection du Séminaire de Québec.

La paroisse Notre-Dame de Québec fut érigée canoniquement le 15 septembre 1664[20] et, en même temps, l'administration spirituelle et temporelle de celle-ci était confiée au Séminaire de Québec. Cependant, la paroisse restait propriétaire de ses biens et les administrait à son gré. Le but visé par Mgr de Laval était d'assurer la viabilité à la fois de la paroisse et du Séminaire. Dix ans plus tard, le premier octobre 1674, cette même paroisse devenait le siège de l'évêque par une bulle de Clément X[21].

9. Noël Baillargeon, *op. cit.*, p. 17.

10. *Idem*, p. 18.

11. Cyrille Labrecque, *op. cit.*, p. 11.

12. *Idem*, p. 13.

13. Ordre écrit, instruction de l'évêque aux fidèles.

14. H. Têtu Mgr, C. O. Gagnon, ptre, *Mandements, lettres pastorales et circulaires des Évêques de Québec*, Québec, Imprimerie Générale A. Côté et Cie., 1887, T. I., p. 13.

15. *Idem*, p. 13.

16. *Idem*, p. 14, p. 16.

17. Noël Baillargeon, *op. cit.*, p. 7.

18. Henri de Bernière était le neveu de Jean de Bernière-Louvigny chez qui Mgr de Laval s'était retiré en 1654. Il accompagnait le prélat à son arrivée en 1659. Il fut ordonné prêtre le 13 mars 1660. Il dirigeait la cure de Québec.

19. Noël Baillargeon, *op. cit.*, p. 23.

20. Cyrille Labrecque, *op. cit.*, p. 13.

21. H. Têtu, Mgr, C.O. Gagnon, *op. cit.*, p. 28.

Ainsi, pendant son épiscopat, Mgr de Laval avait jeté les fondements d'une Église stable, autosuffisante et, surtout, propre, à répondre aux besoins de la population. La maladie, la fatigue, les privations obligèrent l'évêque à abandonner son siège épiscopal en 1688. Son successeur, Mgr de Saint-Vallier, fut nommé évêque le 27 juillet 1687[22]. Mgr de Laval décéda le 6 mai 1708[23].

Magella Paradis

---

22. Henri Têtu, Mgr, *Les Évêques de Québec*, T. I. *Monseigneur de Laval, Monseigneur de Saint-Vallier*, Montréal, Granger Frères Limitée, non daté, p. 97.

23. *Idem*, p. 59.

Claude François dit frère Luc, 1614-1685

I. Mgr *François de Montmorency Laval*, vers 1672

Huile sur toile. 86,4 × 71,2 cm.

Le frère Luc aurait séjourné en Nouvelle France d'août 1670 à novembre 1671. Il serait reparti sur le navire qui amenait Mgr de Laval en France. Le portrait de l'évêque par le frère Luc aurait été exécuté à Paris, en 1672. Mgr de Laval avait à l'époque quarante-neuf ans. Il portait au cou la croix pectorale qui est conservée, encore aujourd'hui, à l'archevêché de Québec (cat. III).

Le frère Luc nous représente Mgr de Laval (1623-1708) sous les traits d'un personnage austère, marqué par une vie de labeur, d'ascèse et de renoncement de soi. Rien de frivole dans le regard, rien d'affecté dans le maintien. Le portrait de Mgr de Laval est plus une étude de caractère qu'un portrait physique. Marie de l'Incarnation, douze ans plus tôt, brossait un portrait semblable de l'évêque, qu'elle adressait à son fils, en 1660 (Sulte, *Lettres historiques*, 1927, p. 120) :

« *...Mgr notre prélat est tel que je vous l'ai mandé par mes précédentes, savoir, très zélé et inflexible. Zélé pour faire tout ce qu'il croit devoir augmenter la gloire de Dieu; et inflexible pour ne point céder en ce qui est contraire. Je n'ai point encore vu personne tenir si ferme que lui en ces deux points. C'est un autre saint Thomas de Villeneuve pour la charité et pour l'humilité, car il se donnerait lui-même pour cela. Il ne réserve pour sa nécessité que le pire. Il est infatigable au travail;... Il donne tout et vit en pauvre,... Il pratique cette pauvreté en sa maison, en son vivre, en ses meubles...* ».

C'est donc un être exceptionnel qui présida aux premières heures de l'Église canadienne. M.P.

Expositions
1965, Ottawa, Galerie nationale du Canada, *Trésors de Québec*, nº 1, repr. 1973, Québec, Musée du Québec, *Trésors des communautés religieuses de la ville de Québec*, p. 112, repr.,

Bibliographie
GOSSELIN, *Vie de Mgr de Laval*, 1890, t. 2, p. 554. CARTER, *Descriptive and Historical Catalogue*, 1908, p. 28, nº 312. *Catalogue de l'université Laval*, 1933, nº 274. MORISSET, « Coup d'oeil sur notre histoire », 1937, p. 6. MORISSET, « Coup d'oeil sur les arts », 1941, p. 52. MORISSET, « Entretiens sur les arts », 1942, p. 212. MORISSET, *La vie et l'oeuvre du frère Luc.*, 1944, p. 123. JOBIN, « Le Portrait de Mgr de Laval », 1950, p. 6, repr. MORISSET, « Les portraits de François de Laval », 1959, p. 14-15. MORISSET, *La peinture traditionnelle*, 1960, p. 23-26. HARPER, *La peinture au Canada*, 1966, p. 3, repr. MORISSET, « François, Claude, dit frère Luc », 1966, p. 323. GAGNON et CLOUTIER, *Premiers peintres de la Nouvelle-France*, 1976, T.I., p. 112, repr. ROBERT, *La peinture au Québec*, 1978, p. 15, repr. VACHON, *Rêves d'empire*, 1982, p. 336, repr.

Collection
Séminaire de Québec, Québec, (1933 : 277).

Nicolas Dolin, Paris, maître en 1647-1695

II. *Calice et patène dits « Mgr de Laval »*, vers 1673

Argent doré (vermeil). 31,1 cm (calice) – 19 cm (patène).

Poinçon

(sur le calice): Maître: une fleur de lys couronnée, deux grains, une tête d'aigle en N et D.

Québec fut érigée en évêché le 1er octobre 1674. Le même mois, Mgr de Laval, jusqu'alors évêque de Pétrée, fut nommé premier évêque de Québec. Selon la coutume, Mgr de Laval dut prêter le serment de fidélité au roi. La cérémonie eut lieu le 24 avril 1675. C'est probablement à cette occasion que le roi Louis XIV lui offrit un calice et une patène.

Par son iconographie, le calice dit « de Monseigneur de Laval » est une pièce rare, irremplaçable. Il l'est aussi sur d'autres plans. En effet, les pièces d'orfèvrerie religieuse ou domestique du XVIIe siècle, tant en France qu'au Québec, ont été pour une large part fondues pour répondre à des besoins guerriers ou mercantiles, ou encore détruites lors de révolutions ou d'incendies. Le calice exécuté par Nicolas Dolin est donc un exemple exceptionnel de la production des orfèvres français du XVIIe siècle.

Décoré en relief sur toutes ses parties, le calice comprend, sur la fausse-coupe, une Annonciation, la Rencontre de Marie et d'Élisabeth et une Présentation de Jésus au temple. Le noeud est orné de trois angelots flanquant trois niches qui abritaient les allégories de la Foi, de l'Espérance et de la Charité. Sur le pied, deux registres, séparés par un rang de billettes, nous présentent, dans la partie supérieure, le Mariage de la Vierge, une Nativité et une Adoration des Mages et, dans la partie inférieure, les quatre évangélistes et leurs attributs: le lion, l'aigle, l'ange et le taureau.

La partie centrale de la patène illustre la Pentecôte. Un programme iconographique aussi complet sur une pièce d'orfèvrerie est très rare, tant en Europe qu'au Canada. Le thème choisi, de plus, est original, si on le compare à ceux d'autres pièces du même genre. En effet, sont fréquemment choisis des épisodes de la Passion du Christ, en accord avec la fonction même du calice. Ici le motif s'oppose violemment l'objet, au moment de l'offertoire. À ce moment précis, le programme iconographique est complet: la vie du Christ y est toute contenue, de la naissance à la mort.   M.P.

Expositions

1967, Ottawa, Galerie nationale du Canada, *Page d'histoire du Canada*, n° 55, repr. 1974, Ottawa, Galerie nationale du Canada, *L'orfèvrerie en Nouvelle-France*, n°s 31 A et 31 B, repr.

Bibliographie

TRAQUAIR, *The old Silver of Quebec*, 1940, p. 78, 106-107. BARBEAU, « *Old Canadian Silver* », 1941, p. 151, repr.

Collection

Séminaire de Québec, Québec, (1933: 67a, b).

Anonyme

III. *Croix pectorale*,
France, XVIIᵉ siècle

Anonyme

IV. *Mitre de Mᵍʳ de Laval*,
France, XVIIᵉ siècle

Or. 9,6 × 6,3 cm.

Mᵍʳ de Laval possédait deux croix pectorales identiques; l'une qu'il portait régulièrement et l'autre qu'il réservait aux grandes cérémonies, comme ce fut le cas lorsque le frère Luc fit son portrait en 1672. Par la suite, tous les évêques de Québec se feront représenter avec une de ces croix pour rendre hommage au premier évêque de Québec.   M.P.

Collection
Archevêché de Québec, Québec.

Soie brochée de fils d'argent. 82 × 34,5 cm.

Cette mitre aurait été offerte par le roi Louis XIV à Mᵍʳ de Laval lorsque ce dernier fut nommé évêque de Québec en 1674.

Le mot mitre désigne une coiffure en bandeau que portaient les prêtres et les vestales, à Rome.

La mitre se compose de deux morceaux de tissu triangulaires, cousus ensemble à la partie inférieure. Sur la face postérieure sont fixés deux fanons de même tissu que la mitre et terminés par des franges.

La mitre est un « casque de protection et de salut pour l'évêque afin que sa tête qui en sera armée... apparaisse terrible aux ennemis de la vérité » (M. de Vogüe et J. Neufille, *Glossaire de termes techniques*, Zodiaque, 1971, p. 297). Elle rappelle aussi les cornes qui apparurent sur la tête de Moïse et la tiare déposée sur la tête d'Aaron.   M.P.

Collection
Séminaire de Québec, Québec.

Anonyme

V. *Chape*, France, XVIIe siècle

Brocard de soie. 145 × 450 cm.

Cette chape fut offerte aux augustines hospitalières, en 1639, par Anne d'Autriche, mère de Louis XVI. Ces religieuses partaient pour le Canada la même année. Lorsque le Séminaire de Québec créa le Centre Mgr de Laval, en 1967, les augustines firent don de la chape à l'établissement. A cause de sa qualité et de sa beauté, elle était réservée aux grandes cérémonies et fut sans doute portée par Mgr de Laval.

À l'origine, la chape était un manteau de laine que les Romains portaient par-dessus leurs vêtements, autant les hommes que les femmes, à la campagne ou lors de voyages. C'était un manteau ample, avec capuchon, appelé aussi pluviale. Cette « cappa » donna naissance à deux vêtements liturgiques : la chasuble et la chape. Portée indifféremment par les clercs, les laïcs et les religieuses dans les processions, la chape devint, au IXe siècle, un habit de choeur réservé aux offices.   M.P.

Collection
Séminaire de Québec, Québec.

Nieri Bernardi
VI. *Sainte-Famille*, XXᵉ siècle

Plâtre polychrome. 50 × 36 cm.

Inscription
« NIERI-BERNARDI (2 fois), Montréal ».

Cette attachante sculpture en plâtre représente
la sainte Famille dans une attitude de grande
simplicité familiale. La Vierge, assise, lit les Écritures Saintes ; l'Enfant Jésus, debout à ses côtés,
écoute, la main posée sur le coeur, alors que
Joseph suspend son travail pour se recueillir.
Saint Joseph fut nommé patron du Canada dès
les débuts de la colonie.   M.P.

Collection
Séminaire de Québec, Québec.

Anonyme

VII. *Bannière de la Sainte-Famille,* XXᵉ siècle

Tissus, fils de métal, huile. 75,5 × 93,5 cm.

Cette bannière précédait les élèves du Séminaire de Québec lors de manifestations religieuses, comme les processions de la Fête-Dieu. Elle était encore en usage au milieu du siècle.

Sur un fond semé de fleurs de lys et d'étoiles stylisées, se détache le groupe de la sainte Famille abrité sous un portique. L'Enfant Jésus, nimbé de l'auréole cruciforme, est monté sur un globe. Vêtu d'une tunique rouge pailletée

d'or, il tient une croix rouge, rappelant ainsi le sacrifice qu'il fit pour sauver les hommes. À ses côtés, en contre-bas, se tiennent la Vierge et Joseph.

Cette représentation naïve de la sainte Famille est intéressante par le procédé utilisé pour faire ressortir le personnage de l'Enfant Jésus. Il est vêtu de rouge, couleur qui, parmi celles utilisées dans la bannière, est la plus éclatante.

Ensuite, l'Enfant Jésus est placé nettement au-dessus des deux autres personnages. Enfin, l'Enfant Jésus est d'une taille égale à celle des autres personnages adultes. Ce désir de faire ressortir le Christ-Enfant, nous rappelle, outre l'importance du personnage, que la sainte Famille était la patronne du grand séminaire et que le petit séminaire était sous le patronnage de l'Enfant Jésus.   M.P.

Collection
Séminaire de Québec, Québec.

Anonyme

VIII. *Sainte-Famille* (d'après Murillo), XVIIᵉ siècle (?)

Huile sur toile. 74,3 × 68,5 cm.

C'est Mᵍʳ de Laval qui indroduisit la dévotion à la sainte Famille au Canada, en 1664. Il y vouait une dévotion particulière depuis qu'il avait fait partie de l'Assemblée des Amis, fondée en 1632, au collège de La Flèche. Cette société avait pour but la sanctification personnelle par la pratique de la prière, de la pénitence et par les oeuvres de miséricorde spirituelle et corporelle à l'endroit des plus déshérités. C'est dans ces assemblées que fut introduit le jésuite Alexandre de Rhodes qui encourageait la formation d'un clergé dans les pays de missions.

Le tableau serait une copie d'une oeuvre conservée à la congrégation Notre-Dame à Montréal. La peinture aurait été offerte par le curé de Ville-Marie, M. Souart, à Marguerite Bourgeois, lors de la fondation de la Confrérie de la Sainte-Famille à l'Hôtel-Dieu de Montréal, en 1663. En 1689, Marguerite Bourgeois était invitée par Mᵍʳ de Saint-Vallier à fonder l'Hôpital général de Québec. On lui doit peut-être d'avoir apporté ce tableau à Québec.   M.P.

Bibliographie
FLEURY, « La Sainte Famille », 1958, p. 11.

Collection
Séminaire de Québec, Québec.

Pierre-Noël Levasseur, 1690-1770

IX et X. *Saint Joseph* et
Vierge à l'Enfant, vers 1750

Bois doré. 110,5 cm (Saint Joseph), 109,2 cm (Vierge à l'Enfant).

Ce groupe détaché, représentant la sainte Famille, fut sculpté par Pierre-Noël Levasseur pour orner la première chapelle des jésuites qui se trouvait, avec le collège, à l'emplacement de l'hôtel de ville actuel. Les jésuites furent ceux qui jetèrent les fondements de la paroisse Notre-Dame. Ils se fixèrent à Québec, en 1625, et administrèrent la paroisse Notre-Dame jusqu'en 1659.

La Vierge à l'Enfant ainsi que le *Saint Joseph* seraient des fragments du retable. La Vierge, légèrement hanchée, porte sur son bras gauche l'Enfant Jésus. Celui-ci, la main droite levée vers le ciel, semble annoncer sa mission de sauveur du monde, symbolisée par le globe surmonté d'une croix. Saint Joseph, placé à la droite du groupe, présente la Vierge et l'Enfant. Son bâton fleuri, que l'on nomme « la verge de Jessé », rappelle qu'il est issu de la maison de David. **M.P.**

Exposition

1952, Québec, Musée du Québec, *Exposition rétrospective de l'art au Canada français,* n° 164 (Saint-Joseph).

Bibliographie

MORISSET, « François Baillairgé – Le sculpteur », 1949, p. 190. MORISSET, « La chapelle de la rue Dauphine ». 1949, p. 26 et 51. MORISSET, « Une dynastie d'artisans », 1950, p.15. MORISSET, « Le recensement de Québec en 1744 », p. 15. MORISSET, « La sculpture religieuse sous le régime français », 1950-1951, p. 26. MORISSET, « Pierre-Noël Levasseur », 1952, p. 36-37, repr. MORISSET, *Les églises et le trésor de Lotbinière,* 1953, p. 48. BARBEAU, *Trésor des anciens jésuites,* 1957, p. 171, 175, 177, repr.

Collection

Résidence des pères jésuites, Québec.

Théophile Hamel, 1817-1870

XI. *Mgr Joseph Signay*, **1847**

Huile sur toile. 106 × 86 cm.

Inscription
« Th. Hamel pinxt. 1847 ».

Mgr Joseph Signay (1778-1850) fut nommé évêque de Québec en 1833, puis premier archevêque de Québec en 1844. C'est pendant son administration que fut construit, en 1844, le palais épiscopal actuel, d'après des plans de Thomas Baillairgé.

Depuis la fondation de l'évêché de Québec, en 1674, de nombreux évêques se sont succédés. Durant son épiscopat, chaque évêque était peint par un artiste du temps. C'est ainsi que l'évêché de Québec possède aujourd'hui une collection de portraits qui forme une galerie impressionnante tant par les personnages représentés que par les artistes qui les ont peints.   M.P.

Exposition
1974, Québec, Musée du Québec, *Le diocèse de Québec, 1674-1974*, n° 32, repr.

Bibliographie
Vézina, *Théophile Hamel*, 1975, p. 96, 97, repr.

Collection
Archevêché de Québec, Québec.

 **Gmail**

Rene Villeneuve <rvilleneuve07@gmail.com>

Mgr Signay et le calice de laurent Amiot

Claude Thibault <C.Thibault7@videotron.ca>   25 novembre 2013 à 16 h 36
À : René Villeneuve <rvilleneuve07@gmail.com>

René,

BAnQ, Centre d'archives de Québec

Cote: CN301, S212. Notaire Antoine-Archange Parent, Québec
No 7515 -Testament de Mgr Joseph Signay, évêque de Québec, 13 mars 1835, avec codicile du 10 mai 1838

Dans le testament du 13 mars 1835:

Il est indiqué à l'article 5 que Mgr Signay lègue à ses successeurs évêques de Québec pour leur usage toute l'argenterie d'église qui se trouvera lui appartenir à son décès, ne détaillant que sa montre d'or venant de Mr Cugnet et sa tabatière d'or sur laquelle est le portrait de Mgr Plessis. Toujours à l'article 5, il indique un peu plus loin qu'il donne au Séminaire de Nicolet un instrument de paix d'argent, un petit crucifix d'argent et un crucifix de cuivre.

Dans le codicille annexé et daté du 10 mai 1838, il est indiqué concernant le cinquième article de son testament, que l'évêque, le codicilian, ajoute et fait les changements suivants:

"Il veut que son Calice neuf, fait dans / le mois de septembre mil huit cent trente / sept par Mr Amiot, ainsi que la patène / reste à l'Évêché pour l'usage de ses succes / seurs, mais à la charge par son successeur / immédiat de procurer un calice et une / patène de la valeur de vingt cinq livres / courant au Séminaire de Nicolet pour / l'usage de la Chapelle – sinon le dit calice / et sa patène seront la propriété du dit / Séminaire de Nicolet à la charge par / le dit Séminaire de faire célébrer une / messe basse à l'intention du codicilian / un des jours de la première semaine / du Careme et ce pendant quinze ans / après son décès."

Il demande également à ses successeurs Évêques, à la charge par son successeur immédiat " de donner à la / chapelle du Séminaire de Nicolet, une / paire de burettes et un bassin d'argent / semblables à ceux que Mr Amiot a faits / pour la Fabrique de Québec, il y a quel / ques années."

Claude

Jean-Charles Ducrolly (att. à)
XII. *Tabatière*, 1762-1763

Anonyme
XIII. *Tabatière*, Paris, 1771-1772

Or. 3,6 × 7,5 × 5,5 cm.

Poinçons
Maître J C D 3 fois, surmonté d'un cœur et d'une fleur de lys.

Cette tabatière appartenait à Mgr Jean-Olivier Briand (1715-1794), évêque de Québec en 1766. Cependant, les archives de l'archevêché ne possèdent aucun document sur l'origine de cette boîte et l'on peut penser qu'elle fut offerte au prélat à l'occasion de son sacre.

La tabatière était à la fois un objet utilitaire et un symbole. En effet, à une certaine époque, tout homme du monde devait posséder un contenant pour y placer son tabac à priser. La qualité du matériau (or, argent) et la finesse du détail devait refléter la condition sociale et la finesse d'esprit du propriétaire.

Il existait deux types de tabatières : celle de gousset, que l'on portait sur soi, et celle de table, que l'on gardait à portée de la main. Certaines tabatières de gousset étaient même recourbées afin d'épouser la forme du corps.
M.P.

Exposition
1974, Québec, Musée de Québec, *Le diocèse de Québec, 1674-1974*, n° 75.

Collection
Archevêché de Québec, Québec.

Or, émail, ivoire, huile. 3,4 × 8 cm.

Poinçons
Effacés.

L'abbé Jean-Baptiste Perras (1768-1791), curé de Saint-Charles de Bellechasse, était particulièrement attaché à Mgr Joseph-Octave Plessis. Aussi, fit-il faire, ou fit-il lui-même ce portrait du prélat, encastré dans le couvercle de la tabatière, et qu'il offrit à Mgr Bernard-Claude Panet, en 1828, à l'occasion de son 50e anniversaire de vie sacerdotale. Mgr Panet était le successeur de Mgr Plessis. L'abbé Perras, par ce geste, désirait honorer le prélat et prolonger la mémoire de Mgr Plessis. D'ailleurs, il demandait que ce portrait ne soit jamais enlevé de la tabatière.
M.P.

Exposition
1974, Québec, Musée du Québec, *Le diocèse de Québec, 1674-1974*, n° 76.

Bibliographie
A.A.Q. de Québec I : 118, Lettre de l'abbé Louis-Joseph Desjardins à Mgr Panet. A.A.Q. 210A, Registre des lettres, vol. 13 : 487, 24 novembre 1828. BARBEAU, *J'ai vu Québec*, 1957, repr.

Collection
Archevêché de Québec, Québec.

Voir : testament de Mgr. Signay
13 mars 1835.
article 5.

Pierre Émond, 1738-1808

XIV et XV. *Vierge et Saint Joseph,* 1785

Ill. XIVa   Pierre Émond (1738-1808), *Retable de la chapelle de Mgr Briand*, 1785; noyer, 313,5 × 551 cm (Photo Musée du Québec, Jean-Guy Kérouac).

Bois peint et doré. 82 cm.

Inscriptions

sous la Vierge (dans un cartouche): « O Mater Maria ab originale labe praesevata corda terge nostra. »; sous Saint Joseph (dans un cartouche): « Salveto vù juste Davidici throni Haeres pater Jesu fit Mariae sponse. ».

Mgr Jean-Olivier Briand (1715-1794) fut nommé évêque de Québec en 1766. Sans fortune personnelle, il dut habiter au Séminaire de Québec toute sa vie. En 1764, le Séminaire passa une résolution pour offrir gratuitement au prélat un appartement comprenant une chambre, une antichambre, une salle et un cabinet, et également les repas et un terrain. Cette tradition fut maintenue pendant soixante-dix ans.

En 1784, la maladie obligea le prélat à démissionner de son siège épiscopal. Puisque son successeur, Mgr d'Esglis, devait occuper ses appartements, Mgr Briand dut emménager dans deux autres chambres. Ce fut l'occasion, pour lui, de faire construire une chapelle (ill. XIVa) qu'il prit entièrement à sa charge. Ainsi, dans les écrits de l'abbé Henri Gravé, qui fut vicaire général, supérieur du Séminaire de Québec et secrétaire de Mgr Briand, on peut lire (A.S.Q., Cartons Évêques de Québec) ceci:

« C'est à ses frais (de Mgr Briand) que d'une chambre il en a faite une chapelle plafonnée, le retable, le cadre doré servant de tableau qui représente le mariage de la Sainte Vierge. Les armoires en grand nombre, le poêle et sa mon-

ture, les huit chandeliers en cuivre argentés qui sont sur l'autel, les bras de cuivre aux deux côtés, les bouquets artificiels, les statues de la Sainte Vierge et de Saint Joseph, la dorure de celle de l'Enfant-Jésus, deux petits reliquaires dont l'un contient une petite croix faite du cercueil de Ste Jeanne de Chantal, l'autre où se trouve du sang de Saint François de Sales... ».

En 1786, Pierre Émond (1738-1808) recevait une somme de mille livres pour l'exécution du retable. S'étirant sur tout le mur du fond, le retable comprend trois travées, dont celle du centre, flanquée de deux colonnes à chapiteaux corinthiens, est légèrement en saillie. L'entablement est richement sculpté de moulures sur

l'architrave, de feuilles d'acanthe sur la frise et de denticules et de modillons en forme de volutes sur la corniche.

La partie centrale du retable porte une ornementation élaborée faite de deux branches d'oliviers chargées de fruits qui encadrent une gravure représentant le mariage de la Vierge. Le choix des branches d'oliviers aurait été fait en hommage à Mgr Briand, prénommé Olivier.

Les travées latérales, bornées de chaque côté par un pilastre à chapiteau corinthien, se divisent en trois panneaux. Le panneau central est occupé par une niche et une console où sont placés d'un côté la Vierge, de l'autre Saint Joseph.

Les deux sculptures de la Vierge et de Saint Joseph sont généralement attribuées à Pierre Émond. Cependant, les proportions et le caractère archaïsant des oeuvres nous laisseraient croire qu'elles sont antérieures à 1785. De plus, elles ne sont pas mentionnées dans les ordres de paiement. Enfin, les deux cartouches qui portent les inscriptions et qui accompagnent les oeuvres ne sont pas du tout intégrés à l'ensemble.

Au cours des années, la chapelle de Mgr Briand a subi quelques changements mineurs: un autel fut ajouté, les murs et les armoires furent peints et l'électricité fut ajoutée. En 1963, à l'occasion du 300e anniversaire de la fondation du Séminaire, la chapelle fut entièrement restaurée par les employés de l'établissement. M.P.

Expositions

1969, Québec, Musée du Québec, *Profil de la sculpture québécoise*, nos 28 et 29, repr. 1973, Québec, Musée du Québec, *Trésors des communautés religieuses de Québec*, p. 126-128, repr. 1982, Montréal, Oratoire Saint-Joseph, *Saint Joseph dans notre tradition* (Saint-Joseph).

Bibliographie

A.S.Q., Cartons *Évêques de Québec*, nos 76, 79, 84, 99, 100. GARNEAU, « Chapelle intérieure », 1908, p. 80 et 83. « Chapelle de Mgr Briand », 1932, p. 98. MORISSET, « La chapelle de Mgr Briand », 1951, p. 26, repr. NOPPEN, *Les églises du Québec*, 1977, p. 190-191 repr. NOPPEN et autres, *Québec trois siècles d'architecture*, 1979, p. 232, repr.

Collection

Séminaire de Québec, Québec.

Francisco de Goya (att. à), 1746-1828
XVI. *La Vierge à l'Enfant*

Huile sur toile. 179,1 × 141 cm.

La cathédrale Notre-Dame de Québec fut entièrement détruite par un incendie, en 1922. Aussi
est-il étonnant de voir des tableaux anciens sur
les murs. Cependant, à l'occasion de la reconstruction, des dons généreux furent faits. C'est
ainsi que *La Vierge à l'Enfant*, attribuée à Goya,
fut offerte par Mlles Henriette et Geneviève Cramail. Ces bienfaitrices firent de nombreux dons
à la paroisse, au Musée du Québec et au Musée
du Séminaire.   M.P.

Exposition
1974, Québec, Musée du Québec, *Le diocèse de
Québec, 1674-1974*, n° 118.

Collection
Fabrique Notre-Dame de Québec, Québec.

Jacques Louis David, 1748-1825
XVII. *Saint Jérôme*, 1780

Huile sur toile. 174 × 124 cm.

Inscription
« J. L. David F., Roma 1780 ».

Le tableau fut offert par Mlles Henriette et Geneviève Cramail après l'incendie de la cathédrale, en 1922.

D'après Antoine Schnapper, « l'oeuvre, par son réalisme qui puise ses sources aussi bien dans la peinture bolonaise que dans l'oeuvre de Valentin, témoigne de la mutation du style de David vers la fin de son séjour à Rome ».
M.P.

Expositions
1974, Québec, Musée du Québec, *Le diocèse de Québec, 1674-1974*, n° 166, repr. 1981, Rome, Académie de France à Rome, *David et Rome*, n° 24, repr.

Bibliographie
Brookner, *Jacques-Louis David*, 1980, p. 53, 58, 63.
Schnapper, *David, témoin de son temps*, 1980, p. 44, repr.

Collection
Fabrique Notre-Dame de Québec, Québec.

Carlo Dolci (att. à), 1616-1686

XVIII. *Le mariage mystique de sainte Catherine*

Huile sur toile. 205 × 165 cm.

« Catherine d'Alexandrie était, à dix-sept ans, la plus jolie et la plus savante des jeunes filles de tout l'Empire. Elle annonça qu'elle désirait se marier, pourvu que ce fût avec un prince aussi beau et aussi savant qu'elle. Cette deuxième condition empêcha qu'aucun prétendant se présentât. "C'est la Vierge Marie qui te procurera l'époux rêvé", lui dit l'ermite Ananias, qui avait des révélations. Marie apparut, en effet, à Catherine la nuit suivante, tenant l'Enfant Jésus par la main. "Le veux-tu? lui demanda-t-elle. – Oh! oui. – Et toi, Jésus, la veux-tu? – Oh! non; elle est trop laide." Catherine courut chez Ananias: "Il me trouve laide, dit-elle en pleurant. – Ce n'est pas ton corps, c'est ton âme orgueilleuse qui lui déplaît", répondit l'ermite. Il l'instruisit des vérités de la foi, la baptisa, la rendit humble; après quoi, Jésus l'ayant trouvée belle, la Vierge leur passa à tous deux la bague au doigt. » (O. Engelbert, *La fleur des saints*, Paris, Editions Albin Michel, 1946, p. 383).

C'est cette légende qui est représentée dans le tableau par l'artiste. La richesse des vêtements nous indique que Catherine était la fille du roi d'Alexandrie, Costos.   M.P.

Collection

Fabrique Notre-Dame de Québec, Québec.

Anonyme

XIX. *Croix de procession*, **Paris (1665-1666)**

Pierre-Noël Levasseur (att. à), 1680-1740

XX. *Enfant Jésus au globe*, **vers 1750**

Argent. 76,6 cm.

Poinçon

Maison commune· V couronné.

Cette croix de procession est inscrite dans l'inventaire de la paroisse Notre-Dame de Québec, pour la première fois, en 1672.

Richement ouvragée, la croix porte d'un côté le Christ et, de l'autre, finement ciselée en relief, la Vierge à l'Enfant. Derrière la tête du Christ et de la Vierge : un soleil rayonnant. Chaque extrémité de la croix se termine par un cartouche formé de deux feuilles d'acanthe enfermant une tête de chérubin. Enfin, tout le champ de la croix est orné de motifs décoratifs.

Ce type de croix est relativement répandu dans la région de Québec où l'on en dénombre au moins six. Celle de la paroisse Notre-Dame de Québec se distingue par son ancienneté, sa Vierge à l'Enfant en relief et son champ entièrement ciselé. M.P.

Expositions

1968, Québec, Musée du Québec, *François Ranvoyzé, orfèvre*, n° 47, repr. 1974, Ottawa, Galerie nationale du Canada *L'orfèvrerie en Nouvelle France*, n° 5, repr.

Bibliographie

TRAQUAIR, *The Old Silver of Quebec*, 1940, p. 103, n° 1.

Collection

Fabrique Notre-Dame de Québec, Québec.

Bois peint et doré. 67,9 cm.

Cette sculpture provient de la chapelle des jésuites démolie en 1807. On peut lire la phrase suivante dans le *Journal du Séminaire*, le 1er juillet 1867 : « On place dans le corridor du vieux Séminaire, en face du corridor du petit Séminaire, une petite statue de l'Enfant Jésus ; elle était autrefois sur le tabernacle de l'église des Jésuites ».

La propagation de la dévotion à l'Enfant Jésus au Canada est attribuée à Mère Marie Drouet, ursuline de Bourges, arrivée à Québec en 1671. Sous l'influence des ursulines, les jésuites consacrent une chapelle à l'Enfant Jésus et, du même coup, les élèves du petit Séminaire se trouvent placés sous la protection du divin enfant. En effet, bien que le petit Séminaire fut fondé en 1668, les élèves recevaient leur formation au collège des jésuites. Cette situation dura jusqu'en 1764, année où l'existence même des jésuites fut sérieusement menacée.

Jusqu'à présent, l'année 1867 était proposée comme celle où le Séminaire de Québec fit l'acquisition de cette sculpture. En effet, l'article du *Journal du Séminaire* du 1er juillet 1867 nous le laisse croire. Cependant, la phrase où il est fait mention du tabernacle des jésuites nous reporte quelque vingt-cinq pages plus avant où l'on peut lire :

« *On essaie sur le grand autel de la chapelle, le tabernacle de l'ancienne église des Jésuites, qui était dans le grenier de la sacristie depuis que cette église fut détruite (1807)* ».

Si l'*Enfant-Jésus au globe* faisait partie du tabernacle, ne pourrait-on pas penser qu'il fut acquis en même temps ? Enfin, Joseph Trudel, dans son livre sur *Les Jubilés et les Églises et Chapelles de la ville et de la banlieue de Québec 1608-1901*, cite une note extraite des *Journaux de la Chambre d'Assemblée 1823-24* : « Après la mort du Père Casot arrivé en 1800, l'autel et la statue de l'Enfant Jésus furent acquis par le Séminaire de Québec pour leur chapelle... ».

Ainsi, on peut penser que l'*Enfant-Jésus au globe* fut acquis par le Séminaire de Québec entre 1800 et 1807. M.P.

Exposition

1973, Québec, Musée du Québec, *Trésors des communautés religieuses de la ville de Québec*, p. 136 et 137.

Bibliographie

A. S. Q., *Journal*, Vol. II, p. 63, 88. MORISSET, « La Noël dans l'art canadien », 1951, p. 14, repr. BARBEAU, *Trésor des anciens Jésuites*, 1957, p. 130, 131, 240, repr. TRUDEL, « Six Enfants Jésus au globe », 1967-1968, p. 29 et 62, repr.

Collection

Séminaire de Québec, Québec.

Thomas Baillairgé, 1791-1859
XXI. *Assomption de la Vierge*, 1825

Bois doré. 89,5 cm.

En 1824, Thomas Baillairgé dessinait la chapelle de la Congrégation, dédiée à la Vierge. Pour cette même chapelle, il sculptait le tabernacle que surmonte, encore aujourd'hui, cette magnifique sculpture.

Ce sont les jésuites qui instituèrent les congrégations de la Sainte Vierge, et la première fut fondée à Rome, en 1563. La congrégation est une confrérie de dévotion mise sous le vocable de la Vierge.

Les jésuites en fondèrent une à Québec, en 1657. Elle recrutait ses membres parmi les personnes pieuses de la paroisse. Comme les élèves, surtout les pensionnaires, ne pouvaient pas en faire partie, une autre congrégation, nommée petite congrégation, fut créée au collège des jésuites, en 1664. Elle regroupait à la fois les élèves du collège et ceux du Séminaire de Québec. Cela explique que la congrégation du Séminaire ne fut fondée qu'en 1767, deux ans après le déclin du collège des jésuites.

L'*Assomption de la Vierge,* exécutée par Thomas Baillairgé en 1825, est considérée comme son chef-d'oeuvre sculpté.   M.P.

Expositions
1969, Québec, Musée du Québec, *Profil de la sculpture québécoise,* n° 50, repr. 1973, Québec, Musée du Québec, *Trésors des communautés religieuses de la ville de Québec,* p. 136.

Bibliographie
Morisset, *Coup d'oeil sur les arts,* 1941, p. 39. Morisset, *« Thomas Baillairgé, Architecte et sculpteur »,* 1949, p. 472, repr. Jobin, *« Une admirable chapelle »,* 1951, p. 21. Morisset, *« Thomas Baillairgé — Le sculpteur »,* 1951, p. 248. Morisset, *Madones canadiennes »,* 1971, p. 14, repr. Noppen, *Les églises du Québec,* 1977, p. 188, 189, repr. Noppen et autres, *Québec trois siècles d'architecture,* 1979, p. 232, repr.

Collection
Séminaire de Québec, Québec.

Ignace-François Delezenne, vers 1717-1790

XXII. *Instrument de paix*

Anonyme

XXIII. *Plateau*, France, vers 1740

Laurent Amiot, 1764-1839

XXIV. *Aiguière*

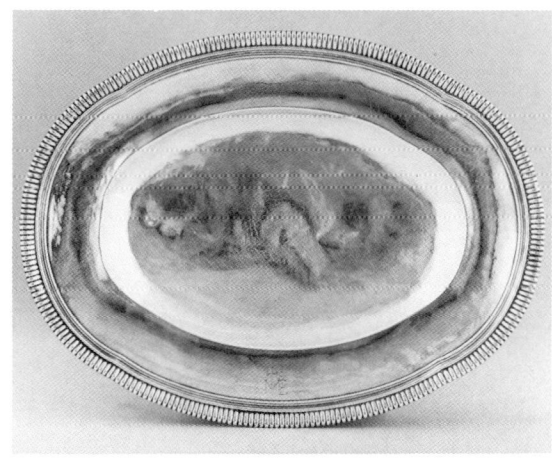

Argent. 14 × 8,5 cm.

Poinçon
Dz, 1 couronne.

L'instrument de paix était utilisé lors des offices religieux au moment de la consécration. Le prêtre, après avoir béni le pain, présente à l'offrant l'instrument de paix en disant : « Pax tecum », la paix soit avec vous. À certains endroits, en outre, l'instrument de paix était baisé par celui qui faisait la quête dans l'église. Cette coutume est abandonnée depuis longtemps.

L'instrument de paix porte généralement une représentation du Christ en croix ou de la Vierge à l'Enfant. La pièce est parfois constituée d'une simple plaque de métal, mais elle peut revêtir des formes compliquées, comme la fleur de lys.　　　　　　　　　　　　　　　M.P.

Exposition
1974, Ottawa, Galerie nationale du Canada, *L'orfèvrerie en Nouvelle France*, n° 85, repr.

Collection
Archevêché de Québec, Québec

Argent. 33 × 24,8 cm.

Poinçons
C couronné, A couronné.

Les armes ciselées sur le plateau sont celles de Mgr H. M. D. de Pontbriand (1708-1760), nommé évêque en 1741 et dernier évêque de Québec sous le régime français. En 1759, il dut fuir à Montréal et il mourut chez les sulpiciens l'année suivante.

Selon les dispositions testamentaires de Mgr de Pontbriand, toute son orfèvrerie devait être remise au séminaire des sulpiciens de Montréal, après son décès. Cependant, ce plateau n'apparaît pas dans l'inventaire après décès dressé en 1760. Il semble bien que Mgr de Pontbriand l'ait laissé à Québec. Ce plateau, avec l'aiguière de Laurent Amiot, sert encore aujourd'hui au lavement des mains lorsque l'archevêque dit la messe.　　　　　　　M.P.

Bibliographie
Trudel, *L'orfèvrerie en Nouvelle France*, (cat. d'expos.) 1974, p. 18.

Collection
Archevêché de Québec, Québec.

Argent. 21 cm.

Poinçons
L. A. (3).

L'aiguière aurait été fabriquée afin d'être coordonnée avec le plateau portant les armes de Mgr de Pontbriand. Le plateau et l'aiguière servent encore aujourd'hui au lavement des mains lorsque l'archevêque dit la messe.　　　　M.P.

Bibliographie
Barbeau, « Deux cents ans d'orfèvrerie », 1939, Pl. XV.

Collection
Archevêché de Québec, Québec.

François Ranvoyzé, 1739-1819
XXV. *Plateau*, 1784

Argent. 52 × 39 cm.

Inscription
« ME » surmonté d'une croix.

Poinçons
F. R. (3).

Le plateau fut façonné en 1784 pour Mgr Jean-Olivier Briand (1715-1794), nommé évêque de Québec en 1766. On peut penser que le plateau fut exécuté soit pour servir dans la chapelle privée de l'évêque, qui sera terminée en 1785, soit pour commémorer le centième anniversaire de l'érection du chapitre de Québec par Mgr de Laval.

L'iconographie du plateau est assez inusitée dans notre répertoire : un autel portatif est placé sous un palmier, près d'une marmite, et sur un monticule. Au sol, poussent des courges et des fleurs exotiques. Sur le marli, court une

frise de fleurs et de courges. Enfin, des motifs de rocailles occupent les espaces libres.

L'association de l'autel portatif et du paysage exotique nous fait inévitablement penser aux pays de missions. Les lettres ME, surmontées d'une croix et gravées au centre du plateau, signifient d'ailleurs Missions étrangères. Cette inscription identifie le Séminaire de Québec, et nous rappelle qu'il fut fondé par Mgr de Laval, en 1663, afin de former un clergé dans la colonie. Ce plateau servait à recueillir l'eau lors de la cérémonie du lavement des pieds.
M.P.

Expositions
1946, Détroit, The Detroit Institute of Arts, *The Arts of French Canada, 1613-1870*, no 141, repr. 1952, Québec, Musée du Québec, *Exposition rétrospective de l'art au Canada français*, no 297. 1958, Paris, Grands Magasins du Louvre, *Exposition de la province de Québec*. 1959, Vancouver, Vancouver Art Gallery, *Les arts au Canada français*, no 348, repr. 1967, Ottawa, Galerie nationale du Canada, *Trois cents ans d'art canadien*, no 30, repr. 1968, Québec, Musée du Québec, *François Ranvoyzé, orfèvre, 1739-1819*, no 98, repr. 1974, Québec, Musée du Québec, *Le Diocèse de Québec, 1674-1974*, no 74, repr. 1977, Québec, Musée du Québec, *L'Art du Québec au lendemain de la conquête (1770-1790)*, no 63, repr.

Bibliographie
BARBEAU, « Anciens orfèvres du Québec », 1935, p. 119. TRAQUAIR, *The Old Silver of Quebec*, 1940, p. 10, repr. MORISSET, *Coup d'oeil sur les arts*, 1941, p. 98. MORISSET, *François Ranvoyzé*, 1942, no 8, repr. MORISSET, « L'orfèvrerie canadienne », 1947, p. 85. MORISSET, « Un quart d'heure chez Ranvoyzé », 1947, p. 3. repr. LANGDON, *Canadian Silversmiths*, 1966, pl. 27.

Collection
Archevêché de Québec, Québec.

Anonyme

XXVI. *Crosse,* **XIXe siècle**

Mellerio

XXVII. *Crosse d'apparat,* **1939**

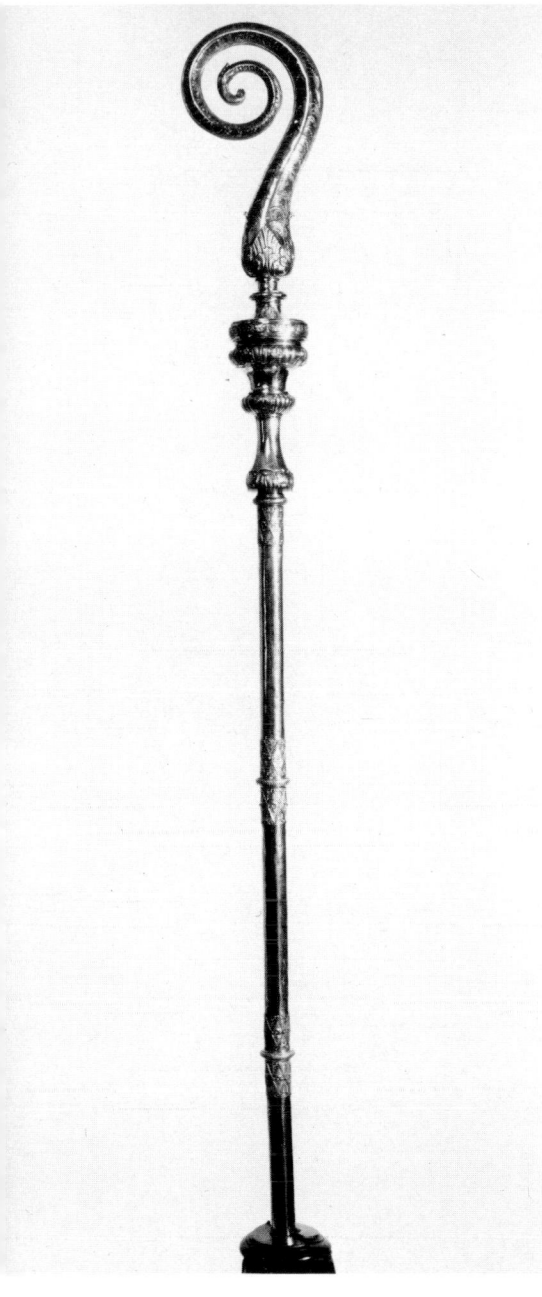

Argent doré (vermeil). 216,1 cm.

Poinçons

JCG. Tête tournée vers la gauche, 2 illisibles.

Cette crosse appartenait à Mgr Joseph-Octave Plessis (1763-1825), nommé évêque de Québec en 1806. Le bâton de l'évêque rappelle qu'il est le berger devant guider le peuple de Dieu.

D'une grande simplicité, la pièce comporte deux parties: la hampe et la crosse. La partie haute, enroulée sur elle-même, n'est pas sans rappeler la feuille d'acanthe ou la fougère. Le mot crosse dérive de croc et du francique Krukja: béquille. Son origine remonterait au Ve siècle et, par sa forme, elle évoque la houlette du berger. M.P.

Collection

Archevêché de Québec, Québec

Étain, bronze, bois. 165 cm.

Inscription

« Cette crosse sculptée et offerte par Maxime Réal Del Sarte, Président-fondateur au nom des Compagnons de Jeanne-d'Arc à S. Éminence le cardinal Villeneuve, a été réalisée par Mellerio, Domrémy, 4 juin 1939 ».

Cette crosse d'apparat fut offerte à Son Éminence le cardinal Jean-Marie Rodrigue Villeneuve, o.m.i., lorsque, à titre de légat papal, il consacra la basilique Sainte-Jeanne-d'Arc à Domrémy, en 1939. C'est pourquoi Sainte Jeanne-d'Arc y est représentée en défenderesse de la foi, armée de l'épée et du bouclier. La sainte est adossée à une branche de chêne, symbole de force et de longue vie.

Dans le point de raccord entre la crosse et la hampe, une petite boîte est aménagée et contient un peu de terre de Domrémy. M.P.

Collection

Archevêché de Québec, Québec.

BIBLIOGRAPHIE DES OUVRAGES ET ARTICLES CITÉS

N.B. *Les divers titres d'un même auteur sont présentés dans un ordre chronologique, les volumes précédant les articles.*

75ᵉ Anniversaire. Programme souvenir. St-Zacharie, Cté Dorchester, P.Q., Ateliers de l'Imprimerie Dorchester, Lac Etchemin, 1957, 191 p.

« Actualités dans l'art religieux au Québec » *Almanach de Saint-François*, 1947.

À la découverte du patrimoine avec Gérard Morisset, Québec, Ministère des Affaires culturelles, 1981, 255 p. Livre publié à l'occasion d'une exposition présentée au Musée du Québec en 1981.

ALFORD, John, « the Development of Painting in Canada », *Canadian Art*, vol. III, nᵒ 3 (février-mars 1945), pp. 94-103.

ALLAIRE, Sylvain, « Les tableaux de Charles Huot: l'église Saint-Sauveur », *Bulletin* annuel 2, Ottawa, Galerie nationale du Canada, 1980, p. 16-30.

ALLARD, Lionel, *L'Ancienne-Lorette*, Montréal, Léméac, 1977, 386 p.

ALLODI, Mary, *Les débuts de l'estampe imprimée au Canada. Vues et portraits*, Toronto, Royal Ontario Museum, 1980, 244 p.

Anon., « *Ces vieux objets sont pour nous des trésors* », Sainte-Anne de Beaupré, avril 1974.

Anon., « La fête de la Bonne Sainte-Anne », *Le Courrier du Canada*, 1ᵉʳ août 1870, p. 2.

Anon., « Un sanctuaire pour la collection d'art religieux ancien du Québec », *M* (revue trimestrielle du Musée des beaux-arts de Montréal), vol. 5, nᵒ 2 (automne 1973), pp. 12-14.

ARCHAMBAULT, Joseph-Papin, *Sur les pas de Marthe et de Marie. Congrégations de femmes au Canada français*, Montréal, Imprimerie du Messager, 1929, 672 pages.

ARCHAMBAULT, Joseph Papin, *La dévotion à la sainte Famille*, L'oeuvre des tracts (nᵒ 270), Montréal, décembre 1941, 16 p.

ARIES, Philippe, *Essais sur l'histoire de la mort en Occident du Moyen Âge à nos jours*, Paris, Seuil, 1975, 237 p.

ARIES, Philippe, *L'homme devant la mort*, Paris, Seuil, 1977, 642 p.

The Art Gallery of Toronto, *Painting and sculpture*, Toronto, The Art Gallery of Toronto, 1959, 95 p.

The Arts in Canada, Ottawa, Department of Citizenship and Immigration, 1957, 120 p.

« Avenir incertain pour le Calvaire du Lac », *Le Rond-Point* (Journal régional), 19 octobre 1977, p. 4.

AYRE, Robert, « Vivid Impressions. By F. Hutchison », *The Standard*, 16 mars 1940.

BAILLARGEON, Noël, *Le Séminaire de Québec sous l'épiscopat de Mgr de Laval*, Québec, Les Presses de l'Université Laval, 1972, 308 p. (Coll. « Les cahiers de l'institut d'histoire », nᵒ 18).

BARBEAU, Marius, « Arts et métiers au temps de Mgr de Laval », *La Presse*, 2 janvier 1932, pp. 45 et 47.

BARBEAU, Marius, « Anciens orfèvres de Québec », *Mémoires de la Société royale du Canada*, 3ᵉ série, tome XXIX, section I, (1935), pp. 113-125.

BARBEAU, Marius, « Jeanne Le Ber, sainte artisane », *La Presse*, 29 juin 1935, pp. 45 et 53.

BARBEAU, Marius, *Québec où survit l'ancienne France*, Québec, Librairie Garneau, Ltée, 1937, 176 p.

BARBEAU, Marius, « Anciens maîtres sculpteurs », *La Presse*, 17 avril 1937, p. 41.

BARBEAU, Marius, « Deux cents ans d'orfèvrerie chez-nous », *Mémoires de la Société royale du Canada*, 3ᵉ série (1939), tome XXXIII, section I, pp. 183-191.

BARBEAU, Marius, « Jeanne Le Ber, sainte artisane », *Le Canada français*, vol. XXVI, nᵒ 6 (février 1939), pp. 514-528.

BARBEAU, Marius, « Old Canadian Silver », *Canadian Geographical Journal*, vol. XXII, nᵒ 3 (mars 1941), pp. 150-163.

BARBEAU, Marius, « Jean-Baptiste Côté, sculpteur », *La Revue moderne*, 23ᵉ année, nᵒ 7 (novembre 1941), pp. 18 et 31-33.

BARBEAU, Marius, *Maîtres artisans de chez-nous*, Montréal, Éditions du Zodiaque, 1942, 220 p. (Coll. « Zodiaque Deuxième »).

BARBEAU, Marius, « Côté, sculpteur sur bois », *Mémoires de la Société royale du Canada*, 3ᵉ série (1942), tome XXXVI, section I, pp. 3-11.

BARBEAU, Marius, « Côté, sculpteur », *Le Canada français*, vol. XXX, nᵒ 2 (octobre 1942), pp. 94-103.

BARBEAU, Marius, *Côté, The Wood Carver*, Toronto, The Ryerson Press, 1943, 43 p. (Canadian Art Series).

BARBEAU, Marius, « Traditional Arts of Québec », *Technique*, vol. XVIII, nᵒ 5 (mai 1943), pp. 304-310.

BARBEAU, Marius, « Fils d'or et d'argent », *Gants du ciel*, décembre 1943, pp. 53-60.

BARBEAU, Marius, *Saintes artisanes — I — Les brodeuses*, Montréal, Éditions Fides, 1944, 116 p. (Cahiers d'Art Arca II).

BARBEAU, Marius, « Jeanne Le Ber, sainte artisane », *Le Soleil*, 29 juillet 1945, suppl. p.7.

BARBEAU, Marius, « Les trois plus anciens paysages canadiens », *Canadian Review of Music and Art*, vol. IV, nᵒˢ 1-2 (août-septembre 1945), pp. 27-29. (repris dans *Le Soleil*, 30 juin 1946, p. 7).

BARBEAU, Marius, *Painters of Quebec*, Toronto, The Ryerson Press, 1946, 49 p. (Canadian Art Series).

BARBEAU, Marius, *Saintes artisanes — II — Mille petites adresses*, Montréal, Éditions Fides, 1946, 157 p. (Cahiers d'Art Arca III).

BARBEAU, Marius, « Notre-Dame de Recouvrance », *Archives de folklore* (de l'Université Laval), Montréal, Fides, 1946, vol. I, pp. 9-13.

BARBEAU, Marius, « Louis Quévillon (1749-1823) (École des Écorres, à Saint-Vincent-de-Paul), *Revue trimestrielle canadienne*, 32e année, n° 125 (printemps 1946), pp. 3-17.

BARBEAU, Marius, « Jeanne Le Ber, sainte artisane », *20e siècle*, vol. IV, n° 9 (mai 1946), pp. 254-255.

BARBEAU, Marius, « The Arts of French Canada », *The Art Quarterly*, vol. IX, n° 4 (automne 1946), pp. 329-341.

BARBEAU, Marius, « Notre-Dame de Recouvrance », *Marie*, n° 1 (mai-juin 1947), pp. 41-43.

BARBEAU, Marius, *J'ai vu Québec*, Québec, Librairie Garneau Ltée, 1957, non paginé.

BARBEAU, Marius, *Trésor des anciens Jésuites*, Ottawa, Imprimeur de la Reine, 1957, 242 p. (Ministère du nord canadien et des ressources nationales, Musée national du Canada, Bulletin 153, n° 143 de la série Anthropologique).

BARBEAU, Marius, « Crucifix du Québec », *Vie des arts*, n°28 (automne 1962), pp. 34-38.

BARBEAU, Marius, *Louis Jobin statuaire*, Montréal, Librairie Beauchemin Limitée, 1968, 147 p.

BAUDET, Marie, *L'art de s'habiller soi-même*, Montréal, Éditions E. Baudet, 1914, 98 p.

BAZIN, Jules, « L'album de Consolation de Jacques Viger », *Vie des arts*, no 17 (Noël 1959), pp. 26-30.

BAZIN, Jules, « Le vrai visage de Marguerite Bourgeoys », *Vie des arts*, n° 36 (automne 1964), pp. 12-17.

BEAUREGARD, Christiane, *Napoléon Bourassa : la Chapelle Notre-Dame-de-Lourdes à Montréal*, Mémoire de maîtrise présenté au département d'histoire de l'art de l'Université du Québec à Montréal, 1983.

BÉCHARD, A., *Histoire de la paroisse de Saint-Augustin (Portneuf)*, Québec, Léger-Brousseau, 1885, 395 p.

BÉLAND, Mario et François Lachapelle, *Répertoire des gravures conservées au monastère des Ursulines de Québec*, manuscrit inédit, 1982.

BÉLANGER, Denis et al., *Catalogue partiel des oeuvres d'art de la Maison-mère des Soeurs Grises de Montréal*, manuscrit inédit, 1973.

BELLERIVE, Georges, *Artistes-peintres canadiens-français. Les Anciens*, 1re série, Québec, Garneau,1925, 80 p.

BENAVIDES, Teresa, « Sylvia Daoust » *La Revue populaire*, octobre 1948, pp. 12 et 81.

BERNARD, Carmen, Louise Lalonger et Michel Laurent, *Tendre enfance*, La Malbaie, Musée régional Laure-Conan, 37 p.

BIRD, Michael, *Canadian Folk Art. Old ways in a new land*, Toronto, Oxford University Press, 1983, 121 p.

BIRON, Dolor, *Jubilé d'argent et d'or de Monseigneur Paul Larocque Évêque de Sherbrooke*, Sherbrooke, 1919, 280 p.

BLAIN, Gilles, « Notre Sainte Cécile », *Le Laurentien*, avril 1946, p. 3.

BOGGS, Jean Sutherland, *The National Gallery of Canada*, Toronto, Oxford University Press, 1971, 136 p.

BOIS, Louis-Édouard, *Étude Biographique sur M. Jean Raimbault*, Québec, Augustin Côté, 1869, 133 p.

BOISCLAIR, Marie-Nicole, *Catalogue des oeuvres peintes conservées au Monastère des Augustines de l'Hôtel-Dieu de Québec*, Québec, ministère des Affaires culturelles, 1977, 195 p. (Publication n° 24 de la Direction générale du Patrimoine).

BOULIZON, Guy, *Les Musées du Québec*, tome 2, *La vieille capitale et l'est du Québec*, Montréal, Fides, 1976, 203 p. (Coll. « Loisirs et Culture »).

BOULLET, F. et C., *Ex-voto marins'*, S.L., Éditions Maritimes et d'Outre-Mer, 1978, 189 p.

[Adine Bourassa], « Napoléon Bourassa (sa vie — son oeuvre) », *La Revue canadienne*, vol. 18, n° 4 (octobre 1916), pp. 289-313.

BROOKNER, Anita, *Jacques-Louis David*, New York, Harper and Row, 1980, 223 p.

BRUNET, Michel, « L'église catholique du Bas-Canada et le partage du pouvoir à l'heure d'une nouvelle donné (1837-1854) », dans Jean-Paul Bernard, *Les idéologies québécoises aux 19e siècle*, Montréal, Les Éditions du Boréal Express, 1973, 149 p. (Coll. « Études d'histoire du Québec »).

BRUNET-WEIRMANN, Monique, « Gadbois, la femme et l'oeuvre », *Louise Gadbois Rétrospective 1932-1982*, (introd. au catalogue d'exposition), Montréal, Université du Québec, 1983.

CADIEUX, Lorenzo, *Lettres des Nouvelles Missions du Canada, 1843-1852*, Montréal, Les Éditions Bellarmin, 1973, 951 p.

CAFFIN, C., *The Story of American Painting*, New York, 1907.

CAMERON, Christina et Jean Trudel, *Québec au temps de James Patterson Cockburn*, Québec, Éditions Garneau, 1976, 176 p.

CAMPEAU, Lucien, *L'Évêché de Québec (1674)*, Québec, Société Historique de Québec, 1974, 139 pp. (Coll. « Cahier d'Histoire », n° 26).

CARPENTIER, Paul, *Les croix de chemin : au-delà du signe*, Musées nationaux du Canada, Ottawa, 1981, 476 p. (Musée de l'Homme, collection Mercure, C.C.E.C.T., dossier 39).

CARRIER, Louis et Jean-Jacques Lefebvre, *Catalogue du Musée du Château de Ramesay de Montréal*, Montréal, Société d'archéologie et de numismatique, 1962, 176 p.

CARRIÈRE, V., *Histoire de l'Île Perrot de 1662 à nos jours*, s.l., s. éd., 1949, 255 p.

CARTER, J. Purves, *Descriptive and Historical Catalogue of the Paintings in the Gallery of Laval University*, Québec, L'Événement, 1908, 230 p.

CASGRAIN, abbé H.R. *Histoire de l'Hôtel-Dieu de Québec*, Québec, imp. Léger-Brousseau, 1878, 612 p.

CASGRAIN, Abbé René, Éd., *Histoire de la paroisse de l'Ange-Gardien*, Québec, Dussault & Proulx, 1902, 374 p.

CASTONGUAY, Denis et ali., *Les Aulnaies 1656-1981*, La Pocatière, Imprimerie Fortin, 1981, 168 p.

Catalogue de l'Université Laval, Québec, L'Action catholique, 1933, 94 p.

CAUCHON, Michel, *Jean-Baptiste Roy-Audy 1778 c. 1848*, Québec, ministère des Affaires culturelles, 1971, 153 p. (Coll. « Civilisation du Québec », n° 8).

CHABOT, Richard, *Le curé de campagne et la contestation locale au Québec (de 1791 aux troubles de 1837-38)*, Montréal, Hurtubise HMH, 1975, 242 p.

« Chapelle de Mgr Briand », *La Nouvelle Abeille*, vol. I, n° 10 (15 septembre 1932), p. 98.

CHAPLEAU, Gaston, « L'équipe à l'atelier de Mlle Sylvia Daoust », *Le Laurentien*, décembre 1945, pp. 6-7.

CHARLIER, Henri, *Peinture, sculpture, broderie et vitrail*, Montréal, Fides, 1942, 130 p.

CHOUINARD, Gaétan, *Les églises et le trésor de Saint-Pierre de la Rivière-du-Sud*, Québec, ministère des Affaires culturelles, 1978, 30 p. (Coll. « Les retrouvailles », n° 4).

CHOUINARD, H.-J.-J.B., *Fête nationale des Canadiens-français à Québec en 1880*, Québec, Imprimerie A. Côté et Cie, 1881, 2 vol.

CLICHE, Marie-Aimée, « La confrérie de la Sainte-Famille à Québec sous le régime français, 1663-1760 », *La Société canadienne d'histoire de l'Église catholique*, sessions d'étude n° 43, 1976, pp. 79-93.

CLOUTIER, Albert, « Sylvia Daoust, Sculptor », *Canadian Art*, vol. VIII, n° 4 (été 1951), pp. 154-157.

CLOUTIER, Nicole, « Les disciples de Daguerre à Québec 1839-1955 », *Annales d'histoire de l'art canadien*, vol. V, n° 1 (1980), pp. 33-38.

CLOUTIER, Nicole, « Les ex-voto marins au Québec », *Ex-voto marins dans le monde de l'Antiquité à nos jours*, Paris, Musée de la marine, 1981, pp. 78-79, 82-83, 85, 87-88.

CLOUTIER, Nicole, « La collection d'ex-voto de Sainte-Anne de Beaupré », *Musées*, vol. 4, n° 3 (septembre 1981), pp. 11-12.

CLOUTIER, Nicole, *L'iconographie de Sainte-Anne au Québec*, thèse de doctorat présentée au département d'histoire de l'Université de Montréal, septembre 1982.

CLOUTIER, Nicole, « La peinture votive à Sainte-Anne-de-Beaupré », *Religion populaire, Religion de clercs* (sous la dir. de B. Lacroix et J. Simard), Québec, Institut québécois de la recherche sur la culture, 1984, pp. 149 à 179.

COLGATE, William G., *Canadian Art ; its Origin & Development*, Toronto, The Ryerson Press, 1943, 278 p.

CORBEIL, Wilfrid, *Trésors des Fabriques du Diocèse de Joliette*, Musée d'art de Joliette, 1975, 111 p.

CORMIER, François, « Le chandelier de monsieur Raimbault », *Les cahiers nicolétains*, vol. 2, n° 2 (juin 1980), pp. 54-62.

CÔTÉ, Georges, « Le clos de la tour n° 3 », *L'Événement*, 24 juin 1926, p. 11.

CÔTÉ, abbé Georges, *La Vieille Église de Saint-Charles-Borromée*, Québec, L'Action Sociale Ltée, 1928.

DALE, W.S.A., « Primitives and Provincials in Canadian Art » *Canadian Art*, vol. XIV, n° 1 (Automn 1956), pp. 28-33.

DAVID, L.-O., *Monseigneur Bourget*, Montréal, Desbarats, 1872, 32 p.

DECHÊNE, Louise, *Habitants et marchands de Montréal au XVIIe siècle*, Paris et Montréal, Plon, 1974, 588 p.

DELORME, Arthur, « Visitons notre chapelle », *Le Semainier paroissial, Chapelle Notre-Dame-de-Lourdes*, 26-31 août 1973.

DESDOUITS, Anne-Marie, *La vie traditionnelle au pays de Caux et au Canada français*, Thèse de doctorat présentée à l'Université de Caen, janvier 1984, 609 p.

DESJARDINS, Noella, « Sylvia Daoust sculpteur », *La Presse*, 17 juin 1967, p. 2.

DÉSY, Léopold « Les statues de la façade de l'église Sainte-famille, Île d'Orléans », *Annales d'histoire de l'art canadien*, vol. 1, n° 2 (automne 1974), pp. 12 à 17.

DÉSY, Léopold, *Lauréat Vallière et l'École de Saint-Romuald 1852-1873*, Québec, Les Éditions La Liberté, 1983, 274 p.

DÉSY, Léopold « Lauréat Vallière et les statues de la façade de l'église de Sainte-Famille (Île d'Orléans) », *La vie quotidienne au Québec*, (sous la dir. de René Bouchard), Québec, Presses de l'Université du Québec, 1983, pp. 307-317.

DEVINE, E.J. j., *Les Jésuites Martyrs de la Nouvelle-France*, Paris, ed. Gabriel Beauchesnes, 1927, 268 p.

DOBSON, Barbara et Henry, *A Provincial Elegance*, (cat. d'expos.), Kitchener-Waterloo Art Gallery, 1982, non paginé.

DORIVAL, Bernard, *Catalogue raisonné de l'oeuvre de Philippe de Champaigne*, Paris, Léonce Laget, 1976, vol. 2, 575 p.

DOUVILLE, J.A.I., *Histoire du collège-séminaire de Nicolet*, Montréal, Beauchemin, 1903, 2 tomes.

DOYON, Madeleine, « Rites de la mort, dans la Beauce », *Journal of American Folklore*, vol. 67, n° 264 (avril-juin 1954), pp. 137-146.

DUCREUX, François, *Historiae Canadensis seu Novae Franciae*, Paris, S. Cramoisy, 1664, 810 p.

DUMAS, Paul, « Antonie Plamondon (1802-1895) et Théophile Hamel (1817-1870), *L'information médicale et paramédicale*, 15 décembre 1970, pp. 20-21.

DUMONT, Micheline, Michèle Jean, Marie Lavigne et Jennifer Stoddart, *L'histoire des femmes au Québec depuis quatre siècles*, Montréal, Éditions Quinze, 1982.

DUPONT, Jean-Claude, *L'artisan forgeron*, Québec, Éditeur officiel et Presses de l'Université Laval, 1979, 355 p.

DUSSEAULT-LETOCHA, Louise, *Les origines de l'art de l'estampe au Québec*, mémoire de maîtrise présenté à l'Université de Montréal, 1976.

DUVAL, Germaine, *Par le chemin du roi une femme est venue. Marie-Rose Durocher*, Montréal, Les Éditions Bellarmin, 1982, 398 p.

EAST, Charles, « Saint-Augustin de Portneuf » *L'Action catholique*, 8 septembre 1934, p. 5.

« Exposition d'art sacré et des missions », *La Patrie*, 4 mars 1951.

« Exposition d'orfèvrerie de l'Université », *La Tribune*, 1er novembre 1975, p. 12.

Extrait du Rituel de Québec... publié par l'ordre de Monseigneur l'Évêque de Québec, Québec, imprimé par T. Cary et Cie, 1836, 324 p.

FALARDEAU, Émile, « Marc-Aurèle — alias — Suzor-Côté, peintre et sculpteur, 1869-1937 », Laval, La Galerie des Anciens, 1969, 97 p.

FALARDEAU, Jean-Charles, « Religion populaire et classes sociales, *Religion populaire, Religion de Clercs?* (Sous la dir. de B. Lacroix et J. Simard), Québec, Institut québécois de recherche sur la culture, 1984, pp. 278-295.

« Farm Artis Fertile Theme at Women's Sessions », *Washington Star*, 20 juin 1936.

« Fête à la Ste-Famille », *L'Évènement*, 13 mai 1889.

FLEURY, L., « La Sainte-Famille du Grand Réfectoire », *L'Abeille*, vol. XII, n° 4 (5 juin 1958), p 11.

FRÉCHETTE, Louis, [« Adolphe Rho, l'homme et l'oeuvre »] *Les cahiers nicolitains*, vol. 6, n° 1, (mars 1984), 63 p.

FUNKE, Mary-Louise, « Wood Sculpture of Québec », *Antiques*, vol.89, n° 3 (mars 1966), pp. 280-282.

GAGNÉ, Lucien et Jean-Pierre Asselin, *Sainte-Anne de Beaupré. Trois cents ans de pélerinage*, Sainte-Anne de Beaupré, [Charrier et Dugal], 1967, 86 p.

GAGNON, Claire, a.m.j., « Le Calvaire de Saint-Augustin et l'Hôtel-Dieu de Québec », étude manuscrite datée du 13 avril 1972 et déposée au CELAT de l'Université Laval, 46 p.

GAGNON, François-Marc, *La conversion par l'image, Un aspect de la mission des Jésuites auprès des Indiens du Canada au XVIIe siècle*, Montréal, Bellarmin, 1975, 141 p.

GAGNON, François-Marc et Nicole Cloutier, *Premiers peintres de la Nouvelle-France*, Québec, ministère des Affaires culturelles, 1976, 2 vol. (Coll. « Civilisation du Québec », n°s 16-17).

GAGNON, François-Marc et Laurier Lacroix, « La France apportant la foi aux Hurons de Nouvelle-France : un tableau conservé chez les Ursulines de Québec », *Journal of Canadian Studies*, vol. 18, n° 3 (automne 1983), pp. 5-20.

GAGNON, Jean-Louis, « La couleur et le mouvement dans l'art de Mme Godbois », *L'Événement-Journal*, novembre 1941, p. 4.

GAGNON, Jean-Philippe, *Rites et croyances de la naissance à Charlevoix*, Montréal, Léméac, 1979, 150 p.

GAGNON, Maurice, *Sur un état actuel de la peinture canadienne*, Montréal, Société des éditions Pascal, 1945, 158 p.

GAGNON, Maurice, « Une Jeanne d'Arc au bûcher par Sylvia Daoust », *Le Rappel*, n° 7 (mars-avril 1946).

GAGNON, Serge et René Hardy, *L'Église et le village au Québec 1850-1930*, Montréal, Léméac, 1979, 174 p.

« La Galerie nationale du Canada », *Vie des arts*, n° 47 (été 1967), p. 12.

GARLICK, Kenneth, *Great Art and Artists of the World. British and North American Art to 1900*, New York, Franklin Watts Inc., 1965.

GARNEAU, A., « Chapelle intérieure », *Guide français de Québec*, Québec, Laflamme et Lefèbre, 1908.

GAUTHIER, Raymonde, *Les tabernacles anciens du Québec des XVIIe, XVIIIe et XIXe siècles*, Québec, ministère des Affaires culturelles, 1974, 112 p. (Coll. « Civilisation du Québec », n° 13).

GAUTHIER-LANDREVILLE, S.M.-Anne, « La compassion de Mère Bourgeoys » *Le Message des Fondateurs de l'Église du Canada*, vol. 6, n°s 3-4 (mars-avril 1967), p. 2.

GAUVREAU, Jean-Marie, « Lauréat Vallière, sculpteur sur bois », *Technique*, vol. XX, n° 7 (septembre 1945), pp. 453-464.

GIGUÈRE, C.E., « L'orfèvre François Ranvoyzé (1739-1819) », *Vidéo Presse*, vol. 1, n° 7 (avril 1972), pp. 40-42.

GILLES, René, *Le symbolisme dans l'art religieux*, Paris, éd. du vieux colombier, 1961, 226 p.

GIROUX, Sylvia, « Le choléra à Québec : un tableau de Joseph Légaré », *Bulletin de la Galerie nationale du Canada*, n° 20, 1972, pp. 3-12.

GOBEIL TRUDEAU, Madeleine, *Bâtir une église au Québec. Saint-Augustin-de-Desmaures : de la chapelle primitive à l'église actuelle*, Montréal, Libre Expression, 1981, 125 p.

GODSELL, Patricia, *Enjoying Canadian Painting*, Don Mills, General Publishing, 1976, 275 p.

GOSSELIN, Amédée, « Notre-Dame de Toutes-Grâces à l'Hôtel-Dieu de Québec », *Madones du Diocèse de Québec*, Québec, Publication du Comité d'organisation du premier Congrès marial de Québec, 1929, pp. 81-89.

GOSSELIN, A., *Vie de Mgr de Laval*, Québec, 1890, 2 tomes.

GOSSELIN, Auguste, *Le vénérable François de Montmorency-Laval premier évêque de Québec*, Québec, Dussault et Proulx, 1901, 449 p.

GOSSELIN, Auguste, *L'Église du Canada depuis Monseigneur de Laval jusqu'à la Conquête, Troisième partie Mgr de Pontbriand*, Québec, Laflamme et Proulx, 1914.

GOWANS, Alan, *Looking at Architecture in Canada*, Toronto, Oxford University Press, 1958, 232 p.

GREENING, W.E., « Nineteenth-Century Painting in French Canada », *Connoisseur*, vol. CLVI (août 1974), pp. 289-291.

GROULX, Lionel, *Les Rapaillages*, Montréal, Bibliothèque de l'Action française, 1916, 139 p.

HAMMOND, M.O. « Horatio Walker: Painter of the Habitant », *The Canadian Magazine*, vol. LII (mai 1919), pp. 22-29.

HARDY, Jean-Pierre, *Le forgeron et le ferblantier*, Montréal, Les Éditions du Boréal Express, 1978, 126 p.

HARPER, John Russel, « Three Centuries of Canadian Painting », *Canadian Art*, vol. XIX, n° 6 (novembre-décembre 1962), p. 405-452.

HARPER, John Russel, *La peinture au Canada des origines à nos jours*, Québec, Presses de l'Université Laval, 1966, 442 p.

HARPER, John Russel « Painting in Canada 1604-1867 », *Antiques*, juillet 1967, pp. 66-67.

HARPER, John Russel, *Early Painters and Engravers in Canada*, Toronto, University of Toronto Press, 1970, 376 p.

HARPER, John Russel, *Krieghoff*, Toronto, University of Toronto Press, 1979, 204 p.

HART, Charles H., *Catalogue of the engraved work of Asher B. Durand*, New York, The Grolier Club, 1895.

HÉBERT, Bruno, *Philippe Hébert, sculpteur*, Montréal, Fides, 1973, 157 p. (Coll. « Vies canadiennes »).

HECQUET, R., *Catalogue de l'oeuvre de F. de Poilly, graveur ordinaire du roi*, Paris, Chez Duchesne, 1752.

Histoire du Canada et voyages que les frères mineurs récollets y ont fait pour la conversion des infidelles, Paris, 1636, Éditions de Paris, Tross, E., 1865.

HOLLSTEIN, F.W.H., *Dutch and Flemish Etchings Engravings and Woodcuts ca. 1450-1700*, Amsterdam, Menno Hertzberger, 1949.

Hôtel-Dieu de Québec. Esquisses, Québec, Hôtel-Dieu de Québec, 1939, non paginé.

[En collaboration], *L'Hôtel-Dieu de Montréal 1642-1973*, Montréal, Hurtubise HMH, 1973, 346 p.

HUBBARD, R.H. « Growth in Canadian Art », (Julian Park, éd.), *The Culture of Contemporary Canada*, Toronto et Ithaca (N.Y.), The Ryerson Press et Cornell University Press, 1957, pp. 95-142.

HUBBARD, R.H. « Primitives with Character: A Quebec School of the Early Nineteenth Century », *The Art Quarterly*, vol. XX, n° 1 (été 1957), pp. 17-29.

HUBBARD, R.H., *An Anthology of Canadian Art*, Toronto, Oxford University Press, 1960, 187 p.

HUBBARD, R.H., éd., *The National Gallery of Canada. Catalogue. Paintings and Sculpture*, vol. III *Canadian School*, Toronto, University of Toronto Press, 1960, 463 p.

HUBBARD, R.H., *The Development of Canadian Art*, Ottawa, the Queen's Printer, 1963, 137 p.

HUBBARD, R.H., *L'évolution de l'art au Canada*, Ottawa, Imprimeur de la Reine, 1964, 137 p.

HUBBARD, R.H., « Master Carvers of French Canada », (2e partie), *Connoisseur*, vol. 171 (mai 1969), pp. 57-61.

HUBBARD, R.H., « Ninety-Year Perspective », *Vie des arts*, vol. XIV, n° 58 (printemps 1970), pp. 22-29.

HUGOLIN, R.P., « Un peintre de renom à Québec en 1670: le diacre Luc François, Récollet », *Mémoires de la Société royale du Canada*, 3e série, tome XXV, (1932), pp. 65-82.

HUOT, Antoine, « La paroisse St-Roch de Québec », *Almanach de l'Action sociale catholique*, vol. 3 (1919), pp. 45-52.

HUYGHE, René, éd., *Larousse Encyclopedia of Modern Art*, London, Paul Hamlyn, 1965.

JAMET, Dom Albert, édit. *Les Annales de l'Hôtel-Dieu de Québec 1636-1716*, Montréal, Presses de Garden City, 1939, XLVII, 444 p.

JEAN, Marguerite, *Évolution des communautés religieuses de femmes au Canada de 1639 à nos jours*, Montréal, Fides, 1977, 324 p.

JOBIN, A., « Le Portrait de Mgr de Laval », *L'Abeille*, vol. V, n° 10 (mai-juin 1950), p. 6.

JOBIN, A., « Une admirable chapelle, oeuvre d'un admirable génie », *Le Soleil*, 4 mars 1951, p. 21.

JONES, E. Alfred, « Old Church Silver in Canada », *Mémoires de la Société royale du Canada*, 3e série, section II, tome XII (1918), pp. 135-150.

JOUVANCOURT, Hugues de, *Suzor-Côté*, Montréal, La Frégate, 1967, 141 p. Montréal, Stanké, 1978, 235 p.

KILBOURN, Élizabeth, *Great Canadian Painting, a Century of Art*, Toronto, Mc Clelland and Stewart, The Canadian Centennial Library, 1966.

KNIPPING, John B., *Iconography of the Counter Reformation in the Netherlands*, Leiden, Nieuwkoop, 1974, vol. I, 238 p.; vol. II, 239 p.

KNOX, Captain John, *An Historical Journal of the Campaigns in North America, for The Years 1757, 1758, 1759 and 1760*, Londres, 1769, 2 vol.

LABRECQUE Cyrille, *Album-Souvenir de la Basilique de Québec*, Québec, 1947, 73 p.

LACASSE, Yves, *Antoine Plamondon, Le chemin de croix de l'église Notre-Dame de Montréal*, (cat. d'expos.), Montréal, Musée des beaux-arts de Montréal, 1983, 111 p.

LACASSE, Yves, « La contribution du peintre américain James Bowman (1793-1842) au premier décor intérieur de l'église Notre-Dame de Montréal », *Annales d'histoire de l'art canadien*, vol. VII, n° 1 (1983), pp. 74-91.

LACROIX, Laurier, *La décoration religieuse d'Ozias Leduc: l'évêché de Sherbrooke*, mémoire de maîtrise présenté à l'Université de Montréal, 1973, 379 p.

LACROIX, Laurier et al., *Dessins inédits d'Ozias Leduc*, (cat. d'expos.), Montréal, Galeries d'art Sir George Williams de l'université Concordia, 1978, 168 p.

LACROIX, Laurier, « La peinture murale dans les églises du Québec », *Sessions d'études de la Société canadienne d'histoire de l'église catholique*, 1980, pp. 95-98.

LAFLÈCHE, Yolande, o.s.u., « La collection d'art religieux du musée des Ursulines de Trois-Rivières », *Musées*, vol. 4, n° 3 (septembre 1981), pp. 9-10.

LALANDE, Louis, s.j. *Une vieille seigneurie, Boucherville; chroniques, portraits et souvenirs*, Montréal, Cadieux & Derome, 1890, 406 p.

LANCTÔT, Gustave, « Images et figures du Montréal sous la France (1642-1763) » *Mémoires de la Société royale du Canada*, 3e série, tome XXXVII, (1943), pp. 53-78.

LANCTÔT, Gustave, *Une Nouvelle-France inconnue*, Montréal, Ducharme, 1955, 204 p.

LANE, William Coolidge et Nina E. Browne, édit., *A.L.A. Portrait Index, Index to portraits contained in printed books and periodicals*, New York, Burt Franklin, 1906, 1 600 p.

LANGDON, John Emerson, *Canadian Silversmiths 1700-1900*, Toronto, The Stinehour Press, 1966, 249 p.

LANTHIER, Monique, « Découverte de la provenance d'une croix de chemin », *Vie des arts*, vol. XXVII, n° 110 (mars, avril, mai 1983), p. 66.

LAPERRIÈRE, Guy, « Religion populaire, religion de clercs? Du Québec à la France, 1972-1982 », *Religion populaire Religion de clercs?*, (sous la dir. de B. Lacroix et J. Simard), Québec, Institut québécois de recherche sur la culture, 1984, pp. 19-51.

LAPERRIÈRE, Guy, « Les lieux de pèlerinage au Québec, Une vue d'ensemble », *Les pèlerinages au Québec*, (sous la dir. de Pierre Boglioni et Benoit Lacroix), Québec, Les Presses de l'Université Laval, 1981, pp. 29 à 64.

LARAN, Jean, *Inventaire du fonds français après 1800*, Paris, Bibliothèque nationale, 1937, tome II.

LARIVIÈRE-DEROME, Céline, « Un professeur d'art au Canada au XIXe siècle: L'abbé Joseph Chabert », *Revue d'histoire de l'Amérique française*, vol. 28, n° 3 (décembre 1979), pp. 347-366.

LASNIER, Rina et Marius Barbeau, *Madones canadiennes*, Montréal, Éditions Beauchemin, 1944, 289 p.

LASNIER, Rina, « Sylvia Daoust sculpteur », *Les Carnets victoriens*, juillet 1946, pp. 202-207.

LAVALLÉE, Gérard, *Images taillées du Québec*, Galerie d'art du collège de Saint-Laurent, 1966, 11 p.

LAVALLÉE, Gérard, *Anciens ornemanistes et imagers du Canada français*, Québec, Ministère des Affaires culturelles, 1968, 98 p.

LAVALLÉE, Gérard, *Les églises et le trésor de Saint-Laurent en l'île de Montréal*, Musée d'art de Saint-Laurent, 1983.

LAVALLÉE, Jean-Guy, « Dubreuil de Pontbriand, Henri-Marie », *Dictionnaire biographique du Canada*, vol. III (1741-1770), Québec, Les Presses de l'Université Laval, 1974, pp. 206-213.

LEBEL, Maurice, « Les cadres religieux », dans *Structures sociales du Canada français*, (études de membres de la Section I de la Société royale du Canada éditées par Guy Sylvestre), Québec, Presses de l'Université Laval, 1966, pp. 14-28.

[Stanislas-I. Lecours], *Saint-Zacharie de Metgermette*, Québec, Imprimerie de l'action sociale, 1909, 46 p.

LECOUTEY, André, « Le père M.-Alain Couturier G.P. », *Arts et Pensée*, vol. III, n° 16 (mars-avril 1954), pp. 98-102.

LEFEBVRE, Jacqueline, *L'abbé Philippe Desjardins un grand ami du Canada. 1753-1833*, Québec, Société historique de Québec, 1982, 288 p.

Légendes, coutumes, métiers de la Nouvelle France. Bronzes d'Alfred Laliberté (préface de Charles Maillard), Montréal, Librairie Beauchemin Limitée, 1934, non paginé.

LEJEUNE, L., *Dictionnaire général de biographie, histoire, littérature, agriculture, commerce, industrie et des arts, sciences, moeurs, coutumes, institutions politiques et religieuses du Canada*, Ottawa, Université d'Ottawa, 1931, 2 tomes.

LEMAY, J.-A. et Robert Mercier, *Esquisse de Saint-Henri de la seigneurie de Lauzon*, Ottawa, Robert Mercier, 1979, 570 p.

LÉONIDOFF, Georges-Pierre, « Les lieux de regroupement. L'église, le presbytère et le cimetière », *Présence du passé* (Services des transcriptions et dérivés de la radio, Radio-Canada), n° 25 (12 avril 1979).

LE MOINE, Roger, *Napoléon Bourrassa l'homme et l'artiste*, Éditions de l'Université d'Ottawa, 1974, 258 p., (cahiers du centre de recherche en civilisation canadienne-française).

LESAGE, Germain, o.m.i., *Histoire de Louiseville 1665-1960*, Presbytère de Louiseville, 1961.

LESSARD, Michel et Huguette Marquis, *L'art traditionnel au Québec. Trois siècles d'ornements populaires*, Montréal, Les Éditions de l'Homme, 1975, 463 p.

LESSARD, Michel, « Avec la collection de l'Hôpital-Général... Impromptu sur le daguerréotype », *Photo Sélection*, vol. 4, n° 2, (mai-juin 1984), pp. 36-37.

LESSARD, Pierre, *Les petites images dévotes. Leur utilisation traditionnelle au Québec*, Québec, Les Presses de l'université Laval, 1981, 174 p.

LETHÈVE, Jacques et Françoise Gardey, *Inventaire du fonds français après 1800*, Paris, Bibliothèque nationale, 1967.

Lettre d'un artiste canadien: N. Bourrassa, Bruges, Desclée de Brouwer, 1929, 496 p.

Lettres édifiantes et curieuses écrites par des Missionnaires de la Compagnie de Jésus. Mémoires d'Amérique, Lyon, J. Vernarel, 1819.

LHOTE, José, *François de Poilly graveur et marchand d'estampes (1623-1693)*, Thèse, 4e section de l'École pratique des Hautes études, s.d.

LINDSAY, Lionel Saint-George, *Notre-Dame de la Jeune-Lorette en la Nouvelle-France*, Montréal, La Compagnie de publication de la Revue Canadienne, 1900, 319 p.

LORD, Barry, *The History of Painting in Canada. Towards a People's Art*, Toronto, NC Press, 1974, 253 p.

LORD, Francyne, « Trésors d'autrefois », *Décormag*, vol. 4, n° 6 (février 1976), pp. 4-5.

« Lower St. Lawrence Arca Scenes Inspire Brush of F.W. Hutchison... », *The Gazette*, 9 mars 1940.

Madones du Diocèse de Québec, (pages d'histoire religieuse écrites en collaboration à l'occasion du premier Congrès Marial de Québec), Publication du Comité d'organisation du premier Congrès Marial de Québec, Québec, 1924, 143 p.

MAGNAN, Hormidas, « Peintres et sculpteurs du terroir », *Le Terroir*, vol. III, n° 8 (décembre 1922) pp. 342:354.

MAJOR-FRÉGEAU, Madeleine *La vie et l'oeuvre de François Malépart de Beaucourt (1740-1794)*, Québec, ministère des Affaires culturelles, 1979, 196 p. (Coll. « Civilisation du Québec », n° 24).

MÂLE, Émile, *L'art religieux de la fin du XVIe, du XVIIe et XVIIIe siècle*, Paris, Armand Colin, 1951, 532 p.

MARTENS, Francis, « Une hypothèse sur les wampums », *Recherches amérindiennes*, vol. V, n° 3 (1974).

MARTIN, Denis, *Les collections de gravures du Séminaire de Québec Histoire et destins culturels*, mémoire de maîtrise présenté en histoire de l'art à l'Université Laval, 1980. XXIV, 241 p.

MATHIEU, Jocelyne, *Les intérieurs domestiques comparés Perche-Québec, XVIIe XVIIIe siècles*, Thèse de doctorat présentée à l'École des Hautes Études en Sciences sociales de Paris, 1983, XV, 410 p.

MAURAULT, Olivier, « Oka, les vicissitudes d'une mission Sauvage « *Revue trimestrielle canadienne*, (juin 1930), tiré-à-part, 29 p.

MAURAULT, Olivier, « Les trésors d'une église de campagne », *Mémoires de la Société royale du Canada*, 3e série, section I, tome XLI (1947), pp. 52-62.

MAURAULT, Olivier, *Confidences*, Montréal, Fides, 1959.

MAUQUOY-HENDRICKX, Marie, *Les estampes des Wierix*, Bruxelles, Bibliothèque royale Albert 1er, 1978, vol. I.

MELLEN, Peter, *Les grandes étapes de l'art au Canada de la préhistoire à l'art moderne*, Laprairie, Édition Marcel Broquet, 1981, 260 p.

MELOT, Michel Anthony Griffiths, Richard S. Field et André Béguin, *Histoire d'un art. l'estampe*, Genève, Skira, 1981, 277 p.

MÉNARD, Michèle, *Une histoire des mentalités religieuses aux XVIIe et XVIIIe siècles. Mille retables de l'ancien diocèse du Mans*, Paris, Beauchesne, 1980, 465 p.

MENDEL, David, *Les crucifix du Québec: le sacré et le profane*, mémoire de maîtrise présenté au Arts et traditions populaires à l'Université Laval, août 1980, 125 p.

MONDOUX, Maria, « La dévotion à Saint-Joseph dans la Congrégation des religieuses hospitalières de Saint-Joseph, et particulièrement à l'Hôtel-Dieu de Montréal », *Le Patronage de Saint-Joseph* (Actes du Congrès d'études tenu à l'Oratoire Saint-Joseph, Montréal, 1er-9 août 1955), Montréal, et Paris, Fides, 1956, [669 p.], pp. 417-470.

MONIÈRE, Denis, *Le développement des idéologies au Québec des origines à nos jours*, Montréal, Québec/Amérique, 1977, 381 p.

Monseigneur de Saint-Vallier et l'Hôpital-Général de Québec, Québec, C. Darveau, 1882, 743 p.

Montreal Museum of Fine Arts, *Catalogue of Paintings*, Montréal, Museum of Fine Arts, 1960, 123 p.

MOOGK, Peter N., « Lozeau (Loiseau, Lozaus), Jean-Baptiste (Jean) », *Dictionnaire biographique du Canada*, vol. III (1741-1770), Québec, Les Presses de l'Université Laval, 1974, pp. 442-443.

MORIN, Alfred, « Du nouveau sur Marguerite Bourgeoys: le portrait original », tiré à part de *La Vie en Champagne*, Troyes, Imprimerie de la Renaissance, n° 126 (septembre 1964).

MORISSET, Gérard, « La peinture en Nouvelle-France. Sainte-Anne-de-Beaupré », *Le Canada français*, vol. 21, n° 3 (novembre 1933) pp. 209-226.

MORISSET, Gérard, « Exposition de souvenirs historiques à l'Hôtel-Dieu de Québec », *L'Événement*, 29 août 1934, pp. 4 et 11.

MORISSET, Gérard, « La Collection Desjardins à Saint-Henri-de-Lauzon », *Le Canada français*, vol. 22, n° 4 (décembre 1934), pp. 316-328.

MORISSET, Gérard, « Paul Malepart de Beaucours (1700-1756) », *L'Événement*, 5 décembre 1934, p. 4.

MORISSET, Gérard, « Portraits de mortes en Nouvelle-France », *Le Canada*, 22 mars 1935, p. 2.

MORISSET, Gérard, « Épaves de la révolution française. Les tableaux de l'abbé Calonne », *Le Droit*, 27 avril 1935, p. 9.

MORISSET, Gérard, « L'oeuvre du Frère Luc chez les Ursulines de Québec », *Le Droit*, 25 mai 1935, p. 2 et 1er juin 1935, p. 2.

MORISSET, Gérard, « La collection Desjardins au Couvent des Ursulines de Québec », *Le Canada français*, vol. 23, n° 1 (septembre 1935), pp. 37-48.

MORISSET, Gérard, *Peintres et tableaux*, Québec, Les éditions du Chevalet, 1936-1937. 2 vol. (Les arts au Canada français).

MORISSET, Gérard, « Le portraitiste De Heer », *Le Droit*, 21 février 1936, p. 3; 25 février 1936, p. 3.

MORISSET, Gérard, « Michel Dessaillant de Richeterre », *Le Canada*, 19 août 1936, p. 2.

MORISSET, Gérard, [« La France apportant le bienfait de la foi aux Indiens de la Nouvelle-France »], *L'enseignement primaire*, vol. 58, n° 2 (octobre 1936), p. 91.

MORISSET, Gérard, « Le portrait de femme dans la peinture canadienne », *Le Terroir*, vol. 17, n° 10 (mars 1937), p. 5.

MORISSET, Gérard, « Coup d'oeil sur notre histoire artistique », *Le Terroir*, vol. 18, n° 7 (décembre 1937), pp. 5-7.

MORISSET, Gérard, *Coup d'oeil sur les arts en Nouvelle-France*, Québec, Charrier et Dugal, 1941, 170 p.

MORISSET, Gérard, « Montréal et ses artisans, *L'Enseignement primaire*, 3e série, vol. I, n° 10 (juin 1941), pp. 891-900.

MORISSET, Gérard, *François Ranvoyzé*, Québec, 1942, 19 p. (Coll. « Champlain »).

MORISSET, Gérard, « Entretiens sur les arts au Canada », *Le Documentaire*, vol. 4, n° 7 (février 1942), pp. 212-214.

MORISSET, Gérard, « Un très grand artiste: Philippe Liébert », *La Revue moderne*, vol. 23, n° 10 (février 1942), pp. 16-17 et 23-28.

MORISSET, Gérard, « Après le traité de Paris », *Bulletin des études françaises*, vol. 2, n° 7 (mai 1942), pp. 181-184.

MORISSET, Gérard, « Le trésor de l'Hôtel-Dieu (simples notes) », *Journal de l'Hôtel-Dieu de Montréal*, vol. 11, n° 6 (novembre-décembre 1942), pp. 451-461.

MORISSET, Gérard, *Les églises et le trésor de Varennes*, Québec, Medium, 1943, 39 p. (Coll. « Champlain »).

MORISSET, Gérard, *Philippe Liébert*, Québec, Charrier et Dugal, 1943, 30 p.

MORISSET, Gérard, *Évolution d'une pièce d'argenterie*, Québec, 1943, 31 p. (Coll. « Champlain »).

MORISSET, Gérard, *La vie et l'oeuvre du frère Luc*, Québec, Medium, 1944, 142 p. (Collection « Champlain »).

MORISSET, Gérard, *Le Cap-Santé, ses églises et son trésor*, Québec, Medium, 1944, 72 p. (Coll. « Champlain »).

MORISSET, Gérard, *Le Cap-Santé, ses églises et son trésor*, Montréal, Musée des beaux-arts de Montréal, 1980, (réédition critique de l'ouvrage paru en 1944 dans la collection Champlain aux Éditions Medium avec la collaboration de Christiane Beauregard, Robert Derome, Laurier Lacroix, Luc Noppen et Michel Gaumond).

MORISSET, Gérard, *Paul Lambert dit Saint-Paul*, Québec, Medium, 1945, 103 p. (Collection « Champlain »).

MORISSET, Gérard, « À propos d'une illusion de perspective », *L'Action catholique*, 28 avril 1945, p. 4.

MORISSET, Gérard, « L'orfèvrerie canadienne » *Technique*, vol. 22, n° 3 (mars 1947), pp. 83-88.

MORISSET, Gérard, « Un quart d'heure chez Ranvoyzé », *La Petite Revue*, vol. 16, n° 5 (mai 1947), pp. 3-5 et 34.

MORISSET, Gérard, « Jean Baillairgé (1761-1812) », *Technique*, vol. 22, n° 7 (septembre 1947), pp. 415-425.

MORISSET, Gérard, « Coup d'oeil sur les trésors artistiques de nos paroisses », *Rapport de la Société canadienne d'histoire de l'Église catholique*, 1947-1948, pp. 61-63.

MORISSET, Gérard, « Les arts au Canada sous le régime français », *Société historique du Canada*, Rapport annuel, 1948, pp. 23-27.

MORISSET, Gérard, « François Baillairgé (1759-1830) », *Technique*, vol. 23, n° 1 (janvier 1948), pp. 27-32.

MORISSET, Gérard, « François Baillairgé (1759-1830) — Le sculpteur », *Technique*, vol. 24, n° 3 (mars 1949), pp. 187-191. vol. 24, n° 4 (avril 1949), pp. 233-238.

MORISSET, Gérard, « Thomas Baillairgé 1791-1851 — Architecte et sculpteur », *Technique*, vol. 24, n° 7 (septembre 1949), pp. 469-474.

MORISSET, Gérard, « La chapelle de la rue Dauphine à Québec », *La Patrie*, 23 octobre 1949, pp. 26 et 51.

MORISSET, Gérard, « Le trésor de la mission d'Oka », *La Patrie*, 13 novembre 1949, p. 18.

MORISSET, Gérard, « Le sculpteur Louis-Thomas Berlinguet », *La Patrie*, 11 décembre 1949, pp. 26 et 50.

MORISSET, Gérard, « Une dynastie d'artisans: les Levasseur », *La Patrie*, 8 janvier 1950, pp. 14-15 et 39.

MORISSET, Gérard, « Le recensement de Québec en 1744 », *La Patrie*, 22 janvier 1950, pp. 14-15.

MORISSET, Gérard, « La passion du Christ dans l'art canadien », *La Patrie*, 26 mars 1950, pp. 25, 40-41 et 50.

MORISSET, Gérard, « Madones canadiennes d'autrefois », *La Patrie*, 14 mai 1950, pp. 26, 35 et 37.

MORISSET, Gérard, « Saint-Jean-Baptiste dans l'art », *La Patrie*, 25 juin 1950, pp. 25, 35 et 39.

MORISSET, Gérard, « Le sculpteur Jacques Leblond dit Latour », *La Patrie*, 9 juillet 1950, pp. 18 et 46.

MORISSET, Gérard, « Les ex-voto de Sainte-Anne de Beaupré », *La Patrie*, 23 juillet 1950, pp. 17 et 46-47.

MORISSET, Gérard, « Une dynastie d'artisans: les Baillairgé », *La Patrie*, 13 août 1950, pp. 18, 42 et 46.

MORISSET, Gérard, « Notre art religieux », *La Patrie*, 27 août 1950, pp. 26-27 et 50.

MORISSET, Gérard, « L'école des Arts et Métiers de Saint-Joachim », *La Patrie*, 1er octobre 1950, pp. 26-27 et 37.

MORISSET, Gérard, « L'orfèvrerie française au Canada », *La Patrie*, 22 octobre 1950, pp. 26-27 et 55.

MORISSET, Gérard, « Michel Dessaillant de Richeterre », *La Patrie*, 29 octobre 1950, pp. 26-27 et 53.

MORISSET, Gérard, « L'église de Saint-Pierre de Montmagny », *La Patrie*, 3 décembre 1950, pp. 26-27 et 50.

MORISSET, Gérard, « La sculpture religieuse sous le régime français », *Rapport de la Société canadienne d'histoire de l'église catholique*, 1950-1951, pp. 25-27.

MORISSET, Gérard, « La chapelle de Monseigneur Briand », *La Patrie*, 18 février 1951, pp. 26-27.

MORISSET, Gérard, « Thomas Baillairgé 1/91-1859 — Le sculpteur », *Technique*, vol. 26, n° 4 (avril 1951), pp. 245-251.

MORISSET, Gérard, « La Noël dans l'art canadien », *La Revue populaire*, vol. 44, n° 12 (décembre 1951), pp. 14-15 et 66.

MORISSET, Gérard, « Arts en Nouvelle-France », *Encyclopédie Grolier*, Montréal, Société Grolier Québec Ltée, 1952, vol. 2, pp. 537-546.

MORISSET, Gérard, « Orfèvrerie », *Encyclopédie Grolier*, Montréal, Société Grolier Québec Ltée, 1952, vol. 8, pp. 57-58.

MORISSET, Gérard, « Le sculpteur Nicolas Manny », *La Patrie*, 28 août 1952, pp. 28-29.

MORISSET, Gérard, « Pierre-Noël Levasseur (1690-1771) », *La Patrie*, 9 novembre 1952, pp. 36-37.

MORISSET, Gérard, *Les églises et le trésor de Lotbinière*, Québec, 1953, 70 p. (Collection Champlain).

MORISSET, Gérard, « Trésors d'art de la province », *La revue française de l'élite européenne*, n° 43 (février 1953), pp. 35-40.

MORISSET, Gérard, « Un primitif: Jean-Baptiste Roy-Audy — Son existence », *Technique*, vol. 28, n° 7 (septembre 1953), pp. 443-450.

MORISSET, Gérard, « Un primitif: Jean-Baptiste Roy-Audy — Son oeuvre », *Technique*, vol. 28, n° 8, (octobre 1953), pp. 539-546.

MORISSET, Gérard, « Portraits de cadavres », *Vie des arts*, n° 1 (janvier-février 1956), pp. 20-23.

MORISSET, Gérard, « Antoine Plamondon (1804-1895) », *Vie des arts*, n° 3 (mai-juin 1956), pp. 7-13.

MORISSET, Gérard, « Paul Beaucourt (1700-1756), *Vie des arts*, n° 4 (septembre-octobre 1956), pp. 20-21.

MORISSET, Gérard, « L'art français au Canada », *Médecine de France*, n° 85 (1957), pp. 17-32.

MORISSET, Gérard, « Les portraits de François de Laval », *Concorde*, vol. 10, n° 9-10 (septembre-octobre 1959), pp. 14-15.

MORISSET, Gérard, *La peinture traditionnelle au Canada français*, Ottawa, Le Cercle du Livre de France, 1960, 216 p. (L'Encyclopédie du Canada Français, 2).

MORISSET, Gérard, « Un grand portraitiste, Antoine Plamondon », *Concorde*, vol. 11, n⁰ˢ 5-6 (mai-juin 1960), pp. 14-15.

MORISSET, Gérard, « Sculpture et arts décoratifs », *Vie des arts*, n⁰ 26 (printemps 1962), pp. 38-42.

MORISSET, Gérard, « L'influence française sur l'art au Canada », *La Revue française de l'élite européenne*, n⁰ 140 (mai 1962), pp. 29-37.

MORISSET, Gérard, « Généalogie et petite histoire. Le peintre François Beaucourt », *Mémoires de la Société généalogique canadienne-française*, vol. 16, n⁰ 4 (octobre, novembre, décembre 1965), pp. 195-199.

MORISSET, Gérard, « François, Claude, dit frère Luc », *Dictionnaire biographique du Canada*, Québec, Les Presses de l'Université Laval, 1966, vol. 1, pp. 321-323.

MORISSET, Gérard, « Jean Guyon », *Dictionnaire biographique du Canada*, Québec, Les Presses de l'Université Laval, 1966, vol. I, pp. 368-369.

MORISSET, Gérard, « Madones canadiennes », *La Revue française de l'élite européenne*, n⁰ 241 (mars-avril 1971), pp. 11-16.

MORISSET, Jean-Paul, « Sculpture ancienne du Québec », *Canadian Art*, vol. XVI, n⁰ 4 (novembre 1959), pp. 256-265, 278 et 279.

Musée de la Province de Québec, *Catalogue partiel des Bronzes d'Alfred Laliberté. Légendes, coutumes, métiers de la Nouvelle France*, Montréal, Librairie Beauchemin Limitée, 1935, 31 p.

Le Musée du Québec. Oeuvres choisies. Renseignements généraux sur les collections. Québec, Musée du Québec, 1978, 151 p.

Musées nationaux du Canada, *Québec*, Ottawa, Imprimeur de la Reine, 1972.

NADEAU, Charles, *Saint-Joseph dans l'édition canadienne*, Montréal, Oratoire Saint-Joseph du Mont-Royal, 1967, 81 p.

New International Illustrated Encyclopedia of Art, New York, Greystone Press, 1967, vol. 4.

NOPPEN ET PORTER, *Les églises de Charlesbourg*, 1972.

NOPPEN, Luc et John R. Porter, *Les églises de Charlesbourg et l'architecture religieuse du Québec*, Québec, ministère des Affaires culturelles, 1972, 132 p. (Coll. « Civilisation du Québec », n⁰ 9)

NOPPEN, Luc, *Notre-Dame de Québec. Son architecture et son rayonnement (1647-1922)*, Québec, Éditions du Pélican, 1974, 283 p.

NOPPEN, Luc, *Les églises du Québec (1600-1850)*, Québec et Montréal, Éditeur officiel et Fides, 1977, 298 p.

NOPPEN, Luc, Claude Paulette et Michel Tremblay, *Québec, trois siècles d'architecture*, Montréal, Libre Expression, 1979, 440 p.

« Notre-Dame-de-Protection, statue en vénération au monastère de Notre-Dame-des-Anges, Hôpital Général de Québec. « La société canadienne d'histoire de l'église catholique », Rapport 1955-1956, pp. 125-140.

[L.O.] « Les petites études », *Vie des arts*, n⁰ 92 (automne 1978), pp. 90-91.

OSTIGUY, Jean-René, « Les arts plastiques », *Visages de la civilisation au Canada français*, (éd. Léopold Lamontagne), Société royale du Canada, University of Toronto Press et Les Presses de l'Université Laval, vers 1965, pp. 100-108.

OSTIGUY, Jean-René, « Étude des dessins préparatoires à la décoration du baptistère de l'église Notre-Dame de Montréal », *Bulletin 15*, Galerie nationale du Canada, 1970, 40 p.

OSTIGUY, Jean-René, *Un siècle de peinture canadienne 1870-1970*, Québec, Les Presses de l'Université Laval, 1971, 206 p.

OSTIGUY, Jean-René, « Quarante gravures de Rodolphe Duguay », *Journal* n⁰ 6, Ottawa, Galerie nationale du Canada, 1975, 8 p.

OSTIGUY, Jean-René, *Charles Huot 1855-1930*, Ottawa, Galerie nationale du Canada, 1979, 93 p. (Coll. « Artistes canadiens », n⁰ 7).

PAQUIN, Michel, « Louise Soumande dite de Saint-Augustin », *Dictionnaire biographique du Canada*, vol. II (1701-1740), Québec, Presses de l'Université Laval, 1969, pp. 639-640.

PAULETTE, Claude et France Amyot, *Je me souviens depuis 1834*, Montréal, Léméac, 1980, 102 p.

« Peintres du Québec anciens et modernes », *La Revue populaire*, vol. XXXII, n⁰ 1 (janvier 1939), p. 6.

PERRIN, Julien, *La chapelle Notre-Dame-de-Lourdes-de-Montréal guide du visiteur*, Montréal, Fides, 1954, 40 p.

PICHER, Claude, « Les ex-voto », *Canadian Art*, vol. 18, n⁰ 4 (août 1961), pp. 213-215.

PORTER, Fernand, *L'institution catéchistique au Canada. Deux siècles de formation religieuse 1633-1833*, Montréal, Éditions Franciscaines, 1949, 332 p.

PORTER, John R. et Léopold Désy, « L'ancienne chapelle des Récollets de Trois-Rivières », *Bulletin* de la Galerie nationale du Canada, n⁰ 18, 1971, 36 p.

PORTER, John R. et Léopold Désy, *Calvaires et croix de chemins du Québec*, Montréal, Hurtubise HMH, 1973, 145 p.

PORTER, John R. et Jean Trudel, *Le Calvaire d'Oka*, Ottawa, Galerie nationale du Canada, 1974, 125 p.

PORTER, John R., *Antoine Plamondon. Soeur Saint-Alphonse/Sister Saint-Alphonse*, Ottawa, Galerie nationale du Canada, 1975, 32 p. (Coll. « Chefs-d'oeuvre de la Galerie nationale du Canada », n⁰ 4).

PORTER, John R., *L'art de la dorure au Québec du XVIIᵉ siècle à nos jours*, Québec, Garneau, 1975, 211 p.

PORTER, John R. et Léopold Désy, *L'Annonciation dans la sculpture au Québec*, Québec, Les Presses de l'Université Laval, 1979, 150 p.

PORTER, John R., *Un peintre et collectionneur québécois engagé dans son milieu: Joseph Légaré (1795-1855)*, thèse de doctorat présentée à l'Université de Montréal, janvier 1981, 531 p.

PORTER, John R., « L'ancien baldaquin de la chapelle du premier palais épiscopal de Québec à Neuville », *Annales d'histoire de l'art canadien*, vol. VI, n⁰ 2 (1982), pp. 180-201.

PORTER, John R. « L'abbé Jean-Antoine Aide-Créqui (1749-1780) et l'essor de la peinture religieuse après la Conquête », *Annales d'histoire de l'art canadien*, vol. VII, n⁰ 1 (1983), pp. 55-72.

PORTER, John R., « La sculpture ancienne du Québec et la question de l'art populaire », *Questions d'art populaire* (sous la direction de J. R. Porter), *Cahiers du Celat* (Université Laval), n⁰ 2 (mai 1984), pp. 49-76.

POTVIN, Damase, « Louis Jobin, un humble artiste du terroir dont l'oeuvre féconde est quasi inconnue », *La Presse*, 27 novembre 1926, pp. 25 et 37.

POULIOT, Adrien, « La vieille chapelle de Tadoussac », *Annales de la bonne Sainte-Anne de Beaupré*, vol. 75, n⁰ 7 (juillet 1947), pp. 226-227.

POULIOT, Adrien, *Il y a cinquante ans... les Martyrs Canadiens étaient canonisés*, Québec, Les Pères Jésuites, 1980.

POULIOT, Adrien, « La dévotion à la Sainte-Famille en Nouvelle France au XVIIᵉ siècle », *Cahiers de Josephologie*, vol. XXIX, (1981), pp. 1000-1033.

POULIOT, Léon, *Monseigneur Bourget et son temps*, Montréal, Éditions Beauchemin, 1955, t. I, 203 p.

PRAZ, Mario, « A Bibliography of Emblem-books », *Studies in Seventeenth-century Imagery*, 2ᵉ édition, Rome, Edizioni di Storia e litteratura, 1964, 607 p.

PRICE, F. Newlin, « Horatio Walker, the Elemental », *International Studio*, vol. LXXVII, n⁰ 315 (août 1923), pp. 359-363.

PRICE, F. Newlin, *Horatio Walker*, New York, 1928.

PROVOST, Honorius, « La dévotion à la Sainte-Famille au Canada », *La Revue de l'Université Laval*, vol XVIII, n⁰ˢ 5-6 (janvier-février 1964), tiré-à-part de 23 p.

RÉAU, Louis, *Iconographie de l'art chrétien*, Paris, Presses universitaires de France. Tome II: *Iconographie de la Bible*, 1956-1957, 2 volumes; tome III: *Iconographie des saints*, 3 volumes.

REID, Dennis, *A Concise History of Canadian Painting*, Toronto, Oxford University Press, 1973, 319 p.

Religions et traditions populaires, (cat. d'expos.), sous la dir. de Jean Cuisenier présenté au Musée national des arts et traditions populaires, Paris, Éditions de la Réunion des Musées nationaux, 1979, 270 p.

« Restauration du portrait authentique peint par Pierre Le Ber », *Le Message des Fondateurs de l'Église du Canada*, vol. 5, n⁰ 1 (janvier 1966).

Rituel du diocèse de Québec publié par l'ordre de Monseigneur de Saint-Valier évêque de Québec, Paris, Simon Langlois, 1703.

ROBERT, Guy, *Lemieux*, Montréal, Stanté, 1975, 303 p.

ROBERT, Guy, *La peinture au Québec depuis ses origines*, Sainte-Adèle, Iconia, 1978, 221 p.

RODRIGUE, Cécile, « Les ex-voto », *Revue d'ethnologie du Québec* (sous la dir. de R.-L. Séguin), Montréal, Leméac, 1978, [94 p.], pp. 35-65.

ROSENBAUM-DONDAIGNE, Catherine, *L'image de piété en France 1814-1914*, Paris, Galerie de la Seita, 1984, 200 p.

ROULEAU-ROSS, Lucille, *Les versions connues du portrait de Mgr Joseph-Octave Plessis (1763-1825) et la conjoncture des attributions picturales du début au XIXᵉ siècle*, mémoire de maîtrise présenté à l'Université Concordia, 1983, 236 p.

ROUSSAN, Jacques de, « À la recherche de Suzor-Côté », *Perspectives*, 20 janvier 1968, pp. 28-29.

ROUX, Marcel, *Inventaire du fonds français. Graveurs du XVIIIᵉ siècle*, Paris, Bibliothèque nationale, 1940, tome 4, 661 p.

ROUX, M. et E. Rognon, *Inventaire du fonds français, Graveurs du XVIIIᵉ siècle*, Paris, Bibliothèque nationale, 1955, 508 p.

ROY, Guy-André et Andrée Ruel, *Le patrimoine religieux de l'Île d'Orléans*, Québec, ministère des Affaires culturelles, 1982, 313 p. (Les cahiers du patrimoine, n⁰ 16).

ROY, J.-Edmond, *Lettres du P. F.-X. Duplessis de la Compagnie de Jésus*, Lévis, Mercier et Cie, 1982, LXXXV, 302 et XXXI p.

ROY, Pierre-Georges, *La famille Juchereau Duchesnay*, Lévis, 1903. 456 p.

ROY, Pierre-Georges, *Le Vieux Québec*, 1ʳᵉ série, Québec, 1923, 300 p.

ROY, Pierre-Georges, *Les vieilles églises de la province de Québec 1647-1800*, Québec, Commission des Monuments Historiques de la Province de Québec, Ls-A Proulx, Imprimeur du Roi, 1925, 323 p.

ROY, Pierre-Georges, *L'Île d'Orléans*, Québec, L.A. Proulx, Commission des Monuments Historiques de la Province de Québec, Imprimeur du Roi, 1928, 505 p.

ROY, Pierre-Georges, « Les chariots ou corbillards autrefois » *Bulletin des recherches historiques*, vol. 45, n° 12, (décembre 1937), pp. 371-372.

ROY, Pierre-Georges, *Les cimetières de Québec*, Lévis, Imprimerie Le Quotidien, 1941, 270 p.

SAHUT, Marie-Catherine, *Carle Vanloo Premier peintre du roi*, Nice, Musée Chéret, 1977, 207 p.

SAINTONGE, Frédéric, *Témoin de la lumière. Jean le Baptiste, sa vie — son culte*, Montréal, les éditions Lumen, 1945, 371 p.

SAINT-PIERRE, Angeline, *L'oeuvre de Médard Bourgault*, Québec, Éditions Garneau, 1976, 141 p.

SAINT-PIERRE, Angeline, *L'église de Saint-Jean-Port-Joli*, Québec, Éditions Garneau, 1977, 217 p.

MGR DE SAINT VALLIER, *Catéchisme du diocèse de Québec*, 1702, (réédition présentée et commentée par le Père Fernand Porter), Montréal, Éditions Franciscaines, 1958, 559 p.

SALBERT, Jacques, *Les ateliers de retabliers lavallois aux XVIIe et XVIIIe siècles: étude historique et artistique*, Paris, Librairie C. Klincksieck, 1976, 540 p.

SAMUEL, Alan F. et al, *Treasures of Canada*, Toronto, Samuel-Stevens, 1980.

SARRAZIN, Jean, « Les maîtres sculpteurs du Québec », *La Presse*, 13 août 1960, p. 29.

SCHNAPPER, Antoine, *David, témoin de son temps*, Fribourg, Office du livre, 1980.

SIMARD, Jean, Jocelyne Milot et René Bouchard, *Un patrimoine méprisé, la religion populaire des Québécois*, Montréal, Hurtubise HMH, 1979, 309 p. (Cahiers du Québec, Collection Ethnologie).

SOUCY, Jean, « L'art traditionnel au Musée du Québec », *Canadian Antiques Collector*, novembre 1969, pp. 39-41.

SOUCY, Jean, « L'église de Sainte-Famille », *Bulletin* du Musée du Québec, n° 13 (décembre 1969), p. 4.

« Les Statuaires », *L'Artisan* de Québec, 6 février 1843, p. 3.

« La statue de N.-D. de toute-Grâce, à l'Hôtel-Dieu de Québec », *L'Abeille*, vol. XI, n° 3, (29 novembre 1877), pp. 1-2.

STRAUSS, Walter C., *Hendrick Goltzius 1588-1617. The Complete Engravings and Woodcuts*, New York, Alaris Books, 1977, 2 vol.

SULTE, Benjamin, *Lettres historiques de la vénérable mère Marie de l'Incarnation sur le Canada*, Québec, éd. l'Action Sociale Limitée, 1927, 147 p.

TÊTU, Mgr Henri, *Les Évêques de Québec*, T.I. *Monseigneur de Laval, Monseigneur de Saint-Vallier*, Montréal, Granger Frères Limitée, non daté, 143 p. (Coll. Biographies).

TÊTU, Mgr Henri, « Souvenirs d'un voyage en Bretagne », *Bulletin des recherches historiques*, vol. XVIII (1911), pp. 132-133.

TÊTU, Mgr H. et C.O. Gagnon, *Mandement, lettres, pastorales et circulaires des Évêques de Québec*, Québec, Imprimerie Générale A. Côté et Cie., 1887, 588 p.

THIBAULT, Claude, « La place de l'art religieux au Musée du Québec », *Musées*, vol. 4, n° 3 (septembre 1981), pp. 21-23.

THOMAS, Stephanie A., *Frederick William Hutchison (1871-1953)*, Mémoire de maîtrise présenté à l'Université Concordia de Montréal, 1982, 130 p.

TODD, Patricia Ann, *James D. Duncan (1806-1881). Catalogue of works and introduction to his art*, mémoire de maîtrise présenté à l'Université Concordia de Montréal, novembre 1978, 218 p.

TODD, Patricia A., « James D. Duncan », *Dictionnaire biographique du Canada*, vol. XI (1881-1890), Québec, Presses de l'Université Laval, 1982, pp. 313-314.

TRAQUAIR, Ramsay et Marius Barbeau, « The Church of Saint (sic) Famille, Island of Orleans, Que. », *The journal, Royal Architectural Institute of Canada*, Series XIII, n° 13 (mai-juin 1926), 13 p.

TRAQUAIR, Ramsay, « The Huron mission Church, and Treasure of Notre-Dame de la Jeune Lorette, Québec », *Journal, Royal Architectural Institute of Canada*, septembre-novembre 1930 repris dans *McGill University Publications*, séries XIII (art and architecture), 17 p.

TRAQUAIR, Ramsay, « The Architecture of the Hopital Général-Quebec », *Journal, Royal Architectural Institute of Canada*, février-août 1931 repris dans *McGill University Publications* séries XIII (art and architecture), 33 p.

TRAQUAIR, Ramsay, *The Old Silver of Quebec*, Toronto, The Macmillan Company of Canada Limited, 1940, 169 p.

TRAQUAIR, Ramsay, *The Old Architecture of Québec*, Toronto, the Macmillan Company of Canada Limited, 1947, 324 p.

TREMBLAY, Claire, *L'oeuvre profane de Joseph Légaré*, mémoire de maîtrise présenté au département d'histoire de l'art de l'Université de Montréal, août 1972, 275 p.

TREMBLAY, Jean-Noël, préf., *Collections des musées d'état du Québec*, Québec, ministère des Affaires culturelles, 1967, 108 p.

« Troisième centenaire trifluvien », numéro spécial de l'*Almanach trifluvien*, Trois-Rivières, C.A. St-Armand, 1934.

TRUDEL, Jean, « Statuaire traditionnelle du Québec. Six enfants Jésus en globe », *Vie des arts*, n° 49 (hiver 1967-1968), pp. 28-31 et 62-63.

TRUDEL, Jean, « A New Light on Ranvoyzé », *Canadian Collector*, vol. 4, n° 1, (janvier 1969), p. 11.

TRUDEL, Jean, « Un aspect de la sculpture ancienne du Québec: le mimétisme » *Vie des arts*, n° 55 (été 1969), pp. 30-33.

TRUDEL, Jean, *Un chef-d'oeuvre de l'art ancien du Québec. La chapelle des Ursulines*, Québec, Presses de l'Université Laval, 1972, 115 p.

TRUDEL, Jean, « Early Canadian Silver », *Canadian Antique Collector*, vol. 7, n° 2 (mars-avril 1972), pp. 20-21.

TRUDEL, Jean, « L'orfèvrerie en Nouvelle-France », *Vie des arts*, vol. XVIII, n° 73 (hiver 1973-1974), pp. 45-49.

TRUDEL, Jean, « La mission de l'argenterie française aux 17e et 18e siècles mieux comprise par l'étude de quelques pièces rares récemment recensées en Nouvelle-France », *Connaissance des arts*, n° 264 (février 1974), pp. 58-63.

TRUDEL, Jean, « Québec Sculpture and Carving », *Book of Canadian Antiques*, Toronto, McGraw-Hill Ryerson Ltd., 1974, [352 p.], pp. 36-52.

TRUDEL, Jean, « La Sainte-Famille de Louis Jobin », *Vie des arts*, vol. XIX, n° 77 (hiver 1974-1975), pp. 16-19 et couv.

TRUDELLE, Charles, *Paroisse de Charlesbourg*, Québec, A. Côté et cie, 1887, 326 p.

THWAITES, G.R., *The Jesuit Relations and Allied Documents*, Cleveland, 1886 1901.

URBAIN, Jean-Didier, *La société de conservation, étude sémiologique des cimetières d'Occident*, Paris, Payot, 1978, 476 p.

Les Ursulines de Québec, depuis leur établissement jusqu'à nos jours, Québec, C. Darveau, 1878, 4 tomes.

Les Ursulines de Trois-Rivières depuis leur établissement jusqu'à nos jours, Montréal, A. P. Pigeon, 1898, [tome III], 436 p.

VACHON, André, *Rêves d'Empire. Le Canada avant 1700*, Ottawa, Approvisionnements et Services Canada, 1982, 387 p.

VADEBONCOEUR, Michel, « Un américain découvre le vrai visage de Marguerite Bourgeoys » *La Patrie*, 4 octobre 1970, p. 10.

VERMETTE, Luce, *La vie domestique aux Forges du Saint-Maurice*, Ottawa, Direction des lieux et des parcs touristiques nationaux, Parcs Canada, 1982, 322 p.

VERMETTE, Luce, « Le décor mural dans les intérieurs montréalais entre 1740 et 1760 », *La vie quotidienne au Québec, Histoire, métiers, techniques et traditions*, Québec, Presses de l'Université du Québec, 1983, pp. 233-245.

VÉZINA, Raymond, *Cornelius Krieghoff. Peintre de moeurs (1815-1877)*, Québec, Éd. du Pelican, 1970, 220 p.

VÉZINA, Raymond, *Théophile Hamel. Peintre national (1817-1870)*. Montréal, Éditions Élysée, 1975, 301 p.

VÉZINA, Raymond, *Catalogue des oeuvres de Théophile Hamel*, t. II, Montréal, Éditions Élysée, 1976.

VÉZINA, Raymond, *Napoléon Bourassa (1827-1916). Introduction à l'étude de son art*, Montréal, Éditions Élysée, 1976, 276 p.

VIAU, Guy, « La revue de l'art sacré », *L'Esprit des livres*, vol. 3, n° 2.

Vie de la Vénérable Mère d'Youville (extrait du premier volume de l'Hôpital général), Montréal, Hôpital général des Soeurs Grises, 1929.

VOISINE, Nive, « Mouvements de tempérance et religion populaire », *Religion populaire, Religion de clercs* (sous la direction de B. Lacroix et J. Simard), Québec, Institut québécois de recherche sur la culture, 1984, pp. 65-78.

Voyage de Pehr Kalm au Canada en 1749, (Jacques Rousseau et Guy Béthune éd.), Montréal, Pierre Tisseyre, 1977.

VOYER, Louise, *Saint-Hyacinthe, De la seigneurie à la ville québécoise*, Montréal, Libre Expression, 1980, 121 p.

VOYER, Louise, *Églises disparues*, Montréal, Libre expression, 1981, 168 p.

WADE, Mason, *Les Canadiens français de 1760 à nos jours*, Montréal, Cercle du livre de France, 1966 (1955), 685 p.

WALLACE, George, « A Review of Two Exhibitions of Religious Art », *Canadian Art*, vol. XV, n° 6 (novembre-décembre 1963), pp. 328-332.

WEIJERT, Roger-Armand, *Inventaire du fonds français, Graveurs du XVIIe siècle*, Paris, Bibliothèque nationale, 1951, tome 2.

WITHROW, William J. et al., *Art Gallery of Ontario. The Canadian Collection*, Toronto, McGraw-Hill Company of Canada Limited, 1970, 603 p.

EXPOSITIONS CITÉES

1887, *Canadian Historical Portraits and other objects relating to Canadian Archaeology*, Numismatic and Antiquarian Society of Montreal, Montreal. Catalogue.

1895, *Kermesse en faveur de l'Hôpital Notre-Dame*, Montréal.

1934, *Exposition de souvenirs historiques*, Hôtel-Dieu, Québec. (accompagnée de notes brèves sur quelques documents et pièces du trésor historique de l'Hôtel-Dieu de Kébec, par Arthur Vallée.)

1938, *A Century of Canadian Art*, The Tate Gallery, Londres. Catalogue.

1940, *Exhibition of Paintings by F.W. Hutchison, N.A., R.C.A.*, Art Association, Montréal.

1941, *Charles Goldhamer, Jean-Paul Lemieux, Peter Haworth, Tom Wood*, The Art Gallery of Toronto, Toronto.

1941, *Horatio Walker*, Galerie nationale du Canada, Ottawa.

1941, *Les peintures de Louise Gadbois*, Galerie municipale, Québec.

1941, *Thomson-Walker*, The Art Gallery of Toronto, Toronto.

1944, *Canadian Art 1760-1943*, Yale University Art Gallery, New-Haven, (Connecticut).

1945, *Concours artistiques de la province de Québec*, Musée de la Province, Québec.

1945, *Le développement de la peinture au Canada 1665-1945 / The Development of Painting in Canada 1665-1945*, The Art Gallery of Toronto, Toronto. (Exposition présentée aussi à Ottawa, Montréal et Québec.) Catalogue par R.H. Hubbard.

1946, *The Arts of French Canada 1613-1870*, The Detroit Institute of Arts, Detroit (Michigan). (Exposition présentée aussi à Cleveland, Albany, Montréal, Ottawa et Québec). Catalogue par R.H. Hubbard et Marius Barbeau.

1946, *Exposition internationale d'art moderne*, Unesco, Musée national d'art moderne, Paris.

1946, *Painting in Canada. A Selective Historical Survey*, Albany Institute of History and Art, Albany, (New York). Catalogue.

1946, *Sculptures de Sylvia Daoust et pièces d'orfèvrerie de Gilles Beaugrand*, Collège de Saint-Laurent, Montréal.

1948, *Exposition du Centenaire de l'Institut Canadien de Québec*, Musée de la Province, Québec.

1949, *Exhibition of Canadian Painting, 1668-1948*, Virginia Museum of Fine Arts, Richmond (Virginie).

1950, *Exposition internationale d'art sacré*, Via della Concilazione, Rome.

1951, *Exposition organisée par la Société des sculpteurs du Canada*, Galerie du magasin Eaton, Montréal.

1951, *The French in North America 1520-1880*, The Detroit Institute of Arts, Detroit (Michigan). Catalogue par E.P. Richardson et al.

1952, *Exposition rétrospective de l'art au Canada français / The Arts in French Canada*, Musée de la Province, Québec. Catalogue par Gérard Morisset.

1953, *First Exhibit of Liturgical Works under Secular Auspices*, Hart House, Toronto.

1955, *Les arts anciens au Canada français*, Musée des beaux-arts de Montréal.

1958, *Exposition de la Province de Québec (Visages du Canada – Vallée du Saint-Laurent*, Grands Magasins du Louvre, Paris.

1959, *Les arts au Canada français / The Arts in French Canada*, The Vancouver Art Gallery, Vancouver, B.C. Catalogue par Gérard Morisset.

1959, *Exposition d'art religieux en l'honneur de Mgr François de Montmorency Laval*, Café du Parlement, Québec.

1959, *Portraits canadiens du 18e et 19e siècles / Canadian Portraits of the 18th and 19th Centuries*, Galerie nationale du Canada, Ottawa. Musée de la Province de Québec, Québec. Catalogue par Gérard Morisset.

1960, *Arte Canadiense*, Museo Nacional de Arte Moderno, Mexico.

1960, *Maîtres sculpteurs du Québec / Quebec Master Sculptors*, Musée des beaux-arts de Montréal, Galerie de l'Étable.

1961, *Exposition d'art religieux*, Académie Sainte-Marie, Beauport.

1962, *L'Art au Canada*, Musée des Beaux-Arts, Bordeaux (France). Catalogue par Gilberte Martin-Méry.

1962-1963, *Painting in Canada 1840-1900*, Canada (Bathurst, Newton Hall Bldg; Regina, Public Library; Edmonton Art Gallery; Calgary Allied Arts Centre; Beaverbrook Art Gallery, (Fredericton)).

1963, *Pour les fêtes du tricentenaire du Séminaire*, Séminaire de Québec, Québec.

1963, *Religious Art, a Loan Exhibition*, The Art Gallery of Toronto, Toronto.

1964, *Surrealism in Canadian Painting*, London Public Library and Art Museum, London, Ont. (Exposition présentée aussi à: Kitchener – Waterloo, Hamilton, Kingston).

1965, *Festival of the Arts*, Burlington House, London.

1965, *Treasures from the Commonwealth*, Royal Academy of Arts, Londres.

1965, *Trésors de Québec / Treasures from Quebec*, Galerie nationale du Canada, Ottawa et Musée du Québec, Québec. Catalogue par J.R. Harper et R.H. Hubbard.

1966, *Images for a Canadian Heritage*, The Vancouver Art Gallery, Vancouver. Catalogue par Doris Shadbolt.

1966, *Lemieux, Retrospective Exhibition*, The Art Gallery of London, London, Ont.

1966, *Peinture vivante du Québec, vingt-cinq ans de libération de l'oeil et du geste*, Musée du Québec; Québec. Catalogue par Rolland Boulanger.

1966, *Semaine française*, The Art Gallery of Toronto, Toronto.

1966-1967, *Artist in Early Canada*, Ontario (London, Hamilton et Sarnia).

1967, Exposition d'art québécois présentée au Pavillon du Québec, Terre des Hommes, Montréal.

1967, *Jean-Paul Lemieux*, Musée des beaux-arts de Montréal, Musée du Québec, Québec; Galerie nationale du Canada, Ottawa, Catalogue par Luc d'Iberville-Moreau.

1967, *Pages d'histoire du Canada*, Galerie nationale du Canada, Ottawa. Catalogue par R. Strong.

1967, *Panorama de la peinture au Québec 1940-1966*, Musée d'art contemporain, Montréal.

1967, *Le peintre et le Nouveau Monde/ The Painter and the New World*, Musée des beaux-arts de Montréal, Catalogue par David G. Carter.

1967, *Peinture traditionnelle du Québec*, Musée du Québec, Québec. Catalogue par Jean Trudel, André Juneau, Georges Massey.

1967, *Sculpture traditionnelle du Québec*, Musée du Québec, Québec. Catalogue par Jean Trudel, André Juneau, Georges Massey.

1967, *Trois cents ans d'art canadien/ Three Hundred Years of Canadian Art*, Galerie nationale du Canada, Ottawa. Catalogue par J.-R. Ostiguy et R.H. Hubbard.

1968, *François Ranvoyzé, orfèvre/ 1739-1819*, Musée du Québec, Québec. Catalogue par Jean Trudel.

1968, *La Normandie à Québec*, Musée du Québec, Québec.

1969, *L'art religieux du Québec/ Religious Art of Quebec*, University of Guelph, Guelph, Ont. Catalogue par Jean Trudel.

1969, *Profil de la sculpture québécoise, XVIIe – XIXe siècle*, Musée du Québec, Québec. Catalogue par Jean Trudel.

1970, *Deux peintres de Québec/Two Painters of Quebec. Antoine Plamondon (1802-1895)/Théophile Hamel (1817-1870)*, Galerie nationale du Canada, Ottawa. (Exposition présentée aussi à Québec et à Montréal). Catalogue par R.H. Hubbard.

1970, *Noël 70*, Musée des beaux-arts de Montréal.

1971, *Charlesbourg, atelier d'art traditionnel*, Musée du Québec, Québec.

1971, *Cornelius Krieghoff/1815-1872*, Musée du Québec, Québec. Catalogue par André Juneau.

1972, *Jean-Baptiste Roy-Audy*, Musée du Québec, Québec.

1973, *Peintres du Québec, Painters of Quebec/Collection Maurice et Andrée Corbeil*, Galerie nationale du Canada, Ottawa. (Exposition présentée aussi à Montréal). Catalogue par R.H. Hubbard.

1973, *Canadian Landscape Painting 1670-1930*, University Art Museum of Texas, Austin; University of Wisconsin, Elvehjem Centre, Madison. Catalogue par R.H. Hubbard et Northrop Frye.

1973, *Exposition commémorative du tricentenaire de la mort de Jeanne Mance, fondatrice de l'Hôtel-Dieu de Montréal 1673-1973*, Hôtel-Dieu, Montréal. Catalogue manuscrit par Marlene Gagnon, Francine Gosselin, Gilles Janson, Aline Larivière et Jean-Yves Rousseau.

1973, *Trésors des communautés religieuses de la ville de Québec*, Musée du Québec, Québec. Catalogue-dossier par Claude Thibault.

1973-1974, *L'art populaire: l'art naïf au Canada/People's Art: Naive Art in Canada*, Galerie nationale du Canada, Ottawa. (Exposition présentée aussi à Toronto et à Vancouver). Catalogue par J.R. Harper.

1974, *Les arts du Québec*, Pavillon du Québec, Terre des Hommes, Montréal. Catalogue.

1974, *Chez Arthur et Caillou la pierre/From Macamic to Montreal*. Terre des Hommes, Montréal. (Musée des beaux-arts de Montréal).

1974, *Le diocèse de Québec 1674-1974*, Musée du Québec, Québec. Catalogue par Claude Thibault.

1974, *L'orfèvrerie en Nouvelle France*, Galerie nationale du Canada, Ottawa. Catalogue par Jean Trudel.

1974, *Ozias Leduc peinture symboliste et religieuse*, Galerie nationale du Canada, Ottawa. Catalogue par J.R. Ostiguy.

1974, *Sylvia Daoust*, Musée du Québec, Québec.

1975, *100 Years of Canadiana*, York University, Toronto.

1975, *American Art in the Barbizon Mood*, Smithsonian Institute, Washington. Catalogue.

1975, *Arts populaires du Québec*, Musée du Québec, Québec. Catalogue par Thérèse Latour.

1975, *François Baillairgé et son oeuvre (1759-1830)*, Musée du Québec, Québec. Catalogue par David Karel, Luc Noppen et Claude Thibault.

1975, *Orfèvrerie traditionnelle du Québec*, Université de Sherbrooke, Galerie d'art du Centre culturel, Sherbrooke.

1975, *Les portraitistes du Québec au XIXe siècle*, Place des Arts, Montréal.

1975, *Portraits anciens du Québec*, Université de Sherbrooke, Galerie d'art du Centre culturel, Sherbrooke.

1975, *Sylvia Daoust Sculptures*, Centre culturel, Dorval.

1976, *La Belle Époque*, Art Gallery, Kitchener-Waterloo, Ont.

1976, *Légendes: Alfred Laliberté. Collections du Musée du Québec*, The Art Gallery of Greater Victoria, Victoria, B.C.

1976, *Napoléon Bourassa 1827-1916, Soixantième anniversaire*, Archives publiques du Canada, Ottawa. Catalogue par Raymond Vézina.

1977, *L'art du Québec au lendemain de la conquête (1760-1790)*, Musée du Québec, Québec. (Exposition présentée aussi à Montréal). Catalogue par Claude Galarneau, Luc Noppen et Claude Thibault.

1977, *Horatio Walker (1858-1938)*, Agnes Etherington Art Centre, Queen's University, Kingston, Ont. Catalogue par Dorothy Farr.

1978, *Les bronzes d'Alfred Laliberté. Collection du Musée du Québec: légendes, coutumes, métiers*, Musée du Québec, Québec. Catalogue par Michel Champagne.

1978, *Joseph Légaré 1795-1855. L'oeuvre*, Galerie nationale du Canada, Ottawa. (Exposition présentée aussi à Montréal et à Québec). Catalogue par John R. Porter avec la collaboration de Jean Trudel et Nicole Cloutier.

1979, *La légende dans l'art québécois telle que représentée dans les collections du Musée du Québec*, Musée du Québec, Québec. Catalogue par Paul Carpentier.

1979, *Le portrait dans la peinture, Louise Gadbois*, Musée d'art contemporain, Montréal.

1979, *Trésors de Notre-Dame de Montréal*, Musée des beaux-arts de Montréal.

1980, *Le Canada de Louis XIV*, Château et Manège royal, Saint-Germain-en-Laye, France.

1980, *Cap-Santé, comté de Portneuf*, Musée des beaux-arts de Montréal. Catalogue, voir bibliographie: Gérard Morisset, *Le Cap-Santé, ses églises et son trésor*, 1944.

1980, *Fonder une Galerie nationale, l'Académie Royale des arts du Canada 1880-1913/To Found a National Gallery: The Royal Canadian Academy of Arts 1880-1913*, Galerie nationale du Canada, Ottawa. Catalogue par Charles C. Hill.

1980, *Trésors d'art populaire québécois/Folk Art Treasures of Quebec*, The Art Gallery of Ontario, Toronto. (Exposition présentée aussi à Thunder Bay, Sudbury, Kingston, Hamilton, Guelph, London, Windsor, Saint-Catharine's, Ont.). Catalogue.

1980-1981, *L'iconographie de Mgr Plessis*, Les galeries d'art Sir George Williams de l'Université Concordia, Montréal.

1981, *David et Rome*, Académie de France à Rome, Rome, Italie. Catalogue.

1982, *Une autre Amérique*, Hôtel Fleurian, Le musée du Nouveau Monde, LaRochelle, France. Catalogue.

1982, *Les esthétiques modernes au Québec de 1916 à 1946*, Galerie nationale du Canada, Ottawa. (Exposition présentée aussi à Montréal et à Québec). Catalogue par Jean-René Ostiguy.

1982, *St-Joseph dans notre tradition*, Musée de l'Oratoire Saint-Joseph, Montréal.

1983, *L'art de l'architecte. Trois siècles de dessin d'architecture à Québec*, Musée du Québec, Québec. (Exposition présentée aussi à Ottawa et à Toronto). Catalogue par Luc Noppen et Marc Grignon.

1983, *Le Musée du Québec 500 oeuvres choisies*, Musée du Québec, Québec. Catalogue en collaboration.

1984, *Les cadeaux du Roi*, Musée du Québec, Québec. Catalogue par Paul Trépanier.

1984, *From the Four Quarters, Native and European Art in Ontario 5000 B.C. to 1867 A.D.*, Musée des Beaux-arts de l'Ontario, Toronto. Catalogue par Dennis Reid et Joan Vastokas.

1984, *Le trésor du Grand Siècle*, Musée du Québec, Québec. Catalogue par Luc Noppen et René Villeneuve.

INDEX DES AUTEURS

Les numéros renvoient aux oeuvres.

INDEX DES OEUVRES

Les numéros renvoient aux oeuvres.

PHOTOGRAPHIES
des oeuvres exposées

Les numéros renvoient aux oeuvres.
Les chiffres en gras renvoient
aux planches couleurs.

1. Musée de l'église Notre-Dame de Montréal

3 à 11. Musée du Québec, Patrick Altman

12. Musée McCord, Montréal

13. Musée du Québec, Patrick Altman

14. Musée du Québec, Jean Guy Kérouac

15 à 18, **16**. Musée du Québec, Patrick Altman

19. Musée du Québec, Guy Couture

20. Musée du Québec, Patrick Altman

21. Galerie nationale du Canada, Ottawa

22 à 31. Archives départementales de la Gironde, Bordeaux

32, **33**. Musée du Québec, Patrick Altman

34 à 50. John R. Porter

51. Galerie nationale du Canada, Ottawa

52 à 56, **55**. Musée du Québec, Jean Guy Kérouac

57. Musée du Québec, Patrick Altman

58. John R. Porter

59. Musée du Québec, Patrick Altman

60 à 62. Musée du Québec, Jean Guy Kérouac

63. Musée des beaux-arts de Montréal

64. Musée du Québec, Patrick Altman

65 à 81, **79**. Musée du Québec, Jean Guy Kérouac

82. Musée du Québec, Patrick Altman

83. Galerie nationale du Canada, Ottawa

84 et **84**. Musée du Québec, Patrick Altman

85, 86. Musée du Québec, Jean Guy Kérouac

87. Musée du Québec, Guy Couture

88. John R. Porter

89. Musée du Québec, Jean Guy Kérouac

90. Inventaires des biens culturels, Québec

91 à 93. Musée du Québec, Patrick Altman

94. Musée du Québec, Guy Couture

95. Inventaires des biens culturels, Québec

96. Musée du Québec, Guy Couture

97. Musée du Québec, Patrick Altman

98. Musée des beaux-arts de Montréal

99. Musée du Québec, Jean Guy Kérouac

100. Galerie nationale du Canada, Ottawa

101 à 103. Musée du Québec, Patrick Altman

104, 105. Musée du Québec, Jean Guy Kérouac

106 à 110, **108**. Musée du Québec, Patrick Altman

111, 112. Musée du Québec, Jean Guy Kérouac

113. Musée du Québec, Patrick Altman

114. Musée du Québec, Guy Couture

115 à 118. Musée du Québec, Patrick Altman

119. Musée du Québec, Jean Guy Kérouac

120. Musée du Québec, Patrick Altman

121, 122. John R. Porter

123. Musée du Québec, Patrick Altman

124 à 127. François Lachapelle

128. Musée du Québec, Patrick Altman

129 à 132. François Lachapelle

133. Musée du Québec, Patrick Altman

134 à 149. François Lachapelle

150. Musée du Québec, Patrick Altman

151 à 159. François Lachapelle

160 à 164. Musée du Québec, Jean Guy Kérouac

165. Musée du Québec, Patrick Altman

166. Direction de la mise en valeur des collections d'ethnographie, Québec, Patrick Altman

167, 168. Université Laval, Service de l'audio-visuel

169. Musée du Québec, Jean Guy Kérouac

170, 171. Musée du Québec, Patrick Altman

172. Musée du Québec, Lucie Bouchard

173. Musée du Québec, Patrick Altman

174 à 177. Inventaire des biens culturels, Québec

178. Musée du Québec, Patrick Altman

179. Inventaire des biens culturels, Québec

180. Musée du Québec, Patrick Altman

181. Musée du Québec, Jean Guy Kérouac

182. Musée du Québec, Guy Couture

183, 184. John R. Porter

185 à 200. Musée du Québec, Jean Guy Kérouac

201. Musée du Québec, Jean Guy Kérouac

201 à 207, **203**. Musée du Québec, Patrick Altman

208. Musée du Québec, Jean Guy Kérouac

209, 210. Musée du Québec, Patrick Altman

211. Musée du Québec, Jean Guy Kérouac

212, 213. Musée du Québec, Patrick Altman

214. Galerie nationale du Canada, Ottawa

215, 216. Musée du Québec, Patrick Altman

217. Musée du Québec, Jean Guy Kérouac

218, 219. Musée du Québec, Patrick Altman

220. Musée du Québec, Guy Couture

221. Musées nationaux du Canada, Ottawa

222. Musée du Québec, Jean Guy Kérouac

223 à 236. Musée du Québec, Patrick Altman

237. Musée du Québec, Jean Guy Kérouac

238, **239**. Musée du Québec, Patrick Altman

240. Galerie nationale du Canada, Ottawa

241 à 244. Musée du Québec, Patrick Altman

245, **246**. Musée du Québec, Jean Guy Kérouac

247. Musée des beaux-arts de Montréal

248. Inventaire des biens culturels, Québec

249 à 251. Musée du Québec, Patrick Altman

252. The Art Gallery of Hamilton

253. Musée du Québec, Patrick Altman

254, **255**, 256. Musée du Québec, Jean Guy Kérouac

257, 258. Musée du Québec, Patrick Altman

259. Musée du Québec, Jean Guy Kérouac

260. Musée du Québec, Patrick Altman

261. Musée du Québec, Jean Guy Kérouac

262. Direction de la mise en valeur des collections d'ethnographie, Patrick Altman

263. Musée du Québec, Guy Couture

264. Musée du Québec, Jean Guy Kérouac

265 à 267. Musée du Québec, Patrick Altman

268. Musée du Québec, Jean Guy Kérouac

269. Musée du Québec, Patrick Altman

270. Musée du Québec, Jean Guy Kérouac

271. Musée du Québec, Patrick Altman

272. Musée du Québec, Jean Guy Kérouac

273, 274. Musée du Québec, Patrick Altman

275. Musée du Québec, Jean Guy Kérouac

276. Robin Ashton

277. Royal Ontario Museum, Toronto

278, 279. Musée du Québec, Jean Guy Kérouac

280. Musée des beaux-arts de Montréal

281. Musée du Québec, Patrick Altman

282. John R. Porter

283. The Art Gallery of Ontario, Toronto

I à IV, **II**. Musée du Québec, Jean Guy Kérouac

V. Musée du Québec, Patrick Altman

VI à XVIII. Musée du Québec, Jean Guy Kérouac

XIX. Musée du Québec, Patrick Altman

XX. Musée du Québec, Jean Guy Kérouac

XXI. Musée du Québec, Patrick Altman

XXII à XXVII. Musée du Québec, Jean Guy Kérouac

Imprimé au Québec (Canada)

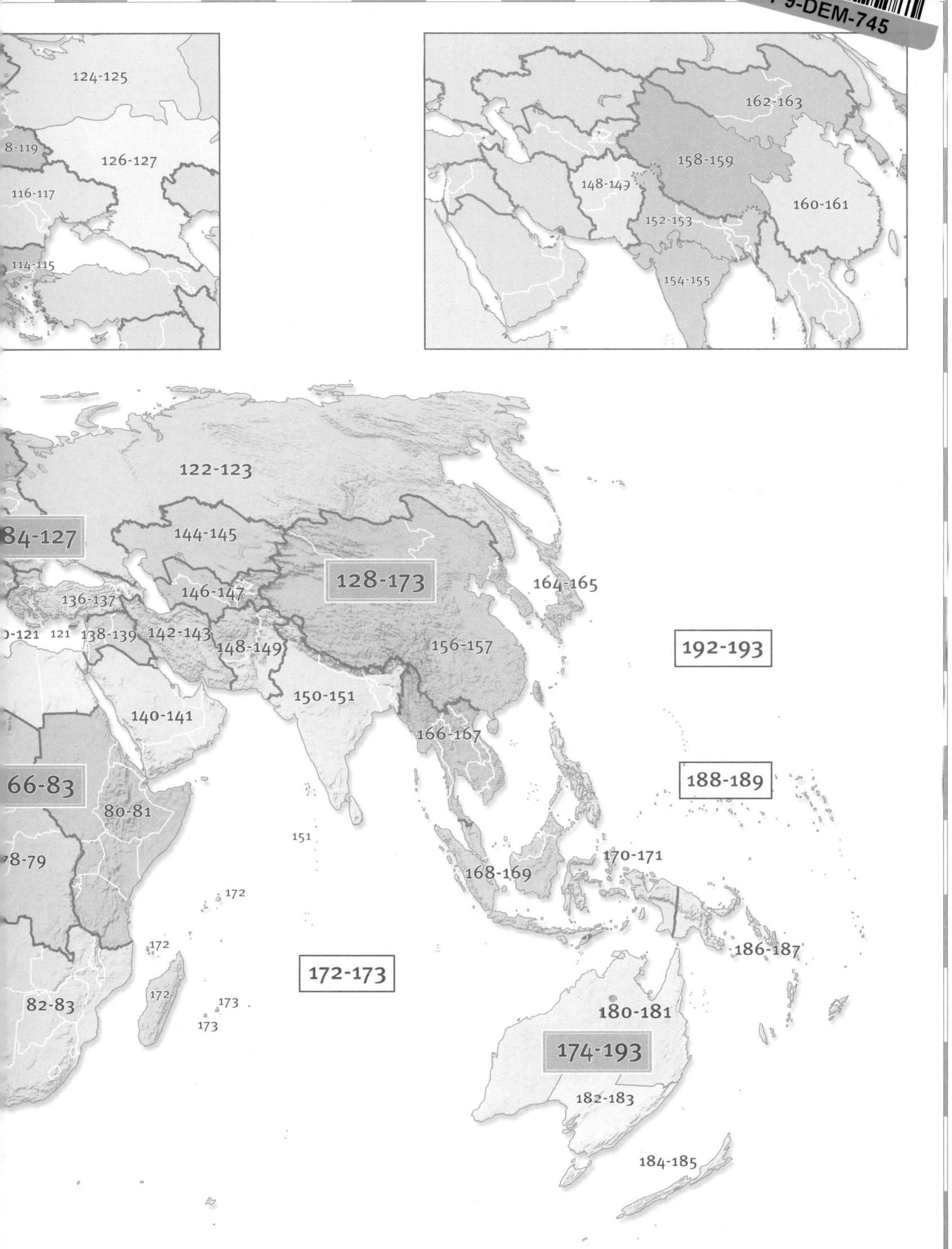

P9-DEM-745

DORLING KINDERSLEY

TRAVELER'S ATLAS

A Dorling Kindersley Book

LONDON, NEW YORK, MUNICH, MELBOURNE, DELHI

FOR THE FIRST EDITION

Written and Edited by
Cambridge International Reference on Current Affairs (CIRCA)

Project Manager
Catherine Jagger

Editors
Roger East • Chris Jagger

Research and Editorial Team
John Coggins • Lawrence Joffe • Richard Naisby •
Carina O'Reilly • Carolyn Postgate • Elizabeth Postgate • Richard J Thomas

Text Layout
Elizabeth Postgate

Design
Nicola Liddiard

Picture Research
Louise Thomas

DORLING KINDERSLEY CARTOGRAPHY

Editor-in-Chief
Andrew Heritage

Senior Cartographic Manager
David Roberts

Cartographers
Roger Bullen • Simon Mumford • Rob Stokes • Iorwerth Watkins

Senior Digital Cartographer
Phil Rowles

Production
Wendy Penn

Published in the United States by
Dorling Kindersley Publishing Inc.
375 Hudson Street, New York, New York 10014

First American Edition, 2005

Copyright @ 2005
Dorling Kindersley Limited
Text copyright @ 2005
Introduction @ 2005

Dorling Kindersley books are available at special discounts for bulk purchases for sales promotions or premiums. Special editions, including personalized covers, excerpts of existing guides, and corporate
imprints can be created in large quantities for special needs. for more information, contact Special Markets Dept./Dorling Kindersley Publishing, Inc./375 Hudson St./New York, NY 10014.

see our complete catalog at
www.dk.com

All rights reserved under International Pan-American Copyright Conventions. No part of this publication may be reproduced, stored in a retrieval system, or transmitted in any form or by any means,
electronic, mechanical, photocopying, recording, or otherwise, without the prior written permission of the copyright holder. Published in Great Britain by Dorling Kindersley Limited.
A CIP catalog record for this book is available from the Library of Congress.
ISBN-13: 978-0-7566-1529-1
ISBN-10: 0-7566-1529-1

Printed and bound by Star Standard in Singapore.

INTRODUCTION

Travel, whether for work, or pleasure, or sheer adventure (and often a mixture of all three) is the fastest-growing industry on our planet. Information about travel, how to get there, destinations, sights, activities, and detailed listings of recommended restaurants, shops, and hotels cascade daily out of our newspapers, cell-phones and on-line accounts. But very few of these information providers set the experience and opportunities of travel in an informative and illuminating global context. Only an atlas can achieve this.

The travel industry has transformed our world in many ways, for good or ill in equal balance. In providing wealth to developing countries it has sometimes eroded what is special or unique about them. In the developed world it has frequently transformed the domain of the few into the playground of the undiscriminating many. Nevertheless, we are all more mobile, and seek to explore our world—and are enabled to do it—in a way unenvisioned by our forebears.

The DK Traveler's Atlas combines two innovative aspects of DK's publishing catalog in recent years— the unprecedented success of the DK Eyewitness Travel Guides with their winning formula, "The Guides That Show You What Others Only Tell You," and the DK World Atlas range, products which have broken the traditional atlas publishing mold by turning mere books of maps into colorful geographic experiences, books which show you what a place is like, rather than just where it is.

Detailed mapping drawn from DK's authoritative databases provides unparalled reference for planning any holiday or excursion from Yonkers to the Yucatán, and is complemented by stunning photography and a range of suggested activities for destinations as varied as New England and the New Hebrides. While all the information and recommendations are made in good faith from a range of seasoned travelers and exploration experts, we must stress that the DK Traveler's Atlas is designed as a planning resource only—it is not a replacement for more detailed research once a choice of destination has been made. Although today none of our maps say "Here be dragons," hazards there may be.

Nevertheless, our World is our home, and it is there for us to enjoy.

Bon Voyage

Contents

Atlas of the World

North America

South America

Africa

Europe

Key to Regional Maps

Physical Features

ELEVATION

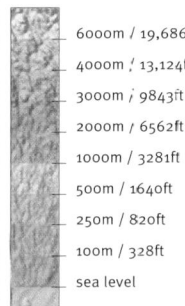

6000m / 19,686ft
4000m / 13,124ft
3000m / 9843ft
2000m / 6562ft
1000m / 3281ft
500m / 1640ft
250m / 820ft
100m / 328ft
sea level
below sea level

▲ elevation above sea level
(mountain height)

▲ volcano

✕ pass

▼ elevation below sea level
(depression depth)

sand desert

lava flow

coastline

reef

atoll

SEA DEPTH

sea level
-250m / -820ft
-500m / -1640ft
-1000m / -3281ft
-2000m / -6562ft
-3000m / -9843ft

▲ seamount / guyot symbol

▼ undersea spot depth

Drainage Features

main river
secondary river
tertiary river
minor river
main seasonal river
secondary seasonal river
canal
waterfall
rapids
dam
perennial lake
seasonal lake
perennial salt lake
seasonal salt lake
reservoir
salt flat / salt pan
marsh / salt marsh
mangrove
wadi
spring / waterhole / oasis

Ice Features

ice cap / sheet

ice shelf

 glacier / snowfield

• • • • summer pack ice limit

◦ ◦ ◦ winter pack ice limit

Communications

highway

highway
(under construction)

major road

minor road

tunnel (road)

main line

minor line

tunnel (rail)

✈ international airport

Borders

full international
border

undefined
international border

disputed de facto
border

disputed territorial
claim border

indication of country
extent (Pacific only)

indication of
dependent territory
extent (Pacific only)

demarcation/
cease-fire line

autonomous /
federal region border

2nd order internal
administrative border

3rd order internal
administrative border

Settlements

built-up area

settlement population symbols

■ more than 5 million

◉ 1 million to 5 million

◉ 500,000 to 1 million

◎ 100,000 to 500,000

⊕ 50,000 to 100,000

○ 10,000 to 50,000

∘ fewer than 10,000

■◉● country/dependent
territory capital city

■◉● autonomous / federal
region / 2nd order internal
administrative centre

■◉● 3rd order internal
administrative centre

Miscellaneous Features

⌇⌇⌇⌇ ancient wall

◇ site of interest

• scientific station

Graticule Features

lines of latitude and
longitude / Equator

Tropics / Polar circles

45° degrees of longitude /
latitude

The Physical World

The Earth's surface is constantly being transformed: it is uplifted, folded, and faulted by tectonic forces; weathered and eroded by wind, water, and ice. Sometimes change is dramatic, the spectacular results of earthquakes or floods. More often, it is a slow process lasting millions of years. A physical map of the world represents a snapshot of the ever-evolving architecture of the Earth. This terrain map shows the whole surface of the Earth, both above and below the sea.

LONGEST RIVERS

Nile (NE Africa)	4,160 miles	(6.695 km)
Amazon (South America)	4,049 miles	(6,516 km)
Yangtze (China)	3,915 miles	(6 299 km)
Mississippi/Missouri (United States)	3,710 miles	(5.969 km)
Ob'-Irtysh (Russian Federation)	3,461 miles	(5,570 km)
Yellow River (China)	3,395 miles	(5,464 km)
Congo (Central Africa)	2,900 miles	(4,667 km)
Mekong (Southeast Asia)	2,749 miles	(4,425 km)
Lena (Russian Federation)	2,734 miles	(4,400 km)
Mackenzie (Canada)	2,640 miles	(4,250 km)
Yenisey (Russian Federation)	2,541 miles	(4,090 km)

Map Key

GEOGRAPHICAL REGIONS

- ice
- tundra
- needleleaf forest
- broadleaf forest
- cultivated land
- hot desert
- cold desert
- tropical grassland
- tropical rainforest
- mountain
- submarine regions

Northern Hemisphere

Most of the land on Earth is concentrated in the northern hemisphere, although Europe and North America are the only continents that lie completely in the north.

HIGHEST WATERFALLS

Angel (Venezuela)	.3,212 ft	(979 m)
Tugela (South Africa)	.3,110 ft	(948 m)
Utigard (Norway)	.2,625 ft	(800 m)
Mongefossen (Norway)	.2,539 ft	(774 m)
Mtarazi (Zimbabwe)	.2,500 ft	(762 m)
Yosemite (United States)	.2,425 ft	(739 m)
Ostre Mardola Foss (Norway)	.2,156 ft	(657 m)
Tyssestrengane (Norway)	.2,119 ft	(646 m)
*Cuquenan (Venezuela)	.2,001 ft	(610 m)
Sutherland (New Zealand)	.1,903 ft	(580 m)
*Kjellfossen (Norway)	.1,841 ft	(561 m)

* indicates that the total height is a single leap

HIGHEST MOUNTAINS
(HEIGHT ABOVE SEA LEVEL)

Everest	.29,035 ft	(8,850 m)
K2	.28,253 ft	(8,611 m)
Kanchenjunga I	.28,210 ft	(8,598 m)
Makalu I	.27,767 ft	(8,463 m)
Cho Oyu	.26,907 ft	(8,201 m)
Dhaulagiri I	.26,796 ft	(8,167 m)
Manaslu I	.26,783 ft	(8,163 m)
Nanga Parbat I	.26,661 ft	(8,126 m)
Annapurna I	.26,547 ft	(8,091 m)
Gasherbrum I	.26,471 ft	(8,068 m)

SCALE 1:73,000,000
(projection: Wagner VII)

Southern Hemisphere

Oceans dominate the southern hemisphere. Australia and Antarctica are the only continental landmasses that lie entirely in the south.

The Global Climate

The Earth's climatic types consist of stable patterns of weather conditions averaged out over a long period of time. Different climates are categorized according to particular combinations of temperature and humidity. By contrast, weather consists of short-term fluctuations in wind, temperature, and humidity conditions. Different climates are determined by latitude, altitude, the prevailing wind, and circulation of ocean currents. Longer-term changes in climate, such as global warming or the onset of ice ages, are punctuated by shorter-term events that comprise the day-to-day weather of a region, such as frontal depressions, hurricanes, and blizzards.

The Earth is currently in a warm phase between ice ages. Warmer temperatures result in higher sea levels as more of the polar ice caps melt. Most of the world's population lives near coasts, so any changes that might cause sea levels to rise, could have a potentially disastrous impact.

Temperature

The world can be divided into three major climatic zones, stretching like large belts across the latitudes: the tropics, which are warm; the cold polar regions, and the temperate zones, which lie between them. Temperatures across the Earth range from above 86°F (30°C) in the deserts to as low as -70°F (-55°C) at the poles. Temperature is also controlled by altitude; because air becomes cooler and less dense the higher it gets, mountainous regions are typically colder than those areas that are at, or close to, sea level.

below -30°C (-22°F) | -10 to 0°C (14 to 32°F) | 20 to 30°C (68 to 86°F)
-30 to -20°C (-22 to -4°F) | 0 to 10°C (32 to 50°F) | above 30°C (86°F)
-20 to -10°C (-4 to 14°F) | 10 to 20°C (50 to 68°F)

Average January temperatures
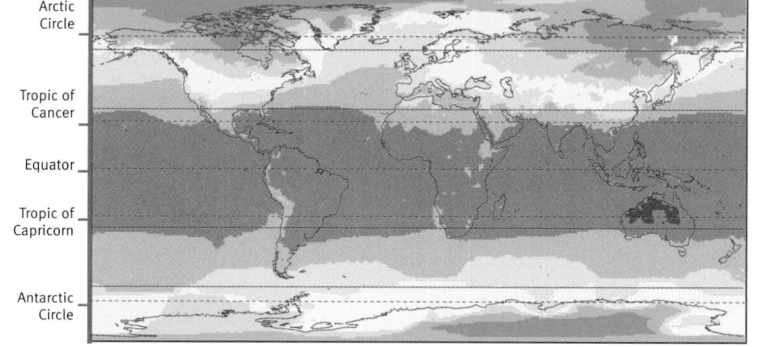

Average July temperatures
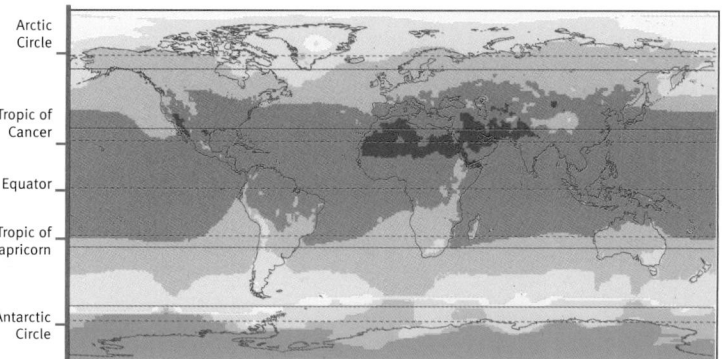

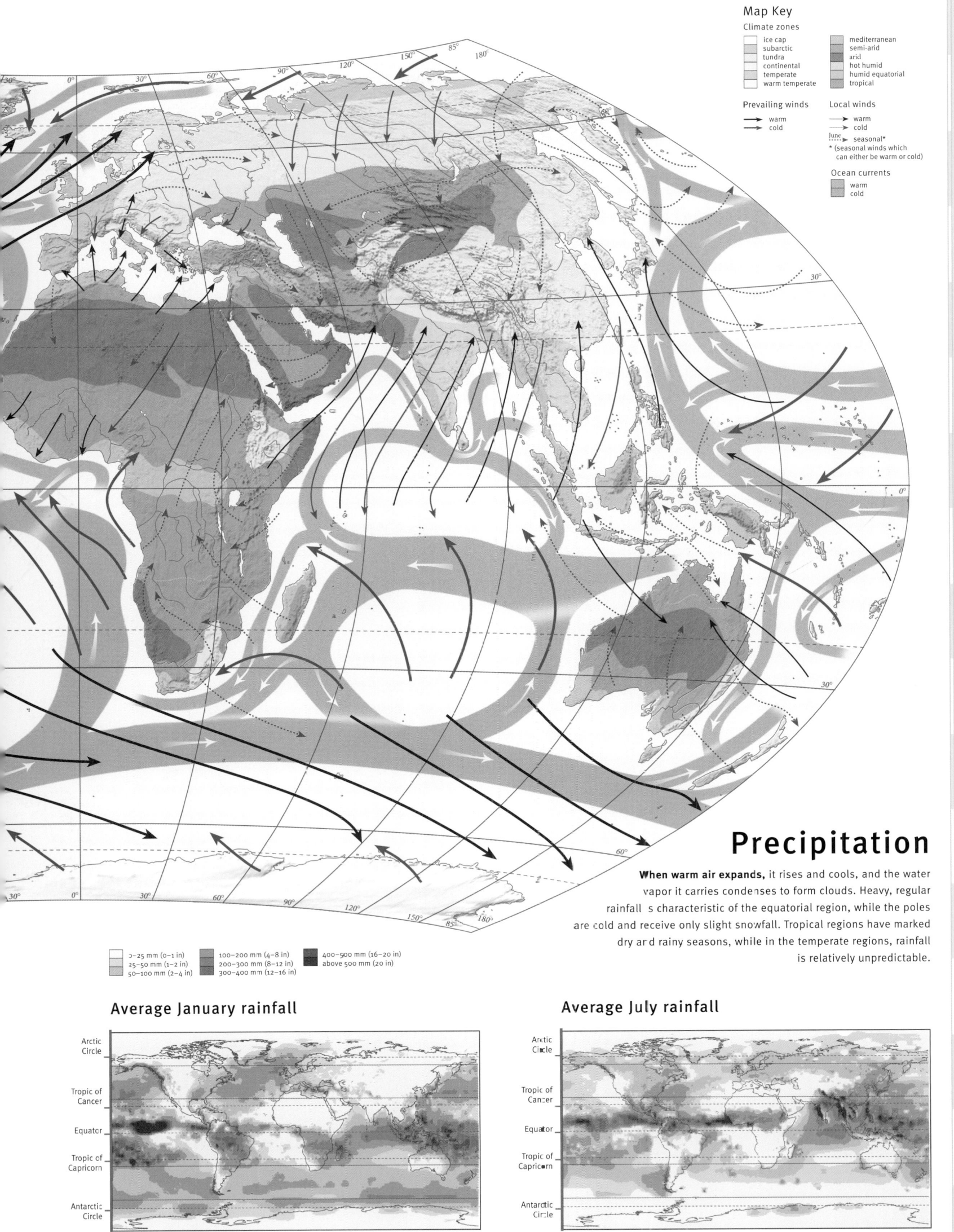

Map Key

Climate zones

ice cap	mediterranean
subarctic	semi-arid
tundra	arid
continental	hot humid
temperate	humid equatorial
warm temperate	tropical

Prevailing winds

→ warm
→ cold

Local winds

→ warm
→ cold
June ···› seasonal*
* (seasonal winds which
can either be warm or cold)

Ocean currents

warm
cold

Precipitation

When warm air expands, it rises and cools, and the water vapor it carries condenses to form clouds. Heavy, regular rainfall is characteristic of the equatorial region, while the poles are cold and receive only slight snowfall. Tropical regions have marked dry and rainy seasons, while in the temperate regions, rainfall is relatively unpredictable.

0–25 mm (0–1 in)	100–200 mm (4–8 in)	400–500 mm (16–20 in)
25–50 mm (1–2 in)	200–300 mm (8–12 in)	above 500 mm (20 in)
50–100 mm (2–4 in)	300–400 mm (12–16 in)	

Average January rainfall

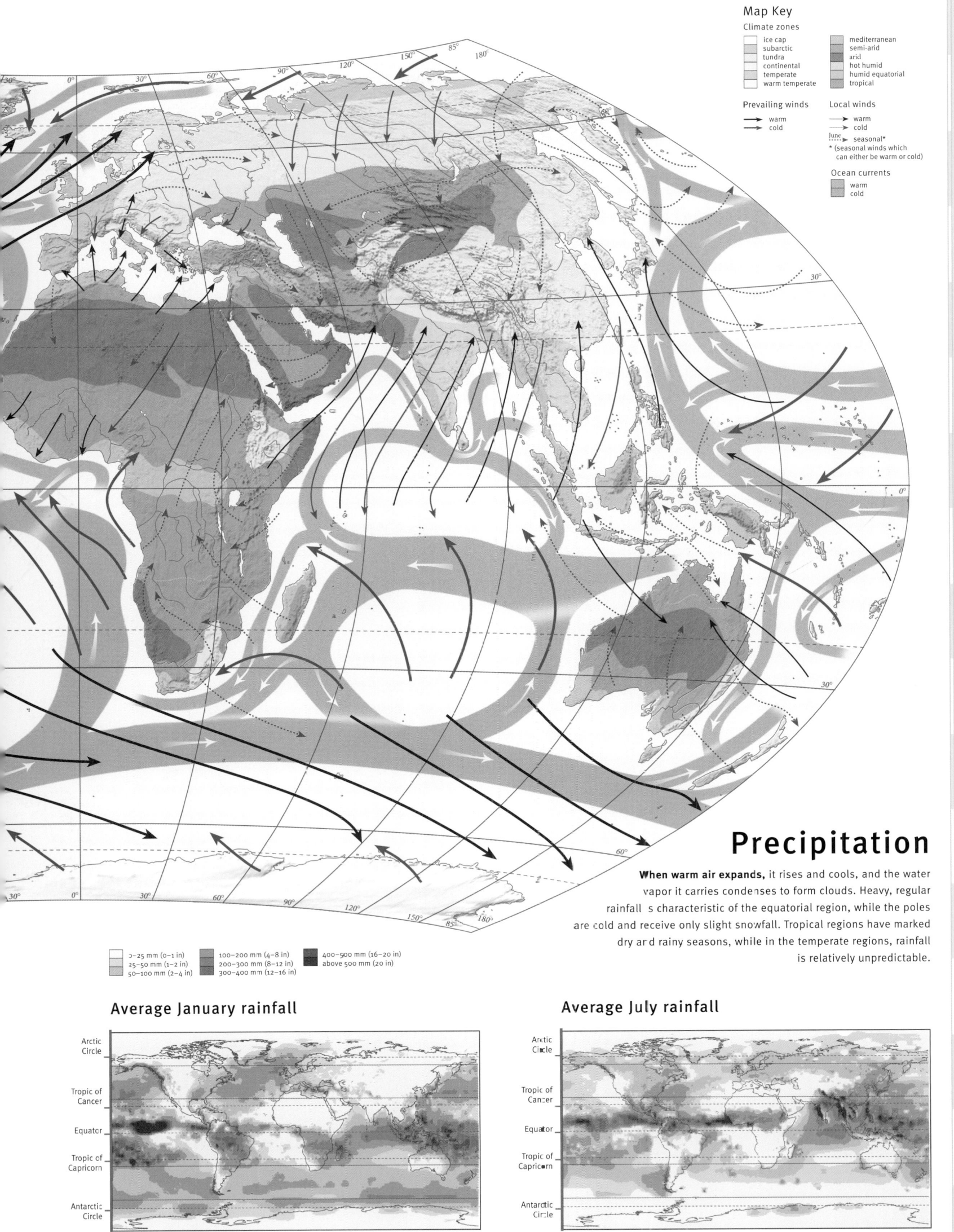

Average July rainfall

The Political World

There are 193 independent countries in the world today. With the exception of Antarctica, where territorial claims have been deferred by international treaty, every land area of the Earth's surface either belongs to, or is claimed by, one country or another. The largest country in the world is the Russian Federation, the smallest is Vatican City. Some 60 overseas dependent territories remain, administered variously by France, Australia, Denmark, New Zealand, Norway, Portugal, the UK, the US, and the Netherlands.

International Borders

The map shows three main types of boundary between states. Full borders represent internationally agreed and recognized territorial boundaries. Undefined borders exist where no fixed boundary between states has been demarcated; the boundaries indicated in this way show approximate areas of sovereignty. A disputed border is indicated where a de facto territorial boundary exists, which is not agreed or is subject to arbitration.

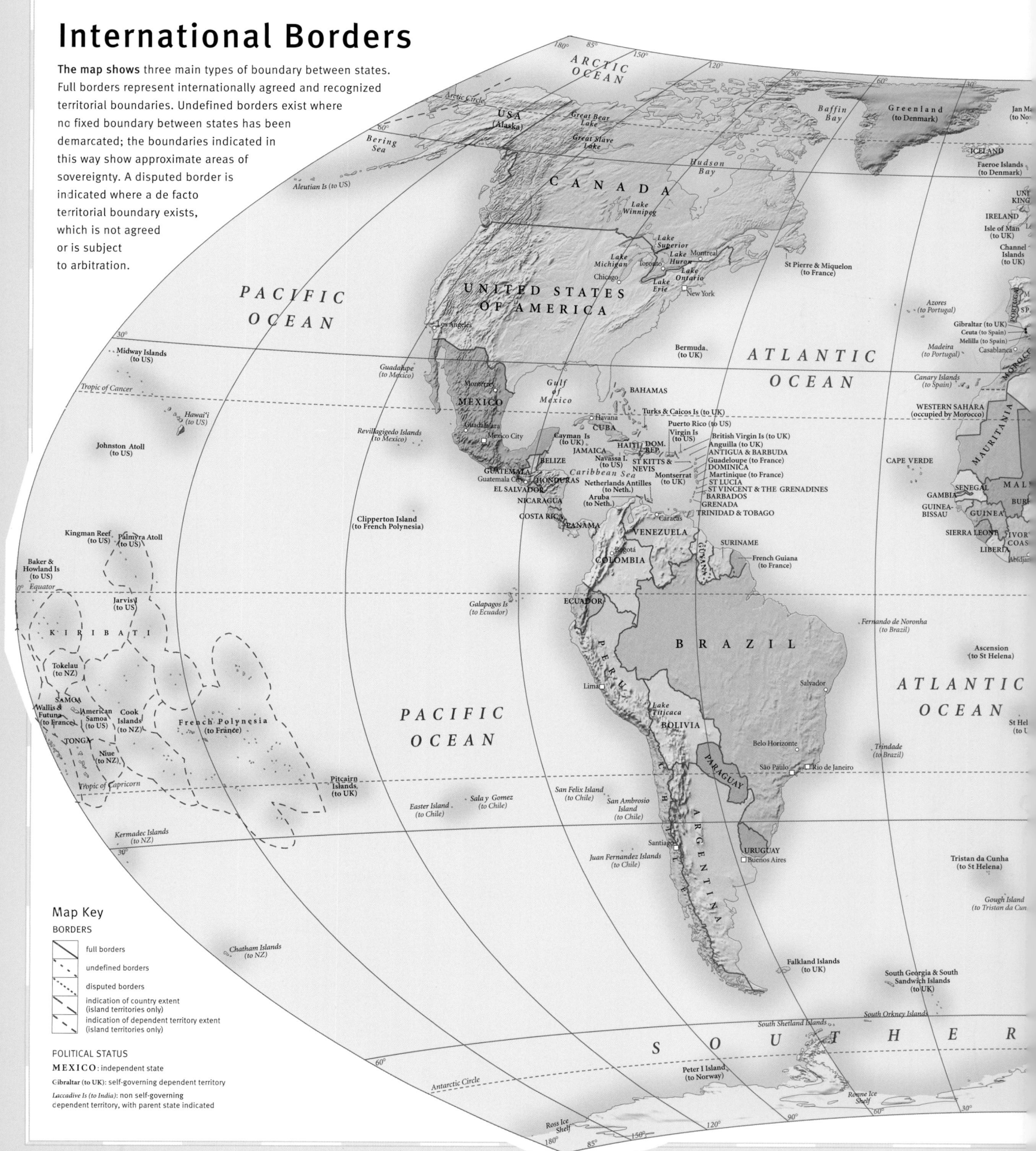

Map Key

BORDERS

- full borders
- undefined borders
- disputed borders
- indication of country extent (island territories only)
- indication of dependent territory extent (island territories only)

POLITICAL STATUS

MEXICO: independent state

Gibraltar (to UK): self-governing dependent territory

Laccadive Is (to India): non self-governing dependent territory, with parent state indicated

Population and Settlement

The Earth's population is projected to rise from its current level of about 6.4 billion to reach some 10 billion by 2025. The global distribution of this rapidly growing population is very uneven, and is dictated by climate, terrain, and natural and economic resources. The great majority of the Earth's people live in coastal zones, and along river valleys. It is estimated that over half of the world's population live in cities—most of them in Asia—as a result of mass migration from rural areas in search of jobs, resulting in the growth of huge, sprawling camps on the edge of many Third World cities. Many of these people live in the so-called "megacities," some with populations as great as 40 million.

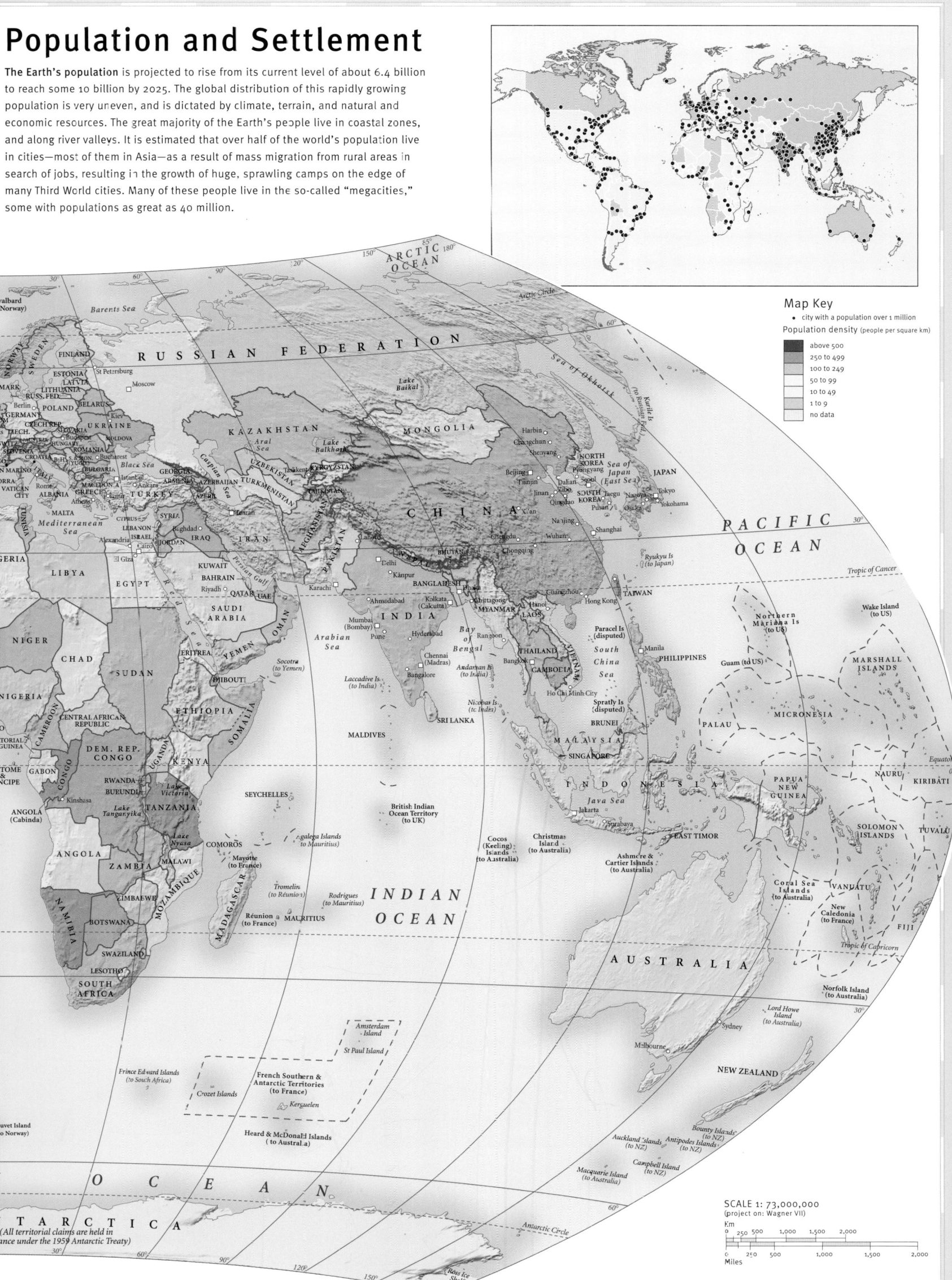

Map Key

• city with a population over 1 million

Population density (people per square km)

- above 500
- 250 to 499
- 100 to 249
- 50 to 99
- 10 to 49
- 1 to 9
- no data

SCALE 1: 73,000,000
(project on: Wagner VII)

Km
0 250 500 1,000 1,500 2,000

Miles
0 250 500 1,000 1,500 2,000

Flags of the World

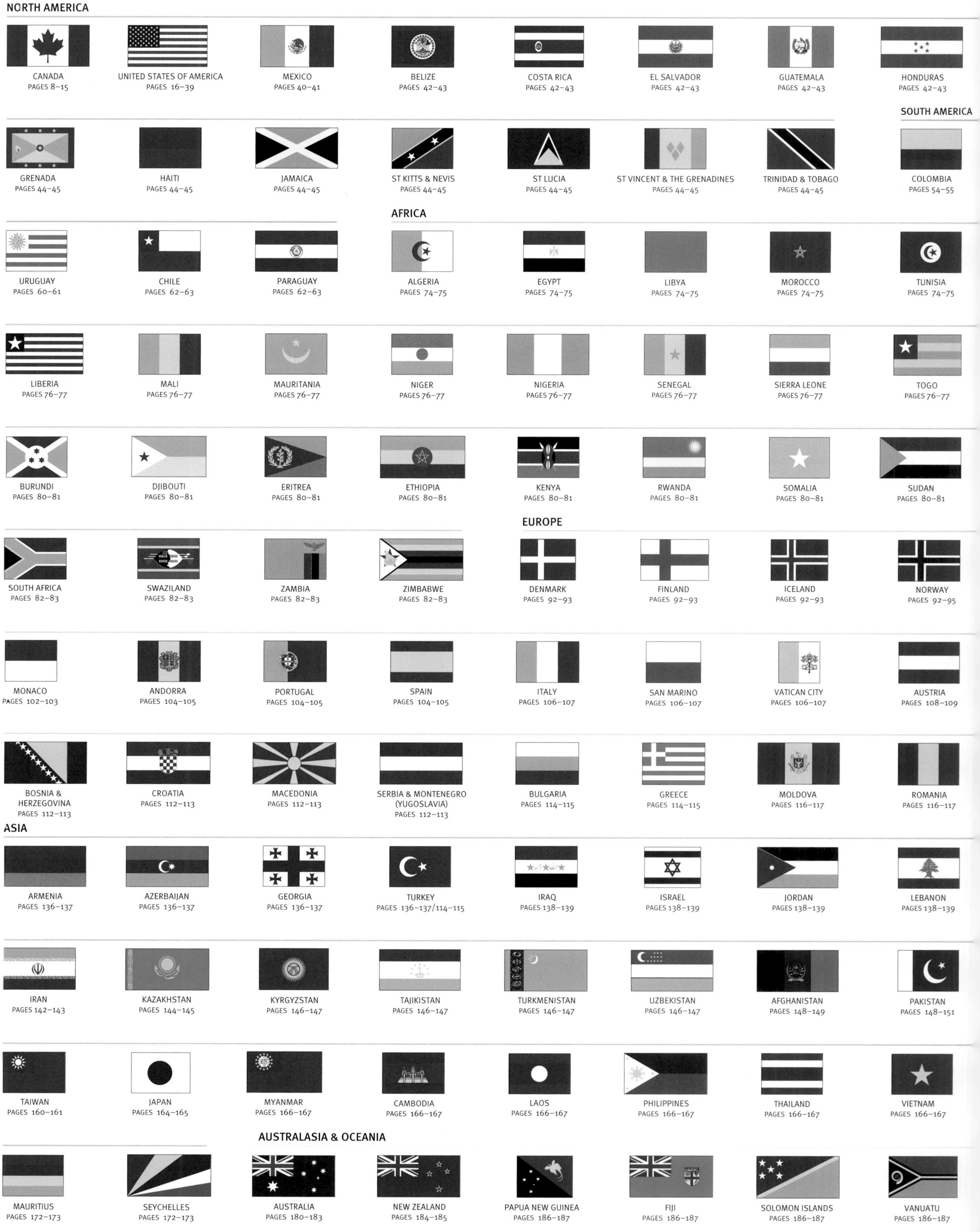

NORTH AMERICA

CANADA
PAGES 8–15

UNITED STATES OF AMERICA
PAGES 16–39

MEXICO
PAGES 40–41

BELIZE
PAGES 42–43

COSTA RICA
PAGES 42–43

EL SALVADOR
PAGES 42–43

GUATEMALA
PAGES 42–43

HONDURAS
PAGES 42–43

SOUTH AMERICA

GRENADA
PAGES 44–45

HAITI
PAGES 44–45

JAMAICA
PAGES 44–45

ST KITTS & NEVIS
PAGES 44–45

ST LUCIA
PAGES 44–45

ST VINCENT & THE GRENADINES
PAGES 44–45

TRINIDAD & TOBAGO
PAGES 44–45

COLOMBIA
PAGES 54–55

AFRICA

URUGUAY
PAGES 60–61

CHILE
PAGES 62–63

PARAGUAY
PAGES 62–63

ALGERIA
PAGES 74–75

EGYPT
PAGES 74–75

LIBYA
PAGES 74–75

MOROCCO
PAGES 74–75

TUNISIA
PAGES 74–75

LIBERIA
PAGES 76–77

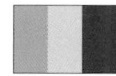
MALI
PAGES 76–77

MAURITANIA
PAGES 76–77

NIGER
PAGES 76–77

NIGERIA
PAGES 76–77

SENEGAL
PAGES 76–77

SIERRA LEONE
PAGES 76–77

TOGO
PAGES 76–77

BURUNDI
PAGES 80–81

DJIBOUTI
PAGES 80–81

ERITREA
PAGES 80–81

ETHIOPIA
PAGES 80–81

KENYA
PAGES 80–81

RWANDA
PAGES 80–81

SOMALIA
PAGES 80–81

SUDAN
PAGES 80–81

EUROPE

SOUTH AFRICA
PAGES 82–83

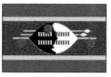
SWAZILAND
PAGES 82–83

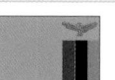
ZAMBIA
PAGES 82–83

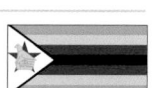
ZIMBABWE
PAGES 82–83

DENMARK
PAGES 92–93

FINLAND
PAGES 92–93

ICELAND
PAGES 92–93

NORWAY
PAGES 92–95

MONACO
PAGES 102–103

ANDORRA
PAGES 104–105

PORTUGAL
PAGES 104–105

SPAIN
PAGES 104–105

ITALY
PAGES 106–107

SAN MARINO
PAGES 106–107

VATICAN CITY
PAGES 106–107

AUSTRIA
PAGES 108–109

BOSNIA &
HERZEGOVINA
PAGES 112–113

CROATIA
PAGES 112–113

MACEDONIA
PAGES 112–113

SERBIA & MONTENEGRO
(YUGOSLAVIA)
PAGES 112–113

BULGARIA
PAGES 114–115

GREECE
PAGES 114–115

MOLDOVA
PAGES 116–117

ROMANIA
PAGES 116–117

ASIA

ARMENIA
PAGES 136–137

AZERBAIJAN
PAGES 136–137

GEORGIA
PAGES 136–137

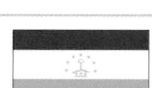
TURKEY
PAGES 136–137/114–115

IRAQ
PAGES 138–139

ISRAEL
PAGES 138–139

JORDAN
PAGES 138–139

LEBANON
PAGES 138–139

IRAN
PAGES 142–143

KAZAKHSTAN
PAGES 144–145

KYRGYZSTAN
PAGES 146–147

TAJIKISTAN
PAGES 146–147

TURKMENISTAN
PAGES 146–147

UZBEKISTAN
PAGES 146–147

AFGHANISTAN
PAGES 148–149

PAKISTAN
PAGES 148–151

TAIWAN
PAGES 160–161

JAPAN
PAGES 164–165

MYANMAR
PAGES 166–167

CAMBODIA
PAGES 166–167

LAOS
PAGES 166–167

PHILIPPINES
PAGES 166–167

THAILAND
PAGES 166–167

VIETNAM
PAGES 166–167

AUSTRALASIA & OCEANIA

MAURITIUS
PAGES 172–173

SEYCHELLES
PAGES 172–173

AUSTRALIA
PAGES 180–183

NEW ZEALAND
PAGES 184–185

PAPUA NEW GUINEA
PAGES 186–187

FIJI
PAGES 186–187

SOLOMON ISLANDS
PAGES 186–187

VANUATU
PAGES 186–187

NICARAGUA
PAGES 42–43

PANAMA
PAGES 42–43

ANTIGUA & BARBUDA
PAGES 44–45

BAHAMAS
PAGES 44–45

BARBADOS
PAGES 44–45

CUBA
PAGES 44–45

DOMINICA
PAGES 44–45

DOMINICAN REPUBLIC
PAGES 44–45

GUYANA
PAGES 54–55

SURINAME
PAGES 54–55

VENEZUELA
PAGES 54–55

BOLIVIA
PAGES 56–57

ECUADOR
PAGES 56–57

PERU
PAGES 56–57

BRAZIL
PAGES 58–59

ARGENTINA
PAGES 60–61

BENIN
PAGES 76–77

BURKINA
PAGES 76–77

CAPE VERDE
PAGES 76–77

GAMBIA
PAGES 75–77

GHANA
PAGES 76–77

GUINEA
PAGES 76–77

GUINEA-BISSAU
PAGES 76–77

IVORY COAST
PAGES 76–77

CAMEROON
PAGES 78–79

CENTRAL AFRICAN REPUBLIC
PAGES 78–79

CHAD
PAGES 78–79

CCNGO
PAGES 78–79

DEM. REP. CONGO
PAGES 78–79

EQUATORIAL GUINEA
PAGES 78–79

GABON
PAGES 78–79

SAO TOME & PRINCIPE
PAGES 78–79

TANZANIA
PAGES 80–81

UGANDA
PAGES 80–81

ANGOLA
PAGES 82–83

BOTSWANA
PAGES 82–83

LESOTHO
PAGES 82–83

MALAWI
PAGES 82–83

MOZAMBIQUE
PAGES 82–83

NAMIBIA
PAGES 82–83

SWEDEN
PAGES 92–95

REPUBLIC OF IRELAND
PAGES 96–97

UNITED KINGDOM
PAGES 96–97

BELGIUM
PAGES 98–99

LUXEMBOURG
PAGES 98–99

NETHERLANDS
PAGES 98–99

GERMANY
PAGES 100–101

FRANCE
PAGES 102–103

LIECHTENSTEIN
PAGES 108–109

SLOVENIA
PAGES 108–109

SWITZERLAND
PAGES 108–109

CZECH REPUBLIC
PAGES 110–111

HUNGARY
PAGES 110–111

POLAND
PAGES 110–111

SLOVAKIA
PAGES 110–111

ALBANIA
PAGES 112–113

UKRAINE
PAGES 116–117

BELARUS
PAGES 118–119

ESTONIA
PAGES 118–119

LATVIA
PAGES 118–119

LITHUANIA
PAGES 118–119

CYPRUS
PAGES 120–121

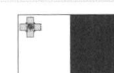
MALTA
PAGES 120–121

RUSSIAN FEDERATION
PAGES 122–127

SYRIA
PAGES 138–139

BAHRAIN
PAGES 140–143

KUWAIT
PAGES 140–143

OMAN
PAGES 140–141

QATAR
PAGES 140–143

SAUDI ARABIA
PAGES 140–141

UNITED ARAB EMIRATES
PAGES 140–143

YEMEN
PAGES 140–141

BANGLADESH
PAGES 150–153

BHUTAN
PAGES 150–153

INDIA
PAGES 150–155

NEPAL
PAGES 150–153

SRI LANKA
PAGES 150–151/154–155

CHINA
PAGES 158–163

MONGOLIA
PAGES 156–157/162–163

NORTH KOREA
PAGES 156–157/162–163

SOUTH KOREA
PAGES 156–157/162–163

BRUNEI
PAGES 168–169

INDONESIA
PAGES 168–171

EAST TIMOR
PAGES 170–171

MALAYSIA
PAGES 168–169

SINGAPORE
PAGES 168–169

COMOROS
PAGES 172–173

MADAGASCAR
PAGES 172–173

MALDIVES
PAGES 172–173

MARSHALL ISLANDS
PAGES 188–189

MICRONESIA
PAGES 188–189

NAURU
PAGES 188–189

PALAU
PAGES 188–189

KIRIBATI
PAGES 190–191

TUVALU
PAGES 190–191

TONGA
PAGES 192–193

SAMOA
PAGES 192–193

Health Precautions

It is routine for travelers to be immunized against diphtheria, tetanus, whooping cough, hepatitis B, measles, and polio. Other diseases that requiring precautions are cholera, dengue fever, influenza, hepatitis A, Japanese encephalitis, Lyme disease, meningitis, pneumococcal disease, rabies, tick-borne encephalitis, tuberculosis (TB), typhoid, and yellow fever.

Travelers should arrange suitable health insurance before departure and take a basic medical kit. Visiting a travel clinic or doctor at least 4–6 weeks prior to departure is advisable for vaccinations and current medical advice, which will vary depending on destination, length and type of stay, health status, age, and intended activities. A vaccination chart has been included on pp210–211 for guidance.

Once abroad, the most common health problem for travelers is diarrhoea, caused by bacteria in food and drink. Simple safety precautions, such as only drinking bottled or boiled water, eating well-cooked food and avoiding ice, salads, and fruit will reduce the risk of a spoiled holiday.

Malaria

Malaria is endemic in over 100 tropical and subtropical countries. Risk of infection is greatest in low-lying rural areas and at the end of the rainy season. The disease is transmitted by mosquito bites, so simple precautions of using mosquito nets and avoiding exposure to bites, especially between dusk and dawn, will help to reduce the risk. Various anti-malarial drugs are available, usually taken over several weeks prior to, during, and after visiting a malaria zone. Medical advice will specify which drugs are suitable for protection against the mosquitoes in a particular region and warn of side effects, which can be highly serious. Fever is the main symptom of malaria—a high temperature within three months of visiting an affected area requires immediate medical attention.

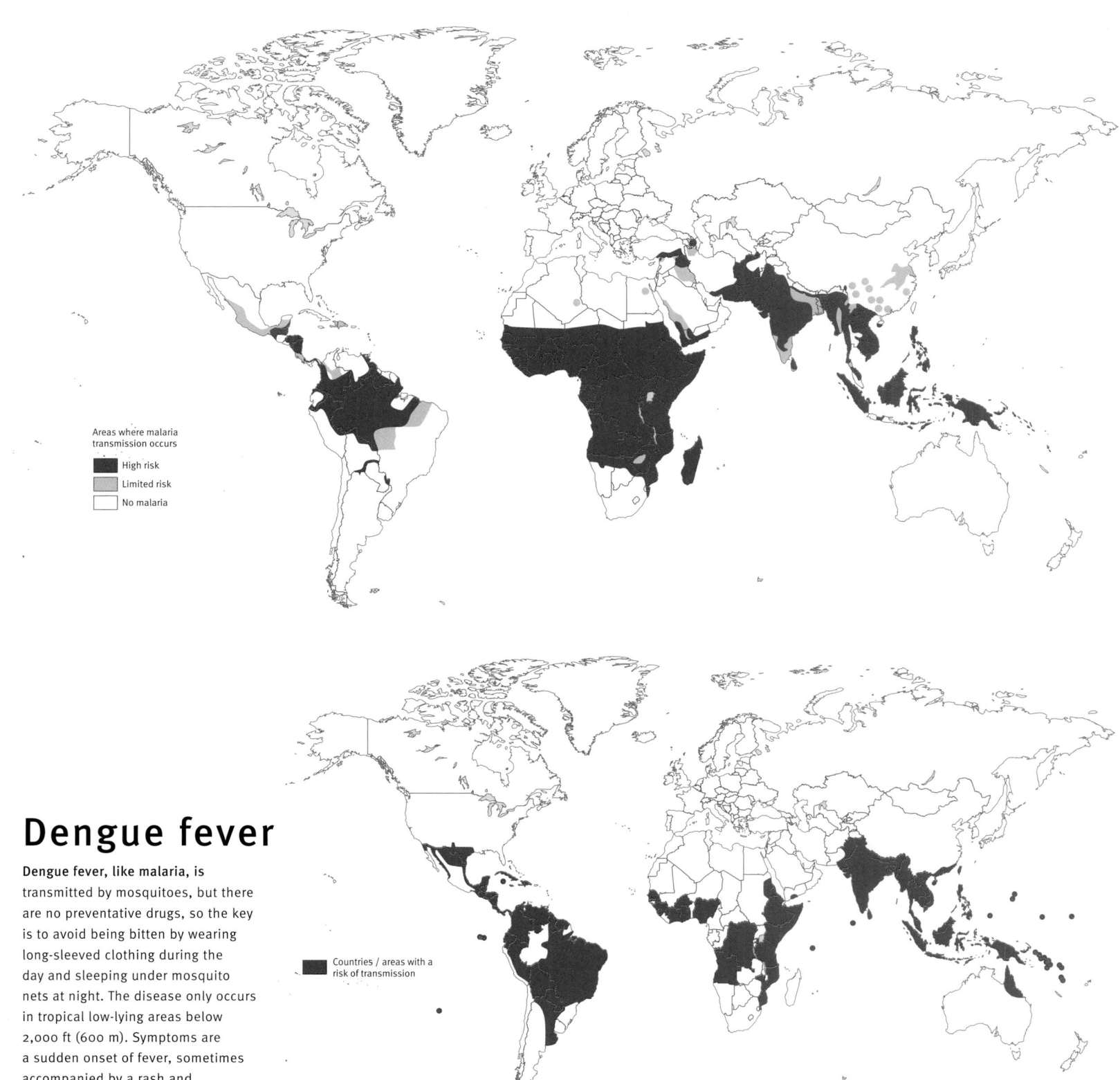

Areas where malaria transmission occurs

- High risk
- Limited risk
- No malaria

Countries / areas with a risk of transmission

Dengue fever

Dengue fever, like malaria, is transmitted by mosquitoes, but there are no preventative drugs, so the key is to avoid being bitten by wearing long-sleeved clothing during the day and sleeping under mosquito nets at night. The disease only occurs in tropical low-lying areas below 2,000 ft (600 m). Symptoms are a sudden onset of fever, sometimes accompanied by a rash and deep muscular pains.

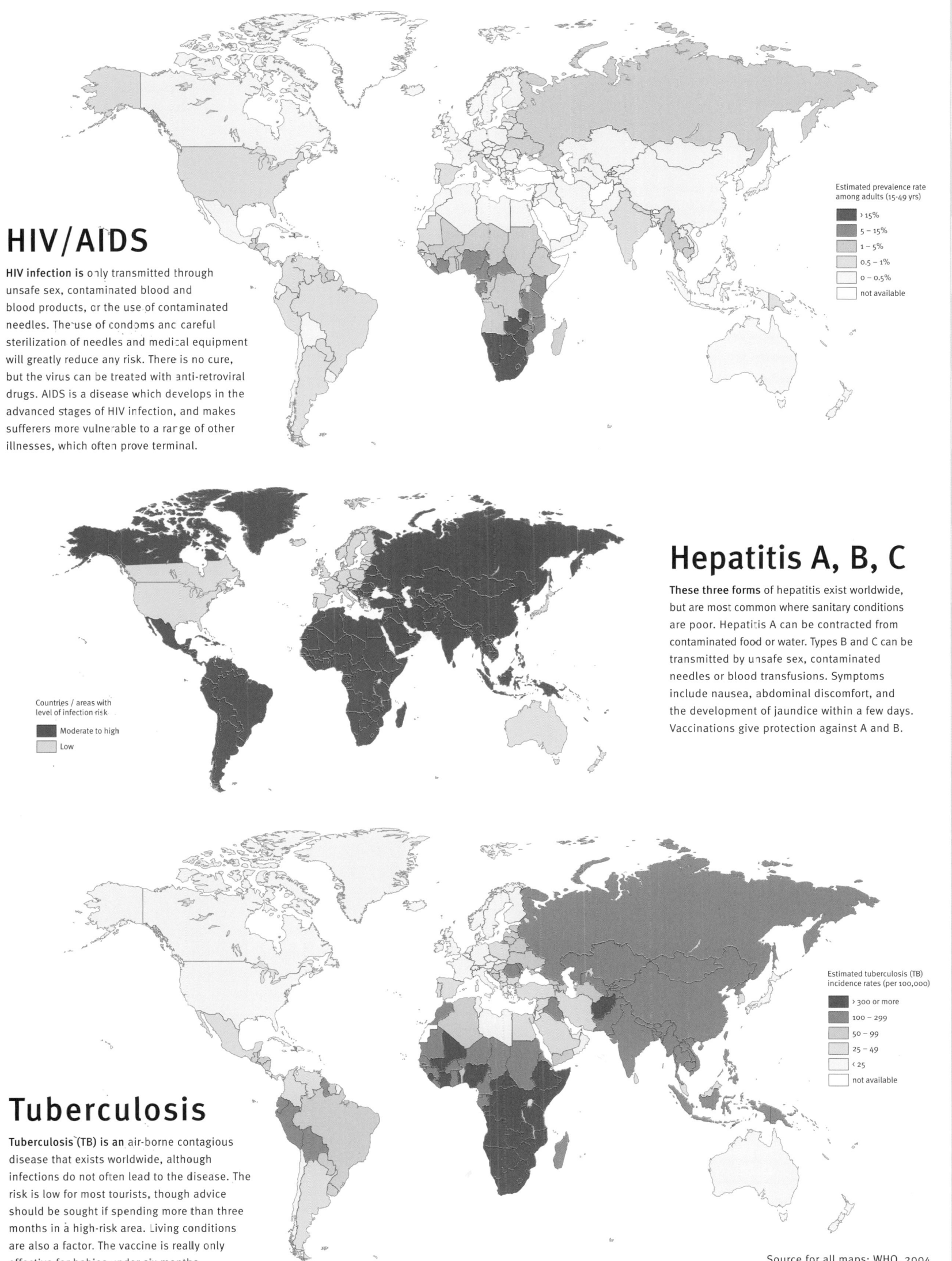

HIV/AIDS

HIV infection is only transmitted through unsafe sex, contaminated blood and blood products, or the use of contaminated needles. The use of condoms and careful sterilization of needles and medical equipment will greatly reduce any risk. There is no cure, but the virus can be treated with anti-retroviral drugs. AIDS is a disease which develops in the advanced stages of HIV infection, and makes sufferers more vulnerable to a range of other illnesses, which often prove terminal.

Estimated prevalence rate among adults (15-49 yrs)
- > 15%
- 5 – 15%
- 1 – 5%
- 0.5 – 1%
- 0 – 0.5%
- not available

Hepatitis A, B, C

These three forms of hepatitis exist worldwide, but are most common where sanitary conditions are poor. Hepatitis A can be contracted from contaminated food or water. Types B and C can be transmitted by unsafe sex, contaminated needles or blood transfusions. Symptoms include nausea, abdominal discomfort, and the development of jaundice within a few days. Vaccinations give protection against A and B.

Countries / areas with level of infection risk
- Moderate to high
- Low

Tuberculosis

Tuberculosis (TB) is an air-borne contagious disease that exists worldwide, although infections do not often lead to the disease. The risk is low for most tourists, though advice should be sought if spending more than three months in a high-risk area. Living conditions are also a factor. The vaccine is really only effective for babies under six months.

Estimated tuberculosis (TB) incidence rates (per 100,000)
- > 300 or more
- 100 – 299
- 50 – 99
- 25 – 49
- < 25
- not available

Source for all maps: WHO, 2004

North America

"Catch the Detroit Lightnin' out of Santa Fe,
the Great Northern out of Cheyenne, from sea to shining sea." ROBERT HUNTER, b.1923

Physical North America

North America offers a spectacular variety of landscape, from the great mountain ranges of the west that stretch from the Bering Strait to the sunny Gulf of California, to vast prairies with open sky in every direction to the horizon. The fertile central lowlands of the Midwest give way to the river delta of the Mississippi and Missouri to the south, while in the east the Appalachians, among the oldest mountains in the world, separate the cities of the eastern seaboard from the rest of the continent. The Canadian Shield in the north of the continent is a huge region where repeated glaciation has left a landscape of hillocks and plains, and the basins and islands of the far north stretch off into the Arctic Circle. To the south, the continent is tropical, from Florida to the islands of the Caribbean and south into Central America.

Tundra

Barren tundra covers a large part of North America and though it supports few human inhabitants, it is home to a wide variety of animal life, including caribou and polar bears. The ecosystem is fragile and highly vulnerable to overhunting, climate change, and development such as mining or drilling for oil.

Mountains

The spectacular Rocky Mountains, which run from the north to the south of the continent, offer opportunities for exhilarating hiking and varied winter sports.

Map Key
ELEVATION

- 3500m / 11,484ft
- 3000m / 9843ft
- 2500m / 8203ft
- 2000m / 6562ft
- 1500m / 4922ft
- 1000m / 3281ft
- 500m / 1640ft
- 250m / 820ft
- 100m / 328ft
- sea level

Deserts

Some of North America's largest cities sit at the edge of deserts. The open expanses of white sands in New Mexico contrast with eerie landscapes like California's Death Valley. These deserts are home to a surprising number of animals including coyotes, snakes, and roadrunners.

SCALE 1:46,600,000
(projection: Lambert Azimuthal Equal Area)

Km
0 200 400 600 800 1000

0 200 400 600 800 1000
Miles

PLATE MARGINS

———— constructive
△ △ destructive
———— conservative
·········· uncertain

———— physiographic regions

Climate

A continent as varied as North America has a similarly diverse climate, with extremes ranging from the heat and dust of the southwestern desert, to the lush, tropical conditions of Florida and the Caribbean, the notoriously persistent rain of the northwestern seaboard and the Arctic conditions of the far north. Parts of North America also suffer extreme storms—tornadoes can carve swathes of destruction and lift houses off the ground, while hurricanes regularly batter southern coastal areas and the islands of the Caribbean.

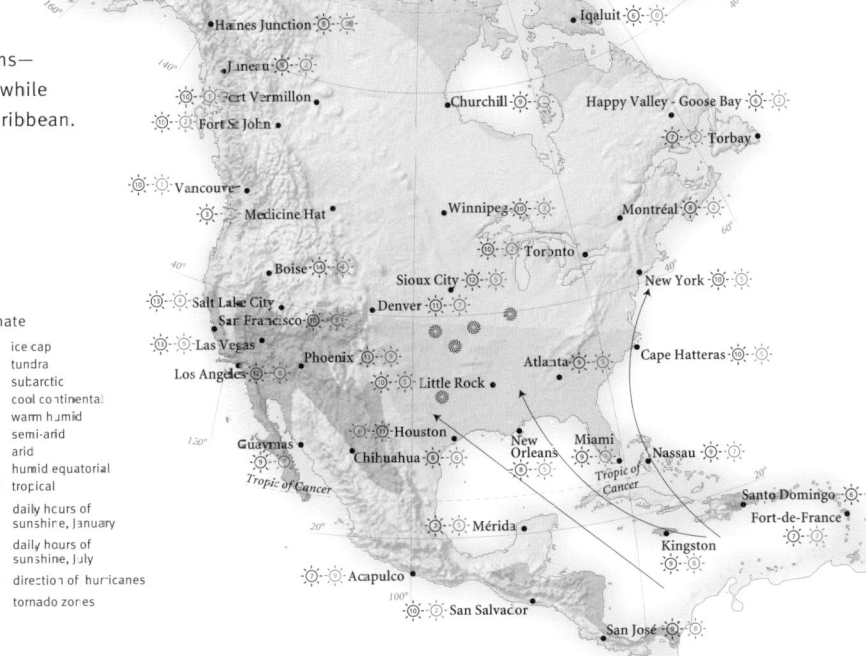

Tornadoes: The US experiences more "twisters" than any other country, especially in the south and Midwest (known as Tornado Alley). They can last from a few seconds to an hour.

Climate
- ice cap
- tundra
- subarctic
- cool continental
- warm humid
- semi-arid
- arid
- humid equatorial
- tropical
- ☀ daily hours of sunshine, January
- ☀ daily hours of sunshine, July
- → direction of hurricanes
- ◉ tornado zones

Temperature

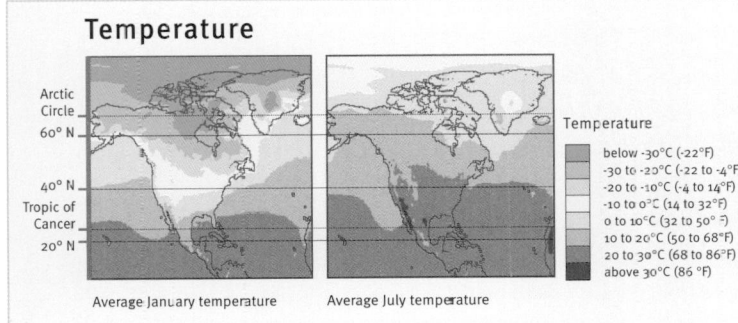

Temperature
- below -30°C (-22°F)
- -30 to -20°C (-22 to -4°F)
- -20 to -10°C (-4 to 14°F)
- -10 to 0°C (14 to 32°F)
- 0 to 10°C (32 to 50°F)
- 10 to 20°C (50 to 68°F)
- 20 to 30°C (68 to 86°F)
- above 30°C (86 °F)

Average January temperature   Average July temperature

Rainfall

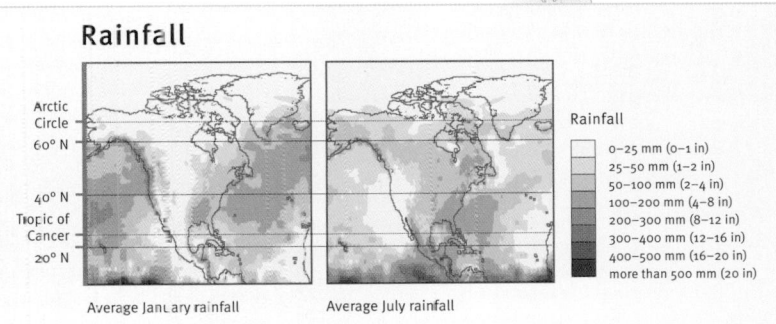

Rainfall
- 0–25 mm (0–1 in)
- 25–50 mm (1–2 in)
- 50–100 mm (2–4 in)
- 100–200 mm (4–8 in)
- 200–300 mm (8–12 in)
- 300–400 mm (12–16 in)
- 400–500 mm (16–20 in)
- more than 500 mm (20 in)

Average January rainfall   Average July rainfall

Using Land and Sea

Vast tracts of North America cannot sustain farming, particularly in the far north, where snow cover precludes agriculture. In the central belt, cereals are grown on massive farms, along with corn and soya. The southern US produces much citrus fruit and wineries have sprung up across California to take advantage of the dry climate. Many Caribbean countries depend on crops such as bananas and sugar cane—market volatility has led several of them to try to diversify while developing tourism as their main industry.

Using the Land and Sea
- cropland
- forest
- ice cap
- mountain region
- pasture
- tundra
- wetland
- desert
- ● major conurbations

- cattle
- goats
- pigs
- poultry
- reindeer
- sheep
- bananas
- citrus fruits
- coffee
- corn (maize)
- cotton
- fishing
- fruit
- maple syrup
- peanuts
- rice
- shellfish
- soya beans
- sugar cane
- timber
- tobacco
- vineyards
- wheat

Prairies: The central belt, from the Canadian prairies to Texas, is the breadbasket of the continent. Corn and wheat are grown throughout this region, often in fields so vast that no boundary is visible.

Political North America

The United States has identified itself with the political values of the "free world" since the founding fathers drew up its constitution in the 1700s. Universal suffrage came more gradually, with the extension of the vote beyond the property-owning classes and eventually (in the early 1900s) to women, too. The US secular democratic model balances a strong executive and separately elected legislature with a judiciary devoted to upholding constitutional rights. Individual states jealously defend their areas of independence from federal government encroachment. Canada's democracy must likewise cope with the demands of provincial autonomy within a federal system. In Central America, authoritarian regimes have recently given way to governments elected on the US model. Haiti stands out as the most unstable of Caribbean countries.

White House, Washington DC:
This Neo-Classical building is the president's official residence and houses the Oval Office.

UNITED STATES OF AMERICA

SCALE 1:13,300,000
(projection: Lambert Conformal Conic)

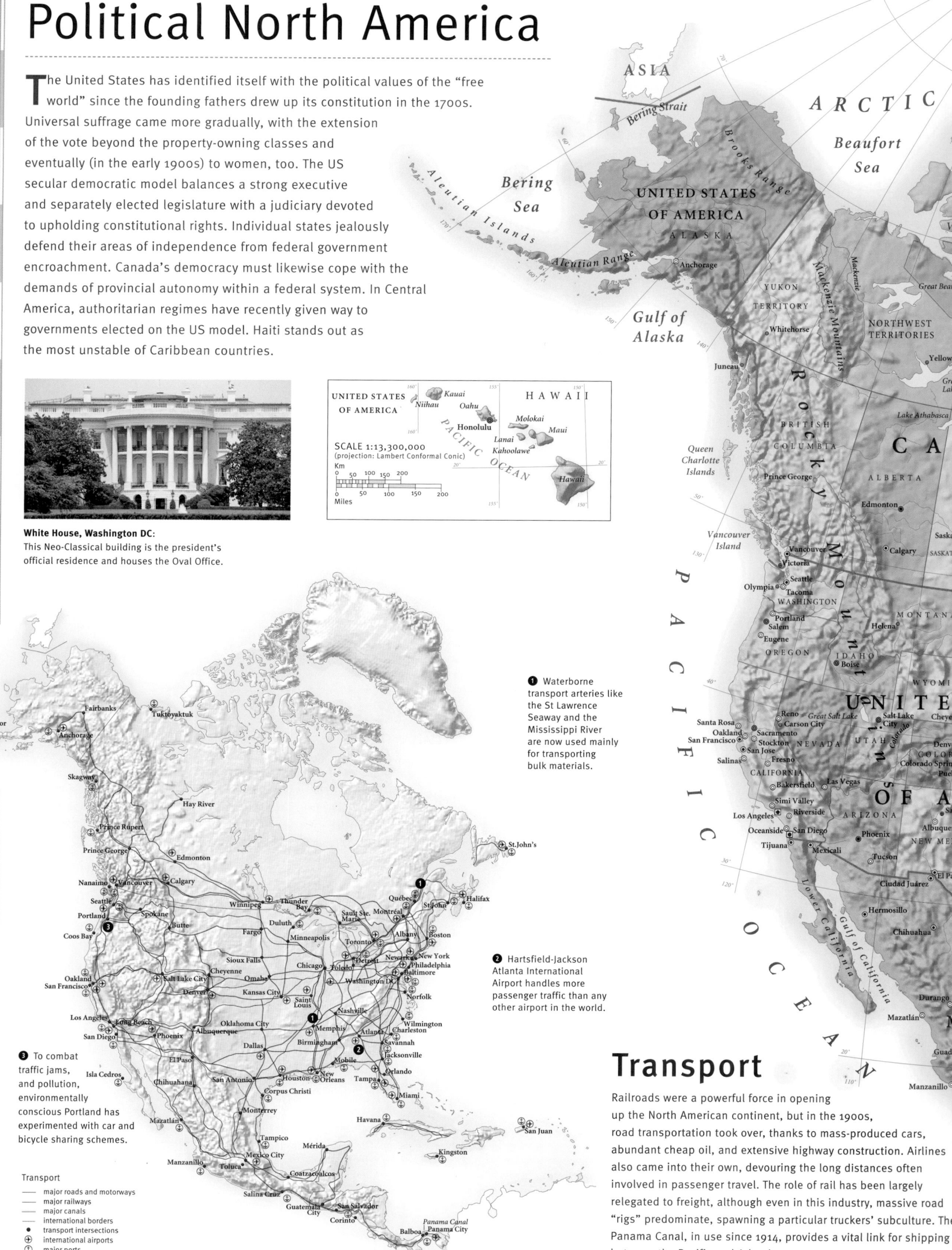

❶ Waterborne transport arteries like the St Lawrence Seaway and the Mississippi River are now used mainly for transporting bulk materials.

❷ Hartsfield-Jackson Atlanta International Airport handles more passenger traffic than any other airport in the world.

❸ To combat traffic jams, and pollution, environmentally conscious Portland has experimented with car and bicycle sharing schemes.

Transport
— major roads and motorways
— major railways
— major canals
— international borders
● transport intersections
✈ international airports
⊕ major ports

Transport

Railroads were a powerful force in opening up the North American continent, but in the 1900s, road transportation took over, thanks to mass-produced cars, abundant cheap oil, and extensive highway construction. Airlines also came into their own, devouring the long distances often involved in passenger travel. The role of rail has been largely relegated to freight, although even in this industry, massive road "rigs" predominate, spawning a particular truckers' subculture. The Panama Canal, in use since 1914, provides a vital link for shipping between the Pacific and Atlantic oceans.

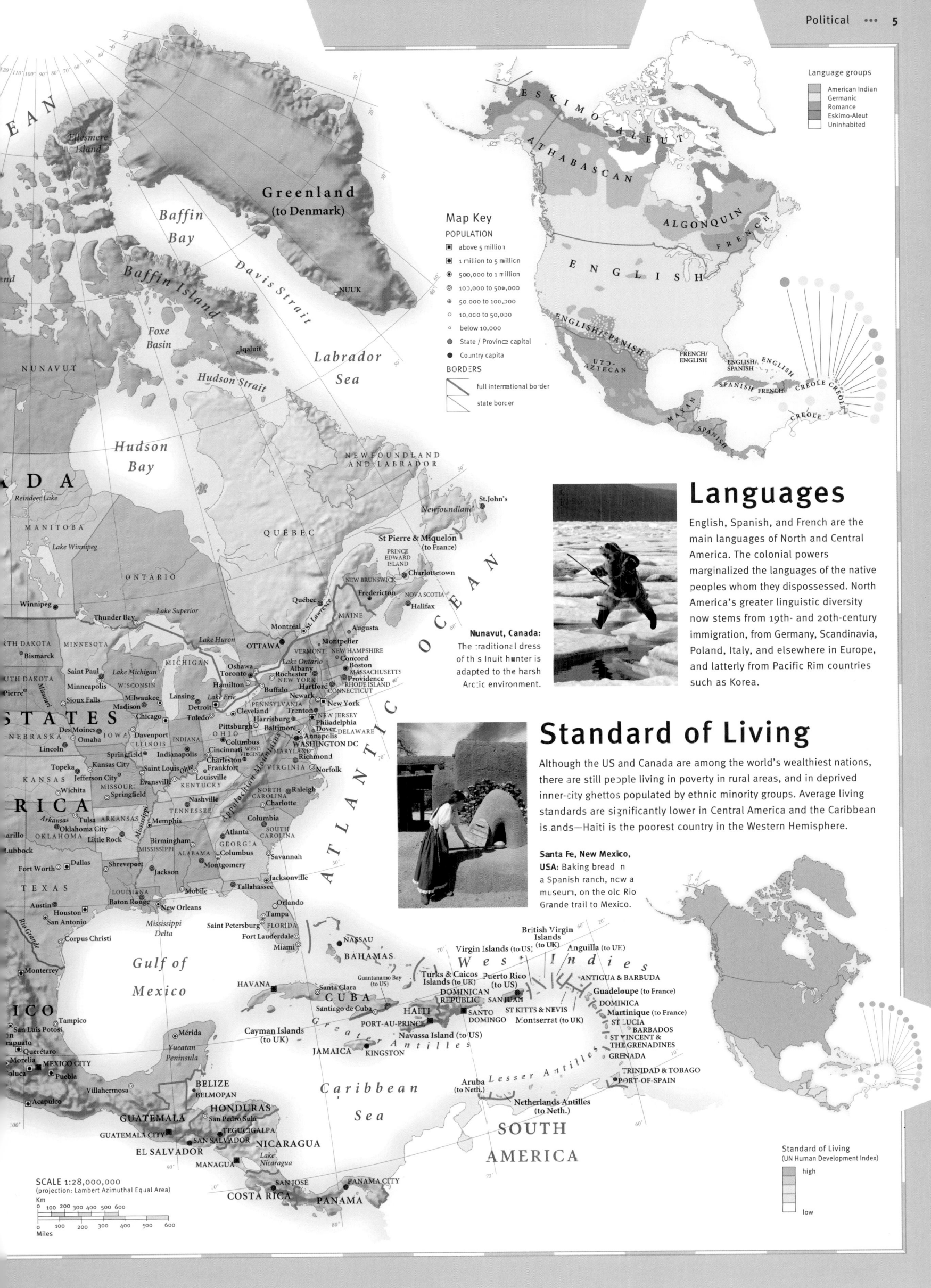

Language groups
- American Indian
- Germanic
- Romance
- Eskimo-Aleut
- Uninhabited

Map Key

POPULATION
- ▣ above 5 million
- ▣ 1 million to 5 million
- ◉ 500,000 to 1 million
- ◎ 100,000 to 500,000
- ◌ 50,000 to 100,000
- ○ 10,000 to 50,000
- ○ below 10,000
- ● State / Province capital
- ● Country capital

BORDERS
- full international border
- state border

Languages

English, Spanish, and French are the main languages of North and Central America. The colonial powers marginalized the languages of the native peoples whom they dispossessed. North America's greater linguistic diversity now stems from 19th- and 20th-century immigration, from Germany, Scandinavia, Poland, Italy, and elsewhere in Europe, and latterly from Pacific Rim countries such as Korea.

Nunavut, Canada: The traditional dress of this Inuit hunter is adapted to the harsh Arctic environment.

Standard of Living

Although the US and Canada are among the world's wealthiest nations, there are still people living in poverty in rural areas, and in deprived inner-city ghettos populated by ethnic minority groups. Average living standards are significantly lower in Central America and the Caribbean islands—Haiti is the poorest country in the Western Hemisphere.

Santa Fe, New Mexico, USA: Baking bread in a Spanish ranch, now a museum, on the old Rio Grande trail to Mexico.

Standard of Living
(UN Human Development Index)
- high
- low

SCALE 1:28,000,000
(projection: Lambert Azimuthal Equal Area)

Km
0 100 200 300 400 500 600

Miles
0 100 200 300 400 500 600

Banff National Park, Canada   Seattle, WA   New Mexico   Vancouver, Canada   Pico de Orizaba, Mexico

Activities

The US caters for entertainment on the grand scale. The theme parks of the sunshine states of Florida and California attract visitors from all over the world. Millions of fans hungrily lap up the big national sports—football, baseball, basketball, and ice hockey—not just on TV, but in state-of-the-art stadiums, supercharged with a highly partisan atmosphere. In Mexico and Central America, soccer stirs the sporting passions, along with wrestling, bullfighting, and the rodeo.

Cities such as San Francisco and New York fizz with cosmopolitan atmosphere, great shopping, high-energy nightlife, and cultural attractions. Love them or hate them, America's huge shopping malls and drive-thru fast food restaurants are also part of the experience. Mexico's colorful festivals, beach resorts, and spectacular scenery always reward visitors. Surfers head for the Pacific coast and Hawai'i, while Florida's beaches are for diving, boating, and soaking up the sun. Further south, Belize and Honduras share the second-largest coral reef on earth. North America's national parks have trekking, whitewater rafting, and canoeing opportunities aplenty. Top Rocky Mountain ski resorts include Aspen in Colorado and Whistler in British Columbia, which also caters for snowmobiling, heli-skiing, and dog-sledding.

What to Do

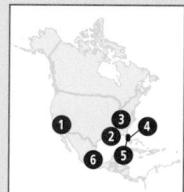

❶ Las Vegas, Nevada
Enjoy the shows or beat the bank in this city's glitzy casinos

❷ Mardi Gras, New Orleans
Carnival, masked balls, and exuberant parades

❸ Kentucky Derby, Louisville, Kentucky
The jewel in the triple crown of thoroughbred horseracing's calendar

❹ Disney World ®, Florida
Meet Mickey Mouse and other cartoon favorites at the world's largest theme park

❺ Universal Studios, Florida
The film sets, stunts, and special effects that made the American movie industry famous

❻ Charreria, Mexico City, Mexico
Displays of daring horsemanship and machismo

Natural Sights

The US boasts the most extensive national park system in the world. Yellowstone, its first and still best-loved park, opened in 1872. The landscapes of Arizona, Utah, and New Mexico offer amazing canyons, Bryce National Park's colorful amphitheaters, striking rock formations in Arches National Park, and exquisitely varied desert scenery—White Sands National Monument, the Painted Desert, Monument Valley, and many more. California has the oldest, largest, and tallest trees on earth, while the northwestern US and southwestern Canada are known for their beautiful Rocky Mountain glaciers and lakes. Much of the rest of Canada and Alaska are untouched wildernesses, with coastal areas accessible for spectacular sea trips and whalewatching. Mexico and Central America play host to unspoiled rainforests and myriad birdlife, as well as several active volcanoes on the Pacific's "Ring of Fire." The West Indies are blessed with many idyllic beaches, making these island states a popular choice for sun-seekers.

Glacier National Park, Montana: Winding across the park, past St. Mary Lake and through awe-inspiring mountain scenery, the 57 mile (92 km) Going-to-the-Sun road is one of America's most beautiful drives.

What to See

❶ Glacier Bay, Alaska
Spot humpback, gray, and minke whales among the icebergs

❷ Banff National Park, Alberta, Canada
Serene turquoise lakes amid the jagged peaks of the Rocky Mountains

❸ Yellowstone National Park, Wyoming
Huge volcanic caldera of colorful hot springs, geysers, and wildlife

❹ Niagara Falls, Canada/US
These immense, powerful waterfalls make a breathtaking natural spectacle

❺ Grand Canyon, Arizona
The world's most impressive canyon, crafted through the ages by the Colorado River

❻ Corcovado National Park, Costa Rica
Coastal rainforest with tapirs, anteaters, peccaries, and jaguars

Pumpkins at Thanksgiving, US

Whale-watching, Northeast US

Les Pitons, St Lucia

Cancún, Mexico

San Bernardino, CA

Cultural Sights

Xalapa, Mexico: One of a superb collection of colossal Olmec heads in Xalapa's Museo Antropologia. Often called Mesoamerica's first civilization, Olmec society began around 1200 BCE.

The great cultures that flourished prior to the arrival of European settlers have left impressive traces, above all in Mexico's Yucatán Peninsula and in Central America, centers for the Aztec and Mayan empires. In New Mexico, Arizona, and Colorado, well-preserved ruins of the Anasazi, dating back 1,400 years, can be seen at Mesa Verde. For those interested in more recent history, museums and memorials to pioneers, politicians, technological triumphs, and legendary musicians are something of an American specialty, while many cities, particularly along the west and northeast coasts, have a wealth of world-class art collections. New York's Broadway is a great center of theater. Gleaming, modern Canadian cities like Montréal mix French and English traditions, and Mexico City, one of the world's largest cities, is a thriving throng of ancient sights, colonial buildings, and vibrant markets.

Manhattan: New York's most famous borough has a distinctive skyline, mixing Art Deco pinnacles with high-tech glassy blocks. Starkly missing are the iconic twin towers of the World Trade Center, destroyed on September 11, 2001.

What to See

❶ Metropolitan Museum of Art, New York, NY
World art and culture from the pharoahs to Jackson Pollock

❷ White House, Washington DC
Pomp and power at the president's world-famous residence

❸ Graceland, Tennessee
Elvis Presley's home, full of memorabilia

❹ Kennedy Space Center, Florida
Re-live the moon missions and try a simulated space flight

❺ Chichén Itzá, Mexico
Still-mysterious, Mayan pyramid

Ways to Travel

Great North American Trips

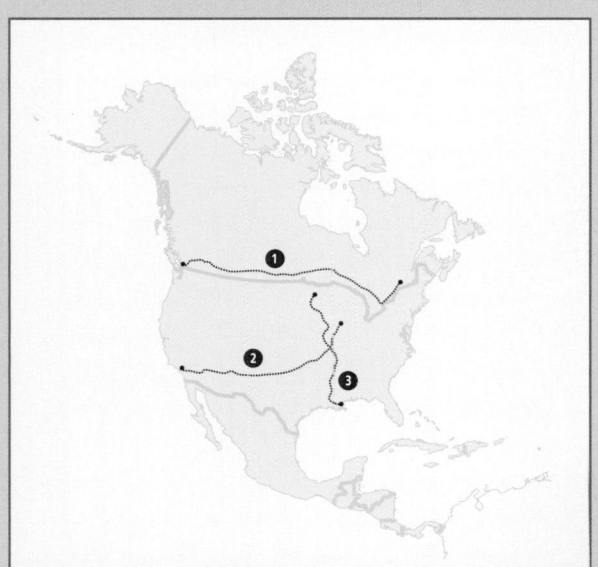

In tune with its long love affair with the car, the US is best toured by road. The dramatic Pacific Coast Highway from Los Angeles ends in beautiful Oregon. The Great River Road tracks the Mississippi from its source in Minnesota to the Gulf of Mexico. In the east, the modern Blue Ridge Parkway traverses the Great Smoky Mountains and Shenandoah National Park, Route 100 presents vistas of Vermont's fantastic fall colors, and the Florida Keys are connected by the magnificent Overseas Highway. Prior to the motor age, half a million settlers once drove their wagons west along the Oregon Trail, 2,000 miles (3,200 km) from Missouri. Interpretative centers and monuments now mark the route. The railroads too, though long eclipsed by the car, still offer some fabulous options, such as Mexico's breathtaking 13-hour Copper Canyon ride from Los Mochis on the coast to Chihuahua, or Canada's Rocky Mountaineer. An ocean cruise from Seattle to Glacier Bay in Alaska can't be beaten for scenery, but Caribbean cruises offer an alternative for lovers of luxury.

Albuquerque, New Mexico: A 1950s design classic, this Route 66 diner takes you back to that era, with memorabilia covering the walls and staff in period costume who serve classic burgers and thick milkshakes, to the sound of a period juke box.

❶ Canadian Pacific Railroad
Montréal—Vancouver
2,000 miles (3,200 km)
The link that made Canada a truly continental nation. On the dramatic stretch through the Rocky Mountains to the west coast, the Rocky Mountaineer runs excursions in luxurious style, with a special domed carriage for unrivalled views.

❷ Route 66
Chicago—Los Angeles
2,250 miles (3,620 km)
Get your kicks on Route 66—a classic road, first charted in 1926, the stretch from Oklahoma was immortalized as the "mother road" in John Steinbeck's novel *The Grapes of Wrath*, set during the dustbowl years of the 1930s. Now modern interstate highways run parallel to the historic road.

❸ Highway 61
New Orleans—Minnesota
1,700 miles (2,735 km)
A historical pilgrimage rather than a scenic drive, the "freedom road" led African-Americans north in search of rights and opportunities in the 1940s and 1950s. With them they brought the blues music of the Mississippi delta that lies at the heart of rock.

Canada

Canada is enormous, second only to Russia in size, but nine-tenths of it is uninhabited; most of the population lives along the long southern border with the US. For the visitor, this means that a great deal of the country to the north, much of it with superb scenery, is remote and inaccessible. Forays into the wilderness, however, can be arranged from the more frequented and tourism-oriented areas in both the western and eastern provinces.

Vancouver, a go-ahead Pacific coastal city with much to offer the visitor in its own right, is a great starting point. Mountain and whitewater adventures beckon the intrepid traveler north from here, deeper into British Columbia or even further, to the Mackenzie Mountains of Yukon Territory, with the added lure of seeing the best of Canadian wildlife.

No less scenic options are the parks of the Rocky Mountains, whose great facilities for winter sports (and climbing in the summer) ensure there is no lack of thrills on offer. In the east, the Toronto–Québec axis holds more historic and cultural attractions but also has Canada's top natural wonder, the mighty Niagara Falls.

Whistler, British Columbia: Canada's most famous winter sport destination is also known for its year-round range of activities. Kayaking—a kayak is the Inuit word for a canoe—is a popular and particularly suitable way to get around in this region of many lakes and rivers.

Activities

Activities
View the Northern Lights (*aurora borealis*) in **Yukon, Nunavut,** and the **Northwest Territories** (September–October is best)
Stay up all night **north of the Arctic Circle** to enjoy the midnight sun (June–July)
Greet the first sunrise for 30 days at the Sunrise Festival in **Inuvik**, Northwest Territories, plus dog races and fireworks (early January)
Lodge in the annually reconstructed Ice Hotel near the city of **Québec** (winter only)
Cheer the Blue Jays baseball team in the Rogers Centre, **Toronto's** sports stadium
Heli-ski in **Yukon's** northern peaks (skiers are lifted by helicopter to pristine slopes)

Horseshoe Falls, Niagara: These are 2,625 ft (800 m) wide and 164 ft (50 m) high. A series of rocky tunnels take visitors on a *Journey Behind the Falls*, where the wall of water is so thick it blocks out the view.

SCALE 1:14,700,000
(projection: Lambert Azimuthal Equal Area)

Km
0   50 100   200   300   400   500

0   50 100   200   300   400   500
Miles

Iqaluit, Baffin Island: This little town, with its mainly Inuit population, is the gateway to Baffin Island. Spectacular fjords and knife-edged mountains offer unbeatable kayaking, glacier walks, dog-sledding, and exhilarating snowmobiling.

What to See

❶ Auyuittuq National Park (on Baffin Island) Offers one of the few hiking trails north of the Arctic Circle

❷ Mackenzie Mountains Spectacular mountains cut through by deep canyons forged by the South Nahanni River

❸ Wood Buffalo National Park (near Fort Smith) Canada's largest park is home to a huge herd of free-roaming bison

❹ Vancouver Beautiful mountains frame the glass towers and copper-topped skyscrapers

❺ Rocky Mountain National Parks Banff and Jasper—Canada's first national parks—have striking scenery, turquoise lakes, impressive canyons, and glaciers

❻ Valley of the Dinosaurs (near Drumheller) Rich in dinosaur finds and dramatic features such as Horseshoe Canyon

❼ Tunnels of Moose Jaw Lavish recreation of gangster Al Capone's hideout and how Chinese immigrants lived in this underworld

❽ Toronto Canada's largest city and financial and commercial hub, home of the world's tallest free-standing structure, the CN Tower

❾ Niagara Falls The thundering Horseshoe (or Canadian) Falls are one of the world's great natural wonders

❿ Ottawa Compromise choice of capital, now known for its Gothic parliament and first-rate museums

⓫ Montréal Bilingual city of splendid churches, notably the Basilique Notre-Dame-de-Montréal

⓬ Québec Former Iroquois village, this rare North American example of a walled city is now the heart of French-speaking Canada

Map Key

POPULATION
- 1 million to 5 million
- 500,000 to 1 million
- 100,000 to 500,000
- 50,000 to 100,000
- 10,000 to 50,000
- below 10,000

ELEVATION
- 6000m / 19,686ft
- 4000m / 13,124ft
- 3000m / 9843ft
- 2000m / 6562ft
- 1000m / 3281ft
- 500m / 1640ft
- 250m / 820ft
- 100m / 328ft
- sea level

Canada: Western Provinces

Alberta, British Columbia, Manitoba, Saskatchewan, Yukon Territory

British Columbia is a land of dramatic scenery and a magnet for outdoor sports enthusiasts. The western Coast Mountains run north into Alaska, and the Rocky Mountains further inland stretch into Yukon Territory, a relatively unspoiled wilderness which is home to a significant number of Native American people, many maintaining traditional lifestyles. A sharp descent eastward unveils the vast, flat expanses of Alberta, Saskatchewan, and Manitoba, the prairie provinces that first attracted settlers with the promise of empty lands and fertile soils. The descendants of early European immigrants still make up much of the population.

Tourism is largely concentrated on the southern half of British Columbia (it is the second-biggest industry in the province, after timber). Vancouver is a favorite city for many. Modern and wealthy, it nestles in a fantastic location, looking across to Vancouver Island. The island itself is a big tourist destination, offering dramatic landscapes and excellent opportunities for viewing whales and other marine wildlife. Banff and Jasper National Parks, famous worldwide for their majestic Rocky Mountain scenery, are great focal points for a wide range of outdoor activities in both summer and winter.

Vancouver: British Columbia's largest city enjoys a great rivalry with its US neighbor Seattle. Both are lively and comfortable cities, with fabulous countryside nearby, thriving waterfronts overlooking offshore islands, and noted for their abundant marine wildlife.

Activities

Brave a bungee jump at **Nanaimo** on Vancouver Island	Go whale watching at **Pacific Rim National Park Reserve**, Vancouver Island, known for orcas and gray whales
See polar bears safely from a Tundra Buggy®, **Churchill** (October–November)	Snocoach onto the Athabasca Glacier in **Jasper National Park**, Alberta
Attend the ten-day **Calgary Stampede** festival of all things cowboy, including the Half-Million Dollar Rodeo (July)	Go whitewater rafting along the Maligne River in **Jasper National Park**
Cheer on the Edmonton Oilers at an ice hockey game in the **Skyreach Center**, Edmonton, Alberta (October–April)	Hike around **Banff**, Alberta—the Banff National Park has numerous trails through breathtaking scenery, ranging from half-day to five-day hikes
Take the Rocky Mountaineer, a luxury rail trip across the **Rocky Mountains** from Vancouver to Calgary	Rock climb—**Banff National Park** is a favorite destination among many of the world's best climbers
Ski in **Whistler**, Canada's largest ski resort, near Vancouver, perfect for both alpine and cross-country skiing—some runs stay open most of the year	Admire the wildernesses of the **Saint Elias Mountains**, Yukon Territory, in a light aircraft flight from Haines Junction

◀ 38

8 ▶

◀ 192

Map Key

POPULATION
- ⊙ 500,000 to 1 million
- ◎ 100,000 to 500,000
- ⊕ 50,000 to 100,000
- ○ 10,000 to 50,000
- ○ below 10,000

ELEVATION
- 6000m / 19,686ft
- 4000m / 13,124ft
- 3000m / 9843ft
- 2000m / 6562ft
- 1000m / 3281ft
- 500m / 1640ft
- 250m / 820ft
- 100m / 328ft
- sea level

Moraine Lake, Banff National Park: The shimmering waters of Banff's lakes have enchanted visitors for centuries, especially since the creation in 1885 of Canada's first national park. Moraine Lake lies in the Valley of the Ten Peaks.

Long Beach, Vancouver Island: The windswept sands of Long Beach in Pacific Rim National Park Reserve are renowned for their beauty, with crashing Pacific rollers. More than 20 species of whale can be spotted offshore and there are daily viewing trips from March to August.

SCALE 1:8,250,000
(projection: Lambert Conformal Conic)

Km
0 25 50   100   150   200   250

0 25   50   100   150   200   250
Miles

What to See

Valley of the Dinosaurs, Vancouver
see pp8–9

❶ Dawson
A living museum of the goldrush days, on the confluence of the Yukon and Klondike Rivers

❷ Vancouver Island
The Pacific Rim National Park Reserve, home to Canada's best whale watching and the tough West Coast Trail

❸ University of British Columbia Museum of Anthropology
This outstanding museum in Vancouver houses a remarkable collection of Native American art from totem poles to canoes

❹ Columbia Icefield
The peaks and valleys of Jasper National Park lie under glaciers up to 3,000 ft (900 m) thick

❺ Yoho National Park
(near Golden)
The Takakkaw Falls, rock towers at Hoodoo Creek and glacial lakes make up Yoho, meaning "awe and wonder"

❻ Banff National Park
(around Banff)
Renowned for sparkling lakes and rugged mountains, Banff is home to bears and elk

❼ Marble Canyon
(near Banff)
Limestone formations and the nearby ocher Paint Pot pools are top sights in Kootenay National Park

❽ Royal Tyrrell Museum of Palaeontology
(in Drumheller)
This excellent museum uses high-tech interactive computers and 3-D dioramas to recreate prehistoric landscapes and bring dinosaurs to life

❾ Wanuskewin Heritage Park
(near Saskatoon)
Reveals the Plains Indians culture and the area's archaeology, including local digs of 6,000-year-old hunter settlements

❿ Little Manitou Lake
(near Watrous)
Known for its healing properties and 13 times more salty than the Dead Sea

⓫ Regina
See the drills of Royal Canadian Mounted Police at their Academy

⓬ Big Muddy Badlands
(near Minton)
Glacially formed, bizarre landscape of buttes and ravines, once a hideout for Butch Cassidy

⓭ Winnipeg
City at the east-west halfway point of Canada, plus the Manitoba Museum of Man and Nature

⓮ Churchill
The "polar bear capital of the world" is also good for seeing beluga whales and the Northern Lights

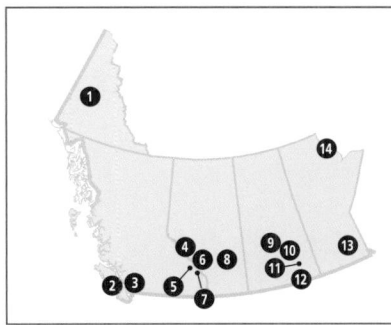

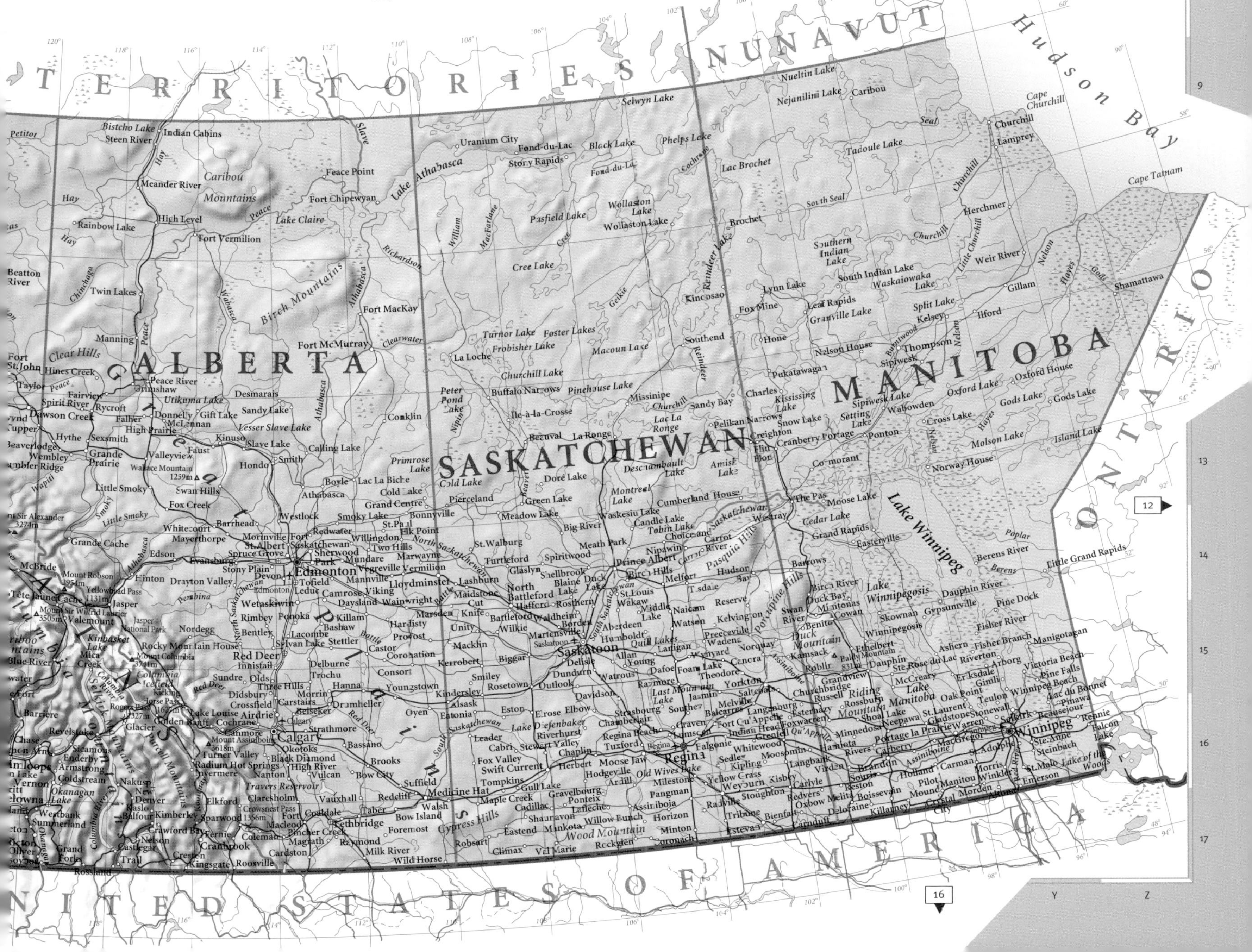

Canada: Eastern Provinces

New Brunswick, Newfoundland & Labrador, Nova Scotia, Ontario, Prince Edward Island, Québec, *St. Pierre & Miquelon* (to France)

Colonized by both the French and the British during the 1600s, Canada's eastern provinces are still marked—and enlivened—by their dual influences. French remains one of Canada's two official languages, alongside English—and Québec is the largest French-speaking territory in the world. The region also contains the last fragment of once-sizable French territories, the islands of St. Pierre and Miquelon.

Most of the area's manmade attractions are to be found in the south, particularly along the border with the US, where the main settlements developed and where most of the people still live. Away from the cities, Ontario, Québec, and the Atlantic provinces also have much magnificent scenery and plentiful wildlife. The north of this region, around Hudson Bay, remains snow-covered almost all year round and the indigenous Inuit people make up the bulk of its sparse population.

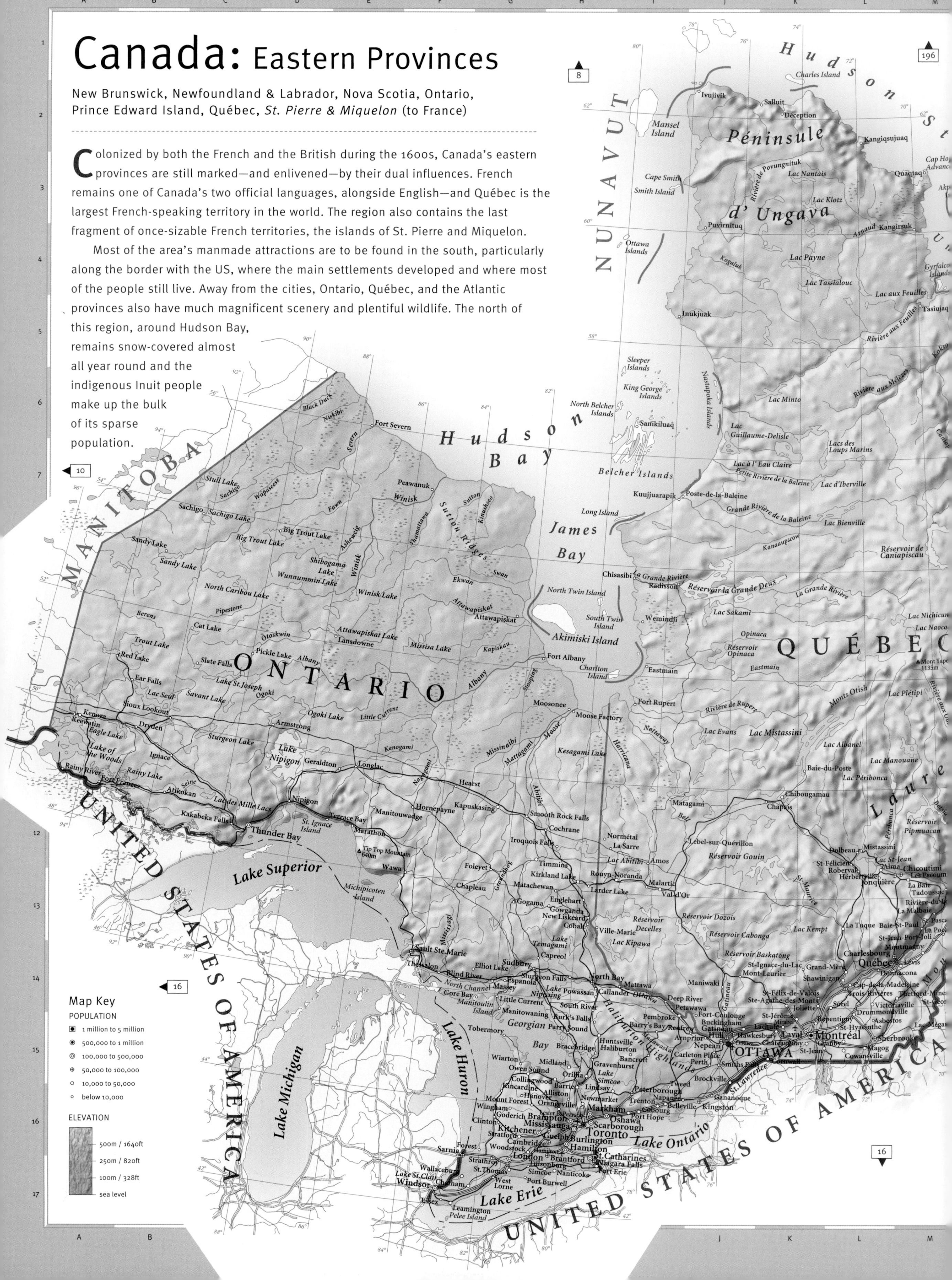

Map Key

POPULATION

- ⊡ 1 million to 5 million
- ◉ 500,000 to 1 million
- ◎ 100,000 to 500,000
- ⊕ 50,000 to 100,000
- ○ 10,000 to 50,000
- ∘ below 10,000

ELEVATION

- 500m / 1640ft
- 250m / 820ft
- 100m / 328ft
- sea level

L'Anse-aux-Meadows, Newfoundland: Visitors to the site, of what is believed to be the first European settlement in North America, can get hands-on experience of the Viking way of life in the reconstructed encampment of eight wood and earth buildings.

What to See

Montreal, Niagara Falls, Ottawa, Québec, Toronto *see pp8–9*

❶ Point Pelee
Spit extending 12 miles (20 km) into Lake Erie, Canada's most southerly point, famous for birdwatching

❷ Maid of the Mist
A close-up view of Niagara Falls from this intrepid boat is a great way to feel their force

❸ Royal Ontario Museum (Toronto)
This vast collection features an imperial Ming tomb from China

❹ Algonquin Provincial Park (in the Haliburton Highlands)
Full of bears, moose, and beavers, with good fishing and canoeing

❺ National Gallery of Canada (Ottawa)
A significant collection of Canadian and international art is displayed in this modern gallery

❻ Musée des Beaux Arts (Montréal)
Art gallery displaying European paintings from medieval times onward

❼ The Citadel (Québec)
This magnificent fort was built by both the British and French armies to defend against an American attack that never came

❽ Sainte-Anne-de-Beaupré
(near Québec) 20th-century basilica on the site of a church built by sailors who survived a shipwreck in 1658

❾ Bay of Fundy
Spectacular eroded cliffs and sea stacks caused by the world's highest tides, which attract many whales

❿ Prince Edward Island
Noted for its richly colored panoramas and for Cavendish Beach, the location of the house made famous in L. M. Montgomery's *Anne of Green Gables*

⓫ Cape Breton Island
Rugged island at the northern end of Nova Scotia, renowned for its scenic highway, the Cabot Trail, which circles the island

⓬ Gros Morne National Park
Magnificent mountains, fjords, and waterfalls, with moose and caribou roaming wild, part of Newfoundland's north peninsula

⓭ L'Anse-aux-Meadows
(near St. Anthony) First Viking settlement in North America, dating from 1000 CE

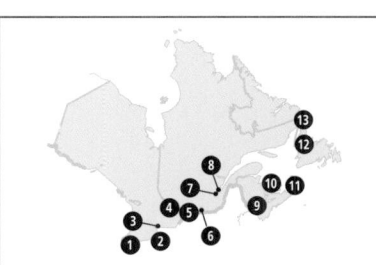

Toronto: The city's skyline is dominated by the 1,815 ft (553 m) CN Tower, which houses the world's largest revolving restaurant and the longest inside staircase—thankfully, there are also glass-fronted elevators to whizz sightseers up to the observation lookouts in under a minute.

Activities

Canoe in the lakes of the **Haliburton Highlands**, Ontario

Imitate a wolf howl in **Algonquin Provincial Park**, Ontario—a nightly organized exercise in August, attempting to elicit responses from real animals

Cycle the **Route Verte**, 1,500 miles (2,400 km) of bike trails across Québec

Go sea-kayaking at **St. John's**, Newfoundland, with the chance of spotting whales

Practice your golf on **Prince Edward Island**, home to an amazing concentration of Canada's best courses

Play ice hockey in **Windsor**, Ontario, which claims to have invented the game in 1800

Dance in a *ceilidh* on **Prince Edward Island**, proud of its Celtic heritage

Discover the history of humankind at the **Royal Ontario Museum** in Toronto, Canada's largest museum

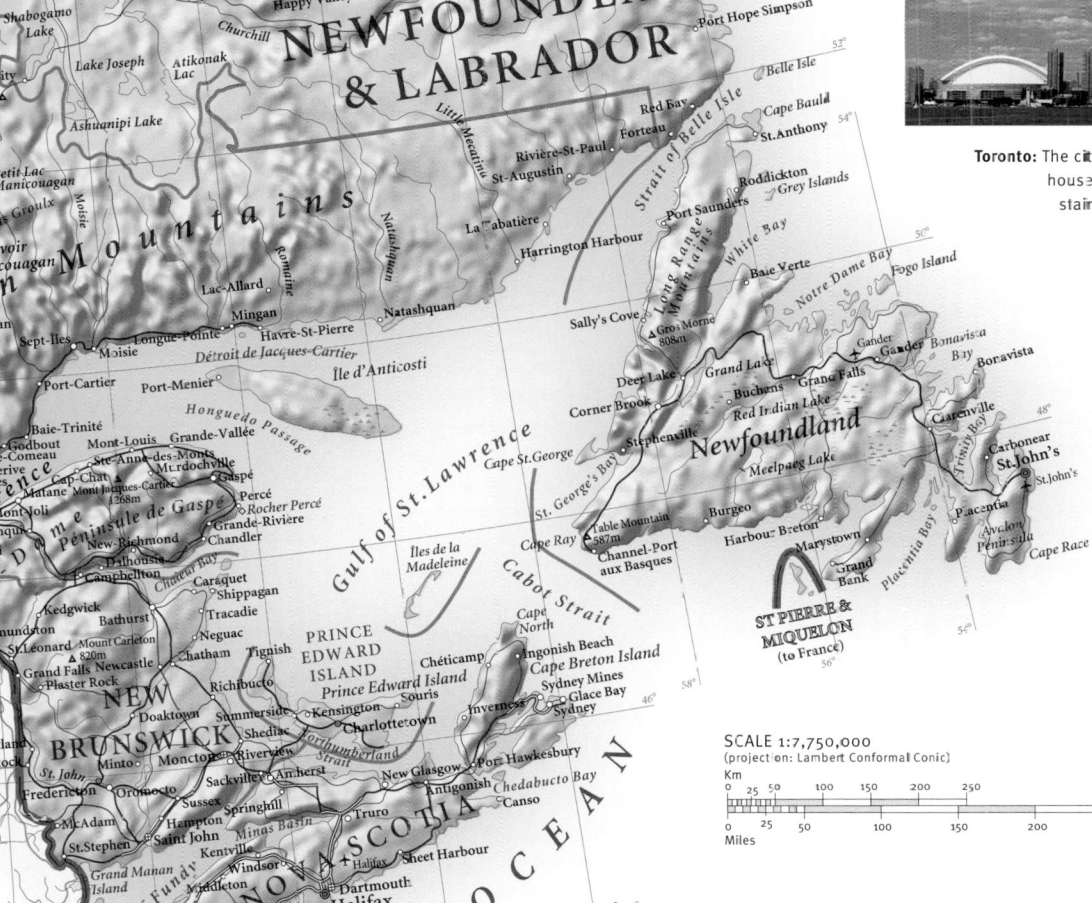

Basilique Notre-Dame-de-Montréal: Richly decorated, this 1829 Catholic showpiece in Montréal is one of North America's most eye-catching churches.

SCALE 1:7,750,000
(projection: Lambert Conformal Conic)
Km
0 25 50   100   150   200   250
Miles
0 25   50   100   150   200   250

Southeastern Canada

Southern Ontario, Southern Québec

Southern Ontario and Québec are richly endowed with attractive lakes, hills, and forests. Half of Canada's population lives here, but urban development is concentrated in the strip around the Great Lakes and their principal outlet, the St. Lawrence River, notably in four main cities. Toronto, the largest, is a thriving commercial and financial center. Further east, but still on the Ontario side of the border with Québec, is Canada's federal capital, Ottawa. Chosen as a compromise between the competing claims of Toronto and Montréal, it is worth visiting for its excellent museums. Bilingual Montréal has a lively cultural atmosphere amid a mix of modern skyscrapers and characterful older buildings, while the traditional walled city of Québec takes the prize for picturesque charm. On the Niagara River, flowing from Lake Erie to Lake Ontario, lies one of North America's most famous sights, Niagara Falls, which attracts a staggering 14 million visitors each year.

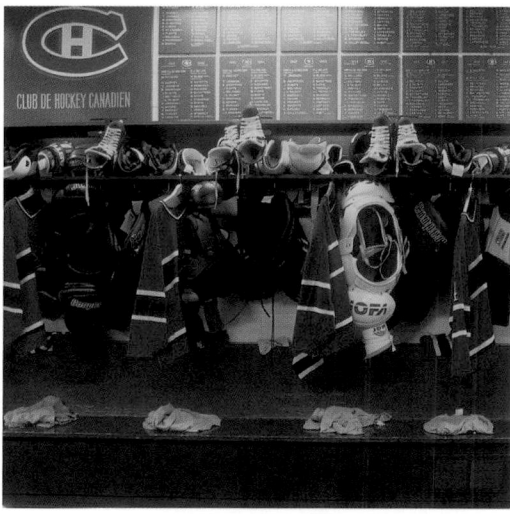

Hockey Hall of Fame, Toronto: This replica dressing room is part of a lavish exhibition and tribute to Canada's most popular sport, ice hockey. Originating in Canada, the game had its beginnings on frozen lakes and ponds. It now ignites Canadian passions like nothing else.

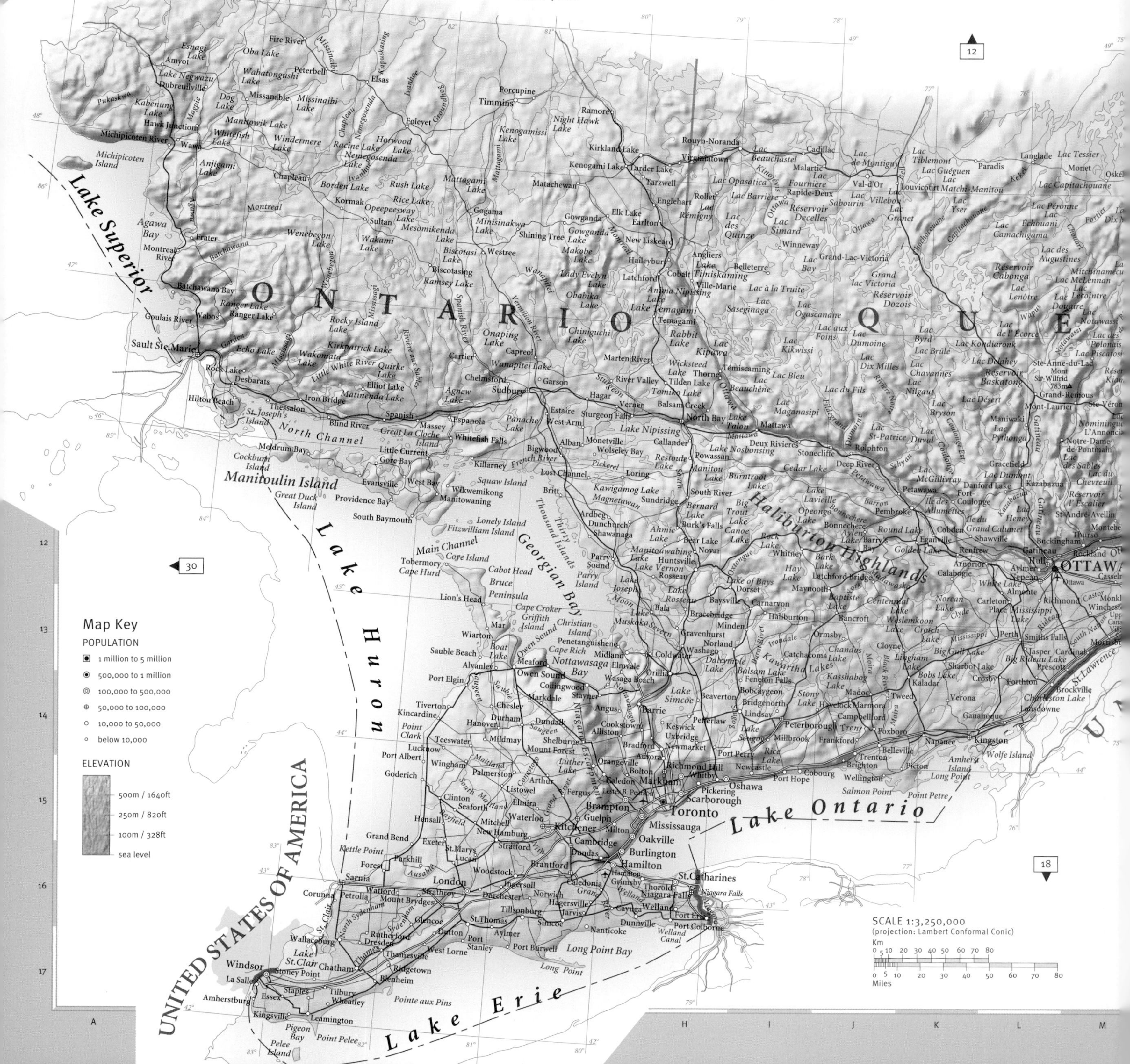

Map Key

POPULATION

- ▣ 1 million to 5 million
- ◉ 500,000 to 1 million
- ⊚ 100,000 to 500,000
- ⊕ 50,000 to 100,000
- ○ 10,000 to 50,000
- ∘ below 10,000

ELEVATION

- 500m / 1640ft
- 250m / 820ft
- 100m / 328ft
- sea level

SCALE 1:3,250,000
(projection: Lambert Conformal Conic)

Km
0 5 10 20 30 40 50 60 70 80

Miles
0 5 10 20 30 40 50 60 70 80

St.-Jovite: A typical village in the wooded valleys of the Laurentian Mountains, with colorful old French-style buildings, St.-Jovite is best seen in the fall. The area has winter ski runs and is a popular getaway from nearby Ottawa and Montréal.

Château Frontenac, Québec: The steep green copper-roofed landmark that dominates the skyline of old Québec is a luxury hotel overlooking the St. Lawrence river. It is designed like a French-style château with 600 rooms.

What to See

Montréal, Niagara Falls, Ottawa, Québec, Toronto see pp8–9

Algonquin Provincial Park, Point Pelee, Sainte-Anne-de-Beaupré see pp12–13

❶ Sudbury Basin
Meteor crater, 120 miles (190 km) across, formed two billion years ago, creating a lake, and now a mining complex

❷ Flowerpot Island
Just off Tobermory in Lake Huron, noted for its coastal rock columns

❸ Sainte-Marie among the Hurons
(near Midland) Reconstructed settlement of 1639, half European, half Huron, where the Jesuits attempted to convert the Hurons to Christianity

❹ Casa Loma
(in Toronto) Medieval-style castle-cum-mansion with 98 rooms, built in 1911 by Sir Henry Pellatt, who made his fortune harnessing Niagara Falls for electricity

❺ Serpent Mounds
(beside Rice Lake) A grove of oak trees encloses nine burial mounds dating back 2,000 years ago that are still sacred to Native Americans

❻ Canadian Museum of Civilization
(in Hull) This modern museum is devoted to the progress of the Canadian people from Viking times through to the present day

❼ Laurentian Mountains
Beautiful mountains and lakes, perfect for fishing, hiking, cycling, skiing, and sledding

❽ Lac St.-Jean
Set amid spruce-covered wilderness, this tranquil lake, ideal for sailing and swimming, is fed by tiny rivers tumbling over the crater walls

❾ Montmorency Falls
(near Québec) Created by the Montmorency river emptying into the St. Lawrence. The suspension bridge across the falls gives the best views—but is not for the faint-hearted!

❿ Peninsule de Gaspé
Soaring cliffs and wilderness, including dense pine forests and a variety of wildlife, plus good salmon fishing and the world's tallest windmill

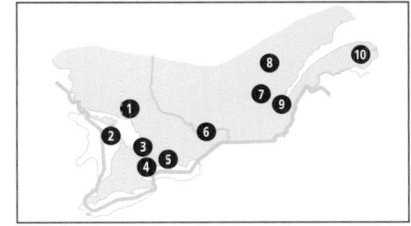

Activities

Birdwatch at **Point Pelee**, on Lake Erie, the southern tip of Canada, noted as a stopping point for bird migration	Sip wine at the Niagara Grape and Wine Festival in **St. Catharines**, Ontario (September)
Bungee jump at **Wakefield** near Ottawa	Dress up for the theater at **Stratford**, Ontario, seeing a play at the Shakespeare Festival (May to early November)
Watch the Changing of the Guard at the **Citadel** in Québec	Go whale watching at **Tadoussac**, Québec. The estuary has beluga whales year-round, plus minke, fin, and blue whales in summer
Fish in **Algonquin Provincial Park**, Ontario	

The United States of America

Coterminous United States (for Alaska and Hawaii see pages 38–39)

The sheer size of the United States lends something epic to a transcontinental trip by road, surely the most appropriate way to appreciate how much of its popular culture revolves around the car. The sense of reliving so many movies and songs lends enchantment to the view even across huge stretches of flat Midwest prairie landscape. By contrast, there's almost too much for any tourist to absorb in the great cities of the west and northeastern coasts and the breathtaking national parks, many of which are in a broad band in the west, stretching over to the east side of the Rocky Mountains. Florida's own bid for the tourist limelight rests partly on its claim to be the "Sunshine State," but equally on the development of huge theme parks, above all Disney World®.

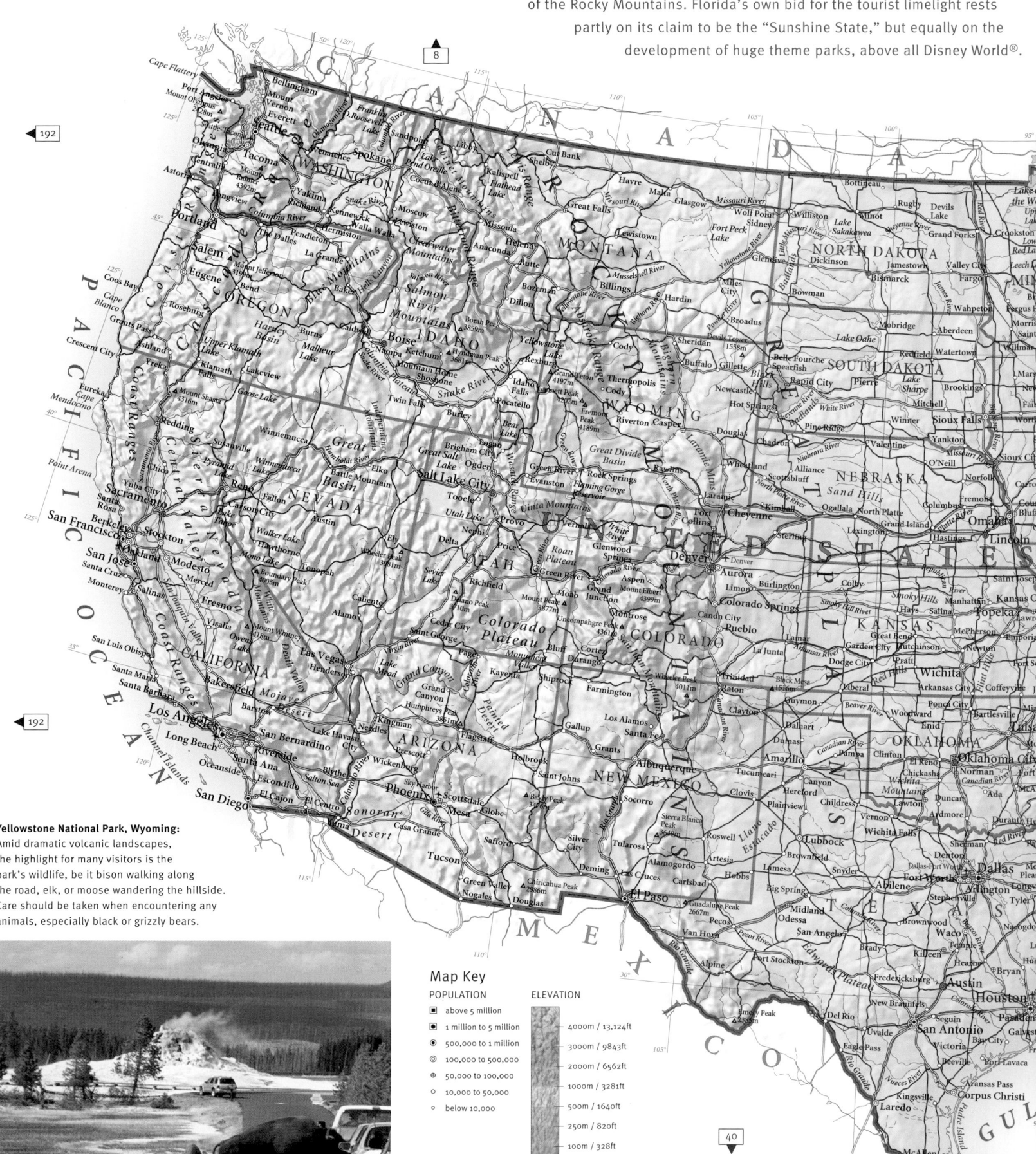

Yellowstone National Park, Wyoming: Amid dramatic volcanic landscapes, the highlight for many visitors is the park's wildlife, be it bison walking along the road, elk, or moose wandering the hillside. Care should be taken when encountering any animals, especially black or grizzly bears.

Map Key

POPULATION

- ■ above 5 million
- ▣ 1 million to 5 million
- ◉ 500,000 to 1 million
- ◎ 100,000 to 500,000
- ⊕ 50,000 to 100,000
- ○ 10,000 to 50,000
- ◦ below 10,000

ELEVATION

- 4000m / 13,124ft
- 3000m / 9843ft
- 2000m / 6562ft
- 1000m / 3281ft
- 500m / 1640ft
- 250m / 820ft
- 100m / 328ft
- sea level

What to See

① Seattle
Nestling on Puget Sound, the home of Boeing, Microsoft, and Starbucks is one of the most popular cities in the US

② Yellowstone National Park
America's first and best-loved national park is rich in spectacular natural features—notably the Old Faithful geyser, plus plentiful and varied wildlife

③ San Francisco
Many people's favorite US city, a multicultural center renowned for its many skyscrapers, gay scene, trams, Alcatraz, and the magnificent Golden Gate Bridge

④ Los Angeles
Entertainment center of the world, this sprawling metropolis contains Hollywood, Universal Studios, Disneyland ®, and the Getty Museum

⑤ Las Vegas
World-famous for gambling and showbiz, "The Strip" is alive with themed hotel/casinos

⑥ Grand Canyon
The most famous of all canyons, up to 18 miles (29 km) wide. Book well in advance for activities and accommodation

⑦ Graceland
(in Memphis) You don't have to be an Elvis Presley fan to marvel at his house, tomb, cars, and private jets

⑧ Niagara Falls
Arguably the world's two most spectacular waterfalls: Canada's Horseshoe Falls and the smaller American Falls

⑨ New York
Cultural and financial center of the US, with iconic landmarks such as the Empire State Building, Central Park, and Broadway

⑩ Washington, DC
Devoid of skyscrapers, the city built to be the US capital offers top-class museums and visits to the nation's political institutions

⑪ Disney World®
(near Orlando) The world's most famous theme park, dominated by its Cinderella Castle; other huge attractions nearby are Sea World and Universal Studios

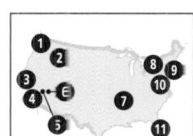

Statue of Liberty, New York: A gift from the French to mark the American centennial in 1876, "Liberty Enlightening the World" is an icon of freedom and democracy, with the rays of her crown representing the seven seas and seven continents. Ferries take tourists across the harbor to Liberty Island for a close up view.

Activities

Drive across the US—from **Chicago** to **California** on the classic Route 66

Observe bears, moose, cougars, and other wildlife in the **Rocky Mountains**

Stroll down **Sunset Strip**, Los Angeles past the shops and cafes, and with luck, you may spot a celebrity

Soak up the sport and razzmatazz of a top baseball or football game

See the lovely colors of **New England** in fall (September–October)

Enjoy the thrill of **Kingda Ka**, the world's most exciting roller coaster, in Jackson, New Jersey

Hike in the great open wildernesses of **Yellowstone National Park**

Simulate a space flight at **Kennedy Space Center**, Florida

Climb challenging rockfaces in the **Sierra Nevada**

Grand Canyon, Arizona: Prepare to be overwhelmed by the sheer scale of one of the world's truly breathtaking sights. The chasm carved by the Colorado River is 217 miles (349 km) long and up to 5,000 ft (1,500 m) deep.

SCALE 1: 12,700,000
(projection: Lambert Azimuthal Equal Area)

Km
0 50 100 150 200 250 300 350 400

Miles
0 50 100 150 200 250 300 350 400

US: Northeastern States

Connecticut, Maine, Massachusetts, New Hampshire, New Jersey, New York, Pennsylvania, Rhode Island, Vermont

Along the indented coast and in the vast woodlands of the northeastern states, the arrival of the early European settlers in the 1600s is commemorated at various sites, as are other historical episodes and milestones in the development of the United States and its assertion of independence in 1776.

The region is bordered by the Great Lakes in the west, famed for the huge Niagara Falls, which straddle the border with Canada. The Appalachian Mountains cut through New York and Pennsylvania states and culminate in the rounded hills of Maine, the most northerly of the six states of New England. This region is well-known for its beautiful fall leaf colors and its rustic character, which has prevailed since the early 1600s. Long Island has been the vacation playground for generations of urbanites with enough money

to exchange the city stresses for a seaside idyll. By contrast, the great cities of the Atlantic seaboard now form an almost continuous urban region. For all of New England's charms, the bulk of the region's tourism is concentrated around these cities. New York claims to be the world's most visited city, a buzzing, frenetic metropolis crammed full of must-see sights from the Metropolitan Museum of Art to the Statue of Liberty. Boston, the country's pre-eminent center of learning and Philadelphia, noted for its associations with the American Revolution, are also big destinations both for Americans and foreign travelers.

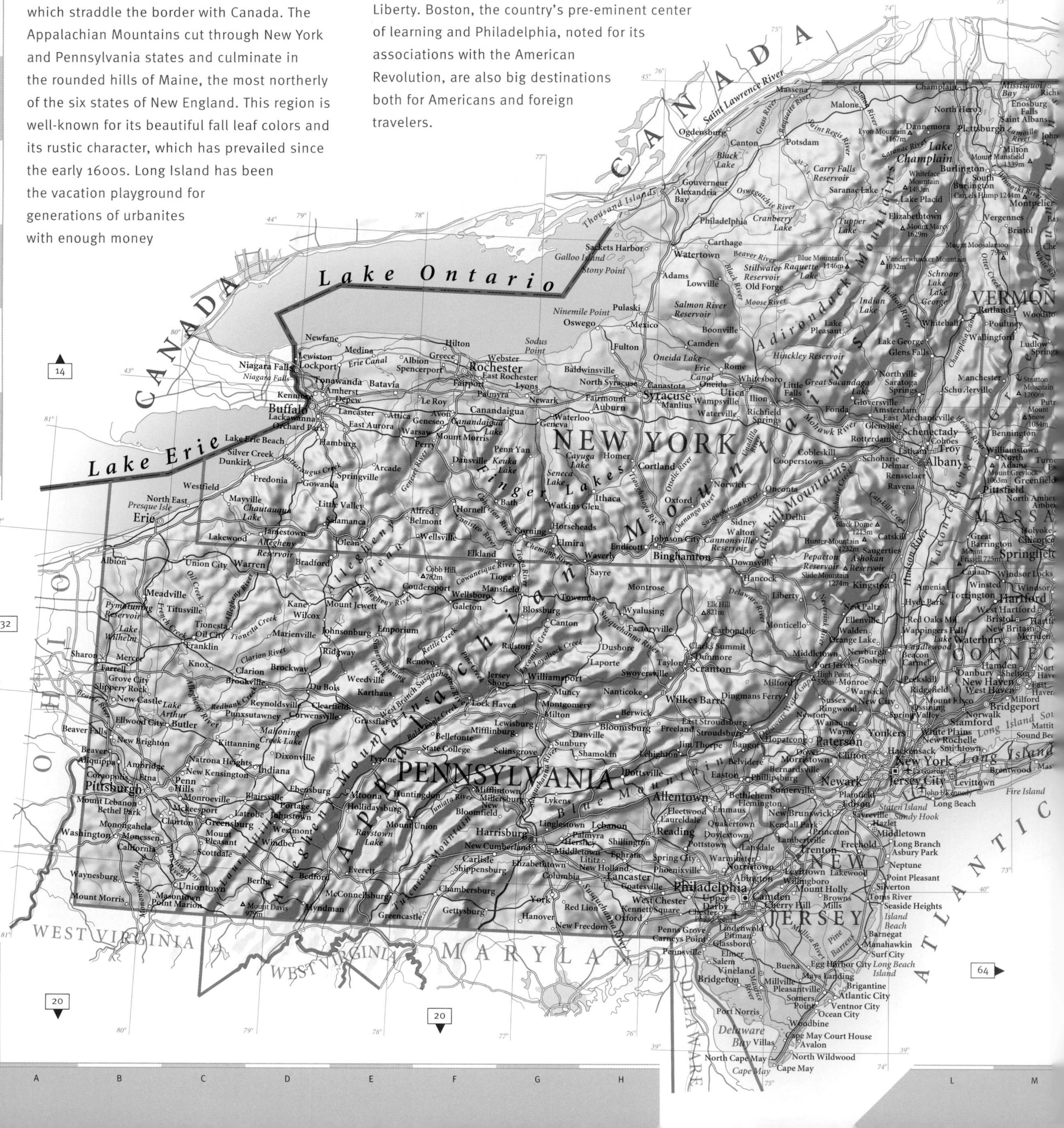

Three Brothers Mountain, Adirondack Mountains: A riot of deep rich color in the fall, the Adirondacks encompass various ecosystems, hundreds of lakes and rivers, and span almost a quarter of New York state.

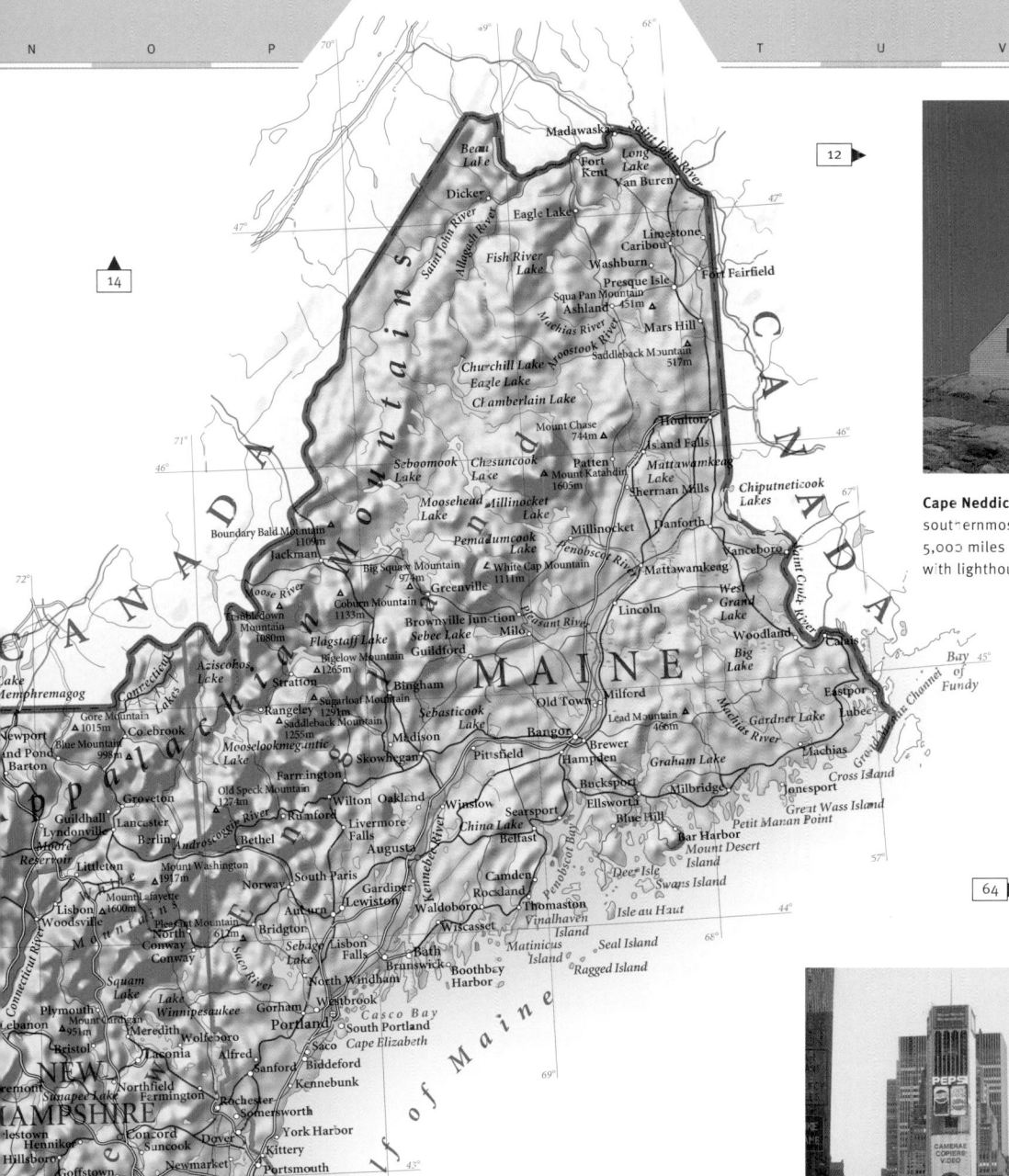

12 ▶

14 ▲

64 ▶

64 ▶

Map labels (Maine and region)

CANADA

Madawaska
Fort Kent
Long Lake
Van Buren
Beau Lake
Dickey
Eagle Lake
Saint John River
Allagash River
Limestone
Caribou
Washburn
Presque Isle
Fort Fairfield
Fish River Lake
Squa Pan Mountain
Ashland 45m
Machias River
Mars Hill
Saddleback Mountain 517m
Churchill Lake
Eagle Lake
Chamberlain Lake
Mount Chase 744m
Houlton
Patten
Mount Katahdin 1605m
Mattawamkeag Lake
Sherman Mills
Danforth
Chiputneticook Lakes
Seboomook Lake
Chesuncook Lake
Millinocket Lake
Moosehead Lake
Millinocket
Pemadumcook Lake
Penobscot River
Millinocket
Mattawamkeag
Kingsbury
Boundary Bald Mountain 1109m
Jackman
Big Squaw Mountain 970m
Greenville
White Cap Mountain 1111m
West Grand Lake
Woodland
Calais
Moose River
Coburn Mountain 1133m
Katahdin Mountain 1080m
Brownville Junction
Milo
Pleasant River
Lincoln
Big Lake
Flagstaff Lake
Bigelow Mountain 1265m
Sebec Lake
Guildford
MAINE
Eastport
Lubec
Azíscohos Lake
Stratton
Rangeley 1291m
Bingham
Old Town
Milford
Lead Mountain 466m
Gardner Lake
Machias
Grand Manan Channel
Bay of Fundy
Sugarloaf Mountain 1255m
Saddleback Mountain 1255m
Mooselookmeguntic Lake
Madison
Skowhegan
Pittsfield
Brewer
Hampden
Bangor
Graham Lake
Cross Island
Gore Mountain 1015m
Blue Mountain 988m
Colebrook
Farmington
Old Speck Mountain 1272m
Wilton
Oakland
Winslow
Searsport
Buckport
Ellsworth
Milbridge
Jonesport
Great Wass Island
Memphremagog
Newport and Pond
Barton
Groveton
Berlin
Bethel
Rumford
Livermore Falls
Augusta
China Lake
Belfast
Blue Hill
Bar Harbor
Mount Desert Island
Petit Manan Point
Guildhall
Lancaster
Mount Washington 1917m
Norway
South Paris
Gardiner
Lewiston
Camden
Rockland
Deer Isle
Swans Island
Littleton
Mount Lafayette 1600m
Pleasant Mountain 617m
North Conway
Bridgton
Lisbon Falls
Bath
Brunswick
Thomaston
Wiscasset
Vinalhaven Island
Matinicus Island
Isle au Haut
Seal Island
Ragged Island
Lisbon
Woodsville
Conway
Sebago Lake
North Windham
Boothbay Harbor
Plymouth
Squam Lake
Lake Winnipesaukee
Gorham
Westbrook
Portland
South Portland
Cape Elizabeth
Casco Bay
Saco
Bristol
Meredith
Wolfeboro
Alfred
Sanford
Biddeford
Gulf of Maine
NEW HAMPSHIRE
Laconia
Northfield
Fermington
Rochester
Somersworth
Kennebunk
Moosup
Warwick
Concord
Dover
York Harbor
Suncook
Newmarket
Kittery
Portsmouth
Hennikor
Hillsboro
Gottstown
Manchester
Exeter
Hampton
Keene
Peterborough
Milford
Amherst
Haverhill
Newburyport
Jaffrey
Nashua
Methuen
Plum Island
Lawrence
Cape Ann
Winchenden
Fitchburg
Lowell
Danvers
Gloucester
Quabbin Reservoir
Leominster
Woburn
Salem
Barre
Hudson
Clinton
Medford
Malden
Massachusetts Bay
Auburn
Worcester
Framingham
Cambridge
Boston
Quincy
Logan International
Spafford
Southbridge
Dedham
Weymouth
springs
Putnam
Greenville
Whitinsville
Randolph
Marshfield
Danielson
Mansfield
Bridgewater
Kingston
Race Point
Provincetown
Storrs
Moosup
Attleboro
Taunton
Plymouth
Cape Cod Bay
Cape Cod
Orleans
PROVIDENCE
East Providence
Somerset
Barnstable
Nauset Beach
Norwich
Pawtucket
Cranston
Fall River
Hyannis
South Yarmouth
Monomoy Island
RHODE ISLAND
Warwick
New Bedford
East Falmouth
Falmouth
Great Point
w London
Kingston
Newport
Oak Bluffs
Nantucket Sound
Nantucket
Groton
Westerly
Rhode Island Sound
Edgartown
Block Island Sound
Martha's Vineyard
Nantucket Island
shers Island
Gardiners
Block Island
old
Montauk Point
Sag Harbor
Montauk
uthampton

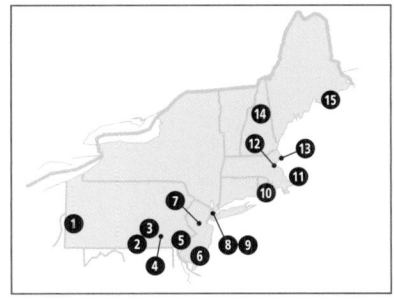

Cape Neddick Lighthouse, York, Maine: Nicknamed "The Nubble," Maine's southernmost and most visited lighthouse was built in 1871. With more than 5,000 miles (8,050 km) of inlets, bays, and harbors, Maine's coastline is dotted with lighthouses that have for centuries been guiding mariners to safety.

Activities

Float across the mountains at the **Adirondack Balloon Festival** (September)

Ski at **Lake Placid**, New York state, venue for the Winter Olympics in 1932 and 1980

Race a yacht off **Newport**, Rhode Island, a favorite resort

Eat your fill at **Hershey's Chocolate World**, near Philadelphia. The *Hershey Bar* is so popular in the US that Americans are amazed how few foreigners know of it!

Visit the **New York Metropolitan Opera**, at one of the world's great opera houses

Take in a show on **Broadway**, New York

Play the slot machines in gambling halls, such as the Indian-style Taj Mahal casino, in **Atlantic City**, New Jersey

Hike in **Acadia National Park**, Maine

Take the steep cog railway in the **White Mountains**, New Hampshire, to the top of Mount Washington, where wind speeds of 231 mph (372 km/h) have been recorded

Times Square, Manhattan: At the heart of New York city's theater district old-world Broadway glamour rubs shoulders with modernity; this famous intersection is home to MTV's studios and E Walk—a vast entertainment and retail complex.

Scale and Map Key

SCALE 1:3,000,000
(projection: Lambert Conformal Conic)

Km
0 10 20 30 40 50 60 70 80 90 100

Miles
0 5 10 20 30 40 50 60 70 80 90 100

Map Key

POPULATION
- ▪ above 5 million
- ▣ 1 million to 5 million
- ◉ 500,000 to 1 million
- ◎ 100,000 to 500,000
- ⊕ 50,000 to 100,000
- ○ 10,000 to 50,000
- ◦ below 10,000

ELEVATION
- 1000m / 3281ft
- 500m / 1640ft
- 250m / 820ft
- 100m / 328ft
- sea level

What to See

New York, Niagara Falls
see pp16–17

❶ Pittsburgh
Former industrial city that has cleaned up its image. Home of the fascinating Carnegie museums of Art and Natural History

❷ Gettysburg
Site of a pivotal battle of the Civil War, and of Abraham Lincoln's famous Gettysburg Address, setting out his vision for the nation

❸ Hershey's Chocolate World
(near Harrisburg) Celebrates America's love affair with the *Hershey Bar*

❹ Lancaster County
Settled by the Amish people, who live simply without most modern aids

❺ Philadelphia
The "birthplace of the US," best known for its Liberty Bell and Independence Hall, site of the first reading of the Declaration of Independence in 1776

❻ Atlantic City
This gambling city is known as the "Las Vegas of the East"

❼ Princeton
Small town with its Ivy League university and research institutes; Albert Einstein worked at the Institute for Advanced Study

❽ Manhattan
Colonial churches and early US monuments stand in the shadow of skyscrapers, old and new, along famous roads like Wall Street and Broadway

❾ Metropolitan Museum of Art
World's third-largest art collection, spanning 300,000 years of world culture, including a whole Egyptian temple

❿ Newport
Exclusive Rhode Island summer resort, with sumptuous residences, and the International Tennis Hall of Fame

⓫ Cape Cod
Popular vacation resort in an area of great beauty, where the Pilgrim Fathers landed the *Mayflower* in 1620

⓬ Boston
One of the oldest and most distinguished US cities, a commercial, intellectual, and cultural center, with the world-renowned Harvard University and Massachusetts Institute of Technology

⓭ Salem
Made famous by Arthur Miller's *The Crucible*, Salem has a museum of the notorious witch trials of 1692, plus the broader, historical Essex Institute

⓮ White Mountains National Forest
Popular outdoor recreation area

⓯ Acadia National Park
Rocky coasts, forests, streams, and lakes, offering a wide range of outdoor activities

US: Mid-Atlantic States

Delaware, District of Columbia, Kentucky, Maryland, North Carolina, South Carolina, Tennessee, Virginia, West Virginia

The attractions of the Mid-Eastern states come in several distinct forms. Kentucky—known for its Bluegrass plains—and much of Tennessee are cotton-growing country, where tourism is largely focused on Mammoth Cave and Elvis Presley's former home Graceland, in Memphis, as well as the famous horse races of Louisville, Kentucky.

East Tennessee and West Virginia have some very attractive scenery, dominated by the southern Appalachian Mountains, which include the Great Smoky and Shenandoah ranges, providing excellent hiking amid forests and waterfalls. The Blue Ridge Parkway runs for 215 miles (346 km) along the crest of the ranges. It is a lovely route in spring for the blossoming meadows and fall for the turning foliage.

East of the Appalachian Mountains, in the large, fertile coastal plain, the Carolinas in the south draw visitors to their historic mansions and towns like Charleston, evoking the pre-Civil War plantation days. Further north, Baltimore epitomizes the rich maritime heritage of Maryland, while the federal capital Washington, DC is a must for anyone interested in the architectural symbols of government and spacious town planning.

Virginia's main source of income is tourism, based on its rich history and its importance in the 1861–1865 Civil War, when its capital, Richmond, was the seat of the Confederacy.

Kentucky Horse Racing: Kentucky is famous for its thoroughbred breeding and racing, centered on Lexington with its Kentucky Horse Park, a world-famous equestrian theme park, housing the International Museum of the Horse.

Activities

Enjoy a concert by the world-class **Baltimore** Symphony Orchestra
Hike in the **Great Smoky Mountains**
Play golf at **Hilton Head Island**, a fashionable and wealthy resort off the coast of South Carolina
See **Louisville**'s Kentucky Derby, a July racing calendar highlight
Sail in **Annapolis**, the sailing capital of the US (near Baltimore)
Sip bourbon at the traditional **Labrot and Graham Distillery** in Woodford County, Kentucky
Go whitewater rafting on the **New River**, West Virginia

Great Smoky Mountains on the Tennessee-North Carolina border: The view from Clingmans Dome, Tennessee's highest peak. This national park has over 800 miles (1,300 km) of trails, scenic waterfalls and 1,500 species of flowering plants.

What to See

Graceland, Washington, DC
see pp16–17

❶ Nashville
The capital of country music, heard nationwide on the *Grand Ole Opry* radio program. Also has a complete reconstruction of the Parthenon from Athens

❷ Mammoth Cave
(near Brownsville) The world's longest cave system has various short and full-day tours

❸ Lexington
At the heart of Bluegrass Country, this town is a world-famous horse-breeding center

❹ Cumberland Gap
An important passage through the hills of southeast Kentucky,

the national park includes the Daniel Boone Forest and its attractive natural bridge

❺ Great Smoky Mountains
The most visited US national park, named because of the mist and clouds that rise out of valleys like smoke signals

❻ New River Gorge
One of the world's longest and highest steel arch bridges spans this 1,000 ft (300 m) deep gorge, which offers whitewater rafting and magnificent views

❼ Shenandoah National Park
Taking in the Blue Ridge Mountains, Shenandoah is famed for its fall coloring

❽ Monticello
(near Charlottesville) President Thomas Jefferson's Palladian mansion was designed by him and has various inventions to ease domestic life

❾ Baltimore
Maryland's largest city is a major industrial seaport and cultural center, with universities, museums, and a world-class orchestra

❿ National Aquarium
(in Baltimore) One of the best aquariums in the world, with excellent rain forest, sea cliff, and coral displays

⓫ Baltimore and Ohio Railroad Museum
A wide range of trains, old railroad buildings, and memorabilia make this Baltimore's top museum—and a mecca for train enthusiasts

⓬ Colonial Williamsburg
Open-air living museum of the town in 1633, with over 100 restored and reconstructed buildings. Costumed "residents" informatively recreate the lives of the period for visitors

⓭ Outer Banks
A chain of unspoiled, scenic narrow islands, with a monument to the Wright brothers at the site of their first historic flight in 1903

⓮ Charleston
Retaining some of the feel of plantation days, a historic town still full of Georgian mansions

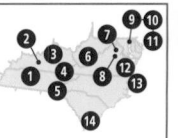

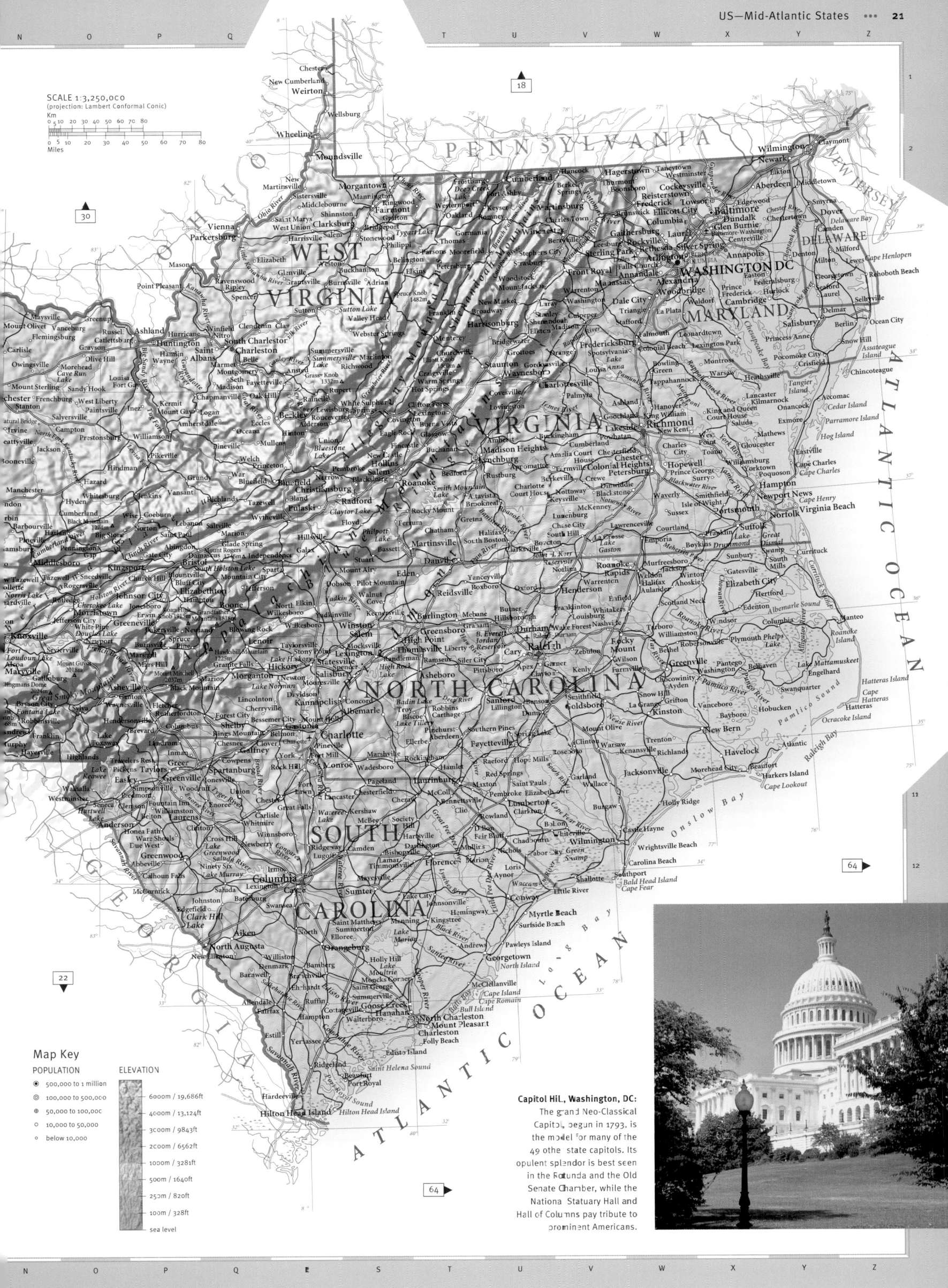

SCALE 1:3,250,000
(projection: Lambert Conformal Conic)

Km
0 5 10 20 30 40 50 60 70 80

0 5 10 20 30 40 50 60 70 80
Miles

Map Key

POPULATION

- ◉ 500,000 to 1 million
- ◎ 100,000 to 500,000
- ⊕ 50,000 to 100,000
- ○ 10,000 to 50,000
- ○ below 10,000

ELEVATION

6000m / 19,686ft

4000m / 13,124ft

3000m / 9843ft

2000m / 6562ft

1000m / 3281ft

500m / 1640ft

250m / 820ft

100m / 328ft

sea level

Capitol Hill, Washington, DC:
The grand Neo-Classical Capitol, begun in 1793, is the model for many of the 49 other state capitols. Its opulent splendor is best seen in the Rotunda and the Old Senate Chamber, while the National Statuary Hall and Hall of Columns pay tribute to prominent Americans.

US: Southern States

Alabama, Florida, Georgia, Louisiana, Mississippi

Go south to experience the sense of separate identity that this region draws from its history. Defeat in the American Civil War (1861–1865) brought chronic poverty to the Confederate states, while the freeing of four million black slaves led to a struggle over racial segregation reaching its peak with the Civil Rights movement of the 1960s. French influences also come through strongly in the culinary heritage, especially in Louisiana, where the French language is still spoken in Cajun communities near the coast.

Florida, the "Sunshine State," has become the biggest tourist destination in the region—and indeed in the United States—due to its excellent climate, fine beaches, and a determined effort to entertain. There are numerous theme parks around Tampa and Orlando and many attractions in the large coastal conurbation around Miami. Another place in the region competing for the tourists' attention is New Orleans, the cosmopolitan city whose annual Mardi Gras carnival sees the streets entirely given over to exuberant celebration.

◀ 24

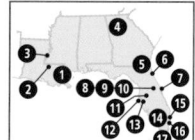

Everglades National Park, Florida: These low-lying wetlands are a paradise for wildlife. American crocodiles and alligators congregate at the "Gator Hole," hollowed out by the alligators in the dry season to reach the water below. Best visited in March–April.

What to See

Disney World®
see pp16–17

❶ New Orleans
A multicultural mix of French, Spanish, Cajun, and Creole plus a charming historic center give the birthplace of jazz a unique buzz

❷ Baton Rouge
Louisiana's capital is known for its historic buildings, lively nightlife, and varied culture

❸ Natchez
Small town founded in 1716, an important port in the days of the cotton trade, with many Grand Revival-style houses

❹ Atlanta
Birthplace of civil rights campaigner Martin Luther King and author of *Gone with the Wind* Margaret Mitchell. The home of Coca-Cola and the CNN Center can be visited

❺ Okefenokee Swamp
Known to Native Americans as "Land of the Quaking Earth" because of its floating islands, this peat bog supports whole forests and numerous alligators

❻ Saint Augustine
Settled in 1565, the oldest European town in North America, with a refurbished Spanish colonial-style old town

❼ Kennedy Space Center
The US Air Force's largest rocket-testing and launch area, with fascinating exhibits and films about space travel. Visitors can experience the life of an astronaut and attend launch days

❽ Orlando Odditorium
Ripley's Believe it or Not weird exhibits include the world's tallest man and a Rolls-Royce made entirely of matchsticks

❾ Universal Studios
(in Orlando) Experience 3-D special effects and thrilling rides in a theme park of Universal's most famous movies

❿ Sea World
(in Orlando) Watching trained killer whales and feeding the dolphins head an extensive line up of aquatic treats

⓫ Fantasy of Flight
(near Lakeland) Rare and vintage aircraft, with a flight simulator and daily flypast

⓬ Busch Gardens
Zoo-cum-theme park in Tampa, known for breeding endangered species such as the black rhinoceros

⓭ Salvador Dali Museum
Large collection of works by the Catalan Surrealist painter, in Saint Petersburg, which is famed for its "perpetual" sunshine

⓮ Everglades National Park
Fascinating area of swamp and marshland occupying the whole southern tip of Florida

⓯ Fort Lauderdale
The "Venice of the USA," crammed with artificial waterways, is now a major resort

⓰ Miami
Huge center for business and leisure, its most unusual attraction is a 12th-century church imported from Spain by William Randolph Hearst

⓱ Florida Keys
Chain of idyllic coral islands ending at Key West, once home of writers Tennessee Williams and Ernest Hemingway

A beach on the Florida panhandle: Some of the state's most beautiful beaches lie in northwest Florida between Pensacola and Panama City, offering brilliant quartz sand, water sports, and amusement parks, as well as more secluded spots. The winter sunshine makes Florida a year-round destination.

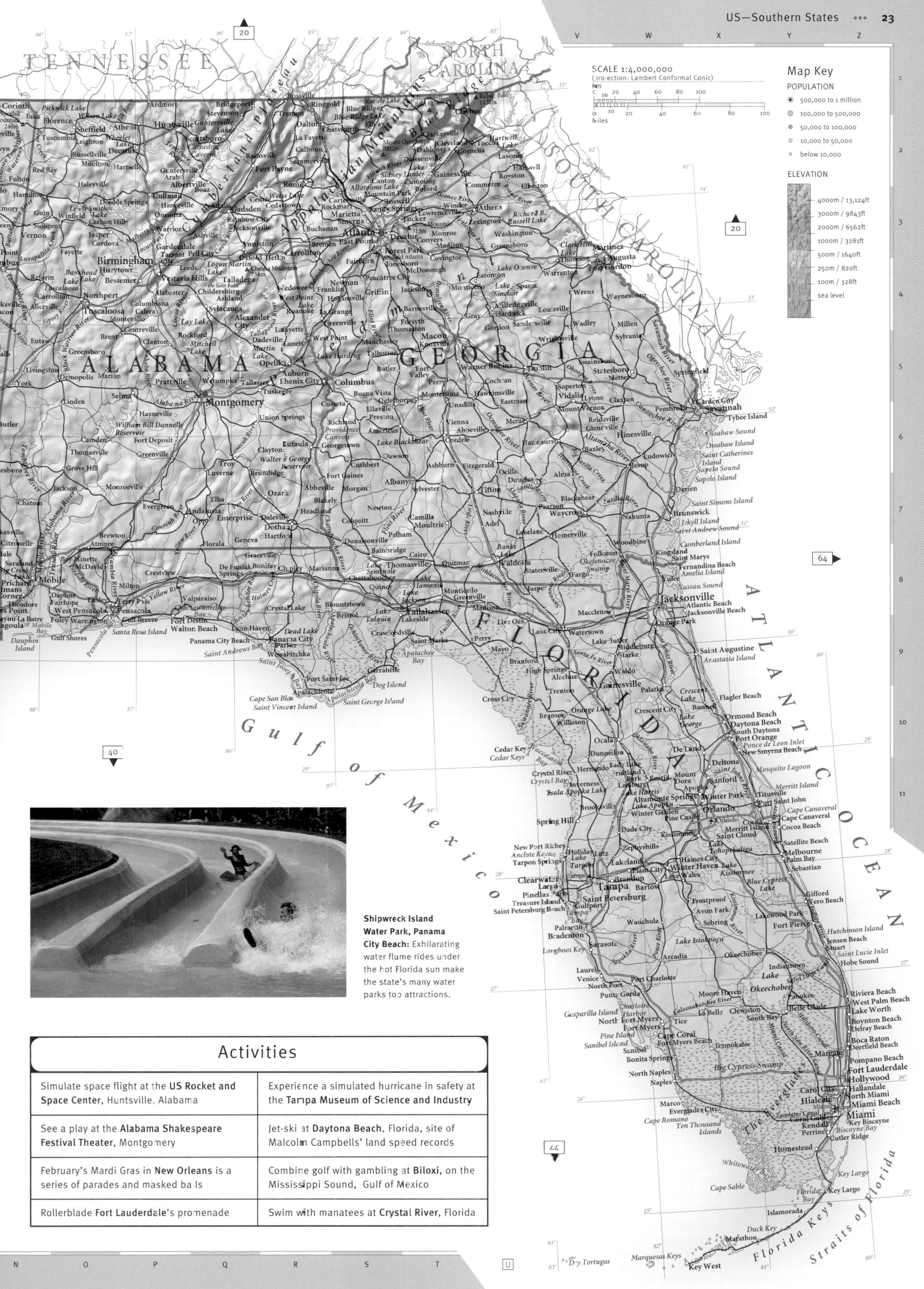

Shipwreck Island Water Park, Panama City Beach: Exhilarating water flume rides under the hot Florida sun make the state's many water parks top attractions.

Activities

Simulate space flight at the **US Rocket and Space Center**, Huntsville, Alabama	Experience a simulated hurricane in safety at the **Tampa Museum of Science and Industry**
See a play at the **Alabama Shakespeare Festival Theater**, Montgomery	Jet-ski at **Daytona Beach**, Florida, site of Malcolm Campbells' land speed records
February's Mardi Gras in **New Orleans** is a series of parades and masked balls	Combine golf with gambling at **Biloxi**, on the Mississippi Sound, Gulf of Mexico
Rollerblade **Fort Lauderdale**'s promenade	Swim with manatees at **Crystal River**, Florida

US: Texas

Explored in the 1500s by Spaniards moving north from Mexico in search of gold, Texas proudly remembers the war that secured its independence from Mexico in 1836, although the site that is now the major attraction of this heritage industry—the Alamo fort—was actually the scene of a heroic defeat.

The Wild West days of the 1800s, when abundant land drew migrants to raise cattle in Texas, are more widely evoked for tourists than the pioneering oil years of the early 1900s, whose successes still form the basis of the state's wealth.

Texas is not only the largest US state aside from Alaska, it also prides itself on having everything bigger and better than elsewhere. The eastern side, from futuristic Dallas down to the Gulf coast, including Houston—the "oil city"—packs in most of the state's tourist attractions, ranging from theme parks such as Sea World and the famous Fort Worth Zoo, to Houston's Lyndon B. Johnson Space Center and Dallas' commemorations of President John F. Kennedy's assassination there in 1963.

Outside the big cities, the Hispanic influences that enliven Texan cuisine are particularly strong, especially in the south and west. A vast, flat plateau dominates the center of the state, extending all the way to New Mexico. The border with Mexico along the Rio Grande, running from El Paso in the far west to the Gulf of Mexico, encompasses hugely scenic areas, including Texas' most famous natural sight, Big Bend National Park.

Dallas: Sparkling glass and steel office towers—including the city's tallest building, the 72-story Bank of America Tower—dominate the view from the neighboring 50-story Reunion Tower.

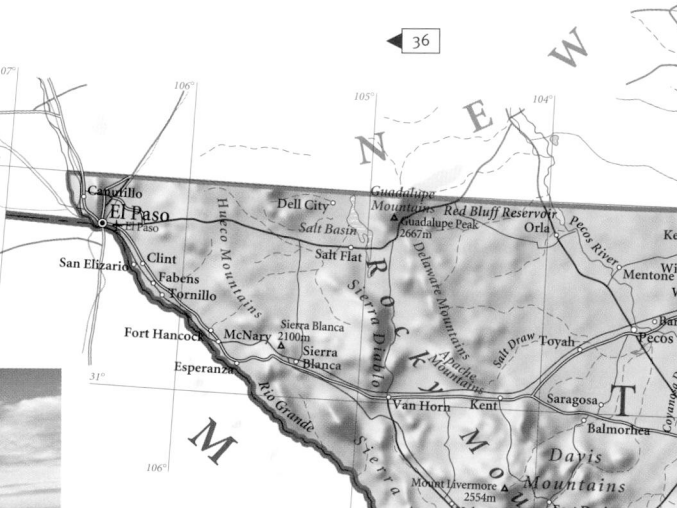

Big Bend National Park: Located on the Mexican border, this park is one of the wildest and most isolated corners of the US, taking its name from the 90° turn in the Rio Grande. Roadrunners, javelinas, and coyote can be spotted among the wild flowers and cacti.

Activities

Hike in the river canyons and pine forests of **Big Bend National Park**

Eat a giant, 4.5 lb (2 kg) steak for free—if you can manage it all in an hour—at the **Big Texan Steak Ranch**, Amarillo

Relive the Wild West, from rodeos to train robberies, in Fort Worth's **Stockyards National Historic District**

Experience the fiery delights of Tex-Mex, the Texan take on Mexican cuisine

Cheer on the Texas Rangers baseball team, who play in **Arlington**, near Dallas

What to See

❶ Palo Duro Canyon (near Canyon) This deep, red and yellow gorge cuts through the Texas panhandle

❷ Guadalupe Mountains National Park West Texas' rugged wilderness is rich in wildlife and was once home to the Apaches

❸ Big Bend National Park On the great bend in the Rio Grande, the park includes the Chihuahuan desert, the Rio Grande valley, and the Chisos Mountains

❹ Fort Worth Zoo One of the top zoos in the US has natural habitat settings including Raptor Canyon, the Koala Outback, and Asian Falls

❺ Dallas Futuristic city of glass skyscrapers, on the banks of the Trinity River

❻ Sixth Floor Museum (in Dallas) The site of the sniper's nest, found after JFK's assassination, documents the shooting and the president's life

❼ Sea World (near San Antonio) One of the chain of marine entertainment centers, with trained killer whales

❽ The Alamo Famous 16th-century mission where 187 men died in a battle against the Mexican army

❾ Natural Bridge Caverns (near San Antonio) Water-formed caverns hold Texas' largest stalactite caves

❿ Austin The state capital's most unusual summer draw is when millions of Mexican free-tailed bats emerge from their roost under Congress Avenue Bridge

⓫ George Bush Sr. Presidential Library (in College Station) Interesting memorabilia and information about the first President Bush

⓬ Houston The fourth-largest city in the US and Texas' oil-processing center; the Menil Collection houses superb Cubist paintings by Picasso and Braque

⓭ Lyndon B. Johnson Space Center (near Houston) Mission Control has an excellent visitor center featuring all aspects of the space program

⓮ Padre Island National Seashore A long barrier island with beautiful beaches. The rippling dunes are ideal for birdwatching

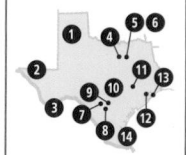

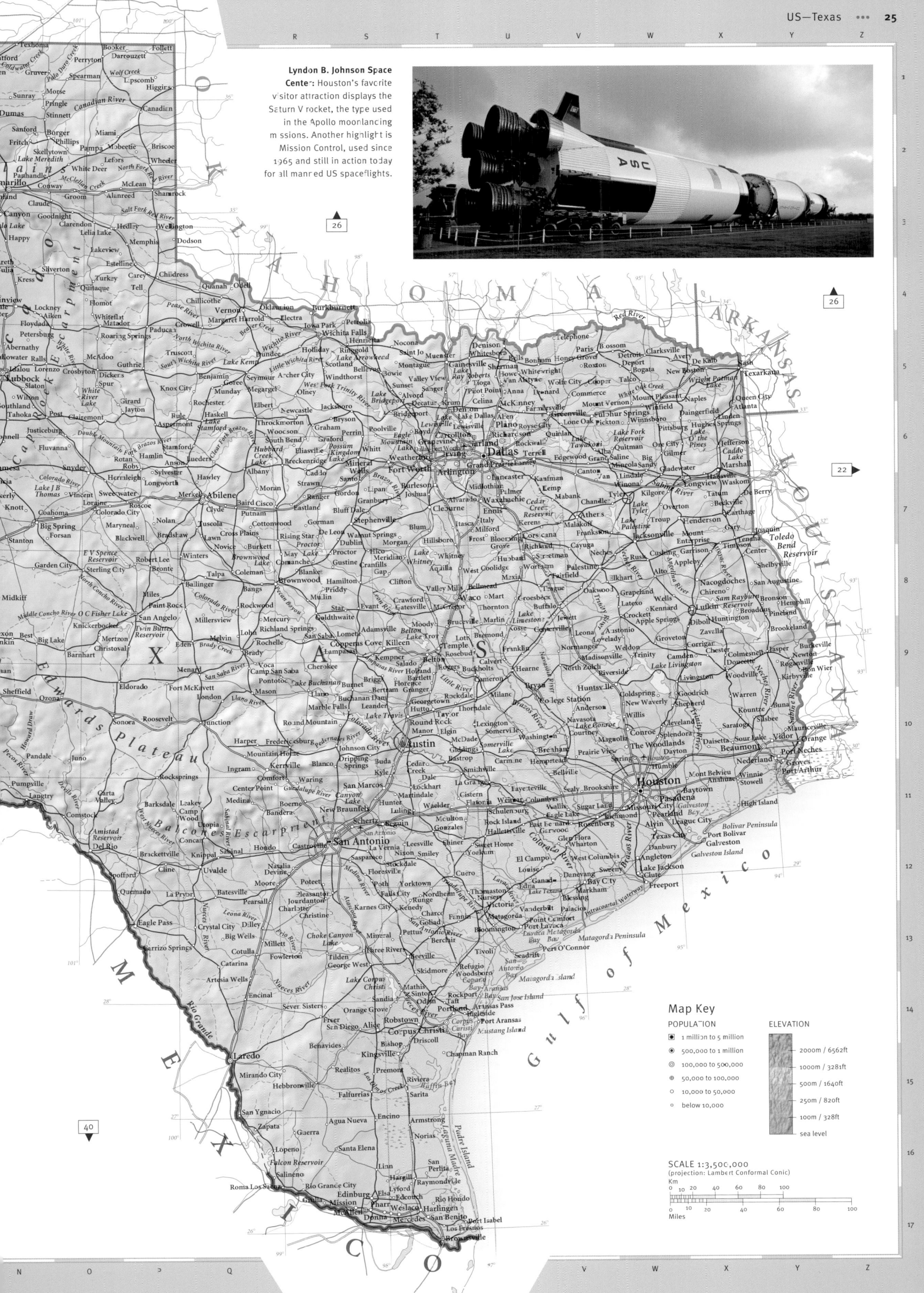

Lyndon B. Johnson Space Center: Houston's favorite visitor attraction displays the Saturn V rocket, the type used in the Apollo moonlanding missions. Another highlight is Mission Control, used since 1965 and still in action today for all manned US spaceflights.

Map Key

POPULATION
- 1 million to 5 million
- 500,000 to 1 million
- 100,000 to 500,000
- 50,000 to 100,000
- 10,000 to 50,000
- below 10,000

ELEVATION
- 2000m / 6562ft
- 1000m / 3281ft
- 500m / 1640ft
- 250m / 820ft
- 100m / 328ft
- sea level

SCALE 1:3,500,000
(projection: Lambert Conformal Conic)

US: South Midwestern States

Arkansas, Kansas, Missouri, Oklahoma

The south Midwest is the least-visited part of the US; early explorers spoke of these lands as the "great American Desert." The settlers who spread across here in the mid-1800s, from the confluence of the Missouri and Mississippi rivers up onto the treeless expanse of the Great Plains, turned it into one of the world's richest agricultural regions, until over-intensive farming and periodic droughts provoked the "Dustbowl" soil erosion of the 1930s, the abandonment of many farms, and a mass exodus to the west coast, famously depicted in John Steinbeck's novel *The Grapes of Wrath*.

Now it is farming country once again, its vast fields dotted with giant machines at planting and harvest times, and patrolled between times by crop-spraying aircraft. Visitors to Saint Louis, Kansas City, and Oklahoma City can also experience first hand the products of the beer and meat industries and learn about the development of jazz.

The wooded Ozark Plateau, straddling Arkansas and Missouri, is the best scenic attraction, offering peace and tranquillity. This region is noted for its religious fervor and for Little Rock, political hometown of former president Bill Clinton.

American Jazz Museum: Kansas City's top attraction recreates the swinging jazz era of its heyday in the 1930s.

Activities

Take a tour at the **Anheuser-Busch Brewery** in Saint Louis, the world's largest, where Budweiser is made

See the outdoor *Shepherd of the Hills* pioneer drama, **Branson, Missouri** (May–October)

Browse the archives at the Clinton Presidential Center in **Little Rock**

Catch a trout while fishing in the **Ozark Plateau**

Chill out at the **American Jazz Museum**, Kansas City, listening to local hero Charlie Parker's jazz sax

What to See

❶ Dodge City
Notorious Wild West town famous for its outlaws and buffalo hunters. Reconstructions of saloons and other buildings line Historic Front Street

❷ Kansas City
The "barbecue capital" is famous for steak and jazz (Charlie Parker invented bebop here)

❸ Hannibal
Mark Twain's boyhood home. Much of *Tom Sawyer* was set here—visit Becky Thatcher's home and other sites from the book

❹ Saint Louis
Dominated by the magnificent Gateway Arch, Saint Louis' attractions include the house of ragtime composer Scott Joplin, a hands-on science center, and a top zoo

❺ Silver Dollar City
(near Branson) High-tech roller coasters and water rides set in a pioneer theme

❻ Buffalo River
Scenic recreation area in northern Arkansas, which is popular for float fishing

❼ Ozark Plateau
A protected national forest, with lakes, waterfalls, gorges, and hills offering magnificent views and a folk art center

❽ Little Rock
Capital of Arkansas, featuring the Old Mill on the north side of the river, where scenes in *Gone with the Wind* were shot

❾ Hot Springs
Popular resort for enjoying the healing thermal waters. The old Fordyce Bathhouse gives an impression of spa life in former times

❿ Crater of Diamonds
(near Murfreesboro) This source of natural diamonds is a state park open to the public

⓫ Oklahoma City
Founded and built on April 22, 1889 as part of the great land rush. Main sights include the National Cowboy Museum and the National Stockyards

⓬ Woolaroc Wildlife Preserve
(near Bartlesville) Drive-through ranch, roamed by bison and longhorn cattle, plus a world-class display of Colt guns

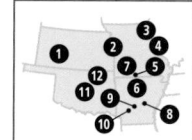

Gateway Arch, Saint Louis: Designed by Eero Saarinen, the striking stainless steel arch symbolizes the city's role as a commercial and cultural gateway between the eastern US and the wide open lands to the west.

SCALE 1:3,250,000
(projection: Lambert Conformal Conic)
Km
0 5 10 20 30 40 50 60 70
Miles
0 5 10 20 30 40 50 60 70

Christ of the Ozarks, Arkansas: The world's second-largest statue of Jesus, seven stories high, towers over the former resort town of Eureka Springs. The town has developed as a sort of Christian theme park and romantic getaway with an annual rendition of the Great Passion Play, and a bible museum containing more than 6,000 editions in 625 languages.

Map Key

POPULATION

◎ 100,000 to 500,000

⊕ 50,000 to 100,000

○ 10,000 to 50,000

· below 10,000

ELEVATION

1000m / 3281ft

500m / 1640ft

250m / 820ft

100m / 328ft

sea level

US: Upper Plains States

Iowa, Minnesota, Nebraska, North Dakota, South Dakota

By far the top destination in the region is southwest South Dakota, which includes Mount Rushmore—an enormous carving of four US presidents—in the Black Hills and the gaunt yet colorful landscape of Badlands National Park as well as a host of smaller attractions, making it an excellent base for tourists.

Nebraska and Iowa offer visitors the prospect of huge fields of corn stretching to the horizon, crossed by mile after mile of flat interstate freeway perhaps best seen beneath a full prairie moon. The whole region is mainly rural except for parts of Minnesota, whose major urban centers are the gleaming twin cities of Minneapolis and Saint Paul, on either side of the Mississippi. These cities have most for the visitor in terms of culture and modernity. Further north, however, the region toward the border with Canada has some of the best lakeland vacation country.

The Mammoth Site, Hot Springs, South Dakota: Sinbad the Mammoth is one of the many fantastic mammoth fossils discovered in 1974 in a prehistoric spring-fed sinkhole.

Chimney Rock, Nebraska: A landmark for pioneers on the Oregon Trail as they headed west, this unusual rock formation rises 152 m (500 ft) above the grassy plains.

Activities

Watch the nightly Wild West play *The Trial of Jack McCall* in **Deadwood**, South Dakota

Fly a Mustang simulator, ride a roller coaster, rub noses with a shark, and shop in Minneapolis' futuristic **Mall of America**

Canoe in the **Superior National Forest**, near Ely, in northeast Minnesota

Pan for gold at the fascinating Black Hills Mining Museum in **Lead**, South Dakota

Take to the skies at the **National Balloon Classic, Indianola**, Iowa

Enter the **Iowa State Fair**'s hog-calling contest at Des Moines in mid-August

What to See

❶ Needles Highway
Intriguing rock pinnacles line this magnificent mountain road through the Black Hills

❷ Mount Rushmore
Hewn from the cliff, these huge carvings of US presidents were featured in Hitchcock's film *North by Northwest*

❸ Rapid City
The gateway to the Black Hills has a Dinosaur Park and Reptile Gardens

❹ Wind Cave
(near Hot Springs) One of the world's longest and most beautiful cave systems has bison grazing on the prairie above it

❺ Badlands
Colorful prairie plateau furrowed by erosion, with bizarre rock formations

❻ Agate Fossil Beds
(near Harrison) Fossil remains from 20 million years ago

❼ Oregon Trail (near Scottsbluff) Pioneers' wagon tracks are still visible at Chimney Rock

❽ Voyageurs National Park (near International Falls) Wilderness of lakes and swamps, excellent for sailing and fishing and one of the USA's largest wolf sanctuaries

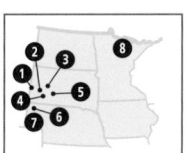

Mount Rushmore, South Dakota: Presidents Washington, Jefferson, Theodore Roosevelt, and Lincoln each 18 m (60 ft) tall, are a national monument. The nearby Crazy Horse, commemorating the great Sioux warrior, will be the world's largest sculpture when finished.

US: Great Lakes States

Illinois, Indiana, Michigan, Ohio, Wisconsin

Sometimes given the unwanted name of the "Rust Belt," the industrial region bordering the Great Lakes has few scenic attractions on dry land, but legacy of its world-beating engineering prowess has endowed it with some major tourist sites, linked to the development of the automobile industry and air flight a century or more ago.

Detroit and Dayton in Ohio may epitomize this history, but the region's biggest destination for visitors is undoubtedly Chicago. The USA's second city has long since shed its association with gangsters and is now a thriving commercial and cultural center renowned for just about everything, even its windy weather. Milwaukee, too, with a strong German settler heritage and self-styled as the beer capital of the world has a touch of class. A long-serving mayor with unusual vision can take credit for the removal of an inner-city overpass as part of a regeneration scheme that has made the Milwaukee downtown riverfront an attractive and desirable area.

Chicago: Its dramatic skyline, seen across Lake Michigan, features the Sears Tower on the left, currently the world's third tallest building at 1,729 ft (527 m). After a devastating fire in 1871, Chicago built the world's first skyscraper in 1885, and later developed the Prairie School of architecture under Frank Lloyd Wright.

What to See

❶ Mackinac Fort
(near Saint Ignace)
18th-century fort built by the British to guard the Straits of Mackinac which link Lake Huron and Lake Michigan

❷ Milwaukee
The Miller Brewing Company Tour showcases the history of the second largest brewery in the US

❸ Chicago
The "Windy City" has awe-inspiring architecture and plays host to top-quality art, music, and sports

❹ Cahokia Mounds State Historic Site
(near Collinsville)
The archaeological remains of a significant pre-Columbian Native American settlement

❺ Cincinnati
The former industrial city has reinvented itself as a lively center for dining and shopping

❻ Dayton
The Wright brothers' home town has sights connected to the aviation pioneers

❼ Amish Country
(near Strasburg) The Amish community live a "plain" life, using few modern inventions

❽ Detroit
Home of the US motor industry, "Motor City" has interesting museums celebrating the car and holds lively summer festivals

Rock 'n' Roll Hall of Fame, Cleveland: Displaying the history of popular music and memorabilia, from blues through to the modern day, in I. M. Pei's astonishing triangular building.

28

28

26

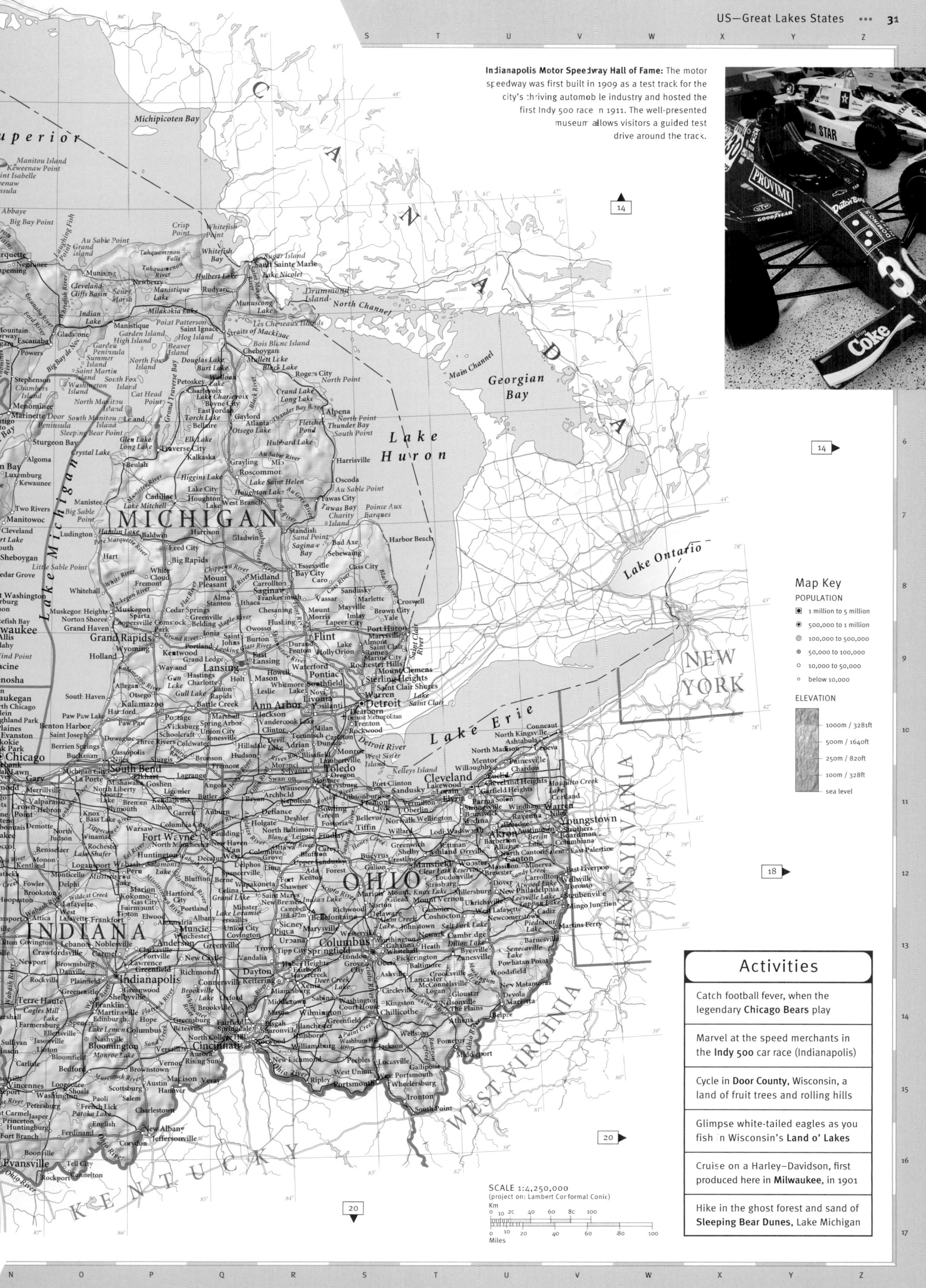

Indianapolis Motor Speedway Hall of Fame: The motor speedway was first built in 1909 as a test track for the city's thriving automobile industry and hosted the first Indy 500 race in 1911. The well-presented museum allows visitors a guided test drive around the track.

Map Key

POPULATION

- 1 million to 5 million
- 500,000 to 1 million
- 100,000 to 500,000
- 50,000 to 100,000
- 10,000 to 50,000
- below 10,000

ELEVATION

- 1000m / 3281ft
- 500m / 1640ft
- 250m / 820ft
- 100m / 328ft
- sea level

Activities

Catch football fever, when the legendary **Chicago Bears** play

Marvel at the speed merchants in the **Indy 500** car race (Indianapolis)

Cycle in **Door County**, Wisconsin, a land of fruit trees and rolling hills

Glimpse white-tailed eagles as you fish in Wisconsin's **Land o' Lakes**

Cruise on a Harley–Davidson, first produced here in **Milwaukee**, in 1901

Hike in the ghost forest and sand of **Sleeping Bear Dunes**, Lake Michigan

SCALE 1:4,250,000
(project on: Lambert Conformal Conic)

Km
0 10 20 40 60 80 100

0 10 20 40 60 80 100
Miles

US: North Mountain States

Idaho, Montana, Oregon, Washington, Wyoming

The northwestern states, which can only be reached overland from the east by crossing some intractable terrain, were among the last to be settled by Europeans in the 1800s. Fur-trappers and gold prospectors arrived first, following the Snake River westward as it wound its way through the Rocky Mountains. Today, it is the combination of dramatic landscapes and modern cities that strikes the 21st-century visitor.

The first national park in the US, which opened at Yellowstone in 1872, is an example of the emphasis on conservation for which the northwest has set something of a national standard. It is now one of the country's major tourist attractions.

Across the region the visitor will encounter a wide range of scenery, and no shortage of cultural interest. Mount Saint Helens' devastating eruption in 1980 has created a fascinating new landscape in southern Washington State, while to the north is the much-loved city of Seattle, famous for its coffee houses, set on the beautiful Puget Sound and with three major national parks nearby.

Old Faithful Geyser, Yellowstone National Park: So called because of the regular 90-minute intervals between its eruptions, Old Faithful Geyser is the park's icon. Its steaming plume shoots up to 180 ft (55 m) into the air, spurting nearly 8,400 gallons (32,000 liters) of water in 2–5 minutes.

Elk Lake, Oregon: Popular for fishing, windsurfing, and sailing, this hidden gem lies in the South Cascade Mountains. The Cascade Lakes Highway also takes in Mount Bachelor and the Devil's Garden lava flow.

Activities

Sandboard at the **Oregon Dunes National Recreation Area** on the coast
Watch a summer rodeo in **Cody**, Wyoming
Enjoy a play during **Ashland's** Oregon Shakespeare Festival (February–October)
Watch the Mariners, **Seattle's** top-quality baseball team
Revolve slowly as you dine at the top of Seattle's landmark **Space Needle**
Fish, canoe, or hike in Wyoming's mountainous **Grand Teton National Park**
Watch for orcas (killer whales) swimming past—**Puget Sound**, Seattle
View Seattle from **Mount Rainier**— a cone volcano with striking glaciers
Sip a Pumpkin Spice Crème in **Seattle**, home of the first Starbucks™ coffee house

SCALE 1:4,250,000
(projection: Lambert Conformal Conic)

Km
0 10 20   40   60   80   100

Miles
0 10   20   40   60   80   100

Map Key

POPULATION

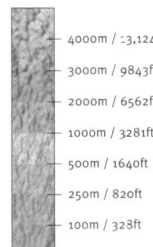

- ◉ 500,000 to 1 million
- ◎ 100,000 to 500,000
- ⊕ 50,000 to 100,000
- ○ 10,000 to 50,000
- ○ below 10,000

ELEVATION

- 4000m / 13,124ft
- 3000m / 9843ft
- 2000m / 6562ft
- 1000m / 3281ft
- 500m / 1640ft
- 250m / 820ft
- 100m / 323ft
- sea level

▲ 10

What to See

Seattle, Yellowstone National Park
see pp16–17

❶ Olympic Peninsula
Many rare species roam a beautiful land of snowcapped mountains and rainforests

❷ Boeing Construction Facility
(near Seattle) Inside the world's largest building, see Boeing making its 747, 767, and 777 planes

❸ Mount Saint Helens
On May 18, 1980, this huge volcano erupted. As the forests begin to regenerate, marvel at the bleak evidence of the raw power of nature

❹ Portland
The attractively modern "City of Roses" has Far Eastern and Victorian influences and several exquisite parks, set against the backdrop of Mount Hood

❺ Columbia River Gorge
Separating Oregon and Washington, the mighty river has many spectacular waterfalls, such as Multnomah Falls 620 ft (186m)

❻ Crater Lake
Famed for its Pinnacles and rim drive, the deepest lake in the US was created 7,700 years ago by volcanic eruption

❼ Boise
Capital of Idaho, the charming, compact desert town is named after its many trees

❽ Craters of the Moon
Volcanic eruptions have formed a surreal lunar landscape of fascinating patterns that illustrate the diverse lava types

❾ Devil's Tower
Featured in *Close Encounters of the Third Kind*, this landmark basaltic lava pillar is an impressive sight and a must for rock climbers

❿ Little Bighorn
(near Billings) Scene of General Custer's doomed last stand against the combined forces of the Sioux and the Cheyenne

⓫ Waterton-Glacier International Peace Park (north of Kalispell) This US–Canadian park is a majestic, untouched mountain wilderness

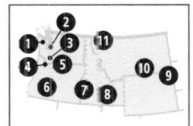

Seattle: The futuristic Space Needle with its revolving restaurant dominates the skyline of this attractive city. Mount Rainier—known for its excellent hiking to the beautiful, permanently snow-capped summit—is one of three national parks nearby.

▲ 10

US: California & Nevada

California's great climate, beautiful scenery, and dynamic economy, bound up in the legend of Hollywood, continue to attract immigrants and tourists alike. The amazing cities of Los Angeles, San Francisco, and San Diego offer world-class museums and huge entertainment parks. The coast has great wildlife, gorgeous vistas, and a string of 300-year-old Spanish missions. Inland, the wide variety of landscapes in the many national parks ranges from the Mojave and Sonoran deserts of the south and Death Valley, one of the hottest and driest places on earth, to the alpine meadows and stunning glacial valleys of Yosemite. Other parks can boast the oldest, largest, and tallest trees in the world. Nevada's main claim to fame is the glitz of its great gambling centers, Las Vegas and Reno.

Death Valley: Native Americans called it "the land where the ground is on fire," an apt name for the hottest, driest, and lowest point in the US. It earned its current name in the pioneer age.

Golden Gate Bridge, San Francisco: One of the world's longest suspension bridges, the Golden Gate was a marvel of engineering when it was built in the 1930s. Carrying 118,000 vehicles a day, it offers breathtaking views across San Francisco and its bay.

Map Key

POPULATION

- ⊡ 1 million to 5 million
- ◉ 500,000 to 1 million
- ◎ 100,000 to 500,000
- ⊕ 50,000 to 100,000
- ○ 10,000 to 50,000
- ∘ below 10,000

ELEVATION

- 4000m / 13,124ft
- 3000m / 9843ft
- 2000m / 6562ft
- 1000m / 3281ft
- 500m / 1640ft
- 250m / 820ft
- 100m / 328ft
- sea level

◁ 192

What to See

Las Vegas, Los Angeles, San Francisco see pp16–17

❶ Lava Beds National Monument
(near Tulelake) Over 200 caves created by lava flows in an eerie volcanic landscape

❷ Lake Tahoe
Known for its good climate and huge range of activities, including winter sports. You can tell when you reach the Nevada border—you'll see a casino!

❸ San Andreas Fault
At Point Reyes National Seashore there are signs of the 40-second 1906 earthquake, which reduced San Francisco to rubble and triggered theories about the causes of earthquakes

❹ Alcatraz
(off San Francisco) Originally an island fort, Alcatraz became a high-security prison, housing criminals such as Al Capone

❺ Yosemite
A national park since 1890, its wonderful scenery includes the elegant Yosemite Falls, the towering Half Dome, and sheer granite cliffs

❻ Mono Lake
Three times saltier than the ocean, with startling tufa towers rising from its waters; the lake has a fishless ecosystem

❼ Big Sur
Spectacular, rugged shoreline running south of San Francisco, with cypress trees, pretty bays, and sea otters

❽ Hearst Castle™
(near Morro Bay) This lavish castle was built using strangely juxtaposed antiquities for newspaper magnate William Randolph Hearst, who inspired the film Citizen Kane

❾ Sequoia and King's Canyon National Parks
Breathtaking mountain scenery and giant trees. The sequoia General Sherman is the earth's largest living organism: 30 ft (9 m) in diameter and 276 ft (84 m) tall

❿ Death Valley National Park
Vast expanse of vivid desert colors, canyons, and mountains, with salt flats reaching 282 ft (86 m) below sea level

⓫ Getty Center
(in Los Angeles) An outstanding collection

covering the past 12 centuries of Western art. Its Roman villa is modeled on one from Italy's Herculaneum and displays antiquities

⓬ Universal Studios
(in Los Angeles) A functioning film studio and amusement park, with thrilling special effect demonstrations—experience earthquakes and avalanches

⓭ San Diego
Close to Mexico, California's oldest city has a desert climate and fabulous beaches. The world-famous San Diego Zoo is renowned for its research, breeding projects, and natural settings

⓮ Great Basin National Park
(near Connor's Pass) This desert region of limestone caves and windswept rocks has no natural outflows for rainwater, which simply evaporates

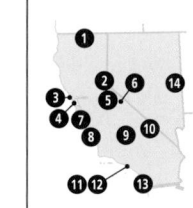

Activities

Taste wine at **Napa Valley**'s classic wineries, such as Domaine Chandon or Robert Mondavi	Wonder at the splendor of giant trees, in the "Avenue of Giants" in **Redwood National Park**, north California
Take a ride on **San Francisco's** cable car up and down the city's slopes	Ski at **Lake Tahoe** on the California–Nevada border (November–April)
Catch a wave, surfing at the **north Californian beaches**	Pan for gold the old way in **Jamestown**, in the Sierra Nevada
Ride mountain torrents, whitewater rafting on the **Kern River**, north of Los Angeles (April–September)	Walk in the footprints of screen legends, outside **Mann's Chinese Theatre**, Hollywood Boulevard, Los Angeles

Las Vegas: The sparkling vista of neon along "The Strip" is packed with lavishly themed hotel and casinos. The Paris casino boasts a replica of the Eiffel Tower; Luxor has a pyramid and sphinx; and the Mirage has an artificial volcano that erupts every 15 minutes.

OREGON

IDAHO

UTAH

ARIZONA

MEXICO

NEVADA

CALIFORNIA

Great Basin

Mojave Desert

Sonoran Desert

Salton Sea

PACIFIC OCEAN

Sierra Nevada

Coast Ranges

San Joaquin Valley

Death Valley

Santa Barbara Channel

Channel Islands

Dorris, Montague, Tulelake, Lower Klamath Lake, Goose Lake, Fort Bidwell, Catnip Mountain 2223m, Trident Peak 2558m, McDermitt, Owyhee, Mountain City, Jackpot, Matterhorn 3304m
Mount Shasta 4316m, Clear Lake Reservoir, Upper Lake, Alkali Lake, Duffer Peak 2864m, Granite Peak 2966m, Paradise Valley, McAfee Peak 3182m, Montello
Mccloud, Dunsmuir, Alturas, Cedarville, Middle Alkali Lake, Massacre Lake, Big Mountain 2293m, King Lear Peak 2720m, Rock Creek Desert, Tuscarora, Wells, Oasis, Hole in the Mountain Peak 3437m
Burney, Central Valley, Redding, Canby, Adin, Eagle Peak 3016m, Lower Lake, Fox Mountain 2494m, Winnemucca, Golconda, Sonoma Peak 2364m, Elko, Lamoille, Spring Creek, Snow Water Lake, Helleck
Fall River Mills, Bieber, Madeline, Observation Peak 2427m, Geriach, Rye Patch Reservoir, Imlay, Battle Mountain, Beo-wawe, Carlin, Emigrant Pass, Ruby Dome 3471m, Spruce Mountain 3128m
Eagle Lake, Susanville, Hot Springs Peak 2341m, Empire, Kumiva Peak 2511m, Humboldt 2957m, Star Peak, Mount Tobin 2579m, Mount Lewis 2954m, Franklin Lake, Becky Peak 2840m
Chester, Westwood, Fredonyer Pass, Herlong, Winnemucca Lake, Trinity Peak 2236m, Humboldt Salt Marsh, Roberts Creek Mountain 3089m, Newark Lake, Alkali Flat, North Schell Peak 3622m
Red Bluff, Los Molinos, Corning, Honey Lake, Lovelock, Humboldt Lake, Carson Sink, Mount Callaghan 3105m, Diamond Peak 3235m, Mount Moriah 3675m
Orland, Paradise, Chico, Lake Oroville, Quincy, Portola, Doyle, Pyramid Lake, Nixon, Virginia Peak 2550m, Wadsworth, Eureka, Ruby Lake
Willows, Biggs, Gridley, Oroville, Sierra City, Loyalton, Reno, Sparks, Hazen, Fallon, North Shoshone Peak 3143m, Austin, Summit Mountain 3189m, Mount Hamilton 3275m, Ruth, Ely, Mount Wheeler Peak 3981m
Colusa, Yuba City, Grass Valley, Nevada City, Truckee, Reno-Cannon, Virginia City, Lahontan Reservoir, Fairview Peak 2531m, Bunker Hill 3497m, Currant Mountain 3509m, Conners Pass 2354m
Arbuckle, Live Oak, Marysville, Olivehurst, Mount Lola 2787m, Kings Beach, Tahoe City, Carson City, Yerington, Schurz, Gabbs, Arc Dome 3588m, Mount Jefferson 3642m, Morey Peak 3123m, Currant, Lund
Woodland, Davis, Lincoln, Roseville, Auburn, Lake Tahoe, South Lake Tahoe, Minden, Gardnerville, Walker Lake, Round Mountain, Troy Peak 3443m, Pioche, Panaca
Lake Berryessa, Sacramento, Citrus Heights, North Highlands, Carmichael, Camino, Echo Summit, Markleeville, Mount Patterson 3568m, Hawthorne, Luning, Mina, Warm Springs, Worthington Peak 2897m, Caliente
Vacaville, Dixon, Folsom, Placerville, Freel Peak 3317m, Wellington, Mount Grant 3425m, Columbus Salt Marsh, Lone Mountain 2776m, Tonopah, Mount Irish 2664m, Elgin
Napa, Vallejo, Rio Vista, Lodi, Galt, West Point, Arnold, Devils Gate 2292m, Bridgeport, Mono Lake, Montgomery Pass 2185m, Goldfield, Cactus Peak 2251m, Alamo
Fairfield, Ione, Jackson, Murphys, Angels Camp, Sonora, Eagle Peak 3610m, Yosemite National Park, Lee Vining, Boundary Peak 4005m, Kawich Peak 2866m, Groom Lake
Martinez, Concord, Stockton, Mount Diablo 1173m, Manteca, Sonora, Jamestown, Columbia, Matterhorn Peak 3737m, Mount Dana, June Lake, Columbus, Mormon Peak 2260m, Mesquite
Berkeley, Oakland, Walnut Creek, Livermore, Tracy, Modesto, Turlock, Coulterville, El Portal, El Capitan 2193m, Half Dome 2900m, Mount Ritter, Owens River, Beatty, Heyford Peak 3021m, Indian Springs, Echo Bay
Hayward, Fremont, Redwood City, Patterson, Livingston, Atwater, Merced, Le Grand, Mariposa, Merced Peak 3574m, Lake Crowley, Jumbo Peak 1757m, Lake Mead
San Jose, Milpitas, Santa Clara, Los Gatos, Gustine, Chowchilla, Madera, Friant, Pine Flat Lake, Mount Humphreys 4263m, Big Pine, North Palisade 4341m, Groom Lake
Santa Cruz, Watsonville, Hollister, Los Banos, Mendota, Clovis, Fresno, Independence, Owens Mountains, Daylight Pass 1316m
Castroville, San Juan Bautista, San Luis Reservoir, Fowler, Sanger, Reedley, Dinuba, Lone Pine, Owens Lake, Towne Pass 1511m, Las Vegas, North Las Vegas
Monterey, Marina, Seaside, Salinas, Soledad, Gonzales, Coalinga, Hanford, Visalia, Woodlake, Mount Whitney 4418m, Olancha, Telescope Peak 3368m, Paradise, McCarran, Henderson
Pacific Grove, Carmel, Greenfield, San Benito Mountain 1597m, Lemoore, Tulare, Exeter, Lindsay, Strathmore, Olancha, Pahrump, Sloan, Boulder City, Hoover Dam
Point Sur, King City, Stratford, Corcoran, Tipton, Pixley, Porterville, Sequoia National Park, Kingston Peak 2232m, Jean
San Miguel, Avenal, Delano, Earlimart, Johnsondale, Isabella Lake, Inyokern, Ridgecrest, Clark Mountain 2417m, Ivanpah Lake, Searchlight, Lake Mohave
Paso Robles, Atascadero, Lost Hills, Wasco, Alpaugh, Mcfarland, Kernville, Trona, Mountain Pass 1455m, New York Mountains
Morro Bay, San Luis Obispo, Black Mountain 1104m, Shafter, Bakersfield, Piute Peak 2570m, Johannesburg, Baker, Soda Lake, Devils Playground, Needles
Pismo Beach, Grover City, Arroyo Grande, Nipomo, Buttonwillow, Lamont, Arvin, Tehachapi, Mojave, Boron, California City, Barstow, Yermo, Bristol Lake, Cadiz Lake
Guadalupe, Santa Maria, Los Alamos, Ford City, Taft, Buena Vista Lake Bed, Maricopa, Mount Pinos 2692m, Rosamond Lake, Harper Lake, Mojave River, Ludlow, Amboy, Parker Dam
Lompoc, Point Arguello, Point Conception, Goleta, Tejon Pass 1273m, Lebec, Frazier Mountain 2481m, Rosamond, Lancaster, Oro Grande, Victorville, Apple Valley, Ord Mountain 1923m, Lake Havasu
Santa Barbara, Carpinteria, Ojai, Fillmore, Big Pine Mountain 2081m, Santa Ynez River, Palmdale, Hesperia, Bristol Lake, Danby Lake, Colorado River
Ventura, Oxnard, Thousand Oaks, Simi Valley, San Fernando, Burbank, Glendale, Pasadena, Mount San Antonio 3067m, Wrightwood, San Bernardino, Redlands, San Gorgonio Mountain 3505m, Joshua Tree, Twentynine Palms
Los Angeles, Beverly Hills, Santa Monica, Inglewood, Whittier, Pomona, Ontario, Riverside, Banning, Desert Hot Springs, Desert Center, Blythe
Torrance, Long Beach, Huntington Beach, Anaheim, Santa Ana, Fullerton, Corona, San Jacinto Peak 3293m, Palm Springs, Indio, Mecca, Coachella, Palo Verde
Laguna Beach, San Clemente, Fallbrook, Temecula, Hemet, Cathedral City, Toro Peak 2657m, Coachella Canal, Imperial Dam
Santa Catalina Island, Avalon, Oceanside, Carlsbad, Encinitas, Escondido, San Marcos, Vista, Julian, Ramona, Westmorland, Brawley, Holtville
San Nicolas Island, San Clemente Island, San Diego, Coronado, Chula Vista, National City, El Cajon, La Mesa, Santee, Lakeside, Poway, Calipatria, El Centro, Calexico, Laguna Dam
San Miguel Island, Santa Rosa Island, Santa Cruz Island, Santa Barbara Island, Anacapa Island

SCALE 1:3,250,000
(projection: Lambert Conformal Conic)

Km
0 5 10 20 30 40 50 60 70 80

0 5 10 20 30 40 50 60 70 80
Miles

US: Southwestern Mountain States

Arizona, Colorado, New Mexico, Utah

Tourists are drawn to the south mountain states by the natural wonders—vast canyons, exotic desert colors and rock formations, great salt plains in the north, and the dramatic Rocky Mountains of Colorado. There is rich variety too in the patterns of human settlement. The ruins of cliff dwellings built a thousand years ago are all that remain of the Anasazi people, but Native Americans own one-third of the land in Arizona, while Spanish and Mexican conquest and settlement have left a strong Hispanic presence. Northern Utah is dominated by the Mormons, among the earliest Anglo-American settlers when they came to the Great Salt Lake in 1847 seeking religious freedom.

What to See

Grand Canyon
see pp16–17

❶ Salt Lake City
Founded by the Mormons in 1847, and still dominated by them, this unusual city is well-planned and clean

❷ Dinosaur National Monument
(near Canyon of Lodore) Quarry where numerous fossilized dinosaur remains have been found

❸ Rocky Mountain National Park
Alpine meadows, deep valleys, and shimmering lakes make the Continental Divide popular for sightseeing and winter sports

❹ Arches National Park (near Moab)
Hundreds of magnificent sandstone arches formed by the wind and weather

❺ Canyonlands National Park
(near Moab) Colored canyons with sweeping bends and a profusion of rock pinnacles, a fantastic hiking area

❻ Mesa Verde
(near Cortez) Anasazi multistoried ruins built into the cliff face, dating from 600 to 1400 CE

❼ Bryce Canyon
One of the highlights among national parks in the US, its orange and white amphitheater

contains thousands of bizarre rock needles

❽ Zion National Park
(near Hurricane) A fantastic landscape of rock formations and sheer-sided gorges

❾ Meteor Crater
This crater enabled scientists to establish the nature of meteors, and that they did indeed fall from the sky

❿ Petrified Forest
Colorful fossilized trees dot the landscape of the Painted Desert

⓫ Monument Valley
Iconic landscape of huge sandstone formations in a red desert, symbolizing the American West

⓬ Davis-Monthan Air Force Base
(near Tucson) Graveyard for thousands of fighter planes, dating from World War II onward

⓭ White Sands National Monument
(near Alamogordo) Constantly changing landscape of white sand dunes in the midst of a vast missile-testing area

⓮ Carlsbad Caverns
Impressive cave system, with superb formations, massive chambers, and a quarter of a million bats

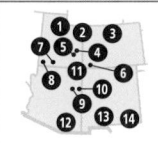

Activities

Join the rich and famous on the ski slopes of **Aspen**, Colorado

Fly over the **Grand Canyon** to get a true idea of its vastness

Immerse yourself in Native American culture in the reservations of **Arizona** and **New Mexico**

Hire a boat on **Lake Powell**, a man-made recreation area on the Utah–Arizona border, and see the 295 ft (90 m) high Rainbow Bridge

Take the dramatic cable car ride to **Sandia Peak**, near Albuquerque

Attend the UFO Festival in **Roswell**, New Mexico (beginning of July)

Gunfight at the OK Corral, Tombstone:
Arguments still rage over the rights and wrongs of the feuds between the Earps and the Clantons, which came to a head in the infamous shootout of 1881 that is re-enacted daily in southern Arizona.

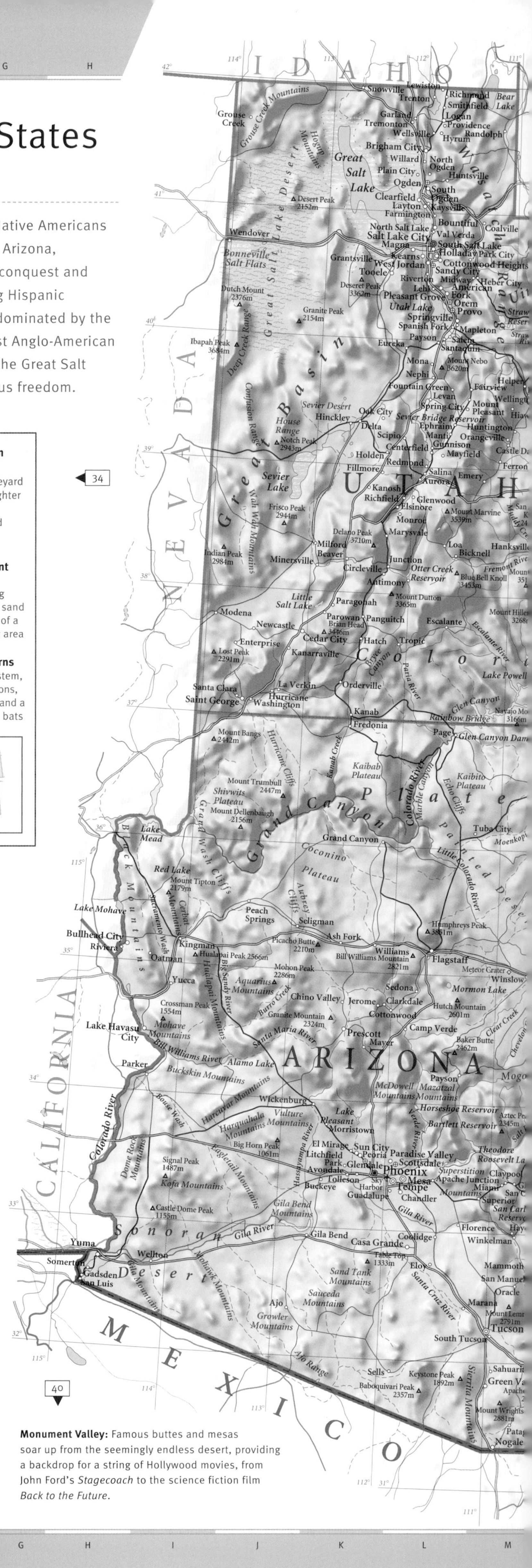

Monument Valley: Famous buttes and mesas soar up from the seemingly endless desert, providing a backdrop for a string of Hollywood movies, from John Ford's *Stagecoach* to the science fiction film *Back to the Future*.

◀ 34

▼ 40

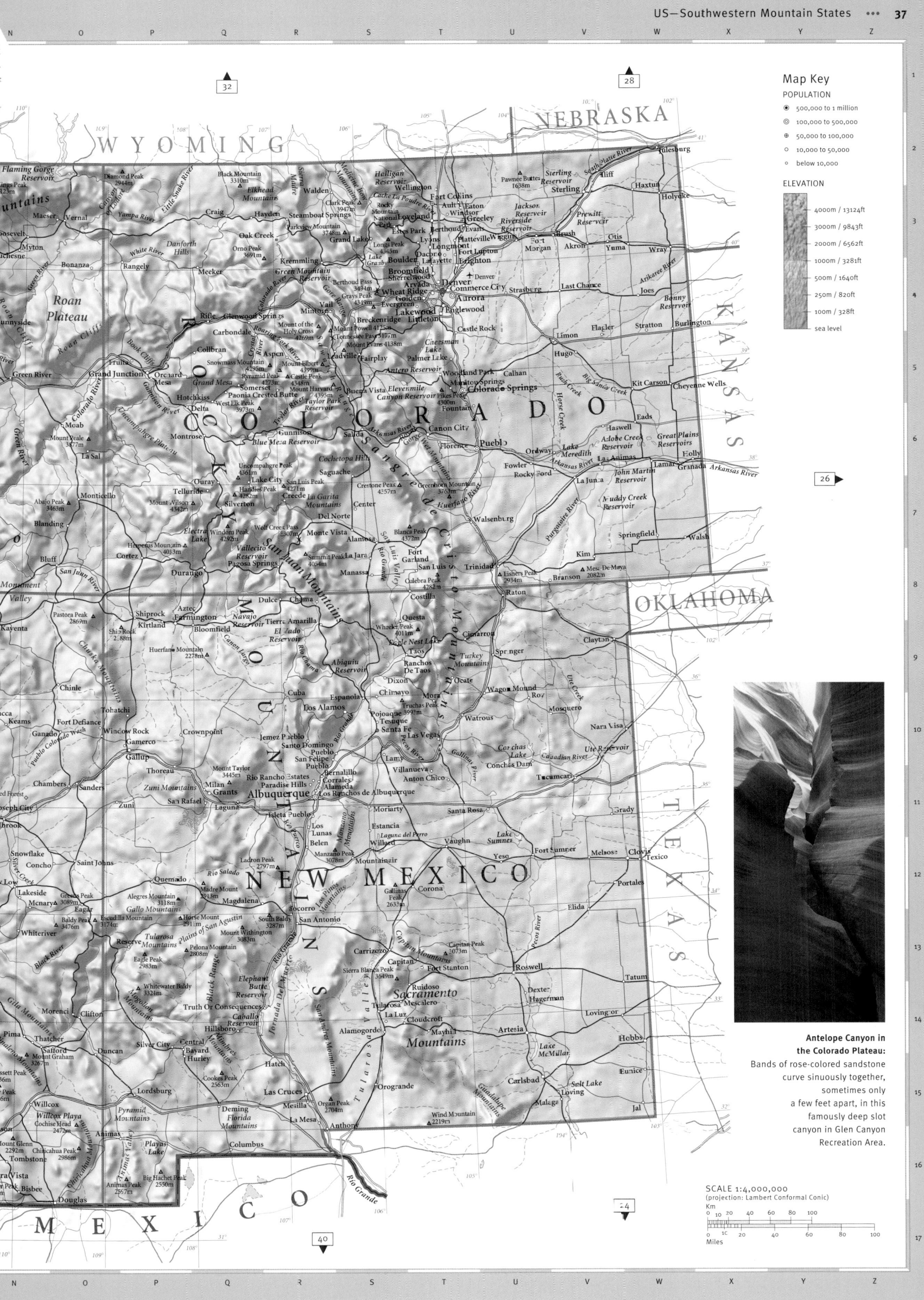

Map Key

POPULATION

◉ 500,000 to 1 million
◎ 100,000 to 500,000
⊕ 50,000 to 100,000
○ 10,000 to 50,000
∘ below 10,000

ELEVATION

4000m / 13124ft
3000m / 9843ft
2000m / 6562ft
1000m / 3281ft
500m / 1640ft
250m / 820ft
100m / 328ft
sea level

**Antelope Canyon in
the Colorado Plateau:**
Bands of rose-colored sandstone
curve sinuously together,
sometimes only
a few feet apart, in this
famously deep slot
canyon in Glen Canyon
Recreation Area.

SCALE 1:4,000,000
(projection: Lambert Conformal Conic)
Km
0 10 20   40   60   80   100

0   10   20   40   60   80   100
Miles

A B C D E F G H I J K L M

US: Hawai'i

Exotic Hawai'i has been a part of the United States since it became the 50th state of the union in 1959, but to go there is to visit a different world—not surprisingly since it's a 2,400-mile (4,300-km) flight from California. Part of Polynesia, its 122 islands are the peaks of the world's largest volcanoes, rising from the floor of the Pacific Ocean. The eight largest islands have lush tropical vegetation and excellent beaches and are actively volcanic, making them the most reliable place in the world to see lava flowing. The year-round good climate has also helped Hawai'i become a favorite destination for vactioners in search of sun, sea, and surf.

The "Aloha State" is famed for its hospitality and Polynesian culture, from traditional crafts of woven baskets or flower and feather garlands to the distinctive music and chanting and the ritualistic hula dance.

Activities

See surfers tackle **O'ahu's** "Banzai Pipeline," an awesome, tubed surfing break

Fly over **Kilauea** on Hawai'i to watch the red-hot lava blacken as it flows into the sea

Go whale-watching from the former whaling station of **Lahaina**, Maui

Watch the hula dance festival at **Papohaku Beach Park**, Moloka'i

Learn about tsunamis in the Pacific Tsunami Museum at **Hilo**, itself destroyed several times by tsunami (on Hawai'i)

Waikiki Beach, O'ahu: The golden beaches and sheltered waters make Waikiki Beach a year-round mecca for sunlovers, set against the backdrop of Diamond Head Crater.

Map Key

POPULATION

◉ 100,000 to 500,000
⊕ 50,000 to 100,000
○ 10,000 to 50,000
○ below 10,000

ELEVATION

4000m / 13,124ft
3000m / 9843ft
2000m / 6562ft
1000m / 3281ft
500m / 1640ft
250m / 820ft
100m / 328ft
sea level

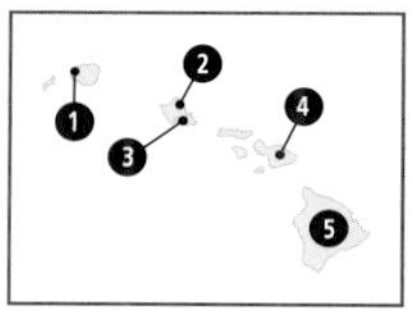

What to See

❶ Mount McKinley
North America's highest mountain is home to grizzly bears, wolves, and caribou

❷ Anchorage
A good base for scenic attractions, with moose wandering the streets

❸ Kenai Peninsula
A dazzling array of glaciers and fjords, reminiscent of the west coast of Norway

❹ Wrangell–St. Elias (near McCarthy)
A grandiose mountain region with numerous

glaciers, lakes, wild rivers, and a rich variety of wildlife

❺ Glacier Bay
An inlet between two promontories where 16 glaciers reach the sea

❻ Totem Bight State Historical Park (near Ketchikan) An imposing number of Native totem poles

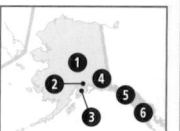

196

122

What to See

❶ Waimea Canyon
(near Kekaha)
The "Grand Canyon of the Pacific" is a spectacularly deep gorge

❷ Polynesian Cultural Center (in Laie)
Landscaped Polynesian "islands" give a taste of regional cultures

❸ Arizona Memorial Museum
(in Honolulu)
Memorial to Pearl Harbor constructed over the USS Arizona's submerged hull

❹ Haleakala
An otherworldly landscape of lush forest, shimmering waterfalls, jumbled lava flows, and cinder cones

❺ Hawaii Volcanoes National Park
Two volcanoes, Mauna Kea and Mauna Loa (erupting since 1983)

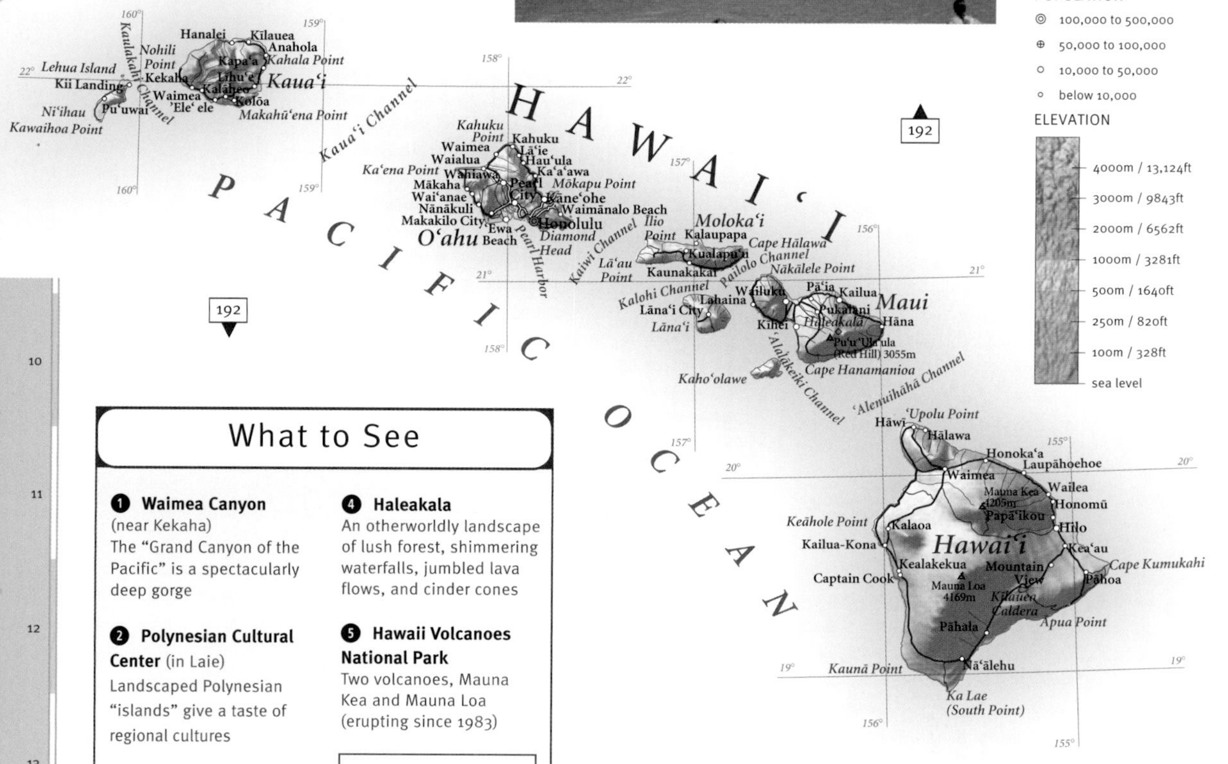

SCALE 1:4,000,000
(projection: Lambert Conformal Conic)
Km
0 10 20 40 60 80 100
0 10 20 40 60 80 100
Miles

192

Map Key

POPULATION
◉ 100,000 to 500,000
⊕ 50,000 to 100,000
○ 10,000 to 50,000
○ below 10,000

ELEVATION
4000m / 13,124ft
3000m / 9843ft
2000m / 6562ft
1000m / 3281ft
500m / 1640ft
250m / 820ft
100m / 328ft
sea level

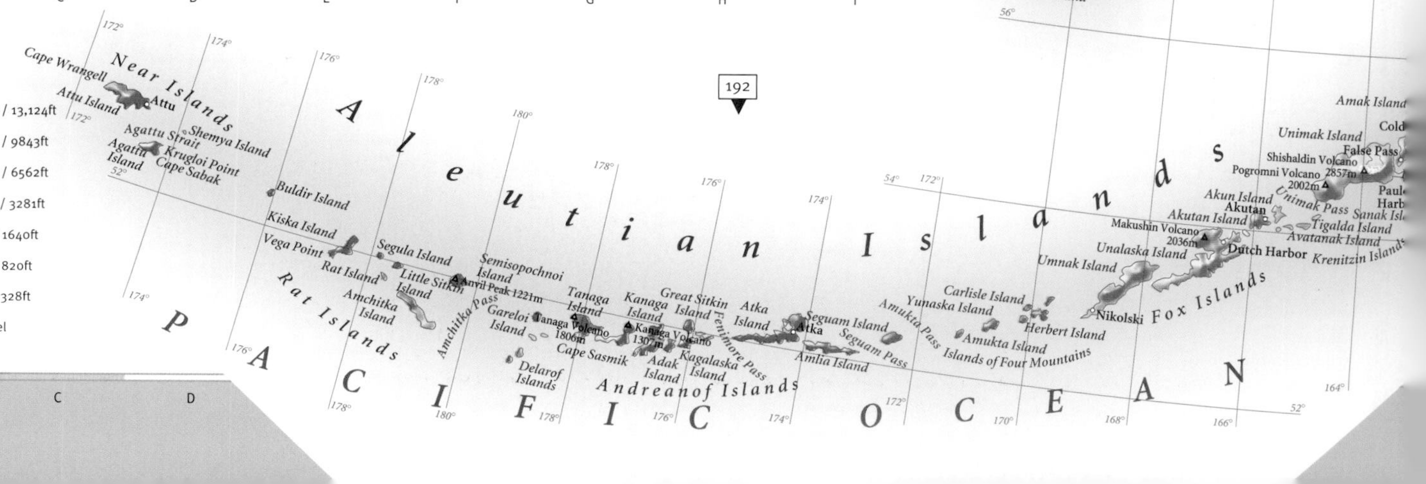

Portage Glacier, SE of Anchorage: A boat ride takes tourists past blue and white floating icebergs to the tip of the retreating glacier.

US: Alaska

Alaska is a land of ice, forest, mountains, and plains, twice the size of Texas. With two-thirds of the state under permafrost and the southwest coastline lying on the volcanic "Ring of Fire," America's "Last Frontier" is a harsh but very rewarding place for tourists in search of dreamlike images of pristine wildernesses, towering snow-capped peaks, and grizzly bears. A popular way to visit is by taking a cruise up the Canadian coast from Vancouver, which offers excellent whale-watching opportunities en route.

Alaska was purchased from Russia in 1867, 30 years before the discovery of gold in the Yukon River brought a surge of prospectors to the Klondike, just across the border in Canada. Its prosperity is now bound up with oil, which was first discovered here in 1968. From this stems a dilemma of which visitors cannot help but become aware—one of the great recent debates in the US. The drive to extract more oil is powerful, but should it override the preservation of a virgin environment and the protection of traditional livelihoods of indigenous peoples such as the Aleuts and Inupiaq?

Denali National Park: View en route to Wonder Lake of snow-clad Mount McKinley, which was originally called Denali, "the Great One," by the Athabascans.

Activities

Pan for gold in the spruce forests of **Moose River**, home to moose, bears, and bald eagles (near Anchorage)

Cruise to **Glacier Bay**, southeast Alaska, for fantastic coastal scenery and whale-watching opportunities

Ski at **Mount Alyeska**, near Anchorage

View the **Northern Lights**, a cosmic night spectacular

Hike the 33-mile (53-km) **Chilkoot Trail**, from Skagway, a memorial to the Klondike gold rush

Catch a stage of the **Iditarod dog-sled race** from Anchorage to Nome on the west coast

SCALE 1:9,000,000
(projection: Lambert Conformal Conic)
Km
0   25   50   100   150   200   250

0   25   50   100   150   200   250
Miles

SCALE 1:7,000,000
(projection: Lambert Conformal Conic)

Mexico

Mexico is an enigma. An awareness of its brilliant, ancient past defines the national psyche, pervading its art, its crafts, and its peoples' attitude to life. Vibrant and distinctive regional cultures remain evident even in cities that are rapidly modernizing along American lines. A strong sense of national identity, incorporating ideals of social justice that fired the 1910–1920 Revolution, has been enriched by the growing urban, *mestizo* (mixed race) majority, gradually melding their distinctive native heritages with those of colonial Spain. Yet its many indigenous peoples remain marginalized in rural poverty.

Contrasts are everywhere—mysterious semi-ruined cities of the Olmec, Toltec, Aztec, Maya, and other great civilizations range over deserts, semi-arid volcanic tablelands, lush rainforest, and tropical coastal plains each with their distinctive flora and fauna. Extremes of wealth coincide with absolute poverty—bustling Amerindian markets do business in the shadow of elaborate colonial churches, glitzy resorts are a stroll along white beaches from simple fishing villages, while heaving industrialized cities are never far from sleepy towns little changed since the Spanish conquest. Fiestas are commonplace, inviting visitors to immerse themselves in local spectacle, color, and music.

Zócalo, Mexico City: Indigenous dancers daily recall their ancestors on the city's central plaza at what was formerly the heart of the great Aztec capital of Tenochtitlán. Nearby are the remains of the Templo Mayor (Great Temple), the sacred center of the Aztec universe.

MEXICO: ADMINISTRATIVE REGIONS

① DISTRITO FEDERAL

Map Key

POPULATION

- ■ above 5 million
- ■ 1 million to 5 million
- ■ 500,000 to 1 million
- ● 100,000 to 500,000
- ● 50,000 to 100,000
- ● 10,000 to 50,000
- ∘ below 10,000

ELEVATION

- 4000m / 13,124ft
- 3000m / 9843ft
- 2000m / 6562ft
- 1000m / 328ft
- 500m / 1640ft
- 250m / 820ft
- 100m / 328ft
- sea level

What to See

❶ Baja California
This 800 mile (1,287 km) tongue of land is loved primarily for its desert and mountain wildernesses, lonely beaches, and wildlife

❷ Copper Canyon
(near Creel) This amazing gorge is 750 ft (229 m) deeper and four times bigger than the Grand Canyon in the US

❸ Zacatecas
On a desert plain, its colonial center is a warren of lanes and has excellent museums

❹ Guadalajara
Mexico's second-largest city retains its provincial ambience and extensive colonial charm

❺ Guanajuato
Pastel façades, crooked cobbled alleyways, and colonial architecture have earned this vibrant city a UNESCO World Heritage site listing

❻ Mexico City
An intoxicating mega-city with colonial serenity amid the raucous modernity

❼ Teotihuacán
The civilization that created this awesome city remains a mystery. Climb the huge Pyramid of the Sun

❽ Taxco
This time-warped maze of a town, clinging to a hillside, is famous for its silverware

❾ Cholula
The grass-covered pyramid with a church on top offers views of Popocatépetl volcano

❿ Acapulco
This one-time jet-set resort has aged gracefully, its balmy climate attracting visitors to its beaches and legendary nightlife

⓫ Monte Albán
The ancient Zapotec capital is a gem of archaeology—near the colonial city of Oaxaca

⓬ Palenque
Set in tropical rainforest this classic Mayan site is the most hauntingly beautiful in Mexico

⓭ Chichén Itzá
The Temple of the Warriors, the ball court, Great Pyramid, and platform of the skulls are highlights in this Toltec-Maya capital

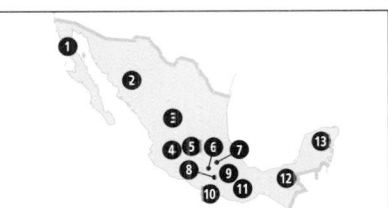

Xel-Ha, Yucatan Peninsula: Time lingers here, where nature reserves and eco-tourism seek to protect this magical region. Once settled by the Maya civilization, it abounds in flora, fauna, and marine life. Snorkellers and divers value the crystal clear waters of the lagoons and coral reefs, while far-sighted visitors opt for the peace of remoter white beaches backing onto jungle.

Activities

Enjoy first class whale watching, birdwatching, and sport fishing in **Baja California**

Scuba dive or snorkel on magnificent coral reefs off **Yucatan's** beaches

Observe Mexicans celebrating their ancestors on the **Day of the Dead** (1–2 November)

Hike around the delightful wilderness scenery of **Veracruz-Llave** and **Morelos** states

Savor the spectacle of a major soccer match at Mexico City's magnificent **Azteca Stadium**

Mexico City: The Catedral Metropolitana took 250 years to complete and now represents an unusual combination of many architectural styles. Built on a lake bed like the rest of the city, it needs frequent reinforcements to prevent further sinkage into the loose subsoil.

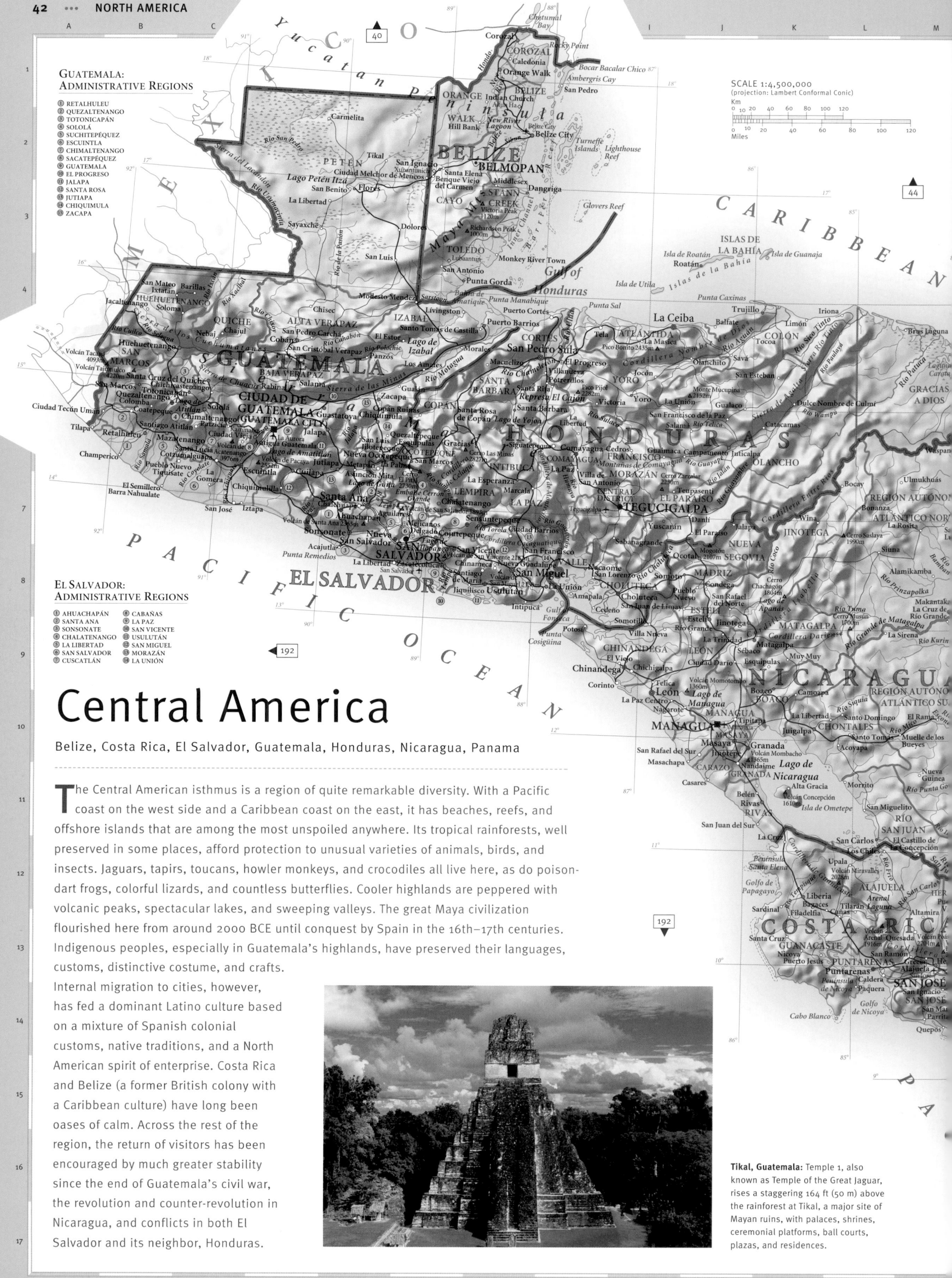

◄ 40

44 ►

◄ 192

192

**GUATEMALA:
ADMINISTRATIVE REGIONS**

① RETALHULEU
② QUEZALTENANGO
③ TOTONICAPÁN
④ SOLOLÁ
⑤ SUCHITEPÉQUEZ
⑥ ESCUINTLA
⑦ CHIMALTENANGO
⑧ SACATEPÉQUEZ
⑨ GUATEMALA
⑩ EL PROGRESO
⑪ JALAPA
⑫ SANTA ROSA
⑬ JUTIAPA
⑭ CHIQUIMULA
⑮ ZACAPA

**EL SALVADOR:
ADMINISTRATIVE REGIONS**

① AHUACHAPÁN
② SANTA ANA
③ SONSONATE
④ CHALATENANGO
⑤ LA LIBERTAD
⑥ SAN SALVADOR
⑦ CUSCATLÁN
⑧ CABAÑAS
⑨ LA PAZ
⑩ SAN VICENTE
⑪ USULUTÁN
⑫ SAN MIGUEL
⑬ MORAZÁN
⑭ LA UNIÓN

SCALE 1:4,500,000
(projection: Lambert Conformal Conic)

Central America

Belize, Costa Rica, El Salvador, Guatemala, Honduras, Nicaragua, Panama

The Central American isthmus is a region of quite remarkable diversity. With a Pacific coast on the west side and a Caribbean coast on the east, it has beaches, reefs, and offshore islands that are among the most unspoiled anywhere. Its tropical rainforests, well preserved in some places, afford protection to unusual varieties of animals, birds, and insects. Jaguars, tapirs, toucans, howler monkeys, and crocodiles all live here, as do poison-dart frogs, colorful lizards, and countless butterflies. Cooler highlands are peppered with volcanic peaks, spectacular lakes, and sweeping valleys. The great Maya civilization flourished here from around 2000 BCE until conquest by Spain in the 16th–17th centuries. Indigenous peoples, especially in Guatemala's highlands, have preserved their languages, customs, distinctive costume, and crafts. Internal migration to cities, however, has fed a dominant Latino culture based on a mixture of Spanish colonial customs, native traditions, and a North American spirit of enterprise. Costa Rica and Belize (a former British colony with a Caribbean culture) have long been oases of calm. Across the rest of the region, the return of visitors has been encouraged by much greater stability since the end of Guatemala's civil war, the revolution and counter-revolution in Nicaragua, and conflicts in both El Salvador and its neighbor, Honduras.

Tikal, Guatemala: Temple 1, also known as Temple of the Great Jaguar, rises a staggering 164 ft (50 m) above the rainforest at Tikal, a major site of Mayan ruins, with palaces, shrines, ceremonial platforms, ball courts, plazas, and residences.

Chichicastenango, Guatemala: Women sell flowers on the steps of the 400-year old church of Santo Tomás, location for the country's liveliest and most colorful market. Copal incense fills the air as thousands of indigenous people mix religious observance with business and large crowds of visitors shop for local handicrafts.

What to See

❶ Tikal
Of the great cities of the Maya period (250 BCE–900 CE) none matched the majesty and power of Tikal whose temples rise mysteriously out of the rainforest

❷ Barrier Reef
An ecological wonder, Belize's barrier reef is the world's second-largest. Its cayes (small islands) have coral reefs teeming with exotic sea life

❸ Chichicastenango
Famous Amerindian handicraft market centered on the charming, 400-year-old Santo Tomás church in this little Guatemalan hill town

❹ Lago de Atitlán
Native Guatemalan communities with their own language and dress are dotted around this large lake, fabled for its dramatic setting beneath towering volcanoes

❺ Antigua Guatemala
Once capital of Spanish colonial Guatemala. With cobbled streets, churches, convents, and grand residences

❻ Copán
Set in jungle, Honduras' important Maya site has a collection of reliefs depicting Copán's kings carved on the 63-step Hieroglyphic Stairway

❼ Lago de Ilopango
El Salvador's largest freshwater lake, formed in a giant volcano, is an ideal place for fishing, boating, and picnicking

❽ Laguna de Alegria
(near Usulután) An emerald green lagoon in the dormant Tecapa volcano, provides a rare chance to crater dive

❾ León Cathedral
Central America's largest cathedral contains grand colonial religious art and the tombs of Nicaragua's most famous citizens

❿ Islas del Maíz
Remote, beautiful, and unspoiled, these Nicaraguan islands are largely undiscovered Caribbean gems

⓫ Parque Nacional Volcán Arenal
Costa Rica is dotted with wildlife reserves. This one has the added drama of a continuously active volcano

⓬ Panama Canal
Linking the Atlantic and Pacific was one of the greatest ever feats of engineering. Ships use a series of locks to cross the 50 mile (80 km) isthmus

⓭ Darien National Park
Guided tours allow travel deep into rainforests, revealing rich flora and fauna

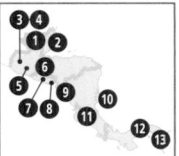

Activities

Scuba and snorkel in crystal clear waters off **Belize**'s cayes

Take out a kayak to experience the full grandeur of **Lago de Atitlán**, Guatemala

Zip through Costa Rica's **Monteverde Cloud Forest** on an aerial tram

Hike around **Lago de Nicaragua**, with its awesome twin volcanoes forming Isla de Ometepe

Go whitewater rafting on **Rio Congrejal's** scary rapids near La Ceiba, Honduras

Take your binoculars for a bit of birdwatching in **Panama**'s national parks, where around 1,000 species can be found

Surf the Pacific rollers at the new surf resort of **La Libertad**, El Salvador

Map Key

POPULATION
◉ 500,000 to 1 million
◎ 100,000 to 500,000
⊕ 50,000 to 100,000
○ 10,000 to 50,000
○ below 10,000

ELEVATION
4000m / 13,124ft
3000m / 9843ft
2000m / 6562ft
1000m / 3281ft
500m / 1640ft
250m / 820ft
100m / 323ft
sea level

Barrier reef off Belize: Often referred to as one of the "Seven Underwater Wonders of the World," Belize's famous barrier reef of corals and spectacular underwater gardens teems with sea life in waters averaging 79–84°F—a paradise for scuba divers and snorkellers.

44 ▶

44

192 ▼

54 ▶

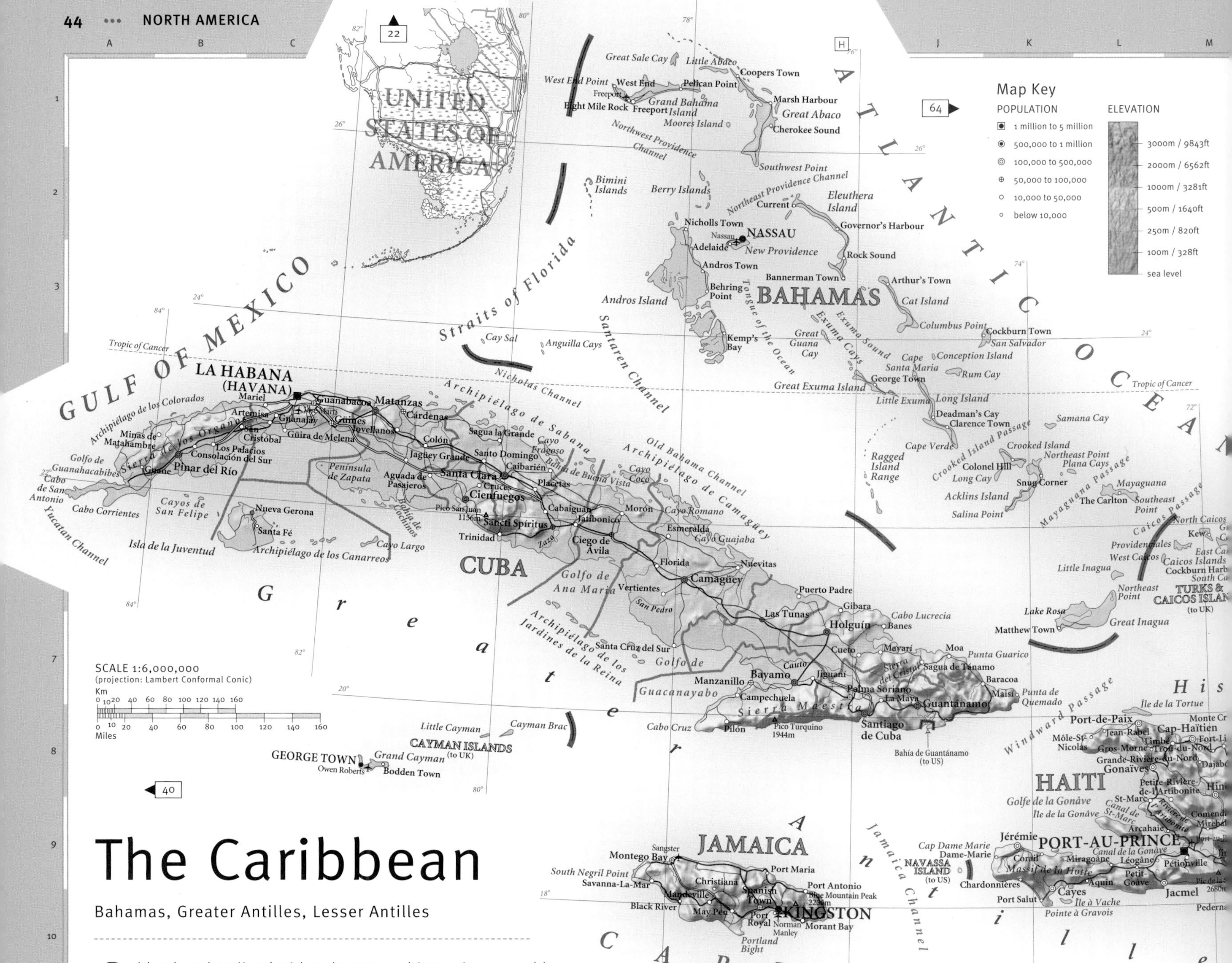

Map labels (The Caribbean region):

UNITED STATES OF AMERICA

BAHAMAS
Great Sale Cay · Little Abaco · Coopers Town · West End Point · West End · Pelican Point · Marsh Harbour · Great Abaco · Freeport · Grand Bahama Island · Eight Mile Rock · Freeport · Moores Island · Cherokee Sound · Northwest Providence Channel · Southwest Point · Bimini Islands · Berry Islands · Northeast Providence Channel · Current · Eleuthera Island · Nicholls Town · NASSAU · Governor's Harbour · Nassau · New Providence · Rock Sound · Adelaide · Andros Town · Bannerman Town · Arthur's Town · Behring Point · Andros Island · Kemp's Bay · Great Guana Cay · Exuma Cays · Conception Island · Cape Santa Maria · Rum Cay · Columbus Point · Cockburn Town · San Salvador · George Town · Great Exuma Island · Little Exuma · Long Island · Samana Cay · Deadman's Cay · Clarence Town · Cape Verde · Crooked Island Passage · Crooked Island · Ragged Island Range · Colonel Hill · Northeast Point · Plana Cays · Long Cay · Snug Corner · Mayaguana · Acklins Island · The Carlton · Southeast Point · Salina Point · Little Inagua · Mayaguana Passage

CUBA
Archipiélago de los Colorados · LA HABANA (HAVANA) · Mariel · Guanabacoa · Matanzas · Artemisa · Güines · Cárdenas · Guanajay · Jovellanos · Minas de Matahambre · Los Palacios · Cristóbal · Colón · Sagua la Grande · Consolación del Sur · Jagüey Grande · Santo Domingo · Cayo Fragoso · Güane · Pinar del Río · Güira de Melena · Santa Clara · Caibarién · Cruces · Cienfuegos · Pico San Juan 1156m · Sancti Spíritus · Cabaiguán · Jatibonico · Morón · Cayo Coco · Trinidad · Ciego de Ávila · Cayo Romano · Florida · Camagüey · Cayo Guajaba · Nuevitas · Esmeralda · Puerto Padre · Vertientes · Gibara · Cabo Lucrecia · Las Tunas · Holguín · Banes · Cueto · Mayarí · Moa · Punta Guarico · Manzanillo · Bayamo · Cauto · Jiguaní · Sagua de Tánamo · Campechuela · Palma Soriano · Baracoa · Santa Cruz del Sur · Pilón · Pico Turquino 1944m · Santiago de Cuba · La Maya · Guantánamo · Maisí · Punta de Quemado · Cabo Cruz · Bahía de Guantánamo (to US) · Sierra Maestra

Isla de la Juventud · Nueva Gerona · Santa Fé · Cayo Largo · Archipiélago de los Canarreos · Península de Zapata · Aguada de Pasajeros

CAYMAN ISLANDS (to UK)
Little Cayman · Cayman Brac · GEORGE TOWN · Grand Cayman · Owen Roberts · Bodden Town

JAMAICA
Sangster · Montego Bay · Port Maria · Christiana · Port Antonio · Magdotty · Blue Mountain Peak 2256m · Black River · May Pen · Spanish Town · KINGSTON · Norman Manley · Morant Bay · Portland Bight · South Negril Point · Savanna-La-Mar

HAITI
Île de la Tortue · Port-de-Paix · Jean-Rabel · Cap-Haïtien · Môle-St-Nicolas · Gros-Morne · Fort-Liberté · Grande-Rivière-du-Nord · Dajabón · Gonaïves · Petite-Rivière-de-l'Artibonite · St-Marc · Jérémie · Cap Dame Marie · Dame-Marie · PORT-AU-PRINCE · Pétionville · Miragoâne · Léogâne · Petit-Goâve · Jacmel · Cayes · Aquin · Île à Vache · Port Salut · Chardonnières · Pointe à Gravois · Pederna... · Golfe de la Gonâve · Île de la Gonâve · Massif de la Hotte · NAVASSA ISLAND (to US) · Windward Passage

GULF OF MEXICO · Straits of Florida · Tropic of Cancer · Yucatan Channel · Cabo de San Antonio · Cabo Corrientes · Golfo de Guanahacabibes · Cay Sal · Anguilla Cays · Santaren Channel · Nicholas Channel · Archipiélago de Sabana · Old Bahama Channel · Archipiélago de Camagüey · Great Bahama Bank · Tongue of the Ocean · Exuma Sound · ATLANTIC OCEAN · Cat Island · Great Exuma Island · TURKS & CAICOS ISLANDS (to UK) · North Caicos · Providenciales · West Caicos · Caicos Islands · Cockburn Town · South Caicos · Great Inagua · Lake Rosa · Matthew Town · Caicos Passage · Great · er · An · til · les · CARIBBEAN SEA · Jardines de la Reina · Golfo de Ana María · Golfo de Guacanayabo · Jamaica Channel · Nicholas Channel · Hisp...

22
64
40

Map Key

POPULATION	
▣	1 million to 5 million
◉	500,000 to 1 million
◎	100,000 to 500,000
⊕	50,000 to 100,000
○	10,000 to 50,000
∘	below 10,000

ELEVATION

	3000m / 9843ft
	2000m / 6562ft
	1000m / 3281ft
	500m / 1640ft
	250m / 82oft
	100m / 328ft
	sea level

SCALE 1:6,000,000
(projection: Lambert Conformal Conic)

The Caribbean

Bahamas, Greater Antilles, Lesser Antilles

Golden beaches lined with palm trees, shimmering azure-blue seas, raunchy dance rhythms, and steel bands make up the West Indies, the islands that Columbus chanced upon in 1492 when searching for a westward route to India. The region is now a hugely popular tourist destination, but the sheer number of islands to choose from has enabled many of them to remain unspoiled, providing perfect idylls for those wanting secluded beaches as well as those favoring nightlife and carnival. Fantastic scenery is part of the attraction on many of the volcanic islands, while others are focused more exclusively around the beach.

Culturally, the islands have great diversity, with people of American, African, Asian, and European descent mixing together. The British influence is responsible for the popularity of cricket, and the West Indies team dominated the sport in the 1970s and 1980s; it is still a treat to watch a top international match, among exuberant local fans, in hotbeds like Barbados, Jamaica, and Trinidad.

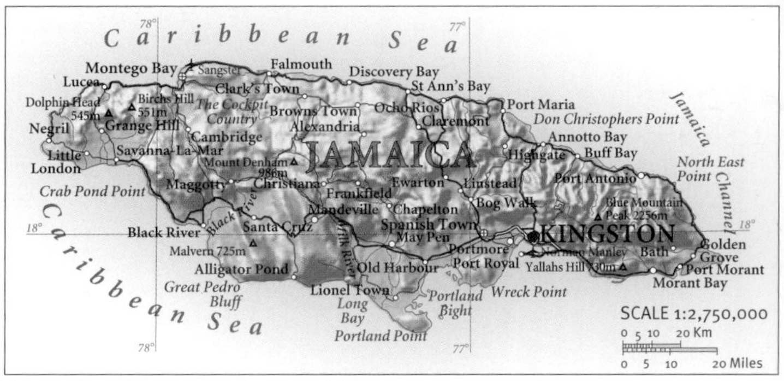

Jamaica inset map (SCALE 1:2,750,000):
Caribbean Sea · Montego Bay · Sangster · Falmouth · Discovery Bay · St Ann's Bay · Lucea · Clark's Town · Browns Town · Ocho Rios · Port Maria · Dolphin Head · Birch Hill · The Cockpit Country · Alexandria · Don Christophers Point · Annotto Bay · Negril · Grange Hill · Cambridge · Claremont · Buff Bay · Little London · Savanna-La-Mar · Mount Denham 963m · Ewarton · Linstead · Port Antonio · Crab Pond Point · Maggotty · Frankfield · Chapelton · Bog Walk · Blue Mountain Peak 2256m · Christiana · Mandeville · Spanish Town · KINGSTON · Black River · Santa Cruz · Old Harbour · Port Royal · Malvern 725m · Portmore · Yallahs Hill · Bath · Alligator Pond · Lionel Town · Spanish Town · Golden Grove · Great Pedro Bluff · Long Bay · Portland Bight · Wreck Point · Port Morant · Portland Point · Morant Bay · Caribbean Sea

Activities

Carnival in **Port-of-Spain**, Trinidad—dazzling arrays of costumes, dancing, and calypso	Helicopter over the astonishing limestone landforms of **Cockpit Country**, Jamaica
Snorkel among color-crazy fish, **Bahamas**	Dance to **Cuba's** distinctive *son* music
Isolate yourself on **Grand Anse**, one of Grenada's many perfect beaches	Sail around the **British Virgin Islands** – craggy peaks of mostly underwater volcanoes
Tee off at **Teeth of the Dogs,** a world-class golf course in the Dominican Republic	Scuba dive off **Grand Cayman** for some of the region's best reefs and marine life

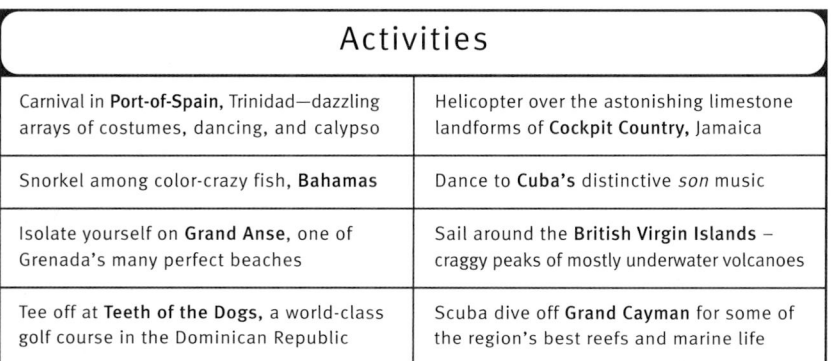

Soufrière, St. Lucia:
The twin Pitons form one of the most striking features of the Caribbean. Tropical beaches, pristine rainforest, and golf courses make this one of the major getaways of the region.

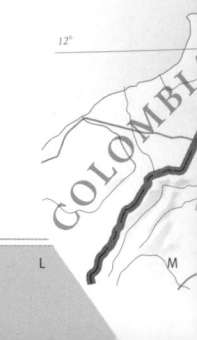

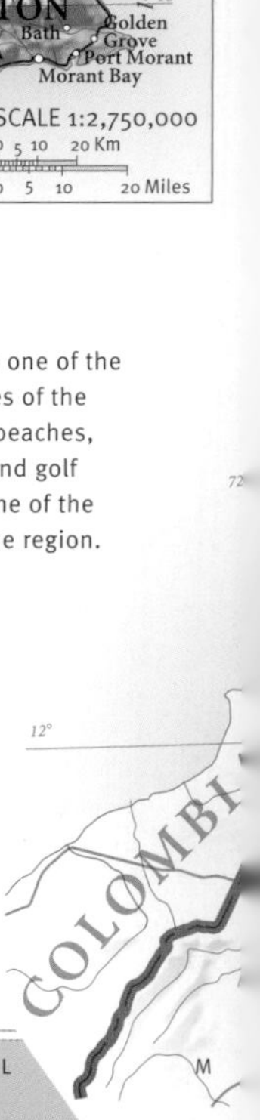

COLOMBIA

Museo del Carnival, Santiago de Cuba: This religious festival involves music, brightly-colored masks, and dancing—the conga being one of the more popular ways to parade the streets.

What to See

❶ Bahamas
Pink sands, dolphins, diving, and fishing have made these islands hugely popular. Those keen on sailing and windsurfing are also well-catered for

❷ Cuba
Island of Latin rhythms and stylish buildings that inspired Hemingway's *The Old Man and the Sea*

❸ Puerto Rico
Spanish colonial architecture of the capital, San Juan, contrasts with the tropical forests of El Yunque National Park

❹ Morne Trois Pitons
Dominica's best national park, a World Heritage Site, has lush rainforest, hot springs, and waterfalls

❺ St. Lucia
A relaxing island, where two pyramidal mountains soar out of the sea

❻ Barbados
Known for its perfect beaches, historic towns, and attractive walks and of course—cricket!

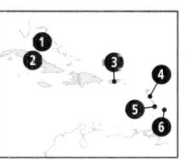

Tobago: Verdant landscapes, gorgeously clean, white, sandy beaches and calm turquoise seas—filled with excellent marine life and suitable for a wide range of sports activities.

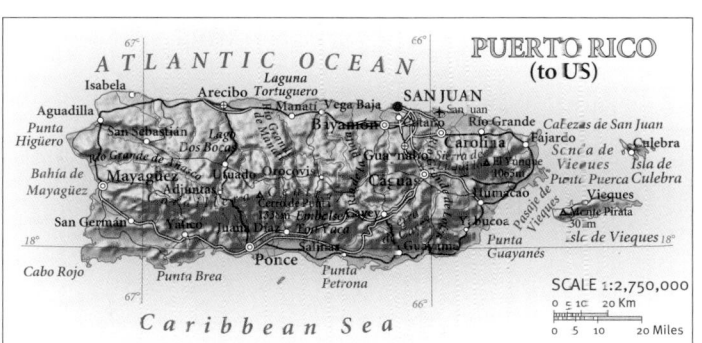

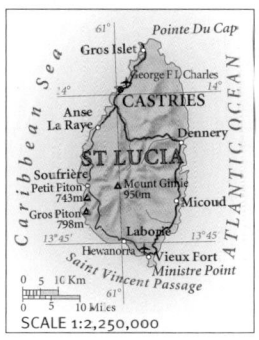

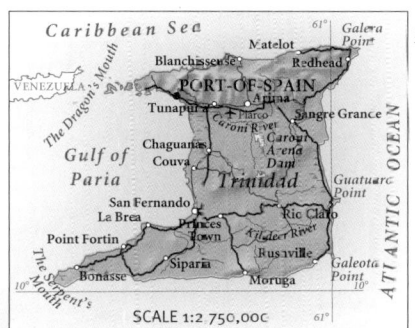

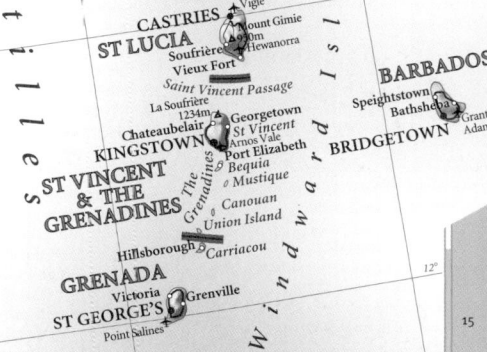

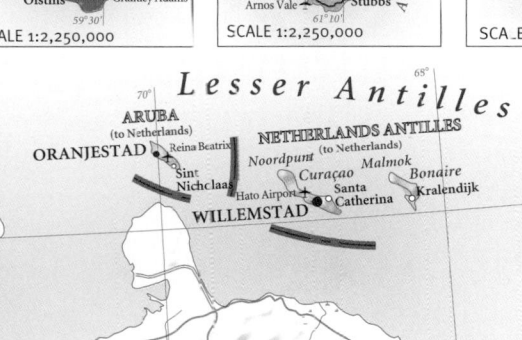

South America

"My poetry was born between the
hill and the river, it took its voice
from the rain, and like the timber,
it steeped itself in the forests." PABLO NERUDA, 1904-1973

Physical South America

South America, stretching from the Caribbean Sea to the Southern Ocean, covers three main physical regions. In the west, the vast mountain range of the Andes marches through seven countries. The Andean mountains are harsh and unforgiving, containing some of the world's largest volcanoes. Lake Titicaca lies in a dormant crater. It is, at 12,500 ft (3,800 m), the highest significant body of water in the world and the largest lake in South America. In the east, the Brazilian and Guyana shields are ancient mountain formations, far more eroded than the much younger Andes. Between these two are the huge, tropically rainforested, river basins of the Amazon and the Orinoco, broad grassland expanses of pampas and *llanos,* and the Gran Chaco lowland plain.

Amazon

The Amazon Basin, the world's largest, covers half of Brazil. Its extraordinary fecundity is the result of extremely high rainfall and the rich silt carried by the Amazon and its many tributaries. The rainforests host a profusion of animals and plants. Commercial extraction of hardwood is a major cause of damage to the fragile ecosystem.

SCALE 1:33,900,000
(projection: Lambert Azimuthal Equal Area)

Km
0 100 200 400 600 800

Miles
0 100 200 400 600 800

Map Key

ELEVATION

6000m / 19,686ft	
4000m / 13,124ft	
3000m / 9843ft	
2000m / 6562ft	
150om / 4922ft	
1000m / 3281ft	
500m / 1640ft	
250m / 820ft	
100m / 328ft	
sea level	

PLATE MARGINS

——— constructive

△ △ destructive

——— conservative

·········· uncertain

——— physiographic regions

Andes

The Andes form a natural border between Argentina and Chile in the south of the continent, leaving a thin strip of coast to the west that contains the Atacama Desert, one of the driest places on the planet—some areas have never recorded any rainfall. Within the mountains, the Altiplano—a flat plateau at 12,500 ft (3,800 m)—covers Bolivia and parts of Peru.

Pampas

Wide plains of pampas grass are typical of Argentina and Paraguay, supporting massive herds of cattle to produce meat, hides, and milk. The word "pampas" comes from an Amerindian term meaning "flat surface."

Climate

In the tropical northeast of the continent, high rainfall and temperatures feed the lush vegetation. These tropical conditions are found over half the continent of South America. In the west, the Andes barrier creates a rainshadow—an area in the lee of the mountains with less rain and cloud cover. As one travels south to the pampas plains of Paraguay and Argentina, the tropical conditions give way to mild winters and cool summers. Finally, in the deep south of Patagonia, Antarctic conditions creep in—the ferocity of the winds off Cape Horn makes it one of the world's most dangerous areas for shipping.

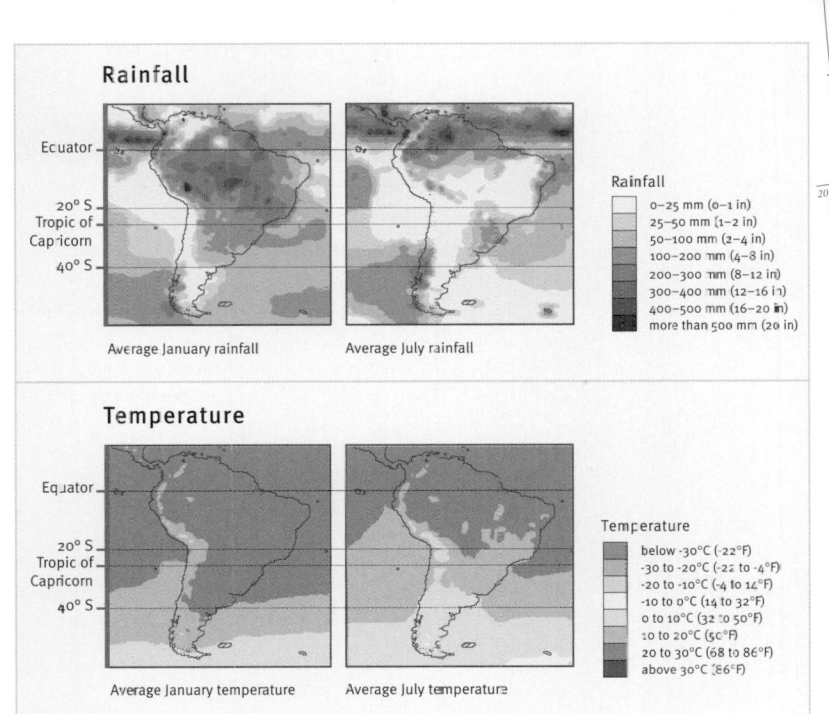

Rainfall

Ecuator
20° S
Tropic of Capricorn
40° S

Average January rainfall

Average July rainfall

Rainfall

	0–25 mm (0–1 in)
	25–50 mm (1–2 in)
	50–100 mm (2–4 in)
	100–200 mm (4–8 in)
	200–300 mm (8–12 in)
	300–400 mm (12–16 in)
	400–500 mm (16–20 in)
	more than 500 mm (20 in)

Temperature

Equator
20° S
Tropic of Capricorn
40° S

Average January temperature

Average July temperature

Temperature

	below -30°C (-22°F)
	-30 to -20°C (-22 to -4°F)
	-20 to -10°C (-4 to 14°F)
	-10 to 0°C (14 to 32°F)
	0 to 10°C (32 to 50°F)
	10 to 20°C (50°F)
	20 to 30°C (68 to 86°F)
	above 30°C (86°F)

Climate

	tundra
	cool continental
	warm humid
	semi-arid
	arid
	humid equatorial
	tropical
☼	daily hours of sunshine, January
☼	daily hours of sunshine, July
→	cold wind

Guiana Highlands, Brazil: Early morning mist masks the canopy of the rainforest in the Amazon Basin.

Using Land and Sea

The southern pampas is good for cereal growing and cattle ranching, while Chile's central valley supports vineyards and farms producing fruit and walnuts. Soya is widely grown in Uruguay and Brazil, often for use in animal feed. Brazil is the world's largest coffee grower, and also a major producer of oranges and sugar. In the west, the higher regions are grazed by alpacas and llamas as well as sheep and cattle, while coastal regions support the production of cash crops such as rice and bananas. In the north, particularly in Colombia, many farmers are put off by big fluctuations in prices for cash crops, and opt to grow more lucrative narcotics, especially coca, instead.

Using the Land and Sea

	barren land		cocoa
	cropland		cotton
	desert		coffee
	forest		fishing
	mountain region		oil palms
	pasture		peanuts
●	major conurbations		rubber
			shellfish
	cattle		soya beans
	pigs		sugar cane
	sheep		vineyards
	bananas		wheat
	corn (maize)		
	citrus fruits		

Colca Canyon, Peru: Steep mountainsides are packed with terraces to maximize crop-growing space in the deep valleys of the Andes mountains.

Political South America

Populated originally by a number of Amerindian tribes, brought together in the west by the Incas of Peru, South America was colonized from the 1500s by Spanish and Portuguese adventurers. The states that emerged sought independence in the 1800s under the inspirational leadership of Simon de Bolívar. Today, almost all have long-established political systems based on a strong presidency. Most underwent periods of right-wing and military leadership in the 1970s, but the general trend now is for more left-wing governments, and usually more democratic transfers of power. Alongside these republics sits the largest remaining overseas colony in the world—French Guiana, legally part of the European Union.

San Francisco Church, Lima, Peru: South America's cities showcase elaborate churches, monasteries, and convents, built by the Spanish and Portuguese colonial settlers.

Transportation

Paved highways, though usually confined to the more densely inhabited coastal regions, carry huge eighteen-wheelers between cities and are now also starting to slice through once unsullied rainforests—conservationists agonize over the effect of this intrusion on delicate ecologies. Argentina has the world's largest private road system. Railroads burgeoned in the 1800s, while a system of internal air corridors is now well established, though sometimes unreliable.

Matses Indians hunting on the Amazon: Over 300 different tribes live in the Amazon Basin, speaking at least 170 languages and dialects.

Transport
— major roads and motorways
— major railways
— international borders
• transport intersections
⊕ international airports
⊕ major ports

❶ Peru Highway 1 is part of the Pan-American Highway that runs the entire length of the Americas from Alaska to southern Chile.

❷ The great plains of the Gran Chaco are best crossed on horseback in the company of local gauchos.

❸ Many of the towns and villages deep within the Amazon Basin are best accessed by light aircraft or river ferries. To reach further up the smaller tributaries, you still need to travel by canoe or dinghy.

Language groups
▢ American Indian
▢ Germanic
▢ Romance

Languages

South America is dominated by Spanish, spoken in all but four countries. The main exception is Brazil, the largest Portuguese-speaking nation in the world—the others are Guyana (English), Suriname (Dutch), and French Guiana (French). These colonial languages overlaid Amerindian indigenous languages, which survive most strongly in Bolivia where Aymara and Quechua are joint official languages with Spanish.

Inti Raimi, Peru: This Inca festival to the sun god is still held at the temple of Sacsayhuaman in Cusco each year on the winter solstice in June.

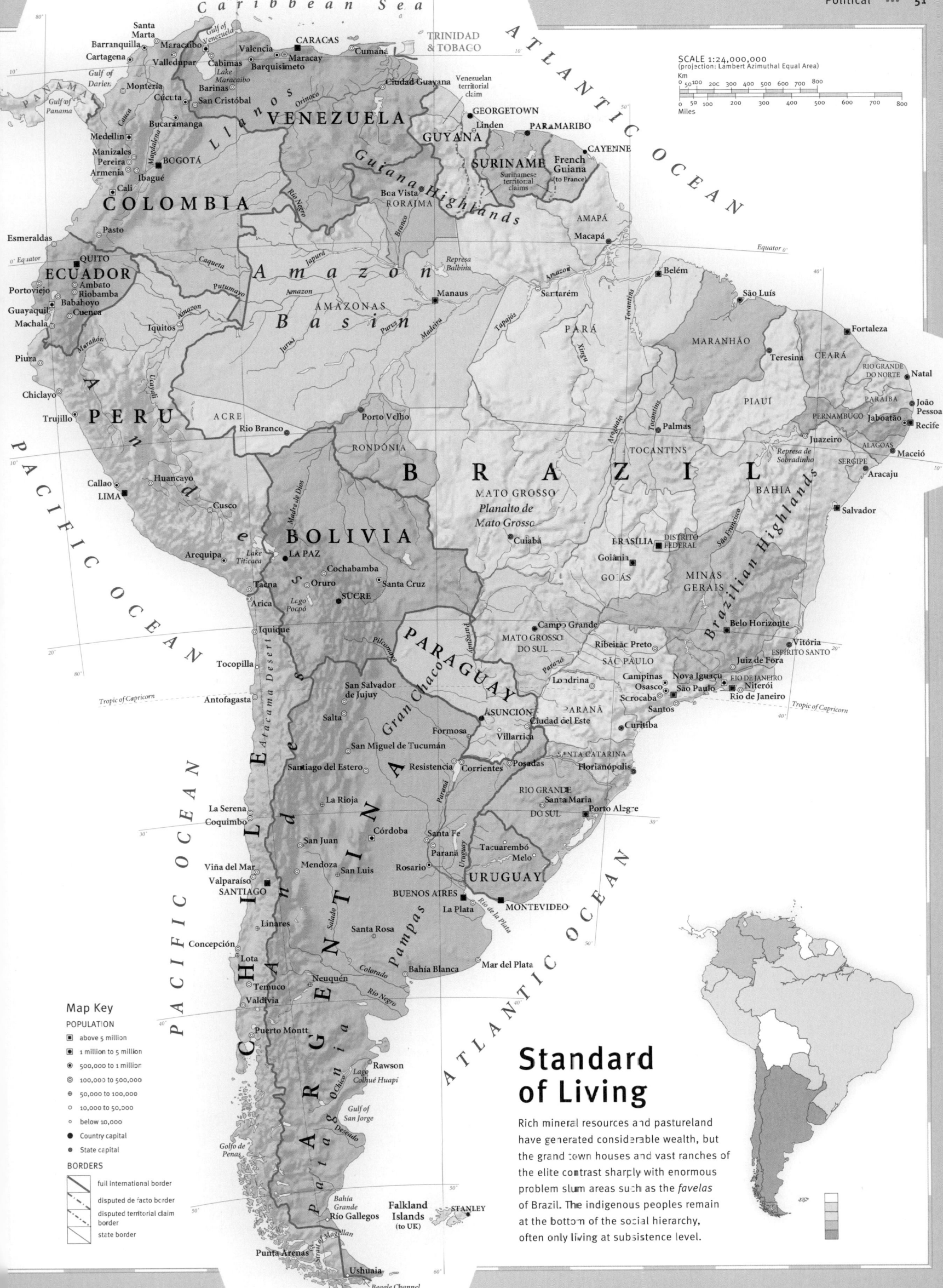

Caribbean Sea

ATLANTIC OCEAN

TRINIDAD & TOBAGO

Santa Marta
Barranquilla
Cartagena
Gulf of Darien
Maracaibo
Valledupar
Cabimas
Valencia
CARACAS
Maracay
Cumaná
Gulf of Venezuela
Lake Maracaibo
Barquisimeto
Ciudad Guayana
Venezuelan territorial claim
GEORGETOWN
Linden
PARAMARIBO
CAYENNE

PANAMA
Gulf of Panama

Montería
Cúcuta
Barinas
San Cristóbal
Bucaramanga
Medellín
Manizales
Pereira
Armenia
Ibagué
BOGOTÁ
Cali

VENEZUELA
Orinoco
Llanos

GUYANA
SURINAME
Surinamese territorial claims
French Guiana (to France)

COLOMBIA
Pasto

Río Negro
Guiana Highlands
Boa Vista
RORAIMA
AMAPÁ
Macapá

Esmeraldas
Equator 0°
QUITO
ECUADOR
Portoviejo
Ambato
Riobamba
Babahoyo
Guayaquil
Cuenca
Machala

Caquetá
Putumayo
Japurá
Amazon
Represa Balbina

Amazon
Equator 0°
Belém
São Luís

Iquitos

Marañón

AMAZONAS
Basin
Manaus
Santarém
PARÁ
MARANHÃO
Teresina
CEARÁ
Fortaleza

Piura

A
n
d
e
s

PERU
ACRE

Amazon
Ucayali
Juruá
Purus
Madeira
Tapajós
Xingu
Tocantins
Araguaia

PIAUÍ
RIO GRANDE DO NORTE
Natal

Chiclayo
Trujillo

Porto Velho
Rio Branco
RONDÔNIA

PARAÍBA
PERNAMBUCO
Juazeiro
Jaboatão
João Pessoa
Recife

Callao
LIMA
Huancayo
Cusco
Madre de Dios

B   R   A   Z   I   L

ALAGOAS
Maceió
SERGIPE
Aracaju

MATO GROSSO
Planalto de Mato Grosso

Represa de Sobradinho
BAHIA

Brazilian Highlands

Salvador

Arequipa
BOLIVIA
Cochabamba
Lake Titicaca
LA PAZ
Oruro
Santa Cruz
SUCRE

Cuiabá
BRASÍLIA
DISTRITO FEDERAL
Goiânia
GOIÁS
MINAS GERAIS

São Francisco

Belo Horizonte

Tacna
Arica
Lago Poopó

Vitória
ESPÍRITO SANTO

Iquique
Tropic of Capricorn

PARAGUAY
Pilcomayo
Paraguay

Campo Grande
MATO GROSSO DO SUL
Paraná

Ribeirão Preto
SÃO PAULO
Londrina
Campinas
Osasco
Sorocaba
São Paulo
PARANÁ
Santos
RIO DE JANEIRO
Nova Iguaçu
Niterói
Rio de Janeiro
Juiz de Fora

Tropic of Capricorn

Tocopilla
Antofagasta

Atacama Desert

Gran Chaco

San Salvador de Jujuy

ASUNCIÓN
Ciudad del Este
Villarrica
Curitiba

Salta

Formosa
San Miguel de Tucumán
Santiago del Estero
Resistencia
Corrientes
Posadas
SANTA CATARINA
Florianópolis

A   R   G   E   N   T   I   N   A

La Rioja
Paraná
RIO GRANDE DO SUL
Santa Maria
Porto Alegre

La Serena
Coquimbo
San Juan
Córdoba
Santa Fe
Paraná
Tacuarembó
Melo

C   H   I   L   E

Cordillera de los Andes

Viña del Mar
Valparaíso
SANTIAGO
Mendoza
San Luis
Rosario
Santa Fe
URUGUAY
MONTEVIDEO

Linares
BUENOS AIRES
La Plata
Río de la Plata

Santa Rosa
Pampas

Concepción
Lota
Colorado
Bahía Blanca
Mar del Plata

Temuco
Valdivia
Neuquén
Río Negro

Puerto Montt

P
a
t
a
g
o
n
i
a

Chico
Lago Colhué Huapi
Rawson

Golfo de Penas
Deseado
Gulf of San Jorge

Bahía Grande
Río Gallegos
Falkland Islands (to UK)
STANLEY

Strait of Magellan
Punta Arenas
Ushuaia
Beagle Channel
Cape Horn

PACIFIC OCEAN

ATLANTIC OCEAN

Map Key

POPULATION
■ above 5 million
▪ 1 million to 5 million
◎ 500,000 to 1 million
◉ 100,000 to 500,000
◦ 50,000 to 100,000
○ 10,000 to 50,000
• below 10,000
● Country capital
• State capital

BORDERS
— full international border
-- disputed de facto border
--- disputed territorial claim border
— state border

Standard of Living

Rich mineral resources and pastureland have generated considerable wealth, but the grand town houses and vast ranches of the elite contrast sharply with enormous problem slum areas such as the *favelas* of Brazil. The indigenous peoples remain at the bottom of the social hierarchy, often only living at subsistence level.

Angel Falls, Venezuela

Winemaker, Argentina

The Cathedral, Paracas, Peru

La Paz, Bolivia

Tierra del Fuego, Argentina/Chile

Ways to Travel

The South American continent has the least-developed road network in the world. Many parts of the jungle are either completely or seasonally inaccessible, except by plane or riverboat. The former are quick and reasonably priced, although somewhat unreliable; the latter, mainly used by local inhabitants, can take weeks because of the enormous distances. Time permitting, they are ideal for a closer view of the region. The Andes have a surprising number of railroads, which provide a great way to get around—they are not quick, but the scenery is superb. Some of the most spectacular trips, using switchback trains, are the Riobamba Express through Ecuador, the train to Machu Picchu, and the classic route into the Cordillera Blanca, also in Peru. There are several excellent cruises available, the most famous being around the Galapagos Islands, while those from Chile and southern Argentina sail among fantastic fjords and glaciers.

Great South American Trips

❶ Riverboat Cruise in the Amazon Basin
Belém, Brazil—Iquitos, Peru
2,400 miles (3,800 km)
The best way to enjoy the Amazon river, stopping off frequently, seeing incomparable wildlife, and meeting local cultures.

❷ Train to the Clouds, Argentina
Salta—San Antonio de los Cobres
130 miles (210 km)
Day trip that climbs 13,000 ft (3,900 m) in the Andes, via switchbacks and tunnels and crosses the Polvorilla Canyon.

❸ Chile Cruise
Puerto Montt—San Rafael Glacier
1,000 miles (1,600 km)
This challenging cruise explores the remote islands off the unspoiled Chilean coast on its way down to the 300,000-year-old San Rafael Glacier.

Natural Sights

The western coast is partly made up of arid desert, forming a thin strip between the Pacific and the Andes, including dramatic features such as the Atacama Desert, the driest place on earth, and other stark desert landscapes. The Andes, the world's second-greatest mountain range, rise up to 22,831 ft (6,959 m) at Cerro Aconcagua in Argentina, with many other peaks approaching this height. At the southern end of the continent are fantastic glacial landscapes, and the famed Torres del Paine National Park with its huge towers of rock. Much of the rest of the continent is covered with Amazon rainforest, which, despite serious environmental concerns, is still being cleared at an astonishing rate—something like the area of Switzerland is lost every year. This region is sparsely populated and includes many tourist centers, as well as some sights which are extremely challenging to reach, like the breathtaking Angel Falls, the highest waterfall in the world. However, those making a special effort are always well rewarded.

Tierradentro, Colombia: South American bus trips are character-forming. Many passengers ride on the roof as the drivers negotiate winding, pot-holed mountain roads, avoiding the occasional mudslide.

Marine iguanas, Galapagos Islands: These Ecuadorian islands have a unique ecosystem with endemic species, such as marine iguanas, lava lizards, rice rats, and giant tortoises.

What to See

❷ Avenue of the Volcanoes, Ecuador
Highlight of the jagged Andes mountains

❸ Amazon Basin
The world's largest rainforest has a huge variety of wildlife

❶ Galapagos Islands
Cruise around these wildlife havens made famous by Darwin

❹ Salar de Uyuni, Bolivia
A vast, shimmering lake of salt

❺ Iguaçu Falls
On the Argentina-Brazil border, these dramatic falls are one of the world's wonders

❻ Lake District, Chile
A land of towering peaks, lakes, rivers, and volcanoes

❼ Glaciers National Park, Argentina
Vast, icy landscapes, including the majestic Perito Moreno glacier

Atacama Desert, Chile

Salt flats, Bolivia

Amazon, Brazil

Rio de Janeiro, Brazil

Waterfall, Guyana

Cultural Sights

Machu Picchu, Peru: The mystery may never be solved as to whether this Inca city was a royal palace, a high temple of the "Virgins of the Sun," or just a small town. It was never found by the Spanish *conquistadores* and so is remarkably well preserved.

Inca sights dominate the popular image of this continent, especially those of the magnificent Inca capital, Cusco, whose empire extended into Bolivia and Ecuador. However, there are also significant remains of numerous other cultures, notably at Tiahuanaco in Bolivia, and the Sipan tombs of northern Peru. The lack of written record of these comparatively modern pre-colonial civilizations has tantalized and excited visitors, and in spite of many remains, surprisingly little is known about them. Striking throughout much of the continent is the wealth of excellent Spanish colonial architecture. Particularly well preserved are Quito, Sucre, Cartagena, and Arequipa, which also boasts the extensive Santa Catalina Convent. Argentina is well known for its huge cattle ranches, called *estancias*, some of which can be visited and may even provide accommodation.

What to See

❶ Gold Museum, Bogotá, Colombia
Showcasing golden masterpieces of past civilizations

❷ Machu Picchu, Peru
The lost city of the great Inca empire

❸ Nazca Lines, Peru
Mysterious pictures drawn in the sand over 1,000 years ago and only visible from the air

❹ Uros Islands, Peru/Bolivia
Floating islands made of reeds on Lake Titicaca. Home of the Aymara Amerindians

❺ Silver Mines, Potosí, Bolivia
The once-great mines that fed the Spanish *conquistadores*' thirst for the precious metal

❻ Brasília, Brazil
A startling collection of buildings—Brasília embodies the principles of Modern architecture

Activities

Amazonian forest lodges and treetop walkways provide visitors with first-hand experience of the jungle's diversity of wildlife while limiting their impact on the environment. The astonishing variety of the Galapagos Islands is worth the trip, although some species that live there can also be seen on the mainland Pacific coast. There are excellent opportunities for mountaineering and hiking, particularly in the Andes, where Andean condors (amongst the world's largest flying birds) soar through the deep, terraced Colca Canyon. Mendoza in Argentina has the continent's top ski resort, and has views of its highest mountain, Cerro Aconcagua. Soccer dominates the sports scene and national teams arouse passionate support—repaid in the World Cup, which has been won by a South American nation more often than not.

What to Do

❶ Canopy Walkway, Iquitos, Peru
View the jungle wildlife from the treetops

❷ Inca Trail, Peru
Hike 30 miles (48 km) along the Inca route to Machu Picchu

❸ Amazon, Brazil
Take a fascinating night boat ride searching for caymans with glinting red eyes

❹ Witchcraft Market, La Paz, Bolivia
Search for traditional health remedies as concocted by the Callawaya culture

❺ Carnival, Rio de Janeiro, Brazil
Live the carnival atmosphere amid the colorful samba-dancing throng

❻ Tango in Buenos Aires, Argentina
Watch the tango the way it should be, and try it yourself

Sugarloaf Mountain at night, Rio de Janeiro, Brazil: Rio nightlife is festive all year round, with something for everyone—from tasty restaurant meals, to lively bars, samba halls, and dance clubs.

Northern South America

Colombia, Guyana, Suriname, Venezuela, *French Guiana* (to France)

- -

Pristine natural environments—Andean mountains, waterfalls, tropical jungles, grasslands, seas, coasts—teem with exotic species of plant, animal, and marine life. Turbulent histories have produced complex fusions of pre-colonial, Spanish, and African cultures. Venezuela and Colombia, the latter unsafe in parts for visitors, can be fascinating and extremely rewarding experiences. In Guyana, the British colonial legacy is interwoven with rich Afro-Caribbean and south Asian cultures. Suriname, a former Dutch colony, also draws on African, Amerindian, and Asian backgrounds for its demographic mix.

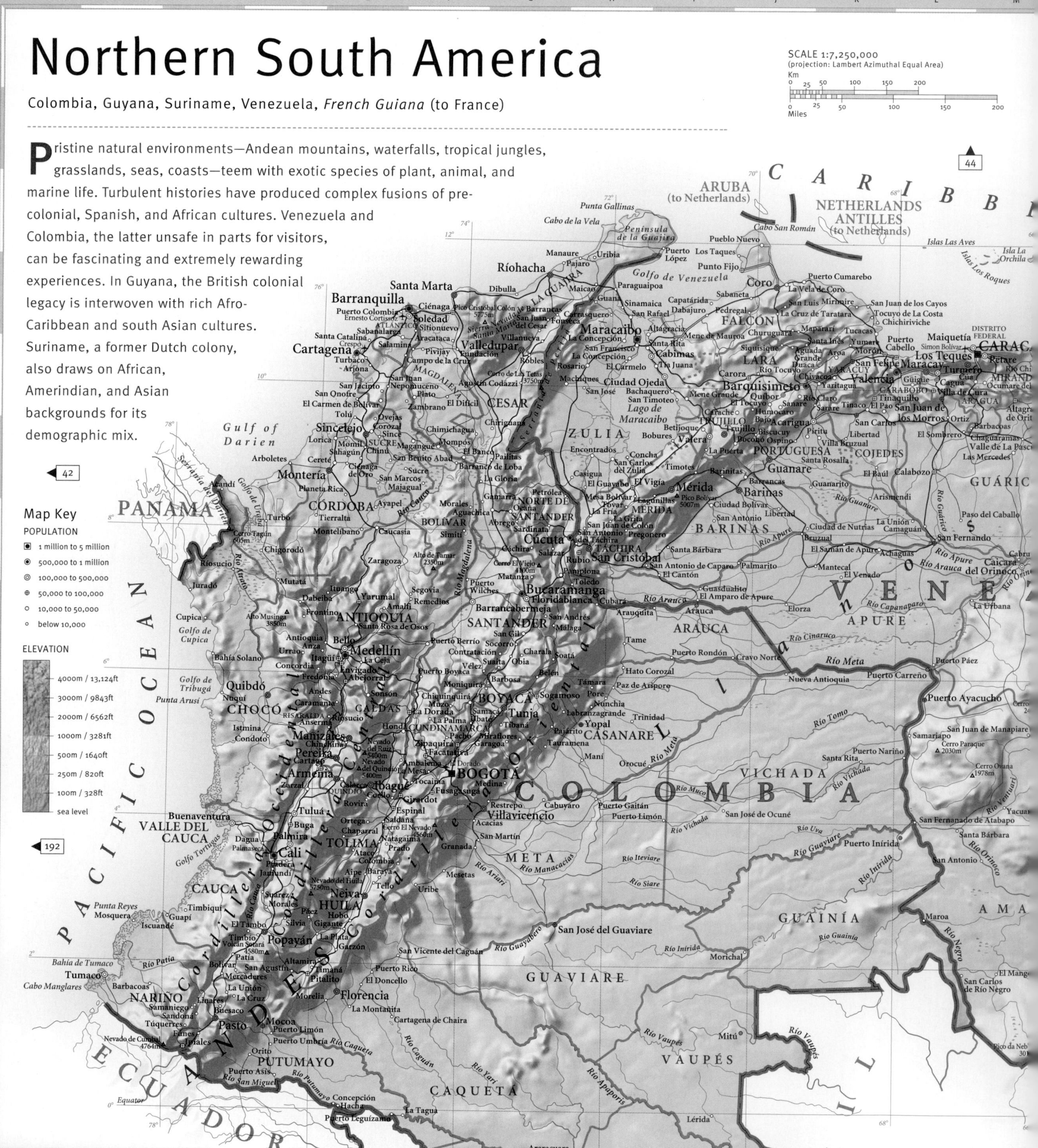

◀ 42

Map Key

POPULATION

- ▣ 1 million to 5 million
- ◉ 500,000 to 1 million
- ◎ 100,000 to 500,000
- ⊕ 50,000 to 100,000
- ⊙ 10,000 to 50,000
- ○ below 10,000

ELEVATION

- 4000m / 13,124ft
- 3000m / 9843ft
- 2000m / 6562ft
- 1000m / 3281ft
- 500m / 1640ft
- 250m / 820ft
- 100m / 328ft
- sea level

◀ 192

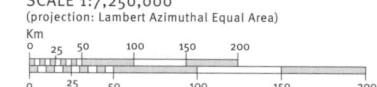

SCALE 1:7,250,000
(projection: Lambert Azimuthal Equal Area)

Helaconia in the montane rainforest, Colombia: This type of plant, with long red and yellow flowers, is pollinated by humming birds. Colombia is the fourth-largest country in South America and its Amazon basin interior is almost uninhabited. Significant areas are designated as national parks and reserves. Their unspoiled nature and great variety of animal and plant species make them globally important.

Cayenne, French Guiana: One of South America's most appealing cities, ethnically diverse Cayenne combines tropical ambience with French colonial style.

Activities

Observe leatherback turtles near **Mana** in French Guiana, April–September	Spot whales and dolphins off **Buenaventura**, Colombia
Ride or hike across the tree-scattered plains of **Rupununi Savanna**, Guyana	Ride the world's longest cable car from **Mérida** high into Venezuela's Andes
Tour of **Brownberg Nature Park**, Suriname overlooking an enormous reservoir	Study the artefacts and crafts of local cultures in **Puerto Ayacucho**, Venezuela
Snorkel and dive at the great coral reefs of the **Islas del Rosario**, off Cartagena, Colombia	Visit a cave-dwelling nocturnal bird colony at **Cueva del Guácharo** near Cumaná, Venezuela

Angel Falls (Salto Ángel), Venezuela: Water plummets from so high, 3,212 ft (979 m) that the torrent can evaporate into mist during the dry season. Located above remote jungle in Canaima National Park, the falls were chanced on in 1935 by US pilot Jimmy Angel, whose name they bear.

What to See

❶ Cartagena
Cartagena's churches, plazas, and atmospheric grand mansions are a Spanish colonial legacy. In addition, it offers a lively nightlife and numerous other nearby attractions

❷ Ciudad Perdida
(near Santa Marta)
Ancient ruined city of the Tayrona people—reached by a tough five-day hike through a beautiful national park

❸ Bogotá
Skyscrapers, colonial churches, top museums, and expensive shops coincide with shocking poverty, but Colombia's capital beats to a vibrant rhythm

❹ Gold Museum
(in Bogotá) One of Latin America's most important museums contains pre-Hispanic treasures and artefacts from Colombia's indigenous cultures

❺ Islas los Roques
This collection of Venezuelan reef islands, tidal islets, and reefs has glistening, white sands broken up by stretches of green mangrove swamps

❻ Angel Falls (Salto Ángel)
The highest falls in the world at 3,212 ft (979 m) pour down from a plateau with its own eco-system to dense jungle below. Making the trek up on foot is an unforgettable experience

❼ La Gran Sabana
A vast region of high savanna features abruptly rising mesas, riverbeds strewn with jasper, and a plethora of wildlife and plants, including rare orchids

❽ Kaieteur Falls
At their most dramatic during the wet season (January to August), Guyana's great falls, set in rainforest, are 226 m (741 ft) high

❾ Georgetown
Set amid flowering trees, Guyana's capital retains its British colonial charm and claims the world's largest wooden Gothic cathedral

❿ Voltzberg Nature Reserve
(on Coppename River) Climb Voltzberg peak at sunrise for remarkable views through rising mists of the Suriname's reawakening rainforest

⓫ Paramaribo
A capital of colorful markets, with a bustling waterfront, Catholic cathedral, Hindu temples, synagogues, mosques, and colonial Dutch buildings

⓬ Centre Spatial Guyanais (near Kourou)
A high-tech enclave, France's premier space center has free guided tours. Invitations are needed to spectate at one of the official *Ariane* rocket launches

⓭ Îles du Salut
Three small islands, including Île du Diable (Devil's Island), France's notorious 19th-20th-century penal colony

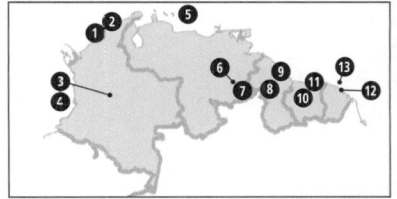

Western South America

Bolivia, Ecuador, Peru

The dramatic Inca citadel of Machu Picchu has done more than anything to put western South America on the global tourist map. The region, which stretches from the Equator down to the Argentinian border, can also offer dramatic Andean scenery, fine Spanish colonial buildings, and the remains of cultures long predating the Incas, whose own extensive empire crumbled almost without resistance in face of the arrival of the Spanish *conquistadores* in 1532. The high Andes, a volcanic area with many peaks over 20,000 ft (6,100 m) high, descends abruptly to the east into the Amazon basin, inaccessible by land. Most of the population is concentrated in the arid coastal strip west of the Andes, while some 600 miles (960 km) off the Pacific coast lie the Galapagos Islands, a naturalist's paradise made famous by Charles Darwin. Ecuador, Bolivia, and Peru share much common history, including their struggle for independence from Spain in the early 1800s, their recent relative stability, along with many top-class attractions, has helped the region establish itself as an important destination.

What to See

1 Galapagos Islands
Famous for the wildlife that inspired Darwin's theory of evolution, and now a world-renowned conservation area, most easily reached by air from Quito

2 Quito
A colonial-style city nestled between mountain peaks. A mix of old and new, known for its churches, monasteries, and convents

3 Cotopaxi
Snow-capped, perfectly symmetrical, 19,347 ft (5,897 m) volcano that until 1904 was erupting every 20 years. In the Avenue of Volcanoes, it is a popular climb in the *paramo* (high-altitude grassland)

4 Laguna Quilotoa
(near Latacunga) Emerald green lake in a steep-walled caldera, which was formed by a now-extinct volcano

5 Cuenca
Former Inca town that was almost completely destroyed and rebuilt by the Spanish, with gleaming white churches, monasteries, and cobbled streets

6 Tucume
(near Lambayeque) Complex of 26 adobe pyramids from 1000 CE, once a religious center

7 Royal Sipan Tombs
(near Chiclayo) The Americas' answer to Tutankhamun, the Lord of Sipan was buried with all his finery around 300 BCE, and only uncovered in 1987 when grave robbers started to plunder the site

8 Manu Biosphere Reserve
(in Madre de Dios) Largely unspoiled part of the Amazon jungle, offering the chance to see endangered giant river otters, caiman, capybara, and the occasional jaguar

9 Machu Picchu
Dramatic Inca citadel rediscovered in 1911 by Hiram Bingham, reached by hiking the Inca trail or taking a scenic train ride

10 Cusco
Once capital of the Inca empire, with Spanish colonial architecture built over extensive Inca palaces and temples. In nearby Sacred Valley are the Pisac citadel and Ollantaytambo temple

11 Nazca
Mysterious drawings in the desert—such as the hummingbird, 560 ft (171 m) long—perhaps 1,500 years old and only visible from the air

12 Rio Colca Canyon
Arguably the world's deepest canyon, terraced extensively by the Incas, it is the best place to see the world's largest flying bird, the Andean condor

13 Lake Titicaca
The world's highest navigable lake, astride the Peru-Bolivia border. From the Peruvian town of Puno, visit the Uros Islands—floating reed islands, home to Aymara Indians

14 Tiahuanaco
(near La Paz) Center of the region's most significant pre-Inca civilization, which flourished for 2,000 years from 1000 B.C.E.

15 La Paz
The highest capital in the world, at 10,700 ft (3,500 m), located in a canyon and renowned for its festivals

16 Cal Orko Dinosaur Footprints
(near Sucre) A sheer rock face inlaid with 5,000 footprints from 150 types of dinosaurs (up to 3 feet across, in the case of Apatosaurus)

17 Potosi
Silver mining at nearby Cerro Rico caused a 17th-century boom in this city, renowned for its Spanish architecture

18 Salar de Uyuni
The world's largest salt lake is a flat expanse of white, which becomes a huge mirror of the mountains during the rainy season (December–April)

Salar de Coipasa: Bolivia's second-largest salt flat is known as the "Mirror of Heaven." It is roamed by llamas and alpacas, two of the four types of camelid found in South America. Llamas are used as beasts of burden, but cannot carry the weight of a human being.

Map Key

POPULATION
- ■ above 5 million
- ◉ 1 million to 5 million
- ◉ 500,000 to 1 million
- ◉ 100,000 to 500,000
- ◎ 50,000 to 100,000
- ○ 10,000 to 50,000
- ○ below 10,000

ELEVATION
- 6000m / 19,686ft
- 4000m / 13,124ft
- 3000m / 9843ft
- 2000m / 6562ft
- 1000m / 3281ft
- 500m / 1640ft
- 250m / 820ft
- 100m / 328ft
- sea level

ECUADOREAN ADMINISTRATIVE REGIONS
1 CARCHI
2 TUNGURAHUA
3 BOLIVAR
4 CHIMBORAZO
5 ZAMORA-CHINCHIPE

Activities

Join the revelry at **La Paz**'s biggest religious festival, where over 1,000 costumed Aymara dancers and brass bands parade in the streets (late May/early June)

Drive the spectacular and perilous highway from **La Paz** to **Coroico** (sometimes called the world's most dangerous road)

Drink chicha (a type of beer), the sacred drink of the Incas

Surf at **Canoa**, the quiet Ecuadorian fishing village with pristine beaches that has become a top destination for surfers

Hike the **Inca Trail**, Cusco to Machu Picchu

Chew coca leaves (or drink coca tea) as a cure for altitude sickness in the **Andes**

Eat alpaca meat, the staple diet in **Peru**—or the specialty, roast guinea pig

Shop for alpaca sweaters in **Peru**

Ride on the roof of the Devil's Nose train, a spectacular trip in **Ecuador** that switchbacks up a vertical wall of rock

Scuba dive in the **Galápagos Islands** with the unique marine iguanas

Machu Picchu: This 15th-century Inca city perched above a loop in the Río Urubamba has temples to the sun, moon, condor, and mountains, where sacrifices were made to the gods. Just over 1,000 people are thought to have lived here in the brief period between the city's construction and its abandonment when the Spaniards arrived in Peru in the 1530s and conquered the Inca empire.

Giant tortoises in the Alcedo crater, Galápagos Islands: The Galápagos tortoise is the world's largest tortoise and can weigh over 500 lb (220 kg). The Alcedo group is so genetically similar that they may have evolved from a single pregnant female survivor of a volcanic eruption.

BOLIVIA'S TWO CAPITALS
LA PAZ – legislative and administrative capital
SUCRE – legal capital

Brazil

The biggest country in South America by far, the continent's only Portuguese-speaking nation can be seen at its most flamboyant in its most famous cities, names synonymous with Latin temperament and tropical fun—Rio de Janeiro, São Paulo, Brasília, Salvador. By contrast, the Amazon rainforest, covering vast areas of the interior, displays life at an altogether more peaceful tempo. Preservation of this important natural treasure from the advance of logging and ranching is vital for its role as the world's prime converter of carbon dioxide and its enormous, and often unique, collection of biological species. The people living deep within the Amazon Basin, isolated but not entirely cut off from the rest of the world, have lived in sympathy with their environment for thousands of years. However, this way of life is increasingly threatened by the demands of, and contacts with, the outside world.

Although many grasp the opportunity to explore the Amazon jungle, visitors to so large a country would do better to focus on a specific place. Choices include the magnificent Iguaçu Falls, unique Pantanal wetlands, massive sand dunes of Natal, colonial history of Olinda, African-Brazilian culture of Salvador, architectural majesty of Brasília, and the big city splendor of Rio and São Paulo. However, nowhere are Brazil's notoriously enormous wealth disparities more evident than in Rio where the grandeur of beachside villas and high-rise city life is fringed by the appalling conditions of the slum *favelas*.

What to See

1 Manaus
Fascinating city in the jungle and a favored central base for expeditions into the Amazon. Also, home to the famous opera house

2 Porto Velho
From this town at the very edge of "tamed" Brazil, you can experience a modern frontier lifestyle

3 Natal
A popular destination for sun-seekers and a base for dune buggying on nearby beaches

4 Olinda
This coastal city shows off the best of the country's colonial past with several good examples of 16th- and 17th century Portuguese architecture

5 Salvador
The "African" capital of Bahia state is a great place to catch a display of *capoeira*—a lively mix of martial arts, acrobatics, and dance

6 Lençóis
Escape from the heat of the coast to this little town in Chapada Diamantina highlands. Explore the waterfalls, views, and caves

7 Ilha do Bananal
The world's largest river island, so named because of the many banana trees found here. Part of Araguaia National Park

8 Brasília
Brazil's purpose-built capital, dominated by Oscar Niemeyer's striking architecture

9 Pantanal
Set off from Corumbá to explore this wetland, arguably one of the world's most important environmental sites

10 Emas National Park
(near Mineiros) A great place to glimpse jaguars and tapirs

11 Abrolhos
(near Caravelas) Find tranquility amid reefs, whales, and seabirds at Brazil's premier marine national park

12 Búzios
(near Rio de Janeiro) The beach paradise made famous by Bridget Bardot in the 1960s

13 Rio de Janeiro
With Copacabana Beach and the statue of Christ, the home of carnival is a stimulating, scenic, and hedonistic mix

14 São Paulo
Brazil's cosmopolitan economic center where Avenida Paulista is the place to window shop

15 Vale do Ribeiro
(near São Paulo) Caves as big as cathedrals—not to be missed

16 Florianópolis
The place to go for a typical "Brazilian" vacation experience and great for surfing

17 Caxias do Sul
This is the heart of the Brazilian wine country

A walkway in the treetop Ariaú Amazon Towers Hotel, near Manaus: The Ariaú claims to be the only treetop hotel in the Amazon, giving guests an arboreal view of the world's most famous jungle. Its a fantastic base for exploring the river and its rainforest.

A margay in the eastern Amazon forest: There are thought to be many millions of animal and plant species as yet undiscovered in the depths of the Amazon Basin.

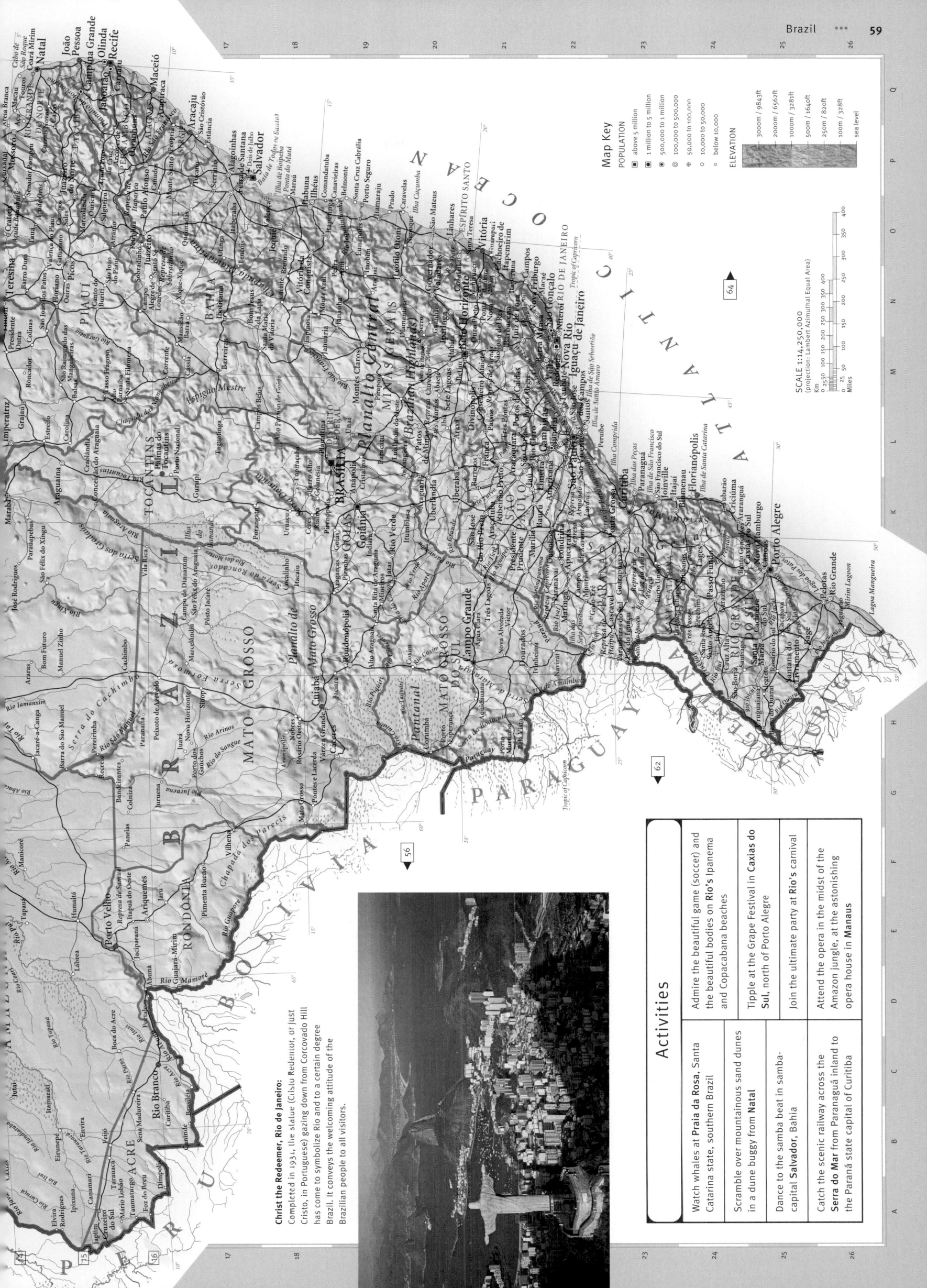

Map Key

POPULATION
- ◼ above 5 million
- ● 1 million to 5 million
- ◉ 500,000 to 1 million
- ○ 100,000 to 500,000
- ⊙ 50,000 to 100,000
- ○ 10,000 to 50,000
- ○ below 10,000

ELEVATION
- 3000m / 9843ft
- 2000m / 6562ft
- 1000m / 3281ft
- 500m / 1640ft
- 250m / 820ft
- 100m / 328ft
- sea level

SCALE 1:14,250,000
(projection: Lambert Azimuthal Equal Area)

Km 0 25 50 100 150 200 250 300 350 400
Miles 0 25 50 100 150 200 250 300 350 400

Christ the Redeemer, Rio de Janeiro:
Completed in 1931, the statue (Cristo Redentor, or just Cristo, in Portuguese) gazing down from Corcovado Hill has come to symbolize Rio and to a certain degree Brazil. It conveys the welcoming attitude of the Brazilian people to all visitors.

Activities

Watch whales at **Praia da Rosa**, Santa Catarina state, southern Brazil

Scramble over mountainous sand dunes in a dune buggy from **Natal**

Dance to the samba beat in samba-capital **Salvador**, Bahia

Admire the beautiful game (soccer) and the beautiful bodies on **Rio's** Ipanema and Copacabana beaches

Tipple at the Grape Festival in **Caxias do Sul**, north of Porto Alegre

Join the ultimate party at **Rio's** carnival

Attend the opera in the midst of the Amazon jungle, at the astonishing opera house in **Manaus**

Catch the scenic railway across the **Serra do Mar** from Paranaguá inland to the Paraná state capital of Curitiba

Eastern South America

Uruguay, Northeast Argentina, Southeast Brazil

At the center of this region's appeal is the blend of lively urban atmosphere in some of South America's most exciting cities—Rio de Janeiro, São Paulo, and Buenos Aires—juxtaposed against the powerful draw of the wide open spaces. The *gaucho*, the self-reliant cowboy living by his own austere code of honor, has almost mythical status here.

Among the many superlative sights are the spectacular waterfall on the Iguaçu river and one of the world's largest manmade structures—the Itaipú Dam. The Uruguay and Paraná rivers join together north of

Buenos Aires to emerge between Argentina and Uruguay at the head of the great estuary of the River Plate (Río de la Plata).

Uruguay, a less well-known destination, encapsulates the region in a single country—a metropolitan center in Montevideo and acres of *gaucho* territory fringed by glorious beaches along the Atlantic coast.

Northeastern Argentina encompasses Mesopotamia, with centuries of colonial history and majestic natural parks, and west of the Paraná river, the grasslands of the Pampas. The European-style Buenos Aires is its major city highlight.

Activities

Observe the basking sea lions on **Isla dos Lobos**, Uruguay's Atlantic marine reserve

Cruise the **Paraná** River from the charming waterfront at Rosario, Argentina or keep time to the beat of the *chamamé* (accordion music) in Corrientes

Enjoy the sunshine at Uruguay's top beach resort, **Punta del Este**, east of Montevideo

Taste the juicy, apricot-flavored fruit of the *butiá* palm (jelly palm), a delicacy in **Aguas Dulces**, near Cabo Polonio, Uruguay

Get into the party spirit with a gourd of *mate* in **Buenos Aires**, then twirl to the tango and lose yourself in the intoxicating beat

Gaze up at the balcony of the **Casa Rosada** (presidential palace, in Plaza de Mayo, Buenos Aires), and imagine yourself in an ecstatic crowd acclaiming the victorious Juan and Eva Perón in 1946

Iguaçu Falls (Cataratas del Iguazú): This awe-inspiring system of cataracts on the border of Brazil and Argentina, is one of the world's largest falls by volume. Wooden walkways extend up to the edge of the action so that visitors can experience their full power.

Carnival time, Rio de Janeiro:
The party in Rio during the week leading up to Lent surpasses all others as the most famous and flamboyant carnival in the world. The samba parade, in particular, brings the city to a peak of exuberance with outlandish costumes and throbbing music filling the streets.

Map Key

POPULATION

- ● above 5 million
- ● 1 million to 5 million
- ◉ 500,000 to 1 million
- ◉ 100,000 to 500,000
- ◎ 50,000 to 100,000
- ○ 10,000 to 50,000
- ○ below 10,000

ELEVATION

	2000m / 6562ft
	1000m / 3281ft
	500m / 1640ft
	250m / 820ft
	100m / 328ft
	sea level

SCALE 1: 7,000,000
(projection: Lambert Azimuthal Equal Area)

Km 0 25 50 75 100 150 200
Miles 0 25 50 100 150 200

What to See

Rio de Janeiro, São Paulo
see pp58–59

1 Iguaçu Falls
One of the world's great waterfalls churns out over 61,000 cubic ft (1,800 cubic m) of water every second. Its main visitor access is from Brazil

2 Itaipú Dam
One of the world's largest hydro-electric power plant and a wonder of the modern world, this is a great feat of civil engineering

3 Porto Alegre
This city is the capital of cowboy country in southern Brazil

4 Tacuarembó
Celebration of all things *gaucho* at the Fiesta de la Patria Gaucha

5 Minas
A laid-back town nestled among forested hills, where you can escape the bustle of Uruguay's Riviera

6 Montevideo
Colonial architecture and famed cultural diversity in the Uruguayan capital

7 Colonia del Sacramento
Superb colonial buildings in southern Uruguay—a day trip from Buenos Aires

8 Paraná Delta
Marvellous wetlands studded with exceptional wildlife and dotted with *pilotes* houses raised above the water on poles

9 Rosario
A city on the edge of the Pampas on the west bank of the Paraná River, where you can see the flightless rhea, or enjoy the rivalry between the city's soccer teams— Newell's Old Boys and Rosario Central

10 Buenos Aires
A sprawling city of many *barrios*— neighborhoods—with distinct flavors. The Palermo Viejo retains a strong colonial atmosphere. The Cabildo, the former town hall built in 1748, now plays host to a very interesting historical museum

11 Pinamar
(near Punta Sur) Argentina's most popular beach resort at the mouth of the Plate River, with giant-sized dunes to explore on foot or in a jeep

Fountain of the Dancers in Plaza Lavalle, Buenos Aires:
Founded by Spanish colonists in the late 1500s, Buenos Aires (meaning "Fair Winds") existed under punitive trade restrictions, encouraging a thriving contraband trade until it was made a freeport by Carlos III of Spain some 200 years later.

Southern South America

Argentina, Chile, Paraguay

On the southern half of South America, the states of Paraguay, Chile, and Argentina differ markedly from the tropical nations of the north. Divided by the southern Andes, all three have a "European" atmosphere, with Spanish and Italian heritage most apparent, though strongly influenced by Amerindian cultures. These societies are predominantly urban, with the population concentrated in the three capitals—Buenos Aires, Santiago, and Asunción. Each city sports plenty of colonial architecture and great nightlife. Those seeking outdoor adventure will find plenty of opportunity in the region with natural features on a grand scale and many memorable activities. The mighty Andean spine offers skiing and mountaineering while for strange beauty explore northern Chile's arid Atacama Desert (*Desierto de Atacama*) and the open expanses of the Gran Chaco plain. Argentina boasts the vast, flat Pampas, home to rugged ranch life and the windswept reaches of Patagonia, and further south, Tierra del Fuego is a wild island of forests and glaciers.

Tatio Geysers in the Atacama Desert (*Desierto de Atacama*):
This strip of desert is one of the most arid places in the world. Whole years, sometimes decades, can go by without a drop of rain; it is 50 times drier than Death Valley in the US. Consequently, only the hardiest lifeforms, such as bacteria, survive here.

Map Key

POPULATION

- ⊡ 1 million to 5 million
- ⊙ 500,000 to 1 million
- ⊚ 100,000 to 500,000
- ⊕ 50,000 to 100,000
- ⊙ 10,000 to 50,000
- ○ below 10,000

ELEVATION

6000m / 19,686ft
4000m / 13,124ft
3000m / 9843ft
2000m / 6562ft
1000m / 3281ft
500m / 1640ft
250m / 820ft
100m / 328ft
sea level

What to See

1 Calama
City in the Atacama Desert, amid the enormous copper mines that still power Chile's economy. Base for desert and Tatin geysers visits

2 Le Paige Museum
(in San Pedro de Atacama) Exhibits of ancient human remains and tools—preserved in harsh, desert conditions

3 Salta
A beautiful colonial city among soaring Andean landscapes

4 Parque Nacional Río Pilcomayo
(N Argentina) Important wetlands—offering wildlife tours and camping

5 Gran Chaco
An enormous flat plain that covers most of Paraguay—home to ranchers and native Amerindians

6 Asunción
Spanish colonial "Mother of Cities"—one of the oldest in South America and capital of Paraguay

7 Caacupé
A religious center for Catholic Paraguayans and a destination for local pilgrims

8 Manzana Jesuítica (in Córdoba) 17th-century church, college, and university found in second city of Argentina

9 Pampas
Sweeping grasslands, stetching across central Argentina with unique animal species

10 Santiago
Chile's European-influenced capital, close to skiing and Maipo vineyards

11 Valparaíso
A delightful and lively port city just to west of Santiago

12 Lake District
Snow-topped volcanic peaks are mirrored in clear-watered lakes in this characteristically Chilean landscape

13 Isla de Chiloé
Known for superb wood carving and its blend of indigenous and colonial traditions

14 Tierra del Fuego
Wilderness island at southern tip of South America with lakes, forests, and glaciers

15 Ushuaia
The southernmost city in the world and home to the "end of the world" train

Southern right whale off Península Valdés, Argentina: Every year, between May and December, around 500 southern right whales come to raise their calves off the coast of Argentina, where they have become a major tourist attraction.

64

Activities

Help out with farm chores as a ranch hand on an *estancia* in El Calafate, Patagonia

Explore the high Andes on horseback from Pucón, south of Santiago

Paddle in the healing waters of **Lago Ypacaraí**, Asunción

Taste some of the world's most delicious beef at a gaucho barbecue on Argentina's **Pampas**

FALKLAND ISLANDS (to UK)

194

SCALE 1:9,750,000
(projection: Lambert Azimuthal Equal Area)

Torres del Paine National Park; Puerto Natales: Sheer granite peaks soar above the windswept grasslands and blue-green lakes of southern Chile. Flightless rheas (ñandú) and llama-like guanaco live here, plus aptly named torrent ducks swim against the fast flowing rivers.

192

The Atlantic Ocean

The Atlantic Ocean contains far-flung islands of varying climates. Spain's subtropical Canary Islands, just off Africa, have mass tourist appeal for European visitors seeking guaranteed sun, beaches, and lively nightlife, amid beautiful scenery. There are also secluded spots on the islands, as there are on Portugal's Azores and Madeira. To the west, the UK's Bermuda has a similar appeal for Americans and claims one of the highest densities of golf courses in the world. The more distant, colder islands in the Atlantic's southern reaches have a mix of exhilarating scenery and wildlife.

Activities

Laze on the **Canary Islands'** beaches, surf in the afternoon, and party the night away

Brave the bull-running on **Terceira** in the Azores, where the bull is attached to a rope held by teams of men

Play a round of golf on **Bermuda**

Observe the abundant South Atlantic wildlife, such as penguins, sea lions, and elephant seals on the windy **Falkland Islands**

Sip madeira on **Madeira**, home of this famous fortified wine

Set out to sea to watch for marine life at **Faial** in the Azores (sperm and pilot whales, dolphins, and loggerhead turtles)

Madeira: These triangular, thatched houses are typical of Santana on the north coast of Madeira, where traditional agriculture and crafts are still an important way of life.

AZORES
(to Portugal)

SCALE 1:6,500,000

MADEIRA
(to Portugal)

SCALE 1:2,500,000

SCALE 1:48,000,000
(projection: Mollweide)

ISLAS CANARIAS (CANARY ISLANDS)
(to Spain)

SCALE 1:6,500,000

BERMUDA
(to UK)

SCALE 1:500,000

NORTH AMERICA

SOUTH AMERICA

EUROPE

AFRICA

ATLANTIC OCEAN

Mid-Atlantic Ridge

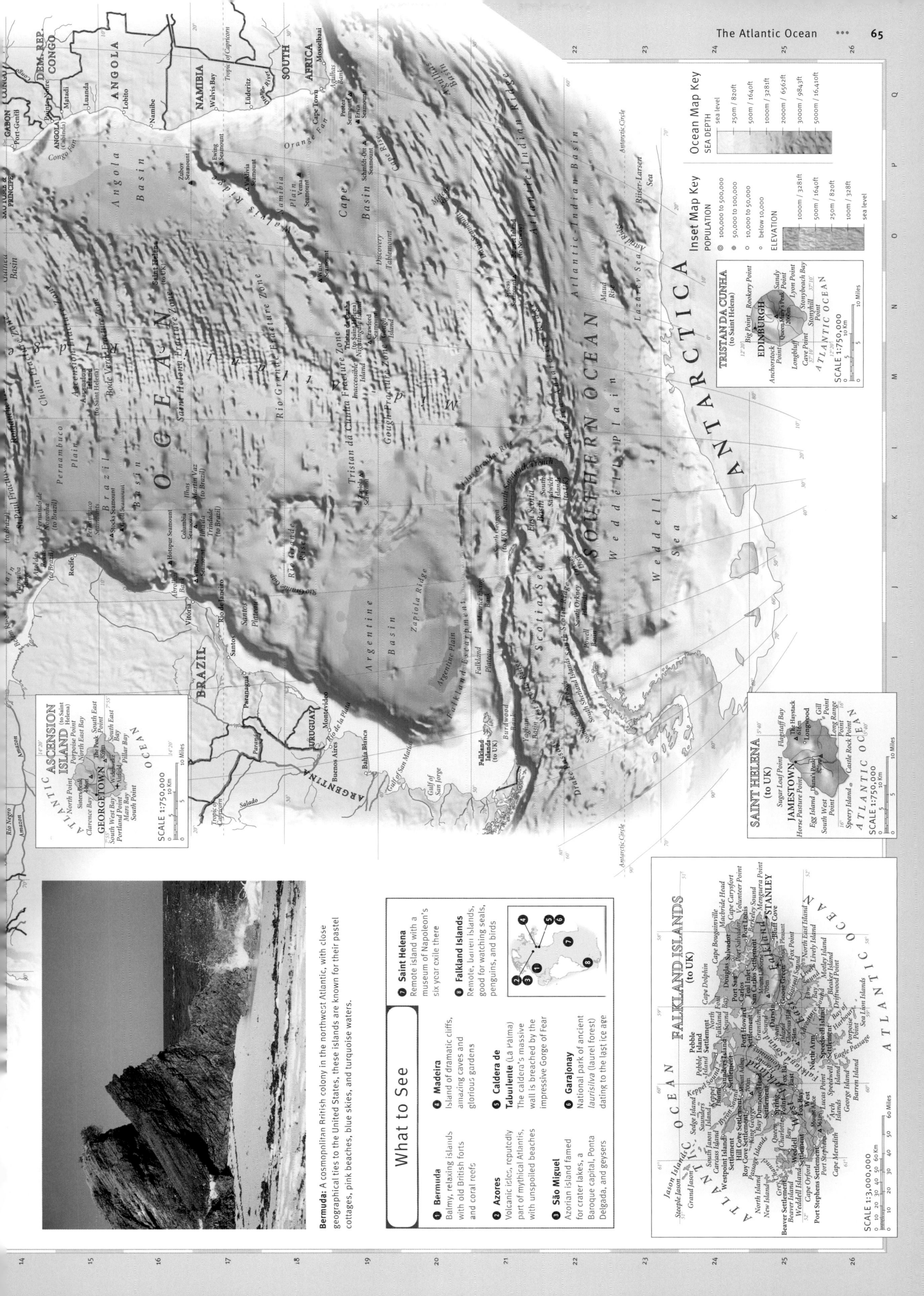

Bermuda: A cosmopolitan British colony in the northwest Atlantic, with close geographical ties to the United States, these islands are known for their pastel cottages, pink beaches, blue skies, and turquoise waters.

What to See

1 Bermuda
Balmy, relaxing islands with old British forts and coral reefs

2 Azores
Volcanic isles, reputedly part of mythical Atlantis, with unspoiled beaches

3 São Miguel
Azorian island famed for crater lakes, a Baroque capital, Ponta Delgada, and geysers

4 Madeira
Island of dramatic cliffs, amazing caves and glorious gardens

5 Caldera de Taburiente (La Palma)
The caldera's massive wall is breached by the impressive Gorge of Fear

6 Garajonay
National park of ancient *laurisilva* (laurel forest) dating to the last ice age

7 Saint Helena
Remote island with a museum of Napoleon's six year exile there

8 Falkland Islands
Remote, barren islands, good for watching seals, penguins, and birds

Africa

"Copper sun or scarlet sea,
jungle star or jungle track...
where the birds of Eden sing"   COUNTEE CULLEN, 1903-1946

Physical Africa

Africa's vast expanses of desert and jungle fill visitors with a real sense of adventure. The Great Rift Valley, running down the eastern side of the continent, creates dramatic scenery in Kenya and Ethiopia that is only rivalled by the rugged mountains and canyons of South Africa. But it is the mighty rivers that are the lifeblood of this continent, and are still vital for travel and industry. The Nile, the world's longest river, runs north through Sudan and Egypt, while the great Congo Basin lies in central Africa, the Niger and its tributaries dominate the west, and the Zambezi in the south offers the greatest spectacle— the Victoria Falls.

Desert

The landscapes of the vast Sahara vary from the bare volcanic uplands of the Tibesti and Ahaggar plateaus to barren, gravelly basins or classic sand dunes in Morocco. In southern Africa, the thin strip of Namib Desert, lying in a rainshadow, has fantastic dunes at Sossuvlei, while the Kalahari is rich in wildlife.

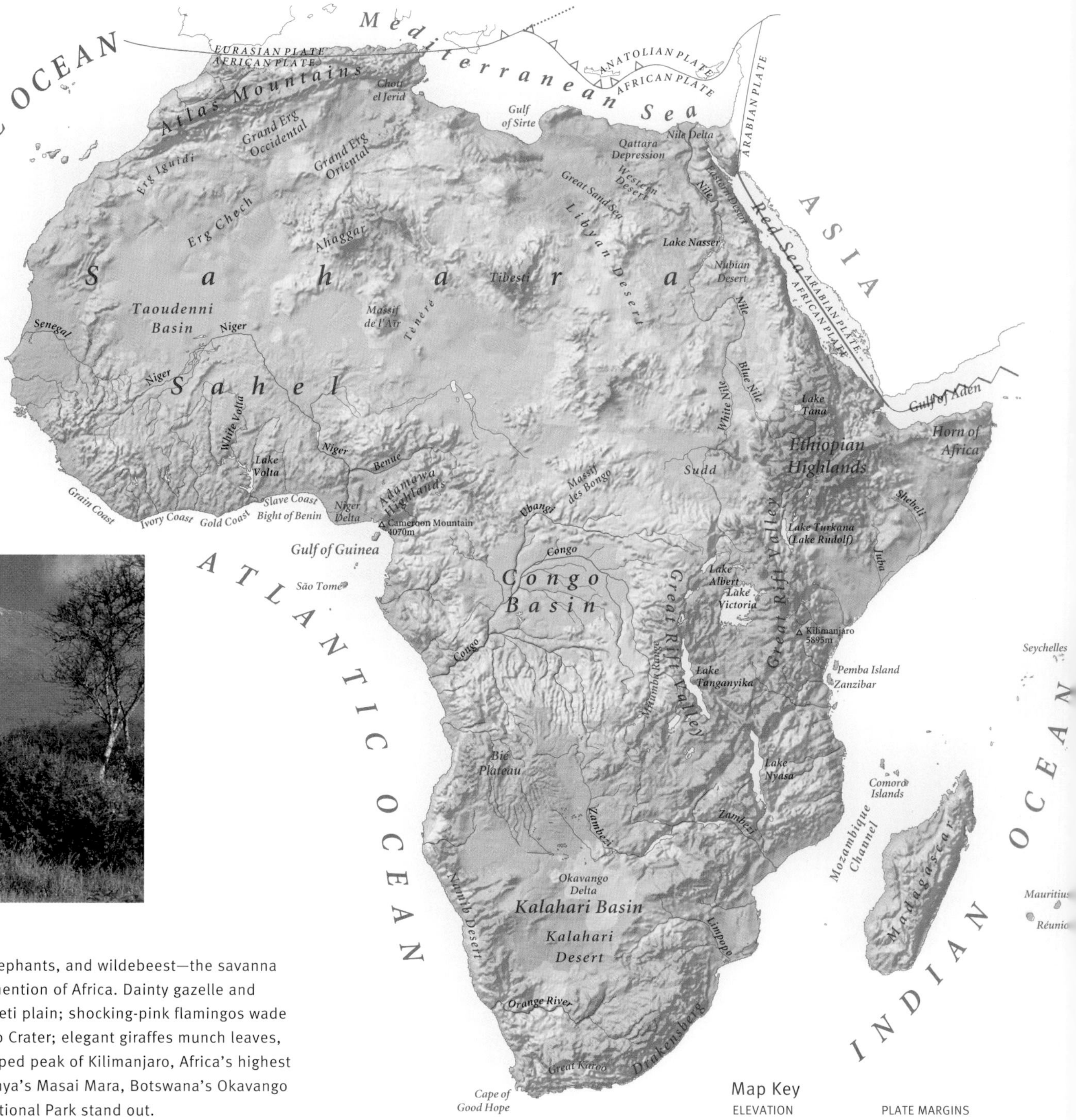

SCALE 1:40,000,000
(projection: Lambert Azimuthal Equal Area)

Savanna

Grassy plains roamed by lions, elephants, and wildebeest—the savanna is the first image evoked by the mention of Africa. Dainty gazelle and antelope graze Tanzania's Serengeti plain; shocking-pink flamingos wade in the wetlands of the Ngorongoro Crater; elegant giraffes munch leaves, silhouetted against the snow-capped peak of Kilimanjaro, Africa's highest mountain. For wildlife safaris, Kenya's Masai Mara, Botswana's Okavango Delta, or South Africa's Kruger National Park stand out.

Jungle

The rainforests along the equator hold a treasure trove of birds and animals—colorful parakeets, dangerous crocodiles, chattering monkeys, and bathing hippos. National parks make some of this region easily accessible. The highlands of Rwanda and Uganda are the last preserve of the world's largest primate—the gorilla.

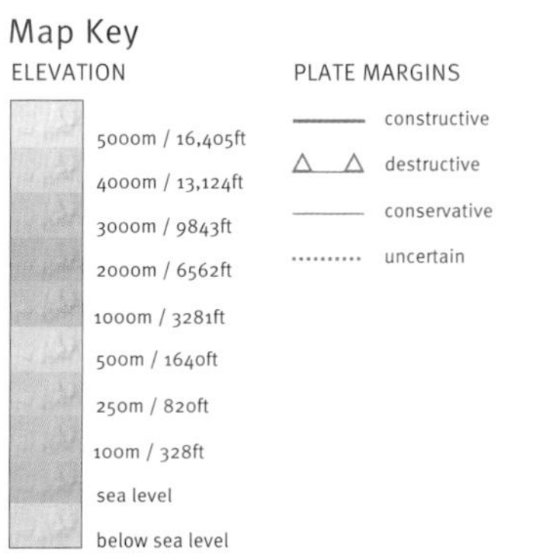

Map Key

ELEVATION

5000m / 16,405ft
4000m / 13,124ft
3000m / 9843ft
2000m / 6562ft
1000m / 3281ft
500m / 1640ft
250m / 820ft
100m / 328ft
sea level
below sea level

PLATE MARGINS

——— constructive
△ △ destructive
——— conservative
·········· uncertain

Climate

Almost the whole continent lies within the Tropics, so temperatures are hot all year, but it is rainfall patterns that define Africa's biogeographic zones. Rising air over the tropics causes deserts, while sinking air over equatorial regions leads to heavy rainfall and the dense jungles of the Congo, Niger, and Volta river basins. In between lie savanna grasslands and the Sahel, a fragile ecosystem of near-desert grassland. The Mediterranean-style climates of the most northern and southern coasts make great beach resorts—Tunisia is a major package destination for Europeans, and Zanzibar a popular tropical paradise. Unpleasant, dusty winds blow out of the Sahara to the north in March–April and south in November–March.

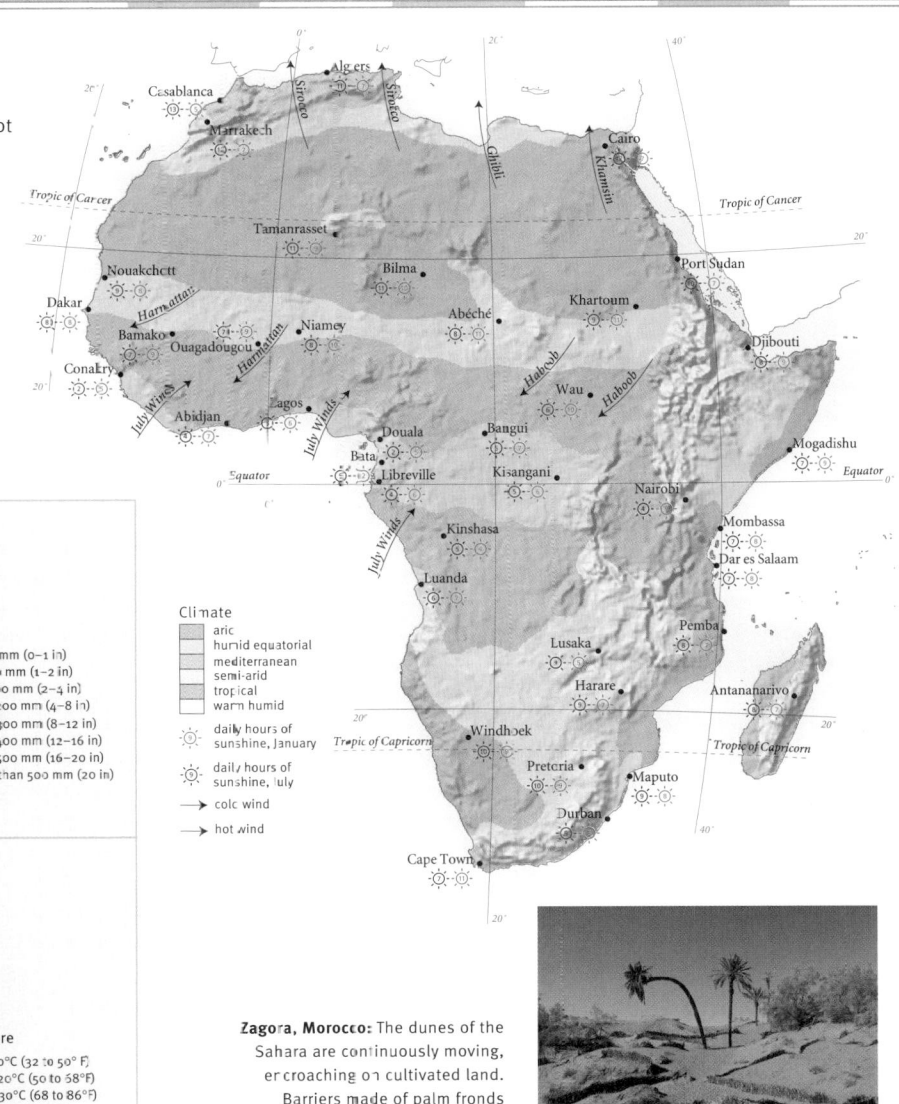

Rainfall

Average January rainfall	Average July rainfall

Rainfall
- 0–25 mm (0–1 in)
- 25–50 mm (1–2 in)
- 50–100 mm (2–4 in)
- 100–200 mm (4–8 in)
- 200–300 mm (8–12 in)
- 300–400 mm (12–16 in)
- 400–500 mm (16–20 in)
- more than 500 mm (20 in)

Temperature

Average January temperature	Average July temperature

Temperature
- 0 to 10°C (32 to 50°F)
- 10 to 20°C (50 to 58°F)
- 20 to 30°C (68 to 86°F)
- above 30°C (86°F)

Climate
- aric
- humid equatorial
- mediterranean
- semi-arid
- tropical
- warm humid

☼ daily hours of sunshine, January
☼ daily hours of sunshine, July
→ cold wind
→ hot wind

Zagora, Morocco: The dunes of the Sahara are continuously moving, encroaching on cultivated land. Barriers made of palm fronds are the most successful means of preventing the relentless incursion of wind-blown sand.

Using Land and Sea

Kenya, Ethiopia, Rwanda, Uganda, and Burundi benefit from fertile volcanic soils to grow tea and coffee, while Lake Victoria and Lake Nyasa support substantial fishing industries. The green Nile valley stands out as a ribbon of life through the surrounding desert, sustaining five millennia of civilization, and date groves are widespread across the north. The equatorial west coast is plantation country—rubber, cocoa, bananas, peanuts—and the coastal waters are rich in fish, heavily exploited by boats from Europe. South Africa has Mediterranean-style vineyards, citrus orchards, and other fruit-growing areas. Much of the rest of Africa is pasture for grazing cattle and goats, the traditional way of life of nomadic herders.

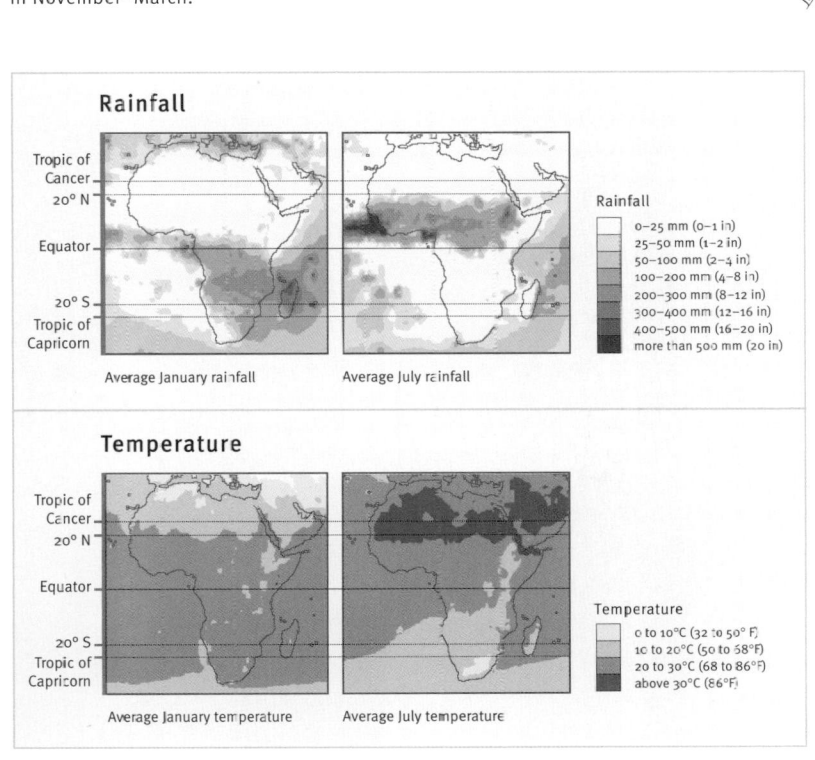

Using the Land and Sea
- cropland
- desert
- forest
- pasture
- wetland
- • major conurbations

cattle		fruit	
goats		oil palms	
cereals		olives	
sheep		peanuts	
bananas		rice	
corn (maize)		rubber	
citrus fruits		shellfish	
cocoa		sugar cane	
cotton		tea	
coffee		tobacco	
dates		vineyards	
fishing		wheat	

Date grove in Dakhla, Egypt: Date palms flourish in irrigated plantations, particularly along the Nile and in Morocco, Algeria, and Tunisia. A variety of other crops are grown beneath the trees. Dates are harvested in September and October.

PORTUGA

Political Africa

Within one lifetime, the political map of Africa has changed completely. Its only independent states in 1950 were Egypt (then a monarchy), the proud empire of Ethiopia, the republic founded by freed American slaves in Liberia, and white-ruled apartheid South Africa. Since then, not only have those four countries been transformed—in miraculously peaceful fashion in South Africa, under Nelson Mandela's leadership—but nearly 50 more independent states have emerged from the dismantling of the British, French, and Portuguese colonial empires. Most are now republics—many have experienced great turbulence, often to the degree of civil war, or the ravages of inter-ethnic violence, a prime example being Rwanda in 1994. Despotic regimes have mostly given way to multiparty systems, without always bringing genuine political freedom.

Languages

Some 1,300 or so African languages fall into four main groups, of which the Niger–Congo is the largest (including 500 languages within the Bantu subgroup alone). Others, such as Zulu and Xhosa, or the Shona languages, are linguistically similar, but most have fewer than a million speakers. This favors use of a common *lingua franca* (Swahili in the east, Arabic in the north) and the former colonial languages, which dominate education and government.

Language groups
- Afro-Asiatic (Hamito-Semitic)
- Niger-Congo
- Nilo-Saharan
- Khoisan
- Indo-European
- Austronesian

Official languages
- French
- English
- Arabic
- Portuguese
- Swahili
- Amharic
- Spanish
- French/English
- French/Arabic
- French/Malagasay
- English/Swahili
- Arabic/Somali

Pretoria, South Africa: The Union Buildings house South Africa's parliament, elected democratically since 1994.

Morocco: A Tuareg dancer personifies one of many Saharan cultures in Arabic-speaking north Africa.

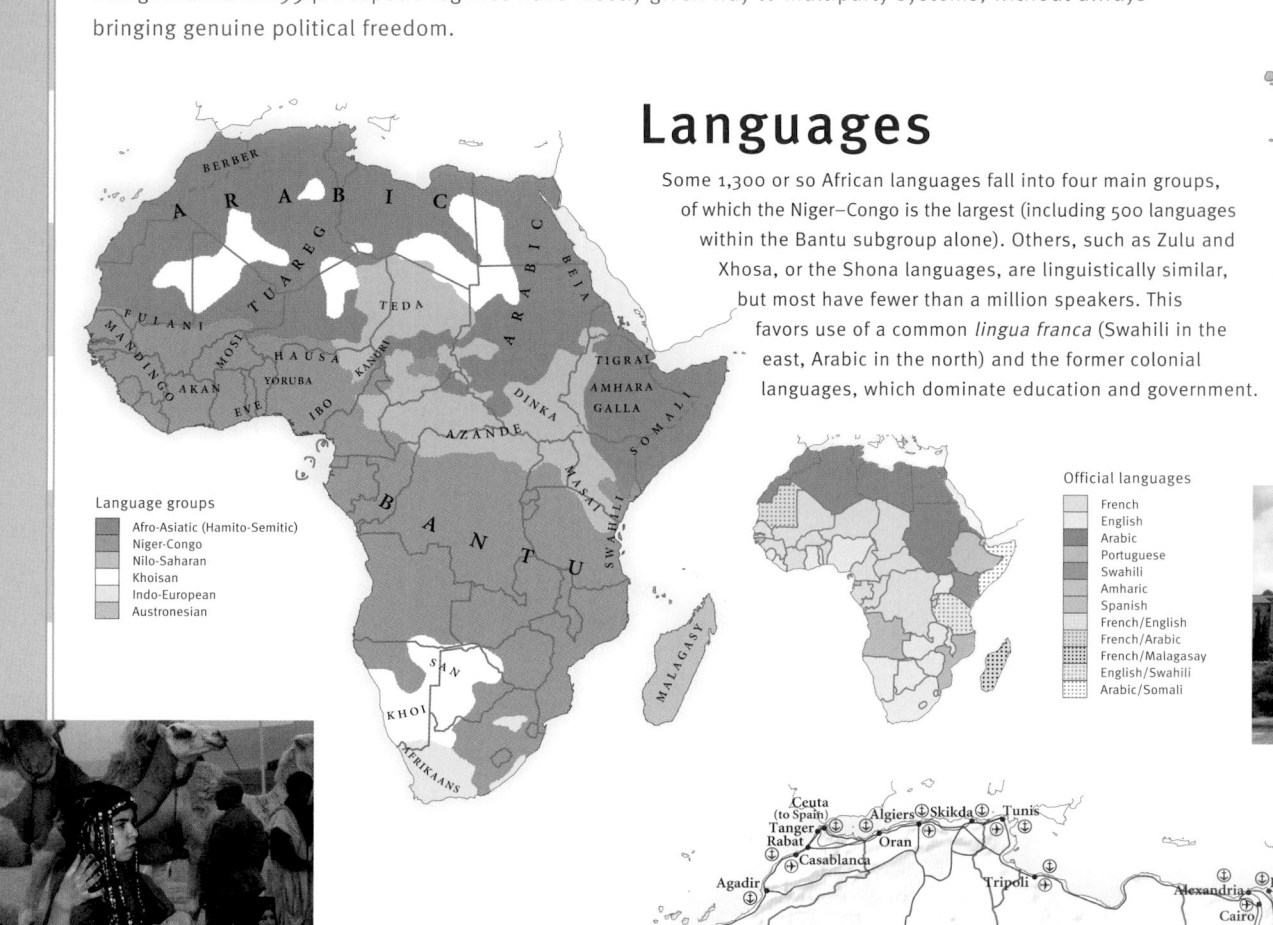

❶ The Nile, Africa's longest river, is navigable year-round through Egypt and seasonally in most of Sudan, plied by regular steamboats.

❷ Lagos, Nigeria's main city, has become a byword for undisciplined traffic jams, made worse by the bottlenecks at bridges linking its main islands.

❸ Railroads to the Atlantic and Indian Ocean ports are crucial for landlocked Zambia and Zimbabwe.

Transportation

The stereotype image of African transportation is the truck overloaded with people clinging to every handhold. Surfaced roads sometimes degenerate rapidly away from main centers, and for many excursions a 4x4 vehicle is strongly recommended. Railroads, where they exist, are vital arteries for moving freight, much of which also travels more slowly along the major rivers or on coastal ships. Air links make for swift access to tourist destinations, but, at the other end of the transportation spectrum, it is remarkable how far people routinely walk in rural Africa.

Transport
- major roads and motorways
- major railways
- major canal
- international borders
- • transport intersections
- ⊕ international airports
- ⊕ major ports

SPAIN ITALY

GREECE

MALTA

CYPRUS SYRIA
LEBANON

Ceuta (to Spain)
Melilla (to Spain)
ALGIERS Tizi Ouzou Annaba Bizerte
Chlef Blida Béjaïa TUNIS
Oran Constantine Kairouan
Sidi Bel Abbès Sétif Batna
Tlemcen Sfax
Gabès TUNISIA TRIPOLI
Misrātah Gulf of Sirte Benghazi

RABAT
Oujda
Fès
Meknès
Khouribga

ISRAEL JORDAN

Alexandria Port Said Ismā'ilīya
Tanta CAIRO
El Giza Beni Suef
El Faiyûm
El Minya
Asyūt
Sohâg Qena
Luxor
Aswân

Atlas Mountains

Erg Chech

Grand Erg Oriental

Ahaggar

Tibesti

Mediterranean Sea

Crete

LIBYA

EGYPT

Nile

Lake Nasser

Libyan Desert

Red Sea

SAUDI ARABIA

YEMEN

Gulf of Aden

ALGERIA

MALI NIGER CHAD

Nubian Desert

administered by Sudan
administered by Egypt

Port Sudan

Tropic of Cancer

ERITREA
ASMARA
Omdurman Khartoum North Kassala
KHARTOUM Wad Medani
El Obeid
Blue Nile
White Nile

SUDAN

DJIBOUTI DJIBOUTI

Lake Tana
Ethiopian Highlands
ADDIS ABABA Dire Dawa
Hargeysa

Horn of Africa

ETHIOPIA

SOMALIA

BURKINA
NIAMEY Maradi Zinder
Sokoto
OUAGADOUGOU Katsina Kano
Bobo-Dioulasso Gusau Zaria
Kaduna
BENIN Natitingou Jos Maiduguri
Tamale Parakou Oyo Benue
Lake Shaki
Volta Ogbomosho Oshogbo
GHANA Abeokuta Ibadan
Kumasi Cotonou PORTO-NOVO Enugu Aba
ACCRA LOMÉ Lagos Onitsha
Port Harcourt Calabar

Lake Chad
NDJAMENA
Maroua
Garoua
Moundou Sarh

CENTRAL AFRICAN REPUBLIC
BANGUI

Sudd
Elemi Triangle

Lake Albert
Lake Turkana (Lake Rudolf)

UGANDA
KAMPALA
Kisumu

KENYA
NAIROBI

Marka MOGADISHU

Kismaayo

NIGERIA
ABUJA

EQUATORIAL GUINEA
MALABO YAOUNDÉ
Bafoussam Douala

CAMEROON

SAO TOME & PRINCIPE
SÃO TOMÉ LIBREVILLE

Port-Gentil

GABON

CONGO

Congo Basin
Mbandaka Kisangani

DEM. REP. CONGO

RWANDA
BUKAVU KIGALI
BUJUMBURA
BURUNDI

Lake Victoria
Mwanza

Great Rift Valley
Lake Tanganyika

Equator

VICTORIA

SEYCHELLES

Mombasa
Tanga

DODOMA Zanzibar
TANZANIA Dar es Salaam

BRAZZAVILLE KINSHASA
ANGOLA (Cabinda)
Matadi Kikwit
Ilebo
Kananga
Mbuji-Mayi Kalemie

LUANDA

Kolwezi Likasi
Lubumbashi
Chingola Mufulira
Kitwe Ndola
Luanshya

MALAWI
LILONGWE

COMOROS
MORONI
Mayotte (to France)

Lake Nyasa

ANGOLA
Huambo
Lubango
Namibe

ZAMBIA
LUSAKA Kabwe

Zambezi

Nacala
Nampula Mahajanga

ATLANTIC OCEAN

INDIAN OCEAN

Mozambique Channel

HARARE

ZIMBABWE
Bulawayo

MOZAMBIQUE
Beira

MADAGASCAR
Toamasina
ANTANANARIVO

MAURITIUS
Réunion (to France) PORT LOUIS

Fianarantsoa

NAMIBIA

Namib Desert

BOTSWANA
Kalahari Desert
Mahalapye
GABORONE

WINDHOEK

Tropic of Capricorn

PRETORIA
Johannesburg
Soweto MBABANE
Welkom SWAZILAND
MAPUTO

Kimberley
Bloemfontein MASERU
Pietermaritzburg

Orange River

SOUTH AFRICA
LESOTHO

Drakensberg

Bellville East London
Cape Town
Cape of Good Hope Port Elizabeth

Standard of Living

Although mineral resources create pockets of wealth, many African communities suffer destitution unparalleled elsewhere, made worse by war and the devastating spread of HIV/AIDS. Life expectancy in Sierra Leone and Zambia is as low as 37 years. Local economies need well-targeted international assistance to break out of poverty.

Standard of Living
(UN Human Development Index)
high
low

SCALE 1:30,500,000
(projection: Lambert Azimuthal Equal Area)
Km 0 100 200 300 400 500 600 700 800 900 1000
Miles

Map Key
POPULATION
■ above 5 million
■ 1 million to 5 million
■ 500,000 to 1 million
■ 100,000 to 500,000
⊕ 50,000 to 100,000
○ 10,000 to 50,000
● Country capital

BORDERS
full international border
disputed de facto border
ceasefire line

Zulu dancer, South Africa: The post-apartheid "Rainbow Nation" embraces the varied traditions of its peoples.

Lake Tangrela, Burkina

Burchell's zebras, African savanna

Cape Town, South Africa

Serengeti, Tanzania

Pyramids at Giza, Egypt

Great African Trips

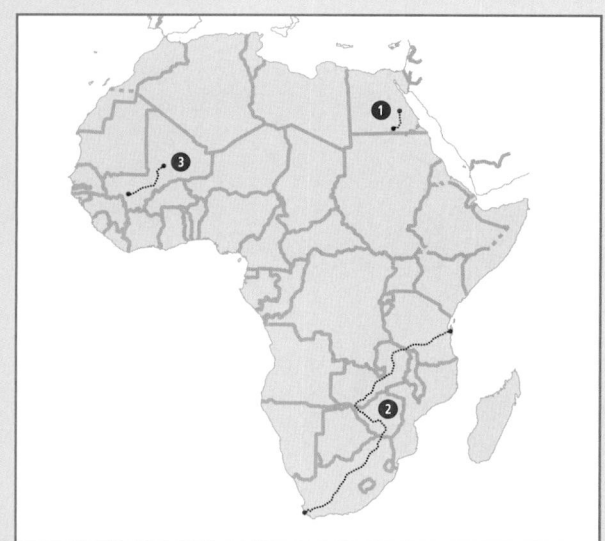

❶ Nile Cruise, Egypt
Luxor—Abu Simbel
300 miles (480 km)
The classic cruise starts at the famed ancient capital of Thebes (near Luxor), continues past the Aswan Dam, and along Lake Nasser to Ramses II's intimidating temple of Abu Simbel. The whole temple was moved stone by stone before the site was flooded by the lake.

❷ Edwardian Train Safari
Cape Town, South Africa—Dar es Salaam, Tanzania
3,800 miles (6,100 km)
This epic and luxurious train trip takes two weeks to visit the southern highlights—Kruger National Park, Bulawayo, Victoria Falls, Kilimanjaro, Ngorongoro Crater, and the Serengeti.

❸ The Road to Timbuktu, Mali
Bamako—Gao—Timbuktu (Timbouctou)
1,000 miles (1,600 km)
The elusive, mysterious, and once-great city can be reached by a fascinating trip following the course of the Niger River from Mali's capital, Bamako, and taking in Djenné's huge mud-brick mosque on the way.

Ways to Travel

Since the epic feats of exploration by 19th-century Europeans, this continent has continued to present challenges to travel and navigation by visitors, whether they have to contend with the great desert of the Sahara, the huge central rainforests, or the swamplands of the Okavango. Don't be put off by poor infrastructure—the extensive rail networks and roads built in colonial times may cost too much to maintain, but there are still luxury rail journeys to be had along the South African Garden Route, or evocative trips on the Marrakech Express. For the adventurous, other remarkable routes to take by car, train, or boat include various options from Kenya down to South Africa through Botswana, Zimbabwe, or Mozambique, trips through the West African countries, or traveling the fascinating and Arab-influenced north coast. Overland safaris offer tourists multicountry trips, camping out in game reserves, and getting a closer view of the continent's unspoiled expanses. For desert lovers, the vast expanses of the Sahara can be seen by camel treks in Sudan or Morocco, offering an insight into nomadic life.

Nile river, Egypt: *Feluccas* (sailboats) have been used for millennia as the main form of transportation for goods and people along the Nile.

Ksar Ouled Soultane, Tunisia: A highlight of traditional Tunisian vernacular architecture, these grain stores were used in the filming of the *Star Wars* movies.

Cultural Sights

Africa's early history is dominated by the amazing legacy of the ancient Egyptians, a fascinating 5,000-year-old culture that left monuments, huge temples, and beautiful tombs of immense wealth. Millions of tourists take idyllic cruises down the Nile, or stay in Cairo, the continent's largest city, for a visit to the pyramids and the treasure-filled Cairo Museum. Even older pyramids can be found in the Sudan, and there are numerous other remains such as the mysterious ruins of Great Zimbabwe. The Mediterranean coast has a number of impressive Roman sites, as well as many photogenic medieval *kasbahs* and *souqs*. Across the continent are a multitude of different cultures, with indigenous tribes, busy markets, and local cuisine. In some places, such as Lesotho, it is even possible to meet and stay with people living true to traditional ways.

What to See

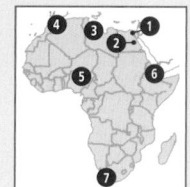

❶ Pyramids of Giza, Egypt
Visit the only survivor of the "Seven Wonders of the Ancient World"

❷ Karnak, Egypt
Immense temple complex from the ancient civilization

❸ Leptis Magna, Libya
A whole Roman city—one of the empire's grandest—in the desert

❹ Fès, Morocco
Medieval *medina* (town) with *souqs* and massive walls

❺ Durbar at Kano, Nigeria
Charging horsemen, muscular wrestlers, lute players, and horn blowers, celebrating the end of Ramadan

❻ Lalibela, Ethiopia
Eleven 12th-century churches carved from solid rock

❼ Cape Town, South Africa
A vibrant mix of Dutch, British, and Cape Malay influences

African buffalo herd, Botswana

Ouarzazate, Morocco

Congo River, Dem. Rep. Congo

Pottery jars, Djerba, Tunisia

Skeleton Coast, Namibia

Activities

Big game hunting can still be done in Africa, but most visitors nowadays shoot only pictures, a better way of preserving the potential of the vast savannas and deep forests teeming with wildlife. Taking a *pirogue* (dugout canoe) up Gabon's Ogooue River, or a *mekoro* along Okavango's waterways, is a good way to spot a hippopotamus. There are hiking opportunities, too—vast deserts to explore, beautiful swamplands, and rainforests. For beaches, Tunisia leads the way as a Mediterranean destination with excellent weather, facilities, and a variety of cultural sights, at a fraction of the price of other resorts. The Red Sea states are renowned for their coral and have world-class diving centers, while the Indian Ocean attractions of Zanzibar rate highly.

What to Do

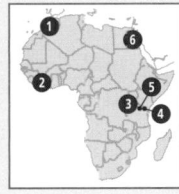

❶ Atlas Mountains, Morocco
Superb trekking past picturesque *kasbahs*

❷ Man, Ivory Coast
Revel at the exciting local masked-dancing festivals

❸ Rwanda
Visit the Virunga National Park to see how these most human of apes live in the wild

❹ Kilimanjaro, Tanzania
Climb Africa's tallest mountain at 19,340 ft (5,895 m) overlooking the savanna plains

❹ Olduvai Gorge, Tanzania
Discover the story of our earliest human ancestors from the fossilized remains found in this valley

❻ Hurghada, Egypt
Dive in the Red Sea among tropical fish and coral

Masai Mara National Reserve, Kenya: Tours deep into the Masai Mara can reward visitors with sightings of cheetahs, elephants, kudu, flamingos, wildebeest, and zebras in their natural habitat.

Natural Sights

The Sahara desert stretches across most of north Africa, from the foothills of the Atlas Mountains to the Nile valley, from the coastal delights of Tunisia to Timbuktu on the Niger River. This vast, mostly uninhabited expanse is noted for the enchanting sand dunes of the Grand Erg Oriental, and the beautiful oasis towns. Further to the south lie the great jungles and rivers of central Africa, some of them probably off-limits for most travelers due to regional instability. The west and south are dominated by the Great Rift Valley, which runs all the way down the continent from the Dead Sea in Jordan. Essential wonders include the animal-rich Ngorongoro Crater, majestic Kilimanjaro, and the two great waterfalls, Victoria and Murchison. But even better known are the great wildlife parks where big game still roam the plains—Serengeti, Kruger, and Masai Mara to name but a few.

What to See

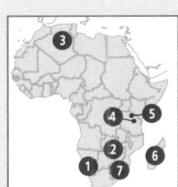

❶ Sossusvlei Sand Dunes, Namibia
Beautiful, haunting desert scenery

❷ Victoria Falls, Zambia/Zimbabwe
The thunderous roar can be heard for miles

❸ Grand Erg Oriental
Part of the vast Sahara desert, noted for its spectacular sands

❹ Ngorongoro Crater, Tanzania
Spy a rare black rhino or black-maned lion

❺ Serengeti, Tanzania
Witness the great wildebeest migration at the end of May

❻ Madagascar
Lush rainforests with their own distinctive species of animals

❼ Kruger National Park, South Africa
Lions, giraffes, elands, zebras, and rhinos—the continent's top safari experience

Victoria Falls, Zambia/Zimbabwe:
The spray from the turbulent waters of the Zambezi River rushing over the edge of the gorge gives the falls its native name Musi-O-Tunya—"the smoke that thunders."

North Africa

Algeria, Egypt, Libya, Morocco, Tunisia, Western Sahara

Egypt's ancient dynasties, going back almost 5,000 years and representing the height of civilization at that time, have left some of the most amazing archaeological sites on earth. The great temples and tombs along the Nile Valley, and the 50 or more pyramids in the north, were already considered well worth visiting in Roman times. Cairo, Egypt's modern capital, combines fascinating museums and characterful hotels with teeming streets and lively markets.

Further west, the north African desert has preserved many Roman sites and the *kasbahs* (fortresses) and *medinas* (old quarters) of cities linked to the trans-Saharan trading caravan routes give them an exotic feel, appreciated by travelers and film directors alike. Tunisia has latterly become a major beach destination for Europeans, while Morocco attracts visitors not only to seaside resorts but inland to Marrakech, Fès, and other historic cities. Libya, and particularly Algeria, lag behind due to less favorable political conditions.

Leptis Magna, Libya: This major Roman city, near present-day Tripoli, has an unequaled range of well-preserved buildings, from this fantastic theater, to the Severan Forum and the extensive Hadrianic baths.

SCALE 1:12,250,000
(projection: Lambert Azimuthal Equal Area)

Erg Chebbi Dunes, Morocco: Camel processions cross the spectacular 25 mile (40 km) stretch of classic Sahara dunes, near Merzouga, on their way to the famous Date Festival which is held every October in Erfoud. Traditional music and dancing accompany the date tasting.

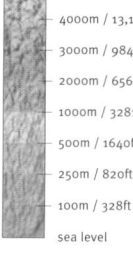

Map Key

POPULATION
- above 5 million
- 1 million to 5 million
- 500,000 to 1 million
- 100,000 to 500,000
- 50,000 to 100,000
- 10,000 to 50,000
- below 10,000

ELEVATION
- 4000m / 13,124ft
- 3000m / 9843ft
- 2000m / 6562ft
- 1000m / 3281ft
- 500m / 1640ft
- 250m / 82oft
- 100m / 328ft
- sea level

What to See

1 Jbel Toubkal
The highest peak in north Africa, dominating the Atlas Mountains at 13,664 ft (4,165 m), has superb trekking

2 Marrakech
Within the pink-plastered walls of the old town, the Jemaa el-Fna (Square of the Dead) is a bustling plaza, leading off to a labyrinth of *souqs*

3 Casablanca
Morocco's largest city, a creation of the European colonial era, has a lively, commercial feel and is home to the Hassan II Mosque, one of the world's largest

4 Fès
Spiritual and cultural center, and former capital of Morocco, this superbly preserved medieval town has a huge *medina*, extensive *souqs*, and impressive walls

5 Tlemcen
Arab imperial city whose heyday was during the 12th–16th centuries, now noteworthy for its Grand Mosque, Mansourah Fortress, and Almohad Ramparts

6 Djemila
(near Sétif) This remarkably intact Roman garrison town is not the largest such site in north Africa, but has fine buildings, mosaics, and marble statues

7 Dougga
(near Béja) Probably occupied since the 2nd millennium BCE, the extensive ruins include a well-preserved capitol, a brothel, and a fine pre-Roman mausoleum

8 Tunis
A rich Islamic trading center during the 12th–16th centuries, now known for its old *medina*, the antiquities in the Bardo Museum, and Carthage's ruins

9 Matmata
(near Tataouine) Its underground houses, a tradition dating back over 400 years, were used as the troglodyte dwellings in the filming of *Star Wars*

10 Tripoli
Seafront capital with an architectural mix of Roman and Turkish buildings, whitewashed alleys, and the classical Jamahiriyah Museum

11 Leptis Magna
(near Al Khums) One of the best-preserved Roman cities in the world, an extravaganza of marble

12 Acacus Mountains
Bewitching desert, dramatic rock formations, and prehistoric art dating to at least 8000 BCE, near the oasis town of Ghat

13 Cairo
Africa's largest city, founded in 969 CE, with bustling streets and historic buildings

14 Egyptian Museum
(in Cairo) Staggering displays of antiquities including Tutankhamun's treasure and the Royal Mummy Room's pharoahs

15 Pyramids of Giza
The only survivor of the "Seven Wonders of the Ancient World," the pyramids and sphinx date from around 2500 BCE

16 St. Catherine's Monastery
(near Gebel Musa) Built in the 6th century CE, this fortress-cum-monastery lies at the foot of Mount Sinai, where Moses is said to have received the Ten Commandments

17 Valley of the Kings
Long, inclined corridors descend to decorated, pillared halls each ending in a burial chamber (Tutankhamun's is among the least impressive). Nearby, Queen Nefertari's tomb has been restored to all its dazzling color

18 Temple of Karnak
(in Luxor) The greatest temple complex of them all, a massive site whose Great Hypostyle Hall of 134 huge columns covers 64,600 sq ft (6,000 sq m)

19 Abu Simbel
Guarded by four colossal statues of Ramses II, this amazing temple served as an impressive warning of the pharoah's power to those coming into Egypt from the south

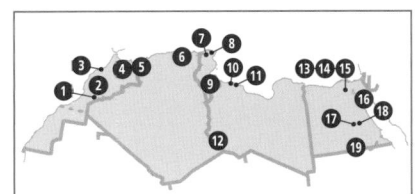

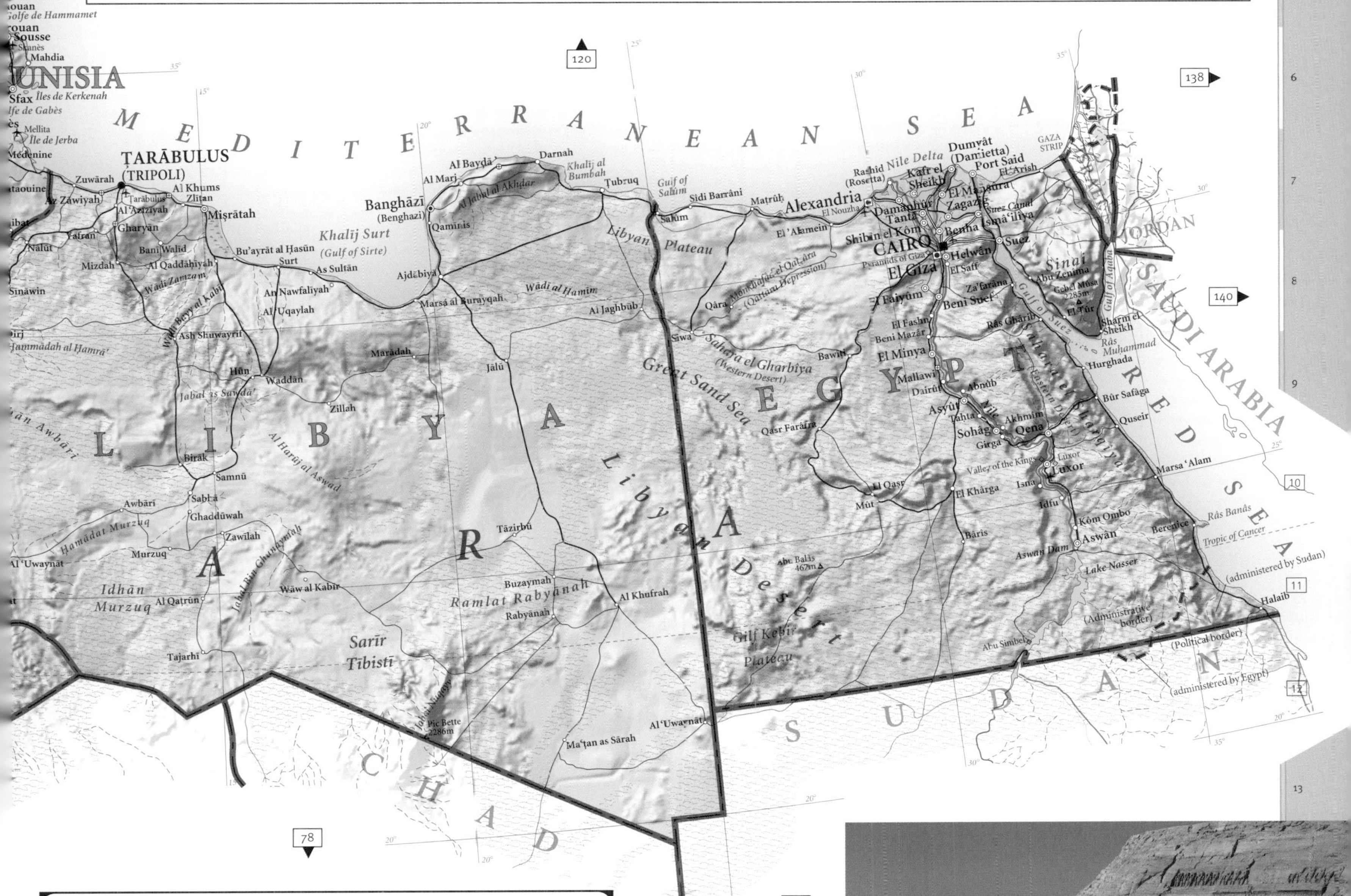

Abu Simbel: The colossal Temple of Ramses II and the nearby Temple of Nefertari, his wife, were raised in a mammoth engineering project led by UNESCO between 1964 and 1968 to save them from the rising waters of Lake Nasser following the completion of the Aswan Dam.

Activities

Observe traditional Berber courtship rituals at the **Imilchil** Betrothal Fair, Morocco (early September)

Trek in the **Haut Atlas** mountains

Soak up the sun at **Hammamet**, one of Tunisia's many popular beach resorts

Visit the pyramids at **Giza** to see the empty tombs of the pharaohs, long ago plundered by grave robbers (Cairo)

Windsurf at **Ras Sudr** on the Gulf of Suez

Attend the sound and light shows that bring life to **Karnak's** Egyptian history

Glimpse the penetrating sun at the Ascension of Ramses I (February 22nd) at **Abu Simbel**, Egypt, when the sun's rays reach through to the inner sanctuary

Dive at **Hurghada**, Red Sea to see the best coral reefs in the world

West Africa

Benin, Burkina, Cape Verde, Gambia, Ghana, Guinea, Guinea-Bissau, Ivory Coast, Liberia, Mali, Mauritania, Niger, Nigeria, Senegal, Sierra Leone, Togo

Pristine beaches, dazzling wildlife, delicious food, Benin bronzes, Ashanti gold, and the tallest cathedral in Christendom—west Africa has variety aplenty. Many layers of history enrich local cultures. Lively north Nigerian pageants and Mali's fabled Timbuktu (Tombouctou) testify to the impact of Islam. Further south and west you find older customs—Ivory Coast strongmen who juggle young girls, the talking drums of the Ewe, or the mask ceremonies of the Dan, Baga, Bobo, and Mossi tribes.

Nature is equally diverse with savanna, forest, and flamingo-rich deltas, best seen on cruises down the arterial rivers of Gambia, Senegal, and Niger. Tourists can scuba dive off Cape Verde, sip sun-downers in coastal Ghana, Sierra Leone, or Togo, and meet hospitable locals at lively markets. Fascinating forts and museums recall a more shameful Atlantic legacy—slavery.

Corruption, instability, and conflict still blight the hopes of postcolonial independence—despite its diamonds, oil, and cocoa, this is a predominantly poor region. Yet improved air links are attracting increasing numbers seeking an affordable and exciting vacation.

Ségou, Mali: Three women chat in a market abounding in carvings, textiles, jewelry, and pottery. This town of broad French colonial boulevards is also a traditional departure point for a journey up the Niger River. Visitors can watch the sun set from a waterfront sidewalk, or travel 6 miles (9 km) upstream to little Ségou Koro, once capital of the Bambara Kingdom and site of enchanting mosques and historic architecture.

Map Key

POPULATION
- ▣ 1 million to 5 million
- ▣ 500,000 to 1 million
- ◉ 100,000 to 500,000
- ⊕ 50,000 to 100,000
- ○ 10,000 to 50,000
- ○ below 10,000

ELEVATION
- 2000m / 6562ft
- 1000m / 3281ft
- 500m / 1640ft
- 250m / 820ft
- 100m / 328ft
- sea level

CAPE VERDE (same scale as main map)

SCALE 1:10,000,000
(projection: Lambert Azimuth Equal Area)

What to See

1 Parc National du Banc d'Arguin (near Nouâdhibou) Perhaps the continent's finest bird sanctuary

2 Île de Gorée (near Dakar) With its slave-trading past, this peaceful retreat is historically fascinating

3 Dakar A chaotic, cosmopolitan city with lively nightlife. Its modern African music clubs showcase hip-hop and local talent

4 Gambia A perfect introduction to Africa with spirited markets, birdwatching, and languid river scenery

5 Arquipélago dos Bijagós Idyllic islands of turtles, beaches, seafood, and faded colonial charm

6 Fouta Djallon With its rolling hills and refreshingly cooler climate, this area is a true hiker's delight

7 The Great Mosque (in Djenné) A dramatic focal point for this bustling, ancient town

8 Basilique de Nôtre Dame de la Paix (in Yamoussoukro) The world's tallest church at 489 ft (149 m) is the most prominent feature of Ivory Coast's capital

9 Cotonou You can buy anything from radios and fast food to monkeys' testicles at the city's Grand Marché

10 The Durbar at Kano End-Ramadan festivities in northern Nigeria's main city are a spectacle of Fulanis on charging horses and colorfully attired horn-blowers

11 Yankari (near Bauchi) Elephants, lions, and hippos inhabit this vast national game reserve, with relaxing warm springs at Wikki

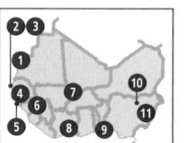

Activities

Enjoy African films at the Fespaco Pan-African Film Festival in **Ouagadougou**

Shop for authentic *kente* cloth, traditiona stools, or gold jewelry at **Kumasi**, Ghana's bustling epicenter of Ashanti culture

See Wodaabe warriors, in ocher face-pa nt and ostrich plumes, dancing at the Geerewol ceremony, **Niger**

Understand voodoo culture at **Ouidah**, a historic port in Benin

Thrash around with net-wielding fishermen in northwest Nigeria's **Rima river**, during the Argungu Fishing & Cultural Festival (March)

Enter the world of the maskmaking Dogon people of **Bandiagara**, Mali

Taste camel cheese in **Mauritania**—similar to goat cheese apparently

La Cascade de Man, Ivory Coast: This spectacular waterfall in a bamboo forest is also home to many butterflies. Visitors can take a quick c ip in the frothing pool at its base during the wetter months of August to November.

Great Mosque at Djenné, Mali: This five-story structure is the largest mud-brick building on earth. Constructed in 1907, it incorporates the sophisticated design of a now-destroyed original of 1280.

Central Africa

Cameroon, Central African Republic, Chad, Congo, Dem. Rep. Congo, Equatorial Guinea, Gabon, São Tomé, & Príncipe

Many hail Cameroon as Africa's new jewel destination. This nation of 280 ethnic groups is bilingual in English and French, with fine cuisine, superb beaches around Kribi, and nine excellent nature reserves. Tourists can sleep in rainforests, shop for wonderful sculptures, listen to Bafut's expert xylophone-players, or watch festive stilt-walkers. Manu Dibango's infectious music epitomizes Cameroon's *joie de vivre*, and regular flights from Europe encourage predictions of 500,000 visitors annually. Elsewhere, the region is afflicted by sporadic crime, corruption, and instability. The Democratic Republic of the Congo (DRC), formerly Zaire, is a vast country scarred by decades of corrupt rule and a still-simmering civil war, reinforcing its image from Joseph Conrad's novel *Heart of Darkness*. The DRC's sophisticated capital, Kinshasa, is worth visiting, but little remains of the 14th–17th century Kongo kingdom and hazards prevent eco-tourism in the DRC's Congo river basin, eastern jungles, and southern savannas. In Gabon, oil wealth has spawned new hotels, while in Congo (Brazzaville), travelers can explore luxuriant mangroves skirting a network of rivers. Mix caution with common sense, escape humidity by visiting during November to February, and you may discover pleasant surprises in central Africa.

Map Key

POPULATION
- 1 million to 5 million
- 500,000 to 1 million
- 100,000 to 500,000
- 50,000 to 100,000
- 10,000 to 50,000
- below 10,000

ELEVATION
- 4000m / 13,124ft
- 3000m / 9843ft
- 2000m / 6562ft
- 1000m / 3281ft
- 500m / 1640ft
- 250m / 820ft
- 100m / 328ft
- sea level

What to See

1 Neolithic Rock Art in the Ennedi
Hidden between red sandstone canyons and cathedral-like outcrops are some astonishing examples of 8,000-year-old rock art

2 Parc National du Waza, Cameroon (near Maroua) Elephants gather in their hundreds around the park's main watering hole

3 St. Floris Park
All the major species live in CAR's main national park, though numbers are depleted

4 Cameroon Mountain
Allocate two days for an invigorating 17 mile (27 km) hike through tropical forest to the icy zenith of central Africa's highest peak

5 Foumban
This Muslim town has the amazing 14th-century Bamoun sultan's palace and a colorful market

6 Yaoundé
The Benedictine Monastery's small Musée d'Art Camerounais displays fabulous masks, bowls and bronze pipes

7 Isla de Bioco
Spectacular mountain vistas open out in this tropical paradise island belonging to Equatorial Guinea—Africa's only Spanish-speaking nation

8 Sao Tomé & Principe
These islands have attractive, lush scenery and bizarre remnants of extinct volcanoes

9 Lambaréné
The picturesque hospital where Albert Schweitzer won a Nobel Prize for his pioneering medical philanthropy still functions at this river port and trading nexus

10 Loufoulakari Falls (near Brazzaville) Tour these remarkable falls and visit the nearby Poto Poto painting school

11 Kinshasa
The DRC's capital city is renowned for the swaying rhythms of *soukous* music

Congo river, Democratic Republic of the Congo: A fisherman handles a net as the other moors their traditional pirogue to the water's edge. Fishermen along this mighty river navigate perilous rapids and need strength and balance—skills honed over generations—to land their carp, tilapia, or highly-prized capitaine.

SCALE 1:10,500,000
(projection: Lambert Azimuthal Equal Area)

Rumsiki Mountains, Extrême-Nord, Cameroon: Erosion has left these tremendous basaltic pillars—cores of ancient volcanoes—towering above the landscape. Tourists can see traditional ways of life at the nearby Rumsiki village and craft center—don't miss a visit to the witch doctor who uses a crab in a clay pot to tell fortunes.

Loango National Park, Gabon:
This half-submerged male hippopotamus is one of many species that can be seen here. The park encompasses forest, savanna, wetlands, and ocean so not only can visitors observe land animals, there are also opportunities to whalewatch as well.

Activities

Try a local delicacy, fried caterpillar, while ferrying across the mighty **Congo River**

Attend the week-long annual Ngombi Festival of urban African music in **Bangui**

See rainforest wildlife in **Cameroon's** Parc National du Korup

Dodge longhorns and ceremonial jesters at the Bull Festival at **Zlama,** Cameroon

Stroll beside the harbor in friendly **Malabo,** Equatorial Guinea's island capital

Watch horses race through the streets of **Kumbo,** Cameroon, in Nso Cultural Week

Visit a Baka (pygmy) village in **Kiri,** W. DRC, and follow a guide into the dense forest in search of antelope, snakes, and crocodiles

East Africa

Burundi, Djibouti, Eritrea, Ethiopia, Kenya, Rwanda, Somalia, Sudan, Tanzania, Uganda

If any region deserves the title "birthplace of mankind," it is probably east Africa. Three million years ago early human beings lived in the Great Rift Valley. In the 3rd century BCE, the Nubian empire flourished in Sudan. Axum in Ethiopia was arguably the world's first Christian kingdom, with awe-inspiring ancient churches and mountain-top monasteries. Southern Ethiopia, by contrast, is largely Muslim—witness the 99 mosques of 16th-century Harer. East Africa's vast lakes feed the mighty Nile and nourish

a kaleidoscope of animals. The region is replete with picturesque beaches, offering many hidden gems for the intrepid, although much of it has been fraught with political turmoil and recurrent famine. More stable Kenya and Tanzania offer safari vacations in their great game parks, and the ascent of Kilimanjaro is becoming something of a rite of passage for trekkers celebrating their 50th birthdays.

What to See

1 Nubian Pyramids
(near Kabushiya) More ancient than their Egyptian cousins, the great pyramids recall the civilization of Meroe

2 Gonder
Dubbed the "Camelot of Africa," this 17th-century castle has a church with dazzling murals

3 Lalibela
Eleven beautiful and still-operative Axumite churches hewn from rock

4 Danakil Desert
This volcanic depression attracts the more daring traveler to its steaming lava lakes

5 Balho
(near Yoboki, Djibouti) Nomad village, offering insights into a way of life that is fast eroding

6 Burundi
Despite local instability, Tutsi royal master drummers and Twa pottery are worth seeing

7 Lake Victoria
Straddling Uganda, Kenya, and Tanzania, the world's third largest lake is an outstanding natural feature

8 Masai Mara National Reserve
Vacation tours allow thousands to buy pretty soapstone sculptures, snap elephants and rhino, visit local villages, and see the Masai jumping dancers

9 Olduvai Gorge
(in the Serengeti Plain) Follow in the footsteps of the great palaeontologists to rediscover the sites of our earliest ancestors

10 Ngorongoro Crater
Few places offer such a diversity of flora, fauna, and dramatic, volcanic savanna scenery

11 Kilimanjaro
Tanzania's perpetually snow-capped peak is the tallest in Africa—best visited in the dry months, June–October

12 Mombasa
Brilliant white beaches, sophisticated nightlife, majestic views of the serene Indian Ocean, and a unique blend of Arab, African, and Portuguese culture

13 Zanzibar
Long ruled by Arabs and Persians, with distinctive architecture, quaint alleyways, and the pleasantly ubiquitous smell of cloves

Ngorongoro Conservation Area, Tanzania: Like some surrealistic vision, a flamingo colony wades through shallow water in one of the soda-rich volcanic crater lakes of the Great Rift Valley. Blessed by plentiful rain from March to May, these lakes attract birds in droves. The Ngorongoro Crater forms the southeastern corner of the Serengeti National Park, a vast park of 5,700 sq miles (14,763 sq km) in area.

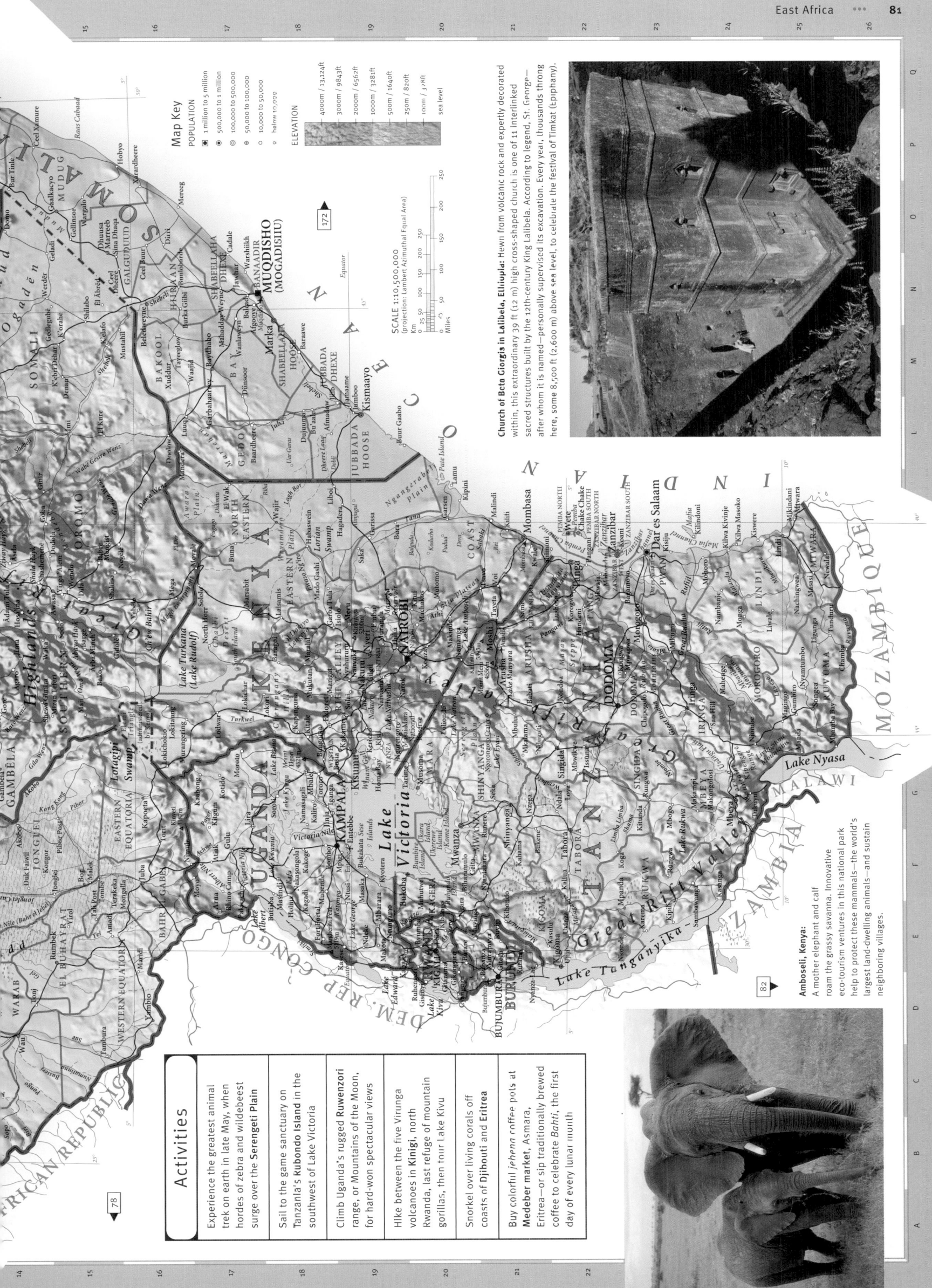

Church of Beta Giorgis in Lalibela, Ethiopia: Hewn from volcanic rock and expertly decorated within, this extraordinary 39 ft (12 m) high cross-shaped church is one of 11 interlinked sacred structures built by the 12th-century King Lalibela. According to legend, St. George—after whom it is named—personally supervised its excavation. Every year, thousands throng here, some 8,500 ft (2,600 m) above sea level, to celebrate the festival of Timkat (epiphany).

Amboseli, Kenya: A mother elephant and calf roam the grassy savanna. Innovative eco-tourism ventures in this national park help to protect these mammals—the world's largest land-dwelling animals—and sustain neighboring villages.

82 ▶

Map Key

POPULATION

- ◻ 1 million to 5 million
- ◉ 500,000 to 1 million
- ◎ 100,000 to 500,000
- ⊕ 50,000 to 100,000
- ○ 10,000 to 50,000
- ○ below 10,000

ELEVATION

	4000m / 13,124ft
	3000m / 9843ft
	2000m / 6562ft
	1000m / 3281ft
	500m / 1640ft
	250m / 820ft
	100m / 328ft
	sea level

172 ▲

SCALE 1:10,500,000
(projection: Lambert Azimuthal Equal Area)

Km 25 50 100 150 200 250
Miles 25 50 100 150 200 250

Activities

Experience the greatest animal trek on earth in late May, when hordes of zebra and wildebeest surge over the **Serengeti Plain**

Sail to the game sanctuary on Tanzania's **Kubondo Island** in the southwest of Lake Victoria

Climb Uganda's rugged **Ruwenzori** range, or Mountains of the Moon, for hard-won spectacular views

Hike between the five Virunga volcanoes in **Kinigi**, north Rwanda, last refuge of mountain gorillas, then tour Lake Kivu

Snorkel over living corals off coasts of **Djibouti** and **Eritrea**

Buy colorful *jebena* coffee pots at **Medeber market**, Asmara, Eritrea—or sip traditionally brewed coffee to celebrate *Bahti*, the first day of every lunar month

◀ 78

Southern Africa

Angola, Botswana, Lesotho, Malawi, Mozambique, Namibia, South Africa, Swaziland, Zambia, Zimbabwe

Freed from its pariah status during the apartheid years, South Africa has blossomed into a world-beating tourist destination, mixing mountains, great rivers, vineyards, beaches, and game reserves with desert, forest, and arid savanna. The Cape's Mediterranean flora and fauna contrast with a humid subtropical zone around Kwazulu/Natal. South Africa's music, cuisine, and sports are justly famous. Architecture ranges from gracious, 18th-century, Cape Dutch farmsteads to dazzling, contemporary, Ndebele homes. For nightlife, gold-fuelled Johannesburg vies with Cape Town's old-world charm. The years of racial division and exploitation are sensitively evoked. In Cape Town, this is done both at museums like Robben Island and Old Slave Lodge, and through gestures like hanging the once-banned painting "Black Christ" in the National Gallery.

Visitors are assured excellent infrastructure and easy transportation to attractive, neighboring states. Consider the breathtaking alpine vistas of the inland kingdoms of Lesotho and Swaziland, the watery charms of Malawi, or those underexplored former Portuguese colonies, Angola and Mozambique. Namibia boasts the dramatic springtime blooming of the Kalahari Desert. Botswana is famed for its San (Bushmen) settlements and teeming flamingos and pelicans. While political strife largely precludes visitors enjoying Zimbabwe, adjoining Zambia abounds with animal and birdlife.

What to See

1 Lake Nyasa
Africa's third largest lake hosts diverse wildlife and water sports

2 Etosha
Virtually every regional species is found in this national park—most numerous are springbok

3 Spitzkoppe (near Swakopmund)
A hiker's paradise known for its jewelry, black marble, rocky outcrops, yellow Butter Trees, and San (Bushmen) rock art

4 Okakarara village
Herero male elders still communicate with ancestors over an eternal flame by night

5 Okavango Delta
Wild dogs, giraffe, zebra, wildebeest, and a myriad of antelope populate the world's largest inland delta

6 Victoria Falls
Known locally as Musi-O-Tunya (The Smoke That Thunders), this majestic spectacle is best viewed from the Zambian side of the border with Zimbabwe

7 Lake Kariba
The manmade lake on the Zambezi offers bungee jumping, fishing, and scuba diving, plus whitewater rafting downstream from the Victoria Falls

8 Matobo Hills (near Bulawayo)
Rock forms used as Stone Age dwellings, and as a spiritual focus

9 Great Zimbabwe Ruins (near Masvingo)
The mysterious stone complex built by an indigenous civilization of great sophistication

10 Kruger National Park
This vast park features fantastic wildlife safaris alongside landscape attractions like the Blyde River Canyon and Pilgrim's Rest

11 Maputo
This irrepressible capital city is fast becoming a tourism magnet and luxury conference venue

12 Kwazulu/Natal
In the shade of the Drakensberg mountains, expert Zulu craftswomen sell their wares and show visitors the skills of grass-weaving (uhasha) or threading exquisite bead designs

13 Hluhluwe Umfolozi Park (near St. Lucia)
Eco-tourists may spot rare white rhino, or explore the nearby St. Lucia Wetland Park

14 Wild Coast (near Port St. Johns)
Africa untrammeled reveals itself in the rolling hills of the Eastern Cape—pipe-smoking women, distinctive red blankets, clicking Xhosa language, and haunting music

15 Port Elizabeth
An eccentric reminder of Britain in South Africa, the "windy city" has fine beaches, a pyramid, and an Oceanarium

16 Karoo National Park (near Beaufort West)
The dinosaur skeleton park of this arid region attracts paleontologists

17 Stellenbosch
This beautiful Afrikaner university town of whitewashed walls and gables is set in world-famous wine country

18 Cape Town
South Africa's "mother city" has the renovated Victoria and Albert Docks, 17th-century pentagonal castle, and the Parade's flower-sellers

19 District Six Museum (in Cape Town)
Homage to a once thriving, racially mixed community, destroyed under apartheid

20 Robben Island (off Cape Town) Nelson Mandela's prison cell draws many to the once-forbidden island, with views of Table Mountain. It holds curiosities like a Muslim kramat (shrine), leper church, and governor's house

Activities

- Roll the dice at casinos in **Swaziland**
- Canoe down Zambia's **Zambezi River**
- Fish off Angola's coast at **Palmeirinhas**
- Take a township tour in **Soweto**
- Swim with Jackass penguins at sheltered **Boulders Beach**, near Cape Town
- Ride an ostrich in South Africa's **Little Karoo**
- Groove to jazz, hip-hop, and kwaito at **Cape Town's** North Sea Music Festival
- Shop for spices and curios in **Durban**
- Hike the five-day Otter Trail in **Tsitsikamma National Park**, South Africa

Blyde River Canyon, South Africa: An intrepid hiker surveys the canyon carved by the Blyde River over the ages through shale and quartzite. Located at the center of South Africa's huge Kruger National Park, this lookout point offers magnificent views.

SCALE 1:10,500,000
(projection: Lambert Azimuthal Equal Area)
Km 0 25 50 100 150 200 250 300
Miles 0 25 50 100 150 200 250 300

Map Key

POPULATION
- 1 million to 5 million
- 500,000 to 1 million
- 100,000 to 500,000
- 50,000 to 100,000
- 10,000 to 50,000
- below 10,000

ELEVATION
- 3000m / 9843ft
- 2000m / 6562ft
- 1000m / 3281ft
- 500m / 1640ft
- 250m / 820ft
- 100m / 328ft
- sea level

SOUTH AFRICA'S THREE CAPITALS

PRETORIA – administrative capital
CAPE TOWN – legislative capital
BLOEMFONTEIN – judicial capital

Morgenhof Wine Estate, South Africa: The tower crowns a picturesque environment of beautifully maintained French style formal gardens, brick-vaulted cellars, charming paths, and forested hills. Established in 1692, this sophisticated Cape winery produces 300,000 bottles a year.

Etosha National Park, Namibia: Watering holes, like this one at Chudob, spring up all over the park and attract giraffe, springbok, and groups of thirsty zebra.

Europe

"If you live in Europe...things change...
but continuity never seems to break.
You don't have to throw the past away." NADINE GORDIMER, b.1923

Physical Europe

Europe may be relatively small—dwarfed by Asia, Africa, and the Americas in terms of land mass— but it is a continent of considerable physical diversity. To the south lie the young peaks of the Alpine uplands, which include the Pyrenees, the Alps, and the Carpathian Mountains, as well as the Apennines and the Dinaric Alps. Stretching from the Fens of eastern England to the Ural Mountains in Russia is the fertile North European Plain, much of it, especially in the east, covered in woodland. North of this, the Atlantic Highlands include the Cairngorms of Scotland and the Scandinavian mountain ranges. The glaciation that shaped much of the far north has left distinctive marks, such as the fjords of Norway and the shallow lakes of Finland.

Mountains

The Alps, stretching across France, Italy, Switzerland, Germany, Austria, Liechtenstein, and Slovenia, have for many years been a center for winter sports. The increase in temperature caused by global warming is causing consternation that the season is shortening due to lack of snow.

Rivers

The rivers of Europe resonate with the history of war and empire. The Thames was once the center of a global empire built on the back of British naval strength. The Rhine, flowing from Switzerland to the North Sea, formed the northern border of the Roman Empire. The Danube, rising nearby but flowing east to the Black Sea, saw the ebb and flow of Christendom and Muslim Turkish rule.

Map Key
ELEVATION

4000m / 13,124ft
3000m / 9843ft
2000m / 6562ft
1000m / 3281ft
500m / 1640ft
250m / 820ft
100m / 328ft
sea level

PLATE MARGINS

——— constructive
△ △ destructive
——— conservative
········· uncertain

——— physiographic regions

Forests

Forests stretch across much of Germany and eastern Europe, often framing turreted castles on towering crags. European forest cover is expanding by 1,250,000 acres a year.

SCALE 1:25,500,000
(projection: Lambert Azimuthal Equal Area)

Km
0 100 200   400   600

Miles
0 50 100   200   300   400   500   600

Climate

Europe's climate is generally mild. It experiences few extremes in temperature, aside from the far north and the sun-baked south, making it ideal for agriculture. Rain falls in moderate quantities, although visitors to Ireland or Wales may find it can last a long time. The warm air coming from the North Atlantic Drift allows western Europe to experience much gentler weather than would otherwise be possible at such a latitude; the Mediterranean flora of western Ireland are one sign of this. In the east and north, winters can be harsh and heavy snows are common.

Jura mountains, Switzerland: Evergreen fir forests that cover much of the mountainous regions of Europe are well suited to survive the winter snows.

Climate
- tundra
- subarctic
- cool continental
- warm humid
- mediterranean
- semi-arid
- ☼ daily hours of sunshine, January
- ☼ daily hours of sunshine, July
- → cold wind
- → hot wind

Temperature

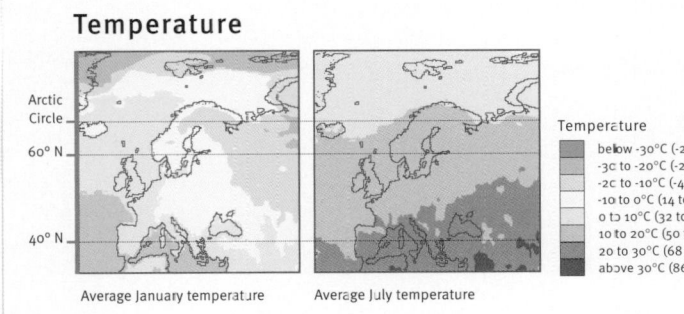

Arctic Circle
60° N
40° N

Average January temperature

Average July temperature

Temperature
- below -30°C (-22°F)
- -30 to -20°C (-22 to -4°F)
- -20 to -10°C (-4 to 14°F)
- -10 to 0°C (14 to 32°F)
- 0 to 10°C (32 to 50°F)
- 10 to 20°C (50 to 60°F)
- 20 to 30°C (68 to 86°F)
- above 30°C (86°F)

Rainfall

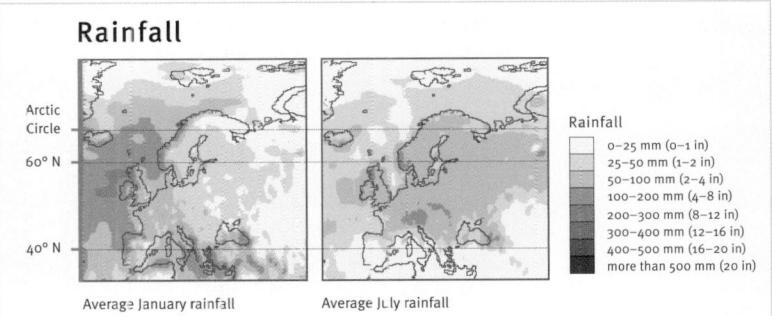

Arctic Circle
60° N
40° N

Average January rainfall

Average July rainfall

Rainfall
- 0–25 mm (0–1 in)
- 25–50 mm (1–2 in)
- 50–100 mm (2–4 in)
- 100–200 mm (4–8 in)
- 200–300 mm (8–12 in)
- 300–400 mm (12–16 in)
- 400–500 mm (16–20 in)
- more than 500 mm (20 in)

Using Land and Sea

Despite urbanization and high population density, over half of Europe's land is still agricultural. France is western Europe's leading agricultural producer. Large subsidies for Europe's farmers have come under attack as too costly, wasteful, and unfair, denying market access to much poorer producers in developing countries. Some communities that depend heavily on fishing face a serious crisis, many stocks having been brought to the edge of extinction by overexploitation.

Alentejo plains, Portugal: A patchwork of cork, oak, and olive tree plantations alternate with wheatfields to maximize land productivity.

Using the Land and Sea
- cropland
- forest
- ice cap
- mountain region
- pasture
- tundra
- wetland
- • major conurbations
- cattle
- goats
- pigs
- poultry
- reindeer
- sheep
- cereals
- citrus fruits
- cotton
- fishing
- fodder
- fruit
- olive oil
- potatoes
- rice
- root crops
- roses
- shellfish
- sunflowers
- timber
- tobacco
- vineyards

Political Europe

Rooted in the ideas and learning of ancient Greece and Rome, Western civilization as it developed from the Renaissance to the present day reflects the overwhelming ascendancy of European powers. Its imprint spread throughout the "known world," reaching ever further across the oceans through European discovery and colonization. Democracy, a concept born in Athens, reignited by the French Revolution and given durable parliamentary form in the United Kingdom in London, has taken hold everywhere on the continent since the defeat of fascism (in 1945) and the collapse of communism (since 1989). Nationalism has fragmented the Balkans and fuelled regionalism in Belgium, Spain, and elsewhere, but the drive toward integration is manifest in the expanding membership of the European Union.

Houses of Parliament, London, UK: Overlooking the Thames River, Big Ben towers above the 19th-century Palace of Westminster, home of the UK's so-called "mother of parliaments."

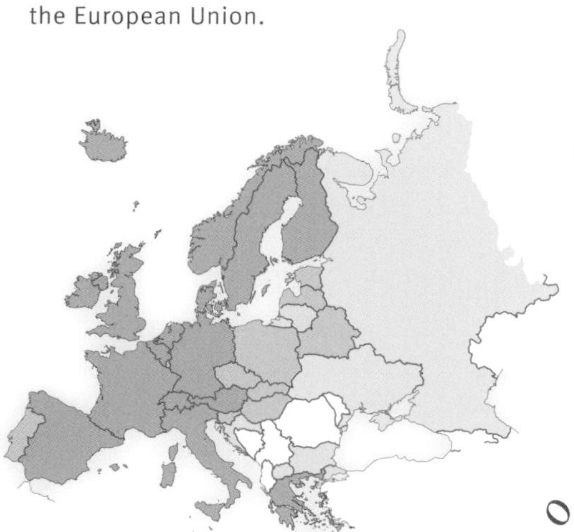

Standard of Living

Standard of Living
(UN Human Development Index)

low

high

The countries of northern and western Europe enjoy some of the highest living standards in the world, with Norway and Switzerland among the most prosperous. Further east people are much poorer, particularly in the Balkans, but nowhere else on the continent comes close to Moldova for grinding rural poverty.

Map Key

POPULATION

◼ above 5 million
◼ 1 million to 5 million
◉ 500,000 to 1 million
◎ 100,000 to 500,000
⊕ 50,000 to 100,000
○ 10,000 to 50,000
● Country capital

BORDERS

⬛ full international border

SCALE 1:17,250,000
(projection: Lambert Azimuthal Equal Area)

Km
0 50 100 200 300 400 500 600 700 800 900 1000
Miles
0 50 100 200 300 400 500 600 700

Map labels

Denmark Strait
Arctic Circle
REYKJAVÍK
ICELAND

Norwegian Sea

Faeroe Islands (to Denmark)

Shetland Islands

Outer Hebrides
Orkney Islands
Bergen
Trondheim

NORWAY
SWEDEN
FINLAND

Gulf of Bothnia
Tampere
Lake Ladoga

OSLO
Stavanger
Kristiansand
Uppsala
Örebro
STOCKHOLM
Åland
Turku
HELSINKI
St Petersburg
Murmansk

SCOTLAND
Aberdeen
Dundee
Glasgow
Edinburgh

North Sea

Gothenburg
Ålborg
Jönköping
Gotland
TALLINN
ESTONIA

NORTHERN IRELAND
Belfast
Newcastle upon Tyne
DENMARK
COPENHAGEN
Helsingborg
Malmö
Odense
Vättern
Vänern

LATVIA
RĪGA
Western Dvina
Ventspils
Liepāja

IRELAND
DUBLIN
Isle of Man (to UK)
Liverpool
Manchester
Sheffield
Leeds
UNITED KINGDOM
WALES
ENGLAND
Cardiff

Baltic Sea

RUSS. FED. (Kaliningrad)
Kaliningrad
Gdańsk

LITHUANIA
Kaunas
VILNIUS
Vitsyebsk
MINSK

Birmingham
London
Southampton
R. Thames
Groningen
Hamburg
Elbe
Bremen
Hannover
BERLIN
NETH.
AMSTERDAM
THE HAGUE
Rotterdam
Antwerp
Nijmegen
Düsseldorf
Oder
Bydgoszcz
Vistula
Babruysk
BELARUS
Homyel

Channel Islands (to UK)
English Channel
Le Havre
Seine
BELGIUM
BRUSSELS
Liège
Bonn
GERMANY
Leipzig
Dresden
Poznań
Łódź
WARSAW
Brest
POLAND
Wrocław
Kraków

Rennes
Nantes
St-Nazaire
PARIS
Orléans
Loire
LUXEMBOURG
Frankfurt am Main
Nüremberg
Stuttgart
PRAGUE
CZECH REPUBLIC
UKRAINE
L'viv

Bay of Biscay
Limoges
Bordeaux
FRANCE
Strasbourg
Munich
Salzburg
Danube
Chernivtsi
KIEV

A Coruña
Porto
Duero
Valladolid
Ebro
Toulouse
Rhône
Lyon
Geneva
Zürich
BERN
SWITZERLAND
Innsbruck
LIECHTENSTEIN
Milan
SLOVENIA
LJUBLJANA
Verona
Po
Venice
Trieste
ZAGREB
VIENNA
AUSTRIA
BUDAPEST
HUNGARY
Győr
Miskolc
BRATISLAVA
SLOVAKIA
Cluj-Napoca
CHIŞINĂU
MOLDOVA
ROMANIA
Braşov
Dniester

PORTUGAL
LISBON
Setúbal
Tagus
MADRID
SPAIN
Zaragoza
ANDORRA LA VELLA
ANDORRA
Pyrenees
Marseille
Nice
MONACO
Turin
Genoa
Bologna
CROATIA
ALPS
Adriatic Sea
SAN MARINO
BOS. & HERZ.
SARAJEVO
Mostar
BELGRADE
SERBIA & MONTENEGRO (YUGOSLAVIA)
BUCHAREST
Ruse
BULGARIA
SOFIA
Constanţa

Seville
Córdoba
Cádiz
Málaga
Gibraltar (to UK)
Ceuta (to Spain)
Melilla (to Spain)
Valencia
Barcelona
Mallorca
Menorca
Eivissa
Palma
Murcia
Balearic Islands
Corsica
Pisa
Florence
ITALY
VATICAN CITY
ROME
Naples
Bari
Tyrrhenian Sea
Sardinia
Cagliari
TIRANA
ALBANIA
SKOPJE
MACEDONIA
Stara Zagora
Burgas
Varna

Atlantic Ocean
Mediterranean Sea
MALTA VALLETTA
Palermo
Sicily
Catania
Messina
Cosenza
Ionian Sea
GREECE
ATHENS
Piraeus
Lárisa
Salonica
Istanbul
Aegean Sea
Crete
Irákleio

Ronda, Spain: Holy Week, leading up to the Christian Easter celebration, brings out the crowds and huge decorated floats.

① High speed rail via the Channel Tunnel can take you from central London to Paris in 2 hours and 35 minutes. Completion of the new track into London will shave off another half hour.

Transport
— major roads and motorways
— major railways
— international borders
● transport intersections
⊕ major international airports
⊕ major ports

② Highways in Italy, France, and elsewhere charge tolls, but Germany's are free and have no speed restrictions.

③ Greece's extensive ferry network opens up great possibilities for island-hopping vacations.

Transportation

The Channel Tunnel between the United Kingdom and France, and the Oresund bridge and tunnel linking Denmark and Sweden, are engineering feats that change people's mental maps and travel options. So does the cheap air travel now widely available. Rail networks are good in many European countries, as are roads in most, with highways increasingly linking up across the continent.

Languages

The largest European language groups are Germanic (including English, German) in the north, Romance (including French, Spanish) in the south, and Slavic (including Polish, Russian) in the east. The EU has 20 official languages, and the importance of preserving its Celtic and other minority languages is increasingly recognized, but travelers can often get by in English, so widely is it taught and spoken, especially by the young.

Language groups
- Turkic
- Albanian
- Finno-Ugric/Samoyed
- Germanic
- Slavic
- Romance
- Basque
- Baltic
- Celtic
- Greek
- Caucasian
- Iranian
- Mongol

Appleby horse fair, Cumbria, UK: Country fairs draw locals, tourists, and travelers, notably the Roma who are often the focus of distrust and discrimination.

Mont St.-Michel, France

Lake District, England

Riga, Latvia

Puffins, Iceland

Kassopi, Greece

Trips

Many European countries pride themselves on excellent rail networks, making this a fine way to reach the continent's many great historic cities. Unlimited travel on "Inter Rail" tickets, pre-paid for specified periods, is especially popular among students. The recent revolution in the cost of short-haul air travel, with the rapid growth of budget airlines, has brought a boom in short "city breaks" and "fly-drive" vacations, where the flexibility of a rental car makes a whole region easily accessible. Motorists will find numerous scenic drives throughout the continent, such as the renowned Amalfi drive along the coast of central Italy. Cruises are both popular and relaxing, whether by sea (particularly in the Baltic and the Mediterranean) or down one of the great rivers (the Danube is second to none). A canal vacation, along France's famous Canal du Midi for example, offers an even more leisurely pace. At the other extreme, choose the excitement of an icebreaker trip to the Arctic.

Budapest, Hungary: The waters of the Danube River reflect the Neo-Gothic parliament building. Winding its way through 1,700 miles (2,740 km) of European heartland, from the Black Forest to the Black Sea, the Danube forms a natural border between several countries.

Great European Trips

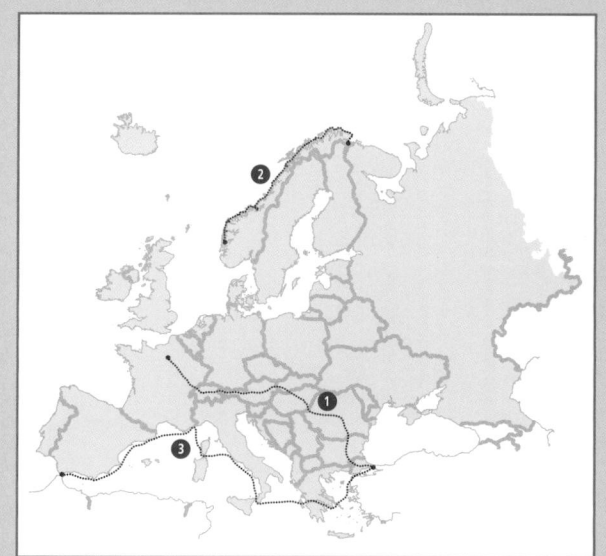

❶ Orient Express
Paris, France –
Istanbul, Turkey
1,800 miles (2,900 km)
The original route of Europe's most famous and luxurious train ride is once again available, a six-day trip from the French capital across the Alps to Budapest then Bucharest, and on to Turkey. Other options include London and Venice.

❷ Fjord Cruise, Norway
Bergen—Kirkenes
1,450 miles (2,334 km)
Sailed by the Vikings 1,000 years ago, this "North Way" takes you along the spectacular, rugged coastline of Norway's famous fjords, steep-sided inlets with hanging waterfalls, and on into the Arctic Circle, almost to Russia.

❸ Mediterranean Cruise
Strait of Gibraltar—Istanbul, Turkey
2,500 miles (4,000 km)
A glorious way to see the key cities of the Mediterranean while basking in the sun and enjoying the relaxed lifestyle of the idyllic islands. Many shorter routes are available, but for those with time, enjoy the full trip.

Natural Sights

Northwestern Europe's green Atlantic coastlines, in the light of long summer days, have a powerful appeal for visitors to Ireland, Scotland, and Norway. In a continent that can seem bursting with people, these remote locations are a great way to get away, offering scenic and generally quite straightforward hiking possibilities—even the chance of rainy weather does not dampen most people's enthusiasm. The Alps form the dramatic backbone of central Europe, with picturesque lakes and valleys that have enchanted hikers for generations. Some of the world's most challenging slopes and rock faces occur in the Alps and the Pyrenees also attract ardent skiers and climbers. The forests of Germany and Poland have their own distinctive atmosphere, while the fantastic coastlines of the Mediterranean are especially loved by vacationers.

What to See

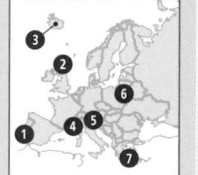

❶ Algarve, Portugal
Portugal's southern coastline is known for its popular beaches and colorful cliffs

❷ Scottish Highlands
Explore the haunting beauty of the valleys, mountains, and lochs

❸ Iceland
Volcanic wonderland of hot springs, vast glaciers, and waterfalls

❹ Camargue, France
Rich wetlands famous for flamingos and wild white horses

❺ Alps
Dramatic beauty of jagged outcrops in Europe's highest mountain range

❻ Bialowieza Forest, Poland
Unique lowland forest roamed by endangered European bison

❼ Greek Islands
Dotted liberally across the waters of the Aegean Sea these offer sandy beaches, ancient ruins, and hot nightlife

Godafoss falls, Iceland: These impressive horseshoe falls, whose name means "Waterfall of the Gods," are in the north of Iceland. The island's relative youth in geological terms has created a raw and evolving landscape rife with waterfalls and volcanic activity.

Geiranger Fjord, Norway

Kremlin, Moscow, Russia

Amsterdam, Netherlands

Tallinn, Estonia

Lauterbrunnen, Switzerland

Activities

Soccer is Europe's biggest sport, with passions running high. It attracts far more fans than golf or tennis, and tickets are red hot for games between top clubs like Manchester United, Inter Milan, and Real Madrid. The region's most popular outdoor pursuits are walking and skiing. For evening entertainment, London is renowned for its West End theater, Vienna and Milan for opera, Berlin and Barcelona for nightlife, and Rome and Paris for overall ambience. Music festivals bring other cities to the fore—Salzburg (Austria) in July, or Bayreuth (Germany) in August for the music of Wagner. The Edinburgh Festival, also in August, featuring alternative music, dance, and drama, is famous as a springboard for new talent. Pop and rock festivals attract huge numbers of young people to venues such as Glastonbury in England and Roskilde in Denmark.

What to Do

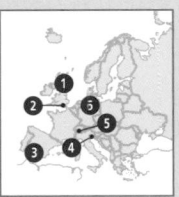

❶ Golf in St. Andrews, Scotland
Play on golf's oldest and most famous courses

❷ West End, London, UK
Take in a show at one of around 50 theaters

❸ Bullfights, Seville, Spain
The Feria de Abril is a high point; the season runs from Easter through the summer

❹ Venice, Italy
A gondola is the best (and most expensive) way to glide around the enchanting canals

❺ Matterhorn, Switzerland
A unique, exhilarating climbing challenge for the suitably fit, with great skiing nearby

❻ Berlin Philarmonic Orchestra, Germany
Attend a concert by Europe's top classical orchestra

Cultural Sights

Impressive ancient remains are a striking feature throughout Europe, from prehistoric cave dwellings, earthworks, and standing stones such as Stonehenge, to the architectural magnificence of Greek and Roman temples, palaces, and amphitheaters, concentrated in but not limited to the Mediterranean area. The impact of Islam is strongest in Spain's Moorish heritage, while the shifting fortunes of European countries as leading world powers is reflected in the wealth of medieval cities from Spain, Portugal, and France to the Low Countries and the UK as much as through the treasures of their superb museums. The surviving palaces and awesome religious buildings of Sweden, Poland, European Russia, and central Europe testify to their periods of regional power. The finest flowering of the Renaissance, however, in art and architecture alike, can be found in Italy, the legacy of the rivalry between its once great city states.

Casa Batlló, Barcelona, Spain: The organic forms of Antoni Gaudí's architecture are dotted throughout Barcelona, giving it a unique and magical feel.

The Parthenon, Athens, Greece: This huge symbol of the might of ancient Greece, built 2,500 years ago, is a masterpiece of refined architectural design, based on the careful calculation of perfect proportions, with gently tapered columns and slightly curved horizontal planes. This all combines to make it supremely pleasing to the eye.

What to See

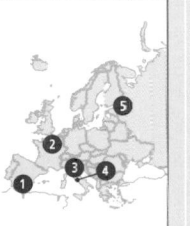

❶ Alhambra, Granada, Spain
This Moorish palace justifies the inscription "Nothing in life could be more cruel than to be blind in Granada"

❷ Louvre, Paris, France
The world's largest art museum, most famous for its Renaissance masterpieces such as Leonardo da Vinci's enigmatic *Mona Lisa* and classical treasures like the *Venus de Milo*

❸ Duomo, Florence, Italy
Brunelleschi's vast octagonal dome and Giotto's bell tower make this beautiful cathedral the crowning achievement of Florentine architecture

❹ Colosseum, Rome, Italy
The imperial Roman capital's atmospheric amphitheater hosted bloody gladiator battles

❺ Petrodvorets, Saint Petersburg, Russia
Peter the Great's Grand Palace is a dazzling display of interior opulence and magnificent gardens

Scandinavia, Finland, & Iceland

Denmark, Norway, Sweden, Finland, Iceland

Jutting into the Arctic Circle, this northern swathe of Europe has some of the continent's harshest environments, but also some of its most magnificent scenery. Iceland, sitting on the Mid-Atlantic Ridge, is an actively volcanic wonderland of waterfalls and glaciers, but in terms of landscape, Norway is perhaps most famous, above all for the magnificent steep-sided fjords along its west coast. A boat trip north from Bergen or Trondheim is a fine way to enjoy this coastline, as well as giving an appreciation of the rigors faced by generations of fishermen. Norway is also a departure point for expeditions to the North Pole.

Standards of living are high, making the region expensive for tourists. Norwegians, Icelanders, Danes, and Swedes speak closely related languages, whereas Finnish is quite distinct, brought from the east by its early settlers. The Lapps, or Sami, maintain their traditional, reindeer-herding way of life in the northern regions of Norway, Sweden, and Finland.

Uspenski Cathedral, Helsinki: This red-brick cathedral, built in the 1860s, has 13 gold onion domes representing Jesus Christ and his disciples.

Svartifoss, Iceland: Black hexagonal basalt columns frame this fabulous waterfall in Iceland's Skaftafell National Park.

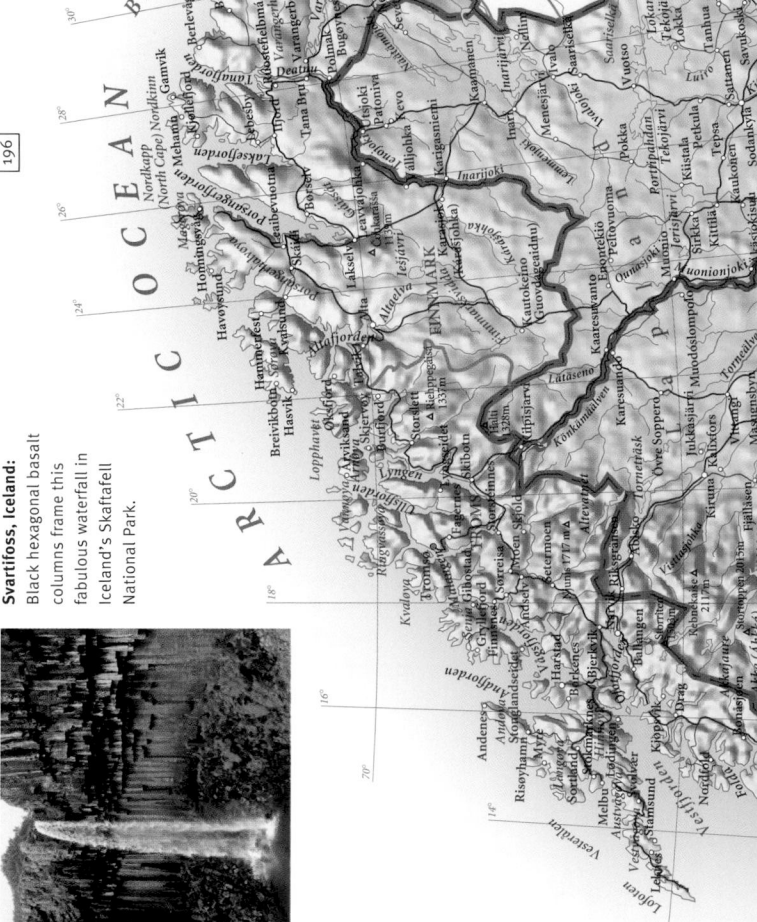

Map Key

POPULATION

- ● 500,000 to 1 million
- ◉ 100,000 to 500,000
- ⊕ 50,000 to 100,000
- ○ 10,000 to 50,000
- ○ below 10,000

ELEVATION

| 2000m / 6562ft |
| 1000m / 3281ft |
| 500m / 1640ft |
| 250m / 820ft |
| 100m / 328ft |
| sea level |

SCALE 1:9,000,000
(projection: Lambert Conformal Conic)

(same scale as main map)

What to See

Southern Scandinavia
see pp94–95

① Myvatn
Beautiful lake and hot springs. Nearby are the still-smouldering Krafla volcano and Namaskard sulfurous mudpools

② Geysir
Home on the eponymous "geyser," now sadly dormant, a superheated jet bursts skyward from the Strokkur geyser, its near neighbor, every five minutes

③ Gulfoss
(near Geysir) In an island of impressive waterfalls, Gulfoss, meaning "golden falls," is the most scenic

④ Glacier Lagoon
(near Höfn)
Awesome lagoon of floating blue and white icebergs, used as a location in several James Bond movies

⑤ Norwegian Fjords
Stretching from Stavanger to North Cape, these long, narrow inlets, cut into the mountains by glaciers, are among the world's most dramatic landscape formations

⑥ Icehotel
(in Jukkasjärvi) This unusual complex is built every October from thousands of tons of ice. Inside, a chilly 23°F, it is well insulated from the -4 to -22°F outside

⑦ Savonlinna Castle
Perched on an island in Finland's scenic Lake Region and built in 1475, Scandinavia's best-preserved medieval castle has several interesting architectural quirks

⑧ Helsinki
Modeled on Saint Petersburg, the Finnish capital has museums focusing on its culture.

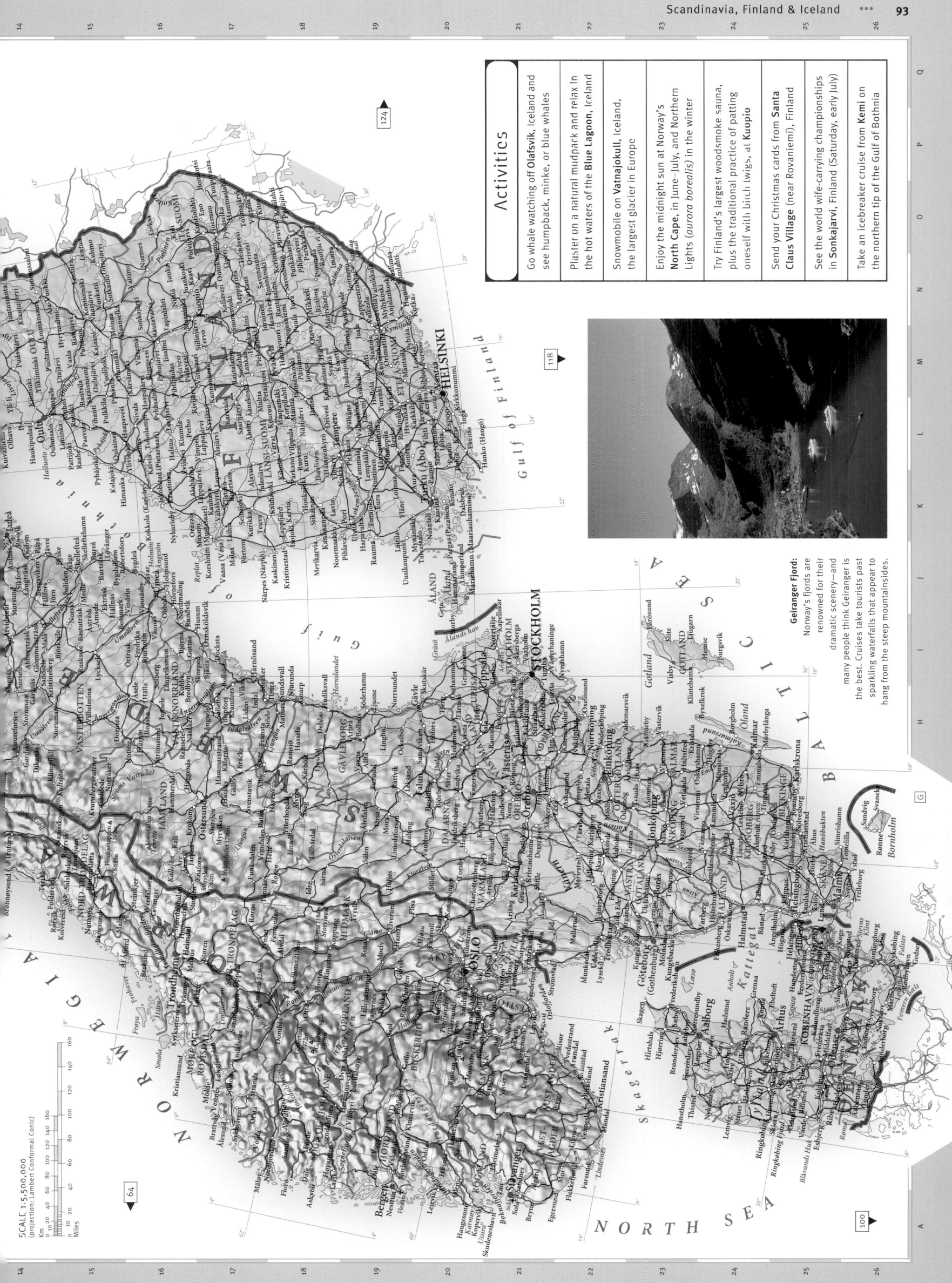

Activities

Go whale watching off **Olafsvik**, Iceland and see humpback, minke, or blue whales

Plaster on a natural mudpack and relax in the hot waters of the **Blue Lagoon**, Iceland

Snowmobile on **Vatnajokull**, Iceland, the largest glacier in Europe

Enjoy the midnight sun at Norway's **North Cape**, in June–July, and Northern Lights (*aurora borealis*) in the winter

Try Finland's largest woodsmoke sauna, plus the traditional practice of patting oneself with birch twigs, at **Kuopio**

Send your Christmas cards from **Santa Claus Village** (near Rovaniemi), Finland

See the world wife-carrying championships in **Sonkajärvi**, Finland (Saturday, early July)

Take an icebreaker cruise from **Kemi** on the northern tip of the Gulf of Bothnia

Geiranger Fjord: Norway's fjords are renowned for their dramatic scenery—and many people think Geiranger is the best. Cruises take tourists past sparkling waterfalls that appear to hang from the steep mountainsides.

SCALE 1:5,500,000
(projection: Lambert Conformal Conic)

Southern Scandinavia

Southern Norway, Southern Sweden, Denmark

The southern region of Scandinavia is the more easily habitable and accessible part, so, not surprisingly, it is also the economic and political hub. Norway, Sweden, and Denmark have a closely interwoven history and enjoy a high degree of cultural unity, in both literature and art. Intricately carved woodwork is a distinctive feature of many buildings, whether residential or ecclesiastical, and fine intact examples can still be found of the traditional wooden stave churches. Denmark, with less to boast of in the landscape department than its Scandinavian neighbors, can claim instead to have one of Europe's most vibrant and socially innovative cities, Copenhagen, as its capital. Swedes, on the other hand, would certainly advance the rival claims of Stockholm on this score.

Scandinavian summers can be surprisingly warm, if relatively brief, and outdoor vacations are popular, making the best of opportunities not only to walk in the wonderful countryside but to sail, swim, or just mess around on the many lakes. The excellent winter sports facilities, particularly for cross-country skiing, are an even bigger draw for visitors to the Scandinavian mainland. Norway has the best ski resorts. Its capital, Oslo, even has facilities for quite extensive ski-touring—and summer hiking—within its boundaries, as well as fine museums reflecting a distinguished history of seagoing exploration, going back some 1,500 years to early Viking times.

What to See

1 Nidaros Cathedral (in Trondheim) Dating back over 1,000 years, Scandinavia's largest Gothic church was, until 1908, the crowning place of Norway's kings

2 Norway in a Nutshell ® (from Bergen) A round trip by train and boat, showcasing some of the country's best scenery

3 Bygdøy Museum Island (in Oslo) The island's museums chronicle seafaring craft, the country's folk traditions, architecture, and its pre-eminent playwright Henrik Ibsen

4 Drottningholm (near Stockholm) The royal palace's dazzling interior and gardens are likened to Versailles

5 Stockholm Sweden's capital links 14 islands offering a mix of elegant buildings, parks, and museums

6 Kalmar Castle In a dramatic island setting, this 12th-century castle was remodeled as a Renaissance palace

7 Nimis (near Molle) Bizarre stairway and tower structure made entirely of driftwood

8 Kronborg Castle (in Helsingør) This grand 16th-century Danish castle is the setting for Shakespeare's *Hamlet*

9 Copenhagen Cosmopolitan capital, with fine museums and palaces amid charming canals and streets

10 Odense The birthplace of much-loved storyteller Hans Christian Andersen is a pleasant university town

11 Legoland (in Billund) Plastic Brick heaven, in the country of origin of this toy phenomenon, with many elaborate buildings such as Titania's palace

12 Århus Charming, narrow, medieval streets lead to interesting churches and museums in this cultural capital

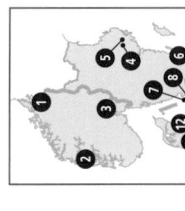

Borgund stave church, Norway: This church in Sogn og Fjordane, built around 1200 CE, is one of the best examples of a wooden stave church—where wall timbers are placed vertically and the roof is supported by free-standing columns.

Crowning of Lucia, Queen of Light: On December 13, festivities in Skansen, the open-air cultural museum in Stockholm, mark St. Lucia's day. A young woman in a white robe is crowned with candles, amid fireworks, songs celebrating Lucia and Christmas, and the eating of saffron *lussekatter* buns.

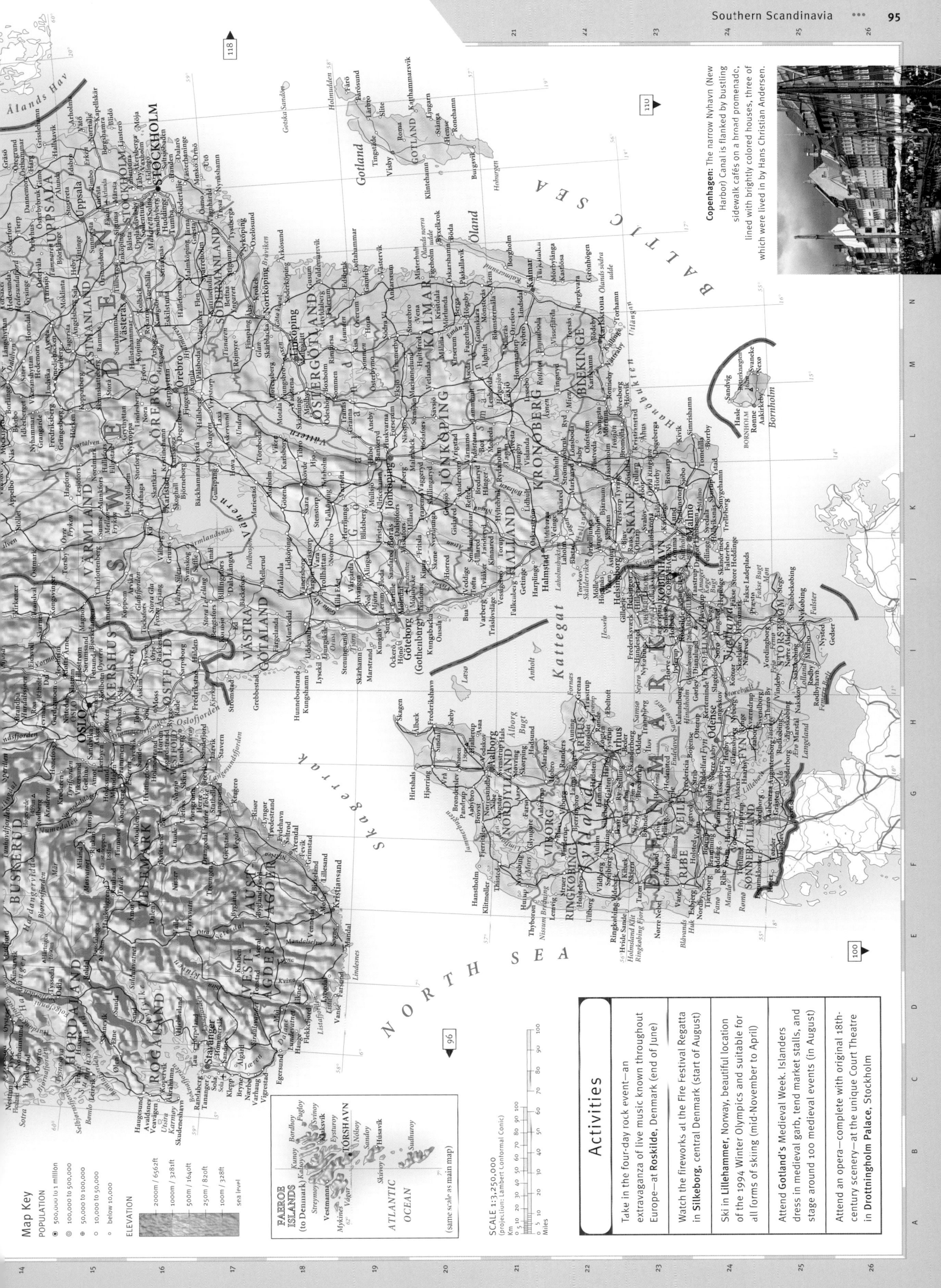

Copenhagen: The narrow Nyhavn (New Harbor) Canal is flanked by bustling sidewalk cafés on a broad promenade, lined with brightly colored houses, three of which were lived in by Hans Christian Andersen.

Activities

Take in the four-day rock event—an extravaganza of live music known throughout Europe—at **Roskilde**, Denmark (end of June)

Watch the fireworks at the Fire Festival Regatta in **Silkeborg**, central Denmark (start of August)

Ski in **Lillehammer**, Norway, beautiful location of the 1994 Winter Olympics and suitable for all forms of skiing (mid-November to April)

Attend **Gotland's Medieval Week.** Islanders dress in medieval garb, tend market stalls, and stage around 100 medieval events (in August)

Attend an opera—complete with original 18th-century scenery—at the unique Court Theatre in **Drottningholm Palace**, Stockholm

---

FAEROE ISLANDS
(to Denmark)

ATLANTIC OCEAN

(same scale as main map)

SCALE 1:3,250,000
(projection: Lambert Conformal Conic)
Km
Miles

Map Key

POPULATION

● 500,000 to 1 million
◉ 100,000 to 500,000
⊕ 50,000 to 100,000
⊙ 10,000 to 50,000
○ below 10,000

ELEVATION

2000m / 6562ft
1000m / 3281ft
500m / 1640ft
250m / 820ft
100m / 328ft
sea level

The British Isles

United Kingdom, Ireland

A collection of nations sharing centuries of constantly intertwining history reside on these islands. England prides itself on its heritage. Its stately homes, castles, cities, engineering feats, countryside, and constantly groundbreaking popular culture convey the wealth of ideas and self-confidence of its people over the centuries. London is one of the world's most visited cities, for its theater, historic buildings, museums, galleries, and royal pageantry.

Scotland has fine mountain scenery, memorable castles, and the flavor of its peerless malt whiskeys. Wales also has its imposing castles, often left by the English, and a cultural richness embodied in the annual Eisteddfod festival of poetry and music.

Northern Ireland is emerging from troubled times and boasts the unique Giant's Causeway and the ancestral beginnings of several US presidents. Its independent, prosperous neighbor, Ireland, has a rich Christian heritage with many artefacts and ruins from its heyday, during the 3rd–5th centuries, as one of the faith's leading centers.

Activities

Walk the **Pennine Way**, from Edale in the Peak District 250 miles (400 km) to Kirk Yetholm by the Scottish border

Shop at London's inimitable **Harrods**, then adjourn to the **Ritz** for tea

Take the scenic railway to the top of **Snowdon**, Wales's highest peak

Search for the fabled monster on Scotland's famous **Loch Ness**

Attend the **Braemar Highland Games** and witness the best in Scottish pipe and drum bands, dancing, and caber-tossing

Try oysters, a local delicacy, at the **Galway Oyster Festival** (September)

Kiss the Blarney Stone at **Blarney Castle**, near Cork, and get the gift of the gab—but beware of falling off the battlements!

What to See

① Scottish Highlands
Spectacular mountains, glens, lochs, and rivers, form the British Isles' most unspoiled and dramatic landscapes

② Edinburgh
Scotland's capital is known for its imposing castle and its August Festival of music, drama, and entertainment

③ Lake District
Stark mountains and shimmering lakes that have inspired writers as diverse as William Wordsworth and Beatrix Potter

④ York
This fascinating walled city, well served by museums revealing its Roman and Viking past, has a medieval web of narrow streets

⑤ Caernarfon Castle
Constructed in 1282 to subdue the Welsh, arguably the greatest of Edward I's castles

⑥ Blenheim Palace
(near Oxford) Marking his defeat of the French in 1704, this lavish Baroque palace was given to the Duke of Marlborough. Winston Churchill was born here

⑦ Bath
Famed before Roman times for its therapeutic waters and since the 1700s for its Georgian buildings

⑧ Stonehenge
On an already ancient site, this massive stone circle was completed around 1500 BCE. Its purpose is still unclear

⑨ London
Pageantry combines with history and culture in this great city. The Tower of London, British Museum, and London Eye are highlights

⑩ Dublin
James Joyce's city, as famous for its pubs as for Trinity College and the Book of Kells

⑪ Giant's Causeway
According to legend, this extraordinary expanse of hexagonal stone columns was the work of giants

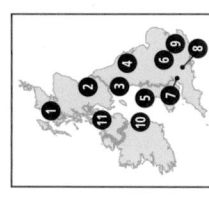

Tobermory, Scotland: Small towns and beautiful castles dot the remote and mountainous Hebridean isles of Scotland, ideal for those wanting to get away from urban stress for hiking or fishing. In some places, the Scots Gaelic tongue is still the main language.

Brighton Pavilion, southern England: The Prince Regent built this exuberant oriental-style palace in the 1800s in the fashionable seaside resort of Brighton. Still popular with visitors today, for its fun-loving charm and great nightlife, the city is also noted for its gay scene.

Map Key

POPULATION
- above 5 million
- 1 million to 5 million
- 500,000 to 1 million
- 100,000 to 500,000
- 50,000 to 100,000
- 10,000 to 50,000
- below 10,000

ELEVATION
- 100m / 328ft
- 500m / 1640ft
- 25m / 82oft
- 100m / 328ft
- sea level

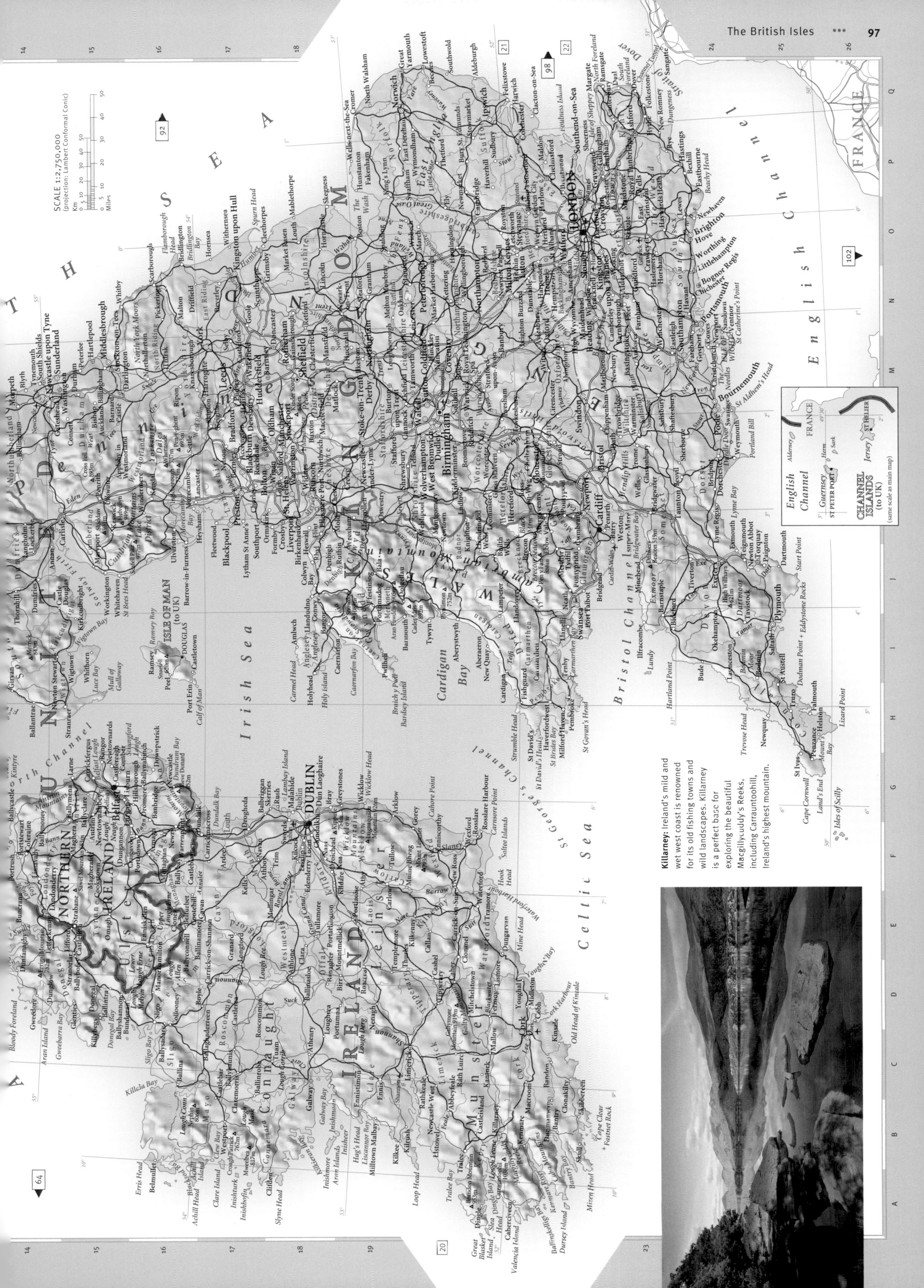

Killarney: Ireland's mild and wet west coast is renowned for its old fishing towns and wild landscapes. Killarney is a perfect base for exploring the beautiful MacGillycuddy's Reeks, including Carrauntoohil, Ireland's highest mountain.

The Low Countries

Belgium, Luxembourg, Netherlands

The splendid old buildings of Bruges and Brussels reflect an extraordinary period of wealth in the 14th and early 15th centuries, when this region stood in the very forefront of world trade, science, and culture. Its great seafaring traditions built up Rotterdam's position as the world's largest port and helped establish Antwerp, a 16th-century jewel, as the center of the diamond trade. Amsterdam too has fine architecture, an intricate network of canals, and a reputation for liberalism. The heavy footprint of two World Wars across the region is marked by memorials and interpretative displays at key sites.

Many visitors seek out the great museums displaying the work of world-famous Flemish artists, including Rubens in Antwerp, Rembrandt, Vermeer, and other 17th-century masters in Amsterdam and The Hague, and the 19th-century impressionist Van Gogh, also in Amsterdam. Other delights include colorful fields of tulips in the spring and landscapes dotted with traditional water-pumping windmills. These are part of the perpetual effort to preserve the extensive areas that lie below sea level and also include an impressive network of dams and dykes to protect them from flooding.

Alkmaar's market: This traditional Dutch cheese-making town still has Gouda and Edam laid out in the market on Friday mornings to be carried off on sleds by porters to the 500-year-old Weigh House on the left.

What to See

1 Amsterdam
Great cultural center, famous for its network of canals, fabulous art museums, and coffee houses where smoking marijuana is accepted—and legal

2 The Anne Frank House (in Amsterdam) Where the daughter of a Jewish family, in hiding from the Nazis, kept her poignant diary until discovered and sent to Bergen-Belsen

3 Hoge Veluwe National Park (near Otterlo) Strange mix of forests and woods, shifting sands, and heathland, plus the Kröller-Müller Museum, noted for its modern art collection

4 The Hague
The Dutch political capital has fine parliament buildings and museums, built around the castle of the counts of Holland

5 Delft
Charming 17th-century town with quaint canals and bridges, home of Vermeer and the famed blue and white pottery

6 Bruges
Much of the historic city dates back some 700 years, and oversaw a flowering of Flemish art

7 Antwerp
Rubens' former home town, traditionally a great intellectual and diamond center. Large Gothic cathedral

8 Brussels
Capital of Belgium and the European Union, known for fine food and its central Grand Place

9 Waterloo
Scene of Wellington's defeat of Napoleon in 1815, with fascinating battle exhibits

10 Luxembourg
Historic hilltop city with excellent location and interesting buildings, often overlooked by travelers

NETHERLANDS' TWO CAPITALS

AMSTERDAM - capital
THE HAGUE - seat of government

Map Key

POPULATION
◉ 500,000 to 1 million
◎ 100,000 to 500,000
⊕ 50,000 to 100,000
○ 10,000 to 50,000
∘ below 10,000

ELEVATION
500m / 1640ft
250m / 820ft
100m / 328ft
sea level
below 10,000

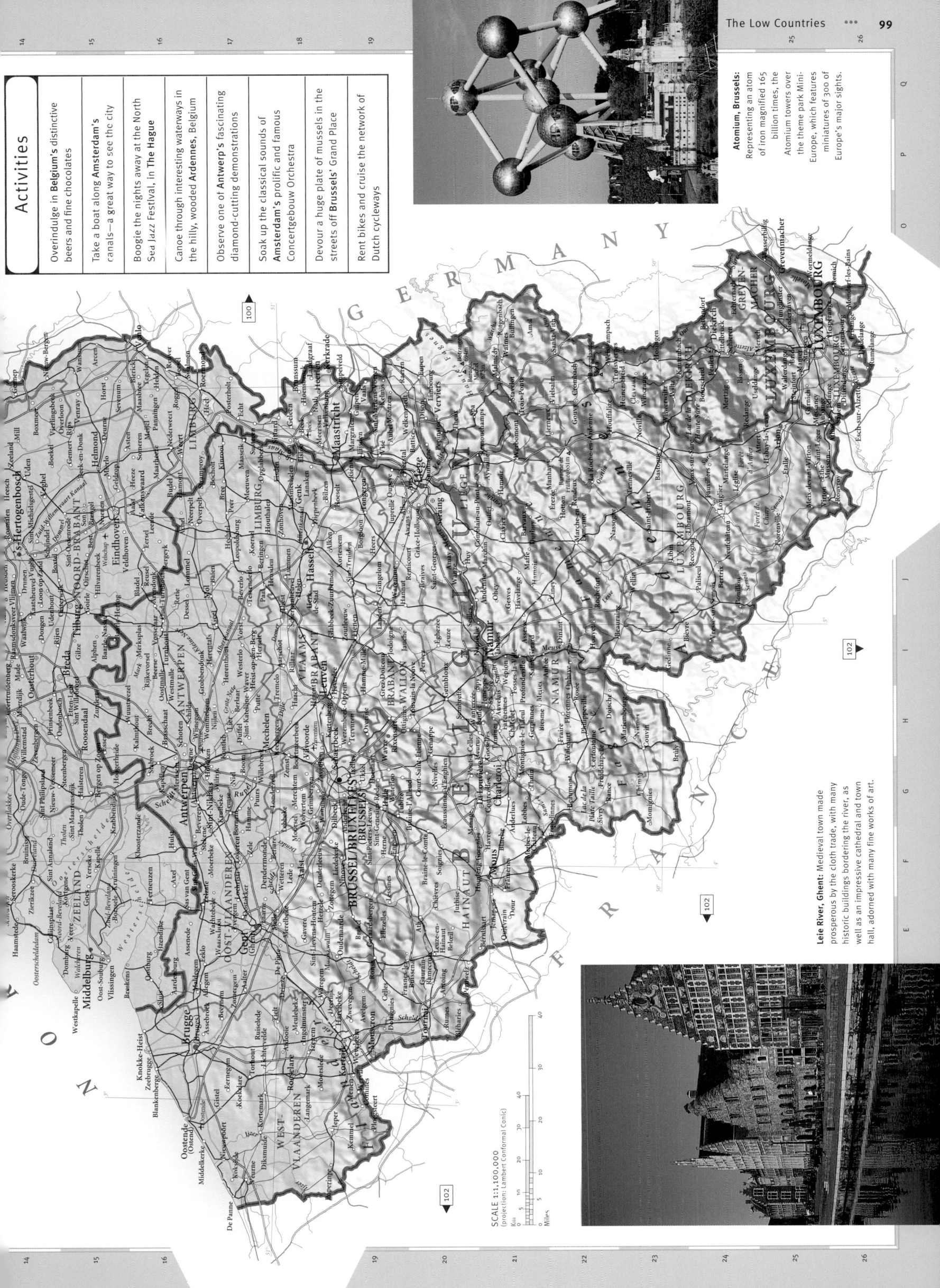

Activities

- Overindulge in **Belgium's** distinctive beers and fine chocolates
- Take a boat along **Amsterdam's** canals—a great way to see the city
- Boogie the nights away at the North Sea Jazz Festival, in **The Hague**
- Canoe through interesting waterways in the hilly, wooded **Ardennes**, Belgium
- Observe one of **Antwerp's** fascinating diamond-cutting demonstrations
- Soak up the classical sounds of **Amsterdam's** prolific and famous Concertgebouw Orchestra
- Devour a huge plate of mussels in the streets off **Brussels'** Grand Place
- Rent bikes and cruise the network of Dutch cycleways

Atomium, Brussels: Representing an atom of iron magnified 165 billion times, the Atomium towers over the theme park Mini-Europe, which features miniatures of 300 of Europe's major sights.

Leie River, Ghent: Medieval town made prosperous by the cloth trade, with many historic buildings bordering the river, as well as an impressive cathedral and town hall, adorned with many fine works of art.

SCALE 1:1,100,000
(projection: Lambert Conformal Conic)

Germany

A kaleidoscope of high culture, folk tradition, scenic beauty, and sheer variety—not, perhaps, the first image conjured up by the name Germany. Of course the country bears the marks of its recent history—the ruthless pursuit of power up to 1945, the drive to rebuild prosperity on the ruins of defeat and the division of communist East from more economically successful West until reunification in 1990. The visitor may still see signs of that East-West division, but will become aware too of the older one between protestant north and mainly Catholic Bavaria. There are also physical transitions from the dunelined northern coasts to the wide German plain, then the southern hills and Alpine mountains. If Berlin and Munich stand out as the most magnetic cities, the rich heritage of other provincial centres and smaller cities is bound to impress—the legacy of their role as capitals of the kingdoms, dukedoms, and princely states, which gradually came together as one nation in the 19th century.

What to See

1 Hamburg
This Hanseatic City is Europe's second largest port, but younger people come for the pulsing life along the Reeperbahn

2 Berlin
Germany's reunified capital is its liveliest city, amid reminders of its turbulent history such as the imposing Brandenburg Gate, the glorious new Reichstag, and the dignified Holocaust Memorial

3 Potsdam
The historic heart of Prussia's erstwhile capital is a World Heritage Site and the Rococo Sans Souci palace its crowning romantic glory

4 Dresden
The 18th century Baroque masterpiece, the Zwinger Palace, has been restored since the 1945 Allied bombing of the city. Hosting several museums, Raphael's *Sistine Madonna* is its most prized treasure

5 Weimar
Charming but unassuming town, home of Goethe and Schiller, and briefly German capital in 1919

6 Cologne (Köln)
Overshadowed by its great Gothic cathedral, the city has plentiful reminders of its Roman origins, from sturdy city walls to the exquisite Dionysus mosaic

7 Mosel Valley
Vineyards and romantic riverside castles between Trier and Koblenz make a perfect bicycle tour

8 Trier
Fine Roman remains like the Porta Nigra grace the picturesque town where Karl Marx was born and Mosel wine is made

9 Heidelberg
A medieval town of pink sandstone, whose vibrant university is Germany's oldest, founded in 1386

10 Black Forest (Schwarzwald)
Well established as a favourite German holiday region, with wooded walks and vigorous climbs set amid charming timber built villages

11 Konstanz
The center for relaxing lakeside indulgence, gentle boating, or more strenuous water sports

12 Neuschwanstein (near Füssen)
Mad King Ludwig of Bavaria's extravagant lakeside fairytale castle

13 Munich
Technology explained in the Deutsche Museum, swimming places along the Isar river, and beer gardens for summer evening relaxation

Heidelberg: The Alte Brücke needs nine stone spans to cross the broad Neckar River. Also known as the Karl Theodor Brücke after its 18th century architect, it is adorned with his statue and that of the Greek goddess Athene—inkeeping with the vainglorious image of the town that made student duels famous.

SCALE 1:2,500,000
(projection: Lambert Conformal Conic)

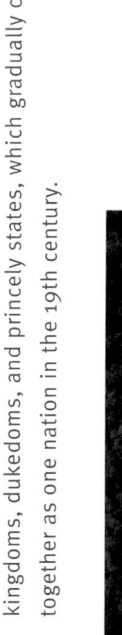

Brandenburg Gate, Berlin: The broad avenue of Unter den Linden was blocked off here by the Berlin Wall until 1989.

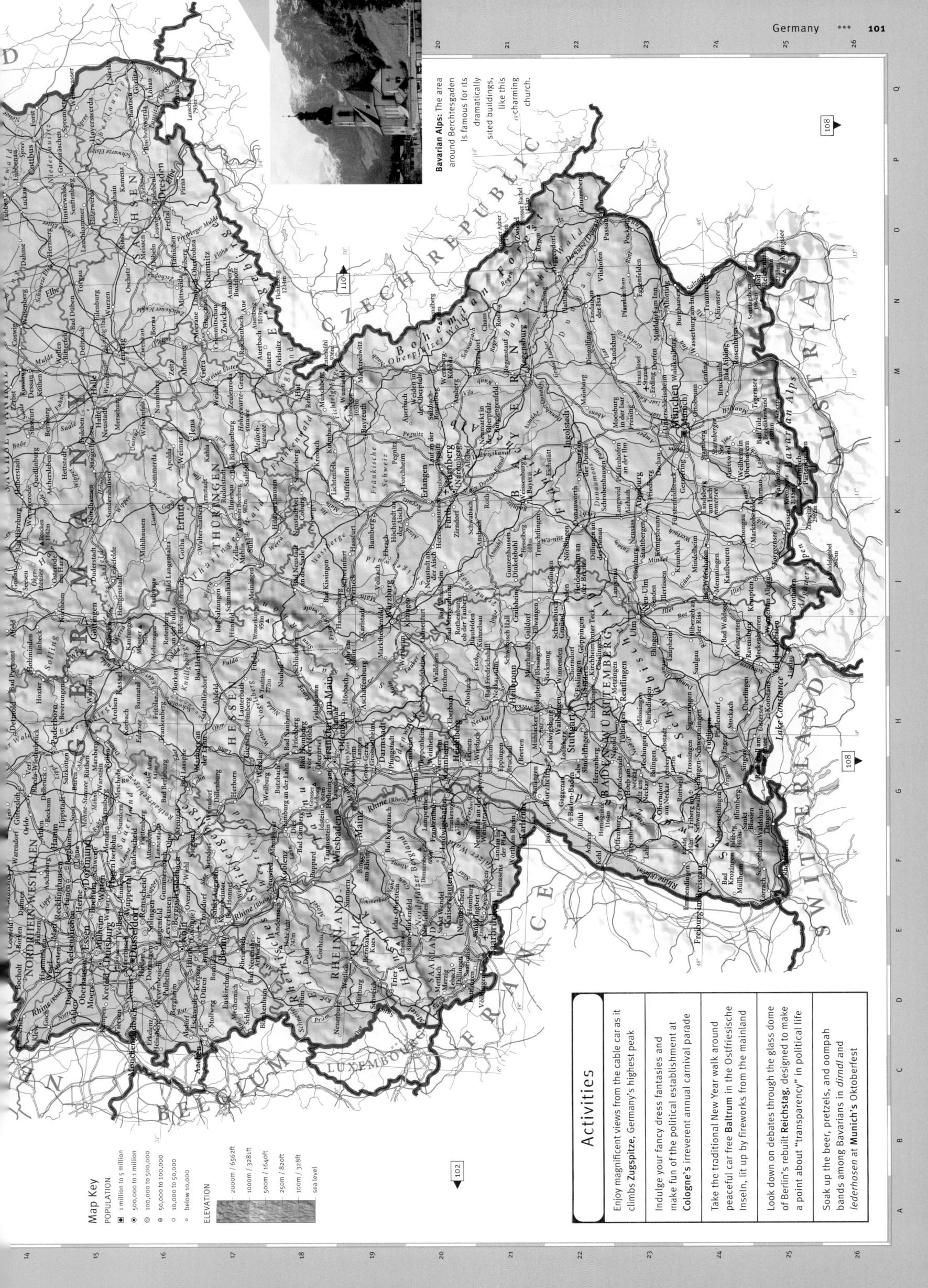

Bavarian Alps: The area around Berchtesgaden is famous for its dramatically sited buildings, like this charming church.

▶ 108

▶ 102

Map Key

POPULATION

◉ 1 million to 5 million
◎ 500,000 to 1 million
⊕ 100,000 to 500,000
⊙ 50,000 to 100,000
○ 10,000 to 50,000
∘ below 10,000

ELEVATION

2000m / 6562ft
1000m / 3281ft
500m / 1640ft
250m / 820ft
100m / 328ft
sea level

Activities

Enjoy magnificent views from the cable car as it climbs **Zugspitze**, Germany's highest peak

Indulge your fancy dress fantasies and make fun of the political establishment at **Cologne**'s irreverent annual carnival parade

Take the traditional New Year walk around peaceful car free **Baltrum** in the Ostfriesische Inseln, lit up by fireworks from the mainland

Look down on debates through the glass dome of Berlin's rebuilt **Reichstag**, designed to make a point about "transparency" in political life

Soak up the beer, pretzels, and oompah bands among Bavarians in *dirndl* and *lederhosen* at **Munich**'s Oktoberfest

France

France, Monaco

More tourists choose France than anywhere else. Partly, it's the romantic allure of Paris in the springtime or the glamorous Côte d'Azur, Impressionist paintings, café culture, *haute cuisine,* and fine wine or the simpler pleasures of village markets, distinctive cheeses, and *patisseries* (cake shops). Also, it's the ease of access for visitors from countries with less sun, less space, and less sense of style. The scenery can charm or inspire, as vineyards cling to terraced hillsides, woodland gives way to the Pyrenees or the Alps, and great rivers cut through the Massif Central, flowing west to the Atlantic coast. Cathedrals, châteaux, fine manor houses, and selfconfident modern architecture all testify to the wealth this land has produced.

Avignon: The festival in July–August dominates the calendar for top musicians, ballet, and drama. Historic buildings provide fine backdrops for open air performances, while the streets are enlivened by informal music, theater, and circus acts.

Saumur, Loire valley: Of the many beautiful châteaux of the Loire, Saumur with its lofty white stone walls, turrets, and battlements has most credibility as a fortress. Others are unashamed Renaissance pleasure palaces like lovely Chenonceau or Chambord, which was originally designed by Leonardo da Vinci.

What to See

❶ Bayeux Tapestry
11th century historical masterpiece depicting the Norman conquest of England at the Battle of Hastings in 1066

❷ Mont St-Michel
Benedictine monastery sitting dramatically on a steepsided island, reached by a causeway

❸ Carnac
(near Auray) Breton seaside town famous for its prehistoric standing stones arranged in linear patterns 6,000 years ago

❹ Abbaye de Fontevraud
(near Chinon) France's largest abbey, dating from 1101, is now a concert venue. Its church contains the tombs of English kings Henry II and Richard the Lionheart

❺ Loire Valley
This broad river runs through the very heart of France, lined by beautiful châteaux and historic cities, from Orléans to Tours and lively maritime Nantes

❻ World War I Battlefields
Humbling reminders of the carnage of the Somme trenches

❼ Versailles
Louis XIV's magnificent 17th century palace, set in sumptuous grounds with ornamental lakes, fountains, and the fake farm village where Marie Antoinette frolicked as the Revolution loomed

❽ Paris
The Eiffel Tower, as well as the Nôtre Dame and Sacré Coeur cathedrals,

presides over a welter of monuments, museums, art galleries, exclusive shops, and literary cafés

❾ Reims
French kings were once crowned in this Champagne city's 13th century cathedral, superb enough to rival Chartres

❿ Annecy
Alpine lakeside town with a well preserved medieval quarter threaded by canals

⓫ Lascaux
(near Montignac) Cave art from the Palaeolithic era that so impressed Picasso. Now protected from public view, but you can visit an exact replica

⓬ Carcassonne
Perfectly restored walled medieval citadel, captured in 1209 in a crusade against the heretical Cathar sect

⓭ Arles
A rival to Nîmes as Provence's finest Roman city, with the added attractions of 12th century churches and memories of the painter Vincent van Gogh

⓮ Aix-en-Provence
Elegant old university town, overlooked by Cézanne's beloved Mont St-Victoire. The café lined Cours Mirabeau is the place to be seen on an early evening promenade

⓯ Bonifacio
Picturesque walled port at the southern tip of Corsica

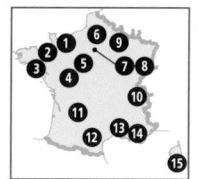

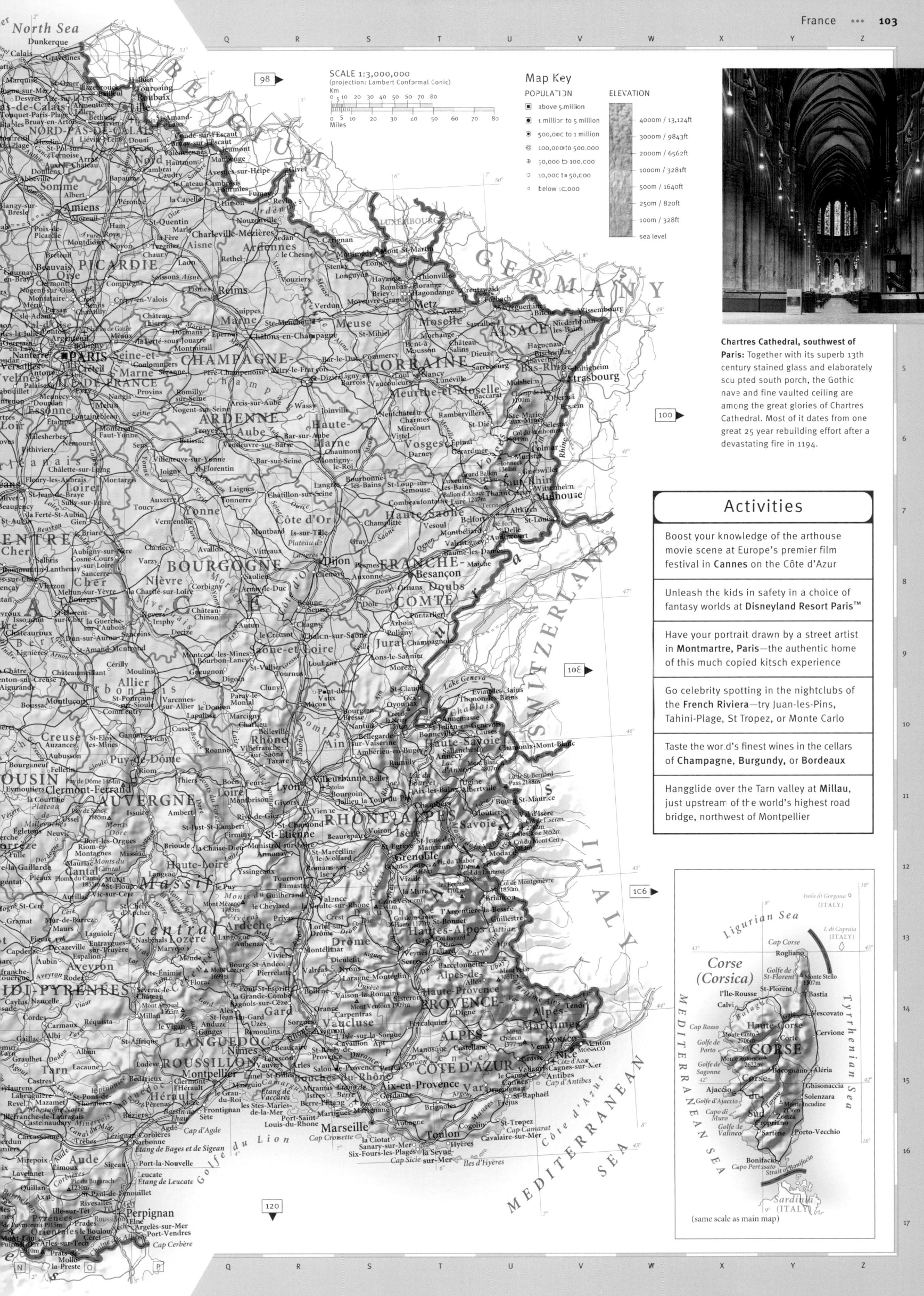

Chartres Cathedral, southwest of Paris: Together with its superb 13th century stained glass and elaborately sculpted south porch, the Gothic nave and fine vaulted ceiling are among the great glories of Chartres Cathedral. Most of it dates from one great 25 year rebuilding effort after a devastating fire in 1194.

Activities

Boost your knowledge of the arthouse movie scene at Europe's premier film festival in **Cannes** on the Côte d'Azur

Unleash the kids in safety in a choice of fantasy worlds at **Disneyland Resort Paris™**

Have your portrait drawn by a street artist in **Montmartre, Paris**—the authentic home of this much copied kitsch experience

Go celebrity spotting in the nightclubs of the **French Riviera**—try Juan-les-Pins, Tahini-Plage, St Tropez, or Monte Carlo

Taste the world's finest wines in the cellars of **Champagne, Burgundy,** or **Bordeaux**

Hangglide over the Tarn valley at **Millau**, just upstream of the world's highest road bridge, northwest of Montpellier

SCALE 1:3,000,000
(projection: Lambert Conformal Conic)

Map Key

(same scale as main map)

The Iberian Peninsula

Andorra, Gibraltar, Portugal, Spain
(Azores, Canary Islands, Madeira on pp64)

The Iberian peninsula stretches from the Pyrenees to within sight of Africa across the Strait of Gibraltar, and from Portugal's temperate Atlantic coast to the vacation brochure beach resorts of the Costa del Sol, Costa Blanca, and Costa Brava. Invading Greeks, Carthaginians, Romans, Visigoths, and Moors left an exotic legacy even before the rise of the great Spanish and Portuguese empires, which carved up the New World in the 16th-century Age of Discovery. History and Catholicism contribute to a culture steeped in the rich and violent pageantry of flamenco and the bullfight, while sunshine encourages the famous afternoon siesta. Moorish and medieval architectural glories are increasingly being joined by modern masterpieces, such as the extraordinary buildings of Antoni Gaudí in Barcelona and the futuristic Guggenheim museum in Bilbao.

Map Key

POPULATION

- ◉ 1 million to 5 million
- ◉ 500,000 to 1 million
- ◉ 100,000 to 500,000
- ⊕ 50,000 to 100,000
- ⊙ 10,000 to 50,000
- ○ below 10,000

ELEVATION

- 3000m / 9843ft
- 2000m / 6562ft
- 1000m / 3281ft
- 500m / 1640ft
- 250m / 820ft
- 100m / 328ft
- sea level

Activities

Sample the wide range of port—from white to tawny and ruby—in the wine lodges of the **Douro valley**, near Oporto

Follow in the footsteps of a sauropod at the **Dinosaur Footprints Park**, near Coimbra

Celebrate at Las Fallas, when **Valencia** erupts in fire and fireworks for this popular Spanish fiesta (12–19 March)

Take a pilgrimage to visually stunning **Santiago** de Compostela, which for centuries has received pilgrims from all over Europe

Watch a bullfight in **Ronda**, the dramatically scenic home of the sport in Andalucía

Hike in the **Ordesa valley** to enjoy the magnificent Pyrenees mountains

Ski at **Berat** in the Pyrenees

Tour **Mini Hollywood**, near the Costa del Sol, to see the sets of *For a Few Dollars More* and other spaghetti westerns

Estoril, Portugal: This spa town on the Atlantic Riviera became an enclave for exiled European monarchs in the mid-1900s. Still a popular beach resort, within easy reach of Lisbon and Sintra, it has seven golf courses and the largest casino in Europe, but is slightly cooler and wetter than the southern coastal strip of the Algarve.

Zahara de la Sierra, Andalucía: Southern Spain is famous for its compact, pretty *pueblos blancos* (white villages), set in hills of olive trees. Zahara de la Sierra, dominated by its castle, has five churches and quaint, irregular streets.

Barcelona: Antoni Gaudí's unusual architecture can be seen in the Parc Güell, where colorful tiles adorn the terrace and tall spire of the pavilion. His most famous work is the Gothic-inspired Sagrada Família church.

SCALE 1:3,000,000
(projection: Lambert Conformal Conic)

What to See

1 Sintra
Set in woodland, this royal retreat contains the medieval National Palace and the colorful, exuberant Pena Palace

2 Lisbon
At its zenith in the 1500s, Portugal's hilly capital has the elaborate Manueline Monastery of Jerónimos and buildings with bright-tiled facades

3 Algarve
Gorgeous coast offering a splendid climate and numerous golf courses

4 Seville
Famed for bullfighting and as an opera setting, with a Gothic cathedral and fabulous Moorish-style Royal Palace

5 Mezquita
Córdoba's world-famous Great Mosque was begun by the Moors in 785 CE and demonstrates the beauty of Islamic architecture to the full

6 Alhambra
Exquisite 14th-century Moorish palace above Granada, exploiting a magical use of space, light, water, and stucco

7 Toledo
Medieval Spain's capital, perched on a loop of the River Tagus, was home to El Greco from 1577

8 Madrid
Established as capital in 1561, and renowned for its fine museums, especially the Prado

9 Altamira Caves
(near Santillana)
Displays 20,000-year-old paintings of bison

10 The Guggenheim
(Bilbao) Frank O. Gehry's iconic titanium building houses world-class modern art

11 Barcelona
Cultural rival to Madrid, famed for its Modernist architecture

12 Majorca
Popular Mediterranean island, with stunning coast, scenic villages, and Palma's cathedral

The Italian Peninsula

Italy, San Marino, Vatican City

While Italy's Roman remains are plentiful and compelling, much of its unrivaled architectural and artistic heritage stems from the trading pre-eminence of its city states during the Renaissance period (from the 1300s). No cultural itinerary can do full justice to these glories—magnificent Rome, Florence, and Venice, gems such as Perugia and Orvieto in Umbria, Urbino and Ravenna further north, and Pisa, Siena, and the Tuscan hill towns. North Italy, bounded by the Alps, has many beautiful mountain and lake scenery, while the south is another world, more savage in its beauty. The teeming city of Naples lies near Vesuvius, one of Italy's two famous volcanoes. The other, Etna, is on the island of Sicily, which has many historic reminders of its strategic Mediterranean location.

Santa Maria in Trastevere, Rome: Originally built in the 2nd or 3rd century CE, it was possibly the first church in Rome where Christian Mass was celebrated openly. The present-day basilica, begun in the 1100s, is decorated with golden mosaics of saints and biblical stories, a feature that adorns many churches throughout Italy.

What to See

❶ Milan
Italy's economic and fashion hub, this sophisticated city has an elaborate, late-Gothic cathedral with superb views from the roof. Recently refurbished, the prestigious La Scala opera house claims Europe's largest stage

❷ Lago di Garda
Italy's most popular lake, hemmed in by the craggy Alps to the north, has excellent hiking possibilities, plus the Peninsula of Sermione with its Scaligero Castle

❸ Venice
This once great maritime republic with its canals and romantic alleyways—uncluttered by cars—shines with the mercantile wealth of its palazzos and churches, none grander than St. Mark's Basilica

❹ Ravenna
Lavish golden mosaics adorn Ravenna's fine churches, dating from its heyday in the 5th–8th centuries CE, as capital of the Western Roman Empire and the region's main trading link with Byzantium. The great Florentine poet Dante Alighieri was buried here in 1321

❺ Florence
Renaissance home of the Medici family and the artist Michelangelo, distinctive for its iconic white, green, and pink-marbled cathedral. The Uffizi Gallery and other acclaimed museums house a wealth of great art treasures

❻ Cinque Terre
Just west of La Spezia, Italy's famous five—Monterosso, Vernazza, Corniglia, Manarola, and Riomaggiore—are scenic coastal villages

❼ Vatican City
The seat of the papacy and the world's smallest independent state is dominated by the huge, domed St. Peter's Basilica. Michelangelo's vast masterpiece—the frescoed ceiling of the Sistine Chapel—was completed nearly 500 years ago

❽ Rome
The "Eternal City" throbs with modern life amid its remarkable Roman remains, Renaissance churches, elegant piazzas, and fountains

❾ Pompei
Pliny's famous letters describing the eruption of Vesuvius in 79 CE that buried Pompei have put the town on the map forever, the extensive ruins giving a graphic insight into typical Roman life

❿ Matera
This troglodyte town consisted of many sassi–buildings half-constructed, half-bored into the rock, which had no electricity, water, or sewers until well into the 20th century

⓫ Etna
Europe's largest and most active volcano towers 11,200 ft (3,350 m) over eastern Sicily, with dramatic scenery and good hiking. Craters are sometimes roped off due to the volcano's unpredictability

⓬ Capri
This small, pretty island remains an enchanting destination with beautiful sea caves, such as the Blue Grotto, and the ruins of Emperor Tiberius's villa

SCALE 1:2,750,000
(projection: Lambert Conformal Conic)

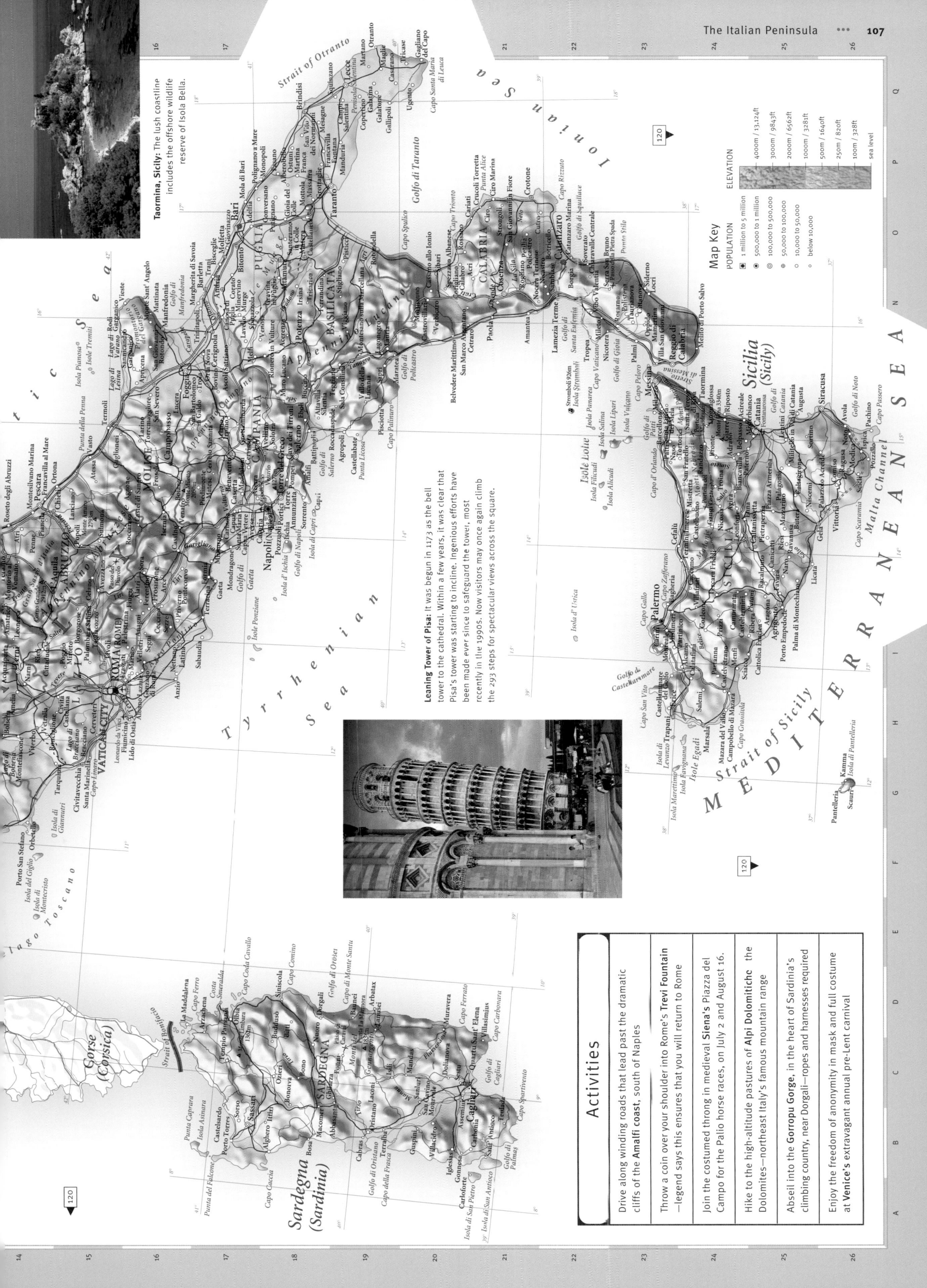

Taormina, Sicily: The lush coastline includes the offshore wildlife reserve of Isola Bella.

Leaning Tower of Pisa: It was begun in 1173 as the bell tower to the cathedral. Within a few years, it was clear that Pisa's tower was starting to incline. Ingenious efforts have been made ever since to safeguard the tower, most recently in the 1990s. Now visitors may once again climb the 293 steps for spectacular views across the square.

Activities

Drive along winding roads that lead past the dramatic cliffs of the **Amalfi coast**, south of Naples

Throw a coin over your shoulder into Rome's **Trevi Fountain** —legend says this ensures that you will return to Rome

Join the costumed throng in medieval **Siena's** Piazza del Campo for the Palio horse races, on July 2 and August 16.

Hike to the high-altitude pastures of **Alpi Dolomitiche** the Dolomites—northeast Italy's famous mountain range

Abseil into the **Gorropu Gorge**, in the heart of Sardinia's climbing country, near Dorgali—ropes and harnesses required

Enjoy the freedom of anonymity in mask and full costume at **Venice's** extravagant annual pre-Lent carnival

Map Key

POPULATION
- ◉ 1 million to 5 million
- ◎ 500,000 to 1 million
- ◉ 100,000 to 500,000
- ⊕ 50,000 to 100,000
- ⊙ 10,000 to 50,000
- ○ below 10,000

ELEVATION
- 4000m / 13,124ft
- 3000m / 9843ft
- 2000m / 6562ft
- 1000m / 3281ft
- 500m / 1640ft
- 250m / 820ft
- 100m / 328ft
- sea level

The Alpine States

Austria, Liechtenstein, Slovenia, Switzerland

The birthplace of modern skiing and mountaineering, Switzerland and Austria are the core of a scenically spectacular Alpine region in central Europe that extends south into Slovenia and includes tiny Liechtenstein.

Switzerland's fantastic setting and profusion of winter sports have attracted successive generations of vacationers. The sources of the Rhône and Rhine lie in its mountains, which are dotted with picturesque meadows, chalets, and lakes.

Austria once stood at the heart of the Habsburg Empire, with Vienna as its capital and the Danube its artery to the east. It remains an international center of culture and music, taking pride in its links with many of the great composers.

Slovenia, part of the Austro-Hungarian Empire until 1919 and also influenced culturally by nearby Italy, is the most westernized of the former communist Yugoslav states. Its sparkling lakes and magnificent cave systems are gradually being discovered by tourists.

Triple Bridge, Ljubljana: Preseren Square is the lively heart of Slovenia's capital, dominated by its distinctive Triple Bridge and the pink Franciscan Church. The city's architecture is an intriguing mix of Baroque, Art Nouveau, postmodernist, and communist styles.

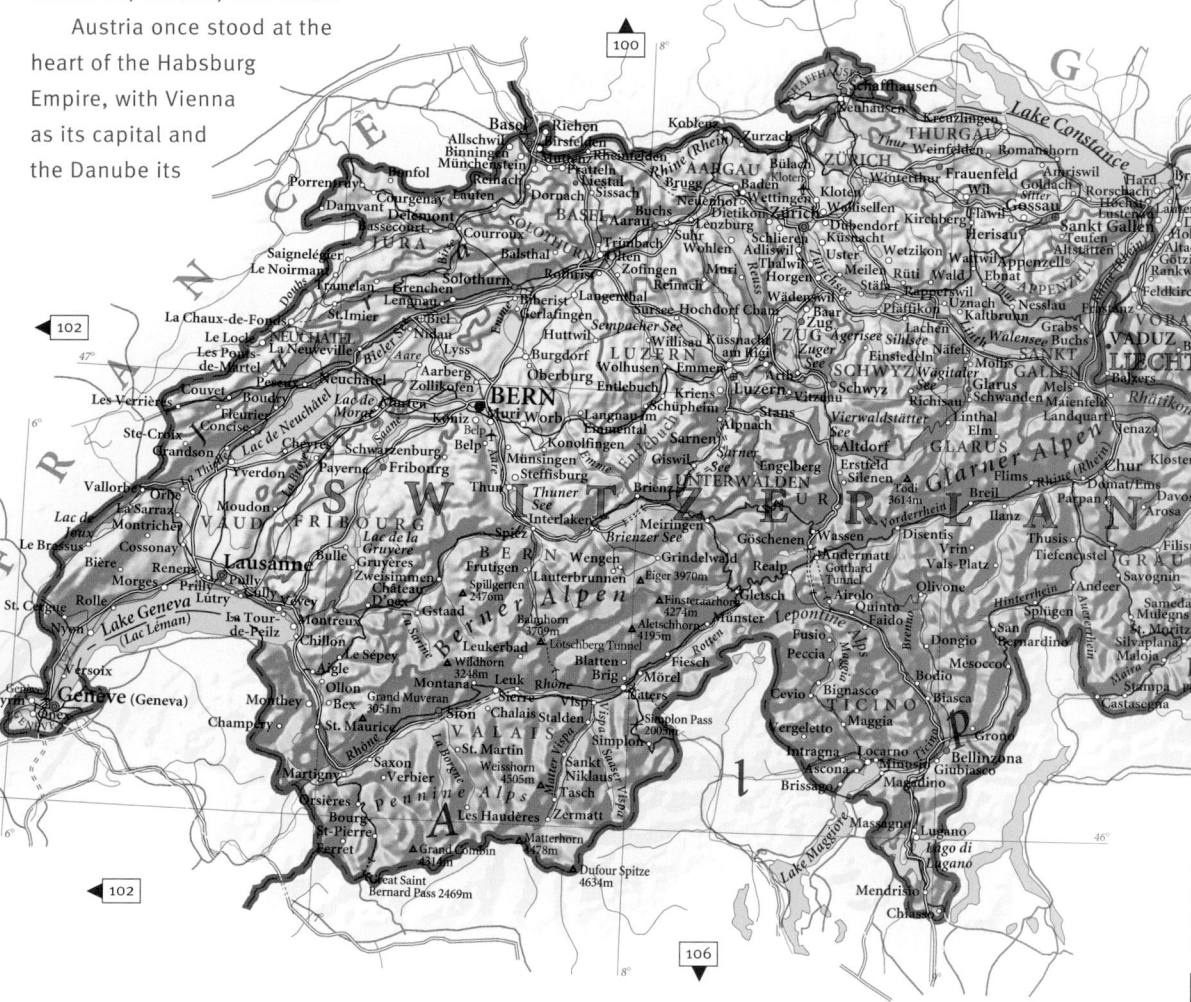

Christkindlmarkt, Vienna: Austria's famous Christmas markets start in mid-November, continuing a tradition dating back seven centuries. Visitors are enchanted by the lights and the aroma of roasting chestnuts.

What to See

❶ Geneva
On Lake Geneva, the UN's second headquarters city has fine mansions and the best Swiss museums

❷ Basel
Old town and industrial center, noted for Gothic buildings, a world-class zoo, and art gallery

❸ Luzern
Museums celebrating Pablo Picasso and Richard Wagner and a summer music festival

❹ Zermatt
Charming Swiss village, at the foot of the Matterhorn, a center for skiing and climbing

❺ Lugano
Attractive town of villas and elegant piazzas, set beside Lake Lugano

❻ Innsbruck
Host of two Winter Olympics—a good base to explore the enchanting Tyrol and enjoy its skiing

❼ Salzburg
Baroque spires decorate the hilly city of Mozart's birth, which holds a famous music festival

❽ Hohe Tauern National Park
Austria's best scenery, plus Grossglockner (its highest peak)

❾ Dachstein Caves
(near Hallstatt)
The Giant Ice Cave and Werfen Ice Cave are equally amazing but also very cold, even in the midst of summer

❿ Melk Abbey
Huge fortified Baroque monastery perching above the Danube

⓫ Vienna
Great intellectual and musical center, with sumptuous Habsburg palaces and the Kunsthistorisches museum

⓬ Graz
Once home to Holy Roman Emperor Friedrich III, this old city bears many signs of his motto "Austria rules the World"

⓭ Hochosterwitz
(near Klagenfurt)
Dramatic medieval castle perched on a rock, which inspired Walt Disney's *Snow White* castle

⓮ Lake Bled
Stunning lake in the Julian Alps with a fairytale island Church of the Assumption, with its wishing bell, and cliff-top castle. Also an important rowing center

⓯ Ljubljana
Pastel-colored Baroque and Habsburg buildings and lively riverside cafés

⓰ Predjama Castle
(near Vrhnika) Set into a cliff, this 12th-century castle has many secret passages and caves

⓱ Skocjan Caves
(near Divaca)
A natural bridge spans the world's largest underground canyon

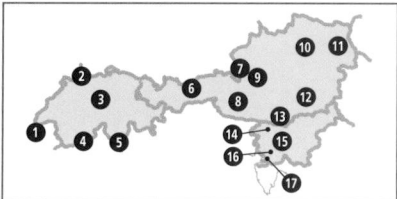

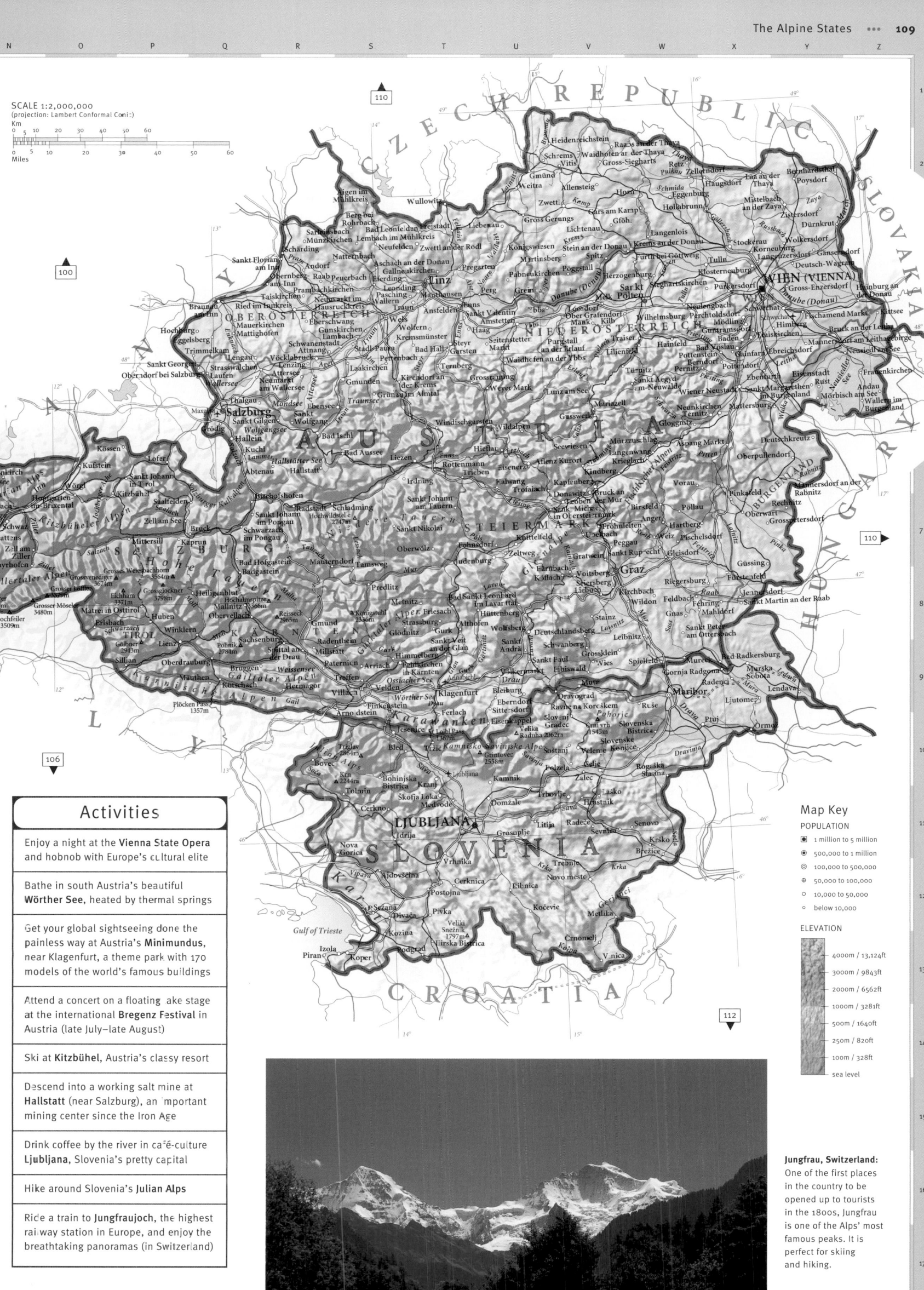

SCALE 1:2,000,000
(projection: Lambert Conformal Conic)

Km
0 5 10   20   30   40   50   60

Miles
0 5 10   20   30   40   50   60

Activities

Enjoy a night at the **Vienna State Opera** and hobnob with Europe's cultural elite

Bathe in south Austria's beautiful **Wörther See**, heated by thermal springs

Get your global sightseeing done the painless way at Austria's **Minimundus**, near Klagenfurt, a theme park with 170 models of the world's famous buildings

Attend a concert on a floating lake stage at the international **Bregenz Festival** in Austria (late July–late August)

Ski at **Kitzbühel**, Austria's classy resort

Descend into a working salt mine at **Hallstatt** (near Salzburg), an important mining center since the Iron Age

Drink coffee by the river in café-culture **Ljubljana**, Slovenia's pretty capital

Hike around Slovenia's **Julian Alps**

Ride a train to **Jungfraujoch**, the highest railway station in Europe, and enjoy the breathtaking panoramas (in Switzerland)

Map Key

POPULATION

◉ 1 million to 5 million
◎ 500,000 to 1 million
◉ 100,000 to 500,000
⊕ 50,000 to 100,000
○ 10,000 to 50,000
○ below 10,000

ELEVATION

4000m / 13,124ft
3000m / 9843ft
2000m / 6562ft
1000m / 3281ft
500m / 1640ft
250m / 820ft
100m / 328ft
sea level

Jungfrau, Switzerland: One of the first places in the country to be opened up to tourists in the 1800s, Jungfrau is one of the Alps' most famous peaks. It is perfect for skiing and hiking.

Central Europe

Czech Republic, Hungary, Poland, Slovakia

A turbulent history has bequeathed central Europe a rich cultural heritage, widely shared around the world through the works of its many great writers and composers, and celebrated in particular in its vibrant and historic capital cities—Prague, and the almost equally popular Budapest, are the main focus for tourists.

Slovakia, with the Tatra Mountains, has most to offer in the region in the way of spectacular scenery, and its capital, Bratislava, while somewhat put in the shade by the greater glories of Prague, is a delightful old city that is being discovered by more and more visitors.

Poland has huge swathes of forest, many fine castles, and several historically interesting cities, in addition to the capital Warsaw, such as the Baltic port of Gdansk and medieval Krakow. For many visitors, the most moving experience is a visit to the site of the Nazi concentration camps at Auschwitz.

The scattering of Bohemian castles and pretty towns set amid a lush landscape give visitors to the Czech Republic a strong reason to find some time to spend away from Prague. Hungary, too, has both historical and natural attractions outside its capital, notably its "seaside" around Lake Balaton with sandy beaches and mineral spas.

What to See

1 Slowinski National Park
(near Leba) Beautiful stretch of wildlife-rich coast with unusual, high, shifting dunes

2 Gdansk
The former Hanseatic trading hub and port of Danzig has a legacy of fine buildings and some fascinating museums

3 Warsaw
Systematically destroyed by the retreating Nazis, the historic old town has been meticulously reconstructed. Also, elegant shops line Nowy Swiat street and the vast Culture Palace is a relic of the Communist era

4 Auschwitz (Oswiecim)
A chilling witness to the Nazi holocaust, the Birkenau concentration camp complex is where over a million people were exterminated

5 Krakow
Krakow's magnificent center was spared major destruction during World War II. Its huge square is overlooked by the cathedral and royal palace on Wawel Hill

6 Wieliczka Salt Mine
Seven hundred years of mining have left a labyrinth of tunnels, lakes, and a chapel, carved entirely from salt

7 Tatra Mountains
Straddling the border of Poland and Slovakia, central Europe's top wildlife destination has fabulous mountains, waterfalls, and lakes

8 Budapest
Separated from broad-boulevarded Pest by the Danube, Habsburg Buda is dominated by its great castle and palace

9 Lake Balaton
Hungary's "seaside" is packed with fashionable resorts. Convenient vineyards aid the year-round festivities

10 Esterhazy Palace
(near Kapuvar) Stunning rococo court complex, where Haydn was once director of music

11 Sopron
Out of reach of Mongol and Turk invaders, this city has fine, unspoiled medieval buildings

12 Prague
Prague's stately castle watches over this elegant cultural city, also loved for its beer

13 Karlstejn Castle
(near Beroun) With lavish rooms built to house relics of the Holy Roman Empire

Pieskowa Castle, Poland: This 14th-century castle was built to protect the trade route between Krakow and Wroclaw. Extended in a profusion of styles, it now houses part of the royal collection from Wawel Castle in Krakow.

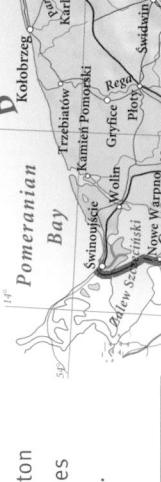

Tyn Church, Prague: Dominating one side of the Old Town Square, this Gothic church with fine Baroque interior was founded in 1385, with characteristic asymmetrical spires to represent both masculine and feminine sides of the world.

118

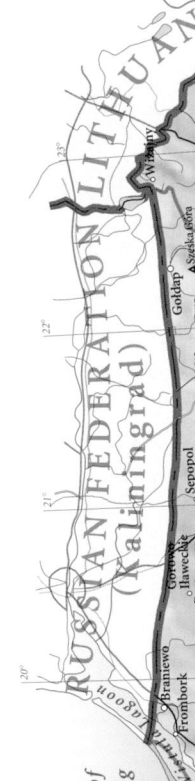
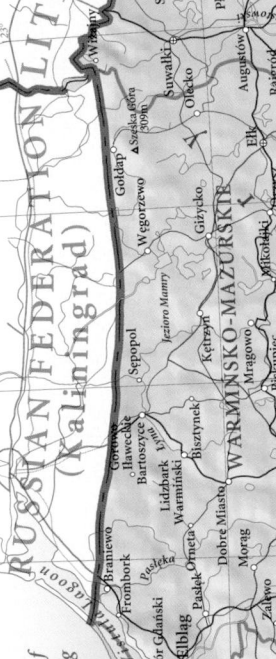

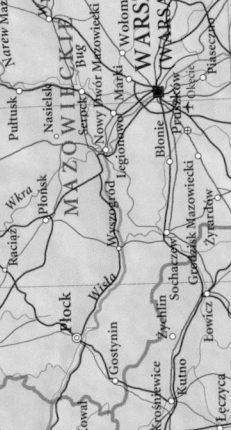

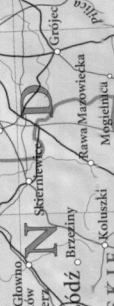

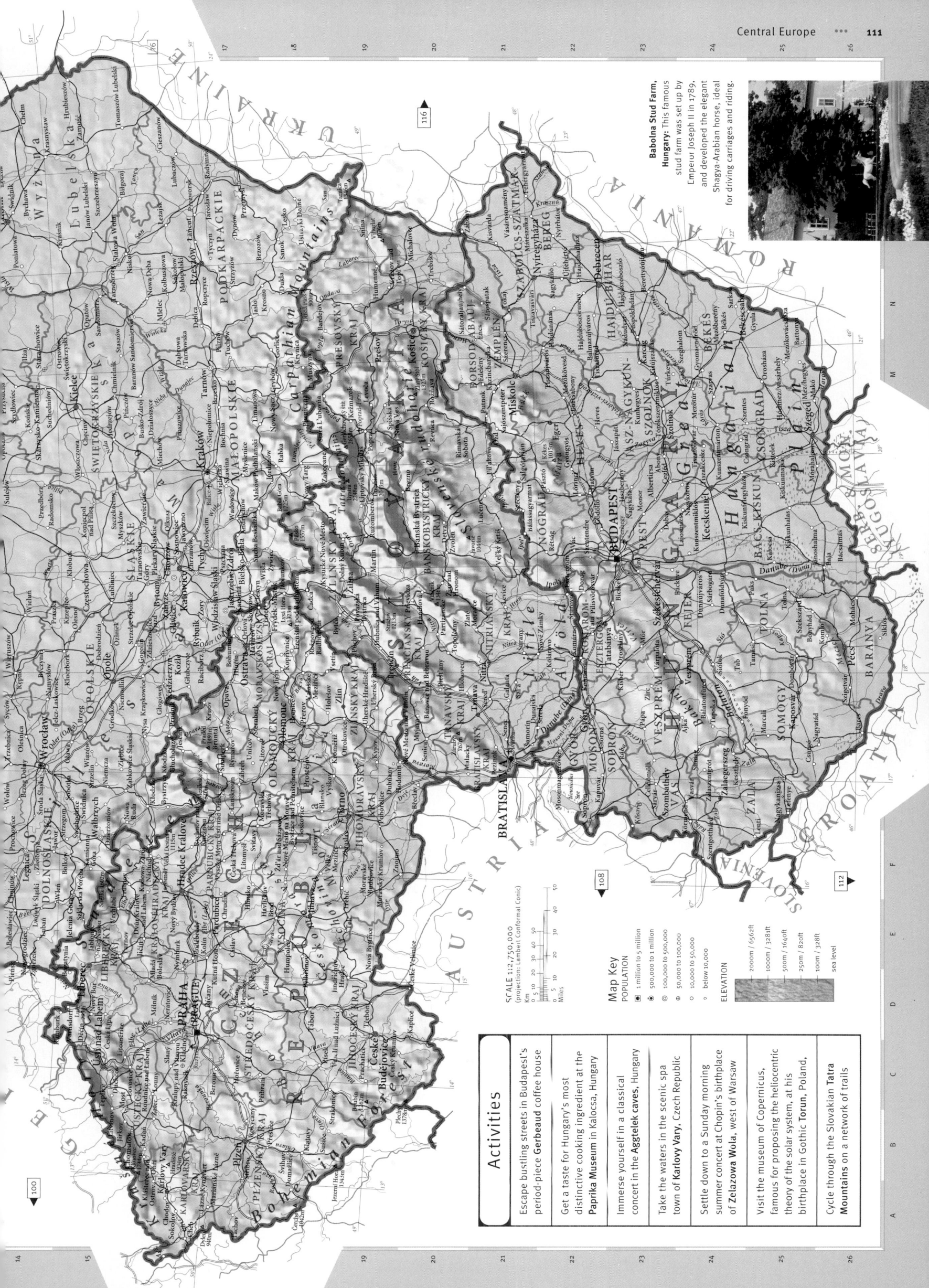

Babolna Stud Farm, Hungary: This famous stud farm was set up by Emperor Joseph II in 1789, and developed the elegant Shagya-Arabian horse, ideal for driving carriages and riding.

SCALE 1:2,750,000
(projection: Lambert Conformal Conic)

Map Key

POPULATION
- ◉ 1 million to 5 million
- ◎ 500,000 to 1 million
- ⊙ 100,000 to 500,000
- ⊕ 50,000 to 100,000
- ○ 10,000 to 50,000
- ○ below 10,000

ELEVATION
- 2000m / 6562ft
- 1000m / 3281ft
- 500m / 1640ft
- 250m / 820ft
- 100m / 328ft
- sea level

Activities

Escape bustling streets in Budapest's period-piece **Gerbeaud** coffee house

Get a taste for Hungary's most distinctive cooking ingredient at the **Paprika Museum** in Kalocsa, Hungary

Immerse yourself in a classical concert in the **Aggtelek caves**, Hungary

Take the waters in the scenic spa town of **Karlovy Vary**, Czech Republic

Settle down to a Sunday morning summer concert at Chopin's birthplace of **Zelazowa Wola**, west of Warsaw

Visit the museum of Copernicus, famous for proposing the heliocentric theory of the solar system, at his birthplace in Gothic **Torun**, Poland,

Cycle through the Slovakian **Tatra Mountains** on a network of trails

Southeast Europe

Albania, Bosnia & Herzegovina, Croatia, Macedonia, Serbia & Montenegro (Yugoslavia)

For tourists, Croatia stands out among the successor states created from the break-up of communist Yugoslavia in the 1990s. Its beautiful Dalmatian coast, bordering the Adriatic Sea, has a Mediterranean climate so well suited to beach vacations in the sun that it can rival the Spanish Costas. In addition, it is studded with historic towns, of which Dubrovnik is the crowning glory, the architectural styles of the Balkans combining with influences from neighboring Italy.

Elsewhere, though currently less visited, the other countries of this region have plenty of attractions for the discerning and curious traveler. There is beautiful countryside, great for hiking in the summer and skiing in the winter, plus a rich historical legacy from the last 2,500 years. The power of Alexander the Great's kingdom of Macedon peaked in the 4th century BCE, its fortunes superceding those of ancient Greece in previous centuries. Further influences from the Roman era can be traced in fine architectural remains, notably the immense palace at Split. Byzantine influences are also strong. In medieval times the ebb and flow of contending Ottoman and Austro-Hungarian armies up and down the Danube left Croatia endowed with a string of impressive castles and the lands to the south marked by Ottoman Muslim traditions.

Dubrovnik, Croatia: This architecturally unique city arose in the 12th century when the sea channel between the islet settlement of Ragusa and the mainland was filled in to become the marble-paved main street, Placa Stradun. At that time, the city's walls were begun in order to defend against any attacks, from sea or from land.

Jajce: Due to its period under the Muslim Ottoman empire, Bosnia & Herzegovina has many mosques, such as those in the charming medieval town of Jajce.

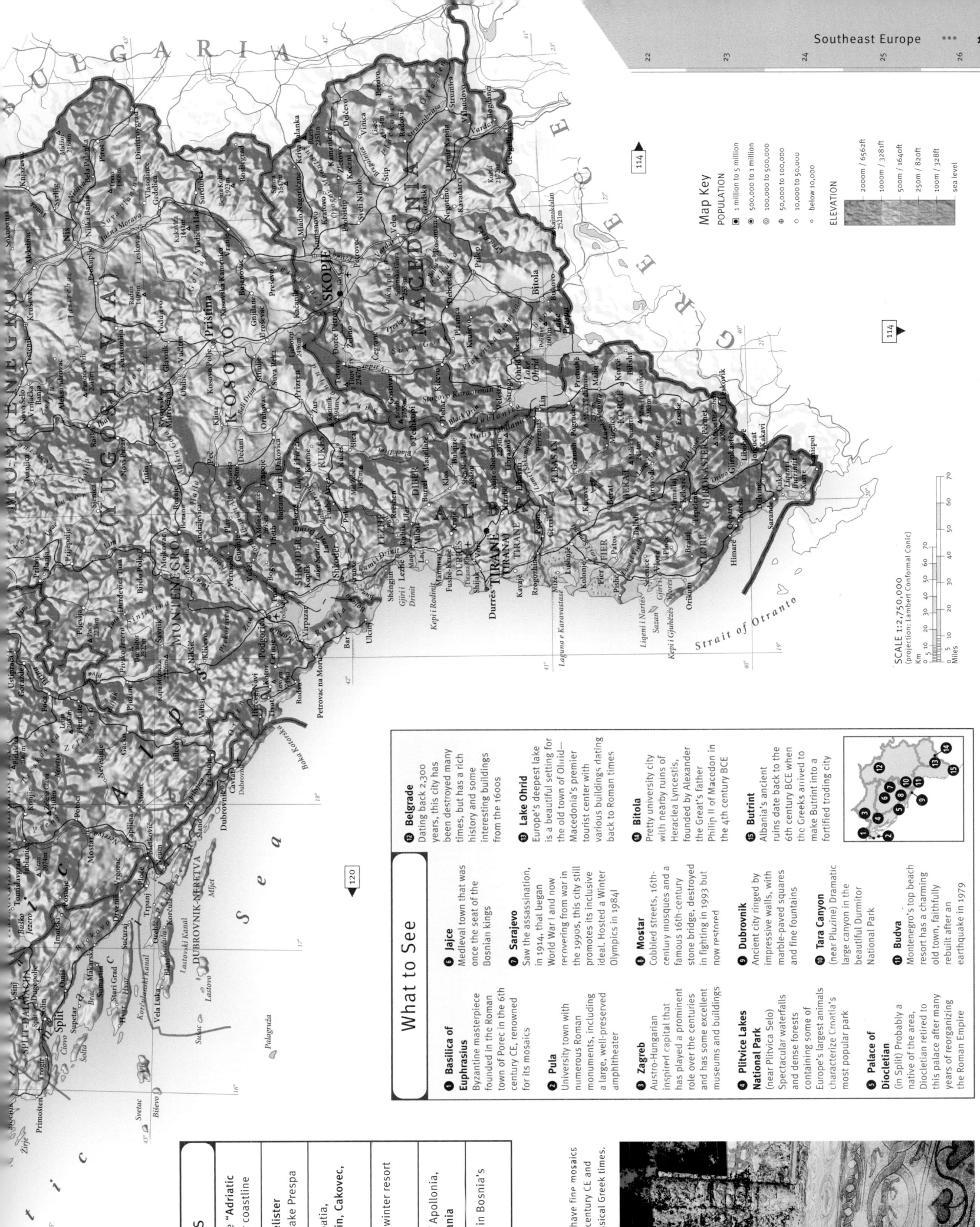

Map Key

POPULATION

- ◉ 1 million to 5 million
- ◎ 500,000 to 1 million
- ⊙ 100,000 to 500,000
- ⊕ 50,000 to 100,000
- ⊘ 10,000 to 50,000
- ○ below 10,000

ELEVATION

- 2000m / 6562ft
- 1000m / 3281ft
- 500m / 1640ft
- 250m / 820ft
- 100m / 328ft
- sea level

SCALE 1:2,750,000
(projection: Lambert Conformal Conic)

Km 0 5 10 20 30 40 50 60 70
Miles 0 5 10 20 30 40 50 60 70

Activities

Bathe on the beaches on the "Adriatic Riviera," Dalmatia's popular coastline

Hike around Macedonia's **Pelister National Park**, overlooking Lake Prespa

Visit the castles of north Croatia, such as **Veliki Tabor, Varazdin, Cakovec,** and **Trakoscan**

Ski in **Kapaonik**, the largest winter resort in Serbia

Wander through the ruins of Apollonia, an ancient Greek city in Albania

Raft down the Neretva River in Bosnia's new **Prenj National Park**

What to See

❶ Basilica of Euphrasius
Byzantine masterpiece founded in the Roman town of Porec in the 6th century CE, renowned for its mosaics

❷ Pula
University town with numerous Roman monuments, including a large, well-preserved amphitheater

❸ Zagreb
Austro-Hungarian inspired capital that has played a prominent role over the centuries and has some excellent museums and buildings

❹ Plitvice Lakes National Park
(near Plitvica Selo) Spectacular waterfalls and dense forests containing some of Europe's largest animals characterize Croatia's most popular park

❺ Palace of Diocletian
(in Split) Probably a native of the area, Diocletian retired to this palace after many years of reorganizing the Roman Empire

❻ Jajce
Medieval town that was once the seat of the Bosnian kings

❼ Sarajevo
Saw the assassination, in 1914, that began World War I and now recovering from war in the 1990s, this city still promotes its inclusive ideal. Hosted a Winter Olympics in 1984

❽ Mostar
Cobbled streets, 16th-century mosques and a famous 16th-century stone bridge, destroyed in fighting in 1993 but now restored

❾ Dubrovnik
Ancient city ringed by impressive walls, with marble-paved squares and fine fountains

❿ Tara Canyon
(near Pluzine) Dramatic large canyon in the beautiful Durmitor National Park

⓫ Budva
Montenegro's top beach resort has a charming old town, faithfully rebuilt after an earthquake in 1979

⓬ Belgrade
Dating back 2,300 years, this city has been destroyed many times, but has a rich history and some interesting buildings from the 1600s

⓭ Lake Ohrid
Europe's deepest lake is a beautiful setting for the old town of Ohrid—Macedonia's premier tourist center with various buildings rating back to Roman times

⓮ Bitola
Pretty university city with nearby ruins of Heraclea Lyncestis, founded by Alexander the Great's father Philip II of Macedon in the 4th century BCE

⓯ Butrint
Albania's ancient ruins date back to the 6th century BCE when the Greeks arrived to make Butrint into a fortified trading city

---

Butrint: Albania's ancient remains have fine mosaics from the late Roman era in the 5th century CE and other earlier sites date back to classical Greek times.

Bulgaria & Greece

Including European Turkey

Greece is acclaimed as the original heart of Western civilization. Amid its rugged terrain and numerous islands, a golden age of philosophy and the arts flourished in the 5th and 4th centuries BCE. The farming and seafaring skills on which this glory was built are still evident today, but the rapid urbanization of the past 50 years has left more than half the population now living in the capital, Athens, and in the northern city of Salonica. The country has an extraordinary wealth of internationally renowned ancient sights, as well as many fine monasteries set in fabulous mountain scenery, picturesque villages, dramatic gorges, and secluded coves. The idyllic islands are popular destinations, mixing sun, sea, scenery, and sights with nightlife ranging from the relaxed to the hectic.

Bulgaria, which like Greece was dominated for centuries by the Ottoman Turks, became part of the Soviet bloc after World War II, but has gradually emerged since 1989 on a path toward European integration. Its tourist industry, once mainly based around good-value skiing and Black Sea beach resorts, is now attracting a growing number of visitors fascinated by its heritage, including fine Roman remains, Byzantine churches, and beautiful monasteries.

Corfu: Naturalist Gerald Durrell's childhood home, and setting for several of his books, is a top destination for sun-seekers. It is one of the beautiful Ionian Islands, the largest of which, Kefallinia, was the setting for another bestseller, *Captain Corelli's Mandolin* by Louis de Bernières.

What to See

1 Plovdiv Bulgaria's second city has a charming old town, Byzantine churches, Turkish mosques, and a Roman amphitheater only uncovered during a freak landslide in 1972

2 Koprivshtitsa (near Pirdop) Carefully preserved village in the Sredna Gora mountains, with cobblestone streets and over 400 restored historic buildings

3 Sofia City of fine churches at the foot of Mount Vitosha, part of a national park including the serene 1345 Dragalevitsi Monastery

4 Rila Monastery (near Blagoevgrad) Bulgaria's largest and most famous religious center, set in the scenic Rila mountains, was founded in 927 CE

5 Meteora Extraordinary medieval monasteries perched on almost inaccessible pinnacles of rock

6 Mount Athos Women are debarred from entering the peninsula, a preserve of monasticism since the 5th century CE. Its 20 monasteries are of great architectural and artistic interest, set amid superb coastal scenery

7 Delphi (at Delfoí) Believed by the ancients to be the center of the earth, the site of the oracle includes the temple and theater of Apollo

8 Athens Pericles oversaw from 447 BCE the building of the Parthenon and Acropolis, now among many treasures in the ancient city

9 Mycenae (near Argos) Imposing Lion Gate and city ruins discovered in 1874 by Heinrich Schliemann in his quest for a factual basis for Homer's epics

10 Kardamaina (on Kos) Golden sands and swinging nightlife

11 Mykonos A sun-seeker's paradise: tavernas, discos, family and nudist beaches, and water sports

12 Knossos Palace (near Irakleio) The largest Minoan palace, vividly colored home of the legendary King Minos and the minotaur, reached its zenith over 3,500 years ago

Istanbul see pp136–137

Activities

Take the day trek down Crete's famous **Samaria Gorge** to the village of Agia Roumeli, then enjoy the unusually cool water at the beach

Give "martinitsas" (small red and white thread dolls) to mark spring in Bulgaria

Take the dramatic **Dhiakofto to Kalavryta** train via the Vouraikos Gorge, near Patra

Watch the endangered loggerhead turtles in **Laganas** on Zakynthos, Ionian Islands

Hike to the summit of **Mount Olympus**, believed by the ancient Greeks to be the home of the gods

Attend the **Festival of Roses**, Kazanluk, Bulgaria—petals are picked for perfume

Map Key

POPULATION
- above 5 million
- 1 million to 5 million
- 500,000 to 1 million
- 100,000 to 500,000
- 50,000 to 100,000
- 10,000 to 50,000
- below 10,000

ELEVATION
3000m / 9843ft
2000m / 6562ft
1000m / 3281ft
500m / 1640ft
250m / 820ft
100m / 328ft
sea level

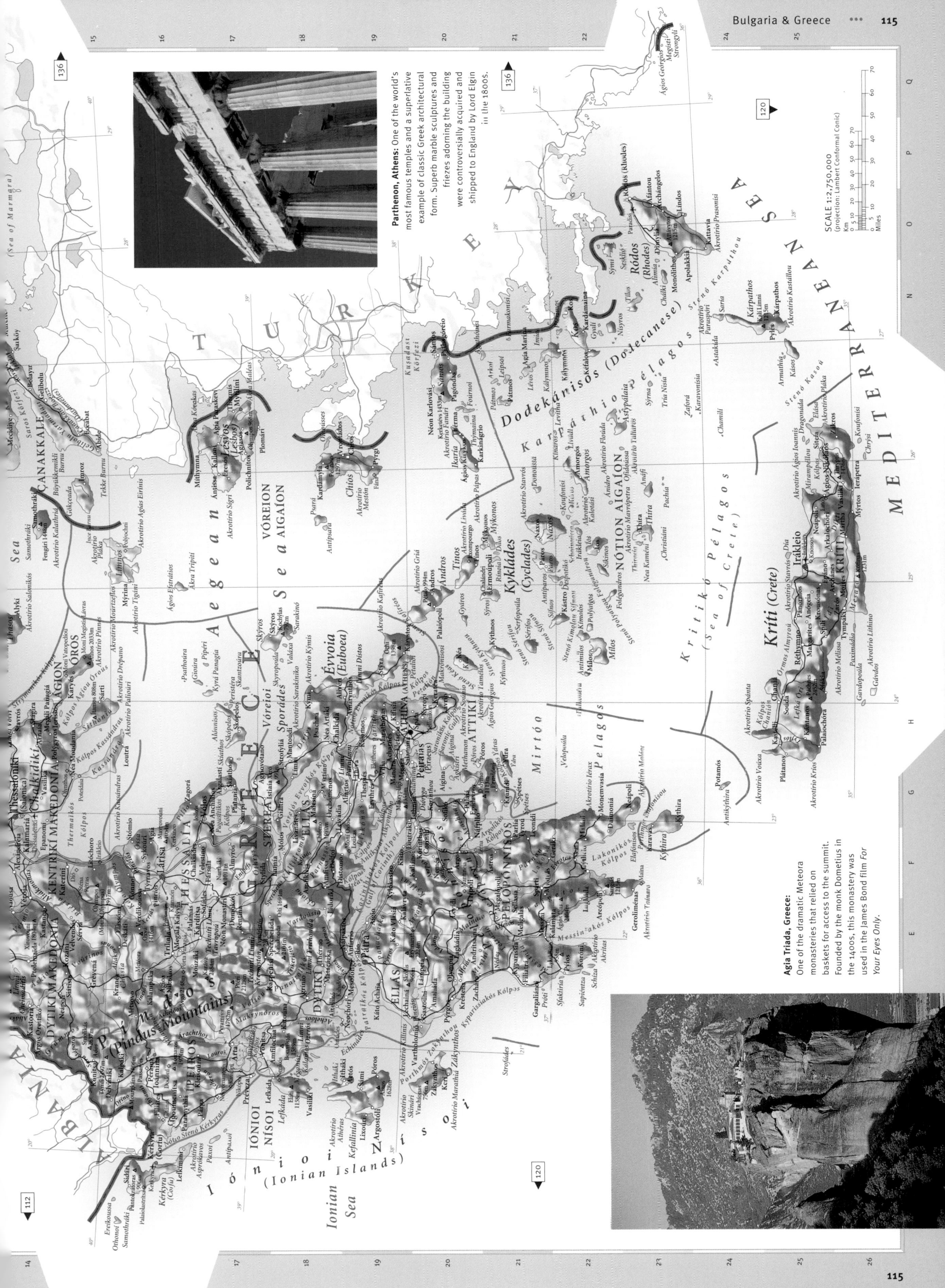

Parthenon, Athens: One of the world's most famous temples and a superlative example of classic Greek architectural form. Superb marble sculptures and friezes adorning the building were controversially acquired and shipped to England by Lord Elgin in the 1800s.

SCALE 1:2,750,000
(projection: Lambert Conformal Conic)

Km
Miles

Agia Triada, Greece: One of the dramatic Meteora monasteries that relied on baskets for access to the summit. Founded by the monk Dometius in the 1400s, this monastery was used in the James Bond film *For Your Eyes Only.*

MEDITERRANEAN SEA

AEGEAN Sea a AIGAÍON

TURKEY

ALBANIA

G R E E C E

Ionian Sea

IÓNIOI NISOI
(Ionian Islands)

Iónioi Nísoi

Dodekánisos (Dodecanese)

Karpáthio Pélagos

Kritikó Pélagos (Sea of Crete)

Kríti (Crete)

Mirtóo Pélagos

NOTION AIGAÍON

Kykládes (Cyclades)

VÓREION Sea a AIGAÍON

PELOPÓNNISOS

Ródos (Rhodes)

Romania, Moldova, & Ukraine

Bridging the divide between central Europe and Russia are a trio of under-visited countries—Romania, its former Soviet neighbor Moldova, and the far larger Ukraine. The very cultures of the region can entice visitors eager to experience another, transitional, side of Europe, en route from the dark and mysterious forests of Transylvania, through the acres of vineyards in Moldova's central Codru wine region, and on into the plains and ancient cities of Ukraine.

Romania and Moldova are close cousins, speaking a language that is recognizably Latin in origin and sharing a heritage that prides itself on its ties to the West. However, these countries still remain intriguingly "eastern European." In Ukraine, you can find a real eagerness to embrace Europe, yet much of the population (particularly in the east) is Russian-speaking and there are close ties with the country's long-dominant eastern neighbor.

Fresco at the Voronet Monastery, Romania:
This detail of the Last Judgement is from the Voronet Monastery, one of the finest examples of the painted churches in the northeastern Bukovina region. The monastery was built in 1488 to celebrate the defeat of the Turks by the Romanian prince, Stephen.

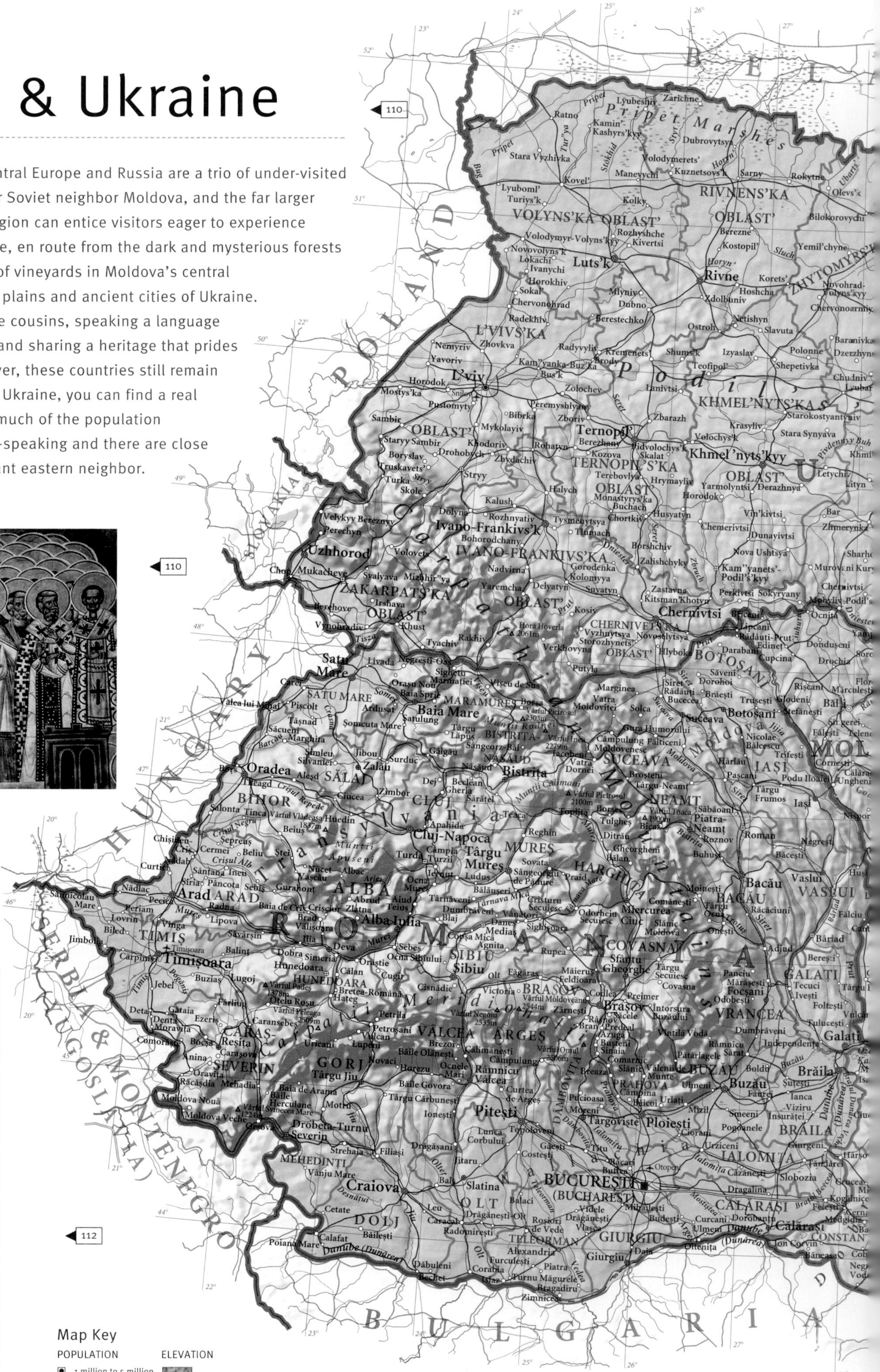

Activities

Explore the tunnels and taste the wine of the underground winery at **Cricova Cellars**, near Chisinau

Bask in the sun and paddle at the **Black Sea** resorts of Romania and the Crimea

Discover the fact and fiction surrounding legend on a dedicated "Dracula" tour of **Transylvania**

Promenade along the Black Sea waterfront at **Yalta**

Hike around the wonderful, forest-covered mountains of the **Ukrainian Carpathians**

Cool your feet in the fountain in Kiev's **Independence Square** after a hard day's sightseeing

Attend a church service among the Christian Turks of **Gagauzia** in southern Moldova

Map Key

POPULATION

- ◉ 1 million to 5 million
- ◉ 500,000 to 1 million
- ◉ 100,000 to 500,000
- ⊕ 50,000 to 100,000
- ○ 10,000 to 50,000
- ○ below 10,000

ELEVATION

- 2000m / 6562ft
- 1000m / 3281ft
- 500m / 1640ft
- 250m / 820ft
- 100m / 328ft
- sea level

SCALE 1:3,500,000
(projection: Lambert Conformal Conic)

Km
0 5 10 20 30 40 50 60 70 80 90 100

Miles
0 5 10 20 30 40 50 60 70 80 90 100

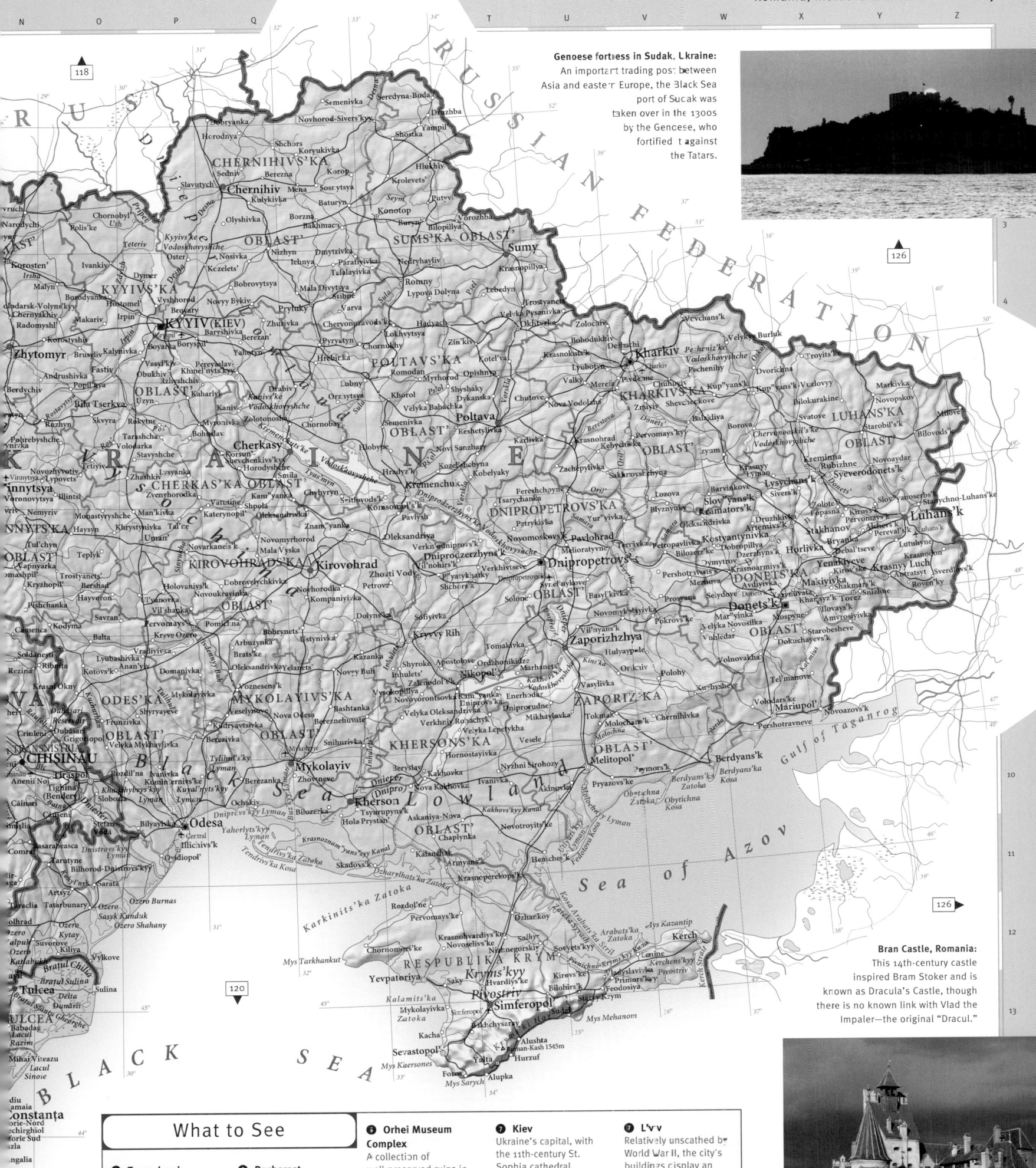

Genoese fortress in Sudak, Ukraine: An important trading post between Asia and eastern Europe, the Black Sea port of Sudak was taken over in the 1300s by the Genoese, who fortified it against the Tatars.

Bran Castle, Romania: This 14th-century castle inspired Bram Stoker and is known as Dracula's Castle, though there is no known link with Vlad the Impaler—the original "Dracul."

What to See

❶ Transylvania
Dense forests, broken by splendid old Saxon towns and villages, with the majestic Carpathians as an attractive backdrop

❷ Sighisoara
A magnificent Gothic town in the heart of Transylvania—climb the tower for unrivaled views

❸ Bucharest
A blend of communist-era monstrosities and early Modern beauties—look out for the truly monumental Palace of the Parliament

❹ Constanta
The Costa Brava of the Black Sea—crowded beaches and a great party atmosphere

❺ Orhei Museum Complex
A collection of well-preserved ruins in central Moldova from the Roman period to the Middle Ages

❻ Odesa
Late 18th-century port, famed for its museums and for the palace once owned by the Tolstoy family. Its Maritime Stairs appeared in the film *Battleship Potemkin*

❼ Kiev
Ukraine's capital, with the 11th-century St. Sophia cathedral, containing marvellous frescoes and mosaics

❼ L'vv
Relatively unscathed by World War II, the city's buildings display an intriguing concoction of period influences

The Baltic States & Belarus

Belarus, Estonia, Latvia, Lithuania, Kaliningrad

Estonia's walled and cobble-streeted capital, Tallinn, has become a particular favorite for lovers of the picturesque. Indeed, what Estonia, Latvia, and Lithuania may lack in major tourist highlights, they make up for in charm. Their towns and landscapes have been attracting an increasing flow of visitors since they won back independence from the Soviet Union in the early 1990s. The many museums reflect local pride in national traditions, with strong European roots in the dominant Lutheran religion and a powerful musical tradition. Belarus is an enigmatic country covered with forests and marshes. Its cities are dominated by communist-era buildings.

Alexander Nevsky Cathedral, Tallinn: This richly decorated Orthodox church was built in 1900 by an architect from Saint Petersburg. It is dedicated to the Prince of Novgorod, who led the Ice Battle on Lake Peipus in 1242 and halted the Germans' eastward advance.

Activities

Ride horses in the **Gouja National Park**, Latvia

Enjoy **Tallinn's** musical delights—from street choirs, brass bands, and string quartets to the Estonian National Opera

Drink coffee in café-culture **Tartu**, Estonia's renowned university town

Prove it is not possible to "walk the seven bridges of Königsberg" (**Kaliningrad**) without crossing your own path—a renowned 18th-century mathematical problem

Watch a performance of world champions of Latin American Formation Dancing in **Klaipeda**, Lithuania

Visit Belarus's working farm and reconstructed 19th-century living museum village at **Dudutki**

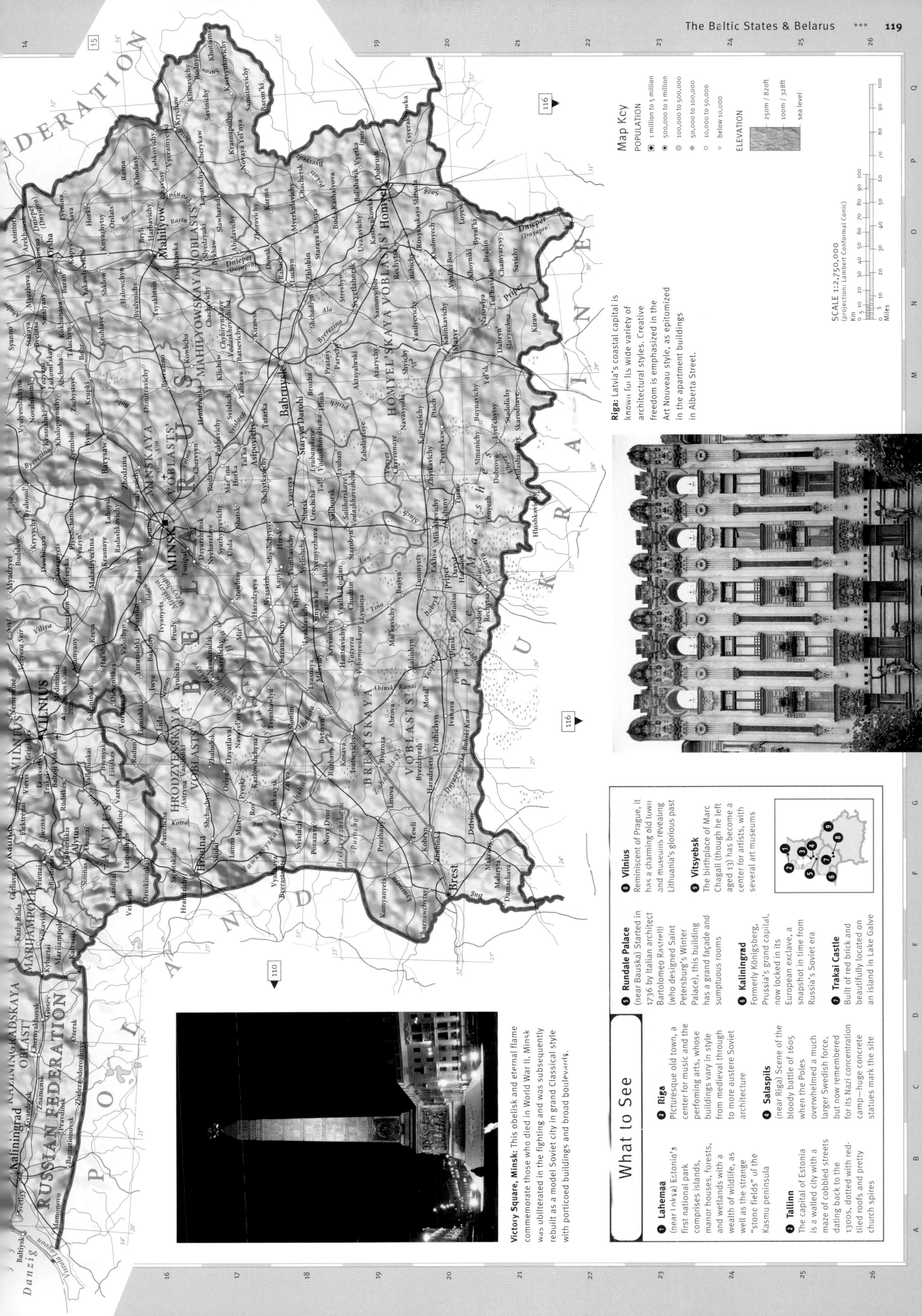

Map Key

POPULATION
- 1 million to 5 million
- 500,000 to 1 million
- 100,000 to 500,000
- 50,000 to 100,000
- 10,000 to 50,000
- below 10,000

ELEVATION
250m / 820ft
100m / 328ft
sea level

SCALE 1:2,750,000
(projection: Lambert Conformal Conic)

Riga: Latvia's coastal capital is known for its wide variety of architectural styles. Creative freedom is emphasized in the Art Nouveau style, as epitomized in the apartment buildings in Alberta Street.

Victory Square, Minsk: This obelisk and eternal flame commemorate those who died in World War II. Minsk was obliterated in the fighting and was subsequently rebuilt as a model Soviet city in grand Classical style with porticoed buildings and broad boulevards.

What to See

1 Lahemaa
(near Loksa) Estonia's first national park comprises islands, manor houses, forests, and wetlands with a wealth of wildlife, as well as the strange "stone fields" of the Käsmu peninsula

2 Tallinn
The capital of Estonia is a walled city with a maze of cobbled streets dating back to the 1300s, dotted with red-tiled roofs and pretty church spires

3 Riga
Picturesque old town, a center for music and the performing arts, whose buildings vary in style from medieval through to more austere Soviet architecture

4 Salaspils
(near Riga) Scene of the bloody battle of 1605 when the Poles overwhelmed a much larger Swedish force, but now remembered for its Nazi concentration camp—huge concrete statues mark the site

5 Rundale Palace
(near Bauska) Started in 1736 by Italian architect Bartolomeo Rastrelli (who designed Saint Petersburg's Winter Palace), this building has a grand façade and sumptuous rooms

6 Kaliningrad
Formerly Königsberg, Prussia's grand capital, now locked in its European exclave, a snapshot in time from Russia's Soviet era

7 Trakai Castle
Built of red brick and beautifully located on an island in Lake Galve

8 Vilnius
Reminiscent of Prague, it has a charming old town and museums revealing Lithuania's glorious past

9 Vitsyebsk
The birthplace of Marc Chagall (though he left aged 13) has become a center for artists, with several art museums

The Mediterranean

The warm, sunny climate and beautiful beaches of the Mediterranean would themselves be enough to make it a highly attractive vacation region, but it is the cultural legacy that makes it truly irresistible. Throughout history, this virtually landlocked sea, stretching from Gibraltar to the coast of the Near East, has been crisscrossed by traders and conquerors, leaving behind them great Greek temples in Turkey and Italy, Roman cities in north Africa, Moorish palaces in Spain, and imposing fortifications at strategic locations. A way to make sense of all the connections is a themed cruise around the sea.

Mandraki harbour, Rhodes: This beautiful Greek island is also one of its most popular, dominated by its ancient walled city, begun in 408 BCE.

SCALE 1:10,100,000
(projection: Lambert Conformal Conic)

Majorca, Balearic Islands: The Coves d'Arta on the east coast have been hollowed out by the sea. Majorca's mild climate and lovely beaches attract hordes of visitors each year.

Activities

See the Barbary apes living on the **Rock of Gibraltar**, a British outpost on the Mediterranean	Trace the history of the Knights of St. John, founded to guard the Holy Sepulchre, who resided in **Jerusalem, Cyprus, Rhodes,** and finally **Malta**
Live it up in **Ibiza** (Balearic Islands) —the Mediterranean's wildest nightlife	Brush up on the ancient Greeks, throughout **Greece** and **Turkey**
Spot the celebrities on the **Côte d'Azur** at the Cannes film festival	Snorkel off volcanic **Thira** and relax on the Greek islands
Enjoy the thrills of the Grand Prix in the streets of **Monaco**, and gamble away in the Monte Carlo Casino	Watch loggerhead turtles nesting on beaches at **Pafos**, Cyprus (summer)
Visit Napoleon's birthplace in **Ajaccio**, on Corsica	Follow in Aeneas' footsteps around the Mediterranean to **Carthage**, Tunisia
Stop off at **Rome, Florence,** and **Venice** for the greatest art and architecture	Soak up the atmosphere of the **north African** *souqs*
Savor a cheesecakelike *pastizzi*, **Malta's** traditional snack	Explore north Africa's Roman sites: **Leptis Magna, Dougga,** and **Djemila**

What to See—Malta

❶ **Ggantija** (near Victoria) Temples of huge stone blocks begun in 3500 BCE

❷ **St Paul's Cathedral** (near Rabat) Baroque cathedral crowning the ancient capital of Mdina

❸ **Valletta** "City of Stairs." Visit St. John's Co-Cathedral and Grand Master's Palace

❹ **Tarxien Temples** (near Valletta) Three Megalithic temples, up to 6,000 years old, and the Hypogeum temple-cum-burial place—one of the world's major archaeological sites

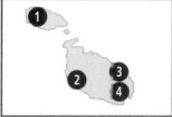

CYPRUS

TURKISH REPUBLIC OF
NORTHERN CYPRUS
(recognized only by Turkey)

Zafer Burnu
(Akrotíri Apostólou Andréa)

Kornuçam Burnu
(Akrotír: Kormakíti)
Güzelyurt Körfezi
(Kólpos Mórfou)

Yenierenköy
(Agialoúsa)
Dipkarpaz
(Rizokárpason)

Lapta   Girne
(Lápithos) (Kerýneia)

Iskele (Tríkomo)

NICOSIA

Kólpos
Chrysochoú
Akrotíri
Arnaoúti
Pólis
Páno Panagía
Pégeia
Páfos
Koúklia

Kámpos
Pedoulás
Astromerítis
Káto Lakatámeia

Gazimagusa Körfezi
(Kólpos Ammóchostos)
Ammóchostos, Famagusta
Paralímni
Agía Nápa
Akrotíri Gkréko

Athienou
Aradíppou
Lárnaka
Dhekelia

Lemesós (Limassol)
Kólpos Akrotírion
Akrotíri Gátas

Sovereign
Base Area
(to UK)

SCALE 1:2,575,000
(projection: Lambert Conformal Conic)

Km
0 5 10   20   30   40   50
Miles

In 1974, Turkey occupied the northern part of Cyprus while
Greek Cypriots remained in control of the south. Cyprus was
effectively partitioned, and a UN buffer zone currently divides
the two areas. In 1983, the north of the island
proclaimed itself the Turkish Republic of North
Cyprus. It was only recognized by Turkey.

What to See—Cyprus

1 Cyprus Museum
(in Nicosia) Archaeological
artefacts from all periods

2 Avakas Gorge
(near Pegeia) Trek in the
wild Akamas peninsula

3 Pafos
Beautiful resort, plus
ruins with fine mosaics

4 Palea Enklistra
(near Kouklia) This
Byzantine cave-hermitage

from around 1439 has an
unusual frescoed ceiling

5 Kourian
(near Episkopi) Dating
back to 1300 BCE, though
most of its fabulous
remains are later, this
glorious city overlooking
the sea has magnificent
mosaics and a theater

6 Troodos Mountains
Forested trails around
Mount Olympos lead to
monasteries and churches

UKRAINE
RUSSIAN FEDERATION
MOLDOVA
ROMANIA
BULGARIA
BLACK SEA
Sea of Azov
GEORGIA
BUCUREŞTI
SOFIYA
MACEDONIA
ALBANIA
GREECE
TIRANE
ATHÍNA (ATHENS)
Aegean Sea
TURKEY
ANKARA
İstanbul
İzmir
SYRIA
NICOSIA
CYPRUS
Lemesós (Limassol)
BEYROUTH (BEIRUT)
DIMASHQ (DAMASCUS)
JERUSALEM
JORDAN
ISRAEL
AMMAN
CAIRO
EGYPT
LIBYA
Banghāzī (Benghazi)
Alexandria
SAUDI ARABIA
Red Sea
Ionian Sea
Adriatic Sea

Map Key

POPULATION
■ above 5 million
● 1 million to 5 million
● 500,000 to 1 million
◉ 100,000 to 500,000
⊕ 50,000 to 100,000
○ 10,000 to 50,000
○ below 10,000

ELEVATION
4000m / 13,124ft
3000m / 9843ft
2000m / 6562ft
1000m / 3281ft
500m / 1640ft
250m / 820ft
100m / 328ft
sea level

SEA DEPTH
sea level
250m / 820ft
500m / 1640ft
1000m / 3281ft
2000m / 6562ft
3000m / 9843ft

MALTA

Gozo
Victoria
Nadur
Comino (Kemmuna)
Mellieha
San Pawl il-Baħar
Mosta
Rabat
St Julian's
Sliema
VALLETTA
Paola
Birżebbuġa
Marsaxlokk Bay
Malta

SCALE 1:1,100,000
(projection: Lambert Conformal Conic)
0 10 20 Km
0 10 20 Miles

Valletta, Malta: The Knights of
St. John lived on Malta from 1530 to
1798. After the defeat by the Turks in
1565, a new capital—Valletta—was
planned as a massively fortified city.

The Russian Federation

Building on its history and its vast open spaces, Russia has a lot to entice the adventurous tourist, and since the collapse of communism in 1991, it has stretched its arms wide to visitors. The great cities of Moscow and Saint Petersburg dominate European Russia. Both national capitals in their time, they are packed full of museums, galleries, and palaces. Beautiful Tsarist architecture and the arresting onion-domed Orthodox cathedrals compete along skylines with the grandiose Soviet-era constructions, ranging from the austere concrete apartment blocks of the Moscow suburbs to Stalin's splendid Neo-Gothic wedding-cake seven sisters.

The Russian countryside remains a bigger draw to Russians than overseas visitors. Nonetheless, an excellent choice of climatic zones presents itself, extending from the "White Nights" of the Arctic Circle to the warmth of the Black Sea coast. Russia's vastness covers many landscapes—dark taiga forests, awesome mountain ranges, and dramatic coastlines.

Throne Room, Petrodvorets, Saint Petersburg: The Petrodvorets palace, also known as Peterhof, was begun in 1714 as a summer residence for Peter the Great on the outskirts of the new capital. His daughter Elizabeth commissioned Italian architect Bartolomeo Rastrelli to rebuild the Great Palace in the Baroque style, creating the grand exterior seen today. In the 1770s, however, many rooms were redecorated in Classical style under Catherine the Great, including the richly gilded Throne Room.

SCALE 1:20,850,000
(projection: Lambert Conformal Conic)

Km
0 50 100 200 300 400 500 600

0 50 100 200 300 400 500 600
Miles

What to See

❶ Saint Petersburg
This pastel city of canals dazzles with its exquisite architecture and famous Hermitage Museum

❷ Velikiy Novgorod
A wonderful collection of architectural treasures dating to the 12th century

❸ Moscow
Vibrant capital with fine galleries, museums, and excellent nightlife

❹ Golden Ring
"Open air museums"— small ancient towns that showcase Russia's medieval past, such as Yaroslavl' and Vladimir

❺ Sochi
Black Sea resort with splendid *dachas* and a Caucasus backdrop

❻ El'brus
Europe's highest peak soars 18,510 ft (5,642 m)

❼ Yekaterinburg
A cultural center east of the Urals, scene of the murder of the last Tsar Nicholas II and his family in July 1918

❽ Yakutiya
Understand the culture of the hardy Evenk nomads who have adapted to life in this harsh Siberian region

❾ Lake Baikal
Nestled in mountains, a beautiful body of water with lakeside activities

❿ Vladivostok
Russia's San Francisco, with hilltop Pacific views

⓫ Lazovsky Nature Reserve
(near Vladivostock) Home of the elusive Amur tiger

⓬ Sakhalin
A picturesque, peaceful Pacific wilderness

⓭ Kamchatka
Mountainous and forested frontier province —permits are required

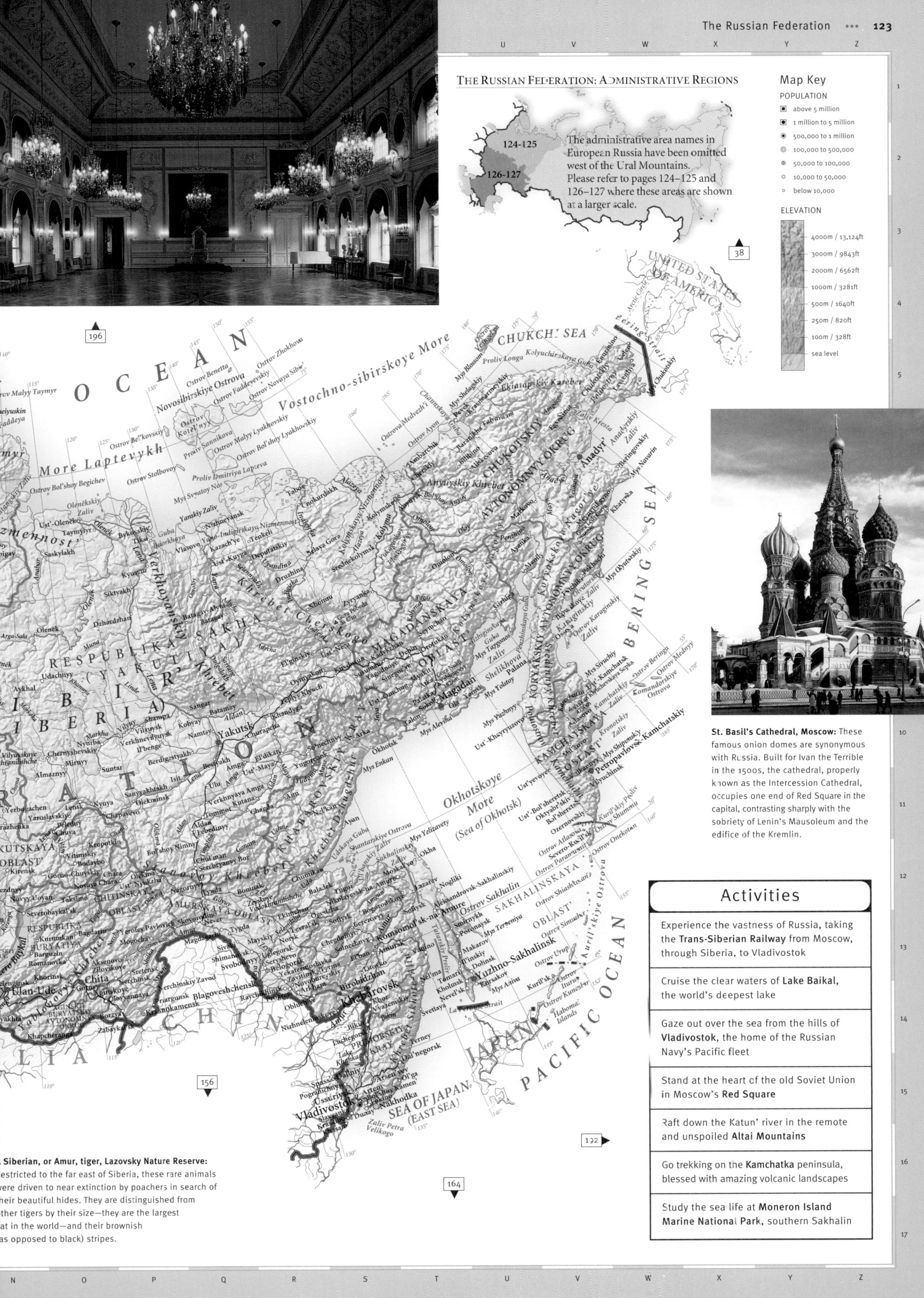

THE RUSSIAN FEDERATION: ADMINISTRATIVE REGIONS

The administrative area names in European Russia have been omitted west of the Ural Mountains. Please refer to pages 124–125 and 126–127 where these areas are shown at a larger scale.

Map Key

POPULATION
- above 5 million
- 1 million to 5 million
- 500,000 to 1 million
- 100,000 to 500,000
- 50,000 to 100,000
- 10,000 to 50,000
- below 10,000

ELEVATION
- 4000m / 13,124ft
- 3000m / 9843ft
- 2000m / 6562ft
- 1000m / 3281ft
- 500m / 1640ft
- 250m / 820ft
- 100m / 328ft
- sea level

St. Basil's Cathedral, Moscow: These famous onion domes are synonymous with Russia. Built for Ivan the Terrible in the 1500s, the cathedral, properly known as the Intercession Cathedral, occupies one end of Red Square in the capital, contrasting sharply with the sobriety of Lenin's Mausoleum and the edifice of the Kremlin.

Activities

Experience the vastness of Russia, taking the **Trans-Siberian Railway** from Moscow, through Siberia, to Vladivostok

Cruise the clear waters of **Lake Baikal**, the world's deepest lake

Gaze out over the sea from the hills of **Vladivostok**, the home of the Russian Navy's Pacific fleet

Stand at the heart of the old Soviet Union in Moscow's **Red Square**

Raft down the Katun' river in the remote and unspoiled **Altai Mountains**

Go trekking on the **Kamchatka** peninsula, blessed with amazing volcanic landscapes

Study the sea life at **Moneron Island Marine National Park**, southern Sakhalin

A Siberian, or Amur, tiger, Lazovsky Nature Reserve: Restricted to the far east of Siberia, these rare animals were driven to near extinction by poachers in search of their beautiful hides. They are distinguished from other tigers by their size—they are the largest cat in the world—and their brownish (as opposed to black) stripes.

Northern European Russia

Bounded by the icy Arctic Ocean, the forested mountains of the northern Urals (Ural'skiye Gory) and the political borders of eastern Europe, northern European Russia contains much of what is considered essentially Russian—freezing winters, vast expanses of featureless plain, glorious lakes, the dense forests of the taiga, and the glories of Saint Petersburg.

Once Petrograd, then Leningrad, this "Northern Venice" is rightfully famed as a jewel on the Baltic, with fine architecture and some of the country's most significant historical sights, including the Winter Palace and the St. Peter and Paul Fortress.

In its hinterland are the ancient Russian cities of Velikiy Novgorod and the "Golden Ring," all steeped in centuries of Slavic history and bordered by forests and plains. Just east of Saint Petersburg sits Europe's largest lake, Ladoga (*Ladozhskoye Ozero*), while to the north lies the frozen tundra that sweeps down to the White Sea. Intrepid visitors can stare at the bleak Soviet industrial landscape, or experience the latest Russian pastime of skidooing.

What to See

Golden Ring, Saint Petersburg
see pp122–123

❶ Murmansk
Totally dark in the depths of winter, the largest city inside the Arctic Circle is a perfect base for skidooing

❷ Solovki (Solovetskiye Ostrova)
Home for almost 600 years to a beautiful monastery, the Solovki archipelago also has a monument to a local gulag prison

❸ Malye Karely Open Air Museum (near Archangel) Wooden buildings from all ages and areas of Russia

❹ Valaam Islands
A haven of tranquillity in the north of the striking Lake Ladoga (*Ladozhskoye Ozero*) and home to a 10th-century monastery

❺ Petrozavodsk
The cultural and economic center of Karelia, a Russian city by Lake Onega, with more than a hint of its Finnish connections

❻ Vyborg
One of Europe's oldest cities with an imposing medieval castle, this Baltic port has noticeably retained some of its Scandinavian heritage in its eclectic architecture and among its quiet streets

❼ Pskov
One of Russia's oldest cities and with many medieval churches

❽ Velikiy Novgorod
One of the chief glories of the old Kremlin of this splendid city is the incomparable 11th-century Byzantine Cathedral of St. Sophia

❾ Perm' 36
(near Chusovoy) Appreciate the hardship of a gulag existence at the preserved prison camps in the foothills of the Urals

Malye Karely Open Air Museum, near Archangel: Combining different styles and forms, the collection of wooden architecture includes windmills and bell towers—the bells are chimed on religious holidays. There are also traditional wooden bathhouses (saunas) in a nearby hotel complex.

The cruiser *Aurora*, Saint Petersburg: The *Aurora* became a potent symbol of the Russian Revolution of 1917. A single shot from the ship was the signal for the start of the storming of the Winter Palace.

196
92
118
126

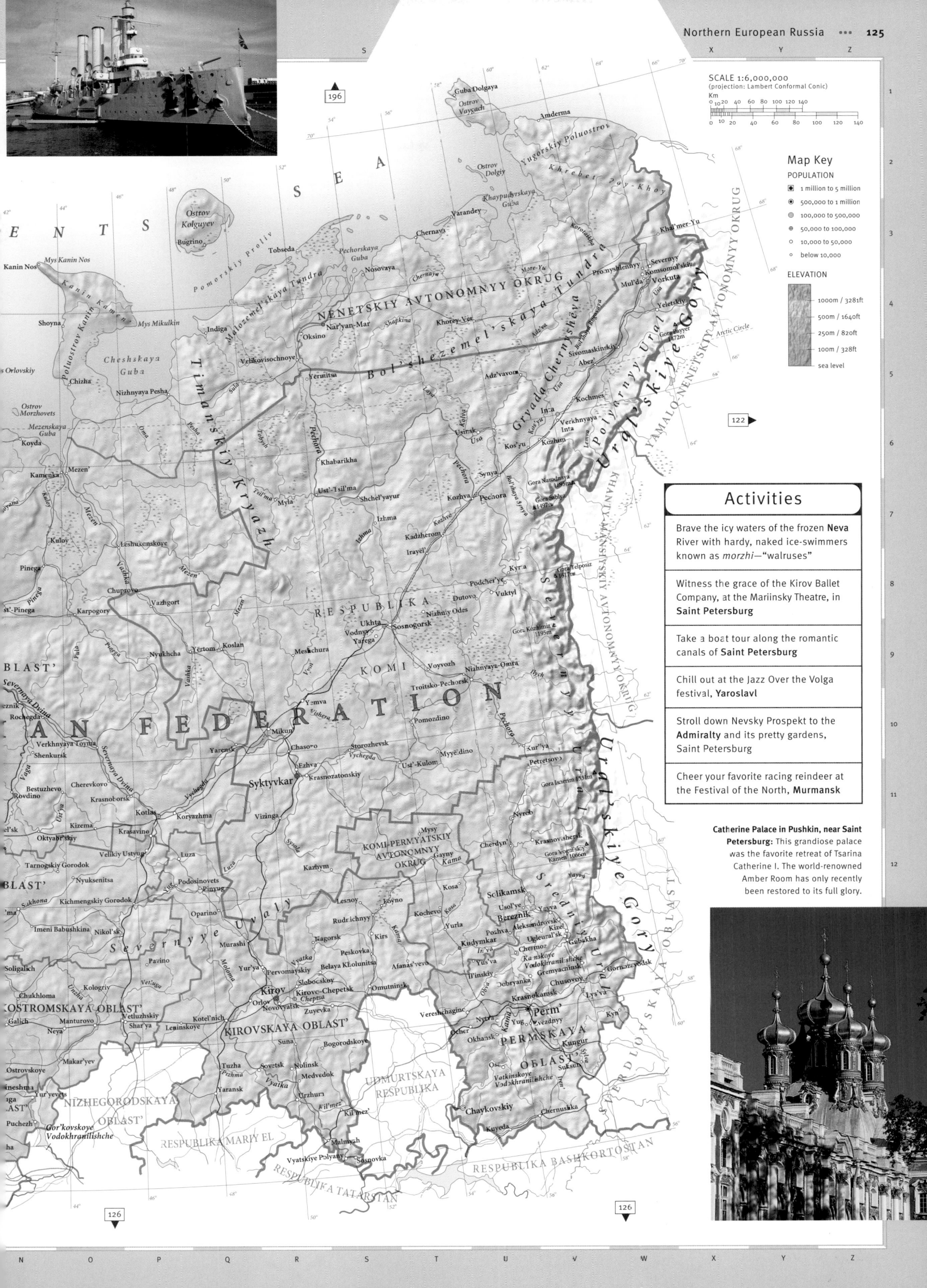

SCALE 1:6,000,000
(projection: Lambert Conformal Conic)
Km

Map Key

POPULATION

⊡ 1 million to 5 million
◉ 500,000 to 1 million
◎ 100,000 to 500,000
⊕ 50,000 to 100,000
○ 10,000 to 50,000
· below 10,000

ELEVATION

1000m / 3281ft
500m / 1640ft
250m / 820ft
100m / 328ft
sea level

Activities

Brave the icy waters of the frozen **Neva** River with hardy, naked ice-swimmers known as *morzhi*—"walruses"

Witness the grace of the Kirov Ballet Company, at the Mariinsky Theatre, in **Saint Petersburg**

Take a boat tour along the romantic canals of **Saint Petersburg**

Chill out at the Jazz Over the Volga festival, **Yaroslavl**

Stroll down Nevsky Prospekt to the **Admiralty** and its pretty gardens, Saint Petersburg

Cheer your favorite racing reindeer at the Festival of the North, **Murmansk**

Catherine Palace in Pushkin, near Saint Petersburg: This grandiose palace was the favorite retreat of Tsarina Catherine I. The world-renowned Amber Room has only recently been restored to its full glory.

Southern European Russia

The southern half of European Russia is where the continent of Europe both physically and culturally collides with Asia. Dominated politically by Moscow, this clash is both the region's greatest asset and its darkest flaw. Along with the great Russian cities of Moscow and Volgograd can be found the Turkic center of Kazan', Europe's only Buddhist capital, Elista, and the remains of Groznyy in war-torn Chechnya.

The attractions of the region are unfairly neglected by foreign tourists, who tend to stick to the relative certainty of Moscow and Saint Petersburg further north. Increasingly, however, travel companies are exploiting the charms of the broad Volga River and the delights of Russia's "Costa del Sol" on the shores of the Black Sea.

Independent travel into the region is made tricky by Russian bureaucracy and the lack of a modern infrastructure for international tourists. Guided tours are available, although the tumultuous Caucasus is unlikely to be "safe" for the foreseeable future.

The Kremlin, Moscow: The city's original citadel dates back to the 1300s—the compound contains a number of beautiful churches, museums, and the Russian government buildings.

Activities

Gaze in admiration at the defiant and colossal Soviet era statue of **Rodina (Motherland)** in Volgograd	Cruise gently down the lazy **Volga** river
Eat pancakes in **Moscow** during the traditional Russian pre-Lent Maslenitsa festival, a good way to see off winter	Take a sauna at Moscow's famous **Sandunov Banya** bathhouse
	Rejuvenate at a Black Sea spa town such as **Anapa**
Treat your tastebuds to *borshcht* (beetroot soup) with sour cream	Enjoy the inner warmth from a shot of Russia's national drink, vodka

Rodina (Motherland) statue, Volgograd: One of the largest statues on earth, 171 ft (52 m) high, sits above a memorial to Russia's casualties in World War II. The Battle of Stalingrad (as Volgograd was then known) cost over one million Russian lives, but underlined the country's grim determination to repel the Nazis.

SCALE 1:6,000,000
(projection: Lambert Conformal Conic)

Map Key

POPULATION

- ■ above 5 million
- ▣ 1 million to 5 million
- ◉ 500,000 to 1 million
- ◎ 100,000 to 500,000
- ⊕ 50,000 to 100,000
- ○ 10,000 to 50,000
- ○ below 10,000

ELEVATION

- 4000m / 13,124ft
- 3000m / 9843ft
- 2000m / 6562ft
- 1000m / 3281ft
- 500m / 1640ft
- 250m / 820ft
- 100m / 328ft
- sea level

What to See

El'brus, Moscow, Sochi
see pp122–123

❶ Red Square
(in Moscow)
The city's famous centerpiece surrounded by the Kremlin walls, Lenin's Mausoleum, the GUM department store, and St. Basil's Cathedral

❷ Kolomenskoe Park
(near Moscow)
Wander among churches, fascinating museums, silver birches, and recreated historical sights, while enjoying the views of Moscow

❸ Vladimir
Founded over 1,000 years ago, Vladimir was once capital of Russia, now a feature

of the tourist trail for its interesting museums and elegant churches

❹ Prioksko-Terrasny Reserve
(near Serpukhov) Catch a glimpse of a massive European bison at the specialist breeding center within the reserve

❺ Kazan'
The capital of Muslim Tatarstan, where the traditions of Central Asia come face to face with Mother Russia

❻ Penza
Five universities, galleries, and theaters make Penza an ideal place to mix with the bright young things of Russia's tomorrow

❼ Volga
Enjoy the natural and architectural delights strung along the banks of Europe's longest river

❽ Samara
City on the Volga, home to an annual amateur music festival complete with floating guitar-shaped stage

❾ Saratov
The 400-year-old former capital of the lower Volga region, modern Saratov boasts Russia's oldest circus

❿ Volgograd
Formerly Stalingrad, the city is haunted by the famous battle against the Nazis in 1943 that proved to be the turning point of World War II. Come for the truly amazing monuments

⓫ Southern Ural' skiye Gory (Urals)
Join a cross-country trek on horseback through stunning mountain scenery on the very edge of Europe

⓬ Gelendzhik
A Black Sea spa town and resort with a number of ancient stone dolmen, hidden in the surrounding woodland. There are plenty of opportunities for recreation with riding and trekking in the local hills and a good beach

Holy Trinity—St. Sergiy Lavra, Sergiyev Posad, near Moscow: This monastery, founded in the mid-1300s, and later heavily fortified, is a masterpiece of Russian architecture.

Asia

"And there were gardens bright with sinuous rills, where blossomed many an incense tree; and here were forests ancient as the hills, enfolding sunny spots of greenery." SAMUEL TAYLOR COLERIDGE, 1772-1834

Physical Asia

Asia is a continent of two halves. The vast plateaus and wild plains that sweep across the northern reaches are cut off by some of the world's most dramatic mountain ranges from the great river basins of southern Asia—the Ganges, Brahmaputra, Indus, Mekong, Yangtze and Yellow River. Many of these rivers rise in the huge Plateau of Tibet, the world's highest and coldest plain, known as the "roof of the world." The Tigris and Euphrates rivers in Iraq, and the Indus in Pakistan, saw the growth of great ancient civilizations, thriving in their fertile valleys. Japan, the Philippines, and much of Indonesia lie along tectonic plate boundaries, the latter alone contains one-third of the world's active volcanoes.

Mountains

The spectacular ranges of the Hindu Kush, Pamirs, Tien Shan, and above all, the magnificent Himalayas throw down the gauntlet to trekkers and mountaineers. Even the base camp of Mount Everest is at over 18,000 ft (5,500 m), although its still another 11,000 ft (3,350 m) to reach the summit. These ranges have formed an almost solid wall between China and the west, but the few strategic passes through them were plied by thousands of caravans on the Silk Road.

Desert

Asia's great cold deserts—the Gobi in Mongolia, the Kara Kum in Turkmenistan, the Takla Makan in China— are landscapes of bare rocks, though rolling sand dunes occur in the Gobi near the fiery-colored Flaming Cliffs. Further north lies semi-desert or scrubland known as steppe. The Empty Quarter of the Arabian Peninsula is the world's largest uninterrupted sand desert, drained by ephemeral watercourses known as *wadis*.

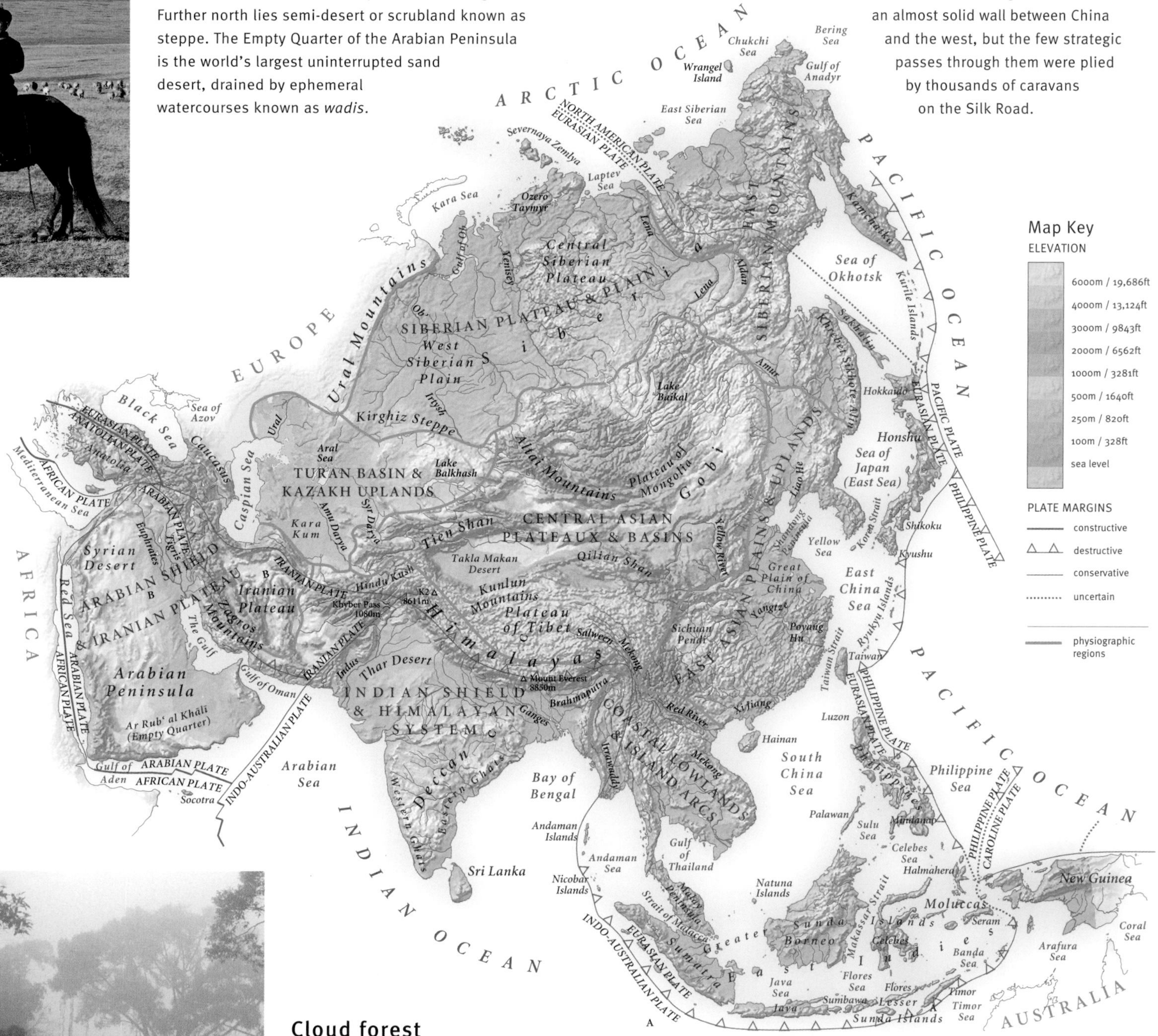

Map Key

ELEVATION

	6000m / 19,686ft
	4000m / 13,124ft
	3000m / 9843ft
	2000m / 6562ft
	1000m / 3281ft
	500m / 1640ft
	250m / 820ft
	100m / 328ft
	sea level

PLATE MARGINS

——	constructive
△	destructive
——	conservative
·····	uncertain
——	physiographic regions

Cloud forest

The equatorial regions of Southeast Asia are clad in dense and ancient rainforest, alive with wildlife. The forest on the Malay Peninsula is 130 million years old. Indonesia is famous for its endearing orangutans swinging through the branches, but many other exotic and endangered species can also be spotted here—among them the Javan rhino, Sumatran tiger, Burmese python, and proboscis monkey.

SCALE 1:63,000,000
(projection: Lambert Azimuthal Equal Area)

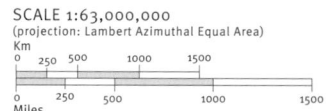

Climate

In the inland desert regions such as the Gobi, temperatures can soar to 104°F (40°C) in the summer and plummet to -40°F (-40°C) in the winter—one of the most extreme ranges in the world. The major event in south Asia, by contrast, is the monsoon—a wind that brings annual torrential downpours in May to September (west and central India) or June to October (southeast Asia). The major part of the year's rain falls during the monsoon period. Combined with summer increases in glacial meltwater from the Himalayas, this swells the rivers so much that flooding of plains and deltas is a fact of life in China, India, and Bangladesh.

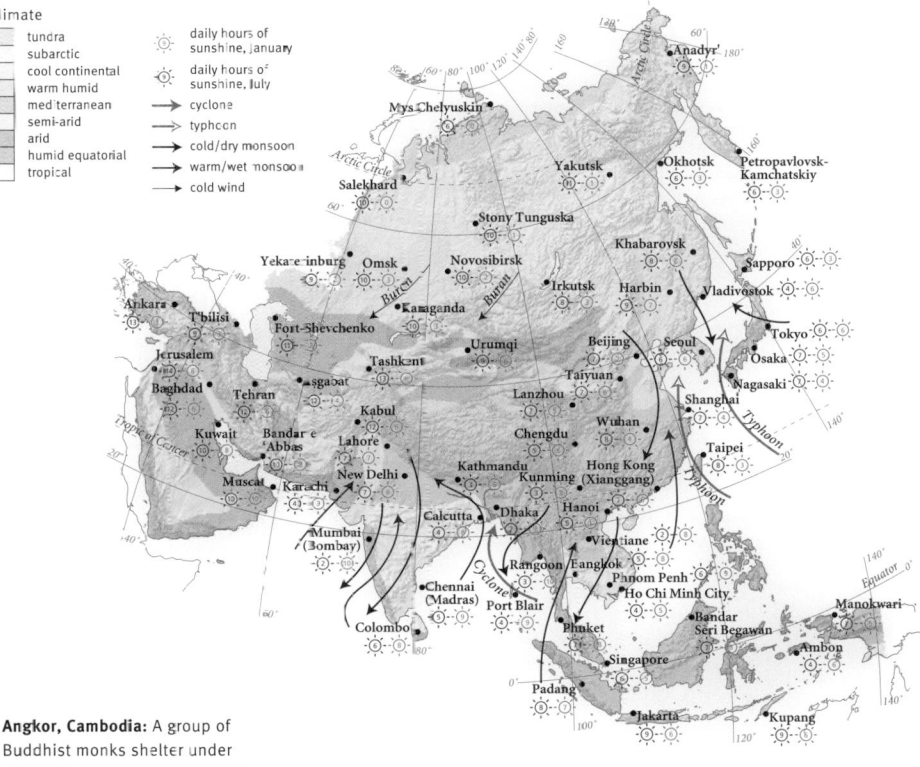

Climate

- tundra
- subarctic
- cool continental
- warm humid
- mediterranean
- semi-arid
- arid
- humid equatorial
- tropical

☼ daily hours of sunshine, January
☼ daily hours of sunshine, July
→ cyclone
→ typhoon
→ cold/dry monsoon
→ warm/wet monsoon
→ cold wind

Angkor, Cambodia: A group of Buddhist monks shelter under umbrellas in the monsoon rains.

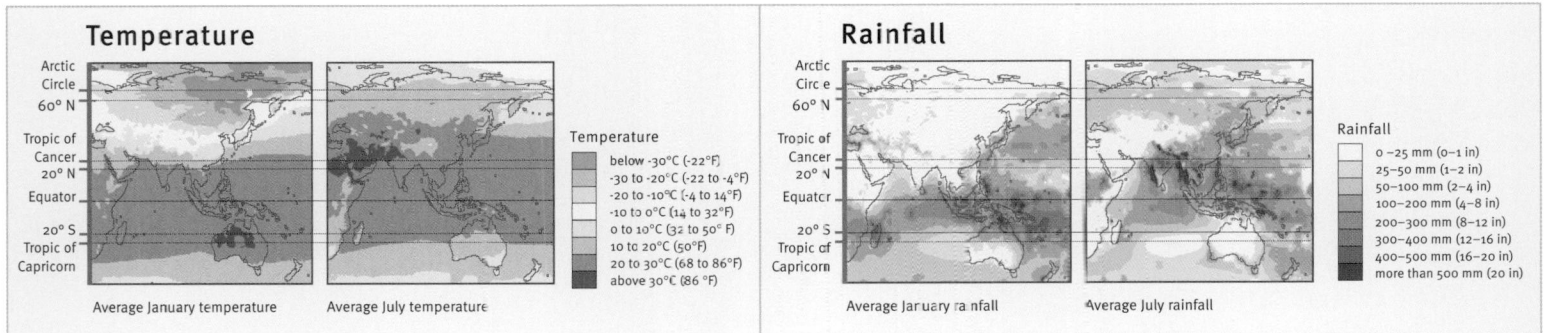

Temperature

Arctic Circle
60° N
Tropic of Cancer 20° N
Equator
20° S
Tropic of Capricorn

Average January temperature Average July temperature

Temperature
- below -30°C (-22°F)
- -30 to -20°C (-22 to -4°F)
- -20 to -10°C (-4 to 14°F)
- -10 to 0°C (14 to 32°F)
- 0 to 10°C (32 to 50°F)
- 10 to 20°C (50°F)
- 20 to 30°C (68 to 86°F)
- above 30°C (86 °F)

Rainfall

Arctic Circle
60° N
Tropic of Cancer 20° N
Equator
20° S
Tropic of Capricorn

Average January rainfall Average July rainfall

Rainfall
- 0 – 25 mm (0–1 in)
- 25–50 mm (1–2 in)
- 50–100 mm (2–4 in)
- 100–200 mm (4–8 in)
- 200–300 mm (8–12 in)
- 300–400 mm (12–16 in)
- 400–500 mm (16–20 in)
- more than 500 mm (20 in)

Using the Land and Sea
- cropland
- desert
- forest
- mountain region
- pasture
- tundra
- wetland
- • major conurbations
- cattle
- pigs
- goats
- sheep
- coconuts
- corn (maize)
- cotton
- dates
- fishing
- fruit
- jute
- peanuts
- rice
- rubber
- shellfish
- soya beans
- sugar beet
- sugar cane
- tea
- timber
- wheat

Using Land and Sea

In a continent where so much land is barren desert or steep mountain, the pressure for farmable land has led to extensive terracing—as in the Banaue region of the Philippines—or the use of annually flooded river deltas, as in Bangladesh. Rice grown in water-filled paddy fields is the crop most associated with Asia, but wheat is more widespread. Cotton and tea are grown in China and the Indian subcontinent, while the hotter Malay Peninsula and East Indies are historically famous for their spices and rubber. The seas around these islands are rich in fish and shrimp, which is central to the region's cuisine. The wealth and modernity of the cities of Saudi Arabia, Oman, and the Gulf states are based on oil.

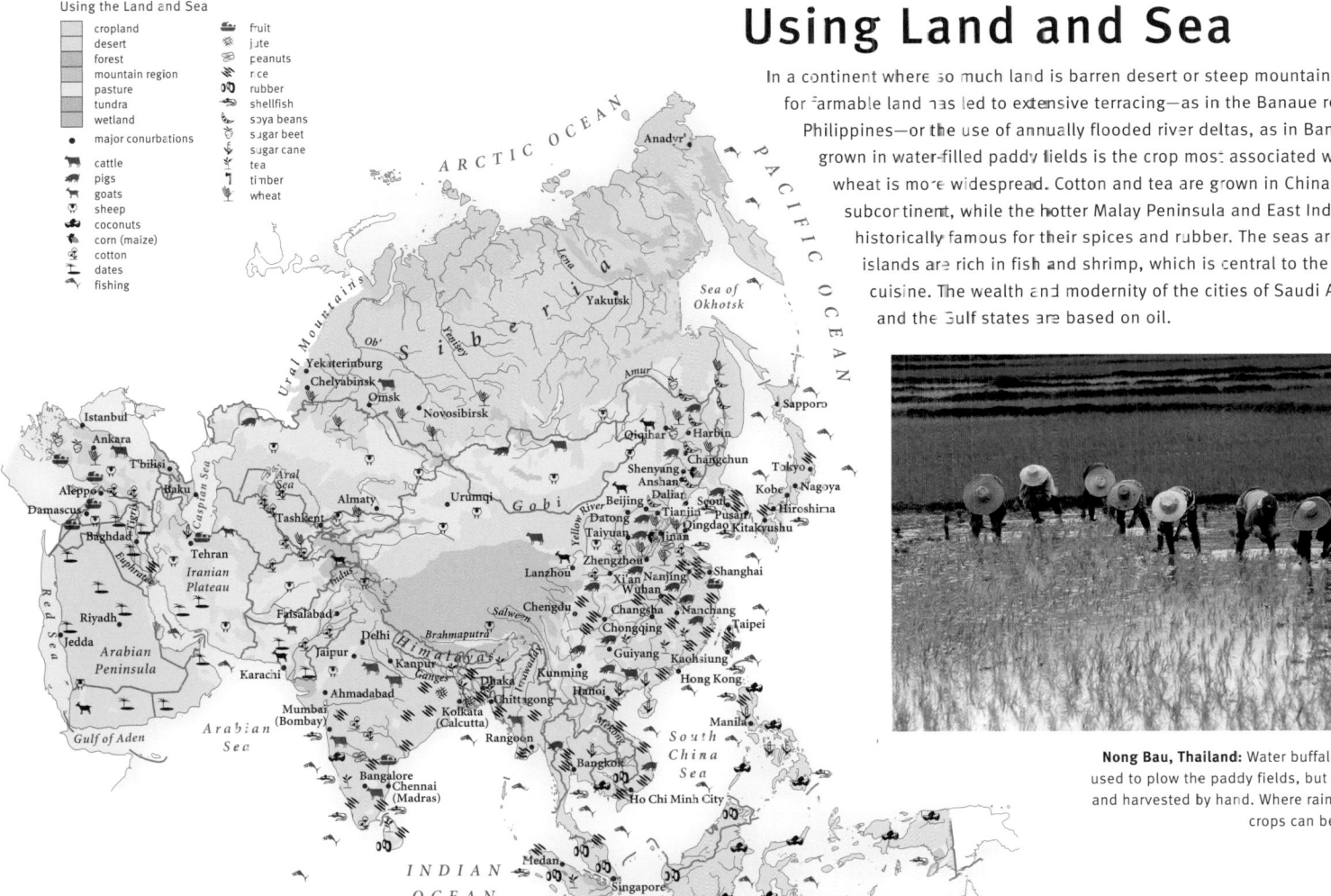

Nong Bau, Thailand: Water buffalo and banteng are used to plow the paddy fields, but the rice is planted and harvested by hand. Where rain is plentiful, three crops can be grown each year.

Political Asia

The world's largest continent, Asia is home to 60 percent of its people, but the political systems under which they live could hardly be more varied—from Japan's modern Western-style parliamentary government to North Korea's isolated dictatorship and Iran's Islamic theocracy. China, fast becoming an economic powerhouse, remains adherent to single-party communism, while in India, the world's largest democracy, secular principles contend with the challenge of Hindu nationalism. Indonesia is likewise secular, although its Muslim population is the world's largest. Pakistan, by contrast, was founded explicitly as an Islamic state. Nowhere is more closely identified with fundamentalist Islam than the Middle East, still mired in decades of conflict stemming from the creation of the Jewish state of Israel in 1948, yet the kingdoms of the Gulf are among the most conservative anywhere.

Standard of Living
(UN Human Development Index)

low

high

Standard of Living

Vast differences in standards of living exist between Asian states. Oil has brought massive wealth to the rulers of the Middle East and Brunei, while Afghanistan and Mongolia struggle to carve a living from barren countryside. Modern cities like Hong Kong and Tokyo contrast sharply with the poverty surrounding the sprawling cities of Manila and Mumbai.

Languages

China's Mandarin and Cantonese speakers represent almost a quarter of the world's population. The Mandarin writing system, based on pictorial representation of words, has also been adapted over the centuries for use by the Japanese. The ancient artistry of Sanskrit script is used in India while the beautiful flow of Arabic adorns signs and buildings across the Middle East, to transcribe both Arabic, Persian, and Turkic languages. In Russia, the use of the Cyrillic script is being actively promoted by the central government.

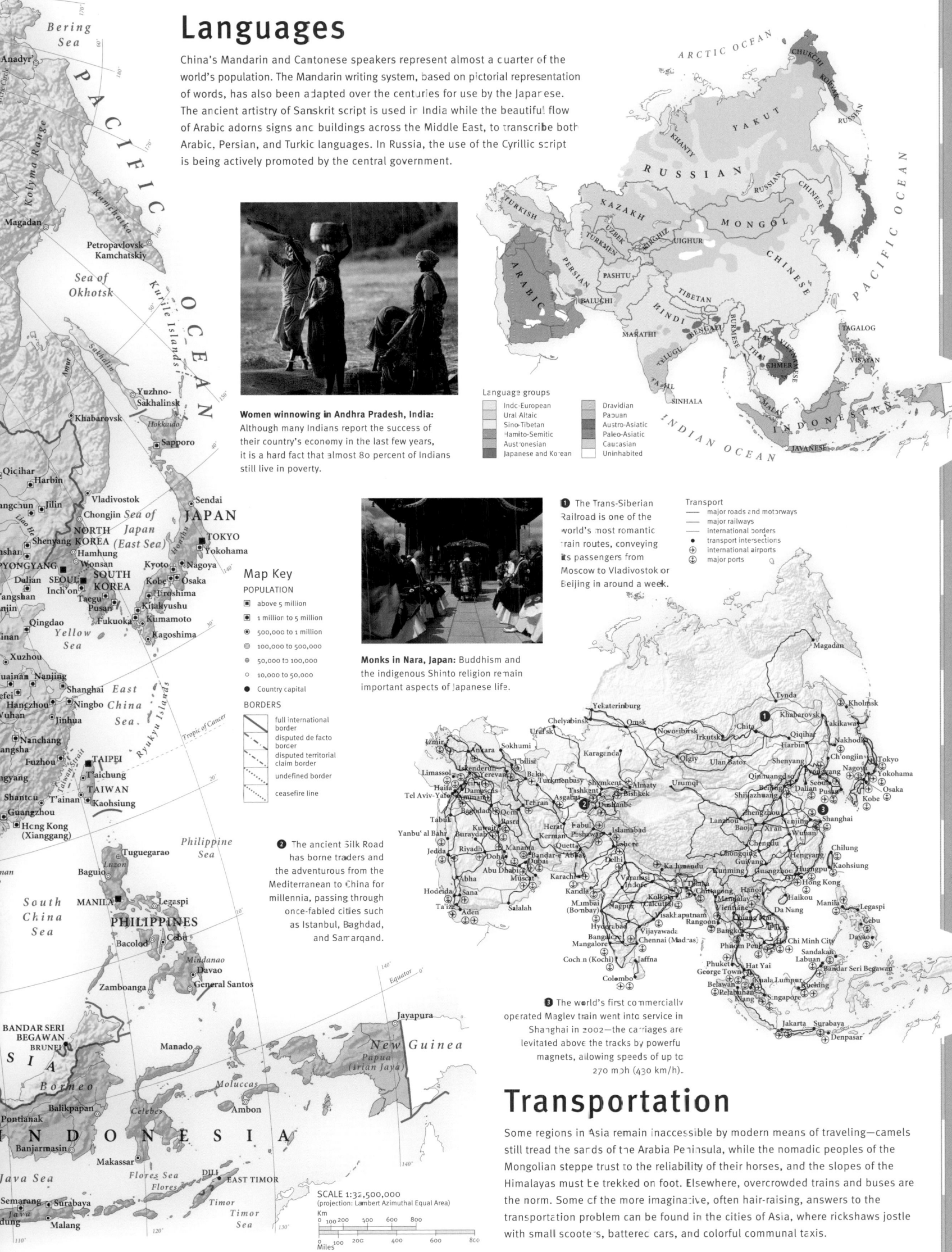

Women winnowing in Andhra Pradesh, India: Although many Indians report the success of their country's economy in the last few years, it is a hard fact that almost 80 percent of Indians still live in poverty.

Language groups

Indo-European	Dravidian
Ural-Altaic	Papuan
Sino-Tibetan	Austro-Asiatic
Hamito-Semitic	Paleo-Asiatic
Austronesian	Caucasian
Japanese and Korean	Uninhabited

Monks in Nara, Japan: Buddhism and the indigenous Shinto religion remain important aspects of Japanese life.

Map Key

POPULATION

■ above 5 million
■ 1 million to 5 million
◉ 500,000 to 1 million
◎ 100,000 to 500,000
⊕ 50,000 to 100,000
⊙ 10,000 to 50,000
● Country capital

BORDERS

full international border
disputed de facto border
disputed territorial claim border
undefined border
ceasefire line

❶ The Trans-Siberian Railroad is one of the world's most romantic train routes, conveying its passengers from Moscow to Vladivostok or Beijing in around a week.

Transport

— major roads and motorways
— major railways
— international borders
● transport intersections
⊕ international airports
⊕ major ports

❷ The ancient Silk Road has borne traders and the adventurous from the Mediterranean to China for millennia, passing through once-fabled cities such as Istanbul, Baghdad, and Samarqand.

❸ The world's first commercially operated Maglev train went into service in Shanghai in 2002—the carriages are levitated above the tracks by powerful magnets, allowing speeds of up to 270 mph (430 km/h).

Transportation

Some regions in Asia remain inaccessible by modern means of traveling—camels still tread the sands of the Arabia Peninsula, while the nomadic peoples of the Mongolian steppe trust to the reliability of their horses, and the slopes of the Himalayas must be trekked on foot. Elsewhere, overcrowded trains and buses are the norm. Some of the more imaginative, often hair-raising, answers to the transportation problem can be found in the cities of Asia, where rickshaws jostle with small scooters, battered cars, and colorful communal taxis.

SCALE 1:32,500,000
(projection: Lambert Azimuthal Equal Area)

Taj Mahal, India

Ko Chang, Thailand

Hong Kong, China

Annapurna, Nepal

Masjed-e-Emam, Esfahan, Iran

Activities

The Middle East is a place of great pilgrimages, of searching out famed biblical locations, and hunting down the origins of civilization. But take time out to float in the Dead Sea, where it is impossible to sink, and hard to get sunburned thanks to the filtering effect of the salty haze. Ancient Persia (Iran) and central Asia are linked by a trading culture that extends all the way to China. Visits to silk carpet factories and other local industries are a fascinating element of traveling in this part of the world. In the Indian subcontinent, famed for its spirituality as much as for its teeming cities, a dip in the Ganges is one way to connect with the culture, while rush-hour driving in Mumbai (Bombay) is an experience that may not be enjoyed at the time, but will remain with you forever. Powerful reminders recur in Japan and Southeast Asia of the impact of modern warfare in the region, none more moving than a visit to Hiroshima where the first atomic bomb was dropped on this Japanese city.

What to Do

❶ Turkish Baths
Steam and scrub your troubles away, before a relaxing massage

❷ Sri Lankan Elephant Orphanage
Ride on an elephant or help out at feeding time

❸ Mount Everest, Nepal
Trek to Base Camp; only serious mountaineers go all the way to the top

❹ Great Wall, China
Take a walk along the 2,000-year-old wall

❺ Shanghai Acrobats, China
Gape at their feats of contortion and balance

❻ Eat Scorpion, Laos
The taste is somewhat like potato crisps

❼ Ko Tao, Thailand
Learn to scuba dive in maximum water visibility—130 ft (40 m)

❽ Bali, Indonesia
Soak up the sun on black sandy beaches

Jerusalem, Israel: This holy city attracts Jewish, Muslim, and Christian pilgrims to its religious sites.

Mount Fuji, Japan: This most beautiful and symmetrical of mountains is at the heart of the Japanese spirit and has inspired great artists, such as Katsushika Hokusai and Ando Hiroshige.

Natural Sights

The three best-loved symbols of Asian wildlife are the panda, the tiger, and the orangutan. China's massive reserves are trying to preserve some of the last remnants of panda habitat, and more of these endearing animals survive in that country, both in captivity and in the wild, than anywhere else. India's many game reserves are fine places to see the Bengal tiger, while the orangutan, the "man of the forest," can be found in the less commercialized rainforests of Borneo and Sumatra. The rest of Southeast Asia also contains much highly diverse rainforest and swampland. The Middle East and large parts of central and northern Asia are covered by great deserts, such as the Gobi and the Empty Quarter. Here too it is possible to see some highly endangered species, notably the Przewalski horse in Mongolia, and the Arabian oryx in Oman and Jordan. Both of these animals were hunted to extinction in the wild, but now exist again as small populations of reintroduced animals.

What to See

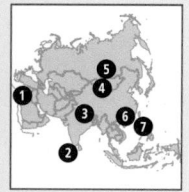

❶ Wadi Rum, Jordan
Awe-inspiring silence among rocks eroded by wind and sand

❷ Maldives
Idyllic resort islands of coral lagoons, beaches, and huts on stilts

❸ Himalayas
Take a flight over the world's greatest range

❹ Flaming Cliffs, Mongolia
Deep reds and oranges color the cliffs of the southern Gobi desert

❺ Lake Baikal, Russia
The world's oldest and deepest lake, which has developed unique freshwater fauna

❻ Guilin, China
Ethereal mountain peaks loom out of the mist along the Li River

❼ Banaue, Philippines
Spectacular rice terraces constructed 2,000 years ago

Ceremonial drummer, Indonesia

Hierapolis, Turkey

Ha Long Bay, Vietnam

Kathmandu, Nepal

Ratmanov Island, Siberia, Russia

Cultural Sights

Asia has a rich cultural legacy, encompassing the cradles of both oriental and Middle Eastern civilizations. Successive Chinese dynasties have left their mark with creations that still hold their power today—from exquisitely decorated cave temples, to the fascinating terracotta army of Xi'an, and the secretive palaces of Beijing. The Middle East's rich architectural heritage ranges from prehistoric remains to Roman cities and from the holy places of Jerusalem to great Muslim centers such as Esfahan in Iran. Today, many of Asia's vast cities are more about the present than the past. Containing millions of people, they are known for their industrial prowess and business acumen, with ultra-modern buildings giving places like Dubai, Shanghai, Hong Kong, and Tokyo their distinctive skylines.

Phra Boromathat Chaiya, Thailand: A row of Buddha likenesses in one of Thailand's few surviving Srivijaya-period temples.

What to See

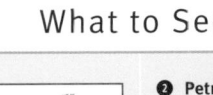
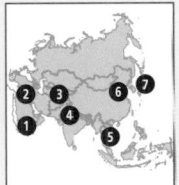

❷ Petra, Jordan
The fabled rose-red city, hewn out of the rock over 2,000 years ago

❸ Samarqand, Uzbekistan
Blue and white-tiled mosques dazzle the eye

❶ Shibam, Yemen
Towering ancient mud-brick skyscrapers in this magical city

❹ Taj Mahal, India
A gleaming 400-year-old mausoleum of marble, light, and water

❺ Angkor Wat, Cambodia
Visit the tree-entwined temples of the ancient Khmer empire

❻ Forbidden City, Beijing, China
For centuries hidden from public view, it is the largest imperial palace in the world

❼ Tokyo
This stimulating, vital city is an ultra-modern cultural thrill

Trips

Asia's sprawling mass has some fine train rides, among the most scenic being those in Thailand and the route running north–south down the length of Vietnam. In India, the railway system is extraordinarily complex, a challenge to the uninitiated user but a feat of organization whose results can be highly rewarding. The Palace on Wheels, a luxury train modeled on the private coaches of the former rulers of Rajasthan, is a good way to take in the "Golden Triangle" of Agra, Jaipur, and Delhi. For more modern luxury, try the bullet trains of Japan, technological wonders that remain impressive 40 years after their first introduction. One of the most famous of Asia's road routes is the Karakoram Highway. This traces a perilous path over the "roof of the world" from China ultimately to Pakistan, and claimed many lives during the course of its construction. Much older is the King's Highway in Jordan, the ancient route, predating the Romans, that winds its way through the mountains and impressive *wadis* (river channels) to the east of the Dead Sea.

Trans-Siberian Express, Russian Federation: The classic way to cross this vast country takes about five days nonstop, though stopovers can be arranged in places like Irkutsk near Lake Baikal.

Great Asian Trips

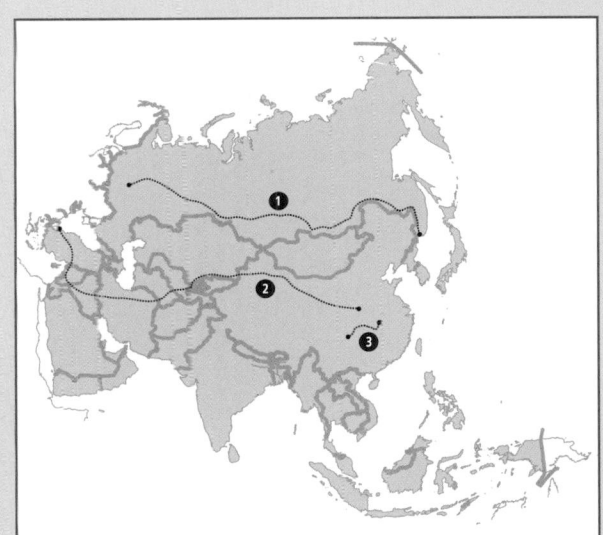

❶ Trans-Siberian Express
Moscow—Vladivostok
6,000 miles (9,600 km)
Tsar Alexander III initiated this immense project in the 1890s. Completed in 1905, it now stretches a third of the way round the globe, crossing steppe, taiga, and mountains. An alternative route visits Ulan Bator and ends in Beijing.

❷ Silk Road
Xi'an—Istanbul
8,000 miles (12,900 km)
Asia's main artery for the flow of trade, culture, and ideas was already thriving 2,000 years ago. It brought prosperity to the cities through which it passed. The architecture and exotic markets of Kashi (Kashgar), Samarqand, and Buxoro (Bukhara) are legendary.

❸ Yangtze Three Gorges Cruise
Chongqing—Wuhan
550 miles (880 km)
A majestic trip, following the mighty Yangtze River through the dramatic gorges of Qutang, Wu, and Xiling to reach the biggest engineering project on earth—the vast dam that will flood much of this idyllic scenery forever.

Turkey & the Caucasus

Armenia, Azerbaijan, Georgia, Turkey

Thanks to its turbulent history and location, this region provides a rich tapestry of historical interest, cultural diversity, and breathtaking landscapes. It is a land of myths, legends, kingdoms, and empires, fought over and ruled by many powers, each leaving their unique cultural fingerprint.

Important and fascinating archaeological sites are plentiful, ranging from the Neolithic village of Catal Huyuk to the magnificent Roman city of Ephesus. The region is also peppered with architectural marvels, from the domes and minarets of Istanbul's mosques to the wooden houses and churches of the Black Sea region and the juxtaposition of Baku's medieval, walled city with its austere communist-era blocks.

Although largely mountainous, Turkey and the Caucasus have, throughout history, been a crucial transit area for trade, linking the Caspian, Black, and Mediterranean seas. Ideas, technologies, and the arts have been funneled through the region, creating its vibrant culture and exciting cuisine. Turkish food conjures images of kebabs but it also offers much wider variety, from filled flat breads to filling stews, fresh fish, creamy rice pudding, and rosewater-flavored pastries.

The region's rich mix of peoples, cultures, and religions has led to many periods of unrest and it is still advisable to check before traveling to certain areas of eastern Turkey and the Caucasus.

Activities

Join in the traditional banquet toast given by a *tamada* (loosely, a toastmaster)—in the local wineries of Georgia's **Kakheti province**

Soar over the magical fairy chimneys of the **Cappadocian** landscape in a hot air balloon—from Goreme or Urgup, near Nevsehir

Sprawl on a heated marble slab in a *hamam* (Turkish bath) as you await a rigorous massage

Wrap up warm to watch the sun rise over the mountains around **Nemrut Dagi**, near Kahta, where huge stone heads guard a royal tumulus

Watch one of **Istanbul's** top soccer teams—Besiktas, Fenerbahce, or Galatasaray (usually on Saturdays or Sundays, September–May)

Follow the Lycian Way along the **Mediterranean coast** through superb scenery (best in April, May, or October; walking boots are essential)

The Blue Mosque (Sultanahmet), Istanbul: Built between 1609 and 1616—66 years before work started on London's St. Paul's Cathedral—this impressive mosque was designed to rival its neighbor, the great Hagia Sofia. It was seen as sacreligious in having six minarets, when at the time, the only other such mosque was the great al-Haram in Mecca. Its name comes from the sumptuous blue and white tiles of the interior, which were made in Iznik, world famous for its ceramic production.

Whirling Dervishes, Turkey: Founded by the Sufic mystic Celaleddin Rumi, the Konya-based Mevlevi order believe that music and dance induce an ecstatic state that liberates from the tribulations of daily life. The *sema* ritual dance is performed for visitors at the Mevlevi Lodge, Istanbul.

Map Key

POPULATION

- ▣ above 5 million
- ▦ 1 million to 5 million
- ◉ 500,000 to 1 million
- ⊙ 100,000 to 500,000
- ◎ 50,000 to 100,000
- ○ 10,000 to 50,000
- ∘ below 10,000

ELEVATION

- 4000m / 13,124ft
- 3000m / 9843ft
- 2000m / 6562ft
- 1000m / 3281ft
- 500m / 1640ft
- 250m / 820ft
- 100m / 328ft
- sea level

What to See

❶ Gallipoli (Gelibolu)
Lush countryside makes the setting for some of the bloodiest military encounters of World War I even more poignant

❷ Istanbul
The erstwhile capital of the Byzantine Empire is a grandiose city of decadent beauty where magnificent architecture intermingles with a bustling metropolis

❸ Black Sea Coast
Breathtaking valleys and summer pastures line the Black Sea. This tea-growing region is full of hidden gems

❹ Ephesus
(near Selcuk) Turkey's Mediterranean coast has a wealth of sites from Roman, Byzantine, and earlier times. Among the most impressive is Ephesus, but do not miss Pergamon, Aphrodisias, and Termessos

❺ Pamukkale
The remains of a flourishing Roman city surround hot springs that flow over meringue-like terraces. Take a dip, but avoid midday when most tour groups arrive

❻ Turquoise Coast
Coves and lagoons with golden sandy beaches are interspersed with numerous ancient archaeological sites along the coast from Marmaris to Antalya

❼ Konya
The most fundamentally religious city in Turkey is a place of pilgrimage for Muslims and is home to the Sufic whirling Dervish sect

❽ Hattusas
(near Yozgat) Located in a plain surrounded by rocky outcrops, this impressive walled city was once capital of the Hittite Empire

❾ Derinkuyu and Kaymakli
(near Nevsehir) Carved from soft volcanic tuff, whole cities of tunnels, rooms, churches, and ventilation chimneys let imaginations run wild. Avoid if claustrophobic

❿ Ataturk Dam (Ataturk Baraji)
A masterpiece of modern engineering, this huge dam and irrigation project is enabling local farming, but depriving neighboring countries of much-needed water

⓫ Sanliurfa
The reputed birthplace of Prophet Abraham has a lively cultural mix, with a dark, sumptuous, covered bazaar, leafy mosque gardens, and sacred carp pools

⓬ Harran
(near Sanliurfa) Children scampe among ancient ruins in this village of beehive-shaped mud

huts, which has been continuously inhabited for 6,000 years and is mentioned in the Bible

⓭ Sumela
(near Torul) Nestled into a sheer rock face, this imposing 13th-century monastery with lovely frescoes is worth the delightful but strenuous uphill woodland walk

⓮ Ishak Pasa
(near Dogubayazit) A grandiose palace that employs an eclectic mix of architectural styles to dominate the windswept valley below

⓯ Lake Sevan
In a stunning setting, this lake has delicious salmon and trout

⓰ Ateni Sioni
(near Gori) In beautiful surroundings, this fine example of a Georgian church is renowned for its 11th-century stone carvings and frescoes

⓱ Uplistsikhe (Fortress of God)
(near Gori) A natural cave complex, inhabited from the 6th century BCE for 2,000 years it contains Georgia's first theatre, also dwellings, capacious wine cellars, and gloomy dungeons

⓲ Baku
At the heart of the Azeri capital is the restored walled city, with narrow streets and a relaxed Middle Eastern tea-house culture

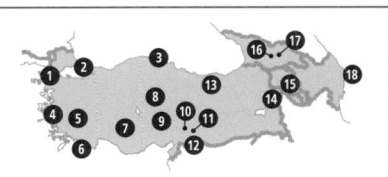

SCALE 1:4,500,000
(projection: Lambert Conformal Conic)

Black Sea Coast: Running along northern Turkey and into Georgia, this undiscovered coastline is nonetheless one of the region's loveliest and most fertile. It is famed for its cherries, tea, and chestnuts.

The Near East

Iraq, Israel, Jordan, Lebanon, Syria

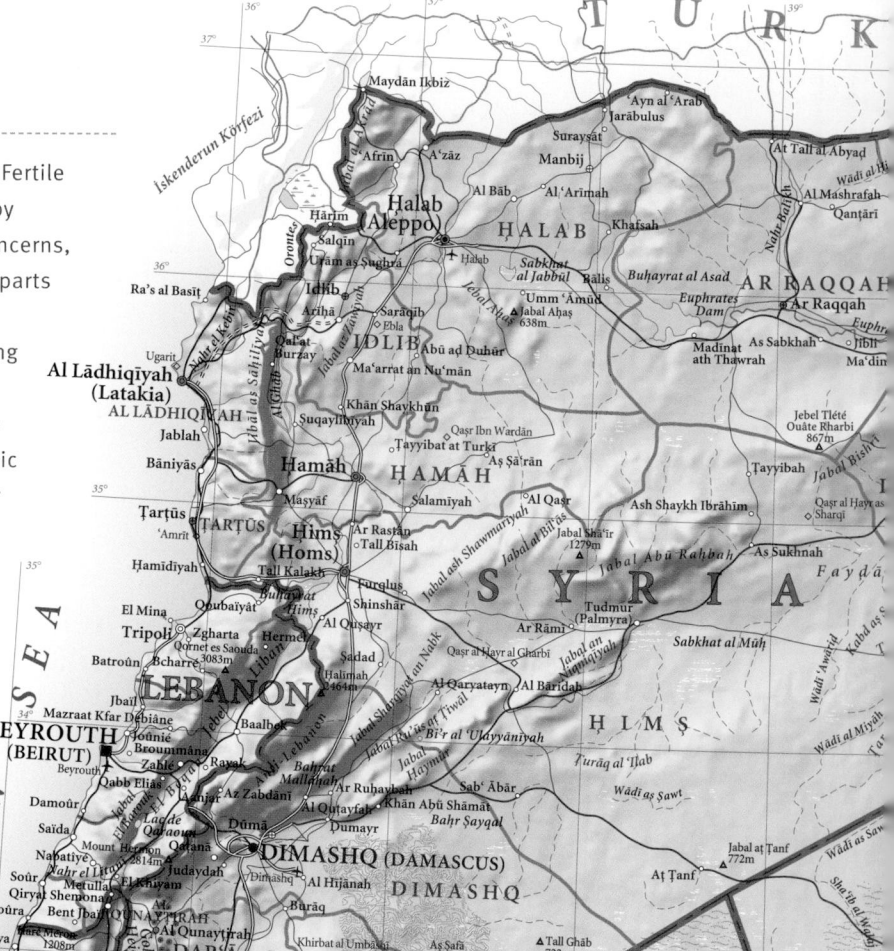

Some of the world's oldest civilizations developed in this region—the Fertile Crescent. It is venerated by Jews, Muslims, and Christians, but torn by competing religious, ethnic, and national claims to the land. Security concerns, which have damaged tourism across the region, belie the fact that most parts are actually quite safe and give a warm welcome to visitors.

The Great Rift Valley runs from Lebanon down into East Africa, dividing Israel from Jordan and forming the Sea of Galilee, the Jordan river, and the Dead Sea (the lowest point on earth). It is the setting for many of the biblical stories, with fabulous remains, interesting churches, and dramatic scenery. Jericho, which dates back to 7000 BCE, is the leading contender among several in the region to being the oldest city in the world.

Mesopotamia, meaning "between two rivers" (the Tigris and Euphrates), was the cradle of great civilizations. Unfortunately, its archaeological sites, such as Hatra and Ur, within modern Iraq, are currently off limits.

Many peoples have left their mark on the region, such as the Nabataeans who built the fabled rose-red city of Petra in Jordan, but the most widespread remains are the well-preserved Roman sites and the more recent medieval Crusader castles.

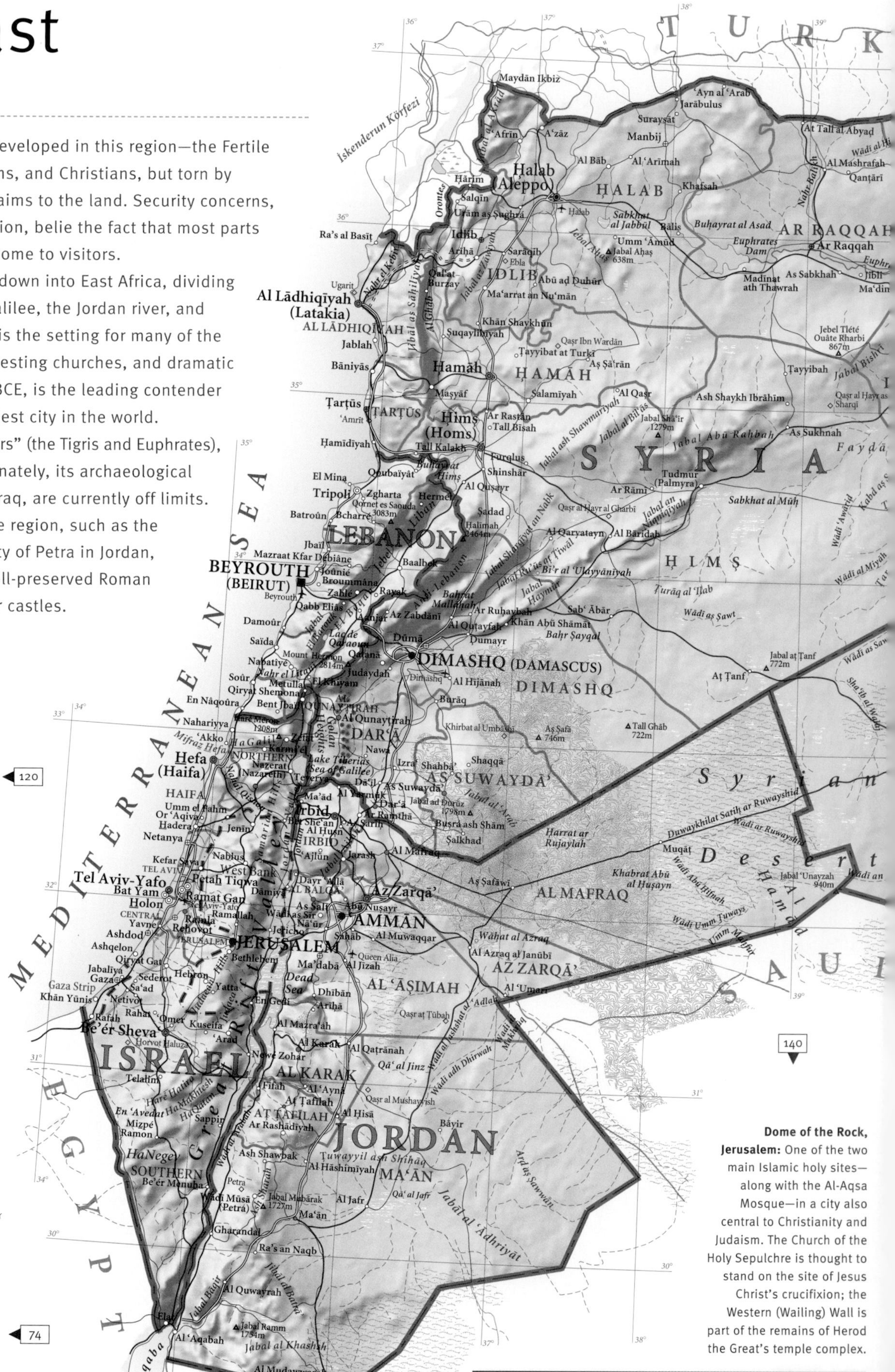

What to See

❶ Crac des Chevaliers
(near Tall Kalakh)
The greatest of the Crusader castles was never breached and is remarkably intact

❷ Palmyra
Huge ancient city, most of the surviving remains dating to Roman times, including the famous Temple of Bel

❸ Damascus
Continuously inhabited for 7,000 years; the splendid Umayyad Mosque is famed for its golden mosaics

❹ Baalbek
The "Sun City" of the Roman world, with extravagant temples and extensive ruins

❺ Byblos (Jbail)
Dating back perhaps 7,000 years, this picturesque fishing town has Roman ruins and a restored Crusader castle

❻ Jerusalem
Sacred for all three major monotheistic religions and home of the Dead Sea Scrolls, the oldest biblical text

❼ Masada
(near En Gedi)
Dramatically located fortress, site of a mass suicide in 73 CE, and symbol of Jewish resistance to imperial Roman rule

❽ Maktesh Ramon
(near Mizpe Ramon)
A 25 mile (40 km) crater, providing expansive views across a moonlike landscape

❾ Petra
Reached via a narrow cleft through the rock, a fabulous hidden Nabataean city of tombs and temples carved into the valley sides

❿ Ma'daba
Mosaic-making center of the 6th century CE; the famous map of the Holy Land adorns the Greek Orthodox church

⓫ Jarash
One of ten cities in the Greco-Roman Decapolis; chariot races are still held in its reconstructed hippodrome

⓬ Qusayr Amra
(near Al Azraq al Janubi)
Small Umayyad bathhouse, painted with erotic frescoes

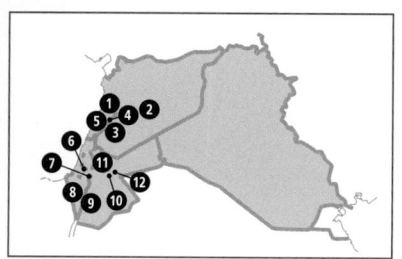

Dome of the Rock, Jerusalem: One of the two main Islamic holy sites—along with the Al-Aqsa Mosque—in a city also central to Christianity and Judaism. The Church of the Holy Sepulchre is thought to stand on the site of Jesus Christ's crucifixion; the Western (Wailing) Wall is part of the remains of Herod the Great's temple complex.

SCALE 1:3,500,000
(projection: Lambert Conformal Conic)

Km
0 10 20   40   60   80   100 120

0   10   20   40   60   80   100   120
Miles

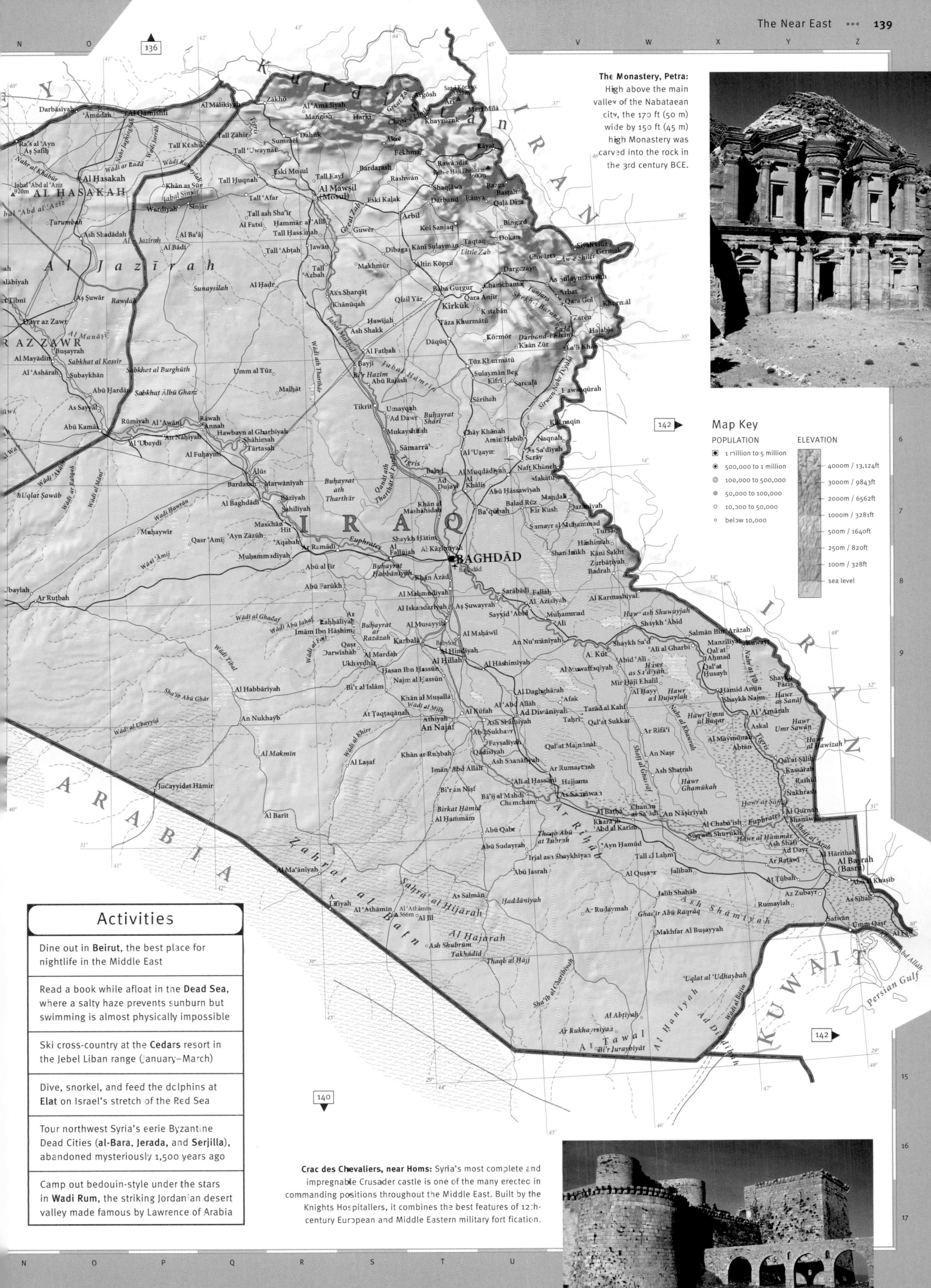

136

The Monastery, Petra: High above the main valley of the Nabataean city, the 170 ft (50 m) wide by 150 ft (45 m) high Monastery was carved into the rock in the 3rd century BCE.

142

Map Key

POPULATION

- ▣ 1 million to 5 million
- ◉ 500,000 to 1 million
- ◎ 100,000 to 500,000
- ⊕ 50,000 to 100,000
- ◦ 10,300 to 50,000
- · below 10,000

ELEVATION

- 4000m / 13,124ft
- 3000m / 9843ft
- 2000m / 6562ft
- 1000m / 3281ft
- 500m / 1640ft
- 250m / 820ft
- 100m / 328ft
- sea level

142 ▶

140 ▼

Activities

Dine out in **Beirut**, the best place for nightlife in the Middle East

Read a book while afloat in the **Dead Sea**, where a salty haze prevents sunburn but swimming is almost physically impossible

Ski cross-country at the **Cedars** resort in the Jebel Liban range (January–March)

Dive, snorkel, and feed the dolphins at **Elat** on Israel's stretch of the Red Sea

Tour northwest Syria's eerie Byzantine Dead Cities (**al-Bara**, **Jerada**, and **Serjilla**), abandoned mysteriously 1,500 years ago

Camp out bedouin-style under the stars in **Wadi Rum**, the striking Jordanian desert valley made famous by Lawrence of Arabia

---

Crac des Chevaliers, near Homs: Syria's most complete and impregnable Crusader castle is one of the many erected in commanding positions throughout the Middle East. Built by the Knights Hospitallers, it combines the best features of 12th-century European and Middle Eastern military fortification.

The Arabian Peninsula

Bahrain, Kuwait, Oman, Qatar, Saudi Arabia, United Arab Emirates (UAE), Yemen

Bordered by the Red Sea, the Indian Ocean, and The Gulf, the Arabian Peninsula has many interesting trading ports set amid rocky coastal regions. Yemen, once the home of the Queen of Saba (known in Hebrew as Sheba), has a treasure trove of dramatic walled towns and villages located along its rugged western shore. The buildings have a distinct architecture, resembling ancient multistoried "skyscrapers." Saudi Arabia was completely closed to tourists until 2000. Non-Muslims are still prohibited from visiting its two great Islamic holy cities, Mecca and Medina, which welcome two million pilgrims each year.

Least developed, Oman has the best sights. Its mountainous east features attractive coastlands and fascinating forts, many undergoing restoration. The United Arab Emirates (UAE) is dominated by ritzy Dubai which, with more expatriates than locals, allows a virtually unrestricted lifestyle. Massive construction projects, adding to the already large number of world-class hotels, include ambitious schemes for the world's largest tower, an underwater hotel and a manmade archipelago map of the world. Bahrain, a tiny island with a long trading history, hosts a grand prix. Qatar and Kuwait are also eager to attract visitors, but though much larger, have less to offer, especially since Kuwait's National Museum was looted and ransacked during the 1990–1991 Iraqi invasion.

Nizwa Fort, Oman: This imposing 17th-century citadel, set in a sea of lush date palms on the western side of the Hajar mountains, is the largest on the Arabian Peninsula, and served as the palace for the *imam* (religious leader) who ruled Oman's interior region.

Activities

Witness green turtles laying eggs at **Ras al Hadd**, on the eastern tip of the Omani coastline (tours go in the evening, returning again at 5 a.m. to see the young emerge)

Go dune-bashing in an SUV at the **Big Red Sand Dune** near Dubai (organized tours recommended)

Dive for pearls in the shallow waters off **Bahrain**, following a tradition that was once a lucrative industry

Sandboard in the extensive dunes around Qatar's **Inland Sea** (Khawr al Udayd)

Barter at the extensive gold *souq* in **Dubai**

Watch camel-racing at **Al-Shahaniya stadium**, 37 miles (60 km) west of Doha. Cars follow the race alongside the track

What to See

① Medain Salih
(near Al Ula) Nabataean rock tombs, Saudi's answer to Jordan's Petra, and better preserved, if less impressive

② Jedda
Important commercial center on the Red Sea, also known for its diving and a group of houses built entirely of coral

③ Habalah
Deserted cliff village in the Asir National Park, only reached by cable car. The original inhabitants created it as a safe haven after escaping from the Turks

④ Riyadh
Saudi Arabia's modern capital, with two huge skyscrapers dominating the skyline, is a shopper's paradise

⑤ Bahrain
Numerous sites of interest including 80,000 burial mounds and a 20 mile (32 km) causeway to mainland Saudi Arabia.

⑥ Khawr al Udayd
Qatar's Inland Sea is reached through beautiful sand dunes, with fine views across to Saudi Arabia

⑦ Dubai
Multicultural city of skyscrapers boasting the best of everything, known for its luxury hotels and Disneyland-style shopping malls, recreating Venice, Egypt, or traditional Arabia

⑧ Hatta
(near Haba)
Rock pools, popular with local visitors, set among beautiful mountain scenery, close to the Omani-UAE border

⑨ Jabreen Fort
(near Bahla) Built in 1670 and often used as a retreat for *imams*, this superb fort has many original exquisite painted ceilings

⑩ Nizwa
Main center of the Hajar range, with a fine restored fort sporting a huge round tower and picturesque mosque

⑪ Muscat
Omani capital set amid craggy mountains, split into many suburbs, each with its own fort

⑫ Shibam
The "Manhattan of the Desert," a walled village with 500 seven- or eight-story buildings, located in Wadi Hadramawt

⑬ Mar'ib
Once the capital of Saba, famed for the great dam built for irrigation in the 6th century BCE

⑭ Shihara
(near Huth) Fortified village with a stone bridge over a 1,000 ft (300 m) gorge

⑮ Sana
Supposedly founded by Noah's son Shem, Yemen's capital is known for its distinctive "tower houses"—multistoried buildings of rammed earth and mud brick

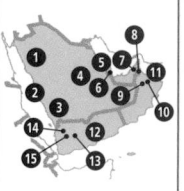
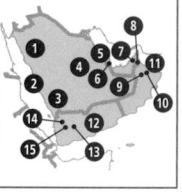

SCALE 1:8,250,000
(projection: Lambert Conformal Conic)

Km
0 25 50   100   150   200   250

Miles
0 25 50   100   150   200   250

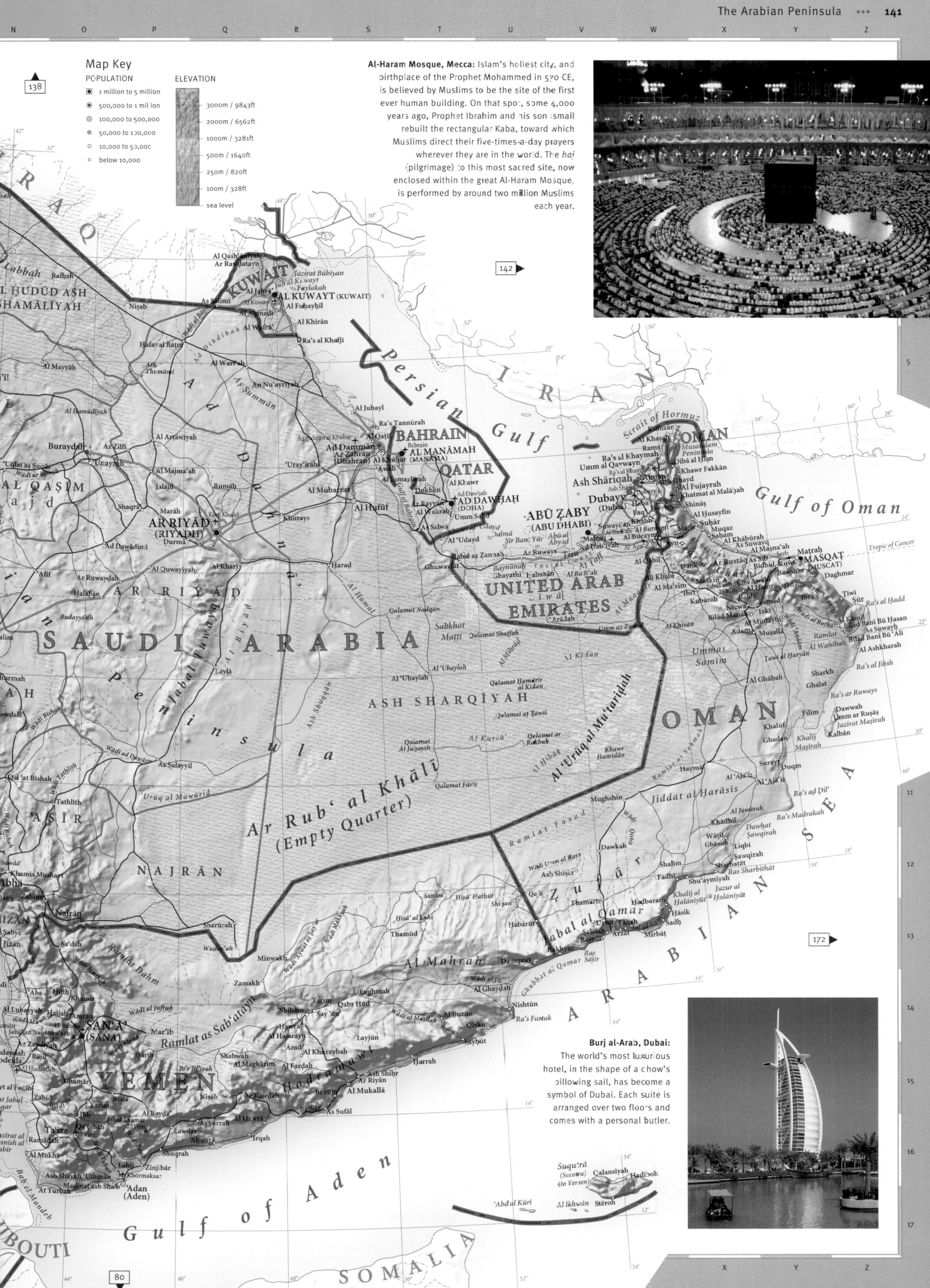

Map Key

POPULATION
- ▣ 1 million to 5 million
- ◉ 500,000 to 1 million
- ◎ 100,000 to 500,000
- ⊕ 50,000 to 130,000
- ○ 10,000 to 50,000
- ○ below 10,000

ELEVATION
- 3000m / 9843ft
- 2000m / 6562ft
- 1000m / 3281ft
- 500m / 1640ft
- 250m / 820ft
- 100m / 328ft
- sea level

Al-Haram Mosque, Mecca: Islam's holiest city, and birthplace of the Prophet Mohammed in 570 CE, is believed by Muslims to be the site of the first ever human building. On that spot, some 4,000 years ago, Prophet Ibrahim and his son Ismail rebuilt the rectangular Kaba, toward which Muslims direct their five-times-a-day prayers wherever they are in the world. The hajj (pilgrimage) to this most sacred site, now enclosed within the great Al-Haram Mosque, is performed by around two million Muslims each year.

Burj al-Arab, Dubai: The world's most luxurious hotel, in the shape of a chow's billowing sail, has become a symbol of Dubai. Each suite is arranged over two floors and comes with a personal butler.

Iran & the Gulf States

Bahrain, Iran, Kuwait, Qatar, United Arab Emirates (UAE)

The exotic and mysterious land of Iran, formerly known as Persia, retains a unique culture and distinguished history. Full of enormous blue-tiled mosques, ancient ruins, old bazaars, and carpets, it is now the world's largest theocracy, Following the 1979 Islamic Revolution. It is an inexpensive country to visit, with top-class sights as well as many areas of interest that are still almost undiscovered by tourists. To experience local life takes time—exploring the bazaars, puffing on a *qalyan* (water pipe) in the traditional teahouses, shopping for carpets, sweating in one of the many bathhouses or, if you're lucky, getting an invitation to dine in an Iranian home.

Nowhere is better for this than Esfahan, the fabulous trading center, which also has some of the country's finest architecture and historical sights. Many of its elegant, cool blue mosques and other buildings date from the time of Shah Abbas, who came to power in 1587 and set out to make Esfahan "half the world." The city today certainly merits a lengthy visit, but most visitors' itineraries will also include other great historic monuments such as ruined Persepolis and the Castles of the Assassins in the north.

Drying carpets on a cliff near Tehran: Washing in cold water helps to preserve the fragile natural dyes used to color the wool. Each tribe has its own patterns and much of the weaving is still done on traditional looms in family houses.

Activities

Hike in the forests near the beautiful village of **Masuleh**, northwest Iran

Reflect on the atrocities of the Iran-Iraq War of the 1980s in the museum dedicated to that conflict in **Kerman**, central Iran

Barter for a carpet or rug—choosing from **Iran's** many regional styles with their own distinctive tribal symbols

Emerge laden with bargains from Iran's largest and oldest bazaar, in **Tabriz**, northwest Iran, the first entry point from Turkey and Azerbaijan

Support a local wrestling favorite in the ring at **Tehran**

What to See

Bahrain, Kuwait, Qatar, UAE
see pp140–141

❶ Throne of Soleiman
(near Zanjan) Remote fortified hilltop settlement by a lake amid rocky mountains, with ruins dating back 2,500 years

❷ Castles of the Assassins
(near Qazvin) Built by the religious cult known as the Assassins, the mostly rubble remains of seven castles are set in craggy uplands

❸ Tehran
Iran's capital is a vast metropolis with many fine museums and an immense, haphazard covered bazaar

❹ Emam Khomeini Square
A huge square in central Esfahan built in 1612 with the famous blue and yellow-tiled Emam Mosque

❺ Yazd
Wedged between the northern and southern deserts, Yazd's Zoroastrian Fire Temple attracts followers of this pre-Islamic cult from all over the world

❻ Bisotun
(near Kermanshah) A vast stone panel set in the cliffs, dating from the 7th century BCE and written in three different languages

❼ Shiraz
Former Persian capital, most of its mosques, mausoleums, and gardens were built in the 1700s and are being restored

❽ Persepolis
(near Shiraz) Started by Darius I in 518 BCE, this magnificent palace complex was extended over the next 200 years until it was destroyed by the Greeks

❾ Bam
Isolated in the desert, this mud-brick city with a huge fort is slowly being restored to its former glory, following its devastation by an earthquake in 2003

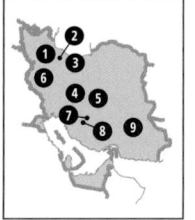

Persepolis, Fars: These impressive remains of fabulous palaces, with exquisite stone carvings, testify to the magnificence and power of the Persian Achaemenid Empire (6th–4th centuries BCE).

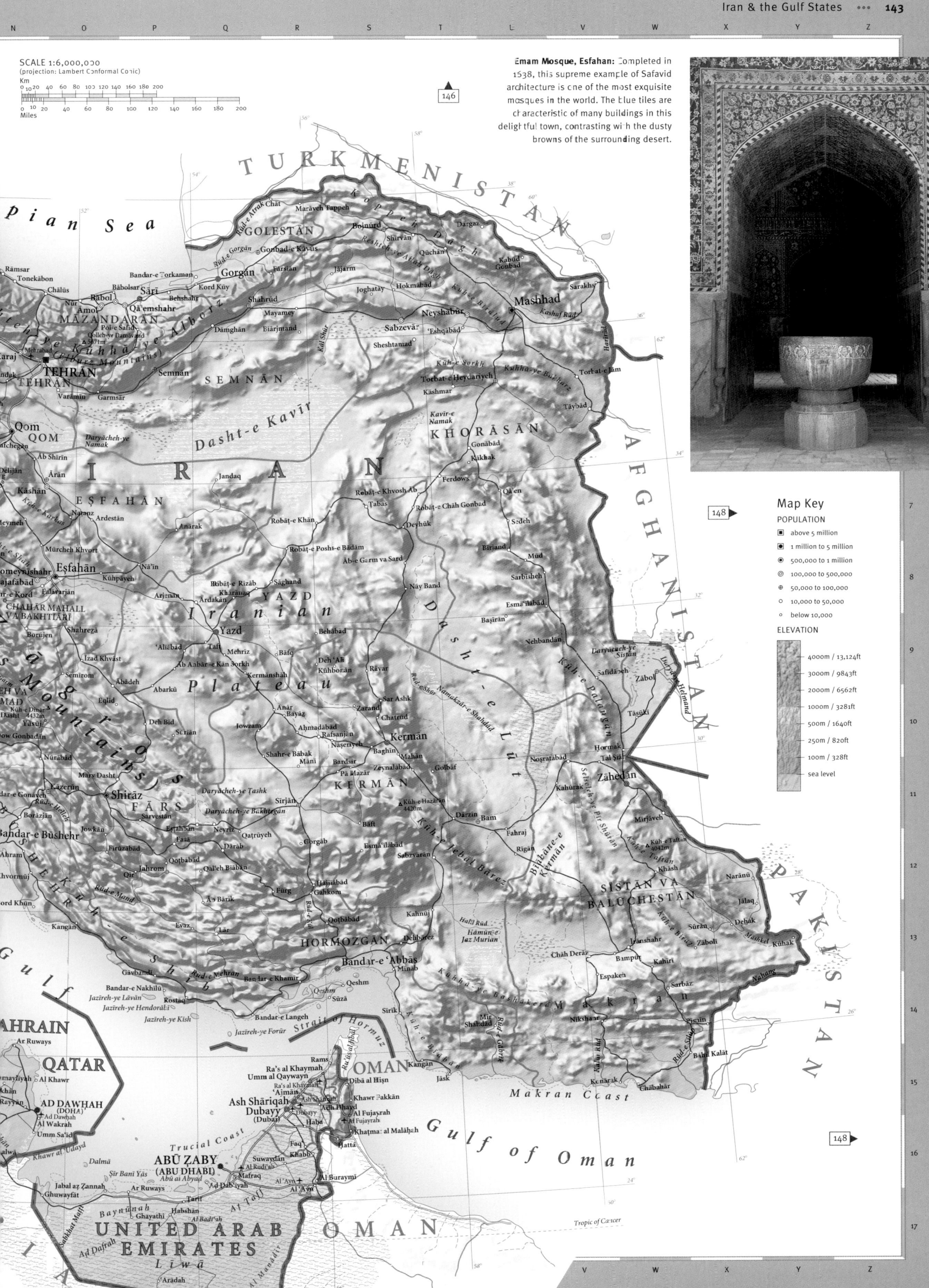

SCALE 1:6,000,000
(projection: Lambert Conformal Conic)

Km
0 10 20 40 60 80 100 120 140 160 180 200

Miles
0 10 20 40 60 80 100 120 140 160 180 200

Emam Mosque, Esfahan: Completed in 1638, this supreme example of Safavid architecture is one of the most exquisite mosques in the world. The blue tiles are characteristic of many buildings in this delightful town, contrasting with the dusty browns of the surrounding desert.

146

148

148

Map Key

POPULATION

■ above 5 million
■ 1 million to 5 million
◉ 500,000 to 1 million
◎ 100,000 to 500,000
⊕ 50,000 to 100,000
○ 10,000 to 50,000
○ below 10,000

ELEVATION

4000m / 13,124ft
3000m / 9843ft
2000m / 6562ft
1000m / 3281ft
500m / 1640ft
250m / 820ft
100m / 328ft
sea level

TURKMENISTAN

AFGHANISTAN

PAKISTAN

Caspian Sea

I R A N

Iranian Plateau

Dasht-e Kavir

Dasht-e Lut

KHORĀSĀN

GOLESTĀN

MĀZANDARĀN

SEMNĀN

QOM

ESFAHĀN

CHAHĀR MAHALL VA BAKHTIĀRI

YAZD

KIRMĀN

FĀRS

HORMOZGĀN

SISTĀN VA BALŪCHESTĀN

Makran Coast

Gulf of Oman

Strait of Hormuz

Gulf

OMAN

BAHRAIN

QATAR

UNITED ARAB EMIRATES

Trucial Coast

TEHRĀN

Mashhad

Esfahān

Shīrāz

Kermān

Zāhedān

Bandar-e 'Abbās

AD DAWHAH (DOHA)

ABŪ ZABY (ABU DHABI)

Dubayy (Dubai)

Tropic of Cancer

Kazakhstan

Kazakhstan is a big blank on most tourist maps. For years, under Soviet rule, this huge area of steppeland between Europe and China remained inaccessible to all but the very privileged—or the very foolhardy. Here, the Soviet Union built its huge space port at Baykonyr, here too are the nuclear wastelands of the Polygon test site. With this discouraging legacy of the recent past, Kazakhstan remains a mystery to most in the West. Around the huge grasslands, though, are rich reminders of the former glories of the Silk Road, and great natural beauty in the high mountains that form the country's southwestern borders. Kazakhstan is undergoing an economic boom driven by rich oil and gas deposits. As a result, even the capital has been moved and rebuilt in modern style at Astana. The biggest city, and commercial heart of Kazakhstan, remains Almaty—the old capital—which nestles attractively at the foot of the Alatau Mountains, and it is here that most visitors will make their base. The mountains temper the harsh summer heat and provide welcome opportunities for skiing in winter.

Almaty: The wooden Zenkov Cathedral in Almaty's Panfilov Park, supposedly built without the use of nails, survived the great earthquake of 1911 that leveled much of the city.

Activities

Drink *kumiss*—the fermented mare's milk beloved of Genghis Khan and generations of nomads

Birdwatchers can see an impressive variety of waterfowl at **Korgalzhyn** nature reserve

Wander around the monuments and mausoleums of **Taraz**, a city that thrived on the great Silk Road

Be pampered at a health resort in **Kokshetau**, north Kazakhstan

Go skating on the enormous **Medeo** skating rink, set amid the mountains near Almaty

Experienced mountaineers can tackle the Tien Shan peaks from the **Khan Tengri International Climbing Centre**, near Almaty

Map Key

POPULATION

- ▣ 1 million to 5 million
- ◉ 500,000 to 1 million
- ◎ 100,000 to 500,000
- ⊕ 50,000 to 100,000
- ○ 10,000 to 50,000
- ○ below 10,000

ELEVATION

- 4000m / 13,124ft
- 3000m / 9843ft
- 2000m / 6562ft
- 1000m / 3281ft
- 500m / 1640ft
- 250m / 820ft
- 100m / 328ft
- sea level

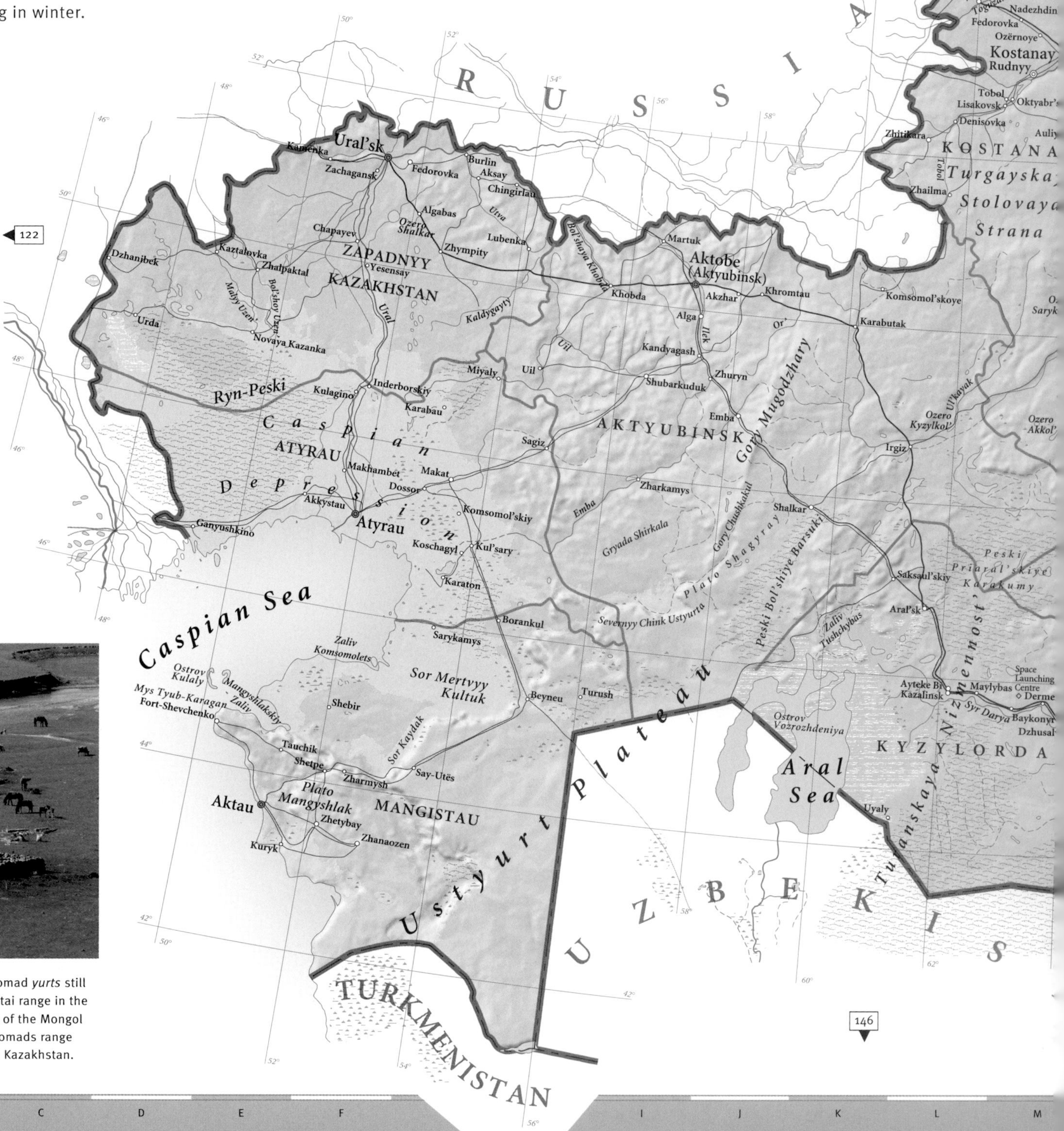

Altai Mountains: Traditional nomad *yurts* still dot the high pastures of the Altai range in the summer months. Descendants of the Mongol armies of Genghis Khan, the nomads range between Mongolia, China, and Kazakhstan.

Map labels: RUSSIAN, Karabalyk, Nadezhdin, Fedorovka, Ozërnoye, Kostanay, Rudnyy, Tobol, Lisakovsk, Oktyabr', Denisovka, Auliy, Zhitikara, KOSTANA, Turgayska, Zhailma, Stolovaya, Strana, Kamenka, Ural'sk, Burlin, Aksay, Fedorovka, Zachagansk, Chingirlau, Algabas, Utva, Lubenka, Martuk, Ozero, Ozero, Shalkar, Zhympity, ZAPADNYY, KAZAKHSTAN, Aktobe (Aktyubinsk), Az, Saryk, Chapayev, Yesensay, Khobda, Akzhar, Khromtau, Komsomol'skoye, Dzhanibek, Kaztalovka, Zhalpaktal, Kaldygayty, Alga, Ilk, Karabutak, Urda, Maly Uzen, Bol'shoy Uzen', Ural, Kandyagash, Zhuryn, Gory Mugodzhary, Ozero, Kyzylkol', Ozero, AkKol', Novaya Kazanka, Miyaly, Uil, Shubarkuduk, Irgiz, Ryn-Peski, Kulagino, Inderborskiy, Sagiz, Emba, Shalkar, Peski, Priaral'skiye, Karakumy, Caspian, ATYRAU, Karabau, Makhambet, Makat, Zharkamys, Gryada Shirkala, Gory Chushkakol, Saksaul'skiy, Depression, Akkystau, Dossor, Komsomol'skiy, Emba, Plato Shagyray, Aral'sk, Ganyushkino, Atyrau, Koschagyl, Kul'sary, Peski Bol'shiye Barsuki, Zaliv, Tushchybas, Karaton, Severnyy Chink Ustyurta, Nizmennost', Syr Darya, Caspian Sea, Sarykamys, Borankul, Ostrov, Kulaly, Zaliv, Komsomolets, Sor Mertvyy Kultuk, Beyneu, Turush, Space, Launching, Centre, Derme, Mys Tyub-Karagan, Fort-Shevchenko, Shebir, Say-Utës, Ayteke Bi, Kazalinsk, Maylybas, Baykonyr, Dzhusal, Tauchik, shetpe, Zharmysh, Sor Koydak, Ostrov, Vozrozhdeniya, KYZYLORDA, Aktau, Plato, Mangyshlak, Zhetybay, MANGISTAU, Aral Sea, Uyaly, Kuryk, Zhanaozen, Ustyurt Plateau, UZBEKIS, TURKMENISTAN

122

146

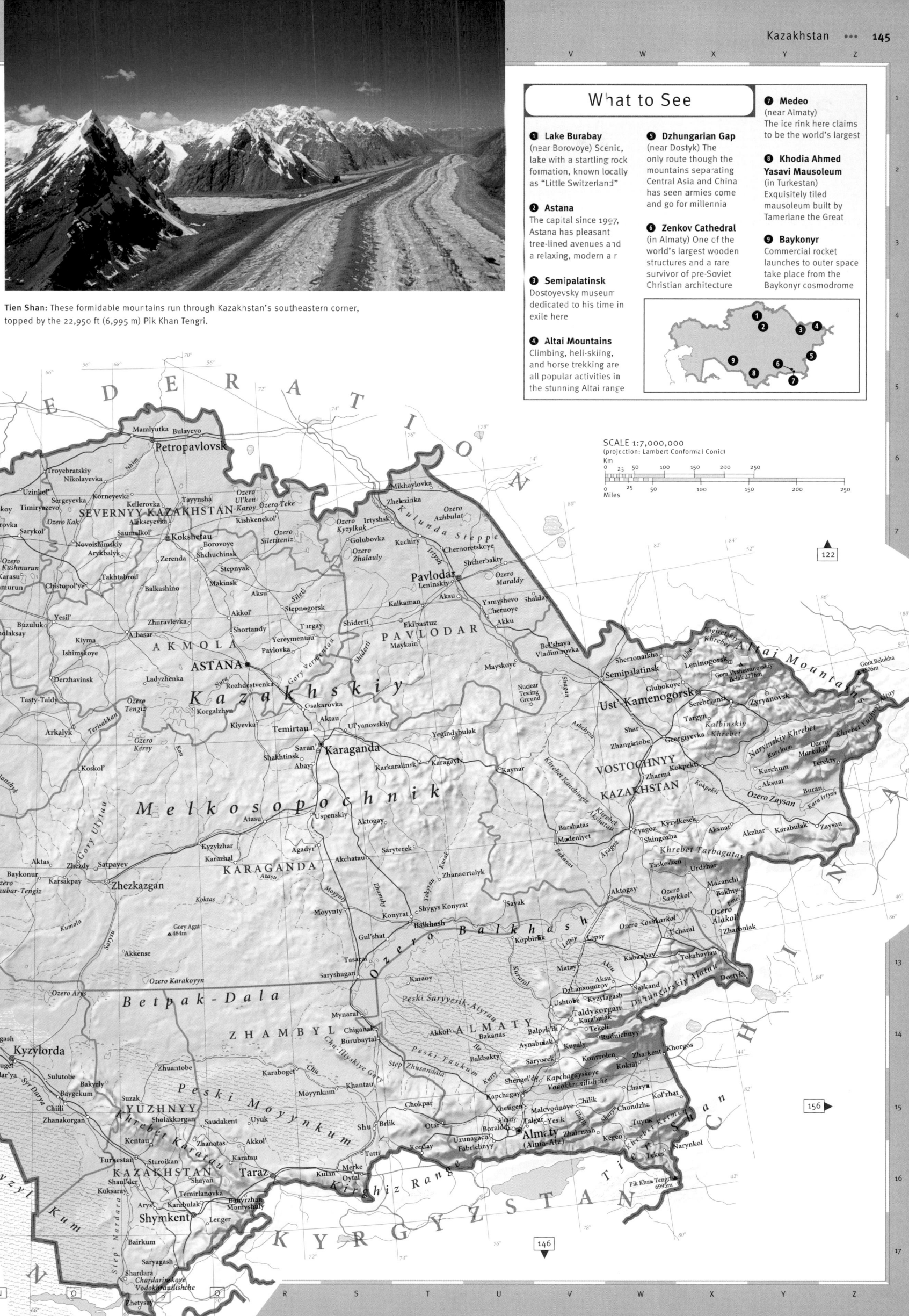

Tien Shan: These formidable mountains run through Kazakhstan's southeastern corner, topped by the 22,950 ft (6,995 m) Pik Khan Tengri.

What to See

❶ Lake Burabay
(near Borovoye) Scenic, lake with a startling rock formation, known locally as "Little Switzerland"

❷ Astana
The capital since 1997, Astana has pleasant tree-lined avenues and a relaxing, modern air

❸ Semipalatinsk
Dostoyevsky museum dedicated to his time in exile here

❹ Altai Mountains
Climbing, heli-skiing, and horse trekking are all popular activities in the stunning Altai range

❺ Dzhungarian Gap
(near Dostyk) The only route though the mountains separating Central Asia and China has seen armies come and go for millennia

❻ Zenkov Cathedral
(in Almaty) One of the world's largest wooden structures and a rare survivor of pre-Soviet Christian architecture

❼ Medeo
(near Almaty)
The ice rink here claims to be the world's largest

❽ Khodia Ahmed Yasavi Mausoleum
(in Turkestan)
Exquisitely tiled mausoleum built by Tamerlane the Great

❾ Baykonyr
Commercial rocket launches to outer space take place from the Baykonyr cosmodrome

SCALE 1:7,000,000
(projection: Lambert Conformal Conic)
Km
0 25 50   100   150   200   250
Miles
0   25   50   100   150   200   250

Central Asia

Kyrgyzstan, Tajikistan, Turkmenistan, Uzbekistan

The fascinating crossroads countries of Central Asia span the region between the Caspian Sea and China, through which Mongol forces ebbed and flowed for centuries from the time of Genghis Khan (1206–1227 CE). Across this territory the great Silk Road brought merchants and adventurers from west and east, and even today the goods traded in its bazaars are an enticement to the traveler. The landscape changes from desert to high mountain with rich fertile river valleys. Those cities that have remained intact have some of the most spectacular architecture on earth. Independent since the break up of the Soviet Union, Kyrgyzstan, Uzbekistan, and Turkmenistan have all suffered from unrest, though its possible to travel safely there. The long civil war in Tajikistan, however, places it off limits to most.

Activities

Relax in the Labi-Hauz, a plaza with a pool, among extravagantly robed gentlemen, **Buxoro**

Hone your haggling, buying carpets in the **Tolkuchka Bazaar**, Asgabat

Stay in a *yurt* (tent) in the high mountain passes of the **Pamir** range

Ride purebred Akhal-Teke horses in the mountains west of **Asgabat**

Slap on the mud at thermal springs around **Issyk-Kul** lake, Kyrgyzstan

Silk Road buildings in the High Pamirs: Many relics of the trading past remain in the mountains waiting to be explored, by horse or by hiking through this fabulous landscape.

What to See

1 Aral Sea
This huge inland sea is fast drying up, since the diversion of its feeder rivers. Stranded fishing boats lie over a hundred miles from the nearest water and fish canneries now have a ghostly air

2 Xiva
This beautifully restored Silk Road city—more museum than living space—possesses some of Asia's finest tilework

3 Asgabat
The expensively rebuilt capital's idiosyncracies are testament to the eccentric will of a post-independence president. Tolkuchka Bazaar is one of Central Asia's most fascinating

4 Merv
(near Bayramaly) The ruins of Merv are an eerie, desolate reminder of what was an important city until it was sacked by the Mongols in 1221

5 Buxoro
This rich trading city on the Silk Road has many mosques. The Kalan minaret impressed Genghis Khan in the 13th century

6 Samarqand
Gorgeous architecture and rich history make Samarqand one of the jewels of the Silk Road

7 Tashkent
Huge, urbane, and metropolitan, Tashkent still retains a flavour of the east but with a thriving nightlife and westernized attitudes

8 Fergana Valley
This lush, fertile valley, carved up into different republics by Stalin, is now a major cotton producing center

9 Osh Bazaar
(in Bishkek) Ancient bazaar in the mountains where everything is available, from guns, to opium, to silks

10 Pamir Sky Highway
A tortuous and spectacular road from Khorugh to Osh through the Pamir Mountains that, while dangerous, gives unparalleled views of mountain scenery

11 Lake Issyk-Kul
Vast, deep, and mysterious, Lake Issyk-Kul lies hard against the Alatau Mountains. Heated by thermal springs, it never freezes and was used for secret submarine testing

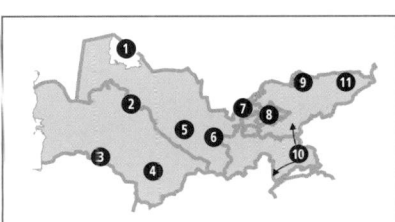

The Registan, Samarqand: Once a showpiece city for the might of the Timurid empire, Samarqand has as its focal point this magnificent square, enclosed on three sides by the beautiful tiled walls of Ulugh Beg *madrassa*—a religious school.

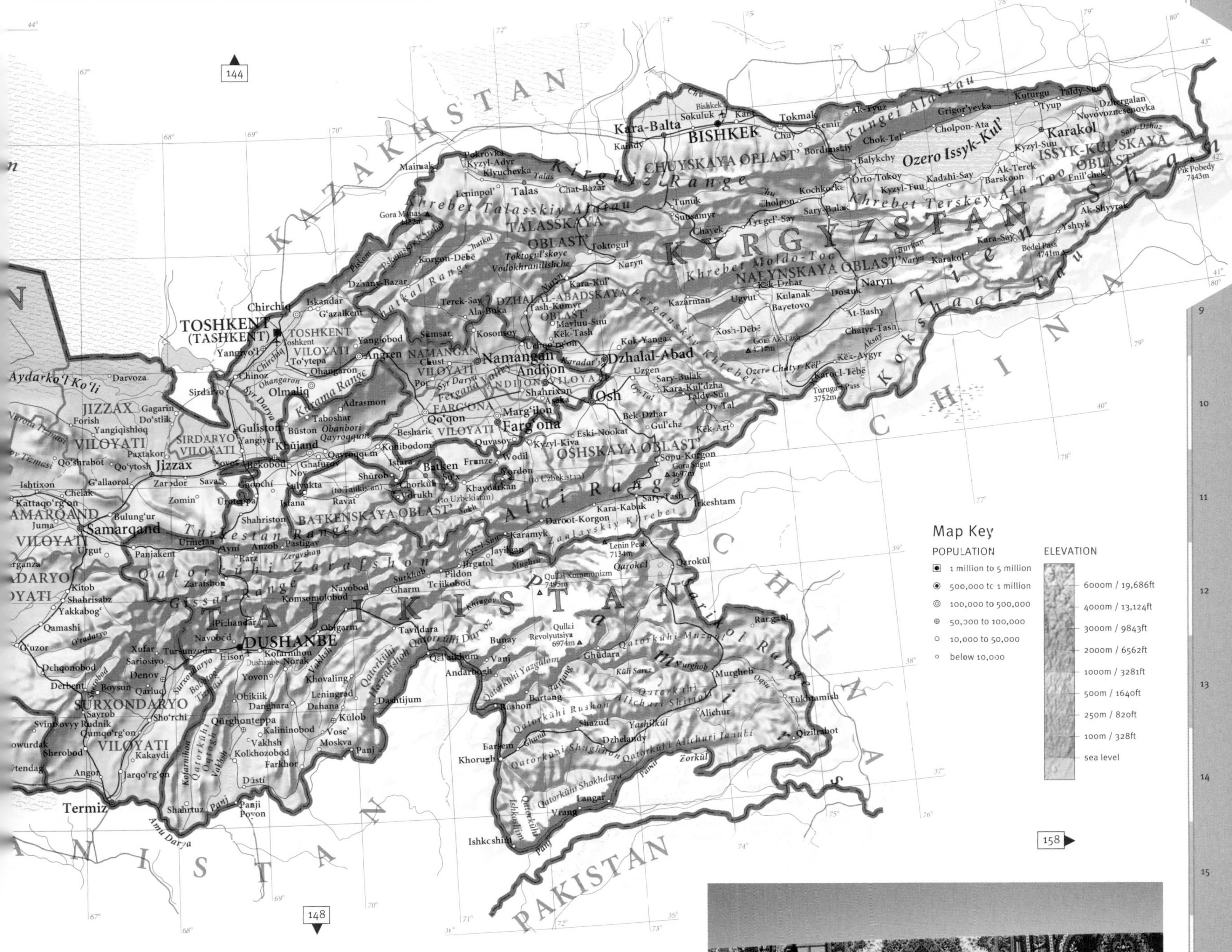

SCALE 1:4,750,000
(projection: Lambert Conformal Conic)

Km
0 10 20 40 60 80 100 120

0 10 20 40 60 80 100 120
Miles

Map Key

POPULATION
- 1 million to 5 million
- 500,000 to 1 million
- 100,000 to 500,000
- 50,000 to 100,000
- 10,000 to 50,000
- below 10,000

ELEVATION
- 6000m / 19,686ft
- 4000m / 13,124ft
- 3000m / 9843ft
- 2000m / 6562ft
- 1000m / 3281ft
- 500m / 1640ft
- 250m / 820ft
- 100m / 328ft
- sea level

Asgabat: The carpet markets of Asgabat are a riot of color and sound. Handwoven carpets in traditional styles have distinctive designs that are unique to each tribe and have been traded for centuries.

Afghanistan & Pakistan

At the meeting of the three great mountain ranges —the Hindu Kush, the Karakoram, and the Himalayas—rise K2 and Nanga Parbat, two of the world's highest peaks, surrounded by ruggedly beautiful mountain scenery—a paradise for trekkers and archaeological enthusiasts alike.

In the fertile plain of the Indus basin, home to the majority of the modern population, are 5,000-year-old remains indicating the presence of a highly developed people. Much later, Mughals and Greeks left their mark, and the famed Buddhist Ghandara school of sculpture had its center in the lush green Peshawar valley. Early Islam took root in the Indus valley in the 7th century CE and there are numerous magnificent masterpieces of Muslim architecture dating from this period onward across the region.

The Silk Road, along which trade, technologies, and ideas flowed, wound through the region, giving its mountain passes enormous military and economic significance. As a result, a series of imposing strongholds and forts dominate the area.

Due to the recent war and ongoing unrest in Afghanistan, tourism to the area is currently not safe for Westerners. It has, however, much natural beauty and traces remain of its historic past, which may one day put it on the tourist trail again.

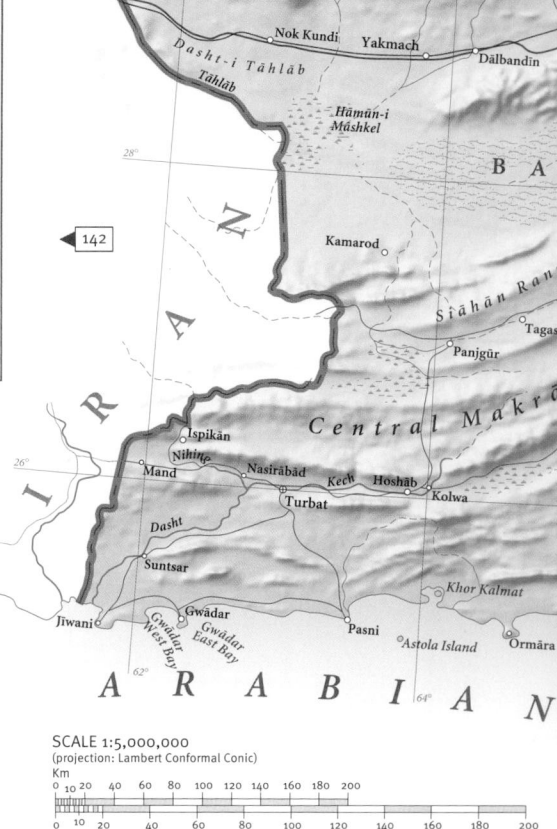

Batura Glacier: Set in the breathtaking scenery of the Karakoram Range, this immense glacier is one of the world's largest. It is a top destination for trekking from May to October, when flowers cover the surrounding valleys.

What to See

❶ Mazar-e Sharif
The Blue Mosque, tomb of Hazrat Ali, is the focus of this town

❷ Kabul
Discover Kabul's monuments and the nearby Garden of Babur

❸ Karakoram Highway
For unrivaled mountain scenery on the old Silk Road (Gilgit to Hunza)

❹ Nanga Parbat
The world's ninth highest peak can be viewed safely from trekking routes around its base. Treks often begin from Gilgit

❺ Swat River Valley
(Mingaora)
A historic summer retreat styled the "Switzerland of Asia," this verdant valley was an early Buddhist center

❻ Peshawar
A riot of color, this is a high-walled frontier town of traditional mud-brick buildings

❼ Taxila
(near Islamabad)
Archaeological sites, at the junction of three trade routes, reflect a rich cultural mix

❽ Lahore
The one-time Mogul capital is famed for its elegant pink and white architecture

❾ Multan
This Indus valley town has some of Pakistan's finest examples of early Muslim architecture

❿ Quetta
The Western Frontier's legendary stronghold is a popular summer resort, surrounded by fruit-tree-covered hills

⓫ Mohenjo-Daro
(near Larkana) At this serene archaeological site, settlement dates back 5,000 years

⓬ Thatta
(near Gharo) A ghost town with a 2,000-year history. Ruined mosques and mausoleums hint at the former greatness of the capital of three dynasties

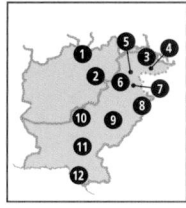

Rohtas Fort: Built by Sher Shah Suri in 1541 to guard the strategic Ghaan gorge in Pakistan's Northwest Frontier Province. The fort complex is enclosed by more than 2.5 miles (4 km) of fortified walls, imposing bastions, and monumental gateways.

SCALE 1:5,000,000
(projection: Lambert Conformal Conic)
Km
0 10 20 40 60 80 100 120 140 160 180 200
0 10 20   40   60   80   100   120   160   180   200
Miles

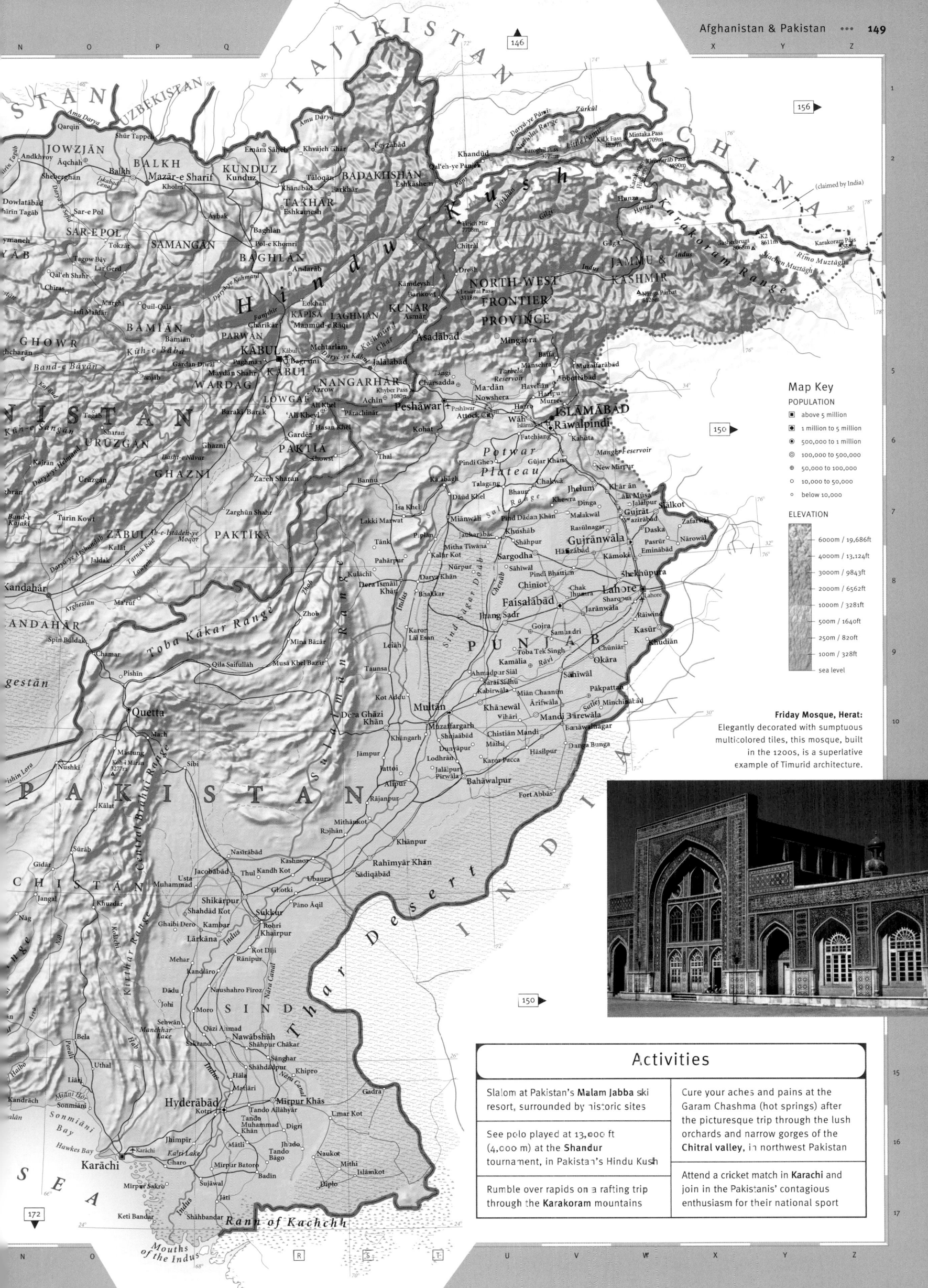

Map Key

POPULATION

- ■ above 5 million
- ◙ 1 million to 5 million
- ◉ 500,000 to 1 million
- ◎ 100,000 to 500,000
- ⊕ 50,000 to 100,000
- ○ 10,000 to 50,000
- · below 10,000

ELEVATION

- 6000m / 19,686ft
- 4000m / 13,124ft
- 3000m / 9843ft
- 2000m / 6562ft
- 1000m / 3281ft
- 500m / 1640ft
- 250m / 820ft
- 100m / 328ft
- sea level

Friday Mosque, Herat:
Elegantly decorated with sumptuous multicolored tiles, this mosque, built in the 1200s, is a superlative example of Timurid architecture.

Activities

Slalom at Pakistan's **Malam Jabba** ski resort, surrounded by historic sites

See polo played at 13,000 ft (4,000 m) at the **Shandur** tournament, in Pakistan's Hindu Kush

Rumble over rapids on a rafting trip through the **Karakoram** mountains

Cure your aches and pains at the Garam Chashma (hot springs) after the picturesque trip through the lush orchards and narrow gorges of the **Chitral valley**, in northwest Pakistan

Attend a cricket match in **Karachi** and join in the Pakistanis' contagious enthusiasm for their national sport

South Asia

Bangladesh, Bhutan, India, Maldives, Nepal, Pakistan, Sri Lanka

In its varied climates, from hot, humid, and equatorial to desert and mountain, South Asia has developed a fascinating array of ecosystems. The range of food plants and crops has given rise to some of the most exciting of the world's food traditions. Each region has its own unique style of cooking. As a general rule, the further south, the hotter the spices.

The cultural sights here are often set in an amazing geographical context, all part of the region's tantalizing draw. Northern India is filled with archaeological wonders from spectacular Buddhist temples and sacred caves to magnificent Mughal architecture. In the Punjab, there are also sites dating back to before 4,000 BCE from the Harappan civilization of the Indus valley. Primitive tribes still inhabit forested areas and islands in the Andamans.

The region's lowland areas mostly have a hot, humid climate and there is a long tradition of escaping to cool hill resorts. Many of these are sites of great beauty and historic interest.

The catastrophe of the 2004 tsunami affected several areas in the region, but notably left the west coast of Sri Lanka and certain islands in the Maldives unscathed. Tourism provides an invaluable source of income and even the worst-affected resorts are welcoming visitors back.

What to See

1 Indus Valley
3rd millennium BCE civilization with two-story houses, each with a private bathroom

2 Rann of Kachchh
Onagers (wild asses) roam this scorched plain of salt flats, a haven for migratory birds

3 Gujarat
The mangrove swamps and extinct volcanoes of this extraordinary land teem with wildlife

4 Madhya Pradesh
On the Deccan plateau's northern edge, two rock types meet, forming magical landscapes of cliffs and waterfalls

5 The Golden Triangle
The land between Delhi, Jaipur, and Agra has some of India's finest Mughal architecture, including the Taj Mahal

6 Himalayas
In the crisp, thin air of this most dramatic and forbidding of mountain ranges lies a land of ancient mysticism

7 Kathmandu Valley
Numerous religious and archaeological sites are set against this truly spectacular backdrop

8 Sikkim
This humid region hosts a myriad of flowers, birds, and butterflies

9 Bhumthang
The rich beauty of the delightful villages and temples in Bhutan's cultural heart is best appreciated on foot

10 Ganges
India's most holy river brings life to the lowlands of northern India and Bangladesh

11 Sundarbans National Park
Lying where the Ganges and Brahmaputra deltas join the Bay of Bengal, the world's largest mangrove forest is a wildlife haven

12 Goa
Portuguese until 1961, the emerald land of Goa is a firm favorite among sun-seekers

13 Kerala
Known as "Heaven on Earth," this land of lush waterways and cashew and coconut plantations is steeped in history

14 Sri Lanka
Among Sri Lanka's shrines, the Temple of the Sacred Tooth Relic reputedly houses four of the Lord Buddha's teeth

15 Maldives
For classic tropical island vacations. Most resorts are on their own island surrounded by fish-filled lagoons

16 Andaman and Nicobar Islands
These unique tropical rainforest islands are host to numerous bird and animal species

Amritsar, Punjab: Once a peaceful lake in a forest, this location has long been a center for meditation. Today, the magnificent Golden Temple stands as a symbol of the Sikh religion and is a famous pilgrimage site.

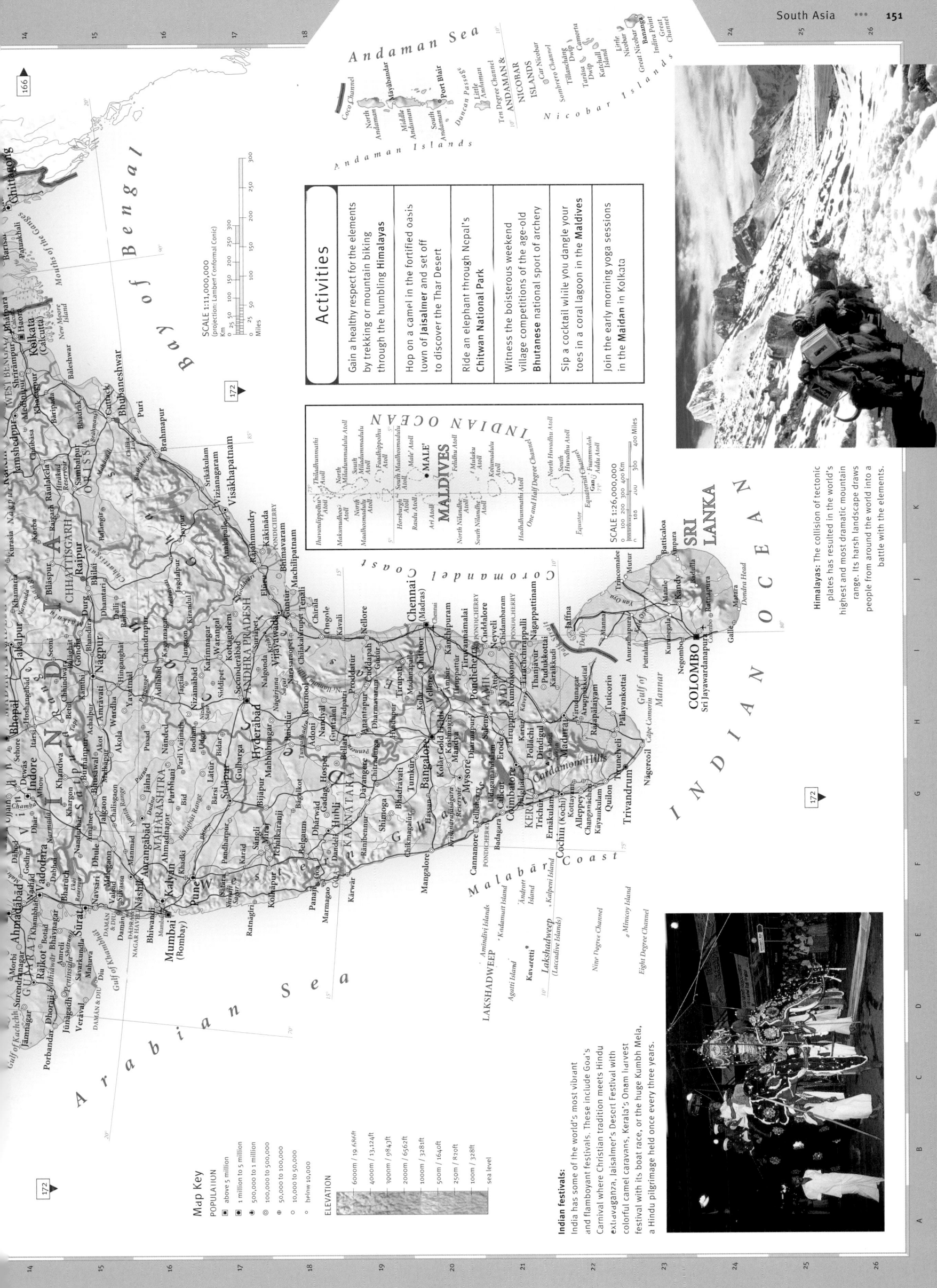

Chittagong

Andaman Sea

Coco Channel

Mayabandar

ANDAMAN & NICOBAR ISLANDS

North Andaman

Middle Andaman

South Andaman

Port Blair

Little Andaman

Duncan Passage

Ten Degree Channel

Sombrero Channel

Tillanchang Dwip

Car Nicobar

Camorta

Teressa Dwip

Katchall Island

Little Nicobar

Great Nicobar

Bananga

Indira Point

Great Channel

N i c o b a r   I s l a n d s

Andaman Islands

Activities

Gain a healthy respect for the elements by trekking or mountain biking through the humbling **Himalayas**

Hop on a camel in the fortified oasis town of **Jaisalmer** and set off to discover the Thar Desert

Ride an elephant through Nepal's **Chitwan National Park**

Witness the boisterous weekend village competitions of the age-old **Bhutanese** national sport of archery

Sip a cocktail while you dangle your toes in a coral lagoon in the **Maldives**

Join the early morning yoga sessions in the **Maidan** in Kolkata

SCALE 1:11,000,000
(projection: Lambert Conformal Conic)

Km
Miles

INDIAN OCEAN

Thiladhunmathi Atoll

North Miladummadulu Atoll

South Miladummadulu Atoll

Faadhippolhu Atoll

North Maalhosmadulu Atoll

South Maalhosmadulu Atoll

MALE • **MALE'**

Felidhu Atoll

Mulaku Atoll

Ari Atoll

Kolhumadulu Atoll

North Nilandhe Atoll

South Nilandhe Atoll

North Huvadhu Atoll

South Huvadhu Atoll

Hadhdhunmathi Atoll

One and Half Degree Channel

Fuammulah

Gan

Addu Atoll

Equatorial Channel

Equator

MALDIVES

SCALE 1:26,000,000

400 Miles

B a y   o f   B e n g a l

WEST BENGAL

Shrirampur

Medinipur

Kolkata (Calcutta)

Barisal

Khulna

Haora

Patuakhali

Mouths of the Ganges

New Moore Island

Baleshwar

Bhadrak

ORISSA

Cuttack

Bhubaneshwar

Puri

Brahmapur

Srikakulam

Visakhapatnam

Vizianagaram

Rajahmundry

Kakinada

Amalapuram

Machilipatnam

Bhimavaram

Eluru

Gudivada

Vijayawada

Guntur

Tenali

Chilka Lake

C o r o m a n d e l   C o a s t

Ongole

Kavali

Nellore

Gudur

Chennai (Madras)

Chennai

Kanchipuram

Chingleput

PONDICHERRY

Vellore

Chittoor

Tirupati

Kolar Gold Fields

Bangalore

Krishnagiri

Dharmapuri

Salem

Cuddalore

PONDICHERRY

Chidambaram

Neyveli

Kumbakonam

TAMIL NADU

Tiruchchirappalli

Thanjavur

Nagappattinam

Karaikkudi

Pudukkottai

Pakayankottai

Point Calimere

Palk Strait

Jaffna

Kankesanturai

Mannar

Gulf of Mannar

Trincomalee

Mutur

Batticaloa

Anuradhapura

Kurunegala

Matale

Kandy

Badulla

Ampara

SRI LANKA

Ratnapura

Negombo

COLOMBO

Sri Jayawardenapura

Galle

Matara

Dondra Head

Yan Oya

Deduru Oya

A r a b i a n   S e a

Morbi

Surendranagar

Bhavnagar

Ahmadabad

GUJARAT

Rajkot

Botad

Junagadh

Dhoraji

Gondal

Amreli

Porbandar

Veraval

Diu

DAMAN & DIU

Gulf of Khambhat

Jamnagar

Gulf of Kachchh

Bhuj

Vadodara

Bharuch

Surat

Navsari

Valsad

Silvassa

DADRA & NAGAR HAVELI

DAMAN & DIU

Daman

Dahanu

Bhiwandi

Kalyan

Mumbai (Bombay)

Pune

Panaji

Marmagao

GOA

Karwar

Ratnagiri

M a l a b a r   C o a s t

Mangalore

Cannanore

Badagara

Calicut

Palghat

Trichur

Ernakulam

Cochin (Kochi)

Alleppey

Changanacheri

Kayankulam

Quilon

KERALA

Trivandrum

Nagercoil

Cape Comorin

Tuticorin

Madurai

Virudunagar

Rajapalaiyam

Dindigul

Pollachi

Coimbatore

Erode

Tiruppur

Karur

LAKSHADWEEP

Amindivi Islands

Agatti Island

Kavaratti

Lakshadweep (Laccadive Islands)

Andrott Island

Kalpeni Island

Kadmat Island

Nine Degree Channel

Minicoy Island

Eight Degree Channel

I N D I A

Bhopal

Sehore

Harda

Dewas

Indore

MAHARASHTRA

ANDHRA PRADESH

Hyderabad

Secunderabad

Nizamabad

Nalgonda

Warangal

Karimnagar

Nagpur

Amravati

Akola

Wardha

Nanded

Parbhani

Latur

Bidar

Gulbarga

KARNATAKA

Bijapur

Hubli

Dharwad

Belgaum

Kolhapur

Sangli

Miraj

Satara

Solapur

Ahmadnagar

Aurangabad

Jalna

Nashik

Dhule

Jalgaon

Bhusawal

Amalner

Nandurbar

Malegaon

Kopargaon

Manmad

Chalisgaon

Shirpur

Bellary

Anantapur

Kurnool

Adoni

Nandyal

Cuddapah

Proddatur

Kadapa

Tumkur

Shimoga

Bhadravati

Chitradurga

Davangere

Bidar

Raichur

Gadag

Hospet

Chikmagalur

Hassan

Mysore

Mandya

ELEVATION

6000m / 19,686ft

4000m / 13,124ft

3000m / 9843ft

2000m / 6562ft

1000m / 3281ft

500m / 1640ft

250m / 820ft

100m / 328ft

sea level

Map Key

POPULATION

■ above 5 million

● 1 million to 5 million

● 500,000 to 1 million

⊙ 100,000 to 500,000

○ 50,000 to 100,000

○ 10,000 to 50,000

○ below 10,000

Indian festivals:
India has some of the world's most vibrant and flamboyant festivals. These include Goa's Carnival where Christian tradition meets Hindu extravaganza, Jaisalmer's Desert Festival with colorful camel caravans, Kerala's Onam harvest festival with its boat race, or the huge Kumbh Mela, a Hindu pilgrimage held once every three years.

Himalayas: The collision of tectonic plates has resulted in the world's highest and most dramatic mountain range. Its harsh landscape draws people from around the world into a battle with the elements.

Northern India & the Himalayan States

Bangladesh, Bhutan, Nepal, Arunachal Pradesh, Assam, Bihar, Chandigarh, Delhi, Haryana, Himachal Pradesh, Jammu & Kashmir, Jharkhand, Manipur, Meghalaya, Mizoram, Nagaland, Punjab, Rajasthan, Sikkim, Tripura, Uttaranchal, Uttar Pradesh, West Bengal

With the Himalayas sweeping across its northern border and the sacred Ganges and Brahmaputra river basins draining the southern portion, the region is defined by its geography. Much of the land is rich farming country, dedicated to growing cereals and rice, especially in the east. Assam is famous for its tea, and other regional crops include cardamom, jute, and saffron.

The world's highest mountains have long been a focus for physical and spiritual journeys. Huge biodiversity in the animal and plant life of the Himalayan foothills makes the region ideal for spotting rare species. This is the domain of Bengal tigers, spotted deer, monkeys, one-horned rhinoceroses, and a great variety of birdlife.

Hill stations are scattered throughout the lower fringes of the mountain ranges, providing respite from the hot, crowded, lowland cities. Archaeological and spiritual sites, set against spectacular scenery, surround ancient resort locations such as Almora in Uttaranchal.

Both beauty and adventure await in the region's forbidding mountains, verdant hills, lush jungles, glassy lakes, quiet villages, and bustling cities.

Map Key

POPULATION

- ▣ 1 million to 5 million
- ◉ 500,000 to 1 million
- ◎ 100,000 to 500,000
- ⊕ 50,000 to 100,000
- ○ 10,000 to 50,000
- ∘ below 10,000

ELEVATION

- 6000m / 19,686ft
- 4000m / 13,124ft
- 3000m / 9843ft
- 2000m / 6562ft
- 1000m / 3281ft
- 500m / 1640ft
- 250m / 820ft
- 100m / 328ft
- sea level

SCALE 1:6,500,000
(projection: Lambert Conformal Conic)

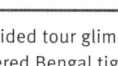

Kala Bhairab, Thamel, Kathmandu: With a terrifying expression and a necklace of skulls, this six-armed monumental statue, carved from a single stone, represents the destructive manifestation of the God Shiva.

Activities

Get a guided tour glimpse of the endangered Bengal tiger in the **Sundarbans Park**, Bangladesh

Trundle along the **"Toy Train"** tracks to Darjiling, West Bengal

See Hindu pilgrims perform ritual bathing in the Ganges at **Varanasi**

Hang-glide through the Himalayan foothills in the **Langtang** region, north of Kathmandu

What to See

❶ Jaisalmer
A jewel of the desert, this remote fortified city is known for crafts and colorful bazaars

❷ Jantar Mantar
The Jaipur Observatory contains building-sized sundials, one of which is accurate to two seconds

❸ Delhi
For total immersion in city life, forge your way through crowded streets to the capital's temples, forts, tombs, and parks

❹ Taj Mahal
Agra's achingly beautiful example of Mughal architecture plus the imposing Red Fort

❺ Kailasa (in Ellora)
Paintings and sculptures decorate the world's largest monolith temple

❻ Ajanta
(near Aurangabad) The earliest of these lavishly decorated Buddhist cave temples dates to 200 BCE

❼ Pokhara
Set among gentle hills and tranquil lakes, Pokhara has stunning views of the snow-capped Annapurna range

❽ Kathmandu
Spectacular views from the Monkey Temple are reached after enduring steep stairs and boisterous monkeys

❾ Sagarmatha
Dominated by Mount Everest, the park is home to lesser pandas and snow leopards

❿ Darjiling
Deep in the heart of tea-growing country, colonial plantation houses dot the lush, verdant hills

⓫ Taktsang—Tiger's Lair (near Paro)
Perched vertiginously up a 3,000 ft (900 m) cliff, this hermitage can be admired by climbing to an observation point

⓬ Simtokha
(near Thimphu) This fortified and vibrantly decorated monastery (*dzong*) is Bhutan's oldest intact example

⓭ Jigme Dorji
(near Tongsa) The largest of Bhutan's protected wildlife areas is home to the red panda

⓮ Paharpur
(near Jaipur Hat) Ruins of the magnificent Buddhist monastery of Somapuri Vihara

⓯ Dhaka
17th-century capital city with Hindu temples and Mughal architecture

⓰ Rangamati
Tribal villages in a natural haven of waterfalls and rolling hills

⓱ Sitakunda
(near Chittagong) This location of Buddhist and Chandranath temples is also sacred to Hindus

⓲ Cox's Bazar
75 miles (120 km) of fine golden sandy beach with nearby temples, pagodas, and islands

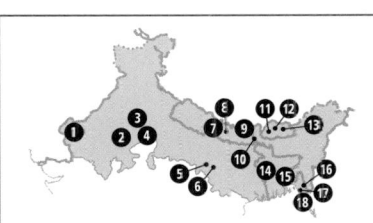

Jaswant Thanda, Jodhpur: Near the famed Red Fort, this elegant white marble memorial was built in 1899 and is dedicated to Maharaja Jaswant Singh II, who cleared the area of bandits and implemented social reforms.

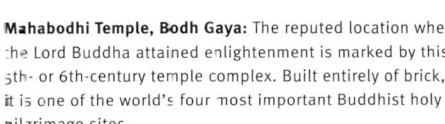

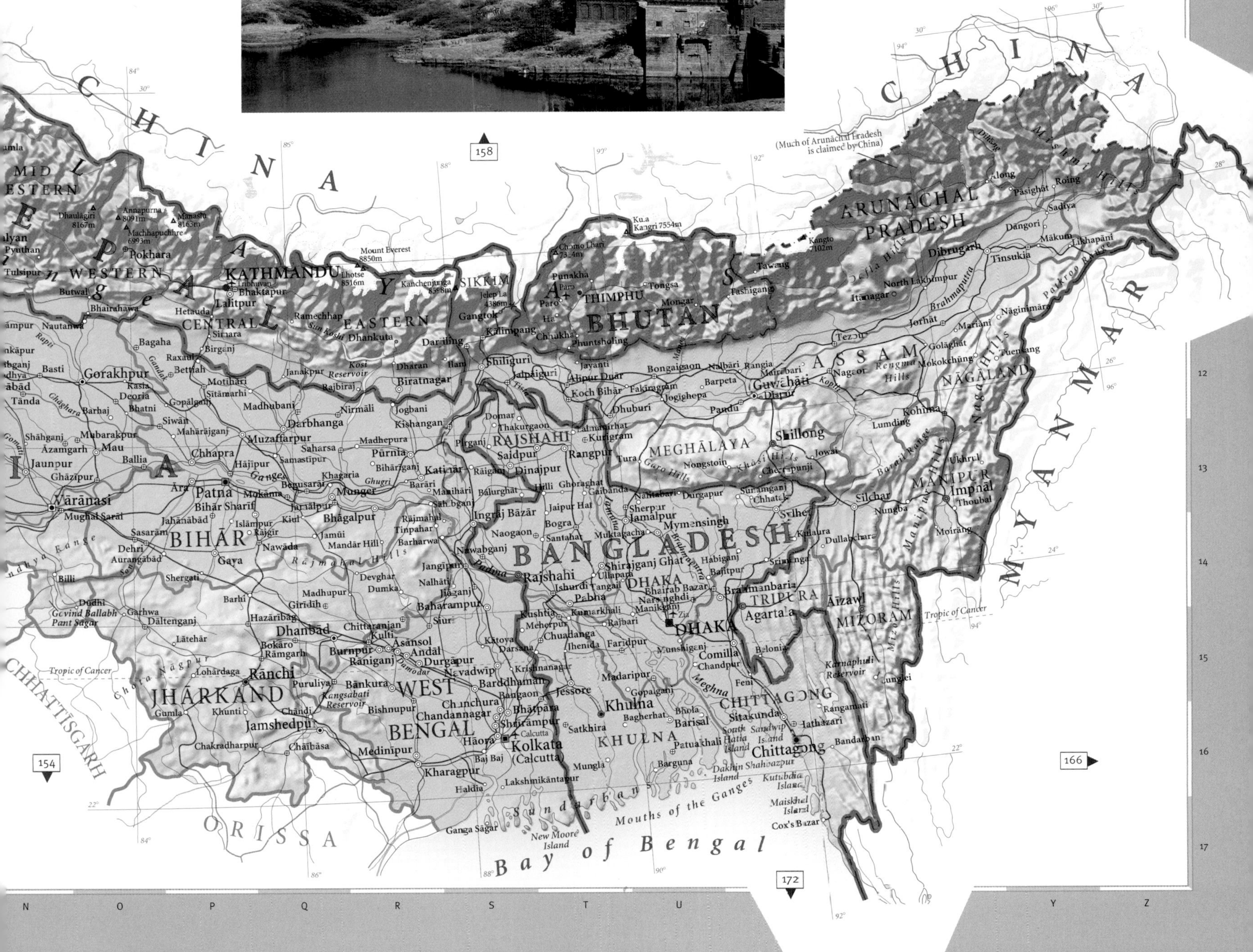

Mahabodhi Temple, Bodh Gaya: The reputed location where the Lord Buddha attained enlightenment is marked by this 5th- or 6th-century temple complex. Built entirely of brick, it is one of the world's four most important Buddhist holy pilgrimage sites.

Southern India & Sri Lanka

Sri Lanka, Andhra Pradesh, Chhattisgarh, Dadra & Nagar Haveli, Daman & Diu, Goa, Gujarat, Karnataka, Kerala, Lakshadweep, Madhya Pradesh, Maharashtra, Orissa, Pondicherry, Tamil Nadu

The undulating Deccan plateau, bounded by the Western and Eastern Ghats, underlies this land of vivid color, vibrant festivals, and rich spices. South of India is the teardrop shaped island of Sri Lanka, which has a long tradition of producing high quality tea and a dazzling array of gems including sapphires, rubies, cat's eyes, and moonstones. Southern India has a very different atmosphere to the northern states, which were influenced by successive invading powers. By contrast, the native Dravidian culture and languages of peoples such as the Tamils remain pure in rural areas.

The Mughals, whose empire covered most of modern India and Pakistan, built some of India's most striking architecture. Immensely decorative forts, palaces, and mausoleums capture the spirit of the age. Along the coast the influence of colonial powers is strongest. Many of the ports have fine examples of Dutch, Portuguese, and British architecture.

The contrasting habitats of the region and lifegiving monsoon rains have led to enormous biodiversity. There are many localized species. Onagers (wild asses) roam the salt plains of Gujarat, certain frog species are unique to the Western Ghats and elephants wander the parks of Sri Lanka.

India is a country of contrasts and variety. The mountain ranges, plains, hot summers, and monsoons give each locale its distinctive flavour, with varying traditions, cuisine, culture, and works of art, plus distinctive plant and animal populations. The region is at once ancient and modern, arid and verdant, rich and poor, with more than enough to absorb the visitor for many lifetimes.

What to See

1 Kajuraho (near Chhatarpur) Surrounded by wide, immaculate, green lawns, these Jain temples are decorated with erotic scenes of deities

2 Mandu High on a cliff, this extensive Muslim fortress overlooks a dusty backdrop of windswept wilderness

3 Mumbai (Bombay) A hectic city whose Chhatrapati Shivaji, the former railway terminus, symbolizes the merging of cultures with its blend of grand Victorian Gothic and Indian palatial architectural themes

4 Pattadakal (near Bijapur) The Temple of Virupaksha is one of nine magnificent Hindu temples which blend diverse Indian architectural traditions

5 Panaji This graceful city in Goa (see pp150–151), with Baroque churches, convents, and forts, has fascinating shops, bars and atmospheric backstreets to explore

6 Jog Falls The Sharavathi river creates India's highest waterfall when it tumbles down a sheer rock face of over 800 ft (250 m). This thrilling spectacle is

most impressive after the monsoon, which normally ends in January

7 Mysore South India's palace city is also renowned for incense sticks, lustrous silks and sweetly scented sandalwood

8 Kanchipuram This temple city, a major center for religious pilgrimage, is filled with intricately carved architectural marvels that serve different Hindu sects

9 Chennai (Madras) Cheaper than Mumbai, the bustling metropolis of Chennai is south India's fashion capital. Its Fort St George hints at a grand colonial past

10 Periyar Tiger Reserve (Periyar Lake) In undulating grassland and forest, reaching 6,500 ft (2,000 m) above sea level, birds such as the Malabar hornbill and jungle mynah mingle with tigers, buffalo, elephants, and deer

11 Sigiriya (near Dambulla) Protruding from the jungle, this mammoth pillow shaped monolith towers over a 1,500-year-old palace complex

12 Dambulla An enormous recumbent Buddha statue enjoys the view from this rocky outcrop, where temple frescoes date back over 2,000 years

13 Negombo Mercifully unscathed after the 2004 tsunami, this delightfully characteristic fishing village is renowned for its fresh seafood

14 Galle This bustling port and provincial capital with its austere Star Fort is one of Sri Lanka's seven UNESCO World Heritage Sites

Pinnawela Elephant Orphanage, Sri Lanka: Founded in 1975, the orphanage cares for baby elephants found abandoned in the jungle. Around 60 elephants are given protection here at any one time. It is best to visit at feeding times, when the baby elephants are bottlefed, or when the elephants go for their daily bath in the nearby river.

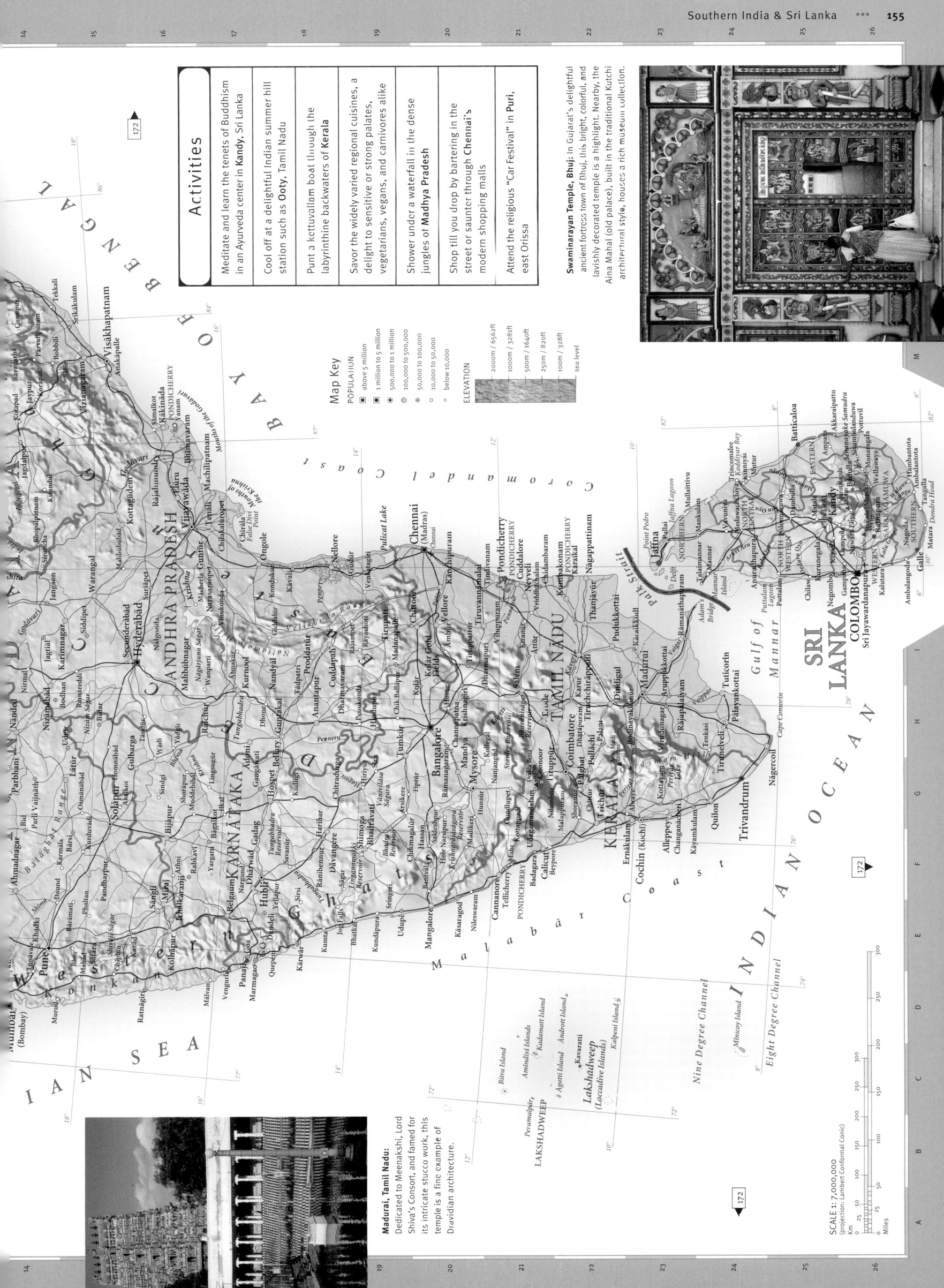

Activities

Meditate and learn the tenets of Buddhism in an Ayurveda center in **Kandy**, Sri Lanka

Cool off at a delightful Indian summer hill station such as **Ooty**, Tamil Nadu

Punt a kettuvallam boat through the labyrinthine backwaters of **Kerala**

Savor the widely varied regional cuisines, a delight to sensitive or strong palates, vegetarians, vegans, and carnivores alike

Shower under a waterfall in the dense jungles of **Madhya Pradesh**

Shop till you drop by bartering in the street or saunter through **Chennai**'s modern shopping malls

Attend the religious "Car Festival" in **Puri**, east Orissa

Swaminarayan Temple, Bhuj: In Gujarat's delightful ancient fortress town of Bhuj, this bright, colorful, and lavishly decorated temple is a highlight. Nearby, the Aina Mahal (old palace), built in the traditional Kutchi architectural style, houses a rich museum collection.

Madurai, Tamil Nadu: Dedicated to Meenakshi, Lord Shiva's Consort, and famed for its intricate stucco work, this temple is a fine example of Dravidian architecture.

Map Key

POPULATION

- ◼ above 5 million
- ◻ 1 million to 5 million
- ◉ 500,000 to 1 million
- ⊕ 100,000 to 500,000
- ○ 50,000 to 100,000
- ∘ 10,000 to 50,000
- · below 10,000

ELEVATION

- 2000m / 6562ft
- 1000m / 3281ft
- 500m / 1640ft
- 250m / 820ft
- 100m / 328ft
- sea level

SCALE 1: 7,000,000
(projection: Lambert Conformal Conic)

Mainland East Asia

China, Mongolia, North Korea, South Korea, Taiwan

Chinese civilization traces back a continuous lineage further than any other on earth. The visible legacy of successive dynasties since the Qin of the 3rd century BCE is a major element in its attractiveness to today's traveler. The country has much magnificent and varied scenery and a well established state tourist service transports visitors the huge distances between destinations. China's current rapid development also allows a fascinating insight into a society experiencing material and social change on a vast scale. This is most evident in huge and dynamic cities such as Shanghai, but the countryside too can conjure up striking images of the modern against a backdrop of the seemingly timeless.

Mongolia is one of the world's least populated countries and North Korea one of the most tightly controled, whereas South Korea offers its own version of the contrast between shiny modernity and long established patterns of life.

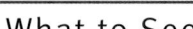

Shanghai: The Pudong New Area is the financial district, with some of the tallest buildings in China. Immense projects in the last 15 years mean that Shanghai now rivals Hong Kong as China's commercial center.

What to See

Gorges Dam their impact has been reduced

1 Potala Palace
(in Lhasa) 17th century palace of the Dalai Lama

2 Gobi
A gravel and rock wilderness where temperatures range from below -40°F to above 104°F

3 Pyongyang
North Korea's eerily quiet capital, where foreign tourism is tightly orchestrated, is a showpiece of landmarks and monuments

4 Seoul
The sprawling capital of South Korea is a mixture of skyscrapers and centuries old royal palaces and pagodas

5 Beijing
This 3,000-year-old city holds the Ming Dynasty's inner sanctum—the 15th century Forbidden City palace complex

6 Great Wall of China
Not actually visible from outer space, but 3,700 miles (6,000 km) long from Gansu province to the coast near Beijing

7 Yungang Caves
(near Datong) Fantastic display of 1,500-year-old Buddhist rock sculpture, 50,000 carvings survive

8 Shanghai
Flashy skyscrapers, dazzling neon lights, and the shopper's mecca of Nanjing Road

9 Terracotta Warriors
(in Xi'an) 6,000 slightly larger-than-life soldiers guard the tomb of the first Qin emperor who died in 210 BCE

10 Yangtze Gorges
China's mighty river has three spectacular gorges downstream from Chongqing. Since the completion of the Three

11 Stone Forest
(near Kunming) Maze of jagged limestone pinnacles forming an eerie landscape

12 Guilin
Starting point for seeing the grand limestone peaks that rear up along the Li river

13 Hong Kong
Sometimes regarded as one giant shopping mall, this former British colony was returned to Chinese rule in 1997

14 Taipei
Taiwan's capital, known for its frenetic pace, tasty cuisine, the Chiang Kai-Shek Memorial Hall, and Taipei 101 (the world's tallest building)

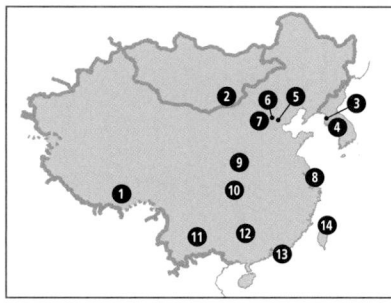

Temple of Heaven, Beijing: The Hall of Prayer for Good Harvest is the centerpiece of this allegorical Ming Dynasty temple complex.

Activities

Watch the world famous **Shanghai** Acrobats perform unbelievable contortions and feats of balance

Follow the Silk Road west across China, from **Xi'an** to **Kashi**

Ride the steep Peak Tram for spectacular views over **Hong Kong**

See how silk is made and buy silk carpets in **Suzhou**, near Shanghai

Drink psaochung tea in **Pinglin**, Taiwan, where it is grown

Visit Mao's mausoleum in Beijing's **Tiananmen Square**

122

144

146

150

150

166

RUSSIAN FEDERATION

MONGOLIA

ULAANBAATAR
(ULAN BATOR)

G o b i   D e s e r t

N e i   M o n g o l   G a o y u a n

NINGXIA

CHINA

GANSU

QINGHAI

SICHUAN

YUNNAN

VIETNAM

LAOS

Beijing
(PEKING)

HEBEI

SHANXI

SHAANXI

HENAN

HUBEI

HUNAN

GUIZHOU

GUANGXI ZHUANGZU
ZIZHIQU

GUANGDONG

Chengdu

Chongqing

Guiyang

Kunming

Nanning

Hong Kong
(Xianggang)

Macao
(Aomen)

HAINAN

Hainan
Dao

Gulf of
Tongking

SOUTH CHINA SEA

EAST CHINA SEA

Yellow
Sea

Bo Hai

SHANDONG

JIANGSU

ANHUI

ZHEJIANG

FUJIAN

JIANGXI

Shanghai

SHANGHAI SHI

Nanjing

Hangzhou

Wuhan

Changsha

Nanchang

Fuzhou

Guangzhou

Xi'an

Zhengzhou

Taiyuan

Shijiazhuang

Tianjin

Jinan

Qingdao

Dalian

NORTH
KOREA

SOUTH
KOREA

P'YONGYANG

SEOUL

Pusan

SEA OF
JAPAN
(EAST SEA)

JAPAN

TAIWAN

T'AIPEI

Tropic of Cancer

JILIN

LIAONING

HEILONGJIANG

Harbin

Changchun

Shenyang

Map Key

POPULATION

- ■ above 5 million
- ■ 1 million to 5 million
- ◉ 500,000 to 1 million
- ◎ 100,000 to 500,000
- ⊕ 50,000 to 100,000
- ○ 10,000 to 50,000
- ○ below 10,000

ELEVATION

- 6000m / 19,686ft
- 4000m / 13,124ft
- 3000m / 9843ft
- 2000m / 6562ft
- 1000m / 3281ft
- 500m / 1640ft
- 250m / 820ft
- 100m / 328ft
- sea level

Li river, Guilin Buffalo are a familiar
sight on the banks of the Lijiang or
Li river, set against the backdrop
that has made Guilin famous—its
steep, almost vertical limestone
peaks rising from the riverbank.

SCALE 1:14,000,000
(projection: Lambert Conformal Conic)

Km
0 25 50 100 150 200 250 300 350 400 450 500

Miles
0 25 50 100 150 200 250 300 350 400 450 500

Western China

Gansu, Ningxia, Qinghai, Tibet, Xinjiang

The plateaus and basins of China's dry, desolate west are sparsely populated and largely undeveloped. Here the Han Chinese, who make up 92% of China's total population, are outnumbered by cultural minorities, including the seminomadic Muslim Uyghurs of Xinjiang, with their distinctive way of life, camels, and colorful markets. South of Xinjiang, but likewise part of the great Silk Road trading network, lies the remote, inhospitable Plateau of Tibet, the world's coldest and highest plain. Occupied by the Chinese since 1950, Tibet has seen its reclusive Buddhist culture systematically undermined. Restrictions on outside access are gradually being lifted, allowing visitors to enjoy the daunting scenery and great cultural sites, most notably the remarkable Buddhist Potala Palace, historically the seat of Tibet's now exiled ruler, the Dalai Lama.

Map Key

POPULATION

▣ 1 million to 5 million
◉ 500,000 to 1 million
◎ 100,000 to 500,000
⊕ 50,000 to 100,000
○ 10,000 to 50,000
∘ below 10,000

ELEVATION

6000m / 19,686ft
4000m / 13,124ft
3000m / 9843ft
2000m / 6562ft
1000m / 3281ft
500m / 1640ft
250m / 82oft
100m / 328ft
sea level

Activities

Travel along **Karakoram Highway** from Kashi across the Khunjerab Pass (Kunjirap Daban) at 16,043 ft (4,890 m)

View Mount Everest from the highest monastery in the world at **Rongphu** in south Tibet

Spot a rare blacknecked crane at the lake of **Qinghai Hu** near Xining

Drink *chang*, an alcoholic drink derived from fermented barley, in **Tibet**

Take the train across the **Taklimakan** desert, in Xinjiang, the second largest in the world

Kashi, Xinjiang:
Fruit and crops, cotton, rugs, jewelry, and leatherware are among the local produce sold at the bustling markets of this Uyghur town on the caravan route out of west China. The Sunday market is reputedly the largest in the world.

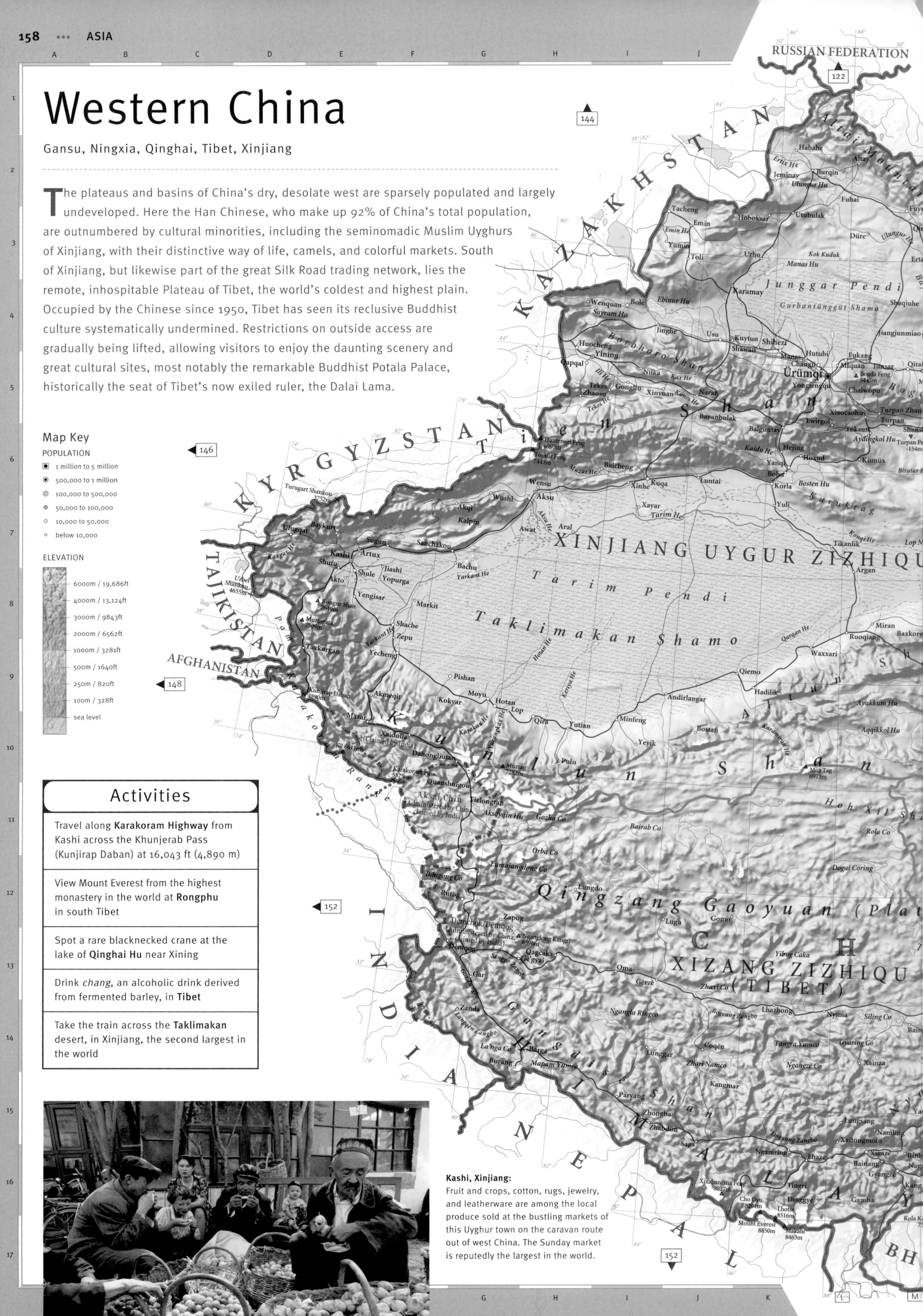

What to See

❶ Kashi
Kazakh, Kyrgyz, and Tajik influences have made China's westerly outpost a fascinating oasis of markets and continual trade

❷ Heaven Pool
Beautiful lake beneath the Bogda Feng (Peak of God), a challenge for mountaineers

❸ Turpan
This desert oasis town on the Silk Road lies in the Turpan Depression, 260 ft (79 m) below sea level, and relies on old underground tunnels to provide water

❹ Mogao Caves
(near Dunhuang) Hundreds of caves sheltering excellent Buddhist paintings and rock sculptures, only a fraction of them open to the public

❺ Zhongwei
Scenically located town where the lush plains of the Yellow River meet the barren dunes of the Tengger desert

❻ Lhasa
Tibet's fascinating and remote capital, whose altitude at nearly 12,000 ft (3,600 m) requires some acclimatization. The city's landmark is the fantastic Buddhist Potala Palace

Potala Palace, Lhasa: The old palace was built for the Dalai Lama in the 7th century and the (secular) White and (sacred) Red Palaces, with 1,000 rooms, were added in the 17th century. Remarkably intact despite the attacks of China's Red Guards on cultural monuments in the 1960s–1970s, this unique masterpiece of Tibetan art remains a major Buddhist pilgrimage site.

SCALE 1:7,750,000
(projection: Lambert Conformal Conic)

Gyangze, Tibet: Inside Baiju Temple, built in 1418 by the first Panchen Lama, stands the Tower of 100,000 Buddhas. Vibrant murals combine traditional Tibetan art with Indian, Nepalese, and Bhutanese styles.

Eastern China

Taiwan, Anhui, Beijing, Fujian, Guangdong, Guangxi, Guizhou, Hainan, Hebei, Henan, Hubei, Hunan, Jiangsu, Jiangxi, Shaanxi, Shandong, Shanghai, Shanxi, Sichuan, Tianjin, Yunnan, Zhejiang

The east is China's bustling heartland, with more than 20 cities of over a million people. Essentially, it was this region that the famous Great Wall was constructed to protect from the Mongols to the north. Beijing, the capital and China's cultural and political center since the 15th century, is rich in Buddhist temples and imperial palaces of the later dynasties, especially the Qing (Manchus) who ruled from 1644 to 1911, while a former capital city, Xi'an, houses the imperial burial complex of the Terracotta Warriors.

In contrast to these ancient sites stand modern cities with the trappings of western civilization such as Hong Kong, with its superb natural harbor, and the ultradynamic Shanghai. Less frenetically, the Li and Yangtze rivers flow through some of China's most beautiful scenic areas.

The island of Taiwan tempts visitors with mountains, fine buildings, and fabulous artworks brought over from the mainland by ousted nationalists in 1949. The island is still regarded by China as a renegade province.

Each region specializes in crafts, from luscious silks and embroidery to colorful enamel *cloisonné* work or evocative Chinese paintings. Regional cuisines also vary from the easily recognized Cantonese style of the south to Beijing's steamed dumplings, noodles, and hot pots, or Sichuan's hotter and spicier dishes.

Map Key

POPULATION

- ▣ above 5 million
- ◉ 1 million to 5 million
- ◎ 500,000 to 1 million
- ⊚ 100,000 to 500,000
- ⊕ 50,000 to 100,000
- ○ 10,000 to 50,000
- ∘ below 10,000

ELEVATION

- 6000m / 19,686ft
- 4000m / 13,124ft
- 3000m / 9843ft
- 2000m / 6562ft
- 1000m / 3281ft
- 500m / 164oft
- 250m / 82oft
- 100m / 328ft
- sea level

Great Wall of China: First begun over 2,000 years ago, much of this extensive defensive structure was rebuilt during the Ming Dynasty (14th–17th centuries). Today, many stretches are in disrepair but several reconstructed sections can be visited near Beijing and it is possible to hike along much of the rest.

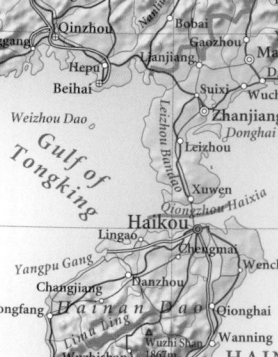

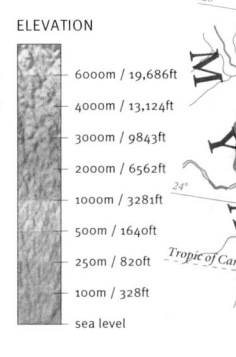

Hong Kong: This hightech, highrise city set around China's busiest harbor also offers first class shopping and a rich and varied nightlife—there will never be a dull moment.

Activities

Contemplate the many inscriptions on the path up **Tai Shan**, Shandong, following in the footsteps of famous Chinese from Confucius to Mao

Feast on Peking duck in **Beijing** and enjoy a night at the opera, Chinese style, where singers in elaborate costumes and makeup bring scenes vividly to life with no props

Cruise the **Yangtze gorges**—ideally before the dam half submerges them

Take a free lesson in *tai chi* in **Hong Kong Park** (Tuesday, Friday, and Saturday mornings)

Climb 10,000 ft (3,000 m) **Emei Shan**, Sichuan, seeing monkeys and red pandas, monasteries, and temples

What to See

Beijing, Great Wall, Guilin, Hong Kong, Shanghai, Stone Forest, Terracotta Warriors, Yangtze Gorges, Yungang Caves *see pp156–157*

❶ Tiananmen Square
The world's largest public square, in the center of Beijing, abuts the Forbidden City, the Great Hall of the People, and Mao's Mausoleum

❷ Summer Palace
(in Beijing) A serene imperial park of bridges, courtyard style gardens and richly painted pagodas, set around a vast lake, overlooked by the spectacular Tower of Buddhist Incense on Longevity Hill

❸ Badaling
(near Beijing) The place to see restored sections of the Great Wall

❹ Shaolin Monastery
(near Luoyang) A grand religious building, famous for its martial arts and often used as a movie location

❺ Xi'an
Home of the Terracotta Warriors, this thickwalled city of palaces, pagodas, and pavilions was among the greatest in the world

❻ Three Gorges Dam
The world's largest construction project will create a reservoir 300 miles (500 km) long by 2009, submerging a large part of the majestic Yangtze gorges

❼ Dazhu Stone Sculptures
Begun in the 9th century by the Tang Dynasty, hundreds of exuberant sculptures fill the narrow valley

❽ Chengdu
Prides itself on its fine temples, but famed as the giant panda capital. Its breeding center also cares for red pandas and blacknecked cranes

❾ Grand Buddha
(in Leshan) Carved into a cliff, the 240 ft (71 m) Buddha is the tallest in the world, completed 1,200 years ago

❿ Reed Flute Caves
The natural beauty of these caves close to Guilin is rivaled by the neighboring Seven Star caves

⓫ Suzhou
The "Venice of the Orient" is famed for its traditional courtyard style gardens

⓬ Shanghai Museum
Ultramodern museum housing a fantastic collection of bronzes

⓭ National Palace Museum (in Taipei)
The world's finest collection of Chinese art, taken from China by Chiang Kai-Shek

⓮ Taroko Gorge
(north of Hualien) Giant cliffs, marblewalled canyons, a range of different ecosystems and hidden temples

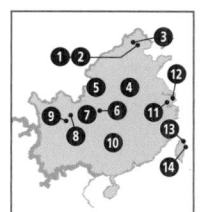

Giant panda cub, Chengdu: Of the 1,000 giant pandas in the world, more than threequarters live in Sichuan. Chengdu has a zoo and breeding research center dedicated to these endearing animals and other endangered species. The Wolong Panda Reserve, a three hour drive from Chengdu, provides observation spots for pandas in their natural habitat.

SCALE 1:8,500,000
(projection: Lambert Conformal Conic)
Km
0 25 50 100 150 200 250 300
Miles
0 25 50 100 150 200 250 300

Northeastern China, Mongolia, & Korea

Mongolia, North Korea, South Korea, Heilongjiang, Inner Mongolia, Jilin, Liaoning

This region of east Asia has for centuries been a domain of shifting borders and competing colonial powers. Landlocked Mongolia's most attractive features for the visitor are its amazing desert landscapes and its people's nomadic traditions, although Genghis Khan's vast Mongol empire of the 13th century left relatively few visible traces.

The dynamic spirit of Dalian makes this port one of the more interesting cities of northern China. Most visitors overlook this area in favor of the attraction rich southeast, despite its having been home to China's last ruling dynasty, the Qing (1644–1911). North Korea is largely closed to visitors, but South Korea's capital, Seoul, is now one of the world's largest cities and holds many of the country's cultural highlights.

Map Key

POPULATION

- ◼ above 5 million
- ◼ 1 million to 5 million
- ◉ 500,000 to 1 million
- ◎ 100,000 to 500,000
- ⊕ 50,000 to 100,000
- ○ 10,000 to 50,000
- ○ below 10,000

ELEVATION

- 4000m / 13,124ft
- 3000m / 9843ft
- 2000m / 6562ft
- 1000m / 3281ft
- 500m / 1640ft
- 250m / 820ft
- 100m / 328ft
- sea level

SCALE 1:7,750,000
(projection: Lambert Conformal Conic)

Km
0 25 50   100   150   200

Miles
0 25   50   100   150   200

What to See

Gobi, Pyongyang, Seoul *see pp156–157*

❶ Flaming Cliffs
(near Bulgan) Amazing fossils have been found in these beautiful orange-pink colored rocks in the **Gobi**

❷ Erdene Zuu Khiid
(near Hujirt) Buddhist monastery built from the ruins of Genghis Khan's capital Karakorum

❸ Ulan Bator
Mongolia's only major city is home to the Gandan Monastery and museums of culture

❹ Khustai National Park (near Ulan Bator)
Mongolian steppe reserve for the wild Przewalski horse

❺ Genghis Khan Mausoleum
(near Ordos) Pilgrimage center for Mongolians

since the relocation in 1954 of the Great Khan's ashes

❻ Hohhot
The Xiletuzhao Temple graces Inner Mongolia's capital, which has a mix of Chinese and Mongolian traditions

❼ Dalian
Vibrant northern port and fashion center, noted for its mishmash of architecture

❽ Seoraksan National Park (near Sokch'o)
South Korea's most beautiful national park teems with waterfalls, hot springs, temples, and forests

❾ Kyongju
Ancient capital of the Silla Dynasty, which flourished in the 3rd–10th centuries—a collection of ruins, caves, and temples, notably Bulguksa

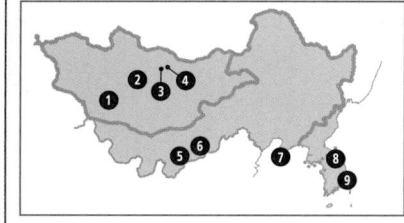

Activities

Celebrate the Ice Lantern Festival in **Harbin**, China, (January–February), with models in ice of the Great Wall and Forbidden City

Wrestle at the Naadam Festival, held in July in **Mongolia**, with archery and horse races

Appear to defy gravity on the optical illusion Mystery Road on **Cheju-do** island

Rock climb on the unusual formations of **Chiaksan National Park** in South Korea

Try a bowl of *kim chee* (pickled vegetables)—a classic Korean dish

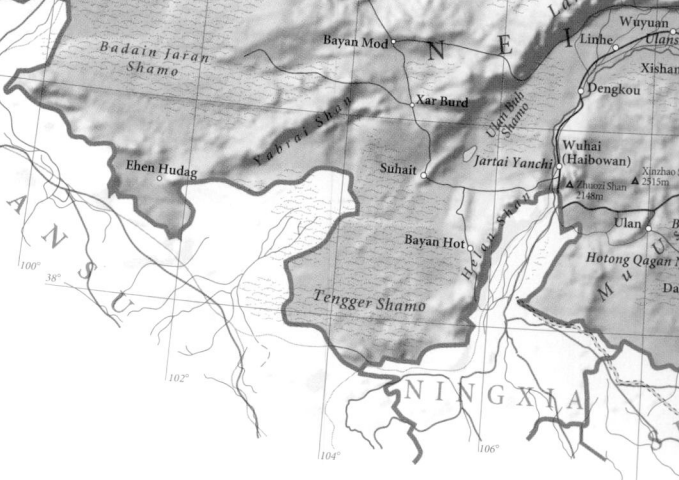

N O P Q R S T U V W X Y Z

Inside a *ger*, Mongolia: Gers (or *yurts*) are traditional portable houses, still in use in Mongolia and west China. They are entered forwards, but exited backwards, and it is a faux pas to step on, rather than over, the wooden threshhold. The righthand side of the tent is reserved for the women.

Changgyeong Palace, Seoul: The city was founded in 1392 by the Yi Dynasty, who ruled the "Hermit Kingdom" until 1910. They built many fine palaces, including the Changgyeong, begun in 1484, which now lies in the shadow of modern skyscrapers.

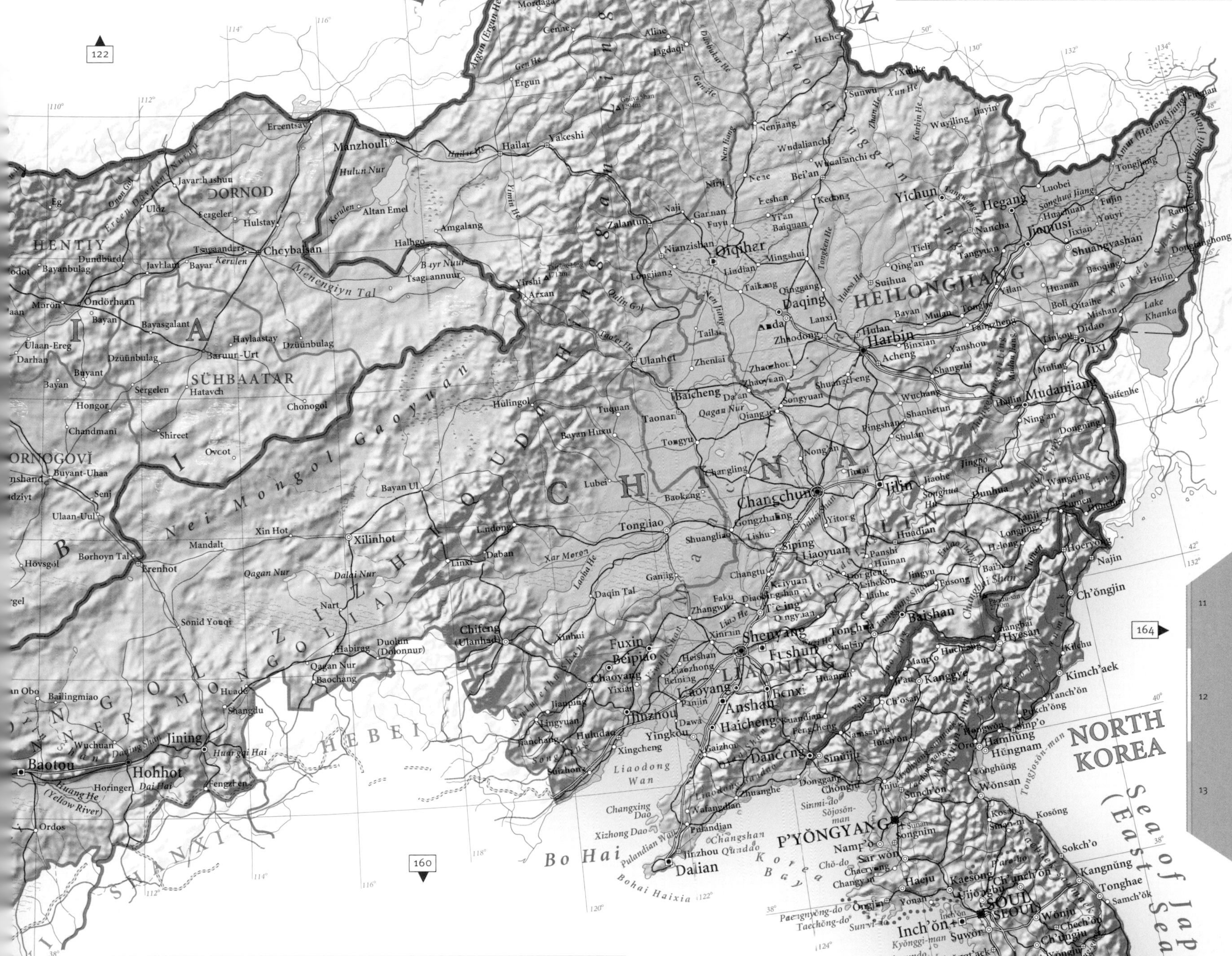

Korean dancers perform the *Buchaechum* (fan dance): In this traditional and popular dance, that celebrates the beauty of nature, women wearing colorful *hanboks*, like those once worn in the royal court, twirl and unfurl vibrant fans to represent falling flower petals. In the finale, the dancers form a swirling flower blossom.

RUSSIAN FEDERATION

CHINA

MONGOLIA

NORTH KOREA

SOUTH KOREA

JAPAN

Sea of Japan (East Sea)

Yellow Sea

Bo Hai

DORNOD

HENTIY

SÜHBAATAR

HEILONGJIANG

JILIN

LIAONING

HEBEI

SHANXI

ÖRNÖGOVĬ

Harbin

Shenyang

Changchun

Qiqihar

Daqing

SEOUL

Inch'on

P'YŎNGYANG

Dalian

Baotou

Hohhot

Jining

Choybalsan

Ondörhaan

Japan

Despite much that on the surface is recognizably westernized—fast trains, fast food, fast living—it does not take much to reveal the oriental base on which Japanese life is founded—then the culture shock really kicks in.

Magnificent mountain scenery competes with the truly staggering cityscapes of one of the world's largest cities, and certainly its busiest—Tokyo. For the tourist there is an unending supply of delights, whether visual, cultural, or gastronomic, not to mention the warmth of the locals. Walking the streets of Japan's cities leaves you feeling futureshocked and mystified while simultaneously comfortable and secure.

For a break, quiet temple complexes with fascinating histories and vistas will tempt, along with the verdant hillsides of the interior and the untouched wildernesses of Hokkaido island. You could join the Japanese on holiday themselves, in the sundrenched islands of the south, or take part in the fun of Disney, Japanese style and marvel at a refined culture's paradoxical capacity for kitsch.

Perhaps the greatest pleasure to be had in Japan is the cuisine. Its apparent simplicity of ingredients and preparation belie a wealth of tastes and sensations. Be sure to try seafood morsels at the *sushi* bar, enjoy a skewer of barbecued chicken at a *yakitoriya,* savor the crunch of *tempura* (seafood or vegetables in batter) and embrace the hot tingle of *wasabi* paste.

What to See

❶ Hokkaido
Escape to nature in Daisetsuzan National Park's mountains, at the heart of Hokkaido

❷ Tokyo
Once a fishing village, Tokyo is now arguably the world's greatest metropolis—fast, lively, and modern, with a sleek and efficient transport system

❸ International Film Festival
Immerse yourself in the ubiquitous *manga* animations at Tokyo's annual IFF

❹ Mount Fuji
See the sun rise in the east on Japan's famous, sacred peak and highest mountain. Its an almost perfect, snowcapped cone

❺ Nagoya
Baseball is a national obsession. Nagoya's Chunichi Dragons are one of the best teams

❻ Amanohashidate
(near Miyazu) One of the "wonders" of Japan. Viewed with your head between your knees, the "bridge to heaven," a pinestudded sand bar, seems to float in midair

❼ Kyoto
Geisha still step gracefully through the backstreets of this cultural gold mine

❽ Cherry Blossom
(Kyoto) Enjoy the April floral riot along the *Tetsugaku-no-michi* (Path of Philosophy)

❾ Nara
The Todai temple complex is just one of the treasures dotted around the immense park in this former imperial capital

❿ Osaka
Japan's third city, Osaka typifies modern Japan—technological, fun-loving, and industrious

⓫ Himeji
Built on a high bluff, Japan's most famous castle exemplifies elegant, feudal military architecture. It is an easy stop on the bullet train from Tokyo to Hiroshima

⓬ Hiroshima
A vibrant city which has much to offer beyond the remembrance of the first atomic bomb, but still more to teach the world about peace

⓭ Fukuoka
One of the six grand sumo tournaments is held in Fukuoka—witness the pageantry and power of a *sumo basho*

⓮ Kumamoto Prefecture
(on Kyushu) A good spot for *ryokan* (traditional Japanese spas), unwinding body and mind

⓯ Okinawa
The Ryukyu Islands offer a Pacific paradise of golden sand and soothing sunshine

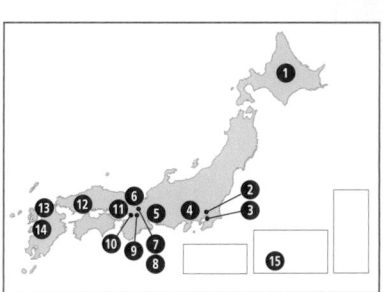

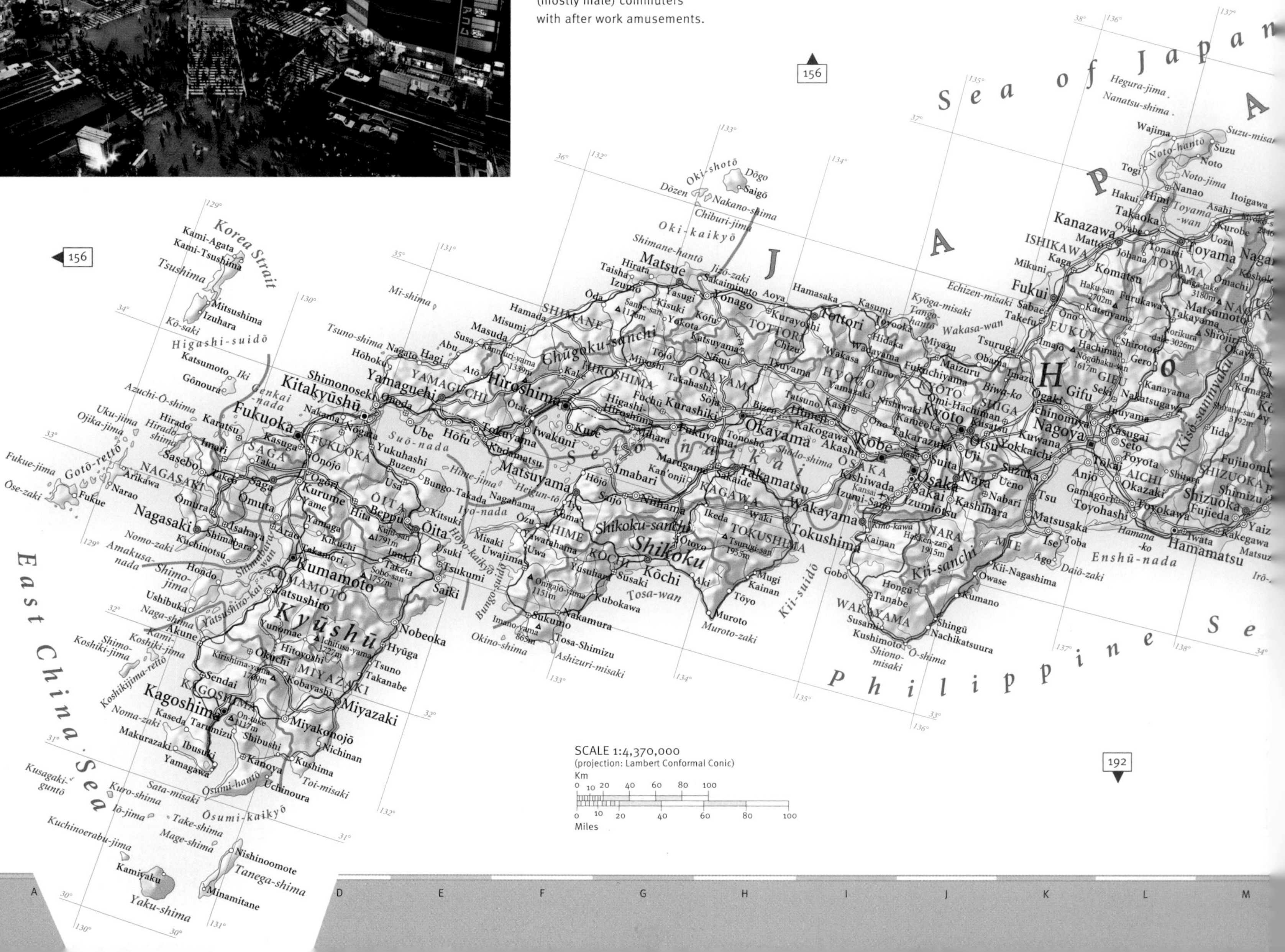

Sunset over the busy streets of East Shinjuku, Tokyo: When West Shinjuku (the busy heart of commercial Tokyo) shuts down, East Shinjuku comes to life. Encompassing a red light district, countless bars, and offering a wide choice of entertainment from movies to *pachinko* parlors, it has a long tradition of providing (mostly male) commuters with after work amusements.

SCALE 1:4,370,000
(projection: Lambert Conformal Conic)

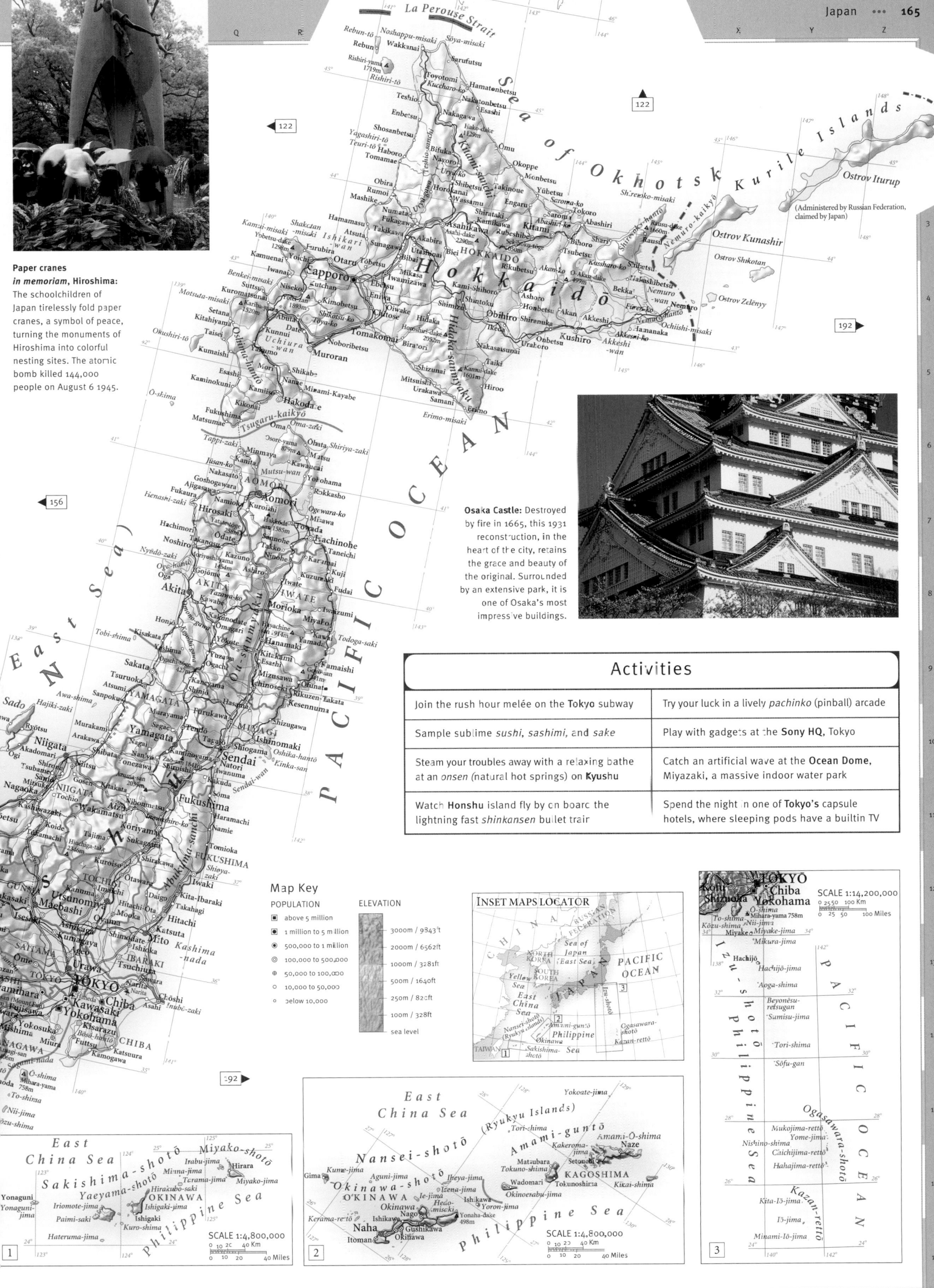

Paper cranes
in memoriam, Hiroshima:
The schoolchildren of Japan tirelessly fold paper cranes, a symbol of peace, turning the monuments of Hiroshima into colorful nesting sites. The atomic bomb killed 144,000 people on August 6 1945.

Osaka Castle: Destroyed by fire in 1665, this 1931 reconstruction, in the heart of the city, retains the grace and beauty of the original. Surrounded by an extensive park, it is one of Osaka's most impressive buildings.

Activities

Join the rush hour melée on the **Tokyo** subway	Try your luck in a lively *pachinko* (pinball) arcade
Sample sublime *sushi*, *sashimi*, and *sake*	Play with gadgets at the **Sony HQ**, Tokyo
Steam your troubles away with a relaxing bathe at an *onsen* (natural hot springs) on **Kyushu**	Catch an artificial wave at the **Ocean Dome**, Miyazaki, a massive indoor water park
Watch **Honshu** island fly by on board the lightning fast *shinkansen* bullet train	Spend the night in one of **Tokyo's** capsule hotels, where sleeping pods have a builtin TV

Map Key

POPULATION

- ■ above 5 million
- ▣ 1 million to 5 million
- ◉ 500,000 to 1 million
- ◎ 100,000 to 500,000
- ⊕ 50,000 to 100,000
- ○ 10,000 to 50,000
- ○ below 10,000

ELEVATION

- 3000m / 9843ft
- 2000m / 6562ft
- 1000m / 3281ft
- 500m / 1640ft
- 250m / 820ft
- 100m / 328ft
- sea level

INSET MAPS LOCATOR

SCALE 1:14,200,000
0 25 50 100 Km
0 25 50 100 Miles

SCALE 1:4,800,000
0 10 20 40 Km
0 10 20 40 Miles

Mainland Southeast Asia

Cambodia, Laos, Myanmar, Thailand, Vietnam

◀ 152

For a real sense and flavor of the Far East, head for the markets—colorful, exciting hubs of activity each with its own special feel. The people are overwhelmingly friendly and the food, famous for its quality and variety, is a true art form that will delight the adventurous. Tradition and religion feature strongly in the culture, with many flamboyant festivals and theater, dance, and puppetry performances.

Of all the ancient sites, the ruins of Angkor Wat, entwined by trees, are the best known. Discovered deep in the jungle by a local 16th century ruler, they later fired the interest of European colonists in the lost Khmer kingdoms. More sites, many of them equally evocative, have been discovered in the last 100 years and travelers often find that the most alluring are those in rarely visited locations—such as Thailand's Phimai and Cambodia's Prea Khan.

The typically lush landscapes change seasonally, as the growth of vegetation and cultivation follows the cycle of two contrasting monsoon winds blowing from the southwest in June–October, bringing heavy downpours, and from the northwest in November–March, bringing cool, dry conditions. Wildlife tours are popular. Atlas moths—the world's largest—are found in tropical forest highlands, Sambar deer and capped gibbons in the open forests of Thailand's central plains and endangered Irrawaddy dolphins in coastal waters and rivers. Along the coastlines of the region are beautiful golden beaches, dramatic rocks, islands, and caves.

Wat Phra That Choeng Chum, Sakon Nakhon: The main *wat* of this former Khmer town is richly decorated. A *wat* is a complex of buildings—within an enclosure—functioning as a Buddhist monastery, temple, and community centre. There is a long tradition of donating to your local *wat* and as a result they contain some of the region's finest architecture.

◀ 172

What to See

❶ Pindaya Caves
(near Taunggyi)
Stalactites hang from massive limestone caves filled with thousands of Buddha images.

❷ Yangon (Rangoon)
The city's charm is in its shady parks, lakes, and boulevards of colonial architecture. A special delight is at night, when the streets fill with stalls and bustling shoppers

❸ Phuket
Recovering after the 2004 tsunami, Thailand's most visited island is packed with attractions

❹ Chiang Mai
This famous walled city was once capital of the Lanna Kingdom, and has numerous *wats* (religious compounds) dating from this period

❺ Sukhothai
The cradle of Thai civilization—a vast network of intricately carved temples, *stupas*, *wats*, and water features

❻ Bangkok
Contrasting with the city's excitement is Dusit Park—a calm oasis of water features, manicured lawns, pavilions, and mansions

❼ Khao Yai
(near Sara Buri)
Thailand's first national park encompasses evergreen forest and grassland habitats. It is home to the country's few remaining tigers

❽ Prasat Hin Khao Phnom Rung
(near Nang Rong)
Magnificent 10th century Khmer temple complex

❾ Louangphabang
This once great capital city combines traditional architecture with colonial styles and is the nucleus of thriving Lao culture

❿ Pak Ou Caves
(near Louangphabang)
Thousands of Buddha statues are sheltered in caves where the Ou and Mekong rivers meet

⓫ Plain of Jars
(near Pek)
An intriguing conundrum—thousands of jars littering the landscape were possibly ancient coffins, carved from solid sandstone

⓬ Khone Pha Pheng
This vast waterfall on the Laos–Cambodia border is the largest in southeast Asia. Most impressive during the rainy season (June–October)

⓭ Angkor Wat
(near Siemreab)
Famous temple complex where the trees and intricately carved buildings have fused over time

⓮ Toul Sleng Genocide Museum
(in Phnom Penh) The museum documents atrocities committed in that very building—an overwhelming experience

⓯ Ha Noi
Noted for its many lakes and leafy boulevards lined with honeycolored buildings

⓰ My Son Sanctuary
(near Da Nang)
In a dramatic setting, these remarkable brick tower temples are the vestiges of the 4th–13th century Champa Kingdom

⓱ Nha Trang
A haven for beach lovers, this resort caters for all kinds of water sport amid coves, lush islands, and coral reefs

⓲ Ho Chi Minh (Saigon)
Embued with a strongly capitalist spirit, this lively city is a good base for visiting the Cu Chi Tunnels—once used to infiltrate behind US army lines—and the Cao Dai Temple at Tay Ninh. Try some of the delicious local cuisine as well

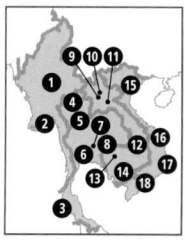

Phuket, south Thailand: Known for its clear blue waters and long sandy beaches, Thailand's largest island also attracts visitors to its Phuket FantaSea theme park, smart hotels, adventure trips around Phang Nga Bay, and the nightlife of Patong.

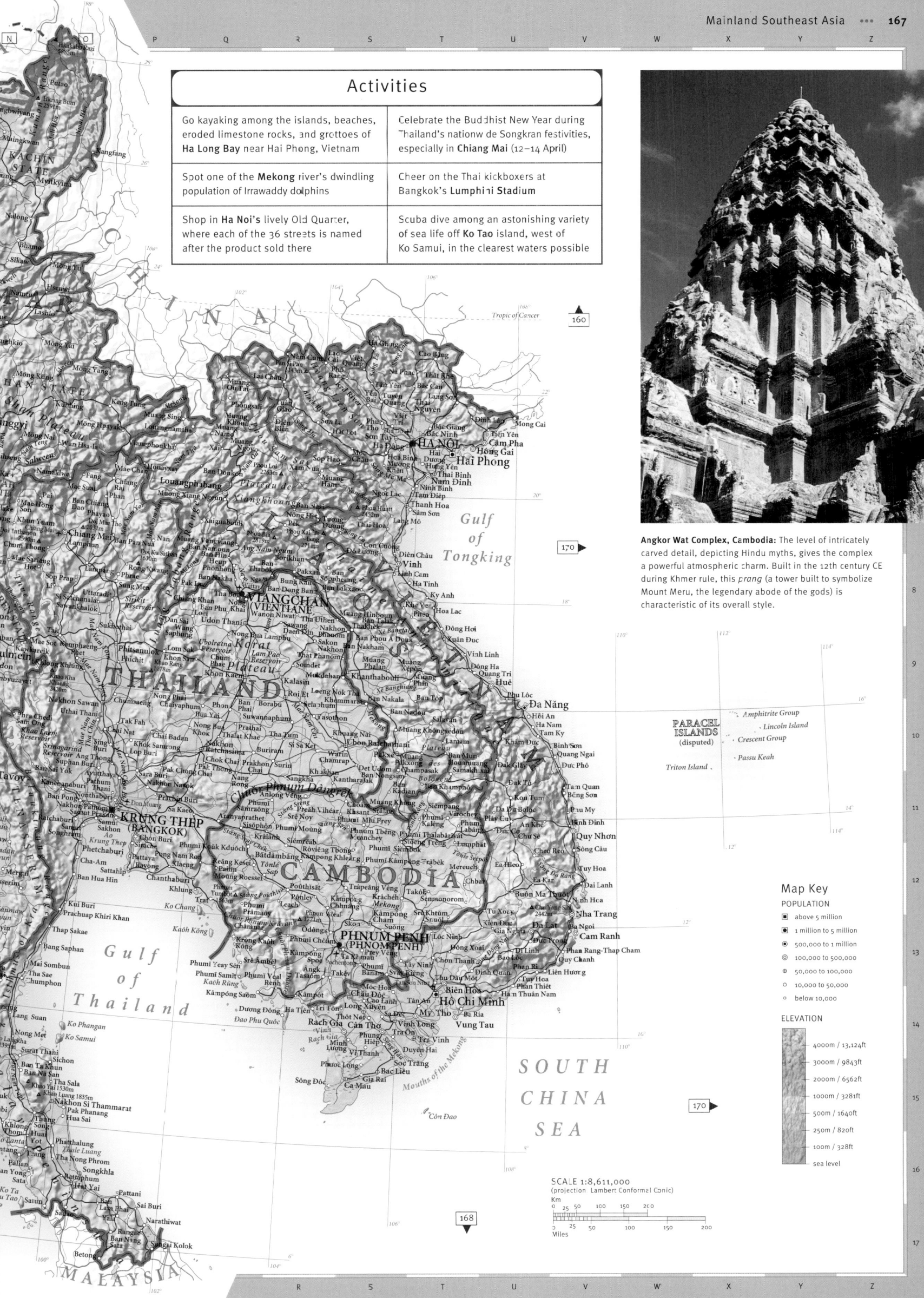

Activities

Go kayaking among the islands, beaches, eroded limestone rocks, and grottoes of **Ha Long Bay** near Hai Phong, Vietnam

Celebrate the Buddhist New Year during Thailand's nationwide Songkran festivities, especially in **Chiang Mai** (12–14 April)

Spot one of the **Mekong** river's dwindling population of Irrawaddy dolphins

Cheer on the Thai kickboxers at Bangkok's **Lumphini Stadium**

Shop in **Ha Noi's** lively Old Quarter, where each of the 36 streets is named after the product sold there

Scuba dive among an astonishing variety of sea life off **Ko Tao** island, west of Ko Samui, in the clearest waters possible

Angkor Wat Complex, Cambodia: The level of intricately carved detail, depicting Hindu myths, gives the complex a powerful atmospheric charm. Built in the 12th century CE during Khmer rule, this *prang* (a tower built to symbolize Mount Meru, the legendary abode of the gods) is characteristic of its overall style.

Map Key

POPULATION

- above 5 million
- 1 million to 5 million
- 500,000 to 1 million
- 100,000 to 500,000
- 50,000 to 100,000
- 10,000 to 50,000
- below 10,000

ELEVATION

- 4000m / 13,124ft
- 3000m / 9843ft
- 2000m / 6562ft
- 1000m / 3281ft
- 500m / 1640ft
- 250m / 820ft
- 100m / 328ft
- sea level

SCALE 1:8,611,000
(projection Lambert Conformal Conic)

Km
0 25 50   100   150   200

Miles
0 25   50   100   150   200

Western Maritime Southeast Asia

Indonesia, Malaysia, Brunei, Singapore

The jungles of Malaysia are among the world's oldest, having first put down roots 130 million years ago. Their maturity has given the region great biological diversity. The world's largest flower (*Rafflesia arnoldii*) can be found here, as can the orang utan and the proboscis monkey. In the chain of volcanic mountains running along the western edge of the Indonesian islands, hill resorts offer a cool, crisp, mosquito free retreat from the humid lowlands.

Surfing enthusiasts agree that Indonesia has some of the finest locations and best breakers in the world—Bali is particularly famous both for this and the associated party atmosphere, but some lesser known islands, such as the Mentawai, are of equal calibre.

Although most of the region escaped damage by the 2004 tsunami, the northern Sumatran province of Aceh was one of the hardest hit areas and it will take time to recover. The tribal lifestyle is still common in Borneo, where whole villages often live in a traditional longhouse. Visitors are welcome to stay in these and suitable gifts are appreciated as payment. Ethnically the region is a diverse mix of Malays, Chinese, Javanese, and other groups. Local culture is strongly influenced by this diversity, which enriches the region's music, cuisine, and other art forms. Islam is the majority religion and Indonesia has the world's largest Muslim population.

Sepilok Orang Utan Sanctuary, Sabah: An orang utan (literally "man of the forest") swinging from vines through the forests of Borneo. The Sepilok Sanctuary is the largest orang utan sanctuary in the world.

What to See

❶ Danau Toba
The legacy of an ancient volcanic eruption, this tranquil lake is a cool haven from surrounding mosquito ridden jungles

❷ Pinang
"The Pearl of the Orient" with magnificent palm-fringed beaches and religious buildings is Malaysia in microcosm

❸ Cameron Highlands
(near Ipoh) With a lush temperate climate and verdant landscape, this famous hill resort has a colonial elegance

❹ Batu Caves
(near Kuala Lumpur) A grand staircase leads to three sacred caverns

❺ Genting Highlands
(near Kuala Lumpur) A lively hill resort with a difference, Asia's Las Vegas has a manmade lake, hotels, and casinos

❻ Pulau Tioman
Breathtakingly beautiful volcanic island where the pace of life is slow and the deepsea diving world renowned

❼ Singapore
An ultraclean metropolis and magnet for the shopaholic, with "one

thousand malls," and a mouthwatering focal point for Asia's cuisines

❽ Niah Caves
(near Miri) Accessible by boat and a 2 mile (3 km) hike, here lies evidence of 5,000-year-old human habitation

❾ Sultan Omar Ali Saifuddin Mosque
(Bandar Seri Begawan) The Far East's largest mosque sits, dazzling white and gold domed, in its own lagoon

❿ Kampong Ayer
(Bandar Seri Begawan) Appearing to float on water, Brunei's vast village of stilt houses dates back 1,000 years

⓫ Gunung Kinabalu
Southeast Asia's highest mountain towers over a national park of giant flowers, waterfalls, caves, and hot springs

⓬ Ujung Kulon National Park
(near Cikawung) The reclusive singlehorned Javan rhino, macaques, and crocodiles inhabit this lowland rainforest

⓭ Borobudur
(near Yogyakarta) A magnificent 8th century Buddhist temple, crowned with latticed, bell-shaped stupas

⓮ Lovina
This north coast group of resorts provides an ideal base to discover the wonders of Bali

⓯ Goa Lawah
(near Karangasem) Elegant temples mark the entrance to this sacred cave, home to a multitude of fruit bats

⓰ Sangeh Sacred Monkey Forest
(near Denpasar) With the atmospheric Pura Bukit Sari temple at its heart, the forest is home to giant nutmeg trees

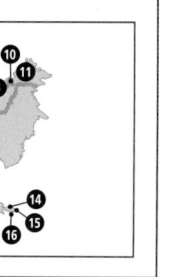

166

172

MALAYSIA'S TWO CAPITALS

KUALA LUMPUR – capital
PUTRAJAYA – administrative capital

Singapore: The city-state welcomes visitors with the impressive sight of skyscrapers clustered together in its business district. Singapore is an excellent destination with first rate shopping and also provides a delicious focal point for several Asian cuisines.

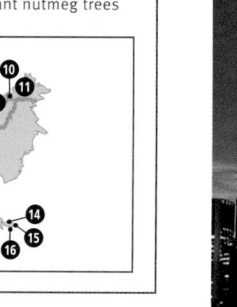

Activities

Saunter along the world's longest canopy walkway in 130-million-year-old rainforest, **Taman Negara National Park**, Malaysia

Have a go at *sepak takraw*, **Malaysia's** no hands volleyball style game

Stand beneath and marvel at Kuala Lumpur's 1,483 ft (452 m) **Petronas Towers**, the world's second highest building

Goggle at the lakeside antics of varied bird life in Brunei's **Tasek Merimbun National Park**

Study the intricacies of local music and dance in lessons at the schools in **Peliatan**, Bali

Attend a gamelar orchestra rehearsal for free at the **Indonesian Academy of Performing Arts**, Denpasar, Bali

Hike in tea plantations up **Gunung Kerinci**, Sumatra, SE Asia's highest active volcano

Sip colonial history with a Singapore Gin Sling at the **Raffles Hotel** Long Bar, Singapore

Batubulan, Bali: The age old story of good versus evil is played out in the Barong Dance. Evil is represented by Rangda, a witch, and good by the halflion Barong Keket and his followers with their *keris* (knife). Fortunately good triumphs, after the witch's magic is overpowered. This energetic ritual dance performance is a magnificent spectacle to behold.

Map Key

POPULATION

▪ above 5 million
▣ 1 million to 5 million
◉ 500,000 to 1 million
◎ 100,000 to 500,000
⊕ 50,000 to 100,000
○ 10,000 to 50,000
○ below 10,000

ELEVATION

4000m / 13,124ft
3000m / 9843ft
2000m / 6562ft
1000m / 3281ft
500m / 1640ft
250m / 820ft
100m / 328ft
sea level

SCALE 1:8,750,000
(projection: Mercator)

Km
0 25 50   100   150   200

Miles
0 25 50   100   150   200

Eastern Maritime Southeast Asia

Indonesia, East Timor, Philippines

Straddling the Equator is this enormous collection of islands, each with its own identity, history, and culture—often a lively blend of vibrant local tribal traditions and those of colonial conquerors. From the early 16th century the islands formed the core of the Asian spice trade with Europe attracting the Portuguese, Spanish, and Dutch. Many colonial buildings were built and remain today as distinctive features of the architectural mix.

The islands are largely volcanic and run along the fault lines where five tectonic plates meet, giving the region mountainous terrain with narrow coastal strips. This active geology has created spectacular landscapes of waterfalls, caves, and even an underground river in Palawan, enticing intrepid explorers.

Most islands are thick with rainforest and are home to an array of plant and animal species, many of them endangered by loss of habitat through activities such as logging. The Tubbataha Reef, in the Sulu Sea, has a high density of marine species, birds, and turtles. The region has countless opportunities to indulge in watersports, with numerous coral reefs, lagoons, and white sandy beaches.

Much of the island of New Guinea, the western half of which lies in Indonesia, remains tantalizingly unexplored and tribal warriors may still greet approaching ships. Here, the Lorentz National Park preserves a unique, continuous cross section of ecosystems from mountain peak through forested hills and lowlands to tropical marine environments.

The boatshaped houses of Tana Toraja, Sulawesi:
According to local myth, the earliest ancestors came from the north and were stranded on Sulawesi. They used their vessels to shelter from the elements, and so began this fascinating architectural tradition of building northfacing houses resembling these ships.

Map Key

POPULATION
- ▣ 1 million to 5 million
- ◉ 500,000 to 1 million
- ◎ 100,000 to 500,000
- ⊕ 50,000 to 100,000
- ○ 10,000 to 50,000
- ○ below 10,000

ELEVATION
- 4000m / 13,124ft
- 3000m / 9843ft
- 2000m / 6562ft
- 1000m / 3281ft
- 500m / 1640ft
- 250m / 820ft
- 100m / 328ft
- sea level

◄ 168

SCALE 1:11,800,000
(projection: Lambert Azimuthal Equal Area)

Km
0 50 100 200 300 400

0 50 100 200 300 400
Miles

Rice terraces of the Cordilleras, Banaue, Luzon:
These breathtakingly spectacular rice terraces were constructed 2,000 years ago by local tribes using rudimentary tools. Now a UNESCO World Heritage Site, the terraces are valued because they exemplify the balance that can be achieved between human beings and the environment.

What to See

❶ Vigan
Founded in the 16th century, this city's architectural splendour blends Chinese, Filipino, and European influences

❷ Banaue
(near Bontoc) Vistas of rice terraces, which trace the contours of the land

❸ Benguet Mummies
(near Bontoc) In caves around the town of Kabayan are the wellpreserved, tattooed mummies of up to 30 tribal chieftains

❹ Intramuros
The medieval walled city at Manila's heart mixes religious, military, domestic, and colonial architecture

❺ Hidden Valley, Laguna (near Manila)
A large volcanic crater encloses a forested land of mineral springs, with pools of varying temperature and cascading waterfalls

❻ Lake Taal
Still active, the majestic Taal volcano rises from calm waters, enclosing a lake within a lake

❼ Puerto Princesa
Surrounded by a national park of dense forest teeming with wildlife, an immense underground river leads from a lagoon to the sea

❽ Boracay
(off Panay) Classic small tropical paradise island. Its White Beach is rated amongst the world's best beaches

❾ Bohol
Grass on the island's surreal, molehill shaped "Chocolate Hills" turns a deep brown at the end of the dry season, earning them their name

❿ Zamboanga
The Philippines' most romantic city with hot springs, picturesque mountains, bat caves, and sandy beaches lined with tropical shells and fragrant flowers

⓫ Tana Toraja
(around Rantepao) Sulawesi's colorful heartland gives a taste of tribal life

⓬ Bantimurung Waterfall (near Maros)
The focal point in a densely forested, magical land of limestone rocks, where butterflies flutter

⓭ Keli Mutu
Most spectacular at dawn, three differently colored crater lakes crown the volcano on Flores, Indonesia's most beautiful island

⓮ Pulau Komodo
This hot, dry, and austerely beautiful sunbeaten volcanic island is home to the famed giant monitor lizards... here be dragons

⓯ Gili Islands
(off Lombok) A tranquil atmosphere pervades these tiny islands of magnificent coral reefs and sandy beaches, where no motorized transport is allowed

⓰ Pulau Sumba
Sumba's appeal is its rich tribal atmosphere, ceremonies, colorful fabrics, monumental tombstones, and bluetongued skinks

⓱ Baliem Valley
(near Ilaga) Enclosed by imposing mountains, this "Shangri La" of timeless tribal farmland was only discovered by outsiders in 1938

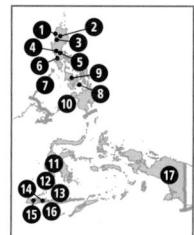

Map labels

SOUTH CHINA SEA

SPRATLY ISLANDS (disputed)

Palawan Pass
Quezon
Brooke's Point
Balabac Island
Balabac Strait

MALAYSI

KALIMANTAN TIMUR

Equator

KALIMANTAN SELATAN

Makassar Str

I N

Java Sea

Kepula Te

NUSA TENGGA

Mataram
Bayan Gunung Tambora
Sumbawabesar
Lombok Dompu Tala
Ekonbok Talaw
Kuta Gunung Takan
N u s a
(Lesse

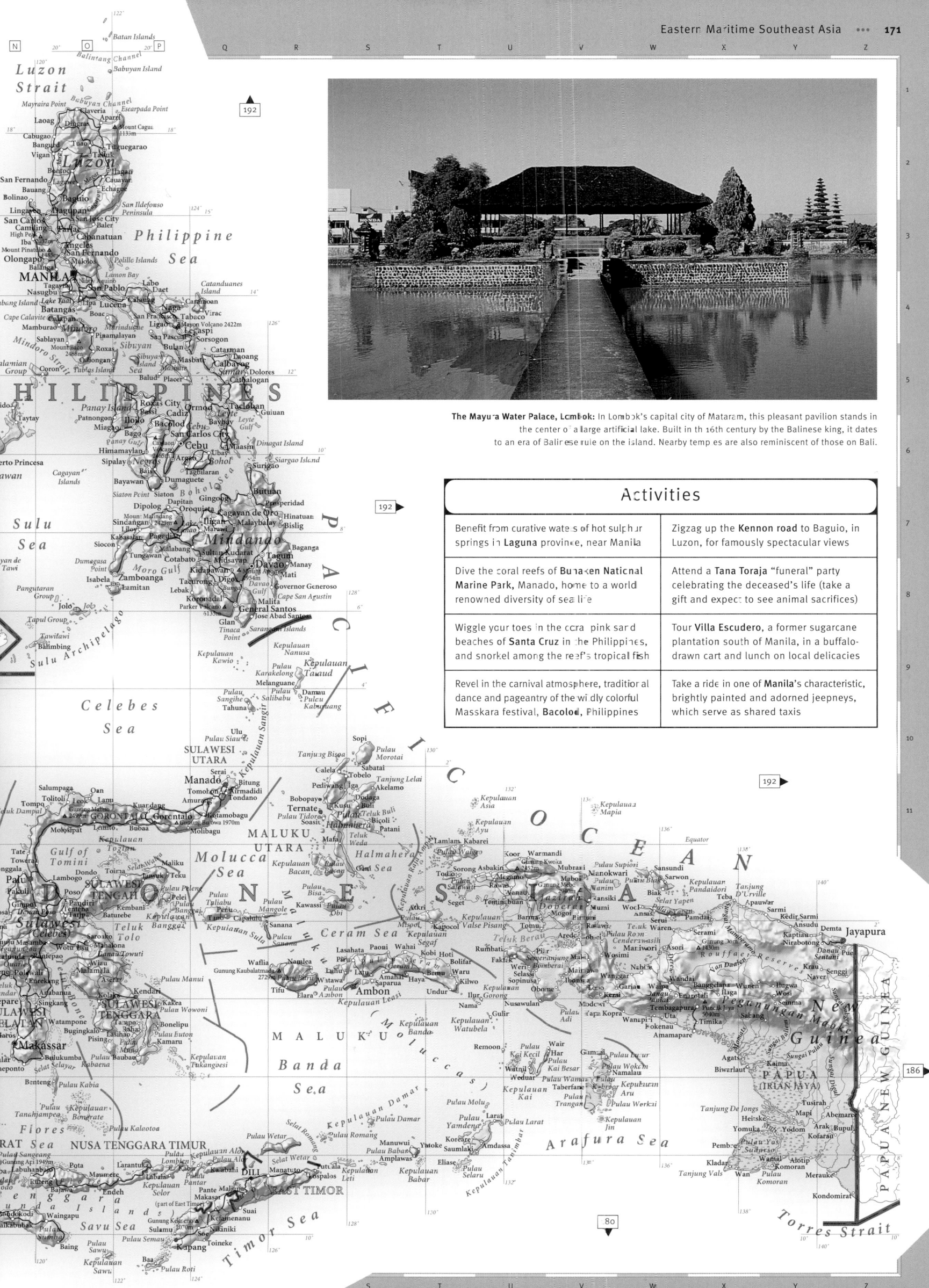

The Mayura Water Palace, Lombok: In Lombok's capital city of Mataram, this pleasant pavilion stands in the center of a large artificial lake. Built in the 16th century by the Balinese king, it dates to an era of Balinese rule on the island. Nearby temples are also reminiscent of those on Bali.

Activities

Benefit from curative waters of hot sulphur springs in **Laguna** province, near Manila	Zigzag up the **Kennon road** to Baguio, in Luzon, for famously spectacular views
Dive the coral reefs of **Bunaken National Marine Park**, Manado, home to a world renowned diversity of sea life	Attend a **Tana Toraja** "funeral" party celebrating the deceased's life (take a gift and expect to see animal sacrifices)
Wiggle your toes in the coral pink sand beaches of **Santa Cruz** in the Philippines, and snorkel among the reef's tropical fish	Tour **Villa Escudero**, a former sugarcane plantation south of Manila, in a buffalo-drawn cart and lunch on local delicacies
Revel in the carnival atmosphere, traditional dance and pageantry of the wildly colorful Masskara festival, **Bacolod**, Philippines	Take a ride in one of **Manila**'s characteristic, brightly painted and adorned jeepneys, which serve as shared taxis

The Indian Ocean

Natural beauty and fine beaches draw large numbers of tourists to Mauritius, the Seychelles, and Réunion. The Comoros Islands are less frequented, largely due to political instability rather than any lack of potential attractions. Madagascar too has fine beaches, but is justly most celebrated for its distinctive wildlife. This is the product of a long history of isolation, also characteristic of other islands in the Indian Ocean, but nowhere more prolific in its consequences than in the world's fourth largest island. Under threat from deforestation, Madagascar's rainforests and unique species attract scientists and tourists alike.

In the Maldives, a cluster of hundreds of lowlying coral atolls, whole uninhabited islands have been developed as individual hotel and beach resorts. The Andaman and Nicobar Islands were badly affected by the 2004 tsunami, whose waves reached as far as the African coast. Highly dependent on tourism, all these countries place a high priority on rapidly restoring their resorts.

What to See

❶ Seychelles
Delightful beaches, rainforests thronged with birds and coco-de-mer palms (the world's largest seed). Visit the former leper colony on Curieuse, now a fascinating marine national park

❷ Comoros Islands
Beautiful islands of rainforests, tumbling waterfalls, white sands and cobblestone Arab style *medinas* (old town centers). The fossil fish *coelocanth* is found in local seas

❸ Montagne d'Ambre
(near Antsiranana) Prominent volcanic massif, with numerous birds, frogs, geckoes, snakes, and several bizarre chameleons

❹ Tsingy de Bemaraha
Incredible wildlife includes six species of lemur, plus a forest of limestone pinnacles

❺ Réunion
Forbidding mountains and gorges make this French destination ideal for hikers

❻ Mauritius
Accessible island known for its beaches, sporting activities, and dramatic mountains offering short hikes

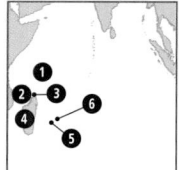

Berenty, Madagascar:
There are 15 species of lemur found on Madagascar and the Comoros, all of which are endangered. The most famous is the striking ringtailed lemur. Nearly half the world's chameleon species live in Madagascar and numerous plants are only found here, such as the rosy periwinkle—derivatives of which are being developed as a cure for cancer.

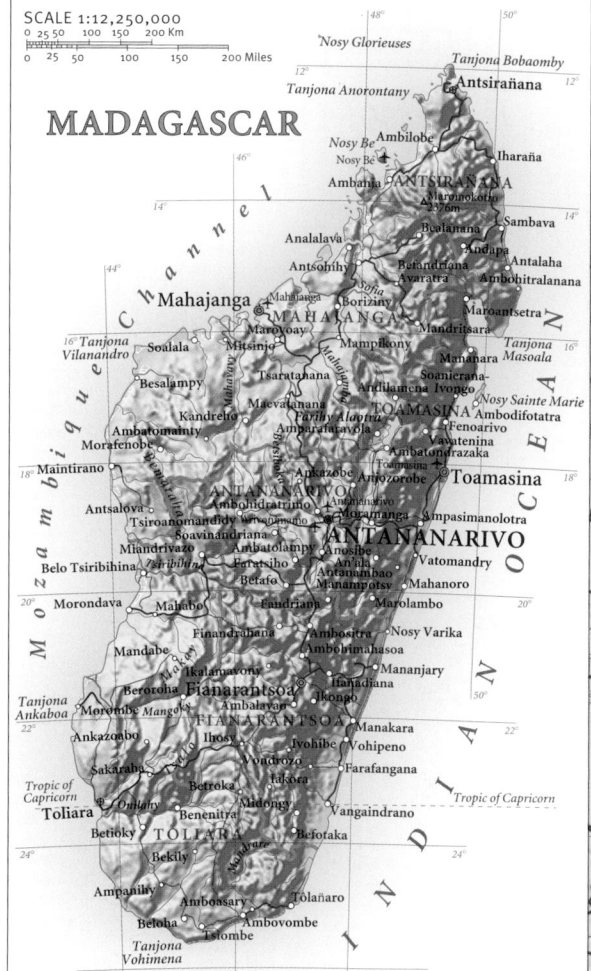

Île aux Cerfs, Mauritius:
A recent controversial addition to this paradise island is a golf course that could have a substantial negative impact on the local environment.

Activities

Tour **Aldabra Atoll**, Seychelles, home to over 200,000 giant land tortoises, as well as many seabirds, manta rays, and tiger sharks

Test your twowheeled agility by mountain biking in the rugged terrain of **Réunion**

Deepsea fish in the waters off **Mauritius**, ideal for the serious angler, where there are healthy populations of marlin and yellowfin tuna, several species of shark, and the spectacular sailfish

Walk undersea in lead boots near **Grand Baie** reef, Mauritius, or ride on La Nessee, a semisubmersible boat, for a closeup tour of the reefs without getting wet

Dive among stingray and barracuda at **Nosy Be**, Madagascar's premier resort island

Canoe down the spectacular **Manambolo** River, Madagascar

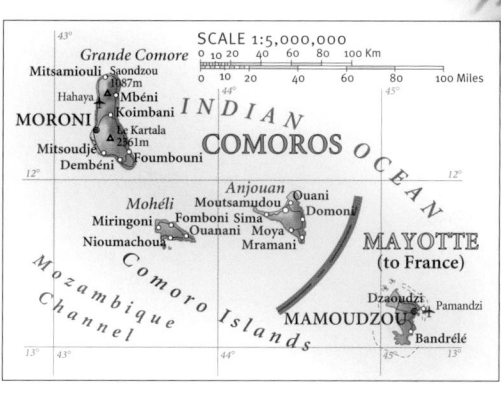

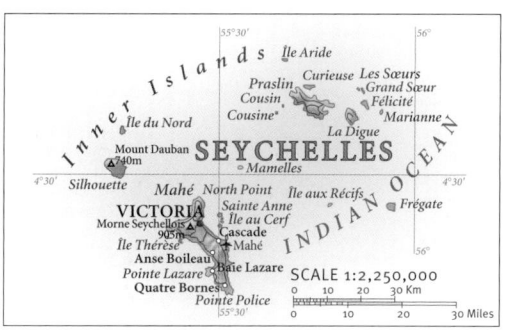

SCALE 1:47,000,000
(projection: Mollweide)

Km
0 200 400 600 800 1000
Miles
0 200 400 600 800 1000

ASIA

KUWAIT
IRAN
Ad
Dammām
HRAIN
QATAR
ABIA
YEMEN
OMAN
OMAN
PAKISTAN
Bandar-e 'Abbās
Persian Gulf
Abu Dhabi
UAE
Doha
Dubai
Mīnā' Qābūs
Gulf of Oman
Karachi
Salalah
Gwadar

INDIA
Bhāvnagar
Narmada
Mumbai
(Bombay)
Ganges
Godavari
Krishna
Mangalore
Chennai
(Madras)
Tuticorin
Cochin
Colombo
SRI LANKA
Trincomalee
MALDIVES

Arabian
Sea
Laccadive
Islands
(to India)

Arabian Basin

Carlsberg Ridge
Chain Ridge
Andrew
Tablemount
Murray Ridge
Owen Fracture Zone
Indus Fan
Somali Basin
Seychelles
Amirante
Islands
Mahé
SEYCHELLES
Mascarene Plateau
Saya de
Malha Bank
Nazareth
Bank
Cargados
Carajos
Mauritius
Mascarene
Basin
Madagascar
Basin
Mascarene Plain
Toamasina
MAURITIUS
Réunion
(to France)
Mascarene Islands
Rodrigues
(to Mauritius)

Mid-Indian Ridge
Chagos-Laccadive Plateau
Chagos
Archipelago
Diego
Garcia
British Indian
Ocean Territory
(to UK)
Mid-Indian
Basin
Vema Trench
Ceylon Plain
Ganges Fan
BANGLADESH
Dhaka
Kolkata
(Calcutta)
Chittagong
Visākhapatnam
Bay of
Bengal
Ganges
Brahmaputra
Irrawaddy
Rangoon
MYANMAR
Salween
Mekong
CHINA
LAOS
THAILAND
VIETNAM
CAMBODIA
Gulf of
Tongking
Gulf of
Thailand
TAIWAN
Ryukyu Islands
East
China
Sea
Tropic of Cancer

South
China
Sea
PHILIPPINES
Philippine
Sea

Andaman
Islands
(to India)
Andaman
Sea
Andaman
Basin
Nicobar
Islands
(to India)
Bedawan
Strait of Malacca
Klang
Singapore
MALAYSIA
Sumatra
Borneo
Sulu
Sea
Celebes
Sea
Celebes
Equator

INDONESIA
Ninetyeast Ridge
Investigator Ridge
Cocos
Basin
Cocos Islands
(to Australia)
Java Sea
Java
Java Trench
Java Ridge
Bali
Sunda Strait
Lombok Basin
Sumbawa
Savu
Roo
Rise
Christmas Island
(to Australia)
Osborn Plateau
Wharton
Basin
Batavia
Seamount
Golden
Draak
Seamount
Great Indian Ridge
Broken Ridge
Diamantina Fracture Zone
Amsterdam Fracture Zone

Timor
Sea
Ashmore &
Cartier Islands
(to Australia)
Sahul Shelf
Timor Trough
EAST TIMOR
Ceram Sea
Banda Sea
**New
Guinea**
Arafura
Sea
Joseph
Bonaparte
Gulf
Darwin
Gulf of
Carpentaria
Wyndham
Broome
North
Australian
Basin
Gascoyne
Plain
Exmouth
Plateau
Cuvier
Basin
Shark
Bay
Wallaby
Plateau
Cuvier
Basin
Naturaliste
Plateau
Perth
Basin
Port Hedland
Tropic of Capricorn

AUSTRALIA
Geraldton
Fremantle
Bunbury
Albany
Perth
Great Australian Bight
Port Augusta
Spencer Gulf
Kangaroo
Island
Adelaide
Darling
Murray
Melbourne
King Island
Bass Strait
Tasmania
Tasman
Plateau
South Australian Basin

INDIAN
OCEAN
West Indian Ridge
Prince Edward Fracture Zone
Crozet
Basin
Crozet
Plateau
Crozet Islands
Amsterdam Island
St Paul Island
French Southern &
Antarctic Territories
(to France)
Kerguelen
Kerguelen Plateau
Heard & McDonald
Islands (to Australia)
Southeast Indian Ridge
Southwest Indian Ridge
South Australian
Plain

Kerby Plain
Banzare Seamounts
South Indian Basin

SOUTHERN OCEAN

Lena Tablemount
b' Tablemount

Prydz Bay
Antarctic Circle

ANTARCTICA

RÉUNION (to France)
SCALE 1:2,250,000
0 10 20 30 Km
0 10 20 30 Miles
ST-DENIS
Ste-Marie
Le Port
Ste-Suzanne
St-Paul
Gillot
St-André
Pointe des
Aigrettes
St-Gilles-les-Bains
Salazie
St-Benoît
Piton des Neiges
3070m
Trois-Bassins
Cilaos
La Plaine-des-Palmistes
St-Leu
Ste-Rose
Pointe au Sel
Piton de la Fournaise
2631m
Le Tampon
St-Louis
St-Pierre
Point de la Rivière
St-Étienne
St-Joseph
St-Philippe
Pointe de la Table
**INDIAN
OCEAN**

Inset Map Key
POPULATION
⊚ 500,000 to 1 million
⊛ 100,000 to 500,000
⊕ 50,000 to 100,000
⊙ 10,000 to 50,000
• below 10,000

ELEVATION
3000m / 9843ft
2000m / 6562ft
1000m / 328ft
500m / 1640ft
250m / 820ft
100m / 328ft
sea level

Ocean Map Key
SEA DEPTH
sea level
250m / 820ft
500m / 1640ft
1000m / 3281ft
2000m / 6562ft
3000m / 9843ft

MAURITIUS
Round Island
Flat Island
Gunner's Quoin
Canonniers Point
Île D'Ambre
Triolet
Goodlands
Pamplemousses
Rivière du Rempart
PORT LOUIS
Mont du Rempart
Centre de Flacq
Beau Bassin
Rose Hill
Quatre Bornes
Bel Air
Tamarin
Vacoas
Piton de la Petite
Curepipe
Rivière Noire 828m
Mahebourg
Rose Belle
Sewwoosagur
Pointe Sud
Ouest
Chemin Grenier
Rampgoolam
Souillac
**INDIAN
OCEAN**
SCALE 1:2,250,000
0 10 20 30 Km
0 10 20 30 Miles

Australasia & Oceania

"Don't worry about the world coming to an end today.
It's already tomorrow in Australia"   CHARLES M SCHULTZ, 1922-2000

Political Oceania & Australasia

Australasia, usually taken to mean the island continent of Australia and New Zealand, has a political history and culture dominated by the British colonial legacy, complete with similar Westminster-style parliamentary systems and the same monarch as ceremonial head of state. Oceania, made up of the many island states of the south Pacific, is traditionally subdivided into three areas—Melanesia, Micronesia, and Polynesia. Each has its own history, but the continuing importance of tribal customs is a common feature, and the influence of chiefs is still greatly respected even when they do not have actual political power. Political parties exist in most countries in Oceania, but tend to be highly volatile, with distinctions based at least as much on individuals and local group allegiances as on their policies and ideologies.

Parliament House, Canberra, Australia: This new building opened in 1988, but the federal parliament has been meeting in Canberra, the country's custom-built capital, since 1927.

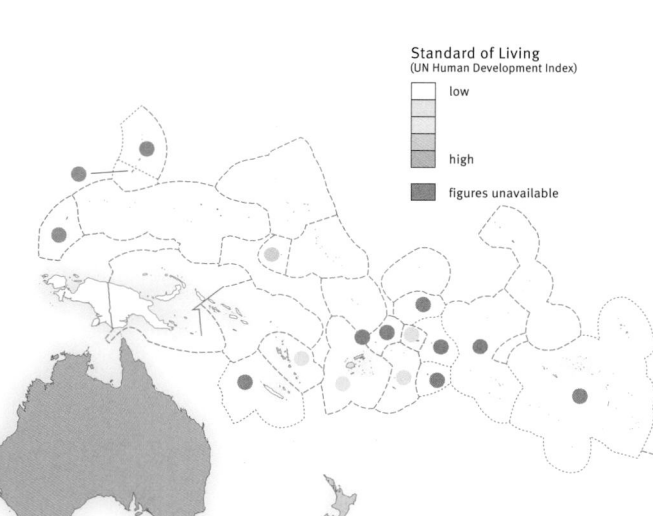

Standard of Living
(UN Human Development Index)

- low
- high
- figures unavailable

Standard of Living

Australasia enjoys a "Western" standard of living, although unemployment and social deprivation are disproportionately high among Aborigines and Maoris, whose life expectancy is significantly below the average. Oceania has generally lower living standards, more actual poverty, and more people living from subsistence farming.

Maori meeting house, New Zealand: Maori rights are theoretically protected by the Treaty of Waitangi, although serious disputes continue.

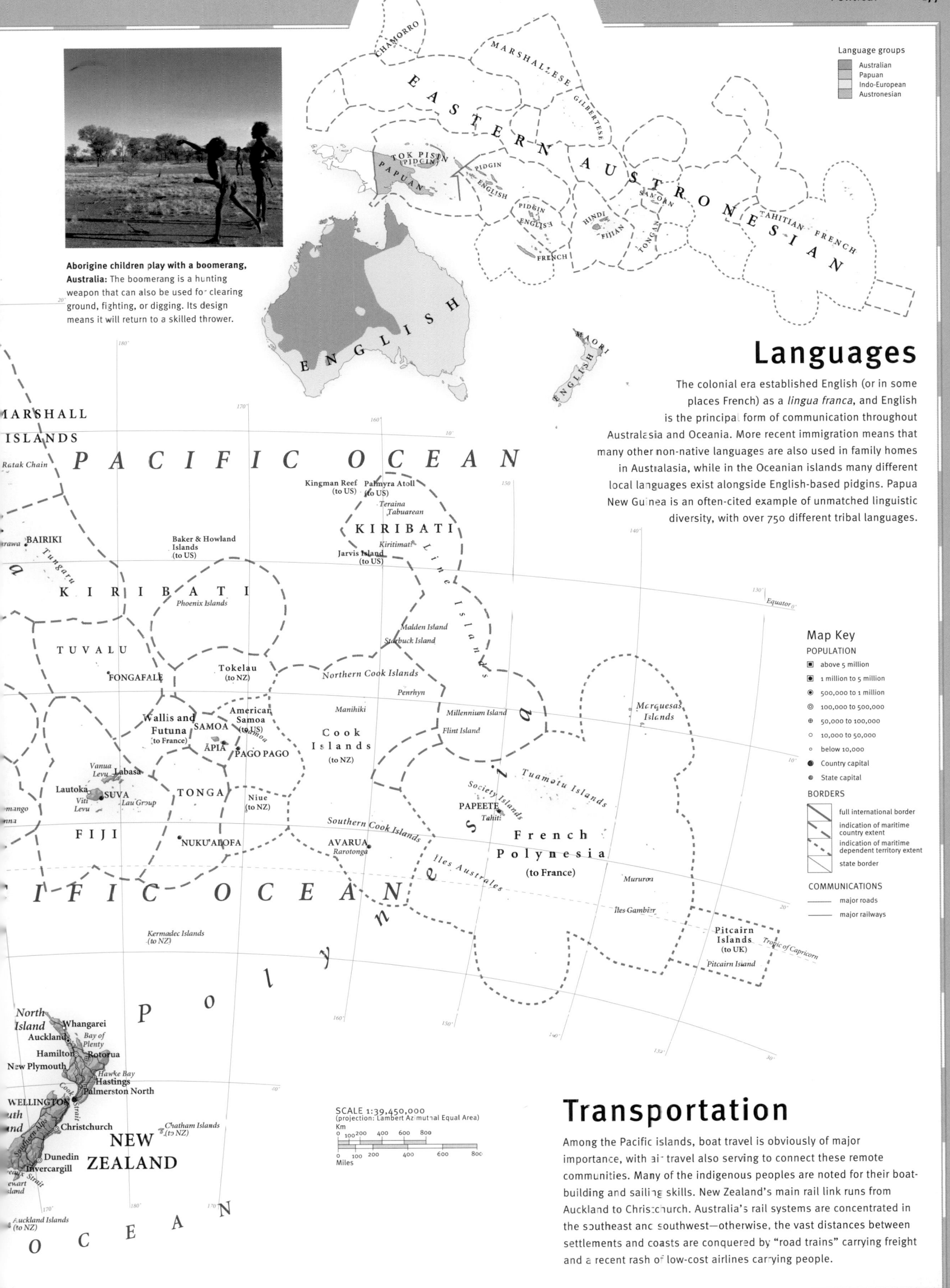

Language groups

- Australian
- Papuan
- Indo-European
- Austronesian

CHAMORRO

MARSHALLESE

GILBERTESE

EASTERN AUSTRONESIAN

TOK PISIN (PIDGIN)

PAPUAN

PIDGIN ENGLISH

PIDGIN ENGLISH

SAMOAN

HINDI

FIJIAN

TONGAN

TAHITIAN FRENCH

FRENCH

ENGLISH

MAORI

MAORI ENGLISH

Aborigine children play with a boomerang, Australia: The boomerang is a hunting weapon that can also be used for clearing ground, fighting, or digging. Its design means it will return to a skilled thrower.

Languages

The colonial era established English (or in some places French) as a *lingua franca*, and English is the principal form of communication throughout Australasia and Oceania. More recent immigration means that many other non-native languages are also used in family homes in Australasia, while in the Oceanian islands many different local languages exist alongside English-based pidgins. Papua New Guinea is an often-cited example of unmatched linguistic diversity, with over 750 different tribal languages.

MARSHALL ISLANDS

Ratak Chain

PACIFIC OCEAN

Tungaru

BAIRIKI

Baker & Howland Islands (to US)

Kingman Reef (to US)

Palmyra Atoll (to US)

Teraina
Tabuarean

KIRIBATI

Kiritimati

Jarvis Island (to US)

KIRIBATI

Phoenix Islands

Malden Island

Starbuck Island

TUVALU

Tokelau (to NZ)

Northern Cook Islands

Penrhyn

FONGAFALE

Manihiki

Millennium Island

Marquesas Islands

Flint Island

American Samoa (to US)

Wallis and Futuna (to France)

SAMOA

Samoa

Cook Islands (to NZ)

ĀPIA

PAGO PAGO

Vanua Levu Labasa

Lautoka

Viti Levu

SUVA

Lau Group

TONGA

Niue (to NZ)

Society Islands

Tuamotu Islands

PAPEETE

Tahiti

FIJI

NUKUʻALOFA

Southern Cook Islands

AVARUA
Rarotonga

French Polynesia (to France)

Iles Australes

Mururoa

Iles Gambier

PACIFIC OCEAN

Kermadec Islands (to NZ)

Pitcairn Islands (to UK)

Pitcairn Island

Tropic of Capricorn

Equator

Map Key

POPULATION
- ▣ above 5 million
- ▣ 1 million to 5 million
- ◉ 500,000 to 1 million
- ◎ 100,000 to 500,000
- ⊕ 50,000 to 100,000
- ⊕ 10,000 to 50,000
- ○ below 10,000
- ● Country capital
- ● State capital

BORDERS
- full international border
- indication of maritime country extent
- indication of maritime dependent territory extent
- state border

COMMUNICATIONS
- —— major roads
- —— major railways

North Island Whangarei

Auckland

Bay of Plenty

Hamilton Rotorua

New Plymouth

Hawke Bay

Hastings

Palmerston North

WELLINGTON

Southern Alps

Christchurch

Chatham Islands (to NZ)

NEW ZEALAND

Dunedin

Invercargill

Stewart Island

Auckland Islands (to NZ)

OCEAN

SCALE 1:39,450,000
(projection: Lambert Azimuthal Equal Area)

Km
0 100 200 400 600 800

0 100 200 400 600 800
Miles

Transportation

Among the Pacific islands, boat travel is obviously of major importance, with air travel also serving to connect these remote communities. Many of the indigenous peoples are noted for their boat-building and sailing skills. New Zealand's main rail link runs from Auckland to Christchurch. Australia's rail systems are concentrated in the southeast and southwest—otherwise, the vast distances between settlements and coasts are conquered by "road trains" carrying freight and a recent rash of low-cost airlines carrying people.

Ulithi Atoll, Micronesia

Blue Mountains, Australia

Marlborough, New Zealand

Great Barrier Reef, Australia

Suva, Fiji

Kangaroo road sign, Uluru-Kata Tjuta National Park, Australia:
Driving across the Outback can take days in this country, comparable in size to the US. This vast plain is punctuated by the incongruous humps of Uluru (Ayers Rock) and Kata Tjuta (the Olgas). The focus for this national park, they are of enormous ceremonial and cultural significance to Aboriginal tribes.

Trips

Cheap internal flights are the best way to get around Australia for those wishing to see a lot in a short space of time, and there are often particularly good deals for travelers on around-the-world tickets. Another good option is to travel by car or take a coach trip, following the long and varied eastern coastline from Sydney to Cairns, or even as far as the northern tip of Cape York (four-wheel drive vehicle needed). Alternatively, the coastline near Melbourne is a particularly beautiful stretch, while the long 1,000 mile (1,600 km) drive inland from Darwin to Alice Springs passes through stunning red desert. The limited rail network includes Queensland's dramatic coastal Kuranda Railway. New Zealand is a much smaller country to get around. Excellent train rides include the Trans-Alpine Express from Christchurch to Greymouth. Serene cruises tour Doubtful Sound or cross Lake Wakatipu. A great destination for hiking, New Zealand has many one-day classic trails such as the Tongarira Crossing and longer treks like the five-day Heaphy Track.

Great Australasian Trips

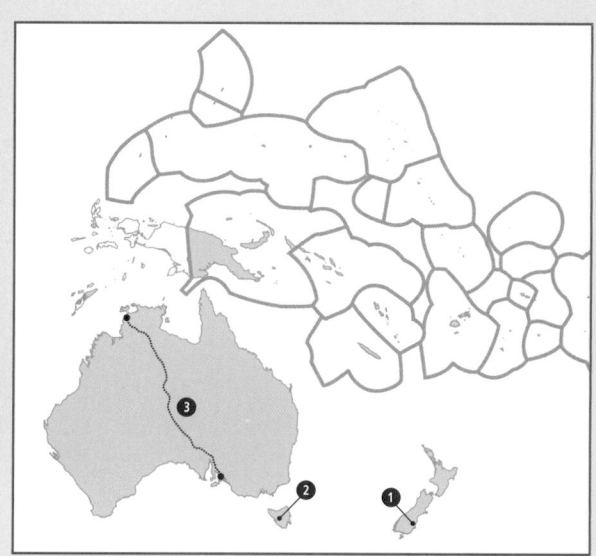

❶ Taieri Gorge Railway, New Zealand
Dunedin—Middlemarch
38 miles (60 km)
Departing from the grand, architecturally interesting Dunedin railroad station, the line follows this deeply carved gorge through tunnels and over bridges and viaducts. The track penetrates the heart of South Island's mountain landscapes.

❷ Overland Track, Australia
Cradle Mountain—Lake St. Clair
50 miles (80 km)
Tasmania's famous hiking trail crosses alpine moors, waterfall valleys, rainforests, and buttongrass plains, through this beautiful national park. It takes five days to complete, so hikers stay the night in tents or huts.

❸ The Telegraph Route, Australia
Darwin—Adelaide
2,000 miles (3,200 km)
Alice Springs grew up as a midpoint when an overland telegraph route was being planned from Adelaide to Darwin (and ultimately on to Europe). Now the car or coach trip winds through fascinating desert scenery.

Cultural Sights

Little is known of the great pre-colonial cultures of Australasia and the islands of Oceania, although there is much speculation as to their origins and the links between different groups. However, the whole region actively promotes their heritage, with fine examples of meeting houses, tribal displays, and local crafts. The arrival of European settlers from the late 1700s, initially around Sydney, led to rapid and varied changes, resulting in the many dynamic cities of today, which have limited history but are pleasant places to live. Sydney has become the leading city of the continent and is an immensely attractive destination for travelers, outshining its Australian rival Melbourne. New Zealand has a more traditional flavor, with cities such as Christchurch and Dunedin harking back to English and Scottish roots.

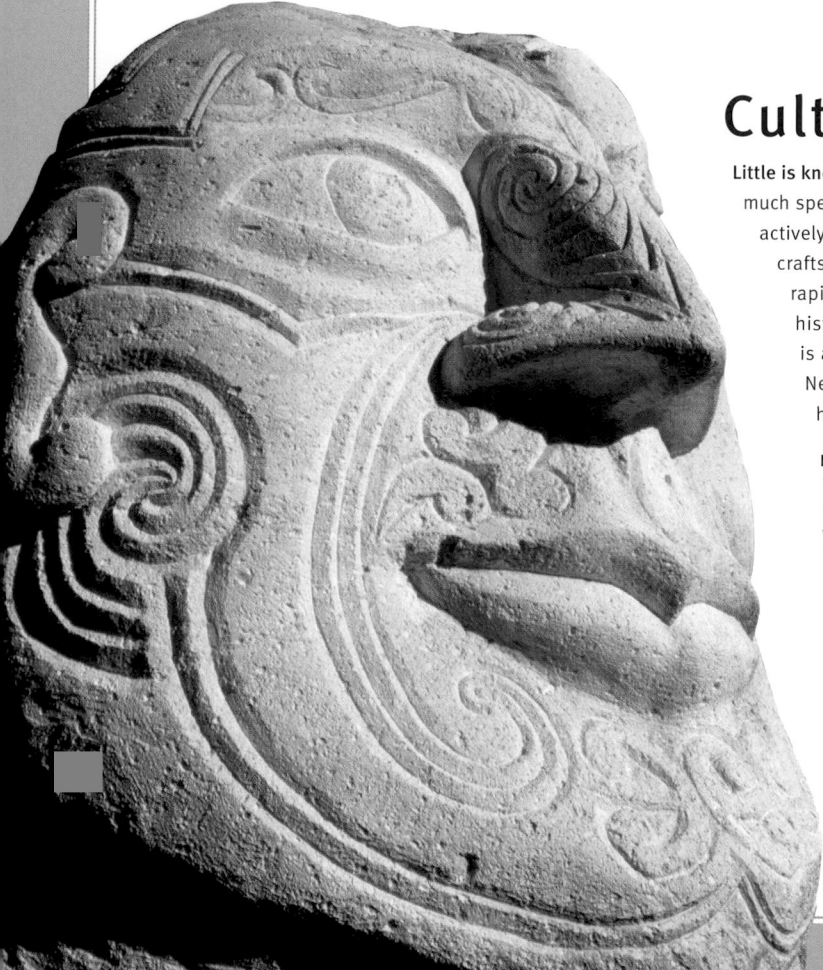

New Zealand:
This Maori head is carved in white stone, with intricate curved lines representing the traditional *moko* (tattoo). Today, many young Maoris still wear the *moko* with pride.

What to See

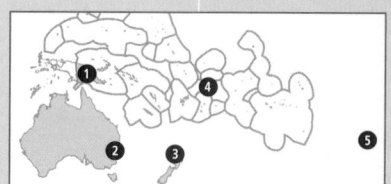

❶ Goroka, Papua New Guinea
Every September up to 40,000 painted warriors gather in a riot of color

❷ Sydney Opera House, Australia
Its architecturally inspirational outline dominates the harbor

❸ Waitangi Meeting House, New Zealand
Learn of Maori history and their interaction with British settlers

❹ Pulemelei Mound, Samoa
Polynesia's largest ancient structure, a mysterious step pyramid in the jungle

❺ Easter Island
Ponder the cultural significance of the huge and forbidding *maui* statues

Moeraki boulders, New Zealand

Sydney, Australia

Tari, Papua New Guinea

Bungle Bungles, Australia

Tennyson Inlet, New Zealand

Yasawa island, Fiji: With a wide variety of resorts, catering for party animals, nature lovers, surfers, and those who just want to get away from it all, Fiji has become a favorite destination for beach vacations—and it's not hard to see why.

Activities

This region has a strong claim to the title of outdoor sports center of the world, with New Zealand especially standing out. For scuba divers, surely nowhere can rival Australia's fabulous Great Barrier Reef, with its superb opportunities for seeing a myriad of colorful fish and fascinating corals, although some access restrictions have become necessary in a bid to halt damage to the ecosystem. The chance to explore World War II shipwrecks off the coasts of some of the islands of the Pacific make them, too, dream destinations for the more serious diver. More generally, the whole Queensland coast is known for its water sports, while much of the rest of Australia is great for hiking and trekking on unspoiled and remote trails. New Zealand's best areas for outdoor activities are in South Island, the original home of bungee jumping and of the more recently invented sport of jetboating. Other options here include canoeing and whitewater rafting. New Zealanders also have a strong athletic tradition as runners, and many beautiful areas encourage cyclists and hikers to go exploring. Australia has an unparalleled record at cricket, and both Australia and New Zealand are world powers at rugby—Samoa and Fiji also compete at the international level.

What to Do

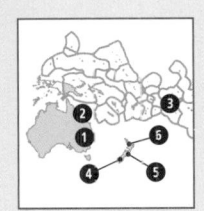

❶ Warrumbungle Range, Australia
Sheer cliffs and spires, a challenge for climbers

❷ Whitsunday Islands, Australia
Dive from a boat to the Great Barrier Reef

❸ Cook Islands
Gyrate your hips in the traditional dances of this Polynesian paradise

❹ Queenstown, New Zealand
Test your nerve at three dramatic bungee jumps, jetboating, hang-gliding, and many other outdoor pursuits

❺ Kaikoura, New Zealand
Whale-watching capital, where sperm whales take a break on their long migrations

❻ Waitomo Caves, New Zealand
Abseil or raft into the cave network and see magical glowworms

Natural Sights

The natural wonders of this continent are many and varied. One can travel for hundreds of miles among great termite mounds in the Australian Outback, occasionally coming upon dramatic rock formations of which Uluru (Ayers Rock) is the most outstanding. Great national parks include Kakadu, immortalized in the filming of *Crocodile Dundee*, and there are pockets of ancient virgin rainforest, such as those of northern Queensland. The Great Barrier Reef stands out as the leading attraction of the east coast, which also has many fine beaches. On New Zealand's South Island, the famous fjordlands were created by the action of glaciers, of which there are still impressive examples in the high mountains. North Island is especially notable for the extensive volcanic activity of its seething mud, geysers, and hot springs around Rotorua. Many of the Pacific islands still have virtually untouched beaches, often amid rocky terrain against a dramatic backdrop that testifies to their volcanic formation.

What to See

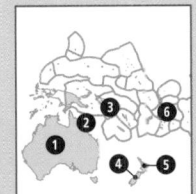

❶ Uluru, Australia
Gigantic red rock with spiritual meaning for the Aborigines

❷ Great Barrier Reef
Take a glass-bottomed boat or snorkel for a close-up view of coral and tropical fish

❸ Rennell, Solomon Islands
The world's largest raised coral atoll with many endemic species

❹ Franz Josef Glacier, New Zealand
Hike along the Waiho River to this famous glacier or go flightseeing for sweeping views

❺ Rotorua, New Zealand
Thermally active area with colorful pools, geysers, and springs

❻ Alofaaga Blowholes, Samoa
Astonishing vents in the rocks that spout seawater and can toss objects high in the air

Milford Sound, New Zealand: Mitre Peak, the world's highest sea cliff, forms a dramatic landmark in the Fjordland National Park, on South Island.

Australia

Australia, the world's sixth largest country, spans over 2,000 miles (3,200 km) north to south from the tropical rainforests of Queensland to the peaks and gorges of Tasmania. Unique marsupial mammals, including koalas and kangaroos, are attractions in their own right, along with eyecatching exotic birds. Spectacular natural features such as Uluru (Ayers Rock) stand out within the huge, arid, and sparsely populated central Outback. This desert terrain holds the key to the Aboriginal people's special relationship with the land they have inhabited for millennia, powerfully reflected in their traditional art.

Most Australians live along the coast east of the Great Dividing Range, enjoying a favourable climate and within reach of magnificent beaches, even in the larger cities. Vibrant Sydney, in particular, has plenty to see and do, whether sporting, cultural or simply recreational. The Queensland coast is dominated by the Great Barrier Reef, the largest living thing on earth, attracting visitors to Cairns and similar resorts for snorkeling, diving, and other outdoor activities.

Sydney Opera House: One of the world's truly distinctive buildings, whose dramatic roof design is said to have come to architect Jørn Utzon while peeling an orange.

What to See

❶ Bungle Bungles
These fragile, rounded rocks are covered with alternate bands of orange (oxide) and black (lichens and algae)

❷ Kakadu National Park (near Cooinda)
Beautiful wetlands, with plentiful wildlife and Aboriginal rock art, were the movie location of *Crocodile Dundee*

❸ Cape Tribulation
Named by Captain Cook when he grounded on a coral reef here in 1770, this gorgeous coast borders an ancient Australian rainforest

❹ Great Barrier Reef
The world's largest reef stretches along the Queensland coast for 1,250 miles (2,000 km), offering great diving

❺ Fraser Island
The world's largest sand island, 75 miles (120 km) long, is ideal for swimming in the dune lakes, birdwatching, or driving along the sandy tracks

❻ Sydney
Australia's oldest and largest city bristles with fascinating museums, galleries, and varying styles of architecture

❼ Alice Springs
Founded for the overland telegraph line in the 1870s, a pleasant modern town set amid superb desert scenery, gorges, and cliffs

❽ Kings Canyon
(near Hermannsburg)
A spectacular gorge with steep cliffs and excellent walking trails

❾ Uluru (Ayers Rock)
Huge red rock rising out of the plain to a height of 1,140 ft (340 m), that changes colour at dawn

and dusk. Don't climb the rock—its a spritual site for Aborigines

❿ Shark Bay
Where the first European landed in Australia in 1616. Now known for its fine beaches and Monkey Mia's friendly dolphins, which swim with humans and take food from the hand

⓫ The Pinnacles
Flat sandy desert with unusual limestone pillars up to 17 ft (5 m) high (visit early in the day for best light)

⓬ Wave Rock
(near Kondinin)
Shaped like a perfect wave and 50 ft (15 m) high, but solid and multicolored, with Aboriginal rock art and a wildlife sanctuary

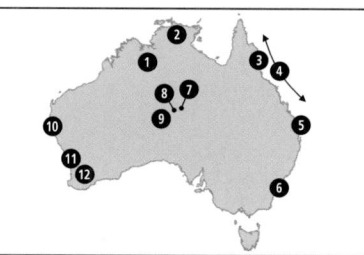

Bungle Bungles: These striped beehive mountains in the remote Kimberley Plateau region are large, weathered sandstone, and conglomerate domes, set amid stunning gorges and pools.

Activities

Scuba dive at the **Great Barrier Reef**	Lollop through the desert near **Alice Springs** on a camel
Learn building skills from termites, whose mounds stretch 1,000 miles (1,600 km) south from Darwin	Join the surfers at Sydney's **Bondi Beach**
	See an opera at **Sydney Opera House**
Have a laugh at the **Henley-on-Todd Regatta,** as men race bottomless boats along a dry river deep in the Outback	Sunbathe on **Cable Beach**, Australia, by the crystal waters of the Indian Ocean

172
172
194

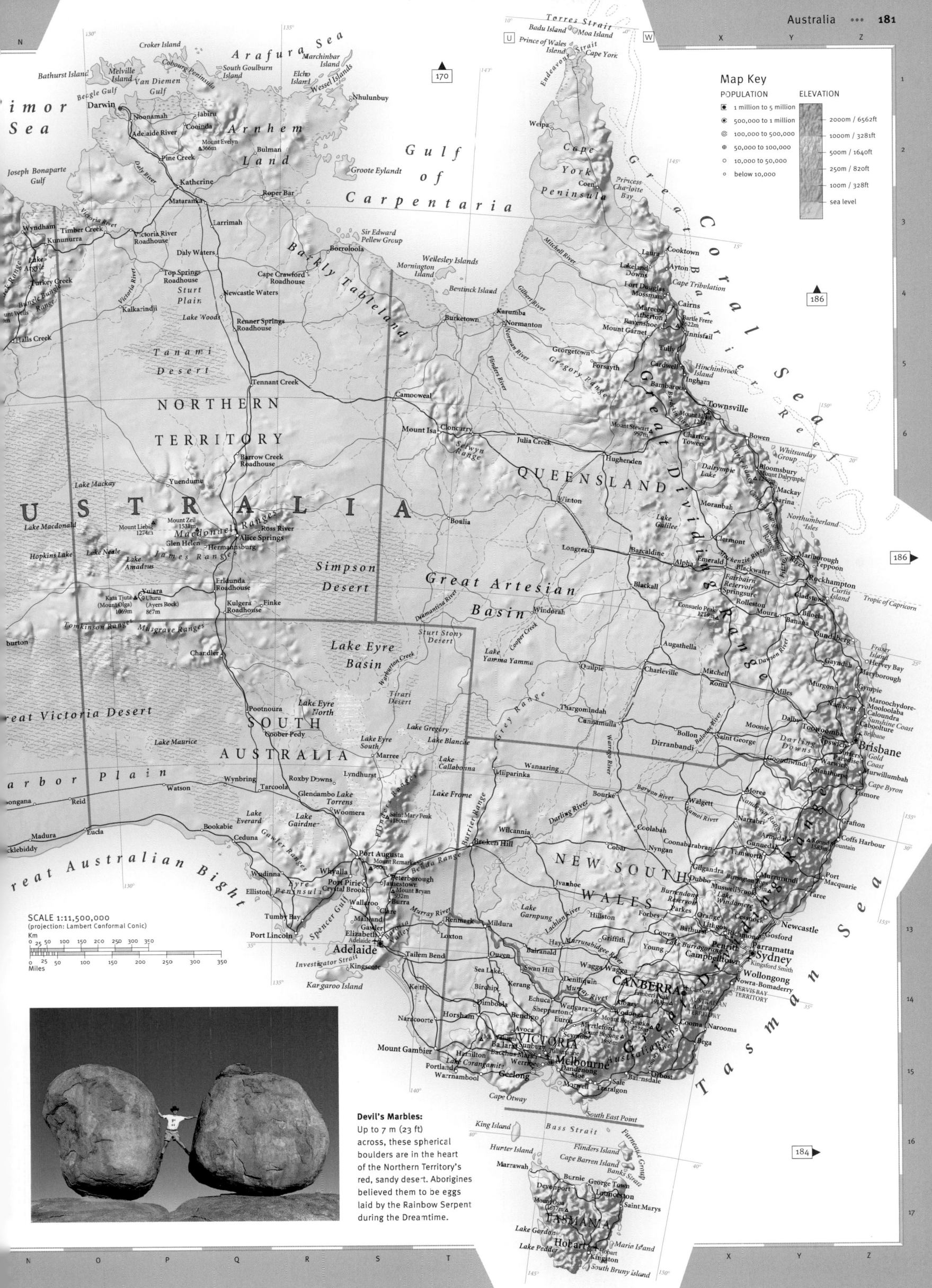

Devil's Marbles:
Up to 7 m (23 ft) across, these spherical boulders are in the heart of the Northern Territory's red, sandy desert. Aborigines believed them to be eggs laid by the Rainbow Serpent during the Dreamtime.

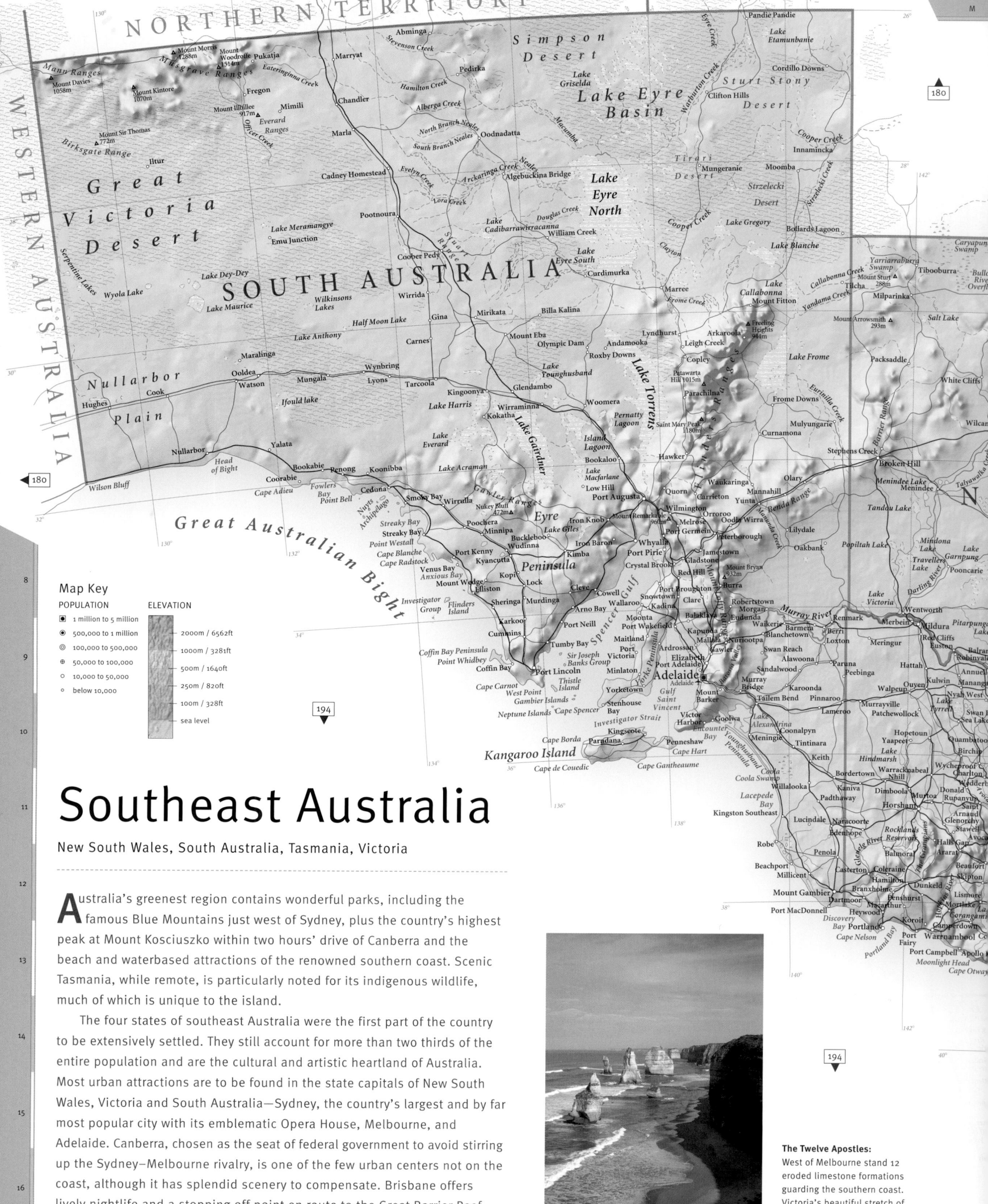

Southeast Australia

New South Wales, South Australia, Tasmania, Victoria

Australia's greenest region contains wonderful parks, including the famous Blue Mountains just west of Sydney, plus the country's highest peak at Mount Kosciuszko within two hours' drive of Canberra and the beach and waterbased attractions of the renowned southern coast. Scenic Tasmania, while remote, is particularly noted for its indigenous wildlife, much of which is unique to the island.

The four states of southeast Australia were the first part of the country to be extensively settled. They still account for more than two thirds of the entire population and are the cultural and artistic heartland of Australia. Most urban attractions are to be found in the state capitals of New South Wales, Victoria and South Australia—Sydney, the country's largest and by far most popular city with its emblematic Opera House, Melbourne, and Adelaide. Canberra, chosen as the seat of federal government to avoid stirring up the Sydney–Melbourne rivalry, is one of the few urban centers not on the coast, although it has splendid scenery to compensate. Brisbane offers lively nightlife and a stopping off point en route to the Great Barrier Reef. Typically modern, wellplanned and clean, these cities—with the exception of Sydney—are viewed by many visitors as the gateway to the surrounding natural wonders and the multitude of outdoor activities on offer in Australia.

The Twelve Apostles: West of Melbourne stand 12 eroded limestone formations guarding the southern coast. Victoria's beautiful stretch of cliffs and beaches is thought by many to be Australia's finest coastline and Bells Beach holds an international surfing competition each Easter.

Map Key

POPULATION
- ▣ 1 million to 5 million
- ◉ 500,000 to 1 million
- ◎ 100,000 to 500,000
- ⊕ 50,000 to 100,000
- ○ 10,000 to 50,000
- ○ below 10,000

ELEVATION
- 2000m / 6562ft
- 1000m / 3281ft
- 500m / 1640ft
- 250m / 820ft
- 100m / 328ft
- sea level

Blessing of the Fleet, Sydney:
This annual festival held at Darling Harbour on Labour Day weekend is especially popular among Sydney's Italian community. Brightly decorated fishing boats are blessed for their life at sea and revelers dress in flamboyant fancy dress.

SCALE 1:6,000,000
(projection: Lambert Conformal Conic)

Activities

Sample the best of the **Hunter Valley** wineries, 60 miles (100 km) north of Sydney

Walk the **Overland Track** from Tasmania's Cradle Mountain

Watch for southern right whales at **Logans Beach**, Melbourne

Ski on **Mount Hotham**, Victoria, for some of Australia's best snow (June–September)

Take a boat ride in **Sydney's** large natural harbour

Go whitewater rafting on the **Snowy River**, east Victoria

Surf on **Sydney's** Maroubra and Narrabeen beaches

Spot eastern gray kangaroos in the **Blue Mountains**, northwest of Sydney

See the world's topclass Formula One drivers compete at the Australian Grand Prix, **Melbourne** (March)

184 ▶

Parliament House, Canberra: Opened in 1988, Australia's political headquarters has a gleaming and distinctive exterior with an Aboriginal mosaic on the forecourt and an entrance foyer of graygreen marble pillars, representing a eucalyptus forest. "Canberra" derives from the Aboriginal word for meeting place.

What to See

Sydney see pp180–181

❶ Flinders Ranges
South Australia's scenic mountain range has several species of colorful parrots among its birdlife.

❷ Adelaide
Conservative and relaxed city, with lots of green parkland and naturally enclosed by sea and mountains.

❸ Kangaroo Island
Australia's third largest island has kangaroos, koalas, wallabies, and fairy penguins, as well as fascinating scenery, such as the bizarre Remarkable Rocks.

❹ The Twelve Apostles
(near Port Campbell) Huge stone pillars lying a short way from the cliffs on the awe inspiring Great Ocean Road heading west from Melbourne

❺ Goldfields Tourist Route
From Ballarat, this takes in the 19th century gold rush centers, including the reconstructed mining town Sovereign Hill and its fascinating Gold Museum

❻ Melbourne
Australia's clean and modern second city abounds with startling architecture. However, to understand its roots visit the old gaol and penal museum

❼ Cradle Mountain
Tasmania's best known national park is a feast of spectacular mountain peaks, gorges, and lakes, great for seeing wildlife and for easily accessible hiking, centered around Mount Ossa

❽ Snowy Mountains
Dramatic mountains, popular for skiing in the winter, hiking in summer, and noted for the range of wild flowers and the highest peak, Mount Kosciuszko

❾ Canberra
Australia's compromise choice capital, between rivals Sydney and Melbourne, is a product of the 20th century, with a carefully planned, immaculate center around an artificial lake

❿ Blue Mountains
Named for the blue haze of oil given off by eucalyptus trees, the magnificent bushwalks, gorges, and cliffs are a good place to ride and to see wildlife such as eastern gray kangaroos

⓫ Bondi Beach
A crescent shaped beach of golden sand, a mecca for sunseekers and surfers in search of the perfect wave. Or try inline skating on the promenade past the trendy seafront cafés

⓬ Brisbane
Scenic Queensland city built on a meandering river, known for its lively nightlife, fine squares, skyscrapers, and bridges

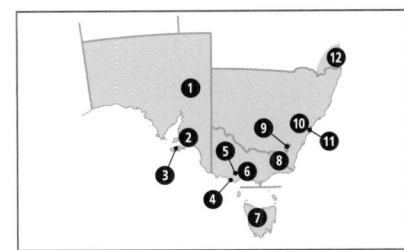

New Zealand

A country for the open air enthusiast, from the endless beaches of the subtropical north to the rocky inlets of Fiordland in the far southwest, New Zealand can also inspire its visitors with the unforgettable sight of great whales offshore, introduce them to its unique flightless birds and other unusual wildlife, and leave them pondering the place of the indigenous Maori people and their particular cultural heritage in its contemporary society.

Auckland, the largest city, has a lively atmosphere and a modern feel, as does the capital, Wellington, both on the volcanic North Island, whose extensive thermal activity is best seen at Rotorua. By contrast the country's strong historic ties with Britain are more in evidence in Christchurch and quieter Dunedin on South Island, which is dominated by the great glaciers of the Southern Alps.

Despite its small population, New Zealand is a sporting force to be reckoned with. The national rugby union team, the All Blacks, is renowned worldwide. Cricket is played during the summer months coinciding with the main tourist season, so visitors can plan an itinerary that takes in an international match. Those who prefer more instant thrills head instead for the Queenstown area in the Southern Alps, famed for its hairraising bungee jumps, tandem skydiving, whitewater rafting and the New Zealand specialty of jetboating, which involves racing at breakneck speeds down river gorges.

Activities

Search for traces of the *Lord of the Rings* movie trilogy—made on location here

Boogie board down the steep dunes of **Ninety Mile Beach**, tip of North Island

Hike the **Tongariro Crossing**, near Lake Taupo, over volcanic terrain, and past hot springs and craters

Experience the ethereal light of the glowworms in **Waitomo Caves**, North Island—the blackwater rafting is optional

Watch the All Blacks play rugby in **Auckland**, starting each match with their intimidating traditional song and dance—the *haka*

Marvel at enormous sperm whales resting between dives at **Kaikoura**, South Island

Hike the **Routeburn Track** 20 miles (33 km) through valleys rich in wildlife and waterfalls—Lake Wakatipu, South Island

Bungee jump 450 ft (134 m) at **Nevis Highwire Bungee**, near Queenstown

Maori Meeting House, Waitangi: The meeting house, decorated with characteristic Maori wall carvings, was erected in the Waitangi Treaty Grounds in 1940. This marked the centenary of the agreement central to Maori rights campaigns today, whereby the British established their sovereignty in exchange for a promise to respect Maori land ownership.

SCALE 1:3,000,000
(projection: Lambert Conformal Conic)

Map Key

POPULATION

- ◉ 500,000 to 1 million
- ⊕ 100,000 to 500,000
- ⊙ 50,000 to 100,000
- ○ 10,000 to 50,000
- ∘ below 10,000

ELEVATION

- 3000m / 9843ft
- 2000m / 6562ft
- 1000m / 3281ft
- 500m / 1640ft
- 250m / 820ft
- 100m / 328ft
- sea level

Lake Pearson: This beautiful lake on the spectacular Arthur's Pass Road across the Southern Alps is known for mirrorlike reflections and good trout fishing.

Jetboating, Waikato River:
New Zealand's newest thrill is shown here on the rapids of North Island's Waikato River. Jetboats speed past native bush and hot springs at 50 mph (80 km/h) to reach the impressive Huka Falls.

What to See

1 Bay of Islands
A popular holiday destination since the 1930s where visitors can now go deepsea fishing, swim with the dolphins, and take a leisure cruise

2 Auckland
Thriving cultural centre known as "the City of Sails," which claims to have more pleasure boats per capita than any other city in the world

3 Coromandel Forest Park
An idyllic park with wellmaintained paths and picnic areas

4 Hot Water Beach
(near Whitianga)
Dig your own thermal spa at Hahei's beach, and visit the nearby cavern, Cathedral Cove

5 White Island
A sulphurous lunar landscape, dominated by the steaming crater of this active volcano

6 Rotorua
Geysers, beautifully colored thermal pools, and bubbling mud abound in several parks

7 Tamaki Maori Village (near Rotorua)
A fierce Maori "warrior" greets visitors to this replica pre-European village. You can learn about Maori traditions, listen to myths and legends, and sample a *hangi* cooked on hot rocks under the ground

8 Wellington
With culture, museums, parliament buildings, punting and picturesque small river might be mistaken for Cambridge and a beautiful harbor, the "Windy City" is the capital and center of the country's "Wellywood" movie industry

9 Abel Tasman National Park
(near Takaka) There is a beautiful coastal luck, excellent sea kayaking, and the opportunity to spot penguins, seals, and dolphins in this fascinating national park

10 Westland National Park
This magnificent park covers sixty glaciers, including Franz Josef and Fox, as well as New Zealand's highest mountains, Cook and Tasman, plus Lake Matheson

11 Christchurch
Modeled on 19th century English towns, its buildings, colleges,

12 Milford Sound
Fabulous fiord with dramatic steep sides, interesting geological features and the famous Milford Track, a 34 mile (55 km) hike

13 Queenstown
Wedged in between craggy mountains and the deep blue Lake Wakatipu, this adventure sports capital is noted for bungee jumping, whitewater rafting, and jetboating

14 Dunedin
The "Edinburgh of the South" is packed with Gothic Revival buildings and shares street and suburb names with the Scottish city. Nearby, on the Otago Peninsula, is the Royal Albatross Centre at Taiaroa Head, with the world's only mainland colony of these superb birds

15 Catlin's Coast
South Island's scenic wonderland of fossilized trees, secret caves, high cliffs, and two of the country's best waterfalls

16 Stewart Island
Attractive scenic area in the far south, with the best place for kiwi spotting—Ocean Beach. The birds gather to feed as dusk closes in

Melanesia

Papua New Guinea, Fiji, Solomon Islands, Vanuatu, *New Caledonia* (to France)

The differing, vibrant cultures and traditional village way of life make each island in Melanesia a unique experience for the visitor. With landscape ranging from tropical rainforests to sandy beaches, black volcanic rock formations, coral reefs, and cave networks, the region is brimming with the sights and sounds of abundant vegetation and wildlife.

On the front line of the Pacific conflict during World War II, many islands have reminders of the carnage—wrecks of ships lie abandoned at the bottom of bays and crashed aeroplanes rust amid the rainforests.

Tribal traditions are still alive throughout the region and locals celebrate many colorful ceremonies and gatherings—from Fiji's firewalking to New Ireland's sharkcalling. Many areas of Melanesia are relatively undeveloped for tourism and as a result offer an attractive combination of seclusion and genuine friendliness from locals.

Activities

Hike to the wreck at **Loloata**, near Port Moresby, one of the region's numerous crashed World War II planes

Savor **New Caledonia's** traditional *bougna*—a festival dish of yam, taro, and lobster baked in banana leaves

Whale watch off **Fiji** or **New Caledonia**, July–September

Mingle with thousands of painted warriors at the annual tribal gathering in **Goroka**, Papua New Guinea

Listen to Fijian serenades while sipping cocktails on the evening sugar train to **Sigatoka**

Get hitched in paradise. Many island resorts in **Vanuatu** specialize in wedding and honeymoon packages

Keep dry and see the vividly colored fish, shark, and phosphoric coral in **Nouméa's** renowned aquarium

Spirit House (*Haus Tambaran*) in Tungimbit, Papua New Guinea: Spirit houses—where the initiated men of the tribe gather—are the focal point of villages throughout Papua New Guinea. The houses are decorated inside and out with high quality woodcarving and masks representing the tribe's ancestors are mounted in the roof beams.

Map Key

POPULATION

◎ 100,000 to 500,000

⊕ 50,000 to 100,000

⊙ 10,000 to 50,000

○ below 10,000

ELEVATION

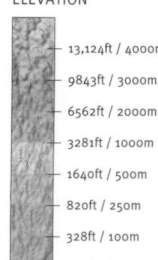

13,124ft / 4000m

9843ft / 3000m

6562ft / 2000m

3281ft / 1000m

1640ft / 500m

820ft / 250m

328ft / 100m

sea level

Huli Wigmen of Tari Valley, Papua New Guinea: One of the many tribes that inhabit secluded and remote valleys, seen here at the Sing Sing day in Sogeri in the jungle highlands near Port Moresby. Tribes from the surrounding areas come together, dressed in full, brightly colored tribal costume for this annual competition of song and dance.

What to See

❶ Sepik River
Cuts through the heart of dense jungle, rich in varied birdlife, and lined with villages where traditional crafts flourish

❷ Mendi Valley
Cave paintings are set in a dramatic landscape inhabited by friendly tribes in lavish costume

❸ Mount Wilhelm
Papua New Guinea's highest peak is the focus of several challenging guided hiking tours

❹ Ohu Butterfly Farm
(near Madang) Rare and exquisite butterflies flutter through verdant mountainside rainforest with magnificent views

❺ Milne Bay
This site of a decisive World War II battle is ideal for snorkeling, fishing, and finding uninhabited islands

❻ Savo
(near Honiara) A tiny volcanic island where megapode birds lay their eggs on scorching black volcanic sand

❼ East Rennell
The world's largest raised coral atoll is a World Heritage Site with many endemic species

❽ Vanuatu
Rugged scenery with pristine beaches, hot springs, corals, and lovely lagoons

❾ Nouméa
A bustling French café atmosphere, elegant colonial buildings, and lively nightlife

❿ Blue River Provincial Park
(near Yaté) Shady forest paths lead you through a land of giant trees, swimming holes, waterfalls, and parakeets

⓫ Île des Pins
Beaches of powdered coral surround a landscape of densely forested volcanic rock and raised coral reef

⓬ Mamanuca Group
Collection of tiny holiday islands, to the west of Viti Levu. It is most famous for the minute party island of Beachcomber where you can dance by night and waterski by day

⓭ Sigatoka Valley and Dunes
(near Korolevu) Fiji's "fruit and vegetable bowl" has 3,500-year-old remains and ancient cannibal villages

⓮ Tavuni Hill
(near Korolevu) This Tongan fort features a killing stone and 200-year-old ruined temple

⓯ Nadi
Highlights are the bright, finely carved Sri Siva-Subramaniya Temple and the idyllic "Sleeping Giant" orchid gardens

⓰ Viti Levu Highlands
Traditional village life remains intact, off the beaten track, in lesser known inland Fiji

⓱ Suva
Fiji's multicultural capital with diverse religious buildings and a bustling, characterful market

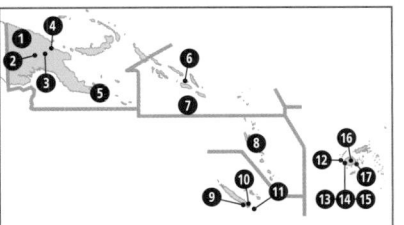

Viti Levu, Fiji: Lapped by turquoise waves, the beaches of Fiji's coral coast are covered with fine, white, powdery sand. Luxurious resorts nestle in coconut plantations and welcome tourists for a stay in a beachfront *bure*, a traditional thatched hut.

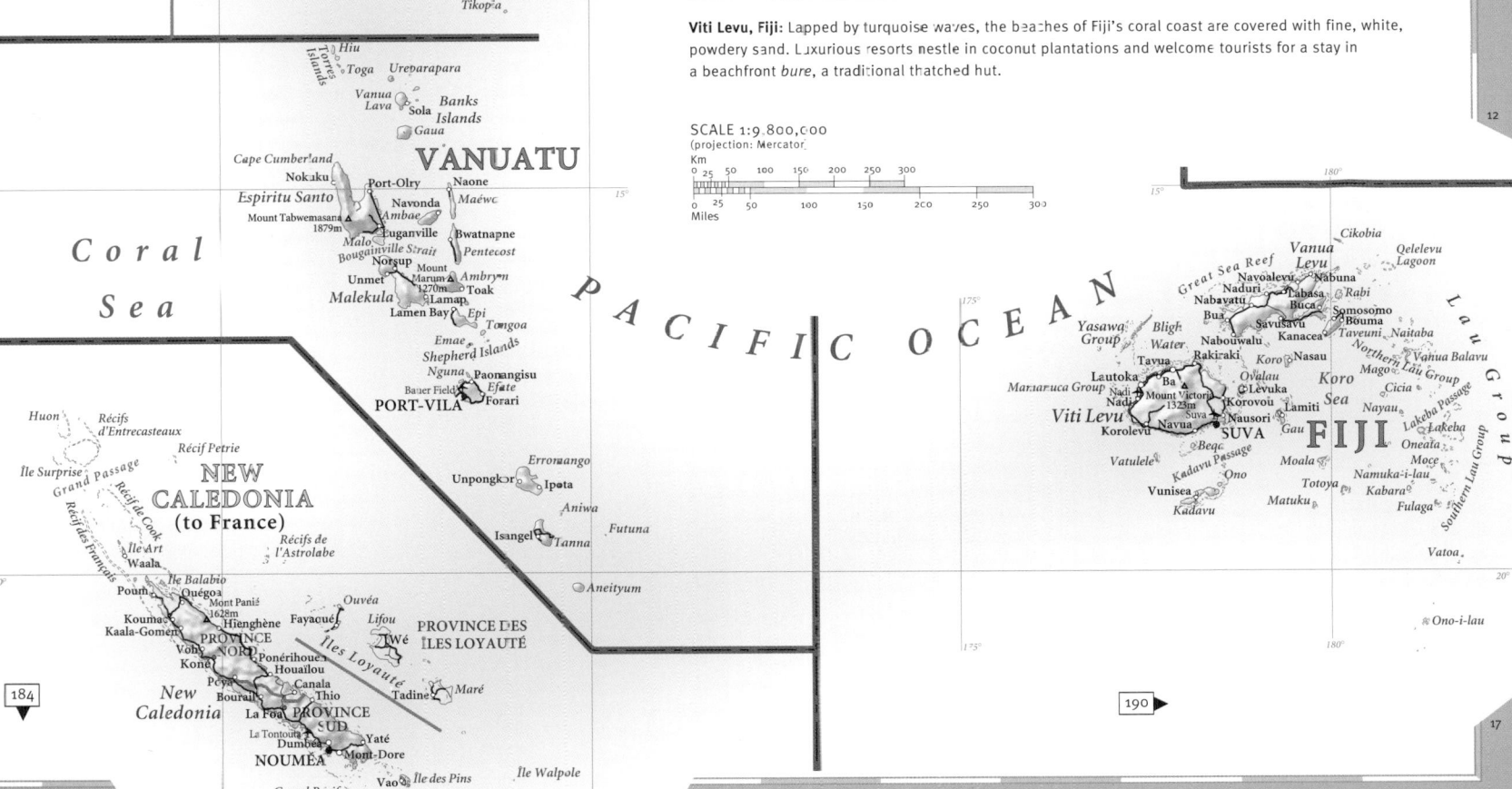

SCALE 1:9,800,000
(projection: Mercator)

Micronesia

Marshall Islands, Micronesia, Nauru, Palau,
Guam, Northern Mariana Islands, Wake Island

The Micronesian islands lie in the western reaches of the Pacific Ocean and are all part of the same volcanic zone. The Federated States of Micronesia is the largest group, with more than 600 atolls and forested volcanic islands across an area of 1,120 sq miles (2,900 sq km).

Visitors come to get away from it all on remote, unspoiled atolls and islands, with white sandy beaches, volcanic scenery, and excellent diving, enhanced by the presence of many wrecks from World War II. It is these same features—isolation and a lack of infrastructure and resources—that have led many of the region's inhabitants to emigrate, drawn to New Zealand and Australia by the prospect of a westernized lifestyle.

Palau

Babeldaob is a densely jungled, volcanic island with fine beaches and mangrove forests. Beliliou, scene of bloody Pacific War battles, has worldclass dive locations and, like the Rock Islands, an amazing variety of marine life.

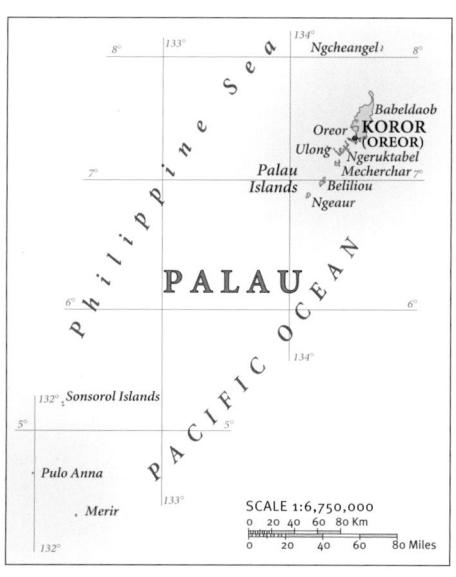

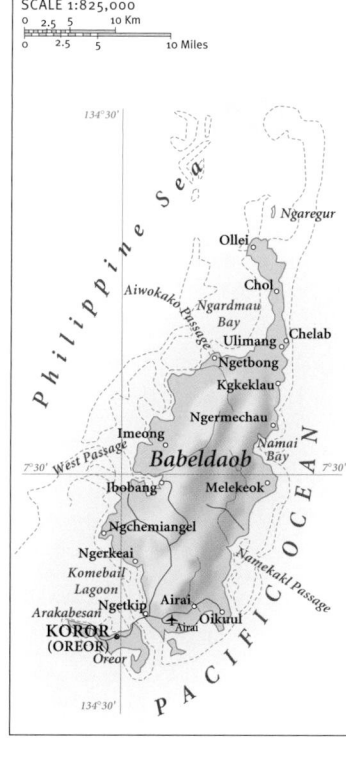

Guam (to US)

Lying at the southern end of the Mariana Islands, Guam is an important US military base and tourist destination. Social and political life is dominated by the indigenous Chamorro, who comprise just under half of the population. Hagatna, the capital, has an unusual revolving statue of Pope John Paul II on the site where he held mass in 1981. The main tourist activities are in Tumon Bay, geared towards the more expensive Japanese market and affording the opportunity at low tide to wade out to the reef. Inarajan has some of the island's richest Chamorro sights, as well as Gadao's Cave, which has ancient pictographs said to have been drawn by the mighty local chieftain, Gadao.

Northern Mariana Islands (to US)

The major center in the Northern Mariana Islands is Saipan, which still retains some charm despite the large number of tourists, and has dramatic cliffs and rocky coasts as well as beach resorts and golf courses. Nearby Tinian is more unspoiled and also more interesting, both as the

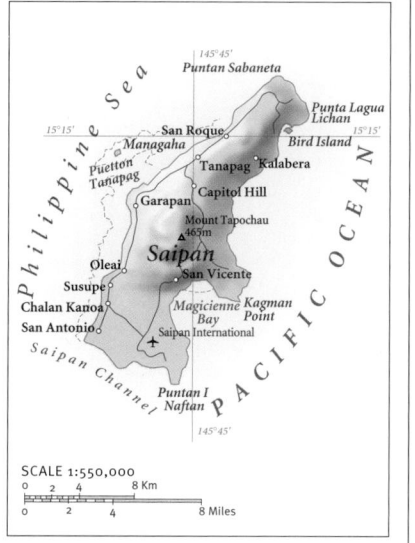

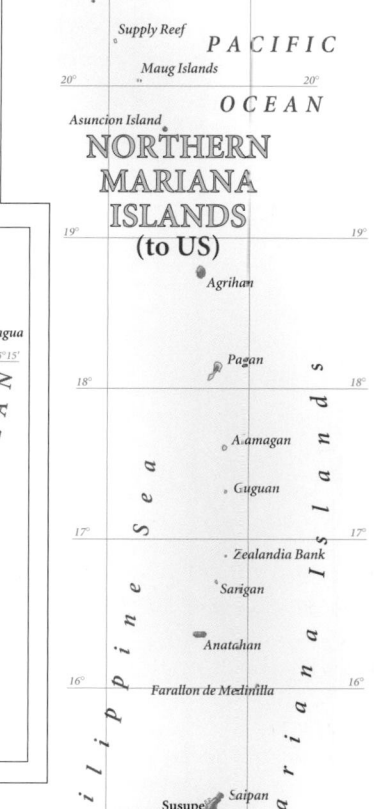

takeoff site for the plane that dropped the atomic bombs on Hiroshima and Nagasaki at the climax of World War II and for its ancient Chamorro village. The Chamorro are famous for a set of facial expressions, called "eyebrow," which virtually constitutes a language on its own.

Micronesia

Micronesia is a mixture of high volcanic islands and lowlying coral atolls that includes all the Caroline Islands except Palau. The Japanese fleet resting on the bed of the lagoon off Chuuk sank with everything on board from fighter planes to silverware—a fantastic site for serious divers to explore. Kosrae is a volcanic jewel of untouched rainforests and beautiful reefs, plus the 14th century ruins of a royal city on the islet of Lelu. Pohnpei is another paradise with the ancient stone city of Nan Madol, while Yap remains one of the most traditional islands, with centuries-old stone footpaths and rolling countryside.

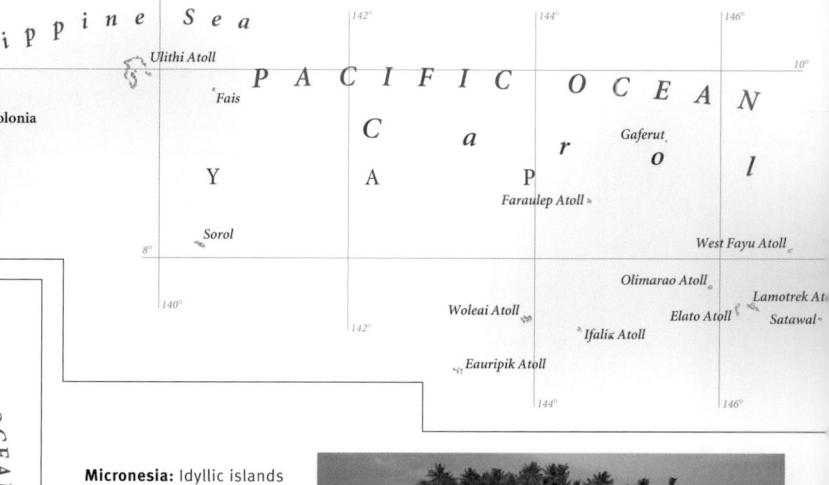

Micronesia: Idyllic islands with sandy beaches are surrounded by coral reefs, colorful tropical fish, and endangered green turtles.

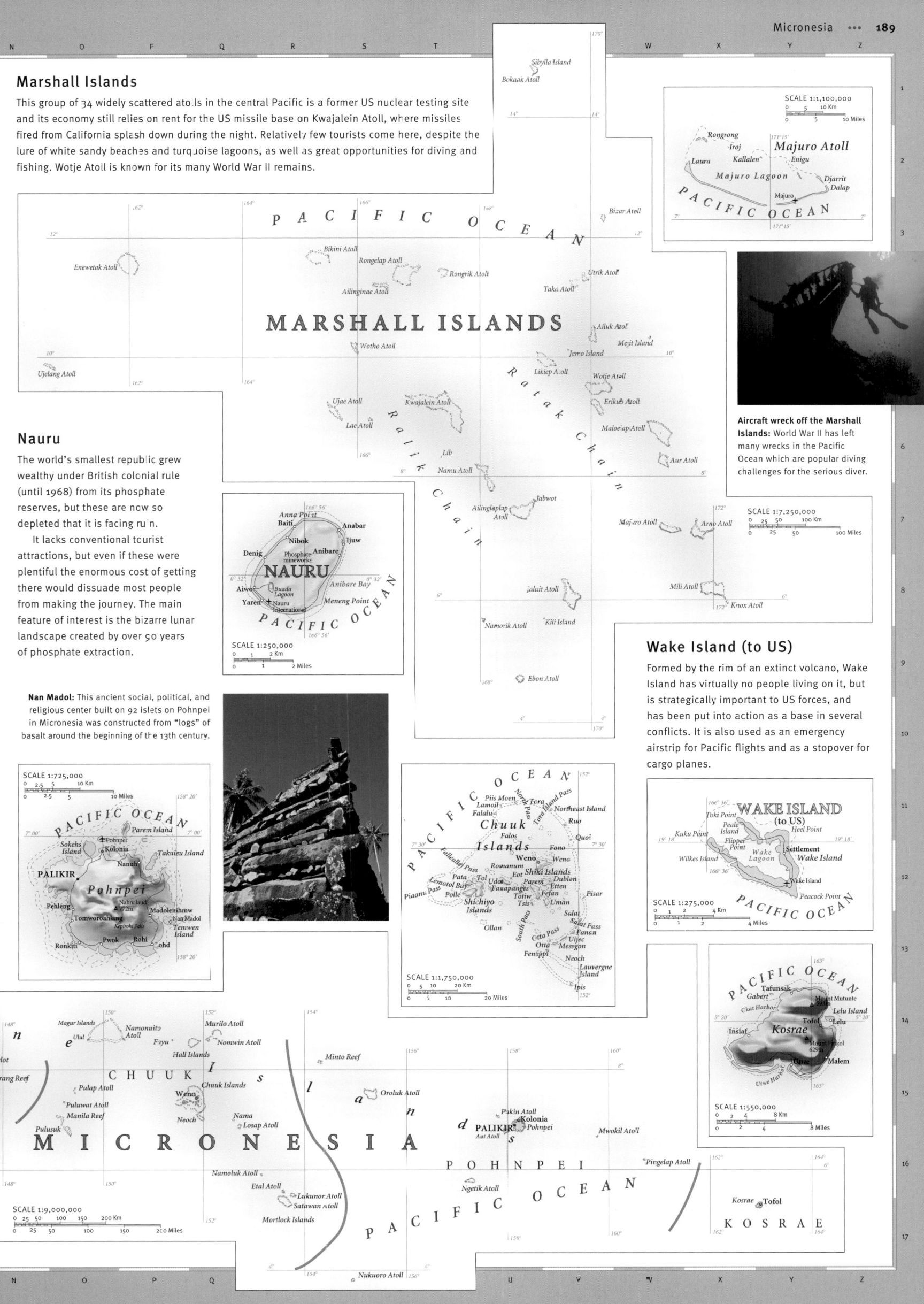

Marshall Islands

This group of 34 widely scattered atolls in the central Pacific is a former US nuclear testing site and its economy still relies on rent for the US missile base on Kwajalein Atoll, where missiles fired from California splash down during the night. Relatively few tourists come here, despite the lure of white sandy beaches and turquoise lagoons, as well as great opportunities for diving and fishing. Wotje Atoll is known for its many World War II remains.

Nauru

The world's smallest republic grew wealthy under British colonial rule (until 1968) from its phosphate reserves, but these are now so depleted that it is facing ruin.

It lacks conventional tourist attractions, but even if these were plentiful the enormous cost of getting there would dissuade most people from making the journey. The main feature of interest is the bizarre lunar landscape created by over 50 years of phosphate extraction.

Aircraft wreck off the Marshall Islands: World War II has left many wrecks in the Pacific Ocean which are popular diving challenges for the serious diver.

Nan Madol: This ancient social, political, and religious center built on 92 islets on Pohnpei in Micronesia was constructed from "logs" of basalt around the beginning of the 13th century.

Wake Island (to US)

Formed by the rim of an extinct volcano, Wake Island has virtually no people living on it, but is strategically important to US forces, and has been put into action as a base in several conflicts. It is also used as an emergency airstrip for Pacific flights and as a stopover for cargo planes.

Polynesia

Kiribati, Tuvalu, Cook Islands, Easter Island, French Polynesia, Niue,
Pitcairn Islands, Tokelau, Wallis & Futuna

Beautiful lagoons, excellent diving around coral reefs, and perfect beaches
are the most evident attractions of the Polynesian islands. Scattered over
a vast area in the south Pacific, some are lowlying coral atolls, often enclosing
their own lagoons, whereas others are the upper parts of great volcanoes rising
from the ocean floor, providing a backdrop of dramatic scenery as the terrain
soars to conical volcanic peaks. French Polynesia, the Cook Islands, and Easter
Island—with its huge and mysterious carved figures—are the main tourist
destinations. Many of the other island groups receive very few visitors indeed.

Tuvalu

One of the world's smallest
states, it will be the first
country to disappear if global
warming causes sea levels to
rise. Particularly beautiful from
the air, Funafuti Atoll has a
fine lagoon and a conservation
area for manta rays, dolphins,
and green turtles.

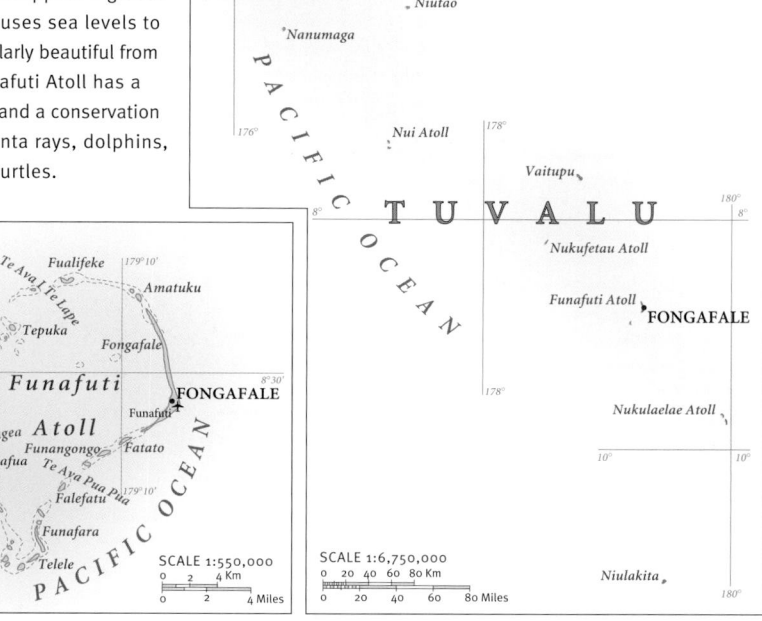

Kiribati

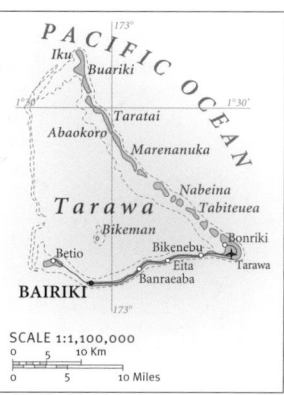

Pronounced "keer-ee-bus," this former
British colony became independent in
1979. The islands spread over thousands
of miles—the easternmost point, on
Millennium Island, is the first place on
earth to welcome the new year. Superb
beaches, World War II wrecks, and good
diving characterize the islands.

Tokelau (to NZ)

These three lowlying atolls have
an area under 5 sq miles
(12 sq km) and a mere 500
people each. Fortnightly cargo
ships from Samoa take more
than a day to make the journey.
Life is lived at an incredibly
slow pace as there is virtually
nothing to do, other than relax,
dive in the lagoons and play
kilikiti, the popular local
version of cricket.

Polynesian dancing: With no written language,
dances were used to preserve stories and rituals,
accompanied by music and chanting inspired by
the sounds of the ocean, wind, and rain.

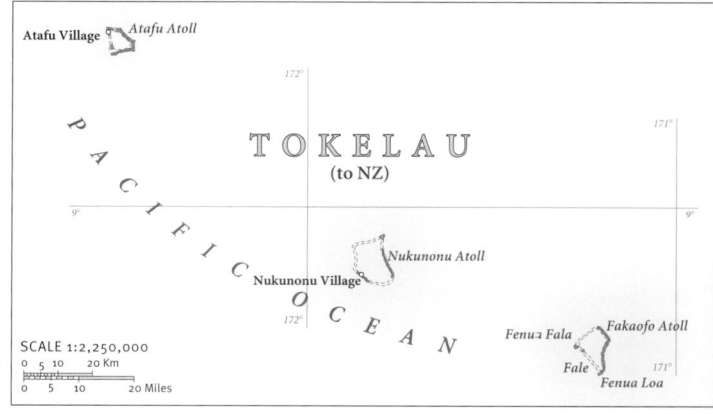

Wallis & Futuna (to France)

Surrounded by a lagoon, Wallis has
a perfectly circular crater lake,
Lalolalo, and the remains of a 15th
century Tongan settlement. Futuna,
145 miles (230 km) away, has no
lagoon and cultural links to Samoa
rather than Tonga, with nice churches
and the beautiful Alofi beaches.

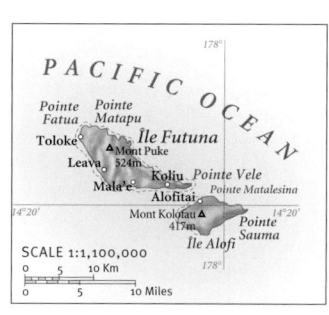

Cook Islands (to NZ)

In this mix of coral atolls and volcanic peaks, Rarotonga is
best at catering for tourists and provides regular displays
of Polynesian dancing. It has a rugged, untouched center
and clean, white beaches surrounded by clear, shallow
lagoons where the snorkeling is hard to beat.

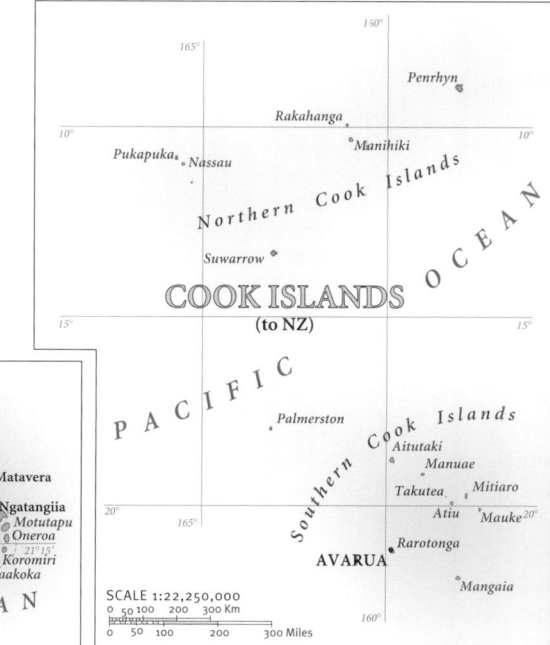

Niue (to NZ)

Niue is the world's largest
coral island. Its coast and forests
provide fine walking, including the
chance to explore some dramatic
caves and chasms. There is also
excellent diving and snorkeling.

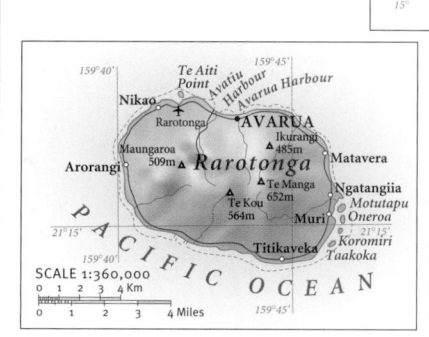

Aitutaki Lagoon, Cook Islands: Often
described as the pearl of the Pacific,
Aitutaki is an idyll of white sand,
sparkling turquoise waters and tropical
coconut palms. The first European to
discover it was Captain Bligh just before
the infamous mutiny on *HMS Bounty*.

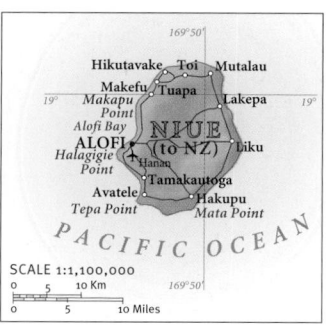

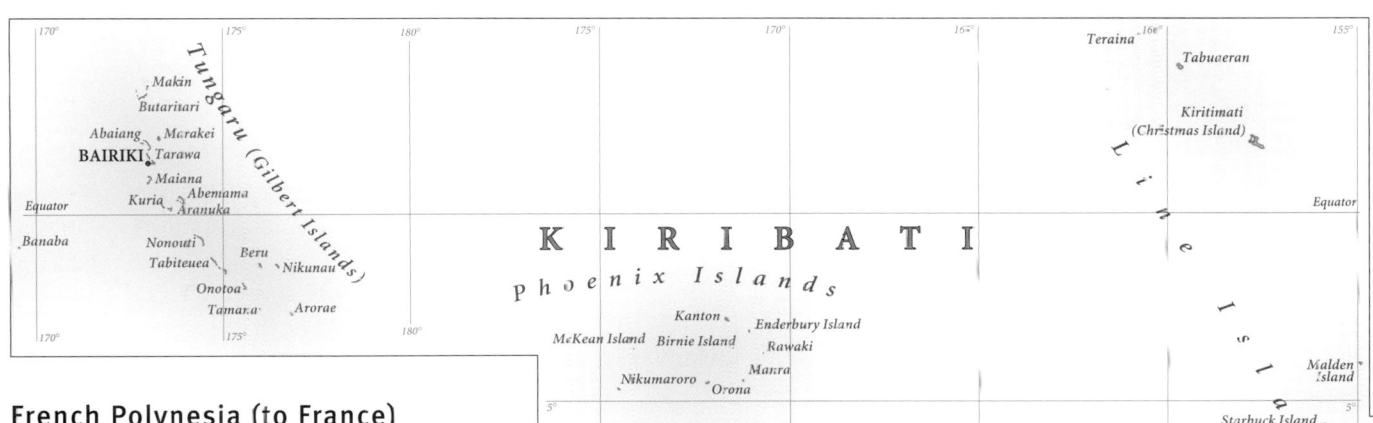

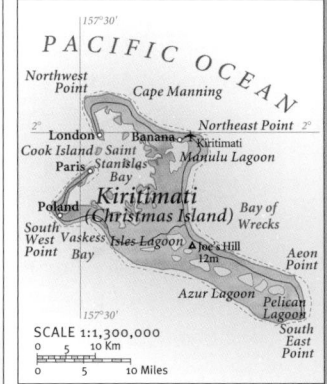

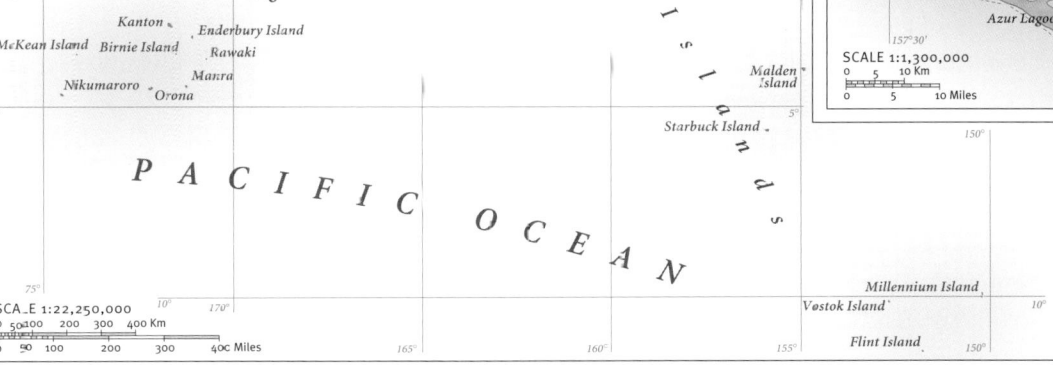

French Polynesia (to France)

Of the 130 islands spread over a vast area of ocean, Tahiti is the best known, originally popularized by Paul Gauguin's paintings. The lowlying coral island of Rangiroa has wooden huts standing on stilts in the lagoon, while the Marquesas Islands (Îles Marquises) are noted for *tiki* statues. Norwegian explorer Thor Heyerdahl lived on Fatu Hiva for eight months.

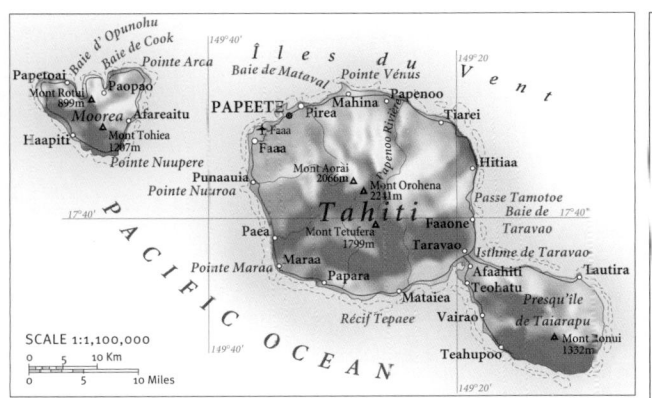

Bora Bora, French Polynesia: Towering peaks of black rock covered in lush forest surround the brilliant turquoise lagoon, popular for windsurfing, jetskiing, swimming, and scuba diving to the coral reef.

Pitcairn Islands (to UK)

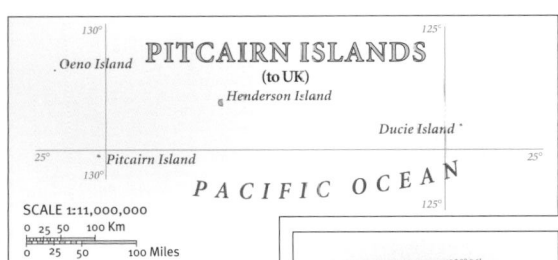

Mutineers from *HMS Bounty* landed in 1790 on these green islands—now home to barely 50 people. Attractions include lovely lagoons and Polynesian rock art. Henderson Island is formed from coral uplifted by volcanoes. It has an untouched landscape and rare birdlife.

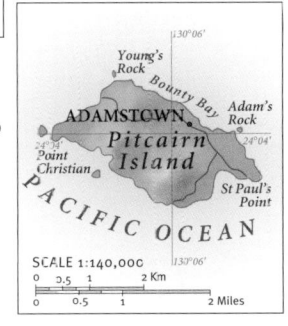

Easter Island (to Chile)

This remote place, 1,200 miles (1,900 km) from the next inhabited island and almost twice that far from Chile, is a big tourist destination due to its world famous *maui* statues, up to 34 ft (10 m) high, erected some 400 to 900 years ago. Visitors can see the stone quarries, ponder why so many *maui* have been left face forward to the ground, and attempt to decipher the hieroglyphic script that developed here.

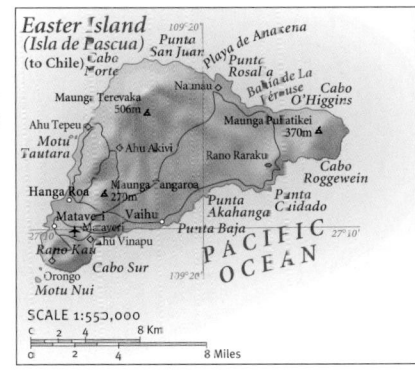

Ahu Tongariki, Easter Island: The *maui* statues in this row near Rano Raraku volcano are the largest on the island.

Pacific Ocean

The Pacific is the world's largest and deepest ocean, circled by active tectonic plate boundaries known as the "Ring of Fire." It surrounds islands and coral atolls whose remoteness has left them with unique wildlife and untouched landscapes. Major tourist destinations include the most volcanic islands on earth, in Hawai'i, the Galapagos Islands with the endemic wildlife that inspired Charles Darwin, and Easter Island with its inscrutable stone statues. Elsewhere, exotic coral reefs and World War II wrecks are ideal for diving enthusiasts, while idyllic white sandy beaches and traditional cultures provide a great getaway from the modern world.

Activities

Arrive in Samoa before you left Australia, by flying over the **international dateline**

Slither down the 16 ft (5 m) **Papasee'a Sliding Rock** into the pool below, in Samoa

Go snorkeling at **Palolo Deep National Marine Reserve**, in Samoa

Soak up the *fa'a Samoa*, the traditional way of life that gives these islands their distinct culture

Scan the ocean for whales, sharks and turtles at **Hufangalupe**, on the island of Tongatapu

Inset Map Key

POPULATION

○ below 10,000

ELEVATION

- 1000m / 3281ft
- 500m / 164oft
- 250m / 82oft
- 100m / 328ft
- sea level

Ocean Map Key

SEA DEPTH

- sea level
- 250m / 82oft
- 500m / 164oft
- 1000m / 3281ft
- 2000m / 6562ft
- 3000m / 9843ft
- 5000m / 16,410ft

What to See – Samoa

❶ Falealupo Peninsula
Beautiful rainforest reserve set beside delightful beaches, with a canopy walkway

❷ Lava Field
(near Fagamalo)
Moonscape created by the eruption of Mount Matavanu in 1905–1911. It is an amateur geologist's dream to see all the formations

❸ Pulemelei Mound
(near Satupaiteau) This step pyramid is Polynesia's largest ancient structure and a mystery to this day. It is set in jungle near the Olemoe Falls

❹ Alofaaga Blowholes
(near Taga)
See a coconut tossed 200 ft (60 m) in the air by these blowholes

❺ Robert Louis Stevenson Museum
(in Apia) The writer spent his last years in Villa Vailima and is buried on top of nearby Mount Vaea

❻ Manua Islands
Deep valleys, dramatic soaring cliffs, and exotic flora and fauna in one of the world's most scenic places

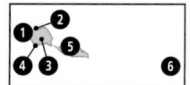

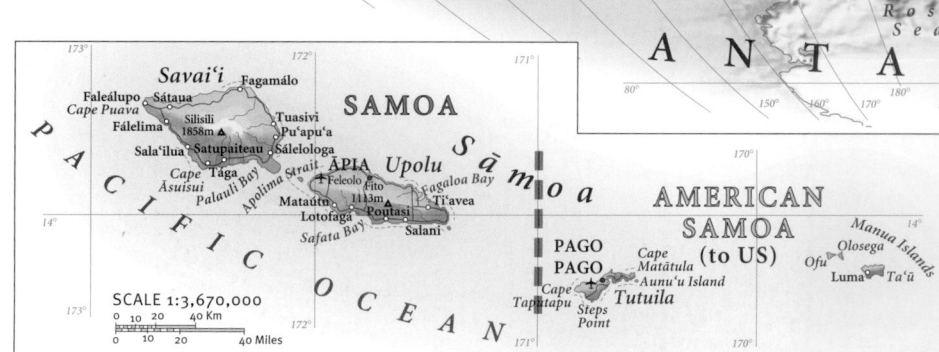

SCALE 1:3,670,000

0   10   20   40 Km

0   10   20   40 Miles

N O P Q R S T U V W X Y Z

Taga, Samoa: These famous blowholes are on the beautiful northwestern coastline of Savai'i, which comprises secluded cove beaches, rocky lagoons, and tidal pools. The majestic fountains of sea water are caused by the immense pressure of breaking waves being funneled through coastal lava tubes.

Map labels

UNITED STATES OF AMERICA (ALASKA)

Anchorage
Kodiak Island
Gulf of Alaska
Patton Seamount
Pratt Seamount
Welker Seamount
Queen Charlotte Islands
Gilbert Seamount
Comstock Seamount
Vancouver Island
Endeavour Seamount
Cascadia Basin

NORTH AMERICA

CANADA

Vancouver
Seattle
Columbia

Tufts Plain

Mendocino Fracture Zone

San Francisco

Murray Fracture Zone

Moonless Mountains

Channel Islands
Long Beach
Guadalupe (to Mexico)

Molokai Fracture Zone

Honolulu
Hawai'i

Hawaiian Trough

Clarion Fracture Zone

UNITED STATES OF AMERICA

MEXICO

Puerto Vallarta

Gulf of Mexico

Tropic of Cancer

Revillagigedo Islands (to Mexico)

Clipperton Island (to France)

Middle America Rise

Caribbean Sea

BELIZE
GUATEMALA HONDURAS
Puerto
San José
EL SALVADOR
NICARAGUA
Corinto
COSTA RICA
Caldera
PANAMA
Panama City

Guatemala Basin

Clipperton Fracture Zone

COLOMBIA
Buenaventura
Tumaco
Esmeraldas

Colón Ridge

Isla San Cristóbal

Carnegie Ridge

ECUADOR
Guayaquil

Galapagos Fracture Zone

Isla Isabela
Galápagos Islands (to Ecuador)

Paita

Gallego Rise

PACIFIC

Marquesas Islands
Nuku Hiva
Hiva Oa

Marquesas Fracture Zone

Bauer Basin

Peru Basin

PERU
Callao

Tuamotu Fracture Zone

Tiki Basin

Galapagos Rise

Menard Fracture Zone

Nazca Ridge

Peru-Chile Trench

Kiritimati

Millennium Island
Penrhyn
Vostok Island
Flint Island
Rangiroa
Tuamotu Islands
Bora-Bora
Tahiti
Raiatea
Society Islands

East Pacific Rise

Yupanqui Basin

Tuamotu Islands

Austral Fracture Zone

Sala y Gomez (to Chile)
Islas de los Desventurados
Río Chile
Isla San Ambrosio
Isla San Félix

Chile

Antofagasta

Tropic of Capricorn

SOUTH AMERICA

French Polynesia (to France)

Iles Gambier
President Thiers Seamount
Rapa

Les Australes

Henderson Island
Ducie Island
Pitcairn Island
Pitcairn Islands (to UK)

Sala y Gomez Ridge
Easter Fracture Zone

Easter Island (to Chile)

Roggeveen Basin

Nazca Ridge

Basin

Valparaíso

West Pacific Basin

Challenger Fracture Zone

Islas Juan Fernández (to Chile)
Isla Alejandro Selkirk
Isla Robinson Crusoe

CHILE

Talcahuano

Agassiz Fracture Zone

Chile Rise

Mocha Fracture Zone

Menard Fracture Zone

Mornington Abyssal Plain

Guafo Fracture Zone

Punta Arenas

Eltanin Fracture Zone

Udintsev Fracture Zone

Southeast Pacific Basin

Bellingshausen Plain

Drake Passage

Antarctic Circle

Southern Ocean

Amundsen Plain

Marie Byrd Seamount
Peter I Island (to Norway)
Bellingshausen Sea

De Gerlache Seamounts

Amundsen Sea

ANTARCTICA

SCALE 1:67,500,000
(projection: Mollweide)
Km
0 200 400 600 800 1000
0 200 400 600 800 1000
Miles

Humpback whale calf, Tonga: In June these graceful mammals leave their summer feeding grounds in Antarctica and arrive in Tonga, in large numbers, to feed and give birth to their calves in the warm Pacific waters.

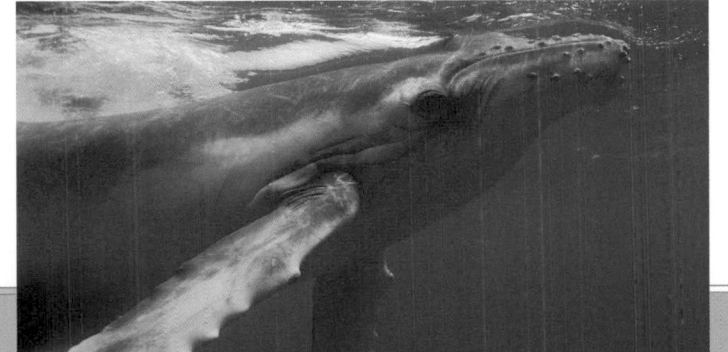

What to See – Tonga

1 Vava'u Group
This delightful island group is a popular destination for sailing, snorkeling, whale watching and lazing on the beach

2 Tofua
A constantly belching and rumbling volcano by an alluring crater lake—the landing site of Capt. Bligh of *HMS Bounty* after his crew had mutinied

3 Royal Palace
(in Nuku'alofa) Tonga has never been colonized and prides itself on its royal family. Their official residence is a white Victorian style colonial building dating from 1867

4 Lapaha Burial Sites (near Mu'a)
Royal pyramidal stone tombs and gate of Ha'amonga 'a Maui Trilithon

5 Eua
Virgin rainforests, limestone caves, and sheer cliffs

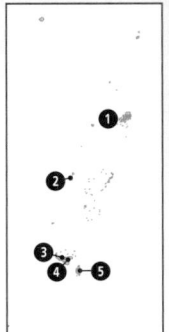

Nuku'alofa map

Maniloa
Tau
Ata
Niu 'Aunofa
Atata
Poloa
Motu Tapu
Nuku
Onevai
Fafa
Ata
Kolovai
'Eua Iki
Piha Passage
Maui
Mui
Hpohoponga
NUKU'ALOFA
Kolonga
Houma
Pea
Vaina
Mu'a
Tongatapu
'Eua'amotu
Houma Taloa
Houma
Obonua
Ha'atua
'Eua
Kalau

PACIFIC OCEAN

SCALE 1:1,230,000
0 10 20 30 40 Km
0 10 20 40 Miles

Tonga map

Niuatoputapu
Tafahi

PACIFIC OCEAN

Fonualei
Toku
'Uta Vava'u
Late
Neiafu
Vava'u Group

Tofua
Kao
Nuku
Ha'ano
Pangai
Foa
Lifuka
Ha'apai Group
Kotu Group
Uiha
Nomuka
Teleki Vavu'u
Nomuka Group
Teleki Tonga
Tønemea
Otu Tolu Group

Tongatapu Group
NUKU'ALOFA
Tongatapu
'Eua

TONGA

SCALE 1:7,400,000
0 25 50 75 100 Km
0 25 50 75 100 Miles

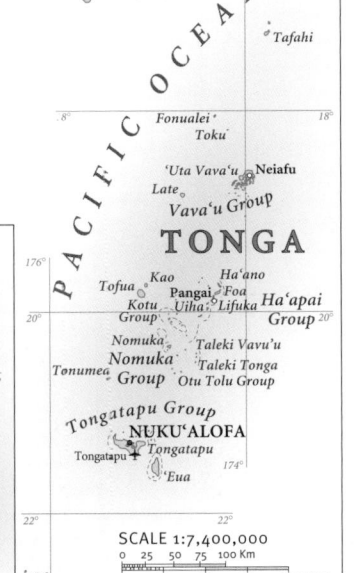

Antarctica

Antarctica is this planet's last truly untamed wilderness. Nobody lives there except for scientific research and virtually the whole continent is covered by ice, much of it over 6,500 ft (2,000 m) thick. Volcanic craters and bays form dramatic landscapes, while giant icebergs float through deep channels and may make landings impossible.

Cruises to Antarctica have become popular in recent years, for the spectacular scenery and the wildlife. Huge breeding colonies of seals and penguins make an impressive sight and visitors also have a good chance of seeing various types of whale. The scientific research stations are also fascinating to visit, performing key research about global climate and conditions. December to March is the season for short cruises, generally departing from the tip of South America for ten days or more, but a much longer period, requiring an icebreaker cruise, is needed for a true experience of the depths of this wilderness.

◄ 192

Emperor penguin rookery: The largest penguins and the only animals to winter on the Antarctic ice, emperor penguins huddle together and take turns to be on the inside of the group.

Activities

Admire the two million chinstrap penguins, on **Zavodovski Island** during a tour of the Southern Ocean

Send your postcards home with Antarctic stamps from **Port Lockroy**, Anvers Island and get your passport stamped

Camp on the ice for the essential Antarctic experience

Float in small inflatable Zodiac boats for shore excursions

Spot whales in the **Drake Passage**, off the Antarctic Peninsula

Embark on an icebreaker cruise through the pack ice

Take a dip at **Deception Island**, in the South Shetland Islands, where the freezing Antarctic waters mix with steaming thermal waters of the bay

What to See

❶ South Shetland Islands
The first point to be reached from Tierra del Fuego is a wildlife haven, noted for large penguin rookeries and seal colonies

❷ Deception Island
(in the Bransfield Strait) Horseshoe shaped, collapsed, volcanic caldera forming a safe natural harbour, despite periodic eruptions

❸ Port Lockroy
(on Anvers Island) A British naval base during World War II, reached via the dramatic Neumayer Channel

❹ Paradise Harbour
(on Foyn Coast) Popular for "Zodiac cruising" among the icebergs that calve off the glacier

❺ Lemaire Channel
(on the Loubet Coast) Enormous sheer cliffs fall straight into the sea at one of the most-visited and photogenic Antarctic channels

❻ Halley Research Station
Visit the station that discovered a hole in the ozone layer back in 1985

❼ Ross Ice Shelf
The world's largest floating ice sheet

❽ Discovery Hut
(near Scott Base) Captain Scott's 1901–04 hut from the time of his first abortive attempt to reach the South Pole is remarkably well preserved

❾ The Dry Valleys
(in Victoria Land) No snow or rain has fallen in the desolate, icefree valleys—Victoria, Wright, and Taylor—for over two million years

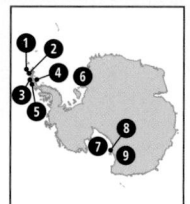

Gerlache Strait: This impressive strait on the way from Deception Island, in the South Shetland Islands, to the Lemaire Channel is noted for its deep blue ice—the deeper the blue, the less air there is trapped in it.

TERRITORIAL CLAIMS

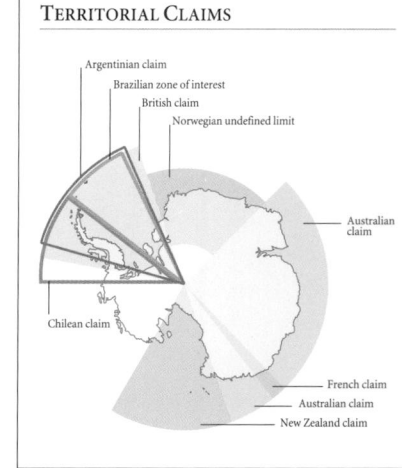

Argentinian claim
Brazilian zone of interest
British claim
Norwegian undefined limit
Chilean claim
Australian claim
French claim
Australian claim
New Zealand claim

Map Key
ELEVATION

 ice cap

 ice shelf

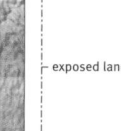 exposed land

South Orkney Islands
Laurie Island
Orcadas (to Argentina)
Coronation Island
Signy (to UK)
Clarence Island
Elephant Island
Joinville Island
Dundee Island
King George Island
General Bernardo O'Higgins (to Chile)
Esperanza (to Argentina)
Capitán Arturo Prat (to Chile)
Marambio (to Argentina)
Livingston Island
Snowhill Island
James Ross Island
Robertson Island
Brabant Island
Jason Peninsula
Anvers Island
Palmer (to US)
Churchill Peninsula
Faraday (to UK)
Larsen Ice Shelf
Cape Agassiz
Hearst Island
Ewing Island
Dolleman Island
Steele Island
Cape Bryant
Biscoe Islands
Bowman Coast
Cape Knowles
Butler Island
Cape Mackintosh
Lavoisier Island
Black Coast
Cape Deacon
Cape Mascart
San Martin (to Argentina)
Mount Jackson 3190m
Adelaide Island
Rothera (to UK)
Cape Fiske
Marguerite Bay
Douglas Range
George VI Sound
Rothschild Island
Alexander Island
Charcot Island
Wilkins Ice Shelf
Latady Island
Ronne Entrance
Spaatz Island
Case Island
Smyley Island
Rydberg Peninsula
Haag Nunataks
Rutford Ice Stream
Vinson Massif 4897m
Ellsworth Mountains
Dendtler Island
Farewell Island
Eights Coast
Dustin Island
Thurston Island
Noville Peninsula
Sherman Island
Cape Flying Fish
King Peninsula
Canisteo Peninsula
Burke Island
Bear Peninsula
Martin Peninsula
Wright Island
Mount Sidley 4181m
Executive Committee Range
Carney Island
Siple Island
Mount Siple 3100m
Grant Island
Dean Island
Russkaya (to Russian Federation)
Cape Burks
Ruppert Coast

Scotia Sea
Drake Passage
Weddell Sea
Ronne Ice Shelf
Korff Ice Rise
Henry Ice Rise
Orville Coast
Bellingshausen Sea
Ellsworth Land
Peter I Island (to Norway)
Amundsen Sea
SOUTHERN

Limit of winter pack ice
Limit of summer pack ice
Antarctic Circle
Antarctic Peninsula
Palmer Land
Graham Land
English Coast
Bryan Coast
Getz Ice Shelf
Bakutis Coast
Hobbs Coast
Walgreen Coast
Marie By

SOUTHERN OCEAN

SCALE 1:16,500,000
(projection: Lambert Azimuthal Equal Area)
Km
0 50 100 150 200 250 300 350 400 450 500
Miles
0 50 100 150 200 250 300 350 400 450 500

SOUTHERN OCEAN

Georg von Neumayer (to Germany)
Sanae (to South Africa)
Maitri (to India)
Novolazarevskaya (to Russian Federation)
Cape Norvegia
Fimbul Ice Shelf
Princess Astrid Kyst
Riiser-Larsen Sea
Kronprinsesse Märtha Kyst
Mühlig-Hofmann Mountains
Wohlthat Mountains
Prinsesse Ragnhild Kyst
Prins Harald Kyst
Riiser-Larsen Peninsula
Lützow Holmbukta
Syowa (to Japan)
Molodezhnaya (to Russian Federation)
Casey Bay
Amundsen Bay
Riiser-Larsen Ice Shelf
Borg Massif
Fimbulheimen
Dronning Maud Land
Sør Rondane Mountains
Asuka (to Japan)
Belgica Mountains
Thorshavnheiane
Kronprins Olav Kyst
Nye Mountains
Napier Mountains
Cape Batterbee
vddan Island
Maudheimvidda
Thyer Glacier
Mount Victor 2588m
Enderby Land
Mount Elkins 2300m
Dismal Mountains
Edward VIII Gulf
Law Promontory
Bruit Ice Shelf
Stancomb-Wills Glacier
Kemp Land
Hansen Mountains
Mawson Coast
Mawson (to Australia)
Halley (to UK)
Caird Coast
Gustav Bull Mountains
Coats Land
Mac. Robertson Land
Lars Christensen Coast
Luitpold Coast
Belgrano II (to Argentina)
Theron Mountains
Slessor Glacier
Mount Menzies 3355m
Prince Charles Mountains
Cape Darnley
Filchner Ice Shelf
kner and
Recovery Glacier
Lambert Glacier
Amery Ice Shelf
Gillock Island
Mackenzie Bay
Princess Elizabeth Land
Zhongshan (to China)
Prydz Bay
Davis (to Australia)
Support Force Glacier
Ingrid Christensen Coast
Pensacola Mountains
West Ice Shelf
Foundation Ice Stream
Greater
King Leopold and Queen Astrid Land
Mikhaylov Island
ANTARCTICA
Antarctica
Wilhelm II Land
Philippi Glacier
Davis Sea
Whitmore Mountains
Seelig
Amundsen-Scott (to US)
South Pole
Mirny (to Russian Federation)
Queen Mary Coast
Transantarctic Mountains
Wilhelm II Coast
Masson Island
Vostok (to Russian Federation)
South Geomagnetic Pole
Northcliffe Glacier
Denman Glacier
Shackleton Ice Shelf
Mill Island
Horlick Mountains
Watson Escarpment
Beardmore Glacier
Queen Maud Mountains
Amundsen Coast
Dufek Coast
Gould Coast
Mount Kirkpatrick 4528m
Mount Markham 4351m
Ninnod Glacier
Scott Glacier
Denman Glacier
Scott Coast
Bowman Island
tica
Land
Siple Coast
Shackleton Coast
Byrd Glacier
Mount McClintock 3492m
Tillite Coast
Wilkes Land
Knox Coast
Vincennes Bay
ockefeller Plateau
Shirase Coast
Ross Ice Shelf
Roosevelt Island
Victoria Land
Casey (to Australia)
Budd Coast
Cape Poinsett
nders Coast
Mount Lister 4026m
Cape Waldron
Sulzberger Bay
Edward VII Peninsula
Scott Base (to NZ)
McMurdo Base (to US)
Mount Erebus 3794m
Ross Island
Sabrina Coast
Banzare Coast
Dalton Iceberg Tongue
EAN
Ross Sea
Drygalski Ice Tongue
Terre Adélie
Cape Goodenough
Coulman Island
Borchgrevink Coast
George V Land
Porpoise Bay
Wilkes Coast
Oates Land
Mount Minto 4163m
Rennick Glacier
George V Coast
Adélie Coast
Cape Keltie
Cape Adare
Leningradskaya (to Russian Federation)
Cape Freshfield
Cape Gray
Dumont d'Urville (to France)
Dibble Iceberg Tongue
Cape Cheetham
Cape Hudson
Dumont d'Urville Sea
Ninnis Glacier
Mertz Glacier
Ball128 Islands
Scott Island
Antarctic Circle

Glacier in the Lemaire Channel: Noted for its trapped icebergs, it is home to minke whales, leopard seals, and penguins.

Antarctic Circle
Limit of summer pack ice

The Arctic

The Arctic Ocean spans the northern waters within the Arctic Circle between Russia, Canada, Scandinavia, and Greenland. In contrast to Antarctica, which is a largely empty continent surrounded by oceans, the Arctic regions have more variety of land and culture. The thrill of experiencing the harsh climate is increasingly drawing tourists and the ultimate challenge is a trip to the North Pole in one of the icebreaker cruise ships, an expensive journey with success far from guaranteed.

Alternatively, the huge granite cliffs of Greenland provide some of the most challenging mountaineering anywhere. However, the Arctic does not need to be so daunting and the beautiful glaciers and fjords of Greenland offer dramatic Arctic scenery that is more easily accessible. There is ample opportunity for hiking, skiing, dogsledding, and most other winter activities and cruises take people to breathtaking glacial lagoons.

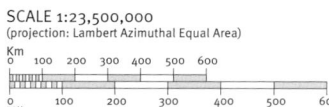

Northern Lights (aurora borealis): Streamers of colored light, caused by charged particles from the sun being attracted by the earth's magnetic field, appear in the Arctic sky throughout the year and are best seen in the early autumn and spring. Each phenomenal display lasts from a few minutes to a couple of hours.

Map Key

POPULATION
- ▣ above 5 million
- ■ 1 million to 5 million
- ◉ 500,000 to 1 million
- ◎ 100,000 to 500,000
- ⊕ 50,000 to 100,000
- ○ 10,000 to 50,000
- ○ below 10,000

SEA DEPTH
- sea level
- 250m / 82oft
- 500m / 164oft
- 1000m / 3281ft
- 2000m / 6562ft
- 3000m / 9843ft

SCALE 1:23,500,000
(projection: Lambert Azimuthal Equal Area)

Polar bear and cub: Around 30,000 polar bears roam the Arctic regions of northern Canada and Russia and the coastal areas of Greenland and Svalbard. The largest land carnivore, they hunt seals and are strong swimmers, with a thick layer of blubber to keep them warm in the freezing water.

Activities

Hike the remote **Kangerlussaq** to **Sisimiut** Trek, 105 miles (150 km) across Greenland. The low route and the more challenging high route are popular with skiers too

Freeze in the Festival of the North in **Murmansk**, Russia, (late March), where the sporting activities include reindeer races, deer-plus-ski races, and through-the-ice swimming

Visit the **North Pole** on an icebreaker tour—using a vessel specially designed to break the pack ice (either on a diesel powered ship, or the more flexible Russian nuclear powered boats)

Climb the spectacular 6,700 ft (2,012 m) granite face of **Uiluit Qaaqa**, above Tasermiut Fjord

Take a dogsledding tour or go skidooing on **Spitsbergen**, Svalbard

What to See

❶ Northeast Greenland National Park
Inhabited by muskoxen, caribou, and polar bears, this vast expanse covering nearly half of Greenland is the world's largest national park

❷ Uummannaq
Dominated by the colorful Uummannaq mountain, Greenland's sunniest spot hosts the bizarre World Ice Golf Championships each year in March—where the greens are white and the balls are bright orange

❸ Disko Bay
(Qeqertarsuup Tunua) This iceberg studded expanse of water lies on Greenland's west coast

❹ Nuuk
Capital of around 14,000 people whose National Museum became famous in 1977 for displaying eight 500-year-old mummies found frozen in a cave at Qilaqitsoq

❺ Tasermiut Fjord
Greenland's spectacular fjord with a glacier at its head and with huge granite fells on either side enjoyed by climbers

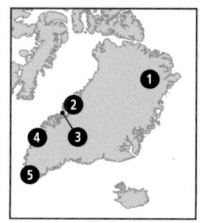

Disko Bay, Greenland: Icebergs calve from the Eqi Glacier, the most productive in the Northern Hemisphere and float into the bay, which is home to seals and the world's biggest Arctic tern colony. The town of Ilulissat, meaning "iceberg" in the Greenlandic Inuit language, is home to 4,000 people and 2,500 sled dogs.

NORTH AMERICA
CANADA

Mackenzie
Great Bear Lake
Great Slave Lake
Kugluktuk
Bathurst Inlet
Cambridge Bay
Nelson
Queen Maud Gulf
Back
King William Island
Boothia Peninsula
Churchill
Repulse Bay
Melville Peninsula
Southampton Island
Hudson Bay
Coats Island
Mansel Island
Ivujivik
Inukjuak
Foxe Basin
Prince Charles Island
Hudson Strait
Baffin Island
Lake Harbour
Ungava Bay
Cape Chidley
Davis Strait
Labrador Sea
Nain
Maniitsoq
NUUK
Paamiut
Ivittuut
Labrador Basin
Qaqortoq
Nanortalik
Nunap Isua (Kap Farvel)
Eirik Ridge
ATLAN

Kodiak Island
Gulf of Alaska
Cook Inlet
Anchorage
Kenai
UNITED STATES OF AMERICA
ALASKA
Yukon
Inuvik
Tuktoyaktuk
Cape Bathurst
Amundsen Gulf
Banks Island
Victoria Island
McClure Strait
Prince Patrick Island
Melville Island
Mackenzie King Island
Ellef Ringnes Island
Prince Gustaf Adolf Sea
intock Channel
Viscount Melville Sound
Bathurst Island
North Geomagnetic Pole
ce of Wales Island
Somerset Island
Resolute
thia
Devon Island
Lancaster Sound
Queen Elizabeth Islands
Axel Heiberg Island
Ellesmere Island
Inlet
Nares Strait
Qaanaaq
Alert
Cape Columbia
Lincoln Sea
Kap Morris Jesup
Baffin Basin
Innaanganeq
Savissivik
Qimusseriarsuaq
Kr ud Rasmussen Lana
AVANNAARSUA
Baffin Bay
Kullorsuaq
Upernavik
ertsuaq
Uummannaq
Qeqertarsuaq
ip
Qasigiannguit
iniut
RønK
rik IX Kyst
Kangerlussaq
GREENLAND (to Denmark)
Kong Christian X Land
Daneborg
Petermann Bjerg 2940m
Kong Oscar Fjord
TUNU
AA
rik VI Kyst
Kong Christian IX Land
Ittoqqortoormiit
Mont Forel 3360m
Gunnbjørn Field 3700m
Kangertittivaq
Kangikajik
JAN MAYEN (to Norway)
Ammassalik
Denmark Strait
Iceland Plateau
Reykjanes Basin
Akureyri
REYKJAVIK
Reykjanes Ridge
ICELAND
Iceland Basin
C
O C E A N
Kobuk
Bristol Bay
Alaska Peninsula
Kuskokwim Bay
Nunivak Island
Saint Matthew Island
Saint Lawrence Island
Norton Sound
Nome
Provideniya
Cape Prince of Wales
Seward Peninsula
Uelen
Bering Strait
Vankarem
Point Hope
Kotzebue Sound
Barrow
Prudhoe Bay
Beaufort Sea
Limit of winter pack ice
Bering Sea
Aleutian Basin
Mys Olyutorskiy
Anadyrskiy Zaliv
Anadyr
Arctic Circle
Chukotskiy Poluostrov
Chukchi Sea
Proliv Longa
Ostrov Vrangelya
Pevek
Ambarchik
Limit o summer pack ice
Canada Plain
Northwind Plain
Chukchi Plain
Chukchi Plateau
Canada Basin
Limit o. permanent ice cap
Mendeleyev Ridge
ARCTIC OCEAN
Makarov Basin
Alpha Cordillera
Lomonosov Ridge
North Pole
Pole Plain
Fram Basin
Nansen Cordillera
Nansen Basin
Barents Plain
SVALBARD (to Norway)
Longyearbyen
Spitsbergen
Hopen
Barents Sea
Bjørnøya
North Cape
Hammerfest
Tromsø
NORWAY
SWEDEN
FINLAND
HELSINKI
OSLO
STOCKHOLM
East Siberian Sea
Proliv Dmitriya Lapteva
Ostrov Novaya Sibir'
Novosibirskiye Ostrova
Laptev Sea
Buorkhaya Guba
Tiksi
Lena
Olenëk
Ust'-Olenëk
Khatangskiy Zaliv
Ostrov Bol'shevik
Severnaya Zemlya
Ostrov Oktyabr'skoy Revolyutsii
Ostrov Komsomolets
Proliv Vil'kitskogo
Limit of summer pack ice
Svyataya Anna Trough
Franz Josef Land
Novaya Zemlya
East Novaya Zemlya Trough
Kara Strait
Ostrov Kolguyev
Cheshskaya Guba
Poluostrov Kanin
Barents Trough
Murmansk
Kola Peninsula
White Sea
Archangel
Northern Dvina
Onezhskoye Ozero
Ladozhskoye Ozero
Gulf of Bothnia
Gulf of Finland
TALLINN
ESTONIA
RIGA
LATVIA
Baltic Sea
RUSSIAN FEDERATION
Poluostrov Kamchatka
Komandorskaya Basin
Karaginskiy Zaliv
Pakhachi
Zal.v Shelikhova
Mys Tolsto
Manily
Okhotsk
Magadan
Sea of Okhotsk
Shirshov Ridge
Mys Navarin
Siberia
Kolyma
Indigirka
Yana
Ozero Taymyr
Khatanga
Poluostrov Taymyr
Noril'sk
Yenisey
Dikson
Yeniseyskiy Zaliv
Gydanskiy Poluostrov
Ostrov Belyy
Obskaya Guba
Poluostrov Yamal
Baydaratskaya Guba
Vorkuta
Nar'yan-Mar
Pechora
Ural Mountains
Ob'
EUROPE
MOSCOW
Greenland Plain
Greenland Sea
Mohns Ridge
Kolbeinsey Ridge
Jan Mayen Fracture Zone
Jan Mayen Ridge
Norwegian Basin
Norwegian Sea
Voring Plateau
Arctic Circle
Faeroe-Iceland Ridge
FAEROE ISLANDS (to Denmark)
Bill Baileys Bank
Shetland Islands
Orkney Islands
Faeroe-Shetland Trough
Norwegian Trench
Skagerrak
Trondheim Plain
Fugløya Bank
Murmansk Rise
Limit of permanent ice cap
Limit of summer pack ice
Limit of winter pack ice
Wrangel Plain

192
122 ▶
92 ▼
122 ▶

The Time Zones

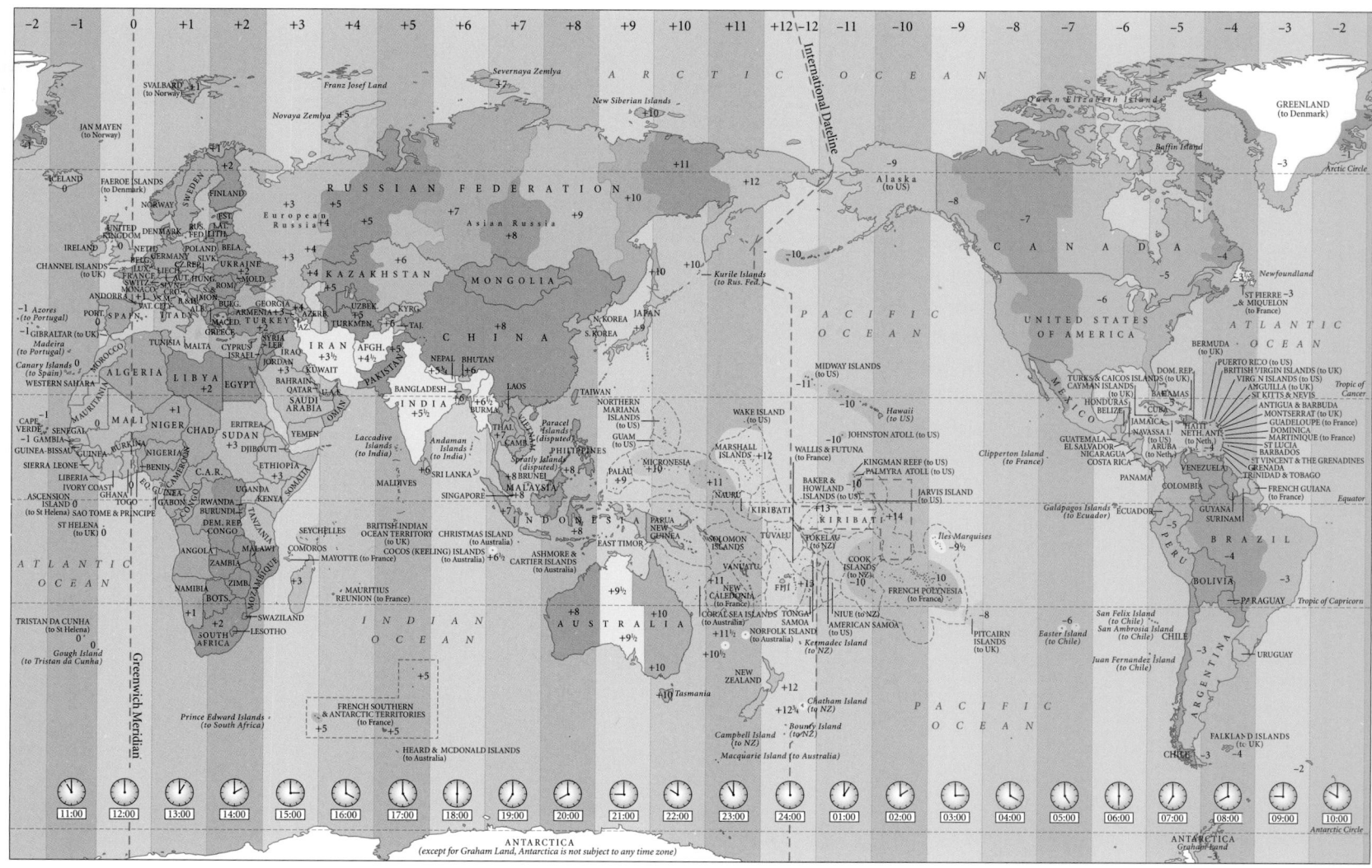

The numbers at the top of the map indicate the number of hours each time zone is ahead or behind Greenwich Mean Time (GMT). The clocks and 24-hour times given at the bottom of the map show the time in each time zone when it is 12:00 hours noon GMT.

Time Zones

The present system of international timekeeping divides the world into 24 time zones by means of 24 standard meridians of longitude, each 15º apart. Time is measured in each zone as so many hours ahead or behind the time at the Greenwich Meridian (GMT). Countries, or parts of countries, falling in the vicinity of each zone, adopt its time as shown on the map above. Therefore, using the map, when it is 12:00 noon GMT, it will be 2:00 pm in Zambia; similarly, when it is 4:30 pm. GMT, it will be 11:30 am in Peru.

Greenwich Mean Time (GMT)

Greenwich Mean Time (or Universal Time, as it is more correctly called) has been the internationally accepted basis for calculating solar time—measured in relation to the Earth's rotation around the Sun—since 1884. Greenwich Mean Time is specifically the solar time at the site of the former Royal Observatory in the London Borough of Greenwich, United Kingdom. The Greenwich Meridian is an imaginary line around the world that runs through the North and South poles. It corresponds to 0º of longitude, which lies on this site at Greenwich. Time is measured around the world in relation to the official time along the Meridian.

Standard Time

Standard time is the official time, designated by law, in any specific country or region. Standard time was initiated in 1884, after it became apparent that the practice of keeping various systems of local time was causing confusion—particularly in the US and Canada, where several railroad routes passed through scores of areas that calculated local time by different rules. The standard time of a particular region is calculated in reference to the longitudinal time zone in which it falls. In practice, these zones do not always match their longitudinal position; in some places, the area of the zone has been altered in shape for the convenience of inhabitants, as can be seen in the map. For example, while Greenland occupies three time zones, the majority of the territory uses a standard time of -3 hours GMT. Similarly, China, which spans five time zones, is standardized at +8 hours GMT.

The International Dateline

The International Dateline is an imaginary line that extends from pole to pole, and roughly corresponds to a line of 180º longitude for much of its length. This line is the arbitrary marker between calendar days. By moving from east to west across the line, a traveler will need to set their calendar back one day, while those traveling in the opposite direction will need to add a day. This is to compensate for the use of standard time around the world, which is based on the time at noon along the Greenwich Meridian, approximately halfway around the world. Wide deviations from 180º longitude occur through the Bering Strait—to avoid dividing Siberia into two separate calendar days—and in the Pacific Ocean—to allow certain Pacific islands the same calendar day as New Zealand. Changes were made to the International Dateline in 1995 that made Millennium Island (formerly Caroline Island) in Kiribati the first land area to witness the beginning of the year 2000.

Daylight Saving Time

Also known as summer time, daylight saving is a system of advancing clocks in order to extend the waking day during periods of later daylight hours. This normally means advancing clocks by one hour in early spring, and reverting back to standard time in early fall. The system of daylight saving is used throughout much of Europe, the US, Australia, and many other countries worldwide, although there are no standardized dates for the changeover to summer time due to the differences in hours of daylight at different latitudes. Daylight saving was first introduced in certain countries during World War I, to decrease the need for artificial light and heat—the system stayed in place after the war, as it proved practical. During World War II, some countries went so far as to keep their clocks an hour ahead of standard time continuously, and the UK temporarily introduced 'double summer time,' which advanced clocks two hours ahead of standard time during the summer months.

World Languages

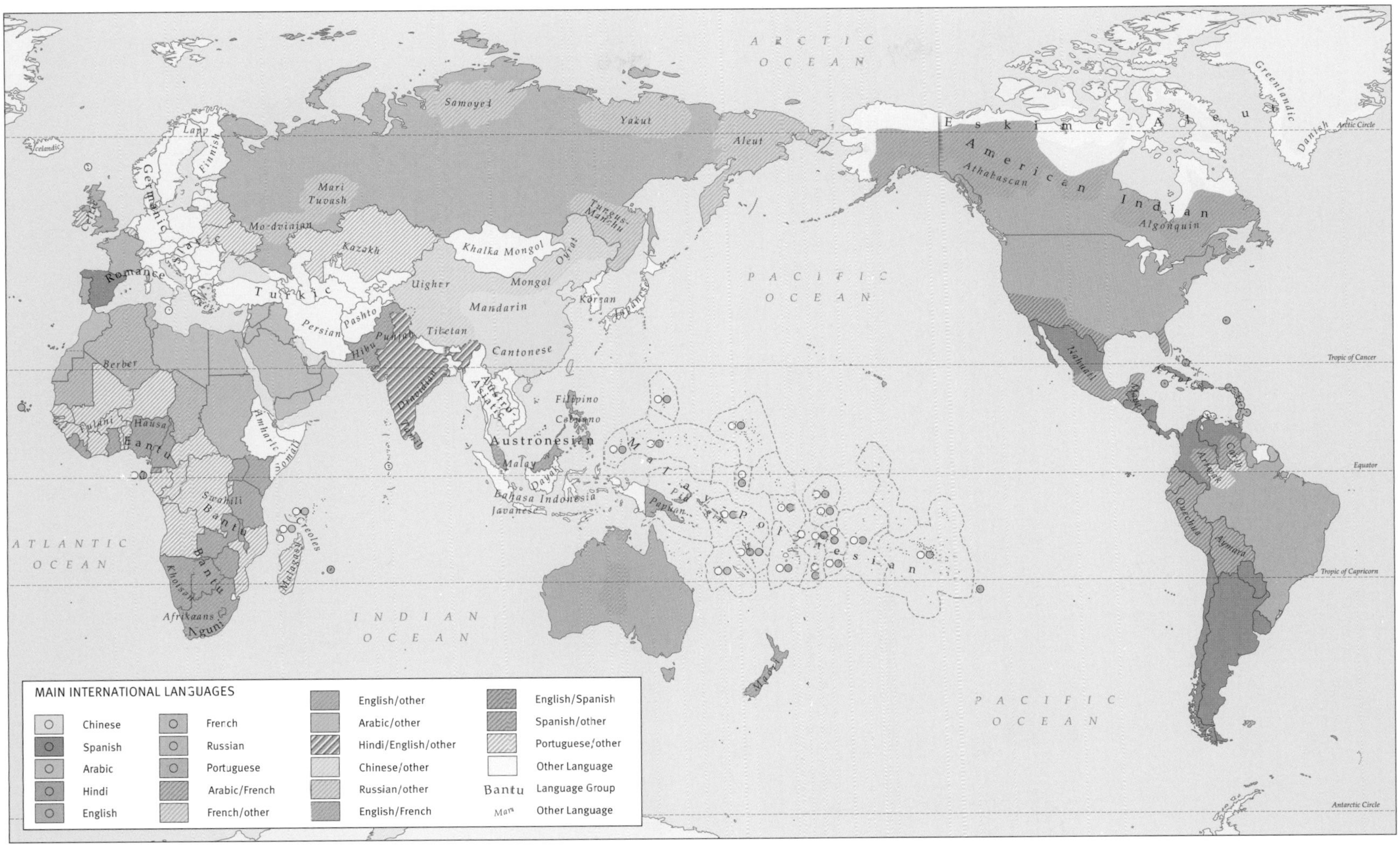

MAIN INTERNATIONAL LANGUAGES

- Chinese
- Spanish
- Arabic
- Hindi
- English
- French
- Russian
- Portuguese
- Arabic/French
- French/other
- English/other
- Arabic/other
- Hindi/English/other
- Chinese/other
- Russian/other
- English/French
- English/Spanish
- Spanish/other
- Portuguese/other
- Other Language
- Bantu — Language Group
- Mao — Other Language

World Religion

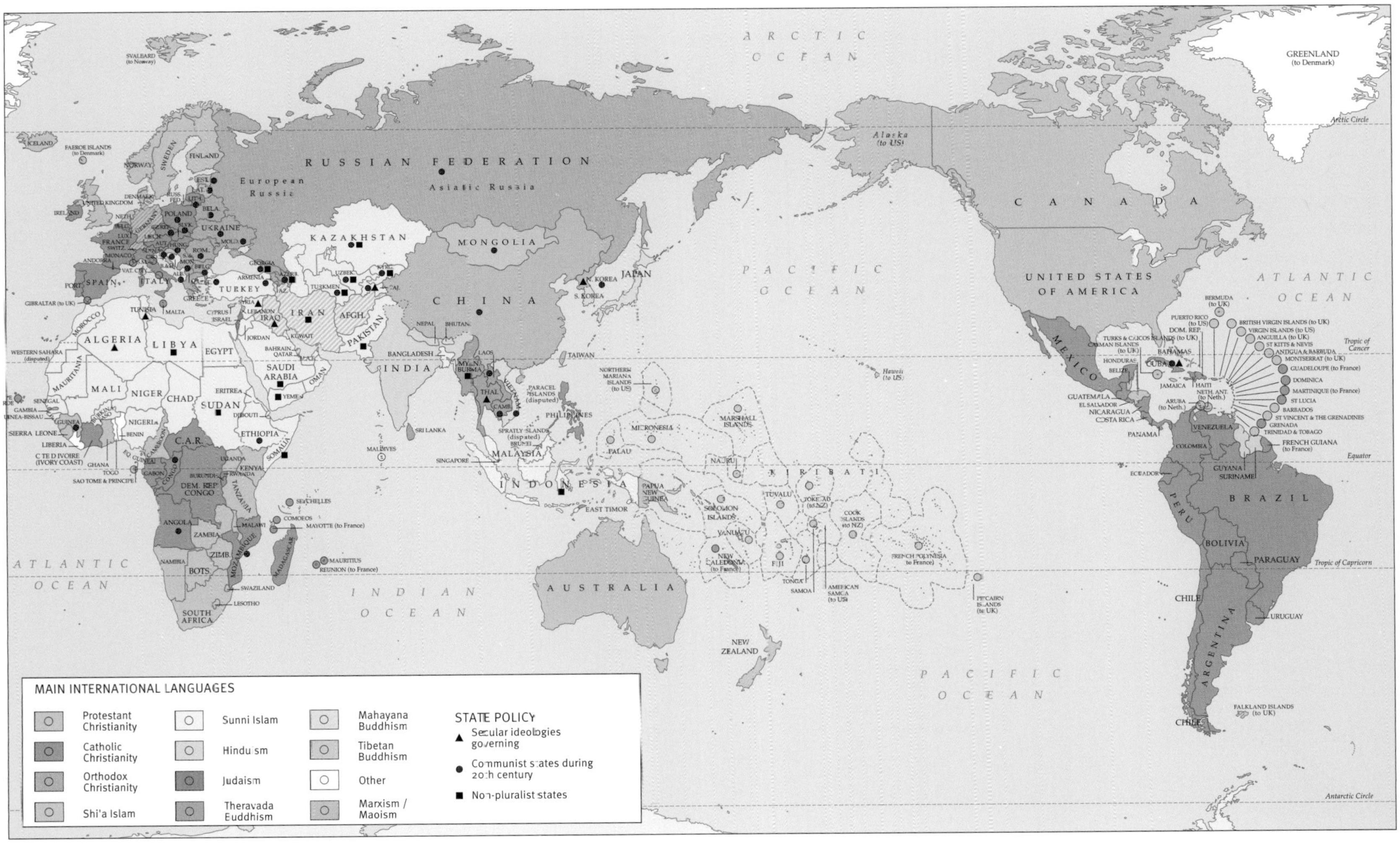

MAIN INTERNATIONAL LANGUAGES

- Protestant Christianity
- Catholic Christianity
- Orthodox Christianity
- Shi'a Islam
- Sunni Islam
- Hinduism
- Judaism
- Theravada Buddhism
- Mahayana Buddhism
- Tibetan Buddhism
- Other
- Marxism / Maoism

STATE POLICY

- ▲ Secular ideologies governing
- ● Communist states during 20th century
- ■ Non-pluralist states

Factfile

AFGHANISTAN–COMOROS

Key to symbols

- Time zone
- Dialling code
- Electricity voltage
- Side of road for driving
- @ Internet ID code
- IDP International drivers permit
- Visa Refers to US Nationals

AFGHANISTAN

+4.5 +93 220V Right .af

Area: 251,772 sq. miles (652,090 sq. km)
Population: 24.9 million
Capital: Kabul
Languages: Pashtu, Tajik, Dari, Farsi, Uzbek
Currency: New afghani = 100 puls
Banks closed: Friday
IDP required: Yes **Visa:** Yes
Tourist office: www.afghanistan-mfa.net
Climate: Mountain/cold desert

Month	J	F	M	A	M	J	J	A	S	O	N	D
Temp (°F)	18	21	44	55	65	88	91	91	68	58	48	27
Rainfall (in)	1	1	4	4	1	0	0	0	0	1	1	0

ALBANIA

+1 +355 220V Right .al

Area: 10,579 sq. miles (27,400 sq. km)
Population: 3.2 million
Capital: Tirana
Languages: Albanian, Greek
Currency: Lek = 100 qindarka (qintars)
Banks closed: Sunday
IDP required: Yes **Visa:** No
Tourist office: www.albaniantourism.com
Climate: Mediterranean/continental

Month	J	F	M	A	M	J	J	A	S	O	N	D
Temp (°F)	36	36	41	55	64	82	88	88	69	62	55	49
Rainfall (in)	5	6	5	5	5	3	1	1	2	4	8	7

ALGERIA

+1 +213 220V Right .dz

Area: 919,590 sq. miles (2,381,740 sq. km)
Population: 32.3 million
Capital: Algiers
Languages: Arabic, Tamazight, French
Currency: Algerian dinar = 100 centimes
Banks closed: Friday
IDP required: Yes **Visa:** Yes
Tourist office: www.tourisme.dz
Climate: Hot desert/Mediterranean

Month	J	F	M	A	M	J	J	A	S	O	N	D
Temp (°F)	48	48	57	62	66	72	82	84	81	68	61	52
Rainfall (in)	4	3	3	2	2	1	0	0	2	3	5	5

ANDORRA

+1 +376 240V Right .ad

Area: 180 sq. miles (465 sq. km)
Population: 69,865
Capital: Andorra la Vella
Languages: Spanish, Catalan, French
Currency: Euro = 100 cents
Banks closed: Sunday
IDP required: Yes **Visa:** No
Tourist office: www.andorra.ad
Climate: Mountain

Month	J	F	M	A	M	J	J	A	S	O	N	D
Temp (°F)	30	30	45	48	53	73	79	75	61	52	43	30
Rainfall (in)	1	1	2	2	4	3	3	4	3	3	3	3

ANGOLA

+1 +244 220V Right .ao

Area: 481,351 sq. miles (1,246,700 sq. km)
Population: 14.1 million
Capital: Luanda
Languages: Portuguese, Umbundu, Kimbundu
Currency: Readjusted kwanza = 100 lwei
Banks closed: Sunday
IDP required: Yes **Visa:** Yes
Tourist office: www.angola.org
Climate: Tropical/steppe

Month	J	F	M	A	M	J	J	A	S	O	N	D
Temp (°F)	78	84	86	84	78	73	64	64	66	75	78	78
Rainfall (in)	1	1	3	5	1	0	0	0	0	0	1	1

ANTARCTICA

n/a n/a n/a n/a .aq

Area: 5,366,790 sq. miles (13,900,000 sq. km)
Population: None
Capital: None
Languages: None
Currency: None
Banks closed: None
IDP required: No **Visa:** No
Tourist office: www.antarctica.ac.uk
Climate: Freezing

Month	J	F	M	A	M	J	J	A	S	O	N	D
Temp (°F)	-17	-40	-65	-74	-71	-71	-81	-80	-80	-60	-36	-17
Rainfall (in)	0	0	0	0	0	0	0	0	0	0	0	0

ANTIGUA & BARBUDA

-4.5 +1268 220V Left .ag

Area: 170 sq. miles (440 sq. km)
Population: 68,320
Capital: St. John's
Languages: English, English patois
Currency: Eastern Caribbean dollar = 100 cents
Banks closed: Sunday
IDP required: No **Visa:** No
Tourist office: www.antigua-barbuda.org
Climate: Tropical oceanic

Month	J	F	M	A	M	J	J	A	S	O	N	D
Temp (°F)	64	63	70	72	73	75	82	82	81	74	73	57
Rainfall (in)	3	2	2	3	4	4	5	5	6	6	6	5

ARGENTINA

-3 +54 220V Right .ar

Area: 1,056,636 sq. miles (2,736,690 sq. km)
Population: 38.9 million
Capital: Buenos Aires
Languages: Spanish, Italian, Amerindian
Currency: Argentine peso = 100 centavos
Banks closed: Sunday
IDP required: Yes **Visa:** No
Tourist office: www.turismo.gov.ar
Climate: Mountain/steppe/subtropical

Month	J	F	M	A	M	J	J	A	S	O	N	D
Temp (°F)	84	82	70	63	55	41	43	43	55	60	65	82
Rainfall (in)	3	3	4	4	3	2	2	2	3	3	3	4

ARMENIA

+4 +374 220V Right .am

Area: 11,506 sq. miles (29,800 sq. km)
Population: 3.1 million
Capital: Yerevan
Languages: Armenian, Azeri, Russian
Currency: Dram = 100 luma
Banks closed: Sunday
IDP required: Yes **Visa:** Yes
Tourist office: www.armeniainfo.am
Climate: Mountain

Month	J	F	M	A	M	J	J	A	S	O	N	D
Temp (°F)	19	23	44	54	64	84	89	91	69	57	46	29
Rainfall (in)	1	1	1	2	2	1	0	0	1	1	1	1

AUSTRALIA

+8/+11 +61 220V Left .au

Area: 2,941,283 sq. miles (7,617,930 sq. km)
Population: 19.9 million
Capital: Canberra
Languages: English, many others
Currency: Australian dollar = 100 cents
Banks closed: Sunday
IDP required: Yes **Visa:** Yes
Tourist office: www.australia.com
Climate: Desert/steppe/tropical/Mediterranean

Month	J	F	M	A	M	J	J	A	S	O	N	D
Temp (°F)	82	82	64	55	49	34	34	36	49	55	62	81
Rainfall (in)	2	2	2	2	2	2	2	2	2	2	2	2

AUSTRIA

+1 +43 220V Right .at

Area: 31,942 sq. miles (82,730 sq. km)
Population: 8.1 million
Capital: Vienna
Languages: German, Croat, Slovene, Hungarian
Currency: Euro = 100 cents
Banks closed: Sunday
IDP required: Yes **Visa:** No
Tourist office: www.austria.info
Climate: Mountain/continental

Month	J	F	M	A	M	J	J	A	S	O	N	D
Temp (°F)	25	27	38	51	58	73	77	75	60	51	41	30
Rainfall (in)	2	2	2	2	3	3	3	3	2	2	2	2

AZERBAIJAN

+4 +994 220V Right .az

Area: 33,436 sq. miles (86,600 sq. km)
Population: 8.4 million
Capital: Baku
Languages: Azeri, Russian
Currency: Manat = 100 gopik
Banks closed: Sunday
IDP required: Yes **Visa:** Yes
Tourist office: www.mfa.gov.az
Climate: Mountain/steppe

Month	J	F	M	A	M	J	J	A	S	O	N	D
Temp (°F)	44	46	43	51	64	80	85	85	71	62	52	51
Rainfall (in)	1	1	1	1	1	1	0	0	1	1	1	1

BAHAMAS

-5 +1242 120V Left .bs

Area: 3865 sq. miles (10,010 sq. km)
Population: 317,000
Capital: Nassau
Languages: English, English & French Creole
Currency: Bahamian dollar = 100 cents
Banks closed: Sunday
IDP required: Yes **Visa:** No
Tourist office: www.bahamas.com
Climate: Tropical oceanic

Month	J	F	M	A	M	J	J	A	S	O	N	D
Temp (°F)	64	64	73	75	78	81	88	90	88	79	75	73
Rainfall (in)	1	1	1	3	5	6	6	5	7	6	3	1

BAHRAIN

+3 +973 230V Right .bh

Area: 273 sq. miles (706 sq. km)
Population: 739,000
Capital: Manama
Languages: Arabic
Currency: Bahraini dinar = 1,000 fils
Banks closed: Friday
IDP required: Yes **Visa:** Yes
Tourist office: www.bahraintourism.com
Climate: Hot desert

Month	J	F	M	A	M	J	J	A	S	O	N	D
Temp (°F)	57	59	69	77	85	97	99	100	89	82	76	61
Rainfall (in)	0	1	1	0	0	0	0	0	0	0	1	1

BANGLADESH

+6 +880 220V Left .bd

Area: 51,703 sq. miles (133,910 sq. km)
Population: 150 million
Capital: Dhaka
Languages: Bengali, Urdu, many others
Currency: Taka = 100 poisha
Banks closed: Friday
IDP required: Yes **Visa:** Yes
Tourist office: www.bangladeshtourism.org
Climate: Tropical/subtropical

Month	J	F	M	A	M	J	J	A	S	O	N	D
Temp (°F)	54	55	91	95	93	84	83	83	83	82	74	55
Rainfall (in)	1	1	2	4	8	13	17	12	10	7	1	0

BARBADOS

-4 +1246 110V Left .bb

Area: 166 sq. miles (430 sq. km)
Population: 271,000
Capital: Bridgetown
Languages: Bajan, English
Currency: Barbados dollar = 100 cents
Banks closed: Sunday
IDP required: No **Visa:** No
Tourist office: www.barmot.gov.bb
Climate: Tropical oceanic

Month	J	F	M	A	M	J	J	A	S	O	N	D
Temp (°F)	70	70	70	79	88	88	80	88	88	80	79	77
Rainfall (in)	3	1	1	1	2	4	6	6	7	7	8	4

BELARUS

+2 +375 220V Right .by

Area: 80,154 sq. miles (207,600 sq. km)
Population: 9.9 million
Capital: Minsk
Languages: Belarussian, Russian
Currency: Belarussian rouble = 100 kopeks
Banks closed: Sunday
IDP required: Yes **Visa:** No
Tourist office: www.belintourist.by
Climate: Continental

Month	J	F	M	A	M	J	J	A	S	O	N	D
Temp (°F)	8	12	26	43	55	71	73	71	55	45	34	18
Rainfall (in)	1	1	1	2	3	3	3	3	2	2	2	1

BELGIUM

+1 +32 220V Right .be

Area: 12,672 sq. miles (32,820 sq. km)
Population: 10.3 million
Capital: Brussels
Languages: Dutch, French, German
Currency: Euro = 100 cents
Banks closed: Sunday
IDP required: Yes **Visa:** No
Tourist office: www.belgium-tourism.net
Climate: Maritime

Month	J	F	M	A	M	J	J	A	S	O	N	D
Temp (°F)	30	32	43	49	55	72	73	72	61	52	43	32
Rainfall (in)	3	2	2	2	2	3	4	3	2	3	3	3

BELIZE

-6 +501 110V Right .bz

Area: 8803 sq. miles (22,800 sq. km)
Population: 261,000
Capital: Belmopan
Languages: Creole, Spanish, English, others
Currency: Belizean dollar = 100 cents
Banks closed: Sunday
IDP required: Yes **Visa:** No
Tourist office: www.btia.org
Climate: Tropical equatorial

Month	J	F	M	A	M	J	J	A	S	O	N	D
Temp (°F)	66	76	78	80	88	88	88	88	81	79	68	68
Rainfall (in)	5	2	1	2	4	8	6	7	10	12	9	7

BENIN

+1 +229 220V Right .bj

Area: 42,710 sq. miles (110,620 sq. km)
Population: 6.9 million
Capital: Porto-Novo
Languages: Fon, Bariba, Yoruba, Adja, French
Currency: CFA franc = 100 centimes
Banks closed: Sunday
IDP required: Yes **Visa:** Yes
Tourist office: www.tourisme.gouv.bj
Climate: Tropical wet and dry

Month	J	F	M	A	M	J	J	A	S	O	N	D
Temp (°F)	77	82	82	82	78	76	76	73	76	78	79	78
Rainfall (in)	1	1	5	5	10	14	4	1	3	5	2	1

BHUTAN

+6 +975 220V Left .bt

Area: 18,147 sq. miles (47,000 sq. km)
Population: 2.3 million
Capital: Thimphu
Languages: Dzongkha, Nepali, Assamese
Currency: Ngultrum = 100 chetrum
Banks closed: Sunday
IDP required: Yes **Visa:** Yes
Tourist office: www.kingdomofbhutan.com
Climate: Mountain/tropical monsoon

Month	J	F	M	A	M	J	J	A	S	O	N	D
Temp (°F)	36	39	61	68	86	84	84	75	74	68	59	37
Rainfall (in)	1	2	1	2	5	10	15	14	6	1	0	0

BOLIVIA

-4 +591 220V Right .bo

Area: 418,633 sq. miles (1,084,390 sq. km)
Population: 9 million
Capitals: La Paz (admin); Sucre (judicial)
Languages: Aymara, Quechua, Spanish
Currency: Boliviano = 100 centavos
Banks closed: Sunday
IDP required: Yes **Visa:** No
Tourist office: www.turismobolivia.bo
Climate: Tropical/mountain

Month	J	F	M	A	M	J	J	A	S	O	N	D
Temp (°F)	53	53	54	52	51	34	34	36	51	[illegible]	66	64
Rainfall (in)	4	4	3	[illegible]	1	0	0	1	1	2	2	4

BOSNIA & HERZEGOVINA

+1 +387 220V Right .ba

Area: 19,741 sq. miles (51,130 sq. km)
Population: 4.2 million
Capital: Sarajevo
Languages: Serbo-Croat
Currency: Marka = 100 pfeninga
Banks closed: Sunday
IDP required: Yes **Visa:** No
Tourist office: www.mvp.gov.ba
Climate: Continental

Month	J	F	M	A	M	J	J	A	S	O	N	D
Temp (°F)	25	26	41	50	57	74	79	80	61	52	43	31
Rainfall (in)	3	3	2	3	4	3	3	3	3	4	4	3

BOTSWANA

+2 +267 220V Left .bw

Area: 218,814 sq. miles (566,730 sq. km)
Population: 1.8 million
Capital: Gaborone
Languages: Setswana, English, Shona, others
Currency: Pula = 100 thebe
Banks closed: Sunday
IDP required: Yes **Visa:** No
Tourist office: www.botswanatourism.org
Climate: Steppe/hot desert

Month	J	F	M	A	M	J	J	A	S	O	N	D
Temp (°F)	91	89	74	69	61	37	37	41	68	73	76	90
Rainfall (in)	3	3	3	2	[illegible]	0	0	0	0	2	2	3

BRAZIL

-3 +55 220V Right .br

Area: 3,265,059 sq. miles (8,456,510 sq. km)
Population: 181 million
Capital: Brasília
Languages: Portuguese, other languages
Currency: Real = 100 centavos
Banks closed: Sunday
IDP required: No **Visa:** Yes
Tourist office: www.embratur.gov.br
Climate: Tropical equatorial/other

Month	J	F	M	A	M	J	J	A	S	O	N	D
Temp (°F)	84	84	77	75	72	64	63	64	70	72	73	82
Rainfall (in)	5	5	5	4	3	2	2	2	3	3	4	5

BRUNEI

+8 +673 220V Left .bn

Area: 2035 sq. miles (5270 sq. km)
Population: 366,000
Capital: Bandar Seri Begawan
Languages: Malay, English, Chinese
Currency: Brunei dollar = 100 cents
Banks closed: Friday
IDP required: Yes **Visa:** No
Tourist office: www.tourismbrunei.com
Climate: Tropical equatorial

Month	J	F	M	A	M	J	J	A	S	O	N	D
Temp (°F)	81	81	82	90	[illegible]	82	82	82	82	75	82	81
Rainfall (in)	4	5	5	12	[illegible]	14	13	12	16	18	16	11

BULGARIA

+2 +359 230V Right .bg

Area: 42,683 sq. miles (110,550 sq. km)
Population: 7.8 million
Capital: Sofia
Languages: Bulgarian, Turkish, Romani
Currency: Lev = 100 stotinki
Banks closed: Sunday
IDP required: Yes **Visa:** No
Tourist office: www.bulgariatravel.org
Climate: Mediterranean/continental

Month	J	F	M	A	M	J	J	A	S	O	N	D
Temp (°F)	25	27	42	51	60	75	81	79	62	55	43	28
Rainfall (in)	1	1	2	2	3	3	3	3	2	3	2	2

BURKINA

0 +226 220V Right .bf

Area: 105,714 sq. miles (273,800 sq. km)
Population: 13.4 million
Capital: Ouagadougou
Languages: Mossi, Fulani, French, Tuareg
Currency: CFA franc = 100 centimes
Banks closed: Sunday
IDP required: Yes **Visa:** Yes
Tourist office: +226 5030 6396
Climate: Tropical/steppe

Month	J	F	M	A	M	J	J	A	S	O	N	D
Temp (°F)	61	83	104	102	100	86	85	80	82	84	84	63
Rainfall (in)	0	0	1	1	3	5	8	11	6	1	0	0

BURUNDI

+2 +257 220V Right .bi

Area: 9,903 sq. miles (25,650 sq. km)
Population: 7.1 million
Capital: Bujumbura
Languages: Kirundi, French, Kiswahili
Currency: Burundi franc = 100 centimes
Banks closed: Sunday
IDP required: Yes **Visa:** Yes
Tourist office: ontbur@cbinf.com
Climate: Tropical wet and dry

Month	J	F	M	A	M	J	J	A	S	O	N	D
Temp (°F)	74	74	74	74	74	64	63	86	88	86	74	74
Rainfall (in)	4	4	5	5	2	0	0	0	1	3	4	4

CAMBODIA

+7 +855 230V Right .kh

Area: 68,154 sq. miles (176,520 sq. km)
Population: 14.5 million
Capital: Phnom Penh
Languages: Khmer, French, Chinese, others
Currency: Riel = 100 sen
Banks closed: Sunday
IDP required: No **Visa:** Yes
Tourist office: www.mot.gov.kh
Climate: Tropical monsoon

Month	J	F	M	A	M	J	J	A	S	O	N	D
Temp (°F)	70	72	93	95	93	83	82	83	82	81	80	72
Rainfall (in)	0	0	2	3	5	6	7	6	9	10	5	2

CAMEROON

+1 +237 220V Right .cm

Area: 179,691 sq. miles (465,400 sq. km)
Population: 16.3 million
Capital: Yaoundé
Languages: Bamileke, Fang, Fulani, French
Currency: CFA franc = 100 centimes
Banks closed: Sunday
IDP required: Yes **Visa:** Yes
Tourist office: www.mintour.gov.cm
Climate: Tropical equatorial

Month	J	F	M	A	M	J	J	A	S	O	N	D
Temp (°F)	84	84	84	84	74	73	73	64	66	64	74	74
Rainfall (in)	1	3	6	7	8	6	3	3	8	12	5	1

CANADA

-3.5/-8 +1 110V Right .ca

Area: 3,560,217 sq. miles (9,220,970 sq. km)
Population: 31.7 million
Capital: Ottawa
Languages: English, French, others
Currency: Canadian dollar = 100 cents
Banks closed: Sunday
IDP required: Yes **Visa:** No
Tourist office: www.canadatourism.com
Climate: Continental/subarctic/mountain

Month	J	F	M	A	M	J	J	A	S	O	N	D
Temp (°F)	16	16	30	40	54	73	79	77	61	47	37	21
Rainfall (in)	3	2	3	3	3	3	3	3	3	2	3	3

CAPE VERDE

-1 -238 220V Right .cv

Area: 1,556 sq. miles (4,030 sq. km)
Population: 473,000
Capital: Praia
Languages: Portuguese Creole, Portuguese
Currency: Cape Verde escudo = 100 centavos
Banks closed: Sunday
IDP required: Yes **Visa:** Yes
Tourist office: www.virtualcapeverde.net
Climate: Tropical oceanic

Month	J	F	M	A	M	J	J	A	S	O	N	D
Temp (°F)	68	65	68	74	75	77	79	84	84	84	78	75
Rainfall (in)	0	0	0	0	0	0	0	4	4	1	0	0

CENTRAL AFRICAN REPUBLIC

+1 +236 220V Right .cf

Area: 240,533 sq. miles (622,980 sq. km)
Population: 3.9 million
Capital: Bangui
Languages: Sango, Banda, Gbaya, French
Currency: CFA franc = 100 centimes
Banks closed: Sunday
IDP required: Yes **Visa:** Yes
Tourist office: +236 614566
Climate: Tropical equatorial

Month	J	F	M	A	M	J	J	A	S	O	N	D
Temp (°F)	79	93	91	91	80	75	77	77	79	79	73	[illegible]
Rainfall (in)	1	2	5	5	7	4	9	8	6	8	[illegible]	0

CHAD

+1 +235 220V Right .td

Area: 486,177 sq. miles (1,259,200 sq. km)
Population: 8.9 million
Capital: N'Djamena
Languages: French, Sara, Arabic, Maba
Currency: CFA franc = 100 centimes
Banks closed: Sunday
IDP required: Yes **Visa:** Yes
Tourist office: +235 522303
Climate: Hot desert/steppe/tropical

Month	J	F	M	A	M	J	J	A	S	O	N	D
Temp (°F)	57	61	104	108	104	88	82	80	82	83	80	57
Rainfall (in)	0	0	0	0	1	3	7	13	5	1	0	0

CHILE

-4 +56 220V Right .cl

Area: 289,112 sq. miles (748,800 sq. km)
Population: 16 million
Capital: Santiago
Languages: Spanish, Amerindian languages
Currency: Chilean peso = 100 centavos
Banks closed: Sunday
IDP required: Yes **Visa:** No
Tourist office: www.sernatur.cl
Climate: Desert/mountain/maritime

Month	J	F	M	A	M	J	J	A	S	O	N	D
Temp (°F)	84	84	64	59	55	37	37	39	55	58	64	82
Rainfall (in)	0	0	0	1	3	3	3	2	1	1	0	0

CHINA

+8 +86 220V Right .cn

Area: 3,600,927 sq. miles (9,326,410 sq. km)
Population: 1.31 billion
Capital: Beijing
Languages: Mandarin, Wu, Cantonese, others
Currency: Renminbi (yuan) = 10 jiao = 100 fen
Banks closed: Sunday
IDP required: Yes **Visa:** Yes
Tourist office: www.cits.net
Climate: Mountain/tropical/steppe

Month	J	F	M	A	M	J	J	A	S	O	N	D
Temp (°F)	14	18	41	57	68	88	88	86	68	55	38	18
Rainfall (in)	0	0	0	1	1	3	10	6	2	1	0	0

COLOMBIA

-5 +57 110V Right .co

Area: 401,042 sq. miles (1,038,700 sq. km)
Population: 44.9 million
Capital: Bogotá
Languages: Spanish, Amerindian languages
Currency: Colombian peso = 100 centavos
Banks closed: Sunday
IDP required: Yes **Visa:** No
Tourist office: www.turismocolombia.com
Climate: Tropical/mountain

Month	J	F	M	A	M	J	J	A	S	O	N	D
Temp (°F)	48	68	58	66	66	58	57	57	57	58	58	48
Rainfall (in)	2	3	4	6	4	2	2	2	2	6	5	3

COMOROS

+3 +269 220V Right .km

Area: 861 sq. miles (2230 sq. km)
Population: 790,000
Capital: Moroni
Languages: Arabic, Comoran, French
Currency: Comoros franc = 100 centimes
Banks closed: Sunday
IDP required: Yes **Visa:** Yes
Tourist office: +269 744242
Climate: Tropical oceanic

Month	J	F	M	A	M	J	J	A	S	O	N	D
Temp (°F)	30	80	87	80	78	75	66	66	67	77	87	87
Rainfall (in)	14	12	12	12	9	8	8	5	5	4	4	9

Factfile

CONGO–INDONESIA

Key to symbols

- Time zone
- Dialling code
- Electricity voltage
- Side of road for driving
- Internet ID code

IDP International drivers permit
Visa Refers to US Nationals

CONGO

+1 +242 220V Right .cg

Area: 131,853 sq. miles (341,500 sq. km)
Population: 3.8 million
Capital: Brazzaville
Languages: Kongo, Teke, Lingala, French
Currency: CFA franc = 100 centimes
Banks closed: Sunday
IDP required: Yes **Visa:** Yes
Tourist office: +242 814022
Climate: Tropical equatorial

Month	J	F	M	A	M	J	J	A	S	O	N	D
Temp (°F)	79	80	91	91	80	64	63	64	78	80	79	79
Rainfall (in)	6	5	7	7	4	1	0	0	2	5	11	8

CONGO, DEM. REPUBLIC

+1 +243 220V Right .zr

Area: 875,520 sq. miles (2,267,600 sq. km)
Population: 54.4 million
Capital: Kinshasa
Languages: Kiswahili, Tshiluba, French, others
Currency: Congolese franc = 100 centimes
Banks closed: Sunday
IDP required: Yes **Visa:** Yes
Tourist office: +243 12 30070
Climate: Tropical equatorial/wet and dry

Month	J	F	M	A	M	J	J	A	S	O	N	D
Temp (°F)	79	88	90	90	80	66	64	64	78	79	80	78
Rainfall (in)	5	6	8	8	6	0	0	0	1	5	9	6

COSTA RICA

-6 +506 120V Right .cr

Area: 19,714 sq. miles (51,060 sq. km)
Population: 4.3 million
Capital: San José
Languages: Spanish, English Creole, others
Currency: Costa Rican colón = 100 centimos
Banks closed: Sunday
IDP required: No **Visa:** No
Tourist office: www.visitcostarica.com
Climate: Tropical wet and dry

Month	J	F	M	A	M	J	J	A	S	O	N	D
Temp (°F)	57	57	69	79	81	79	70	70	70	69	69	57
Rainfall (in)	1	0	1	2	9	9	8	9	12	12	6	2

CROATIA

+1 +385 220V Right .hr

Area: 21,829 sq. miles (56,538 sq. km)
Population: 4.4 million
Capital: Zagreb
Languages: Croatian
Currency: Kuna = 100 lipas
Banks closed: Sunday
IDP required: Yes **Visa:** No
Tourist office: www.croatia.hr
Climate: Mediterranean/continental

Month	J	F	M	A	M	J	J	A	S	O	N	D
Temp (°F)	28	30	44	54	62	77	81	80	64	53	44	32
Rainfall (in)	2	2	2	2	3	4	3	3	3	3	3	3

CUBA

-5 +53 220V Right .cu

Area: 42,803 sq. miles (110,860 sq. km)
Population: 11.3 million
Capital: Havana
Languages: Spanish
Currency: Cuban peso = 100 centavos
Banks closed: Sunday
IDP required: Yes **Visa:** No
Tourist office: www.cubatravel.cu
Climate: Tropical oceanic

Month	J	F	M	A	M	J	J	A	S	O	N	D
Temp (°F)	64	64	73	77	79	81	90	90	88	79	75	66
Rainfall (in)	3	2	2	2	5	6	5	5	6	7	3	2

CYPRUS

+2 +357 240V Left .cy

Area: 3,568 sq. miles (9,240 sq. km)
Population: 808,000
Capital: Nicosia
Languages: Greek, Turkish
Currency: Cyprus pound; New Turkish lira
Banks closed: Sunday
IDP required: Yes **Visa:** No
Tourist office: www.visitcyprus.org.cy
Climate: Mediterranean

Month	J	F	M	A	M	J	J	A	S	O	N	D
Temp (°F)	41	41	55	63	71	93	99	99	78	70	61	45
Rainfall (in)	3	2	1	1	1	0	0	0	0	1	1	3

CZECH REPUBLIC

+1 +420 220V Right .cz

Area: 30,449 sq. miles (78,864 sq. km)
Population: 10.2 million
Capital: Prague
Languages: Czech, Slovak, Hungarian
Currency: Czech koruna = 100 haleru
Banks closed: Sunday
IDP required: Yes **Visa:** No
Tourist office: www.czechtourism.cz
Climate: Continental

Month	J	F	M	A	M	J	J	A	S	O	N	D
Temp (°F)	23	25	37	46	55	70	73	72	56	47	37	27
Rainfall (in)	1	1	1	1	2	2	3	2	1	1	1	1

DENMARK

+1 +45 220V Right .dk

Area: 16,359 sq. miles (42,370 sq. km)
Population: 5.4 million
Capital: Copenhagen
Languages: Danish
Currency: Danish krone = 100 øre
Banks closed: Sunday
IDP required: Yes **Visa:** No
Tourist office: www.visitdenmark.com
Climate: Maritime

Month	J	F	M	A	M	J	J	A	S	O	N	D
Temp (°F)	28	27	30	44	54	66	72	70	58	49	41	37
Rainfall (in)	2	2	1	1	2	2	3	3	2	2	2	2

DJIBOUTI

+3 +253 220V Right .dj

Area: 8,950 sq. miles (23,180 sq. km)
Population: 712,000
Capital: Djibouti
Languages: Somali, Afar, French, Arabic
Currency: Djibouti franc = 100 centimes
Banks closed: Friday
IDP required: Yes **Visa:** Yes
Tourist office: www.office-tourisme.dj
Climate: Hot desert

Month	J	F	M	A	M	J	J	A	S	O	N	D
Temp (°F)	73	75	82	84	88	99	106	102	91	86	82	73
Rainfall (in)	0	1	1	1	0	0	0	0	0	0	1	1

DOMINICA

-4 +1767 220V Left .dm

Area: 290 sq. miles (750 sq. km)
Population: 69,278
Capital: Roseau
Languages: French Creole, English
Currency: East Caribbean dollar = 100 cents
Banks closed: Sunday
IDP required: No **Visa:** No
Tourist office: www.dominica.dm
Climate: Tropical oceanic

Month	J	F	M	A	M	J	J	A	S	O	N	D
Temp (°F)	68	66	68	79	81	90	81	90	90	81	80	78
Rainfall (in)	5	3	3	2	4	8	11	10	9	8	9	6

DOMINICAN REPUBLIC

-4 +1809 110V Right .do

Area: 18,679 sq. miles (48,380 sq. km)
Population: 8.9 million
Capital: Santo Domingo
Languages: Spanish, French Creole
Currency: Dom. Republic peso = 100 centavos
Banks closed: Sunday
IDP required: Yes **Visa:** No
Tourist office: www.dominicana.com.do
Climate: Tropical equatorial/oceanic

Month	J	F	M	A	M	J	J	A	S	O	N	D
Temp (°F)	66	66	66	77	79	88	88	88	88	88	78	66
Rainfall (in)	2	1	2	4	7	6	6	6	7	6	5	2

EAST TIMOR

+8 +670 220V n/a .tp

Area: 5,641 sq. miles (14,609 sq. km)
Population: 820,000
Capital: Dili
Languages: Tetum Bahasa Indonesia, others
Currency: US dollar = 100 cents
Banks closed: Sunday
IDP required: Yes **Visa:** No
Tourist office: www.mfac.gov.tp
Climate: Tropical equatorial

Month	J	F	M	A	M	J	J	A	S	O	N	D
Temp (°F)	81	81	80	80	80	78	77	76	77	79	81	81
Rainfall (in)	6	5	6	3	3	2	1	1	1	1	3	6

ECUADOR

-5 +593 110V Right .ec

Area: 106,888 sq. miles (276,840 sq. km)
Population: 13.2 million
Capital: Quito
Languages: Spanish, Quechua, others
Currency: US dollar = 100 cents
Banks closed: Sunday
IDP required: Yes **Visa:** No
Tourist office: www.vivecuador.com
Climate: Tropical/mountain

Month	J	F	M	A	M	J	J	A	S	O	N	D
Temp (°F)	59	59	59	58	58	45	45	73	73	59	45	59
Rainfall (in)	4	4	6	7	5	2	1	1	3	4	4	3

EGYPT

+2 +20 220V Right .eg

Area: 384,343 sq. miles (995,450 sq. km)
Population: 73.4 million
Capital: Cairo
Languages: Arabic, French, English, Berber
Currency: Egyptian pound = 100 piastres
Banks closed: Friday
IDP required: Yes **Visa:** Yes
Tourist office: www.touregypt.net
Climate: Hot desert/Mediterranean

Month	J	F	M	A	M	J	J	A	S	O	N	D
Temp (°F)	46	48	52	70	77	95	97	95	79	75	68	59
Rainfall (in)	0	0	0	0	0	0	0	0	0	0	0	0

EL SALVADOR

-6 +503 110V Right .sv

Area: 8,000 sq. miles (20,720 sq. km)
Population: 6.6 million
Capital: San Salvador
Languages: Spanish
Currency: Salvadorean colón; US dollar
Banks closed: Sunday
IDP required: Yes **Visa:** No
Tourist office: www.elsalvadorturismo.gob.sv
Climate: Tropical wet and dry

Month	J	F	M	A	M	J	J	A	S	O	N	D
Temp (°F)	61	61	93	93	91	77	77	78	77	76	75	61
Rainfall (in)	0	0	0	2	8	13	11	12	12	9	2	0

EQUATORIAL GUINEA

+1 +240 220V Right .gq

Area: 10,830 sq. miles (28,050 sq. km)
Population: 507,000
Capital: Malabo
Languages: Spanish, Fang, Bubi
Currency: CFA franc = 100 centimes
Banks closed: Sunday
IDP required: Yes **Visa:** No
Tourist office: Paris Embassy +33 1 5688 5454
Climate: Tropical equatorial

Month	J	F	M	A	M	J	J	A	S	O	N	D
Temp (°F)	66	90	79	90	88	77	77	77	78	78	79	79
Rainfall (in)	0	1	8	6	10	12	6	4	8	9	5	1

ERITREA

+3 +291 220V Right .er

Area: 45,405 sq. miles (117,600 sq. km)
Population: 4.3 million
Capital: Asmara
Languages: Tigrinya, English, Tigre, Afar, other
Currency: Nakfa = 100 cents
Banks closed: Sunday
IDP required: Yes **Visa:** Yes
Tourist office: www.shaebia.org/mot.html
Climate: Hot desert/mountain

Month	J	F	M	A	M	J	J	A	S	O	N	D
Temp (°F)	43	45	63	77	78	78	60	60	64	60	60	44
Rainfall (in)	0	0	0	1	2	1	6	5	1	0	1	0

ESTONIA

+2 +372 220V Right .ee

Area: 17,423 sq. miles (45,125 sq. km)
Population: 1.3 million
Capital: Tallinn
Languages: Estonian, Russian
Currency: Kroon = 100 senti
Banks closed: Sunday
IDP required: Yes **Visa:** No
Tourist office: www.visitestonia.com
Climate: Continental

Month	J	F	M	A	M	J	J	A	S	O	N	D
Temp (°F)	13	13	19	39	48	66	68	67	53	45	34	25
Rainfall (in)	2	1	1	1	2	2	3	3	3	3	2	2

ETHIOPIA

+3 +251 220V Right .et

Area: 428,571 sq. miles (1,110,000 sq. km)
Population: 72.4 million
Capital: Addis Ababa
Languages: Amharic, Tigrinya, English, Arabic
Currency: Ethiopian birr = 100 cents
Banks closed: Sunday
IDP required: Yes **Visa:** Yes
Tourist office: www.tourismethiopia.org
Climate: Mountain/steppe

Month	J	F	M	A	M	J	J	A	S	O	N	D
Temp (°F)	43	61	77	77	77	61	60	60	60	60	43	41
Rainfall (in)	1	1	3	3	3	5	11	12	8	1	1	0

FIJI

+12 | +679 | 240V | Left | .fj

Area: 7,054 sq. miles (18,270 sq. km)
Population: 847,000
Capital: Suva
Languages: Fijian, English, Hindi, Urdu, Tamil
Currency: Fiji dollar = 100 cents
Banks closed: Sunday
IDP required: Yes **Visa:** No
Tourist office: www.bulafiji.com
Climate: Tropical oceanic

Month	J	F	M	A	M	J	J	A	S	O	N	D
Temp (°F)	84	84	84	84	77	75	68	68	75	75	77	84
Rainfall (in)	[illegible]	11	14	12	10	7	5	8	8	8	10	13

FINLAND

+2 | +358 | 230V | Right | .fi

Area: 117,610 sq. miles (304,610 sq. km)
Population: 5.2 million
Capital: Helsinki
Languages: Finnish, Swedish, Sámi
Currency: Euro = 100 cents
Banks closed: Sunday
IDP required: Yes **Visa:** No
Tourist office: www.visitfinland.com
Climate: Subarctic/continental

Month	J	F	M	A	M	J	J	A	S	O	N	D
Temp (°F)	16	14	19	37	48	66	72	68	53	42	34	27
Rainfall (in)	2	2	1	2	2	2	3	3	3	3	3	3

FRANCE

+1 | +33 | 220V | Right | .fr

Area: 212,394 sq. miles (550,100 sq. km)
Population: 60.4 million
Capital: Paris
Languages: French, Provençal, Breton, others
Currency: Euro = 100 cents
Banks closed: Sunday
IDP required: Yes **Visa:** No
Tourist office: www.franceguide.com
Climate: Maritime/Mediterranean/mountain

Month	J	F	M	A	M	J	J	A	S	O	N	D
Temp (°F)	34	34	46	52	59	73	77	75	62	54	46	36
Rainfall (in)	2	2	1	2	2	2	2	3	2	2	2	2

GABON

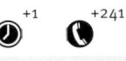

+1 | +241 | 220V | Right | .ga

Area: 99,486 sq. miles (257,670 sq. km)
Population: 1.4 million
Capital: Libreville
Languages: Fang, French, Punu, Sira, Nzebi
Currency: CFA franc = 100 centimes
Banks closed: Sunday
IDP required: Yes **Visa:** Yes
Tourist office: www.gabontour.com
Climate: Tropical equatorial

Month	J	F	M	A	M	J	J	A	S	O	N	D
Temp (°F)	88	80	90	90	80	70	68	70	78	79	79	80
Rainfall (in)	10	9	13	13	10	1	0	1	4	14	15	10

GAMBIA

0 | +220 | 220V | Right | .gm

Area: 3,861 sq. miles (10,000 sq. km)
Population: 1.5 million
Capital: Banjul
Languages: Mandinka, Fulani, Wolof, English
Currency: Dalasi = 100 butut
Banks closed: Sunday
IDP required: Yes **Visa:** Yes
Tourist office: www.visitthegambia.gm
Climate: Tropical wet and dry

Month	J	F	M	A	M	J	J	A	S	O	N	D
Temp (°F)	59	61	93	91	78	90	80	79	81	81	77	61
Rainfall (in)	0	0	0	0	0	2	11	20	12	4	1	0

GEORGIA

+4 | +995 | 220V | Right | .ge

Area: 26,911 sq. miles (69,700 sq. km)
Population: 5.1 million
Capital: Tbilisi
Languages: Georgian, Russian, Azeri, others
Currency: Lari = 100 tetri
Banks closed: Sunday
IDP required: Yes **Visa:** Yes
Tourist office: www.tourism.gov.ge
Climate: Mountain/subtropical

Month	J	F	M	A	M	J	J	A	S	O	N	D
Temp (°F)	30	31	47	55	65	82	87	86	68	58	49	34
Rainfall (in)	1	1	1	2	3	2	2	2	2	1	1	1

GERMANY

+1 | +49 | 230V | Right | .de

Area: 134,950 sq. miles (349,520 sq. km)
Population: 82.5 million
Capital: Berlin
Languages: German, Turkish
Currency: Euro = 100 cents
Banks closed: Sunday
IDP required: Yes **Visa:** No
Tourist office: www.germany-tourism.de
Climate: Continental/maritime

Month	J	F	M	A	M	J	J	A	S	O	N	D
Temp (°F)	27	[illegible]	39	47	56	72	75	73	59	49	40	30
Rainfall (in)	2	2	1	2	2	3	3	3	2	2	2	2

GHANA

0 | +233 | 220V | Right | .gh

Area: 88,810 sq. miles (230,020 sq. km)
Population: 21.4 million
Capital: Accra
Languages: Twi, Fanti, Ewe, Ga, Adangbe
Currency: Cedi = 100 psewas
Banks closed: Sunday
IDP required: Yes **Visa:** Yes
Tourist office: www.ghanatourism.gov.gh
Climate: Tropical wet and dry/equatorial

Month	J	F	M	A	M	J	J	A	S	O	N	D
Temp (°F)	81	88	88	88	88	79	73	72	73	79	88	88
Rainfall (in)	1	1	2	3	6	7	2	1	1	3	1	1

GREECE

+2 | +30 | 220V | Right | .gr

Area: 50,521 sq. miles (130,850 sq. km)
Population: 11 million
Capital: Athens
Languages: Greek, Turkish, Macedonian
Currency: Euro = 100 cents
Banks closed: Sunday
IDP required: Yes **Visa:** No
Tourist office: www.gnto.gr
Climate: Mediterranean

Month	J	F	M	A	M	J	J	A	S	O	N	D
Temp (°F)	43	45	54	60	69	86	91	91	75	67	60	46
Rainfall (in)	2	1	1	1	1	1	0	0	1	2	2	3

GRENADA

-4 | +1473 | 220V | Left | .gd

Area: 131 sq. miles (340 sq. km)
Population: 89,357
Capital: St. George's
Languages: English, English Creole
Currency: East Caribbean dollar = 100 cents
Banks closed: Sunday
IDP required: Yes **Visa:** No
Tourist office: www.grenadagrenadines.com
Climate: Tropical oceanic

Month	J	F	M	A	M	J	J	A	S	O	N	D
Temp (°F)	70	70	77	79	88	88	88	81	81	80	79	70
Rainfall (in)	5	3	3	2	5	4	8	9	8	9	6	7

GUATEMALA

-6 | +502 | 110V | Right | .gt

Area: 41,865 sq. miles (108,430 sq. km)
Population: 12.7 million
Capital: Guatemala City
Languages: Quiché, Mam, Spanish, others
Currency: Quetzal = 100 centavos
Banks closed: Sunday
IDP required: No **Visa:** No
Tourist office: www.mayaspirit.com.gt
Climate: Tropical equatorial/wet and dry

Month	J	F	M	A	M	J	J	A	S	O	N	D
Temp (°F)	54	54	69	82	84	81	70	70	70	68	65	55
Rainfall (in)	0	0	1	1	6	11	8	8	9	7	1	0

GUINEA

0 | +224 | 220V | Right | .gn

Area: 94,927 sq. miles (245,860 sq. km)
Population: 8.6 million
Capital: Conakry
Languages: Fulani, Malinke, Soussou, French
Currency: Guinea franc = 100 centimes
Banks closed: Sunday
IDP required: Yes **Visa:** Yes
Tourist office: www.guinee.gov.gn
Climate: Tropical monsoon

Month	J	F	M	A	M	J	J	A	S	O	N	D
Temp (°F)	80	81	90	90	90	80	72	72	73	81	82	81
Rainfall (in)	0	0	0	1	6	22	51	42	27	15	5	0

GUINEA-BISSAU

0 | +245 | 220V | Right | .gw

Area: 10,857 sq. miles (28,120 sq. km)
Population: 1.5 million
Capital: Bissau
Languages: Portuguese Creole, Balante, Fulani
Currency: CFA franc = 100 centimes
Banks closed: Sunday
IDP required: Yes **Visa:** Yes
Tourist office: +245 213905
Climate: Tropical monsoon

Month	J	F	M	A	M	J	J	A	S	O	N	D
Temp (°F)	64	66	92	92	91	81	79	79	79	81	81	66
Rainfall (in)	0	0	0	0	1	7	19	24	16	8	2	1

GUYANA

-4 | +592 | 110V | Left | .gy

Area: 76,004 sq. miles (196,850 sq. km)
Population: 767,000
Capital: Georgetown
Languages: English Creole, Hindi, Tamil, other
Currency: Guyana dollar = 100 cents
Banks closed: Sunday
IDP required: Yes **Visa:** No
Tourist office: www.guyana-tourism.com
Climate: Tropical equatorial

Month	J	F	M	A	M	J	J	A	S	O	N	D
Temp (°F)	73	[illegible]	80	80	80	80	80	86	88	88	86	80
Rainfall (in)	8	4	7	6	[illegible]	12	10	7	3	3	6	11

HAITI

-5 | +509 | 110V | Right | .ht

Area: 10,641 sq. miles (27,560 sq. km)
Population: 8.4 million
Capital: Port-au-Prince
Languages: French Creole, French
Currency: Gourde = 100 centimes
Banks closed: Sunday
IDP required: Yes **Visa:** No
Tourist office: www.haititourisme.org
Climate: Tropical equatorial/oceanic

Month	J	F	M	A	M	J	J	A	S	O	N	D
Temp (°F)	68	68	80	81	81	82	93	93	82	81	80	79
Rainfall (in)	1	2	[illegible]	6	9	4	3	6	7	7	3	[illegible]

HONDURAS

-6 | +504 | 110V | Right | .hn

Area: 43,201 sq. miles (111,890 sq. km)
Population: 7.1 million
Capital: Tegucigalpa
Languages: Spanish, Garífuna, English Creole
Currency: Lempira = 100 centavos
Banks closed: Sunday
IDP required: No **Visa:** No
Tourist office: www.letsgohonduras.com
Climate: Tropical equatorial

Month	J	F	M	A	M	J	J	A	S	O	N	D
Temp (°F)	57	69	84	86	86	73	73	73	73	72	61	59
Rainfall (in)	0	0	0	1	7	7	3	3	6	3	1	1

HUNGARY

+1 | +36 | 220V | Right | .hu

Area: 35,652 sq. miles (92,340 sq. km)
Population: 9.8 million
Capital: Budapest
Languages: Hungarian (Magyar)
Currency: Forint = 100 fillér
Banks closed: Sunday
IDP required: Yes **Visa:** No
Tourist office: www.hungary.com
Climate: Continental

Month	J	F	M	A	M	J	J	A	S	O	N	D
Temp (°F)	25	28	43	54	62	79	82	81	64	53	42	30
Rainfall (in)	1	2	1	2	3	3	2	2	1	2	3	2

ICELAND

0 | +354 | 220V | Right | .is

Area: 38,707 sq. miles (100,250 sq. km)
Population: 292,000
Capital: Reykjavík
Languages: Icelandic
Currency: Icelandic króna = 100 aurar
Banks closed: Sunday
IDP required: Yes **Visa:** No
Tourist office: www.icetourist.is
Climate: Subarctic

Month	J	F	M	A	M	J	J	A	S	O	N	D
Temp (°F)	28	28	35	38	45	54	57	57	47	41	36	28
Rainfall (in)	4	3	2	2	2	2	2	2	3	4	3	3

INDIA

+5.5 | +91 | 220V | Left | .in

Area: 1,147,949 sq. miles (2,973,190 sq. km)
Population: 1.08 billion
Capital: New Delhi
Languages: Hindi, English, Urdu, Bengali, other
Currency: Indian rupee = 100 paise
Banks closed: Sunday
IDP required: Yes **Visa:** Yes
Tourist office: www.tourismofindia.com
Climate: Tropical/desert/mountain/monsoon

Month	J	F	M	A	M	J	J	A	S	O	N	D
Temp (°F)	45	48	73	82	106	102	97	86	84	79	68	46
Rainfall (in)	[illegible]	1	1	0	1	3	7	7	5	0	0	0

INDONESIA

+7/+9 | +62 | 220V | Left | .id

Area: 693,700 sq. miles (1,796,700 sq. km)
Population: 223 million
Capital: Jakarta
Languages: Javanese, Sundanese, Dutch, other
Currency: Rupiah = 100 sen
Banks closed: Sunday
IDP required: Yes **Visa:** Yes
Tourist office: www.budpar.go.id
Climate: Tropical equatorial/monsoon

Month	J	F	M	A	M	J	J	A	S	O	N	D
Temp (°F)	73	73	80	88	88	81	81	81	88	88	80	73
Rainfall (in)	12	12	8	6	4	4	3	2	3	4	6	8

Factfile

IRAN–MOROCCO

Key to symbols

- Time zone
- Dialling code
- Electricity voltage
- Side of road for driving
- Internet ID code

IDP International drivers permit
Visa Refers to US Nationals

IRAN

+3.5 +98 230V Right .ir

Area: 631,660 sq. miles (1,636,000 sq. km)
Population: 69.8 million
Capital: Tehran
Languages: Farsi, Kurdish, Turkmen, Arabic
Currency: Iranian rial = 100 dinars
Banks closed: Friday
IDP required: Yes **Visa:** Yes
Tourist office: www.itto.org
Climate: Mountain/cold desert

Month	J	F	M	A	M	J	J	A	S	O	N	D
Temp (°F)	27	32	49	60	70	93	99	97	77	64	53	34
Rainfall (in)	2	1	2	1	1	0	0	0	0	0	1	1

IRAQ

+3 +964 230V Right .iq

Area: 168,869 sq. miles (437,370 sq. km)
Population: 25.9 million
Capital: Baghdad
Languages: Arabic, Kurdish, Armenian, others
Currency: New Iraqi dinar = 1,000 fils
Banks closed: Friday
IDP required: Yes **Visa:** Yes
Tourist office: www.iraqiembassy.org
Climate: Hot desert/steppe

Month	J	F	M	A	M	J	J	A	S	O	N	D
Temp (°F)	39	43	60	71	82	106	109	109	87	76	64	43
Rainfall (in)	1	1	1	1	0	0	0	0	0	0	1	1

IRELAND

0 +353 220V Left .ie

Area: 26,598 sq. miles (68,890 sq. km)
Population: 4 million
Capital: Dublin
Languages: English, Irish Gaelic
Currency: Euro = 100 cents
Banks closed: Sunday
IDP required: Yes **Visa:** No
Tourist office: www.ireland.ie
Climate: Maritime

Month	J	F	M	A	M	J	J	A	S	O	N	D
Temp (°F)	34	36	44	47	51	64	68	66	55	50	45	37
Rainfall (in)	3	2	2	2	2	2	3	3	3	3	3	3

ISRAEL

+2 +972 230V Right .il

Area: 7,849 sq. miles (20,330 sq. km)
Population: 6.6 million
Capital: Jerusalem
Languages: Hebrew, Arabic, Yiddish,others
Currency: Shekel = 100 agorot
Banks closed: Saturday
IDP required: Yes **Visa:** No
Tourist office: www.tourism.gov.il
Climate: Hot desert/Mediterranean

Month	J	F	M	A	M	J	J	A	S	O	N	D
Temp (°F)	41	43	55	62	69	73	88	88	84	70	62	45
Rainfall (in)	5	5	3	1	0	0	0	0	0	1	3	3

ITALY

+1 +39 230V Right .it

Area: 113,536 sq. miles (294,060 sq. km)
Population: 57.3 million
Capital: Rome
Languages: Italian, German, French, others
Currency: Euro = 100 cents
Banks closed: Sunday
IDP required: Yes **Visa:** No
Tourist office: www.enit.it
Climate: Mediterranean/mountain

Month	J	F	M	A	M	J	J	A	S	O	N	D
Temp (°F)	41	41	52	58	64	82	86	86	71	64	55	43
Rainfall (in)	3	2	2	2	2	1	1	1	2	4	5	4

IVORY COAST

0 +225 220V Right .ci

Area: 122,780 sq. miles (318,000 sq. km)
Population: 16.9 million
Capital: Yamoussoukro
Languages: Akan, French, Kru, Voltaic
Currency: CFA franc = 100 centimes
Banks closed: Sunday
IDP required: Yes **Visa:** Yes
Tourist office: www.tourismeci.org
Climate: Tropical wet and dry

Month	J	F	M	A	M	J	J	A	S	O	N	D
Temp (°F)	81	90	90	90	82	79	73	72	73	79	81	81
Rainfall (in)	2	2	4	5	14	19	8	2	3	7	8	3

JAMAICA

-5 +1876 110V Left .jm

Area: 4,181 sq. miles (10,830 sq. km)
Population: 2.7 million
Capital: Kingston
Languages: English Creole, English
Currency: Jamaican dollar = 100 cents
Banks closed: Sunday
IDP required: Yes **Visa:** No
Tourist office: www.visitjamaica.com
Climate: Tropical oceanic

Month	J	F	M	A	M	J	J	A	S	O	N	D
Temp (°F)	66	66	68	79	80	82	90	90	90	81	80	79
Rainfall (in)	1	1	1	1	4	4	4	4	4	7	3	1

JAPAN

+9 +81 100V Left .jp

Area: 145,374 sq. miles (376,520 sq. km)
Population: 128 million
Capital: Tokyo
Languages: Japanese, Korean, Chinese
Currency: Yen = 100 sen
Banks closed: Sunday
IDP required: Yes **Visa:** No
Tourist office: www.jnto.go.jp
Climate: Continental/subtropical

Month	J	F	M	A	M	J	J	A	S	O	N	D
Temp (°F)	28	30	45	55	63	69	82	86	79	63	52	34
Rainfall (in)	2	3	4	5	6	6	6	6	9	8	4	2

JORDAN

+2 +962 230V Right .jo

Area: 34,336 sq. miles (88,930 sq. km)
Population: 5.6 million
Capital: Amman
Languages: Arabic
Currency: Jordanian dinar = 1,000 fils
Banks closed: Friday
IDP required: Yes **Visa:** Yes
Tourist office: www.tourism.jo
Climate: Hot desert/steppe/Mediterranean

Month	J	F	M	A	M	J	J	A	S	O	N	D
Temp (°F)	70	72	93	95	93	83	82	83	82	81	80	72
Rainfall (in)	0	0	2	3	5	6	7	6	9	10	5	2

KAZAKHSTAN

+5/+6 +7 220V Right .kz

Area: 1,049,150 sq. miles (2,717,300 sq. km)
Population: 15.4 million
Capital: Astana
Languages: Kazakh, Russian, Ukrainian, other
Currency: Tenge = 100 tiyn
Banks closed: Sunday
IDP required: Yes **Visa:** Yes
Tourist office: www.kazsport.kz
Climate: Cold desert/steppe

Month	J	F	M	A	M	J	J	A	S	O	N	D
Temp (°F)	7	9	30	46	59	75	81	81	59	46	31	16
Rainfall (in)	1	1	2	4	4	3	1	1	1	2	2	1

KENYA

+3 +254 220V Left .ke

Area: 218,907 sq. miles (566,970 sq. km)
Population: 32.4 million
Capital: Nairobi
Languages: Kiswahili, English, Kikuyu, others
Currency: Kenya shilling = 100 cents
Banks closed: Sunday
IDP required: Yes **Visa:** Yes
Tourist office: www.ktdc.co.ke
Climate: Steppe/mountain/tropical

Month	J	F	M	A	M	J	J	A	S	O	N	D
Temp (°F)	77	79	77	66	64	62	52	52	52	65	65	65
Rainfall (in)	1	3	5	8	6	2	1	1	1	2	4	3

KIRIBATI

+12 +686 240V Right .ki

Area: 274 sq. miles (710 sq. km)
Population: 100,798
Capital: Bairiki (Tarawa Atoll)
Languages: English, Kiribati
Currency: Australian dollar = 100 cents
Banks closed: Sunday
IDP required: Yes **Visa:** Yes
Tourist office: www.tcsp.com
Climate: Tropical oceanic

Month	J	F	M	A	M	J	J	A	S	O	N	D
Temp (°F)	83	83	83	83	83	78	77	77	89	90	90	83
Rainfall (in)	11	8	6	8	6	5	4	8	6	3	2	13

KUWAIT

+3 +965 240V Right .kw

Area: 6,880 sq. miles (17,820 sq. km)
Population: 2.6 million
Capital: Kuwait City
Languages: Arabic, English
Currency: Kuwaiti dinar = 1,000 fils
Banks closed: Friday
IDP required: Yes **Visa:** Yes
Tourist office: www.kuwaittourism.com
Climate: Hot desert

Month	J	F	M	A	M	J	J	A	S	O	N	D
Temp (°F)	48	52	65	75	85	91	102	104	100	82	70	54
Rainfall (in)	1	1	1	0	0	0	0	0	0	0	1	1

KYRGYZSTAN

+6 +996 220V Right .kg

Area: 76,641 sq. miles (198,500 sq. km)
Population: 5.2 million
Capital: Bishkek
Languages: Kyrgyz, Russian, Uzbek, Tatar
Currency: Som = 100 tyyn
Banks closed: Sunday
IDP required: Yes **Visa:** Yes
Tourist office: gatiskr@bishkek.gov.kg
Climate: Mountain

Month	J	F	M	A	M	J	J	A	S	O	N	D
Temp (°F)	14	19	39	53	62	77	86	84	63	50	36	21
Rainfall (in)	1	1	2	3	2	2	1	0	1	1	1	1

LAOS

+7 +856 230V Right .la

Area: 89,112 sq. miles (230,800 sq. km)
Population: 5.8 million
Capital: Vientiane
Languages: Lao, Vietnamese, Chinese, French
Currency: New kip = 100 at
Banks closed: Sunday
IDP required: Yes **Visa:** Yes
Tourist office: www.visit-mekong.com/laos
Climate: Tropical monsoon

Month	J	F	M	A	M	J	J	A	S	O	N	D
Temp (°F)	57	63	91	93	90	82	82	82	82	79	74	61
Rainfall (in)	0	1	1	4	11	12	11	11	12	4	1	0

LATVIA

+2 +371 220V Right .lv

Area: 24,938 sq. miles (64,589 sq. km)
Population: 2.3 million
Capital: Riga
Languages: Latvian, Russian
Currency: Lats = 100 santims
Banks closed: Sunday
IDP required: Yes **Visa:** No
Tourist office: www.latviatourism.lv
Climate: Continental

Month	J	F	M	A	M	J	J	A	S	O	N	D
Temp (°F)	14	14	28	42	52	70	72	70	55	46	35	19
Rainfall (in)	1	1	1	1	2	2	2	3	3	2	2	2

LEBANON

+2 +961 230V Right .lb

Area: 3,950 sq. miles (10,230 sq. km)
Population: 3.7 million
Capital: Beirut
Languages: Arabic, French, Armenian, others
Currency: Lebanese pound = 100 piastres
Banks closed: Sunday
IDP required: Yes **Visa:** Yes
Tourist office: www.destinationlebanon.com
Climate: Mediterranean/mountain

Month	J	F	M	A	M	J	J	A	S	O	N	D
Temp (°F)	52	52	54	64	72	76	88	90	86	75	67	60
Rainfall (in)	8	6	4	2	1	0	0	0	0	2	5	7

LESOTHO

+2 +266 220V Left .ls

Area: 11,718 sq. miles (30,350 sq. km)
Population: 1.8 million
Capital: Maseru
Languages: English, Sesotho, isiZulu
Currency: Loti = 100 lisente
Banks closed: Sunday
IDP required: Yes **Visa:** No
Tourist office: www.lesotho.gov.ls
Climate: Mountain

Month	J	F	M	A	M	J	J	A	S	O	N	D
Temp (°F)	83	81	65	58	51	31	31	35	58	62	66	82
Rainfall (in)	4	4	4	3	1	0	1	1	1	2	3	4

LIBERIA

0 +231 110V Right .lr

Area: 37,189 sq. miles (96,320 sq. km)
Population: 3.5 million
Capital: Monrovia
Languages: Kpelle, Vai, Bassa, English, others
Currency: Liberian dollar = 100 cents
Banks closed: Sunday
IDP required: Yes **Visa:** Yes
Tourist office: +231 226269
Climate: Tropical equatorial

Month	J	F	M	A	M	J	J	A	S	O	N	D
Temp (°F)	80	79	88	88	79	77	72	77	72	77	79	80
Rainfall (in)	1	2	4	9	20	38	39	15	29	30	9	5

LIBYA

+1 · +218 · 220V · Right · .ly

Area: 679,358 sq. miles (1,759,540 sq. km)
Population: 5.7 million
Capital: Tripoli
Languages: Arabic, Tuareg
Currency: Libyan dinar = 1,000 dirhams
Banks closed: Friday
IDP required: Yes **Visa:** Yes
Tourist office: www.arabtours.co.uk
Climate: Hot desert

Month	J	F	M	A	M	J	J	A	S	O	N	D
Temp (°F)	46	48	59	64	68	73	84	86	84	73	65	48
Rainfall (in)	3	2	1	0	0	0	0	0	0	2	3	4

LIECHTENSTEIN

+1 · +423 · 230V · Right · .li

Area: 62 sq. miles (160 sq. km)
Population: 33,436
Capital: Vaduz
Languages: German, Alemannish, Italian
Currency: Swiss franc = 100 rappen/centimes
Banks closed: Sunday
IDP required: Yes **Visa:** No
Tourist office: www.tourismus.li
Climate: Mountain

Month	J	F	M	A	M	J	J	A	S	O	N	D
Temp (°F)	27	30	43	49	56	73	77	75	51	49	40	30
Rainfall (in)	3	3	3	3	4	5	5	5	4	3	3	3

LITHUANIA

+2 · +370 · 220V · Right · .lt

Area: 25,174 sq. miles (65,200 sq. km)
Population: 3.4 million
Capital: Vilnius
Languages: Lithuanian, Russian
Currency: Litas = 100 centu; Euro = 100 cents
Banks closed: Sunday
IDP required: Yes **Visa:** No
Tourist office: www.tourism.lt
Climate: Continental

Month	J	F	M	A	M	J	J	A	S	O	N	D
Temp (°F)	13	14	27	44	55	70	73	71	55	45	35	19
Rainfall (in)	1	2	1	2	3	3	2	4	2	2	3	2

LUXEMBOURG

+1 · +352 · 220V · Right · .lu

Area: 998 sq. miles (2585 sq. km)
Population: 459,000
Capital: Luxembourg-Ville
Languages: Luxembourgish, German, French
Currency: Euro = 100 cents
Banks closed: Sunday
IDP required: Yes **Visa:** No
Tourist office: www.ont.lu
Climate: Maritime

Month	J	F	M	A	M	J	J	A	S	O	N	D
Temp (°F)	30	30	34	48	55	70	73	72	58	49	41	32
Rainfall (in)	2	3	2	2	3	3	2	3	3	2	3	3

MACEDONIA

+1 · +389 · 220V · Right · .mk

Area: 9,929 sq. miles (25,715 sq. km)
Population: 2.1 million
Capital: Skopje
Languages: Macedonian, Albanian, Serbo-Croat
Currency: Macedonian denar = 100 deni
Banks closed: Sunday
IDP required: Yes **Visa:** No
Tourist office: +389 2 3118 498
Climate: Continental

Month	J	F	M	A	M	J	J	A	S	O	N	D
Temp (°F)	27	28	43	54	62	82	87	88	65	54	45	30
Rainfall (in)	2	1	1	1	2	2	1	1	1	2	2	2

MADAGASCAR

+3 · +261 · 220V · Right · .mg

Area: 224,533 sq. miles (581,540 sq. km)
Population: 17.9 million
Capital: Antananarivo
Languages: Malagasy, French
Currency: Ariary = 5 iraimbilanja
Banks closed: Sunday
IDP required: Yes **Visa:** Yes
Tourist office: www.tourisme.gov.mg
Climate: Tropical

Month	J	F	M	A	M	J	J	A	S	O	N	D
Temp (°F)	70	70	70	66	64	50	48	48	63	81	81	81
Rainfall (in)	12	11	7	2	1	0	0	0	1	2	5	11

MALAWI

+2 · +265 · 230V · Left · .mw

Area: 36,324 sq. miles (94,080 sq. km)
Population: 12.3 million
Capital: Lilongwe
Languages: Chewa, Lomwe, English, others
Currency: Malawi kwacha = 100 tambala
Banks closed: Sunday
IDP required: Yes **Visa:** No
Tourist office: www.tourismmalawi.com
Climate: Tropical wet and dry

Month	J	F	M	A	M	J	J	A	S	O	N	D
Temp (°F)	72	72	71	69	64	46	45	46	67	86	84	82
Rainfall (in)	8	9	5	2	0	0	0	0	0	0	2	5

MALAYSIA

+8 · +60 · 240V · Left · .my

Area: 126,853 sq. miles (328,550 sq. km)
Population: 24.9 million
Capital: Kuala Lumpur; Putrajaya (admin)
Languages: Malay, Chinese, Tamil, English
Currency: Ringgit = 100 sen
Banks closed: Sunday
IDP required: Yes **Visa:** No
Tourist office: www.tourism.gov.my
Climate: Tropical equatorial

Month	J	F	M	A	M	J	J	A	S	O	N	D
Temp (°F)	72	91	91	82	82	82	82	82	82	82	82	72
Rainfall (in)	6	8	10	11	9	5	4	6	9	10	10	8

MALDIVES

+5 · +960 · 230V · Left · .mv

Area: 116 sq. miles (300 sq. km)
Population: 328,000
Capital: Male
Languages: Dhivehi, Sinhala, Tamil, Arabic
Currency: Rufiyaa = 100 lari
Banks closed: Friday
IDP required: No **Visa:** Yes
Tourist office: www.visitmaldives.com.mv
Climate: Tropical oceanic

Month	J	F	M	A	M	J	J	A	S	O	N	D
Temp (°F)	80	79	81	91	93	93	80	70	72	81	81	68
Rainfall (in)	2	1	1	2	7	12	9	8	6	7	6	3

MALI

0 · +223 · 220V · Right · .ml

Area: 471,115 sq. miles (1,220,190 sq. km)
Population: 13.4 million
Capital: Bamako
Languages: Bambara, Fulani, Senufo, French
Currency: CFA franc = 100 centimes
Banks closed: Sunday
IDP required: Yes **Visa:** Yes
Tourist office: www.malitourisme.com
Climate: Hot desert/steppe

Month	J	F	M	A	M	J	J	A	S	O	N	D
Temp (°F)	61	82	102	102	102	83	81	80	81	82	64	63
Rainfall (in)	0	0	0	1	3	5	11	14	8	2	1	0

MALTA

+1 · +356 · 240V · Left · .mt

Area: 124 sq. miles (320 sq. km)
Population: 396,000
Capital: Valletta
Languages: Maltese, English
Currency: Maltese lira = 100 cents
Banks closed: Sunday
IDP required: Yes **Visa:** No
Tourist office: www.visitmalta.com
Climate: Mediterranean

Month	J	F	M	A	M	J	J	A	S	O	N	D
Temp (°F)	50	50	52	60	66	73	84	84	81	71	64	57
Rainfall (in)	4	2	2	1	0	0	0	0	1	2	4	4

MARSHALL ISLANDS

+12 · +692 · 110V · Right · .mh

Area: 70 sq. miles (181 sq. km)
Population: 57,738
Capital: Majuro
Languages: Marshallese, English, Japanese
Currency: US dollar = 100 cents
Banks closed: Sunday
IDP required: No **Visa:** No
Tourist office: www.visitmarshallislands.com
Climate: Tropical oceanic

Month	J	F	M	A	M	J	J	A	S	O	N	D
Temp (°F)	77	81	79	82	82	81	81	88	88	88	81	79
Rainfall (in)	10	5	8	9	10	12	13	10	14	14	13	12

MAURITANIA

0 · +222 · 220V · Right · .mr

Area: 395,953 sq. miles (1,025,520 sq. km)
Population: 3 million
Capital: Nouakchott
Languages: Hassaniyah Arabic, Wolof, French
Currency: Ouguiya = 5 khoums
Banks closed: Friday
IDP required: Yes **Visa:** Yes
Tourist office: +222 525 3572
Climate: Hot desert

Month	J	F	M	A	M	J	J	A	S	O	N	D
Temp (°F)	57	59	76	77	93	82	82	82	93	91	77	55
Rainfall (in)	0	0	0	0	0	0	1	4	1	0	0	0

MAURITIUS

+4 · +230 · 220V · Left · .mu

Area: 718 sq. miles (1,860 sq. km)
Population: 1.2 million
Capital: Port Louis
Languages: French Creole, Hindi, Urdu, others
Currency: Mauritian rupee = 100 cents
Banks closed: Sunday
IDP required: Yes **Visa:** No
Tourist office: www.mauritius.net
Climate: Tropical oceanic

Month	J	F	M	A	M	J	J	A	S	O	N	D
Temp (°F)	86	84	84	76	73	63	63	63	70	73	74	84
Rainfall (in)	9	8	9	5	4	3	2	3	1	2	2	5

MEXICO

-6 · +52 · 110V · Right · .mx

Area: 736,945 sq. miles (1,908,690 sq. km)
Population: 105 million
Capital: Mexico City
Languages: Spanish, Nahuatl, Mayan, others
Currency: Mexican peso = 100 centavos
Banks closed: Sunday
IDP required: No **Visa:** No
Tourist office: www.sectur.gob.mx
Climate: Tropical/mountain/desert

Month	J	F	M	A	M	J	J	A	S	O	N	D
Temp (°F)	[illegible]	43	52	77	79	75	54	64	64	60	57	43
Rainfall (in)	1	0	0	1	2	5	7	6	5	2	1	0

MICRONESIA

+10/+11 · +691 · 120V · Right · .fm

Area: 271 sq. miles (702 sq. km)
Population: 108,155
Capital: Palikir (Pohnpei Island)
Languages: Trukese, Pohnpeian, English, other
Currency: US dollar = 100 cents
Banks closed: Sunday
IDP required: Yes **Visa:** No
Tourist office: www.visit-fsm.org
Climate: Tropical oceanic

Month	J	F	M	A	M	J	J	A	S	O	N	D
Temp (°F)	80	80	80	80	80	80	73	86	73	86	80	79
Rainfall (in)	12	9	13	17	21	18	17	16	16	16	16	21

MOLDOVA

+2 · +373 · 220V · Right · .md

Area: 13,012 sq. miles (33,700 sq. km)
Population: 4.3 million
Capital: Chisinau
Languages: Moldovan, Ukrainian, Russian
Currency: Moldovan leu = 100 bani
Banks closed: Sunday
IDP required: Yes **Visa:** Yes
Tourist office: www.turism.md
Climate: Continental

Month	J	F	M	A	M	J	J	A	S	O	N	D
Temp (°F)	23	23	36	51	63	78	81	81	63	53	43	25
Rainfall (in)	2	2	2	1	1	3	3	1	2	1	2	2

MONACO

+1 · +377 · 220V · Right · .mc

Area: 0.75 sq. miles (1.95 sq. km)
Population: 32,270
Capital: Monaco-Ville
Languages: French, Italian, Monégasque
Currency: Euro = 100 cents
Banks closed: Sunday
IDP required: Yes **Visa:** No
Tourist office: www.monaco-tourisme.com
Climate: Mediterranenan

Month	J	F	M	A	M	J	J	A	S	O	N	D
Temp (°F)	46	46	54	57	63	70	72	72	68	64	57	54
Rainfall (in)	2	2	3	3	3	1	1	1	3	4	5	4

MONGOLIA

+8 · +976 · 230V · Right · .mn

Area: 604,247 sq. miles (1,565,000 sq. km)
Population: 2.6 million
Capital: Ulan Bator
Languages: Khalkha, Kazakh, Chinese, Russian
Currency: Tugrik = 100 möngö
Banks closed: Sunday
IDP required: Yes **Visa:** No
Tourist office: www.travelmongolia.org
Climate: Mountain/cold desert/steppe

Month	J	F	M	A	M	J	J	A	S	O	N	D
Temp (°F)	-26	-20	9	31	42	70	72	70	46	30	9	-18
Rainfall (in)	0	0	0	0	0	1	3	2	1	0	0	0

MOROCCO

0 · +212 · 220V · Right · .ma

Area: 172,316 sq. miles (446,300 sq. km)
Population: 31.1 million
Capital: Rabat
Languages: Arabic, Berber, French, others
Currency: Moroccan dirham = 100 centimes
Banks closed: Sunday
IDP required: Yes **Visa:** No
Tourist office: www.visitmorocco.com
Climate: Hot desert/mountain/Mediterranean

Month	J	F	M	A	M	J	J	A	S	O	N	D
Temp (°F)	46	46	58	63	64	70	82	82	81	67	62	48
Rainfall (in)	3	3	3	2	1	0	0	0	0	2	3	3

Factfile

MOZAMBIQUE–SLOVAKIA

Key to symbols

- Time zone
- Dialling code
- Electricity voltage
- Side of road for driving
- Internet ID code
- **IDP** International drivers permit
- **Visa** Refers to US Nationals

MOZAMBIQUE

+2 +258 220V Left .mz

Area: 302,737 sq. miles (784,090 sq. km)
Population: 19.2 million
Capital: Maputo
Languages: Makua, Xitsonga, Portuguese
Currency: Metical = 100 centavos
Banks closed: Sunday
IDP required: Yes **Visa:** Yes
Tourist office: +258 1 310 755
Climate: Tropical wet and dry

Month	J	F	M	A	M	J	J	A	S	O	N	D
Temp (°F)	86	88	84	74	71	55	55	57	71	73	74	77
Rainfall (in)	5	5	5	2	1	1	1	1	1	2	3	4

MYANMAR

+6.5 +95 230V Right .mm

Area: 253,876 sq. miles (657,540 sq. km)
Population: 50.1 million
Capital: Rangoon (Yangon)
Languages: Burmese, Shan, Karen, others
Currency: Kyat = 100 pyas
Banks closed: Sunday
IDP required: Yes **Visa:** Yes
Tourist office: www.myanmar-tourism.com
Climate: Tropical/mountain

Month	J	F	M	A	M	J	J	A	S	O	N	D
Temp (°F)	64	66	97	97	91	81	80	80	81	82	81	66
Rainfall (in)	0	0	0	2	12	19	23	21	16	7	3	0

NAMIBIA

+2 +264 220V Left .na

Area: 317,872 sq. miles (823,290 sq. km)
Population: 2 million
Capital: Windhoek
Languages: Ovambo, German, Afrikaans
Currency: Namibian dollar = 100 cents
Banks closed: Sunday
IDP required: Yes **Visa:** No
Tourist office: www.namibiatourism.com.na
Climate: Hot desert/steppe

Month	J	F	M	A	M	J	J	A	S	O	N	D
Temp (°F)	84	72	70	66	60	45	43	60	65	72	72	86
Rainfall (in)	3	3	3	2	0	0	0	0	0	0	1	2

NAURU

+12 +674 240V Left .nr

Area: 8.1 sq. miles (21 sq. km)
Population: 12,809
Capital: None
Languages: Nauruan, Kiribati, Chinese, English
Currency: Australian dollar = 100 cents
Banks closed: Sunday
IDP required: Yes **Visa:** Yes
Tourist office: www.spto.org
Climate: Tropical oceanic

Month	J	F	M	A	M	J	J	A	S	O	N	D
Temp (°F)	73	82	90	90	90	82	82	82	90	82	82	82
Rainfall (in)	12	8	7	4	2	4	6	8	5	4	6	9

NEPAL

+5.75 +977 230V Left .np

Area: 52,818 sq. miles (136,800 sq. km)
Population: 25.7 million
Capital: Kathmandu
Languages: Nepali, Maithili, Bhojpuri
Currency: Nepalese rupee = 100 paise
Banks closed: Saturday
IDP required: Yes **Visa:** Yes
Tourist office: www.welcomenepal.com
Climate: Mountain/subtropical

Month	J	F	M	A	M	J	J	A	S	O	N	D
Temp (°F)	36	39	61	68	86	84	84	75	74	68	59	37
Rainfall (in)	1	2	1	2	5	10	15	14	6	1	0	0

NETHERLANDS

+1 +31 230V Right .nl

Area: 13,097 sq. miles (33,920 sq. km)
Population: 16.2 million
Capital: Amsterdam; The Hague (admin)
Languages: Dutch, Frisian
Currency: Euro = 100 cents
Banks closed: Sunday
IDP required: Yes **Visa:** No
Tourist office: www.holland.com
Climate: Maritime

Month	J	F	M	A	M	J	J	A	S	O	N	D
Temp (°F)	30	30	42	47	55	70	72	72	58	51	43	34
Rainfall (in)	3	2	2	2	2	2	3	3	3	3	3	3

NEW ZEALAND

+12 +64 230V Left .nz

Area: 103,733 sq. miles (268,670 sq. km)
Population: 3.9 million
Capital: Wellington
Languages: English, Maori
Currency: New Zealand dollar = 100 cents
Banks closed: Sunday
IDP required: Yes **Visa:** No
Tourist office: www.newzealand.com
Climate: Maritime/subtropical

Month	J	F	M	A	M	J	J	A	S	O	N	D
Temp (°F)	70	70	66	57	52	45	43	43	52	55	56	60
Rainfall (in)	3	3	3	4	5	5	5	5	4	4	4	4

NICARAGUA

-6 +505 120V Right .ni

Area: 45,849 sq. miles (118,750 sq. km)
Population: 5.6 million
Capital: Managua
Languages: Spanish, English Creole, Miskito
Currency: Córdoba oro = 100 centavos
Banks closed: Sunday
IDP required: No **Visa:** No
Tourist office: www.visit-nicaragua.com
Climate: Tropical equatorial/wet and dry

Month	J	F	M	A	M	J	J	A	S	O	N	D
Temp (°F)	68	80	93	93	93	81	80	80	80	80	70	68
Rainfall (in)	0	0	0	0	3	12	5	5	7	10	2	0

NIGER

+1 +227 220V Right .ne

Area: 489,073 sq. miles (1,266,700 sq. km)
Population: 12.4 million
Capital: Niamey
Languages: Hausa, Djerma, Fulani, French
Currency: CFA franc = 100 centimes
Banks closed: Sunday
IDP required: Yes **Visa:** Yes
Tourist office: +227 732 447
Climate: Hot desert/steppe

Month	J	F	M	A	M	J	J	A	S	O	N	D
Temp (°F)	57	64	106	108	106	89	83	82	83	87	82	59
Rainfall (in)	0	0	0	0	1	3	5	7	4	1	0	0

NIGERIA

+1 +234 240V Right .ng

Area: 351,648 sq. miles (910,770 sq. km)
Population: 127 million
Capital: Abuja
Languages: Hausa, English, Yoruba, Ibo
Currency: Naira = 100 kobo
Banks closed: Sunday
IDP required: Yes **Visa:** Yes
Tourist office: +234 9 234 2727
Climate: Tropical/steppe

Month	J	F	M	A	M	J	J	A	S	O	N	D
Temp (°F)	81	90	90	90	82	79	73	73	73	79	82	82
Rainfall (in)	1	2	4	6	11	18	11	3	6	8	3	1

NORTH KOREA

+9 +850 110V Right .kp

Area: 46,490 sq. miles (120,410 sq. km)
Population: 22.8 million
Capital: Pyongyang
Languages: Korean
Currency: North Korean won = 100 chon
Banks closed: Sunday
IDP required: No **Visa:** Yes
Tourist office: nta@silibank.com
Climate: Continental

Month	J	F	M	A	M	J	J	A	S	O	N	D
Temp (°F)	9	14	35	49	60	79	84	84	66	54	38	14
Rainfall (in)	1	0	1	2	3	3	9	9	4	2	2	1

NORWAY

+1 +47 220V Right .no

Area: 118,467 sq. miles (306,830 sq. km)
Population: 4.6 million
Capital: Oslo
Languages: Norwegian, Sámi
Currency: Norwegian krone = 100 øre
Banks closed: Sunday
IDP required: Yes **Visa:** No
Tourist office: www.visitnorway.com
Climate: Maritime/subarctic

Month	J	F	M	A	M	J	J	A	S	O	N	D
Temp (°F)	19	19	32	42	52	68	72	70	54	43	34	25
Rainfall (in)	2	1	1	2	2	3	3	4	3	3	3	2

OMAN

+4 +968 220V Right .om

Area: 82,031 sq. miles (212,460 sq. km)
Population: 2.9 million
Capital: Muscat
Languages: Arabic, Baluchi, Farsi, Hindi, other
Currency: Omani rial = 1,000 baizas
Banks closed: Friday
IDP required: Yes **Visa:** Yes
Tourist office: www.omantourism.gov.om
Climate: Hot desert

Month	J	F	M	A	M	J	J	A	S	O	N	D
Temp (°F)	66	66	77	84	99	100	97	88	88	87	74	68
Rainfall (in)	1	1	0	0	0	0	0	0	0	0	0	1

PAKISTAN

+5 +92 220V Left .pk

Area: 297,637 sq. miles (770,880 sq. km)
Population: 157 million
Capital: Islamabad
Languages: Punjabi, Sindhi, Pashtu, others
Currency: Pakistani rupee = 100 paisa
Banks closed: Sunday
IDP required: Yes **Visa:** Yes
Tourist office: www.tourism.gov.pk
Climate: Mountain/steppe/hot desert

Month	J	F	M	A	M	J	J	A	S	O	N	D
Temp (°F)	55	57	75	82	93	93	91	83	82	82	76	57
Rainfall (in)	1	0	0	0	0	1	3	2	1	0	0	0

PALAU

+9 +680 115V Right .pw

Area: 196 sq. miles (508 sq. km)
Population: 20,016
Capital: Koror
Languages: Palauan, English, Japanese, other
Currency: US dollar = 100 cents
Banks closed: Sunday
IDP required: No **Visa:** No
Tourist office: www.visit-palau.com
Climate: Tropical oceanic

Month	J	F	M	A	M	J	J	A	S	O	N	D
Temp (°F)	84	84	84	84	84	83	76	83	76	91	92	84
Rainfall (in)	16	18	16	11	7	11	10	11	14	14	12	17

PANAMA

-5 +507 120V Right .pa

Area: 29,340 sq. miles (75,990 sq. km)
Population: 3.2 million
Capital: Panama City
Languages: English Creole, Spanish, others
Currency: Balboa = 100 centesimos
Banks closed: Sunday
IDP required: Yes **Visa:** No
Tourist office: www.visitpanama.com
Climate: Tropical wet and dry

Month	J	F	M	A	M	J	J	A	S	O	N	D
Temp (°F)	72	81	90	81	80	81	81	80	79	79	79	81
Rainfall (in)	1	0	1	3	8	8	7	8	8	10	10	5

PAPUA NEW GUINEA

+10 +675 240V Left .pg

Area: 174,849 sq. miles (452,860 sq. km)
Population: 5.8 million
Capital: Port Moresby
Languages: Pidgin English, Papuan, others
Currency: Kina = 100 toeas
Banks closed: Sunday
IDP required: Yes **Visa:** Yes
Tourist office: www.pngtourism.org.pg
Climate: Tropical equatorial/monsoon

Month	J	F	M	A	M	J	J	A	S	O	N	D
Temp (°F)	90	82	82	82	81	79	73	73	79	81	82	90
Rainfall (in)	7	8	7	4	3	1	1	1	1	1	2	4

PARAGUAY

-4 +595 220V Right .py

Area: 153,398 sq. miles (397,300 sq. km)
Population: 6 million
Capital: Asunción
Languages: Guaraní, Spanish, German
Currency: Guaraní = 100 centimos
Banks closed: Sunday
IDP required: Yes **Visa:** Yes
Tourist office: www.senatur.gov.py
Climate: Tropical/subtropical

Month	J	F	M	A	M	J	J	A	S	O	N	D
Temp (°F)	95	93	81	74	57	54	54	68	72	74	77	93
Rainfall (in)	6	5	4	5	5	3	2	1	3	6	6	6

PERU

-5 +51 220V Right .pe

Area: 494,208 sq. miles (1,280,000 sq. km)
Population: 27.6 million
Capital: Lima
Languages: Spanish, Quechua, Aymara
Currency: New sol = 100 centimos
Banks closed: Sunday
IDP required: Yes **Visa:** No
Tourist office: www.go2peru.com
Climate: Tropical/mountain/desert

Month	J	F	M	A	M	J	J	A	S	O	N	D
Temp (°F)	82	82	82	72	67	57	57	55	63	64	67	71
Rainfall (in)	0	0	0	0	0	0	0	0	0	0	0	0

PHILIPPINES

+8 | +63 | 220V | Right | .ph

Area: 115,123 sq. miles (298,170 sq. km)
Population: 81.4 million
Capital: Manila
Languages: Filipino, English, Tagalog, others
Currency: Philippine peso = 100 centavos
Banks closed: Sunday
IDP required: Yes **Visa:** No
Tourist office: www.wowphilippines.com.ph
Climate: Tropical monsoon/equatorial

Month	J	F	M	A	M	J	J	A	S	O	N	D
Temp (°F)	70	70	82	93	93	91	82	82	82	81	80	70
Rainfall (in)	1	1	1	1	5	10	17	17	14	8	6	3

POLAND

+1 | +48 | 220V | Right | .pl

Area: 117,552 sq. miles (304,460 sq. km)
Population: 38.6 million
Capital: Warsaw
Languages: Polish
Currency: Zloty = 100 groszy
Banks closed: Sunday
IDP required: Yes **Visa:** No
Tourist office: www.pot.gov.pl
Climate: Continental

Month	J	F	M	A	M	J	J	A	S	O	N	D
Temp (°F)	21	21	36	46	58	73	75	73	58	48	38	27
Rainfall (in)	1	1	1	1	2	3	4	3	2	1	1	2

PORTUGAL

0 | +351 | 220V | Right | .pt

Area: 35,502 sq. miles (91,950 sq. km)
Population: 10.1 million
Capital: Lisbon
Languages: Portuguese
Currency: Euro = 100 cents
Banks closed: Sunday
IDP required: Yes **Visa:** No
Tourist office: www.visitportugal.pt
Climate: Mediterranean/maritime

Month	J	F	M	A	M	J	J	A	S	O	N	D
Temp (°F)	46	46	56	61	63	68	81	82	79	64	57	48
Rainfall (in)	4	3	4	2	2	1	0	0	1	2	4	4

QATAR

+3 | +974 | 240V | Right | .qa

Area: 4,247 sq. miles (11,000 sq. km)
Population: 619,000
Capital: Doha
Languages: Arabic
Currency: Qatar riyal = 100 dirhams
Banks closed: Friday
IDP required: Yes **Visa:** Yes
Tourist office: www.experienceqatar.com
Climate: Hot desert

Month	J	F	M	A	M	J	J	A	S	O	N	D
Temp (°F)	58	59	71	80	89	100	103	102	92	86	76	61
Rainfall (in)	2	8	13	2	0	0	0	0	0	0	1	4

ROMANIA

+2 | +40 | 220V | Right | .ro

Area: 88,934 sq. miles (230,340 sq. km)
Population: 22.3 million
Capital: Bucharest
Languages: Romanian, Hungarian, German
Currency: Romanian leu = 100 bani
Banks closed: Sunday
IDP required: Yes **Visa:** No
Tourist office: www romaniatourism.com
Climate: Continental

Month	J	F	M	A	M	J	J	A	S	O	N	D
Temp (°F)	19	23	40	53	62	81	86	86	64	54	43	27
Rainfall (in)	2	1	1	2	3	5	2	2	2	1	1	1

RUSSIAN FEDERATION

+1/+11 | +7 | 220V | Right | .ru

Area: 6,562,100 sq. miles (16,995,800 sq. km)
Population: 142 million
Capital: Moscow
Languages: Russian, Tatar, Ukrainian, others
Currency: Russian rouble = 100 kopeks
Banks closed: Sunday
IDP required: Yes **Visa:** Yes
Tourist office: www.russia-tourism.ru
Climate: Subarctic/mountain/steppe

Month	J	F	M	A	M	J	J	A	S	O	N	D
Temp (°F)	3	7	25	40	56	70	73	72	53	43	31	14
Rainfall (in)	2	1	1	1	2	2	3	3	2	2	2	2

RWANDA

+2 | +250 | 220V | Right | .rw

Area: 9,633 sq. miles (24,950 sq. km)
Population: 8.5 million
Capital: Kigali
Languages: Kinyarwanda, French, Kiswahili
Currency: Rwanda franc = 100 centimes
Banks closed: Sunday
IDP required: Yes **Visa:** No
Tourist office: www.rwandatourism.com
Climate: Tropical wet and dry

Month	J	F	M	A	M	J	J	A	S	O	N	D
Temp (°F)	69	69	69	68	68	58	58	81	81	70	69	69
Rainfall (in)	4	3	4	7	5	1	0	1	2	4	4	3

ST KITTS & NEVIS

-4 | +1869 | 230V | Left | .kn

Area: 139 sq. miles (360 sq. km)
Population: 38,836
Capital: Basseterre
Languages: English, English Creole
Currency: East Caribbean dollar = 100 cents
Banks closed: Sunday
IDP required: No **Visa:** No
Tourist office: www.stkittstourism.kn
Climate: Tropical oceanic

Month	J	F	M	A	M	J	J	A	S	O	N	D
Temp (°F)	70	78	70	80	82	90	80	90	90	83	81	70
Rainfall (in)	5	3	4	3	4	4	6	7	7	8	7	6

ST LUCIA

-4 | +1758 | 220V | Left | .lc

Area: 236 sq. miles (610 sq. km)
Population: 164,213
Capital: Castries
Languages: English, French Creole
Currency: East Caribbean dollar = 100 cents
Banks closed: Sunday
IDP required: No **Visa:** No
Tourist office: www.stlucia.org
Climate: Tropical oceanic

Month	J	F	M	A	M	J	J	A	S	O	N	D
Temp (°F)	70	70	75	30	88	88	88	81	81	80	78	70
Rainfall (in)	5	4	4	3	6	9	9	11	10	9	9	8

ST VINCENT & THE GRENADINES

-4 | +1784 | 220V | Left | .vc

Area: 131 sq. miles (340 sq. km)
Population: 117,193
Capital: Kingstown
Languages: English, English Creole
Currency: East Caribbean dollar = 100 cents
Banks closed: Sunday
IDP required: No **Visa:** No
Tourist office: www.svgtourism.com
Climate: Tropical oceanic

Month	J	F	M	A	M	J	J	A	S	O	N	D
Temp (°F)	63	63	64	75	81	81	91	91	91	81	79	76
Rainfall (in)	5	4	4	3	6	9	9	11	10	9	9	8

SAMOA

-11 | +685 | 240V | Right | .ws

Area: 1,093 sq. miles (2,830 sq. km)
Population: 180,000
Capital: Apia
Languages: Samoan, English
Currency: Tala = 100 sene
Banks closed: Sunday
IDP required: No **Visa:** No
Tourist office: www.visitsamoa.ws
Climate: Tropical oceanic

Month	J	F	M	A	M	J	J	A	S	O	N	D
Temp (°F)	81	80	80	81	79	79	79	80	79	80	80	79
Rainfall (in)	18	15	14	10	6	5	3	4	5	7	11	15

SAN MARINO

+1 | +378 | 220V | Right | .sm

Area: 24 sq. miles (61 sq. km)
Population: 28,503
Capital: San Marino
Languages: Italian
Currency: Euro = 100 cents
Banks closed: Sunday
IDP required: Yes **Visa:** No
Tourist office: www.visitsanmarino.com
Climate: Mediterranean

Month	J	F	M	A	M	J	J	A	S	O	N	D
Temp (°F)	35	36	47	53	61	77	82	82	67	58	50	39
Rainfall (in)	3	3	3	3	2	3	2	2	3	4	4	3

SAO TOME & PRINCIPE

0 | +239 | 220V | Right | .st

Area: 371 sq. miles (960 sq. km)
Population: 181,565
Capital: São Tomé
Languages: Portuguese Creole, Portuguese
Currency: Dobra = 100 centimos
Banks closed: Sunday
IDP required: Yes **Visa:** Yes
Tourist office: +239 2 21542
Climate: Tropical equatorial

Month	J	F	M	A	M	J	J	A	S	O	N	D
Temp (°F)	86	86	88	86	79	77	70	70	70	77	77	77
Rainfall (in)	3	4	6	5	5	1	0	0	1	4	5	4

SAUDI ARABIA

+3 | +966 | 125V | Right | .sa

Area: 816,480 sq. miles (2,114,690 sq. km)
Population: 24.9 million
Capital: Riyadh; Jiddah (administrative)
Languages: Arabic
Currency: Saudi riyal = 100 halalat
Banks closed: Friday
IDP required: Yes **Visa:** Yes
Tourist office: www.mofa.gov.sa
Climate: Hot desert

Month	J	F	M	A	M	J	J	A	S	O	N	D
Temp (°F)	46	48	69	77	86	108	108	108	87	77	70	48
Rainfall (in)	0	1	1	1	0	0	0	0	0	0	0	0

SENEGAL

0 | +221 | 230V | Right | .sn

Area: 74,336 sq. miles (192,530 sq. km)
Population: 10.3 million
Capital: Dakar
Languages: Wolof, Pulaar, Serer, French, other
Currency: CFA franc = 100 centimes
Banks closed: Sunday
IDP required: Yes **Visa:** No
Tourist office: +221 821 1126
Climate: Steppe/tropical

Month	J	F	M	A	M	J	J	A	S	O	N	D
Temp (°F)	64	63	73	73	76	81	82	82	90	90	80	73
Rainfall (in)	0	0	0	0	0	1	4	10	5	1	0	0

SERBIA & MONTENEGRO

+1 | +381 | 220V | Right | .yu

Area: 39,449 sq. miles (102,173 sq. km)
Population: 10.5 million
Capital: Belgrade
Languages: Serbo-Croat, Albanian, Hungarian
Currency: Dinar (Serbia); euro (Montenegro)
Banks closed: Sunday
IDP required: Yes **Visa:** No
Tourist office: www.belgradetourism.org.yu
Climate: Continental

Month	J	F	M	A	M	J	J	A	S	O	N	D
Temp (°F)	32	35	44	55	64	69	73	73	65	55	46	37
Rainfall (in)	2	2	2	2	3	4	2	2	2	2	2	2

SEYCHELLES

+4 | +248 | 240V | Left | .sc

Area: 104 sq. miles (270 sq. km)
Population: 80,832
Capital: Victoria
Languages: French Creole, English, French
Currency: Seychelles rupee = 100 cents
Banks closed: Sunday
IDP required: Yes **Visa:** No
Tourist office: www.seychelles.com
Climate: Tropical oceanic

Month	J	F	M	A	M	J	J	A	S	O	N	D
Temp (°F)	79	84	84	86	84	80	75	75	79	79	79	79
Rainfall (in)	15	11	9	7	7	4	3	3	5	6	9	13

SIERRA LEONE

0 | +232 | 220V | Right | .sl

Area: 27,652 sq. miles (71,620 sq. km)
Population: 5.2 million
Capital: Freetown
Languages: Mende, Temne, Krio, English
Currency: Leone = 100 cents
Banks closed: Sunday
IDP required: Yes **Visa:** Yes
Tourist office: ntbslinfo@yahoo.com
Climate: Tropical equatorial/monsoon

Month	J	F	M	A	M	J	J	A	S	O	N	D
Temp (°F)	80	81	86	88	86	81	73	73	73	79	80	80
Rainfall (in)	1	0	1	2	6	12	35	36	24	12	5	2

SINGAPORE

+8 | +65 | 220V | Left | .sg

Area: 236 sq. miles (610 sq. km)
Population: 4.3 million
Capital: Singapore
Languages: Mandarin, Malay, Tamil, English
Currency: Singapore dollar = 100 cents
Banks closed: Sunday
IDP required: Yes **Visa:** No
Tourist office: www.stb.com.sg
Climate: Tropical equatorial

Month	J	F	M	A	M	J	J	A	S	O	N	D
Temp (°F)	73	81	82	82	90	82	82	82	82	81	81	81
Rainfall (in)	10	7	8	7	7	7	7	8	7	8	10	10

SLOVAKIA

+1 | +421 | 230V | Right | .sk

Area: 18,933 sq. miles (49,036 sq. km)
Population: 5.4 million
Capital: Bratislava
Languages: Slovak, Hungarian, Czech
Currency: Slovak koruna = 100 halierov
Banks closed: Sunday
IDP required: Yes **Visa:** No
Tourist office: www.slovakiatourism.sk
Climate: Continental

Month	J	F	M	A	M	J	J	A	S	O	N	D
Temp (°F)	27	28	42	52	61	75	79	78	63	51	42	32
Rainfall (in)	2	2	2	2	2	3	3	3	2	2	2	2

Factfile

SLOVENIA–ZIMBABWE

Key to symbols

- Time zone
- Dialling code
- Electricity voltage
- Side of road for driving
- Internet ID code
- IDP International drivers permit
- Visa Refers to US Nationals

SLOVENIA

+1 | +386 | 220V | Right | .si

Area: 7,819 sq. miles (20,250 sq. km)
Population: 2 million
Capital: Ljubljana
Languages: Slovene, Serbo-Croat
Currency: Tolar = 100 stotinov
Banks closed: Sunday
IDP required: Yes **Visa:** No
Tourist office: www.slovenia-tourism.si
Climate: Continental/Mediterranean

Month	J	F	M	A	M	J	J	A	S	O	N	D
Temp (°F)	25	25	41	49	58	75	81	79	62	51	41	30
Rainfall (in)	3	4	3	4	5	5	4	5	6	6	5	4

SOLOMON ISLANDS

+11 | +677 | 240V | Left | .sb

Area: 10,806 sq. miles (27,990 sq. km)
Population: 491,000
Capital: Honiara
Languages: English, Pidgin English, other
Currency: Solomon Islands dollar = 100 cents
Banks closed: Sunday
IDP required: Yes **Visa:** No
Tourist office: www.visitsolomons.com.sb
Climate: Tropical equatorial

Month	J	F	M	A	M	J	J	A	S	O	N	D
Temp (°F)	87	80	80	80	87	80	72	72	72	87	80	80
Rainfall (in)	11	11	14	8	6	4	4	4	4	6	6	9

SOMALIA

+3 | +252 | 220V | Left | .so

Area: 242,216 sq. miles (627,340 sq. km)
Population: 10.3 million
Capital: Mogadishu
Languages: Somali, Arabic, English, Italian
Currency: Somali shilling = 100 centesimi
Banks closed: Friday
IDP required: Yes **Visa:** Yes
Tourist office: www.unsomalia.net
Climate: Hot desert/steppe

Month	J	F	M	A	M	J	J	A	S	O	N	D
Temp (°F)	80	80	82	90	90	79	73	73	73	81	88	81
Rainfall (in)	0	0	0	2	2	4	3	2	1	1	2	1

SOUTH AFRICA

+2 | +27 | 220V | Left | .za

Area: 471,444 sq. miles (1,221,040 sq. km)
Population: 45.2 million
Capital: Pretoria; Cape Town; Bloemfontein
Languages: English, isiZulu, Afrikaans, others
Currency: Rand = 100 cents
Banks closed: Sunday
IDP required: Yes **Visa:** No
Tourist office: www.southafrica.net
Climate: Desert/subtropical/mediterranean

Month	J	F	M	A	M	J	J	A	S	O	N	D
Temp (°F)	81	81	68	63	43	37	37	57	63	68	69	82
Rainfall (in)	5	4	4	2	1	1	0	0	1	2	5	5

SOUTH KOREA

+9 | +82 | 220V | Right | .kr

Area: 38,120 sq. miles (98,730 sq. km)
Population: 48 million
Capital: Seoul
Languages: Korean
Currency: South Korean won = 100 chon
Banks closed: Sunday
IDP required: Yes **Visa:** No
Tourist office: www.tour2korea.com
Climate: Continental

Month	J	F	M	A	M	J	J	A	S	O	N	D
Temp (°F)	16	19	37	52	62	81	84	88	69	55	42	19
Rainfall (in)	1	1	1	3	3	5	15	11	5	2	2	1

SPAIN

+1 | +34 | 220V | Right | .es

Area: 192,834 sq. miles (499,440 sq. km)
Population: 41.1 million
Capital: Madrid
Languages: Spanish, Catalan, Galician, Basque
Currency: Euro = 100 cents
Banks closed: Sunday
IDP required: Yes **Visa:** No
Tourist office: www.spain.info
Climate: Mediterranean/maritime/mountain

Month	J	F	M	A	M	J	J	A	S	O	N	D
Temp (°F)	36	36	50	55	60	81	88	86	67	58	48	36
Rainfall (in)	2	1	2	2	2	1	0	1	1	2	2	2

SRI LANKA

+5.5 | +94 | 230V | Left | .lk

Area: 24,996 sq. miles (64,740 sq. km)
Population: 19.2 million
Capital: Colombo
Languages: Sinhala, Tamil, English
Currency: Sri Lanka rupee = 100 cents
Banks closed: Sunday
IDP required: Yes **Visa:** No
Tourist office: www.srilankatourism.org
Climate: Tropical monsoon/equatorial

Month	J	F	M	A	M	J	J	A	S	O	N	D
Temp (°F)	72	72	88	88	88	81	81	81	81	80	79	72
Rainfall (in)	4	3	6	9	15	9	5	4	6	14	12	6

SUDAN

+2 | +249 | 240V | Right | .sd

Area: 967,500 sq. miles (2,506,000 sq. km)
Population: 34.3 million
Capital: Khartoum
Languages: Arabic, Dinka, Nuer, Nubia, others
Currency: Sudanese pound = 100 piastres
Banks closed: Friday
IDP required: Yes **Visa:** Yes
Tourist office: +249 183 472 604
Climate: Hot desert/steppe/tropical

Month	J	F	M	A	M	J	J	A	S	O	N	D
Temp (°F)	59	61	83	106	108	106	89	87	90	90	82	63
Rainfall (in)	0	0	0	0	0	0	2	3	1	0	0	0

SURINAME

-3 | +597 | 127V | Left | .sr

Area: 62,344 sq. miles (161,470 sq. km)
Population: 439,000
Capital: Paramaribo
Languages: Creole, Dutch, Javanese, others
Currency: Suriname dollar = 100 cents
Banks closed: Sunday
IDP required: Yes **Visa:** Yes
Tourist office: www.suriname-tourism.com
Climate: Tropical equatorial

Month	J	F	M	A	M	J	J	A	S	O	N	D
Temp (°F)	72	72	72	80	80	80	81	82	91	91	90	79
Rainfall (in)	8	6	8	9	12	12	9	6	3	3	5	9

SWAZILAND

+2 | +268 | 220V | Left | .sz

Area: 6,641 sq. miles (17,200 sq. km)
Population: 1.1 million
Capital: Mbabane
Languages: English, siSwati, isiZulu, Xitsonga
Currency: Lilangeni = 100 cents
Banks closed: Sunday
IDP required: Yes **Visa:** No
Tourist office: www.mintour.gov.sz
Climate: Subtropical

Month	J	F	M	A	M	J	J	A	S	O	N	D
Temp (°F)	77	77	66	64	58	43	43	45	61	64	65	77
Rainfall (in)	10	8	8	3	1	1	1	1	2	5	7	8

SWEDEN

+1 | +46 | 230V | Right | .se

Area: 158,926 sq. miles (411,620 sq. km)
Population: 8.9 million
Capital: Stockholm
Languages: Swedish, Finnish, Sámi
Currency: Swedish krona = 100 öre
Banks closed: Sunday
IDP required: Yes **Visa:** No
Tourist office: www.visit-sweden.com
Climate: Subarctic/continental

Month	J	F	M	A	M	J	J	A	S	O	N	D
Temp (°F)	23	23	25	40	50	66	72	68	54	45	37	32
Rainfall (in)	2	1	1	1	1	2	2	3	2	2	2	2

SWITZERLAND

+1 | +41 | 220V | Right | .ch

Area: 15,355 sq. miles (39,770 sq. km)
Population: 7.2 million
Capital: Bern
Languages: German, French, Italian, Romansch
Currency: Swiss franc = 100 rappen/centimes
Banks closed: Sunday
IDP required: Yes **Visa:** No
Tourist office: www.myswitzerland.com
Climate: Mountain/continental

Month	J	F	M	A	M	J	J	A	S	O	N	D
Temp (°F)	25	27	41	48	55	70	74	72	58	48	39	28
Rainfall (in)	2	2	2	3	4	5	5	5	4	3	3	2

SYRIA

+2 | +963 | 220V | Right | .sy

Area: 71,066 sq. miles (184,060 sq. km)
Population: 18.2 million
Capital: Damascus
Languages: Arabic, French, Kurdish, others
Currency: Syrian pound = 100 piastres
Banks closed: Friday
IDP required: Yes **Visa:** Yes
Tourist office: www.syriatourism.org
Climate: Steppe/hot desert/Mediterranean

Month	J	F	M	A	M	J	J	A	S	O	N	D
Temp (°F)	36	39	54	62	70	91	97	99	76	67	56	39
Rainfall (in)	2	2	0	1	0	0	0	0	1	0	2	2

TAIWAN

+8 | +886 | 110V | Right | .tw

Area: 12,456 sq. miles (32,260 sq. km)
Population: 22.8 million
Capital: Taipei
Languages: Amoy Chinese, Mandarin Chinese
Currency: Taiwan dollar = 100 cents
Banks closed: Sunday
IDP required: Yes **Visa:** No
Tourist office: www.tva.org.tw
Climate: Tropical monsoon

Month	J	F	M	A	M	J	J	A	S	O	N	D
Temp (°F)	54	54	64	70	76	90	91	91	81	73	69	57
Rainfall (in)	3	5	7	7	9	11	9	12	10	5	3	3

TAJIKISTAN

+5 | +992 | 220V | Right | .tj

Area: 55,251 sq. miles (143,100 sq. km)
Population: 6.3 million
Capital: Dushanbe
Languages: Tajik, Uzbek, Russian
Currency: Somoni = 100 diram
Banks closed: Sunday
IDP required: Yes **Visa:** Yes
Tourist office: mfart@tajik.net
Climate: Mountain

Month	J	F	M	A	M	J	J	A	S	O	N	D
Temp (°F)	26	28	48	59	67	91	99	97	71	59	49	31
Rainfall (in)	3	3	4	4	3	1	0	0	0	1	2	3

TANZANIA

+3 | +255 | 230V | Left | .tz

Area: 342,100 sq. miles (886,040 sq. km)
Population: 37.7 million
Capital: Dodoma
Languages: Kiswahili, Sukuma, English, others
Currency: Tanzanian shilling = 100 cents
Banks closed: Sunday
IDP required: Yes **Visa:** Yes
Tourist office: www.tanzaniatouristboard.com
Climate: Tropical/mountain

Month	J	F	M	A	M	J	J	A	S	O	N	D
Temp (°F)	88	88	82	80	78	76	66	66	66	77	79	82
Rainfall (in)	3	3	5	11	7	1	1	1	1	2	3	4

THAILAND

+7 | +66 | 220V | Left | .th

Area: 197,255 sq. miles (510,890 sq. km)
Population: 63.5 million
Capital: Bangkok
Languages: Thai, Chinese, Malay, Khmer, other
Currency: Baht = 100 stang
Banks closed: Sunday
IDP required: Yes **Visa:** No
Tourist office: www.tourismthailand.org
Climate: Tropical equatorial/monsoon

Month	J	F	M	A	M	J	J	A	S	O	N	D
Temp (°F)	68	82	93	95	93	83	82	82	82	82	72	68
Rainfall (in)	0	1	1	2	8	6	6	7	12	8	3	0

TOGO

0 | +228 | 220V | Right | .tg

Area: 21,000 sq. miles (54,390 sq. km)
Population: 5 million
Capital: Lomé
Languages: Ewe, Kabye, Gurma, French
Currency: CFA franc = 100 centimes
Banks closed: Sunday
IDP required: Yes **Visa:** Yes
Tourist office: +228 2 214 313
Climate: Tropical equatorial/wet and dry

Month	J	F	M	A	M	J	J	A	S	O	N	D
Temp (°F)	80	89	90	89	81	79	72	71	72	79	80	81
Rainfall (in)	1	1	3	4	6	11	4	1	2	4	1	0

TONGA

+12 | +676 | 240V | Left | .to

Area: 278 sq. miles (720 sq. km)
Population: 110,237
Capital: Nuku'alofa
Languages: English, Tongan
Currency: Pa'anga (Tongan dollar) = 100 seniti
Banks closed: Sunday
IDP required: Yes **Visa:** No
Tourist office: www.tongaholiday.com
Climate: Tropical oceanic

Month	J	F	M	A	M	J	J	A	S	O	N	D
Temp (°F)	84	85	84	77	74	71	64	65	64	73	75	76
Rainfall (in)	5	8	9	5	6	4	4	5	4	4	4	5

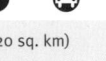

TRINIDAD & TOBAGO

-4 +1868 110V Left .tt

Area: 1,981 sq. miles (5,130 sq. km)
Population: 1.3 million
Capital: Port-of-Spain
Languages: Creole, English, Hindi, French
Currency: Trinidad & Tobago dollar = 100 cents
Banks closed: Sunday
IDP required: No **Visa:** No
Tourist office: www.visittnt.com
Climate: Tropical oceanic

Month	J	F	M	A	M	J	J	A	S	O	N	D
Temp (°F)	69	68	68	90	90	89	80	80	80	80	80	79
Rainfall (in)	3	2	2	2	4	8	9	10	8	7	7	5

TUNISIA

+1 +216 220V Right .tn

Area: 59,984 sq. miles (155,360 sq. km)
Population: 9.9 million
Capital: Tunis
Languages: Arabic, French
Currency: Tunisian dinar = 1,000 millimes
Banks closed: Sunday
IDP required: Yes **Visa:** No
Tourist office: www.tourismtunisia.com
Climate: Mediterranean/hot desert

Month	J	F	M	A	M	J	J	A	S	O	N	D
Temp (°F)	43	45	55	61	65	73	90	91	88	68	60	45
Rainfall (in)	3	2	2	1	1	0	0	0	1	2	2	2

TURKEY

+2 +90 220V Right .tr

Area: 297,154 sq. miles (769,630 sq. km)
Population: 72.3 million
Capital: Ankara
Languages: Turkish, Kurdish, Arabic, others
Currency: New Turkish lira = 100 kurus
Banks closed: Sunday
IDP required: Yes **Visa:** Yes
Tourist office: www.turizm.gov.tr
Climate: Mountain/Mediterranean

Month	J	F	M	A	M	J	J	A	S	O	N	D
Temp (°F)	32	37	50	[illegible]	61	66	73	73	65	57	47	36
Rainfall (in)	1	1	1	[illegible]	2	1	1	0	1	1	1	2

TURKMENISTAN

+5 +993 220V Right .tm

Area: 188,455 sq. miles (488,100 sq. km)
Population: 4.9 million
Capital: Ashgabat
Languages: Turkmen, Uzbek, Russian, Kazakh
Currency: Manat = 100 tenga
Banks closed: Sunday
IDP required: Yes **Visa:** Yes
Tourist office: www.tourism-sport.gov.tm
Climate: Desert/steppe

Month	J	F	M	A	M	J	J	A	S	O	N	D
Temp (°F)	30	45	47	59	67	79	84	81	72	59	47	39
Rainfall (in)	1	1	2	1	1	0	0	0	0	1	1	1

TUVALU

+12 +688 240V Right .tv

Area: 10 sq. miles (26 sq. km)
Population: 11,468
Capital: Fongafale, on Funafuti Atoll
Languages: Tuvaluan, Kiribati, English
Currency: Australian and Tuvaluan dollar
Banks closed: Sunday
IDP required: No **Visa:** No
Tourist office: www.timelesstuvalu.com
Climate: Tropical oceanic

Month	J	F	M	A	M	J	J	A	S	O	N	D
Temp (°F)	84	84	84	84	84	83	76	83	76	91	92	84
Rainfall (in)	16	18	16	11	7	11	10	11	14	14	12	17

UGANDA

+3 +256 240V Left .ug

Area: 77,046 sq. miles (199,550 sq. km)
Population: 26.7 million
Capital: Kampala
Languages: Luganda, Nkole, English, others
Currency: New Uganda shilling = 100 cents
Banks closed: Sunday
IDP required: Yes **Visa:** Yes
Tourist office: +256 41 343 947
Climate: Tropical wet and dry

Month	J	F	M	A	M	J	J	A	S	O	N	D
Temp (°F)	82	82	81	72	70	63	63	61	72	72	72	72
Rainfall (in)	2	2	5	7	6	3	2	3	4	4	5	4

UKRAINE

+2 +380 220V Right .ua

Area: 233,089 sq. miles (603,700 sq. km)
Population: 48.2 million
Capital: Kiev
Languages: Ukrainian, Russian, Tatar
Currency: Hryvna = 100 kopiykas
Banks closed: Sunday
IDP required: Yes **Visa:** Yes
Tourist office: www.intouristuk.com
Climate: Continental/steppe/Mediterranean

Month	J	F	M	A	M	J	J	A	S	O	N	D
Temp (°F)	[illegible]	18	31	49	61	75	77	75	59	49	37	21
Rainfall (in)	2	2	2	2	2	2	4	4	1	1	2	2

UNITED ARAB EMIRATES

+4 +971 220V Right .ae

Area: 32,278 sq. miles (83,600 sq. km)
Population: 3.1 million
Capital: Abu Dhabi
Languages: Arabic, Farsi, English, others
Currency: UAE dirham = 100 fils
Banks closed: Friday
IDP required: Yes **Visa:** No
Tourist office: www.dubaitourism.ae
Climate: Hot desert

Month	J	F	M	A	M	J	J	A	S	O	N	D
Temp (°F)	57	58	74	80	88	91	103	105	102	84	76	61
Rainfall (in)	1	0	0	0	0	0	0	0	0	0	0	0

UNITED KINGDOM

0 +44 240V Left .uk

Area: 93,282 sq. miles (241,600 sq. km)
Population: 59.4 million
Capital: London
Languages: English, Welsh, Gaelic
Currency: Pound sterling = 100 pence
Banks closed: Sunday
IDP required: Yes **Visa:** No
Tourist office: www.visitbritain.com
Climate: Maritime

Month	J	F	M	A	M	J	J	A	S	O	N	D
Temp (°F)	36	36	37	49	55	68	72	70	59	52	46	42
Rainfall (in)	2	2	1	1	2	2	2	2	2	2	3	2

UNITED STATES

-5/-11 +1 110V Right n/a

Area: 3,539,224 sq. miles (9,166,600 sq. km)
Population: 297 million
Capital: Washington D.C.
Languages: English, Spanish, Chinese, others
Currency: US dollar = 100 cents
Banks closed: Sunday
IDP required: No **Visa:** No
Tourist office: www.tinet.ita.doc.gov
Climate: Subtropical/mountain/desert

Month	J	F	M	A	M	J	J	A	S	O	N	D
Temp (°F)	27	28	45	55	64	82	88	84	69	57	46	28
Rainfall (in)	3	3	4	3	4	4	4	4	4	3	3	3

URUGUAY

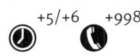

-3 +598 220V Right .uy

Area: 67,494 sq. miles (174,810 sq. km)
Population: 3.4 million
Capital: Montevideo
Languages: Spanish
Currency: Uruguayan peso = 100 centésimos
Banks closed: Sunday
IDP required: No **Visa:** No
Tourist office: www.mintur.gub.uy
Climate: Subtropical

Month	J	F	M	A	M	J	J	A	S	O	N	D
Temp (°F)	82	82	69	[illegible]	55	43	43	43	55	58	64	79
Rainfall (in)	3	3	4	4	[illegible]	3	3	3	3	3	3	3

UZBEKISTAN

+5/+6 +998 220V Right .uz

Area: 172,741 sq. miles (447,400 sq. km)
Population: 26.5 million
Capital: Tashkent
Languages: Uzbek, Russian, Tajik, Kazakh
Currency: Som = 100 tiyin
Banks closed: Sunday
IDP required: Yes **Visa:** Yes
Tourist office: www.uzbektourism.uz
Climate: Desert/mountain

aMonth	J	F	M	A	M	J	J	A	S	O	N	D
Temp (°F)	21	27	46	55	67	88	91	90	66	53	45	28
Rainfall (in)	2	1	3	2	1	1	0	0	0	1	1	2

VANUATU

+11 +678 240V Right .vu

Area: 4707 sq. miles (12,190 sq. km)
Population: 217,000
Capital: Port Vila
Languages: Bislama, English, French, others
Currency: Vatu = 100 centimes
Banks closed: Sunday
IDP required: No **Visa:** No
Tourist office: www.vanuatutourism.com
Climate: Tropical oceanic

Month	J	F	M	A	M	J	J	A	S	O	N	D
Temp (°F)	87	88	80	79	76	75	67	67	68	76	78	87
Rainfall (in)	10	11	12	10	6	5	38	35	38	5	7	7

VATICAN CITY

+1 +39 220V Right .va

Area: 0.17 sq. miles (0.44 sq. km)
Population: 921
Capital: Vatican City
Languages: Italian, Latin
Currency: Euro = 100 cents
Banks closed: Sunday
IDP required: Yes **Visa:** No
Tourist office: www.vatican.va
Climate: Mediterranean

Month	J	F	M	A	M	J	J	A	S	O	N	D
Temp (°F)	41	41	52	58	64	82	86	86	71	64	55	43
Rainfall (in)	3	2	2	2	2	1	1	1	2	4	5	4

VENEZUELA

-4 +58 110V Right .ve

Area: 340,560 sq. miles (882,050 sq. km)
Population: 26.2 million
Capital: Caracas
Languages: Spanish, Amerindian languages
Currency: Bolívar = 100 centimos
Banks closed: Sunday
IDP required: No **Visa:** No
Tourist office: www.think venezuela.net
Climate: Tropical wet and dry/equatorial

Month	J	F	M	A	M	J	J	A	S	O	N	D
Temp (°F)	55	55	68	81	81	71	70	70	71	70	69	68
Rainfall (in)	1	0	1	1	3	4	4	4	4	4	4	2

VIETNAM

+7 +84 220V Right .vn

Area: 125,621 sq. miles (325,360 sq. km)
Population: 82.5 million
Capital: Hanoi
Languages: Vietnamese, Chinese, Thai, others
Currency: Dông = 10 hao = 100 xu
Banks closed: Sunday
IDP required: Yes **Visa:** Yes
Tourist office: www.vn-tourism.com
Climate: Tropical monsoon

Month	J	F	M	A	M	J	J	A	S	O	N	D
Temp (°F)	55	57	68	75	82	91	91	90	82	78	72	59
Rainfall (in)	1	1	1	3	8	9	13	14	10	4	2	1

YEMEN

+3 +967 220V Right .ye

Area: 217,362 sq. miles (562,970 sq. km)
Population: 20.7 million
Capital: Sana
Languages: Arabic
Currency: Yemeni rial = 100 sene
Banks closed: Friday
IDP required: Yes **Visa:** Yes
Tourist office: www.yementourism.com
Climate: Hot desert/mountain

Month	J	F	M	A	M	J	J	A	S	O	N	D
Temp (°F)	33	46	61	63	64	82	82	80	64	58	38	36
Rainfall (in)	0	0	0	3	1	0	2	2	0	0	0	0

ZAMBIA

+2 +260 230V Left .zm

Area: 285,992 sq. miles (740,720 sq. km)
Population: 10.9 million
Capital: Lusaka
Languages: Bemba, Tonga, English, others
Currency: Zambian kwacha = 100 ngwee
Banks closed: Sunday
IDP required: Yes **Visa:** Yes
Tourist office: www.zambiatourism.com
Climate: Tropical wet and dry

Month	J	F	M	A	M	J	J	A	S	O	N	D
Temp (°F)	71	71	71	69	65	50	48	54	84	83	84	72
Rainfall (in)	9	8	6	1	0	0	0	0	0	0	4	6

ZIMBABWE

+2 +263 220V Left .zw

Area: 149,293 sq. miles (386,670 sq. km)
Population: 12.9 million
Capital: Harare
Languages: Shona, isiNdebele, English
Currency: Zimbabwe dollar = 100 cents
Banks closed: Sunday
IDP required: Yes **Visa:** Yes
Tourist office: www.zimbabwetourism.co.zw
Climate: Tropical wet and dry/steppe

Month	J	F	M	A	M	J	J	A	S	O	N	D
Temp (°F)	70	70	68	67	[illegible]	[illegible]	45	46	66	82	81	79
Rainfall (in)	8	7	5	1	1	[illegible]	0	0	0	1	4	6

Factfile

SLOVENIA–ZIMBABWE

Key to symbols
- Time zone
- Dialling code
- Electricity voltage
- Side of road for driving
- Internet ID code

IDP International drivers permit
Visa Refers to US Nationals

Vaccination Chart

Diphtheria, poliomyelitis, and tetanus immunization are recommended for all travel. This table shows recommendations by country for hepatitis A, typhoid, malaria, yellow fever, and meningitis as of April 2005. It does not cover pregnant women and infants.

Vaccination requirements are constantly being revised by the relevant health authorities. Travelers should always seek up-to-date medical advice.

Key to symbols

- ● Immunization is an essential requirement for entry to the country concerned and you will require a certificate; this may depend on whether you are arriving from or will be departing to an infected area
- ○ Immunization or pills are recommended
- ▲ Depends on the area visited
- ◆ Depends on the season
- ❏ Meningitis, depending on the area visited and the season
- ■ Meningitis ACWY, required for those visiting Saudi Arabia for the *haj* or *umra*

Country	Hep. A, Typhoid	Malaria	Yellow Fever	Meningitis ACWY
AFGHANISTAN	○	○ ▲ ◆	●	
ALBANIA	○		●	
ALGERIA	○		●	
ANDORRA				
ANGOLA	○	○	● ○	❏
ANTARCTICA				
ANTIGUA & BARBUDA	○		●	
ARGENTINA	○	○ ▲		
ARMENIA	○	○ ◆		
AUSTRALIA			●	
AUSTRIA				
AZERBAIJAN	○	○ ▲ ◆		
BAHAMAS	○		●	
BAHRAIN	○			
BANGLADESH	○	○	●	
BARBADOS	○		●	
BELARUS	○			
BELGIUM				
BELIZE	○	○	●	
BENIN	○	○	● ○	❏
BHUTAN	○	○ ▲	●	❏
BOLIVIA	○	○ ▲	● ○ ▲	
BOSNIA & HERZEGOVINA	○			
BOTSWANA	○	○ ▲ ◆	●	
BRAZIL	○	○ ▲	● ○ ▲	
BRUNEI	○		●	
BULGARIA	○			
BURKINA	○	○	● ○	❏
BURUNDI	○	○	● ○	❏
CAMBODIA	○	○	●	
CAMEROON	○	○	● ○	❏
CANADA				
CAPE VERDE	○		●	
CENTRAL AFRICAN REPUBLIC	○	○	● ○	❏
CHAD	○	○	○ ▲	❏
CHILE	○		●	
CHINA	○	○ ▲	●	
COLOMBIA	○	○ ▲	○	

Country	Hep. A, Typhoid	Malaria	Yellow Fever	Meningitis ACWY
COMOROS	○	○		
CONGO	○	○	● ○	
CONGO, DEM. REPUBLIC	○	○	● ○	❏
COSTA RICA	○	○ ▲		
CROATIA	○			
CUBA	○			
CYPRUS				
CZECH REPUBLIC	○			
DENMARK				
DJIBOUTI	○	○	●	
DOMINICA	○		●	
DOMINICAN REPUBLIC	○	○		
EAST TIMOR	○	○		
ECUADOR	○	○ ▲	● ○ ▲	
EGYPT	○	▲ ◆	●	
EL SALVADOR	○	○ ▲	●	
EQUATORIAL GUINEA	○	○	● ○	
ERITREA	○	○	●	❏
ESTONIA				
ETHIOPIA	○	○ ▲	● ○	❏
FIJI	○		●	
FINLAND				
FRANCE				
GABON	○	○	● ○	
GAMBIA	○	○	● ○	❏
GEORGIA	○			
GERMANY				
GHANA	○	○	● ○	❏
GREECE			●	
GRENADA	○		●	
GUATEMALA	○	○ ▲	●	
GUINEA	○	○	● ○	❏
GUINEA-BISSAU	○	○	● ○	❏
GUYANA	○	○	● ○	
HAITI	○	○	●	
HONDURAS	○	○	●	
HUNGARY				
ICELAND				
INDIA	○	○	●	
INDONESIA	○	○ ▲	●	
IRAN	○	○		
IRAQ	○	○ ▲ ◆	●	
IRELAND				
ISRAEL	○			
ITALY				
IVORY COAST	○	○	● ○	❏
JAMAICA	○		●	
JAPAN	○			
JORDAN	○		●	
KAZAKHSTAN	○		●	
KENYA	○	○	● ○	❏
KIRIBATI	○		●	

Country	Hep. A, Typhoid	Malaria	Yellow Fever	Meningitis ACWY
KUWAIT	○			
KYRGYZSTAN	○			
LAOS	○	○	●	
LATVIA				
LEBANON	○		●	
LESOTHO	○		●	
LIBERIA	○	○	●○	
LIBYA	○		●	
LIECHTENSTEIN				
LITHUANIA				
LUXEMBOURG				
MACEDONIA	○			
MADAGASCAR	○	○		
MALAWI	○	○	●	
MALAYSIA	○	○▲	●	
MALDIVES	○		●	
MALI	○	○	○●▲	❑
MALTA			●	
MARSHALL ISLANDS	○			
MAURITANIA	○	○	●	
MAURITIUS	○	○▲	●	
MEXICO	○	○▲		
MICRONESIA	○			
MOLDOVA	○			
MONACO				
MONGOLIA	○			
MOROCCO	○			
MOZAMBIQUE	○	○	●	❑
MYANMAR	○	○	●	
NAMIBIA	○	○▲	●	❑
NAURU	○		●	
NEPAL	○	○▲	●	
NETHERLANDS				
NEW ZEALAND				
NICARAGUA	○	○	●	
NIGER	○	○	○●▲	❑
NIGERIA	○	○	●○	❑
NORTH KOREA	○			
NORWAY				
OMAN	○	○▲	●	
PAKISTAN	○	○	●	
PALAU	○		●	
PANAMA	○	○	○▲	
PAPUA NEW GUINEA	○	○▲	●	
PARAGUAY	○	○▲	●	
PERU	○	○▲	●○▲	
PHILIPPINES	○	○▲	●	
POLAND				
PORTUGAL			●▲	
QATAR	○			
ROMANIA	○			
RUSSIAN FEDERATION	○▲			
RWANDA	○	○	●○	❑
ST. KITTS & NEVIS	○		●	
ST. LUCIA	○		●	
ST. VINCENT & GRENADINES	○		●	
SAMOA	○		●	
SAN MARINO				
SAO TOME & PRINCIPE	○	○	●○	
SAUDI ARABIA	○	○▲	●	■
SENEGAL	○	○	●○	❑
SERBIA & MONTENEGRO	○▲			
SEYCHELLES	○		●	
SIERRA LEONE	○	○	●○	❑
SINGAPORE	○		●	
SLOVAKIA	○			
SLOVENIA	○			
SOLOMON ISLANDS	○	○	●	
SOMALIA	○	○	●○	❑
SOUTH AFRICA	○	○▲	●	
SOUTH KOREA	○			
SPAIN				
SRI LANKA	○	○	●	
SUDAN	○	○	●○▲	❑
SURINAME	○	○	●○	
SWAZILAND	○	○	●	
SWEDEN				
SWITZERLAND				
SYRIA	○	○▲◆	●	
TAIWAN	○			
TAJIKISTAN	○	○▲◆		
TANZANIA	○	○	●○	❑
THAILAND	○	○▲	●	
TOGO	○	○	●○	❑
TONGA	○		●	
TRINIDAD & TOBAGO	○		●○▲	
TUNISIA	○		●	
TURKEY	○	○▲◆		
TURKMENISTAN	○	○▲◆		
TUVALU	○			
UGANDA	○	○	●○	❑
UKRAINE	○			
UNITED ARAB EMIRATES	○			
UNITED KINGDOM				
UNITED STATES				
URUGUAY	○			
UZBEKISTAN	○			
VANUATU	○	○		
VATICAN CITY				
VENEZUELA	○	○	○	
VIETNAM	○	○▲	●	
YEMEN	○	○	●	
ZAMBIA	○	○	○▲	❑
ZIMBABWE	○	○▲◆	●	

212 ••• 25 DE MAYO – ABŪ NUŞAYR

INDEX

GLOSSARY OF ABBREVIATIONS

This glossary provides a comprehensive guide to the abbreviations used in this Atlas, and in the Index.

A

abbrev. abbreviated
AD Anno Domini
Afr. Afrikaans
Alb. Albanian
Amh. Amharic
anc. ancient
approx. approximately
Ar. Arabic
Arm. Armenian
ASEAN Association of South East Asian Nations
ASSR Autonomous Soviet Socialist Republic
Aust. Australian
Az. Azerbaijani
Azerb. Azerbaijan

B

Basq. Basque
BC before Christ
Bel. Belarussian
Ben. Bengali
Ber. Berber
B-H Bosnia-Herzegovina
bn billion (one thousand million)
BP British Petroleum
Bret. Breton
Brit. British
Bul. Bulgarian
Bur. Burmese

C

C central
C. Cape
°C degrees Centigrade
CACM Central America Common Market
Cam. Cambodian
Cant. Cantonese
CAR Central African Republic
Cast. Castilian
Cat. Catalan
CEEAC Central America Common Market
Chin. Chinese
CIS Commonwealth of Independent States
cm centimetre(s)
Cro. Croat
Cz. Czech
Czech Rep. Czech Republic

D

Dan. Danish
Div. Divehi
Dom. Rep. Dominican Republic
Dut. Dutch

E

E east
EC *see* EU
EEC *see* EU
ECOWAS Economic Community of West African States
ECU European Currency Unit
EMS European Monetary System
Eng. English
est estimated
Est. Estonian
EU European Union (previously European Community [EC], European Economic Community [EEC])

F

°F degrees Fahrenheit
Faer. Faeroese
Fij. Fijian
Fin. Finnish
Fr. French
Fris. Frisian
ft foot/feet
FYROM Former Yugoslav Republic of Macedonia

G

g gram(s)
Gael. Gaelic
Gal. Galician
GDP Gross Domestic Product (the total value of goods and services produced by a country excluding income from foreign countries)
Geor. Georgian
Ger. German
Gk Greek
GNP Gross National Product (the total value of goods and services produced by a country)

H

Heb. Hebrew
HEP hydro-electric power
Hind. Hindi
hist. historical
Hung. Hungarian

I

I. Island
Icel. Icelandic
in inch(es)
In. Inuit (Eskimo)
Ind. Indonesian
Intl International
Ir. Irish
Is Islands
It. Italian

J

Jap. Japanese

K

Kaz. Kazakh
kg kilogram(s)
Kir. Kirghiz
km kilometre(s)
km² square kilometre (singular)
Kor. Korean
Kurd. Kurdish

L

L. Lake
LAIA Latin American Integration Association
Lao. Laotian
Lapp. Lappish
Lat. Latin
Latv. Latvian
Liech. Liechtenstein
Lith. Lithuanian
Lus. Lusatian
Lux. Luxembourg

M

m million/metre(s)
Mac. Macedonian
Maced. Macedonia
Mal. Malay
Malg. Malagasy
Malt. Maltese
mi. mile(s)
Mong. Mongolian
Mt. Mountain
Mts Mountains

N

N north
NAFTA North American Free Trade Agreement
Nep. Nepali
Neth. Netherlands
Nic. Nicaraguan
Nor. Norwegian
NZ New Zealand

P

Pash. Pashtu
PNG Papua New Guinea
Pol. Polish
Poly. Polynesian
Port. Portuguese
prev. previously

R

Rep. Republic
Res. Reservoir
Rmsch Romansch
Rom. Romanian
Rus. Russian
Russ. Fed. Russian Federation

S

S south
SADC Southern Africa Development Community
SCr. Serbian/Croatian
Sinh. Sinhala
Slvk Slovak
Slvn. Slovene
Som. Somali
Sp. Spanish
St., St Saint
Strs Straits
Swa. Swahili
Swe. Swedish
Switz. Switzerland

T

Taj. Tajik
Th. Thai
Thai. Thailand
Tib. Tibetan
Turk. Turkish
Turkm. Turkmenistan

U

UAE United Arab Emirates
Uigh. Uighur
UK United Kingdom
Ukr. Ukrainian
UN United Nations
Urd. Urdu
US/USA United States of America
USSR Union of Soviet Socialist Republics
Uzb. Uzbek

V

var. variant
Vdkhr. Vodokhranilishche (Russian for reservoir)
Vdskh. Vodoskhovyshche (Ukrainian for reservoir)
Vtn. Vietnamese

W

W west
Wel. Welsh

Y

Yugo. Yugoslavia

THIS INDEX LISTS all the placenames and features shown on the regional and continental maps in this Atlas. Placenames are referenced to the largest scale map on which they appear. The policy followed throughout the Atlas is to use the local spelling or local name at regional level; commonly-used English language names may occasionally be added (in parentheses) where this is an aid to identification e.g. Firenze (Florence). English names, where they exist, have been used for all international features e.g. oceans and country names; they are also used on the continental maps and in the introductory section; these are then fully cross-referenced to the local names found on the regional maps. The index also contains commonly-found alternative names and variant spellings, which are also fully cross-referenced.

All main entry names are those of settlements unless otherwise indicated by the use of italicized definitions or representative symbols, which are keyed at the foot of each page.

1

25 de Mayo *see* Veinticinco de Mayo
137 *Y13* **26 Bakı Komissarı** ***Rus.*** Imeni 26 Bakinskikh Komissarov. SE Azerbaijan
26 Baku Komissarlary Adyndaky *see* Uzboý
10 *M16* **100 Mile House** ***var.*** Hundred Mile House. British Columbia, SW Canada

A

Aa *see* Gauja
95 *G24* **Aabenraa** ***var.*** Åbenrå, ***Ger.*** Apenrade. Sønderjylland, SW Denmark
95 *G20* **Aabybro** ***var.*** Åbybro. Nordjylland, N Denmark
101 *C16* **Aachen** ***Dut.*** Aken, ***Fr.*** Aix-la-Chapelle; ***anc.*** Aquae Grani, Aquisgranum. Nordrhein-Westfalen, W Germany
Aaiún *see* Laâyoune
95 *M24* **Aakirkeby** ***var.*** Åkirkeby. Bornholm, E Denmark
Äak Nông *see* Gia Nghia
95 *G20* **Aalborg** ***var.*** Ålborg, Ålborg-Nørresundby; ***anc.*** Alburgum. Nordjylland, N Denmark
Aalborg Bugt *see* Ålborg Bugt
101 *J21* **Aalen** Baden-Württemberg, S Germany
95 *G21* **Aalestrup** ***var.*** Ålestrup. Viborg, NW Denmark
98 *I11* **Aalsmeer** Noord-Holland, C Netherlands
99 *F18* **Aalst** ***Fr.*** Alost. Oost-Vlaanderen, C Belgium
99 *K18* **Aalst** Noord-Brabant, S Netherlands
98 *O12* **Aalten** Gelderland, E Netherlands
99 *D17* **Aalter** Oost-Vlaanderen, NW Belgium
Aanaar *see* Inari
Aanaarjävri *see* Inarijärvi
93 *M17* **Äänekoski** Länsi-Suomi, W Finland
138 *H7* **Aanjar** ***var.*** 'Anjar. C Lebanon
83 *G21* **Aansluit** Northern Cape, N South Africa
Aar *see* Aare
108 *F7* **Aarau** Aargau, N Switzerland
108 *D8* **Aarberg** Bern, W Switzerland
99 *D16* **Aardenburg** Zeeland, SW Netherlands
108 *D8* **Aare** ***var.*** Aar. ≈ W Switzerland
108 *F7* **Aargau** ***Fr.*** Argovie. ◈ *canton* N Switzerland
Aarhus *see* Århus
Aarlen *see* Arlon
95 *G21* **Aars** ***var.*** Års. Nordjylland, N Denmark
99 *I17* **Aarschot** Vlaams Brabant, C Belgium
Aassi, Nahr el *see* Orontes
Aat *see* Ath
160 *G7* **Aba** ***prev.*** Ngawa. Sichuan, C China
77 *V17* **Aba** Abia, S Nigeria
79 *P16* **Aba** Orientale, NE Dem. Rep. Congo
140 *J6* **Abā al Qazāz, Bi'r** *well* NW Saudi Arabia
Abā as Su'ūd *see* Najrān
59 *G14* **Abacaxis, Rio** ≈ NW Brazil
Abaco Island *see* Great Abaco/Little Abaco
Abaco Island *see* Great Abaco, N Bahamas
142 *K10* **Ābādān** Khūzestān, SW Iran
143 *O10* **Ābādeh** Fārs, C Iran
74 *H8* **Abadla** W Algeria
59 *M20* **Abaeté** Minas Gerais, SE Brazil
Abag Qi *see* Xin Hot
62 *P7* **Abaí** Caazapá, S Paraguay
191 *O2* **Abaiang** ***var.*** Apia; ***prev.*** Charlotte Island. *atoll* Tungaru, W Kiribati
Abaj *see* Abay
77 *U15* **Abaji** Federal Capital District, C Nigeria
37 *O7* **Abajo Peak** ▲ Utah, W USA
77 *V16* **Abakaliki** Ebonyi, SE Nigeria
122 *K13* **Abakan** Respublika Khakasiya, S Russian Federation
77 *S11* **Abala** Tillabéri, SW Niger
77 *U11* **Abalak** Tahoua, C Niger
119 *N14* **Abalyanka** ***Rus.*** Obolyanka. ≈ N Belarus
122 *L12* **Aban** Krasnoyarskiy Kray, S Russian Federation
143 *P9* **Āb Anbār-e Kān Sorkh** Yazd, C Iran
57 *G16* **Abancay** Apurímac, SE Peru
190 *H2* **Abaokoro** *atoll* Tungaru, W Kiribati
Abariringa *see* Kanton
143 *P10* **Abarkū** Yazd, C Iran
165 *V3* **Abashiri** ***var.*** Abasiri. Hokkaidō, NE Japan
165 *U3* **Abashiri-ko** ◎ Hokkaidō, NE Japan
Abasiri *see* Abashiri
41 *P10* **Abasolo** Tamaulipas, C Mexico
186 *F9* **Abau** Central, S PNG
145 *R10* **Abay** ***var.*** Abaj. Karaganda, C Kazakhstan
81 *I15* **Ābaya Hāyk'** ***Eng.*** Lake Margherita, ***It.*** Abbaia. ◎ SW Ethiopia
Ābay Wenz *see* Blue Nile
122 *K13* **Abaza** Respublika Khakasiya, S Russian Federation
Abbaia *see* Ābaya Hāyk'
143 *Q13* **Āb Bārīk** Fārs, S Iran
107 *C18* **Abbasanta** Sardegna, Italy, C Mediterranean Sea
Abbatis Villa *see* Abbeville
30 *M3* **Abbaye, Point** *headland* Michigan, N USA
Abbazia *see* Opatija
Abbé, Lake *see* Abhe, Lake
103 *N2* **Abbeville** ***anc.*** Abbatis Villa. Somme, N France
23 *R7* **Abbeville** Alabama, S USA
23 *U6* **Abbeville** Georgia, SE USA
22 *I9* **Abbeville** Louisiana, S USA
21 *P12* **Abbeville** South Carolina, SE USA
97 *B20* **Abbeyfeale** ***Ir.*** Mainistir na Féile. SW Ireland
106 *D8* **Abbiategrasso** Lombardia, NW Italy
93 *I14* **Abborrträsk** Norrbotten, N Sweden
194 *J9* **Abbot Ice Shelf** *ice shelf* Antarctica
10 *M17* **Abbotsford** British Columbia, SW Canada
30 *K6* **Abbotsford** Wisconsin, N USA
149 *U5* **Abbottābād** North-West Frontier Province, NW Pakistan
119 *M14* **Abchuha** ***Rus.*** Obchuga. Minskaya Voblasts', NW Belarus
98 *I10* **Abcoude** Utrecht, C Netherlands
139 *N2* **'Abd al 'Azīz, Jabal** ⛰ NE Syria
141 *U17* **'Abd al Kūrī** *island* SE Yemen
139 *Z13* **'Abd Allāh, Khawr** *bay* Iraq/Kuwait
127 *U6* **Abdulino** Orenburgskaya Oblast', W Russian Federation
78 *J10* **Abéché** ***var.*** Abécher, Abeshr. Ouaddaï, SE Chad
Abécher *see* Abéché
143 *S8* **Āb-e Garm va Sard** Yazd, E Iran
77 *R8* **Abeïbara** Kidal, NE Mali
105 *P5* **Abejar** Castilla-León, N Spain
54 *E9* **Abejorral** Antioquia, W Colombia
Abela *see* Ávila
Abellinum *see* Avellino
92 *Q2* **Abeløya** *island* Kong Karls Land, E Svalbard
80 *I13* **Ābeltī** Oromo, C Ethiopia
191 *O2* **Abemama** ***var.*** Apamama; ***prev.*** Roger Simpson Island. *atoll* Tungaru, W Kiribati
171 *Y15* **Abemaree** ***var.*** Abemarre. Papua, E Indonesia
77 *O16* **Abengourou** E Ivory Coast
Åbenrå *see* Aabenraa
101 *L22* **Abens** ≈ SE Germany
77 *S16* **Abeokuta** Ogun, SW Nigeria
97 *I20* **Aberaeron** SW Wales, UK
Aberbrothock *see* Arbroath
Abercorn *see* Mbala
29 *R6* **Abercrombie** North Dakota, N USA
183 *T7* **Aberdeen** New South Wales, SE Australia
11 *T15* **Aberdeen** Saskatchewan, S Canada
83 *H25* **Aberdeen** Eastern Cape, S South Africa
96 *L9* **Aberdeen** ***anc.*** Devana. NE Scotland, UK
21 *X2* **Aberdeen** Maryland, NE USA
23 *N3* **Aberdeen** Mississippi, S USA
21 *T10* **Aberdeen** North Carolina, SE USA
29 *P8* **Aberdeen** South Dakota, N USA
32 *F8* **Aberdeen** Washington, NW USA
96 *K9* **Aberdeen** *cultural region* NE Scotland, UK
8 *L8* **Aberdeen Lake** ◎ Nunavut, NE Canada
96 *J10* **Aberfeldy** C Scotland, UK
97 *K21* **Abergavenny** ***anc.*** Gobannium. SE Wales, UK
Abergwaun *see* Fishguard
Abermarre *see* Abemaree
25 *N5* **Abernathy** Texas, SW USA
Abersee *see* Wolfgangsee
Abertawe *see* Swansea
Aberteifi *see* Cardigan
32 *I15* **Abert, Lake** ◎ Oregon, NW USA
97 *I20* **Aberystwyth** W Wales, UK
Abeshr *see* Abéché
Ábeskovvu *see* Abisko
106 *F10* **Abetone** Toscana, C Italy
125 *V5* **Abez'** Respublika Komi, NW Russian Federation
142 *M5* **Āb Garm** Qazvin, N Iran
141 *N12* **Abhā** 'Asīr, SW Saudi Arabia
142 *M5* **Abhar** Zanjān, NW Iran
Abhé Bad/Ābhē Bid Hāyk' *see* Abhe, Lake
80 *K12* **Abhe, Lake** ***var.*** Lake Abbé, ***Amh.*** Ābhē Bid Hāyk', ***Som.*** Abhé Bad. ◎ Djibouti/Ethiopia
77 *V17* **Abia** ◈ *state* SE Nigeria
139 *V9* **'Abīd 'Alī** E Iraq
119 *O17* **Abidavichy** ***Rus.*** Obidovichi. Mahilyowskaya Voblasts', E Belarus
115 *L15* **Abide** Çanakkale, NW Turkey
77 *N17* **Abidjan** S Ivory Coast
Āb-i-Istāda *see* Īstādeh-ye Moqor, Āb-e-
27 *N4* **Abilene** Kansas, C USA
25 *Q7* **Abilene** Texas, SW USA
Abindonia *see* Abingdon
97 *M21* **Abingdon** ***anc.*** Abindonia. S England, UK
30 *K12* **Abingdon** Illinois, N USA
21 *P8* **Abingdon** Virginia, NE USA
Abingdon *see* Pinta, Isla
18 *J15* **Abington** Pennsylvania, NE USA
126 *K14* **Abinsk** Krasnodarskiy Kray, SW Russian Federation
37 *R9* **Abiquiu Reservoir** ▣ New Mexico, SW USA
92 *I10* **Abisko** ***Lapp.*** Ábeskovvu. Norrbotten, N Sweden
12 *G12* **Abitibi** ≈ Ontario, S Canada
12 *H12* **Abitibi, Lac** ◎ Ontario /Québec, S Canada
80 *J10* **Ābīy Ādī** Tigray, N Ethiopia
118 *H6* **Abja-Paluoja** Viljandimaa, S Estonia
137 *Q8* **Abkhazia** ◈ *autonomous republic* NW Georgia
182 *F1* **Abminga** South Australia
75 *W9* **Abnûb** C Egypt
Åbo *see* Turku
152 *G9* **Abohar** Punjab, N India
77 *O17* **Aboisso** SE Ivory Coast
78 *H5* **Abo, Massif d'** ⛰ NW Chad
77 *R16* **Abomey** S Benin
79 *F16* **Abong Mbang** Est, SE Cameroon
111 *L23* **Abony** Pest, C Hungary
78 *J11* **Abou-Déïa** Salamat, SE Chad
Aboudouhour *see* Abū aḑ Ḑuhūr
Abou Kémal *see* Abū Kamāl
Abou Simbel *see* Abu Simbel
137 *T12* **Abovyan** C Armenia
171 *O2* **Abra** ≈ Luzon, N Philippines
141 *P15* **Abrād, Wādī** *seasonal river* W Yemen
Abraham Bay *see* The Carlton
104 *G10* **Abrantes** ***var.*** Abrántes. Santarém, C Portugal
62 *J4* **Abra Pampa** Jujuy, N Argentina
Abrashlare *see* Brezovo
54 *G7* **Abrego** Norte de Santander, N Colombia
Abrene *see* Pytalovo
40 *C7* **Abreojos, Punta** *headland* W Mexico
65 *J16* **Abrolhos Bank** *undersea feature* W Atlantic Ocean
119 *H19* **Abrova** ***Rus.*** Obrovo. Brestskaya Voblasts', SW Belarus
116 *G11* **Abrud** ***Ger.*** Gross-Schlatten, ***Hung.*** Abrudbánya. Alba, SW Romania
Abrudbánya *see* Abrud
118 *E6* **Abruka** *island* SW Estonia
107 *J15* **Abruzzese, Appennino** ⛰ C Italy
107 *J14* **Abruzzo** ◈ *region* C Italy
141 *N14* **'Abs** ***var.*** Sūq 'Abs. W Yemen
33 *T12* **Absaroka Range** ⛰ Montana/Wyoming, NW USA
137 *Z11* **Abşeron Yarımadası** ***Rus.*** Apsheronskiy Poluostrov. *peninsula* E Azerbaijan
143 *N6* **Āb Shīrīn** Eşfahān, C Iran
139 *X10* **Abtān** SE Iraq
109 *R6* **Abtenau** Salzburg, NW Austria
164 *E12* **Abu** Yamaguchi, Honshū, SW Japan
152 *E14* **Ābu** Rājasthān, N India
138 *I4* **Abū aḑ Ḑuhūr** ***Fr.*** Aboudouhour. Idlib, NW Syria
143 *P17* **Abū al Abyaḑ** *island* C UAE
138 *K10* **Abū al Ḩuşayn, Khabrat** ◎ N Jordan
139 *R8* **Abū al Jīr** C Iraq
139 *Y12* **Abū al Khaşīb** ***var.*** Abul Khasib. SE Iraq
139 *U12* **Abū at Tubrah, Thaqb** *well* S Iraq
75 *V11* **Abu Balâs** ▲ SW Egypt
Abu Dhabi *see* Abū Z̧aby
139 *R8* **Abū Farūkh** C Iraq
80 *C12* **Abu Gabra** Southern Darfur, W Sudan
139 *P10* **Abū Ghār, Sha'īb** *dry watercourse* S Iraq
80 *G7* **Abu Hamed** River Nile, N Sudan
139 *O5* **Abū Ḩardān** ***var.*** Hajîne. Dayr az Zawr, E Syria
139 *T7* **Abū Ḩāssawīyah** E Iraq
138 *K10* **Abū Ḩifnah, Wādī** *dry watercourse* N Jordan
77 *V15* **Abuja** ● (Nigeria) Federal Capital District, C Nigeria
139 *R9* **Abū Jahaf, Wādī** *dry watercourse* C Iraq
56 *F12* **Abujao, Río** ≈ E Peru
139 *U12* **Abū Jasrah** S Iraq
139 *O6* **Abū Kamāl** ***Fr.*** Abou Kémal. Dayr az Zawr, E Syria
165 *P12* **Abukuma-sanchi** ⛰ Honshū, C Japan
Abula *see* Ávila
Abul Khasib *see* Abū al Khaşīb
79 *K16* **Abumombazi** ***var.*** Abumonbazi. Equateur, N Dem. Rep. Congo
Abumonbazi *see* Abumombazi
59 *D15* **Abunã** Rondônia, W Brazil
56 *K13* **Abunã, Rio** ***var.*** Río Abuná. ≈ Bolivia/Brazil
138 *G10* **Abū Nuşayr** ***var.*** Abu Nuseir. 'Al Āşimah, W Jordan

◆ COUNTRY ● COUNTRY CAPITAL ◇ DEPENDENT TERRITORY ○ DEPENDENT TERRITORY CAPITAL ◈ ADMINISTRATIVE REGION ✈ INTERNATIONAL AIRPORT ▲ MOUNTAIN ⛰ MOUNTAIN RANGE 🌋 VOLCANO ≈ RIVER ◎ LAKE ▣ RESERVOIR

ABU NUSEIR – AHUACHAPÁN ••• 213

Abu Nuseir *see* Abū Nuṣayr
139 T12 **Abū Qaṣr** S Iraq
138 K5 **Abū Raḥbah, Jabal** ▲ C Syria
139 S5 **Abū Rajāsh** N Iraq
139 W13 **Abū Raqrāq, Ghadīr** *well* S Iraq
152 E14 **Abu Road** Rājasthān, N India
80 I5 **Abu Shagara, Ras** *headland* NE Sudan
75 W12 **Abu Simbel** *var.* Abou Simbel, Abū Sunbul. *ancient monument* S Egypt
139 U12 **Abū Sudayrah** S Iraq
139 T10 **Abū Şukhayr** S Iraq
Abū Sunbul *see* Abu Simbel
165 R4 **Abuta** Hokkaidō, NE Japan
185 E18 **Abut Head** *headland* South Island, NZ
80 E9 **Abu 'Urug** Northern Kordofan, C Sudan
80 K12 **Ābuyē Mēda** ▲ C Ethiopia
80 D11 **Abu Zabad** Western Kordofan, C Sudan
Abū Ẓabī *see* Abū Ẓaby
143 P16 **Abū Ẓaby** *var.* Abū Ẓabī, *Eng.* Abu Dhabi. ● (UAE) Abū Ẓaby, C UAE
75 X8 **Abu Zenima** E Egypt
95 N17 **Åby** Östergötland, S Sweden
Abyad, Al Baḥr al *see* White Nile
Åbybro *see* Aabybro
80 D13 **Abyei** Western Kordofan, S Sudan
Abyla *see* Ávila
Abymes *see* les Abymes
Abyssinia *see* Ethiopia
Açâba *see* Assaba
54 F11 **Acacías** Meta, C Colombia
58 L13 **Açailandia** Maranhão, E Brazil
Acaill *see* Achill Island
42 E8 **Acajutla** Sonsonate, W El Salvador
79 D17 **Acalayong** SW Equatorial Guinea
41 N13 **Acámbaro** Guanajuato, C Mexico
54 C6 **Acandí** Chocó, NW Colombia
104 H4 **A Cañiza** *var.* La Cañiza. Galicia, NW Spain
40 J11 **Acaponeta** Nayarit, C Mexico
40 J11 **Acaponeta, Río de** ≈ C Mexico
41 O16 **Acapulco** *var.* Acapulco de Juárez. Guerrero, S Mexico
Acapulco de Juárez *see* Acapulco
55 T13 **Acarai Mountains** *Sp.* Serra Acaraí. ▲ Brazil/Guyana
Acaraí, Serra *see* Acarai Mountains
58 O13 **Acaraú** Ceará, NE Brazil
54 J6 **Acarigua** Portuguesa, N Venezuela
42 C6 **Acatenango, Volcán de** Ж S Guatemala
41 Q15 **Acatlán** *var.* Acatlán de Osorio. Puebla, S Mexico
Acatlán de Osorio *see* Acatlán
41 S15 **Acayucan** *var.* Acayucán. Veracruz-Llave, E Mexico
Accho *see* 'Akko
21 Y5 **Accomac** Virginia, NE USA
77 Q17 **Accra** ● (Ghana) SE Ghana
97 L17 **Accrington** NW England, UK
61 B19 **Acebal** Santa Fe, C Argentina
168 H8 **Aceh** *off.* Daerah Istimewa Aceh, *var.* Acheen, Achin, Atchin, Atjeh. ◐ *autonomous district* NW Indonesia
107 M18 **Acerenza** Basilicata, S Italy
107 K17 **Acerra** *anc.* Acerrae. Campania, S Italy
Acerrae *see* Acerra
Ach'asar Lerr *see* Achkasar
57 J17 **Achacachi** La Paz, W Bolivia
54 K7 **Achaguas** Apure, C Venezuela
154 H12 **Achalpur** *prev.* Elichpur, Ellichpur. Mahārāshtra, C India
61 F18 **Achar** Tacuarembó, C Uruguay
115 H19 **Acharnés** *var.* Aharnes; *prev.* Akharnaí. Attikí, C Greece
Acheen *see* Aceh
99 K16 **Achel** Limburg, NE Belgium
115 D16 **Achelóos** *var.* Akhelóös, Aspropótamos; *anc.* Achelous. ≈ W Greece
Achelous *see* Achelóos
163 W8 **Acheng** Heilongjiang, NE China
109 N6 **Achenkirch** Tirol, W Austria
101 L24 **Achenpass** *pass* Austria/Germany
109 N7 **Achensee** ◎ W Austria
101 F22 **Achern** Baden-Württemberg, SW Germany
115 C16 **Acherón** ≈ W Greece
77 W11 **Achétinamou** ≈ S Niger
152 J12 **Achhnera** Uttar Pradesh, N India
42 C7 **Achiguate, Río** ≈ S Guatemala
97 A16 **Achill Head** *Ir.* Ceann Acla. *headland* W Ireland
97 A16 **Achill Island** *Ir.* Acaill. *island* W Ireland
100 H11 **Achim** Niedersachsen, NW Germany
149 S5 **Achīn** Nangarhār, E Afghanistan
Achin *see* Aceh
122 K12 **Achinsk** Krasnoyarskiy Kray, S Russian Federation
162 E5 **Achit Nuur** ◎ NW Mongolia
137 T11 **Achkasar** *Arm.* Ach'asar Lerr. ▲ Armenia/Georgia
126 K13 **Achuyevo** Krasnodarskiy Kray, SW Russian Federation
81 F16 **Achwa** *var.* Aswa. ≈ N Uganda
136 E15 **Acıgöl** *salt lake* SW Turkey
107 L24 **Acireale** Sicilia, Italy, C Mediterranean Sea
Aciris *see* Agri
25 N7 **Ackerly** Texas, SW USA
22 M4 **Ackerman** Mississippi, S USA
29 W13 **Ackley** Iowa, C USA
44 J5 **Acklins Island** *island* SE Bahamas
Acla, Ceann *see* Achill Head
62 H11 **Aconcagua, Cerro** ▲ W Argentina
Açores/Açores, Arquipélago dos/Açores, Ilhas dos *see* Azores
104 G2 **A Coruña** *Cast.* La Coruña. ◐ *province* Galicia, NW Spain
104 H2 **A Coruña** *Cast.* La Coruña, *Eng.* Corunna; *anc.* Caronium. Galicia, NW Spain
42 L10 **Acoyapa** Chontales, S Nicaragua
106 H13 **Acquapendente** Lazio, C Italy
106 J13 **Acquasanta Terme** Marche, C Italy
106 I13 **Acquasparta** Lazio, C Italy
106 C9 **Acqui Terme** Piemonte, NW Italy
Acrae *see* Palazzolo Acreide
182 F7 **Acraman, Lake** *salt lake* South Australia
59 A15 **Acre** *off.* Estado do Acre. ◐ *state* W Brazil
Acre *see* 'Akko
59 C16 **Acre, Rio** ≈ W Brazil
107 N20 **Acri** Calabria, SW Italy
Acte *see* Ágion Óros
191 Y12 **Actéon, Groupe** *island group* Îles Tuamotu, SE French Polynesia
15 P12 **Acton-Vale** Québec, SE Canada
41 P13 **Actopan** *var.* Actopán. Hidalgo, C Mexico
59 P14 **Açu** *var.* Assu. Rio Grande do Norte, E Brazil
Acunum Acusio *see* Montélimar
77 Q17 **Ada** SE Ghana
29 R5 **Ada** Minnesota, N USA
31 R12 **Ada** Ohio, N USA
27 O12 **Ada** Oklahoma, C USA
112 L8 **Ada** Serbia, N Serbia and Montenegro (Yugo.)
Ada Bazar *see* Adapazarı
40 D3 **Adair, Bahía de** *bay* NW Mexico
104 M7 **Adaja** ≈ N Spain
38 H17 **Adak Island** *island* Aleutian Islands, Alaska, USA
Adalia *see* Antalya
Adalia, Gulf of *see* Antalya Körfezi
141 X9 **Adam** N Oman
Adama *see* Nazrēt
60 I8 **Adamantina** São Paulo, S Brazil
79 E14 **Adamaoua** *Eng.* Adamawa. ◐ *province* N Cameroon
77 Y14 **Adamawa** ◐ *state* E Nigeria
Adamawa *see* Adamaoua
106 F6 **Adamello** ▲ N Italy
81 J14 **Ādamī Tulu** Oromo, C Ethiopia
63 M23 **Adam, Mount** *var.* Monte Independencia. ▲ West Falkland, Falkland Islands
29 R16 **Adams** Nebraska, C USA
18 H8 **Adams** New York, NE USA
29 Q3 **Adams** North Dakota, N USA
155 I23 **Adam's Bridge** *chain of shoals* NW Sri Lanka
32 H10 **Adams, Mount** ▲ Washington, NW USA
Adam's Peak *see* Sri Pada
191 R16 **Adam's Rock** *island* Pitcairn Island, Pitcairn Islands
191 P16 **Adamstown** ○ (Pitcairn Islands) Pitcairn Island, Pitcairn Islands
20 G10 **Adamsville** Tennessee, S USA
25 S9 **Adamsville** Texas, SW USA
141 O17 **'Adan** *Eng.* Aden. SW Yemen
136 K16 **Adana** *var.* Seyhan. Adana, S Turkey
136 K16 **Adana** *var.* Seyhan. ◐ *province* S Turkey
Adâncata *see* Horlivka
169 V12 **Adang, Teluk** *bay* Borneo, C Indonesia
136 F11 **Adapazarı** *prev.* Ada Bazar. Sakarya, NW Turkey
80 H8 **Adarama** River Nile, NE Sudan
195 Q16 **Adare, Cape** *headland* Antarctica
106 E6 **Adda** *anc.* Addua. ≈ N Italy
80 A13 **Adda** ≈ W Sudan
143 Q17 **Aḍ Ḍab'īyah** Abū Ẓaby, C UAE
143 O18 **Aḍ Ḍafrah** *desert* S UAE
141 Q6 **Ad Dahnā'** *desert* E Saudi Arabia
74 A11 **Ad Dakhla** *var.* Dakhla. SW Western Sahara
Ad Dalanj *see* Dilling
Ad Damar *see* Ed Damer
Ad Damazīn *see* Ed Damazin
Ad Dāmir *see* Ed Damer
173 N2 **Ad Dammām** *desert* NE Saudi Arabia
141 R6 **Ad Dammān** *var.* Dammām. Ash Sharqīyah, NE Saudi Arabia
Ad Dāmūr *see* Damoûr
140 K5 **Ad Dār al Ḥamrā'** Tabūk, NW Saudi Arabia
140 M13 **Ad Darb** Jīzān, SW Saudi Arabia
141 O8 **Ad Dawādimī** Ar Riyāḍ, C Saudi Arabia
143 N16 **Ad Dawḥah** *Eng.* Doha. ● (Qatar) C Qatar
143 N16 **Ad Dawḥah** *Eng.* Doha. ✕ C Qatar
139 S6 **Ad Dawr** N Iraq
139 Y12 **Ad Dayr** *var.* Dayr, Shahbān. E Iraq
Addi Arkay *see* Ādī Ārk'ay
139 X15 **Ad Dibdibah** *physical region* Iraq/Kuwait
Ad Diffah *see* Libyan Plateau
Addis Ababa *see* Ādīs Ābeba
Addison *see* Webster Springs
139 U10 **Ad Dīwānīyah** *var.* Diwaniyah. C Iraq
Addua *see* Adda
151 K22 **Addu Atoll** *atoll* S Maldives
Ad Dujail *see* Ad Dujayl
139 T7 **Ad Dujayl** *var.* Ad Dujail. N Iraq
Ad Duwaym/Ad Duwēm *see* Ed Dueim
99 D16 **Adegem** Oost-Vlaanderen, NW Belgium
23 U7 **Adel** Georgia, SE USA
29 U14 **Adel** Iowa, C USA
182 I9 **Adelaide** *state capital* South Australia
44 H2 **Adelaide** New Providence, N Bahamas
182 I9 **Adelaide** ✕ South Australia
194 H6 **Adelaide Island** *island* Antarctica
181 P2 **Adelaide River** Northern Territory, N Australia
76 M10 **'Adel Bagrou** Hodh ech Chargui, SE Mauritania
186 D6 **Adelbert Range** ▲ N PNG
180 K3 **Adele Island** *island* Western Australia
107 O17 **Adelfia** Puglia, SE Italy
195 V16 **Adélie Coast** *physical region* Antarctica
195 V14 **Adélie, Terre** *physical region* Antarctica
Adelnau *see* Odolanów
Adelsberg *see* Postojna
Aden *see* 'Adan
141 Q17 **Aden, Gulf of** *gulf* SW Arabian Sea
77 V10 **Aderbissinat** Agadez, C Niger
Adhaim *see* Al 'Uẓaym
143 R16 **Adh Dhayd** *var.* Al Dhaid. Ash Shāriqah, NE UAE
140 M4 **'Adhfā'** *spring/well* NW Saudi Arabia
138 I13 **'Āḏhriyāt, Jabāl al** ▲ S Jordan
80 I10 **Ādī Ārk'ay** *var.* Addi Arkay. Amhara, N Ethiopia
182 C7 **Adieu, Cape** *headland* South Australia
106 H8 **Adige** *Ger.* Etsch. ≈ N Italy
80 J10 **Ādīgrat** Tigray, N Ethiopia
154 I13 **Ādilābād** *var.* Ādilābād. Andhra Pradesh, C India
35 P2 **Adin** California, W USA
171 V14 **Adi, Pulau** *island* E Indonesia
18 K8 **Adirondack Mountains** ▲ New York, NE USA
80 J13 **Ādīs Ābeba** *Eng.* Addis Ababa. ● (Ethiopia) Ādīs Ābeba, C Ethiopia
80 J13 **Ādīs Ābeba** ✕ Ādīs Ābeba, C Ethiopia
80 I11 **Ādīs Zemen** Amhara, N Ethiopia
Adi Ugri *see* Mendefera
137 N15 **Adıyaman** Adıyaman, SE Turkey
137 N15 **Adıyaman** ◐ *province* S Turkey
116 L11 **Adjud** Vrancea, E Romania
45 T6 **Adjuntas** C Puerto Rico
Adjuntas, Presa de las *see* Vicente Guerrero, Presa
Ādkup *see* Erikub Atoll
126 L15 **Adler** Krasnodarskiy Kray, SW Russian Federation
Adler *see* Orlice
108 G7 **Adliswil** Zürich, NW Switzerland
32 G7 **Admiralty Inlet** *inlet* Washington, NW USA
39 X13 **Admiralty Island** *island* Alexander Archipelago, Alaska, USA
186 E5 **Admiralty Islands** *island group* N PNG
136 B14 **Adnan Menderes** ✕ (İzmir) İzmir, W Turkey
37 V6 **Adobe Creek Reservoir** ⊠ Colorado, C USA
77 T16 **Ado-Ekiti** Ekiti, SW Nigeria
Adola *see* Kibre Mengist
61 C23 **Adolfo González Chaues** Buenos Aires, E Argentina
155 H17 **Ādoni** Andhra Pradesh, C India
102 K15 **Adour** *anc.* Aturus. ≈ SW France
Adowa *see* Ādwa
105 O15 **Adra** Andalucía, S Spain
107 L24 **Adrano** Sicilia, Italy, C Mediterranean Sea
74 I9 **Adrar** C Algeria
76 K7 **Adrar** ◐ *region* C Mauritania
74 L11 **Adrar** ▲ SE Algeria
74 A12 **Adrar Souttouf** ▲ SW Western Sahara
Adrasman *see* Adrasmon
147 Q10 **Adrasmon** *Rus.* Adrasman. NW Tajikistan
78 K10 **Adré** Ouaddaï, E Chad
106 H9 **Adria** *anc.* Atria, Hadria, Hatria. Veneto, NE Italy
31 R10 **Adrian** Michigan, N USA
29 S11 **Adrian** Minnesota, N USA
27 R5 **Adrian** Missouri, C USA
24 M2 **Adrian** Texas, SW USA
21 S4 **Adrian** West Virginia, NE USA
Adrianople/Adrianopolis *see* Edirne
121 P7 **Adriatic Basin** *undersea feature* Adriatic Sea, N Mediterranean Sea
Adriatico, Mare *see* Adriatic Sea
106 L13 **Adriatic Sea** *Alb.* Deti Adriatik, *It.* Mare Adriatico, *SCr.* Jadransko More, *Slvn.* Jadransko Morje. *sea* N Mediterranean Sea
Adriatik, Deti *see* Adriatic Sea
Adua *see* Ādwa
Aduana del Sásabe *see* El Sásabe
79 O17 **Adusa** Orientale, NE Dem. Rep. Congo
118 J13 **Adutiškis** Vilnius, E Lithuania
27 Y7 **Advance** Missouri, USA
55 D25 **Adventure Sound** *bay* East Falkland, Falkland Islands
80 J10 **Ādwa** *var.* Adowa, *It.* Adua. Tigray, N Ethiopia
123 Q8 **Adycha** ≈ NE Russian Federation
126 L14 **Adygeya, Respublika** ◐ *autonomous republic* SW Russian Federation
Adzhikui *see* Ajyguýy
77 N17 **Adzopé** SE Ivory Coast
127 U4 **Adz'va** ≈ NW Russian Federation
125 U5 **Adz'vavom** Respublika Komi, NW Russian Federation
Aedua *see* Autun
115 K19 **Aegean Islands** *island group* Greece/Turkey
Aegean North *see* Vóreion Aigaíon
115 I17 **Aegean Sea** *Gk.* Aigaíon Pélagos, Aigaío Pélagos, *Turk.* Ege Denizi. *sea* NE Mediterranean Sea
Aegean South *see* Nótion Aigaíon
118 H3 **Aegviidu** *Ger.* Charlottenhof. Harjumaa, NW Estonia
Aegyptus *see* Egypt
Aelana *see* Al 'Aqabah
Aelok *see* Ailuk Atoll
Aelōninae *see* Ailinginae Atoll
Aelōnlaplap *see* Ailinglaplap Atoll
Æmilia *see* Emilia-Romagna
Æmilianum *see* Millau
Aemona *see* Ljubljana
Aenaria *see* Ischia
Aeolian Islands *see* Eolie, Isole
191 Z3 **Aeon Point** *headland* Kiritimati, NE Kiribati
95 G24 **Ærø** *Ger.* Arrö. *island* C Denmark
95 H24 **Ærøskøbing** Fyn, C Denmark
Æsernia *see* Isernia
104 G3 **A Estrada** Galicia, NW Spain
115 C18 **Aetós** Itháki, Iónioi Nísoi, Greece, C Mediterranean Sea
191 Q8 **Afaahiti** Tahiti, W French Polynesia
139 U10 **'Afak** C Iraq
Afanasjevo *see* Afanas'yevo
125 T14 **Afanas'yevo** *var.* Afanasjevo. Kirovskaya Oblast', NW Russian Federation
Afándou *see* Afántou
115 O23 **Afántou** *var.* Afándou. Ródos, Dodekánisos, Greece, Aegean Sea
Afar Depression *see* Danakil Desert
80 K11 **Afar** ◐ *region* NE Ethiopia
191 O7 **Afareaitu** Moorea, W French Polynesia
140 L7 **'Afarīyah, Bi'r al** *well* NW Saudi Arabia
Afars et des Issas, Territoire Français des *see* Djibouti
83 D22 **Affenrücken** Karas, SW Namibia
Afghānestān, Dowlat-e Eslāmī-ye *see* Afghanistan
148 M6 **Afghanistan** *off.* Islamic State of Afghanistan, *Per.* Dowlat-e Eslāmī-ye Afghānestān; *prev.* Republic of Afghanistan. ◆ *Islamic state* C Asia
Afgoi *see* Afgooye
81 M17 **Afgooye** *It.* Afgoi. Shabeellaha Hoose, S Somalia
141 N8 **'Afīf** Ar Riyāḍ, C Saudi Arabia
77 V17 **Afikpo** Ebonyi, SE Nigeria
Afiun Karahissar *see* Afyon
109 V5 **Aflenz Kurort** Steiermark, E Austria
74 J6 **Aflou** N Algeria
81 L18 **Afmadow** Jubbada Hoose, S Somalia
39 Q14 **Afognak Island** *island* Alaska, USA
104 J2 **A Fonsagrada** Galicia, NW Spain
186 E9 **Afore** Northern, S PNG
59 O15 **Afrânio** Pernambuco, E Brazil
68-73 **Africa** *continent*
172 K11 **Africana Seamount** *undersea feature* SW Indian Ocean
138 I2 **'Afrīn** Ḥalab, N Syria
136 M15 **Afşin** Kahramanmaraş, C Turkey
98 J7 **Afsluitdijk** *dam* N Netherlands
29 U15 **Afton** Iowa, C USA
29 W9 **Afton** Minnesota, N USA
27 R8 **Afton** Oklahoma, C USA
136 F14 **Afyon** *prev.* Afyonkarahisar. Afyon, W Turkey
136 F14 **Afyon** *var.* Afiun Karahisar, Afyonkarahisar. ◐ *province* W Turkey
Afyonkarahisar *see* Afyon
Agadès *see* Agadez
77 V10 **Agadez** *prev.* Agadès. Agadez, C Niger
77 W8 **Agadez** ◐ *department* N Niger
74 E8 **Agadir** SW Morocco
64 M9 **Agadir Canyon** *undersea feature* SE Atlantic Ocean
145 R12 **Agadyr'** Karaganda, C Kazakhstan
173 O7 **Agalega Islands** *island group* N Mauritius
42 K6 **Agalta, Sierra de** ▲ E Honduras
122 I10 **Agan** ≈ C Russian Federation
Agana/Agaña *see* Hagåtña
188 B15 **Agana Bay** *bay* NW Guam
188 C16 **Agana Field** ✕ (Agana) C Guam
171 Kk13 **Agano-gawa** ≈ Honshū, C Japan
188 B17 **Aga Point** *headland* S Guam
154 G9 **Agar** Madhya Pradesh, C India
81 I14 **Agaro** Oromo, C Ethiopia
153 V15 **Agartala** Tripura, NE India
194 I5 **Agassiz, Cape** *headland* Antarctica
9 N2 **Agassiz Ice Cap** *ice feature* Nunavut, N Canada
175 V13 **Agassiz Fracture Zone** *tectonic feature* S Pacific Ocean
188 B16 **Agat** W Guam
188 B16 **Agat Bay** *bay* W Guam
145 P13 **Agat, Gory** *hill* C Kazakhstan
Agatha *see* Agde
115 M20 **Agathónisi** *island* Dodekánisos, Greece, Aegean Sea
171 X14 **Agats** Papua, E Indonesia
155 C21 **Agatti Island** *island* Lakshadweep, India, N Indian Ocean
38 D16 **Agattu Island** *island* Aleutian Islands, Alaska, USA
38 D16 **Agattu Strait** *strait* Aleutian Islands, Alaska, USA
14 B8 **Agawa** ≈ Ontario, S Canada
14 B8 **Agawa Bay** *lake bay* Ontario, S Canada
77 N17 **Agboville** SE Ivory Coast
137 V12 **Ağdam** *Rus.* Agdam. SW Azerbaijan
103 P16 **Agde** *anc.* Agatha. Hérault, S France
103 P16 **Agde, Cap d'** *headland* S France
Agedabia *see* Ajdābiyā
102 L14 **Agen** *anc.* Aginnum. Lot-et-Garonne, SW France
Agendicum *see* Sens
165 O13 **Ageo** Saitama, Honshū, S Japan
109 R5 **Ager** ≈ N Austria
Agere Hiywet *see* Hāgere Hiywet
108 G8 **Ägerisee** ◎ W Switzerland
142 M10 **Āghā Jārī** Khūzestān, SW Iran
39 P15 **Aghiyuk Island** *island* Alaska, USA
74 B12 **Aghouinit** SE Western Sahara
Aghri Dagh *see* Büyükağrı Dağı
74 B10 **Aghzoumal, Sebkhet** *var.* Sebjet Agsumal. *salt lake* E Western Sahara
115 F15 **Agiá** *var.* Ayiá. Thessalía, C Greece
40 G7 **Agiabampo, Estero de** *estuary* NW Mexico
121 P3 **Agía Fýlaxis** *var.* Ayia Phyla. S Cyprus
Agialoúsa *see* Yenierenköy
115 M21 **Agía Marína** Léros, Dodekánisos, Greece, Aegean Sea
121 Q2 **Agía Nápa** *var.* Ayia Napa. E Cyprus
115 L16 **Agía Paraskeví** Lésvos, E Greece
115 J15 **Agías Eirínis, Akrotírio** *headland* Límnos, E Greece
115 L17 **Agiasós** *var.* Ayiásos, Ayiássos. Lésvos, E Greece
Aginnum *see* Agen
123 O14 **Aginskiy Buryatskiy Avtonomnyy Okrug** ◐ *autonomous district* S Russian Federation
123 O14 **Aginskoye** Aginskiy Buryatskiy Avtonomnyy Okrug, S Russian Federation
115 I14 **Ágion Óros** *Eng.* Mount Athos. ◐ *monastic republic* NE Greece
115 H14 **Ágion Óros** *var.* Akte, Aktí; *anc.* Acte. *peninsula* NE Greece
114 D13 **Ágios Achílleios** *religious building* Dytikí Makedonía, N Greece
115 J16 **Ágios Efstrátios** *var.* Áyios Evstrátios, Hagios Evstrátios. *island* E Greece
115 H20 **Ágios Geórgios** *island* Kykládes, Greece, Aegean Sea
115 Q23 **Ágios Geórgios** *island* SE Greece
115 E21 **Ágios Ilías** ▲ S Greece
115 K25 **Ágios Ioannis, Akrotírio** *headland* Kríti, Greece, E Mediterranean Sea
115 L20 **Ágios Kírykos** *var.* Áyios Kírikos. Ikaría, Dodekánisos, Greece, Aegean Sea
115 D16 **Ágios Nikolaos** Thessalía, C Greece
115 K25 **Ágios Nikólaos** *var.* Áyios Nikólaos. Kríti, Greece, E Mediterranean Sea
115 H14 **Agíou Órous, Kólpos** *gulf* N Greece
107 K24 **Agira** *anc.* Agyrium. Sicilia, Italy, C Mediterranean Sea
115 G20 **Agkístri** *island* S Greece
114 G12 **Ágkistro** *var.* Angistro. ▲ NE Greece
103 O17 **Agly** ≈ S France
Agnetheln *see* Agnita
14 E10 **Agnew Lake** ◎ Ontario, S Canada
77 O16 **Agnibilékrou** E Ivory Coast
116 I11 **Agnita** *Ger.* Agnetheln, *Hung.* Szentágota. Sibiu, SW Romania
107 K15 **Agnone** Molise, C Italy
164 K14 **Ago** Mie, Honshū, SW Japan
106 C8 **Agogna** ≈ N Italy
Agoitz *see* Agoiz
105 R3 **Agoiz** *var.* Agoitz, Aoiz. Navarra, N Spain
77 P17 **Agona Swedru** *var.* Swedru. SE Ghana
Agordat *see* Akurdet
Agosta *see* Augusta
103 N15 **Agout** ≈ S France
152 J12 **Āgra** Uttar Pradesh, N India
Agra and Oudh, United Provinces of *see* Uttar Pradesh
Agram *see* Zagreb
105 U5 **Agramunt** Cataluña, NE Spain
105 Q5 **Agreda** Castilla-León, N Spain
137 S13 **Ağrı** *var.* Karaköse; *prev.* Karakılısse. Ağrı, NE Turkey
137 S13 **Ağrı** ◐ *province* NE Turkey
107 N19 **Agri** *anc.* Aciris. ≈ S Italy
Agri Dagi *see* Büyükağrı Dağı
107 J24 **Agrigento** *Gk.* Akragas; *prev.* Girgenti. Sicilia, Italy, C Mediterranean Sea
188 K4 **Agrihan** *island* N Northern Mariana Islands
115 D18 **Agrínio** *prev.* Agrinion. Dytikí Ellás, W Greece
Agrinion *see* Agrínio
115 G17 **Agriovótano** Évvoia, C Greece
107 L18 **Agropoli** Campania, S Italy
127 T3 **Agryz** Udmurtskaya Respublika, NW Russian Federation
137 U11 **Ağstafa** *Rus.* Akstafa. NW Azerbaijan
137 X11 **Ağsu** *Rus.* Akhsu. C Azerbaijan
Agsumal, Sebjet *see* Aghzoumal, Sebkhet
40 J11 **Agua Brava, Laguna** *lagoon* W Mexico
54 F7 **Aguachica** Cesar, N Colombia
59 J20 **Água Clara** Mato Grosso do Sul, SW Brazil
44 D5 **Aguada de Pasajeros** Cienfuegos, C Cuba
54 J5 **Aguada Grande** Lara, N Venezuela
45 S5 **Aguadilla** W Puerto Rico
43 S16 **Aguadulce** Coclé, S Panama
104 L14 **Aguadulce** Andalucía, S Spain
41 O8 **Agualeguas** Nuevo León, NE Mexico
40 L9 **Aguanaval, Río** ≈ C Mexico
42 J5 **Aguán, Río** ≈ N Honduras
25 R16 **Agua Nueva** Texas, SW USA
60 J8 **Aguapeí, Rio** ≈ S Brazil
61 E14 **Aguapey, Río** ≈ NE Argentina
40 G3 **Agua Prieta** Sonora, NW Mexico
104 G5 **A Guarda** *var.* A Guardia, Laguardia, La Guardia. Galicia, NW Spain
A Guardia *see* A Guarda
56 E6 **Aguarico, Río** ≈ Ecuador/Peru
55 O6 **Aguasay** Monagas, NE Venezuela
40 M12 **Aguascalientes** Aguascalientes, C Mexico
40 L12 **Aguascalientes** ◐ *state* C Mexico
57 I18 **Aguas Calientes, Río** ≈ S Peru
105 R7 **Aguasvivas** ≈ NE Spain
60 J7 **Água Vermelha, Represa de** ⊠ S Brazil
56 E12 **Aguaytía** Ucayali, C Peru
104 I5 **A Gudiña** *var.* La Gudiña. Galicia, NW Spain
104 G7 **Águeda** Aveiro, N Portugal
104 J8 **Águeda** ≈ Portugal/Spain
77 Q8 **Aguelhok** Kidal, NE Mali
77 V12 **Aguié** Maradi, S Niger
188 K8 **Aguijan** *island* S Northern Mariana Islands
104 M14 **Aguilar** *var.* Aguilar de la Frontera. Andalucía, S Spain
104 M3 **Aguilar de Campóo** Castilla-León, N Spain
Aguilar de la Frontera *see* Aguilar
42 F7 **Aguilares** San Salvador, C El Salvador
105 Q14 **Aguilas** Murcia, SE Spain
40 L15 **Aguililla** Michoacán de Ocampo, SW Mexico
Agulhas *see* L'Agulhas
172 J11 **Agulhas Bank** *undersea feature* SW Indian Ocean
172 K11 **Agulhas Basin** *undersea feature* SW Indian Ocean
83 F26 **Agulhas, Cape** *Afr.* Kaap Agulhas. *headland* SW South Africa
Agulhas, Kaap *see* Agulhas, Cape
60 O9 **Agulhas Negras, Pico das** ▲ SE Brazil
172 K11 **Agulhas Plateau** *undersea feature* SW Indian Ocean
165 S16 **Aguni-jima** *island* Nansei-shotō, SW Japan
Agurain *see* Salvatierra
54 G5 **Agustín Codazzi** *var.* Codazzi. Cesar, N Colombia
Agyrium *see* Agira
74 L12 **Ahaggar** *high plateau region* SE Algeria
146 E12 **Ahal Welaýaty** *Rus.* Akhalskiy Velayat. ◐ *province* C Turkmenistan
142 K2 **Ahar** Āžarbāyjān-e Khāvarī, NW Iran
Aharnes *see* Acharnés
138 J3 **Aḥaṣ, Jabal** ▲ NW Syria
138 J3 **Aḥaṣ, Jebal** ▲ W Syria
185 G16 **Ahaura** ≈ South Island, NZ
100 E13 **Ahaus** Nordrhein-Westfalen, NW Germany
191 U9 **Ahe** *atoll* Îles Tuamotu, C French Polynesia
184 N10 **Ahimanawa Range** ▲ North Island, NZ
119 I19 **Ahinski Kanal** *Rus.* Oginskiy Kanal. *canal* SW Belarus
186 G10 **Ahioma** SE PNG
184 I2 **Ahipara** Northland, North Island, NZ
184 I2 **Ahipara Bay** *bay* SE Tasman Sea
Áhkká *see* Akka
39 N13 **Ahklun Mountains** ▲ Alaska, USA
137 R14 **Ahlat** Bitlis, E Turkey
101 F14 **Ahlen** Nordrhein-Westfalen, W Germany
154 D10 **Ahmadābād** *var.* Ahmedabad. Gujarāt, W India
143 R10 **Ahmadābād** Kermān, C Iran
Ahmadi *see* Al Aḥmadī
Ahmad Khel *see* Ḥasan Khēl
155 F14 **Ahmadnagar** *var.* Ahmednagar. Mahārāshtra, W India
149 T9 **Ahmadpur Siāl** Punjab, E Pakistan
77 N5 **Aḥmar, 'Erg el** *desert* N Mali
80 K13 **Ahmar Mountains** ▲ C Ethiopia
Ahmedabad *see* Ahmadābād
Ahmednagar *see* Ahmadnagar
114 N12 **Ahmetbey** Kırklareli, NW Turkey
14 H12 **Ahmic Lake** ◎ Ontario, S Canada
190 G12 **Ahoa** Île Uvea, E Wallis and Futuna
40 G8 **Ahomé** Sinaloa, C Mexico
21 X8 **Ahoskie** North Carolina, SE USA
101 D17 **Ahr** ≈ W Germany
143 N12 **Ahram** *var.* Ahrom. Būshehr, S Iran
100 J9 **Ahrensburg** Schleswig-Holstein, N Germany
Ahrom *see* Ahram
93 L17 **Ähtäri** Länsi-Suomi, W Finland
40 K12 **Ahuacatlán** Nayarit, C Mexico
42 E7 **Ahuachapán** Ahuachapán, W El Salvador
42 A9 **Ahuachapán** ◐ *department* W El Salvador

◆ COUNTRY ● COUNTRY CAPITAL ◇ DEPENDENT TERRITORY ○ DEPENDENT TERRITORY CAPITAL ◐ ADMINISTRATIVE REGION ✕ INTERNATIONAL AIRPORT ▲ MOUNTAIN ▲ MOUNTAIN RANGE Ж VOLCANO ≈ RIVER ◎ LAKE ⊠ RESERVOIR

214 ••• AHU AKIVI – ALBION

191 V16 **Ahu Akivi** *var.* Siete Moai. *ancient monument* Easter Island, Chile, E Pacific Ocean
191 W11 **Ahunui** *atoll* Îles Tuamotu, C French Polynesia
185 E20 **Ahuriri** ≈ South Island, NZ
95 L22 **Åhus** Skåne, S Sweden
Ahu Tahira *see* Ahu Vinapu
191 V16 **Ahu Tepeu** *ancient monument* Easter Island, Chile, E Pacific Ocean
191 V17 **Ahu Vinapu** *var.* Ahu Tahira. *ancient monument* Easter Island, Chile, E Pacific Ocean
142 L9 **Ahvāz** *var.* Ahwāz; *prev.* Nāsiri. Khūzestān, SW Iran
Ahvenanmaa *see* Åland
141 Q16 **Aḥwar** SW Yemen
Ahwāz *see* Ahvāz
94 H7 **Åi Åfjord** *var.* Åfjord, Årnes. Sør-Trøndelag, C Norway
Aibak *see* Āybak
101 K22 **Aichach** Bayern, SE Germany
164 L14 **Aichi** *off.* Aichi-ken, *var.* Aiti. ◈ *prefecture* Honshū, SW Japan
Aïdin *see* Aydın
Aidussina *see* Ajdovščina
Aifir, Clochán an *see* Giant's Causeway
Aigaíon Pélagos/Aigaío Pélagos *see* Aegean Sea
109 S3 **Aigen im Mülkreis** Oberösterreich, N Austria
115 G20 **Aígina** *var.* Aíyina, Egina. Aígina, C Greece
115 G20 **Aígina** *island* S Greece
115 E18 **Aígio** *var.* Egio; *prev.* Aíyion. Dytikí Ellás, S Greece
108 C10 **Aigle** Vaud, SW Switzerland
103 P14 **Aigoual, Mont** ▲ S France
173 O16 **Aigrettes, Pointe des** *headland* W Réunion
61 G19 **Aiguá** *var.* Aigua. Maldonado, S Uruguay
103 S13 **Aigues** ≈ SE France
103 N10 **Aigurande** Indre, C France
Ai-hun *see* Heihe
165 N10 **Aikawa** Niigata, Sado, C Japan
21 Q13 **Aiken** South Carolina, SE USA
25 N4 **Aiken** Texas, SW USA
160 F13 **Ailao Shan** ⛰ SW China
43 W14 **Ailigandí** San Blas, NE Panama
189 R4 **Ailinginae Atoll** *var.* Aelōninae. *atoll* Ralik Chain, SW Marshall Islands
189 T7 **Ailinglaplap Atoll** *var.* Aelōnlaplap. *atoll* Ralik Chain, S Marshall Islands
Aillionn, Loch *see* Allen, Lough
96 H13 **Ailsa Craig** *island* SW Scotland, UK
189 V5 **Ailuk Atoll** *var.* Aelok. *atoll* Ratak Chain, NE Marshall Islands
123 R11 **Aim** Khabarovskiy Kray, E Russian Federation
103 R11 **Ain** ◈ *department* E France
103 S10 **Ain** ≈ E France
118 G7 **Ainaži** *Est.* Heinaste, *Ger.* Hainasch. Limbaži, N Latvia
74 L6 **Aïn Beida** NE Algeria
76 K4 **ʻAïn Ben Tili** Tiris Zemmour, N Mauritania
74 J5 **Aïn Defla** *var.* Aïn Eddefla. N Algeria
Aïn Eddefla *see* Aïn Defla
74 L5 **Ain El Bey** ✕ (Constantine) NE Algeria
115 C19 **Aínos** ▲ Kefallinía, Iónioi Nísoi, Greece, C Mediterranean Sea
105 T4 **Ainsa** Aragón, NE Spain
74 I7 **Aïn Sefra** NW Algeria
29 N13 **Ainsworth** Nebraska, C USA
Aintab *see* Gaziantep
74 H5 **Aïn Témouchent** N Algeria
186 C6 **Aiome** Madang, N PNG
Aïoun el Atrous/Aïoun el Atroûss *see* ʻAyoûn el ʻAtroûs
54 E11 **Aipe** Huila, C Colombia
56 D9 **Aipena, Río** ≈ N Peru
57 L19 **Aiquile** Cochabamba, C Bolivia
Aïr *see* Aïr, Massif de l'
188 E10 **Airai** Babeldaob, C Palau
188 E10 **Airai** ✕ (Oreor) Babeldaob, N Palau
168 I11 **Airbangis** Sumatera, NW Indonesia
11 Q16 **Airdrie** Alberta, SW Canada
96 I12 **Airdrie** S Scotland, UK
Air du Azbine *see* Aïr, Massif de l'
97 M17 **Aire** ≈ N England, UK
102 K15 **Aire-sur-l'Adour** Landes, SW France
103 O1 **Aire-sur-la-Lys** Pas-de-Calais, N France
9 Q6 **Air Force Island** *island* Baffin Island, Nunavut, NE Canada
169 Q13 **Airhitam, Teluk** *bay* Borneo, C Indonesia
171 Q11 **Airmadidi** Sulawesi, N Indonesia
77 V8 **Aïr, Massif de l'** *var.* Aïr, Air du Azbine, Asben. ⛰ N Niger
108 G10 **Airolo** Ticino, S Switzerland
102 K9 **Airvault** Deux-Sèvres, W France
101 K19 **Aisch** ≈ S Germany
63 G20 **Aisén** *off.* Región Aisén del General Carlos Ibañez del Campo, *var.* Aysen. ◈ *region* S Chile
10 H7 **Aishihik Lake** ◎ Yukon Territory, W Canada
103 P3 **Aisne** ◈ *department* N France
103 R4 **Aisne** ≈ NE France
109 T4 **Aist** ≈ N Austria
114 K13 **Aisými** Anatolikí Makedonía kai Thráki, NE Greece
105 S11 **Aitana** ▲ E Spain
186 B5 **Aitape** *var.* Eitape. Sandaun, NW PNG
Aiti *see* Aichi
29 V6 **Aitkin** Minnesota, N USA
115 D18 **Aitolikó** *var.* Etoliko; *prev.* Aitolikón. Dytikí Ellás, C Greece
Aitolikón *see* Aitolikó
190 L15 **Aitutaki** *island* S Cook Islands
116 H11 **Aiud** *Ger.* Strassburg, *Hung.* Nagyenyed; *prev.* Engeten. Alba, SW Romania
118 I9 **Aiviekste** ≈ C Latvia
189 Q8 **Aiwo** SW Nauru
188 E8 **Aiwokako Passage** *passage* Babeldaob, N Palau
Aix *see* Aix-en-Provence
103 S15 **Aix-en-Provence** *var.* Aix; *anc.* Aquae Sextiae. Bouches-du-Rhône, SE France
Aix-la-Chapelle *see* Aachen
103 T11 **Aix-les-Bains** Savoie, E France
186 A6 **Aiyang, Mount** ▲ NW PNG
Aíyina *see* Aígina
Aíyion *see* Aígio
153 W15 **Āīzawl** Mizoram, NE India
118 H9 **Aizkraukle** Aizkraukle, S Latvia
118 C9 **Aizpute** Liepāja, W Latvia
165 O11 **Aizu-Wakamatsu** *var.* Aizuwakamatu. Fukushima, Honshū, C Japan
Aizuwakamatu *see* Aizu-Wakamatsu
103 X15 **Ajaccio** Corse, France, C Mediterranean Sea
103 X15 **Ajaccio, Golfe d'** *gulf* Corse, France, C Mediterranean Sea
41 Q15 **Ajalpán** Puebla, S Mexico
154 F13 **Ajanta Range** ⛰ C India
137 R10 **Ajaria** ◈ *autonomous republic* SW Georgia
Ajastan *see* Armenia
93 G14 **Ajaureforsen** Västerbotten, N Sweden
185 H17 **Ajax, Mount** ▲ South Island, NZ
162 F9 **Aj Bogd Uul** ▲ SW Mongolia
75 R8 **Ajdābiyā** *var.* Agedabia, Ajdābiyah. NE Libya
Ajdābiyah *see* Ajdābiyā
109 S12 **Ajdovščina** *Ger.* Haidenschaft, *It.* Aidussina. W Slovenia
165 Q7 **Ajigasawa** Aomori, Honshū, C Japan
Ajjinena *see* El Geneina
111 H23 **Ajka** Veszprém, W Hungary
138 G9 **ʻAjlūn** Irbid, N Jordan
138 H9 **ʻAjlūn, Jabal** ⛰ W Jordan
Ajluokta *see* Drag
143 R15 **ʻAjmān** *var.* Ajman, ʻUjmān. ʻAjmān, NE UAE
152 G12 **Ajmer** *var.* Ajmere. Rājasthān, N India
36 J15 **Ajo** Arizona, SW USA
105 N2 **Ajo, Cabo de** *headland* N Spain
36 J16 **Ajo Range** ⛰ Arizona, SW USA
146 C14 **Ajyguyy** *Rus.* Adzhikui. Balkan Welaýaty, W Turkmenistan
Akaba *see* Al ʻAqabah
165 T3 **Akabira** Hokkaidō, NE Japan
165 N10 **Akadomari** Niigata, Sado, C Japan
81 E20 **Akagera** *var.* Kagera. ≈ Rwanda/Tanzania *see also* Kagera
191 W16 **Akahanga, Punta** *headland* Easter Island, Chile, E Pacific Ocean
80 J13 **Āk'ak'i** Oromo, C Ethiopia
155 G15 **Akalkot** Mahārāshtra, W India
Akamagaseki *see* Shimonoseki
165 U4 **Akan** Hokkaidō, NE Japan
165 U4 **Akan-ko** ◎ Hokkaidō, NE Japan
Akanthoú *see* Tatlısu
185 I19 **Akaroa** Canterbury, South Island, NZ
80 E6 **Akasha** Northern, N Sudan
164 I13 **Akashi** *var.* Akasi. Hyōgo, Honshū, SW Japan
139 N7 **ʻAkāsh, Wādī** *var.* Wādī ʻUkash. *dry watercourse* W Iraq
Akasi *see* Akashi
92 K11 **Äkäsjokisuu** Lappi, N Finland
137 S11 **Akbaba Dağı** ▲ Armenia/Turkey
Akbük Limanı *see* Güllük Körfezi
127 V8 **Akbulak** Orenburgskaya Oblast', W Russian Federation
137 O11 **Akçaabat** Trabzon, NE Turkey
137 N15 **Akçadağ** Malatya, C Turkey
136 G11 **Akçakoca** Bolu, NW Turkey
Akchakaya, Vpadina *see* Akdzhakaya, Vpadina
76 H7 **Akchâr** *desert* W Mauritania
145 S12 **Akchatau** *Kaz.* Aqshataū. Karaganda, C Kazakhstan
136 L13 **Akdağlar** ⛰ C Turkey
136 E17 **Ak Dağları** ⛰ SW Turkey
136 K13 **Akdağmadeni** Yozgat, C Turkey
146 G8 **Akdepe** *prev.* Ak-Tepe, Leninsk, *Turkm.* Lenin. Daşoguz Welaýaty, N Turkmenistan
Ak-Dere *see* Byala
121 P2 **Akdoğan** *Gk.* Lýsi. C Cyprus
122 J14 **Ak-Dovurak** Respublika Tyva, S Russian Federation
146 F9 **Akdzhakaya, Vpadina** *var.* Vpadina Akchakaya. *depression* N Turkmenistan
171 S11 **Akelamo** Pulau Halmahera, E Indonesia
Aken *see* Aachen
Akermanceaster *see* Bath
95 P15 **Åkersberga** Stockholm, C Sweden
95 H15 **Akershus** ◈ *county* S Norway
79 L16 **Aketi** Orientale, N Dem. Rep. Congo
146 C10 **Akgyr Erezi** *Rus.* Gryada Akkyr. *hill range* NW Turkmenistan
Akhalskiy Velayat *see* Ahal Welaýaty
137 S10 **Akhalts'ikhe** SW Georgia
Akhangaran *see* Ohangaron
Akharnaí *see* Acharnés
75 R7 **Akhḍar, Al Jabal al** *hill range* NE Libya
Akhelóōs *see* Achelóos
39 Q15 **Akhiok** Kodiak Island, Alaska, USA
136 C13 **Akhisar** Manisa, W Turkey
75 X10 **Akhmīm** *anc.* Panopolis. C Egypt
152 H6 **Akhnūr** Jammu and Kashmir, NW India
Akhsu *see* Ağsu
127 P11 **Akhtuba** ≈ SW Russian Federation
127 P11 **Akhtubinsk** Astrakhanskaya Oblast', SW Russian Federation
Akhtyrka *see* Okhtyrka
164 H14 **Aki** Kōchi, Shikoku, SW Japan
39 N12 **Akiachak** Alaska, USA
39 N12 **Akiak** Alaska, USA
191 X11 **Akiaki** *atoll* Îles Tuamotu, E French Polynesia
12 H9 **Akimiski Island** *island* Nunavut, C Canada
136 K17 **Akıncı Burnu** *headland* S Turkey
Akıncılar *see* Selçuk
117 U10 **Akinovka** Zaporiz'ka Oblast', S Ukraine
Åkirkeby *see* Aakirkeby
165 P8 **Akita** Akita, Honshū, C Japan
165 Q8 **Akita** *off.* Akita-ken. ◈ *prefecture* Honshū, C Japan
76 H8 **Akjoujt** *prev.* Fort-Repoux. Inchiri, W Mauritania
92 H11 **Akka** ▲ *Lapp.* Áhkká. N Sweden
92 H11 **Akkajaure** ◎ N Sweden
Akkala *see* Oqqal'a
155 L25 **Akkaraipattu** Eastern Province, E Sri Lanka
145 P13 **Akkense** Karaganda, C Kazakhstan
Akkerman *see* Bilhorod-Dnistrovs'kyy
127 W8 **Akkermanovka** Orenburgskaya Oblast', W Russian Federation
165 V4 **Akkeshi** Hokkaidō, NE Japan
165 V4 **Akkeshi-ko** ◎ Hokkaidō, NE Japan
165 V5 **Akkeshi-wan** *bay* NW Pacific Ocean
138 F8 **ʻAkko** *Eng.* Acre, *Fr.* Saint-Jean-d'Acre; *Bibl.* Accho, Ptolemaïs. Northern, N Israel
145 Q8 **Akkol'** *Kaz.* Aqköl; *prev.* Alekseyevka, *Kaz.* Alekseevka. Akmola, C Kazakhstan
145 T14 **Akkol'** *Kaz.* Aqköl. Almaty, SE Kazakhstan
145 Q16 **Akkol'** *Kaz.* Aqköl. Zhambyl, S Kazakhstan
144 M11 **Akkol', Ozero** *prev.* Ozero Zhaman-Akkol'. ◎ C Kazakhstan
98 L6 **Akkrum** Friesland, N Netherlands
145 U8 **Akku** *prev.* Lebyazh'ye. Pavlodar, NE Kazakhstan
144 F12 **Akkystau** *Kaz.* Aqqystaū. Atyrau, SW Kazakhstan
8 G6 **Aklavik** Northwest Territories, NW Canada
Akmeņrags *see* Akmensrags
118 B9 **Akmensrags** *prev.* Akmeņrags. *headland* W Latvia
158 E9 **Akmeqit** Xinjiang Uygur Zizhiqu, NW China
146 J14 **Akmeydan** Mary Welaýaty, C Turkmenistan
Akmola *see* Astana
145 P9 **Akmola** *off.* Akmolinskaya Oblast', *Kaz.* Aqmola Oblysy; *prev.* Tselinogradskaya Oblast. ◈ *province* C Kazakhstan
Akmolinsk *see* Astana
Akmolinskaya Oblast' *see* Akmola
Aknavásár *see* Târgu Ocna
118 I11 **Aknīste** Jēkabpils, S Latvia
81 G14 **Akobo** Jonglei, SE Sudan
81 G14 **Akobo** *var.* Åkobowenz. ≈ Ethiopia/Sudan
Åkobowenz *see* Akobo
154 H12 **Akola** Mahārāshtra, C India
Akordat *see* Akurdet
77 Q16 **Akosombo Dam** *dam* SE Ghana
154 H12 **Akot** Mahārāshtra, C India
77 N16 **Akoupé** SE Ivory Coast
12 M3 **Akpatok Island** *island* Nunavut, E Canada
158 G7 **Akqi** Xinjiang Uygur Zizhiqu, NW China
138 I2 **Akrād, Jabal al** ⛰ N Syria
Akragas *see* Agrigento
92 H3 **Akranes** Vesturland, W Iceland
139 S2 **Ākrē** *Ar.* ʻAqrah. N Iraq
95 C16 **Åkrahamn** Rogaland, S Norway
77 V9 **Akrérèb** Agadez, C Niger
115 D22 **Akrítas, Akrotírio** *headland* S Greece
37 V3 **Akron** Colorado, C USA
29 R12 **Akron** Iowa, C USA
31 U12 **Akron** Ohio, N USA
Akrotiri *see* Akrotírion
Akrotiri Bay *see* Akrotírion, Kólpos
121 P3 **Akrotírion** *var.* Akrotiri. *UK air base* S Cyprus
121 P3 **Akrotírion, Kólpos** *var.* Akrotiri Bay. *bay* S Cyprus
121 O3 **Akrotiri Sovereign Base Area** *UK military installation* S Cyprus
158 F11 **Aksai Chin** *Chin.* Aksayqin. *disputed region* China/India
Aksaj *see* Aksay
136 I15 **Aksaray** Aksaray, C Turkey
136 I15 **Aksaray** ◈ *province* C Turkey
144 G8 **Aksay** *var.* Aksaj, *Kaz.* Aqsay. Zapadnyy Kazakhstan, NW Kazakhstan
127 O11 **Aksay** Volgogradskaya Oblast', SW Russian Federation
147 W10 **Aksay** *var.* Toxkan He. ≈ China/Kyrgyzstan
Aksay/Aksay Kazakzu Zizhixian *see* Boluozhuanjing/Hongliuwan
Aksayqin *see* Aksai Chin
158 G11 **Aksayqin Hu** ◎ NW China
136 G14 **Akşehir** Konya, W Turkey
136 G14 **Akşehir Gölü** ◎ C Turkey
136 G16 **Akseki** Antalya, SW Turkey
123 P13 **Aksenovo-Zilovskoye** Chitinskaya Oblast', S Russian Federation
145 V11 **Akshatau, Khrebet** ⛰ E Kazakhstan
147 Y8 **Ak-Shyyrak** Issyk-Kul'skaya Oblast', E Kyrgyzstan
Akstafa *see* Ağstafa
158 H7 **Aksu** Xinjiang Uygur Zizhiqu, NW China
145 R8 **Aksu** *Kaz.* Aqsū. Akmola, N Kazakhstan
145 T8 **Aksu** *var.* Jermak, *Kaz.* Ermak; *prev.* Yermak. Pavlodar, NE Kazakhstan
145 W13 **Aksu** *Kaz.* Aqsū. Almaty, SE Kazakhstan
145 V13 **Aksu** *Kaz.* Aqsū. ≈ SE Kazakhstan
145 X11 **Aksuat** *Kaz.* Aqsūat. Vostochnyy Kazakhstan, E Kazakhstan
145 Y11 **Aksuat** *Kaz.* Aqsūat. Vostochnyy Kazakhstan, SE Kazakhstan
127 S4 **Aksubayevo** Respublika Tatarstan, W Russian Federation
158 H7 **Aksu He** *Rus.* Sary-Dzhaz. ≈ China/Kyrgyzstan *see also* Sary-Dzhaz
80 J10 **Āksum** Tigray, N Ethiopia
145 O12 **Aktas** *Kaz.* Aqtas. Karaganda, C Kazakhstan
Aktash *see* Oqtosh
147 V9 **Ak-Tash, Gora** ▲ C Kyrgyzstan
145 R10 **Aktau** *Kaz.* Aqtaū. Karaganda, C Kazakhstan
144 E11 **Aktau** *Kaz.* Aqtaū; *prev.* Shevchenko. Mangistau, W Kazakhstan
Aktau, Khrebet *see* Oqtogh, SW Tajikistan
Aktau, Khrebet *see* Oqtow Tizmasi, C Uzbekistan
Akte *see* Ágion Óros
Ak-Tepe *see* Akdepe
147 X7 **Ak-Terek** Issyk-Kul'skaya Oblast', E Kyrgyzstan
Aktí *see* Ágion Óros
158 E8 **Akto** Xinjiang Uygur Zizhiqu, NW China
144 I10 **Aktobe** *Kaz.* Aqtöbe. *prev.* Aktyubinsk. Aktyubinsk, NW Kazakhstan
145 V12 **Aktogay** *Kaz.* Aqtoghay. Vostochnyy Kazakhstan, E Kazakhstan
119 M18 **Aktsyabrski** *Rus.* Oktyabr'skiy; *prev.* Karpilovka. Homyel'skaya Voblasts', SE Belarus
Aktyubinsk *see* Aktobe
144 H11 **Aktyubinsk** *off.* Aktyubinskaya Oblast', *Kaz.* Aqtöbe Oblysy. ◈ *province* W Kazakhstan
Aktyubinsk *see* Aktobe
147 W7 **Ak-Tyuz** *var.* Aktyuz. Chuyskaya Oblast', N Kyrgyzstan
79 J17 **Akula** Equateur, NW Dem. Rep. Congo
164 C15 **Akune** Kagoshima, Kyūshū, SW Japan
38 L16 **Akun Island** *island* Aleutian Islands, Alaska, USA
80 I9 **Akurdet** *var.* Agordat, Akordat. C Eritrea
77 T16 **Akure** Ondo, SW Nigeria
92 J2 **Akureyri** Nordhurland Eystra, N Iceland
38 L17 **Akutan** Akutan Island, Alaska, USA
38 K17 **Akutan Island** *island* Aleutian Islands, Alaska, USA
77 V17 **Akwa Ibom** ◈ *state* SE Nigeria
Akyab *see* Sittwe
127 W7 **Ak"yar** Respublika Bashkortostan, W Russian Federation
144 J10 **Akzhar** *prev.* Novorossiyskiy, Novorossiyskoye. Aktyubinsk, NW Kazakhstan
145 Y11 **Akzhar** *Kaz.* Aqzhar. Vostochnyy Kazakhstan, E Kazakhstan
94 F13 **Ål** Buskerud, S Norway
119 N18 **Ala** *Rus.* Ola. ≈ SE Belarus
20 H11 **Alabama** *off.* State of Alabama; also known as Camellia State, Heart of Dixie, The Cotton State, Yellowhammer State. ◈ *state* S USA
23 P6 **Alabama River** ≈ Alabama, S USA
23 P4 **Alabaster** Alabama, S USA
139 U10 **Al ʻAbd Allāh** *var.* Al Abdullah. S Iraq
Al Abdullah *see* Al ʻAbd Allāh
139 W14 **Al Abṭīyah** *well* S Iraq
147 S9 **Ala-Buka** Dzhalal-Abadskaya Oblast', W Kyrgyzstan
136 J12 **Alaca** Çorum, N Turkey
136 K10 **Alaçam** Samsun, N Turkey
Alacant *see* Alicante
23 V9 **Alachua** Florida, SE USA
137 S13 **Aladağlar** ⛰ W Turkey
136 K15 **Ala Dağları** ⛰ C Turkey
127 O16 **Alagir** Respublika Severnaya Osetiya, SW Russian Federation
106 B6 **Alagna Valsesia** Valle d'Aosta, NW Italy
103 P12 **Alagnon** ≈ C France
59 P16 **Alagoas** *off.* Estado de Alagoas. ◈ *state* E Brazil
59 P17 **Alagoinhas** Bahia, E Brazil
105 R5 **Alagón** Aragón, NE Spain
104 J9 **Alagón** ≈ W Spain
93 K16 **Alahärmä** Länsi-Suomi, W Finland
al Ahdar *see* Al Akhḍar
Álaheaieatnu *see* Altaelva
142 K12 **Al Aḥmadī** *var.* Ahmadi. E Kuwait
Al Ain *see* Al ʻAyn
105 Z8 **Alaior** *prev.* Alayor. Menorca, Spain, W Mediterranean Sea
147 T11 **Alai Range** *Rus.* Alayskiy Khrebet. ⛰ Kyrgyzstan/Tajikistan
Alais *see* Alès
141 X11 **Al ʻAjāʼiz** E Oman
141 X11 **Al ʻAjāʼiz** *oasis* SE Oman
93 L16 **Alajärvi** Länsi-Suomi, W Finland
118 K4 **Alajõe** Ida-Virumaa, NE Estonia
42 M13 **Alajuela** Alajuela, C Costa Rica
42 L12 **Alajuela** *off.* Provincia de Alajuela. ◈ *province* N Costa Rica
43 T14 **Alajuela, Lago** ◎ C Panama
38 M11 **Alakanuk** Alaska, USA
140 K5 **Al Akhḍar** *var.* al Ahdar. Tabūk, NW Saudi Arabia
Alaköl *see* Alakol', Ozero
145 X13 **Alakol', Ozero** *Kaz.* Alaköl. ◎ SE Kazakhstan
124 I5 **Alakurtti** Murmanskaya Oblast', NW Russian Federation
38 F10 **ʻAlalākeiki Channel** *var.* Alalakeiki Channel *channel* Hawaiʻi, USA, C Pacific Ocean
Al ʻAlamayn *see* El ʻAlamein
139 R1 **Al ʻAmādīyah** N Iraq
188 K5 **Alamagan** *island* C Northern Mariana Islands
139 X10 **Al ʻAmārah** *var.* Amara. E Iraq
80 J11 **Ālamatʼā** Tigray, N Ethiopia
37 R11 **Alameda** New Mexico, SW USA
121 T13 **ʻAlam el Rûm, Râs** *headland* N Egypt
Alamícamba *see* Alamikamba
42 M8 **Alamikamba** *var.* Alamícamba. Región Autónoma Atlántico Norte, NE Nicaragua
24 K11 **Alamito Creek** ≈ Texas, SW USA
40 M8 **Alamitos, Sierra de los** ▲ NE Mexico
35 X9 **Alamo** Nevada, W USA
20 F9 **Alamo** Tennessee, S USA
41 Q12 **Álamo** Veracruz-Llave, C Mexico
37 S14 **Alamogordo** New Mexico, SW USA
36 J12 **Alamo Lake** ⊡ Arizona, SW USA
40 H7 **Alamos** Sonora, NW Mexico
37 S7 **Alamosa** Colorado, C USA
93 J20 **Åland** *var.* Aland Islands, *Fin.* Ahvenanmaa. ◈ *province* SW Finland
93 J19 **Åland** *Fin.* Ahvenanmaa. *island* SW Finland
93 J20 **Åland** *var.* Aland Islands, *Fin.* Ahvenanmaa. *island group* SW Finland
Aland Islands *see* Åland
Aland Sea *see* Ålands Hav
95 Q14 **Ålands Hav** *var.* Aland Sea. *strait* Baltic Sea/Gulf of Bothnia
43 P16 **Alanje** Chiriquí, SW Panama
25 O2 **Alanreed** Texas, SW USA
136 G17 **Alanya** Antalya, S Turkey
23 U7 **Alapaha River** ≈ Florida/Georgia, SE USA
122 G10 **Alapayevsk** Sverdlovskaya Oblast', C Russian Federation
Alappuzha *see* Alleppey
138 F14 **Al ʻAqabah** *var.* Akaba, Aqaba, ʻAqaba; *anc.* Aelana, Elath. Maʻān, SW Jordan
Al ʻArabīyah as Suʻūdīyah *see* Saudi Arabia
al Araïch *see* Larache
105 Q10 **Alarcón** Castilla-La Mancha, C Spain
105 Q9 **Alarcón, Embalse de** ⊡ C Spain
138 J2 **Al ʻArīmah** *Fr.* Arime. Ḥalab, N Syria
Al ʻArīsh *see* El ʻArîsh
141 P6 **Al Arṭāwīyah** Ar Riyāḍ, N Saudi Arabia
Alasca, Golfo de *see* Alaska, Gulf of
136 D14 **Alaşehir** Manisa, W Turkey
139 N5 **Al ʻAshārah** *var.* Ashara. Dayr az Zawr, E Syria
138 H10 **ʻAl ʻĀṣimah** *off.* Muḥāfaẓat ʻAl ʻĀṣimah. *prev.* ʻAmmān. ◈ *governorate* NW Jordan
Al Ashkhara *see* Al Ashkharah
141 Z9 **Al Ashkharah** *var.* Al Ashkhara. NE Oman
39 P8 **Alaska** *off.* State of Alaska; also known as Land of the Midnight Sun, The Last Frontier, Seward's Folly; *prev.* Russian America. ◈ *state* NW USA
39 T13 **Alaska, Gulf of** *var.* Golfo de Alasca. *gulf* Canada/USA
39 O15 **Alaska Peninsula** *peninsula* Alaska, USA
39 Q11 **Alaska Range** ⛰ Alaska, USA
Al-Asnam *see* Chlef
106 B10 **Alassio** Liguria, NW Italy
Alat *see* Olot
137 Y12 **Älät** *Rus.* Alyat; *prev.* Alyaty-Pristan'. SE Azerbaijan
139 S13 **Al ʻAthāmīn** S Iraq
39 P7 **Alatna River** ≈ Alaska, USA
107 J15 **Alatri** Lazio, C Italy
Alattio *see* Alta
127 P5 **Alatyr'** Chuvashskaya Respublika, W Russian Federation
56 C7 **Alausí** Chimborazo, C Ecuador
105 O3 **Álava** *Basq.* Araba. ◈ *province* País Vasco, N Spain
137 T11 **Alaverdi** N Armenia
Alavo *see* Alavus
93 N14 **Ala-Vuokki** Oulu, E Finland
93 K17 **Alavus** *Swe.* Alavo. Länsi-Suomi, W Finland
Al ʻAwābī *see* Awābī
139 P6 **Al ʻAwānī** W Iraq
Al Awaynāt *see* Al ʻUwaynāt
182 K9 **Alawoona** South Australia
Alaykel'/Alay-Kuu *see* Këk-Art
143 R17 **Al ʻAyn** *var.* Al Ain. Abū Ẓaby, E UAE
143 R17 **Al ʻAyn** *var.* Al Ain. ✕ Abū Ẓaby, E UAE
138 G12 **Al ʻAynā** Al Karak, W Jordan
Alayor *see* Alaior
Alayskiy Khrebet *see* Alai Range
123 S6 **Alazeya** ≈ NE Russian Federation
139 U8 **Al ʻAzīzīyah** *var.* Aziziya. E Iraq
120 M12 **Al ʻAzīzīyah** NW Libya
138 I10 **Al Azraq al Janūbī** Az Zarqāʼ, N Jordan
106 B9 **Alba** *anc.* Alba Pompeia. Piemonte, NW Italy
25 V6 **Alba** Texas, SW USA
116 G11 **Alba** ◈ *county* W Romania
139 P3 **Al Baʻāj** N Iraq
138 J3 **Al Bāb** Ḥalab, N Syria
116 G10 **Albac** *Hung.* Fehérvölgy; *prev.* Álbák. Alba, SW Romania
105 Q11 **Albacete** Castilla-La Mancha, C Spain
105 P11 **Albacete** ◈ *province* Castilla-La Mancha, C Spain
140 I4 **Al Badʻ** Tabūk, NW Saudi Arabia
104 L7 **Alba de Tormes** Castilla-León, N Spain
139 P3 **Al Bādī** N Iraq
141 V8 **Al Badīʻah** ✕ (Abū Ẓaby) Abū Ẓaby, C UAE
143 P17 **Al Badīʻah** *var.* Al Bedeiʻah. *spring/well* C UAE
139 Q7 **Al Baghdādī** *var.* Khān al Baghdādī. SW Iraq
Al Bāha *see* Al Bāḥah
140 M11 **Al Bāḥah** *var.* Al Bāha. Al Bāḥah, SW Saudi Arabia
140 M11 **Al Bāḥah** *off.* Minṭaqat al Bāḥah. ◈ *province* W Saudi Arabia
Al Baḥrayn *see* Bahrain
105 S11 **Albaida** País Valenciano, E Spain
116 H11 **Alba Iulia** *Ger.* Weissenburg, *Hung.* Gyulafehérvár; *prev.* Bălgrad, Karlsburg, Károly-Fehérvár. Alba, W Romania
Álbák *see* Albac
138 G10 **Al Balqāʼ** *off.* Muḥāfaẓat al Balqāʼ, *var.* Balqāʼ. ◈ *governorate* NW Jordan
14 F11 **Alban** Ontario, S Canada
103 O15 **Alban** Tarn, S France
12 K11 **Albanel, Lac** ◎ Québec, SE Canada
113 L20 **Albania** *off.* Republic of Albania, *Alb.* Republika e Shqipërisë, Shqipëria; *prev.* People's Socialist Republic of Albania. ◆ *republic* SE Europe
Albania *see* Aubagne
107 H15 **Albano Laziale** Lazio, C Italy
180 J14 **Albany** Western Australia
23 S7 **Albany** Georgia, SE USA
31 P13 **Albany** Indiana, N USA
20 L8 **Albany** Kentucky, S USA
29 U7 **Albany** Minnesota, N USA
27 R2 **Albany** Missouri, C USA
18 L10 **Albany** *state capital* New York, NE USA
32 G12 **Albany** Oregon, NW USA
25 Q6 **Albany** Texas, SW USA
12 F10 **Albany** ≈ Ontario, S Canada
Alba Pompeia *see* Alba
Alba Regia *see* Székesfehérvár
138 J6 **Al Bāridah** *var.* Bāridah. Ḥimṣ, C Syria
139 Q11 **Al Barīt** S Iraq
105 R8 **Albarracín** Aragón, NE Spain
139 Y12 **Al Baṣrah** *Eng.* Basra; *hist.* Busra, Bussora. SE Iraq
139 V11 **Al Baṭḥāʼ** SE Iraq
141 X8 **Al Bāṭinah** *var.* Batinah. *coastal region* N Oman
Al Batrūn *see* Batroûn
121 Q12 **Al Bayḍāʼ** *var.* Beida. NE Libya
141 P16 **Al Bayḍāʼ** *var.* Al Beiḍā. SW Yemen
Al Bedeiʻah *see* Al Badīʻah
Al Beida *see* Al Bayḍāʼ
21 S10 **Albemarle** *var.* Albermarle. North Carolina, SE USA
Albemarle Island *see* Isabela, Isla
21 N8 **Albemarle Sound** *inlet* W Atlantic Ocean
106 B10 **Albenga** Liguria, NW Italy
104 L8 **Alberche** ≈ C Spain
103 O17 **Albères, Chaîne des** *var.* les Albères, Montes Albères. ⛰ France/Spain
Albères, Montes *see* Albères, Chaîne des
182 F2 **Alberga Creek** *seasonal river* South Australia
104 G7 **Albergaria-a-Velha** Aveiro, N Portugal
105 S10 **Alberic** País Valenciano, E Spain
Albermarle *see* Albemarle
107 P18 **Alberobello** Puglia, SE Italy
108 J7 **Alberschwende** Vorarlberg, W Austria
103 O3 **Albert** Somme, N France
11 O12 **Alberta** ◈ *province* SW Canada
Albert Edward Nyanza *see* Edward, Lake
61 C20 **Alberti** Buenos Aires, E Argentina
111 K23 **Albertirsa** Pest, C Hungary
99 I16 **Albertkanaal** *canal* N Belgium
79 P17 **Albert, Lake** *var.* Albert Nyanza, Lac Mobutu Sese Seko. ◎ Uganda/Dem. Rep. Congo
29 V11 **Albert Lea** Minnesota, N USA
81 F16 **Albert Nile** ≈ NW Uganda
Albert Nyanza *see* Albert, Lake
103 T11 **Albertville** Savoie, E France
23 Q2 **Albertville** Alabama, S USA
Albertville *see* Kalemie
103 N15 **Albi** *anc.* Albiga. Tarn, S France
29 W15 **Albia** Iowa, C USA
Albiga *see* Albi
55 X9 **Albina** Marowijne, NE Suriname
83 A15 **Albina, Ponta** *headland* SW Angola
30 M16 **Albion** Illinois, N USA
31 P11 **Albion** Indiana, N USA

◆ Country ● Country Capital ◇ Dependent Territory ○ Dependent Territory Capital ◈ Administrative Region ✕ International Airport ▲ Mountain ⛰ Mountain Range ⚹ Volcano ≈ River ◎ Lake ⊡ Reservoir

◆ COUNTRY
● COUNTRY CAPITAL
◇ DEPENDENT TERRITORY
○ DEPENDENT TERRITORY CAPITAL
◆ ADMINISTRATIVE REGION
× INTERNATIONAL AIRPORT
▲ MOUNTAIN
▲ MOUNTAIN RANGE
☀ VOLCANO
☞ RIVER
◎ LAKE
⊟ RESERVOIR

216 ••• ALMATY – AMITY

145 S14 **Almaty** *off.* Almatinskaya Oblast', *Kaz.* Almaty Oblysy; *prev.* Alma-Atinskaya Oblast'. ◆ *province* SE Kazakhstan
145 U15 **Almaty** ✕ Almaty, SE Kazakhstan
Almaty Oblysy *see* Almaty
al-Mawailih *see* Al Muwayliḥ
139 R3 **Al Mawşil** *Eng.* Mosul. N Iraq
139 N5 **Al Mayādīn** *var.* Mayadin, *Fr.* Meyadine. Dayr az Zawr, E Syria
139 X10 **Al Maymūnah** *var.* Maimuna. SE Iraq
141 N5 **Al Mayyāh** Ḥā'il, N Saudi Arabia
Al Ma'zam *see* Al Ma'zim
105 P6 **Almazán** Castilla-León, N Spain
141 W8 **Al Ma'zim** *var.* Al Ma'zam. NW Oman
123 N11 **Almaznyy** Respublika Sakha (Yakutiya), NE Russian Federation
Al Mazra' *see* Al Mazra'ah
138 G11 **Al Mazra'ah** *var.* Al Mazra', Mazra'a. Al Karak, W Jordan
101 G15 **Alme** ≈ W Germany
104 I7 **Almeida** Guarda, N Portugal
104 G10 **Almeirim** Santarém, C Portugal
98 O10 **Almelo** Overijssel, E Netherlands
105 S9 **Almenara** País Valenciano, E Spain
105 P12 **Almenaras** ▲ S Spain
105 P5 **Almenar de Soria** Castilla-León, N Spain
104 J6 **Almendra, Embalse de** ⊠ Castilla-León, NW Spain
104 J11 **Almendralejo** Extremadura, W Spain
98 J10 **Almere** *var.* Almere-stad. Flevoland, C Netherlands
98 J10 **Almere-Buiten** Flevoland, C Netherlands
98 J10 **Almere-Haven** Flevoland, C Netherlands
Almere-stad *see* Almere
105 P15 **Almería** *Ar.* Al-Mariyya; *anc.* Unci, *Lat.* Portus Magnus. Andalucía, S Spain
105 P14 **Almería** ◆ *province* Andalucía, S Spain
105 P15 **Almería, Golfo de** *gulf* S Spain
127 S5 **Al'met'yevsk** Respublika Tatarstan, W Russian Federation
95 L21 **Älmhult** Kronoberg, S Sweden
141 U9 **Al Miḥrāḍ** *desert* NE Saudi Arabia
Al Mīnā' *see* El Mina
104 L17 **Almina, Punta** *headland* Ceuta, Spain, N Africa
Al Minyā *see* El Minya
Al Miqdādīyah *see* Al Muqdādīyah
43 P14 **Almirante** Bocas del Toro, NW Panama
Almirós *see* Almyrós
140 M9 **Al Mislaḥ** *spring/well* W Saudi Arabia
Almissa *see* Omiš
104 G13 **Almodôvar** *var.* Almodóvar. Beja, S Portugal
104 M11 **Almodóvar del Campo** Castilla-La Mancha, C Spain
105 Q9 **Almodóvar del Pinar** Castilla-La Mancha, C Spain
31 S9 **Almont** Michigan, N USA
14 L13 **Almonte** Ontario, SE Canada
104 J14 **Almonte** Andalucía, S Spain
104 K9 **Almonte** ≈ W Spain
152 K9 **Almora** Uttaranchal, N India
104 M8 **Almorox** Castilla-La Mancha, C Spain
141 S7 **Al Mubarraz** Ash Sharqīyah, E Saudi Arabia
Al Muḍaibī *see* Al Muḍaybī
138 G15 **Al Mudawwarah** Ma'ān, SW Jordan
141 Y9 **Al Muḍaybī** *var.* Al Muḍaibī. NE Oman
Almudébar *see* Almudévar
105 S5 **Almudévar** *var.* Almudébar. Aragón, NE Spain
141 S15 **Al Mukallā** *var.* Mukalla. SE Yemen
141 N16 **Al Mukhā** *Eng.* Mocha. SW Yemen
105 N15 **Almuñécar** Andalucía, S Spain
139 U7 **Al Muqdādīyah** *var.* Al Miqdādīyah. C Iraq
140 L3 **Al Murayr** *spring/well* NW Saudi Arabia
136 M12 **Almus** Tokat, N Turkey
Al Muṣana'a *see* Al Maṣna'ah
139 T9 **Al Musayyib** *var.* Musaiyib. C Iraq
139 V9 **Al Muwaffaqīyah** S Iraq
138 H10 **Al Muwaqqar** *var.* El Muwaqqar. 'Al 'Āṣimah, W Jordan
140 J5 **Al Muwayliḥ** *var.* al-Mawailih. Tabūk, NW Saudi Arabia
115 F17 **Almyrós** *var.* Almirós. Thessalía, C Greece
115 I24 **Almyroú, Órmos** *bay* Kríti, Greece, E Mediterranean Sea
Al Nūwfalīyah *see* An Nawfalīyah
96 L13 **Alnwick** N England, UK
Al Obayyid *see* El Obeid
Al Odaid *see* Al 'Udayd
190 B16 **Alofi** ○ (Niue) W Niue
190 A16 **Alofi Bay** *bay* W Niue, C Pacific Ocean
190 E13 **Alofi, Île** *island* S Wallis and Futuna
190 E13 **Alofitai** Île Alofi, W Wallis and Futuna
Aloha State *see* Hawaii
118 G7 **Aloja** Limbaži, N Latvia
153 X10 **Along** Arunāchel Pradesh, NE India
115 H16 **Alónnisos** *island* Vóreioi Sporádes, Greece, Aegean Sea
104 M15 **Álora** Andalucía, S Spain
171 Q16 **Alor, Kepulauan** *island group* E Indonesia
171 Q16 **Alor, Pulau** *prev.* Ombai. *island* Kepulauan Alor, E Indonesia
168 I7 **Alor Setar** *var.* Alor Star, Alur Setar. Kedah, Peninsular Malaysia
Alost *see* Aalst
154 F9 **Ālot** Madhya Pradesh, C India
186 G10 **Alotau** Milne Bay, SE PNG
171 Y16 **Alotip** Papua, E Indonesia
Al Oued *see* El Oued
35 R12 **Alpaugh** California, W USA
Alpen *see* Alps
31 R6 **Alpena** Michigan, N USA
Alpes *see* Alps
103 S14 **Alpes-de-Haute-Provence** ◆ *department* SE France
103 U14 **Alpes-Maritimes** ◆ *department* SE France
181 W8 **Alpha** Queensland, E Australia
197 R9 **Alpha Cordillera** *var.* Alpha Ridge. *undersea feature* Arctic Ocean
Alpha Ridge *see* Alpha Cordillera
Alpheius *see* Alfeiós
99 I15 **Alphen** Noord-Brabant, S Netherlands
98 H11 **Alphen aan den Rijn** *var.* Alphen. Zuid-Holland, C Netherlands
Alpheus *see* Alfeiós
Alpi *see* Alps
104 G10 **Alpiarça** Santarém, C Portugal
24 K10 **Alpine** Texas, SW USA
108 F8 **Alpnach** Unterwalden, W Switzerland
108 D11 **Alps** *Fr.* Alpes, *Ger.* Alpen, *It.* Alpi. ▲ C Europe
141 W8 **Al Qābil** *var.* Qābil. N Oman
Al Qaḍārif *see* Gedaref
75 P8 **Al Qaddāḥīyah** N Libya
Al Qāhirah *see* Cairo
140 K4 **Al Qalibah** Tabūk, NW Saudi Arabia
139 O1 **Al Qāmishlī** *var.* Kamishli, Qamishly. Al Ḥasakah, NE Syria
138 I6 **Al Qaryatayn** *var.* Qaryatayn, *Fr.* Qariateïne. Ḥimṣ, C Syria
142 K11 **Al Qash'ānīyah** *var.* Al-Kashaniya. NE Kuwait
141 N7 **Al Qaṣīm** *off.* Minṭaqat Qaṣīm, Qassim. ◆ *province* C Saudi Arabia
138 J5 **Al Qaṣr** Ḥimṣ, C Syria
Al Qaṣr *see* El Qaṣr
Al Qaṣrayn *see* Kasserine
141 S6 **Al Qaṭīf** Ash Sharqīyah, NE Saudi Arabia
138 G11 **Al Qaṭrānah** *var.* El Qatrani, Qatrana. Al Karak, W Jordan
75 P11 **Al Qaṭrūn** SW Libya
Al Qayrawān *see* Kairouan
Al-Qsar al-Kbir *see* Ksar-el-Kebir
Al Qubayyāt *see* Qoubaïyât
Al Quds/Al Quds ash Sharīf *see* Jerusalem
104 H12 **Alqueva, Barragem do** ⊠ Portugal/Spain
138 G8 **Al Qunayṭirah** *var.* El Kuneitra, El Quneitra, Kuneitra, Qunaytra. Al Qunayṭirah, SW Syria
138 G8 **Al Qunayṭirah** *off.* Muḥāfaẓat al Qunayṭirah, *var.* El Q'unayṭirah, Qunaytirah, *Fr.* Kuneitra. ◆ *governorate* SW Syria
140 M11 **Al Qunfudhah** Makkah, SW Saudi Arabia
140 K2 **Al Qurayyāt** Al Jawf, NW Saudi Arabia
139 Y11 **Al Qurnah** *var.* Kurna. SE Iraq
139 V12 **Al Quṣayr** S Iraq
138 I6 **Al Quṣayr** *var.* El Quseir, Quṣayr, *Fr.* Kousseir. Ḥimṣ, W Syria
Al Quṣayr *see* Quseir
138 H7 **Al Quṭayfah** *var.* Quṭayfah, Qutayfe, Quteife, *Fr.* Kouteifé. Dimashq, W Syria
141 P8 **Al Quwayīyah** Ar Riyāḍ, C Saudi Arabia
Al Quwayr *see* Guwēr
138 F14 **Al Quwayrah** *var.* El Quweira. Ma'ān, SW Jordan
Al Rayyan *see* Ar Rayyān
Al Ruweis *see* Ar Ruways
95 G24 **Als** *Ger.* Alsen. *island* SW Denmark
103 U5 **Alsace** *Ger.* Elsass; *anc.* Alsatia. ◆ *region* NE France
11 R16 **Alsask** Saskatchewan, S Canada
Alsasua *see* Altsasu
Alsatia *see* Alsace
101 C16 **Alsdorf** Nordrhein-Westfalen, W Germany
10 G8 **Alsek** ≈ Canada/USA
Alsen *see* Als
101 F19 **Alsenz** ≈ W Germany
101 H17 **Alsfeld** Hessen, C Germany
119 K20 **Al'shany** *Rus.* Ol'shany. Brestskaya Voblasts', SW Belarus
Alsókubin *see* Dolný Kubín
118 C9 **Alsunga** Kuldīga, W Latvia
Alt *see* Olt
92 K9 **Alta** *Fin.* Alattio. Finnmark, N Norway
29 T12 **Alta** Iowa, C USA
108 I7 **Altach** Vorarlberg, W Austria
92 K9 **Altaelva** *Lapp.* Álaheaieatnu. ≈ N Norway
92 J8 **Altafjorden** *fjord* NE Norwegian Sea
62 K10 **Alta Gracia** Córdoba, C Argentina
42 K11 **Alta Gracia** Rivas, SW Nicaragua
54 H4 **Altagracia** Zulia, NW Venezuela
54 M5 **Altagracia de Orituco** Guárico, N Venezuela
Altai *see* Altai Mountains
122 J14 **Altai Mountains** *var.* Altai, *Chin.* Altay Shan, *Rus.* Altay. ▲ Asia/Europe
23 V6 **Altamaha River** ≈ Georgia, SE USA
58 J13 **Altamira** Pará, NE Brazil
54 D12 **Altamira** Huila, S Colombia
42 M13 **Altamira** Alajuela, N Costa Rica
41 Q11 **Altamira** Tamaulipas, C Mexico
30 L15 **Altamont** Illinois, N USA
27 Q7 **Altamont** Kansas, C USA
32 H16 **Altamont** Oregon, NW USA
20 K10 **Altamont** Tennessee, S USA
23 X11 **Altamonte Springs** Florida, SE USA
107 O17 **Altamura** *anc.* Lupatia. Puglia, SE Italy
40 H9 **Altamura, Isla** *island* C Mexico
162 G7 **Altan** Dzavhan, W Mongolia
162 G6 **Altanbulag** Dzavhan, N Mongolia
163 Q7 **Altan Emel** *var.* Xin Barag Youqi. Nei Mongol Zizhiqu, N China
162 J8 **Altan-Ovoo** Arhangay, C Mongolia
162 E7 **Altanteel** Hovd, W Mongolia
40 F3 **Altar** Sonora, NW Mexico
40 D2 **Altar, Desierto de** *var.* Sonoran Desert. *desert* Mexico/USA *see also* Sonoran Desert
105 Q8 **Alta, Sierra** ▲ N Spain
40 H9 **Altata** Sinaloa, C Mexico
42 D4 **Alta Verapaz** *off.* Departamento de Alta Verapaz. ◆ *department* C Guatemala
107 L18 **Altavilla Silentia** Campania, S Italy
21 T7 **Altavista** Virginia, NE USA
158 L2 **Altay** Xinjiang Uygur Zizhiqu, NW China
162 G5 **Altay** Dzavhan, N Mongolia
162 G8 **Altay** *prev.* Yösönbulag. Govĭ-Altay, W Mongolia
Altay *see* Altai Mountains
122 J14 **Altay, Respublika** *var.* Gornyy Altay; *prev.* Gorno-Altayskaya Respublika. ◆ *autonomous republic* S Russian Federation
Altay Shan *see* Altai Mountains
123 I13 **Altayskiy Kray** ◆ *territory* S Russian Federation
Altbetsche *see* Bečej
101 L20 **Altdorf** Bayern, SE Germany
108 G8 **Altdorf** *var.* Altorf. Uri, C Switzerland
105 T11 **Altea** País Valenciano, E Spain
100 L10 **Alte Elde** ≈ N Germany
101 M16 **Altenburg** Thüringen, E Germany
Altenburg *see* București, Romania
Altenburg *see* Baia de Criş, Romania
100 P12 **Alte Oder** ≈ NE Germany
104 H10 **Alter do Chão** Portalegre, C Portugal
92 I10 **Altevatnet** *Lapp.* Álttesjávri. ◎ N Norway
27 V12 **Altheimer** Arkansas, C USA
109 T9 **Althofen** Kärnten, S Austria
114 H7 **Altimir** Vratsa, NW Bulgaria
136 K11 **Altınkaya Barajı** ⊠ N Turkey
139 S3 **Altin Köprü** *var.* Altun Kupri. N Iraq
136 E13 **Altıntaş** Kütahya, W Turkey
57 K18 **Altiplano** *physical region* W South America
Altkanischa *see* Kanjiža
103 U7 **Altkirch** Haut-Rhin, NE France
Altlublau *see* Stará L'ubovňa
100 L12 **Altmark** *cultural region* N Germany
Altmoldowa *see* Moldova Veche
25 W8 **Alto** Texas, SW USA
104 H11 **Alto Alentejo** *physical region* S Portugal
59 I19 **Alto Araguaia** Mato Grosso, C Brazil
58 L12 **Alto Bonito** Pará, NE Brazil
83 O15 **Alto Molócuè** Zambézia, NE Mozambique
30 K15 **Alton** Illinois, N USA
27 W8 **Alton** Missouri, C USA
11 X17 **Altona** Manitoba, S Canada
18 E14 **Altoona** Pennsylvania, NE USA
30 J6 **Altoona** Wisconsin, N USA
62 N3 **Alto Paraguay** *off.* Departamento del Alto Paraguay. ◆ *department* N Paraguay
59 L17 **Alto Paraíso de Goiás** Goiás, S Brazil
62 P6 **Alto Paraná** *off.* Departamento del Alto Paraná. ◆ *department* E Paraguay
Alto Paraná *see* Paraná
59 L15 **Alto Parnaíba** Maranhão, E Brazil
56 H13 **Alto Purús, Río** ≈ E Peru
Altorf *see* Altdorf
63 H19 **Alto Río Senguer** *var.* Alto Río Senguerr. Chubut, S Argentina
41 Q13 **Altotonga** Veracruz-Llave, E Mexico
101 N23 **Altötting** Bayern, SE Germany
Altpasua *see* Stara Pazova
162 I5 **Altraga** Hövsgöl, N Mongolia
Alt-Schwanenburg *see* Gulbene
105 P3 **Altsasu** *Cast.* Alsasua. Navarra, N Spain
Altsohl *see* Zvolen
108 I7 **Altstätten** Sankt Gallen, NE Switzerland
Álttesjávri *see* Altevatnet
42 G1 **Altun Ha** *ruins* Belize, N Belize
Altun Kupri *see* Altin Köprü
158 D8 **Altun Shan** ▲ C China
158 L9 **Altun Shan** *var.* Altyn Tagh. ▲ NW China
35 P2 **Alturas** California, W USA
26 K12 **Altus** Oklahoma, C USA
26 K11 **Altus Lake** ⊠ Oklahoma, C USA
Altvater *see* Praděd
Altyn Tagh *see* Altun Shan
Alu *see* Shortland Island
al-'Ubaila *see* Al 'Ubaylah
139 O6 **Al 'Ubaydī** W Iraq
141 T9 **Al 'Ubaylah** *var.* al-'Ubaila. Ash Sharqīyah, E Saudi Arabia
141 T9 **Al 'Ubaylah** *spring/well* E Saudi Arabia
Al Ubayyiḍ *see* El Obeid
141 T7 **Al 'Udayd** *var.* Al Odaid. Abū Ẓaby, W UAE
118 J8 **Alūksne** *Ger.* Marienburg. Alūksne, NE Latvia
140 K6 **Al 'Ulā** Al Madīnah, NW Saudi Arabia
173 N4 **Alula-Fartak Trench** *var.* Illaue Fartak Trench. *undersea feature* W Indian Ocean
138 I11 **Al 'Umarī** 'Al 'Āṣimah, E Jordan
31 S13 **Alum Creek Lake** ⊠ Ohio, N USA
63 H15 **Aluminé** Neuquén, C Argentina
95 O14 **Alunda** Uppsala, C Sweden
117 T14 **Alupka** Respublika Krym, S Ukraine
75 P8 **Al 'Uqaylah** N Libya
Al Uqṣur *see* Luxor
Al Urdunn *see* Jordan
168 J9 **Alur Panal** *bay* Sumatera, W Indonesia
141 V10 **Al 'Urūq al Mu'tariḍah** *salt lake* SE Saudi Arabia
139 Q7 **Ālūs** C Iraq
117 T13 **Alushta** Respublika Krym, S Ukraine
75 U12 **Al 'Uwaynāt** SE Libya
75 N11 **Al 'Uwaynāt** *var.* Al Awaynāt. SW Libya
139 T6 **Al 'Uẓaym** *var.* Adhaim. E Iraq
26 L8 **Alva** Oklahoma, C USA
104 H8 **Alva** ≈ N Portugal
95 J18 **Älvängen** Västra Götaland, S Sweden
14 F14 **Alvanley** Ontario, S Canada
41 S14 **Alvarado** Veracruz-Llave, E Mexico
25 T7 **Alvarado** Texas, SW USA
58 D13 **Alvarães** Amazonas, NW Brazil
40 G6 **Álvaro Obregón, Presa** ⊠ W Mexico
94 H10 **Alvdal** Hedmark, S Norway
94 K12 **Älvdalen** Dalarna, C Sweden
61 E15 **Alvear** Corrientes, NE Argentina
104 F10 **Alverca do Ribatejo** Lisboa, C Portugal
95 L20 **Alvesta** Kronoberg, S Sweden
25 W12 **Alvin** Texas, SW USA
94 O13 **Älvkarleby** Uppsala, C Sweden
25 S5 **Alvord** Texas, SW USA
93 G18 **Älvros** Jämtland, C Sweden
92 J13 **Älvsbyn** Norrbotten, N Sweden
142 K12 **Al Wafrā'** SE Kuwait
140 J6 **Al Wajh** Tabūk, NW Saudi Arabia
143 N16 **Al Wakrah** *var.* Wakra. C Qatar
138 M8 **al Walaj, Sha'īb** *dry watercourse* W Iraq
152 I11 **Alwar** Rājasthān, N India
141 Q5 **Al Wari'ah** Ash Sharqīyah, N Saudi Arabia
155 G22 **Alwaye** Kerala, SW India
Alxa Zuoqi *see* Bayan Hot
Alx Youqi *see* Ehen Hudag
Al Yaman *see* Yemen
138 G9 **Al Yarmūk** Irbid, N Jordan
Alyat/Alyaty-Pristan' *see* Älät
115 I14 **Alykí** *var.* Aliki. Thásos, N Greece
119 F14 **Alytus** *Pol.* Olita. Alytus, S Lithuania
119 F15 **Alytus** ◆ *province* S Lithuania
101 N23 **Alz** ≈ SE Germany
33 Y11 **Alzada** Montana, NW USA
122 L12 **Alzamay** Irkutskaya Oblast', S Russian Federation
99 M25 **Alzette** ≈ S Luxembourg
105 S10 **Alzira** *var.* Alcira ; *anc.* Saetabicula, Suero. País Valenciano, E Spain
Al Zubair *see* Az Zubayr
181 O8 **Amadeus, Lake** *seasonal lake* Northern Territory, C Australia
81 E15 **Amadi** Western Equatoria, SW Sudan
9 R7 **Amadjuak Lake** ◎ Baffin Island, Nunavut, N Canada
95 J23 **Amager** *island* E Denmark
165 N14 **Amagi-san** ▲ Honshū, S Japan
171 S13 **Amahai** *var.* Masohi. Pulau Seram, E Indonesia
38 M16 **Amak Island** *island* Alaska, USA
164 B14 **Amakusa-nada** *gulf* Kyūshū, SW Japan
95 J16 **Åmål** Västra Götaland, S Sweden
54 E8 **Amalfi** Antioquia, N Colombia
107 L18 **Amalfi** Campania, S Italy
115 D19 **Amaliáda** *var.* Amaliás. Dytikí Ellás, S Greece
Amaliás *see* Amaliáda
154 F12 **Amalner** Mahārāshtra, C India
171 W14 **Amamapare** Papua, E Indonesia
59 H21 **Amambaí, Serra de** *var.* Cordillera de Amambay, Serra de Amambay. ▲ Brazil/Paraguay *see also* Amambay, Cordillera de
62 P4 **Amambay** *off.* Departamento del Amambay. ◆ *department* E Paraguay
62 P5 **Amambay, Cordillera de** *var.* Serra de Amambaí, Serra de Amambay. ▲ Brazil/Paraguay *see also* Amambaí, Serra de
Amambay, Serra de *see* Amambaí, Serra de/Amambay, Cordillera de
165 U16 **Amami-guntō** *island group* SW Japan
165 V15 **Amami-Ō-shima** *island* S Japan
186 A5 **Amanab** Sandaun, NW PNG
106 J13 **Amandola** Marche, C Italy
107 N21 **Amantea** Calabria, SW Italy
191 W10 **Amanu** *island* Îles Tuamotu, C French Polynesia
58 J10 **Amapá** Amapá, NE Brazil
58 J11 **Amapá** *off.* Estado de Amapá; *prev.* Território de Amapá. ◆ *state* NE Brazil
42 H8 **Amapala** Valle, S Honduras
Amara *see* Al 'Amārah
104 H6 **Amarante** Porto, N Portugal
166 M5 **Amarapura** Mandalay, C Myanmar
162 L9 **Amardalay** Dundgovĭ, C Mongolia
104 I12 **Amareleja** Beja, S Portugal
35 V11 **Amargosa Range** ▲ California, W USA
25 N2 **Amarillo** Texas, SW USA
Amarinthos *see* Amárynthos
107 K15 **Amaro, Monte** ▲ C Italy
115 H18 **Amárynthos** *var.* Amarinthos. Évvoia, C Greece
Amasia *see* Amasya
136 K12 **Amasya** *anc.* Amasia. Amasya, N Turkey
136 K11 **Amasya** ◆ *province* N Turkey
42 F4 **Amatique, Bahía de** *bay* Gulf of Honduras, W Caribbean Sea
42 D6 **Amatitlán, Lago de** ◎ S Guatemala
107 J14 **Amatrice** Lazio, C Italy
190 C8 **Amatuku** *atoll* C Tuvalu
99 J20 **Amay** Liège, E Belgium
58 I12 **Amazon** *Sp.* Amazonas. ≈ Brazil/Peru
59 C14 **Amazonas** *off.* Estado do Amazonas. ◆ *state* N Brazil
54 G15 **Amazonas** *off.* Comisaria del Amazonas. ◆ *province* SE Colombia
56 C10 **Amazonas** *off.* Departamento de Amazonas. ◆ *department* N Peru
54 M12 **Amazonas** *off.* Territorio Amazonas. ◆ *federal territory* S Venezuela
Amazonas *see* Amazon
58 F13 **Amazon Basin** *basin* N South America
64 I13 **Amazon Fan** *undersea feature* W Atlantic Ocean
58 K11 **Amazon, Mouths of the** *delta* NE Brazil
187 R13 **Ambae** *var.* Aoba, Omba. *island* C Vanuatu
152 I9 **Ambāla** Haryāna, NW India
155 J26 **Ambalangoda** Southern Province, SW Sri Lanka
155 K26 **Ambalantota** Southern Province, S Sri Lanka
172 I6 **Ambalavao** Fianarantsoa, C Madagascar
54 E10 **Ambalema** Tolima, C Colombia
79 E17 **Ambam** Sud, S Cameroon
172 J2 **Ambanja** Antsirañana, N Madagascar
123 T6 **Ambarchik** Respublika Sakha (Yakutiya), NE Russian Federation
62 K9 **Ambargasta, Salinas de** *salt lake* C Argentina
124 J6 **Ambarnyy** Respublika Kareliya, NW Russian Federation
56 C7 **Ambato** Tungurahua, C Ecuador
172 I5 **Ambatolampy** Antananarivo, C Madagascar
172 H4 **Ambatomainty** Mahajanga, W Madagascar
172 J4 **Ambatondrazaka** Toamasina, C Madagascar
101 L20 **Amberg** *var.* Amberg in der Oberpfalz. Bayern, SE Germany
Amberg in der Oberpfalz *see* Amberg
42 H1 **Ambergris Cay** *island* NE Belize
103 S11 **Ambérieu-en-Bugey** Ain, E France
185 I18 **Amberley** Canterbury, South Island, NZ
103 P11 **Ambert** Puy-de-Dôme, C France
Ambianum *see* Amiens
76 J11 **Ambidédi** Kayes, SW Mali
154 M10 **Ambikāpur** Chhattīsgarh, C India
172 J2 **Ambilobe** Antsirañana, N Madagascar
39 O7 **Ambler** Alaska, USA
Amblève *see* Amel
Ambo *see* Hägere Hiywet
172 I8 **Amboasary** Toliara, S Madagascar
172 J4 **Ambodifotatra** *var.* Ambodifototra. Toamasina, E Madagascar
Amboenten *see* Ambunten
172 I5 **Ambohidratrimo** Antananarivo, C Madagascar
172 I6 **Ambohimahasoa** Fianarantsoa, SE Madagascar
172 K3 **Ambohitralanana** Antsirañana, NE Madagascar
Amboina *see* Ambon
102 M8 **Amboise** Indre-et-Loire, C France
171 S13 **Ambon** *prev.* Amboina, Amboyna. Pulau Ambon, E Indonesia
171 S13 **Ambon, Pulau** *island* E Indonesia
81 I20 **Amboseli, Lake** ◎ Kenya/Tanzania
172 I6 **Ambositra** Fianarantsoa, SE Madagascar
172 I8 **Ambovombe** Toliara, S Madagascar
35 W14 **Amboy** California, W USA
30 L11 **Amboy** Illinois, N USA
Amboyna *see* Ambon
Ambracia *see* Árta
18 B14 **Ambridge** Pennsylvania, NE USA
Ambrim *see* Ambrym
Ambrizete *see* N'Zeto
187 R13 **Ambrym** *var.* Ambrim. *island* C Vanuatu
8 K3 **Amund Ringnes Island** *island Nunavut, N Canada*
169 T16 **Ambunten** *prev.* Amboenten. Pulau Madura, E Indonesia
186 B6 **Ambunti** East Sepik, NW PNG
155 I20 **Āmbūr** Tamil Nādu, SE India
38 E17 **Amchitka Island** *island* Aleutian Islands, Alaska, USA
38 F17 **Amchitka Pass** *strait* Aleutian Islands, Alaska, USA
141 R15 **'Amd** C Yemen
78 J10 **Am Dam** Ouaddaï, E Chad
171 U16 **Amdassa** Pulau Yamdena, E Indonesia
125 U1 **Amderma** Nenetskiy Avtonomnyy Okrug, NW Russian Federation
159 N14 **Amdo** Xizang Zizhiqu, W China
40 K13 **Ameca** Jalisco, SW Mexico
41 P14 **Amecameca** *var.* Amecameca de Juárez. México, C Mexico
Amecameca de Juárez *see* Amecameca
61 A20 **Ameghino** Buenos Aires, E Argentina
99 M21 **Amel** *Fr.* Amblève. Liège, E Belgium
98 K4 **Ameland** *Fris.* It Amelân. *island* Waddeneilanden, N Netherlands
Amelân, It *see* Ameland
107 H14 **Amelia** Umbria, C Italy
21 V6 **Amelia Court House** Virginia, NE USA
23 W8 **Amelia Island** *island* Florida, SE USA
18 L12 **Amenia** New York, NE USA
America *see* United States of America
65 M21 **America-Antarctica Ridge** *undersea feature* S Atlantic Ocean
America in Miniature *see* Maryland
60 L9 **Americana** São Paulo, S Brazil
33 Q15 **American Falls** Idaho, NW USA
33 Q15 **American Falls Reservoir** ⊠ Idaho, NW USA
36 L3 **American Fork** Utah, W USA
192 K16 **American Samoa** ◇ *US unincorporated territory* W Polynesia
23 S6 **Americus** Georgia, SE USA
98 K12 **Amerongen** Utrecht, C Netherlands
98 K11 **Amersfoort** Utrecht, C Netherlands
97 N21 **Amersham** SE England, UK
30 I5 **Amery** Wisconsin, N USA
195 W6 **Amery Ice Shelf** *ice shelf* Antarctica
29 V13 **Ames** Iowa, C USA
19 P10 **Amesbury** Massachusetts, NE USA
Amestratus *see* Mistretta
115 F18 **Amfíkleia** *var.* Amfiklia. Stereá Ellás, C Greece
Amfiklia *see* Amfíkleia
115 D17 **Amfilochía** *var.* Amfilokhía. Dytikí Ellás, C Greece
Amfilokhía *see* Amfilochía
114 H13 **Amfípoli** *anc.* Amphipolis. *site of ancient city* Kentrikí Makedonía, NE Greece
115 F18 **Ámfissa** Stereá Ellás, C Greece
123 Q10 **Amga** Respublika Sakha (Yakutiya), NE Russian Federation
123 Q11 **Amga** ≈ NE Russian Federation
163 R7 **Amgalang** *var.* Xin Barag Zuoqi. Nei Mongol Zizhiqu, N China
123 V5 **Amguema** ≈ NE Russian Federation
123 S12 **Amgun'** ≈ SE Russian Federation
80 J12 **Amhara** ◆ *region* N Ethiopia
13 P15 **Amherst** Nova Scotia, SE Canada
18 M11 **Amherst** Massachusetts, NE USA
18 D10 **Amherst** New York, NE USA
24 M4 **Amherst** Texas, SW USA
21 U6 **Amherst** Virginia, NE USA
Amherst *see* Kyaikkami
14 C18 **Amherstburg** Ontario, S Canada
21 Q6 **Amherstdale** West Virginia, NE USA
14 K15 **Amherst Island** *island* Ontario, SE Canada
Amida *see* Diyarbakır
28 J6 **Amidon** North Dakota, N USA
103 O3 **Amiens** *anc.* Ambianum, Samarobriva. Somme, N France
139 P8 **'Āmij, Wādī** *var.* Wadi 'Amiq. *dry watercourse* W Iraq
136 L17 **Amik Ovası** ◎ S Turkey
76 E9 **Amilcar Cabral** ✕ Sal, NE Cape Verde
Amilḥayt, Wādī *see* Umm al Ḥayt, Wādī
Amíndaion/Amindeo *see* Amýntaio
155 C21 **Amīndīvi Islands** *island group* Lakshadweep, India, N Indian Ocean
139 U6 **Amīn Ḥabīb** E Iraq
83 E20 **Aminuis** Omaheke, E Namibia
'Amiq, Wadi *see* 'Āmij, Wādī
142 J7 **Amīrābād** Īlām, NW Iran
Amirante Bank *see* Amirante Ridge
173 N6 **Amirante Basin** *undersea feature* W Indian Ocean
173 N6 **Amirante Islands** *var.* Amirantes Group. *island group* C Seychelles
173 N7 **Amirante Ridge** *var.* Amirante Bank. *undersea feature* W Indian Ocean
Amirantes Group *see* Amirante Islands
173 N7 **Amirante Trench** *undersea feature* W Indian Ocean
11 U13 **Amisk Lake** ◎ Saskatchewan, C Canada
Amistad, Presa de la *see* Amistad Reservoir
25 O12 **Amistad Reservoir** *var.* Presa de la Amistad. ⊠ Mexico/USA
Amisus *see* Samsun
22 K8 **Amite** *var.* Amite City. Louisiana, S USA
Amite City *see* Amite
27 T12 **Amity** Arkansas, C USA

◆ Country ● Country Capital ◇ Dependent Territory ○ Dependent Territory Capital ◆ Administrative Region ✕ International Airport ▲ Mountain ▲ Mountain Range ▲ Volcano ≈ River ◎ Lake ⊠ Reservoir

154 H11 Amla prev. Amulla. Madhya Pradesh, C India
38 I17 Amlia Island island Aleutian Islands, Alaska, USA
97 I18 Amlwch NW Wales, UK
Ammaia see Portalegre
138 H10 'Ammān var. Amman; anc. Philadelphia, Bibl. Rabbah Ammon, Rabbath Ammon. ● (Jordan) 'Al 'Āṣimah, NW Jordan
'Ammān see 'Al 'Āṣimah
93 N14 Ämmänsaari Oulu, E Finland
92 H13 Ammarnäs Västerbotten, N Sweden
197 O15 Ammassalik var. Angmagssalik. Tunu, S Greenland
101 K24 Ammer ≈ SE Germany
101 K24 Ammersee ◎ SE Germany
98 J13 Ammerzoden Gelderland, C Netherlands
Ammóchostos see Gazimağusa
Ammóchostos, Kólpos see Gazimağusa Körfezi
Amnok-kang see Yalu
Amoea see Portalegre
Amoentai see Amuntai
Amoerang see Amurang
143 O4 Āmol var. Amul. Māzandarān, N Iran
115 K21 Amorgós Amorgós, Kykládes, Greece, Aegean Sea
115 K22 Amorgós island Kykládes, Greece, Aegean Sea
23 N3 Amory Mississippi, S USA
12 I13 Amos Québec, SE Canada
95 G15 Åmot Buskerud, S Norway
95 E15 Åmot Telemark, S Norway
95 J15 Åmotfors Värmland, C Sweden
76 L10 Amourj Hodh ech Chargui, SE Mauritania
Amoy see Xiamen
172 H7 Ampanihy Toliara, SW Madagascar
155 L25 Ampara var. Amparai. Eastern Province, E Sri Lanka
172 J4 Amparafaravola Toamasina, E Madagascar
Amparai see Ampara
60 M9 Amparo São Paulo, S Brazil
172 J5 Ampasimanolotra Toamasina, E Madagascar
57 H17 Ampato, Nevado ▲ S Peru
101 L23 Amper ≈ SE Germany
64 M9 Ampère Seamount undersea feature E Atlantic Ocean
Amphipolis see Amfípoli
167 X10 Amphitrite Group island group N Paracel Islands
171 T16 Amplawas var. Emplawas. Pulau Babar, E Indonesia
105 U7 Amposta Cataluña, NE Spain
15 V7 Amqui Québec, SE Canada
141 O14 'Amrān W Yemen
Amraoti see Amrāvati
154 H12 Amrāvati prev. Amraoti. Mahārāshtra, C India
154 C11 Amreli Gujarāt, W India
108 H6 Amriswil Thurgau, NE Switzerland
138 H5 'Amrīt ruins Ṭarṭūs, W Syria
152 H7 Amritsar Punjab, N India
152 J10 Amroha Uttar Pradesh, N India
100 G7 Amrum island NW Germany
93 I15 Åmsele Västerbotten, N Sweden
98 I10 Amstelveen Noord-Holland, C Netherlands
98 I10 Amsterdam ● (Netherlands) Noord-Holland, C Netherlands
18 K10 Amsterdam New York, NE USA
173 Q11 Amsterdam Fracture Zone tectonic feature S Indian Ocean
173 R11 Amsterdam Island island NE French Southern and Antarctic Territories
109 U4 Amstetten Niederösterreich, N Austria
78 J11 Am Timan Salamat, SE Chad
146 L12 Amu-Buxoro Kanali var. Aral-Bukhorskiy Kanal. canal C Uzbekistan
139 O1 'Āmūdah var. Amude. Al Ḥasakah, N Syria
147 O15 Amu Darya Rus. Amudar'ya, Taj. Dar"yoi Amu, Turkm. Amyderya, Uzb. Amudaryo; anc. Oxus. ≈ C Asia
Amu-Dar'ya see Amyderýa
Amudar'ya/Amudaryo/Amu, Dar"yoi see Amu Darya
Amude see 'Āmūdah
140 L3 'Amūd, Jabal al ▲ NW Saudi Arabia
38 J17 Amukta Island island Aleutian Islands, Alaska, USA
38 I17 Amukta Pass strait Aleutian Islands, Alaska, USA
Amul see Āmol
Amulla see Amla
Amundsen Basin see Fram Basin
195 X3 Amundsen Bay bay Antarctica
195 P10 Amundsen Coast physical region Antarctica
8 I6 Amundsen Gulf gulf Northwest Territories, N Canada
193 O14 Amundsen Plain undersea feature S Pacific Ocean
195 Q9 Amundsen-Scott US research station Antarctica
194 J11 Amundsen Sea sea S Pacific Ocean
94 M12 Amungen ◎ C Sweden
169 U13 Amuntai prev. Amoentai. Borneo, C Indonesia
123 R14 Amur Chin. Heilong Jiang. ≈ China/Russian Federation
171 Q11 Amurang prev. Amoerang. Sulawesi, C Indonesia
105 O3 Amurrio País Vasco, N Spain
123 S13 Amursk Khabarovskiy Kray, SE Russian Federation
123 Q12 Amurskaya Oblast' ◈ province SE Russian Federation
80 G7 'Amur, Wadi ≈ NE Sudan
115 C17 Amvrakikós Kólpos gulf W Greece
Amvrosiyevka see Amvrosiyivka
117 X8 Amvrosiyivka Rus. Amvrosiyevka. Donets'ka Oblast', SE Ukraine
146 M14 Amyderýa Rus. Amu-Dar'ya. Lebap Welaýaty, NE Turkmenistan
Amyderya see Amu Darya
114 E13 Amýntaio var. Amindeo; prev. Amíndaion. Dytikí Makedonía, N Greece
14 B6 Amyot Ontario, S Canada
191 U10 Anaa atoll Îles Tuamotu, C French Polynesia
Anabanoea see Anabanua
171 N14 Anabanua prev. Anabanoea. Sulawesi, C Indonesia
189 R8 Anabar NE Nauru
123 N8 Anabar ≈ NE Russian Federation
An Abhainn Mhór see Blackwater
55 O6 Anaco Anzoátegui, NE Venezuela
33 Q10 Anaconda Montana, NW USA
32 H7 Anacortes Washington, NW USA
26 M11 Anadarko Oklahoma, C USA
114 N12 Ana Dere ≈ NW Turkey
104 G8 Anadia Aveiro, N Portugal
Anadolu Dağları see Doğu Karadeniz Dağları
123 V6 Anadyr' Chukotskiy Avtonomnyy Okrug, NE Russian Federation
123 V6 Anadyr' ≈ NE Russian Federation
Anadyr, Gulf of see Anadyrskiy Zaliv
123 W6 Anadyrskiy Zaliv Eng. Gulf of Anadyr. gulf NE Russian Federation
115 K22 Anáfi anc. Anaphe. island Kykládes, Greece, Aegean Sea
107 J15 Anagni Lazio, C Italy
'Ānah see 'Annah
35 T15 Anaheim California, W USA
10 L15 Anahim Lake British Columbia, SW Canada
38 B8 Anahola Kaua'i, Hawai'i, USA, C Pacific Ocean
25 X11 Anahuac Texas, SW USA
41 O7 Anáhuac Nuevo León, NE Mexico
155 G22 Anai Mudi ▲ S India
Anaiza see 'Unayzah
155 M15 Anakāpalle Andhra Pradesh, E India
191 W15 Anakena, Playa de beach Easter Island, Chile, E Pacific Ocean
39 Q7 Anaktuvuk Pass Alaska, USA
39 Q6 Anaktuvuk River ≈ Alaska, USA
172 J3 Analalava Mahajanga, NW Madagascar
44 F6 Ana María, Golfo de gulf C Cuba
Anambas Islands see Anambas, Kepulauan
169 N8 Anambas, Kepulauan var. Anambas Islands island group W Indonesia
77 U17 Anambra ◈ state SE Nigeria
29 N4 Anamoose North Dakota, N USA
29 Y13 Anamosa Iowa, C USA
136 H17 Anamur İçel, S Turkey
136 H17 Anamur Burnu headland S Turkey
154 O12 Ānandadur Orissa, E India
155 H18 Anantapur Andhra Pradesh, S India
152 H5 Anantnāg var. Islamabad. Jammu and Kashmir, NW India
Ananyev see Anan'yiv
117 O9 Anan'yiv Rus. Ananyev. Odes'ka Oblast', SW Ukraine
126 J14 Anapa Krasnodarskiy Kray, SW Russian Federation
Anaphe see Anáfi
59 K18 Anápolis Goiás, C Brazil
143 R10 Anār Kermān, C Iran
Anár see Inari
143 P7 Anārak Eşfahān, C Iran
Anar Dara see Anār Darreh
148 J7 Anār Darreh var. Anar Dara. Farāh, W Afghanistan
Anárjohka see Inarijoki
23 X9 Anastasia Island island Florida, SE USA
188 K7 Anatahan island C Northern Mariana Islands
136 H14 Anatolia plateau C Turkey
114 H13 Anatolikí Makedonía kai Thráki Eng. Macedonia East and Thrace. ◈ region NE Greece
Anatom see Aneityum
62 L8 Añatuya Santiago del Estero, N Argentina
An Baile Meánach see Ballymena
An Bhearú see Barrow
An Bhóinn see Boyne
An Blascaod Mór see Great Blasket Island
An Cabhán see Cavan
An Caisleán Nua see Newcastle
An Caisleán Riabhach see Castlereagh, Northern Ireland, UK
An Caisleán Riabhach see Castlerea
56 C13 Ancash off. Departamento de Ancash. ◈ department W Peru
An Cathair see Caher
102 J8 Ancenis Loire-Atlantique, NW France
An Chanáil Ríoga see Royal Canal
An Cheacha see Caha Mountains
39 R11 Anchorage Alaska, USA
39 R12 Anchorage ✕ Alaska, USA
39 Q13 Anchor Point Alaska, USA
An Chorr Chríochach see Cookstown
65 M24 Anchorstack Point headland W Tristan da Cunha
An Clár see Clare
An Clochán see Clifden
An Clochán Liath see Dunglow
23 U12 Anclote Keys island group Florida, SE USA
An Cóbh see Cobh
57 J17 Ancohuma, Nevado de ▲ W Bolivia
An Comar see Comber
57 D14 Ancón Lima, W Peru
106 J12 Ancona Marche, C Italy
Ancuabe see Ancuabi
82 Q13 Ancuabi var. Ancuabe. Cabo Delgado, NE Mozambique
63 F17 Ancud prev. San Carlos de Ancud. Los Lagos, S Chile
63 G17 Ancud, Golfo de gulf S Chile
Ancyra see Ankara
163 V8 Anda Heilongjiang, NE China
57 G16 Andahuaylas Apurímac, S Peru
An Daingean see Dingle
153 R15 Āndāl West Bengal, NE India
94 E9 Åndalsnes Møre og Romsdal, S Norway
104 K13 Andalucía Eng. Andalusia. ◈ autonomous community S Spain
23 P7 Andalusia Alabama, S USA
Andalusia see Andalucía
151 Q21 Andaman and Nicobar Islands var. Andamans and Nicobars. ◈ union territory India, NE Indian Ocean
173 T4 Andaman Basin undersea feature NE Indian Ocean
151 P19 Andaman Islands island group India, NE Indian Ocean
173 T4 Andaman Sea sea NE Indian Ocean
57 K19 Andamarca Oruro, C Bolivia
182 H5 Andamooka South Australia
141 Y9 'Andām, Wādī seasonal river NE Oman
172 J3 Andapa Antsirañana, NE Madagascar
149 R4 Andarāb var. Banow. Baghlān, NE Afghanistan
Andarbag see Andarbogh
147 S13 Andarbogh Rus. Andarbag, Anderbak. S Tajikistan
109 Z5 Andau Burgenland, E Austria
108 I10 Andeer Graubünden, S Switzerland
92 H9 Andenes Nordland, C Norway
99 J20 Andenne Namur, SE Belgium
77 S11 Andéramboukane Gao, E Mali
Anderbak see Andarbogh
99 G18 Anderlecht Brussels, C Belgium
99 G21 Anderlues Hainaut, S Belgium
108 G9 Andermatt Uri, C Switzerland
101 E17 Andernach anc. Antunnacum. Rheinland-Pfalz, SW Germany
188 D15 Andersen Air Force Base air base NE Guam
39 R9 Anderson Alaska, USA
35 N4 Anderson California, W USA
31 P13 Anderson Indiana, N USA
27 R8 Anderson Missouri, C USA
21 P11 Anderson South Carolina, SE USA
25 V10 Anderson Texas, SW USA
95 K20 Anderstorp Jönköping, S Sweden
54 D9 Andes Antioquia, W Colombia
57 D14 Andes ▲ W South America
29 P12 Andes, Lake ◎ South Dakota, N USA
92 H9 Andfjorden fjord E Norwegian Sea
155 H16 Andhra Pradesh ◈ state E India
98 J8 Andijk Noord-Holland, NW Netherlands
147 S10 Andijon Rus. Andizhan. Andijon Viloyati, E Uzbekistan
147 S10 Andijon Viloyati Rus. Andizhanskaya Oblast'. ◈ province E Uzbekistan
Andikíthira see Antikýthira
172 J4 Andilamena Toamasina, C Madagascar
142 L8 Andīmeshk var. Andimishk; prev. Salehābād. Khūzestān, SW Iran
Andimishk see Andīmeshk
Andipáros see Antíparos
Andipaxi see Antípaxoi
Andípsara see Antípsara
136 L16 Andırın Kahramanmaraş, S Turkey
158 J8 Andirlangar Xinjiang Uygur Zizhiqu, NW China
Andírrion see Antírrio
Ándissa see Ántissa
Andizhan see Andijon
Andizhanskaya Oblast' see Andijon Viloyati
149 N2 Andkhvoy Fāryāb, N Afghanistan
105 Q2 Andoain País Vasco, N Spain
163 Y15 Andong Jap. Antō. E South Korea
109 R4 Andorf Oberösterreich, N Austria
105 S7 Andorra Aragón, NE Spain
105 V4 Andorra off. Principality of Andorra, Cat. Valls d'Andorra, Fr. Vallée d'Andorre. ◆ monarchy SW Europe
Andorra see Andorra la Vella
105 V4 Andorra la Vella var. Andorra, Fr. Andorre la Vielle, Sp. Andorra la Vieja. ● (Andorra) C Andorra
Andorra la Vieja see Andorra la Vella
Andorra, Valls d'/Andorre, Vallée d' see Andorra
Andorre la Vielle see Andorra la Vella
97 M22 Andover S England, UK
27 N6 Andover Kansas, C USA
92 G10 Andøya island C Norway
60 I8 Andradina São Paulo, S Brazil
39 N10 Andreafsky River ≈ Alaska, USA
38 H17 Andreanof Islands island group Aleutian Islands, Alaska, USA
124 H16 Andreapol' Tverskaya Oblast', W Russian Federation
Andreas, Cape see Zafer Burnu
Andreevka see Kabanbay
21 N10 Andrews North Carolina, SE USA
21 T13 Andrews South Carolina, SE USA
24 M7 Andrews Texas, SW USA
173 N5 Andrew Tablemount var. Gora Andryu. undersea feature W Indian Ocean
Andreyevka see Kabanbay
107 N17 Andria Puglia, SE Italy
113 K16 Andrijevica Montenegro, SW Serbia and Montenegro (Yugo.)
115 E20 Andrítsaina Pelopónnisos, S Greece
An Droichead Nua see Newbridge
Andropov see Rybinsk
115 J19 Ándros Ándros, Kykládes, Greece, Aegean Sea
115 J20 Ándros island Kykládes, Greece, Aegean Sea
19 O7 Androscoggin River ≈ Maine/New Hampshire, NE USA
44 F3 Andros Island island NW Bahamas
127 R7 Androsovka Samarskaya Oblast', W Russian Federation
44 G3 Andros Town Andros Island, NW Bahamas
155 D21 Āndrott Island island Lakshadweep, India, N Indian Ocean
117 N5 Andrushivka Zhytomyrs'ka Oblast', N Ukraine
111 K17 Andrychów Małopolskie, S Poland
Andryu, Gora see Andrew Tablemount
92 I10 Andselv Troms, N Norway
79 O17 Andudu Orientale, NE Dem. Rep. Congo
105 N13 Andújar anc. Illiturgis. Andalucía, SW Spain
82 C12 Andulo Bié, W Angola
103 Q14 Anduze Gard, S France
An Earagail see Errigal Mountain
95 L19 Aneby Jönköping, S Sweden
Anécho see Aného
77 Q9 Anéfis Kidal, NE Mali
45 U8 Anegada island NE British Virgin Islands
61 B25 Anegada, Bahía bay E Argentina
45 U9 Anegada Passage passage Anguilla/British Virgin Islands
77 R17 Aného var. Anécho; prev. Petit-Popo. S Togo
197 D17 Aneityum var. Anatom; prev. Kéamu. island S Vanuatu
117 N10 Anenii Noi Rus. Novyye Aneny. C Moldova
186 F7 Anepmete New Britain, E PNG
105 U4 Aneto ▲ NE Spain
146 F13 Änew Rus. Annau. Ahal Welaýaty, C Turkmenistan
Änewetak see Enewetak Atoll
77 Y8 Aney Agadez, NE Niger
An Fheoir see Nore
122 L12 Angara ≈ C Russian Federation
122 M13 Angarsk Irkutskaya Oblast', S Russian Federation
93 G17 Ånge Västernorrland, C Sweden
Ángel see Úhlava
40 D4 Ángel de la Guarda, Isla island NW Mexico
171 O3 Angeles off. Angeles City. Luzon, N Philippines
Angeles City see Angeles
Angel Falls see Ángel, Salto
95 J22 Ängelholm Skåne, S Sweden
61 A17 Angélica Santa Fe, C Argentina
25 W8 Angelina River ≈ Texas, SW USA
55 Q9 Ángel, Salto Eng. Angel Falls. waterfall E Venezuela
95 M15 Ängelsberg Västmanland, C Sweden
35 P8 Angels Camp California, W USA
109 W7 Anger Steiermark, SE Austria
Angerapp see Ozersk
Angerburg see Węgorzewo
93 H15 Ångermanälven ≈ N Sweden
100 P11 Angermünde Brandenburg, NE Germany
102 K7 Angers anc. Juliomagus. Maine-et-Loire, NW France
15 W7 Angers ≈ Québec, SE Canada
93 J16 Ängesön island N Sweden
Angistro see Ágkistro
114 H13 Angítis ≈ NE Greece
167 R13 Ângk Tasaôm prev. Angtassom. Takêv, S Cambodia
185 C25 Anglem, Mount ▲ Stewart Island, Southland, SW NZ
97 I18 Anglesey cultural region NW Wales, UK
97 I18 Anglesey island NW Wales, UK
102 I15 Anglet Pyrénées-Atlantiques, SW France
25 W12 Angleton Texas, SW USA
Anglia see England
14 H9 Angliers Québec, SE Canada
Anglo-Egyptian Sudan see Sudan
Angmagssalik see Ammassalik
167 Q7 Ang Nam Ngum ◎ C Laos
79 N16 Ango Orientale, N Dem. Rep. Congo
83 Q15 Angoche Nampula, E Mozambique
63 G14 Angol Araucanía, C Chile
31 Q11 Angola Indiana, N USA
82 A9 Angola off. Republic of Angola; prev. People's Republic of Angola, Portuguese West Africa. ◆ republic SW Africa
65 P15 Angola Basin undersea feature E Atlantic Ocean
39 X13 Angoon Admiralty Island, Alaska, USA
147 O14 Angor Surkhondaryo Wiloyati, S Uzbekistan
Angora see Ankara
186 C6 Angoram East Sepik, NW PNG
40 H8 Angostura Sinaloa, C Mexico
Angostura see Ciudad Bolívar
41 U17 Angostura, Presa de la ⊠ SE Mexico
28 J11 Angostura Reservoir ⊠ South Dakota, N USA
102 L11 Angoulême anc. Iculisma. Charente, W France
102 K11 Angoumois cultural region W France
64 O2 Angra do Heroísmo Terceira, Azores, Portugal, NE Atlantic Ocean
60 O10 Angra dos Reis Rio de Janeiro, SE Brazil
Angra Pequena see Lüderitz
147 Q10 Angren Toshkent Viloyati, E Uzbekistan
Angtassom see Ângk Tasaôm
167 O10 Ang Thong var. Angthong. Ang Thong, C Thailand
79 M16 Angu Orientale, N Dem. Rep. Congo
105 S5 Angües Aragón, NE Spain
45 U9 Anguilla ◇ UK dependent territory E West Indies
45 V9 Anguilla island E West Indies
44 F4 Anguilla Cays islets SW Bahamas
Angul see Anugul
161 N1 Anguli Nur ◎ E China
79 O18 Angumu Orientale, E Dem. Rep. Congo
14 G14 Angus Ontario, S Canada
96 J10 Angus cultural region E Scotland, UK
59 K19 Anhangüera Goiás, S Brazil
99 I21 Anhée Namur, S Belgium
95 I21 Anholt island C Denmark
160 M11 Anhua var. Dongping. Hunan, S China
161 P8 Anhui var. Anhui Sheng, Anhwei, Wan. ◈ province E China
Anhui Sheng/Anhwei see Anhui
39 O11 Aniak Alaska, USA
39 O12 Aniak River ≈ Alaska, USA
An Iarmhí see Westmeath
189 R8 Anibare E Nauru
189 R8 Anibare Bay bay E Nauru, W Pacific Ocean
Anicium see le Puy
115 K22 Ánidro island Kykládes, Greece, Aegean Sea
77 R15 Anié C Togo
77 Q15 Anié ≈ C Togo
102 J16 Anie, Pic d' ▲ SW France
127 Y7 Anikhovka Orenburgskaya Oblast', W Russian Federation
14 G9 Anima Nipissing Lake ◎ Ontario, S Canada
37 O16 Animas New Mexico, SW USA
37 P16 Animas Peak ▲ New Mexico, SW USA
37 P16 Animas Valley valley New Mexico, SW USA
116 F13 Anina Ger. Steierdorf, Hung. Stájerlakanina; prev. Ştaierdorf-Anina, Steierdorf-Anina, Steyerlak-Anina. Caraş-Severin, SW Romania
29 U14 Anita Iowa, C USA
123 U14 Aniva, Mys headland Ostrov Sakhalin, SE Russian Federation
187 S15 Aniwa island S Vanuatu
93 M19 Anjalankoski Etelä-Suomi, S Finland
'Anjar see Aanjar
Anjiangying see Luanping
14 B8 Anjigami Lake ◎ Ontario, S Canada
164 K14 Anjō var. Anzyô. Aichi, Honshū, SW Japan
102 J8 Anjou cultural region NW France
172 I13 Anjouan var. Nzwani, Johanna Island. island SE Comoros
172 J4 Anjozorobe Antananarivo, C Madagascar
163 W13 Anju W North Korea
98 M5 Anjum Fris. Eanjum. Friesland, N Netherlands
172 G6 Ankaboa, Tanjona headland W Madagascar
160 L7 Ankang prev. Xing'an. Shaanxi, C China
136 I12 Ankara prev. Angora, anc. Ancyra. ● (Turkey) Ankara, C Turkey
136 H12 Ankara ◈ province C Turkey
95 N15 Ankarsrum Kalmar, S Sweden
172 H6 Ankazoabo Toliara, SW Madagascar
172 I4 Ankazobe Antananarivo, C Madagascar
29 V14 Ankeny Iowa, C USA
167 U13 An Khê Gia Lai, C Vietnam
100 O9 Anklam Mecklenburg-Vorpommern, NE Germany
80 K13 Ānkober Amhara, N Ethiopia
77 O17 Ankobra ≈ S Ghana
79 N22 Ankoro Katanga, SE Dem. Rep. Congo
99 L24 Anlier, Forêt d' forest SE Belgium
160 I13 Anlong Guizhou, S China
An Longfort see Longford
167 R11 Ânlong Vêng Siĕmréab, NW Cambodia
An Lorgain see Lurgan
161 N8 Anlu Hubei, C China
An Mhí see Meath
An Mhuir Cheilteach see Celtic Sea
An Muileann gCearr see Mullingar
93 F16 Ånn Jämtland, C Sweden
126 M8 Anna Voronezhskaya Oblast', W Russian Federation
30 L17 Anna Illinois, N USA
25 U5 Anna Texas, SW USA
74 L5 Annaba prev. Bône. NE Algeria
An Nabatīyah at Taḥtā see Nabatîyé
101 N17 Annaberg-Buchholz Sachsen, E Germany
109 T9 Annabichl ✕ (Klagenfurt) Kärnten, S Austria
140 M5 An Nafūd desert NW Saudi Arabia
139 P6 'Annah var. 'Ānah. NW Iraq
139 P6 An Nāḥiyah W Iraq
139 T10 An Najaf var. Najaf. S Iraq
21 V5 Anna, Lake ⊠ Virginia, NE USA
97 F16 Annalee ≈ N Ireland
167 S9 Annamitique, Chaîne ▲ C Laos
97 J14 Annan S Scotland, UK
29 U8 Annandale Minnesota, N USA
21 W4 Annandale Virginia, NE USA
189 Q7 Anna Point headland N Nauru
21 X3 Annapolis state capital Maryland, NE USA
188 A10 Anna, Pulo island S Palau
153 O10 Annapurna ▲ C Nepal
An Nāqūrah see En Nâqoûra
31 R10 Ann Arbor Michigan, N USA
An Nás see Naas
139 W12 An Nāṣirīyah var. Nasiriya. SE Iraq
139 W11 An Naṣr E Iraq
Annau see Änew
121 O13 An Nawfalīyah var. Al Nūwfalīyah. N Libya
19 P10 Ann, Cape headland Massachusetts, NE USA
180 I10 Annean, Lake ◎ Western Australia
Anneciacum see Annecy
103 T11 Annecy anc. Anneciacum. Haute-Savoie, E France
103 T11 Annecy, Lac d' ◎ E France
103 T10 Annemasse Haute-Savoie, E France
39 Z14 Annette Island island Alexander Archipelago, Alaska, USA
An Nhon see Binh Dinh
An Nīl al Abyaḍ see White Nile
An Nīl al Azraq see Blue Nile
23 Q3 Anniston Alabama, S USA
79 A19 Annobón island W Equatorial Guinea
103 R12 Annonay Ardèche, E France
44 K12 Annotto Bay C Jamaica
141 R5 An Nu'ayrīyah var. Nariya. Ash Sharqīyah, NE Saudi Arabia
182 M9 Annuello Victoria, SE Australia
139 Q10 An Nukhayb S Iraq
139 U9 An Nu'mānīyah E Iraq
Áno Arkhánai see Epáno Archánes
115 J25 Anógeia var. Anogia, Anóyia. Kríti, Greece, E Mediterranean Sea
Anogia see Anógeia
29 V8 Anoka Minnesota, N USA
An Ómaigh see Omagh
172 I1 Anorontany, Tanjona headland N Madagascar
172 J5 Anosibe An'Ala Toamasina, E Madagascar
Anóyia see Anógeia
An Pointe see Warrenpoint
161 P9 Anqing Anhui, E China
161 Q5 Anqiu Shandong, E China
An Ráth see Ráth Luirc
An Ribhéar see Kenmare River
An Ros see Rush
99 K19 Ans Liège, E Belgium
Anṣāb see Nişāb
171 W12 Ansas Papua, E Indonesia
101 J20 Ansbach Bayern, SE Germany
An Sciobairín see Skibbereen
An Scoil see Skull
An Seancheann see Old Head of Kinsale
45 Y5 Anse-Bertrand Grande Terre, N Guadeloupe
172 H17 Anse Boileau Mahé, NE Seychelles
45 S11 Anse La Raye NW Saint Lucia
54 D9 Anserma Caldas, W Colombia
109 T4 Ansfelden Oberösterreich, N Austria
163 U12 Anshan Liaoning, NE China
160 J12 Anshun Guizhou, S China
61 F17 Ansina Tacuarembó, C Uruguay
29 O15 Ansley Nebraska, C USA
25 P6 Anson Texas, SW USA
77 Q10 Ansongo Gao, E Mali
An Srath Bán see Strabane
21 R5 Ansted West Virginia, NE USA
171 Y13 Ansudu Papua, E Indonesia
57 G15 Anta Cusco, S Peru
57 G16 Antabamba Apurímac, C Peru
Antafalva see Kovačica
136 L17 Antakya anc. Antioch, Antiochia. Hatay, S Turkey
172 K3 Antalaha Antsirañana, NE Madagascar
136 F17 Antalya prev. Adalia, anc. Attaleia, Bibl. Attalia. Antalya, SW Turkey
136 F17 Antalya ◈ province SW Turkey
136 F16 Antalya ✕ Antalya, SW Turkey
121 U10 Antalya Basin undersea feature E Mediterranean Sea
Antalya, Gulf of see Antalya Körfezi
136 F16 Antalya Körfezi var. Gulf of Antalya. gulf SW Turkey

◆ Country
● Country Capital
◇ Dependent Territory
○ Dependent Territory Capital
◈ Administrative Region
✕ International Airport
▲ Mountain
▲ Mountain Range
⊼ Volcano
≈ River
◎ Lake
⊠ Reservoir

218 ••• Antanambao Manampotsy – Arenápolis

172 J5 **Antanambao Manampotsy** Toamasina, E Madagascar
172 I5 **Antananarivo** *prev.* Tananarive. ● (Madagascar) Antananarivo, C Madagascar
172 I4 **Antananarivo** ◈ *province* C Madagascar
172 J5 **Antananarivo** ✕ Antananarivo, C Madagascar
An tAonach *see* Nenagh
204-205 **Antarctica** *continent*
194 I5 **Antarctic Peninsula** *peninsula* Antarctica
61 J15 **Antas, Rio das** ≈ S Brazil
189 U16 **Ant Atoll** *atoll* Caroline Islands, E Micronesia
An Teampall Mór *see* Templemore
Antep *see* Gaziantep
104 M15 **Antequera** *anc.* Anticaria, Antiquaria. Andalucía, S Spain
Antequera *see* Oaxaca
37 S5 **Antero Reservoir** ⊠ Colorado, C USA
26 M7 **Anthony** Kansas, C USA
37 R16 **Anthony** New Mexico, SW USA
182 D5 **Anthony, Lake** *salt lake* South Australia
74 E8 **Anti-Atlas** ▲ SW Morocco
103 U15 **Antibes** *anc.* Antipolis. Alpes-Maritimes, SE France
103 U15 **Antibes, Cap d'** *headland* SE France
Anticaria *see* Antequera
13 Q11 **Anticosti, Île d'** *Eng.* Anticosti Island. *island* Québec, E Canada
Anticosti Island *see* Anticosti, Île d'
102 K3 **Antifer, Cap d'** *headland* N France
30 L6 **Antigo** Wisconsin, N USA
13 Q15 **Antigonish** Nova Scotia, SE Canada
64 P11 **Antigua** Fuerteventura, Islas Canarias, NE Atlantic Ocean
45 X10 **Antigua** *island* S Antigua and Barbuda, Leeward Islands
Antigua *see* Antigua Guatemala
45 W9 **Antigua and Barbuda** ◆ *commonwealth republic* E West Indies
42 C6 **Antigua Guatemala** *var.* Antigua. Sacatepéquez, SW Guatemala
41 P11 **Antiguo Morelos** *var.* Antiguo-Morelos. Tamaulipas, C Mexico
115 F19 **Antíkyras, Kólpos** *gulf* C Greece
115 G24 **Antikýthira** *var.* Andikíthira. *island* S Greece
138 I7 **Anti-Lebanon** *var.* Jebel esh Sharqi, *Ar.* Al Jabal ash Sharqī, *Fr.* Anti-Liban. ▲ Lebanon/Syria
Anti-Liban *see* Anti-Lebanon
115 I22 **Antímilos** *island* Kykládes, Greece, Aegean Sea
36 L6 **Antimony** Utah, W USA
An tInbhear Mór *see* Arklow
30 M10 **Antioch** Illinois, N USA
Antioch *see* Antakya
102 I10 **Antioche, Pertuis d'** *inlet* W France
Antiochia *see* Antakya
54 D8 **Antioquia** Antioquia, C Colombia
54 E8 **Antioquia** *off.* Departamento de Antioquia. ◈ *province* C Colombia
115 J21 **Antíparos** *var.* Andipáros. *island* Kykládes, Greece, Aegean Sea
115 B17 **Antípaxoi** *var.* Andipaxi. *island* Iónioi Nísoi, Greece, C Mediterranean Sea
122 J8 **Antipayuta** Yamalo-Nenetskiy Avtonomnyy Okrug, N Russian Federation
192 L12 **Antipodes Islands** *island group* S NZ
Antipolis *see* Antibes
115 J18 **Antípsara** *var.* Andípsara. *island* E Greece
Antiquaria *see* Antequera
15 N10 **Antique, Lac** ◎ Québec, SE Canada
115 E18 **Antírrio** *var.* Andírrion. Dytikí Ellás, C Greece
115 K16 **Ántissa** *var.* Ándissa. Lésvos, E Greece
An tIúr *see* Newry
Antivari *see* Bar
56 C6 **Antizana** ▲ N Ecuador
27 O13 **Antlers** Oklahoma, C USA
93 J14 **Antnäs** Norrbotten, N Sweden
Antō *see* Andong
62 G5 **Antofagasta** Antofagasta, N Chile
62 G6 **Antofagasta** *off.* Región de Antofagasta. ◈ *region* N Chile
62 I7 **Antofalla, Salar de** *salt lake* NW Argentina
99 D20 **Antoing** Hainaut, SW Belgium
24 M5 **Anton** Texas, SW USA
43 S16 **Antón** Coclé, C Panama
37 T11 **Anton Chico** New Mexico, SW USA
60 K12 **Antonina** Paraná, S Brazil
103 O5 **Antony** Hauts-de-Seine, N France
Antratsit *see* Antratsyt
117 Y8 **Antratsyt** *Rus.* Antratsit. Luhans'ka Oblast', E Ukraine
97 G15 **Antrim** *Ir.* Aontroim. NE Northern Ireland, UK
97 G14 **Antrim** *Ir.* Aontroim. *cultural region* NE Northern Ireland, UK
97 G14 **Antrim Mountains** ▲ NE Northern Ireland, UK
172 H5 **Antsalova** Mahajanga, W Madagascar
Antserana *see* Antsirañana
An tSionainn *see* Shannon
172 J2 **Antsirañana** *var.* Antserana; *prev.* Antsirane, Diégo-Suarez. Antsirañana, N Madagascar
172 J2 **Antsirañana** ◈ *province* N Madagascar
Antsirane *see* Antsirañana
An tSiúir *see* Suir
118 I7 **Antsla** *Ger.* Anzen. Võrumaa, SE Estonia
An tSláine *see* Slaney
172 J3 **Antsohihy** Mahajanga, NW Madagascar
63 G14 **Antuco, Volcán** ▲ C Chile
169 W10 **Antu, Gunung** ▲ Borneo, N Indonesia
An Tullach *see* Tullow
An-tung *see* Dandong
Antunnacum *see* Andernach
Antwerp *see* Antwerpen
99 G16 **Antwerpen** *Eng.* Antwerp, *Fr.* Anvers. Antwerpen, N Belgium
99 H16 **Antwerpen** *Eng.* Antwerp. ◈ *province* N Belgium
An Uaimh *see* Navan
154 N12 **Anugul** *var.* Angul. Orissa, E India
152 F9 **Anūpgarh** Rājasthān, NW India
154 K10 **Anūppur** Madhya Pradesh, C India
155 K24 **Anuradhapura** North Central Province, C Sri Lanka
187 S11 **Anuta** *island,* E Solomon Islands
Anvers *see* Antwerpen
194 G4 **Anvers Island** *island* Antarctica
39 N11 **Anvik** Alaska, USA
39 N10 **Anvik River** ≈ Alaska, USA
38 F17 **Anvil Peak** ▲ Semisopochnoi Island, Alaska, USA
159 P7 **Anxi** *var.* Yuanquan. Gansu, N China
182 F8 **Anxious Bay** *bay* South Australia
161 O5 **Anyang** Henan, C China
159 S11 **A'nyêmaqên Shan** ▲ C China
118 H12 **Anykščiai** Utena, E Lithuania
161 P13 **Anyuan** *var.* Xinshan. Jiangxi, S China
123 T7 **Anyuysk** Chukotskiy Avtonomnyy Okrug, NE Russian Federation
123 T7 **Anyuyskiy Khrebet** ▲ NE Russian Federation
54 D8 **Anza** Antioquia, C Colombia
Anzen *see* Antsla
107 I16 **Anzio** Lazio, C Italy
55 O6 **Anzoátegui** *off.* Estado Anzoátegui. ◈ *state* NE Venezuela
147 P12 **Anzob** W Tajikistan
Anzyô *see* Anjō
165 X13 **Aoga-shima** *island* Izu-shotō, SE Japan
Aohan Qi *see* Xinhui
Aoiz *see* Agoiz
186 M9 **Aola** *var.* Tenaghau. Guadalcanal, C Solomon Islands
166 M15 **Ao Luk Nua** Krabi, SW Thailand
Aomen *see* Macao
172 N8 **Aomori** Aomori, Honshū, C Japan
165 Q6 **Aomori** *off.* Aomori-ken. ◈ *prefecture* Honshū, C Japan
Aontroim *see* Antrim
117 C15 **Aóos** *var.* Vijosa, Vijosë, *Alb.* Lumi i Vjosës,. ≈ Albania/Greece *see also* Vjosës, Lumi i
191 Q7 **Aorai, Mont** ▲ Tahiti, W French Polynesia
185 E19 **Aoraki** *prev.* Aorangi, Mount Cook. ▲ South Island, NZ
167 R13 **Aôral, Phnum** *prev.* Phnom Aural. ▲ W Cambodia
Aorangi *see* Aoraki
185 L15 **Aorangi Mountains** ▲ North Island, NZ
184 H13 **Aorere** ≈ South Island, NZ
106 A7 **Aosta** *anc.* Augusta Praetoria. Valle d'Aosta, NW Italy
77 O11 **Aougoundou, Lac** ◎ S Mali
76 K9 **Aoukâr** *var.* Aouker. *plateau* C Mauritania
78 J13 **Aouk, Bahr** ≈ Central African Republic/Chad
Aouker *see* Aoukâr
74 B11 **Aousard** SE Western Sahara
164 H12 **Aoya** Tottori, Honshū, SW Japan
Aoyang *see* Shanggao
78 H5 **Aozou** Borkou-Ennedi-Tibesti, N Chad
26 M11 **Apache** Oklahoma, C USA
36 L14 **Apache Junction** Arizona, SW USA
24 J9 **Apache Mountains** ▲ Texas, SW USA
36 M16 **Apache Peak** ▲ Arizona, SW USA
116 H10 **Apahida** Cluj, NW Romania
23 T9 **Apalachee Bay** *bay* Florida, SE USA
23 T3 **Apalachee River** ≈ Georgia, SE USA
23 S10 **Apalachicola** Florida, SE USA
23 S10 **Apalachicola Bay** *bay* Florida, SE USA
23 R9 **Apalachicola River** ≈ Florida, SE USA
Apam *see* Apan
Apamama *see* Abemama
41 P14 **Apan** *var.* Apam. Hidalgo, C Mexico
42 J8 **Apanás, Lago de** ◎ NW Nicaragua
54 H14 **Apaporis, Río** ≈ Brazil/Colombia
185 C23 **Aparima** ≈ South Island, NZ
171 O1 **Aparri** Luzon, N Philippines
112 J9 **Apatin** Serbia, NW Serbia and Montenegro (Yugo.)
124 J4 **Apatity** Murmanskaya Oblast', NW Russian Federation
55 X9 **Apatou** NW French Guiana
40 M14 **Apatzingán** *var.* Apatzingán de la Constitución. Michoacán de Ocampo, SW Mexico
171 X12 **Apauwar** Papua, E Indonesia
Apaxtla *see* Apaxtla de Castrejón
41 O15 **Apaxtla de Castrejón** *var.* Apaxtla. Guerrero, S Mexico
118 J7 **Ape** Alūksne, NE Latvia
98 L11 **Apeldoorn** Gelderland, E Netherlands
Apennines *see* Appennino
Apenrade *see* Aabenraa
57 L17 **Apere, Río** ≈ C Bolivia
55 W11 **Apetina** Sipaliwini, SE Suriname
21 U9 **Apex** North Carolina, SE USA
79 M16 **Api** Orientale, N Dem. Rep. Congo
152 M9 **Api** ▲ NW Nepal
Apia *see* Abaiang
192 H16 **Āpia** ● (Samoa) Upolu, SE Samoa
60 K11 **Apiaí** São Paulo, S Brazil
170 M16 **Api, Gunung** ▲ Pulau Sangeang, S Indonesia
187 N9 **Apio** Maramasike Island, N Solomon Islands
41 O15 **Apipilulco** Guerrero, S Mexico
41 P14 **Apizaco** Tlaxcala, S Mexico
104 I4 **A Pobla de Trives** *Cast.* Puebla de Trives. Galicia, NW Spain
55 U9 **Apoera** Sipaliwini, NW Suriname
115 O23 **Apolakkiá** Ródos, Dodekánisos, Greece, Aegean Sea
101 L16 **Apolda** Thüringen, C Germany
192 H16 **Apolima Strait** *strait* C Pacific Ocean
182 M13 **Apollo Bay** Victoria, SE Australia
Apollonia *see* Sozopol
57 J16 **Apolo** La Paz, W Bolivia
57 J16 **Apolobamba, Cordillera** ▲ Bolivia/Peru
171 Q8 **Apo, Mount** ※ Mindanao, S Philippines
23 W11 **Apopka** Florida, SE USA
23 W11 **Apopka, Lake** ◎ Florida, SE USA
59 J19 **Aporé, Rio** ≈ SW Brazil
30 K2 **Apostle Islands** *island group* Wisconsin, N USA
Apostolas Andreas, Cape *see* Zafer Burnu
61 F14 **Apóstoles** Misiones, NE Argentina
Apostólou Andréa, Akrotíri *see* Zafer Burnu
117 S9 **Apostolove** *Rus.* Apostolovo. Dnipropetrovs'ka Oblast', E Ukraine
Apostolovo *see* Apostolove
17 S10 **Appalachian Mountains** ▲ E USA
95 K14 **Äppelbo** Dalarna, C Sweden
98 N7 **Appelscha** *Fris.* Appelskea. Friesland, N Netherlands
Appelskea *see* Appelscha
106 G11 **Appennino** *Eng.* Apennines. ▲ Italy/San Marino
107 L17 **Appennino Campano** ▲ C Italy
108 I7 **Appenzell** Appenzell, NW Switzerland
108 H7 **Appenzell** ◈ *canton* NE Switzerland
55 V12 **Appikalo** Sipaliwini, S Suriname
98 O5 **Appingedam** Groningen, NE Netherlands
25 X8 **Appleby** Texas, SW USA
97 L15 **Appleby-in-Westmorland** NW England, UK
30 K10 **Apple River** ≈ Illinois, N USA
30 I5 **Apple River** ≈ Wisconsin, N USA
25 W9 **Apple Springs** Texas, SW USA
29 S8 **Appleton** Minnesota, N USA
30 M7 **Appleton** Wisconsin, N USA
27 S5 **Appleton City** Missouri, C USA
35 U14 **Apple Valley** California, W USA
29 V9 **Apple Valley** Minnesota, N USA
21 U6 **Appomattox** Virginia, NE USA
188 B16 **Apra Harbour** *harbour* W Guam
188 B16 **Apra Heights** W Guam
106 F6 **Aprica, Passo dell'** *pass* N Italy
107 M15 **Apricena** *anc.* Hadria Picena. Puglia, SE Italy
126 L14 **Apsheronsk** Krasnodarskiy Kray, SW Russian Federation
Apsheronskiy Poluostrov *see* Abşeron Yarımadası
103 S15 **Apt** *anc.* Apta Julia. Vaucluse, SE France
Apta Julia *see* Apt
38 H12 **ʻĀpua Point** *var.* Apua Point *headland* Hawaiʻi, USA, C Pacific Ocean
60 I10 **Apucarana** Paraná, S Brazil
Apulia *see* Puglia
54 K8 **Apure** *off.* Estado Apure. ◈ *state* C Venezuela
54 J7 **Apure, Río** ≈ W Venezuela
57 F16 **Apurímac** *off.* Departamento de Apurímac. ◈ *department* C Peru
57 F15 **Apurímac, Río** ≈ S Peru
116 G10 **Apuseni, Munţii** ▲ W Romania
Aqaba/'Aqaba *see* Al 'Aqabah
138 F15 **Aqaba, Gulf of** *var.* Gulf of Elat, *Ar.* Khalīj al 'Aqabah; *anc.* Sinus Aelaniticus. *gulf* NE Red Sea
139 R7 **'Aqabah** C Iraq
'Aqabah, Khalīj al *see* Aqaba, Gulf of
149 O2 **Āqchah** *var.* Āqcheh. Jowzjān, N Afghanistan
Āqcheh *see* Āqchah
Aqköl *see* Akkol'
Aqmola *see* Astana
Aqmola Oblysy *see* Akmola
158 L10 **Aqqikkol Hu** ◎ NW China
Aqqystaū *see* Akkystau
'Aqrah *see* Ākrē
Aqsay *see* Aksay
Aqshataū *see* Akchatau
Aqsū *see* Aksu
Aqsūat *see* Aksuat
Aqtas *see* Aktas
Aqtaū *see* Aktau
Aqtöbe/Aqtöbe Oblysy *see* Aktobe
Aqtoghay *see* Aktogay
Aquae Augustae *see* Dax
Aquae Calidae *see* Bath
Aquae Flaviae *see* Chaves
Aquae Grani *see* Aachen
Aquae Panoniae *see* Baden
Aquae Sextiae *see* Aix-en-Provence
Aquae Solis *see* Bath
Aquae Tarbelicae *see* Dax
36 J11 **Aquarius Mountains** ▲ Arizona, SW USA
62 O5 **Aquidabán, Río** ≈ E Paraguay
59 H20 **Aquidauana** Mato Grosso do Sul, S Brazil
40 L15 **Aquila** Michoacán de Ocampo, S Mexico
Aquila/Aquila degli Abruzzi *see* L'Aquila
25 T8 **Aquilla** Texas, SW USA
44 L9 **Aquin** S Haiti
Aquisgranum *see* Aachen
102 J13 **Aquitaine** ◈ *region* SW France
Aqzhar *see* Akzhar
153 P13 **Āra** *prev.* Arrah. Bihār, N India
105 S4 **Ara** ≈ NE Spain
23 P2 **Arab** Alabama, S USA
Araba *see* Álava
138 G12 **'Arabah, Wādī al** *Heb.* Ha'Arava. *dry watercourse* Israel/Jordan
117 U12 **Arabats'ka Strilka, Kosa** *spit* S Ukraine
117 U12 **Arabats'ka Zatoka** *gulf* S Ukraine
'Arab, Baḩr al *see* Arab, Bahr el
80 C12 **Arab, Bahr el** *var.* Baḩr al 'Arab. ≈ S Sudan
56 E7 **Arabela, Río** ≈ N Peru
173 O4 **Arabian Basin** *undersea feature* N Arabian Sea
Arabian Desert *see* Sahara el Sharqîya
141 N9 **Arabian Peninsula** *peninsula* SW Asia
141 W14 **Arabian Sea** *sea* NW Indian Ocean
Arabicus, Sinus *see* Red Sea
'Arabī, Khalīj al *see* Persian Gulf
Arabistan *see* Khūzestān
'Arabīyah as Su'ūdīyah, Al Mamlakah al *see* Saudi Arabia
'Arabīyah Jumhūrīyah, Miṣr al *see* Egypt
138 I9 **'Arab, Jabal al** ▲ S Syria
Arab Republic of Egypt *see* Egypt
Arabs Gulf *see* 'Arab, Khalīg el
139 Y12 **'Arab, Shaṭṭ al** *Eng.* Shatt al Arab, *Per.* Arvand Rūd. ≈ Iran/Iraq
136 I11 **Araç** Kastamonu, N Turkey
59 P16 **Aracaju** *state capital* Sergipe, E Brazil
54 F5 **Aracataca** Magdalena, N Colombia
58 P13 **Aracati** Ceará, E Brazil
60 J8 **Araçatuba** São Paulo, S Brazil
104 J13 **Aracena** Andalucía, S Spain
115 F20 **Árachnaío** ▲ S Greece
115 D16 **Árachthos** *var.* Arta; *prev.* Árakhthos, *anc.* Arachthus. ≈ W Greece
Arachthus *see* Árachthos
59 N19 **Araçuaí** Minas Gerais, SE Brazil
136 I11 **Araç Çayı** ≈ N Turkey
138 F11 **'Arad** Southern, S Israel
116 F11 **Arad** Arad, W Romania
116 F11 **Arad** ◈ *county* W Romania
78 J9 **Arada** Biltine, NE Chad
143 P18 **'Arādah** Abū Ẓaby, S UAE
Aradhippou *see* Aradíppou
121 Q3 **Aradíppou** *var.* Aradhippou. SE Cyprus
174 K6 **Arafura Sea** *Ind.* Laut Arafuru. *sea* W Pacific Ocean
174 L6 **Arafura Shelf** *undersea feature* C Arafura Sea
Arafuru, Laut *see* Arafura Sea
59 J18 **Aragarças** Goiás, C Brazil
Aragats, Gora *see* Aragats Lerr
137 T12 **Aragats Lerr** *Rus.* Gora Aragats. ▲ W Armenia
32 E14 **Arago, Cape** *headland* Oregon, NW USA
105 R6 **Aragón** ◈ *autonomous community* E Spain
105 Q4 **Aragón** ≈ NE Spain
107 I24 **Aragona** Sicilia, Italy, C Mediterranean Sea
105 Q7 **Aragoncillo** ▲ C Spain
54 L5 **Aragua** *off.* Estado Aragua. ◈ *state* N Venezuela
55 N6 **Aragua de Barcelona** Anzoátegui, NE Venezuela
55 O5 **Aragua de Maturín** Monagas, NE Venezuela
59 K15 **Araguaia, Río** *var.* Araguaya. ≈ C Brazil
59 K19 **Araguari** Minas Gerais, SE Brazil
58 J11 **Araguari, Rio** ≈ SW Brazil
Araguaya *see* Araguaia, Río
104 K14 **Arahal** Andalucía, S Spain
165 N11 **Arai** Niigata, Honshū, C Japan
Árainn *see* Inishmore
Árainn Mhór *see* Aran Island
Ara Jovis *see* Aranjuez
74 J11 **Arak** C Algeria
171 Y15 **Arak** Papua, E Indonesia
142 M7 **Arāk** *prev.* Sultānābād. Markazī, W Iran
188 D10 **Arakabesan** *island* Palau Islands, N Palau
55 S7 **Arakaka** NW Guyana
166 K6 **Arakan State** *var.* Rakhine State. ◈ *state* W Myanmar
166 K5 **Arakan Yoma** ▲ W Myanmar
165 O10 **Arakawa** Niigata, Honshū, C Japan
Árakhthos *see* Árachthos
Araks/Arak's *see* Aras
158 H7 **Aral** Xinjiang Uygur Zizhiqu, NW China
Aral *see* Aral'sk, Kazakhstan
Aral *see* Vose', Tajikistan
Aral-Bukhorskiy Kanal *see* Amu-Buxoro Kanali
137 T12 **Aralik** Igdır, E Turkey
146 H5 **Aral Sea** *Kaz.* Aral Tengizi, *Rus.* Aral'skoye More, *Uzb.* Orol Dengizi. *inland sea* Kazakhstan/Uzbekistan
144 L13 **Aral'sk** *Kaz.* Aral. Kzylorda, SW Kazakhstan
Aral'skoye More/ Aral Tengizi *see* Aral Sea
41 O10 **Aramberri** Nuevo León, NE Mexico
186 B8 **Aramia** ≈ SW PNG
143 N6 **Ārān** *var.* Golārā. Eşfahān, C Iran
105 N5 **Aranda de Duero** Castilla-León, N Spain
112 M12 **Aranđelovac** *prev.* Arandjelovac. Serbia, C Serbia and Montenegro (Yugo.)
Arandjelovac *see* Aranđelovac
97 J19 **Aran Fawddwy** ▲ NW Wales, UK
97 C14 **Aran Island** *Ir.* Árainn Mhór. *island* NW Ireland
97 A18 **Aran Islands** *island group* W Ireland
105 N9 **Aranjuez** *anc.* Ara Jovis. Madrid, C Spain
83 E20 **Aranos** Hardap, SE Namibia
25 U14 **Aransas Bay** *inlet* Texas, SW USA
25 T14 **Aransas Pass** Texas, SW USA
191 O3 **Aranuka** *prev.* Nanouki. *atoll* Tungaru, W Kiribati
167 Q11 **Aranyaprathet** Prachin Buri, S Thailand
Aranyosasztal *see* Zlatý Stôl
Aranyosgyéres *see* Câmpia Turzii
Aranyosmarót *see* Zlaté Moravce
164 C14 **Arao** Kumamoto, Kyūshū, SW Japan
77 O8 **Araouane** Tombouctou, N Mali
26 L10 **Arapaho** Oklahoma, C USA
29 N16 **Arapahoe** Nebraska, C USA
57 I16 **Arapa, Laguna** ◎ SE Peru
185 K14 **Arapawa Island** *island* C NZ
61 E17 **Arapey Grande, Río** ≈ N Uruguay
59 P16 **Arapiraca** Alagoas, E Brazil
140 M3 **'Ar'ar** Al Ḩudūd ash Shamālīyah, NW Saudi Arabia
54 G15 **Araracuara** Caquetá, S Colombia
61 K15 **Araranguá** Santa Catarina, S Brazil
60 L8 **Araraquara** São Paulo, S Brazil
59 O13 **Araras** Ceará, E Brazil
58 I14 **Araras** Pará, N Brazil
60 L9 **Araras** São Paulo, S Brazil
60 H11 **Araras, Serra das** ▲ S Brazil
137 U12 **Ararat** S Armenia
182 M12 **Ararat** Victoria, SE Australia
Ararat, Mount *see* Büyükağrı Dağı
140 M3 **'Ar'ar, Wādī** *dry watercourse* Iraq/Saudi Arabia
142 L1 **Aras** *Arm.* Arak's, *Az.* Araz Nehri, *Per.* Rūd-e Aras, *Rus.* Araks; *prev.* Araxes. ≈ SW Asia
105 R9 **Aras de Alpuente** País Valenciano, E Spain
137 S13 **Aras Güneyi Dağları** ▲ NE Turkey
Aras, Rūd-e *see* Aras
191 U9 **Aratika** *atoll* Îles Tuamotu, C French Polynesia
Aratürük *see* Yiwu
54 I8 **Arauca** Arauca, NE Colombia
54 I8 **Arauca** *off.* Intendencia de Arauca. ◈ *province* NE Colombia
63 G15 **Araucanía** *off.* Región de la Araucanía. ◈ *region* C Chile
54 L7 **Arauca, Río** ≈ Colombia/Venezuela
63 F14 **Arauco** Bío Bío, C Chile
63 F14 **Arauco, Golfo de** *gulf* S Chile
54 H8 **Arauquita** Arauca, C Colombia
Arausio *see* Orange
152 F13 **Arāvali Range** ▲ N India
186 J7 **Arawa** Bougainville Island, NE PNG
185 C20 **Arawata** ≈ South Island, NZ
186 F7 **Arawe Islands** *island group* E PNG
59 L20 **Araxá** Minas Gerais, SE Brazil
Araxes *see* Aras
55 O5 **Araya** Sucre, N Venezuela
105 R4 **Arba** ≈ N Spain
81 I15 **Ārba Minch'** Southern, S Ethiopia
139 U4 **Arbat** NE Iraq
107 D19 **Arbatax** Sardegna, Italy, C Mediterranean Sea
Arbe *see* Rab
Arbela *see* Arbīl
139 S3 **Arbīl** *var.* Erbil, Irbīl, *Kurd.* Hawlēr; *anc.* Arbela. N Iraq
95 M16 **Arboga** Västmanland, C Sweden
95 M16 **Arbogaån** ≈ C Sweden
103 S9 **Arbois** Jura, E France
54 D6 **Arboletes** Antioquia, NW Colombia
11 X15 **Arborg** Manitoba, S Canada
94 N12 **Arbrå** Gävleborg, C Sweden
96 K10 **Arbroath** *anc.* Aberbrothock. E Scotland, UK
35 N6 **Arbuckle** California, W USA
27 N12 **Arbuckle Mountains** ▲ Oklahoma, C USA
Arbuzinka *see* Arbyzynka
117 Q8 **Arbyzynka** *Rus.* Arbuzinka. Mykolayivs'ka Oblast', S Ukraine
103 U12 **Arc** ≈ E France
102 J13 **Arcachon** Gironde, SW France
102 I13 **Arcachon, Bassin d'** *inlet* SW France
18 E10 **Arcade** New York, NE USA
23 W14 **Arcadia** Florida, SE USA
22 H5 **Arcadia** Louisiana, S USA
30 J7 **Arcadia** Wisconsin, N USA
Arcae Remorum *see* Châlons-en-Champagne
44 L9 **Arcahaie** C Haiti
34 K3 **Arcata** California, W USA
35 U6 **Arc Dome** ▲ Nevada, W USA
107 J16 **Arce** Lazio, C Italy
41 O15 **Arcelia** Guerrero, S Mexico
99 M15 **Arcen** Limburg, SE Netherlands
Archangel *see* Arkhangel'sk
Archangel Bay *see* Chëshskaya Guba
115 O23 **Archángelos** *var.* Arhangelos, Arkhángelos. Ródos, Dodekánisos, Greece, Aegean Sea
114 F7 **Archar** ≈ NW Bulgaria
31 R11 **Archbold** Ohio, N USA
105 R12 **Archena** Murcia, SE Spain
25 R5 **Archer City** Texas, SW USA
104 M14 **Archidona** Andalucía, S Spain
65 B25 **Arch Islands** *island group* SW Falkland Islands
106 G13 **Arcidosso** Toscana, C Italy
103 Q5 **Arcis-sur-Aube** Aube, N France
182 F3 **Arckaringa Creek** *seasonal river* South Australia
106 G7 **Arco** Trentino-Alto Adige, N Italy
33 Q14 **Arco** Idaho, NW USA
30 M14 **Arcola** Illinois, N USA
105 P6 **Arcos de Jalón** Castilla-León, N Spain
104 K15 **Arcos de la Frontera** Andalucía, S Spain
104 G5 **Arcos de Valdevez** Viana do Castelo, N Portugal
59 P15 **Arcoverde** Pernambuco, E Brazil
102 H5 **Arcovest, Pointe de l'** *headland* NW France
Arctic-Mid Oceanic Ridge *see* Nansen Cordillera
197 R8 **Arctic Ocean** *ocean*
8 G7 **Arctic Red River** ≈ Northwest Territories/Yukon Territory, NW Canada
Arctic Red River *see* Tsiigehtchic
39 S6 **Arctic Village** Alaska, USA
194 H1 **Arctowski** *Polish research station* South Shetland Islands, Antarctica
114 I12 **Arda** *var.* Ardhas, *Gk.* Ardas. ≈ Bulgaria/Greece *see also* Ardas
142 L2 **Ardabīl** *var.* Ardebil. Ardabīl, NW Iran
142 L2 **Ardabīl** *off.* Ostān-e Ardabīl. ◈ *province* NW Iran
137 R11 **Ardahan** Ardahan, NE Turkey
137 S11 **Ardahan** ◈ *province* NE Turkey
143 P8 **Ardakān** Yazd, C Iran
94 E12 **Årdalstangen** Sogn og Fjordane, S Norway
137 R11 **Ardanuç** Artvin, NE Turkey
114 L12 **Ardas** *var.* Ardhas, *Bul.* Arda. ≈ Bulgaria/Greece *see also* Arda
138 I13 **Arḍ aş Şawwān** *var.* Ardh es Suwwān. *plain* S Jordan
127 P5 **Ardatov** Respublika Mordoviya, W Russian Federation
14 G12 **Ardbeg** Ontario, S Canada
Ardeal *see* Transylvania
Ardebil *see* Ardabīl
103 Q13 **Ardèche** ≈ C France
103 Q13 **Ardèche** ◈ *department* E France
97 F17 **Ardee** *Ir.* Baile Átha Fhirdhia. NE Ireland
103 Q3 **Ardennes** ◈ *department* NE France
99 J23 **Ardennes** *physical region* Belgium/France
137 Q11 **Ardeşen** Rize, NE Turkey
143 O7 **Ardestān** *var.* Ardistan. Eşfahān, C Iran
108 J9 **Ardez** Graubünden, SE Switzerland
Ardhas *see* Arda/Ardas
Ardh es Suwwān *see* Arḍ aş Şawwān
104 I12 **Ardila, Ribeira de** *Sp.* Ardilla. ≈ Portugal/Spain *see also* Ardilla
11 T17 **Ardill** Saskatchewan, S Canada
104 I12 **Ardilla** *Port.* Ribeira de Ardila. ≈ Portugal/Spain *see also* Ardila, Ribeira de
40 M11 **Ardilla, Cerro la** ▲ C Mexico
114 J12 **Ardino** Kŭrdzhali, S Bulgaria
Ardistan *see* Ardestān
183 P9 **Ardlethan** New South Wales, SE Australia
Ard Mhacha *see* Armagh
23 P1 **Ardmore** Alabama, S USA
27 N13 **Ardmore** Oklahoma, C USA
20 J10 **Ardmore** Tennessee, S USA
96 G10 **Ardnamurchan, Point of** *headland* N Scotland, UK
Árdni *see* Arnøya
99 C17 **Ardooie** West-Vlaanderen, W Belgium
182 I9 **Ardrossan** South Australia
116 H9 **Ardusat** *Hung.* Erdőszáda. Maramureş, N Romania
93 F16 **Åre** Jämtland, C Sweden
79 P16 **Arebi** Orientale, NE Dem. Rep. Congo
45 T5 **Arecibo** C Puerto Rico
171 V13 **Aredo** Papua, E Indonesia
59 P14 **Areia Branca** Rio Grande do Norte, E Brazil
119 O14 **Arekhawsk** *Rus.* Orekhovsk. Vitsyebskaya Voblasts', N Belarus
Arel *see* Arlon
Arelas/Arelate *see* Arles
Arenal, Embalse de *see* Arenal Laguna
42 L12 **Arenal Laguna** *var.* Embalse de Arenal. ◎ NW Costa Rica
42 L13 **Arenal, Volcán** ※ NW Costa Rica
34 K6 **Arena, Point** *headland* California, W USA
59 H17 **Arenápolis** Mato Grosso, W Brazil

◆ Country ● Country Capital ◇ Dependent Territory ○ Dependent Territory Capital ◈ Administrative Region ✕ International Airport ▲ Mountain ▲ Mountain Range ※ Volcano ≈ River ◎ Lake ⊠ Reservoir

Arena, Punta – Ashville ••• 219

40 G10 **Arena, Punta** *headland* W Mexico
104 L8 **Arenas de San Pedro** Castilla-León, N Spain
63 I24 **Arenas, Punta de** *headland* S Argentina
61 B20 **Arenaza** Buenos Aires, E Argentina
95 F17 **Arendal** Aust-Agder, S Norway
99 J16 **Arendonk** Antwerpen, N Belgium
43 T15 **Arenosa** Panamá, N Panama
Arensburg *see* Kuressaare
105 W5 **Arenys de Mar** Cataluña, NE Spain
106 C9 **Arenzano** Liguria, NW Italy
115 F22 **Areópoli** *prev.* Areópolis. Pelopónnisos, S Greece
Areópolis *see* Areópoli
57 H18 **Arequipa** Arequipa, SE Peru
57 G17 **Arequipa** *off.* Departamento de Arequipa. ◆ *department* SW Peru
61 B19 **Arequito** Santa Fe, C Argentina
104 M7 **Arévalo** Castilla-León, N Spain
106 H12 **Arezzo** *anc.* Arretium. Toscana, C Italy
105 Q4 **Arga** ↝ N Spain
Argaeus *see* Erciyes Dağı
115 G17 **Argalastí** Thessalía, C Greece
105 O10 **Argamasilla de Alba** Castilla-La Mancha, C Spain
158 L8 **Argan** Xinjiang Uygur Zizhiqu, NW China
105 O8 **Arganda** Madrid, C Spain
104 H8 **Arganil** Coimbra, N Portugal
171 P6 **Argao** Cebu, C Philippines
153 V15 **Argartala** Tripura, NE India
123 N9 **Arga-Sala** ↝ NE Russian Federation
103 P17 **Argelès-sur-Mer** Pyrénées-Orientales, S France
103 T15 **Argens** ↝ SE France
106 H9 **Argenta** Emilia-Romagna, N Italy
102 K5 **Argentan** Orne, N France
103 N12 **Argentat** Corrèze, C France
106 A9 **Argentera** Piemonte, NE Italy
103 N5 **Argenteuil** Val-d'Oise, N France
62 K13 **Argentina** *off.* Republic of Argentina. ◆ *republic* S South America
Argentina Basin *see* Argentine Basin
Argentine Abyssal Plain *see* Argentine Plain
65 I19 **Argentine Basin** *var.* Argentina Basin. *undersea feature* SW Atlantic Ocean
65 I20 **Argentine Plain** *var.* Argentine Abyssal Plain. *undersea feature* SW Atlantic Ocean
Argentine Rise *see* Falkland Plateau
63 H22 **Argentino, Lago** ⊗ S Argentina
102 K8 **Argenton-Château** Deux-Sèvres, W France
102 M9 **Argenton-sur-Creuse** Indre, C France
Argentoratum *see* Strasbourg
116 I12 **Argeș** ◆ *county* S Romania
116 K14 **Argeș** ↝ S Romania
149 O8 **Arghandāb, Daryā-ye** ↝ SE Afghanistan
Arghastān *see* Arghestān
149 O8 **Arghestān** *Pash.* Arghastān. ↝ SE Afghanistan
Argirocastro *see* Gjirokastër
80 E7 **Argo** Northern, N Sudan
173 P7 **Argo Fracture Zone** *tectonic feature* C Indian Ocean
115 F20 **Argolikós Kólpos** *gulf* S Greece
103 R4 **Argonne** *physical region* NE France
115 F20 **Árgos** Pelopónnisos, S Greece
139 S1 **Argōsh** N Iraq
115 D14 **Árgos Orestikó** Dytikí Makedonía, N Greece
115 B19 **Argostóli** *var.* Argostólion. Kefallinía, Iónioi Nísoi, Greece, C Mediterranean Sea
Argostólion *see* Argostóli
Argovie *see* Aargau
35 O14 **Arguello, Point** *headland* California, W USA
127 P16 **Argun** Chechenskaya Respublika, SW Russian Federation
157 T2 **Argun** *Chin.* Ergun He, *Rus.* Argun'. ↝ China/Russian Federation
77 T12 **Argungu** Kebbi, NW Nigeria
162 J9 **Arguut** Övörhangay, C Mongolia
181 N3 **Argyle, Lake** *salt lake* Western Australia
96 G12 **Argyll** *cultural region* W Scotland, UK
Argyrokastron *see* Gjirokastër
162 I7 **Arhangay** ◆ *province* C Mongolia
Arhangelos *see* Archángelos
95 P14 **Arholma** Stockholm, C Sweden
95 G22 **Århus** *var.* Aarhus. Århus, C Denmark
95 G22 **Århus** ◆ *county* C Denmark
139 T1 **Ārī** E Iraq
Aria *see* Herāt
83 F22 **Ariamsvlei** Karas, SE Namibia
107 L17 **Ariano Irpino** Campania, S Italy
54 F11 **Ariari, Río** ↝ C Colombia
151 K19 **Ari Atoll** *atoll* C Maldives
77 P11 **Aribinda** N Burkina
62 G2 **Arica** *hist.* San Marcos de Arica. Tarapacá, N Chile
54 H16 **Arica** Amazonas, S Colombia
62 G2 **Arica** ✈ Tarapacá, N Chile
114 E13 **Aridaía** *var.* Aridea, Aridhaía. Dytikí Makedonía, N Greece
Aridea *see* Aridaía
172 I15 **Aride, Île** *island* Inner Islands, NE Seychelles
Aridhaía *see* Aridaía
103 N17 **Ariège** ◆ *department* S France
102 M16 **Ariège** *var.* la Riege. ↝ Andorra/France
116 H11 **Arieș** ↝ W Romania
149 U10 **Ārifwāla** Punjab, E Pakistan
Ariguaní *see* El Difícil
138 G11 **Arīḥā** Al Karak, W Jordan
138 I3 **Arīḥā** *var.* Arīhā. Idlib, W Syria
Arīḥā *see* Jericho
37 W4 **Arikaree River** ↝ Colorado/Nebraska, C USA
164 B14 **Arikawa** Nagasaki, Nakadōri-jima, SW Japan
112 L13 **Arilje** Serbia, W Serbia and Montenegro (Yugo.)
45 U14 **Arima** Trinidad, Trinidad and Tobago
Arime *see* Al 'Arīmah
Ariminum *see* Rimini
59 H16 **Arinos, Rio** ↝ W Brazil
40 M14 **Ario de Rosales** *var.* Ario de Rosáles. Michoacán de Ocampo, SW Mexico
118 F12 **Ariogala** Kaunas, C Lithuania
59 E15 **Ariquemes** Rondônia, W Brazil
121 W13 **'Arîsh, Wâdi el** ↝ NE Egypt
54 K6 **Arismendi** Barinas, C Venezuela
10 J14 **Aristazabal Island** *island* SW Canada
60 F13 **Aristóbulo del Valle** Misiones, NE Argentina
172 I5 **Arivonimamo** ✈ (Antananarivo) Antananarivo, C Madagascar
Arixang *see* Wenquan
105 Q6 **Ariza** Aragón, NE Spain
62 I6 **Arizaro, Salar de** *salt lake* NW Argentina
62 K13 **Arizona** San Luis, C Argentina
36 J12 **Arizona** *off.* State of Arizona; *also known as* Copper State, Grand Canyon State. ◆ *state* SW USA
40 G4 **Arizpe** Sonora, NW Mexico
95 J16 **Årjäng** Värmland, C Sweden
143 P8 **Arjenān** Yazd, C Iran
92 I13 **Arjeplog** Norrbotten, N Sweden
54 E5 **Arjona** Bolívar, N Colombia
105 N13 **Arjona** Andalucía, S Spain
123 S10 **Arka** Khabarovskiy Kray, E Russian Federation
22 L2 **Arkabutla Lake** ⊠ Mississippi, S USA
127 O7 **Arkadak** Saratovskaya Oblast', W Russian Federation
27 T13 **Arkadelphia** Arkansas, C USA
115 J25 **Arkalochóri** *prev.* Arkalohori, Arkalokhórion. Kríti, Greece, E Mediterranean Sea
Arkalohori/ Arkalokhórion *see* Arkalochóri
145 O10 **Arkalyk** *Kaz.* Arqalyq. Kostanay, N Kazakhstan
27 U10 **Arkansas** *off.* State of Arkansas; *also known as* The Land of Opportunity. ◆ *state* S USA
27 W14 **Arkansas City** Arkansas, C USA
27 O7 **Arkansas City** Kansas, C USA
16 K11 **Arkansas River** ↝ C USA
182 J5 **Arkaroola** South Australia
Arkhángelos *see* Archángelos
124 L8 **Arkhangel'sk** *Eng.* Archangel. Arkhangel'skaya Oblast', NW Russian Federation
124 L9 **Arkhangel'skaya Oblast'** ◆ *province* NW Russian Federation
127 O14 **Arkhangel'skoye** Stavropol'skiy Kray, SW Russian Federation
123 R14 **Arkhara** Amurskaya Oblast', S Russian Federation
97 G19 **Arklow** *Ir.* An tInbhear Mór. SE Ireland
115 M20 **Arkoí** *island* Dodekánisos, Greece, Aegean Sea
27 R11 **Arkoma** Oklahoma, C USA
100 O7 **Arkona, Kap** *headland* NE Germany
95 N17 **Arkösund** Östergötland, S Sweden
122 J6 **Arkticheskogo Instituta, Ostrova** *island* N Russian Federation
95 O15 **Arlanda** ✈ (Stockholm) Stockholm, C Sweden
146 C11 **Arlandag** *Rus.* Gora Arlan. ▲ W Turkmenistan
Arlan, Gora *see* Arlandag
105 O5 **Arlanza** ↝ N Spain
105 N5 **Arlanzón** ↝ N Spain
103 R15 **Arles** *var.* Arles-sur-Rhône; *anc.* Arelas, Arelate. Bouches-du-Rhône, SE France
Arles-sur-Rhône *see* Arles
103 O17 **Arles-sur-Tech** Pyrénées-Orientales, S France
29 U9 **Arlington** Minnesota, N USA
29 R15 **Arlington** Nebraska, C USA
32 J11 **Arlington** Oregon, NW USA
29 R10 **Arlington** South Dakota, N USA
20 E10 **Arlington** Tennessee, S USA
25 T6 **Arlington** Texas, SW USA
21 W4 **Arlington** Virginia, NE USA
32 H7 **Arlington** Washington, NW USA
30 M10 **Arlington Heights** Illinois, N USA
77 U8 **Arlit** Agadez, C Niger
99 L24 **Arlon** *Dut.* Aarlen, *Ger.* Arel; *Lat.* Orolaunum. Luxembourg, SE Belgium
27 R7 **Arma** Kansas, C USA
97 F16 **Armagh** *Ir.* Ard Mhacha. S Northern Ireland, UK
97 F16 **Armagh** *cultural region* S Northern Ireland, UK
102 K15 **Armagnac** *cultural region* S France
103 Q7 **Armançon** ↝ C France
60 K10 **Armando Laydner, Represa** ⊠ S Brazil
115 M24 **Armathía** *island* SE Greece
126 M14 **Armavir** Krasnodarskiy Kray, SW Russian Federation
137 T12 **Armavir** *Rus.* Oktemberyan. *prev.* Hoktemberyan. SW Armenia
54 E10 **Armenia** Quindío, W Colombia
137 T12 **Armenia** *off.* Republic of Armenia, *var.* Ajastan, *Arm.* Hayastani Hanrapetut'yun; *prev.* Armenian Soviet Socialist Republic. ◆ *republic* SW Asia
Armenierstadt *see* Gherla
103 O1 **Armentières** Nord, N France
40 K14 **Armería** Colima, SW Mexico
183 T5 **Armidale** New South Wales, SE Australia
29 P11 **Armour** South Dakota, N USA
61 B18 **Armstrong** Santa Fe, C Argentina
11 N16 **Armstrong** British Columbia, SW Canada
12 D11 **Armstrong** Ontario, S Canada
29 U11 **Armstrong** Iowa, C USA
25 S16 **Armstrong** Texas, SW USA
117 S11 **Armyans'k** *Rus.* Armyansk. Respublika Krym, S Ukraine
115 H14 **Arnaía** *var.* Arnea. Kentrikí Makedonía, N Greece
121 N2 **Arnaoúti, Akrotíri** *var.* Arnaoútis, Cape Arnaouti. *headland* W Cyprus
Arnaouti, Cape/ Arnaoútis *see* Arnaoúti, Akrotíri
12 L4 **Arnaud** ↝ Québec, E Canada
103 Q8 **Arnay-le-Duc** Côte d'Or, C France
Arnea *see* Arnaía
105 Q4 **Arnedo** La Rioja, N Spain
95 I14 **Årnes** Akershus, S Norway
Årnes *see* Åi Åfjord
26 K9 **Arnett** Oklahoma, C USA
98 L12 **Arnhem** Gelderland, SE Netherlands
181 Q2 **Arnhem Land** *physical region* Northern Territory, N Australia
106 F11 **Arno** ↝ C Italy
Arno *see* Arno Atoll
189 W7 **Arno Atoll** *var.* Arno. *atoll* Ratak Chain, NE Marshall Islands
182 H8 **Arno Bay** South Australia
35 Q8 **Arnold** California, W USA
27 X5 **Arnold** Missouri, C USA
29 N15 **Arnold** Nebraska, C USA
109 R10 **Arnoldstein** *Slvn.* Pod Klošter. Kärnten, S Austria
103 N9 **Arnon** ↝ C France
45 P14 **Arnos Vale** ✈ (Kingstown) Saint Vincent, SE Saint Vincent and the Grenadines
92 I8 **Arnøya** *Lapp.* Árdni *island* N Norway
14 L12 **Arnprior** Ontario, SE Canada
101 G15 **Arnsberg** Nordrhein-Westfalen, W Germany
101 K16 **Arnstadt** Thüringen, C Germany
Arnswalde *see* Choszczno
54 K5 **Aroa** Yaracuy, N Venezuela
83 E21 **Aroab** Karas, SE Namibia
115 E19 **Aroania** ▲ S Greece
191 O6 **Aroa, Pointe** *headland* Moorea, W French Polynesia
Aroe Islands *see* Aru, Kepulauan
101 H15 **Arolsen** Niedersachsen, C Germany
106 C7 **Arona** Piemonte, NE Italy
19 R3 **Aroostook River** ↝ Canada/USA
Arop Island *see* Long Island
38 M12 **Aropuk Lake** ⊗ Alaska, USA
191 P4 **Arorae** *atoll* Tungaru, W Kiribati
190 G15 **Arorangi** Rarotonga, S Cook Islands
108 I9 **Arosa** Graubünden S Switzerland
104 F4 **Arousa, Ría de** *estuary* E Atlantic Ocean
184 P8 **Arowhana** ▲ North Island, NZ
137 V12 **Arp'a** *Az.* Arpaçay. ↝ Armenia/Azerbaijan
137 S11 **Arpaçay** Kars, NE Turkey
Arpaçay *see* Arp'a
Arqalyq *see* Arkalyk
149 N14 **Arra** ↝ SW Pakistan
Arrabona *see* Győr
Arrah *see* Āra
Ar Rahad *see* Er Rahad
139 R9 **Ar Raḥḥālīyah** C Iraq
60 Q10 **Arraial do Cabo** Rio de Janeiro, SE Brazil
104 H11 **Arraiolos** Évora, S Portugal
139 R8 **Ar Ramādī** *var.* Ramadi, Rumadiya. SW Iraq
138 J6 **Ar Rāmī** Ḥimṣ, C Syria
Ar Rams *see* Rams
138 H9 **Ar Ramthā** *var.* Ramtha. Irbid, N Jordan
96 H13 **Arran, Isle of** *island* SW Scotland, UK
138 L3 **Ar Raqqah** *var.* Rakka; *anc.* Nicephorium. Ar Raqqah, N Syria
138 L3 **Ar Raqqah** *off.* Muḥāfaẓat al Raqqah, *var.* Raqqah, *Fr.* Rakka. ◆ *governorate* N Syria
103 O2 **Arras** *anc.* Nemetocenna. Pas-de-Calais, N France
Arrasate *see* Mondragón
138 G12 **Ar Rashādīyah** Aṭ Ṭafīlah, W Jordan
138 I5 **Ar Rastān** *var.* Rastâne. Ḥimṣ, W Syria
139 X12 **Ar Raṭāwī** E Iraq
102 L15 **Arrats** ↝ S France
141 N19 **Ar Rawḍah** Makkah, S Saudi Arabia
141 Q15 **Ar Rawḍah** S Yemen
142 K11 **Ar Rawḍatayn** *var.* Raudhatain. N Kuwait
143 N16 **Ar Rayyān** *var.* Al Rayyan. C Qatar
102 L17 **Arreau** Hautes-Pyrénées, S France
64 Q11 **Arrecife** *var.* Arrecife de Lanzarote, Puerto Arrecife. Lanzarote, Islas Canarias, NE Atlantic Ocean
Arrecife de Lanzarote *see* Arrecife
43 P6 **Arrecife Edinburgh** *reef* NE Nicaragua
61 C19 **Arrecifes** Buenos Aires, E Argentina
102 F6 **Arrée, Monts d'** ▲ NW France
Ar Refa'i *see* Ar Rifā'ī
Arretium *see* Arezzo
Arriaca *see* Guadalajara
109 S9 **Arriach** Kärnten, S Austria
41 T16 **Arriaga** Chiapas, SE Mexico
41 N12 **Arriaga** San Luis Potosí, C Mexico
139 W10 **Ar Rifā'ī** *var.* Ar Refā'ī. SE Iraq
139 V12 **Ar Riḥāb** *salt flat* S Iraq
104 L2 **Arriondas** Asturias, N Spain
141 Q7 **Ar Riyāḍ** *Eng.* Riyadh. ● (Saudi Arabia) Ar Riyāḍ, C Saudi Arabia
141 O8 **Ar Riyāḍ** *off.* Minṭaqat ar Riyāḍ. ◆ *province* C Saudi Arabia
141 S15 **Ar Riyān** S Yemen
Arrö *see* Ærø
61 H18 **Arroio Grande** Rio Grande do Sul, S Brazil
102 K15 **Arros** ↝ S France
103 Q9 **Arroux** ↝ C France
25 R5 **Arrowhead, Lake** ⊠ Texas, SW USA
182 L5 **Arrowsmith, Mount** *hill* New South Wales, SE Australia
185 D21 **Arrowtown** Otago, South Island, NZ
61 D17 **Arroyo Barú** Entre Ríos, E Argentina
104 J10 **Arroyo de la Luz** Extremadura, W Spain
63 J16 **Arroyo de la Ventana** Río Negro, SE Argentina
35 P13 **Arroyo Grande** California, W USA
Ar Ru'ays *see* Ar Ruways
141 R11 **Ar Rub' al Khālī** *Eng.* Empty Quarter, Great Sandy Desert. *desert* SW Asia
139 V13 **Ar Rudaymah** S Iraq
61 A16 **Arrufó** Santa Fe, C Argentina
138 I7 **Ar Ruḥaybah** *var.* Ruhaybeh, *Fr.* Rouhaïbé. Dimashq, W Syria
139 V15 **Ar Rukhaymīyah** *well* S Iraq
139 U11 **Ar Rumaythah** *var.* Rumaitha. S Iraq
141 X8 **Ar Rustāq** *var.* Rostak, Rustaq. N Oman
139 N8 **Ar Ruṭbah** *var.* Rutba. SW Iraq
140 M3 **Ar Rūthīyah** *spring/well* NW Saudi Arabia
ar-Ruwaida *see* Ar Ruwaydah
141 O8 **Ar Ruwaydah** *var.* ar-Ruwaida. Jīzān, C Saudi Arabia
143 N15 **Ar Ruways** *var.* Al Ruweis, Ar Ru'ays, Ruwais. N Qatar
143 O17 **Ar Ruways** *var.* Ar Ru'ays, Ruwaisv. Abū Ẓaby, W UAE
Ārs *see* Aars
Arsanias *see* Murat Nehri
123 S15 **Arsen'yev** Primorskiy Kray, SE Russian Federation
155 G19 **Arsikere** Karnātaka, W India
127 R3 **Arsk** Respublika Tatarstan W Russian Federation
94 N10 **Årskogen** Gävleborg, C Sweden
121 O3 **Ársos** C Cyprus
94 N13 **Årsunda** Gävleborg, C Sweden
Arta *see* Árachthos
115 C17 **Árta** *anc.* Ambracia. Ípeiros, W Greece
137 T12 **Artashat** S Armenia
40 M15 **Arteaga** Michoacán de Ocampo, SW Mexico
123 S15 **Artem** Primorskiy Kray, SE Russian Federation
44 C4 **Artemisa** La Habana, W Cuba
117 W7 **Artemivs'k** Donets'ka Oblast', E Ukraine
122 K13 **Artemovsk** Krasnoyarskiy Kray, S Russian Federation
105 U5 **Artesa de Segre** Cataluña, NE Spain
37 U14 **Artesia** New Mexico, SW USA
25 Q14 **Artesia Wells** Texas, SW USA
108 G8 **Arth** Schwyz, C Switzerland
14 F15 **Arthur** Ontario, S Canada
30 M14 **Arthur** Illinois, N USA
28 L14 **Arthur** Nebraska, C USA
29 Q5 **Arthur** North Dakota, N USA
185 B21 **Arthur** ↝ South Island, NZ
18 B13 **Arthur, Lake** ⊠ Pennsylvania, NE USA
183 N15 **Arthur River** ↝ Tasmania, SE Australia
185 G18 **Arthur's Pass** Canterbury, South Island, NZ
185 G17 **Arthur's Pass** *pass* South Island, NZ
44 I3 **Arthur's Town** Cat Island, C Bahamas
44 M9 **Artibonite, Rivière de l'** ↝ C Haiti
61 E16 **Artigas** *prev.* San Eugenio, San Eugenio del Cuareim. Artigas, N Uruguay
61 E16 **Artigas** ◆ *department* N Uruguay
194 H1 **Artigas** *Uruguayan research station* Antarctica
137 T11 **Art'ik** W Armenia
187 O16 **Art, Île** *island* Îles Belep, W New Caledonia
103 O2 **Artois** *cultural region* N France
136 L12 **Artova** Tokat, N Turkey
105 Y9 **Artrutx, Cap d'** *var.* Cabo Dartuch. *headland* Menorca, Spain, W Mediterranean Sea
Artsiz *see* Artsyz
117 N11 **Artsyz** *Rus.* Artsiz. Odes'ka Oblast', SW Ukraine
158 E7 **Artux** Xinjiang Uygur Zizhiqu, NW China
137 R11 **Artvin** Artvin, NE Turkey
137 R11 **Artvin** ◆ *province* NE Turkey
146 G14 **Artyk** Ahal Welaýaty, C Turkmenistan
79 Q16 **Aru** Orientale, NE Dem. Rep. Congo
81 E17 **Arua** NW Uganda
104 I4 **A Rúa de Valdeorras** *var.* La Rúa. Galicia, NW Spain
Aruângua *see* Luangwa
45 O15 **Aruba** *var.* Oruba. ◇ *Dutch autonomous region* S West Indies
Aru Islands *see* Aru, Kepulauan
171 W15 **Aru, Kepulauan** *Eng.* Aru Islands; *prev.* Aroe Islands. *island group* E Indonesia
153 W10 **Arunāchal Pradesh** *prev.* North East Frontier Agency, North East Frontier Agency of Assam. ◆ *state* NE India
Arun Qi *see* Naji
155 H23 **Aruppukkottai** Tamil Nādu, SE India
81 I20 **Arusha** Arusha, N Tanzania
81 I21 **Arusha** ◆ *region* E Tanzania
81 I20 **Arusha** ✈ Arusha, N Tanzania
54 C9 **Arusí, Punta** *headland* NW Colombia
155 J23 **Aruvi Aru** ↝ NW Sri Lanka
79 M17 **Aruwimi** *var.* Ituri (upper course). ↝ NE Dem.Rep. Congo
Árva *see* Orava
37 T4 **Arvada** Colorado, C USA
Arvand Rūd *see* 'Arab, Shaṭṭ al
162 J8 **Arvayheer** Övörhangay, C Mongolia
9 O10 **Arviat** *prev.* Eskimo Point. Nunavut, C Canada
93 I14 **Arvidsjaur** Norrbotten, N Sweden
95 J15 **Arvika** Värmland, C Sweden
92 J8 **Årviksand** Troms, N Norway
35 S13 **Arvin** California, W USA
163 S8 **Arxan** Nei Mongol Zizhiqu, N China
145 P7 **Arykbalyk** *Kaz.* Aryqbalyq. Severnyy Kazakhstan, N Kazakhstan
Aryqbalyq *see* Arykbalyk
145 P17 **Arys'** *Kaz.* Arys. Yuzhnyy Kazakhstan, S Kazakhstan
Arys *see* Orzysz
Arys Köli *see* Arys, Ozero
145 O14 **Arys, Ozero** *Kaz.* Arys Köli. ⊗ C Kazakhstan
107 D16 **Arzachena** Sardegna, Italy, C Mediterranean Sea
127 O4 **Arzamas** Nizhegorodskaya Oblast', W Russian Federation
141 V13 **Arzāt** S Oman
104 H3 **Arzúa** Galicia, NW Spain
111 A16 **Aš** *Ger.* Asch. Karlovarský Kraj, W Czech Republic
95 H15 **Ås** Akershus, S Norway
95 H20 **Asaa** *prev.* Åsa. Nordjylland, N Denmark
Åsā *see* Asaa
83 E21 **Asab** Karas, S Namibia
77 U16 **Asaba** Delta, S Nigeria
149 S4 **Asadābād** *var.* Asadābād; *prev.* Chaghasarāy. Kunar, E Afghanistan
138 K3 **Asad, Buḥayrat al** ⊗ N Syria
63 H20 **Asador, Pampa del** *plain* S Argentina
165 P14 **Asahi** Chiba, Honshū, S Japan
164 M11 **Asahi** Toyama, Honshū, SW Japan
165 T3 **Asahi-dake** ▲ Hokkaidō, N Japan
165 T3 **Asahikawa** Hokkaidō, N Japan
147 S10 **Asaka** *Rus.* Assake; *prev.* Leninsk. Andijon Viloyati, E Uzbekistan
77 P17 **Asamankese** SE Ghana
188 B15 **Asan** W Guam
188 B15 **Asan Point** *headland* W Guam
153 R15 **Āsānsol** West Bengal, NE India
80 K12 **Āsayita** Afar, NE Ethiopia
171 T12 **Asbakin** Papua, E Indonesia
Asben *see* Aïr, Massif de l'
15 Q12 **Asbestos** Québec, SE Canada
29 Y13 **Asbury** Iowa, C USA
18 K15 **Asbury Park** New Jersey, NE USA
41 Z12 **Ascención, Bahiá de la** *bay* NW Caribbean Sea
40 I3 **Ascensión** Chihuahua, N Mexico
65 M14 **Ascension Fracture Zone** *tectonic feature* C Atlantic Ocean
65 G14 **Ascension Island** ◇ *dependency of St. Helena* C Atlantic Ocean
65 N16 **Ascension Island** *island* C Atlantic Ocean
Asch *see* Aš
109 S3 **Aschach an der Donau** Oberösterreich, N Austria
101 H18 **Aschaffenburg** Bayern, SW Germany
101 F14 **Ascheberg** Nordrhein-Westfalen, W Germany
101 L14 **Aschersleben** Sachsen-Anhalt, C Germany
106 G12 **Asciano** Toscana, C Italy
106 J13 **Ascoli Piceno** *anc.* Asculum Picenum. Marche, C Italy
107 M17 **Ascoli Satriano** *anc.* Asculub, Ausculum Apulum. Puglia, SE Italy
108 G11 **Ascona** Ticino, S Switzerland
Asculub *see* Ascoli Satriano
Asculum Picenum *see* Ascoli Piceno
80 L11 **Āseb** *var.* Assab, *Amh.* Āseb. SE Eritrea
95 M20 **Åseda** Kronoberg, S Sweden
127 T6 **Asekeyevo** Orenburgskaya Oblast', W Russian Federation
81 J14 **Āsela** *var.* Asella, Aselle, Asselle. Oromo, C Ethiopia
93 H15 **Åsele** Västerbotten, N Sweden
Asella/Aselle *see* Āsela
94 K12 **Åsen** Dalarna, C Sweden
114 I11 **Asenovgrad** *prev.* Stanimaka. Plovdiv, C Bulgaria
171 O13 **Asera** Sulawesi, C Indonesia
95 E17 **Åseral** Vest-Agder, S Norway
118 J3 **Aseri** *var.* Asserien, *Ger.* Asserin. Ida-Virumaa, NE Estonia
40 J10 **Aserradero** Durango, W Mexico
146 F13 **Aşgabat** *prev.* Ashgabat, Ashkhabad, Poltoratsk. ● (Turkmenistan) Ahal Welaýaty, C Turkmenistan
146 F13 **Aşgabat** ✈ Ahal Welaýaty, C Turkmenistan
95 H16 **Åsgårdstrand** Vestfold, S Norway
Ashara *see* Al 'Ashārah
23 T6 **Ashburn** Georgia, SE USA
185 G19 **Ashburton** Canterbury, South Island, NZ
185 G19 **Ashburton** ↝ South Island, NZ
180 H8 **Ashburton River** ↝ Western Australia
145 V10 **Ashchysu** ↝ E Kazakhstan
10 M16 **Ashcroft** British Columbia, SW Canada
138 E10 **Ashdod** *anc.* Azotos, *Lat.* Azotus. Central, W Israel
27 S14 **Ashdown** Arkansas, C USA
21 T9 **Asheboro** North Carolina, SE USA
11 X15 **Ashern** Manitoba, S Canada
21 P10 **Asheville** North Carolina, SE USA
12 E8 **Asheweig** ↝ Ontario, C Canada
27 V9 **Ash Flat** Arkansas, C USA
183 T4 **Ashford** New South Wales, SE Australia
97 P22 **Ashford** SE England, UK
36 K11 **Ash Fork** Arizona, SW USA
Ashgabat *see* Aşgabat
27 T7 **Ash Grove** Missouri, C USA
165 O12 **Ashikaga** *var.* Asikaga. Tochigi, Honshū, S Japan
165 Q8 **Ashiro** Iwate, Honshū, C Japan
164 F15 **Ashizuri-misaki** *headland* Shikoku, SW Japan
Ashkelon *see* Ashqelon
Ashkhabad *see* Aşgabat
23 Q4 **Ashland** Alabama, S USA
26 K7 **Ashland** Kansas, C USA
21 P5 **Ashland** Kentucky, S USA
19 S2 **Ashland** Maine, NE USA
22 M1 **Ashland** Mississippi, S USA
27 U4 **Ashland** Missouri, C USA
29 S15 **Ashland** Nebraska, C USA
31 T12 **Ashland** Ohio, N USA
32 G15 **Ashland** Oregon, NW USA
21 W6 **Ashland** Virginia, NE USA
30 K3 **Ashland** Wisconsin, N USA
20 I8 **Ashland City** Tennessee, S USA
183 S4 **Ashley** New South Wales, SE Australia
29 O7 **Ashley** North Dakota, N USA
173 W7 **Ashmore and Cartier Islands** ◇ *Australian external territory* E Indian Ocean
119 I14 **Ashmyany** *Rus.* Oshmyany. Hrodzyenskaya Voblasts', W Belarus
18 K12 **Ashokan Reservoir** ⊠ New York, NE USA
165 U4 **Ashoro** Hokkaidō, NE Japan
138 E10 **Ashqelon** *var.* Ashkelon. Southern, C Israel
Ashraf *see* Behshahr
139 O3 **Ash Shadādah** *var.* Ash Shaddādah, Jisr ash Shadadi, Shaddādi, Shedadi, Tell Shedadi. Al Ḥasakah, NE Syria
Ash Shaddādah *see* Ash Shadādah
139 Y12 **Ash Shāfī** E Iraq
139 R4 **Ash Shakk** *var.* Shaykh. C Iraq
Ash Sham/Ash Shām *see* Dimashq
139 T10 **Ash Shāmīyah** *var.* Shamiya. C Iraq
139 Y13 **Ash Shāmīyah** *var.* Al Bādiyah al Janūbīyah. *desert* S Iraq
139 T11 **Ash Shanāfīyah** *var.* Ash Shināfīyah. S Iraq
138 G13 **Ash Sharāh** *var.* Esh Sharā. ▲ W Jordan
143 R16 **Ash Shāriqah** *Eng.* Sharjah. Ash Shāriqah, NE UAE
143 R16 **Ash Shāriqah** *var.* Sharjah. ✈ Ash Shāriqah, NE UAE
140 I4 **Ash Sharmah** *var.* Šarma. Tabūk, NW Saudi Arabia
139 R4 **Ash Sharqāṭ** NW Iraq
141 S10 **Ash Sharqīyah** *off.* Al Minṭaqah ash Sharqīyah, *Eng.* Eastern Region. ◆ *province* E Saudi Arabia
139 W11 **Ash Shaṭrah** *var.* Shatra. SE Iraq
138 G13 **Ash Shawbak** Ma'ān, W Jordan
138 I5 **Ash Shaykh Ibrāhīm** Ḥimṣ, C Syria
141 O17 **Ash Shaykh 'Uthmān** SW Yemen
141 S15 **Ash Shiḥr** SE Yemen
Ash Shināfīyah *see* Ash Shanāfīyah
141 V12 **Ash Shişar** *var.* Shisur. SW Oman
139 S13 **Ash Shubrūm** *well* S Iraq
141 R10 **Ash Shuqqān** *desert* E Saudi Arabia
75 O9 **Ash Shuwayrif** *var.* Ash Shwayrif. N Libya
Ash Shwayrif *see* Ash Shuwayrif
31 U10 **Ashtabula** Ohio, N USA
29 Q5 **Ashtabula, Lake** ⊠ North Dakota, N USA
137 T12 **Ashtarak** W Armenia
142 M6 **Āshtīān** *var.* Āshtiyān. Markazī, W Iran
Āshtiyān *see* Āshtīān
33 R13 **Ashton** Idaho, NW USA
13 O10 **Ashuanipi Lake** ⊗ Newfoundland and Labrador, E Canada
15 P6 **Ashuapmushuan** ↝ Québec, SE Canada
23 Q3 **Ashville** Alabama, S USA
31 S14 **Ashville** Ohio, N USA

◆ Country ◇ Dependent Territory ◆ Administrative Region ▲ Mountain ▲ Volcano ⊗ Lake
● Country Capital ○ Dependent Territory Capital ✈ International Airport ▲ Mountain Range ↝ River ⊠ Reservoir

220 ••• ASHWABAY, MOUNT – AVATELE

30 K3 **Ashwabay, Mount** *hill* Wisconsin, N USA
171 T11 **Asia, Kepulauan** *island group* E Indonesia
154 N13 **Āsika** Orissa, E India
Asikaga *see* Ashikaga
93 M18 **Asikkala** *var.* Vääksy. Etelä-Suomi, S Finland
74 G5 **Asilah** N Morocco
'Aṣī, Nahr al *see* Orontes
107 B16 **Asinara, Isola** *island* W Italy
122 J12 **Asino** Tomskaya Oblast', C Russian Federation
119 O14 **Asintorf** *Rus.* Osintorf. Vitsyebskaya Voblasts', N Belarus
119 L17 **Asipovichy** *Rus.* Osipovichi. Mahilyowskaya Voblasts', C Belarus
141 N12 **'Asīr** *off.* Minṭaqat 'Asīr. ◆ *province* SW Saudi Arabia
140 M11 **'Asīr** *Eng.* Asir. ▲ SW Saudi Arabia
139 X10 **Askal** E Iraq
137 P13 **Aşkale** Erzurum, NE Turkey
117 T11 **Askaniya-Nova** Khersons'ka Oblast', S Ukraine
95 H15 **Asker** Akershus, S Norway
95 L17 **Askersund** Örebro, C Sweden
Askī Kalak *see* Eski Kaļak
95 I15 **Askim** Østfold, S Norway
127 V3 **Askino** Respublika Bashkortostan, W Russian Federation
115 D14 **Áskio** ▲ N Greece
152 L9 **Askot** Uttaranchal, N India
94 C12 **Askvoll** Sogn og Fjordane, S Norway
136 A13 **Aslan Burnu** *headland* W Turkey
136 L16 **Aslantaş Barajı** ☒ S Turkey
149 S4 **Asmār** *var.* Bar Kunar. Kunar, E Afghanistan
80 I9 **Asmara** *Amh.* Āsmera. ● (Eritrea) C Eritrea
Āsmera *see* Asmara
95 L21 **Åsnen** ◎ S Sweden
115 F19 **Asopós** ∽ S Greece
171 W13 **Asori** Papua, E Indonesia
80 G12 **Āsosa** Benishangul, W Ethiopia
32 M10 **Asotin** Washington, NW USA
Aspadana *see* Eşfahān
Aspang *see* Aspang Markt
109 X6 **Aspang Markt** *var.* Aspang. Niederösterreich, E Austria
105 S12 **Aspe** País Valenciano, E Spain
37 R5 **Aspen** Colorado, C USA
25 P6 **Aspermont** Texas, SW USA
Asphaltites, Lacus *see* Dead Sea
Aspinwall *see* Colón
185 C20 **Aspiring, Mount** ▲ South Island, NZ
115 B16 **Asprókavos, Akrotírio** *headland* Kérkyra, Iónioi Nísoi, Greece, C Mediterranean Sea
Aspropótamos *see* Achelóos
Assab *see* Aseb
76 J10 **Assaba** *var.* Açâba. ◆ *region* S Mauritania
138 L4 **As Sabkhah** *var.* Sabkha. Ar Raqqah, NE Syria
139 U6 **As Sa'dīyah** E Iraq
Assad, Lake *see* Asad, Buḩayrat al
138 I8 **Aş Şafā** ▲ S Syria
138 I10 **Aş Şafāwī** Al Mafraq, N Jordan
Aş Şaff *see* El Şaff
139 N2 **Aş Şafīḩ** Al Ḩasakah, N Syria
Aş Şaḩrā' al Gharbīyah *see* Sahara el Gharbîya
Aş Şaḩrā' ash Sharqīyah *see* Sahara el Sharqîya
Assake *see* Asaka
As Salamīyah *see* Salamīyah
141 Q4 **As Sālimī** *var.* Salemy. SW Kuwait
As Sallūm *see* Salûm
139 T13 **As Salmān** S Iraq
138 G10 **As Salṭ** *var.* Salt. Al Balqā', NW Jordan
142 M16 **As Salwā** *var.* Salwa, Salwah. S Qatar
153 V12 **Assam** ◆ *state* NE India
Assamaka *see* Assamakka
77 T8 **Assamakka** *var.* Assamaka. Agadez, NW Niger
139 U11 **As Samāwah** *var.* Samawa. S Iraq
As Saqia al Hamra *see* Saguia al Hamra
138 J4 **Aş Şā'rān** Ḩamāh, C Syria
138 G9 **Aş Şarīḩ** Irbid, N Jordan
21 Z5 **Assateague Island** *island* Maryland, NE USA
139 O6 **As Sayyāl** *var.* Sayyāl. Dayr az Zawr, E Syria
99 G18 **Asse** Vlaams Brabant, C Belgium
99 D16 **Assebroek** West-Vlaanderen, NW Belgium
Asselle *see* Āsela
107 C20 **Assemini** Sardegna, Italy, C Mediterranean Sea
98 N7 **Assen** Drenthe, NE Netherlands
99 E16 **Assenede** Oost-Vlaanderen, NW Belgium
95 G24 **Assens** Fyn, C Denmark
Asserien/Asserin *see* Aseri
99 I21 **Assesse** Namur, SE Belgium
141 Y8 **As Sīb** *var.* Seeb. NE Oman
139 Z13 **As Sībah** *var.* Sibah. SE Iraq
11 T17 **Assiniboia** Saskatchewan, S Canada
11 V15 **Assiniboine** ∽ Manitoba, S Canada
11 P16 **Assiniboine, Mount** ▲ Alberta/British Columbia, SW Canada
Assiout *see* Asyût
60 J9 **Assis** São Paulo, S Brazil
106 I13 **Assisi** Umbria, C Italy
Assiut *see* Asyût
Assling *see* Jesenice
Assouan *see* Aswân
Assu *see* Açu
Assuan *see* Aswân
142 K12 **Aş Şubayḩīyah** *var.* Subiyah. S Kuwait
141 R16 **As Sufāl** S Yemen
138 L5 **As Sukhnah** *var.* Sukhne, *Fr.* Soukhné. Ḩimş, C Syria
139 U4 **As Sulaymānīyah** *var.* Sulaimaniya, *Kurd.* Slēmānī. NE Iraq
141 P11 **As Sulayyil** Ar Riyāḑ, S Saudi Arabia
121 O13 **As Sulṭān** N Libya
141 Q5 **Aş Şummān** *desert* N Saudi Arabia
141 Q16 **Aş Şurrah** SW Yemen
139 N4 **Aş Şuwār** *var.* Şuwār. Dayr az Zawr, E Syria
138 H9 **As Suwaydā'** *var.* El Suweida, Es Suweida, Suweida, *Fr.* Soueida. As Suwaydā', SW Syria
138 H9 **As Suwaydā'** *off.* Muḩāfaẓat as Suwaydā', *var.* As Suwaydā, Suwaydá, Suweida, *Fr.* Soueida. ◆ *governorate* S Syria
141 Z9 **As Suwayḩ** NE Oman
141 X8 **As Suwayq** *var.* Suwaik. N Oman
139 T8 **Aş Şuwayrah** *var.* Suwaira. E Iraq
As Suways *see* Suez
Asta Colonia *see* Asti
Astacus *see* İzmit
115 M23 **Astakída** *island* SE Greece
145 Q9 **Astana** *prev.* Akmola, Akmolinsk, Tselinograd, Aqmola. ● (Kazakhstan) Akmola, N Kazakhstan
142 M3 **Āstāneh** Gīlān, NW Iran
Asta Pompeia *see* Asti
137 Y14 **Astara** S Azerbaijan
Astarabad *see* Gorgān
99 L15 **Asten** Noord-Brabant, SE Netherlands
Asterābād *see* Gorgān
106 C8 **Asti** *anc.* Asta Colonia, Asta Pompeia, Hasta Colonia, Hasta Pompeia. Piemonte, NW Italy
Astigi *see* Ecija
Astipálaia *see* Astypálaia
148 L16 **Astola Island** *island* SW Pakistan
152 H4 **Astor** Jammu and Kashmir, NW India
104 K4 **Astorga** *anc.* Asturica Augusta. Castilla-León, N Spain
32 F10 **Astoria** Oregon, NW USA
95 J22 **Åstorp** Skåne, S Sweden
Astrabad *see* Gorgān
127 Q13 **Astrakhan'** Astrakhanskaya Oblast', SW Russian Federation
Astrakhan-Bazar *see* Cälilabad
127 Q11 **Astrakhanskaya Oblast'** ◆ *province* SW Russian Federation
93 J15 **Åsträsk** Västerbotten, N Sweden
Astrida *see* Butare
65 O22 **Astrid Ridge** *undersea feature* S Atlantic Ocean
187 P15 **Astrolabe, Récifs de l'** *reef* C New Caledonia
121 P2 **Astromerítis** N Cyprus
115 F20 **Ástros** Pelopónnisos, S Greece
119 G16 **Astryna** *Rus.* Ostryna. Hrodzyenskaya Voblasts', W Belarus
104 J2 **Asturias** ◆ *autonomous community* NW Spain
Asturias *see* Oviedo
Asturica Augusta *see* Astorga
115 L22 **Astypálaia** *var.* Astipálaia, *It.* Stampalia. *island* Kykládes, Greece, Aegean Sea
192 G16 **Āsuisui, Cape** *headland* Savai'i, W Samoa
195 S2 **Asuka** *Japanese research station* Antarctica
62 O6 **Asunción** ● (Paraguay) Central, S Paraguay
62 O6 **Asunción** ✕ Central, S Paraguay
188 K3 **Asuncion Island** *island* N Northern Mariana Islands
42 E6 **Asunción Mita** Jutiapa, SE Guatemala
Asunción Nochixtlán *see* Nochixtlán
40 E3 **Asunción, Río** ∽ NW Mexico
95 M18 **Åsunden** ◎ S Sweden
118 K11 **Asvyeya** *Rus.* Osveya. Vitsyebskaya Voblasts', N Belarus
Aswa *see* Achwa
75 X11 **Aswân** *var.* Assouan, Assuan; *anc.* Syene. SE Egypt
75 X11 **Aswân High Dam** *dam* SE Egypt
75 W9 **Asyût** *var.* Assiout, Assiut, Siut; *anc.* Lycopolis. C Egypt
193 W15 **Ata** *island* Tongatapu Group, SW Tonga
62 G8 **Atacama** *off.* Región de Atacama. ◆ *region* C Chile
Atacama Desert *see* Atacama, Desierto de
62 H4 **Atacama, Desierto de** *Eng.* Atacama Desert. *desert* N Chile
62 I6 **Atacama, Puna de** ▲ NW Argentina
62 I5 **Atacama, Salar de** *salt lake* N Chile
54 E11 **Ataco** Tolima, C Colombia
190 H8 **Atafu Atoll** *island* NW Tokelau
190 H8 **Atafu Village** Atafu Atoll, NW Tokelau
74 K12 **Atakor** ▲ SE Algeria
77 R14 **Atakora, Chaîne de l'** *var.* Atakora Mountains. ▲ N Benin
Atakora Mountains *see* Atakora, Chaîne de l'
77 R16 **Atakpamé** C Togo
146 F11 **Atakui** Ahal Welaýaty, C Turkmenistan
58 B13 **Atalaia do Norte** Amazonas, N Brazil
146 M14 **Atamyrat** *prev.* Kerki. Lebap Welaýaty, E Turkmenistan
76 I7 **Aṭâr** Adrar, W Mauritania
162 G10 **Atas Bogd** ▲ SW Mongolia
35 P12 **Atascadero** California, W USA
25 S13 **Atascosa River** ∽ Texas, SW USA
145 R11 **Atasu** Karaganda, C Kazakhstan
145 R12 **Atasu** ∽ C Kazakhstan
193 V15 **Atata** *island* Tongatapu Group, S Tonga
136 H10 **Atatürk** ✕ (İstanbul) İstanbul, NW Turkey
137 N16 **Atatürk Barajı** ☒ S Turkey
Atax *see* Aude
80 G8 **Atbara** *var.* 'Aṭbāra. River Nile, NE Sudan
80 H8 **Atbara** *var.* Nahr 'Aṭbarah. ∽ Eritrea/Sudan
'Aṭbāra/'Aṭbarah, Nahr *see* Atbara
145 P9 **Atbasar** Akmola, N Kazakhstan
At-Bashi *see* At-Bashy
147 W9 **At-Bashy** *var.* At-Bashi. Narynskaya Oblast', C Kyrgyzstan
22 I10 **Atchafalaya Bay** *bay* Louisiana, S USA
22 I8 **Atchafalaya River** ∽ Louisiana, S USA
Atchin *see* Aceh
27 Q3 **Atchison** Kansas, C USA
77 P16 **Atebubu** C Ghana
105 Q6 **Ateca** Aragón, NE Spain
40 K11 **Atengo, Río** ∽ C Mexico
Aternum *see* Pescara
107 K15 **Atessa** Abruzzo, C Italy
Ateste *see* Este
99 E19 **Ath** *var.* Aat. Hainaut, SW Belgium
11 Q13 **Athabasca** Alberta, SW Canada
11 Q12 **Athabasca** *var.* Athabaska. ∽ Alberta, SW Canada
11 R10 **Athabasca, Lake** ◎ Alberta/Saskatchewan, SW Canada
Athabaska *see* Athabasca
115 C16 **Athamánon** ▲ C Greece
97 F17 **Athboy** *Ir.* Baile Átha Buí. E Ireland
Athenae *see* Athína
97 C18 **Athenry** *Ir.* Baile Átha an Rí. W Ireland
23 P2 **Athens** Alabama, S USA
23 T3 **Athens** Georgia, SE USA
31 T14 **Athens** Ohio, N USA
20 M10 **Athens** Tennessee, S USA
25 V7 **Athens** Texas, SW USA
Athens *see* Athína
115 B18 **Athéras, Akrotírio** *headland* Kefallinía, Iónioi Nísoi, Greece, C Mediterranean Sea
181 W4 **Atherton** Queensland, NE Australia
81 I19 **Athi** ∽ S Kenya
121 Q2 **Athíenou** SE Cyprus
115 H19 **Athína** *Eng.* Athens; *prev.* Athínai, *anc.* Athenae. ● (Greece) Attikí, C Greece
Athínai *see* Athína
139 S10 **Athīyah** C Iraq
97 D18 **Athlone** *Ir.* Baile Átha Luain. C Ireland
155 F16 **Athni** Karnātaka, W India
185 C23 **Athol** Southland, South Island, NZ
19 N11 **Athol** Massachusetts, NE USA
115 I15 **Áthos** ▲ NE Greece
Athos, Mount *see* Ágion Óros
Ath Thawrah *see* Madīnat ath Thawrah
141 P5 **Ath Thumāmī** *spring/well* N Saudi Arabia
99 L25 **Athus** Luxembourg, SE Belgium
97 E19 **Athy** *Ir.* Baile Átha Í. C Ireland
78 I10 **Ati** Batha, C Chad
81 F16 **Atiak** NW Uganda
57 G17 **Atico** Arequipa, SW Peru
105 O6 **Atienza** Castilla-La Mancha, C Spain
39 Q6 **Atigun Pass** *pass* Alaska, USA
12 B12 **Atikokan** Ontario, S Canada
13 O9 **Atikonak Lac** ◎ Newfoundland and Labrador, E Canada
42 C6 **Atitlán, Lago de** ◎ W Guatemala
190 L16 **Atiu** *island* S Cook Islands
Atjeh *see* Aceh
123 T9 **Atka** Magadanskaya Oblast', E Russian Federation
38 H17 **Atka** Atka Island, Alaska, USA
38 H17 **Atka Island** *island* Aleutian Islands, Alaska, USA
127 O7 **Atkarsk** Saratovskaya Oblast', W Russian Federation
27 U11 **Atkins** Arkansas, C USA
29 O13 **Atkinson** Nebraska, C USA
171 T12 **Atkri** Papua, E Indonesia
41 O13 **Atlacomulco** *var.* Atlacomulco de Fabela. México, C Mexico
Atlacomulco de Fabela *see* Atlacomulco
23 S3 **Atlanta** *state capital* Georgia, SE USA
31 R6 **Atlanta** Michigan, N USA
25 X6 **Atlanta** Texas, SW USA
29 T15 **Atlantic** Iowa, C USA
21 Y10 **Atlantic** North Carolina, SE USA
23 W8 **Atlantic Beach** Florida, SE USA
18 J17 **Atlantic City** New Jersey, NE USA
172 L14 **Atlantic-Indian Basin** *undersea feature* SW Indian Ocean
172 K13 **Atlantic-Indian Ridge** *undersea feature* SW Indian Ocean
54 E4 **Atlántico** *off.* Departamento del Atlántico. ◆ *province* NW Colombia
64-65 **Atlantic Ocean** *ocean*
42 K7 **Atlántico Norte, Región Autónoma** *prev.* Zelaya Norte. ◆ *autonomous region* NE Nicaragua
42 L10 **Atlántico Sur, Región Autónoma** *prev.* Zelaya Sur. ◆ *autonomous region* SE Nicaragua
42 I5 **Atlántida** ◆ *department* N Honduras
77 Y15 **Atlantika Mountains** ▲ E Nigeria
64 J10 **Atlantis Fracture Zone** *tectonic feature* NW Atlantic Ocean
74 H7 **Atlas Mountains** ▲ NW Africa
123 V11 **Atlasova, Ostrov** *island* SE Russian Federation
123 V10 **Atlasovo** Kamchatskaya Oblast', E Russian Federation
120 G11 **Atlas Saharien** *var.* Saharan Atlas. ▲ Algeria/Morocco
Atlas, Tell *see* Atlas Tellien
120 H10 **Atlas Tellien** *Eng.* Tell Atlas. ▲ N Algeria
10 I9 **Atlin** British Columbia, W Canada
10 I9 **Atlin Lake** ◎ British Columbia, W Canada
41 P14 **Atlixco** Puebla, S Mexico
94 B11 **Atløyna** *island* S Norway
155 I17 **Ātmakūr** Andhra Pradesh, C India
23 O8 **Atmore** Alabama, S USA
101 J20 **Atmühl** ∽ S Germany
94 H11 **Atna** ∽ S Norway
164 E13 **Atō** Yamaguchi, Honshū, SW Japan
57 L21 **Atocha** Potosí, S Bolivia
27 P12 **Atoka** Oklahoma, C USA
27 O12 **Atoka Lake** *var.* Atoka Reservoir. ☒ Oklahoma, C USA
Atoka Reservoir *see* Atoka Lake
33 Q14 **Atomic City** Idaho, NW USA
40 L10 **Atotonilco** Zacatecas, C Mexico
40 M13 **Atotonilco el Alto** *var.* Atotonilco. Jalisco, SW Mexico
77 N7 **Atouila, 'Erg** *desert* N Mali
41 N16 **Atoyac** *var.* Atoyac de Alvarez. Guerrero, S Mexico
Atoyac de Alvarez *see* Atoyac
41 P15 **Atoyac, Río** ∽ S Mexico
39 O5 **Atqasuk** Alaska, USA
Atrak/Atrak, Rūd-e *see* Etrek
95 J20 **Ätran** ∽ S Sweden
54 C7 **Atrato, Río** ∽ NW Colombia
Atrek *see* Etrek
107 K14 **Atri** Abruzzo, C Italy
Atria *see* Adria
165 P9 **Atsumi** Yamagata, Honshū, C Japan
165 S3 **Atsuta** Hokkaidō, NE Japan
143 Q17 **Aṭ Ṭaff** *desert* C UAE
138 G12 **Aṭ Ṭafīlah** *var.* Et Tafila, Tafila. Aṭ Ṭafīlah, W Jordan
138 G12 **Aṭ Ṭafīlah** *off.* Muḩāfaẓat aṭ Ṭafīlah. ◆ *governorate* W Jordan
140 L10 **Aṭ Ṭā'if** Makkah, W Saudi Arabia
Attaleia/Attalia *see* Antalya
23 Q3 **Attalla** Alabama, S USA
138 L2 **At Tall al Abyaḑ** *var.* Tall al Abyaḑ, Tell Abyad, *Fr.* Tell Abiad. Ar Raqqah, N Syria
138 L7 **At Tanf** Ḩimş, S Syria
Attapu *see* Samakhixai
139 S10 **At Taqtaqānah** C Iraq
115 O23 **Attávytos** ▲ Ródos, Dodekánisos, Greece, Aegean Sea
139 V15 **At Tawal** *desert* Iraq/Saudi Arabia
12 G9 **Attawapiskat** Ontario, C Canada
12 F9 **Attawapiskat** ∽ Ontario, S Canada
12 D9 **Attawapiskat Lake** ◎ Ontario, C Canada
At Taybé *see* Ṭayyibah
101 F16 **Attendorn** Nordrhein-Westfalen, W Germany
109 R5 **Attersee** Salzburg, NW Austria
109 R5 **Attersee** ◎ N Austria
99 L24 **Attert** Luxembourg, SE Belgium
138 M4 **At Tibnī** *var.* Tibnī. Dayr az Zawr, NE Syria
31 N13 **Attica** Indiana, N USA
18 E10 **Attica** New York, NE USA
Attica *see* Attikí
13 N7 **Attikamagen Lake** ◎ Newfoundland and Labrador, E Canada
115 H20 **Attikí** *Eng.* Attica. ◆ *region* C Greece
19 O12 **Attleboro** Massachusetts, NE USA
109 R5 **Attnang** Oberösterreich, N Austria
149 U6 **Attock City** Punjab, E Pakistan
Attopeu *see* Samakhixai
25 X8 **Attoyac River** ∽ Texas, SW USA
38 D16 **Attu** Attu Island, Alaska, USA
139 Y12 **Aṭ Ṭūbah** E Iraq
140 K4 **Aṭ Ṭubayq** *plain* Jordan/Saudi Arabia
38 C16 **Attu Island** *island* Aleutian Islands, Alaska, USA
Aṭ Ṭūr *see* El Ṭûr
155 I21 **Āttūr** Tamil Nādu, SE India
141 N17 **At Turbah** SW Yemen
62 I12 **Atuel, Río** ∽ C Argentina
Atugi *see* Atsugi
191 X7 **Atuona** Hiva Oa, NE French Polynesia
Aturus *see* Adour
95 M18 **Åtvidaberg** Östergötland, S Sweden
35 P9 **Atwater** California, W USA
29 T8 **Atwater** Minnesota, N USA
26 I2 **Atwood** Kansas, C USA
31 U12 **Atwood Lake** ☒ Ohio, N USA
127 P5 **Atyashevo** Respublika Mordoviya, W Russian Federation
144 F12 **Atyrau** *prev.* Gur'yev. Atyrau, W Kazakhstan
144 E11 **Atyrau** *off.* Atyrauskaya Oblast', *var. Kaz.* Atyraū Oblysy; *prev.* Gur'yevskaya Oblast'. ◆ *province* W Kazakhstan
Atyraū Oblysy/Atyrauskaya Oblast' *see* Atyrau
108 J7 **Au** Vorarlberg, NW Austria
186 B4 **Aua Island** *island* NW PNG
103 S16 **Aubagne** *anc.* Albania. Bouches-du-Rhône, SE France
99 L25 **Aubange** Luxembourg, SE Belgium
103 Q6 **Aube** ◆ *department* N France
103 R6 **Aube** ∽ N France
99 L19 **Aubel** Liège, E Belgium
103 Q13 **Aubenas** Ardèche, E France
103 O8 **Aubigny-sur-Nère** Cher, C France
103 O13 **Aubin** Aveyron, S France
103 O13 **Aubrac, Monts d'** ▲ S France
36 J10 **Aubrey Cliffs** *cliff* Arizona, SW USA
23 R5 **Auburn** Alabama, S USA
35 P6 **Auburn** California, W USA
30 K14 **Auburn** Illinois, N USA
31 Q11 **Auburn** Indiana, N USA
20 J7 **Auburn** Kentucky, S USA
19 P8 **Auburn** Maine, NE USA
19 N11 **Auburn** Massachusetts, NE USA
29 S16 **Auburn** Nebraska, C USA
18 H10 **Auburn** New York, NE USA
32 H8 **Auburn** Washington, NW USA
103 N11 **Aubusson** Creuse, C France
118 E10 **Auce** *Ger.* Autz. Dobele, SW Latvia
102 L15 **Auch** *Lat.* Augusta Auscorum, Elimberrum. Gers, S France
77 U16 **Auchi** Edo, S Nigeria
23 T9 **Aucilla River** ∽ Florida/Georgia, SE USA
184 L6 **Auckland** Auckland, North Island, NZ
184 K5 **Auckland** *off.* Auckland Region. ◆ *region* North Island, NZ
184 L6 **Auckland** ✕ Auckland, North Island, NZ
192 J12 **Auckland Islands** *island group* S NZ
103 O16 **Aude** ◆ *department* S France
103 N16 **Aude** *anc.* Atax. ∽ S France
Audenarde *see* Oudenaarde
Audern *see* Audru
102 E6 **Audierne** Finistère, NW France
102 E6 **Audierne, Baie d'** *bay* NW France
103 U7 **Audincourt** Doubs, E France
118 G5 **Audru** *Ger.* Audern. Pärnumaa, SW Estonia
29 T14 **Audubon** Iowa, C USA
101 N17 **Aue** Sachsen, E Germany
100 H12 **Aue** ∽ NW Germany
100 L9 **Auerbach** Bayern, SE Germany
101 M17 **Auerbach** Sachsen, E Germany
108 I10 **Auererrhein** ∽ SW Switzerland
101 N17 **Auersberg** ▲ E Germany
181 W9 **Augathella** Queensland, E Australia
31 Q12 **Auglaize River** ∽ Ohio, N USA
83 F22 **Augrabies Falls** *waterfall* W South Africa
31 R7 **Au Gres River** ∽ Michigan, N USA
Augsbourg *see* Augsburg
101 K22 **Augsburg** *Fr.* Augsbourg; *anc.* Augusta Vindelicorum. Bayern, S Germany
180 I14 **Augusta** Western Australia
107 L25 **Augusta** *It.* Agosta. Sicilia, Italy, C Mediterranean Sea
27 W11 **Augusta** Arkansas, C USA
23 V3 **Augusta** Georgia, SE USA
27 O6 **Augusta** Kansas, C USA
19 Q7 **Augusta** *state capital* Maine, NE USA
33 Q8 **Augusta** Montana, NW USA
Augusta *see* London
Augusta Auscorum *see* Auch
Augusta Emerita *see* Mérida
Augusta Praetoria *see* Aosta
Augusta Suessionum *see* Soissons
Augusta Trajana *see* Stara Zagora
Augusta Treverorum *see* Trier
Augusta Vangionum *see* Worms
Augusta Vindelicorum *see* Augsburg
95 G24 **Augustenborg** *Ger.* Augustenburg. Sønderjylland, SW Denmark
Augustenburg *see* Augustenborg
39 Q13 **Augustine Island** *island* Alaska, USA
14 L9 **Augustines, Lac des** ◎ Québec, SE Canada
Augustobona Tricassium *see* Troyes
Augustodunum *see* Autun
Augustodurum *see* Bayeux
Augustoritum Lemovicensium *see* Limoges
110 O8 **Augustów** *Rus.* Avgustov. Podlaskie, NE Poland
Augustow Canal *see* Augustowski, Kanał
110 O8 **Augustowski, Kanał** *Eng.* Augustow Canal, *Rus.* Avgustovskiy Kanal. *canal* NE Poland
180 I9 **Augustus, Mount** ▲ Western Australia
186 M9 **Auki** Malaita, N Solomon Islands
21 W8 **Aulander** North Carolina, SE USA
180 L7 **Auld, Lake** *salt lake* Western Australia
Aulie Ata/Auliye-Ata *see* Taraz
144 M8 **Auliyekol'** *prev.* Semiozernoye. Kostanay, N Kazakhstan
106 E10 **Aulla** Toscana, C Italy
102 F6 **Aulne** ∽ NW France
Aulong *see* Ulong
37 T3 **Ault** Colorado, C USA
Avlum *see* Aulum
103 N3 **Aumale** Seine-Maritime, N France
Auminzatau, Gory *see* Owminzatovo-Toshi
77 T14 **Auna** Niger, W Nigeria
95 H21 **Auning** Århus, C Denmark
192 K17 **Aunu'u Island** *island* W American Samoa
83 E20 **Auob** *var.* Oup. ∽ Namibia/South Africa
93 K19 **Aura** Länsi-Suomi, W Finland
109 R5 **Aurach** ∽ N Austria
Aural, Phnom *see* Aôral, Phnum
153 O14 **Aurangābād** Bihār, N India
154 F13 **Aurangābād** Mahārāshtra, C India
189 V7 **Aur Atoll** *atoll* E Marshall Islands
102 G7 **Auray** Morbihan, NW France
94 G13 **Aurdal** Oppland, S Norway
94 F8 **Aure** Møre og Romsdal, S Norway
29 T12 **Aurelia** Iowa, C USA
Aurelia Aquensis *see* Baden-Baden
Aurelianum *see* Orléans
120 J10 **Aurès, Massif de l'** ▲ NE Algeria
100 F10 **Aurich** Niedersachsen, NW Germany
103 O13 **Aurillac** Cantal, C France
Aurine, Alpi *see* Zillertaler Alpen
Aurium *see* Ourense
14 H15 **Aurora** Ontario, S Canada
55 S8 **Aurora** NW Guyana
37 T4 **Aurora** Colorado, C USA
30 M11 **Aurora** Illinois, N USA
31 Q15 **Aurora** Indiana, N USA
29 W4 **Aurora** Minnesota, N USA
27 S8 **Aurora** Missouri, C USA
29 P16 **Aurora** Nebraska, C USA
36 J5 **Aurora** Utah, W USA
Aurora *see* Maéwo, Vanuatu
Aurora *see* San Francisco, Philippines
94 F10 **Aursjøen** ◎ S Norway
94 I9 **Aursunden** ◎ S Norway
83 D21 **Aus** Karas, SW Namibia
Ausa *see* Vic
14 E16 **Ausable** ∽ Ontario, S Canada
31 O3 **Au Sable Point** *headland* Michigan, N USA
31 S7 **Au Sable Point** *headland* Michigan, N USA
31 R6 **Au Sable River** ∽ Michigan, N USA
57 H16 **Ausangate, Nevado** ▲ C Peru
Auschwitz *see* Oświęcim
Ausculum Apulum *see* Ascoli Satriano
105 Q4 **Ausejo** La Rioja, N Spain
Aussig *see* Ústí nad Labem
95 F17 **Aust-Agder** ◆ *county* S Norway
92 P2 **Austfonna** *glacier* NE Svalbard
31 P15 **Austin** Indiana, N USA
29 W11 **Austin** Minnesota, N USA
35 U5 **Austin** Nevada, W USA
25 S10 **Austin** *state capital* Texas, S USA
180 J10 **Austin, Lake** *salt lake* Western Australia
31 V11 **Austintown** Ohio, N USA
25 V9 **Austonio** Texas, SW USA
Australes, Archipel des *see* Australes, Îles
Australes et Antarctiques Francaises, Terres *see* French Southern and Antarctic Territories
191 T14 **Australes, Îles** *var.* Archipel des Australes, Îles Tubuai, Tubuai Islands, *Eng.* Austral Islands. *island group* SW French Polynesia
175 Y11 **Austral Fracture Zone** *tectonic feature* S Pacific Ocean
181 O7 **Australia** *off.* Commonwealth of Australia. ◆ *commonwealth republic*
174 M8 **Australia** *continent*
183 Q12 **Australian Alps** ▲ SE Australia
183 R11 **Australian Capital Territory** *prev.* Federal Capital Territory. ◆ *territory* SE Australia
Australie, Bassin Nord de l' *see* North Australian Basin
Austral Islands *see* Australes, Îles
Austrava *see* Ostrov
109 T6 **Austria** *off.* Republic of Austria, *Ger.* Österreich. ◆ *republic* C Europe
92 K3 **Austurland** ◆ *region* SE Iceland
92 G10 **Austvågøya** *island* C Norway
Ausuituq *see* Grise Fiord
58 G13 **Autazes** Amazonas, N Brazil
102 M16 **Auterive** Haute-Garonne, S France
Autesiodorum *see* Auxerre
103 N2 **Authie** ∽ N France
Autissiodorum *see* Auxerre
40 K14 **Autlán** *var.* Autlán de Navarro. Jalisco, SW Mexico
Autlán de Navarro *see* Autlán
Autricum *see* Chartres
103 Q9 **Autun** *anc.* Ædua, Augustodunum. Saône-et-Loire, C France
Autz *see* Auce
99 H20 **Auvelais** Namur, S Belgium
103 P11 **Auvergne** ◆ *region* C France
102 M12 **Auvézère** ∽ W France
103 P7 **Auxerre** *anc.* Autesiodorum, Autissiodorum. Yonne, C France
103 N2 **Auxi-le-Château** Pas-de-Calais, N France
103 S8 **Auxonne** Côte d'Or, C France
55 P9 **Auyan Tebuy** ▲ SE Venezuela
103 O10 **Auzances** Creuse, C France
27 U8 **Ava** Missouri, C USA
142 M5 **Āvaj** Qazvīn, N Iran
95 C15 **Avaldsnes** Rogaland, S Norway
103 Q8 **Avallon** Yonne, C France
102 K6 **Avaloirs, Mont des** ▲ NW France
35 S16 **Avalon** Santa Catalina Island, California, W USA
18 J17 **Avalon** New Jersey, NE USA
13 V13 **Avalon Peninsula** *peninsula* Newfoundland and Labrador, E Canada
197 Q11 **Avannaarsua** ◆ *province* N Greenland
60 K10 **Avaré** São Paulo, S Brazil
Avaricum *see* Bourges
190 H16 **Avarua** ○ (Cook Islands) Rarotonga, S Cook Islands
190 H16 **Avarua Harbour** *harbour* Rarotonga, S Cook Islands
Avasfelsőfalu *see* Negreşti-Oaş
38 L17 **Avatanak Island** *island* Aleutian Islands, Alaska, USA
190 B16 **Avatele** S Niue

◆ Country ● Country Capital ◇ Dependent Territory ○ Dependent Territory Capital ◆ Administrative Region ✕ International Airport ▲ Mountain ▲ Mountain Range ⛰ Volcano ∽ River ◎ Lake ☒ Reservoir

190 H16 Avatiu Rarotonga, S Cook Islands
190 H15 Avatiu Harbour harbour Rarotonga, S Cook Islands
Avdeyevka see Avdiyivka
114 J13 Ávdira Anatolikí Makedonía kai Thráki, NE Greece
117 X8 Avdiyivka Rus. Avdeyevka. Donets'ka Oblast', SE Ukraine
162 K7 Avdzaga C Mongolia
104 G6 Ave ↗ N Portugal
104 G7 Aveiro anc. Talabriga. Aveiro, W Portugal
104 G7 Aveiro ◆ district N Portugal
Avela see Ávila
99 D18 Avelgem West-Vlaanderen, W Belgium
61 D20 Avellaneda Buenos Aires, E Argentina
107 L17 Avellino anc. Abellinum. Campania, S Italy
35 Q12 Avenal California, W USA
Avenio see Avignon
94 E8 Averoya island S Norway
107 K17 Aversa Campania, S Italy
33 N9 Avery Idaho, NW USA
25 W5 Avery Texas, SW USA
Aves, Islas de see Las Aves, Islas
Avesnes see Avesnes-sur-Helpe
103 Q2 Avesnes-sur-Helpe var. Avesnes. Nord, N France
64 G12 Aves Ridge undersea feature SE Caribbean Sea
95 M14 Avesta Dalarna, C Sweden
103 O14 Aveyron ◆ department S France
103 N17 Aveyron ↗ S France
107 J15 Avezzano Abruzzo, C Italy
115 D16 Avgó ▲ C Greece
Avgustov see Augustów
Avgustowski Kanal see Augustowski, Kanał
96 J9 Aviemore N Scotland, UK
185 F21 Aviemore, Lake ☺ South Island, NZ
103 R15 Avignon anc. Avenio. Vaucluse, SE France
104 M7 Ávila var. Avila; anc. Abela, Abula, Abyla, Avela. Castilla-León, C Spain
104 L8 Ávila ◆ province Castilla-León, C Spain
104 K2 Avilés Asturias, NW Spain
118 J4 Avinurme Ger. Awwinorm. Ida-Virumaa, NE Estonia
104 H10 Avis Portalegre, C Portugal
95 F22 Avlum Ringkøbing, C Denmark
182 M11 Avoca Victoria, SE Australia
29 T14 Avoca Iowa, C USA
182 M11 Avoca River ↗ Victoria, SE Australia
107 L25 Avola Sicilia, Italy, C Mediterranean Sea
18 F10 Avon New York, NE USA
29 P12 Avon South Dakota, N USA
97 M23 Avon ↗ S England, UK
97 L20 Avon ↗ C England, UK
36 K13 Avondale Arizona, SW USA
23 X13 Avon Park Florida, SE USA
102 J5 Avranches Manche, N France
103 O3 Avre ↗ N France
186 M6 Avuavu var. Kolorambu. Guadalcanal, C Solomon Islands
Avveel see Ivalo, Finland
Avveel see Ivalojoki, Finland
Avvil see Ivalo
77 O17 Awaaso var. Awaso. SW Ghana
141 X8 Awābī var. Al 'Awābī. NE Oman
184 L9 Awakino Waikato, North Island, NZ
142 M15 'Awālī C Bahrain
99 K19 Awans Liège, E Belgium
184 I2 Awanui Northland, North Island, NZ
148 M14 Awārān Baluchistān, SW Pakistan
81 K16 Awara Plain plain NE Kenya
80 M13 Āwarē Somali, E Ethiopia
138 M6 'Awārij, Wādī dry watercourse E Syria
185 B20 Awarua Point headland South Island, NZ
81 J14 Āwasa Southern, S Ethiopia
80 K13 Āwash Afar, NE Ethiopia
80 K12 Āwash var. Hawash. ↗ C Ethiopia
Awaso see Awaaso
158 H7 Awat Xinjiang Uygur Zizhiqu, NW China
185 J15 Awatere ↗ South Island, NZ
75 O10 Awbārī SW Libya
75 N9 Awbārī, Idhān var. Edeyen d'Oubari. desert Algeria/Libya
80 C13 Aweil Northern Bahr el Ghazal, SW Sudan
96 H11 Awe, Loch ☺ W Scotland, UK
77 U16 Awka Anambra, SW Nigeria
39 O6 Awuna River ↗ Alaska, USA
Awwinorm see Avinurme
Ax see Dax
Axarfjördhur see Öxarfjördhur
103 N17 Axat Aude, S France
99 F16 Axel Zeeland, SW Netherlands
8 M2 Axel Heiberg Island var. Axel Heiburg. island Nunavut, N Canada
Axel Heiburg see Axel Heiberg Island

77 O17 Axim S Ghana
114 F13 Axiós var. Vardar. ↗ Greece/FYR Macedonia see also Vardar
103 N17 Ax-les-Thermes Ariège, S France
120 D11 Ayachi, Jbel ▲ C Morocco
61 D22 Ayacucho Buenos Aires, E Argentina
57 F15 Ayacucho Ayacucho, S Peru
57 E16 Ayacucho off. Departamento de Ayacucho. ◆ department SW Peru
145 W11 Ayagoz var. Ayaguz, Kaz. Ayaköz; prev. Sergiopol. Vostochnyy Kazakhstan, E Kazakhstan
Ayaguz see Ayagoz
145 V12 Ayagoz var. Ayaguz, Kaz. Ayaköz. ↗ E Kazakhstan
Ayakagytma see Oyoqg'itma
158 L10 Ayakkuduk see Oyoqquduq
Ayaköz see Ayagoz
104 H14 Ayamonte Andalucía, S Spain
123 S11 Ayan Khabarovskiy Kray, E Russian Federation
136 J10 Ayancık Sinop, N Turkey
55 S9 Ayanganna Mountain ▲ C Guyana
77 U16 Ayangba Kogi, C Nigeria
123 U7 Ayanka Koryakskiy Avtonomnyy Okrug, E Russian Federation
54 E7 Ayapel Córdoba, NW Colombia
136 H13 Ayas Ankara, N Turkey
57 I16 Ayaviri Puno, S Peru
149 P3 Āybak var. Aibak, Haibak; prev. Samangān. Samangān, NE Afghanistan
147 N10 Aydarko'l Ko'li Rus. Ozero Aydarkul'. ☺ C Uzbekistan
Aydarkul', Ozero see Aydarko'l Ko'li
21 W10 Ayden North Carolina, SE USA
136 C15 Aydın var. Aïdin; anc. Tralles. Aydın, SW Turkey
136 C15 Aydın var. Aïdin. ◆ province SW Turkey
136 H17 Aydıncık İçel, S Turkey
136 C15 Aydın Dağları ▲ W Turkey
158 L6 Aydingkol Hu ☺ NW China
127 X7 Aydyrlinskiy Orenburgskaya Oblast', W Russian Federation
105 S4 Ayerbe Aragón, NE Spain
Ayers Rock see Uluru
Ayeyarwady see Irrawaddy
137 V12 Ayia Napa see Agía Nápa
Ayía Phyla see Agía Fýlaxis
Ayiásos/Ayiássos see Agiasós
Áyios Evstrátios see Ágios Efstrátios
Áyios Kírikos see Ágios Kírykos
Áyios Nikólaos see Ágios Nikólaos
Ayios Seryios see Yeniboğaziçi
80 J13 Äykel Amhara, N Ethiopia
123 N9 Aykhal Respublika Sakha (Yakutiya), NE Russian Federation
14 J12 Aylen Lake ☺ Ontario, SE Canada
97 N21 Aylesbury SE England, UK
105 O6 Ayllón Castilla-León, N Spain
14 F17 Aylmer Ontario, S Canada
14 L12 Aylmer Québec, SE Canada
15 R12 Aylmer, Lac ☺ Québec, SE Canada
8 L9 Aylmer Lake ☺ Northwest Territories, NW Canada
145 V14 Aynabulak Almaty, SE Kazakhstan
138 E2 'Ayn al 'Arab Ḩalab, N Syria
Aynayn see 'Aynīn
139 V12 'Ayn Ḩamūd S Iraq
147 P12 Ayní prev. Rus. Varzimanor Ayni. W Tajikistan
140 M10 'Aynīn var. Aynayn. spring/well SW Saudi Arabia
21 P7 'Ayn Zāzūh C Iraq
153 N12 Ayodhya Uttar Pradesh, N India
123 S6 Ayon, Ostrov island NE Russian Federation
105 R14 Ayora País Valenciano, E Spain
77 Q11 Ayorou Tillabéri, W Niger
79 E16 Ayos Centre, S Cameroon
76 L5 'Ayoûn 'Abd el Mâlek well N Mauritania
76 K10 'Ayoûn el 'Atroûs var. Aïoun el Atrous, Aïoun el Ghârbi. SE Mauritania
181 W4 Ayton Queensland, NE Australia
96 I13 Ayr W Scotland, UK
96 I13 Ayr ↗ W Scotland, UK
96 I13 Ayrshire cultural region SW Scotland, UK
Aysen see Aisén
123 X9 Ayteke Bi Kaz. Zhangaqazaly prev. Novokazalinsk. Kyzylorda, SW Kazakhstan
146 K8 Aytim Navoiy Viloyati, N Uzbekistan
181 W4 Ayton Queensland, NE Australia
114 M9 Aytos Burgas, E Bulgaria

171 T11 Ayu, Kepulauan island group E Indonesia
A Yun Pa see Cheo Reo
169 V11 Ayu, Tanjung headland Borneo, N Indonesia
40 K13 Ayutla Jalisco, C Mexico
41 P16 Ayutla var. Ayutla de los Libres. Guerrero, S Mexico
Ayutla de los Libres see Ayutlá
167 O11 Ayutthaya var. Phra Nakhon Si Ayutthaya. Phra Nakhon Si Ayutthaya, C Thailand
136 B13 Ayvalık Balıkesir, W Turkey
99 L20 Aywaille Liège, E Belgium
141 R13 'Aywat aş Şay'ar, Wādī seasonal river N Yemen
105 T9 Azahar, Costa del coastal region E Spain
105 S6 Azaila Aragón, NE Spain
104 F10 Azambuja Lisboa, C Portugal
153 N13 Āzamgarh Uttar Pradesh, N India
77 N9 Azaouâd desert C Mali
77 S10 Azaouagh, Vallée de l' var. Azaouak. ↗ W Niger
Azaouak see Azaouagh, Vallée de l'
61 F14 Azara Misiones, NE Argentina
142 K3 Āzarān Āzarbāyjān-e Khāvarī, N Iran
Āzarbaijan/Āzarbaycan Respublikası see Azerbaijan
Āzarbāyjān-e Bākhtari see Āzarbāyjān-e Gharbī
142 J4 Āzarbāyjān-e Gharbī off. Ostān-e Āzarbāyjān-e Gharbī; Eng. West Azerbaijan prev. Āzarbāyjān-e Bākhtari. ◆ province NW Iran
Āzarbāyjān-e Khāvarī see Āzarbāyjān-e Sharqī
142 J3 Āzarbāyjān-e Sharqī off. Ostān-e Āzarbāyjān-e Sharqī, Eng. East Azerbaijan; prev. Āzarbāyjān-e Khāvarī. ◆ province NW Iran
77 N13 Azare Bauchi, N Nigeria
119 M19 Azarychy Rus. Ozarichi. Homyel'skaya Voblasts', SE Belarus
102 L8 Azay-le-Rideau Indre-et-Loire, C France
138 I2 A'zāz Ḩalab, NW Syria
76 H7 Azeffâl var. Azaffal. desert Mauritania/Western Sahara
137 V12 Azerbaijan off. Azerbaijani Republic, Az. Azārbaycan, Azārbaycan Respublikası; prev. Azerbaijan SSR. ◆ republic SE Asia
117 N13 Azhdabān Tulcea, SE Romania
137 X10 Azhdahā Dāgı ▲ NE Azerbaijan
146 H14 Azhdaŕyān Rus. Babadzhuban. Ahal Welayaty, C Turkmenistan
112 K10 Bačka Palanka prev. Palanka. Serbia, N Serbia and Montenegro (Yugo.)
112 K8 Bačka Topola Hung. Topolya prev. Hung. Bácstopolya. Serbia, N Serbia and Montenegro (Yugo.)
95 J17 Bäckefors Västra Götaland, S Sweden
Bäckermühle Schulzenmühle see Żywiec
95 L16 Bäckhammar Värmland, C Sweden
112 K9 Bački Petrovac Hung. Petrőcz; prev. Petrovac, Petrovácz. Serbia, N Serbia and Montenegro (Yugo.)
101 I21 Backnang Baden-Württemberg, SW Germany
131 G16 Bad Laasphe Nordrhein-Westfalen, W Germany
28 J6 Badlands physical region North Dakota, N USA
101 K16 Bad Langensalza Thüringen, C Germany
109 T3 Bad Leonfelden Oberösterreich, N Austria
101 I20 Bad Mergentheim Baden-Württemberg, SW Germany
101 H17 Bad Nauheim Hessen, W Germany
101 E17 Bad Neuenahr-Ahrweiler Rheinland-Pfalz, W Germany
Bad Neustadt see Bad Neustadt an der Saale
101 J18 Bad Neustadt an der Saale var. Bad Neustadt. Bayern, C Germany
Badnur see Betül
100 H13 Bad Oeynhausen Nordrhein-Westfalen, NW Germany
100 J9 Bad Oldesloe Schleswig-Holstein, N Germany
77 Q16 Bad Polzin see Połczyn-Zdrój
100 H13 Bad Pyrmont Niedersachsen, C Germany
109 X9 Bad Radkersburg Steiermark, SE Austria
139 V8 Badrah E Iraq
162 J6 Badrah N Mongolia
101 N24 Bad Reichenhall Bayern, SE Germany
140 K8 Badr Ḩunayn Al Madīnah, W Saudi Arabia
101 M24 Bad Aibling Bayern, SE Germany
162 I13 Badain Jaran Shamo desert N China
30 K4 Bad River ↗ Wisconsin, N USA
101 H23 Bad Salzungen Nordrhein-Westfalen, NW Germany

———————————— B ————————————

187 X15 Ba prev. Mba. Viti Levu, W Fiji
Ba see Đa Răng
191 P17 Baa Pulau Rote, C Indonesia
134 H7 Baalbek var. Ba'labakk; anc. Heliopolis. E Lebanon
108 G8 Baar Zug, N Switzerland
81 L17 Baardheere var. Bardere, It. Bardera. Gedo, SW Somalia
183 N12 Bacchus Marsh Victoria, SE Australia
149 Q17 Badin Sind, SE Pakistan
21 S10 Badin Lake ☺ North Carolina, SE USA
40 I8 Badiraguato Sinaloa, C Mexico
109 R6 Bad Ischl Oberösterreich, N Austria
Badjawa see Bajawa
Badje-Sohppar see Övre Soppero
171 R7 Baganga Mindanao, S Philippines
168 J9 Bagansiapiapi var. Pasirpangarayan. Sumatera, W Indonesia
162 M8 Baga Nuur var. Nüürst. Töv, C Mongolia
79 T11 Bagaria Tahoua, W Niger
79 I20 Bagata Bandundu, W Dem. Rep. Congo
123 O13 Bagdarin Buryatiya, S Russian Federation
61 G17 Bagé Rio Grande do Sul, S Brazil
Bagenalstown see Muine Bheag
103 P16 Bages et de Sigean, Étang de ☺ S France
33 W17 Baggs Wyoming, C USA
154 F11 Bagh Madhya Pradesh, C India
139 T8 Baghdād var. Bagdad, Eng. Baghdad. ● (Iraq) C Iraq
139 T8 Baghdād × C Iraq
153 T16 Bagherhat var. Bagerhat. Khulna, S Bangladesh
107 J23 Bagheria var. Bagaria. Sicilia, Italy, C Mediterranean Sea
143 S10 Bāghīn Kermān, S Iran
149 Q3 Baghlān Baghlān, NE Afghanistan
149 Q3 Baghlān var. Baghlān. ◆ province NE Afghanistan
148 M7 Bāghrān Helmand, S Afghanistan
29 T4 Bagley Minnesota, N USA
106 H12 Bagnacavallo Emilia-Romagna, C Italy
102 K16 Bagnères-de-Bigorre Hautes-Pyrénées, S France
102 L17 Bagnères-de-Luchon Hautes-Pyrénées, S France
106 F11 Bagni di Lucca Toscana, C Italy
106 H11 Bagno di Romagna Emilia-Romagna, C Italy
103 R14 Bagnols-sur-Cèze Gard, S France
162 M14 Bag Nur ☺ N China
171 P6 Bago off. Bago City. Negros, C Philippines see Pegu
77 N13 Bagoé ↗ Ivory Coast/Mali
Bagrāme see Bagrāmi
149 R5 Bagrāmi var. Bagrāmē. Kābul, E Afghanistan
119 B14 Bagrationovsk Ger. Preussisch Eylau. Kaliningradskaya Oblast', W Russian Federation
Bagrax see Bohu
Bagrax Hu see Bosten Hu
56 C10 Bagua Amazonas, NE Peru
171 O2 Baguio off. Baguio City. Luzon, N Philippines
77 V9 Bagzane, Monts ▲ N Niger
Bāḩah, Minṭaqat al see Al Bāḩah

103 V15 Azur, Côte d' coastal region SE France
191 Z3 Azur Lagoon ☺ Kiritimati, E Kiribati
'Azza see Gaza
Az Zāb al Kabīr see Great Zab
138 I7 Az Zabdānī var. Zabadani. Dimashq, W Syria
141 W8 Aẓ Ẓāhirah desert NW Oman
141 S6 Aẓ Ẓahrān Eng. Dhahran. Ash Sharqīyah, N Saudi Arabia
141 R6 Aẓ Ẓahrān al Khubar var. Dhahran Al Khobar. × Ash Sharqīyah, NE Saud. Arabia
Az Zaqāzīg see Zagazig
138 H13 Az Zarqā' var. Zarca. Az Zarqā', var. Zarqa. ◆
138 I11 Az Zarqā' off. Muḩāfaẓat az Zarqā', var. Zarqa. ◆ governorate N Jordan
75 O7 Az Zāwiyah var. Zawia. NW Libya
141 N13 Az Zaydīyah W Yemen
74 I11 Azzel Matti, Sebkha var. Sebkra Azz el Matti. salt flat C Algeria
141 P6 Az Zilfī ▲ Riyāḑ, N Saudi Arabia
139 Y13 Az Zubayr var. Al Zubair. SE Iraq
Az Zuqur see Jabal Zuqar, Jazīrat

143 O4 Bābolsar var. Babulsar; prev. Meshed-i-Sar. Māzandarān, N Iran
36 L16 Baboquivari Peak ▲ Arizona, SW USA
79 G15 Baboua Nana-Mambéré, W Central African Republic
119 M17 Babruysk Rus. Bobruysk. Mahilyowskaya Voblasts', E Belarus
Babu see Hezhou
Babul see Bābol
Babulsar see Bābolsar
113 O19 Babuna ↗ C FYR Macedonia
113 O19 Babuna ▲ C FYR Macedonia
128 K7 Bābās, Dasht-e Pash. Bobas, Dasht-i. ◆ W Afghanistan
138 O1 Babuyan Channel channel N Philippines
171 O1 Babuyan Island island N Philippines
139 T9 Babylon site of ancient city C Iraq
112 J9 Beč Ger. Batsch. Serbia, NW Serbia and Montenegro (Yugo.)
58 M13 Bacabal Maranhão, E Brazil
41 Y14 Bacalar Quintana Roo, SE Mexico
41 Y14 Bacalar Chico, Boca strait SE Mexico
171 Q12 Bacan, Kepulauan island group E Indonesia
171 S12 Bacan, Pulau prev. Batjan. island Maluku, E Indonesia
116 L10 Bacău Hung. Bákó. Bacău, NE Romania
116 K11 Bacău ◆ county E Romania
58 G8 Bachu Xinjiang Uygur Zizhiqu, NW China
40 H4 Bacerac Sonora, NW Mexico
116 L10 Băcești Vaslui, E Romania
167 T6 Băc Giang Hà Băc, N Vietnam
98 J11 Baarn Utrecht, C Netherlands
54 I5 Bachaquero Zulia, NW Venezuela
Bacher see Pohorje
113 M13 Bachčykava Rus. Bochečkovo. Vitsyebskaya Voblasts', N Belarus
40 I5 Bachíniva Chihuahua, N Mexico
158 G8 Bachu Xinjiang Uygur Zizhiqu, NW China
5 N8 Back ↗ Nunavut, N Canada
112 K10 Bačka Palanka prev. Palanka. Serbia, N Serbia and Montenegro (Yugo.)
131 G16 Bad Laasphe Nordrhein-Westfalen, W Germany
111 K25 Bácsalmás Bács-Kiskun, S Hungary
Bácsjózseffalva see Žednik
111 J24 Bács-Kiskun off. Bács-Kiskun Megye. ◆ county S Hungary
Bácsszenttamás see Srbobran
Bácstopolya see Bačka Topola
Bactra see Balkh
Bada see Xilin
155 F21 Badagara Kerala, SW India
140 K8 Badain Jaran Shamo desert N China
104 I11 Badajoz anc. Pax Augusta. Extremadura, W Spain
104 I12 Badajoz ◆ province Extremadura, W Spain
149 S2 Badakhshān ◆ province NE Afghanistan
154 O1 Bādāmpāhārh Orissa, E India
152 K8 Badarīnāth ▲ N India
169 O16 Badas, Kepulauan island group W Indonesia
155 K25 Badulla Uva Province, C Sri Lanka
31 S8 Bad Aussee Salzburg, E Austria
29 X5 Bad Axe Michigan, N USA
101 G16 Bad Berleburg Nordrhein-Westfalen, W Germany
101 L17 Bad Blankenburg Thüringen, C Germany
143 R8 Bad Borsec see Borsec

101 G18 Bad Camberg Hessen, W Germany
100 L8 Bad Doberan Mecklenburg-Vorpommern, N Germany
101 N14 Bad Düben Sachsen, E Germany
109 X4 Baden Niederösterreich, NE Austria
108 F9 Baden Aargau, N Switzerland
101 G21 Baden-Baden anc. Aurelia Aquensis. Baden-Württemberg, SW Germany
Baden bei Wien see Baden
101 G22 Baden-Württemberg Fr. Bade-Wurtemberg. ◆ state SW Germany
112 A10 Baderna Istra, NW Croatia
Bade-Wurtemberg see Baden-Württemberg
101 H20 Bad Fredrichshall Baden-Württemberg, S Germany
100 P11 Bad Freienwalde Brandenburg, NE Germany
109 Q8 Badgastein var. Gastein. Salzburg, NW Austria
Badger State see Wisconsin
101 I14 Bad Harzburg Niedersachsen, C Germany
101 *I6 Bad Hersfeld Hessen, C Germany
98 J10 Badhoevedorp Noord-Holland, C Netherlands
116 K11 Bacău ◆ county E Romania
109 Q8 Bad Hofgastein Salzburg, NW Austria
Bad Homburg see Bad Homburg vor der Höhe
101 C18 Bad Homburg vor der Höhe var. Bad Homburg. Hessen, W Germany
101 E17 Bad Honnef Nordrhein-Westfalen, W Germany
149 Q17 Badin Sind, SE Pakistan
21 S10 Badin Lake ☺ North Carolina, SE USA
40 I8 Badiraguato Sinaloa, C Mexico
109 R6 Bad Ischl Oberösterreich, N Austria
Badjawa see Bajawa
Badje-Sohppar see Övre Soppero
101 J18 Bad Kissingen Bayern, SE Germany
Bad Königswart see Lázně Kynžvart
101 F19 Bad Kreuznach Rheinland-Pfalz, SW Germany
101 F24 Bad Krozingen Baden-Württemberg, SW Germany
131 G16 Bad Laasphe Nordrhein-Westfalen, W Germany
28 J6 Badlands physical region North Dakota, N USA
101 K16 Bad Langensalza Thüringen, C Germany
109 T3 Bad Leonfelden Oberösterreich, N Austria
101 I20 Bad Mergentheim Baden-Württemberg, SW Germany
101 H17 Bad Nauheim Hessen, W Germany
101 E17 Bad Neuenahr-Ahrweiler Rheinland-Pfalz, W Germany
Bad Neustadt see Bad Neustadt an der Saale
101 J18 Bad Neustadt an der Saale var. Bad Neustadt. Bayern, C Germany
Badnur see Betül
100 H13 Bad Oeynhausen Nordrhein-Westfalen, NW Germany
100 J9 Bad Oldesloe Schleswig-Holstein, N Germany
77 Q16 Bad Polzin see Połczyn-Zdrój
100 H13 Bad Pyrmont Niedersachsen, C Germany
109 X9 Bad Radkersburg Steiermark, SE Austria
139 V8 Badrah E Iraq
162 J6 Badrah N Mongolia
101 N24 Bad Reichenhall Bayern, SE Germany
140 K8 Badr Ḩunayn Al Madīnah, W Saudi Arabia
101 M24 Bad Aibling Bayern, SE Germany
162 I13 Badain Jaran Shamo desert N China
30 K4 Bad River ↗ Wisconsin, N USA
171 P6 Bad Salzuflen Nordrhein-Westfalen, NW Germany
101 J17 Bad Salzungen Thüringen, C Germany
101 L17 Bad Salzungen Thüringen, C Germany
35 U11 Badwater Basin depression California, W USA

101 J20 Bad Windsheim Bayern, C Germany
101 J23 Bad Wörishofen Bayern, S Germany
100 G10 Bad Zwischenahn Niedersachsen, NW Germany
104 M13 Baena Andalucia, S Spain
Baeterrae/Baeterrae Septimanorum see Béziers
Baetic Cordillera/Baetic Mountains see Béticos, Sistemas
Baetulo see Badalona
57 K18 Baeza Napo, NE Ecuador
105 N13 Baeza Andalucía, S Spain
79 D15 Bafang Ouest, W Cameroon
149 U5 Baffa North-West Frontier Province, NW Pakistan
197 O11 Baffin Basin undersea feature N Labrador Sea
197 N12 Baffin Bay bay Canada/Greenland
25 T15 Baffin Bay inlet Texas, SW USA
196 M12 Baffin Island island Nunavut, N Canada
79 E15 Bafia Centre, C Cameroon
76 J12 Bafing ↗ W Africa
77 R14 Bafilo NE Togo
76 J12 Bafing ↗ W Africa
79 D15 Bafoussam Ouest, W Cameroon
79 D15 Bafoulabé Kayes, W Mali
143 R9 Bāfq Yazd, C Iran
136 L10 Bafra Samsun, N Turkey
136 L10 Bafra Burnu headland N Turkey
143 S12 Bāft Kermān, C Iran
79 N18 Bafwabalinga Orientale, NE Dem. Rep. Congo
79 N18 Bafwaboli Orientale, NE Dem. Rep. Congo
79 N17 Bafwasende Orientale, NE Dem. Rep. Congo
42 K13 Bagaces Guanacaste, NW Costa Rica
153 Q12 Bagaha Bihār, N India
155 F16 Bāgalkot Karnātaka, W India
81 J22 Bagamoyo Pwani, E Tanzania
168 J8 Bagan Datuk var. Bagan Datok. Perak, Peninsular Malaysia

222 ••• BAHAMAS – BANDAR-E TORKEMAN/BANDAR-E TORKMAN

44 H3 **Bahamas** off. Commonwealth of the Bahamas. ◆ commonwealth republic N West Indies
153 S15 **Baharampur** prev. Berhampore. West Bengal, NE India
146 E12 **Baharly** var. Bäherden, Rus. Bakharden; prev. Bakherden. Ahal Welaýaty, C Turkmenistan
149 U10 **Bahāwalnagar** Punjab, E Pakistan
149 T11 **Bahāwalpur** Punjab, E Pakistan
136 L16 **Bahçe** Osmaniye, S Turkey
160 J8 **Ba He** ≈ C China
Bäherden see Baharly
59 N16 **Bahia** off. Estado da Bahia. ◈ state E Brazil
61 B24 **Bahía Blanca** Buenos Aires, E Argentina
40 L15 **Bahía Bufadero** Michoacán de Ocampo, SW Mexico
63 J19 **Bahía Bustamante** Chubut, SE Argentina
40 D5 **Bahía de los Ángeles** Baja California, NW Mexico
40 C6 **Bahía de Tortugas** Baja California Sur, W Mexico
42 J4 **Bahía, Islas de la** Eng. Bay Islands. island group N Honduras
40 E5 **Bahía Kino** Sonora, NW Mexico
40 E9 **Bahía Magdalena** var. Puerto Magdalena. Baja California Sur, W Mexico
54 C8 **Bahía Solano** var. Ciudad Mutis, Solano. Chocó, W Colombia
80 I11 **Bahir Dar** var. Bahr Dar, Bahrdar Giyorgis. Amhara, N Ethiopia
141 X8 **Bahlā'** var. Bahlah, Bahlat. NW Oman
Bāhla see Bālān
Bahlah/Bahlat see Bahlā'
152 M11 **Bahraich** Uttar Pradesh, N India
143 M14 **Bahrain** off. State of Bahrain, Dawlat al Bahrayn, Ar. Al Baḩrayn; prev. Bahrein, anc. Tylos or Tyros. ◆ monarchy SW Asia
142 M14 **Bahrain** ✕ C Bahrain
142 M15 **Bahrain, Gulf of** gulf Persian Gulf, NW Arabian Sea
138 I7 **Baḩrat Mallāḩah** ◎ W Syria
Bahrayn, Dawlat al see Bahrain
Bahr Dar/Bahrdar Giyorgis see Bahir Dar
Bahrein see Bahrain
81 E16 **Bahr el Gabel** ◈ state S Sudan
80 E13 **Bahr ez Zaref** ≈ C Sudan
Bahr Tabariya, Sea of see Tiberias, Lake
143 W15 **Bāhū Kalāt** Sīstān va Balūchestān, SE Iran
118 N13 **Bahushewsk** Rus. Bogushëvsk. Vitsyebskaya Voblasts', NE Belarus
Bai see Tagow Bāy
116 G13 **Baia de Aramă** Mehedinți, SW Romania
116 G11 **Baia de Criș** Ger. Altenburg, Hung. Körösbánya. Hunedoara, SW Romania
83 A16 **Baia dos Tigres** Namibe, SW Angola
82 A13 **Baia Farta** Benguela, W Angola
116 H9 **Baia Mare** Ger. Frauenbach, Hung. Nagybánya; prev. Neustadt. Maramureș, NW Romania
116 H8 **Baia Sprie** Ger. Mittelstadt, Hung. Felsőbánya. Maramureș, NW Romania
78 G13 **Baïbokoum** Logone-Oriental, SW Chad
160 F12 **Baicao Ling** ▲▲ SW China
163 U9 **Baicheng** var. Pai-ch'eng; prev. T'aon-an. Jilin, NE China
158 I6 **Baicheng** var. Bay. Xinjiang Uygur Zizhiqu, NW China
116 J13 **Băicoi** Prahova, SE Romania
Baidoa see Baydhabo
15 U6 **Baie-Comeau** Québec, SE Canada
15 T7 **Baie-des-Bacon** Québec, SE Canada
15 S8 **Baie-des-Rochers** Québec, SE Canada
15 U6 **Baie-des-Sables** Québec, SE Canada
12 K11 **Baie-du-Poste** Québec, SE Canada
172 H17 **Baie Lazare** Mahé, NE Seychelles
45 Y5 **Baie-Mahault** Basse Terre, C Guadeloupe
15 R9 **Baie-St-Paul** Québec, SE Canada
15 V5 **Baie-Trinité** Québec, SE Canada
13 T11 **Baie Verte** Newfoundland and Labrador, SE Canada
163 X11 **Baihe** prev. Erdaobaihe. Jilin, NE China
Baiguan see Shangyu
139 U11 **Ba'ījī al Mahdī** S Iraq
Baiji see Bayjī
Baikal, Lake see Baykal, Ozero
Bailādila see Kirandul
Baile an Chaistil see Ballycastle
Baile an Róba see Ballinrobe
Baile an tSratha see Ballintra
Baile Átha an Rí see Athenry
Baile Átha Buí see Athboy
Baile Átha Cliath see Dublin
Baile Átha Fhirdhia see Ardee
Baile Átha Í see Athy
Baile Átha Luain see Athlone
Baile Átha Troim see Trim
Baile Brigín see Balbriggan
Baile Easa Dara see Ballysadare
116 I13 **Băile Govora** Vâlcea, SW Romania
116 F13 **Băile Herculane** Ger. Herkulesbad, Hung. Herkulesfürdő. Caraș-Severin, SW Romania
Baile Locha Riach see Loughrea
Baile Mhistéala see Mitchelstown
Baile Monaidh see Ballymoney
105 N12 **Bailén** Andalucía, S Spain
Baile na hInse see Ballynahinch
Baile na Lorgan see Castleblayney
Baile na Mainistreach see Newtownabbey
Baile Nua na hArda see Newtownards
116 I12 **Băile Olănești** Vâlcea, SW Romania
116 H14 **Băilești** Dolj, SW Romania
163 N12 **Bailingmiao** var. Darhan Muminggan Lianheqi. Nei Mongol Zizhiqu, N China
58 K11 **Bailique, Ilha** island NE Brazil
103 O1 **Bailleul** Nord, N France
78 H12 **Ba Illi** Chari-Baguirmi, SW Chad
159 V12 **Bailong Jiang** ≈ C China
82 C13 **Bailundo** Port. Vila Teixeira da Silva. Huambo, C Angola
159 T13 **Baima** var. Sêraitang. Qinghai, C China
Baima see Baxoi
186 C8 **Baimuru** Gulf, S PNG
158 M16 **Bainang** Xizang Zizhiqu, W China
23 S8 **Bainbridge** Georgia, SE USA
171 O17 **Baing** Pulau Sumba, SE Indonesia
158 M14 **Baingoin** Xizang Zizhiqu, W China
104 G2 **Baio Grande** Galicia, NW Spain
104 G4 **Baiona** Galicia, NW Spain
163 V7 **Baiquan** Heilongjiang, NE China
Bā'ir see Bāyir
158 I11 **Bairab Co** ◎ W China
25 Q7 **Baird** Texas, SW USA
39 N7 **Baird Mountains** ▲▲ Alaska, USA
Baireuth see Bayreuth
190 H3 **Bairiki** ● (Kiribati) Tarawa, NW Kiribati
Bairin Youqi see Daban
Bairin Zuoqi see Lindong
145 P17 **Bairkum** Kaz. Bayyrqum. Yuzhnyy Kazakhstan, S Kazakhstan
183 P12 **Bairnsdale** Victoria, SE Australia
171 P6 **Bais** Negros, S Philippines
102 L15 **Baïse** var. Baise. ≈ S France
163 W11 **Baishan** prev. Hunjiang. Jilin, NE China
Baishan see Mashan
118 F12 **Baisogala** Šiauliai, C Lithuania
189 Q7 **Baiti** N Nauru
104 G13 **Baixo Alentejo** physical region S Portugal
64 P5 **Baixo, Ilhéu de** island Madeira, Portugal, NE Atlantic Ocean
83 E15 **Baixo Longa** Cuando Cubango, SE Angola
159 V10 **Baiyin** Gansu, C China
160 E8 **Baiyü** var. Jianshe. Sichuan, C China
161 N14 **Baiyun** ✕ (Guangzhou) Guangdong, S China
160 K4 **Baiyu Shan** ▲▲ C China
111 J25 **Baja** Bács-Kiskun, S Hungary
40 C4 **Baja California** ◈ state NW Mexico
40 C4 **Baja California** Eng. Lower California. peninsula NW Mexico
40 E9 **Baja California Sur** ◈ state W Mexico
Bājah see Béja
Bajan see Bayan
191 V16 **Baja, Punta** headland Easter Island, Chile, E Pacific Ocean
40 B4 **Baja, Punta** headland NW Mexico
55 R5 **Baja, Punta** headland NE Venezuela
42 D5 **Baja Verapaz** off. Departamento de Baja Verapaz. ◈ department C Guatemala
171 N16 **Bajawa** prev. Badjawa. Flores, S Indonesia
153 S16 **Baj Baj** prev. Budge-Budge. West Bengal, E India
141 N15 **Bājil** W Yemen
183 U4 **Bajimba, Mount** ▲ New South Wales, SE Australia
112 K13 **Bajina Bašta** Serbia, W Serbia and Montenegro (Yugo.)
153 U14 **Bajitpur** Dhaka, E Bangladesh
112 K8 **Bajmok** Serbia, NW Serbia and Montenegro (Yugo.)
Bajo Boquete see Boquete
113 L17 **Bajram Curri** Kukës, N Albania
79 J14 **Bakala** Ouaka, C Central African Republic
127 T4 **Bakaly** Respublika Bashkortostan, W Russian Federation
Bakan see Shimonoseki
145 U14 **Bakanas** Kaz. Baqanas. Almaty, SE Kazakhstan
145 V12 **Bakanas** Kaz. Baqanas. ≈ E Kazakhstan
145 U14 **Bakbakty** Kaz. Baqbaqty. Almaty, SE Kazakhstan
122 J12 **Bakchar** Tomskaya Oblast', C Russian Federation
76 I11 **Bakel** E Senegal
35 W13 **Baker** California, W USA
22 J8 **Baker** Louisiana, S USA
33 Y9 **Baker** Montana, NW USA
32 L12 **Baker** Oregon, NW USA
192 L7 **Baker and Howland Islands** ◇ US unincorporated territory W Polynesia
36 L12 **Baker Butte** ▲ Arizona, SW USA
39 X15 **Baker Island** island Alexander Archipelago, Alaska, USA
9 N9 **Baker Lake** Nunavut, N Canada
9 N9 **Baker Lake** ◎ Nunavut, N Canada
32 H6 **Baker, Mount** ▲ Washington, NW USA
35 R13 **Bakersfield** California, W USA
24 M9 **Bakersfield** Texas, SW USA
21 P9 **Bakersville** North Carolina, SE USA
Bakhābī see Bū Khābī
Bakharden see Baharly
Bakhardok see Bokurdak
143 U5 **Bākharz, Kuhhā-ye** ▲▲ NE Iran
152 D13 **Bākhāsar** Rājasthān, NW India
Bakhchisaray see Bakhchysaray
117 T13 **Bakhchysaray** Rus. Bakhchisaray. Respublika Krym, S Ukraine
Bakherden see Baharly
117 R3 **Bakhmach** Chernihivs'ka Oblast', N Ukraine
Bākhtarān see Kermānshāh
143 Q11 **Bakhtegān, Daryācheh-ye** ◎ C Iran
145 X12 **Bakhty** Vostochnyy Kazakhstan, E Kazakhstan
137 Z11 **Bakı** Eng. Baku. ● (Azerbaijan) E Azerbaijan
137 Z11 **Bakı** ✕ E Azerbaijan
136 C13 **Bakır Çayı** ≈ W Turkey
92 L1 **Bakkafjörður** Austurland, NE Iceland
92 L1 **Bakkaflói** sea area W Norwegian Sea
81 I15 **Bako** Southern, S Ethiopia
76 L15 **Bako** NW Ivory Coast
Bákó see Bacău
111 H23 **Bakony** Eng. Bakony Mountains, Ger. Bakonywald. ▲▲ W Hungary
Bakony Mountains/Bakonywald see Bakony
81 M16 **Bakool** off. Gobolka Bakool. ◈ region W Somalia
79 L15 **Bakouma** Mbomou, SE Central African Republic
127 N15 **Baksan** Kabardino-Balkarskaya Respublika, SW Russian Federation
119 I16 **Bakshty** Hrodzyenskaya Voblasts', W Belarus
Baku see Bakı
194 K12 **Bakutis Coast** physical region Antarctica
Bakwanga see Mbuji-Mayi
145 O15 **Bakyrly** Yuzhnyy Kazakhstan, S Kazakhstan
14 H13 **Bala** Ontario, S Canada
97 J19 **Bala** NW Wales, UK
136 I13 **Balâ** Ankara, C Turkey
170 L7 **Balabac Island** island W Philippines
Balabac, Selat see Balabac Strait
169 V5 **Balabac Strait** var. Selat Balabac. strait Malaysia/Philippines
Ba'labakk see Baalbek
187 P16 **Balabio, Île** island Province Nord, W New Caledonia
116 I14 **Balaci** Teleorman, S Romania
139 S7 **Balad** N Iraq
123 R12 **Baladek** Khabarovskiy Kray, SE Russian Federation
139 U7 **Balad Rūz** E Iraq
154 J11 **Bālāghāt** Madhya Pradesh, C India
155 F14 **Bālāghāt Range** ▲▲ W India
103 X14 **Balagne** physical region Corse, France, C Mediterranean Sea
105 U5 **Balaguer** Cataluña, NE Spain
105 S3 **Balaïtous** var. Pic de Balaïtous. ▲ France/Spain
Balaïtous, Pic de see Balaïtous
Bálák see Ballangen
127 O3 **Balakhna** Nizhegorodskaya Oblast', W Russian Federation
122 L12 **Balakhta** Krasnoyarskiy Kray, S Russian Federation
182 I9 **Balaklava** South Australia
Balakleya see Balakliya
117 V6 **Balakliya** Rus. Balakleya. Kharkivs'ka Oblast', E Ukraine
127 Q7 **Balakovo** Saratovskaya Oblast', W Russian Federation
83 P14 **Balama** Cabo Delgado, N Mozambique
169 U6 **Balambangan, Pulau** island East Malaysia
148 L3 **Bālā Morghāb** Laghmān, NW Afghanistan
152 E11 **Bālān** prev. Bāhla. Rājasthān, NW India
116 J10 **Bălan** Hung. Balánbánya. Harghita, C Romania
Balánbánya see Bălan
171 O3 **Balanga** Luzon, N Philippines
154 M12 **Balāngīr** prev. Bolangir. Orissa, E India
127 N8 **Balashov** Saratovskaya Oblast', W Russian Federation
Balasore see Bāleshwar
111 K21 **Balassagyarmat** Nógrád, N Hungary
29 S10 **Balaton** Minnesota, N USA
111 H24 **Balaton** var. Lake Balaton, Ger. Plattensee. ◎ W Hungary
111 I23 **Balatonfüred** var. Füred. Veszprém, W Hungary
Balaton, Lake see Balaton
116 I11 **Bălăușeri** Ger. Bladenmarkt, Hung. Balavásár. Mureș, C Romania
Balavásár see Bălăușeri
105 Q11 **Balazote** Castilla-La Mancha, C Spain
Balázsfalva see Blaj
119 F14 **Balbieriškis** Kaunas, S Lithuania
186 J7 **Balbi, Mount** ▲ Bougainville Island, NE PNG
58 F11 **Balbina, Represa** ▣ NW Brazil
43 T15 **Balboa** Panamá, C Panama
97 G17 **Balbriggan** Ir. Baile Brigín. E Ireland
Balbunar see Kubrat
81 N17 **Balcad** Shabeellaha Dhexe, C Somalia
61 D23 **Balcarce** Buenos Aires, E Argentina
11 U16 **Balcarres** Saskatchewan, S Canada
114 O8 **Balchik** Dobrich, NE Bulgaria
185 E24 **Balclutha** Otago, South Island, NZ
25 Q12 **Balcones Escarpment** escarpment Texas, SW USA
18 F14 **Bald Eagle Creek** ≈ Pennsylvania, NE USA
Baldenburg see Biały Bór
21 V12 **Bald Head Island** island North Carolina, SE USA
27 W10 **Bald Knob** Arkansas, C USA
30 K17 **Bald Knob** hill Illinois, N USA
Baldohn see Baldone
118 G9 **Baldone** Ger. Baldohn. Riga, W Latvia
22 I9 **Baldwin** Louisiana, S USA
31 P7 **Baldwin** Michigan, N USA
27 Q4 **Baldwin City** Kansas, C USA
39 N8 **Baldwin Peninsula** headland Alaska, USA
18 H9 **Baldwinsville** New York, NE USA
23 N2 **Baldwyn** Mississippi, S USA
11 W15 **Baldy Mountain** ▲ Manitoba, S Canada
33 T7 **Baldy Mountain** ▲ Montana, NW USA
37 O13 **Baldy Peak** ▲ Arizona, SW USA
Bâle see Basel
105 X9 **Baleares** ◈ autonomous community E Spain
105 X11 **Baleares, Islas** Eng. Balearic Islands. island group Spain, W Mediterranean Sea
Baleares Major see Mallorca
Balearic Islands see Baleares, Islas
Balearic Plain see Algerian Basin
Balearis Minor see Menorca
169 S9 **Baleh, Batang** ≈ East Malaysia
12 J8 **Baleine, Grande Rivière de la** ≈ Québec, E Canada
12 K7 **Baleine, Petite Rivière de la** ≈ Québec, SE Canada
13 N6 **Baleine, Rivière à la** ≈ Québec, E Canada
99 J16 **Balen** Antwerpen, N Belgium
171 P4 **Baler** Luzon, N Philippines
154 O11 **Bāleshwar** prev. Balasore. Orissa, E India
77 S12 **Baléyara** Tillabéri, W Niger
127 T1 **Balezino** Udmurtskaya Respublika, NW Russian Federation
42 J4 **Balfate** Colón, N Honduras
11 O17 **Balfour** British Columbia, SW Canada
29 N3 **Balfour** North Dakota, N USA
Balfrush see Bābol
122 L14 **Balgazyn** Respublika Tyva, S Russian Federation
11 U16 **Balgonie** Saskatchewan, S Canada
Bālgrad see Alba Iulia
81 J19 **Balguda** spring/well S Kenya
158 K6 **Balguntay** Xinjiang Uygur Zizhiqu, NW China
141 R16 **Balḩāf** S Yemen
152 F13 **Bāli** Rājasthān, N India
169 U17 **Bali** ◈ province S Indonesia
169 T17 **Bali** island C Indonesia
111 K16 **Balice** ✕ (Kraków) Małopolskie, S Poland
171 Y14 **Baliem, Sungai** ≈ Papua, E Indonesia
136 C12 **Balıkesir** Balıkesir, W Turkey
136 C12 **Balıkesir** ◈ province NW Turkey
138 L3 **Balīkh, Nahr** ≈ N Syria
169 V12 **Balikpapan** Borneo, C Indonesia
Bali, Laut see Bali Sea
171 N9 **Balimbing** Tawitawi, SW Philippines
186 B8 **Balimo** Western, SW PNG
Bálinc see Balinț
101 H23 **Balingen** Baden-Württemberg, SW Germany
116 F11 **Balinț** Hung. Bálinc. Timiș, W Romania
171 O1 **Balintang Channel** channel N Philippines
138 K3 **Bālis** Ḩalab, N Syria
169 T16 **Bali Sea** Ind. Laut Bali. sea C Indonesia
98 K7 **Balk** Friesland, N Netherlands
146 B11 **Balkanabat** Rus. Nebitdag. Balkan Welaýaty, W Turkmenistan
121 R6 **Balkan Mountains** Bul./SCr. Stara Planina. ▲▲ Bulgaria/Serbia and Montenegro (Yugo.)
Balkanskiy Velayat see Balkan Welaýaty
146 B9 **Balkan Welaýaty** Rus. Balkanskiy Velayat. ◈ province W Turkmenistan
145 P8 **Balkashino** Akmola, N Kazakhstan
149 O2 **Balkh** anc. Bactra. Balkh, N Afghanistan
149 P2 **Balkh** ◈ province N Afghanistan
145 T13 **Balkhash** Kaz. Balqash. Karaganda, SE Kazakhstan
Balkhash, Lake see Balkhash, Ozero
145 T13 **Balkhash, Ozero** Eng. Lake Balkhash, Kaz. Balqash. ◎ SE Kazakhstan
Balla Balla see Mbalabala
96 H10 **Ballachulish** N Scotland, UK
180 M12 **Balladonia** Western Australia
97 C16 **Ballaghaderreen** Ir. Bealach an Doirín. C Ireland
92 H10 **Ballangen** Lapp. Bálák. Nordland, NW Norway
96 H12 **Ballantrae** W Scotland, UK
183 N12 **Ballarat** Victoria, SE Australia
180 K11 **Ballard, Lake** salt lake Western Australia
Ballari see Bellary
76 L11 **Ballé** Koulikoro, W Mali
40 D7 **Ballenas, Bahía de** bay W Mexico
40 D5 **Ballenas, Canal de** channel NW Mexico
195 R17 **Balleny Islands** island group Antarctica
40 J7 **Balleza** var. San Pablo Balleza. Chihuahua, N Mexico
114 M13 **Ballı** Tekirdağ, NW Turkey
153 O13 **Ballia** Uttar Pradesh, N India
183 V4 **Ballina** New South Wales, SE Australia
97 C16 **Ballina** Ir. Béal an Átha. W Ireland
97 D16 **Ballinamore** Ir. Béal an Átha Móir. NW Ireland
97 D18 **Ballinasloe** Ir. Béal Átha na Sluaighe. W Ireland
25 P8 **Ballinger** Texas, SW USA
97 C17 **Ballinrobe** Ir. Baile an Róba. W Ireland
97 A21 **Ballinskelligs Bay** Ir. Bá na Scealg. inlet SW Ireland
97 D15 **Ballintra** Ir. Baile an tSratha. NW Ireland
103 T7 **Ballon d'Alsace** ▲ NE France
Ballon de Guebwiller see Grand Ballon
113 K21 **Ballsh** var. Ballshi. Fier, SW Albania
Ballshi see Ballsh
98 K4 **Ballum** Friesland, N Netherlands
97 F16 **Ballybay** Ir. Béal Átha Beithe. N Ireland
97 E14 **Ballybofey** Ir. Bealach Féich. NW Ireland
97 G14 **Ballycastle** Ir. Baile an Chaistil. N Northern Ireland, UK
97 G15 **Ballyclare** Ir. Bealach Cláir. E Northern Ireland, UK
97 E16 **Ballyconnell** Ir. Béal Átha Conaill. N Ireland
97 C17 **Ballyhaunis** Ir. Beál Átha hAmhnais. W Ireland
97 G14 **Ballymena** Ir. An Baile Meánach. NE Northern Ireland, UK
97 F14 **Ballymoney** Ir. Baile Monaidh. NE Northern Ireland, UK
97 G15 **Ballynahinch** Ir. Baile na hInse. SE Northern Ireland, UK
97 D16 **Ballysadare** Ir. Baile Easa Dara. NW Ireland
97 D15 **Ballyshannon** Ir. Béal Átha Seanaidh. NW Ireland
63 H19 **Balmaceda** Aisén, S Chile
63 G23 **Balmaceda, Cerro** ▲ S Chile
111 N22 **Balmazújváros** Hajdú-Bihar, E Hungary
108 E10 **Balmhorn** ▲ SW Switzerland
182 L12 **Balmoral** Victoria, SE Australia
24 K9 **Balmorhea** Texas, SW USA
Balneario Claromecó see Claromecó
Balochistān see Baluchistān
82 B13 **Balombo** Port. Norton de Matos, Vila Norton de Matos. Benguela, W Angola
82 B13 **Balombo** ≈ W Angola
181 X10 **Balonne River** ≈ Queensland, E Australia
152 E13 **Bālotra** Rājasthān, N India
145 V14 **Balpyk Bi** prev. Kirovskiy Kaz. Kīrov. Almaty, SE Kazakhstan
Balqā'/Balqā', Muḩāfaẓat al see Al Balqā'
Balqash see Balkhash/Balkhash, Ozero
152 M12 **Balrāmpur** Uttar Pradesh, N India
182 M9 **Balranald** New South Wales, SE Australia
116 H14 **Balș** Olt, S Romania
14 H11 **Balsam Creek** Ontario, S Canada
30 I5 **Balsam Lake** Wisconsin, N USA
14 I14 **Balsam Lake** ◎ Ontario, SE Canada
59 M14 **Balsas** Maranhão, E Brazil
40 M15 **Balsas, Río** var. Río Mexcala. ≈ S Mexico
43 W16 **Balsas, Río** ≈ SE Panama
119 O18 **Bal'shavik** Rus. Bol'shevik. Homyel'skaya Voblasts', SE Belarus
95 O15 **Bålsta** Uppsala, C Sweden
108 E7 **Balsthal** Solothurn, NW Switzerland
117 O8 **Balta** Odes'ka Oblast', SW Ukraine
105 N5 **Baltanás** Castilla-León, N Spain
61 E16 **Baltasar Brum** Artigas, N Uruguay
116 M9 **Bălți** Rus. Bel'tsy. N Moldova
Baltic Port see Paldiski
118 B10 **Baltic Sea** Ger. Ostee, Rus. Baltiskoye More. sea N Europe
21 X3 **Baltimore** Maryland, NE USA
31 T13 **Baltimore** Ohio, N USA
21 X3 **Baltimore-Washington** ✕ Maryland, E USA
Baltischport/Baltiski see Paldiski
Baltiskoye More see Baltic Sea
119 A14 **Baltiysk** Ger. Pillau. Kaliningradskaya Oblast', W Russian Federation
Baltkrievija see Belarus
119 H14 **Baltoji Vokė** Vilnius, SE Lithuania
Balūchestān va Sīstān see Sīstān va Balūchestān
148 M12 **Baluchistān** var. Balochistān, Beluchistan. ◈ province SW Pakistan
171 P5 **Balud** Masbate, N Philippines
169 T9 **Balui, Batang** ≈ East Malaysia
153 S13 **Bālurghat** West Bengal, NE India
118 J8 **Balvi** Balvi, NE Latvia
147 W7 **Balykchy** Kir. Ysyk-Köl; prev. Issyk-Kul', Rybach'ye. Issyk-Kul'skaya Oblast', NE Kyrgyzstan
56 B7 **Balzar** Guayas, W Ecuador
108 I8 **Balzers** S Liechtenstein
143 T12 **Bam** Kermān, SE Iran
77 Y13 **Bama** Borno, NE Nigeria
76 L12 **Bamako** ● (Mali) Capital District, SW Mali
77 P10 **Bamba** Gao, C Mali
42 M8 **Bambana, Río** ≈ NE Nicaragua
79 J15 **Bambari** Ouaka, C Central African Republic
181 W5 **Bambaroo** Queensland, NE Australia
101 K19 **Bamberg** Bayern, SE Germany
21 R14 **Bamberg** South Carolina, SE USA
79 M16 **Bambesa** Orientale, N Dem. Rep. Congo
76 G11 **Bambey** W Senegal
79 H16 **Bambio** Sangha-Mbaéré, SW Central African Republic
83 I24 **Bamboesberge** ▲ S South Africa
79 D14 **Bamenda** Nord-Ouest, W Cameroon
10 K17 **Bamfield** Vancouver Island, British Columbia, SW Canada
Bami see Bamy
149 P4 **Bāmīān** var. Bāmiān. Bāmīān, NE Afghanistan
149 O4 **Bāmīān** ◈ province C Afghanistan
79 J14 **Bamingui** Bamingui-Bangoran, C Central African Republic
78 J13 **Bamingui** ≈ N Central African Republic
78 J13 **Bamingui-Bangoran** ◈ prefecture N Central African Republic
143 V13 **Bampūr** Sīstān va Balūchestān, SE Iran
186 C8 **Bamu** ≈ SW PNG
146 E12 **Bamy** Rus. Bami. Ahal Welaýaty, C Turkmenistan
Bán see Bánovce nad Bebravou
81 N17 **Banaadir** off. Gobolka Banaadir. ◈ region S Somalia
191 N3 **Banaba** var. Ocean Island. island Tungaru, W Kiribati
59 O14 **Banabuiú, Açude** ▣ NE Brazil
57 O19 **Bañados del Izozog** salt lake SE Bolivia
97 D18 **Banagher** Ir. Beannchar. C Ireland
79 M17 **Banalia** Orientale, N Dem. Rep. Congo
76 L12 **Banamba** Koulikoro, W Mali
40 G4 **Banámichi** Sonora, NW Mexico
181 Y9 **Banana** Queensland, E Australia
191 Z2 **Banana** prev. Main Camp. Kiritimati, E Kiribati
59 K16 **Bananal, Ilha do** island C Brazil
23 Y12 **Banana River** lagoon Florida, SE USA
151 Q22 **Bananga** Andaman and Nicobar Islands, India, NE Indian Ocean
Banaras see Vārānasi
114 N13 **Banarlı** Tekirdağ, NW Turkey
152 H12 **Banās** ≈ N India
75 Z11 **Banâs, Râs** headland E Egypt
112 N10 **Banatski Karlovac** Serbia, NE Serbia and Montenegro (Yugo.)
141 P16 **Banā, Wādī** dry watercourse SW Yemen
136 E14 **Banaz** Uşak, W Turkey
136 E14 **Banaz Çayı** ≈ W Turkey
159 P14 **Banbar** var. Coka. Xizang Zizhiqu, W China
97 G15 **Banbridge** Ir. Droichead na Banna. SE Northern Ireland, UK
Ban Bua Yai see Bua Yai
97 M21 **Banbury** S England, UK
167 O7 **Ban Chiang Dao** Chiang Mai, NW Thailand
96 K9 **Banchory** NE Scotland, UK
14 J13 **Bancroft** Ontario, SE Canada
33 R15 **Bancroft** Idaho, NW USA
29 U11 **Bancroft** Iowa, C USA
154 I9 **Banda** Madhya Pradesh, C India
152 L13 **Bānda** Uttar Pradesh, N India
168 F7 **Bandaaceh** var. Banda Atjeh; prev. Koetaradja, Kutaradja, Kutaraja. Sumatera, W Indonesia
Banda Atjeh see Bandaaceh
171 S14 **Banda, Kepulauan** island group E Indonesia
Banda, Laut see Banda Sea
77 N17 **Bandama** var. Bandama Fleuve. ≈ S Ivory Coast
77 N15 **Bandama Blanc** ≈ C Ivory Coast
Bandama Fleuve see Bandama
Bandar 'Abbās see Bandar-e 'Abbās
153 W16 **Bandarban** Chittagong, SE Bangladesh
80 Q13 **Bandarbeyla** var. Bender Beila, Bender Beyla. Bari, NE Somalia
143 R14 **Bandar-e 'Abbās** var. Bandar 'Abbās; prev. Gombroon. Hormozgān, S Iran
142 M3 **Bandar-e Anzalī** Gīlān, NW Iran
143 N12 **Bandar-e Būshehr** var. Būshehr, Eng. Bushire. Būshehr, S Iran
142 M11 **Bandar-e Gonāveh** var. Ganāveh; prev. Gonāveh. Būshehr, SW Iran
143 R14 **Bandar-e Khamīr** Hormozgān, S Iran
143 Q14 **Bandar-e Langeh** var. Bandar-e Lengeh, Lingeh. Hormozgān, S Iran
Bandar-e Lengeh see Bandar-e Langeh
142 L10 **Bandar-e Māhshahr** var. Māh-Shahr; prev. Bandar-e Ma'shūr. Khūzestān, SW Iran
Bandar-e Ma'shūr see Bandar-e Māhshahr
143 O14 **Bandar-e Nakhīlū** Hormozgān, S Iran
Bandar-e Shāh see Bandar-e Torkaman
143 P4 **Bandar-e Torkaman** var. Bandar-e Torkeman, Bandar-e Torkman; prev. Bandar-e Shāh. Golestān, N Iran
Bandar-e Torkaman/Bandar-e Torkeman/Bandar-e Torkman see Bandar-e Torkaman

◆ Country ● Country Capital ◇ Dependent Territory ○ Dependent Territory Capital ◈ Administrative Region ✕ International Airport ▲ Mountain ▲▲ Mountain Range Volcano ≈ River ◎ Lake ▣ Reservoir

BANDAR KASSIM – BARTSCHIN ••• 223

Bandar Kassim *see* Boosaaso
168 M15 **Bandarlampung** *prev.* Tanjungkarang, Teloekbetoeng, Telukbetung. Sumatera, W Indonesia
Bandar Maharani *see* Muar
Bandar Masulipatnam *see* Machilipatnam
Bandar Penggaram *see* Batu Pahat
169 T7 **Bandar Seri Begawan** *prev.* Brunei Town. ● (Brunei) N Brunei
169 T7 **Bandar Seri Begawan** ✕ N Brunei
171 R15 **Banda Sea** *var.* Laut Banda. *sea* E Indonesia
104 H5 **Bande** Galicia, NW Spain
59 G15 **Bandeirantes** Mato Grosso, W Brazil
59 N20 **Bandeira, Pico da** ▲ SE Brazil
83 K19 **Bandelierkop** Limpopo, NE South Africa
62 L8 **Bandera** Santiago del Estero, N Argentina
25 Q11 **Bandera** Texas, SW USA
40 J13 **Banderas, Bahía de** *bay* W Mexico
77 O11 **Bandiagara** Mopti, C Mali
152 I12 **Bāndīkūi** Rājasthān, N India
136 C11 **Bandırma** *var.* Penderma. Balıkesir, NW Turkey
Bandjarmasin *see* Banjarmasin
Bandoeng *see* Bandung
97 C21 **Bandon** *Ir.* Droicheadna Bandan. SW Ireland
32 E14 **Bandon** Oregon, NW USA
167 R8 **Ban Dong Bang** Nong Khai, E Thailand
167 Q6 **Ban Donkon** Oudômxai, N Laos
172 J14 **Bandrélé** SE Mayotte
79 H20 **Bandundu** *prev.* Banningville. Bandundu, W Dem. Rep. Congo
79 I21 **Bandundu** *off.* Région de Bandundu. ◆ *region* W Dem. Rep. Congo
169 O16 **Bandung** *prev.* Bandoeng. Jawa, C Indonesia
116 L15 **Băneasa** Constanța, SW Romania
142 J4 **Bāneh** Kordestān, N Iran
44 I7 **Banes** Holguín, E Cuba
11 P16 **Banff** Alberta, SW Canada
96 K8 **Banff** NE Scotland, UK
96 K8 **Banff** *cultural region* NE Scotland, UK
Bánffyhunyad *see* Huedin
77 N14 **Banfora** SW Burkina
155 H19 **Bangalore** Karnātaka, S India
153 S16 **Bangaon** West Bengal, NE India
79 L15 **Bangassou** Mbomou, SE Central African Republic
186 D7 **Bangeta, Mount** ▲ C PNG
171 P12 **Banggai, Kepulauan** *island group* C Indonesia
171 Q12 **Banggai, Pulau** *island* Kepulauan Banggai, N Indonesia
171 X13 **Banggelapa** Papua, E Indonesia
Banggi *see* Banggi, Pulau
169 V6 **Banggi, Pulau** *var.* Banggi. *island* East Malaysia
121 P13 **Banghāzī** *Eng.* Bengazi, Benghazi, *It.* Bengasi. NE Libya
Bang Hieng *see* Xé Banghiang
169 O13 **Bangka-Belitung** *off.* Propinsi Bangka-Belitung. ◆ *province* W Indonesia
169 P11 **Bangkai, Tanjung** *var.* Bankai. *headland* Borneo, N Indonesia
169 S16 **Bangkalan** Pulau Madura, C Indonesia
169 N12 **Bangka, Pulau** *island* W Indonesia
169 N13 **Bangka, Selat** *strait* Sumatera, W Indonesia
168 J11 **Bangkinang** Sumatera, W Indonesia
168 K12 **Bangko** Sumatera, W Indonesia
Bangkok *see* Krung Thep
Bangkok, Bight of *see* Krung Thep, Ao
153 T14 **Bangladesh** *off.* People's Republic of Bangladesh; *prev.* East Pakistan. ◆ *republic* S Asia
167 V13 **Ba Ngoi** Khanh Hoa, S Vietnam
152 K5 **Bangong Co** *var.* Pangong Tso. ◎ China/India *see also* Pangong Tso
97 G15 **Bangor** *Ir.* Beannchar. E Northern Ireland, UK
97 I18 **Bangor** NW Wales, UK
19 R6 **Bangor** Maine, NE USA
18 I14 **Bangor** Pennsylvania, NE USA
Bang Phra *see* Trat
Bang Pla Soi *see* Chon Buri
25 Q8 **Bangs** Texas, SW USA
167 N13 **Bang Saphan** *var.* Bang Saphan Yai. Prachuap Khiri Khan, SW Thailand
Bang Saphan Yai *see* Bang Saphan
36 I8 **Bangs, Mount** ▲ Arizona, SW USA
93 E15 **Bangsund** Nord-Trøndelag, C Norway
171 O2 **Bangued** Luzon, N Philippines
79 I15 **Bangui** ● (Central African Republic) Ombella-Mpoko, SW Central African Republic
79 I15 **Bangui** ✕ Ombella-Mpoko, SW Central African Republic
83 N16 **Bangula** Southern, S Malawi
Bangwaketse *see* Southern
82 K12 **Bangweulu, Lake** *var.* Lake Bengweulu. ◎ N Zambia
Banhā *see* Benha
Ban Hat Yai *see* Hat Yai
167 Q7 **Ban Hin Heup** Viangchan, C Laos
Ban Houayxay/Ban Houei Sai *see* Houayxay
167 O12 **Ban Hua Hin** *var.* Hua Hin. Prachuap Khiri Khan, SW Thailand
79 L14 **Bani** Haute-Kotto, E Central African Republic
77 N12 **Bani** ∾ S Mali
45 O9 **Baní** S Dominican Republic
Banias *see* Bāniyās
77 S11 **Bani Bangou** Tillabéri, SW Niger
76 M12 **Banifing** *var.* Ngorolaka. ∾ Burkina/Mali
77 R13 **Banikoara** N Benin
Banī Mazār *see* Beni Mazâr
114 K8 **Baniski Lom** ∾ N Bulgaria
21 U7 **Banister River** ∾ Virginia, NE USA
Banī Suwayf *see* Beni Suef
75 O8 **Banī Walīd** NW Libya
138 H5 **Bāniyās** *var.* Banias, Baniyas, Paneas. Tarṭūs, W Syria
113 K14 **Banja** Serbia, W Serbia and Montenegro (Yugo.)
Banjak, Kepulauan *see* Banyak, Kepulauan
112 J12 **Banja Koviljača** Serbia, W Serbia and Montenegro
112 G11 **Banja Luka** Republika Srpska, NW Bosnia and Herzegovina
169 T13 **Banjarmasin** *prev.* Bandjarmasin. Borneo, C Indonesia
76 F11 **Banjul** *prev.* Bathurst. ● (Gambia) W Gambia
76 F11 **Banjul** ✕ W Gambia
Bank *see* Bankä
137 Y13 **Bankä** *Rus.* Bank. SE Azerbaijan
167 S11 **Ban Kadian** *var.* Ban Kadiene. Champasak, S Laos
Ban Kadiene *see* Ban Kadian
Bankai *see* Bangkai, Tanjung
166 M14 **Ban Kam Phuam** Phangnga, SW Thailand
Ban Kantang *see* Kantang
77 O11 **Bankass** Mopti, S Mali
95 L19 **Bankeryd** Jönköping, S Sweden
83 K16 **Banket** Mashonaland West, N Zimbabwe
167 T11 **Ban Khamphô** Attapu, S Laos
23 O4 **Bankhead Lake** ▣ Alabama, S USA
77 Q11 **Bankilaré** Tillabéri, SW Niger
Banks, Îles *see* Banks Islands
10 I14 **Banks Island** *island* British Columbia, SW Canada
187 R12 **Banks Islands** *Fr.* Îles Banks. *island group* N Vanuatu
23 U8 **Banks Lake** ◎ Georgia, SE USA
32 K8 **Banks Lake** ▣ Washington, NW USA
185 I19 **Banks Peninsula** *peninsula* South Island, NZ
183 Q15 **Banks Strait** *strait* SW Tasman Sea
Ban Kui Nua *see* Kui Buri
153 R16 **Bānkura** West Bengal, NE India
167 S8 **Ban Lakxao** *var.* Lak Sao. Bolikhamxai, C Laos
167 C16 **Ban Lam Phai** Songkhla, SW Thailand
Ban Mae Sot *see* Mae Sot
Ban Mae Suai *see* Mae Suai
Ban Mak Khaeng *see* Udon Thani
166 M3 **Banmauk** Sagaing, N Myanmar
Banmo *see* Bhamo
167 T10 **Ban Mun-Houamuang** S Laos
97 F14 **Bann** *var.* Lower Bann, Upper Bann. ∾ N Northern Ireland, UK
167 S10 **Ban Nadou** Salavan, S Laos
167 S9 **Ban Nakala** Savannakhét, S Laos
167 Q8 **Ban Nakha** Viangchan, C Laos
167 S9 **Ban Nakham** Khammouan, S Laos
167 P7 **Ban Namoun** Xaignabouli, N Laos
167 O17 **Ban Nang Sata** Yala, SW Thailand
167 N15 **Ban Na San** Surat Thani, SW Thailand
167 R7 **Ban Nasi** Xiangkhoang, N Laos
44 I3 **Bannerman Town** Eleuthera Island, C Bahamas
35 V15 **Banning** California, W USA
Banningville *see* Bandundu
167 S11 **Ban Nongsim** Champasak, S Laos
149 S7 **Bannu** *prev.* Edwardesabad. North-West Frontier Province, NW Pakistan
Bañolas *see* Banyoles
56 C7 **Baños** Tungurahua, C Ecuador
Bánovce *see* Bánovce nad Bebravou
111 I19 **Bánovce nad Bebravou** *var.* Bánovce, *Hung.* Bán. Trenčiansky Kraj, W Slovakia
112 I12 **Banovići** Federacija Bosna I Hercegovina, E Bosnia and Herzegovina
Banow *see* Andarāb
Ban Pak Phanang *see* Pak Phanang
167 O7 **Ban Pan Nua** Lampang, NW Thailand
167 Q9 **Ban Phai** Khon Kaen, E Thailand
167 T9 **Ban Phou A Douk** Khammouan, C Laos
167 Q8 **Ban Phu** Uthai Thani, W Thailand
167 O11 **Ban Pong** Ratchaburi, W Thailand
190 I3 **Banraeaba** Tarawa, W Kiribati
167 N10 **Ban Sai Yok** Kanchanaburi, W Thailand
Ban Sattahip/Ban Sattahipp *see* Sattahip
Ban Sichon *see* Sichon
Ban Si Racha *see* Siracha
111 J19 **Banská Bystrica** *Ger.* Neusohl, *Hung.* Besztercebánya. Banskobystrický Kraj, C Slovakia
111 K20 **Banskobystrický Kraj** ◆ *region* C Slovakia
167 R8 **Ban Sôppheung** Bolikhamxai, C Laos
Ban Sop Prap *see* Sop Prap
152 G15 **Bānswāra** Rājasthān, N India
167 N15 **Ban Ta Khun** Surat Thani, SW Thailand
Ban Takua Pa *see* Takua Pa
167 S8 **Ban Talak** Khammouan, C Laos
77 R15 **Bantè** W Benin
169 N16 **Banten** *off.* Propinsi Banten. ◆ *province* W Indonesia
167 Q8 **Ban Thabôk** Bolikhamxai, C Laos
167 T9 **Ban Tôp** Savannakhét, S Laos
97 B21 **Bantry** *Ir.* Beanntraí. SW Ireland
97 A21 **Bantry Bay** *Ir.* Bá Bheanntraí. *bay* SW Ireland
155 F19 **Bantvāl** *var.* Bantwāl. Karnātaka, E India
Bantwāl *see* Bantvāl
114 N8 **Banya** Burgas, E Bulgaria
168 G10 **Banyak, Kepulauan** *prev.* Kepulauan Banjak. *island group* NW Indonesia
105 U8 **Banya, La** *headland* E Spain
79 E14 **Banyo** Adamaoua, NW Cameroon
105 X4 **Banyoles** *var.* Bañolas. Cataluña, NE Spain
167 N16 **Ban Yong Sata** Trang, SW Thailand
195 X14 **Banzare Coast** *physical region* Antarctica
173 Q14 **Banzare Seamounts** *undersea feature* S Indian Ocean
Banzart *see* Bizerte
163 Q12 **Baochang** *var.* Taibus Qi. Nei Mongol Zizhiqu, N China
161 O3 **Baoding** *var.* Pao-ting; *prev.* Tsingyuan. Hebei, E China
Baoebaoe *see* Baubau
Baoi, Oileán *see* Dursey Island
160 J6 **Baoji** *var.* Pao-chi, Paoki. Shaanxi, C China
163 U9 **Baokang** *var.* Hoqin Zuoyi Zhongji. Nei Mongol Zizhiqu, N China
186 L8 **Baolo** Santa Isabel, N Solomon Islands
167 U13 **Bao Lôc** Lâm Đông, S Vietnam
163 Z7 **Baoqing** Heilongjiang, NE China
Baoqing *see* Shaoyang
79 H15 **Baoro** Nana-Mambéré, W Central African Republic
160 E12 **Baoshan** *var.* Pao-shan. Yunnan, SW China
163 N13 **Baotou** *var.* Pao-t'ou, Paotow. Nei Mongol Zizhiqu, N China
76 L14 **Baoulé** ∾ S Mali
76 K12 **Baoulé** ∾ W Mali
103 O2 **Bapaume** Pas-de-Calais, N France
14 J13 **Baptiste Lake** ◎ Ontario, SE Canada
Bapu *see* Meigu
Baqanas *see* Bakanas
Baqbaqty *see* Bakbakty
159 P14 **Baqên** *var.* Dartang. Xizang Zizhiqu, W China
138 F14 **Bāqir, Jabal** ▲ S Jordan
139 T7 **Ba'qūbah** *var.* Qubba. C Iraq
62 H5 **Baquedano** Antofagasta, N Chile
116 M6 **Bar** Vinnyts'ka Oblast', C Ukraine
113 J18 **Bar** *It.* Antivari. Montenegro, SW Serbia and Montenegro (Yugo.)
80 E10 **Bara** Northern Kordofan, C Sudan
81 M18 **Baraawe** *It.* Brava. Shabeellaha Hoose, S Somalia
152 M12 **Bāra Banki** Uttar Pradesh, N India
30 L8 **Baraboo** Wisconsin, N USA
30 K8 **Baraboo Range** *hill range* Wisconsin, N USA
Baracaldo *see* San Vicente de Barakaldo
15 Y6 **Barachois** Québec, SE Canada
44 J7 **Baracoa** Guantánamo, E Cuba
61 C19 **Baradero** Buenos Aires, E Argentina
183 R6 **Baradine** New South Wales, SE Australia
Baraf Daja Islands *see* Damar, Kepulauan
154 M12 **Baragarh** Orissa, E India
81 I17 **Baragoi** Rift Valley, W Kenya
45 N9 **Barahona** SW Dominican Republic
153 W13 **Barail Range** ▲ NE India
80 I9 **Baraka** *var.* Barka, *Ar.* Khawr Barakah. *seasonal river* Eritrea/Sudan
80 G10 **Barakat** Gezira, C Sudan
Baraki *see* Baraki Barak
149 Q6 **Baraki Barak** *var.* Baraki, Baraki Rajan. Lowgar, E Afghanistan
Baraki Rajan *see* Baraki Barak
154 N11 **Bārākot** Orissa, E India
55 S7 **Barama River** ∾ N Guyana
155 E14 **Bārāmati** Mahārāshtra, W India
152 H5 **Bārāmūla** Jammu and Kashmir, NW India
119 N14 **Baran'** Vitsyebskaya Voblasts', NE Belarus
152 I14 **Bārān** Rājasthān, N India
139 U4 **Barānān, Shākh-i** ▲ E Iraq
119 I17 **Baranavichy** *Pol.* Baranowicze, *Rus.* Baranovichi. Brestskaya Voblasts', SW Belarus
123 T6 **Baranikha** Chukotskiy Avtonomnyy Okrug, NE Russian Federation
116 M4 **Baranivka** Zhytomyrs'ka Oblast', N Ukraine
39 W14 **Baranof Island** *island* Alexander Archipelago, Alaska, USA
Baranovichi/Baranowicze *see* Baranavichy
111 N15 **Baranów Sandomierski** Podkarpackie, SE Poland
111 I26 **Baranya** *off.* Baranya Megye. ◆ *county* S Hungary
153 R13 **Barāri** Bihār, NE India
22 L10 **Barataria Bay** *bay* Louisiana, S USA
Barat Daya, Kepulauan *see* Damar, Kepulauan
118 L12 **Baravukha** *Rus.* Borovukha. Vitsyebskaya Voblasts', N Belarus
54 E11 **Baraya** Huila, C Colombia
59 M21 **Barbacena** Minas Gerais, SE Brazil
54 B13 **Barbacoas** Nariño, SW Colombia
54 L6 **Barbacoas** Aragua, N Venezuela
45 Z13 **Barbados** ◆ *commonwealth republic* SE West Indies
105 U11 **Barbaria, Cap de** *var.* Cabo de Berberia. *headland* Formentera, E Spain
114 N13 **Barbaros** Tekirdağ, NW Turkey
74 A11 **Barbas, Cap** *headland* S Western Sahara
105 T5 **Barbastro** Aragón, NE Spain
104 K16 **Barbate** ∾ SW Spain
104 K16 **Barbate de Franco** Andalucía, S Spain
9 N1 **Barbeau Peak** ▲ Nunavut, N Canada
83 K21 **Barberton** Mpumalanga, NE South Africa
31 U12 **Barberton** Ohio, N USA
102 K12 **Barbezieux-St-Hilaire** Charente, W France
54 G9 **Barbosa** Boyacá, C Colombia
21 N7 **Barbourville** Kentucky, S USA
45 W9 **Barbuda** *island* N Antigua and Barbuda
181 W8 **Barcaldine** Queensland, E Australia
Barcarozsnyó *see* Râşnov
104 I11 **Barcarrota** Extremadura, W Spain
Barcău *see* Berettyó
Barce *see* Al Marj
107 L23 **Barcellona** *var.* Barcellona Pozzo di Gotto. Sicilia Italy, C Mediterranean Sea
Barcellona Pozzo di Gotto *see* Barcellona
105 W6 **Barcelona** *anc.* Barcino, Barcinona. Cataluña, E Spain
55 N5 **Barcelona** Anzoátegui, NE Venezuela
105 S5 **Barcelona** ◆ *province* Cataluña, NE Spain
105 W6 **Barcelona** ✕ Cataluña, E Spain
103 U14 **Barcelonnette** Alpes-de-Haute-Provence, SE France
58 E12 **Barcelos** Amazonas, N Brazil
104 G5 **Barcelos** Braga, N Portugal
110 I10 **Barcin** *Ger.* Bartschin. Kujawski-pomorskie, C Poland
Barcino/Barcinona *see* Barcelona
Barcoo *see* Cooper Creek
111 H26 **Barcs** Somogy, SW Hungary
137 W11 **Bärdä** *Rus.* Barda. C Azerbaijan
78 H5 **Bardaï** Borkou-Ennedi-Tibesti, N Chad
139 R2 **Bardarash** N Iraq
139 Q7 **Bardasah** SW Iraq
153 S16 **Barddhamān** West Bengal, NE India
111 N18 **Bardejov** *Ger.* Bartfeld, *Hung.* Bártfa. Prešovský Kraj, E Slovakia
105 R4 **Bárdenas Reales** *physical region* N Spain
Bardera/Bardere *see* Baardheere
Bardesīr *see* Bardsīr
92 K3 **Bárdharbunga** ▲ C Iceland
Bardhë, Drini i *see* Beli Drim
106 E9 **Bardi** Emilia-Romagna, C Italy
106 A8 **Bardonecchia** Piemonte, W Italy
97 H19 **Bardsey Island** *island* NW Wales, UK
143 S11 **Bardsīr** *var.* Bardesīr, Mashīz. Kermān, C Iran
20 L6 **Bardstown** Kentucky, S USA
Barduli *see* Barletta
20 G7 **Bardwell** Kentucky, S USA
152 K11 **Bareilly** *var.* Bareli. Uttar Pradesh, N India
Bareli *see* Bareilly
98 H13 **Barendrecht** Zuid-Holland, SW Netherlands
102 M3 **Barentin** Seine-Maritime, N France
92 N3 **Barentsburg** Spitsbergen, W Svalbard
Barentsevo More/Barents Havet *see* Barents Sea
92 O3 **Barentsøya** *island* E Svalbard
197 T11 **Barents Plain** *undersea feature* N Barents Sea
127 P3 **Barents Sea** *Nor.* Barents Havet, *Rus.* Barentsevo More. *sea* Arctic Ocean
197 U14 **Barents Trough** *undersea feature* SW Barents Sea
80 I9 **Barentu** W Eritrea
102 J3 **Barfleur** Manche, N France
102 J3 **Barfleur, Pointe de** *headland* N France
Barfrush/Barfurush *see* Bābol
158 H14 **Barga** Xizang Zizhiqu, W China
105 N9 **Bargas** Castilla-La Mancha, C Spain
81 I15 **Bargē** Southern, S Ethiopia
106 A9 **Barge** Piemonte, NE Italy
153 U16 **Barguna** Khulna, S Bangladesh
Bärgušad *see* Vorotan
123 N13 **Barguzin** Respublika Buryatiya, S Russian Federation
152 O13 **Barhaj** Uttar Pradesh, N India
183 N10 **Barham** New South Wales, SE Australia
152 J12 **Barhan** Uttar Pradesh, N India
19 S7 **Bar Harbor** Mount Desert Island, Maine, NE USA
153 R14 **Barharwa** Jhārkhand, NE India
153 P15 **Barhi** Jhārkhand, N India
107 O17 **Bari** *var.* Bari delle Puglie; *anc.* Barium. Puglia, SE Italy
80 P12 **Bari** *off.* Gobolka Bari. ◆ *region* NE Somalia
167 T14 **Ba Ria** Ba Ria-Vung Tau, S Vietnam
Bāridah *see* Al Bāridah
Bari delle Puglie *see* Bari
Barikot *see* Barīkowṭ
149 T4 **Barīkowṭ** *var.* Barikot. Kunar, NE Afghanistan
42 C4 **Barillas** *var.* Santa Cruz Barillas. Huehuetenango, NW Guatemala
54 I6 **Barinas** Barinas, W Venezuela
54 I7 **Barinas** *off.* Estado Barinas; *prev.* Zamora. ◆ *state* C Venezuela
54 I6 **Barinitas** Barinas, NW Venezuela
154 P11 **Bāripada** Orissa, E India
50 K9 **Bariri** São Paulo, S Brazil
75 W11 **Bârîs** S Egypt
152 G14 **Bari Sādri** Rājasthān, N India
153 U16 **Barisal** Khulna, S Bangladesh
168 I10 **Barisan, Pegunungan** ▲ Sumatera, W Indonesia
169 T12 **Barito, Sungai** ∾ Borneo, C Indonesia
Barium *see* Bari
Bårjås *see* Porjus
Barka *see* Baraka
Barka *see* Al Marj
160 H8 **Barkam** Sichuan, C China
118 J9 **Barkava** Madona, C Latvia
10 M15 **Barkerville** British Columbia, SW Canada
14 J12 **Bark Lake** ◎ Ontario, SE Canada
20 H7 **Barkley, Lake** ▣ Kentucky/Tennessee, S USA
10 K17 **Barkley Sound** *inlet* British Columbia, W Canada
83 J24 **Barkly East** *Afr.* Barkly-Oos. Eastern Cape, SE South Africa
Barkly-Oos *see* Barkly East
181 S4 **Barkly Tableland** *plateau* Northern Territory/Queensland, N Australia
Barkly-Wes *see* Barkly West
83 H22 **Barkly West** *Afr.* Barkly-Wes. Northern Cape, N South Africa
159 O5 **Barkol** *var.* Barkol Kazak Zizhixian. Xinjiang Uygur Zizhiqu, NW China
159 O5 **Barkol Hu** ◎ NW China
Barkol Kazak Zizhixian *see* Barkol
30 J3 **Bark Point** *headland* Wisconsin, N USA
25 P11 **Barksdale** Texas, SW USA
Bar Kunar *see* Asmār
116 L11 **Bârlad** *prev.* Bîrlad. Vaslui, E Romania
116 M11 **Bârlad** *prev.* Bîrlad. ∾ E Romania
76 D9 **Barlavento, Ilhas de** *var.* Windward Islands. *island group* N Cape Verde
103 R5 **Bar-le-Duc** *var.* Bar-sur-Ornain. Meuse, NE France
180 K11 **Barlee, Lake** ◎ Western Australia
180 H8 **Barlee Range** ▲ Western Australia
107 N16 **Barletta** *anc.* Barduli. Puglia, SE Italy
110 E10 **Barlinek** *Ger.* Berlinchen. Zachodnio-pomorskie, NW Poland
27 S11 **Barling** Arkansas, C USA
171 U12 **Barma** Papua, E Indonesia
183 Q9 **Barmedman** New South Wales, SE Australia
Barmen-Elberfeld *see* Wuppertal
152 D12 **Bārmer** Rājasthān, NW India
182 K9 **Barmera** South Australia
97 I19 **Barmouth** NW Wales, UK
154 F10 **Barnagar** Madhya Pradesh, C India
152 H9 **Barnāla** Punjab, NW India
97 L15 **Barnard Castle** N England, UK
183 O6 **Barnato** New South Wales, SE Australia
122 I13 **Barnaul** Altayskiy Kray, C Russian Federation
109 V8 **Bärnbach** Steiermark, SE Austria
18 K16 **Barnegat** New Jersey, NE USA
23 S4 **Barnesville** Georgia, SE USA
29 R6 **Barnesville** Minnesota, N USA
31 U13 **Barnesville** Ohio, N USA
98 K11 **Barneveld** *var.* Barnveld. Gelderland, C Netherlands
25 O9 **Barnhart** Texas, SW USA
27 P8 **Barnsdall** Oklahoma, C USA
97 M17 **Barnsley** N England, UK
19 Q12 **Barnstable** Massachusetts, NE USA
97 I23 **Barnstaple** SW England, UK
Barnveld *see* Barneveld
21 Q14 **Barnwell** South Carolina, SE USA
77 U15 **Baro** Niger, C Nigeria
Baro *see* Baro Wenz
Baroda *see* Vadodara
149 U2 **Baroghil Pass** *var.* Kowtal-e Barowghīl. *pass* Afghanistan/Pakistan
119 Q17 **Baron'ki** *Rus.* Boron'ki. Mahilyowskaya Voblasts', E Belarus
182 I9 **Barossa Valley** *valley* South Australia
Barouі *see* Salisbury
81 H14 **Baro Wenz** *var.* Baro, Nahr Barū. ∾ Ethiopia/Sudan
153 U12 **Barpeta** Assam, NE India
31 S7 **Barques, Pointe Aux** *headland* Michigan, N USA
54 J5 **Barquisimeto** Lara, NW Venezuela
59 N16 **Barra** Bahia, E Brazil
96 E9 **Barra** *island* NW Scotland, UK
183 T5 **Barraba** New South Wales, SE Australia
60 L9 **Barra Bonita** São Paulo, S Brazil
64 J12 **Barracuda Fracture Zone** *var.* Fifteen Twenty Fracture Zone. *tectonic feature* SW Atlantic Ocean
64 G11 **Barracuda Ridge** *undersea feature* N Atlantic Ocean
43 N12 **Barra del Colorado** Limón, NE Costa Rica
43 N9 **Barra de Río Grande** Región Autónoma Atlántico Sur, E Nicaragua
82 A11 **Barra do Cuanza** Luanda, NW Angola
60 O9 **Barra do Piraí** Rio de Janeiro, SE Brazil
61 D16 **Barra do Quaraí** Rio Grande do Sul, SE Brazil
59 G14 **Barra do São Manuel** Pará, N Brazil
83 N19 **Barra Falsa, Ponta da** *headland* S Mozambique
96 E10 **Barra Head** *headland* NW Scotland, UK
Barram *see* Baram, Batang
60 O9 **Barra Mansa** Rio de Janeiro, SE Brazil
57 D14 **Barranca** Lima, W Peru
54 F8 **Barrancabermeja** Santander, N Colombia
54 H4 **Barrancas** La Guajira, N Colombia
54 J6 **Barrancas** Barinas, NW Venezuela
55 Q6 **Barrancas** Monagas, NE Venezuela
54 F6 **Barranco de Loba** Bolívar, N Colombia
104 I12 **Barrancos** Beja, S Portugal
62 N7 **Barranqueras** Chaco, N Argentina
54 E4 **Barranquilla** Atlántico, N Colombia
83 N20 **Barra, Ponta da** *headland* S Mozambique
105 P11 **Barrax** Castilla-La Mancha, C Spain
19 N11 **Barre** Massachusetts, NE USA
18 M7 **Barre** Vermont, NE USA
59 M17 **Barreiras** Bahia, E Brazil
104 F11 **Barreiro** Setúbal, W Portugal
65 C26 **Barren Island** *island* S Falkland Islands
20 K7 **Barren River Lake** ▣ Kentucky, S USA
60 L7 **Barretos** São Paulo, S Brazil
11 P14 **Barrhead** Alberta, SW Canada
14 G14 **Barrie** Ontario, S Canada
11 N16 **Barrière** British Columbia, SW Canada
14 H8 **Barrière, Lac** ◎ Québec, SE Canada
182 L6 **Barrier Range** *hill range* New South Wales, SE Australia
42 G3 **Barrier Reef** *reef* E Belize
188 C16 **Barrigada** C Guam
Barrington Island *see* Santa Fe, Isla
183 T7 **Barrington Tops** ▲ New South Wales, SE Australia
183 O4 **Barringun** New South Wales, SE Australia
59 K18 **Barro Alto** Goiás, S Brazil
59 N14 **Barro Duro** Piauí, NE Brazil
30 I5 **Barron** Wisconsin, N USA
14 J12 **Barron** ∾ Ontario, SE Canada
61 H15 **Barros Cassal** Rio Grande do Sul, S Brazil
45 P14 **Barrouallie** Saint Vincent, W Saint Vincent and the Grenadines
39 O4 **Barrow** Alaska, USA
97 E20 **Barrow** *Ir.* An Bhearú. ∾ SE Ireland
181 Q6 **Barrow Creek Roadhouse** Northern Territory, N Australia
97 J16 **Barrow-in-Furness** NW England, UK
180 G7 **Barrow Island** *island* Western Australia
39 O4 **Barrow, Point** *headland* Alaska, USA
11 V14 **Barrows** Manitoba, S Canada
97 J22 **Barry** S Wales, UK
14 J12 **Barry's Bay** Ontario, SE Canada
144 K14 **Barsakel'mes, Ostrov** *island* SW Kazakhstan
Barść Łużyca *see* Forst
147 S14 **Barsem** S Tajikistan
145 V11 **Barshatas** Vostochnyy Kazakhstan, E Kazakhstan
155 F14 **Bārsi** Mahārāshtra, W India
100 I13 **Barsinghausen** Niedersachsen, C Germany
147 X8 **Barskoon** Issyk-Kul'skaya Oblast', E Kyrgyzstan
100 F10 **Barssel** Niedersachsen, NW Germany
35 U14 **Barstow** California, W USA
24 L8 **Barstow** Texas, SW USA
103 R6 **Bar-sur-Aube** Aube, NE France
Bar-sur-Ornain *see* Bar-le-Duc
103 Q6 **Bar-sur-Seine** Aube, N France
147 S13 **Bartang** S Tajikistan
147 T13 **Bartang** ∾ SE Tajikistan
Bartenstein *see* Bartoszyce
Bártfa/Bartfeld *see* Bardejov
100 N7 **Barth** Mecklenburg-Vorpommern, NE Germany
27 W13 **Bartholomew, Bayou** ∾ Arkansas/Louisiana, S USA
55 T8 **Bartica** N Guyana
136 H10 **Bartın** Bartin, NW Turkey
136 H10 **Bartın** ◆ *province* NW Turkey
181 W4 **Bartle Frere** ▲ Queensland, E Australia
27 P8 **Bartlesville** Oklahoma, C USA
29 P14 **Bartlett** Nebraska, C USA
20 E10 **Bartlett** Tennessee, S USA
25 T9 **Bartlett** Texas, SW USA
36 L13 **Bartlett Reservoir** ▣ Arizona, SW USA
19 N6 **Barton** Vermont, NE USA
110 L7 **Bartoszyce** *Ger.* Bartenstein. Warmińsko-Mazurskie, NE Poland
23 W12 **Bartow** Florida, SE USA
Bartschin *see* Barcin

◆ Country ● Country Capital ◇ Dependent Territory ○ Dependent Territory Capital ◆ Administrative Region ✕ International Airport ▲ Mountain ▲ Mountain Range Volcano ∾ River ◎ Lake ▣ Reservoir

224 ••• Barumun, Sungai – Befori

168 J10 **Barumun, Sungai** ≈ Sumatera, W Indonesia
Barū, Nahr see Baro Wenz
169 S17 **Barung, Nusa** *island* S Indonesia
168 H9 **Barus** Sumatera, NW Indonesia
162 L10 **Baruunsuu** Ömnögovĭ, S Mongolia
163 P8 **Baruun-Urt** Sühbaatar, E Mongolia
43 P15 **Barú, Volcán** *var.* Volcán de Chiriquí. ※ W Panama
99 K21 **Barvaux** Luxembourg, SE Belgium
42 M13 **Barva, Volcán** ※ NW Costa Rica
117 W6 **Barvinkove** Kharkivs'ka Oblast', E Ukraine
154 G11 **Barwāh** Madhya Pradesh, C India
Bärwalde Neumark see Mieszkowice
154 F11 **Barwāni** Madhya Pradesh, C India
183 P5 **Barwon River** ≈ New South Wales, SE Australia
119 L15 **Barysaw** *Rus.* Borisov. Minskaya Voblasts', NE Belarus
127 Q6 **Barysh** Ul'yanovskaya Oblast', W Russian Federation
117 Q4 **Baryshivka** Kyyivs'ka Oblast', N Ukraine
79 J17 **Basankusu** Equateur, NW Dem. Rep. Congo
117 N11 **Basarabeasca** *Rus.* Bessarabka. SE Moldova
116 M14 **Basarabi** Constanţa, SW Romania
40 H6 **Basaseachic** Chihuahua, NW Mexico
105 O2 **Basauri** País Vasco, N Spain
61 D18 **Basavilbaso** Entre Ríos, E Argentina
79 F21 **Bas-Congo** *off.* Région du Bas-Congo; *prev.* Bas-Zaire. ◆ *region* SW Dem. Rep. Congo
108 E6 **Basel** *Eng.* Basle, *Fr.* Bâle. Basel-Stadt, NW Switzerland
108 E7 **Basel** *Eng.* Basle, *Fr.* Bâle. ◆ *canton* NW Switzerland
143 T14 **Bashākerd, Kūhhā-ye** ▲ SE Iran
11 Q15 **Bashaw** Alberta, SW Canada
146 K16 **Bashbedeng** Mary Welaýaty, S Turkmenistan
161 T15 **Bashi Channel** *Chin.* Pa-shih Hai-hsia. *channel* Philippines/Taiwan
Bashkiria see Bashkortostan, Respublika
122 F11 **Bashkortostan, Respublika** *prev.* Bashkiria. ◆ *autonomous republic* W Russian Federation
127 N6 **Bashmakovo** Penzenskaya Oblast', W Russian Federation
146 J10 **Bashsakarba** Lebap Welaýaty, NE Turkmenistan
117 R9 **Bashtanka** Mykolayivs'ka Oblast', S Ukraine
22 H8 **Basile** Louisiana, S USA
107 M18 **Basilicata** ◆ *region* S Italy
33 V13 **Basin** Wyoming, C USA
97 N22 **Basingstoke** S England, UK
143 U8 **Başīrān** Khorāsān, E Iran
112 B10 **Baška** *It.* Bescanuova. Primorje-Gorski Kotar, NW Croatia
137 T15 **Başkale** Van, SE Turkey
14 L10 **Baskatong, Réservoir** ▣ Québec, SE Canada
137 O14 **Baskil** Elazığ, E Turkey
Basle see Basel
154 H9 **Bāsoda** Madhya Pradesh, C India
79 L17 **Basoko** Orientale, N Dem. Rep. Congo
Basque Country, The see País Vasco
Basra see Al Başrah
103 U5 **Bas-Rhin** ◆ *department* NE France
Bassam see Grand-Bassam
11 Q16 **Bassano** Alberta, SW Canada
106 H7 **Bassano del Grappa** Veneto, NE Italy
77 Q15 **Bassar** *var.* Bassari. NW Togo
Bassari see Bassar
172 L9 **Bassas da India** *island group* W Madagascar
108 D7 **Bassecourt** Jura, W Switzerland
166 K8 **Bassein** *var.* Pathein. Irrawaddy, SW Myanmar
79 J15 **Basse-Kotto** ◆ *prefecture* S Central African Republic
105 V5 **Bassella** Cataluña, NE Spain
102 J5 **Basse-Normandie** *Eng.* Lower Normandy. ◆ *region* N France
45 Q11 **Basse-Pointe** N Martinique
76 H12 **Basse Santa Su** E Gambia
Basse-Saxe see Niedersachsen
45 X6 **Basse-Terre** ○ (Guadeloupe) Basse Terre, SW Guadeloupe
45 X6 **Basse Terre** *island* W Guadeloupe
45 V10 **Basseterre** ● (Saint Kitts and Nevis) Saint Kitts, Saint Kitts and Nevis
29 O13 **Bassett** Nebraska, C USA
21 S7 **Bassett** Virginia, NE USA
37 N15 **Bassett Peak** ▲ Arizona, SW USA
76 M10 **Bassikounou** Hodh ech Chargui, SE Mauritania
77 R15 **Bassila** W Benin
Bass, Îlots de see Marotiri
31 O11 **Bass Lake** Indiana, N USA
183 O14 **Bass Strait** *strait* SE Australia
100 H11 **Bassum** Niedersachsen, NW Germany
29 X3 **Basswood Lake** ◎ Canada/USA
95 J21 **Båstad** Skåne, S Sweden
139 U2 **Baştah** E Iraq
153 N12 **Basti** Uttar Pradesh, N India
103 X14 **Bastia** Corse, France, C Mediterranean Sea
99 L23 **Bastogne** Luxembourg, SE Belgium
22 I5 **Bastrop** Louisiana, S USA
25 T11 **Bastrop** Texas, SW USA
93 J15 **Bastuträsk** Västerbotten, N Sweden
119 J19 **Bastyn'** *Rus.* Bostyn'. Brestskaya Voblasts', SW Belarus
Basuo see Dongfang
Basutoland see Lesotho
119 O15 **Basya** ≈ E Belarus
117 V8 **Basyl'kivka** Dnipropetrovs'ka Oblast', E Ukraine
79 D17 **Bata** NW Equatorial Guinea
79 D17 **Bata** × S Equatorial Guinea
Batae Coritanorum see Leicester
123 Q8 **Batagay** Respublika Sakha (Yakutiya), NE Russian Federation
123 P8 **Batagay-Alyta** Respublika Sakha (Yakutiya), NE Russian Federation
112 L10 **Batajnica** Serbia, N Serbia and Montenegro (Yugo.)
136 H15 **Bataklık Gölü** ◎ S Turkey
114 H11 **Batak, Yazovir** ▣ SW Bulgaria
152 H7 **Batāla** Punjab, N India
104 F9 **Batalha** Leiria, C Portugal
79 N17 **Batama** Orientale, NE Dem. Rep. Congo
123 Q10 **Batamay** Respublika Sakha (Yakutiya), NE Russian Federation
160 F9 **Batang** *var.* Bazhong. Sichuan, C China
79 I14 **Batangafo** Ouham, NW Central African Republic
171 P8 **Batangas** *off.* Batangas City. Luzon, N Philippines
Bătania see Battonya
171 Q10 **Batan Islands** *island group* N Philippines
60 L8 **Batatais** São Paulo, S Brazil
18 E10 **Batavia** New York, NE USA
Batavia see Jakarta
173 T9 **Batavia Seamount** *undersea feature* E Indian Ocean
126 L12 **Bataysk** Rostovskaya Oblast', SW Russian Federation
14 B9 **Batchawana** ≈ Ontario, S Canada
14 B9 **Batchawana Bay** Ontario, S Canada
167 Q12 **Bătdâmbâng** *prev.* Battambang. Bătdâmbâng, NW Cambodia
79 G20 **Batéké, Plateaux** *plateau* S Congo
183 S11 **Batemans Bay** New South Wales, SE Australia
21 Q13 **Batesburg** South Carolina, SE USA
28 K12 **Batesland** South Dakota, N USA
27 V10 **Batesville** Arkansas, C USA
31 Q14 **Batesville** Indiana, N USA
22 L2 **Batesville** Mississippi, S USA
25 Q13 **Batesville** Texas, SW USA
44 L13 **Bath** E Jamaica
97 L22 **Bath** *hist.* Akermanceaster, *anc.* Aquae Calidae, Aquae Solis. SW England, UK
19 Q8 **Bath** Maine, NE USA
18 F11 **Bath** New York, NE USA
Bath see Berkeley Springs
78 I10 **Batha** *off.* Préfecture du Batha. ◆ *prefecture* C Chad
78 I10 **Batha** *seasonal river* C Chad
141 Y8 **Baṭḥā', Wādī al** *dry watercourse* NE Oman
152 H9 **Bathinda** Punjab, NW India
98 M11 **Bathmen** Overijssel, E Netherlands
45 Z14 **Bathsheba** E Barbados
183 R8 **Bathurst** New South Wales, SE Australia
13 O13 **Bathurst** New Brunswick, SE Canada
Bathurst see Banjul
8 H6 **Bathurst, Cape** *headland* Northwest Territories, NW Canada
196 L8 **Bathurst Inlet** Nunavut, N Canada
8 M4 **Bathurst Inlet** *inlet* Nunavut, N Canada
181 O1 **Bathurst Island** *island* Northern Territory, N Australia
197 O9 **Bathurst Island** *island* Parry Islands, Nunavut, N Canada
77 O14 **Batié** SW Burkina
Batinah see Al Bāṭinah
141 Y9 **Bāṭin, Wādī al** *dry watercourse* SW Asia
15 P9 **Batiscan** ≈ Québec, SE Canada
136 F16 **Batı Toroslar** ▲ SW Turkey
Batjan see Bacan, Pulau
147 R11 **Batken** Batkenskaya Oblast', SW Kyrgyzstan
Batken Oblasty see Batkenskaya Oblast'
147 Q11 **Batkenskaya Oblast'** *Kir.* Batken Oblasty. ◆ *province* SW Kyrgyzstan
Batlle y Ordóñez see José Batlle y Ordóñez
183 Q10 **Batlow** New South Wales, SE Australia
137 Q15 **Batman** *var.* Iluh. Batman, SE Turkey
137 Q15 **Batman** ◆ *province* SE Turkey
74 L6 **Batna** NE Algeria
Batoe see Batu, Kepulauan
162 K7 **Bat-Öldziyt** Töv, C Mongolia
22 J8 **Baton Rouge** *state capital* Louisiana, S USA
79 G15 **Batouri** Est, E Cameroon
138 G14 **Batrā', Jibāl al** ▲ S Jordan
138 G6 **Batroûn** *var.* Al Batrūn. N Lebanon
Batsch see Bač
Batsevichi see Batsevichy
119 M17 **Batsevichy** *Rus.* Batsevichi. Mahilyowskaya Voblasts', E Belarus
92 M7 **Båtsfjord** Finnmark, N Norway
Battambang see Bătdâmbâng
195 X3 **Batterbee, Cape** *headland* Antarctica
155 L24 **Batticaloa** Eastern Province, E Sri Lanka
99 L19 **Battice** Liège, E Belgium
107 L18 **Battipaglia** Campania, S Italy
11 R15 **Battle** ≈ Alberta /Saskatchewan, SW Canada
Battle Born State see Nevada
31 Q10 **Battle Creek** Michigan, N USA
27 T7 **Battlefield** Missouri, C USA
11 S15 **Battleford** Saskatchewan, S Canada
29 S6 **Battle Lake** Minnesota, N USA
35 U3 **Battle Mountain** Nevada, W USA
111 M25 **Battonya** *Rom.* Bătania. Békés, SE Hungary
168 D11 **Batu, Kepulauan** *prev.* Batoe. *island group* W Indonesia
137 Q10 **Bat'umi** W Georgia
168 K10 **Batu Pahat** *prev.* Bandar Penggaram. Johor, Peninsular Malaysia
171 O12 **Baturebe** Sulawesi, N Indonesia
122 J12 **Baturino** Tomskaya Oblast', C Russian Federation
117 R3 **Baturyn** Chernihivs'ka Oblast', N Ukraine
138 F10 **Bat Yam** Tel Aviv, C Israel
127 Q4 **Batyrevo** Chuvashskaya Respublika, W Russian Federation
Batys Qazaqstan Oblysy see Zapadnyy Kazakhstan
102 F5 **Batz, Île de** *island* NW France
169 Q10 **Bau** Sarawak, East Malaysia
171 N2 **Bauang** Luzon, N Philippines
171 P14 **Baubau** *var.* Baoebaoe. Pulau Buton, C Indonesia
77 W14 **Bauchi** Bauchi, NE Nigeria
77 W14 **Bauchi** ◆ *state* C Nigeria
102 H7 **Baud** Morbihan, NW France
29 T2 **Baudette** Minnesota, N USA
193 S9 **Bauer Basin** *undersea feature* E Pacific Ocean
187 R14 **Bauer Field** *var.* Port Vila. × (Port-Vila) Éfaté, C Vanuatu
13 T9 **Bauld, Cape** *headland* Newfoundland and Labrador, E Canada
103 T8 **Baume-les-Dames** Doubs, E France
101 I15 **Baunatal** Hessen, C Germany
107 D18 **Baunei** Sardegna, Italy, C Mediterranean Sea
57 M15 **Baures, Río** ≈ N Bolivia
60 K9 **Bauru** São Paulo, S Brazil
Baushar see Bawshar
118 G10 **Bauska** *Ger.* Bauske. Bauska, S Latvia
Bauske see Bauska
101 Q15 **Bautzen** *Lus.* Budyšin. Sachsen, E Germany
145 Q16 **Bauyrzhan Momyshuly** *Kaz.* Baüyrzhan Momyshuly; *prev.* Burnoye. Zhambyl, S Kazakhstan
Bauzanum see Bolzano
Bavaria see Bayern
109 N7 **Bavarian Alps** *Ger.* Bayrische Alpen. ▲ Austria/Germany
Bavière see Bayern
40 H4 **Bavispe, Río** ≈ NW Mexico
127 T5 **Bavly** Respublika Tatarstan, W Russian Federation
169 P13 **Bawal, Pulau** *island* N Indonesia
169 T12 **Bawan** Borneo, C Indonesia
183 O12 **Baw Baw, Mount** ▲ Victoria, SE Australia
169 S15 **Bawean, Pulau** *island* S Indonesia
75 V9 **Bawīṭi** N Egypt
77 Q13 **Bawku** N Ghana
167 N7 **Bawlakè** Kayah State, C Myanmar
169 H11 **Bawo Ofuloa** Pulau Tanahmasa, W Indonesia
141 Y8 **Bawshar** *var.* Baushar. NE Oman
Ba Xian see Bazhou
158 M8 **Baxkorgan** Xinjiang Uygur Zizhiqu, W China
23 V6 **Baxley** Georgia, SE USA
159 R15 **Baxoi** *var.* Baima. Xizang Zizhiqu, W China
29 W14 **Baxter** Iowa, C USA
29 U6 **Baxter** Minnesota, N USA
27 R8 **Baxter Springs** Kansas, C USA
81 M17 **Bay** *off.* Gobolka Bay. ◆ *region* SW Somalia
Bay see Baicheng
44 H7 **Bayamo** Granma, E Cuba
45 U5 **Bayamón** E Puerto Rico
163 W8 **Bayan** Heilongjiang, NE China
170 L16 **Bayan** *prev.* Bajan. Pulau Lombok, C Indonesia
162 I6 **Bayan** Arhangay, C Mongolia
163 P7 **Bayan** Dornod, E Mongolia
163 N9 **Bayan** Dornogovĭ, SE Mongolia
162 F7 **Bayan** Govĭ-Altay, W Mongolia
163 O8 **Bayan** Hentiy, C Mongolia
152 I12 **Bayāna** Rājasthān, N India
149 N5 **Bāyān, Band-e** ▲ C Afghanistan
162 H8 **Bayanbulag** Bayanhongor, C Mongolia
163 N7 **Bayanbulag** Hentiy, C Mongolia
158 J5 **Bayanbulak** Xinjiang Uygur Zizhiqu, W China
Bayan Gol see Dengkou
162 F8 **Bayangol** Govĭ-Altay, SW Mongolia
159 R12 **Bayan Har Shan** *var.* Bayan Khar. ▲ C China
162 I8 **Bayanhongor** Bayanhongor, C Mongolia
162 H9 **Bayanhongor** ◆ *province* C Mongolia
162 K14 **Bayan Hot** *var.* Alxa Zuoqi. Nei Mongol Zizhiqu, N China
163 T9 **Bayan Huxu** *var.* Horqin Zuoyi Zhongji. Nei Mongol Zizhiqu, N China
Bayan Khar see Bayan Har Shan
168 J7 **Bayan Lepas** × (George Town) Pinang, Peninsular Malaysia
162 K13 **Bayan Mod** Nei Mongol Zizhiqu, N China
Bayan Nuru see Xar Burd
163 N12 **Bayan Obo** Nei Mongol Zizhiqu, N China
43 V15 **Bayano, Lago** ◎ E Panama
162 C5 **Bayan-Ölgiy** ◆ *province* NW Mongolia
162 F9 **Bayan-Ovoo** Govĭ-Altay, SW Mongolia
162 H9 **Bayansayr** Bayanhongor, C Mongolia
159 Q9 **Bayan Shan** ▲ C China
162 J9 **Bayanteeg** Övörhangay, C Mongolia
162 L8 **Bayantöhöm** Töv, C Mongolia
Bayan Tumen see Choybalsan
162 H6 **Bayan-Uhaa** Dzavhan, C Mongolia
163 R10 **Bayan Ul** *var.* Xi Ujimqin Qi. Nei Mongol Zizhiqu, N China
162 J8 **Bayan-Ulaan** Övörhangay, C Mongolia
28 J14 **Bayard** Nebraska, C USA
37 P15 **Bayard** New Mexico, SW USA
103 T13 **Bayard, Col** *pass* SE France
163 O8 **Bayasgalant** Sühbaatar, E Mongolia
136 J12 **Bayat** Çorum, N Turkey
171 P6 **Bayawan** Negros, C Philippines
143 R10 **Bayāz** Kermān, C Iran
171 Q6 **Baybay** Leyte, C Philippines
21 X10 **Bayboro** North Carolina, SE USA
137 P12 **Bayburt** Bayburt, NE Turkey
137 P12 **Bayburt** ◆ *province* NE Turkey
31 R8 **Bay City** Michigan, N USA
25 V12 **Bay City** Texas, SW USA
122 I7 **Baydaratskaya Guba** *var.* Baydarata Bay. *bay* N Russian Federation
81 M16 **Baydhabo** *var.* Baydhowa, Isha Baydhabo, *It.* Baidoa. Bay, SW Somalia
Baydhowa see Baydhabo
101 N21 **Bayerischer Wald** ▲ SE Germany
101 K21 **Bayern** *Eng.* Bavaria, *Fr.* Bavière. ◆ *state* SE Germany
147 V9 **Bayetovo** Narynskaya Oblast', C Kyrgyzstan
102 K4 **Bayeux** *anc.* Augustodurum. Calvados, N France
14 E15 **Bayfield** ≈ Ontario, S Canada
145 O15 **Baygekum** *Kaz.* Bäygequm. Kzylorda, S Kazakhstan
Bäygequm see Baygekum
136 C14 **Bayındır** İzmir, SW Turkey
138 H12 **Bāyir** *var.* Bā'ir. Ma'ān, S Jordan
Bay Islands see Bahía, Islas de la
139 R5 **Bayjī** *var.* Baiji. N Iraq
Baykadam see Saudakent
123 N13 **Baykal, Ozero** *Eng.* Lake Baikal. ◎ S Russian Federation
123 M14 **Baykal'sk** Irkutskaya Oblast', S Russian Federation
137 R15 **Baykan** Siirt, SE Turkey
123 L11 **Baykit** Evenkiyskiy Avtonomnyy Okrug, C Russian Federation
145 N12 **Baykonur** *var.* Baykonyr. Karaganda, C Kazakhstan
144 M14 **Baykonyr** *var.* Baykonur *Kaz.* Bayqongyr; *prev.* Leninsk. Kyzylorda, S Kazakhstan
Baykonyr see Baykonur
158 E7 **Baykurt** Xinjiang Uygur Zizhiqu, W China
14 I9 **Bay, Lac** ◎ Québec, SE Canada
127 W6 **Baymak** Respublika Bashkortostan, W Russian Federation
23 O8 **Bay Minette** Alabama, S USA
143 O17 **Baynūnah** *desert* W UAE
184 O8 **Bay of Plenty** *off.* Bay of Plenty Region. ◆ *region* North Island, NZ
191 Z3 **Bay of Wrecks** *bay* Kiritimati, E Kiribati
102 I15 **Bayonne** *anc.* Lapurdum. Pyrénées-Atlantiques, SW France
22 H4 **Bayou D'Arbonne Lake** ▣ Louisiana, S USA
23 N9 **Bayou La Batre** Alabama, S USA
Bayou State see Mississippi
Bayqadam see Saudakent
Bayqongyr see Baykonyr
Bayram-Ali see Baýramaly
146 J14 **Baýramaly** *var.* Bayramaly; *prev.* Bayram-Ali. Mary Welaýaty, S Turkmenistan
101 L19 **Bayreuth** *var.* Baireuth. Bayern, SE Germany
Bayrische Alpen see Bavarian Alps
Bayrūt see Beyrouth
22 L9 **Bay Saint Louis** Mississippi, S USA
Baysān see Bet She'an
162 L8 **Bayshint** Töv, C Mongolia
14 H13 **Bays, Lake of** ◎ Ontario, S Canada
22 M6 **Bay Springs** Mississippi, S USA
Bay State see Massachusetts
Baysun see Boysun
14 H13 **Baysville** Ontario, S Canada
141 N15 **Bayt al Faqīh** W Yemen
158 M4 **Baytik Shan** ▲ China/Mongolia
Bayt Laḥm see Bethlehem
25 W11 **Baytown** Texas, SW USA
169 V11 **Bayur, Tanjung** *headland* Borneo, N Indonesia
121 N14 **Bayy al Kabīr, Wādī** *dry watercourse* NW Libya
Bayyrqum see Bairkum
105 P14 **Baza** Andalucía, S Spain
137 X10 **Bazardüzü Dağı** *Rus.* Gora Bazardyuzyu. ▲ N Azerbaijan
Bazardyuzyu, Gora see Bazardüzü Dağı
Bazargic see Dobrich
83 N18 **Bazaruto, Ilha do** *island* SE Mozambique
102 K14 **Bazas** Gironde, SW France
105 O14 **Baza, Sierra de** ▲ S Spain
160 J8 **Bazhong** Sichuan, C China
Bazhong see Batang
161 P3 **Bazhou** *prev.* Baxian, Ba Xian. Hebei, E China
14 M9 **Bazin** ≈ Québec, SE Canada
Bazin see Pezinok
139 Q7 **Bāzīyah** C Iraq
138 H6 **Bcharré** *var.* Bcharreh, Bsharrī, Bsherri. NE Lebanon
Bcharreh see Bcharré
28 J5 **Beach** North Dakota, N USA
182 K12 **Beachport** South Australia
97 O23 **Beachy Head** *headland* SE England, UK
18 K13 **Beacon** New York, NE USA
63 J25 **Beagle Channel** *channel* Argentina/Chile
181 O1 **Beagle Gulf** *gulf* Northern Territory, N Australia
Bealach an Doirín see Ballaghaderreen
Bealach Cláir see Ballyclare
Bealach Féich see Ballybofey
172 J3 **Bealanana** Mahajanga, NE Madagascar
Béal an Átha see Ballina
Béal an Átha Móir see Ballinamore
Béal an Mhuirhead see Belmullet
Béal Átha Beithe see Ballybay
Béal Átha Conaill see Ballyconnell
Beál Átha hAmhnais see Ballyhaunis
Béal Átha na Sluaighe see Ballinasloe
Béal Átha Seanaidh see Ballyshannon
Bealdovuopmi see Peltovuoma
Béal Feirste see Belfast
Béal Tairbirt see Belturbet
Beanna Boirche see Mourne Mountains
Beannchar see Banagher, Ireland
Beannchar see Bangor, Northern Ireland, UK
Beanntraí see Bantry
Bearalváhki see Berlevåg
23 N2 **Bear Creek** ≈ Alabama/Mississippi, S USA
30 J13 **Bear Creek** ≈ Illinois, N USA
27 U13 **Bearden** Arkansas, C USA
195 Q10 **Beardmore Glacier** *glacier* Antarctica
30 K13 **Beardstown** Illinois, N USA
28 L14 **Bear Hill** ▲ Nebraska, C USA
Bear Island see Bjørnøya
14 H12 **Bear Lake** Ontario, S Canada
36 M1 **Bear Lake** ◎ Idaho/Utah, NW USA
39 U11 **Bear, Mount** ▲ Alaska, USA
102 J16 **Béarn** *cultural region* SW France
194 J11 **Bear Peninsula** *peninsula* Antarctica
152 I7 **Beās** ≈ India/Pakistan
105 P3 **Beasain** País Vasco, N Spain
105 O12 **Beas de Segura** Andalucía, S Spain
45 N10 **Beata, Cabo** *headland* SW Dominican Republic
45 N10 **Beata, Isla** *island* SW Dominican Republic
64 F11 **Beata Ridge** *undersea feature* N Caribbean Sea
29 R17 **Beatrice** Nebraska, C USA
83 L16 **Beatrice** Mashonaland East, NE Zimbabwe
11 N11 **Beatton** ≈ British Columbia, W Canada
11 N11 **Beatton River** British Columbia, W Canada
35 V10 **Beatty** Nevada, W USA
21 N6 **Beattyville** Kentucky, S USA
173 X16 **Beau Bassin** W Mauritius
103 R15 **Beaucaire** Gard, S France
14 I8 **Beauchastel, Lac** ◎ Québec, SE Canada
14 I10 **Beauchêne, Lac** ◎ Québec, SE Canada
183 V3 **Beaudesert** Queensland, E Australia
182 M12 **Beaufort** Victoria, SE Australia
21 X11 **Beaufort** North Carolina, SE USA
21 R15 **Beaufort** South Carolina, SE USA
38 M11 **Beaufort Sea** *sea* Arctic Ocean
Beaufort-Wes see Beaufort West
83 G25 **Beaufort West** *Afr.* Beaufort-Wes. Western Cape, SW South Africa
103 N7 **Beaugency** Loiret, C France
19 R1 **Beau Lake** ▣ Maine, NE USA
96 I8 **Beauly** N Scotland, UK
99 G21 **Beaumont** Hainaut, S Belgium
185 E23 **Beaumont** Otago, South Island, NZ
22 M7 **Beaumont** Mississippi, S USA
25 X10 **Beaumont** Texas, SW USA
102 M15 **Beaumont-de-Lomagne** Tarn-et-Garonne, S France
102 L6 **Beaumont-sur-Sarthe** Sarthe, NW France
103 R8 **Beaune** Côte d'Or, C France
15 R9 **Beaupré** Québec, SE Canada
102 J8 **Beaupréau** Maine-et-Loire, NW France
99 I22 **Beauraing** Namur, SE Belgium
103 R12 **Beaurepaire** Isère, E France
11 Y16 **Beausejour** Manitoba, S Canada
103 N4 **Beauvais** *anc.* Bellovacum, Caesaromagus. Oise, N France
11 S13 **Beauval** Saskatchewan, C Canada
102 I9 **Beauvoir-sur-Mer** Vendée, NW France
39 R8 **Beaver** Alaska, USA
26 J8 **Beaver** Oklahoma, C USA
18 B14 **Beaver** Pennsylvania, NE USA
36 K6 **Beaver** Utah, W USA
10 L9 **Beaver** ≈ British Columbia/Yukon Territory, W Canada
11 S13 **Beaver** ≈ Saskatchewan, C Canada
29 N17 **Beaver City** Nebraska, C USA
10 G6 **Beaver Creek** Yukon Territory, W Canada
31 R14 **Beavercreek** Ohio, N USA
39 S8 **Beaver Creek** ≈ Alaska, USA
26 H3 **Beaver Creek** ≈ Kansas/Nebraska, C USA
28 J5 **Beaver Creek** ≈ Montana/North Dakota, N USA
29 Q14 **Beaver Creek** ≈ Nebraska, C USA
25 Q4 **Beaver Creek** ≈ Texas, SW USA
30 M8 **Beaver Dam** Wisconsin, N USA
30 M8 **Beaver Dam Lake** ◎ Wisconsin, N USA
18 B14 **Beaver Falls** Pennsylvania, NE USA
33 P12 **Beaverhead Mountains** ▲ Idaho/Montana, NW USA
33 Q12 **Beaverhead River** ≈ Montana, NW USA
65 A25 **Beaver Island** *island* W Falkland Islands
31 P5 **Beaver Island** *island* Michigan, N USA
27 S9 **Beaver Lake** ▣ Arkansas, C USA
11 N13 **Beaverlodge** Alberta, W Canada
18 I8 **Beaver River** ≈ New York, NE USA
26 J8 **Beaver River** ≈ Oklahoma, C USA
18 B13 **Beaver River** ≈ Pennsylvania, NE USA
65 A25 **Beaver Settlement** Beaver Island, W Falkland Islands
Beaver State see Oregon
14 H14 **Beaverton** Ontario, S Canada
32 G11 **Beaverton** Oregon, NW USA
152 G12 **Beāwar** Rājasthān, N India
Bebas, Dasht-i see Bābūs, Dasht-e
60 L8 **Bebedouro** São Paulo, S Brazil
101 I16 **Bebra** Hessen, C Germany
41 W12 **Becal** Campeche, SE Mexico
15 Q11 **Bécancour** ≈ Québec, SE Canada
97 Q19 **Beccles** E England, UK
112 L9 **Bečej** *Ger.* Altbetsche, *Hung.* Óbecse, Rácz-Becse; *prev.* Magyar-Becse, Stari Bečej. Serbia, N Serbia and Montenegro (Yugo.)
104 I3 **Becerreá** Galicia, NW Spain
74 H7 **Béchar** *prev.* Colomb-Béchar. W Algeria
39 O14 **Becharof Lake** ◎ Alaska, USA
116 H15 **Bechet** *var.* Bechetu. Dolj, SW Romania
Bechetu see Bechet
21 R6 **Beckley** West Virginia, NE USA
101 G14 **Beckum** Nordrhein-Westfalen, W Germany
25 X7 **Beckville** Texas, SW USA
35 X4 **Becky Peak** ▲ Nevada, W USA
116 I9 **Beclean** *Hung.* Bethlen; *prev.* Betlen. Bistriţa-Năsăud, N Romania
Bécs see Wien
111 H18 **Bečva** *Ger.* Betschau, *Pol.* Beczwa. ≈ E Czech Republic
Beczwa see Bečva
103 P15 **Bédarieux** Hérault, S France
120 B10 **Beddouza, Cap** *headland* W Morocco
80 I13 **Bedelē** Oromo, C Ethiopia
147 Y8 **Bedel Pass** *Rus.* Pereval Bedel. *pass* China/Kyrgyzstan
Bedel, Pereval see Bedel Pass
95 H22 **Beder** Århus, C Denmark
97 N20 **Bedford** E England, UK
31 O15 **Bedford** Indiana, N USA
29 U16 **Bedford** Iowa, C USA
20 L4 **Bedford** Kentucky, S USA
18 D15 **Bedford** Pennsylvania, NE USA
21 T6 **Bedford** Virginia, NE USA
97 N20 **Bedfordshire** *cultural region* E England, UK
127 N5 **Bednodem'yanovsk** Penzenskaya Oblast', W Russian Federation
98 N5 **Bedum** Groningen, NE Netherlands
27 V11 **Beebe** Arkansas, C USA
45 T9 **Beef Island** × (Road Town) Tortola, E British Virgin Islands
Beehive State see Utah
99 L18 **Beek** Limburg, SE Netherlands
99 L18 **Beek** × (Maastricht) Limburg, SE Netherlands
99 K14 **Beek-en-Donk** Noord-Brabant, S Netherlands
138 F13 **Be'er Menuḥa** *var.* Be'er Menukha. Southern, S Israel
Be'er Menukha see Be'ér Menuḥa
99 D16 **Beernem** West-Vlaanderen, NW Belgium
99 I16 **Beerse** Antwerpen, N Belgium
Beersheba see Be'ér Sheva'
138 E11 **Be'ér Sheva'** *var.* Beersheba, *Ar.* Bir es Saba. Southern, S Israel
98 J13 **Beesd** Gelderland, C Netherlands
99 M16 **Beesel** Limburg, SE Netherlands
83 J21 **Beestekraal** North-West, N South Africa
194 J7 **Beethoven Peninsula** *peninsula* Alexander Island, Antarctica
Beetstersweach see Beetsterzwaag
98 M6 **Beetsterzwaag** *Fris.* Beetstersweach. Friesland, N Netherlands
25 S13 **Beeville** Texas, SW USA
79 J18 **Befale** Equateur, NW Dem. Rep. Congo
Befandriana see Befandriana Avaratra
172 J3 **Befandriana Avaratra** *var.* Befandriana, Befandriana Nord. Mahajanga, NW Madagascar
Befandriana Nord see Befandriana Avaratra
79 K18 **Befori** Equateur, N Dem. Rep. Congo

◆ Country ◇ Dependent Territory ◆ Administrative Region ▲ Mountain ※ Volcano ◎ Lake
● Country Capital ○ Dependent Territory Capital × International Airport ▲ Mountain Range ≈ River ▣ Reservoir

BEFOTAKA – BERGAMA ••• 225

172 I7 **Befotaka** Fianarantsoa, S Madagascar
183 R11 **Bega** New South Wales, SE Australia
102 G5 **Bégard** Côtes d'Armor, NW France
112 M9 **Begejski Kanal** *canal* NE Serbia and Montenegro (Yugo.)
94 G13 **Begna** ≈ S Norway
Begoml' *see* Byahoml'
Begovat *see* Bekobod
153 Q13 **Begusarāi** Bihār, NE India
143 R9 **Behābād** Yazd, C Iran
Behagle *see* Laï
55 Z10 **Béhague, Pointe** *headland* E French Guiana
Behar *see* Bihār
142 M10 **Behbahān** *var.* Behbehān. Khūzestān, SW Iran
Behbehān *see* Behbahān
44 G3 **Behring Point** Andros Island, W Bahamas
143 P4 **Behshahr** *prev.* Ashraf. Māzandarān, N Iran
163 V6 **Bei'an** Heilongjiang, NE China
Beibunar *see* Sredishte
Beibu Wan *see* Tongking, Gulf of
Beida *see* Al Bayḍā'
80 H13 **Beigi** Oromo, C Ethiopia
160 L16 **Beihai** Guangxi Zhuangzu Zizhiqu, S China
159 Q10 **Bei Hulsan Hu** ◎ C China
161 N13 **Bei Jiang** ≈ S China
161 O2 **Beijing** *var.* Pei-ching, *Eng.* Peking; *prev.* Pei-p'ing. *country/municipality capital* (China) Beijing Shi, E China
161 P2 **Beijing** ✕ Beijing Shi, E China
Beijing *see* Beijing Shi
161 O2 **Beijing Shi** *var.* Beijing, Jing, Pei-ching, *Eng.* Peking; *prev.* Pei-p'ing. ◈ *municipality* E China
76 G8 **Beïla** Trarza, W Mauritania
98 N7 **Beilen** Drenthe, NE Netherlands
160 L15 **Beiliu** Guangxi Zhuangzu Zizhiqu, S China
159 O12 **Beilu He** ≈ W China
Beilul *see* Beylul
163 U12 **Beining** *prev.* Beizhen. Liaoning, NE China
96 H8 **Beinn Dearg** ▲ N Scotland, UK
Beinn MacDuibh *see* Ben Macdui
160 I12 **Beipan Jiang** ≈ S China
163 T12 **Beipiao** Liaoning, NE China
83 N17 **Beira** Sofala, C Mozambique
83 N17 **Beira** ✕ Sofala, C Mozambique
104 I7 **Beira Alta** *former province* N Portugal
104 H9 **Beira Baixa** *former province* C Portugal
104 G8 **Beira Litoral** *former province* N Portugal
Beirut *see* Beyrouth
Beisān *see* Bet She'an
11 Q16 **Beiseker** Alberta, SW Canada
Beitai Ding *see* Wutai Shan
83 K19 **Beitbridge** Matabeleland South, S Zimbabwe
116 G10 **Beiuş** *Hung.* Belényes. Bihor, NW Romania
Beizhen *see* Beining
104 H12 **Beja** *anc.* Pax Julia. Beja, SE Portugal
104 G13 **Beja** ◈ *district* S Portugal
74 M5 **Béja** *var.* Bājah. N Tunisia
120 I9 **Béjaïa** *var.* Bejaïa, *Fr.* Bougie; *anc.* Saldae. NE Algeria
104 K8 **Béjar** Castilla-León, N Spain
Bejraburi *see* Phetchaburi
Bekaa Valley *see* El Beqaa
Bekabad *see* Bekobod
Békás *see* Bicaz
169 O15 **Bekasi** Jawa, C Indonesia
Bek-Budi *see* Qarshi
146 A8 **Bekdaş** *Rus.* Bekdash. Balkan Welaýaty, NW Turkmenistan
Bekdash *see* Bekdaş
147 T10 **Bek-Dzhar** Oshskaya Oblast', SW Kyrgyzstan
111 N24 **Békés** *Rom.* Bichiş. Békés, SE Hungary
111 M24 **Békés** *off.* Békés Megye. ◈ *county* SE Hungary
111 M24 **Békéscsaba** *Rom.* Bichiş-Ciaba. Békés, SE Hungary
139 S2 **Bēkhma** E Iraq
172 H7 **Bekily** Toliara, S Madagascar
165 W4 **Bekkai** Hokkaidō, NE Japan
147 Q11 **Bekobod** *Rus.* Bekabad; *prev.* Begovat. Toshkent Viloyati, E Uzbekistan
127 O7 **Bekovo** Penzenskaya Oblast', W Russian Federation
Bél *see* Beliu
152 M13 **Bela** Uttar Pradesh, N India
149 N15 **Bela** Baluchistān, SW Pakistan
79 F15 **Bélabo** Est, C Cameroon
112 N10 **Bela Crkva** *Ger.* Weisskirchen, *Hung.* Fehértemplom. Serbia, W Serbia and Montenegro (Yugo.)
173 Y16 **Bel Air** *var.* Rivière Sèche. E Mauritius
104 L12 **Belalcázar** Andalucía, S Spain
113 P15 **Bela Palanka** Serbia, SE Serbia and Montenegro (Yugo.)
119 H16 **Belarus** *off.* Republic of Belarus, *var.* Belorussia, *Latv.* Baltkrievija; *prev.* Belorussian SSR, *Rus.* Belorusskaya SSR. ◆ *republic* E Europe
Belau *see* Palau
59 H21 **Bela Vista** Mato Grosso do Sul, SW Brazil
83 L21 **Bela Vista** Maputo, S Mozambique
168 I8 **Belawan** Sumatera, W Indonesia
Běla Woda *see* Weisswasser
127 U4 **Belaya** ≈ W Russian Federation
123 R7 **Belaya Gora** Respublika Sakha (Yakutiya), NE Russian Federation
126 M11 **Belaya Kalitva** Rostovskaya Oblast', SW Russian Federation
125 R14 **Belaya Kholunitsa** Kirovskaya Oblast', NW Russian Federation
Belaya Tserkov' *see* Bila Tserkva
77 V11 **Belbédji** Zinder, S Niger
110 K13 **Bełchatów** *var.* Belchatow. Łodzkie, C Poland
Belcher, Îles *see* Belcher Islands
12 H7 **Belcher Islands** *Fr.* Îles Belcher. *island group* Nunavut, SE Canada
105 S6 **Belchite** Aragón, NE Spain
29 O2 **Belcourt** North Dakota, N USA
31 P9 **Belding** Michigan, N USA
127 U5 **Belebey** Respublika Bashkortostan, W Russian Federation
81 N16 **Beledweyne** *var.* Belet Huen, *It.* Belet Uen. Hiiraan, C Somalia
146 B10 **Belek** Balkan Welaýaty, W Turkmenistan
58 L12 **Belém** *var.* Pará. *state capital* Pará, N Brazil
65 I14 **Belém Ridge** *undersea feature* C Atlantic Ocean
37 R12 **Belen** New Mexico, SW USA
62 I7 **Belén** Catamarca, NW Argentina
54 G9 **Belén** Boyacá, C Colombia
42 J11 **Belén** Rivas, SW Nicaragua
62 O5 **Belén** Concepción, C Paraguay
61 D16 **Belén** Salto, N Uruguay
61 D20 **Belén de Escobar** Buenos Aires, E Argentina
114 J7 **Belene** Pleven, N Bulgaria
114 J7 **Belene, Ostrov** *island* N Bulgaria
43 R15 **Belén, Río** ≈ C Panama
Belényes *see* Beiuş
Belesar, Embalse de *see* Belesar, Encoro de
104 H3 **Belesar, Encoro de** *Sp.* Embalse de Belesar. ▣ NW Spain
Belet Huen/Belet Uen *see* Beledweyne
126 J5 **Belëv** Tul'skaya Oblast', W Russian Federation
97 G15 **Belfast** *Ir.* Béal Feirste. ● E Northern Ireland, UK
19 R7 **Belfast** Maine, NE USA
97 G15 **Belfast** ✕ E Northern Ireland, UK
97 G15 **Belfast Lough** *Ir.* Loch Lao *inlet* E Northern Ireland, UK
28 K5 **Belfield** North Dakota, N USA
103 U7 **Belfort** Territoire-de-Belfort, E France
Belgard *see* Białogard
155 E17 **Belgaum** Karnātaka, W India
Belgian Congo *see* Congo (Democratic Republic of)
195 T3 **Belgica Mountains** ▲ Antarctica
België/Belgique *see* Belgium
99 F20 **Belgium** *off.* Kingdom of Belgium, *Dut.* België, *Fr.* Belgique. ◆ *monarchy* NW Europe
126 J8 **Belgorod** Belgorodskaya Oblast', W Russian Federation
Belgorod-Dnestrovskiy *see* Bilhorod-Dnistrovs'kyy
126 J8 **Belgorodskaya Oblast'** ◈ *province* W Russian Federation
Belgrad *see* Beograd
29 T8 **Belgrade** Minnesota, N USA
33 S11 **Belgrade** Montana, NW USA
Belgrade *see* Beograd
195 N5 **Belgrano II** *Argentinian research station* Antarctica
Belgrano, Cabo *see* Meredith, Cape
21 X9 **Belhaven** North Carolina, SE USA
107 I23 **Belice** *anc.* Hypsas. ≈ Sicilia, Italy, C Mediterranean Sea
Belice *see* Belize/Belize City
113 M16 **Beli Drim** *Alb.* Drini i Bardhë. ≈ Albania/Serbia and Montenegro (Yugo.)
Beligrad *see* Berat
188 C8 **Beliliou** *prev.* Peleliu. *island* S Palau
114 L8 **Beli Lom, Yazovir** ▣ NE Bulgaria
112 I8 **Beli Manastir** *Hung.* Pélmonostor; *prev.* Monostor. Osijek-Baranja, NE Croatia
102 J13 **Bélin-Béliet** Gironde, SW France
79 F17 **Bélinga** Ogooué-Ivindo, NE Gabon
21 S4 **Belington** West Virginia, NE USA
127 O6 **Belinskiy** Penzenskaya Oblast', W Russian Federation
169 N12 **Belinyu** Pulau Bangka, W Indonesia
169 O13 **Belitung, Pulau** *island* W Indonesia
116 F10 **Beliu** *Hung.* Bél. Arad, W Romania
114 I9 **Beli Vit** ≈ NW Bulgaria
42 G2 **Belize** *Sp.* Belice; *prev.* British Honduras, Colony of Belize. ◆ *commonwealth republic* Central America
42 F2 **Belize** *Sp.* Belice. ◈ *district* NE Belize
42 G2 **Belize** ≈ Belize/Guatemala
Belize *see* Belize City
42 G2 **Belize City** *var.* Belize, *Sp.* Belice. Belize, NE Belize
42 G2 **Belize City** ✕ Belize, NE Belize
Beljak *see* Villach
39 N16 **Belkofski** Alaska, USA
123 O6 **Bel'kovskiy, Ostrov** *island* Novosibirskiye Ostrova, NE Russian Federation
14 J8 **Bell** ≈ Québec, SE Canada
10 J15 **Bella Bella** British Columbia, SW Canada
102 M10 **Bellac** Haute-Vienne, C France
10 K15 **Bella Coola** British Columbia, SW Canada
106 D6 **Bellagio** Lombardia, N Italy
31 P6 **Bellaire** Michigan, N USA
106 D6 **Bellano** Lombardia, N Italy
155 G17 **Bellary** *var.* Ballari. Karnātaka, S India
183 S5 **Bellata** New South Wales, SE Australia
61 D16 **Bella Unión** Artigas, N Uruguay
61 C14 **Bella Vista** Corrientes, NE Argentina
62 J7 **Bella Vista** Tucumán, N Argentina
62 P4 **Bella Vista** Amambay, C Paraguay
56 B10 **Bellavista** Cajamarca, N Peru
56 D11 **Bellavista** San Martín, N Peru
183 U6 **Bellbrook** New South Wales, SE Australia
27 V5 **Belle** Missouri, C USA
21 Q5 **Belle** West Virginia, NE USA
31 R13 **Bellefontaine** Ohio, N USA
18 F14 **Bellefonte** Pennsylvania, NE USA
28 J9 **Belle Fourche** South Dakota, N USA
28 J9 **Belle Fourche Reservoir** ▣ South Dakota, N USA
28 K9 **Belle Fourche River** ≈ South Dakota/Wyoming, N USA
103 S10 **Bellegarde-sur-Valserine** Ain, E France
23 Y14 **Belle Glade** Florida, SE USA
102 G8 **Belle Île** *island* NW France
13 T9 **Belle Isle** *island* Belle Isle, Newfoundland and Labrador, E Canada
13 S10 **Belle Isle, Strait of** *strait* Newfoundland and Labrador, E Canada
Bellenz *see* Bellinzona
29 W14 **Belle Plaine** Iowa, C USA
29 V9 **Belle Plaine** Minnesota, N USA
14 I9 **Belleterre** Québec, SE Canada
14 J15 **Belleville** Ontario, SE Canada
103 R10 **Belleville** Rhône, E France
30 K15 **Belleville** Illinois, N USA
27 N3 **Belleville** Kansas, C USA
29 Z13 **Bellevue** Iowa, C USA
29 S15 **Bellevue** Nebraska, C USA
31 S11 **Bellevue** Ohio, N USA
25 S5 **Bellevue** Texas, SW USA
32 H8 **Bellevue** Washington, NW USA
55 Y11 **Bellevue de l'Inini, Montagnes** ▲ S French Guiana
103 S11 **Belley** Ain, E France
Bellin *see* Kangirsuk
183 V6 **Bellingen** New South Wales, SE Australia
97 L14 **Bellingham** N England, UK
32 H6 **Bellingham** Washington, NW USA
Belling Hausen Mulde *see* Southeast Pacific Basin
194 H2 **Bellingshausen** *Russian research station* South Shetland Islands, Antarctica
Bellingshausen *see* Motu One
Bellingshausen Abyssal Plain *see* Bellingshausen Plain
196 R14 **Bellingshausen Plain** *var.* Bellingshausen Abyssal Plain. *undersea feature* SE Pacific Ocean
194 I8 **Bellingshausen Sea** *sea* Antarctica
98 P5 **Bellingwolde** Groningen, NE Netherlands
108 H11 **Bellinzona** *Ger.* Bellenz. Ticino, S Switzerland
25 T8 **Bellmead** Texas, SW USA
54 E8 **Bello** Antioquia, W Colombia
61 B21 **Bellocq** Buenos Aires, E Argentina
Bello Horizonte *see* Belo Horizonte
186 L10 **Bellona** *var.* Mungiki. *island* S Solomon Islands
Bellovacum *see* Beauvais
182 D7 **Bell, Point** *headland* South Australia
20 F5 **Bells** Tennessee, S USA
25 U5 **Bells** Texas, SW USA
92 N2 **Bellsund** *inlet* SW Svalbard
106 H6 **Belluno** Veneto, NE Italy
62 L11 **Bell Ville** Córdoba, C Argentina
83 E25 **Bellville** Western Cape, SW South Africa
25 U11 **Bellville** Texas, SW USA
104 L12 **Belmez** Andalucía, S Spain
29 V12 **Belmond** Iowa, C USA
18 E11 **Belmont** New York, NE USA
21 R10 **Belmont** North Carolina, SE USA
59 O14 **Belmonte** Bahia, E Brazil
104 I8 **Belmonte** Castelo Branco, C Portugal
105 P10 **Belmonte** Castilla-La Mancha, C Spain
42 G2 **Belmopan** ● (Belize) Cayo, C Belize
97 B16 **Belmullet** *Ir.* Béal an Mhuirhead. W Ireland
123 R13 **Belogorsk** Amurskaya Oblast', SE Russian Federation
Belogorsk *see* Bilohirs'k
114 F7 **Belogradchik** Vidin, NW Bulgaria
172 H8 **Beloha** Toliara, S Madagascar
59 M20 **Belo Horizonte** *prev.* Bello Horizonte. *state capital* Minas Gerais, SE Brazil
26 M3 **Beloit** Kansas, C USA
30 L9 **Beloit** Wisconsin, N USA
Belokorovichi *see* Bilokorovychi
126 J8 **Belomorsk** Respublika Kareliya, NW Russian Federation
126 J8 **Belomorsko-Baltiyskiy Kanal** *Eng.* White Sea-Baltic Canal, White Sea Canal. *canal* NW Russian Federation
153 V15 **Belonia** Tripura, NE India
Belopol'ye *see* Bilopillya
105 O4 **Belorado** Castilla-León, N Spain
126 L14 **Belorechensk** Krasnodarskiy Kray, SW Russian Federation
127 W5 **Beloretsk** Respublika Bashkortostan, W Russian Federation
Belorussia/Belorussian SSR *see* Belarus
Belorusskaya Gryada *see* Byelaruskaya Hrada
Belorusskaya SSR *see* Belarus
Beloshchel'ye *see* Nar'yan-Mar
114 N8 **Beloslav** Varna, E Bulgaria
Belostok *see* Białystok
172 H5 **Belo Tsiribihina** *var.* Belo-sur-Tsiribihina. Toliara, W Madagascar
Belovár *see* Bjelovar
Belovezhskaya Pushcha *see* Białowieska, Puszcza/Byelavyezhskaya Pushcha
114 H10 **Belovo** Pazardzhik, C Bulgaria
Belovodsk *see* Bilovods'k
122 H9 **Beloyarskiy** Khanty-Mansiyskiy Avtonomnyy Okrug, N Russian Federation
124 K7 **Beloye More** *Eng.* White Sea. *sea* NW Russian Federation
124 K13 **Beloye, Ozero** ◎ NW Russian Federation
114 J10 **Belozem** Plovdiv, C Bulgaria
124 K13 **Belozërsk** Vologodskaya Oblast', NW Russian Federation
99 E20 **Belœil** Hainaut, SW Belgium
108 D8 **Belp** Bern, W Switzerland
108 D8 **Belp** ✕ (Bern) Bern, C Switzerland
107 L24 **Belpasso** Sicilia, Italy, C Mediterranean Sea
31 U14 **Belpre** Ohio, N USA
98 M8 **Belterwijde** ◎ N Netherlands
27 R4 **Belton** Missouri, C USA
21 P11 **Belton** South Carolina, SE USA
25 T9 **Belton** Texas, SW USA
25 S9 **Belton Lake** ▣ Texas, SW USA
Bel'tsy *see* Bălţi
97 E16 **Belturbet** *Ir.* Béal Tairbirt. N Ireland
Beluchistan *see* Baluchistān
145 Z9 **Belukha, Gora** ▲ Kazakhstan/Russian Federation
107 M20 **Belvedere Marittimo** Calabria, SW Italy
30 L10 **Belvidere** Illinois, N USA
18 J14 **Belvidere** New Jersey, NE USA
Bely *see* Belyy
127 V8 **Belyayevka** Orenburgskaya Oblast', W Russian Federation
Belynichi *see* Byalynichy
124 H17 **Belyy** *var.* Bely, Beyj. Tverskaya Oblast', W Russian Federation
126 I6 **Belyye Berega** Bryanskaya Oblast', W Russian Federation
122 J6 **Belyy, Ostrov** *island* N Russian Federation
122 J12 **Belyy Yar** Tomskaya Oblast', C Russian Federation
100 N13 **Belzig** Brandenburg, NE Germany
22 K4 **Belzoni** Mississippi, S USA
172 H4 **Bemaraha** *var.* Plateau du Bemaraha. ▲ W Madagascar
82 B10 **Bembe** Uíge, NW Angola
77 S14 **Bembèrèkè** *var.* Bimbéréké. N Benin
104 K12 **Bembézar** ≈ SW Spain
104 J3 **Bembibre** Castilla-León, N Spain
29 T4 **Bemidji** Minnesota, N USA
98 L12 **Bemmel** Gelderland, SE Netherlands
171 T13 **Bemu** Pulau Seram, E Indonesia
Benāb *see* Bonāb
105 T5 **Benabarre** *var.* Benavarn. Aragón, NE Spain
Benaco *see* Garda, Lago di
79 L20 **Bena-Dibele** Kasai Oriental, C Dem. Rep. Congo
105 R9 **Benageber, Embalse de** ▣ E Spain
183 O11 **Benalla** Victoria, SE Australia
104 M14 **Benamejí** Andalucía, S Spain
Benares *see* Vārānasi
Benavarn *see* Benabarre
104 F10 **Benavente** Santarém, C Portugal
104 K5 **Benavente** Castilla-León, N Spain
25 S15 **Benavides** Texas, SW USA
96 F8 **Benbecula** *island* NW Scotland, UK
Bencovazzo *see* Benkovac
32 H13 **Bend** Oregon, NW USA
182 K7 **Benda Range** ▲ South Australia
183 T6 **Bendemeer** New South Wales, SE Australia
Bender *see* Tighina
Bender Beila/Bender Beyla *see* Bandarbeyla
Bender Cassim/Bender Qaasim *see* Boosaaso
Bendery *see* Tighina
183 N11 **Bendigo** Victoria, SE Australia
118 E10 **Bēne** Dobele, SW Latvia
98 K13 **Beneden-Leeuwen** Gelderland, C Netherlands
101 L24 **Benediktenwand** ▲ S Germany
Benemérita de San Cristóbal *see* San Cristóbal
77 N12 **Bénéna** Ségou, S Mali
172 I7 **Benenitra** Toliara, S Madagascar
Beneschau *see* Benešov
Beneški Zaliv *see* Venice, Gulf of
111 D17 **Benešov** *Ger.* Beneschau. Středočeský Kraj, W Czech Republic
123 Q5 **Benetta, Ostrov** *island* Novosibirskiye Ostrova, NE Russian Federation
107 L17 **Benevento** *anc.* Beneventum, Malventum. Campania, S Italy
Beneventum *see* Benevento
173 S3 **Bengal, Bay of** *bay* N Indian Ocean
79 M17 **Bengamisa** Orientale, N Dem. Rep. Congo
Bengasi *see* Banghāzī
Bengazi *see* Banghāzī
161 P7 **Bengbu** *var.* Peng-pu. Anhui, E China
32 L9 **Benge** Washington, NW USA
Benghazi *see* Banghāzī
168 K10 **Bengkalis** Pulau Bengkalis, W Indonesia
168 K10 **Bengkalis, Pulau** *island* W Indonesia
169 Q10 **Bengkayang** Borneo, C Indonesia
Bengkoelen/Bengkoeloe *see* Bengkulu
168 K14 **Bengkulu** *prev.* Bengkoeloe, Benkoelen, Benkulen. Sumatera, W Indonesia
168 J13 **Bengkulu** *off.* Propinsi Bengkulu; *prev.* Bengkoelen, Benkoelen, Benkulen. ◈ *province* W Indonesia
82 A11 **Bengo** ◈ *province* W Angola
95 J16 **Bengtsfors** Västra Götaland, S Sweden
82 B13 **Benguela** *var.* Benguella. Benguela, W Angola
83 A14 **Benguela** ◈ *province* W Angola
Benguella *see* Benguela
Bengweulu, Lake *see* Bangweulu, Lake
121 V13 **Benha** *var.* Banhā. N Egypt
192 F6 **Benham Seamount** *undersea feature* W Philippine Sea
96 H6 **Ben Hope** ▲ N Scotland, UK
79 P18 **Beni** Nord Kivu, NE Dem. Rep. Congo
57 L15 **Beni** *var.* El Beni. ◈ *department* N Bolivia
74 H8 **Beni Abbès** W Algeria
105 T8 **Benicarló** País Valenciano, E Spain
105 T9 **Benicasim** País Valenciano, E Spain
105 T12 **Benidorm** País Valenciano, SE Spain
75 W9 **Beni Mazâr** *var.* Banī Mazār. C Egypt
120 C11 **Beni-Mellal** C Morocco
77 R14 **Benin** *off.* Republic of Benin; *prev.* Dahomey. ◆ *republic* W Africa
77 S17 **Benin, Bight of** *gulf* W Africa
77 U16 **Benin City** Edo, SW Nigeria
57 K16 **Beni, Río** ≈ N Bolivia
120 F10 **Beni Saf** *var.* Beni-Saf. NW Algeria
80 H12 **Benishangul** ◈ *region* W Ethiopia
105 T11 **Benissa** País Valenciano, E Spain
121 V14 **Beni Suef** *var.* Banī Suwayf. N Egypt
11 V15 **Benito** Manitoba, S Canada
Benito *see* Uolo, Río
61 C23 **Benito Juárez** Buenos Aires, E Argentina
41 P14 **Benito Juárez Internacional** ✕ (México) México, S Mexico
25 P5 **Benjamin** Texas, SW USA
58 B13 **Benjamin Constant** Amazonas, N Brazil
40 F4 **Benjamín Hill** Sonora, NW Mexico
63 F19 **Benjamín, Isla** *island* Archipiélago de los Chonos, S Chile
165 Q4 **Benkei-misaki** *headland* Hokkaidō, NE Japan
28 L17 **Benkelman** Nebraska, C USA
96 I7 **Ben Klibreck** ▲ N Scotland, UK
Benkoelen *see* Bengkulu
112 D13 **Benkovac** *It.* Bencovazzo. Zadar, SW Croatia
Benkulen *see* Bengkulu
96 I11 **Ben Lawers** ▲ C Scotland, UK
96 J9 **Ben Macdui** *var.* Beinn MacDuibh. ▲ C Scotland, UK
96 G11 **Ben More** ▲ W Scotland, UK
96 I11 **Ben More** ▲ C Scotland, UK
96 H7 **Ben More Assynt** ▲ N Scotland, UK
185 E20 **Benmore, Lake** ◎ South Island, NZ
98 L12 **Bennekom** Gelderland, SE Netherlands
21 T11 **Bennettsville** South Carolina, SE USA
96 H10 **Ben Nevis** ▲ N Scotland, UK
184 M9 **Benneydale** Waikato, North Island, NZ
Bennichab *see* Bennichchâb
76 H8 **Bennichchâb** *var.* Bennichab. Inchiri, W Mauritania
18 L10 **Bennington** Vermont, NE USA
185 E20 **Ben Ohau Range** ▲ South Island, NZ
83 J21 **Benoni** Gauteng, NE South Africa
172 J2 **Be, Nosy** *var.* Nossi-Bé. *island* NW Madagascar
Bénoué *see* Benue
42 F2 **Benque Viejo del Carmen** Cayo, W Belize
101 G19 **Bensheim** Hessen, W Germany
37 N16 **Benson** Arizona, SW USA
29 S8 **Benson** Minnesota, N USA
21 U10 **Benson** North Carolina, SE USA
171 N15 **Benteng** Pulau Selayar, C Indonesia
83 A14 **Bentiaba** Namibe, SW Angola
181 T4 **Bentinck Island** *island* Wellesley Islands, Queensland, N Australia
80 E13 **Bentiu** Wahda, S Sudan
138 G8 **Bent Jbaïl** *var.* Bint Jubayl. S Lebanon
11 Q15 **Bentley** Alberta, SW Canada
61 I15 **Bento Gonçalves** Rio Grande do Sul, S Brazil
27 U12 **Benton** Arkansas, C USA
30 L16 **Benton** Illinois, N USA
20 H7 **Benton** Kentucky, S USA
22 G5 **Benton** Louisiana, S USA
27 Y7 **Benton** Missouri, C USA
20 M10 **Benton** Tennessee, S USA
31 O10 **Benton Harbor** Michigan, N USA
27 S9 **Bentonville** Arkansas, C USA
77 V16 **Benue** ◈ *state* SE Nigeria
78 F13 **Benue** *Fr.* Bénoué. ≈ Cameroon/Nigeria
163 V12 **Benxi** *prev.* Pen-ch'i, Penhsihu, Penki. Liaoning, NE China
Benyakoni *see* Byenyakoni
112 K10 **Beočin** Serbia, N Serbia and Montenegro (Yugo.)
Beodericsworth *see* Bury St Edmunds
112 M11 **Beograd** *Eng.* Belgrade, *Ger.* Belgrad; *anc.* Singidunum. ● (Serbia and Montenegro (Yugo.)) Serbia, N Serbia and Montenegro (Yugo.)
112 L11 **Beograd** *Eng.* Belgrade. ✕ Serbia, N Serbia and Montenegro (Yugo.)
76 M16 **Béoumi** C Ivory Coast
35 V3 **Beowawe** Nevada, W USA
164 E14 **Beppu** Ōita, Kyūshū, SW Japan
187 X15 **Beqa** *prev.* Mbengga. *island* W Fiji
Beqa Barrier Reef *see* Kavukavu Reef
45 Y14 **Bequia** *island* C Saint Vincent and the Grenadines
113 L16 **Berane** *prev.* Ivangrad. Montenegro, SW Serbia and Montenegro (Yugo.)
113 L21 **Berat** *var.* Berati, *SCr.* Beligrad. Berat, C Albania
113 L21 **Berat** ◈ *district* C Albania
Berătău *see* Berettyó
Berati *see* Berat
Beraun *see* Berounka, Czech Republic
Beraun *see* Beroun, Czech Republic
171 U13 **Berau, Teluk** *var.* MacCluer Gulf. *bay* Papua, E Indonesia
80 G8 **Berber** River Nile, NE Sudan
80 N12 **Berbera** Woqooyi Galbeed, NW Somalia
79 H16 **Berbérati** Mambéré-Kadéï, SW Central African Republic
Berberia, Cabo de *see* Barbaria, Cap de
55 T9 **Berbice River** ≈ NE Guyana
Berchid *see* Berrechid
103 N2 **Berck-Plage** Pas-de-Calais, N France
25 T13 **Berclair** Texas, SW USA
117 W10 **Berda** ≈ SE Ukraine
Berdichev *see* Berdychiv
123 P10 **Berdigestyakh** Respublika Sakha (Yakutiya), NE Russian Federation
122 J12 **Berdsk** Novosibirskaya Oblast', C Russian Federation
117 W10 **Berdyans'k** *Rus.* Berdyansk; *prev.* Osipenko. Zaporiz'ka Oblast', SE Ukraine
117 W10 **Berdyans'ka Kosa** *spit* SE Ukraine
117 V10 **Berdyans'ka Zatoka** *gulf* S Ukraine
117 N5 **Berdychiv** *Rus.* Berdichev. Zhytomyrs'ka Oblast', N Ukraine
20 M6 **Berea** Kentucky, S USA
Beregovo/Beregszász *see* Berehove
116 G8 **Berehove** *Cz.* Berehovo, *Hung.* Beregszász, *Rus.* Beregovo. Zakarpats'ka Oblast', W Ukraine
Berehovo *see* Berehove
186 D9 **Bereina** Central, S PNG
146 C11 **Bereket** *prev. Rus.* Gazandzhyk, Kazandzhik, *Turkm.* Gazanjyk. Balkan Welaýaty, W Turkmenistan
45 O12 **Berekua** S Dominica
77 O16 **Berekum** W Ghana
75 Y11 **Berenice** *var.* Minâ Baranîs. SE Egypt
9 O14 **Berens** ≈ Manitoba/Ontario, C Canada
11 X14 **Berens River** Manitoba, C Canada
29 R12 **Beresford** South Dakota, N USA
116 J4 **Berestechko** Volyns'ka Oblast', NW Ukraine
116 M11 **Bereşti** Galaţi, E Romania
117 U6 **Berestova** ≈ E Ukraine
Berettău *see* Berettyó
111 N23 **Berettyó** *Rom.* Barcău; *prev.* Berătău, Berettău. ≈ Hungary/Romania
111 N23 **Berettyóújfalu** Hajdú-Bihar, E Hungary
Bereza/Bereza Kartuska *see* Byaroza
117 Q4 **Berezan'** Kyyivs'ka Oblast', N Ukraine
117 Q10 **Berezanka** Mykolayivs'ka Oblast', S Ukraine
116 J6 **Berezhany** *Pol.* Brzeżany. Ternopil's'ka Oblast', W Ukraine
Berezina *see* Byerezino
Berezino *see* Byerazino
117 P10 **Berezivka** *Rus.* Berezovka. Odes'ka Oblast', SW Ukraine
117 Q2 **Berezna** Chernihivs'ka Oblast', NE Ukraine
116 L3 **Berezne** Rivnens'ka Oblast', NW Ukraine
117 R9 **Bereznehuvate** Mykolayivs'ka Oblast', S Ukraine
125 N10 **Bereznik** Arkhangel'skaya Oblast', NW Russian Federation
125 U13 **Berezniki** Permskaya Oblast', NW Russian Federation
Berezovka *see* Berezivka
122 H9 **Berezovo** Khanty-Mansiyskiy Avtonomnyy Okrug, N Russian Federation
127 O9 **Berezovskaya** Volgogradskaya Oblast', SW Russian Federation
123 S13 **Berezovyy** Khabarovskiy Kray, E Russian Federation
83 E25 **Berg** ≈ W South Africa
Berg *see* Berg bei Rohrbach
105 V4 **Berga** Cataluña, NE Spain
95 N20 **Berga** Kalmar, S Sweden
136 B13 **Bergama** İzmir, W Turkey

◆ Country ● Country Capital ◇ Dependent Territory ○ Dependent Territory Capital ◈ Administrative Region ✕ International Airport ▲ Mountain ▲ Mountain Range Volcano ≈ River ◎ Lake ▣ Reservoir

226 ••• Bergamo – Bilhorod-Dnistrovs'kyy

106 *E7* **Bergamo** *anc.* Bergomum. Lombardia, N Italy
105 *P3* **Bergara** País Vasco, N Spain
109 *S3* **Berg bei Rohrbach** *var.* Berg. Oberösterreich, N Austria
100 *O6* **Bergen** Mecklenburg-Vorpommern, NE Germany
101 *I11* **Bergen** Niedersachsen, NW Germany
98 *H8* **Bergen** Noord-Holland, NW Netherlands
94 *C13* **Bergen** Hordaland, S Norway
Bergen *see* Mons
55 *W9* **Berg en Dal** Brokopondo, C Suriname
99 *G15* **Bergen op Zoom** Noord-Brabant, S Netherlands
102 *L13* **Bergerac** Dordogne, SW France
99 *J16* **Bergeyk** Noord-Brabant, S Netherlands
101 *D16* **Bergheim** Nordrhein-Westfalen, W Germany
55 *X10* **Bergi** Sipaliwini, E Suriname
101 *E16* **Bergisch Gladbach** Nordrhein-Westfalen, W Germany
101 *F14* **Bergkamen** Nordrhein-Westfalen, W Germany
95 *N21* **Bergkvara** Kalmar, S Sweden
Bergomum *see* Bergamo
98 *K13* **Bergse Maas** ≈ S Netherlands
95 *P15* **Bergshamra** Stockholm, C Sweden
94 *N10* **Bergsjö** Gävleborg, C Sweden
93 *J14* **Bergsviken** Norrbotten, N Sweden
98 *L6* **Bergum** *Fris.* Burgum. Friesland, N Netherlands
98 *M6* **Bergumer Meer** ◎ N Netherlands
94 *N12* **Bergviken** ◎ C Sweden
168 *M11* **Berhala, Selat** *strait* Sumatera, W Indonesia
Berhampore *see* Baharampur
123 *W9* **Beringa, Ostrov** *island* E Russian Federation
99 *J17* **Beringen** Limburg, NE Belgium
39 *T12* **Bering Glacier** *glacier* Alaska, USA
Beringov Proliv *see* Bering Strait
123 *W6* **Beringovskiy** Chukotskiy Avtonomnyy Okrug, NE Russian Federation
192 *L2* **Bering Sea** *sea* N Pacific Ocean
38 *L9* **Bering Strait** *Rus.* Beringov Proliv. *strait* Bering Sea/Chukchi Sea
Berislav *see* Beryslav
105 *O15* **Berja** Andalucía, S Spain
94 *H9* **Berkåk** Sør-Trøndelag, S Norway
98 *N11* **Berkel** ≈ Germany/Netherlands
35 *N8* **Berkeley** California, W USA
65 *E24* **Berkeley Sound** *sound* NE Falkland Islands
21 *V2* **Berkeley Springs** *var.* Bath. West Virginia, NE USA
195 *N6* **Berkner Island** *island* Antarctica
114 *G8* **Berkovitsa** Montana, NW Bulgaria
97 *M22* **Berkshire** *cultural region* S England, UK
99 *H17* **Berlaar** Antwerpen, N Belgium
Berlanga *see* Berlanga de Duero
105 *P6* **Berlanga de Duero** *var.* Berlanga. Castilla-León, N Spain
99 *F17* **Berlare** Oost-Vlaanderen, NW Belgium
104 *E9* **Berlenga, Ilha da** *island* C Portugal
92 *M7* **Berlevåg** *Lapp.* Bearalváhki. Finnmark, N Norway
100 *O12* **Berlin** ● (Germany) Berlin, NE Germany
21 *Z4* **Berlin** Maryland, NE USA
19 *O7* **Berlin** New Hampshire, NE USA
18 *D16* **Berlin** Pennsylvania, NE USA
30 *L7* **Berlin** Wisconsin, N USA
100 *O12* **Berlin** ❖ *state* NE Germany
Berlinchen *see* Barlinek
31 *U12* **Berlin Lake** ▣ Ohio, N USA
183 *R11* **Bermagui** New South Wales, SE Australia
40 *L8* **Bermejillo** Durango, C Mexico
62 *M6* **Bermejo (viejo), Río** ≈ N Argentina
62 *L5* **Bermejo, Río** ≈ N Argentina
62 *I10* **Bermejo, Río** ≈ W Argentina
105 *P2* **Bermeo** País Vasco, N Spain
104 *K6* **Bermillo de Sayago** Castilla-León, N Spain
106 *E6* **Bermina, Pizzo** *Rmsch.* Piz Bernina. ▲ Italy/Switzerland ***see also*** Bernina, Piz
64 *A12* **Bermuda** ***var.*** Bermuda Islands, Bermudas; ***prev.*** Somers Islands. ◇ *UK crown colony* NW Atlantic Ocean
Bermuda Islands *see* Bermuda
Bermuda-New England Seamount Arc *see* New England Seamounts
64 *G10* **Bermuda Rise** *undersea feature* C Sargasso Sea
Bermudas *see* Bermuda
108 *D8* **Bern** *Fr.* Berne. ● (Switzerland) Bern, W Switzerland
108 *D9* **Bern** *Fr.* Berne. ❖ *canton* W Switzerland
37 *R11* **Bernalillo** New Mexico, SW USA
14 *H12* **Bernard Lake** ◎ Ontario, S Canada
61 *B18* **Bernardo de Irigoyen** Santa Fe, NE Argentina
18 *J14* **Bernardsville** New Jersey, NE USA
63 *K14* **Bernasconi** La Pampa, C Argentina
100 *O12* **Bernau** Brandenburg, NE Germany
102 *L4* **Bernay** Eure, N France
101 *L14* **Bernburg** Sachsen-Anhalt, C Germany
109 *X5* **Berndorf** Niederösterreich, NE Austria
31 *Q12* **Berne** Indiana, N USA
Berne *see* Bern
108 *D10* **Berner Alpen** *var.* Berner Oberland, *Eng.* Bernese Oberland. ⛰ SW Switzerland
Berner Oberland/Bernese Oberland *see* Berner Alpen
109 *Y2* **Bernhardsthal** Niederösterreich, N Austria
22 *H4* **Bernice** Louisiana, S USA
27 *Y8* **Bernie** Missouri, C USA
180 *G9* **Bernier Island** *island* Western Australia
Bernina Pass *see* Bernina, Passo del
108 *J10* **Bernina, Passo del** *Eng.* Bernina Pass. *pass* SE Switzerland
108 *J10* **Bernina, Piz** *It.* Pizzo Bermina. ▲ Italy/Switzerland ***see also*** Bermina, Pizzo
99 *E20* **Bérnissart** Hainaut, SW Belgium
101 *E18* **Bernkastel-Kues** Rheinland-Pfalz, W Germany
Beroea *see* Ḥalab
172 *H6* **Beroroha** Toliara, SW Madagascar
Béroubouay *see* Gbéroubouè
111 *C17* **Beroun** *Ger.* Beraun. Středočeský Kraj, W Czech Republic
111 *C16* **Berounka** *Ger.* Beraun. ≈ W Czech Republic
113 *Q18* **Berovo** E FYR Macedonia
74 *F6* **Berrechid** *var.* Berchid. W Morocco
103 *R15* **Berre, Étang de** ◎ SE France
103 *S15* **Berre-l'Étang** Bouches-du-Rhône, SE France
182 *K9* **Berri** South Australia
31 *O10* **Berrien Springs** Michigan, N USA
183 *O10* **Berrigan** New South Wales, SE Australia
103 *N9* **Berry** *cultural region* C France
35 *N7* **Berryessa, Lake** ◎ California, W USA
44 *G2* **Berry Islands** *island group* N Bahamas
27 *T9* **Berryville** Arkansas, C USA
21 *V3* **Berryville** Virginia, NE USA
83 *D21* **Berseba** Karas, S Namibia
117 *O8* **Bershad'** Vinnyts'ka Oblast', C Ukraine
28 *L3* **Berthold** North Dakota, N USA
37 *T3* **Berthoud** Colorado, C USA
37 *S4* **Berthoud Pass** *pass* Colorado, C USA
79 *F15* **Bertoua** Est, E Cameroon
25 *S10* **Bertram** Texas, SW USA
63 *G22* **Bertrand, Cerro** ▲ S Argentina
99 *J23* **Bertrix** Luxembourg, SE Belgium
191 *P3* **Beru** *var.* Peru. *atoll* Tungaru, W Kiribati
Beruni *see* Beruniy
146 *I9* **Beruniy** *var.* Biruni, *Rus.* Beruni. Qoraqalpog'iston Respublikasi, W Uzbekistan
58 *F13* **Beruri** Amazonas, NW Brazil
18 *H14* **Berwick** Pennsylvania, NE USA
96 *K12* **Berwick** *cultural region* SE Scotland, UK
96 *L12* **Berwick-upon-Tweed** N England, UK
117 *S10* **Beryslav** *Rus.* Berislav. Khersons'ka Oblast', S Ukraine
Berytus *see* Beyrouth
172 *H4* **Besalampy** Mahajanga, W Madagascar
103 *T8* **Besançon** *anc.* Besontium, Vesontio. Doubs, E France
103 *P10* **Besbre** ≈ C France
Bescanuova *see* Baška
Besdan *see* Bezdan
Besed' *see* Byesyedz'
147 *R10* **Beshariq** *Rus.* Besharyk; *prev.* Kirovo. Farg'ona Viloyati, E Uzbekistan
Besharyk *see* Beshariq
146 *L9* **Beshbuloq** *Rus.* Beshulak. Navoiy Viloyati, N Uzbekistan
Beshenkovichi *see* Byeshankovichy
146 *M13* **Beshkent** Qashqadaryo Viloyati, S Uzbekistan
Beshulak *see* Beshbuloq
112 *L10* **Beška** Serbia, N Serbia and Montenegro (Yugo.)
Beskra *see* Biskra
127 *O16* **Beslan** Respublika Severnaya Osetiya, SW Russian Federation
113 *P16* **Besna Kobila** ▲ SE Serbia and Montenegro (Yugo.)
137 *N16* **Besni** Adıyaman, S Turkey
Besontium *see* Besançon
121 *Q2* **Beşparmak Dağları** *Eng.* Kyrenia Mountains. ⛰ N Cyprus
Bessarabka *see* Basarabeasca
92 *O2* **Bessels, Kapp** *headland* C Svalbard
23 *P4* **Bessemer** Alabama, S USA
30 *K3* **Bessemer** Michigan, N USA
21 *Q10* **Bessemer City** North Carolina, SE USA
102 *M10* **Bessines-sur-Gartempe** Haute-Vienne, C France
99 *K15* **Best** Noord-Brabant, S Netherlands
25 *N9* **Best** Texas, SW USA
125 *O11* **Bestuzhevo** Arkhangel'skaya Oblast', NW Russian Federation
123 *M11* **Bestyakh** Respublika Sakha (Yakutiya), NE Russian Federation
Beszterce *see* Bistriţa
Besztercebánya *see* Banská Bystrica
172 *I5* **Betafo** Antananarivo, C Madagascar
104 *H2* **Betanzos** Galicia, NW Spain
104 *G2* **Betanzos, Ría de** *estuary* NW Spain
79 *G15* **Bétaré Oya** Est, E Cameroon
105 *S9* **Bétera** País Valenciano, E Spain
77 *R15* **Bétérou** C Benin
83 *K21* **Bethal** Mpumalanga, NE South Africa
30 *K15* **Bethalto** Illinois, N USA
83 *D21* **Bethanie** *var.* Bethanien, Bethany. Karas, S Namibia
Bethanien *see* Bethanie
27 *S2* **Bethany** Missouri, C USA
27 *N10* **Bethany** Oklahoma, C USA
Bethany *see* Bethanie
39 *N12* **Bethel** Alaska, USA
19 *P7* **Bethel** Maine, NE USA
21 *W9* **Bethel** North Carolina, SE USA
18 *B15* **Bethel Park** Pennsylvania, NE USA
21 *W3* **Bethesda** Maryland, NE USA
83 *J22* **Bethlehem** Free State, C South Africa
18 *I14* **Bethlehem** Pennsylvania, NE USA
138 *F10* **Bethlehem** *Ar.* Bayt Laḥm, *Heb.* Bet Leḥem. C West Bank
Bethlen *see* Beclean
83 *I24* **Bethulie** Free State, C South Africa
103 *O1* **Béthune** Pas-de-Calais, N France
102 *M3* **Béthune** ≈ N France
104 *M14* **Béticos, Sistemas** *var.* Sistema Penibético, *Eng.* Baetic Cordillera, Baetic Mountains. ⛰ S Spain
54 *I6* **Betijoque** Trujillo, NW Venezuela
59 *M20* **Betim** Minas Gerais, SE Brazil
190 *H3* **Betio** Tarawa, W Kiribati
172 *H7* **Betioky** Toliara, S Madagascar
Bet Leḥem *see* Bethlehem
Betlen *see* Beclean
167 *O17* **Betong** Yala, SW Thailand
79 *I16* **Bétou** La Likouala, N Congo
145 *P14* **Betpak-Dala** *Kaz.* Betpaqdala. *plateau* S Kazakhstan
Betpaqdala *see* Betpak-Dala
172 *H7* **Betroka** Toliara, S Madagascar
Betschau *see* Bečva
138 *G9* **Bet She'an** *Ar.* Baysān, Beisān; *anc.* Scythopolis. Northern, N Israel
15 *T6* **Betsiamites** Québec, SE Canada
15 *T6* **Betsiamites** ≈ Québec, SE Canada
172 *I4* **Betsiboka** ≈ N Madagascar
99 *M25* **Bettembourg** Luxembourg, S Luxembourg
99 *M23* **Bettendorf** Diekirch, NE Luxembourg
29 *Z14* **Bettendorf** Iowa, C USA
75 *R13* **Bette, Pic** *var.* Bīkkū Bīttī, *It.* Picco Bette. ▲ S Libya
Bette, Picco *see* Bette, Pic
153 *P12* **Bettiah** Bihār, N India
39 *Q7* **Bettles** Alaska, USA
95 *N17* **Bettna** Södermanland, C Sweden
154 *H11* **Betūl** *prev.* Badnur. Madhya Pradesh, C India
154 *H9* **Betwa** ≈ C India
101 *F16* **Betzdorf** Rheinland-Pfalz, W Germany
82 *C9* **Béu** Uíge, NW Angola
31 *P6* **Beulah** Michigan, N USA
28 *L5* **Beulah** North Dakota, N USA
98 *M8* **Beulakerwijde** ◎ N Netherlands
98 *L13* **Beuningen** Gelderland, SE Netherlands
Beuthen *see* Bytom
103 *N7* **Beuvron** ≈ C France
99 *F16* **Beveren** Oost-Vlaanderen, N Belgium
21 *T9* **B.Everett Jordan Reservoir** *var.* Jordan Lake. ▣ North Carolina, SE USA
97 *N17* **Beverley** E England, UK
Beverley *see* Beverly
99 *J17* **Beverlo** Limburg, NE Belgium
19 *P11* **Beverly** Massachusetts, NE USA
32 *J9* **Beverly** *var.* Beverley. Washington, NW USA
35 *S15* **Beverly Hills** California, W USA
101 *I14* **Beverungen** Nordrhein-Westfalen, C Germany
98 *H9* **Beverwijk** Noord-Holland, W Netherlands
108 *C10* **Bex** Vaud, W Switzerland
97 *P23* **Bexhill** *var.* Bexhill-on-Sea. SE England, UK
Bexhill-on-Sea *see* Bexhill
136 *E17* **Bey Dağları** ⛰ SW Turkey
Beyj *see* Belyy
136 *E10* **Beykoz** İstanbul, NW Turkey
76 *K15* **Beyla** Guinée-Forestière, SE Guinea
137 *X12* **Beyläqan** *prev.* Zhdanov. SW Azerbaijan
80 *L10* **Beylul** *var.* Beilul. SE Eritrea
144 *H14* **Beyneu** *Kaz.* Beyneū. Mangistau, SW Kazakhstan
Beyneū *see* Beyneu
165 *X14* **Beyonēsu-retsugan** *Eng.* Bayonnaise Rocks. *island group* SE Japan
136 *G12* **Beypazarı** Ankara, NW Turkey
155 *F21* **Beypore** Kerala, SW India
138 *G7* **Beyrouth** *var.* Bayrūt, *Eng.* Beirut; *anc.* Berytus. ● (Lebanon) W Lebanon
138 *G7* **Beyrouth** ✕ W Lebanon
136 *G15* **Beyşehir** Konya, SW Turkey
136 *G15* **Beyşehir Gölü** ◎ C Turkey
108 *J7* **Bezau** Vorarlberg, NW Austria
112 *J8* **Bezdan** *Ger.* Besdan, *Hung.* Bezdán. Serbia, NW Serbia and Montenegro (Yugo.)
Bezdezh *see* Byezdzyezh
124 *G15* **Bezhanitsy** Pskovskaya Oblast', W Russian Federation
124 *K15* **Bezhetsk** Tverskaya Oblast', W Russian Federation
103 *P16* **Béziers** *anc.* Baeterrae, Baeterrae Septimanorum, Julia Beterrae. Hérault, S France
Bezmein *see* Büzmeýin
Bezwada *see* Vijayawāda
154 *P12* **Bhadrak** *var.* Bhadrakh. Orissa, E India
Bhadrakh *see* Bhadrak
155 *F19* **Bhadra Reservoir** ▣ SW India
155 *F18* **Bhadrāvati** Karnātaka, SW India
153 *R14* **Bhāgalpur** Bihār, NE India
Bhairab *see* Bhairab Bazar
153 *U14* **Bhairab Bazar** *var.* Bhairab. Dhaka, C Bangladesh
153 *O11* **Bhairahawa** Western, S Nepal
149 *S8* **Bhakkar** Punjab, E Pakistan
153 *P11* **Bhaktapur** Central, C Nepal
167 *N3* **Bhamo** *var.* Banmo. Kachin State, N Myanmar
Bhāmragad *see* Bhāmragarh
154 *K13* **Bhāmragarh** *var.* Bhāmragad. Mahārāshtra, C India
154 *J12* **Bhandāra** Mahārāshtra, C India
Bhārat *see* India
152 *J12* **Bharatpur** *prev.* Bhurtpore. Rājasthān, N India
154 *D11* **Bharūch** Gujarāt, W India
155 *E18* **Bhatkal** Karnātaka, W India
153 *O13* **Bhatni** *var.* Bhatni Junction. Uttar Pradesh, N India
Bhatni Junction *see* Bhatni
153 *S16* **Bhātpāra** West Bengal, NE India
149 *U7* **Bhaun** Punjab, E Pakistan
Bhaunagar *see* Bhāvnagar
154 *M13* **Bhavānīpātna** Orissa, E India
155 *H21* **Bhavānīsāgar Reservoir** ▣ S India
154 *D11* **Bhāvnagar** *prev.* Bhaunagar. Gujarāt, W India
Bheanntraí, Bá *see* Bantry Bay
Bheara, Béal an *see* Gweebarra Bay
154 *K12* **Bhilai** Chhattīsgarh, C India
152 *G13* **Bhīlwāra** Rājasthān, N India
155 *E14* **Bhīma** ≈ S India
155 *K16* **Bhīmavaram** Andhra Pradesh, E India
154 *I7* **Bhind** Madhya Pradesh, C India
152 *E13* **Bhīnmāl** Rājasthān, N India
Bhir *see* Bīd
154 *D13* **Bhiwandi** Mahārāshtra, W India
152 *H10* **Bhiwāni** Haryāna, N India
152 *L13* **Bhognīpur** Uttar Pradesh, N India
153 *U16* **Bhola** Khulna, S Bangladesh
154 *H10* **Bhopāl** Madhya Pradesh, C India
155 *J14* **Bhopālpatnam** Chhattīsgarh, C India
155 *E14* **Bhor** Mahārāshtra, W India
154 *O12* **Bhubaneshwar** *prev.* Bhubaneswar, Bhuvaneshwar. Orissa, E India
Bhubaneswar *see* Bhubaneshwar
154 *B9* **Bhuj** Gujarāt, W India
Bhuket *see* Phuket
Bhurtpore *see* Bharatpur
Bhusaval *see* Bhusāwal
154 *G12* **Bhusāwal** *prev.* Bhusaval. Mahārāshtra, C India
153 *T12* **Bhutan** *off.* Kingdom of Bhutan, *var.* Druk-yul. ◆ *monarchy* S Asia
Bhuvaneshwar *see* Bhubaneshwar
143 *T15* **Bīābān, Kūh-e** ⛰ S Iran
77 *V18* **Biafra, Bight of** *var.* Bight of Bonny. *bay* W Africa
171 *W12* **Biak** Papua, E Indonesia
171 *W12* **Biak, Pulau** *island* E Indonesia
110 *P12* **Biała Podlaska** Lubelskie, E Poland
110 *F7* **Białogard** *Ger.* Belgard. Zachodnio-pomorskie, NW Poland
110 *P10* **Białowieska, Puszcza** *Bel.* Byelavyezhskaya Pushcha, *Rus.* Belovezhskaya Pushcha. *physical region* Belarus/Poland ***see also*** Byelavyezhskaya Pushcha
110 *G8* **Biały Bór** *Ger.* Baldenburg. Zachodnio-pomorskie, NW Poland
110 *P9* **Białystok** *Rus.* Belostok, Bielostok. Podlaskie, NE Poland
107 *L24* **Biancavilla** *prev.* Inessa. Sicilia, Italy, C Mediterranean Sea
Bianco, Monte *see* Blanc, Mont
76 *L15* **Biankouma** W Ivory Coast
167 *R7* **Bia, Phou** *var.* Pou Bia. ▲ C Laos
Bia, Pou *see* Bia, Phou
143 *R5* **Bīārjmand** Semnān, N Iran
105 *P4* **Biarra** ≈ NE Spain
102 *I15* **Biarritz** Pyrénées-Atlantiques, SW France
108 *H10* **Biasca** Ticino, S Switzerland
61 *E17* **Biassini** Salto, N Uruguay
165 *S3* **Bibai** Hokkaidō, NE Japan
83 *B15* **Bibala** *Port.* Vila Arriaga. Namibe, SW Angola
104 *I4* **Bibéi** ≈ NW Spain
Biberach *see* Biberach an der Riss
101 *I23* **Biberach an der Riss** *var.* Biberach, *Ger.* Biberach an der Riß. Baden-Württemberg, S Germany
108 *E7* **Biberist** Solothurn, NW Switzerland
77 *O16* **Bibiani** SW Ghana
112 *C13* **Bibinje** Zadar, SW Croatia
Biblical Gebal *see* Jbaïl
116 *I5* **Bibrka** *Pol.* Bóbrka, *Rus.* Bobrka. L'vivs'ka Oblast', NW Ukraine
117 *N10* **Bîc** ≈ S Moldova
113 *M18* **Bicaj** Kukës, NE Albania
116 *K10* **Bicaz** *Hung.* Békás. Neamţ, NE Romania
183 *Q16* **Bicheno** Tasmania, SE Australia
Bichiş *see* Békés
Bichiş-Ciaba *see* Békéscsaba
Bichitra *see* Phichit
137 *P8* **Bichvint'a** *Rus.* Pitsunda. NW Georgia
15 *T7* **Bic, Île du** *island* Québec, SE Canada
32 *J10* **Bickleton** Washington, NW USA
36 *L6* **Bicknell** Utah, W USA
171 *S11* **Bicoli** Pulau Halmahera, E Indonesia
111 *J22* **Bicske** Fejér, C Hungary
155 *F14* **Bīd** *prev.* Bhir. Mahārāshtra, W India
77 *U15* **Bida** Niger, C Nigeria
155 *H15* **Bīdar** Karnātaka, C India
141 *Y8* **Bidbid** NE Oman
19 *P9* **Biddeford** Maine, NE USA
98 *L9* **Biddinghuizen** Flevoland, C Netherlands
33 *X11* **Biddle** Montana, NW USA
97 *J23* **Bideford** SW England, UK
82 *D13* **Bié** ❖ *province* C Angola
35 *O2* **Bieber** California, W USA
110 *O9* **Biebrza** ≈ NE Poland
165 *T3* **Biei** Hokkaidō, NE Japan
108 *D8* **Biel** *Fr.* Bienne. Bern, W Switzerland
100 *G13* **Bielefeld** Nordrhein-Westfalen, NW Germany
108 *D8* **Bieler See** *Fr.* Lac de Bienne. ◎ W Switzerland
Bielitz/Bielitz-Biala *see* Bielsko-Biała
106 *C7* **Biella** Piemonte, N Italy
Bielostok *see* Białystok
111 *J17* **Bielsko-Biała** *Ger.* Bielitz, Bielitz-Biala. Śląskie, S Poland
110 *P10* **Bielsk Podlaski** Białystok, E Poland
Bien Bien *see* Điên Biên
Biên Đông *see* South China Sea
11 *V17* **Bienfait** Saskatchewan, S Canada
167 *T14* **Biên Hoa** Đông Nai, S Vietnam
Bienne *see* Biel
Bienne, Lac de *see* Bieler See
12 *K8* **Bienville, Lac** ◎ Québec, C Canada
82 *D13* **Bié, Planalto do** *var.* Bié Plateau. *plateau* C Angola
Bié Plateau *see* Bié, Planalto do
108 *B9* **Bière** Vaud, W Switzerland
98 *O4* **Bierum** Groningen, NE Netherlands
98 *I13* **Biesbos** *var.* Biesbosch. *wetland* S Netherlands
Biesbosch *see* Biesbos
99 *H21* **Biesme** Namur, S Belgium
101 *H21* **Bietigheim-Bissingen** Baden-Württemberg, SW Germany
99 *I23* **Bièvre** Namur, SE Belgium
79 *D18* **Bifoun** Moyen-Ogooué, NW Gabon
165 *T2* **Bifuka** Hokkaidō, NE Japan
136 *C11* **Biga** Çanakkale, NW Turkey
136 *C13* **Bigadiç** Balıkesir, W Turkey
26 *J7* **Big Basin** *basin* Kansas, C USA
185 *B20* **Big Bay** *bay* South Island, NZ
31 *O5* **Big Bay de Noc** ◎ Michigan, N USA
31 *N3* **Big Bay Point** *headland* Michigan, N USA
33 *R10* **Big Belt Mountains** ⛰ Montana, NW USA
29 *N10* **Big Bend Dam** *dam* South Dakota, N USA
24 *K12* **Big Bend National Park** *national park* Texas, S USA
22 *K5* **Big Black River** ≈ Mississippi, S USA
27 *O3* **Big Blue River** ≈ Kansas/Nebraska, C USA
24 *M10* **Big Canyon** ≈ Texas, SW USA
33 *N12* **Big Creek** Idaho, NW USA
23 *N8* **Big Creek Lake** ▣ Alabama, S USA
23 *X15* **Big Cypress Swamp** *wetland* Florida, SE USA
39 *S9* **Big Delta** Alaska, USA
30 *K6* **Big Eau Pleine Reservoir** ▣ Wisconsin, N USA
19 *P5* **Bigelow Mountain** ▲ Maine, NE USA
29 *U3* **Big Falls** Minnesota, N USA
33 *P8* **Bigfork** Montana, NW USA
29 *U3* **Big Fork River** ≈ Minnesota, N USA
11 *S15* **Biggar** Saskatchewan, S Canada
180 *L3* **Bigge Island** *island* Western Australia
35 *O5* **Biggs** California, W USA
32 *I11* **Biggs** Oregon, NW USA
14 *K13* **Big Gull Lake** ◎ Ontario, SE Canada
37 *P16* **Big Hachet Peak** ▲ New Mexico, SW USA
33 *P11* **Big Hole River** ≈ Montana, NW USA
33 *V13* **Bighorn Basin** *basin* Wyoming, C USA
33 *U11* **Bighorn Lake** ◎ Montana /Wyoming, N USA
33 *W13* **Bighorn Mountains** ⛰ Wyoming, C USA
36 *J13* **Big Horn Peak** ▲ Arizona, SW USA
33 *V11* **Bighorn River** ≈ Montana/Wyoming, NW USA
9 *S7* **Big Island** *island* Nunavut, NE Canada
39 *O16* **Big Koniuji Island** *island* Shumagin Islands, Alaska, USA
25 *N9* **Big Lake** Texas, SW USA
19 *T5* **Big Lake** ◎ Maine, NE USA
30 *I3* **Big Manitou Falls** *waterfall* Wisconsin, N USA
35 *R2* **Big Mountain** ▲ Nevada, W USA
108 *G10* **Bignasco** Ticino, S Switzerland
29 *R16* **Big Nemaha River** ≈ Nebraska, C USA
76 *G12* **Bignona** SW Senegal
Bigorra *see* Tarbes
Bigosovo *see* Bihosava
35 *S10* **Big Pine** California, W USA
35 *Q14* **Big Pine Mountain** ▲ California, W USA
27 *V6* **Big Piney Creek** ≈ Missouri, C USA
65 *M24* **Big Point** *headland* N Tristan da Cunha
31 *P8* **Big Rapids** Michigan, N USA
30 *K6* **Big Rib River** ≈ Wisconsin, N USA
14 *L14* **Big Rideau Lake** ◎ Ontario, SE Canada
11 *T14* **Big River** Saskatchewan, C Canada
27 *X5* **Big River** ≈ Missouri, C USA
31 *N7* **Big Sable Point** *headland* Michigan, N USA
33 *S7* **Big Sandy** Montana, NW USA
25 *W6* **Big Sandy** Texas, SW USA
37 *V5* **Big Sandy Creek** ≈ Colorado, C USA
29 *Q16* **Big Sandy Creek** ≈ Nebraska, C USA
29 *V5* **Big Sandy Lake** ◎ Minnesota, N USA
36 *J11* **Big Sandy River** ≈ Arizona, SW USA
21 *P5* **Big Sandy River** ≈ S USA
23 *V6* **Big Satilla Creek** ≈ Georgia, SE USA
29 *R12* **Big Sioux River** ≈ Iowa/South Dakota, N USA
35 *U7* **Big Smoky Valley** *valley* Nevada, W USA
25 *N7* **Big Spring** Texas, SW USA
19 *Q5* **Big Squaw Mountain** ▲ Maine, NE USA
21 *O7* **Big Stone Gap** Virginia, NE USA
29 *Q8* **Big Stone Lake** ◎ Minnesota/South Dakota, N USA
22 *K4* **Big Sunflower River** ≈ Mississippi, S USA
33 *T11* **Big Timber** Montana, NW USA
12 *D8* **Big Trout Lake** Ontario, C Canada
14 *I12* **Big Trout Lake** ◎ Ontario, SE Canada
35 *O2* **Big Valley Mountains** ⛰ California, W USA
25 *Q13* **Big Wells** Texas, SW USA
14 *F11* **Bigwood** Ontario, S Canada
112 *D11* **Bihać** Federacija Bosna I Hercegovina, NW Bosnia and Herzegovina
153 *P13* **Bihār** *prev.* Behar. ❖ *state* N India
Bihār *see* Bihār Sharīf
81 *F20* **Biharamulo** Kagera, NW Tanzania
153 *R13* **Bihārīganj** Bihār, NE India
153 *P14* **Bihār Sharīf** *var.* Bihār. Bihār, N India
116 *F10* **Bihor** ❖ *county* NW Romania
165 *V3* **Bihoro** Hokkaidō, NE Japan
118 *K11* **Bihosava** *Rus.* Bigosovo. Vitsyebskaya Voblasts', NW Belarus
Bijagos Archipelago *see* Bijagós, Arquipélago dos
76 *G13* **Bijagós, Arquipélago dos** *var.* Bijagos Archipelago. *island group* W Guinea-Bissau
155 *F16* **Bijāpur** Karnātaka, C India
142 *K5* **Bījār** Kordestān, W Iran
112 *J11* **Bijeljina** Republika Srpska, NE Bosnia and Herzegovina
113 *K15* **Bijelo Polje** Montenegro, SW Serbia and Montenegro (Yugo.)
160 *I11* **Bijie** Guizhou, S China
152 *J10* **Bijnor** Uttar Pradesh, N India
152 *F11* **Bīkāner** Rājasthān, NW India
189 *V3* **Bikar Atoll** *var.* Pikaar. *atoll* Ratak Chain, N Marshall Islands
190 *H3* **Bikeman** *atoll* Tungaru, W Kiribati
190 *I3* **Bikenebu** Tarawa, W Kiribati
123 *S14* **Bikin** Khabarovskiy Kray, SE Russian Federation
123 *S14* **Bikin** ≈ SE Russian Federation
189 *R3* **Bikini Atoll** *var.* Pikinni. *atoll* Ralik Chain, NW Marshall Islands
83 *L17* **Bikita** Masvingo, E Zimbabwe
Bīkkū Bīttī *see* Bette, Pic
79 *I19* **Bikoro** Equateur, W Dem. Rep. Congo
141 *Z9* **Bilād Banī Bū 'Alī** NE Oman
141 *Z9* **Bilād Banī Bū Ḥasan** NE Oman
141 *X9* **Bilād Manaḥ** *var.* Manaḥ. NE Oman
77 *Q12* **Bilanga** C Burkina
152 *F12* **Bilāra** Rājasthān, N India
152 *K10* **Bilāri** Uttar Pradesh, N India
138 *J5* **Bil'ās, Jabal al** ⛰ C Syria
154 *L11* **Bilāspur** Chhattīsgarh, C India
152 *I8* **Bilāspur** Himāchal Pradesh, N India
168 *J9* **Bila, Sungai** ≈ Sumatera, W Indonesia
137 *Y13* **Biläsuvar** *Rus.* Bilyasuvar; *prev.* Pushkino. SE Azerbaijan
117 *O5* **Bila Tserkva** *Rus.* Belaya Tserkov'. Kyyivs'ka Oblast', N Ukraine
167 *N11* **Bilauktaung Range** *var.* Thanintari Taungdan. ⛰ Myanmar/Thailand
105 *O2* **Bilbao** *Basq.* Bilbo. País Vasco, N Spain
Bilbo *see* Bilbao
92 *H2* **Bíldudalur** Vestfirdhir, NW Iceland
113 *I16* **Bileća** Republika Srpska, S Bosnia and Herzegovina
136 *E12* **Bilecik** Bilecik, NW Turkey
136 *F12* **Bilecik** ❖ *province* NW Turkey
116 *E11* **Biled** *Ger.* Billed, *Hung.* Billéd. Timiş, W Romania
111 *O15* **Biłgoraj** Lubelskie, E Poland
117 *P11* **Bilhorod-Dnistrovs'kyy** *Rus.* Belgorod-Dnestrovskiy, *Rom.* Cetatea Albă; *prev.* Akkerman, *anc.* Tyras. Odes'ka Oblast', SW Ukraine

◆ Country ● Country Capital ◇ Dependent Territory ○ Dependent Territory Capital ❖ Administrative Region ✕ International Airport ▲ Mountain ⛰ Mountain Range ⛛ Volcano ≈ River ◎ Lake ▣ Reservoir

◆ COUNTRY ◇ DEPENDENT TERRITORY ◆ ADMINISTRATIVE REGION ▲ MOUNTAIN ☸ VOLCANO ◎ LAKE
● COUNTRY CAPITAL ◆ DEPENDENT TERRITORY CAPITAL × INTERNATIONAL AIRPORT ▲ MOUNTAIN RANGE ≈ RIVER ◎ RESERVOIR

228 ••• Blyznyuky – Borgia

117 V7 Blyznyuky Kharkivs'ka Oblast', E Ukraine
76 I15 Bo S Sierra Leone
95 G16 Bø Telemark, S Norway
171 O4 Boac Marinduque, N Philippines
42 K10 Boaco Boaco, S Nicaragua
42 J10 Boaco ❖ department C Nicaragua
79 I15 Boali Ombella-Mpoko, SW Central African Republic
Boalsert see Bolsward
31 V12 Boardman Ohio, N USA
32 J11 Boardman Oregon, NW USA
14 F13 Boat Lake ◎ Ontario, S Canada
58 F10 Boa Vista state capital Roraima, NW Brazil
76 D9 Boa Vista island Ilhas de Barlavento, E Cape Verde
23 Q2 Boaz Alabama, S USA
160 L15 Bobai Guangxi Zhuangzu Zizhiqu, S China
172 J1 Bobaomby, Tanjona Fr. Cap d'Ambre. headland N Madagascar
155 M14 Bobbili Andhra Pradesh, E India
106 D9 Bobbio Emilia-Romagna, C Italy
14 I14 Bobcaygeon Ontario, SE Canada
Bober see Bóbr
103 O5 Bobigny Seine-St-Denis, N France
77 N13 Bobo-Dioulasso SW Burkina
110 G8 Bobolice Ger. Bublitz. Zachodnio-pomorskie, NW Poland
83 J19 Bobonong Central, E Botswana
171 R11 Bobopayo Pulau Halmahera, E Indonesia
147 P13 Bobotogh, Qatorkŭhi Rus. Khrebet Babatag. ▲▲ Tajikistan/Uzbekistan
114 G10 Bobovdol Kyustendil, W Bulgaria
119 M15 Bobr Minskaya Voblasts', NW Belarus
119 M15 Bobr ≈ C Belarus
111 E14 Bóbr Eng. Bobrawa, Ger. Bober. ≈ SW Poland
Bobrawa see Bóbr
Bobrik see Bobryk
Bobrinets see Bobrynets'
Bobrka/Bóbrka see Bibrka
126 L8 Bobrov Voronezhskaya Oblast', W Russian Federation
117 Q4 Bobrovytsya Chernihivs'ka Oblast', N Ukraine
Bobruysk see Babruysk
119 J19 Bobryk Rus. Bobrik. ≈ SW Belarus
117 Q8 Bobrynets' Rus. Bobrinets. Kirovohrads'ka Oblast', C Ukraine
14 K14 Bobs Lake ◎ Ontario, SE Canada
54 I6 Bobures Zulia, NW Venezuela
42 H1 Boca Bacalar Chico headland N Belize
112 G11 Bočac Republika Srpska, NW Bosnia and Herzegovina
41 R14 Boca del Río Veracruz-Llave, S Mexico
55 O4 Boca de Pozo Nueva Esparta, NE Venezuela
59 C15 Boca do Acre Amazonas, N Brazil
55 N12 Boca Mavaca Amazonas, S Venezuela
79 G14 Bocaranga Ouham-Pendé, W Central African Republic
23 Z15 Boca Raton Florida, SE USA
43 P14 Bocas del Toro Bocas del Toro, NW Panama
43 P15 Bocas del Toro off. Provincia de Bocas del Toro. ❖ province NW Panama
43 P15 Bocas del Toro, Archipiélago de island group NW Panama
42 L7 Bocay Jinotega, N Nicaragua
105 N6 Boceguillas Castilla-León, N Spain
Bocheykovo see Bacheykava
111 L17 Bochnia Małopolskie, SE Poland
99 K16 Bocholt Limburg, NE Belgium
101 D14 Bocholt Nordrhein-Westfalen, W Germany
101 E15 Bochum Nordrhein-Westfalen, W Germany
103 Y15 Bocognano Corse, France, C Mediterranean Sea
54 I6 Boconó Trujillo, NW Venezuela
116 F12 Bocşa Ger. Bokschen, Hung. Boksánbánya. Caraş-Severin, SW Romania
79 H15 Boda Lobaye, SW Central African Republic
94 L12 Boda Dalarna, C Sweden
95 O20 Böda Kalmar, S Sweden
95 L19 Bodafors Jönköping, S Sweden
123 O12 Bodaybo Irkutskaya Oblast', E Russian Federation
22 G5 Bodcau, Bayou var. Bodcau Creek. ≈ Louisiana, S USA
Bodcau Creek see Bodcau, Bayou
44 D8 Bodden Town var. Boddentown. Grand Cayman, SW Cayman Islands
101 K14 Bode ≈ C Germany
34 L7 Bodega Head headland California, W USA
Bodegas see Babahoyo
98 H11 Bodegraven Zuid-Holland, C Netherlands
78 H8 Bodélé depression W Chad
92 J13 Boden Norrbotten, N Sweden
Bodensee see Constance, Lake, C Europe
65 M15 Bode Verde Fracture Zone tectonic feature E Atlantic Ocean
155 H14 Bodhan Andhra Pradesh, C India
162 I9 Bodĭ Bayanhongor, C Mongolia
155 H22 Bodināyakkanūr Tamil Nādu, SE India
108 H10 Bodio Ticino, S Switzerland
97 I24 Bodmin SW England, UK
97 I24 Bodmin Moor moorland SW England, UK
92 G12 Bodø Nordland, C Norway
59 H20 Bodoquena, Serra da ▲▲ SW Brazil
136 B16 Bodrum Muğla, SW Turkey
Bodzafordulő see Întorsura Buzăului
99 L14 Boekel Noord-Brabant, SE Netherlands
Boeloekoemba see Bulukumba
103 Q11 Boën Loire, E France
79 K18 Boende Equateur, C Dem. Rep. Congo
25 R11 Boerne Texas, SW USA
Boeroe see Buru, Pulau
Boetoeng see Buton, Pulau
22 I5 Boeuf River ≈ Arkansas/Louisiana, S USA
76 H14 Boffa Guinée-Maritime, W Guinea
Bó Finne, Inis see Inishbofin
Boga see Bogë
166 L9 Bogale Irrawaddy, SW Myanmar
22 L8 Bogalusa Louisiana, S USA
77 Q12 Bogandé C Burkina
79 I15 Bogangolo Ombella-Mpoko, C Central African Republic
183 Q7 Bogan River ≈ New South Wales, SE Australia
25 W5 Bogata Texas, SW USA
111 D14 Bogatynia Ger. Reichenau. Dolnośląskie, SW Poland
136 K13 Boğazlıyan Yozgat, C Turkey
79 J17 Bogbonga Equateur, NW Dem. Rep. Congo
158 J14 Bogcang Zangbo ≈ W China
158 L5 Bogda Feng ▲ NW China
114 I9 Bogdan ▲ C Bulgaria
113 Q20 Bogdanci SE FYR Macedonia
158 M5 Bogda Shan var. Po-ko-to Shan. ▲▲ NW China
113 K17 Bogë var. Boga. Shkodër, N Albania
Bogendorf see Łuków
95 G23 Bogense Fyn, C Denmark
183 T3 Boggabilla New South Wales, SE Australia
183 S6 Boggabri New South Wales, SE Australia
186 D6 Bogia Madang, N PNG
97 N23 Bognor Regis SE England, UK
Bogodukhov see Bohodukhiv
181 V15 Bogong, Mount ▲ Victoria, SE Australia
169 O16 Bogor Dut. Buitenzorg. Jawa, C Indonesia
126 L5 Bogoroditsk Tul'skaya Oblast', W Russian Federation
127 O3 Bogorodsk Nizhegorodskaya Oblast', W Russian Federation
Bogorodskoe see Bogorodskoye
123 S12 Bogorodskoye Khabarovskiy Kray, SE Russian Federation
125 R15 Bogorodskoye var. Bogorodskoje. Kirovskaya Oblast', NW Russian Federation
54 F10 Bogotá prev. Santa Fe, Santa Fe de Bogotá. ● (Colombia) Cundinamarca, C Colombia
153 T14 Bogra Rajshahi, N Bangladesh
Bogschan see Boldu
122 L12 Boguchany Krasnoyarskiy Kray, C Russian Federation
126 M9 Boguchar Voronezhskaya Oblast', W Russian Federation
76 H10 Bogué Brakna, SW Mauritania
22 K8 Bogue Chitto ≈ Louisiana/Mississippi, S USA
Bogushëvsk see Bahushewsk
Boguslav see Bohuslav
44 K12 Bog Walk C Jamaica
161 Q3 Bo Hai var. Gulf of Chihli. gulf NE China
161 R3 Bohai Haixia strait NE China
161 Q3 Bohai Wan bay NE China
111 C17 Bohemia Cz. Čechy, Ger. Böhmen. cultural and historical region W Czech Republic
111 B18 Bohemian Forest Cz. Ceský Les, Šumava, Ger. Böhmerwald. ▲▲ C Europe
Bohemian-Moravian Highlands see Českomoravská Vrchovina
77 R16 Bohicon S Benin
109 S11 Bohinjska Bistrica Ger. Wocheiner Feistritz. NW Slovenia
Bohkká see Pokka
Böhmen see Bohemia
Böhmerwald see Bohemian Forest
Böhmisch-Krumau see Český Krumlov
Böhmisch-Leipa see Česká Lípa
Böhmisch-Mährische Höhe see Českomoravská Vrchovina
Böhmisch-Trübau see Česká Třebová
117 U5 Bohodukhiv Rus. Bogodukhov. Kharkivs'ka Oblast', E Ukraine
171 Q6 Bohol island C Philippines
171 Q7 Bohol Sea var. Mindanao Sea. sea S Philippines
116 I7 Bohorodchany Ivano-Frankivs'ka Oblast', W Ukraine
162 M9 Böhöt Dundgovĭ, C Mongolia
158 K6 Bohu var. Bagrax. Xinjiang Uygur Zizhiqu, NW China
111 I17 Bohumín Ger. Oderberg; prev. Neuoderberg, Nový Bohumín. Moravskoslezský Kraj, E Czech Republic
117 P6 Bohuslav Rus. Boguslav. Kyyivs'ka Oblast', N Ukraine
58 F11 Boiaçu Roraima, N Brazil
107 K16 Boiano Molise, C Italy
15 R8 Boilleau Québec, SE Canada
59 O17 Boipeba, Ilha de island SE Brazil
104 G3 Boiro Galicia, NW Spain
31 Q5 Bois Blanc Island island Michigan, N USA
29 R7 Bois de Sioux River ≈ Minnesota, N USA
33 N14 Boise var. Boise City. state capital Idaho, NW USA
26 G8 Boise City Oklahoma, C USA
33 N14 Boise River, Middle Fork ≈ Idaho, NW USA
Bois, Lac des see Woods, Lake of the
Bois-le-Duc see 's-Hertogenbosch
11 W17 Boissevain Manitoba, S Canada
15 T7 Boisvert, Pointe au headland Québec, SE Canada
100 K10 Boizenburg Mecklenburg-Vorpommern, N Germany
Bojador see Boujdour
113 K18 Bojana Alb. Bunë. ≈ Albania/Serbia and Montenegro (Yugo.) see also Bunë
143 S3 Bojnūrd var. Bujnurd. Khorāsān, N Iran
169 R16 Bojonegoro prev. Bodjonegoro. Jawa, C Indonesia
189 T1 Bokaak Atoll var. Bokak, Taongi. atoll Ratak Chain, NE Marshall Islands
Bokak see Bokaak Atoll
146 K8 Bo'kantov-Tog'lari Rus. Gory Bukantau. ▲ N Uzbekistan
153 Q15 Bokāro Jhārkhand, N India
79 I18 Bokatola Equateur, NW Dem. Rep. Congo
76 H13 Boké Guinée-Maritime, W Guinea
Bokhara see Buxoro
183 Q4 Bokharra River ≈ New South Wales/Queensland, SE Australia
95 C16 Boknafjorden fjord S Norway
78 H11 Bokoro Chari-Baguirmi, W Chad
79 K19 Bokota Equateur, NW Dem. Rep. Congo
167 N13 Bokpyin Tenasserim, S Myanmar
Boksánbánya/Bokschen see Bocşa
83 F21 Bokspits Kgalagadi, SW Botswana
79 K18 Bokungu Equateur, C Dem. Rep. Congo
146 F12 Bokurdak Rus. Bakhardok. Ahal Welaýaty, C Turkmenistan
78 G10 Bol Lac, W Chad
76 G13 Bolama SW Guinea-Bissau
Bolangir see Balāngīr
Bolanos see Bolaños, Mount
Bolaños see Bolaños de Calatrava, Spain
105 N11 Bolaños de Calatrava var. Bolaños. Castilla-La Mancha, C Spain
188 B17 Bolanos, Mount var. Bolanos. ▲ S Guam
40 L12 Bolaños, Río ≈ C Mexico
115 M14 Bolayır Çanakkale, NW Turkey
102 L3 Bolbec Seine-Maritime, N France
116 L13 Boldu var. Bogschan. Buzău, SE Romania
146 H8 Boldumsaz prev. Kalinin, Kalininsk, Porsy. Daşoguz Welaýaty, N Turkmenistan
158 I4 Bole var. Bortala. Xinjiang Uygur Zizhiqu, NW China
77 O15 Bole NW Ghana
79 J19 Boleko Equateur, W Dem. Rep. Congo
111 E14 Bolesławiec Ger. Bunzlau. Dolnośląskie, SW Poland
127 R4 Bolgar prev. Kuybyshev. Respublika Tatarstan, W Russian Federation
77 P14 Bolgatanga N Ghana
Bolgrad see Bolhrad
117 N12 Bolhrad Rus. Bolgrad. Odes'ka Oblast', SW Ukraine
163 Y8 Boli Heilongjiang, NE China
79 I19 Bolia Bandundu, W Dem. Rep. Congo
93 J14 Boliden Västerbotten, N Sweden
171 T13 Bolifar Pulau Seram, E Indonesia
171 N2 Bolinao Luzon, N Philippines
27 T6 Bolivar Missouri, C USA
20 F10 Bolivar Tennessee, S USA
54 C12 Bolívar Cauca, SW Colombia
54 F7 Bolívar off. Departmento de Bolívar. ❖ province N Colombia
56 A13 Bolívar ❖ province C Ecuador
55 N9 Bolívar off. Estado Bolívar. ❖ state SE Venezuela
25 X12 Bolivar Peninsula headland Texas, SW USA
54 I6 Bolívar, Pico ▲ W Venezuela
57 K17 Bolivia off. Republic of Bolivia. ◆ republic W South America
112 O13 Boljevac Serbia, E Serbia and Montenegro (Yugo.)
Bolkenhain see Bolków
126 J5 Bolkhov Orlovskaya Oblast', W Russian Federation
111 F14 Bolków Ger. Bolkenhain. Dolnośląskie, SW Poland
182 K3 Bollards Lagoon South Australia
103 R14 Bollène Vaucluse, SE France
94 N12 Bollnäs Gävleborg, C Sweden
181 W10 Bollon Queensland, C Australia
192 L12 Bollons Tablemount undersea feature S Pacific Ocean
93 H17 Bollstabruk Västernorrland, C Sweden
Bolluilos de Par del Condado see Bollullos Par del Condado
104 J14 Bollullos Par del Condado var. Bolluilos de Par del Condado. Andalucía, S Spain
95 K21 Bolmen ◎ S Sweden
137 T10 Bolnisi S Georgia
79 H19 Bolobo Bandundu, W Dem. Rep. Congo
106 G10 Bologna Emilia-Romagna, N Italy
124 I15 Bologoye Tverskaya Oblast', W Russian Federation
79 J18 Bolomba Equateur, NW Dem. Rep. Congo
41 X13 Bolonchén de Rejón var. Bolonchén de Rejón. Campeche, SE Mexico
114 J13 Boloústra, Akrotírio headland NE Greece
167 L8 Bolovens, Plateau des plateau S Laos
106 H13 Bolsena Lazio, C Italy
107 G14 Bolsena, Lago di ◎ C Italy
126 B3 Bol'shakovo Ger. Kreuzingen; prev. Gross-Skaisgirren. Kaliningradskaya Oblast', W Russian Federation
Bol'shaya Berëstovitsa see Vyalikaya Byerastavitsa
127 S7 Bol'shaya Chernigovka Samarskaya Oblast', W Russian Federation
127 S7 Bol'shaya Glushitsa Samarskaya Oblast', W Russian Federation
144 H9 Bol'shaya Khobda Kaz. Ülkenqobda. ≈ Kazakhstan/Russian Federation
126 M12 Bol'shaya Martynovka Rostovskaya Oblast', SW Russian Federation
122 K12 Bol'shaya Murta Krasnoyarskiy Kray, C Russian Federation
127 V4 Bol'shaya Rogovaya ≈ NW Russian Federation
127 U7 Bol'shaya Synya ≈ NW Russian Federation
145 V9 Bol'shaya Vladimirovka Vostochnyy Kazakhstan, E Kazakhstan
123 V11 Bol'sheretsk Kamchatskaya Oblast', E Russian Federation
127 W3 Bol'sheust'ikinskoye Respublika Bashkortostan, W Russian Federation
Bol'shevik see Bal'shavik
122 L5 Bol'shevik, Ostrov island Severnaya Zemlya, N Russian Federation
127 U4 Bol'shezemel'skaya Tundra physical region NW Russian Federation
144 J13 Bol'shiye Barsuki, Peski desert SW Kazakhstan
123 T7 Bol'shoy Anyuy ≈ NE Russian Federation
123 N7 Bol'shoy Begichev, Ostrov island NE Russian Federation
123 S15 Bol'shoy Kamen' Primorskiy Kray, SE Russian Federation
127 O4 Bol'shoye Murashkino Nizhegorodskaya Oblast', W Russian Federation
127 W4 Bol'shoy Iremel' ▲ W Russian Federation
127 R7 Bol'shoy Irgiz ≈ W Russian Federation
123 Q6 Bol'shoy Lyakhovskiy, Ostrov island NE Russian Federation
123 Q11 Bol'shoy Nimnyr Respublika Sakha (Yakutiya), NE Russian Federation
Bol'shoy Rozhan see Vyaliki Rozhan
144 E10 Bol'shoy Uzen' Kaz. Ülkenözen. ≈ Kazakhstan/Russian Federation
40 K6 Bolson de Mapimi ▲▲ NW Mexico
98 K6 Bolsward Fris. Boalsert. Friesland, N Netherlands
105 T4 Boltaña Aragón, NE Spain
14 G15 Bolton Ontario, S Canada
97 K17 Bolton prev. Bolton-le-Moors. NW England, UK
21 V12 Bolton North Carolina, SE USA
Bolton-le-Moors see Bolton
136 G11 Bolu Bolu, NW Turkey
136 G11 Bolu ❖ province NW Turkey
186 G9 Bolubolu Goodenough Island, S PNG
92 H1 Bolungarvík Vestfirdhir, NW Iceland
159 O10 Boluntay Qinghai, W China
159 P8 Boluozhuanjing var. Aksay, Aksay Kazakzu Zizhixian. Gansu, N China
136 F14 Bolvadin Afyon, W Turkey
114 M10 Bolyarovo prev. Pashkeni. Yambol, E Bulgaria
106 G6 Bolzano Ger. Bozen; anc. Bauzanum. Trentino-Alto Adige, N Italy
79 F22 Boma Bas-Congo, W Dem. Rep. Congo
183 R12 Bombala New South Wales, SE Australia
104 F10 Bombarral Leiria, C Portugal
Bombay see Mumbai
171 U13 Bomberai, Semenanjung headland Papua, E Indonesia
81 F18 Bombo S Uganda
79 I17 Bomboma Equateur, NW Dem. Rep. Congo
59 I14 Bom Futuro Pará, N Brazil
159 Q15 Bomi var. Bowo, Zhamo. Xizang Zizhiqu, W China
79 N17 Bomili Orientale, NE Dem. Rep. Congo
59 N17 Bom Jesus da Lapa Bahia, E Brazil
60 Q8 Bom Jesus do Itabapoana Rio de Janeiro, SE Brazil
95 C15 Bømlafjorden fjord S Norway
95 B15 Bømlo island S Norway
123 Q12 Bomnak Amurskaya Oblast', SE Russian Federation
79 I17 Bomongo Equateur, NW Dem. Rep. Congo
61 K14 Bom Retiro Santa Catarina, S Brazil
79 L15 Bomu var. Mbomou, Mbomu, M'Bomu. ≈ Central African Republic/Dem. Rep. Congo
142 J3 Bonāb var. Benāb, Bunab. Āzarbāyjān-e Khāvarī, N Iran
45 Q16 Bonaire island E Netherlands Antilles
39 U11 Bona, Mount ▲ Alaska, USA
183 Q12 Bonang Victoria, SE Australia
42 L7 Bonanza Región Autónoma Atlántico Norte, NE Nicaragua
37 O4 Bonanza Utah, W USA
45 O9 Bonao C Dominican Republic
180 L3 Bonaparte Archipelago island group Western Australia
32 K6 Bonaparte, Mount ▲ Washington, NW USA
39 N11 Bonasila Dome ▲ Alaska, USA
92 H11 Bonåsjøen Nordland, C Norway
45 T15 Bonasse Trinidad, Trinidad and Tobago
15 X7 Bonaventure Québec, SE Canada
15 X7 Bonaventure ≈ Québec, SE Canada
13 V11 Bonavista Newfoundland and Labrador, SE Canada
13 U11 Bonavista Bay inlet NW Atlantic Ocean
79 E19 Bonda Ogooué-Lolo, C Gabon
127 N6 Bondari Tambovskaya Oblast', W Russian Federation
106 G9 Bondeno Emilia-Romagna, C Italy
30 L4 Bond Falls Flowage ◎ Michigan, N USA
79 L16 Bondo Orientale, N Dem. Rep. Congo
171 N17 Bondokodi Pulau Sumba, S Indonesia
77 O15 Bondoukou E Ivory Coast
Bondoukui/Bondoukuy see Boundoukui
169 T17 Bondowoso Jawa, C Indonesia
33 S14 Bondurant Wyoming, C USA
Bone see Watampone, Indonesia
Bône see Annaba, Algeria
30 I5 Bone Lake ◎ Wisconsin, N USA
171 P14 Bonelipu Pulau Buton, C Indonesia
171 O15 Bonerate, Kepulauan var. Macan. island group C Indonesia
29 O12 Bonesteel South Dakota, N USA
62 I8 Bonete, Cerro ▲ N Argentina
171 O14 Bone, Teluk bay Sulawesi, C Indonesia
108 D6 Bonfol Jura, NW Switzerland
153 U12 Bongaigaon Assam, NE India
79 K17 Bongandanga Equateur, NW Dem. Rep. Congo
78 L13 Bongo, Massif des var. Chaîne des Mongos. ▲▲ NE Central African Republic
78 G12 Bongor Mayo-Kébbi, SW Chad
77 N16 Bongouanou E Ivory Coast
167 V11 Bông Sơn var. Hoai Nhơn. Bình Định, C Vietnam
25 U5 Bonham Texas, SW USA
Bonhard see Bonyhád
103 U6 Bonhomme, Col du pass NE France
103 Y16 Bonifacio Corse, France, C Mediterranean Sea
Bonifacio, Bocche de/Bonifacio, Bouches de see Bonifacio, Strait of
103 Y16 Bonifacio, Strait of Fr. Bouches de Bonifacio, It. Bocche de Bonifacio. strait C Mediterranean Sea
23 Q8 Bonifay Florida, SE USA
Bonin Islands see Ogasawara-shotō
192 H5 Bonin Trench undersea feature NW Pacific Ocean
23 W15 Bonita Springs Florida, SE USA
42 I5 Bonito, Pico ▲ N Honduras
101 E17 Bonn Nordrhein-Westfalen, W Germany
14 J12 Bonnechere Ontario, SE Canada
14 J12 Bonnechere ≈ Ontario, SE Canada
33 N7 Bonners Ferry Idaho, NW USA
27 R4 Bonner Springs Kansas, C USA
102 L6 Bonnétable Sarthe, NW France
27 X6 Bonne Terre Missouri, C USA
10 J5 Bonnet Plume ≈ Yukon Territory, NW Canada
102 M6 Bonneval Eure-et-Loir, C France
103 T10 Bonneville Haute-Savoie, E France
36 J3 Bonneville Salt Flats salt flat Utah, W USA
77 U18 Bonny Rivers, S Nigeria
Bonny, Bight of see Biafra, Bight of
37 W4 Bonny Reservoir ▣ Colorado, C USA
11 R14 Bonnyville Alberta, SW Canada
107 C18 Bono Sardegna, Italy, C Mediterranean Sea
Bononia see Vidin, Bulgaria
Bononia see Boulogne-sur-Mer, France
107 B18 Bonorva Sardegna, Italy, C Mediterranean Sea
30 M15 Bonpas Creek ≈ Illinois, N USA
190 I3 Bonriki Tarawa, W Kiribati
183 T4 Bonshaw New South Wales, SE Australia
76 I16 Bonthe SW Sierra Leone
171 N2 Bontoc Luzon, N Philippines
25 Y9 Bon Wier Texas, SW USA
111 J25 Bonyhád Ger. Bonhard. Tolna, S Hungary
Bonzabaai see Bonza Bay
83 J25 Bonza Bay Afr. Bonzabaai. Eastern Cape, S South Africa
182 D7 Bookabie South Australia
182 H6 Bookaloo South Australia
37 P5 Book Cliffs cliff Colorado/Utah, W USA
24 L1 Booker Texas, SW USA
76 K15 Boola Guinée-Forestière, SE Guinea
183 O8 Booligal New South Wales, SE Australia
99 G17 Boom Antwerpen, N Belgium
43 N6 Boom var. Boon. Región Autónoma Atlántico Norte, NE Nicaragua
183 S3 Boomi New South Wales, SE Australia
Boon see Boom
29 V13 Boone Iowa, C USA
21 Q8 Boone North Carolina, SE USA
27 S11 Booneville Arkansas, C USA
21 N6 Booneville Kentucky, S USA
23 N2 Booneville Mississippi, S USA
21 V3 Boonsboro Maryland, NE USA
162 H9 Böön Tsagaan Nuur ◎ S Mongolia
34 L6 Boonville California, W USA
31 N16 Boonville Indiana, N USA
27 U4 Boonville Missouri, C USA
18 I9 Boonville New York, NE USA
80 M12 Booraama Woqooyi Galbeed, NW Somalia
183 O6 Booroondarra, Mount hill New South Wales, SE Australia
183 N9 Booroorban New South Wales, SE Australia
183 R9 Boorowa New South Wales, SE Australia
99 H17 Boortmeerbeek Vlaams Brabant, C Belgium
80 P11 Boosaaso var. Bandar Kassim, Bender Qaasim, Bosaso, It. Bender Cassim. Bari, N Somalia
19 Q8 Boothbay Harbor Maine, NE USA
Boothia Felix see Boothia Peninsula
9 N6 Boothia, Gulf of gulf Nunavut, NE Canada
8 M6 Boothia Peninsula prev. Boothia Felix. peninsula Nunavut, NE Canada
79 E18 Booué Ogooué-Ivindo, NE Gabon
101 J21 Bopfingen Baden-Württemberg, S Germany
101 F18 Boppard Rheinland-Pfalz, W Germany
62 M4 Boquerón off. Departamento de Boquerón. ❖ department W Paraguay
43 P15 Boquete var. Bajo Boquete. Chiriquí, W Panama
40 J6 Boquilla, Presa de la ▣ N Mexico
40 L5 Boquillas var. Boquillas del Carmen. Coahuila de Zaragoza, NE Mexico
Boquillas del Carmen see Boquillas
81 F15 Bor Jonglei, S Sudan
95 L20 Bor Jönköping, S Sweden
136 J15 Bor Niğde, S Turkey
112 P12 Bor Serbia, E Serbia and Montenegro (Yugo.)
191 S10 Bora-Bora island Îles Sous le Vent, W French Polynesia
167 Q9 Borabu Maha Sarakham, E Thailand
33 P13 Borah Peak ▲ Idaho, NW USA
145 G13 Boralday prev. Burunday. Almaty SE Kazakhstan
144 G13 Borankul prev. Opornyy. Mangistau, SW Kazakhstan
95 J19 Borås Västra Götaland, S Sweden
145 U15 Boralday prev. Burunday. Almaty, SE Kazakhstan
143 N11 Borāzjān var. Borazjān. Būshehr, S Iran
Borazjān see Borāzjān
58 G13 Borba Amazonas, N Brazil
104 H11 Borba Évora, S Portugal
Borbetomagus see Worms
55 O7 Borbón Bolívar, E Venezuela
59 Q15 Borborema, Planalto da plateau NE Brazil
116 M14 Borcea, Braţul ≈ S Romania
Borchalo see Marneuli
195 R15 Borchgrevink Coast physical region Antarctica
137 Q11 Borçka Artvin, NE Turkey
98 N11 Borculo Gelderland, E Netherlands
182 G10 Borda, Cape headland South Australia
102 K13 Bordeaux anc. Burdigala. Gironde, SW France
11 T15 Borden Saskatchewan, S Canada
14 D8 Borden Lake ◎ Ontario, S Canada
9 N4 Borden Peninsula peninsula Baffin Island, Nunavut, NE Canada
182 K11 Bordertown South Australia
92 H2 Bordheyri Vestfirdhir, NW Iceland
95 B18 Bordhoy Dan. Bordø Island Faeroe Islands
106 B11 Bordighera Liguria, NW Italy
74 K5 Bordj-Bou-Arreridj var. Bordj Bou Arreridj, Bordj Bou Arréridj. N Algeria
74 L10 Bordj Omar Driss E Algeria
143 N13 Bord Khūn Hormozgān, S Iran
147 V7 Bordunskiy Chuyskaya Oblast', N Kyrgyzstan
95 M17 Borensberg Östergötland, S Sweden
Borgå see Porvoo
92 L2 Borgarfjördhur Austurland, NE Iceland
92 H3 Borgarnes Vesturland, W Iceland
93 G14 Børgefjell ▲▲ C Norway
98 O7 Borger Drenthe, NE Netherlands
25 N2 Borger Texas, SW USA
95 N20 Borgholm Kalmar, S Sweden
107 N22 Borgia Calabria, SW Italy

◆ Country ● Country Capital ◇ Dependent Territory ○ Dependent Territory Capital ❖ Administrative Region ✕ International Airport ▲ Mountain ▲▲ Mountain Range ※ Volcano ≈ River ◎ Lake ▣ Reservoir

Borgloon – Bremond ••• 229

99 J18 **Borgloon** Limburg, NE Belgium
195 P2 **Borg Massif** ▲ Antarctica
22 L9 **Borgne, Lake** ◎ Louisiana, S USA
106 C7 **Borgomanero** Piemonte, NE Italy
106 G10 **Borgo Panigale** ✈ (Bologna) Emilia-Romagna, N Italy
107 J15 **Borgorose** Lazio, C Italy
106 A9 **Borgo San Dalmazzo** Piemonte, N Italy
106 G11 **Borgo San Lorenzo** Toscana, C Italy
106 C7 **Borgosesia** Piemonte, NE Italy
106 E9 **Borgo Val di Taro** Emilia-Romagna, C Italy
106 G6 **Borgo Valsugana** Trentino-Alto Adige, N Italy
163 O11 **Borhoyn Tal** Dornogovĭ, SE Mongolia
167 R8 **Borikhan** *var.* Borikhane. Bolikhamxai, C Laos
Borikhane *see* Borikhan
Borislav *see* Boryslav
127 N8 **Borisoglebsk** Voronezhskaya Oblast', W Russian Federation
Borisov *see* Barysaw
Borisovgrad *see* Pŭrvomay
Borispol' *see* Boryspil'
172 I3 **Boriziny** Mahajanga, NW Madagascar
105 Q5 **Borja** Aragón, NE Spain
Borjas Blancas *see* Les Borges Blanques
137 S10 **Borjomi** *Rus.* Borzhomi. C Georgia
118 L12 **Borkavichy** *Rus.* Borkovichi. Vitsyebskaya Voblasts', N Belarus
101 H16 **Borken** Hessen, C Germany
101 E14 **Borken** Nordrhein-Westfalen, W Germany
92 H10 **Borkenes** Troms, N Norway
78 H7 **Borkou-Ennedi-Tibesti** *off.* Préfecture du Borkou-Ennedi-Tibesti. ◆ *prefecture* N Chad
Borkovichi *see* Borkavichy
100 E9 **Borkum** *island* NW Germany
81 K17 **Bor, Lagh** *var.* Lak Bor. *dry watercourse* NE Kenya
Bor, Lak *see* Bor, Lagh
95 M14 **Borlänge** Dalarna, C Sweden
106 C9 **Bormida** ~ NW Italy
106 F6 **Bormio** Lombardia, N Italy
101 M16 **Borna** Sachsen, E Germany
98 O10 **Borne** Overijssel, E Netherlands
99 F17 **Bornem** Antwerpen, N Belgium
169 S10 **Borneo** *island* Brunei/Indonesia/Malaysia
101 E16 **Bornheim** Nordrhein-Westfalen, W Germany
95 L24 **Bornholm** ◆ *county* E Denmark
95 L24 **Bornholm** *island* E Denmark
77 Y13 **Borno** ◆ *state* NE Nigeria
104 K15 **Bornos** Andalucía, S Spain
162 L7 **Bornuur** Töv, C Mongolia
117 O4 **Borodyanka** Kyyivs'ka Oblast', N Ukraine
158 I5 **Borohoro Shan** ▲ NW China
77 O13 **Boromo** SW Burkina
35 T13 **Boron** California, W USA
Borongo *see* Black Volta
Boron'ki *see* Baron'ki
Borosjenő *see* Ineu
Borossebes *see* Sebiş
76 L15 **Borotou** NW Ivory Coast
117 W6 **Borova** Kharkivs'ka Oblast', E Ukraine
114 H8 **Borovan** Vratsa, NW Bulgaria
124 I14 **Borovichi** Novgorodskaya Oblast', W Russian Federation
Borovlje *see* Ferlach
112 J9 **Borovo** Vukovar-Srijem, NE Croatia
145 Q7 **Borovoye** *Kaz.* Būrabay. Akmola, N Kazakhstan
126 K4 **Borovsk** Kaluzhskaya Oblast', W Russian Federation
145 N7 **Borovskoy** Kostanay, N Kazakhstan
Borovukha *see* Baravukha
95 L23 **Borrby** Skåne, S Sweden
181 R3 **Borroloola** Northern Territory, N Australia
116 F9 **Borş** Bihor, NW Romania
116 I9 **Borşa** *Hung.* Borsa. Maramureş, N Romania
116 J10 **Borsec** *Ger.* Bad Borseck, *Hung.* Borszék. Harghita, C Romania
92 K8 **Børselv** *Lapp.* Bissojohka. Finnmark, N Norway
113 L23 **Borsh** *var.* Borshi. Vlorë, S Albania
Borshchev *see* Borshchiv
116 K7 **Borshchiv** *Pol.* Borszczów, *Rus.* Borshchev. Ternopil's'ka Oblast', W Ukraine
Borshi *see* Borsh
111 L20 **Borsod-Abaúj-Zemplén** *off.* Borsod-Abaúj-Zemplén Megye. ◆ *county* NE Hungary
99 E15 **Borssele** Zeeland, SW Netherlands
Borszczów *see* Borshchiv
Borszék *see* Borsec
Bortala *see* Bole
103 O12 **Bort-les-Orgues** Corrèze, C France
Bor u České Lípy *see* Nový Bor
162 E8 **Bor-Udzüür** Hovd, W Mongolia
143 N9 **Borūjen** Chahār Maḩall va Bakhtīārī, C Iran
142 L7 **Borūjerd** *var.* Burujird. Lorestān, W Iran
116 H6 **Boryslav** *Pol.* Borysław, *Rus.* Borislav. L'vivs'ka Oblast', NW Ukraine
Borysław *see* Boryslav
117 P4 **Boryspil'** *Rus.* Borispol'. Kyyivs'ka Oblast', N Ukraine
117 P4 **Boryspil'** *Rus.* Borispol'. ✈ (Kyyiv) Kyyivs'ka Oblast', N Ukraine
Borzhomi *see* Borjomi
117 R3 **Borzna** Chernihivs'ka Oblast', NE Ukraine
123 O14 **Borzya** Chitinskaya Oblast', S Russian Federation
107 B18 **Bosa** Sardegna, Italy, C Mediterranean Sea
112 F10 **Bosanska Dubica** *var.* Kozarska Dubica. Republika Srpska, NW Bosnia and Herzegovina
112 G10 **Bosanska Gradiška** *var.* Gradiška. Republika Srpska, N Bosnia and Herzegovina
112 F10 **Bosanska Kostajnica** *var.* Srpska Kostajnica. Republika Srpska, NW Bosnia and Herzegovina
112 E11 **Bosanska Krupa** *var.* Krupa, Krupa na Uni. Federacija Bosna I Hercegovina, NW Bosnia and Herzegovina
112 H10 **Bosanski Brod** *var.* Srpski Brod. Republika Srpska, N Bosnia and Herzegovina
112 E10 **Bosanski Novi** *var.* Novi Grad. Republika Srpska, NW Bosnia and Herzegovina
112 E11 **Bosanski Petrovac** *var.* Petrovac. Federacija Bosna I Hercegovina, NW Bosnia and Herzegovina
112 N12 **Bosanski Petrovac** Serbia, E Serbia and Montenegro (Yugo.)
112 I10 **Bosanski Šamac** *var.* Šamac. Republika Srpska, N Bosnia and Herzegovina
112 E12 **Bosansko Grahovo** *var.* Grahovo, Hrvatsko Grahovo. Federacija Bosna I Hercegovina, W Bosnia and Herzegovina
Bosaso *see* Boosaaso
186 B7 **Bosavi, Mount** ☒ W PNG
160 J14 **Bose** Guangxi Zhuangzu Zizhiqu, S China
161 Q5 **Boshan** Shandong, E China
113 P16 **Bosilegrad** *prev.* Bosiljgrad. Serbia, SE Serbia and Montenegro (Yugo.)
Bosiljgrad *see* Bosilegrad
Bösing *see* Pezinok
98 H12 **Boskoop** Zuid-Holland, C Netherlands
111 G18 **Boskovice** *Ger.* Boskowitz. Jihomoravský Kraj, SE Czech Republic
Boskowitz *see* Boskovice
112 I10 **Bosna** ~ N Bosnia and Herzegovina
113 G14 **Bosna I Hercegovina, Federacija** ◆ *republic* Bosnia and Herzegovina
112 H12 **Bosnia and Herzegovina** *off.* Republic of Bosnia and Herzegovina. ◆ *republic* SE Europe
79 J16 **Bosobolo** Equateur, NW Dem. Rep. Congo
165 O14 **Bōsō-hantō** *peninsula* Honshū, S Japan
Bosora *see* Buşrá ash Shām
Bosphorus/Bosporus *see* İstanbul Boğazı
Bosporus Cimmerius *see* Kerch Strait
Bosporus Thracius *see* İstanbul Boğazı
Bosra *see* Buşrá ash Shām
79 H14 **Bossangoa** Ouham, C Central African Republic
Bossé Bangou *see* Bossey Bangou
79 I15 **Bossembélé** Ombella-Mpoko, C Central African Republic
79 H15 **Bossentélé** Ouham-Pendé, W Central African Republic
77 R12 **Bossey Bangou** *var.* Bossé Bangou. Tillabéri, SW Niger
22 G5 **Bossier City** Louisiana, S USA
83 D20 **Bossiesvlei** Hardap, S Namibia
77 Y11 **Bosso** Diffa, SE Niger
61 F15 **Bossoroca** Rio Grande do Sul, S Brazil
158 J10 **Bostan** Xinjiang Uygur Zizhiqu, W China
142 K3 **Bostānābād** Āžarbāyjān-e Khāvarī, N Iran
158 K6 **Bosten Hu** *var.* Bagrax Hu. ◎ NW China
97 O18 **Boston** *prev.* St.Botolph's Town. E England, UK
19 O11 **Boston** *state capital* Massachusetts, NE USA
146 I9 **Bo'ston** *Rus.* Bustan. Qoraqalpog'iston Respublikasi, W Uzbekistan
10 M17 **Boston Bar** British Columbia, SW Canada
27 T10 **Boston Mountains** ▲ Arkansas, C USA
15 P8 **Bostonnais** ~ Québec, SE Canada
Bostyn' *see* Bastyn'
112 J10 **Bosut** ~ E Croatia
154 C11 **Botād** Gujarāt, W India
183 T9 **Botany Bay** *inlet* New South Wales, SE Australia
83 G18 **Boteti** *var.* Botletle. ~ N Botswana
114 J9 **Botev** ▲ C Bulgaria
114 H9 **Botevgrad** *prev.* Orkhaniye. Sofiya, W Bulgaria
93 J16 **Bothnia, Gulf of** *Fin.* Pohjanlahti, *Swe.* Bottniska Viken. *gulf* N Baltic Sea
183 P17 **Bothwell** Tasmania, SE Australia
104 H5 **Boticas** Vila Real, N Portugal
55 W10 **Boti-Pasi** Sipaliwini, C Suriname
Botletle *see* Boteti
127 P16 **Botlikh** Chechenskaya Respublika, SW Russian Federation
117 N10 **Botna** ~ E Moldova
116 I9 **Botoşani** *Hung.* Botosány. Botoşani, NE Romania
116 K8 **Botoşani** ◆ *county* NE Romania
Botosány *see* Botoşani
161 P4 **Botou** *prev.* Bozhen. Hebei, E China
95 M20 **Botrange** ▲ E Belgium
107 O21 **Botricello** Calabria, SW Italy
83 I23 **Botshabelo** Free State, C South Africa
93 J15 **Botsmark** Västerbotten, N Sweden
83 G19 **Botswana** *off.* Republic of Botswana. ◆ *republic* S Africa
29 N2 **Bottineau** North Dakota, N USA
Bottniska Viken *see* Bothnia, Gulf of
60 L9 **Botucatu** São Paulo, S Brazil
76 M16 **Bouaflé** C Ivory Coast
77 N16 **Bouaké** *var.* Bwake. C Ivory Coast
79 G14 **Bouar** Nana-Mambéré, W Central African Republic
74 H7 **Bouarfa** NE Morocco
111 B19 **Boubín** ▲ SW Czech Republic
79 I14 **Bouca** Ouham, W Central African Republic
15 T5 **Boucher** ~ Québec, SE Canada
103 R15 **Bouches-du-Rhône** ◆ *department* SE France
74 C9 **Bou Craa** *var.* Bu Craa. NW Western Sahara
77 O9 **Boû Djébéha** *oasis* C Mali
108 C8 **Boudry** Neuchâtel, W Switzerland
180 L2 **Bougainville, Cape** *headland* Western Australia
65 E24 **Bougainville, Cape** *headland* East Falkland, Falkland Islands
Bougainville, Détroit de *see* Bougainville Strait, Vanuatu
186 J7 **Bougainville Island** *island* NE PNG
186 I8 **Bougainville Strait** *strait* N Solomon Islands
187 Q13 **Bougainville Strait** *Fr.* Détroit de Bougainville. *strait* C Vanuatu
120 I9 **Bougaroun, Cap** *headland* NE Algeria
77 R8 **Boughessa** Kidal, NE Mali
Bougie *see* Béjaïa
76 L13 **Bougouni** Sikasso, SW Mali
99 J24 **Bouillon** Luxembourg, SE Belgium
74 K5 **Bouira** *var.* Bouïra. N Algeria
74 D8 **Bou-Izakarn** SW Morocco
74 B9 **Boujdour** *var.* Bojador. W Western Sahara
74 G5 **Boukhalef** ✈ (Tanger) N Morocco
Boukombé *see* Boukoumbé
77 R14 **Boukoumbé** *var.* Boukombé. C Benin
76 G6 **Boû Lanouâr** Dakhlet Nouâdhibou, W Mauritania
37 T4 **Boulder** Colorado, C USA
33 R10 **Boulder** Montana, NW USA
35 X12 **Boulder City** Nevada, W USA
181 T7 **Boulia** Queensland, C Australia
15 N10 **Boullé** ~ Québec, SE Canada
102 J9 **Boulogne** ~ NW France
Boulogne *see* Boulogne-sur-Mer
102 L16 **Boulogne-sur-Gesse** Haute-Garonne, S France
103 N1 **Boulogne-sur-Mer** *var.* Boulogne; *anc.* Bononia, Gesoriacum, Gessoriacum. Pas-de-Calais, N France
77 Q12 **Boulsa** C Burkina
77 W11 **Boultoum** Zinder, C Niger
187 Y14 **Bouma** Taveuni, N Fiji
79 G16 **Boumba** ~ SE Cameroon
76 J9 **Boûmdeïd** *var.* Boumdeït. Assaba, S Mauritania
Boumdeït *see* Boûmdeïd
115 C17 **Boumistós** ▲ W Greece
77 O15 **Bouna** NE Ivory Coast
19 P4 **Boundary Bald Mountain** ▲ Maine, NE USA
35 S8 **Boundary Peak** ▲ Nevada, W USA
76 M14 **Boundiali** N Ivory Coast
79 G19 **Boundji** Cuvette, C Congo
77 O13 **Boundoukui** *var.* Bondoukui, Bondoukuy. W Burkina
36 L2 **Bountiful** Utah, W USA
Bounty Basin *see* Bounty Trough
191 Q16 **Bounty Bay** *bay* Pitcairn Island, C Pacific Ocean
192 L12 **Bounty Islands** *island group* S NZ
175 Q13 **Bounty Trough** *var* Bounty Basin. *undersea feature* S Pacific Ocean
187 P17 **Bourail** Province Sud, C New Caledonia
27 V5 **Bourbeuse River** ~ Missouri, C USA
103 Q9 **Bourbon-Lancy** Saône-et-Loire, C France
31 N11 **Bourbonnais** Illinois, N USA
103 O10 **Bourbonnais** *cultural region* C France
103 S7 **Bourbonne-les-Bains** Haute-Marne, N France
Bourbon Vendée *see* la Roche-sur-Yon
74 M8 **Bourdj Messaouda** E Algeria
77 Q10 **Bourem** Gao, C Mali
Bourg *see* Bourg-en-Bresse
103 N11 **Bourganeuf** Creuse, C France
Bourgas *see* Burgas
Bourge-en-Bresse *see* Bourg-en-Bresse
103 S10 **Bourg-en-Bresse** *var.* Bourg, Bourge-en-Bresse. Ain, E France
103 O8 **Bourges** *anc.* Avaricum. Cher, C France
103 T11 **Bourget, Lac du** ◎ E France
103 P8 **Bourgogne** *Eng.* Burgundy. ◆ *region* E France
103 S11 **Bourgoin-Jallieu** Isère, E France
103 R14 **Bourg-St-Andéol** Ardèche, E France
103 U11 **Bourg-St-Maurice** Savoie, E France
108 C11 **Bourg St.Pierre** Valais, SW Switzerland
76 H8 **Boû Rjeïmât** *well* W Mauritania
183 P5 **Bourke** New South Wales, SE Australia
97 M24 **Bournemouth** S England, UK
99 M23 **Bourscheid** Diekirch, NE Luxembourg
74 K6 **Bou Saâda** *var.* Bou Saada. N Algeria
36 I13 **Bouse Wash** ~ Arizona, SW USA
103 N10 **Boussac** Creuse, C France
102 M16 **Boussens** Haute-Garonne, S France
78 H12 **Bousso** *prev.* Fort-Bretonnet. Chari-Baguirmi, S Chad
76 H9 **Boutilimit** Trarza, SW Mauritania
65 D21 **Bouvet Island** ◇ *Norwegian dependency* S Atlantic Ocean
77 U11 **Bouza** Tahoua, SW Niger
109 R10 **Bovec** *Ger.* Flitsch, *It.* Plezzo. NW Slovenia
98 J8 **Bovenkarspel** Noord-Holland, NW Netherlands
29 V5 **Bovey** Minnesota, N USA
32 M9 **Bovill** Idaho, NW USA
24 L4 **Bovina** Texas, SW USA
107 M17 **Bovino** Puglia, SE Italy
61 C17 **Bovril** Entre Ríos, E Argentina
28 L2 **Bowbells** North Dakota, N USA
11 Q16 **Bow City** Alberta, SW Canada
29 O8 **Bowdle** South Dakota, N USA
181 X6 **Bowen** Queensland, NE Australia
192 L2 **Bowers Ridge** *undersea feature* S Bering Sea
25 S5 **Bowie** Texas, SW USA
11 R17 **Bow Island** Alberta, SW Canada
Bowkān *see* Būkān
20 J7 **Bowling Green** Kentucky, S USA
27 V3 **Bowling Green** Missouri, C USA
31 R11 **Bowling Green** Ohio, N USA
21 W5 **Bowling Green** Virginia, NE USA
28 J6 **Bowman** North Dakota, N USA
9 Q7 **Bowman Bay** *bay* NW Atlantic Ocean
194 I5 **Bowman Coast** *physical region* Antarctica
28 J7 **Bowman-Haley Lake** ◎ North Dakota, N USA
195 Z11 **Bowman Island** *island* Antarctica
Bowo *see* Bomi
183 S9 **Bowral** New South Wales, SE Australia
186 E8 **Bowutu Mountains** ▲ C PNG
83 I16 **Bowwood** Southern, S Zambia
28 I12 **Box Butte Reservoir** ⊠ Nebraska, C USA
28 J10 **Box Elder** South Dakota, N USA
95 M18 **Boxholm** Östergötland, S Sweden
Bo Xian/Boxian *see* Bozhou
161 Q4 **Boxing** Shandong, E China
99 L14 **Boxmeer** Noord-Brabant, SE Netherlands
99 J14 **Boxtel** Noord-Brabant, S Netherlands
136 J10 **Boyabat** Sinop, N Turkey
54 F9 **Boyacá** *off.* Departamento de Boyacá. ◆ *province* C Colombia
117 O4 **Boyarka** Kyyivs'ka Oblast', N Ukraine
22 H7 **Boyce** Louisiana, S USA
33 U11 **Boyd** Montana, NW USA
25 S6 **Boyd** Texas, SW USA
21 V8 **Boydton** Virginia, NE USA
Boyer Ahmadī va Kohkīlūyeh *see* Kohgīlūyeh va Būyer Aḩmad
29 T13 **Boyer River** ~ Iowa, C USA
21 W8 **Boykins** Virginia, NE USA
11 Q13 **Boyle** Alberta, SW Canada
97 D16 **Boyle** *Ir.* Mainistirna Búille. C Ireland
97 F17 **Boyne** *Ir.* An Bhóinn. ~ E Ireland
31 Q5 **Boyne City** Michigan, N USA
23 Z14 **Boynton Beach** Florida, SE USA
147 O13 **Boysun** *Rus.* Baysun. Surkhondaryo Wiloyati, S Uzbekistan
Bozau *see* Întorsura Buzăului
136 B12 **Bozcaada** *island* Çanakkale, NW Turkey
136 C14 **Boz Dağları** ▲ W Turkey
33 S11 **Bozeman** Montana, NW USA
Bozen *see* Bolzano
79 J16 **Bozene** Equateur, NW Dem. Rep. Congo
161 P7 **Bozhou** *var.* Boxian, Bo Xian. Anhui, E China
136 H16 **Bozkır** Konya, S Turkey
136 K13 **Bozok Yaylası** *plateau* C Turkey
79 H14 **Bozoum** Ouham-Pendé, W Central African Republic
137 N16 **Bozova** Sanlıurfa, S Turkey
Bozrah *see* Buşrá ash Shām
136 E12 **Bozüyük** Bilecik, NW Turkey
106 B9 **Bra** Piemonte, NW Italy
194 G4 **Brabant Island** *island* Antarctica
99 I20 **Brabant Wallon** ◆ *province* C Belgium
113 F15 **Brač** *var.* Brach, *It.* Brazza; *anc.* Brattia. *island* S Croatia
Bracara Augusta *see* Braga
107 H15 **Bracciano** Lazio, C Italy
107 H14 **Bracciano, Lago di** ◎ C Italy
14 H13 **Bracebridge** Ontario, S Canada
Brach *see* Brač
93 G17 **Bräcke** Jämtland, C Sweden
25 P12 **Brackettville** Texas, SW USA
97 N22 **Bracknell** S England, UK
61 K14 **Braço do Norte** Santa Catarina, S Brazil
116 G11 **Brad** *Hung.* Brád. Hunedoara, SW Romania
107 N18 **Bradano** ~ S Italy
23 V13 **Bradenton** Florida, SE USA
14 H14 **Bradford** Ontario, S Canada
97 L17 **Bradford** N England, UK
27 W10 **Bradford** Arkansas, C USA
18 D12 **Bradford** Pennsylvania, NE USA
27 T15 **Bradley** Arkansas, C USA
25 P7 **Bradshaw** Texas, SW USA
25 Q9 **Brady** Texas, SW USA
25 Q9 **Brady Creek** ~ Texas, SW USA
96 J10 **Braemar** NE Scotland, UK
116 K8 **Brăeşti** Botoşani, NW Romania
104 G5 **Braga** *anc.* Bracara Augusta. Braga, NW Portugal
104 G5 **Braga** ◆ *district* N Portugal
116 J15 **Bragadiru** Teleorman, S Romania
61 C20 **Bragado** Buenos Aires, E Argentina
104 J5 **Bragança** *Eng.* Braganza; *anc.* Julio Briga. Bragança, NE Portugal
104 I5 **Bragança** ◆ *district* N Portugal
60 N9 **Bragança Paulista** São Paulo, S Brazil
Braganza *see* Bragança
Bragin *see* Brahin
29 V7 **Braham** Minnesota, N USA
Brahe *see* Brda
Brahestad *see* Raahe
119 O20 **Brahin** *Rus.* Bragin. Homyel'skaya Voblasts', SE Belarus
153 U15 **Brahmanbaria** Chittagong, E Bangladesh
154 O12 **Brāhmani** ~ E India
154 N13 **Brahmapur** Orissa, E India
150 O12 **Brahmaputra** *var.* Padma, Tsangpo, *Ben.* Jamuna, *Chin.* Yarlung Zangbo Jiang, *Ind.* Bramaputra, Dihang, Siang. ~ S Asia
97 H19 **Braich y Pwll** *headland* NW Wales, UK
183 R10 **Braidwood** New South Wales, SE Australia
30 M11 **Braidwood** Illinois, N USA
116 M13 **Brăila** Brăila, E Romania
116 L13 **Brăila** ◆ *county* SE Romania
99 G19 **Braine-l'Alleud** Brabant Wallon, C Belgium
99 F19 **Braine-le-Comte** Hainaut, SW Belgium
29 U6 **Brainerd** Minnesota, N USA
99 J19 **Braives** Liège, E Belgium
83 H23 **Brak** ~ C South Africa
Brak *see* Birāk
99 E18 **Brakel** Oost-Vlaanderen, SW Belgium
98 J13 **Brakel** Gelderland, C Netherlands
76 H9 **Brakna** ◆ *region* S Mauritania
95 J17 **Brålanda** Västra Götaland, S Sweden
Bramaputra *see* Brahmaputra
95 F23 **Bramming** Ribe, W Denmark
14 G15 **Brampton** Ontario, S Canada
100 F12 **Bramsche** Niedersachsen, NW Germany
116 J12 **Bran** *Ger.* Törzburg, *Hung.* Törcsvár. Braşov, S Romania
29 W8 **Branch** Minnesota, N USA
21 R14 **Branchville** South Carolina, SE USA
58 F11 **Branco, Rio** ~ N Brazil
108 J8 **Brand** Vorarlberg, W Austria
83 B18 **Brandberg** ▲ NW Namibia
95 H14 **Brandbu** Oppland, S Norway
95 F22 **Brande** Ringkøbing, W Denmark
Brandebourg *see* Brandenburg
100 M12 **Brandenburg** *var.* Brandenburg an der Havel. Brandenburg, NE Germany
20 K5 **Brandenburg** Kentucky, S USA
100 N12 **Brandenburg** *off.* Freie und Hansestadt Hamburg, *Fr.* Brandebourg. ◆ *state* NE Germany
Brandenburg an der Havel *see* Brandenburg
83 I23 **Brandfort** Free State, C South Africa
11 W16 **Brandon** Manitoba, S Canada
23 V12 **Brandon** Florida, SE USA
22 L6 **Brandon** Mississippi, S USA
97 A20 **Brandon Mountain** *Ir.* Cnoc Bréanainn. ▲ SW Ireland
Brandsen *see* Coronel Brandsen
95 I14 **Brandval** Hedmark, S Norway
83 F24 **Brandvlei** Northern Cape, W South Africa
23 U9 **Branford** Florida, SE USA
110 K7 **Braniewo** *Ger.* Braunsberg. Warmińsko-Mazurskie, N Poland
194 H3 **Bransfield Strait** *strait* Antarctica
37 U8 **Branson** Colorado, C USA
27 T8 **Branson** Missouri, C USA
14 G16 **Brantford** Ontario, S Canada
102 L12 **Brantôme** Dordogne, SW France
182 L12 **Branxholme** Victoria, SE Australia
Brasil *see* Brazil
59 C16 **Brasiléia** Acre, W Brazil
59 K18 **Brasília** ● (Brazil) Distrito Federal, C Brazil
Braslav *see* Braslaw
118 J12 **Braslaw** *Pol.* Brasław, *Rus.* Braslav. Vitsyebskaya Voblasts', N Belarus
116 J12 **Braşov** *Ger.* Kronstadt, *Hung.* Brassó; *prev.* Oraşul Stalin. Braşov, C Romania
116 I12 **Braşov** ◆ *county* C Romania
77 U18 **Brass** Bayelsa, S Nigeria
99 H16 **Brasschaat** *var.* Brasschaet. Antwerpen, N Belgium
Brasschaet *see* Brasschaat
169 V8 **Brassey, Banjaran** *var.* Brassey Range. ▲ East Malaysia
Brassey Range *see* Brassey, Banjaran
Brassó *see* Braşov
23 T1 **Brasstown Bald** ▲ Georgia, SE USA
113 K22 **Brataj** Vlorë, SW Albania
114 J10 **Bratan** *var.* Morozov. ▲ C Bulgaria
111 F21 **Bratislava** *Ger.* Pressburg, *Hung.* Pozsony. ● (Slovakia) Bratislavský Kraj, W Slovakia
111 H21 **Bratislavský Kraj** ◆ *region* W Slovakia
114 H10 **Bratiya** ▲ C Bulgaria
122 M12 **Bratsk** Irkutskaya Oblast', C Russian Federation
117 Q8 **Brats'ke** Mykolayivs'ka Oblast', S Ukraine
122 M13 **Bratskoye Vodokhranilishche** *Eng.* Bratsk Reservoir. ⊠ S Russian Federation
Bratsk Reservoir *see* Bratskoye Vodokhranilishche
Brattia *see* Brač
94 D9 **Brattvåg** Møre og Romsdal, S Norway
112 K12 **Bratunac** Republika Srpska, E Bosnia and Herzegovina
114 J10 **Bratya Daskalovi** *prev.* Grozdovo. Stara Zagora, C Bulgaria
109 U2 **Braunau** ~ N Austria
Braunau *see* Braunau am Inn
109 Q4 **Braunau am Inn** *var.* Braunau. Oberösterreich, N Austria
Braunsberg *see* Braniewo
100 J13 **Braunschweig** *Eng./Fr.* Brunswick. Niedersachsen, N Germany
Brava *see* Baraawe
105 Y6 **Brava, Costa** *coastal region* NE Spain
43 V16 **Brava, Punta** *headland* E Panama
95 N17 **Bråviken** *inlet* S Sweden
56 B10 **Bravo, Cerro** ▲ N Peru
Bravo del Norte, Río/Bravo, Río *see* Grande, Rio
35 X17 **Brawley** California, W USA
97 G18 **Bray** *Ir.* Bré. E Ireland
59 G16 **Brazil** *off.* Federative Republic of Brazil, *Port.* República Federativa do Brasil, *Sp.* Brasil; *prev.* United States of Brazil. ◆ *federal republic* South America
65 K15 **Brazil Basin** *var.* Brazilian Basin, Brazil'skaya Kotlovina. *undersea feature* W Atlantic Ocean
Brazilian Basin *see* Brazil Basin
Brazilian Highlands *see* Central, Planalto
Brazil'skaya Kotlovina *see* Brazil Basin
25 U10 **Brazos River** ~ Texas, SW USA
Brazza *see* Brač
79 G21 **Brazzaville** ● (Congo) Capital District, S Congo
79 G21 **Brazzaville** ✈ Le Pool, S Congo
112 J11 **Brčko** Republika Srpska, NE Bosnia and Herzegovina
110 H8 **Brda** *Ger.* Brahe. ~ N Poland
Bré *see* Bray
185 A23 **Breaksea Sound** *sound* South Island, NZ
184 L4 **Bream Bay** *bay* North Island, NZ
184 L4 **Bream Head** *headland* North Island, NZ
Bréanainn, Cnoc *see* Brandon Mountain
45 S6 **Brea, Punta** *headland* W Puerto Rico
22 I9 **Breaux Bridge** Louisiana, S USA
116 J13 **Breaza** Prahova, SE Romania
169 P16 **Brebes** Jawa, C Indonesia
96 K10 **Brechin** E Scotland, UK
99 H15 **Brecht** Antwerpen, N Belgium
37 S4 **Breckenridge** Colorado, C USA
29 R6 **Breckenridge** Minnesota, N USA
25 R6 **Breckenridge** Texas, SW USA
97 J21 **Brecknock** *cultural region* SE Wales, UK
63 G25 **Brecknock, Península** *headland* S Chile
111 G19 **Břeclav** *Ger.* Lundenburg. Jihomoravský Kraj, SE Czech Republic
97 J21 **Brecon** E Wales, UK
97 J21 **Brecon Beacons** ▲ S Wales, UK
99 I14 **Breda** Noord-Brabant, S Netherlands
95 K20 **Bredaryd** Jönköping, S Sweden
83 F26 **Bredasdorp** Western Cape, SW South Africa
93 H16 **Bredbyn** Västernorrland, N Sweden
122 F11 **Bredy** Chelyabinskaya Oblast', C Russian Federation
99 K17 **Bree** Limburg, NE Belgium
98 I7 **Breezand** Noord-Holland, NW Netherlands
113 P18 **Bregalnica** ~ E FYR Macedonia
108 I6 **Bregenz** *anc.* Brigantium. Vorarlberg, W Austria
108 J7 **Bregenzer Wald** ▲ W Austria
114 F6 **Bregovo** Vidin, NW Bulgaria
102 H5 **Bréhat, Île de** *island* NW France
92 H2 **Breidhafjördhur** *bay* W Iceland
92 L3 **Breidhdalsvík** Austurland, E Iceland
108 H9 **Breil** *Ger.* Brigels. Graubünden, S Switzerland
92 J8 **Breivikbotn** Finnmark, N Norway
94 I9 **Brekken** Sør-Trøndelag, S Norway
94 G7 **Brekstad** Sør-Trøndelag, S Norway
94 B10 **Bremangerlandet** *island* S Norway
Brême *see* Bremen
100 H11 **Bremen** *Fr.* Brême. Bremen, NW Germany
23 R3 **Bremen** Georgia, SE USA
31 O11 **Bremen** Indiana, N USA
100 H10 **Bremen** *off.* Freie Hansestadt Bremen, *Fr.* Brême. ◆ *state* N Germany
100 G9 **Bremerhaven** Bremen, NW Germany
Bremersdorp *see* Manzini
32 G8 **Bremerton** Washington, NW USA
100 H10 **Bremervörde** Niedersachsen, NW Germany
25 U9 **Bremond** Texas, SW USA

◆ Country ● Country Capital ◇ Dependent Territory ○ Dependent Territory Capital ◆ Administrative Region ✈ International Airport ▲ Mountain ▲ Mountain Range ☒ Volcano ~ River ◎ Lake ⊠ Reservoir

230 ••• BRENHAM – BUITENPOST

25 U10 **Brenham** Texas, SW USA
108 M8 **Brenner** Tirol, W Austria
Brenner, Col du/Brennero, Passo del *see* Brenner Pass
108 M8 **Brenner Pass** *var.* Brenner Sattel, *Fr.* Col du Brenner, *Ger.* Brennerpass, *It.* Passo del Brennero. *pass* Austria/Italy
Brenner Sattel *see* Brenner Pass
108 G10 **Brenno** ≈ SW Switzerland
106 F7 **Breno** Lombardia, N Italy
23 O5 **Brent** Alabama, S USA
106 H7 **Brenta** ≈ NE Italy
97 P21 **Brentwood** E England, UK
18 L14 **Brentwood** Long Island, New York, NE USA
106 F7 **Brescia** *anc.* Brixia. Lombardia, N Italy
99 D15 **Breskens** Zeeland, SW Netherlands
Breslau *see* Dolnośląskie
106 H5 **Bressanone** *Ger.* Brixen. Trentino-Alto Adige, N Italy
96 M2 **Bressay** *island* NE Scotland, UK
102 K9 **Bressuire** Deux-Sèvres, W France
119 F20 **Brest** *Pol.* Brześć nad Bugiem, *Rus.* Brest-Litovsk; *prev.* Brześć Litewski. Brestskaya Voblasts', SW Belarus
102 F5 **Brest** Finistère, NW France
Brest-Litovsk *see* Brest
112 A10 **Brestova** Istra, NW Croatia
Brestskaya Oblast' *see* Brestskaya Voblasts'
119 G19 **Brestskaya Voblasts'** *prev. Rus.* Brestskaya Oblast'. ◈ *province* SW Belarus
102 G6 **Bretagne** *Eng.* Brittany; *Lat.* Britannia Minor. ◈ *region* NW France
116 G12 **Bretea-Română** *Hung.* Oláhbrettye; *prev.* Bretea-Romînă. Hunedoara, W Romania
Bretea-Romînă *see* Bretea-Română
103 O3 **Breteuil** Oise, N France
102 I10 **Breton, Pertuis** *inlet* W France
22 L10 **Breton Sound** *sound* Louisiana, S USA
184 K2 **Brett, Cape** *headland* North Island, NZ
101 G21 **Bretten** Baden-Württemberg, SW Germany
99 K15 **Breugel** Noord-Brabant, S Netherlands
106 B6 **Breuil-Cervinia** *It.* Cervinia. Valle d'Aosta, NW Italy
98 I11 **Breukelen** Utrecht, C Netherlands
21 P10 **Brevard** North Carolina, SE USA
38 L9 **Brevig Mission** Alaska, USA
95 G16 **Brevik** Telemark, S Norway
183 P5 **Brewarrina** New South Wales, SE Australia
19 R6 **Brewer** Maine, NE USA
29 T11 **Brewster** Minnesota, N USA
29 N14 **Brewster** Nebraska, C USA
31 U12 **Brewster** Ohio, N USA
183 O8 **Brewster, Lake** ◎ New South Wales, SE Australia
23 P7 **Brewton** Alabama, S USA
Brezhnev *see* Naberezhnyye Chelny
109 W12 **Brežice** *Ger.* Rann. E Slovenia
114 G9 **Breznik** Pernik, W Bulgaria
111 K19 **Brezno** *Ger.* Bries, Briesen, *Hung.* Breznóbánya; *prev.* Brezno nad Hronom. Banskobystrický Kraj, C Slovakia
Breznóbánya/Brezno nad Hronom *see* Brezno
116 I12 **Brezoi** Vâlcea, SW Romania
114 J10 **Brezovo** *prev.* Abrashlare. Plovdiv, C Bulgaria
79 K14 **Bria** Haute-Kotto, C Central African Republic
103 U13 **Briançon** *anc.* Brigantio. Hautes-Alpes, SE France
36 K7 **Brian Head** ▲ Utah, W USA
103 O7 **Briare** Loiret, C France
183 V2 **Bribie Island** *island* Queensland, E Australia
43 O14 **Bribrí** Limón, E Costa Rica
116 L8 **Briceni** *var.* Brinceni, *Rus.* Brichany. N Moldova
Bricgstow *see* Bristol
Brichany *see* Briceni
99 M24 **Bridel** Luxembourg, C Luxembourg
97 J22 **Bridgend** S Wales, UK
14 I14 **Bridgenorth** Ontario, SE Canada
23 Q1 **Bridgeport** Alabama, S USA
35 R8 **Bridgeport** California, W USA
18 L13 **Bridgeport** Connecticut, NE USA
31 N15 **Bridgeport** Illinois, N USA
28 J14 **Bridgeport** Nebraska, C USA
25 S6 **Bridgeport** Texas, SW USA
21 S3 **Bridgeport** West Virginia, NE USA
25 S5 **Bridgeport, Lake** ▣ Texas, SW USA
33 U11 **Bridger** Montana, NW USA
18 I17 **Bridgeton** New Jersey, NE USA
180 J14 **Bridgetown** Western Australia
45 Y14 **Bridgetown** ● (Barbados) SW Barbados
183 P17 **Bridgewater** Tasmania, SE Australia
13 P16 **Bridgewater** Nova Scotia, SE Canada
19 P12 **Bridgewater** Massachusetts, NE USA
29 Q11 **Bridgewater** South Dakota, N USA
21 U5 **Bridgewater** Virginia, NE USA
19 P8 **Bridgton** Maine, NE USA
97 K23 **Bridgwater** SW England, UK
97 K22 **Bridgwater Bay** *bay* SW England, UK
97 O16 **Bridlington** E England, UK
97 O16 **Bridlington Bay** *bay* E England, UK
183 P15 **Bridport** Tasmania, SE Australia
97 K24 **Bridport** S England, UK
103 O5 **Brie** *cultural region* N France
Brieg *see* Brzeg
Briel *see* Brielle
98 G12 **Brielle** *var.* Briel, Bril, *Eng.* The Brill. Zuid-Holland, SW Netherlands
108 E9 **Brienz** Bern, C Switzerland
108 E9 **Brienzer See** ◎ SW Switzerland
Bries/Briesen *see* Brezno
Brietzig *see* Brzesko
103 S4 **Briey** Meurthe-et-Moselle, NE France
108 E10 **Brig** *Fr.* Brigue, *It.* Briga. Valais, SW Switzerland
Briga *see* Brig
101 G24 **Brigach** ≈ S Germany
18 K17 **Brigantine** New Jersey, NE USA
Brigantio *see* Briançon
Brigantium *see* Bregenz
Brigels *see* Breil
25 S9 **Briggs** Texas, SW USA
36 L1 **Brigham City** Utah, W USA
14 J15 **Brighton** Ontario, SE Canada
97 O23 **Brighton** SE England, UK
37 T4 **Brighton** Colorado, C USA
30 K15 **Brighton** Illinois, N USA
103 T16 **Brignoles** Var, SE France
Brigue *see* Brig
105 O7 **Brihuega** Castilla-La Mancha, C Spain
112 A10 **Brijuni** *It.* Brioni. *island group* NW Croatia
76 G12 **Brikama** W Gambia
Bril *see* Brielle
Brill, The *see* Brielle
101 G15 **Brilon** Nordrhein-Westfalen, W Germany
Brinceni *see* Briceni
107 Q18 **Brindisi** *anc.* Brundisium, Brundusium. Puglia, SE Italy
27 W11 **Brinkley** Arkansas, C USA
Brioni *see* Brijuni
103 P12 **Brioude** *anc.* Brivas. Haute-Loire, C France
Briovera *see* St-Lô
183 U2 **Brisbane** *state capital* Queensland, E Australia
183 V2 **Brisbane** ✈ Queensland, E Australia
25 P2 **Briscoe** Texas, SW USA
106 H10 **Brisighella** Emilia-Romagna, C Italy
108 G11 **Brissago** Ticino, S Switzerland
97 K22 **Bristol** *anc.* Bricgstow. SW England, UK
18 M12 **Bristol** Connecticut, NE USA
23 R9 **Bristol** Florida, SE USA
19 N9 **Bristol** New Hampshire, NE USA
29 Q8 **Bristol** South Dakota, N USA
21 P8 **Bristol** Tennessee, S USA
18 M8 **Bristol** Vermont, NE USA
39 N14 **Bristol Bay** *bay* Alaska, USA
97 I22 **Bristol Channel** *inlet* England/Wales, UK
35 W14 **Bristol Lake** ◎ California, W USA
27 P10 **Bristow** Oklahoma, C USA
Britannia Minor *see* Bretagne
10 L12 **British Columbia** *Fr.* Colombie-Britannique. ◈ *province* SW Canada
British Guiana *see* Guyana
British Honduras *see* Belize
173 Q7 **British Indian Ocean Territory** ◇ *UK dependent territory* C Indian Ocean
10 I1 **British Mountains** ▲▲ Yukon Territory, NW Canada
British North Borneo *see* Sabah
British Solomon Islands Protectorate *see* Solomon Islands
45 S8 **British Virgin Islands** *var.* Virgin Islands. ◇ *UK dependent territory* E West Indies
83 J21 **Brits** North-West, N South Africa
83 H24 **Britstown** Northern Cape, W South Africa
14 F12 **Britt** Ontario, S Canada
29 V12 **Britt** Iowa, C USA
Brittany *see* Bretagne
29 Q7 **Britton** South Dakota, N USA
Briva Curretia *see* Brive-la-Gaillarde
Briva Isarae *see* Pontoise
Brivas *see* Brioude
Brive *see* Brive-la-Gaillarde
102 M12 **Brive-la-Gaillarde** *prev.* Brive, *anc.* Briva Curretia. Corrèze, C France
105 O4 **Briviesca** Castilla-León, N Spain
Brixen *see* Bressanone
Brixia *see* Brescia
145 S15 **Brlik** *prev.* Novotroickoje, Novotroitskoye. Zhambyl, SE Kazakhstan
Brnçnský Kraj *see* Jihomoravský Kraj
111 G18 **Brno** *Ger.* Brünn. Jihomoravský Kraj, SE Czech Republic
96 G7 **Broad Bay** *bay* NW Scotland, UK
25 X8 **Broaddus** Texas, SW USA
183 O12 **Broadford** Victoria, SE Australia
96 G9 **Broadford** N Scotland, UK
96 J13 **Broad Law** ▲ S Scotland, UK
23 U3 **Broad River** ≈ Georgia, SE USA
21 N8 **Broad River** ≈ North Carolina/South Carolina, SE USA
181 Y8 **Broadsound Range** ▲▲ Queensland, E Australia
33 X11 **Broadus** Montana, NW USA
21 U4 **Broadway** Virginia, NE USA
118 E9 **Brocēni** Saldus, SW Latvia
11 U11 **Brochet** Manitoba, C Canada
11 U10 **Brochet, Lac** ◎ Manitoba, C Canada
15 S5 **Brochet, Lac au** ◎ Québec, SE Canada
101 K14 **Brocken** ▲ C Germany
19 O12 **Brockton** Massachusetts, NE USA
14 L14 **Brockville** Ontario, SE Canada
18 D13 **Brockway** Pennsylvania, NE USA
Brod/Bród *see* Slavonski Brod
9 N5 **Brodeur Peninsula** *peninsula* Baffin Island, Nunavut, NE Canada
96 H13 **Brodick** W Scotland, UK
Brod na Savi *see* Slavonski Brod
110 K9 **Brodnica** *Ger.* Buddenbrock. Kujawski-pomorskie, C Poland
112 G10 **Brod-Posavina** *off.* Brodsko-Posavska Županija. ◈ *province* NE Croatia
116 J5 **Brody** L'vivs'ka Oblast', NW Ukraine
95 G22 **Brædstrup** Vejle, C Denmark
98 I10 **Broek-in-Waterland** Noord-Holland, C Netherlands
32 L13 **Brogan** Oregon, NW USA
110 N10 **Brok** Mazowieckie, C Poland
27 P9 **Broken Arrow** Oklahoma, C USA
183 T9 **Broken Bay** *bay* New South Wales, SE Australia
29 N15 **Broken Bow** Nebraska, C USA
27 R13 **Broken Bow** Oklahoma, C USA
27 R12 **Broken Bow Lake** ▣ Oklahoma, C USA
182 L6 **Broken Hill** New South Wales, SE Australia
173 S10 **Broken Ridge** *undersea feature* S Indian Ocean
186 C6 **Broken Water Bay** *bay* W Bismarck Sea
55 W10 **Brokopondo** Brokopondo, NE Suriname
55 W10 **Brokopondo** ◈ *district* C Suriname
Bromberg *see* Bydgoszcz
95 L22 **Bromölla** Skåne, S Sweden
97 L20 **Bromsgrove** W England, UK
95 G20 **Brønderslev** Nordjylland, N Denmark
106 D8 **Broni** Lombardia, N Italy
10 K11 **Bronlund Peak** ▲ British Columbia, W Canada
93 F14 **Brønnøysund** Nordland, C Norway
23 V10 **Bronson** Florida, SE USA
31 Q11 **Bronson** Michigan, N USA
25 X8 **Bronson** Texas, SW USA
107 L24 **Bronte** Sicilia, Italy, C Mediterranean Sea
25 P8 **Bronte** Texas, SW USA
25 Y9 **Brookeland** Texas, SW USA
170 M7 **Brooke's Point** Palawan, W Philippines
27 T3 **Brookfield** Missouri, C USA
22 K7 **Brookhaven** Mississippi, S USA
32 E16 **Brookings** Oregon, NW USA
29 R10 **Brookings** South Dakota, N USA
29 W14 **Brooklyn** Iowa, C USA
29 U8 **Brooklyn Park** Minnesota, N USA
21 U7 **Brookneal** Virginia, NE USA
11 R16 **Brooks** Alberta, SW Canada
25 V11 **Brookshire** Texas, SW USA
38 L8 **Brooks Mountain** ▲ Alaska, USA
38 M11 **Brooks Range** ▲▲ Alaska, USA
31 O12 **Brookston** Indiana, N USA
23 V11 **Brooksville** Florida, SE USA
23 N4 **Brooksville** Mississippi, S USA
180 J13 **Brookton** Western Australia
31 Q14 **Brookville** Indiana, N USA
18 D13 **Brookville** Pennsylvania, NE USA
31 Q14 **Brookville Lake** ▣ Indiana, N USA
180 K5 **Broome** Western Australia
37 S4 **Broomfield** Colorado, C USA
Broos *see* Orăştie
96 J7 **Brora** N Scotland, UK
96 I7 **Brora** ≈ N Scotland, UK
95 F23 **Brørup** Ribe, W Denmark
95 L23 **Brösarp** Skåne, S Sweden
116 J9 **Broşteni** Suceava, NE Romania
102 M6 **Brou** Eure-et-Loir, C France
Broucsella *see* Brussel/Bruxelles
Broughton Bay *see* Tongjosŏn-man
9 R5 **Broughton Island** Nunavut, NE Canada
138 G7 **Broummâna** C Lebanon
22 I9 **Broussard** Louisiana, S USA
98 E13 **Brouwersdam** *dam* SW Netherlands
98 E13 **Brouwershaven** Zeeland, SW Netherlands
117 P4 **Brovary** Kyyivs'ka Oblast', N Ukraine
95 G20 **Brovst** Nordjylland, N Denmark
31 S8 **Brown City** Michigan, N USA
24 M6 **Brownfield** Texas, SW USA
33 Q7 **Browning** Montana, NW USA
33 R6 **Brown, Mount** ▲ Montana, NW USA
31 O14 **Brownsburg** Indiana, N USA
18 J16 **Browns Mills** New Jersey, NE USA
44 J12 **Browns Town** C Jamaica
31 P15 **Brownstown** Indiana, N USA
29 R8 **Browns Valley** Minnesota, N USA
20 K7 **Brownsville** Kentucky, S USA
20 F9 **Brownsville** Tennessee, S USA
25 T17 **Brownsville** Texas, SW USA
55 W10 **Brownsweg** Brokopondo, C Suriname
29 U9 **Brownton** Minnesota, N USA
19 R5 **Brownville Junction** Maine, NE USA
25 R8 **Brownwood** Texas, SW USA
25 R8 **Brownwood Lake** ▣ Texas, SW USA
104 I9 **Brozas** Extremadura, W Spain
119 M18 **Brozha** Mahilyowskaya Voblasts', E Belarus
103 O2 **Bruay-en-Artois** Pas-de-Calais, N France
103 P2 **Bruay-sur-l'Escaut** Nord, N France
14 F13 **Bruce Peninsula** *peninsula* Ontario, S Canada
20 H9 **Bruceton** Tennessee, S USA
25 T9 **Bruceville** Texas, SW USA
101 G21 **Bruchsal** Baden-Württemberg, SW Germany
109 Q7 **Bruck** Salzburg, NW Austria
Bruck *see* Bruck an der Mur
109 Y4 **Bruck an der Leitha** Niederösterreich, NE Austria
109 V7 **Bruck an der Mur** *var.* Bruck. Steiermark, C Austria
101 M24 **Bruckmühl** Bayern, SE Germany
168 E7 **Brueuh, Pulau** *island* NW Indonesia
Bruges *see* Brugge
108 F6 **Brugg** Aargau, NW Switzerland
99 C16 **Brugge** *Fr.* Bruges. West-Vlaanderen, NW Belgium
109 R9 **Bruggen** Kärnten, S Austria
101 E16 **Brühl** Nordrhein-Westfalen, W Germany
99 F14 **Bruinisse** Zeeland, SW Netherlands
169 R9 **Bruit, Pulau** *island* East Malaysia
14 K10 **Brûlé, Lac** ◎ Québec, SE Canada
30 M4 **Brule River** ≈ Michigan/Wisconsin, N USA
99 H23 **Brûly** Namur, S Belgium
59 N17 **Brumado** Bahia, E Brazil
98 M11 **Brummen** Gelderland, E Netherlands
94 H13 **Brumunddal** Hedmark, S Norway
23 Q6 **Brundidge** Alabama, S USA
Brundisium/Brundusium *see* Brindisi
33 N15 **Bruneau River** ≈ Idaho, NW USA
Bruneck *see* Brunico
169 T8 **Brunei** *off.* Sultanate of Brunei, *Mal.* Negara Brunei Darussalam. ◆ *monarchy* SE Asia
169 T7 **Brunei Bay** *var.* Teluk Brunei. *bay* N Brunei
Brunei, Teluk *see* Brunei Bay
Brunei Town *see* Bandar Seri Begawan
106 H5 **Brunico** *Ger.* Bruneck. Trentino-Alto Adige, N Italy
Brünn *see* Brno
185 G17 **Brunner, Lake** ◎ South Island, NZ
99 M18 **Brunssum** Limburg, SE Netherlands
23 W7 **Brunswick** Georgia, SE USA
19 Q8 **Brunswick** Maine, NE USA
21 V3 **Brunswick** Maryland, NE USA
27 T3 **Brunswick** Missouri, C USA
31 T11 **Brunswick** Ohio, N USA
Brunswick *see* Braunschweig
63 H24 **Brunswick, Península** *headland* S Chile
111 H17 **Bruntál** *Ger.* Freudenthal. Moravskoslezský Kraj, E Czech Republic
195 N3 **Brunt Ice Shelf** *ice shelf* Antarctica
Brusa *see* Bursa
37 U3 **Brush** Colorado, C USA
42 M5 **Brus Laguna** Gracias a Dios, E Honduras
60 K13 **Brusque** Santa Catarina, S Brazil
Brussa *see* Bursa
99 E18 **Brussel** *var.* Brussels, *Fr.* Bruxelles, *Ger.* Brüssel; *anc.* Broucsella. ● (Belgium) Brussels, C Belgium *see also* Bruxelles
Brüssel/Brussels *see* Brussel/Bruxelles
117 O5 **Brusyliv** Zhytomyrs'ka Oblast', N Ukraine
183 Q12 **Bruthen** Victoria, SE Australia
Bruttium *see* Calabria
Brüx *see* Most
99 E18 **Bruxelles** *var.* Brussels, *Dut.* Brussel, *Ger.* Brüssel; *anc.* Broucsella. ● (Belgium) Brussels, C Belgium *see also* Brussel
54 J7 **Bruzual** Apure, W Venezuela
31 Q11 **Bryan** Ohio, N USA
25 U10 **Bryan** Texas, SW USA
194 J4 **Bryan Coast** *physical region* Antarctica
122 L11 **Bryanka** Krasnoyarskiy Kray, C Russian Federation
117 Y7 **Bryanka** Luhans'ka Oblast', E Ukraine
182 J8 **Bryan, Mount** ▲ South Australia
126 I6 **Bryansk** Bryanskaya Oblast', W Russian Federation
126 H6 **Bryanskaya Oblast'** ◈ *province* W Russian Federation
194 J5 **Bryant, Cape** *headland* Antarctica
27 U8 **Bryant Creek** ≈ Missouri, C USA
36 K8 **Bryce Canyon** *canyon* Utah, W USA
119 O15 **Bryli** *Rus.* Bryli. Mahilyowskaya Voblasts', E Belarus
95 C17 **Bryne** Rogaland, S Norway
25 R6 **Bryson** Texas, SW USA
21 N10 **Bryson City** North Carolina, SE USA
14 K11 **Bryson, Lac** ◎ Québec, SE Canada
126 K13 **Bryukhovetskaya** Krasnodarskiy Kray, SW Russian Federation
111 H15 **Brzeg** *Ger.* Brieg; *anc.* Civitas Altae Ripae. Opolskie, S Poland
111 G14 **Brzeg Dolny** *Ger.* Dyhernfurth. Dolnośląskie, SW Poland
Brześć Litewski/Brześć nad Bugiem *see* Brest
111 L17 **Brzesko** *Ger.* Brietzig. Małopolskie, S Poland
Brzeżany *see* Berezhany
110 K12 **Brzeziny** Łódzkie, C Poland
Brzostowica Wielka *see* Vyalikaya Byerastavitsa
111 O17 **Brzozów** Podkarpackie, SE Poland
Bsharrī/Bsherri *see* Bcharré
187 X14 **Bua** Vanua Levu, N Fiji
95 J20 **Bua** Halland, S Sweden
82 M13 **Bua** ≈ C Malawi
Bua *see* Čiovo
81 L18 **Bu'aale** *It.* Buale. Jubbada Dhexe, SW Somalia
189 Q8 **Buada Lagoon** *lagoon* Nauru, C Pacific Ocean
186 M8 **Buala** Santa Isabel, E Solomon Islands
Buale *see* Bu'aale
190 H1 **Buariki** *atoll* Tungaru, W Kiribati
167 Q10 **Bua Yai** *var.* Ban Bua Yai. Nakhon Ratchasima, E Thailand
75 P8 **Bu'ayrāt al Ḩasūn** *var.* Buwayrāt al Hasūn. C Libya
76 H13 **Buba** S Guinea-Bissau
171 P11 **Bubaa** Sulawesi, N Indonesia
81 D20 **Bubanza** NW Burundi
83 K18 **Bubi** *prev.* Bubye. ≈ S Zimbabwe
142 L11 **Būbīyan, Jazīrat** *island* E Kuwait
Bublitz *see* Bobolice
Bubye *see* Bubi
187 Y13 **Buca** *prev.* Mbutha. Vanua Levu, N Fiji
136 F16 **Bucak** Burdur, SW Turkey
54 G8 **Bucaramanga** Santander, N Colombia
107 M18 **Buccino** Campania, S Italy
116 K9 **Bucecea** Botoşani, NE Romania
116 J6 **Buchach** *Pol.* Buczacz. Ternopil's'ka Oblast', W Ukraine
183 Q12 **Buchan** Victoria, SE Australia
76 J17 **Buchanan** *prev.* Grand Bassa. SW Liberia
23 R3 **Buchanan** Georgia, SE USA
31 O11 **Buchanan** Michigan, N USA
21 T6 **Buchanan** Virginia, NE USA
25 R10 **Buchanan Dam** Texas, SW USA
25 R10 **Buchanan, Lake** ▣ Texas, SW USA
96 L8 **Buchan Ness** *headland* NE Scotland, UK
13 T12 **Buchans** Newfoundland and Labrador, SE Canada
Bucharest *see* Bucureşti
101 H20 **Buchen** Baden-Württemberg, SW Germany
100 I10 **Buchholz in der Nordheide** Niedersachsen, NW Germany
108 F7 **Buchs** Aargau, N Switzerland
108 I8 **Buchs** Sankt Gallen, NE Switzerland
100 H13 **Bückeburg** Niedersachsen, NW Germany
36 K14 **Buckeye** Arizona, SW USA
Buckeye State *see* Ohio
21 S4 **Buckhannon** West Virginia, NE USA
25 T9 **Buckholts** Texas, SW USA
96 K8 **Buckie** NE Scotland, UK
14 M12 **Buckingham** Québec, SE Canada
21 U6 **Buckingham** Virginia, NE USA
97 N21 **Buckinghamshire** *cultural region* SE England, UK
39 N8 **Buckland** Alaska, USA
182 G7 **Buckleboo** South Australia
26 K7 **Bucklin** Kansas, C USA
27 T3 **Bucklin** Missouri, C USA
36 I12 **Buckskin Mountains** ▲▲ Arizona, SW USA
19 R7 **Bucksport** Maine, NE USA
82 A9 **Buco Zau** Cabinda, NW Angola
Bu Craa *see* Bou Craa
116 K14 **Bucureşti** *Eng.* Bucharest, *Ger.* Bukarest; *prev.* Altenburg, *anc.* Cetatea Damboviţei. ● (Romania) Bucureşti, S Romania
31 S12 **Bucyrus** Ohio, N USA
Buczacz *see* Buchach
94 E9 **Bud** Møre og Romsdal, S Norway
25 S11 **Buda** Texas, SW USA
119 O18 **Buda-Kashalyova** *Rus.* Buda-Koshelëvo. Homyel'skaya Voblasts', SE Belarus
Buda-Koshelëvo *see* Buda-Kashalyova
166 L4 **Budalin** Sagaing, C Myanmar
111 J22 **Budapest** *off.* Budapest Főváros, *SCr.* Budimpešta. ● (Hungary) Pest, N Hungary
152 K11 **Budaun** Uttar Pradesh, N India
141 O9 **Budayyi'ah** *oasis* C Saudi Arabia
195 Y12 **Budd Coast** *physical region* Antarctica
Buddenbrock *see* Brodnica
107 C17 **Buddusò** Sardegna, Italy, C Mediterranean Sea
97 I23 **Bude** SW England, UK
22 J7 **Bude** Mississippi, S USA
Budějovický Kraj *see* Jihočeský Kraj
99 K16 **Budel** Noord-Brabant, SE Netherlands
100 I8 **Büdelsdorf** Schleswig-Holstein, N Germany
127 O14 **Budënnovsk** Stavropol'skiy Kray, SW Russian Federation
116 K14 **Budeşti** Călăraşi, SE Romania
Budgewoi *see* Budgewoi Lake
183 T8 **Budgewoi Lake** *var.* Budgewoi. New South Wales, SE Australia
92 I2 **Búdhardalur** Vesturland, W Iceland
Budimpešta *see* Budapest
79 J16 **Budjala** Equateur, NW Dem. Rep. Congo
106 G10 **Budrio** Emilia-Romagna, C Italy
Budslav *see* Budslaw
119 K14 **Budslaw** *Rus.* Budslav. Minskaya Voblasts', N Belarus
Budua *see* Budva
169 R9 **Budu, Tanjung** *headland* East Malaysia
113 J17 **Budva** *It.* Budua. Montenegro, SW Serbia and Montenegro (Yugo.)
Budweis *see* České Budějovice
Budyšin *see* Bautzen
79 D16 **Buea** Sud-Ouest, SW Cameroon
103 S13 **Buëch** ≈ SE France
18 J17 **Buena** New Jersey, NE USA
62 K12 **Buena Esperanza** San Luis, C Argentina
54 C11 **Buenaventura** Valle del Cauca, W Colombia
40 I4 **Buenaventura** Chihuahua, N Mexico
57 M18 **Buena Vista** Santa Cruz, C Bolivia
40 G10 **Buenavista** Baja California Sur, W Mexico
37 S5 **Buena Vista** Colorado, C USA
23 S5 **Buena Vista** Georgia, SE USA
21 T6 **Buena Vista** Virginia, NE USA
44 F5 **Buena Vista, Bahia de** *bay* N Cuba
35 R13 **Buena Vista Lake Bed** ◎ California, W USA
105 P8 **Buendía, Embalse de** ▣ C Spain
63 F16 **Bueno, Río** ≈ S Chile
62 N12 **Buenos Aires** *hist.* Santa Maria del Buen Aire. ● (Argentina) Buenos Aires, E Argentina
43 O15 **Buenos Aires** Puntarenas, SE Costa Rica
61 C20 **Buenos Aires** *off.* Provincia de Buenos Aires. ◈ *province* E Argentina
63 H19 **Buenos Aires, Lago** *var.* Lago General Carrera. ◎ Argentina/Chile
54 C13 **Buesaco** Nariño, SW Colombia
29 U8 **Buffalo** Minnesota, N USA
26 T6 **Buffalo** Missouri, C USA
18 D10 **Buffalo** New York, NE USA
27 K8 **Buffalo** Oklahoma, C USA
28 J7 **Buffalo** South Dakota, N USA
25 V8 **Buffalo** Texas, SW USA
33 W12 **Buffalo** Wyoming, C USA
29 U11 **Buffalo Center** Iowa, C USA
24 M3 **Buffalo Lake** ▣ Texas, SW USA
30 K7 **Buffalo Lake** ▣ Wisconsin, N USA
11 S12 **Buffalo Narrows** Saskatchewan, C Canada
27 U9 **Buffalo River** ≈ Arkansas, C USA
29 R5 **Buffalo River** ≈ Minnesota, N USA
20 I10 **Buffalo River** ≈ Tennessee, S USA
30 J6 **Buffalo River** ≈ Wisconsin, N USA
44 L12 **Buff Bay** E Jamaica
23 T3 **Buford** Georgia, SE USA
28 J3 **Buford** North Dakota, N USA
33 Y17 **Buford** Wyoming, C USA
116 J14 **Buftea** Bucureşti, S Romania
119 F21 **Bug** *Bel.* Zakhodni Buh, *Eng.* Western Bug, *Rus.* Zapadnyy Bug, *Ukr.* Zakhidnyy Buh. ≈ E Europe
54 D11 **Buga** Valle del Cauca, W Colombia
162 F7 **Buga** Dzavhan, W Mongolia
103 O17 **Bugarach, Pic du** ▲ S France
146 B12 **Bugdaýly** *Rus.* Bugdayly. Balkan Welaýaty, W Turkmenistan
Buggs Island Lake *see* John H.Kerr Reservoir
Bughotu *see* Santa Isabel
171 O14 **Bugingkalo** Sulawesi, C Indonesia
64 P6 **Bugio** *island* Madeira, Portugal, NE Atlantic Ocean
92 M8 **Bugøynes** Finnmark, N Norway
125 Q3 **Bugrino** Nenetskiy Avtonomnyy Okrug, NW Russian Federation
127 T5 **Bugul'ma** Respublika Tatarstan, W Russian Federation
Bügür *see* Luntai
127 T6 **Buguruslan** Orenburgskaya Oblast', W Russian Federation
159 R9 **Buh He** ≈ C China
33 O15 **Buhl** Idaho, NW USA
101 F22 **Bühl** Baden-Württemberg, SW Germany
116 K10 **Buhuşi** Bacău, E Romania
Buie d'Istria *see* Buje
97 J20 **Builth Wells** E Wales, UK
186 J8 **Buin** Bougainville Island, NE PNG
108 J9 **Buin, Piz** ▲ Austria/Switzerland
127 Q4 **Buinsk** Chuvashskaya Respublika, W Russian Federation
127 Q4 **Buinsk** Respublika Tatarstan, W Russian Federation
163 R8 **Buir Nur** *Mong.* Buyr Nuur. ◎ China/Mongolia *see also* Buyr Nuur
98 M5 **Buitenpost** *Fris.* Bûtenpost. Friesland, N Netherlands

◆ Country ● Country Capital ◇ Dependent Territory ○ Dependent Territory Capital ◈ Administrative Region ✈ International Airport ▲ Mountain ▲▲ Mountain Range Volcano ≈ River ◎ Lake ▣ Reservoir

BUITENZORG – CABORA BASSA, LAKE ••• 231

Buitenzorg see Bogor
83 F19 **Buitepos** Omaheke, E Namibia
105 N7 **Buitrago del Lozoya** Madrid, C Spain
Buj see Buy
104 M13 **Bujalance** Andalucía, S Spain
113 O17 **Bujanovac** Serbia, SE Serbia and Montenegro (Yugo.)
105 S6 **Bujaraloz** Aragón, NE Spain
112 A9 **Buje** It. Buie d'Istria. Istra, NW Croatia
Bujnurd see Bojnūrd
81 D21 **Bujumbura** prev. Usumbura. ● (Burundi) W Burundi
81 D20 **Bujumbura** ✕ W Burundi
159 N11 **Buka Daban** var. Bkadaban Feng. ▲ C China
Bukadaban Feng see Buka Daban
186 J6 **Buka Island** island NE PNG
81 F18 **Bukakata** S Uganda
79 N24 **Bukama** Katanga, SE Dem. Rep. Congo
142 J4 **Būkān** var. Bowkān. Āžarbāyjān-e Bākhtarī, NW Iran
Bukantau, Gory see Bo'kantov Tog'lari
Bukarest see București
79 O19 **Bukavu** prev. Costermansville. Sud Kivu, E Dem. Rep. Congo
81 F21 **Bukene** Tabora, NW Tanzania
141 W8 **Bū Khābī** var. Bakhābī. NW Oman
Bukhara see Buxoro
Bukharskaya Oblast' see Buxoro Viloyati
146 J11 **Buxoro Viloyati** Rus. Bukharskaya Oblast'. ◆ province C Uzbekistan
168 M14 **Bukitkemuning** Sumatera, W Indonesia
168 I11 **Bukittinggi** prev. Fort de Kock. Sumatera, W Indonesia
111 L21 **Bükk** ▲ NE Hungary
81 F19 **Bukoba** Kagera, NW Tanzania
113 N20 **Bukovo** S FYR Macedonia
108 G6 **Bülach** Zürich, NW Switzerland
Bülaevo see Bulayevo
162 I6 **Bulag** Hövsgöl, N Mongolia
162 M7 **Bulag** Töv, C Mongolia
162 I8 **Bulagiyn Denj** Arhangay, C Mongolia
183 U7 **Bulahdelah** New South Wales, SE Australia
171 P4 **Bulan** Luzon, N Philippines
137 N11 **Bulancak** Giresun, N Turkey
152 J10 **Bulandshahr** Uttar Pradesh, N India
137 R14 **Bulanık** Muş, E Turkey
127 V7 **Bulanovo** Orenburgskaya Oblast', W Russian Federation
83 J17 **Bulawayo** var. Buluwayo. Matabeleland North, SW Zimbabwe
83 J17 **Bulawayo** ✕ Matabeleland North, SW Zimbabwe
145 Q6 **Bulayevo** Kaz. Bülaevo. Severnyy Kazakhstan, N Kazakhstan
136 D15 **Buldan** Denizli, SW Turkey
154 G12 **Buldāna** Mahārāshtra, C India
38 E16 **Buldir Island** island Aleutian Islands, Alaska, USA
Buldur see Burdur
162 H9 **Bulgan** Bayanhongor, C Mongolia
162 K6 **Bulgan** Bulgan, N Mongolia
162 F7 **Bulgan** Hovd, W Mongolia
162 J5 **Bulgan** Hövsgöl, N Mongolia
162 J10 **Bulgan** Ömnögovĭ, S Mongolia
162 J7 **Bulgan** ◆ province N Mongolia
114 H10 **Bulgaria** off. Republic of Bulgaria, Bul. Bălgariya; prev. People's Republic of Bulgaria. ◆ republic SE Europe
Bulgariya see Bulgaria
114 L9 **Bălgarka** ▲ E Bulgaria
171 S11 **Buli** Pulau Halmahera, E Indonesia
171 S11 **Buli, Teluk** bay Pulau Halmahera, E Indonesia
160 J13 **Buliu He** ⊿ S China
Bullange see Büllingen
Bulla, Ostrov see Xärä Zirä Adası
104 M11 **Bullaque** ⊿ C Spain
105 Q13 **Bullas** Murcia, SE Spain
80 M12 **Bullaxaar** Woqooyi Galbeed, NW Somalia
108 C9 **Bulle** Fribourg, SW Switzerland
185 G15 **Buller** ⊿ South Island, NZ
183 P12 **Buller, Mount** ▲ Victoria, SE Australia
36 H11 **Bullhead City** Arizona, SW USA
99 N21 **Büllingen** Fr. Bullange. Liège, E Belgium
Bullion State see Missouri
21 T14 **Bull Island** island South Carolina, SE USA
182 M4 **Bulloo River Overflow** wetland New South Wales, SE Australia
184 M12 **Bulls** Manawatu-Wanganui, North Island, NZ
21 T14 **Bulls Bay** bay South Carolina, SE USA
27 U9 **Bull Shoals Lake** ⊠ Arkansas/Missouri, C USA
181 Q2 **Bulman** Northern Territory, N Australia
162 I6 **Bulnayn Nuruu** ▲ N Mongolia
171 O11 **Bulowa, Gunung** ▲ Sulawesi, N Indonesia
Bulqiza see Bulqizë
113 L19 **Bulqizë** var. Bulqiza. Dibër, C Albania
Bulsar see Valsād
171 N14 **Bulukumba** prev. Boeloekoemba. Sulawesi, C Indonesia
79 I21 **Bulungu** Bandundu, SW Dem. Rep. Congo
Bulungur see Bulung'ur
147 O11 **Bulung'ur** Rus. Bulungur; prev. Krasnogvardeysk. Samarqand Viloyati, C Uzbekistan
Buluwayo see Bulawayo
79 K17 **Bumba** Equateur, N Dem. Rep. Congo
121 R12 **Bumbah, Khalij al** gulf N Libya
162 K8 **Bumbat** Övörhangay, C Mongolia
81 F19 **Bumbire Island** island N Tanzania
169 V8 **Bum Bun, Pulau** island East Malaysia
81 J17 **Buna** North Eastern, NE Kenya
25 Y10 **Buna** Texas, SW USA
Bunab see Bonāb
Bunai see M'bunai
147 S13 **Bunay** S Tajikistan
180 I13 **Bunbury** Western Australia
97 E14 **Buncrana** Ir. Bun Cranncha. NW Ireland
Bun Cranncha see Buncrana
181 Z9 **Bundaberg** Queensland, E Australia
183 T5 **Bundarra** New South Wales, SE Australia
100 G13 **Bünde** Nordrhein-Westfalen, NW Germany
152 H13 **Būndi** Rājasthān, N India
Bun Dobhráin see Bundoran
97 D15 **Bundoran** Ir. Bun Dobhráin. NW Ireland
113 K18 **Bunë** SCr. Bojana. ⊿ Albania/Serbia and Montenegro (Yugo.) see also Bojana
171 Q8 **Bunga** ⊿ Mindanao, S Philippines
168 I12 **Bungalaut, Selat** strait W Indonesia
167 R8 **Bung Kan** Nong Khai, E Thailand
181 N4 **Bungle Bungle Range** ▲ Western Australia
82 C10 **Bungo** Uíge, NW Angola
81 G18 **Bungoma** Western, W Kenya
164 F15 **Bungo-suidō** strait SW Japan
164 E14 **Bungo-Takada** Ōita, Kyūshū, SW Japan
100 K8 **Bungsberg** hill N Germany
Bungur see Bunyu
79 P17 **Bunia** Orientale, NE Dem. Rep. Congo
35 U6 **Bunker Hill** ▲ Nevada, W USA
22 I7 **Bunkie** Louisiana, S USA
23 X10 **Bunnell** Florida, SE USA
105 S10 **Buñol** País Valenciano, E Spain
98 K11 **Bunschoten** Utrecht, C Netherlands
136 K14 **Bünyan** Kayseri, C Turkey
169 W8 **Bunyu** var. Bungur. Borneo, N Indonesia
169 W8 **Bunyu, Pulau** island N Indonesia
Bunzlau see Bolesławiec
Buoddobohki see Patoniva
123 P7 **Buorkhaya Guba** bay N Russian Federation
171 Z15 **Bupul** Papua, E Indonesia
81 K19 **Bura** Coast, SE Kenya
80 P12 **Buraan** Sanaag, N Somalia
Burabay see Borovoye
Buraida see Buraydah
Buraimi see Al Buraymī
145 Y11 **Buran** Vostochnyy Kazakhstan, E Kazakhstan
158 G15 **Burang** Xizang Zizhiqu, W China
Burao see Burco
138 H8 **Burāq** Dar'ā, S Syria
141 O6 **Buraydah** var. Buraida. Al Qaşīm, N Saudi Arabia
35 S15 **Burbank** California, W USA
31 N11 **Burbank** Illinois, N USA
183 Q8 **Burcher** New South Wales, SE Australia
80 N13 **Burco** var. Burao, Bur'o. Togdheer, NW Somalia
146 L13 **Burdalyk** Lebap Welaýaty, E Turkmenistan
181 W6 **Burdekin River** ⊿ Queensland, NE Australia
27 O7 **Burden** Kansas, C USA
Burdigala see Bordeaux
136 E15 **Burdur** var. Buldur. Burdur, SW Turkey
136 E15 **Burdur** var. Buldur. ◆ province SW Turkey
136 E15 **Burdur Gölü** salt lake SW Turkey
65 H21 **Burdwood Bank** undersea feature SW Atlantic Ocean
80 I12 **Burē** Amhara, N Ethiopia
80 H13 **Burē** Oromo, C Ethiopia
93 J15 **Bureå** Västerbotten, N Sweden
101 G14 **Büren** Nordrhein-Westfalen, W Germany
152 K6 **Bürengiyn Nuruu** ▲ N Mongolia
152 E8 **Bürenhayrhan** Hovd, W Mongolia
Bürewāla see Mandi Bürewāla
92 J9 **Burfjord** Troms, N Norway
100 L13 **Burg** var. Burg an der Ihle, Burg bei Magdeburg. Sachsen-Anhalt, C Germany
Burg an der Ihle see Burg
114 N10 **Burgas** var. Bourgas. Burgas, E Bulgaria
114 N9 **Burgas** ✕ Burgas, E Bulgaria
114 M10 **Burgas** ◆ province E Bulgaria
114 N10 **Burgaski Zaliv** gulf E Bulgaria
114 M10 **Burgasko Ezero** lagoon E Bulgaria
21 V11 **Burgaw** North Carolina, SE USA
Burg bei Magdeburg see Burg
108 E8 **Burgdorf** Bern, NW Switzerland
109 Y7 **Burgenland** off. Land Burgenland. ◆ state SE Austria
13 S13 **Burgeo** Newfoundland and Labrador, SE Canada
83 I24 **Burgersdorp** Eastern Cape, SE South Africa
83 K20 **Burgersfort** Mpumalanga, NE South Africa
101 N23 **Burghausen** Bayern, SE Germany
139 O5 **Burghūth, Sabkhat al** ◎ E Syria
101 M20 **Burglengenfeld** Bayern, SE Germany
41 P9 **Burgos** Tamaulipas, C Mexico
105 N4 **Burgos** Castilla-León, N Spain
105 N4 **Burgos** ◆ province Castilla-León, N Spain
Burgstadlberg see Hradiště
95 P20 **Burgsvik** Gotland, SE Sweden
Burgum see Bergum
Burgundy see Bourgogne
159 Q11 **Burhan Budai Shan** ▲ C China
136 B12 **Burhaniye** Balıkesir, W Turkey
154 G12 **Burhānpur** Madhya Pradesh, C India
127 W7 **Buribay** Respublika Bashkortostan, W Russian Federation
43 O17 **Burica, Punta** headland Costa Rica/Panama
157 Q10 **Buriram** var. Buri Ram, Puriramya. Buri Ram, E Thailand
105 S10 **Burjassot** País Valenciano, E Spain
81 N16 **Burka Giibi** Hiiraan, C Somalia
147 X8 **Burkan** ⊿ E Kyrgyzstan
25 R4 **Burkburnett** Texas, SW USA
29 O12 **Burke** South Dakota, N USA
10 K15 **Burke Channel** channel British Columbia, W Canada
194 J10 **Burke Island** island Antarctica
20 L7 **Burkesville** Kentucky, S USA
181 T4 **Burketown** Queensland, NE Australia
25 Q8 **Burkett** Texas, SW USA
25 Y9 **Burkeville** Texas, SW USA
21 V7 **Burkeville** Virginia, NE USA
77 O12 **Burkina** off. Burkina Faso; prev. Upper Volta. ◆ republic W Africa
Burkina Faso see Burkina
194 L13 **Burks, Cape** headland Antarctica
14 H12 **Burk's Falls** Ontario, S Canada
101 H23 **Burladingen** Baden-Württemberg, S Germany
25 T7 **Burleson** Texas, SW USA
33 P15 **Burley** Idaho, NW USA
144 G8 **Burlin** Zapadnyy Kazakhstan, NW Kazakhstan
14 G16 **Burlington** Ontario, S Canada
37 W4 **Burlington** Colorado, C USA
29 Y15 **Burlington** Iowa, C USA
27 P5 **Burlington** Kansas, C USA
21 T9 **Burlington** North Carolina, SE USA
28 M3 **Burlington** North Dakota, N USA
18 L7 **Burlington** Vermont, NE USA
30 M9 **Burlington** Wisconsin, N USA
27 Q1 **Burlington Junction** Missouri, C USA
Burma see Myanmar
10 L17 **Burnaby** British Columbia, SW Canada
117 O12 **Burnas, Ozero** ◎ SW Ukraine
25 S10 **Burnet** Texas, SW USA
35 O3 **Burney** California, W USA
183 O16 **Burnie** Tasmania, SE Australia
97 L17 **Burnley** NW England, UK
Burnoye see Bauyrzhan Momyshuly
153 R15 **Burnpur** West Bengal, NE India
32 K14 **Burns** Oregon, NW USA
26 K11 **Burns Flat** Oklahoma, C USA
20 M7 **Burnside** Kentucky, S USA
8 K8 **Burnside** ⊿ Nunavut, NW Canada
32 L15 **Burns Junction** Oregon, NW USA
10 L13 **Burns Lake** British Columbia, SW Canada
29 V9 **Burnsville** Minnesota, N USA
21 P9 **Burnsville** North Carolina, SE USA
21 R4 **Burnsville** West Virginia, NE USA
14 I13 **Burnt River** ⊿ Ontario, SE Canada
14 I11 **Burntroot Lake** ◎ Ontario, SE Canada
11 W12 **Burntwood** ⊿ Manitoba, C Canada
Bur'o see Burco
158 L2 **Burqin** Xinjiang Uygur Zizhiqu, NW China
182 J8 **Burra** South Australia
183 S9 **Burragorang, Lake** ⊠ New South Wales, SE Australia
96 K5 **Burray** island NE Scotland, UK
113 L19 **Burrel** var. Burreli. Dibër, C Albania
Burreli see Burrel
183 R8 **Burrendong Reservoir** ⊠ New South Wales, SE Australia
183 R5 **Burren Junction** New South Wales, SE Australia
105 T9 **Burriana** País Valenciano, E Spain
183 R10 **Burrinjuck Reservoir** ⊠ New South Wales, SE Australia
36 J12 **Burro Creek** ⊿ Arizona, SW USA
40 M5 **Burro, Serranías del** ▲ NW Mexico
62 K7 **Burruyacú** Tucumán, N Argentina
136 E12 **Bursa** var. Brussa; prev. Brusa, anc. Prusa. Bursa, NW Turkey
136 D12 **Bursa** var. Brusa, Brussa. ◆ province NW Turkey
75 Y9 **Būr Safāga** var. Būr Safājah. E Egypt
Būr Safājah see Būr Safāga
Būr Sa'īd see Port Said
81 O14 **Bur Tinle** Mudug, C Somalia
31 Q5 **Burt Lake** ◎ Michigan, N USA
118 H7 **Burtnieks** var. Burtnieks Ezers. ◎ N Latvia
Burtnieks Ezers see Burtnieks
31 Q9 **Burton** Michigan, N USA
Burton on Trent see Burton upon Trent
97 M19 **Burton upon Trent** var. Burton on Trent, Burton-upon-Trent. C England, UK
93 J15 **Burträsk** Västerbotten, N Sweden
145 S14 **Burubaytal** prev. Burylbaytal. Zhambyl, SE Kazakhstan
Burujird see Borūjerd
Burultokay see Fuhai
141 R15 **Burūm** SE Yemen
Burundav see Boralday
81 D21 **Burundi** off. Republic of Burundi; prev. Kingdom of Burundi, Urundi. ◆ republic C Africa
171 R13 **Buru, Pulau** prev. Boeroe. island E Indonesia
77 T17 **Burutu** Delta, S Nigeria
10 G7 **Burwash Landing** Yukon Territory, W Canada
29 O14 **Burwell** Nebraska, C USA
97 L17 **Bury** NW England, UK
123 N13 **Buryatiya, Respublika** prev. Buryatskaya ASSR. ◆ autonomous republic S Russian Federation
Buryatskaya ASSR see Buryatiya, Respublika
Burylbaytal see Burubaytal
117 S3 **Buryn'** Sums'ka Oblast', NE Ukraine
97 P20 **Bury St Edmunds** hist. Beodericsworth. E England, UK
114 G8 **Bŭrziya** ⊿ NW Bulgaria
106 D9 **Busalla** Liguria, NW Italy
Busan see Pusan
139 N5 **Buşayrah** Dayr az Zawr, E Syria
Buševa see Baba
143 N12 **Būshehr** off. Ostān-e Būshehr. ◆ province SW Iran
Būshehr/Bushire see Bandar-e Būshehr
25 N2 **Bushland** Texas, SW USA
30 J12 **Bushnell** Illinois, N USA
Busi see Biševo
81 G18 **Busia** SE Uganda
Busiasch see Buziaş
79 K16 **Businga** Equateur, NW Dem. Rep. Congo
79 J18 **Busira** ⊿ NW Dem. Rep. Congo
116 I5 **Bus'k** Rus. Busk. L'vivs'ka Oblast', W Ukraine
95 E14 **Buskerud** ◆ county S Norway
113 F14 **Buško Jezero** ⊠ SW Bosnia and Herzegovina
111 M15 **Busko-Zdrój** Świętokrzyskie, C Poland
Busra see Al Başrah, Iraq
Buşrá see Buşrá ash Shām, Syria
138 H9 **Buşrá ash Shām** var. Bosora, Bosra, Bozrah, Buşrá. Dar'ā, S Syria
180 I13 **Busselton** Western Australia
81 C14 **Busseri** ⊿ W Sudan
106 E9 **Busseto** Emilia-Romagna, C Italy
106 A8 **Bussoleno** Piemonte, NE Italy
Bussora see Al Başrah
98 J10 **Bussum** Noord-Holland, C Netherlands
41 N7 **Bustamante** Nuevo León, NE Mexico
63 I23 **Bustamante, Punta** headland S Argentina
Bustan see Bŭston
116 J12 **Buşteni** Prahova, SE Romania
106 D7 **Busto Arsizio** Lombardia, N Italy
147 Q10 **Bŭston** Rus. Buston. NW Tajikistan
100 H8 **Büsum** Schleswig-Holstein, N Germany
79 M16 **Buta** Orientale, N Dem. Rep. Congo
81 E20 **Butare** prev. Astrida. S Rwanda
191 O2 **Butaritari** atoll Tungaru, W Kiribati
Butawal see Butwal
96 H13 **Bute** cultural region SW Scotland, UK
162 K6 **Büteeliyn Nuruu** ▲ N Mongolia
10 L16 **Bute Inlet** fjord British Columbia, W Canada
96 H12 **Bute, Island of** island SW Scotland, UK
79 P18 **Butembo** Nord Kivu, NE Dem. Rep. Congo
Butenpost see Buitenpost
107 K25 **Butera** Sicilia, Italy, C Mediterranean Sea
99 M20 **Bütgenbach** Liège, E Belgium
Butha Qi see Zalantun
166 J5 **Buthidaung** Arakan State, W Myanmar
61 I16 **Butiá** Rio Grande do Sul, S Brazil
81 F17 **Butiaba** NW Uganda
23 N6 **Butler** Alabama, S USA
23 S5 **Butler** Georgia, SE USA
31 Q11 **Butler** Indiana, N USA
27 R5 **Butler** Missouri, C USA
18 B14 **Butler** Pennsylvania, NE USA
194 K5 **Butler Island** island Antarctica
21 U8 **Butner** North Carolina, SE USA
171 P14 **Buton, Pulau** var. Pulau Butung; prev. Boetoeng. island C Indonesia
Bütow see Bytów
113 L23 **Butrintit, Liqeni i** ◎ S Albania
23 N3 **Buttahatchee River** ⊿ Alabama/Mississippi, S USA
33 Q10 **Butte** Montana, NW USA
29 O12 **Butte** Nebraska, C USA
168 J7 **Butterworth** Pinang, Peninsular Malaysia
83 J25 **Butterworth** var. Gcuwa. Eastern Cape, SE South Africa
13 O3 **Button Islands** island group Nunavut, NE Canada
35 R13 **Buttonwillow** California, W USA
171 Q7 **Butuan** off. Butuan City. Mindanao, S Philippines
Butung, Pulau see Buton, Pulau
Butuntum see Bitonto
126 M8 **Buturlinovka** Voronezhskaya Oblast', W Russian Federation
153 O11 **Butwal** var. Butawal. Western, C Nepal
101 G17 **Butzbach** Hessen, W Germany
100 L9 **Bützow** Mecklenburg-Vorpommern, N Germany
80 N13 **Buuhoodle** Togdheer, N Somalia
81 N16 **Buulobarde** var. Buulo Berde. Hiiraan, C Somalia Africa
Buulo Berde see Buulobarde
80 P12 **Buuraha Cal Miskaat** ▲ NE Somalia
81 L19 **Buur Gaabo** Jubbada Hoose, S Somalia
99 M22 **Buurgplaatz** ▲ N Luxembourg
Buwayrāt al Hasūn see Bu'ayrāt al Ḩasūn
146 L11 **Buxoro** var. Bokhara, Rus. Bukhara. Buxoro Viloyati, C Uzbekistan
100 I10 **Buxtehude** Niedersachsen, NW Germany
97 L18 **Buxton** C England, UK
124 M14 **Buy** var. Buj. Kostromskaya Oblast', NW Russian Federation
162 G7 **Buyanbat** Govĭ-Altay, W Mongolia
162 H8 **Buyant** Bayanhongor, C Mongolia
162 D6 **Buyant** Bayan-Ölgiy, W Mongolia
162 H7 **Buyant** Dzavhan, C Mongolia
163 N9 **Buyant** Hentiy, C Mongolia
163 N10 **Buyant-Uhaa** Dornogovĭ, SE Mongolia
162 M7 **Buyant Ukha** ✕ (Ulaanbaatar) Töv, N Mongolia
127 Q16 **Buynaksk** Respublika Dagestan, SW Russian Federation
119 L20 **Buynavichy** Rus. Buynovichi. Homyel'skaya Voblasts', SE Belarus
Buynovichi see Buynavichy
76 L16 **Buyo** SW Ivory Coast
76 L16 **Buyo, Lac de** ⊠ W Ivory Coast
163 R7 **Buyr Nuur** var. Buir Nur. ◎ China/Mongolia see also Buir Nur
137 T13 **Büyükağrı Dağı** var. Aghri Dagh, Agri Dagi, Koh I Noh, Masis, Eng. Great Ararat, Mount Ararat. ▲ E Turkey
137 R15 **Büyük Çayı** ⊿ NE Turkey
114 O13 **Büyük Çekmece** İstanbul, NW Turkey
114 N12 **Büyükkarıştıran** Kırklareli, NW Turkey
115 L14 **Büyükkemikli Burnu** headland NW Turkey
136 E15 **Büyükmenderes Nehri** ⊿ SW Turkey
Büyükzap Suyu see Great Zab
102 M9 **Buzançais** Indre, C France
116 K13 **Buzău** Buzău, SE Romania
116 K13 **Buzău** ◆ county SE Romania
116 L12 **Buzău** ⊿ E Romania
75 S11 **Buzaymah** var. Bzīmah. SE Libya
164 E13 **Buzen** Fukuoka, Kyūshū, SW Japan
116 F12 **Buziaş** Ger. Busiasch, Hung. Buziásfürdő; prev. Buziás. Timiş, W Romania
Buziásfürdő see Buziaş
83 M18 **Búzi, Rio** ⊿ C Mozambique
117 Q10 **Buz'kyy Lyman** bay S Ukraine
146 F13 **Büzmeýin** Rus. Byuzmeyin; prev. Bezmein. Ahal Welaýaty, C Turkmenistan
145 O8 **Buzuluk** Akmola, C Kazakhstan
127 T6 **Buzuluk** Orenburgskaya Oblast', W Russian Federation
127 N8 **Buzuluk** ⊿ SW Russian Federation
19 P12 **Buzzards Bay** Massachusetts, NE USA
19 P13 **Buzzards Bay** bay Massachusetts, NE USA
83 G16 **Bwabata** Caprivi, NE Namibia
186 H10 **Bwagaoia** Misima Island, SE PNG
Bwake see Bouaké
187 R13 **Bwatnapne** Pentecost, C Vanuatu
119 K14 **Byahoml'** Rus. Begoml'. Vitsyebskaya Voblasts', N Belarus
114 J8 **Byala** Ruse, N Bulgaria
114 N9 **Byala** prev. Ak-Dere. Varna, E Bulgaria
Byala Reka see Erydropótamos
114 H8 **Byala Slatina** Vratsa, NW Bulgaria
119 N15 **Byalynichy** Rus. Belynichi. Mahilyowskaya Voblasts', E Belarus
119 G19 **Byaroza** Pol. Bereza Kartuska, Rus. Berëza. Brestskaya Voblasts', SW Belarus
Bybles see Jbail
111 O14 **Bychawa** Lubelskie, SE Poland
Bychikha see Bychykha
118 N11 **Bychykha** Rus. Bychikha. Vitsyebskaya Voblasts', NE Belarus
111 I14 **Byczyna** Ger. Pitschen. Opolskie, S Poland
110 I10 **Bydgoszcz** Ger. Bromberg. Kujawski-pomorskie, C Poland
119 I17 **Byelaruskaya Hrada** Rus. Belorusskaya Gryada. ridge N Belarus
119 G18 **Byelavyezhskaya Pushcha** Pol. Puszcza Białowieska, Rus. Belovezhskaya Pushcha. forest Belarus/Poland see also Białowieska, Puszcza
119 H15 **Byenyakoni** Rus. Benyakoni. Hrodzyenskaya Voblasts', W Belarus
119 M16 **Byerazino** Rus. Berezino. Minskaya Voblasts', C Belarus
118 L13 **Byerazino** Rus. Berezino. Vitsyebskaya Voblasts', N Belarus
119 L14 **Byerezino** Rus. Berezina. ⊿ C Belarus
118 M13 **Byeshankovichy** Rus. Beshenkovichi. Vitsyebskaya Voblasts', N Belarus
31 U13 **Byesville** Ohio, N USA
119 P18 **Byesyedz'** Rus. Besed'. ⊿ SE Belarus
119 H19 **Byezdzyezh** Rus. Bezdezh. Brestskaya Voblasts', SW Belarus
93 J15 **Bygdeå** Västerbotten, N Sweden
94 F12 **Bygdin** ◎ S Norway
93 J15 **Bygdsiljum** Västerbotten, N Sweden
95 E17 **Bygland** Aust-Agder, S Norway
95 E17 **Byglandsfjord** Aust-Agder, S Norway
119 N16 **Bykhaw** Rus. Bykhov. Mahilyowskaya Voblasts', E Belarus
Bykhov see Bykhaw
127 P9 **Bykovo** Volgogradskaya Oblast', SW Russian Federation
123 P7 **Bykovskiy** Respublika Sakha (Yakutiya), NE Russian Federation
195 R12 **Byrd Glacier** glacier Antarctica
14 K10 **Byrd, Lac** ◎ Québec, SE Canada
183 P5 **Byrock** New South Wales, SE Australia
30 L10 **Byron** Illinois, N USA
183 V4 **Byron Bay** New South Wales, SE Australia
183 V4 **Byron, Cape** headland New South Wales, E Australia
63 F21 **Byron, Isla** island S Chile
Byron Island see Nikunau
65 B24 **Byron Sound** sound NW Falkland Islands
122 M6 **Byrranga, Gora** ▲ N Russian Federation
93 J14 **Byske** Västerbotten, N Sweden
111 K18 **Bystrá** ▲ N Slovakia
111 F18 **Bystřice nad Pernštejnem** Ger. Bistritz ober Pernstein. Vysočina, C Czech Republic
Bystrovka see Kemin
111 G16 **Bystrzyca Kłodzka** Ger. Habelschwerdt. Wałbrzych, SW Poland
111 I18 **Bytča** Žilinský Kraj, N Slovakia
119 L15 **Bytcha** Rus. Bytcha. Minskaya Voblasts', NE Belarus
Byteń/Byten' see Bytsyen'
111 J16 **Bytom** Ger. Beuthen. Śląskie, S Poland
110 H7 **Bytów** Ger. Bütow. Pomorskie, N Poland
119 H18 **Bytsyen'** Pol. Byteń, Rus. Byten'. Brestskaya Voblasts', SW Belarus
81 E19 **Byumba** var. Biumba. N Rwanda
Byuzmeyin see Büzmeýin
119 O20 **Byval'ki** Homyel'skaya Voblasts', SE Belarus
95 O20 **Byxelkrok** Kalmar, S Sweden
Byzantium see İstanbul
Bzīmah see Buzaymah

C

62 O6 **Caacupé** Cordillera, S Paraguay
62 P6 **Caaguazú** off. Departamento de Caaguazú. ◆ department C Paraguay
82 C13 **Caála** var. Kaala, Robert Williams, Port. Vila Robert Williams. Huambo, C Angola
62 P7 **Caazapá** Caazapá, S Paraguay
62 P7 **Caazapá** off. Departamento de Caazapá. ◆ department SE Paraguay
81 P15 **Cabaad, Raas** headland C Somalia
55 N10 **Cabadisocaña** Amazonas, S Venezuela
44 F5 **Cabaiguán** Sancti Spíritus, C Cuba
Caballeria, Cabo see Cavalleria, Cap de
37 Q14 **Caballo Reservoir** ⊠ New Mexico, SW USA
40 L6 **Caballos Mesteños, Llano de los** plain N Mexico
104 L2 **Cabañaquinta** Asturias, N Spain
42 B9 **Cabañas** ◆ department E El Salvador
171 O3 **Cabanatuan** off. Cabanatuan City. Luzon, N Philippines
15 T8 **Cabano** Québec, SE Canada
104 L11 **Cabeza del Buey** Extremadura, W Spain
45 V5 **Cabezas de San Juan** headland E Puerto Rico
105 N2 **Cabezón de la Sal** Cantabria, N Spain
Cabhán see Cavan
61 B23 **Cabildo** Buenos Aires, E Argentina
Cabillonum see Chalon-sur-Saône
54 H5 **Cabimas** Zulia, NW Venezuela
82 A9 **Cabinda** var. Kabinda. Cabinda, NW Angola
82 A9 **Cabinda** var. Kabinda. ◆ province NW Angola
33 N7 **Cabinet Mountains** ▲ Idaho/Montana, NW USA
82 B11 **Cabiri** Bengo, NW Angola
63 J20 **Cabo Blanco** Santa Cruz, SE Argentina
82 P13 **Cabo Delgado** off. Província de Capo Delgado. ◆ province NE Mozambique
14 L9 **Cabonga, Réservoir** ⊠ Québec, SE Canada
27 V7 **Cabool** Missouri, C USA
183 V2 **Caboolture** Queensland, E Australia
Cabora Bassa, Lake see Cahora Bassa, Albufeira de

◆ COUNTRY ● COUNTRY CAPITAL ◇ DEPENDENT TERRITORY ○ DEPENDENT TERRITORY CAPITAL ◆ ADMINISTRATIVE REGION ✕ INTERNATIONAL AIRPORT ▲ MOUNTAIN ▲ MOUNTAIN RANGE ▲ VOLCANO ⊿ RIVER ◎ LAKE ⊠ RESERVOIR

232 ••• Caborca – Cañaveral

40 *F3* **Caborca** Sonora, NW Mexico
Cabo San Lucas *see* San Lucas
27 *V11* **Cabot** Arkansas, C USA
14 *F12* **Cabot Head** *headland* Ontario, S Canada
13 *R13* **Cabot Strait** *strait* E Canada
Cabo Verde, Ilhas do *see* Cape Verde
104 *M14* **Cabra** Andalucía, S Spain
107 *B19* **Cabras** Sardegna, Italy, C Mediterranean Sea
188 *A15* **Cabras Island** *island* W Guam
45 *O8* **Cabrera** N Dominican Republic
105 *X10* **Cabrera** *anc.* Capraria. *island* Islas Baleares, Spain, W Mediterranean Sea
104 *J4* **Cabrera** ∿ NW Spain
105 *Q15* **Cabrera, Sierra** ▲ S Spain
11 *S16* **Cabri** Saskatchewan, S Canada
105 *R10* **Cabriel** ∿ E Spain
54 *M7* **Cabruta** Guárico, C Venezuela
171 *N2* **Cabugao** Luzon, N Philippines
54 *G10* **Cabuyaro** Meta, C Colombia
60 *I13* **Caçador** Santa Catarina, S Brazil
42 *G8* **Cacaguatique, Cordillera** *var.* Cordillera. ▲ NE El Salvador
112 *L13* **Čačak** Serbia, C Serbia and Montenegro (Yugo.)
55 *Y10* **Cacao** NE French Guiana
61 *H16* **Caçapava do Sul** Rio Grande do Sul, S Brazil
21 *U3* **Cacapon River** ∿ West Virginia, NE USA
107 *J23* **Caccamo** Sicilia, Italy, C Mediterranean Sea
107 *A17* **Caccia, Capo** *headland* Sardegna, Italy, C Mediterranean Sea
146 *H15* **Çäçe** *var.* Chäche, *Rus.* Chaacha. Ahal Welaýaty, S Turkmenistan
59 *G18* **Cáceres** Mato Grosso, W Brazil
104 *J10* **Cáceres** *Ar.* Qazris. Extremadura, W Spain
104 *J9* **Cáceres** ◆ *province* Extremadura, W Spain
Cachacrou *see* Scotts Head Village
61 *C21* **Cacharí** Buenos Aires, E Argentina
26 *L12* **Cache** Oklahoma, C USA
10 *M16* **Cache Creek** British Columbia, SW Canada
35 *N6* **Cache Creek** ∿ California, W USA
37 *S3* **Cache La Poudre River** ∿ Colorado, C USA
Cacheo *see* Cacheu
27 *W11* **Cache River** ∿ Arkansas, C USA
30 *L17* **Cache River** ∿ Illinois, N USA
76 *G12* **Cacheu** *var.* Cacheo. W Guinea-Bissau
59 *I15* **Cachimbo** Pará, NE Brazil
59 *H15* **Cachimbo, Serra do** ▲ C Brazil
82 *D13* **Cachingues** Bié, C Angola
54 *G7* **Cáchira** Norte de Santander, N Colombia
61 *H16* **Cachoeira do Sul** Rio Grande do Sul, S Brazil
59 *O20* **Cachoeiro de Itapemirim** Espírito Santo, SE Brazil
82 *E12* **Cacolo** Lunda Sul, NE Angola
83 *C14* **Caconda** Huíla, C Angola
82 *A9* **Cacongo** Cabinda, NW Angola
35 *U9* **Cactus Peak** ▲ Nevada, W USA
82 *A11* **Cacuaco** Luanda, NW Angola
83 *B14* **Cacula** Huíla, SW Angola
59 *O19* **Caçumba, Ilha** *island* SE Brazil
55 *N10* **Cacuri** Amazonas, S Venezuela
81 *N17* **Cadale** Shabeellaha Dhexe, E Somalia
105 *X4* **Cadaqués** Cataluña, NE Spain
111 *J18* **Čadca** *Hung.* Csaca. Žilinský Kraj, N Slovakia
27 *P13* **Caddo** Oklahoma, C USA
25 *R6* **Caddo** Texas, SW USA
25 *X6* **Caddo Lake** ⊠ Louisiana/Texas, SW USA
27 *S12* **Caddo Mountains** ▲ Arkansas, C USA
41 *O8* **Cadereyta** Nuevo León, NE Mexico
97 *J19* **Cader Idris** ▲ NW Wales, United Kingdom
182 *F3* **Cadibarrawirracanna, Lake** *salt lake* South Australia
14 *I7* **Cadillac** Québec, SE Canada
11 *T17* **Cadillac** Saskatchewan, S Canada
102 *K13* **Cadillac** Gironde, SW France
31 *P7* **Cadillac** Michigan, N USA
105 *V4* **Cadí, Torre de** ▲ NE Spain
171 *P5* **Cadiz** *off.* Cadiz City. Negros, C Philippines
20 *H7* **Cadiz** Kentucky, S USA
31 *U13* **Cadiz** Ohio, N USA
104 *J15* **Cádiz** *anc.* Gades, Gadier, Gadir, Gadire. Andalucía, SW Spain
104 *K15* **Cádiz** ◆ *province* Andalucía, SW Spain
104 *I15* **Cádiz, Bahía de** *bay* SW Spain
Cadiz City *see* Cadiz
104 *H15* **Cádiz, Golfo de** *Eng.* Gulf of Cadiz. *gulf* Portugal/Spain
Cadiz, Gulf of *see* Cádiz, Golfo de
35 *X14* **Cadiz Lake** ⊚ California, W USA
182 *E2* **Cadney Homestead** South Australia
Cadurcum *see* Cahors
83 *F17* **Caecae** Ngamiland, NW Botswana
102 *K4* **Caen** Calvados, N France
Caene/Caenepolis *see* Qena
Caerdydd *see* Cardiff
Caer Glou *see* Gloucester
Caer Gybi *see* Holyhead
Caerleon *see* Chester
Caer Luel *see* Carlisle
97 *I18* **Caernarfon** *var.* Caernarvon, Carnarvon. NW Wales, UK
97 *H18* **Caernarfon Bay** *bay* NW Wales, UK
97 *I19* **Caernarvon** *cultural region* NW Wales, UK
Caernarvon *see* Caernarfon
Caesaraugusta *see* Zaragoza
Caesarea Mazaca *see* Kayseri
Caesarobriga *see* Talavera de la Reina
Caesarodunum *see* Tours
Caesaromagus *see* Beauvais
Caesena *see* Cesena
59 *N17* **Caetité** Bahia, E Brazil
62 *J6* **Cafayate** Salta, N Argentina
171 *O2* **Cagayan** ∿ Luzon, N Philippines
171 *Q7* **Cagayan de Oro** *off.* Cagayan de Oro City. Mindanao, S Philippines
170 *M8* **Cagayan de Tawi Tawi** *island* S Philippines
171 *N6* **Cagayan Islands** *island group* C Philippines
31 *O14* **Cagles Mill Lake** ⊠ Indiana, N USA
106 *I12* **Cagli** Marche, C Italy
107 *C20* **Cagliari** *anc.* Caralis. Sardegna, Italy, C Mediterranean Sea
107 *C20* **Cagliari, Golfo di** *gulf* Sardegna, Italy, C Mediterranean Sea
103 *U15* **Cagnes-sur-Mer** Alpes-Maritimes, SE France
54 *L5* **Cagua** Aragua, N Venezuela
171 *O1* **Cagua, Mount** ▲ Luzon, N Philippines
54 *F13* **Caguán, Río** ∿ SW Colombia
45 *U6* **Caguas** E Puerto Rico
146 *C9* **Çagyl** *Rus.* Chagyl. Balkan Welaýaty, NW Turkmenistan
23 *P5* **Cahaba River** ∿ Alabama, S USA
42 *E5* **Cahabón, Río** ∿ C Guatemala
83 *B15* **Cahama** Cunene, SW Angola
97 *B21* **Caha Mountains** *Ir.* An Cheacha. ▲ SW Ireland
97 *D20* **Caher** *Ir.* An Cathair. S Ireland
97 *A21* **Cahersiveen** *Ir.* Cathair Saidhbhín. SW Ireland
30 *K15* **Cahokia** Illinois, N USA
83 *L15* **Cahora Bassa, Albufeira de** *var.* Lake Cabora Bassa. ⊠ NW Mozambique
97 *G20* **Cahore Point** *Ir.* Rinn Chathóir. *headland* SE Ireland
102 *M14* **Cahors** *anc.* Cadurcum. Lot, S France
56 *D9* **Cahuapanas, Río** ∿ N Peru
116 *M12* **Cahul** *Rus.* Kagul. S Moldova
Cahul, Lacul *see* Kahul, Ozero
83 *N16* **Caia** Sofala, C Mozambique
59 *J19* **Caiapó, Serra do** ▲ C Brazil
44 *F5* **Caibarién** Villa Clara, C Cuba
55 *O5* **Caicara** Monagas, NE Venezuela
54 *L5* **Caicara del Orinoco** Bolívar, C Venezuela
59 *P14* **Caicó** Rio Grande do Norte, E Brazil
44 *M6* **Caicos Islands** *island group* W Turks and Caicos Islands
44 *L5* **Caicos Passage** *strait* Bahamas/Turks and Caicos Islands
161 *O9* **Caidian** *prev.* Hanyang. Hubei, C China
Caiffa *see* Hefa
180 *M12* **Caiguna** Western Australia
Caillí, Ceann *see* Hag's Head
40 *J11* **Caimanero, Laguna del** *var.* Laguna del Camaronero. *lagoon* E Pacific Ocean
117 *N10* **Căinari** *Rus.* Kaynary. C Moldova
57 *L19* **Caine, Río** ∿ C Bolivia
Caiphas *see* Hefa
195 *N4* **Caird Coast** *physical region* Antarctica
96 *J9* **Cairn Gorm** ▲ C Scotland, UK
96 *J9* **Cairngorm Mountains** ▲ C Scotland, UK
39 *P12* **Cairn Mountain** ▲ Alaska, USA
181 *W4* **Cairns** Queensland, NE Australia
121 *V13* **Cairo** *Ar.* Al Qāhirah, *var.* El Qâhira. ● (Egypt) N Egypt
23 *T8* **Cairo** Georgia, SE USA
30 *L17* **Cairo** Illinois, N USA
75 *V8* **Cairo** ✕ C Egypt
Caiseal *see* Cashel
Caisleán an Bharraigh *see* Castlebar
Caisleán na Finne *see* Castlefinn
96 *J6* **Caithness** *cultural region* N Scotland, UK
83 *D15* **Caiundo** Cuando Cubango, S Angola
56 *C11* **Cajamarca** *prev.* Caxamarca. Cajamarca, NW Peru
56 *B11* **Cajamarca** *off.* Departamento de Cajamarca. ◆ *department* N Peru
103 *N14* **Cajarc** Lot, S France
42 *G6* **Cajón, Represa El** ⊠ NW Honduras
58 *N12* **Caju, Ilha do** *island* NE Brazil
Cakaubalavu Reef *see* Kavukavu Reef
159 *R10* **Caka Yanhu** ⊚ C China
112 *E7* **Čakovec** *Ger.* Csakathurn, *Hung.* Csáktornya; *prev. Ger.* Tschakathurn. Međimurje, N Croatia
77 *V17* **Calabar** Cross River, S Nigeria
14 *K13* **Calabogie** Ontario, SE Canada
54 *L6* **Calabozo** Guárico, C Venezuela
107 *N20* **Calabria** *anc.* Bruttium. ◆ *region* SW Italy
104 *M16* **Calaburra, Punta de** *headland* S Spain
116 *G14* **Calafat** Dolj, SW Romania
Calafate *see* El Calafate
105 *Q4* **Calahorra** La Rioja, N Spain
103 *N1* **Calais** Pas-de-Calais, N France
19 *T5* **Calais** Maine, NE USA
Calais, Pas de *see* Dover, Strait of
Calalen *see* Kallalen
62 *H4* **Calama** Antofagasta, N Chile
Calamianes *see* Calamian Group
170 *M5* **Calamian Group** *var.* Calamianes. *island group* W Philippines
105 *R7* **Calamocha** Aragón, NE Spain
29 *N14* **Calamus River** ∿ Nebraska, C USA
116 *G12* **Călan** *Ger.* Kalan, *Hung.* Pusztakalán. Hunedoara, SW Romania
105 *S7* **Calanda** Aragón, NE Spain
168 *F9* **Calang** Sumatera, W Indonesia
171 *N4* **Calapan** Mindoro, N Philippines
Călăras *see* Călăraşi
116 *M9* **Călăraşi** *var.* Călăras, *Rus.* Kalarash. C Moldova
116 *L14* **Călăraşi** Călăraşi, SE Romania
116 *K14* **Călăraşi** ◆ *county* SE Romania
54 *E10* **Calarca** Quindío, W Colombia
105 *Q12* **Calasparra** Murcia, SE Spain
107 *I23* **Calatafimi** Sicilia, Italy, C Mediterranean Sea
105 *Q6* **Calatayud** Aragón, NE Spain
171 *O4* **Calauag** Luzon, N Philippines
35 *P8* **Calaveras River** ∿ California, W USA
171 *N4* **Calavite, Cape** *headland* Mindoro, N Philippines
171 *Q8* **Calbayog** *off.* Calbayog City. Samar, C Philippines
22 *G9* **Calcasieu Lake** ⊚ Louisiana, S USA
22 *H8* **Calcasieu River** ∿ Louisiana, S USA
56 *B6* **Calceta** Manabí, W Ecuador
61 *B16* **Calchaquí** Santa Fe, C Argentina
62 *J6* **Calchaquí, Río** ∿ NW Argentina
58 *J10* **Calçoene** Amapá, NE Brazil
153 *S16* **Calcutta** West Bengal, NE India
153 *S16* **Calcutta** ✕ West Bengal, N India
54 *E9* **Caldas** *off.* Departamento de Caldas. ◆ *province* W Colombia
104 *F10* **Caldas da Rainha** Leiria, W Portugal
104 *G3* **Caldas de Reis** *var.* Caldas de Reyes. Galicia, NW Spain
Caldas de Reyes *see* Caldas de Reis
58 *F13* **Caldeirão** Amazonas, NW Brazil
62 *G7* **Caldera** Atacama, N Chile
42 *L14* **Caldera** Puntarenas, W Costa Rica
105 *N10* **Calderina** ▲ C Spain
137 *T13* **Çaldıran** Van, E Turkey
32 *M14* **Caldwell** Idaho, NW USA
27 *N8* **Caldwell** Kansas, C USA
14 *G15* **Caledon** Ontario, S Canada
83 *I23* **Caledon** *var.* Mohokare. ∿ Lesotho/South Africa
42 *G1* **Caledonia** Corozal, N Belize
14 *G16* **Caledonia** Ontario, S Canada
29 *X11* **Caledonia** Minnesota, N USA
105 *X5* **Calella** *var.* Calella de la Costa. Cataluña, NE Spain
Calella de la Costa *see* Calella
23 *P4* **Calera** Alabama, S USA
63 *I19* **Caleta Olivia** Santa Cruz, SE Argentina
35 *X17* **Calexico** California, W USA
97 *H16* **Calf of Man** *island* SW Isle of Man
11 *Q16* **Calgary** Alberta, SW Canada
11 *Q16* **Calgary** ✕ Alberta, SW Canada
37 *U5* **Calhan** Colorado, C USA
64 *O5* **Calheta** Madeira, Portugal, NE Atlantic Ocean
23 *R2* **Calhoun** Georgia, SE USA
20 *I6* **Calhoun** Kentucky, S USA
22 *M3* **Calhoun City** Mississippi, S USA
21 *P12* **Calhoun Falls** South Carolina, SE USA
54 *D11* **Cali** Valle del Cauca, W Colombia
27 *V9* **Calico Rock** Arkansas, C USA
155 *F21* **Calicut** *var.* Kozhikode. Kerala, SW India
35 *Y9* **Caliente** Nevada, W USA
27 *U5* **California** Missouri, C USA
18 *B15* **California** Pennsylvania, NE USA
35 *Q12* **California** *off.* State of California; also known as El Dorado, The Golden State. ◆ *state* W USA
35 *P11* **California Aqueduct** *aqueduct* California, W USA
35 *T13* **California City** California, W USA
40 *F6* **California, Golfo de** *Eng.* Gulf of California; *prev.* Sea of Cortez. *gulf* W Mexico
California, Gulf of *see* California, Golfo de
137 *Y13* **Cälilabad** *Rus.* Dzhalilabad; *prev.* Astrakhan-Bazar. S Azerbaijan
116 *I12* **Călimăneşti** Vâlcea, SW Romania
116 *J9* **Călimani, Munţii** ▲ N Romania
Calinisc *see* Cupcina
35 *X17* **Calipatria** California, W USA
Calisia *see* Kalisz
34 *M7* **Calistoga** California, W USA
83 *G25* **Calitzdorp** Western Cape, SW South Africa
41 *W12* **Calkiní** Campeche, E Mexico
182 *K4* **Callabonna Creek** *var.* Tilcha Creek. *seasonal river* New South Wales/South Australia
182 *J4* **Callabonna, Lake** ⊚ South Australia
102 *G5* **Callac** Côtes d'Armor, NW France
35 *U5* **Callaghan, Mount** ▲ Nevada, W USA
Callain *see* Callan
97 *E19* **Callan** *Ir.* Callain. S Ireland
14 *H11* **Callander** Ontario, S Canada
96 *I11* **Callander** C Scotland, UK
98 *H7* **Callantsoog** Noord-Holland, NW Netherlands
57 *D14* **Callao** Callao, W Peru
57 *D15* **Callao** *off.* Departamento del Callao. ◆ *constitutional province* W Peru
56 *F11* **Callaria, Río** ∿ E Peru
Callatis *see* Mangalia
11 *Q13* **Calling Lake** Alberta, W Canada
Callosa de Ensarriá *see* Callosa d'En Sarrià
105 *T11* **Callosa d'En Sarrià** *var.* Callosa de Ensarriá. País Valenciano, E Spain
105 *S12* **Callosa de Segura** País Valenciano, E Spain
29 *X11* **Calmar** Iowa, C USA
Calmar *see* Kalmar
43 *R16* **Calobre** Veraguas, C Panama
23 *X14* **Caloosahatchee River** ∿ Florida, SE USA
183 *V2* **Caloundra** Queensland, E Australia
Calp *see* Calpe
105 *T11* **Calpe** *Cat.* Calp. País Valenciano, E Spain
41 *P14* **Calpulalpan** Tlaxcala, S Mexico
107 *K25* **Caltagirone** Sicilia, Italy, C Mediterranean Sea
107 *J24* **Caltanissetta** Sicilia, Italy, C Mediterranean Sea
82 *E11* **Caluango** Lunda Norte, NE Angola
82 *C12* **Calucinga** Bié, W Angola
82 *B12* **Calulo** Cuanza Sul, NW Angola
83 *B14* **Caluquembe** Huíla, W Angola
80 *Q11* **Caluula** Bari, NE Somalia
102 *K4* **Calvados** ◆ *department* N France
186 *I10* **Calvados Chain, The** *island group* SE PNG
25 *U9* **Calvert** Texas, SW USA
20 *H7* **Calvert City** Kentucky, S USA
103 *X14* **Calvi** Corse, France, C Mediterranean Sea
40 *L12* **Calvillo** Aguascalientes, C Mexico
83 *F24* **Calvinia** Northern Cape, W South Africa
104 *K8* **Calvitero** ▲ W Spain
101 *G22* **Calw** Baden-Württemberg, SW Germany
Calydon *see* Kalydón
105 *N11* **Calzada de Calatrava** Castilla-La Mancha, C Spain
Cama *see* Kama
82 *C11* **Camabatela** Cuanza Norte, NW Angola
64 *Q5* **Camacha** Porto Santo, Madeira, Portugal, NE Atlantic Ocean
14 *L8* **Camachigama, Lac** ⊚ Québec, SE Canada
40 *M9* **Camacho** Zacatecas, C Mexico
82 *D13* **Camacupa** *var.* General Machado, *Port.* Vila General Machado. Bié, C Angola
54 *L7* **Camaguán** Guárico, C Venezuela
44 *G6* **Camagüey** *prev.* Puerto Príncipe. Camagüey, C Cuba
44 *G5* **Camagüey, Archipiélago de** *island group* C Cuba
40 *D5* **Camalli, Sierra de** ▲ NW Mexico
57 *G18* **Camana** *var.* Camaná. Arequipa, SW Peru
29 *Z14* **Camanche** Iowa, C USA
35 *P8* **Camanche Reservoir** ⊠ California, W USA
61 *I16* **Camaquã** Rio Grande do Sul, S Brazil
61 *H16* **Camaquã, Rio** ∿ S Brazil
64 *P6* **Câmara de Lobos** Madeira, Portugal, NE Atlantic Ocean
103 *U16* **Camarat, Cap** *headland* SE France
41 *O8* **Camargo** Tamaulipas, C Mexico
103 *R15* **Camargue** *physical region* SE France
104 *F2* **Camariñas** Galicia, NW Spain
Camaronero, Laguna del *see* Caimanero, Laguna del
63 *J18* **Camarones** Chaco, S Argentina
63 *J18* **Camarones, Bahía** *bay* S Argentina
104 *J14* **Camas** Andalucía, S Spain
167 *S15* **Ca Mau** *prev.* Quan Long. Minh Hai, S Vietnam
82 *E11* **Camaxilo** Lunda Norte, NE Angola
104 *G3* **Cambados** Galicia, NW Spain
Cambay, Gulf of *see* Khambhāt, Gulf of
Camberia *see* Chambéry
97 *N22* **Camberley** SE England, UK
167 *R12* **Cambodia** *off.* Kingdom of Cambodia, *var.* Democratic Kampuchea, Roat Kampuchea, *Cam.* Kampuchea; *prev.* People's Democratic Republic of Kampuchea. ◆ *republic* SE Asia
102 *I16* **Cambo-les-Bains** Pyrénées-Atlantiques, SW France
103 *P2* **Cambrai** *Flem.* Kambryk; *prev.* Cambray, *anc.* Cameracum. Nord, N France
Cambray *see* Cambrai
104 *H2* **Cambre** Galicia, NW Spain
35 *O12* **Cambria** California, W USA
97 *J20* **Cambrian Mountains** ▲ C Wales, UK
14 *G16* **Cambridge** Ontario, S Canada
44 *I12* **Cambridge** W Jamaica
184 *M8* **Cambridge** Waikato, North Island, NZ
97 *O20* **Cambridge** *Lat.* Cantabrigia. E England, UK
32 *M12* **Cambridge** Idaho, NW USA
30 *K11* **Cambridge** Illinois, N USA
21 *Y4* **Cambridge** Maryland, NE USA
19 *O11* **Cambridge** Massachusetts, NE USA
29 *V7* **Cambridge** Minnesota, N USA
29 *N16* **Cambridge** Nebraska, C USA
31 *U13* **Cambridge** Ohio, NE USA
8 *L7* **Cambridge Bay** Victoria Island, Nunavut, NW Canada
97 *O20* **Cambridgeshire** *cultural region* E England, UK
105 *U6* **Cambrils de Mar** Cataluña, NE Spain
Cambundi-Catembo *see* Nova Gaia
137 *N11* **Çam Burnu** *headland* N Turkey
183 *S9* **Camden** New South Wales, SE Australia
23 *O6* **Camden** Alabama, S USA
27 *U14* **Camden** Arkansas, C USA
21 *Y3* **Camden** Delaware, NE USA
19 *R7* **Camden** Maine, NE USA
18 *I16* **Camden** New Jersey, NE USA
18 *I9* **Camden** New York, NE USA
21 *R12* **Camden** South Carolina, SE USA
20 *H8* **Camden** Tennessee, S USA
25 *X9* **Camden** Texas, SW USA
39 *S5* **Camden Bay** *bay* S Beaufort Sea
27 *U6* **Camdenton** Missouri, C USA
Camellia State *see* Alabama
18 *M7* **Camels Hump** ▲ Vermont, NE USA
117 *N8* **Camenca** *Rus.* Kamenka. N Moldova
Cameracum *see* Cambrai
22 *G9* **Cameron** Louisiana, S USA
25 *T9* **Cameron** Texas, SW USA
30 *J5* **Cameron** Wisconsin, N USA
10 *M12* **Cameron** ∿ British Columbia, W Canada
185 *A24* **Cameron Mountains** ▲ South Island, NZ
79 *D15* **Cameroon** *off.* Republic of Cameroon, *Fr.* Cameroun. ◆ *republic* W Africa
79 *D15* **Cameroon Mountain** ▲ SW Cameroon
Cameroon Ridge *see* Camerounaise, Dorsale
Cameroun *see* Cameroon
79 *E14* **Camerounaise, Dorsale** *Eng.* Cameroon Ridge. *ridge* NW Cameroon
171 *N3* **Camiling** Luzon, N Philippines
23 *T7* **Camilla** Georgia, SE USA
104 *G5* **Caminha** Viana do Castelo, N Portugal
35 *P7* **Camino** California, W USA
136 *B15* **Çamiçi Gölü** ⊚ SW Turkey
107 *J24* **Cammarata** Sicilia, Italy, C Mediterranean Sea
42 *K10* **Camoapa** Boaco, S Nicaragua
58 *O13* **Camocim** Ceará, E Brazil
106 *D10* **Camogli** Liguria, NW Italy
181 *S5* **Camooweal** Queensland, C Australia
55 *Y11* **Camopi** E French Guiana
151 *Q22* **Camorta** *island* Nicobar Islands, India, NE Indian Ocean
42 *I6* **Campamento** Olancho, C Honduras
61 *D19* **Campana** Buenos Aires, E Argentina
63 *F21* **Campana, Isla** *island* S Chile
104 *K11* **Campanario** Extremadura, W Spain
107 *L17* **Campania** *Eng.* Champagne. ◆ *region* S Italy
27 *Y8* **Campbell** Missouri, C USA
185 *K15* **Campbell, Cape** *headland* South Island, NZ
14 *J14* **Campbellford** Ontario, SE Canada
31 *R13* **Campbell Hill** *hill* Ohio, N USA
192 *K13* **Campbell Island** *island* S NZ
175 *P13* **Campbell Plateau** *undersea feature* SW Pacific Ocean
10 *K17* **Campbell River** Vancouver Island, British Columbia, SW Canada
20 *L6* **Campbellsville** Kentucky, S USA
13 *O13* **Campbellton** New Brunswick, SE Canada
183 *P16* **Campbell Town** Tasmania, SE Australia
183 *S9* **Campbelltown** New South Wales, SE Australia
96 *G13* **Campbeltown** W Scotland, UK
41 *W13* **Campeche** Campeche, SE Mexico
41 *W14* **Campeche** ◆ *state* SE Mexico
41 *T14* **Campeche, Bahía de** *Eng.* Bay of Campeche. *bay* E Mexico
Campeche, Banco de *see* Campeche Bank
64 *C11* **Campeche Bank** *Sp.* Banco de Campeche, Sonda de Campeche. *undersea feature* S Gulf of Mexico
Campeche, Bay of *see* Campeche, Bahía de
Campeche, Sonda de *see* Campeche Bank
44 *H7* **Campechuela** Granma, E Cuba
182 *M13* **Camperdown** Victoria, SE Australia
167 *U6* **Cẩm Phả** Quang Ninh, N Vietnam
116 *H10* **Câmpia Turzii** *Ger.* Jerischmarkt, *Hung.* Aranyosgyéres; *prev.* Cîmpia Turzii, Ghiriş, Gyéres. Cluj, NW Romania
104 *K12* **Campillo de Llerena** Extremadura, W Spain
104 *L15* **Campillos** Andalucía, S Spain
116 *J13* **Câmpina** *prev.* Cîmpina. Prahova, SE Romania
59 *Q15* **Campina Grande** Paraíba, E Brazil
60 *L9* **Campinas** São Paulo, S Brazil
38 *L10* **Camp Kulowiye** Saint Lawrence Island, Alaska, USA
79 *D17* **Campo** *var.* Kampo. Sud, SW Cameroon
Campo *see* Ntem
59 *N15* **Campo Alegre de Lourdes** Bahia, E Brazil
107 *L16* **Campobasso** Molise, C Italy
107 *H24* **Campobello di Mazara** Sicilia, Italy, C Mediterranean Sea
Campo Criptana *see* Campo de Criptana
105 *O10* **Campo de Criptana** *var.* Campo Criptana. Castilla-La Mancha, C Spain
59 *I16* **Campo de Diauarum** *var.* Pôsto Diauarum. Mato Grosso, W Brazil
54 *E5* **Campo de la Cruz** Atlántico, N Colombia
105 *P11* **Campo de Montiel** *physical region* C Spain
Campo dos Goitacazes *see* Campos
60 *H12* **Campo Erê** Santa Catarina, S Brazil
62 *L7* **Campo Gallo** Santiago del Estero, N Argentina
59 *I20* **Campo Grande** *state capital* Mato Grosso do Sul, SW Brazil
60 *K12* **Campo Largo** Paraná, S Brazil
58 *N13* **Campo Maior** Piauí, E Brazil
104 *I10* **Campo Maior** Portalegre, C Portugal
60 *H10* **Campo Mourão** Paraná, S Brazil
60 *Q9* **Campos** *var.* Campo dos Goitacazes. Rio de Janeiro, SE Brazil
59 *L17* **Campos Belos** Goiás, S Brazil
60 *N9* **Campos do Jordão** São Paulo, S Brazil
60 *I13* **Campos Novos** Santa Catarina, S Brazil
59 *O14* **Campos Sales** Ceará, E Brazil
25 *Q9* **Camp San Saba** Texas, SW USA
21 *N6* **Campton** Kentucky, S USA
116 *I13* **Câmpulung** *prev.* Câmpulung-Muşcel, Cîmpulung. Argeş, S Romania
116 *J9* **Câmpulung Moldovenesc** *var.* Cîmpulung Moldovenesc, *Ger.* Kimpolung, *Hung.* Hosszúmezjő. Suceava, NE Romania
Câmpulung-Muşcel *see* Câmpulung
Campus Stellae *see* Santiago
36 *L12* **Camp Verde** Arizona, SW USA
25 *P11* **Camp Wood** Texas, SW USA
167 *V13* **Cam Ranh** Khanh Hoa, S Vietnam
11 *Q15* **Camrose** Alberta, SW Canada
Camulodunum *see* Colchester
136 *B12* **Çan** Çanakkale, NW Turkey
18 *L12* **Canaan** Connecticut, NE USA
9 *O13* **Canada** ◆ *commonwealth republic* N North America
197 *P6* **Canada Basin** *undersea feature* Arctic Ocean
61 *B18* **Cañada de Gómez** Santa Fe, C Argentina
197 *P6* **Canada Plain** *undersea feature* Arctic Ocean
61 *A18* **Cañada Rosquín** Santa Fe, C Argentina
25 *P1* **Canadian** Texas, SW USA
16 *K12* **Canadian River** ∿ SW USA
8 *L12* **Canadian Shield** *physical region* Canada
63 *I18* **Cañadón Grande, Sierra** ▲ S Argentina
55 *P9* **Canaima** Bolívar, SE Venezuela
136 *B11* **Çanakkale** *var.* Dardanelli; *prev.* Chanak, Kale Sultanie. Çanakkale, W Turkey
136 *B12* **Çanakkale** ◆ *province* NW Turkey
136 *B11* **Çanakkale Boğazı** *Eng.* Dardanelles. *strait* NW Turkey
187 *Q17* **Canala** Province Nord, C New Caledonia
59 *A15* **Canamari** Amazonas, W Brazil
18 *G10* **Canandaigua** New York, NE USA
18 *F10* **Canandaigua Lake** ⊚ New York, NE USA
40 *G3* **Cananea** Sonora, NW Mexico
56 *B8* **Cañar** ◆ *province* C Ecuador
64 *N10* **Canarias, Islas** *Eng.* Canary Islands. ◆ *autonomous community* Spain, NE Atlantic Ocean
44 *C6* **Canarreos, Archipiélago de los** *island group* W Cuba
Canary Islands *see* Canarias, Islas
42 *L13* **Cañas** Guanacaste, NW Costa Rica
18 *I10* **Canastota** New York, NE USA
40 *K9* **Canatlán** Durango, C Mexico
104 *J9* **Cañaveral** Extremadura, W Spain

◆ Country
● Country Capital
◇ Dependent Territory
○ Dependent Territory Capital
◆ Administrative Region
✕ International Airport
▲ Mountain
▲ Mountain Range
Volcano
∿ River
⊚ Lake
⊠ Reservoir

234 ••• CARTWRIGHT – CÉRILLY

13 S8 **Cartwright** Newfoundland and Labrador, E Canada
55 P9 **Caruana de Montaña** Bolívar, SE Venezuela
59 Q15 **Caruaru** Pernambuco, E Brazil
55 P5 **Carúpano** Sucre, NE Venezuela
Carusbur *see* Cherbourg
58 M12 **Carutapera** Maranhão, E Brazil
27 Y9 **Caruthersville** Missouri, C USA
103 O1 **Carvin** Pas-de-Calais, N France
58 E12 **Carvoeiro** Amazonas, NW Brazil
104 E10 **Carvoeiro, Cabo** *headland* C Portugal
21 U9 **Cary** North Carolina, SE USA
182 M3 **Caryapundy Swamp** *wetland* New South Wales/Queensland, SE Australia
65 E24 **Carysfort, Cape** *headland* East Falkland, Falkland Islands
74 F6 **Casablanca** *Ar.* Dar-el-Beida. NW Morocco
60 M8 **Casa Branca** São Paulo, S Brazil
36 L14 **Casa Grande** Arizona, SW USA
106 C8 **Casale Monferrato** Piemonte, NW Italy
106 E8 **Casalpusterlengo** Lombardia, N Italy
54 H10 **Casanare** *off.* Intendencia de Casanare. ◆ *province* C Colombia
55 P5 **Casanay** Sucre, NE Venezuela
24 K11 **Casa Piedra** Texas, SW USA
107 Q19 **Casarano** Puglia, SE Italy
42 J11 **Casares** Carazo, W Nicaragua
105 R10 **Casas Ibáñez** Castilla-La Mancha, C Spain
61 I14 **Casca** Rio Grande do Sul, S Brazil
172 I17 **Cascade** Mahé, NE Seychelles
33 N13 **Cascade** Idaho, NW USA
29 Y13 **Cascade** Iowa, C USA
33 R9 **Cascade** Montana, NW USA
185 B20 **Cascade Point** *headland* South Island, NZ
32 G13 **Cascade Range** ▲ Oregon/Washington, NW USA
33 N12 **Cascade Reservoir** ⊡ Idaho, NW USA
193 P3 **Cascadia Basin** *undersea feature* NE Pacific Ocean
104 E11 **Cascais** Lisboa, C Portugal
15 W7 **Cascapédia** ≈ Québec, SE Canada
59 I22 **Cascavel** Ceará, E Brazil
60 G11 **Cascavel** Paraná, S Brazil
106 I13 **Cascia** Umbria, C Italy
106 F11 **Cascina** Toscana, C Italy
19 Q8 **Casco Bay** *bay* Maine, NE USA
194 J7 **Case Island** *island* Antarctica
106 B8 **Caselle** ✈ (Torino) Piemonte, NW Italy
107 K17 **Caserta** Campania, S Italy
15 N8 **Casey** Québec, SE Canada
30 M14 **Casey** Illinois, N USA
195 Y12 **Casey** *Australian research station* Antarctica
195 W3 **Casey Bay** *bay* Antarctica
80 Q11 **Caseyr, Raas** *headland* NE Somalia
97 D20 **Cashel** *Ir.* Caiseal. S Ireland
54 G6 **Casigua** Zulia, W Venezuela
61 B19 **Casilda** Santa Fe, C Argentina
Casim *see* General Toshevo
183 V4 **Casino** New South Wales, SE Australia
Casinum *see* Cassino
111 E17 **Čáslav** *Ger.* Tschaslau. Střední Čechy, C Czech Republic
56 C13 **Casma** Ancash, C Peru
167 S7 **Ca, Sông** ≈ N Vietnam
107 K17 **Casoria** Campania, S Italy
105 T6 **Caspe** Aragón, NE Spain
33 X15 **Casper** Wyoming, C USA
127 P13 **Caspian Depression** *Kaz.* Kaspīy Mangy Oypaty, *Rus.* Prikaspiyskaya Nizmennost'. *depression* Kazakhstan/Russian Federation
138 Kk9 **Caspian Sea** *Az.* Xäzär Dänizi, *Kaz.* Kaspiy Tengizi, *Per.* Baḩr-e Khazar, Daryā-ye Khazar, *Rus.* Kaspiyskoye More. *inland sea* Asia/Europe
83 L14 **Cassacatiza** Tete, NW Mozambique
Cassai *see* Kasai
82 F13 **Cassamba** Moxico, E Angola
107 N20 **Cassano allo Ionio** Calabria, SE Italy
31 S8 **Cass City** Michigan, N USA
Cassel *see* Kassel
14 M13 **Casselman** Ontario, SE Canada
29 R5 **Casselton** North Dakota, N USA
59 M16 **Cássia** *var.* Santa Rita de Cassia. Bahia, E Brazil
10 J9 **Cassiar** British Columbia, W Canada
10 K10 **Cassiar Mountains** ▲ British Columbia, W Canada
83 C15 **Cassinga** Huíla, SW Angola
107 J16 **Cassino** *prev.* San Germano; *anc.* Casinum. Lazio, C Italy
29 T4 **Cass Lake** Minnesota, N USA
29 T4 **Cass Lake** ◎ Minnesota, N USA
31 P10 **Cassopolis** Michigan, N USA
31 S8 **Cass River** ≈ Michigan, N USA
27 S8 **Cassville** Missouri, C USA
Castamoni *see* Kastamonu
58 L12 **Castanhal** Pará, NE Brazil
104 G8 **Castanheira de Pêra** Leiria, C Portugal
41 N7 **Castaños** Coahuila de Zaragoza, NE Mexico
108 I10 **Castasegna** Graubünden, SE Switzerland
106 D8 **Casteggio** Lombardia, N Italy
107 K23 **Castelbuono** Sicilia, Italy, C Mediterranean Sea
107 K15 **Castel di Sangro** Abruzzo, C Italy
106 H7 **Castelfranco Veneto** Veneto, NE Italy
102 K14 **Casteljaloux** Lot-et-Garonne, SW France
107 L18 **Castellabate** *var.* Santa Maria di Castellabate. Campania, S Italy
107 I23 **Castellammare del Golfo** Sicilia, Italy, C Mediterranean Sea
107 H22 **Castellammare, Golfo di** *gulf* Sicilia, Italy, C Mediterranean Sea
103 U15 **Castellane** Alpes-de-Haute-Provence, SE France
107 O18 **Castellaneta** Puglia, SE Italy
106 E9 **Castel l'Arquato** Emilia-Romagna, C Italy
61 E21 **Castelli** Buenos Aires, E Argentina
105 T9 **Castelló de la Plana** *var.* Castellón. País Valenciano, E Spain
105 S8 **Castellón** ◆ *province* País Valenciano, E Spain
Castellón *see* Castelló de la Plana
105 S7 **Castellote** Aragón, NE Spain
103 N16 **Castelnaudary** Aude, S France
102 L16 **Castelnau-Magnoac** Hautes-Pyrénées, S France
106 F10 **Castelnovo ne' Monti** Emilia-Romagna, C Italy
Castelnuovo *see* Herceg-Novi
104 H9 **Castelo Branco** Castelo Branco, C Portugal
104 H8 **Castelo Branco** ◆ *district* C Portugal
104 I10 **Castelo de Vide** Portalegre, C Portugal
104 G9 **Castelo do Bode, Barragem do** ⊡ C Portugal
106 G10 **Castel San Pietro Terme** Emilia-Romagna, C Italy
107 B17 **Castelsardo** Sardegna, Italy, C Mediterranean Sea
102 M14 **Castelsarrasin** Tarn-et-Garonne, S France
107 I24 **Casteltermini** Sicilia, Italy, C Mediterranean Sea
107 H24 **Castelvetrano** Sicilia, Italy, C Mediterranean Sea
182 L12 **Casterton** Victoria, SE Australia
102 J15 **Castets** Landes, SW France
106 H12 **Castiglione del Lago** Umbria, C Italy
106 F13 **Castiglione della Pescaia** Toscana, C Italy
106 F8 **Castiglione delle Stiviere** Lombardia, N Italy
104 M9 **Castilla-La Mancha** ◆ *autonomous community* NE Spain
104 L5 **Castilla-León** *var.* Castillia y Leon. ◆ *autonomous community* NW Spain
105 N10 **Castilla Nueva** *cultural region* C Spain
105 N6 **Castilla Vieja** *cultural region* N Spain
Castillia y Leon *see* Castilla-León
Castillo de Locubim *see* Castillo de Locubín
105 N14 **Castillo de Locubín** *var.* Castillo de Locubim. Andalucía, S Spain
102 K13 **Castillon-la-Bataille** Gironde, SW France
63 I19 **Castillo, Pampa del** *plain* S Argentina
61 G19 **Castillos** Rocha, SE Uruguay
97 B16 **Castlebar** *Ir.* Caisleán an Bharraigh. W Ireland
97 F16 **Castleblayney** *Ir.* Baile na Lorgan. N Ireland
45 O11 **Castle Bruce** E Dominica
36 M5 **Castle Dale** Utah, W USA
36 I14 **Castle Dome Peak** ▲ Arizona, SW USA
97 J14 **Castle Douglas** S Scotland, UK
97 E14 **Castlefinn** *Ir.* Caisleán na Finne. NW Ireland
97 M17 **Castleford** N England, UK
11 O17 **Castlegar** British Columbia, SW Canada
64 B12 **Castle Harbour** *inlet* Bermuda, NW Atlantic Ocean
21 V12 **Castle Hayne** North Carolina, SE USA
97 B20 **Castleisland** *Ir.* Oileán Ciarral. SW Ireland
183 N12 **Castlemaine** Victoria, SE Australia
37 R5 **Castle Peak** ▲ Colorado, C USA
33 O13 **Castle Peak** ▲ Idaho, NW USA
184 N13 **Castlepoint** Wellington, North Island, NZ
97 D17 **Castlerea** *Ir.* An Caisleán Riabhach. W Ireland
97 G15 **Castlereagh** *Ir.* An Caisleán Riabhach. N Northern Ireland, UK
183 R6 **Castlereagh River** ≈ New South Wales, SE Australia
37 T5 **Castle Rock** Colorado, C USA
30 K7 **Castle Rock Lake** ⊡ Wisconsin, N USA
65 G25 **Castle Rock Point** *headland* S Saint Helena
97 I16 **Castletown** SE Isle of Man
29 R9 **Castlewood** South Dakota, N USA
11 R15 **Castor** Alberta, SW Canada
14 M13 **Castor** ≈ Ontario, SE Canada
27 X7 **Castor River** ≈ Missouri, C USA
Castra Albiensium *see* Castres
Castra Regina *see* Regensburg
103 N15 **Castres** *anc.* Castra Albiensium. Tarn, S France
98 H9 **Castricum** Noord-Holland, W Netherlands
45 S11 **Castries** ● (Saint Lucia) N Saint Lucia
60 J11 **Castro** Paraná, S Brazil
63 F17 **Castro** Los Lagos, W Chile
104 H7 **Castro Daire** Viseu, N Portugal
104 M13 **Castro del Río** Andalucía, S Spain
Castrogiovanni *see* Enna
104 H14 **Castro Marim** Faro, S Portugal
104 J2 **Castropol** Asturias, N Spain
105 O2 **Castro-Urdiales** *var.* Castro Urdiales. Cantabria, N Spain
104 G13 **Castro Verde** Beja, S Portugal
107 N19 **Castrovillari** Calabria, SW Italy
35 N10 **Castroville** California, W USA
25 R12 **Castroville** Texas, SW USA
104 K11 **Castuera** Extremadura, W Spain
61 F19 **Casupá** Florida, S Uruguay
185 A22 **Caswell Sound** *sound* South Island, NZ
137 Q13 **Çat** Erzurum, NE Turkey
42 K6 **Catacamas** Olancho, C Honduras
56 A10 **Catacaos** Piura, NW Peru
22 I7 **Catahoula Lake** ◎ Louisiana, S USA
137 S15 **Çatak** Van, SE Turkey
137 S15 **Çatak Çayi** ≈ SE Turkey
114 O12 **Çatalca** İstanbul, NW Turkey
114 O12 **Çatalca Yarımadası** *physical region* NW Turkey
62 H6 **Catalina** Antofagasta, N Chile
Catalonia *see* Cataluña
105 U5 **Cataluña** *Cat.* Catalunya; *Eng.* Catalonia. ◆ *autonomous community* N Spain
Catalunya *see* Cataluña
62 I7 **Catamarca** *off.* Provincia de Catamarca. ◆ *province* NW Argentina
Catamarca *see* San Fernando del Valle de Catamarca
83 M16 **Catandica** Manica, C Mozambique
171 P4 **Catanduanes Island** *island* N Philippines
60 K8 **Catanduva** São Paulo, S Brazil
107 L24 **Catania** Sicilia, Italy, C Mediterranean Sea
107 M24 **Catania, Golfo di** *gulf* Sicilia, Italy, C Mediterranean Sea
45 U5 **Cataño** *var.* Cantaño. E Puerto Rico
107 O21 **Catanzaro** Calabria, SW Italy
107 O22 **Catanzaro Marina** *var.* Marina di Catanzaro. Calabria, S Italy
25 Q14 **Catarina** Texas, SW USA
171 Q5 **Catarman** Samar, C Philippines
105 S10 **Catarroja** País Valenciano, E Spain
21 R11 **Catawba River** ≈ North Carolina/South Carolina, SE USA
171 Q5 **Catbalogan** Samar, C Philippines
14 I14 **Catchacoma** Ontario, SE Canada
41 S15 **Catemaco** Veracruz-Llave, SE Mexico
Cathair na Mart *see* Westport
Cathair Saidhbhín *see* Cahersiveen
31 P5 **Cat Head Point** *headland* Michigan, N USA
23 Q2 **Cathedral Caverns** *cave* Alabama, S USA
35 V16 **Cathedral City** California, W USA
24 K10 **Cathedral Mountain** ▲ Texas, SW USA
32 G10 **Cathlamet** Washington, NW USA
76 G13 **Catió** S Guinea-Bissau
55 O10 **Catisimiña** Bolívar, SE Venezuela
44 J3 **Cat Island** *island* C Bahamas
12 B9 **Cat Lake** Ontario, S Canada
21 P5 **Catlettsburg** Kentucky, S USA
185 D24 **Catlins** ≈ South Island, NZ
35 R1 **Catnip Mountain** ▲ Nevada, W USA
41 Z11 **Catoche, Cabo** *headland* SE Mexico
27 P9 **Catoosa** Oklahoma, C USA
41 N10 **Catorce** San Luis Potosí, C Mexico
63 I14 **Catriel** Río Negro, C Argentina
62 K13 **Catriló** La Pampa, C Argentina
58 F11 **Catrimani** Roraima, N Brazil
58 E10 **Catrimani, Rio** ≈ N Brazil
18 K11 **Catskill** New York, NE USA
18 K11 **Catskill Creek** ≈ New York, NE USA
18 J11 **Catskill Mountains** ▲ New York, NE USA
18 D11 **Cattaraugus Creek** ≈ New York, NE USA
Cattaro *see* Kotor
Cattaro, Bocche di *see* Kotorska, Boka
107 I24 **Cattolica Eraclea** Sicilia, Italy, C Mediterranean Sea
83 B14 **Catumbela** ≈ W Angola
83 N14 **Catur** Niassa, N Mozambique
82 C10 **Cauale** ≈ NE Angola
171 O2 **Cauayan** Luzon, N Philippines
54 C12 **Cauca** *off.* Departamento del Cauca. ◆ *province* SW Colombia
58 P13 **Caucaia** Ceará, E Brazil
54 E7 **Cauca, Río** ≈ N Colombia
54 E7 **Caucasia** Antioquia, NW Colombia
137 Q8 **Caucasus** *Rus.* Kavkaz. ▲ Georgia/Russian Federation
62 I10 **Caucete** San Juan, W Argentina
105 R11 **Caudete** Castilla-La Mancha, C Spain
103 P2 **Caudry** Nord, N France
82 D11 **Caungula** Lunda Norte, NE Angola
62 G13 **Cauquenes** Maule, C Chile
55 N8 **Caura, Río** ≈ C Venezuela
15 V7 **Causapscal** Québec, SE Canada
117 N10 **Căuşeni** *Rus.* Kaushany. E Moldova
102 M14 **Caussade** Tarn-et-Garonne, S France
102 K17 **Cauterets** Hautes-Pyrénées, S France
10 J15 **Caution, Cape** *headland* British Columbia, SW Canada
44 H7 **Cauto** ≈ E Cuba
Cauvery *see* Kāveri
102 L3 **Caux, Pays de** *physical region* N France
107 L18 **Cava dei Tirreni** Campania, S Italy
104 G6 **Cávado** ≈ N Portugal
Cavaia *see* Kavajë
103 R15 **Cavaillon** Vaucluse, SE France
103 U16 **Cavalaire-sur-Mer** Var, SE France
106 G6 **Cavalese** *Ger.* Gablös. Trentino-Alto Adige, N Italy
29 Q2 **Cavalier** North Dakota, N USA
76 L17 **Cavalla** *var.* Cavally, Cavally Fleuve. ≈ Ivory Coast/Liberia
105 Y8 **Cavalleria, Cap de** *var.* Cabo Caballeria. *headland* Menorca, Spain, W Mediterranean Sea
184 K2 **Cavalli Islands** *island group* N NZ
Cavally/Cavally Fleuve *see* Cavalla
97 E16 **Cavan** *Ir.* Cabhán. N Ireland
97 E16 **Cavan** *Ir.* An Cabhán. *cultural region* N Ireland
106 H8 **Cavarzere** Veneto, NE Italy
27 W9 **Cave City** Arkansas, C USA
20 K7 **Cave City** Kentucky, S USA
65 M25 **Cave Point** *headland* S Tristan da Cunha
21 N5 **Cave Run Lake** ⊡ Kentucky, S USA
58 K11 **Caviana de Fora, Ilha** *var.* Ilha Caviana. *island* N Brazil
Caviana, Ilha *see* Caviana de Fora, Ilha
113 I16 **Cavtat** *It.* Ragusavecchia. Dubrovnik-Neretva, SE Croatia
Cawnpore *see* Kānpur
Caxamarca *see* Cajamarca
58 A13 **Caxias** Amazonas, W Brazil
58 N13 **Caxias** Maranhão, E Brazil
61 I15 **Caxias do Sul** Rio Grande do Sul, S Brazil
42 J4 **Caxinas, Punta** *headland* N Honduras
82 B11 **Caxito** Bengo, NW Angola
136 F14 **Çay** Afyon, W Turkey
40 L15 **Cayacal, Punta** *var.* Punta Mongrove. *headland* S Mexico
56 C6 **Cayambe** Pichincha, N Ecuador
56 C6 **Cayambe** ▲ N Ecuador
21 R12 **Cayce** South Carolina, SE USA
55 Y10 **Cayenne** ○ (French Guiana) NE French Guiana
55 Y10 **Cayenne** ✈ NE French Guiana
44 K10 **Cayes** *var.* Les Cayes. SW Haiti
45 U6 **Cayey** C Puerto Rico
45 U6 **Cayey, Sierra de** ▲ E Puerto Rico
103 N14 **Caylus** Tarn-et-Garonne, S France
44 E8 **Cayman Brac** *island* E Cayman Islands
44 D8 **Cayman Islands** ◇ *UK dependent territory* W West Indies
64 D11 **Cayman Trench** *undersea feature* NW Caribbean Sea
80 O13 **Caynabo** Togdheer, N Somalia
42 F3 **Cayo** ◆ *district* SW Belize
Cayo *see* San Ignacio
43 N9 **Cayos Guerrero** *reef* E Nicaragua
43 O9 **Cayos King** *reef* E Nicaragua
44 E4 **Cay Sal** *islet* SW Bahamas
14 G16 **Cayuga** Ontario, S Canada
25 V8 **Cayuga** Texas, SW USA
18 G10 **Cayuga Lake** ◎ New York, NE USA
104 K13 **Cazalla de la Sierra** Andalucía, S Spain
116 L14 **Căzănești** Ialomița, SE Romania
102 M16 **Cazères** Haute-Garonne, S France
112 E10 **Cazin** Federacija Bosna I Hercegovina, NW Bosnia and Herzegovina
82 G13 **Cazombo** Moxico, E Angola
105 O13 **Cazorla** Andalucía, S Spain
Cazza *see* Sušac
104 L4 **Cea** ≈ NW Spain
Ceadâr-Lunga *see* Ciadîr-Lunga
Ceanannas *see* Kells
Ceann Toirc *see* Kanturk
58 O13 **Ceará** *off.* Estado do Ceará. ◆ *state* C Brazil
Ceará *see* Fortaleza
Ceara Abyssal Plain *see* Ceará Plain
59 Q14 **Ceará Mirim** Rio Grande do Norte, E Brazil
64 J13 **Ceará Plain** *var.* Ceara Abyssal Plain. *undersea feature* W Atlantic Ocean
64 I13 **Ceará Ridge** *undersea feature* C Atlantic Ocean
Ceatharlach *see* Carlow
43 Q17 **Cébaco, Isla** *island* SW Panama
40 K7 **Ceballos** Durango, C Mexico
61 G19 **Cebollatí** Rocha, E Uruguay
61 G19 **Cebollatí, Río** ≈ E Uruguay
105 P5 **Cebollera** ▲ N Spain
104 M8 **Cebreros** Castilla-León, N Spain
171 P6 **Cebu** *off.* Cebu City. Cebu, C Philippines
171 P6 **Cebu** *island* C Philippines
107 J16 **Ceccano** Lazio, C Italy
Čechy *see* Bohemia
106 F12 **Cecina** Toscana, C Italy
26 K4 **Cedar Bluff Reservoir** ⊡ Kansas, C USA
30 M8 **Cedarburg** Wisconsin, N USA
36 J7 **Cedar City** Utah, W USA
25 T11 **Cedar Creek** Texas, SW USA
28 L7 **Cedar Creek** ≈ North Dakota, N USA
25 U7 **Cedar Creek Reservoir** ⊡ Texas, SW USA
29 W13 **Cedar Falls** Iowa, C USA
31 N8 **Cedar Grove** Wisconsin, N USA
21 Y6 **Cedar Island** *island* Virginia, NE USA
23 U11 **Cedar Key** Cedar Keys, Florida, SE USA
23 U11 **Cedar Keys** *island group* Florida, SE USA
11 V14 **Cedar Lake** ◎ Manitoba, C Canada
14 I11 **Cedar Lake** ◎ Ontario, SE Canada
24 M6 **Cedar Lake** ◎ Texas, SW USA
29 X13 **Cedar Rapids** Iowa, C USA
29 X14 **Cedar River** ≈ Iowa/Minnesota, C USA
29 O14 **Cedar River** ≈ Nebraska, C USA
31 P8 **Cedar Springs** Michigan, N USA
23 R3 **Cedartown** Georgia, SE USA
27 O7 **Cedar Vale** Kansas, C USA
35 Q2 **Cedarville** California, W USA
104 H1 **Cedeira** Galicia, NW Spain
42 H8 **Cedeño** Choluteca, S Honduras
41 N10 **Cedral** San Luis Potosí, C Mexico
42 I6 **Cedros** Francisco Morazán, C Honduras
40 M9 **Cedros** Zacatecas, C Mexico
40 B5 **Cedros, Isla** *island* W Mexico
193 R5 **Cedros Trench** *undersea feature* E Pacific Ocean
182 E7 **Ceduna** South Australia
110 D10 **Cedynia** *Ger.* Zehden. Zachodnio-pomorskie, W Poland
80 P12 **Ceelaayo** Sanaag, N Somalia
81 O16 **Ceel Buur** *It.* El Bur; Galguduud, C Somalia
81 N15 **Ceel Dheere** *var.* Ceel Dher, *It.* El Dere. Galguduud, C Somalia
Ceel Dher *see* Ceel Dheere
81 P14 **Ceel Xamure** Mudug, E Somalia
80 O12 **Ceerigaabo** *var.* Erigabo, Erigavo. Sanaag, N Somalia
107 J23 **Cefalù** *anc.* Cephaloedium. Sicilia, Italy, C Mediterranean Sea
105 N6 **Cega** ≈ N Spain
111 K23 **Cegléd** *prev.* Czegléd. Pest, C Hungary
113 N18 **Čegrane** W FYR Macedonia
105 Q13 **Cehegín** Murcia, SE Spain
136 K12 **Çekerek** Yozgat, N Turkey
146 B13 **Çekiçler** *Rus.* Chekishlyar, *Turkm.* Chekichler. Balkan Welaýaty, W Turkmenistan
107 J15 **Celano** Abruzzo, C Italy
104 H4 **Celanova** Galicia, NW Spain
42 F6 **Celaque, Cordillera de** ▲ W Honduras
41 N13 **Celaya** Guanajuato, C Mexico
Celebes *see* Sulawesi
192 F7 **Celebes Basin** *undersea feature* SE South China Sea
192 F7 **Celebes Sea** *Ind.* Laut Sulawesi. *sea* Indonesia/Philippines
41 W12 **Celestún** Yucatán, E Mexico
31 Q12 **Celina** Ohio, N USA
20 L8 **Celina** Tennessee, S USA
25 U5 **Celina** Texas, SW USA
112 G11 **Čelinac Donji** Republika Srpska, N Bosnia and Herzegovina
109 V10 **Celje** *Ger.* Cilli. C Slovenia
111 G23 **Celldömölk** Vas, W Hungary
100 J12 **Celle** *var.* Zelle. Niedersachsen, N Germany
99 D19 **Celles** Hainaut, SW Belgium
104 I7 **Celorico da Beira** Guarda, N Portugal
Celovec *see* Klagenfurt
64 M7 **Celtic Sea** *Ir.* An Mhuir Cheilteach. *sea* SW British Isles
64 N7 **Celtic Shelf** *undersea feature* E Atlantic Ocean
114 L13 **Çeltik Gölu** ◎ NW Turkey
146 J17 **Çemenibit** *prev. Rus.* Chemenibit. Mary Welaýaty, S Turkmenistan
113 M14 **Čemerno** ▲ C Serbia and Montenegro (Yugo.)
105 Q12 **Cenajo, Embalse del** ⊡ S Spain
171 V13 **Cenderawasih, Teluk** *var.* Teluk Irian, Teluk Sarera. *bay* W Pacific Ocean
105 P4 **Cenicero** La Rioja, N Spain
106 E9 **Ceno** ≈ NW Italy
102 K13 **Cenon** Gironde, SW France
14 K13 **Centennial Lake** ◎ Ontario, SE Canada
Centennial State *see* Colorado
37 S7 **Center** Colorado, C USA
29 Q13 **Center** Nebraska, C USA
28 M5 **Center** North Dakota, N USA
25 X8 **Center** Texas, SW USA
29 W8 **Center City** Minnesota, N USA
36 L5 **Centerfield** Utah, W USA
20 K9 **Center Hill Lake** ⊡ Tennessee, S USA
29 X13 **Center Point** Iowa, C USA
25 R11 **Center Point** Texas, SW USA
29 W16 **Centerville** Iowa, C USA
27 W7 **Centerville** Missouri, C USA
29 R12 **Centerville** South Dakota, N USA
20 I9 **Centerville** Tennessee, S USA
25 V9 **Centerville** Texas, SW USA
40 M5 **Centinela, Picacho del** ▲ NE Mexico
106 G9 **Cento** Emilia-Romagna, N Italy
Centrafricaine, République *see* Central African Republic
39 S8 **Central** Alaska, USA
37 P15 **Central** New Mexico, SW USA
83 H18 **Central** ◆ *district* E Botswana
138 E10 **Central** ◆ *district* C Israel
81 I19 **Central** ◆ *province* C Kenya
82 M13 **Central** ◆ *region* C Malawi
153 P12 **Central** ◆ *zone* C Nepal
186 E9 **Central** ◆ *province* S PNG
63 I21 **Central** ◆ *department* C Paraguay
186 M9 **Central** *off.* Central Province. ◆ *province* S Solomon Islands
83 J14 **Central** ◆ *province* C Zambia
117 P11 **Central** ✈ (Odesa) Odes'ka Oblast', SW Ukraine
Central *see* Centre
79 H14 **Central African Republic** *var.* République Centrafricaine, *abbrev.* CAR; *prev.* Ubangi-Shari, Oubangui-Chari, Territoire de l'Oubangui-Chari. ◆ *republic* C Africa
192 G6 **Central Basin Trough** *undersea feature* W Pacific Ocean
Central Borneo *see* Kalimantan Tengah
149 P12 **Central Brāhui Range** ▲ W Pakistan
Central Celebes *see* Sulawesi Tengah
29 Y13 **Central City** Iowa, C USA
20 I6 **Central City** Kentucky, S USA
29 P15 **Central City** Nebraska, C USA
54 D11 **Central, Cordillera** ▲ W Colombia
42 M13 **Central, Cordillera** ▲ C Costa Rica
45 N9 **Central, Cordillera** ▲ C Dominican Republic
43 R16 **Central, Cordillera** ▲ C Panama
45 S6 **Central, Cordillera** ▲ Puerto Rico
42 H7 **Central District** *var.* Tegucigalpa. ◆ *district* C Honduras
30 L15 **Centralia** Illinois, N USA
27 U4 **Centralia** Missouri, C USA
32 G9 **Centralia** Washington, NW USA
Central Indian Ridge *see* Mid-Indian Ridge
Central Java *see* Jawa Tengah
Central Kalimantan *see* Kalimantan Tengah
148 L14 **Central Makrān Range** ▲ W Pakistan
192 K7 **Central Pacific Basin** *undersea feature* C Pacific Ocean
59 M19 **Central, Planalto** *var.* Brazilian Highlands. ▲ E Brazil
32 F15 **Central Point** Oregon, NW USA
155 K25 **Central Province** ◆ *province* C Sri Lanka
Central Provinces and Berar *see* Madhya Pradesh
186 B6 **Central Range** ▲ NW PNG
Central Russian Upland *see* Srednerusskaya Vozvyshennost'
Central Siberian Plateau/Central Siberian Uplands *see* Srednesibirskoye Ploskogor'ye
104 K8 **Central, Sistema** ▲ C Spain
Central Sulawesi *see* Sulawesi Tengah
35 N3 **Central Valley** California, W USA
35 P8 **Central Valley** *valley* California, W USA
23 Q3 **Centre** Alabama, S USA
79 E15 **Centre** *Eng.* Central. ◆ *province* C Cameroon
102 M8 **Centre** ◆ *region* N France
173 Y16 **Centre de Flacq** E Mauritius
55 Y9 **Centre Spatial Guyanais** *space station* N French Guiana
23 O5 **Centreville** Alabama, S USA
21 X3 **Centreville** Maryland, NE USA
22 J7 **Centreville** Mississippi, S USA
Centum Cellae *see* Civitavecchia
160 M14 **Cenxi** Guangxi Zhuangzu Zizhiqu, S China
Ceos *see* Kéa
Cephaloedium *see* Cefalu
112 I9 **Čepin** *Hung.* Csepén. Osijek-Baranja, E Croatia
Ceram *see* Seram, Pulau
171 R13 **Ceram Sea** *Ind.* Laut Seram. *sea* E Indonesia
192 G8 **Ceram Trough** *undersea feature* W Pacific Ocean
Cerasus *see* Giresun
36 I10 **Cerbat Mountains** ▲ Arizona, SW USA
103 P17 **Cerbère, Cap** *headland* S France
104 F13 **Cercal do Alentejo** Setúbal, S Portugal
111 A18 **Čerchov** *Ger.* Czerkow. ▲ W Czech Republic
103 O13 **Cère** ≈ C France
61 A16 **Ceres** Santa Fe, C Argentina
59 K18 **Ceres** Goiás, C Brazil
Ceresio *see* Lugano, Lago di
103 O17 **Céret** Pyrénées-Orientales, S France
54 E6 **Cereté** Córdoba, NW Colombia
172 I17 **Cerf, Île au** *island* Inner Islands, NE Seychelles
99 G22 **Cerfontaine** Namur, S Belgium
Cergy-Pontoise *see* Pontoise
107 N16 **Cerignola** Puglia, SE Italy
Cerigo *see* Kýthira
103 O9 **Cérilly** Allier, C France

◆ Country ● Country Capital ◇ Dependent Territory ○ Dependent Territory Capital ◆ Administrative Region ✈ International Airport ▲ Mountain ▲ Mountain Range ⛰ Volcano ≈ River ◎ Lake ⊡ Reservoir

236 ••• Chatham Island – China, Republic of

Chatham Island see San Cristóbal, Isla
Chatham Island Rise see Chatham Rise
192 L12 Chatham Islands island group NZ, SW Pacific Ocean
192 L12 Chatham Rise var. Chatham Island Rise. undersea feature S Pacific Ocean
39 X13 Chatham Strait strait Alaska, USA
Chathóir, Rinn see Cahore Point
102 M9 Châtillon-sur-Indre Indre, C France
103 Q7 Châtillon-sur-Seine Côte d'Or, C France
147 S8 Chatkal Uzb. Chotqol. ≈ Kyrgyzstan/Uzbekistan
147 R9 Chatkal Range Rus. Chatkal'skiy Khrebet. ▲ Kyrgyzstan/Uzbekistan
Chatkal'skiy Khrebet see Chatkal Range
23 N7 Chatom Alabama, S USA
Chatrapur see Chhatrapur
143 S10 Chatrūd Kermān, C Iran
23 S2 Chatsworth Georgia, SE USA
Chāttagām see Chittagong
23 S8 Chattahoochee Florida, SE USA
23 R8 Chattahoochee River ≈ SE USA
20 L10 Chattanooga Tennessee, S USA
147 V10 Chatyr-Kël', Ozero ◎ C Kyrgyzstan
147 W9 Chatyr-Tash Narynskaya Oblast', C Kyrgyzstan
15 R12 Chaudière ≈ Québec, SE Canada
167 S14 Châu Đôc var. Chauphu, Chau Phu. An Giang, S Vietnam
152 D13 Chauhtan prev. Chohtan. Rājasthān, NW India
115 F15 Chauk Magwe, W Myanmar
103 R6 Chaumont prev. Chaumont-en-Bassigny. Haute-Marne, N France
Chaumont-en-Bassigny see Chaumont
123 T5 Chaunskaya Guba bay NE Russian Federation
103 P3 Chauny Aisne, N France
Châu Ô see Binh Sơn
Chau Phu see Châu Đôc
102 I5 Chausey, Îles island group N France
Chausy see Chavusy
18 C11 Chautauqua Lake ◎ New York, NE USA
102 L9 Chauvigny Vienne, W France
124 L6 Chavan'ga Murmanskaya Oblast', NW Russian Federation
14 K10 Chavannes, Lac ◎ Québec, SE Canada
Chavantes, Represa de see Xavantes, Represa de
61 D15 Chavarría Corrientes, NE Argentina
Chavash Respubliki see Chuvashskaya Respublika
104 I5 Chaves anc. Aquae Flaviae. Vila Real, N Portugal
Chávez, Isla see Santa Cruz, Isla
82 G13 Chavuma North Western, NW Zambia
119 O16 Chavusy Rus. Chausy. Mahilyowskaya Voblasts', E Belarus
Chayan see Shayan
147 U8 Chayek Narynskaya Oblast', C Kyrgyzstan
139 T6 Chāy Khānah E Iraq
125 T16 Chaykovskiy Permskaya Oblast', NW Russian Federation
167 T12 Chbar Môndól Kiri, E Cambodia
23 Q4 Cheaha Mountain ▲ Alabama, S USA
Cheatharlach see Carlow
21 S2 Cheat River ≈ NE USA
111 A16 Cheb Ger. Eger. Karlovarský Kraj, W Czech Republic
127 Q3 Cheboksary Chuvashskaya Respublika, W Russian Federation
31 Q5 Cheboygan Michigan, N USA
Chechaouèn see Chefchaouen
Chechenia see Chechenskaya Respublika
127 O15 Chechenskaya Respublika Eng. Chechenia, Chechnia, Rus. Chechnya. ⬖ autonomous republic SW Russian Federation
76 M6 Chech, Erg desert Algeria/Mali
Chechersk see Chachersk
Chechevichi see Chachevichy
Che-chiang see Zhejiang
Chechnia/Chechnya see Chechenskaya Respublika
163 Y15 Chech'ŏn Jap. Teisen. N South Korea
111 L15 Chęciny Świętokrzyskie, S Poland
27 Q10 Checotah Oklahoma, C USA
13 R15 Chedabucto Bay inlet Nova Scotia, E Canada
166 J7 Cheduba Island island W Myanmar
37 T5 Cheesman Lake ⊞ Colorado, C USA
195 S16 Cheetham, Cape headland Antarctica
74 G5 Chefchaouen var. Chaouèn, Chechaouèn, Sp. Xauen. N Morocco
Chefoo see Yantai
38 M12 Chefornak Alaska, USA
123 R13 Chegdomyn Khabarovskiy Kray, SE Russian Federation
76 M4 Chegga Tiris Zemmour, NE Mauritania
Cheghcheran see Chaghcharān
32 G9 Chehalis Washington, NW USA
32 G9 Chehalis River ≈ Washington, NW USA
148 M6 Chehel Abdālān, Kūh-e var. Chalap Dalam, Pash. Chalap Dalan. ▲ C Afghanistan
115 D14 Cheimadítis, Límni ◎ N Greece
103 U15 Cheiron, Mont ▲ SE France
163 X17 Cheju Jap. Saishū. S South Korea
163 Y17 Cheju × S South Korea
163 Y17 Cheju-do Jap. Saishū; prev. Quelpart. island S South Korea
163 X17 Cheju-haehyŏp strait S South Korea
Chekiang see Zhejiang
Chekichler/Chekishlyar see Çekiçler
188 F8 Chelab Babeldaob, N Palau
147 N11 Chelak Rus. Chelek. Samarqand Viloyati, C Uzbekistan
32 J7 Chelan, Lake ⊞ Washington, NW USA
Chelek see Chelak
Cheleken see Hazar
Chélif/Chéliff see Chelif, Oued
74 J5 Chelif, Oued var. Chélif, Chéliff, Chellif, Shellif. ≈ N Algeria
Chelkar see Shalkar
Chelkar, Ozero see Shalkar, Ozero
Chellif see Chelif, Oued
111 P14 Chełm Rus. Kholm. Lubelskie, SE Poland
110 I9 Chełmno Ger. Culm, Kulm. Kujawsko-pomorskie, C Poland
14 F10 Chelmsford Ontario, S Canada
97 P21 Chelmsford E England, UK
110 J9 Chełmża Ger. Culmsee, Kulmsee. Kujawski-pomorskie, C Poland
27 Q8 Chelsea Oklahoma, C USA
18 M8 Chelsea Vermont, NE USA
97 L21 Cheltenham C England, UK
105 R9 Chelva País Valenciano, E Spain
122 G11 Chelyabinsk Chelyabinskaya Oblast', C Russian Federation
122 F11 Chelyabinskaya Oblast' ⬖ province C Russian Federation
123 N5 Chelyuskin, Mys headland N Russian Federation
41 Y12 Chemax Yucatán, SE Mexico
83 N16 Chemba Sofala, C Mozambique
82 J13 Chembe Luapula, NE Zambia
Chemenibit see Çemenibit
Chemerisy see Chamyarysy
116 K7 Chemerivtsi Khmel'nyts'ka Oblast', W Ukraine
102 J8 Chemillé Maine-et-Loire, NW France
173 X17 Chemin Grenier S Mauritius
101 N16 Chemnitz prev. Karl-Marx-Stadt. Sachsen, E Germany
Chemulpo see Inch'ŏn
32 H14 Chemult Oregon, NW USA
18 G12 Chemung River ≈ New York/Pennsylvania, NE USA
149 U8 Chenāb ≈ India/Pakistan
39 S9 Chena Hot Springs Alaska, USA
18 I11 Chenango River ≈ New York, NE USA
168 J7 Chenderoh, Tasik ◎ Peninsular Malaysia
15 Q11 Chêne, Rivière du ≈ Québec, SE Canada
32 L8 Cheney Washington, NW USA
26 M6 Cheney Reservoir ⊞ Kansas, C USA
Chengchiatun see Liaoyuan
Ch'eng-chou/Chengchow see Zhengzhou
161 P1 Chengde var. Jehol. Hebei, E China
160 I9 Chengdu var. Chengtu, Ch'eng-tu. Sichuan, C China
161 Q14 Chenghai Guangdong, S China
Chenghsien see Zhengzhou
160 H13 Chengjiang Yunnan, SW China
Chengjiang see Taihe
160 L17 Chengmai var. Jinjiang. Hainan, S China
Chengtu/Ch'eng-tu see Chengdu
159 W12 Chengxian var. Cheng Xian. Gansu, C China
Chengyang see Juxian
Chengzhong see Ningming
Chenkiang see Zhenjiang
155 J19 Chennai prev. Madras. Tamil Nādu, S India
155 J19 Chennai × Tamil Nādu, S India
103 R8 Chenôve Côte d'Or, C France
Chenstokhov see Częstochowa
160 L11 Chenxi var. Chenyang. Hunan, S China
Chen Xian/Chenxian/Chen Xiang see Chenzhou
Chenyang see Chenxi
161 N12 Chenzhou var. Chenxian, Chen Xian, Chen Xiang. Hunan, S China
167 U12 Cheo Reo var. A Yun Pa. Gia Lai, S Vietnam
114 I11 Chepelare Smolyan, S Bulgaria
114 I11 Chepelarska Reka ≈ S Bulgaria
56 B11 Chepén La Libertad, C Peru
62 J10 Chepes La Rioja, C Argentina
161 O15 Chep Lap Kok × (Hong Kong) S China
43 U14 Chepo Panamá, C Panama
Chepping Wycombe see High Wycombe
127 R14 Cheptsa ≈ NW Russian Federation
30 K3 Chequamegon Point headland Wisconsin, N USA
103 O8 Cher ⬖ department C France
102 M8 Cher ≈ C France
Cherangani Hills see Cherangany Hills
81 H17 Cherangany Hills var. Cherangani Hills. ▲ W Kenya
21 S11 Cheraw South Carolina, SE USA
102 J3 Cherbourg anc. Carusbur. Manche, N France
127 R5 Cherdakly Ul'yanovskaya Oblast', W Russian Federation
125 U12 Cherdyn' Permskaya Oblast', NW Russian Federation
126 J14 Cherekha ≈ W Russian Federation
122 M13 Cheremkhovo Irkutskaya Oblast', S Russian Federation
Cheren see Keren
124 K14 Cherepovets Vologodskaya Oblast', NW Russian Federation
125 O11 Cherevkovo Arkhangel'skaya Oblast', NW Russian Federation
74 I6 Chergui, Chott ech salt lake NW Algeria
Cherikov see Cherykaw
117 P6 Cherkas'ka Oblast' var. Cherkasy, Rus. Cherkasskaya Oblast'. ⬖ province C Ukraine
Cherkasskaya Oblast' see Cherkas'ka Oblast'
Cherkassy see Cherkasy
117 Q6 Cherkasy Rus. Cherkassy. Cherkas'ka Oblast', C Ukraine
Cherkasy see Cherkas'ka Oblast'
126 M15 Cherkessk Karachayevo-Cherkesskaya Respublika, SW Russian Federation
122 H12 Cherlak Omskaya Oblast', C Russian Federation
122 H12 Cherlakskiy Omskaya Oblast', C Russian Federation
125 U13 Chermoz Permskaya Oblast', NW Russian Federation
Chernavchitsy see Charnawchytsy
125 T3 Chernaya Nenetskiy Avtonomnyy Okrug, NW Russian Federation
127 T4 Chernaya ≈ NW Russian Federation
Chernigov see Chernihiv
Chernigovskaya Oblast' see Chernihivs'ka Oblast'
117 Q2 Chernihiv Rus. Chernigov. Chernihivs'ka Oblast', NE Ukraine
Chernihiv see Chernihivs'ka Oblast'
117 V9 Chernihivka Zaporiz'ka Oblast', SE Ukraine
117 P2 Chernihivs'ka Oblast' var. Chernihiv, Rus. Chernigovskaya Oblast'. ⬖ province NE Ukraine
114 I9 Cherni Osŭm ≈ N Bulgaria
116 J8 Chernivets'ka Oblast' var. Chernivtsi, Rus. Chernovitskaya Oblast'. ⬖ province W Ukraine
114 I9 Cherni Vit ≈ NW Bulgaria
114 G10 Cherni Vrŭkh ▲ W Bulgaria
116 K8 Chernivtsi Ger. Czernowitz, Rom. Cernăuţi, Rus. Chernovtsy. Chernivets'ka Oblast', W Ukraine
116 M7 Chernivtsi Vinnyts'ka Oblast', C Ukraine
Chernivtsi see Chernivets'ka Oblast'
Chernobyl' see Chornobyl'
Cherno More see Black Sea
Chernomorskoye see Chornomors'ke
145 T7 Chernoretskoye Pavlodar, NE Kazakhstan
Chernovitskaya Oblast' see Chernivets'ka Oblast'
Chernovtsy see Chernivtsi
145 U8 Chernoye Pavlodar, NE Kazakhstan
Chernoye More see Black Sea
125 U16 Chernushka Permskaya Oblast', NW Russian Federation
117 N4 Chernyakhiv Rus. Chernyakhov. Zhytomyrs'ka Oblast', N Ukraine
Chernyakhov see Chernyakhiv
119 C14 Chernyakhovsk Ger. Insterburg. Kaliningradskaya Oblast', W Russian Federation
126 K8 Chernyanka Belgorodskaya Oblast', W Russian Federation
127 V5 Chernyshëva, Gryada ▲ NW Russian Federation
144 J14 Chernyshëva, Zaliv gulf SW Kazakhstan
123 O10 Chernyshevskiy Respublika Sakha (Yakutiya), NE Russian Federation
127 P13 Chërnyye Zemli plain SW Russian Federation
Chërnyy Irtysh see Ertix He
127 V7 Chernyy Otrog Orenburgskaya Oblast', W Russian Federation
29 T12 Cherokee Iowa, C USA
26 M8 Cherokee Oklahoma, C USA
25 R9 Cherokee Texas, SW USA
21 O8 Cherokee Lake ⊞ Tennessee, S USA
Cherokees, Lake O' The see Grand Lake O' The Cherokees
44 H1 Cherokee Sound Great Abaco, N Bahamas
153 V13 Cherrapunji Meghālaya, NE India
28 L9 Cherry Creek ≈ South Dakota, N USA
18 J16 Cherry Hill New Jersey, NE USA
27 Q7 Cherryvale Kansas, C USA
21 Q10 Cherryville North Carolina, SE USA
Cherski Range see Cherskogo, Khrebet
123 T6 Cherskiy Respublika Sakha (Yakutiya), NE Russian Federation
123 R8 Cherskogo, Khrebet var. Cherski Range. ▲ NE Russian Federation
Cherso see Cres
126 L10 Chertkovo Rostovskaya Oblast', SW Russian Federation
Cherven' see Chervyen'
114 H8 Cherven Bryag Pleven, N Bulgaria
116 M4 Chervonoarmiys'k Zhytomyrs'ka Oblast', N Ukraine
Chervonograd see Chervonohrad
116 I4 Chervonohrad Rus. Chervonograd. L'vivs'ka Oblast', NW Ukraine
117 W6 Chervonooskil's'ke Vodoskhovyshche Rus. Krasnoosol'skoye Vodokhranilishche. ⊞ NE Ukraine
Chervonoye, Ozero see Chyrvonaye, Vozyera
117 S4 Chervonozavods'ke Poltavs'ka Oblast', C Ukraine
119 L16 Chervyen' Rus. Cherven'. Minskaya Voblasts', C Belarus
119 P16 Cherykaw Rus. Cherikov. Mahilyowskaya Voblasts', E Belarus
31 R9 Chesaning Michigan, N USA
21 X5 Chesapeake Bay inlet NE USA
Cheshevlya see Tsyeshawlya
97 K18 Cheshire cultural region C England, UK
127 P5 Chëshskaya Guba var. Archangel Bay, Chesha Bay, Dvina Bay. bay NW Russian Federation
14 F14 Chesley Ontario, S Canada
21 Q10 Chesnee South Carolina, SE USA
97 K18 Chester Wel. Caerleon; hist. Legaceaster, Lat. Deva, Devana Castra. C England, UK
35 O4 Chester California, W USA
30 K16 Chester Illinois, N USA
33 S7 Chester Montana, NW USA
18 I16 Chester Pennsylvania, NE USA
21 R1 Chester South Carolina, SE USA
25 X9 Chester Texas, SW USA
21 W6 Chester Virginia, NE USA
21 R11 Chester West Virginia, NE USA
97 M18 Chesterfield C England, UK
21 S11 Chesterfield South Carolina, SE USA
21 W6 Chesterfield Virginia, NE USA
192 J9 Chesterfield, Îles island group NW New Caledonia
9 O9 Chesterfield Inlet Nunavut, NW Canada
9 O9 Chesterfield Inlet inlet Nunavut, N Canada
21 Y3 Chester River ≈ Delaware/Maryland, NE USA
21 X3 Chestertown Maryland, NE USA
19 R4 Chesuncook Lake ◎ Maine, NE USA
30 J5 Chetek Wisconsin, N USA
13 R14 Chéticamp Nova Scotia, SE Canada
27 Q8 Chetopa Kansas, C USA
41 Y14 Chetumal var. Payo Obispo. Quintana Roo, SE Mexico
Chetumal, Bahia/Chetumal, Bahía de see Chetumal Bay
42 G1 Chetumal Bay var. Bahia Chetumal, Bahía de Chetumal. bay Belize/Mexico
10 M13 Chetwynd British Columbia, W Canada
38 M11 Chevak Alaska, USA
36 M12 Chevelon Creek ≈ Arizona, SW USA
185 J17 Cheviot Canterbury, South Island, NZ
96 L13 Cheviot Hills hill range England/Scotland, UK
96 L13 Cheviot, The ▲ NE England, UK
14 M11 Chevreuil, Lac du ◎ Québec, SE Canada
81 I16 Ch'ew Bahir var. Lake Stefanie. ◎ Ethiopia/Kenya
32 L7 Chewelah Washington, NW USA
26 K10 Cheyenne Oklahoma, C USA
33 Z17 Cheyenne state capital Wyoming, C USA
26 L5 Cheyenne Bottoms ◎ Kansas, C USA
16 J8 Cheyenne River ≈ South Dakota/Wyoming, N USA
37 W5 Cheyenne Wells Colorado, C USA
108 C9 Cheyres Vaud, W Switzerland
Chezdi-Oşorheiu see Târgu Secuiesc
153 P13 Chhapra prev. Chapra. Bihār, N India
153 V13 Chhatak var. Chatak. Chittagong, NE Bangladesh
154 J9 Chhatarpur Madhya Pradesh, C India
154 N13 Chhatrapur prev. Chatrapur; Orissa, E India
154 L12 Chhattisgarh plain C India
154 K12 Chhattisgarh ⬖ state E India
154 I11 Chhindwāra Madhya Pradesh, C India
153 T12 Chhukha SW Bhutan
161 S14 Chiai var. Chia-i, Chiayi, Kiayi, Jiayi, Jap. Kagi. C Taiwan
Chia-mu-ssu see Jiamusi
83 B15 Chiange Port. Vila de Almoster. Huíla, SW Angola
Chiang-hsi see Jiangxi
161 S12 Chiang Kai-shek × (T'aipei) N Taiwan
167 P8 Chiang Khan Loei, E Thailand
167 O7 Chiang Mai var. Chiangmai, Chiengmai, Kiangmai. Chiang Mai, NW Thailand
167 O7 Chiang Mai × Chiang Mai, NW Thailand
167 O6 Chiang Rai var. Chianpai, Chienrai, Muang Chiang Rai. Chiang Rai, NW Thailand
Chiang-su see Jiangsu
Chianning/Chian-ning see Nanjing
Chianpai see Chiang Rai
106 G12 Chianti cultural region C Italy
Chiapa see Chiapa de Corzo
41 U16 Chiapa de Corzo var. Chiapa. Chiapas, SE Mexico
41 V16 Chiapas ⬖ state SE Mexico
106 J12 Chiaravalle Marche, C Italy
107 N22 Chiaravalle Centrale Calabria, SW Italy
106 E7 Chiari Lombardia, N Italy
108 H12 Chiasso Ticino, S Switzerland
137 S9 Chiat'ura C Georgia
41 P15 Chiautla var. Chiautla de Tapia. Puebla, S Mexico
Chiautla de Tapia see Chiautla
106 D10 Chiavari Liguria, NW Italy
106 E6 Chiavenna Lombardia, N Italy
Chiayi see Chiai
Chiazza see Piazza Armerina
165 O13 Chiba var. Tiba. Chiba, Honshū, S Japan
165 O14 Chiba off. Chiba-ken, var. Tiba. ⬖ prefecture Honshū, S Japan
83 M18 Chibabava Sofala, C Mozambique
161 O10 Chibi prev. Puqi. Hubei, C China
83 B15 Chibia Port. João de Almeida, Vila João de Almeida. Huíla, SW Angola
83 M18 Chiboma Sofala, C Mozambique
82 J12 Chibondo Luapula, N Zambia
82 K11 Chibote Luapula, NE Zambia
12 K12 Chibougamau Québec, SE Canada
164 H11 Chiburi-jima island Oki-shotō, SW Japan
83 M20 Chibuto Gaza, S Mozambique
31 N11 Chicago Illinois, N USA
31 N11 Chicago Heights Illinois, N USA
15 W6 Chic-Chocs, Monts Eng. Shickshock Mountains. ▲ Québec, SE Canada
39 W13 Chichagof Island island Alexander Archipelago, Alaska, USA
57 K20 Chichas, Cordillera de ▲ SW Bolivia
41 X12 Chichén-Itzá, Ruinas ruins Yucatán, SE Mexico
97 N23 Chichester SE England, UK
42 C5 Chichicastenango Quiché, W Guatemala
42 I9 Chichigalpa Chinandega, NW Nicaragua
Ch'i-ch'i-ha-erh see Qiqihar
165 X16 Chichijima-rettō Eng. Beechy Group. island group SE Japan
54 K4 Chichiriviche Falcón, N Venezuela
39 R11 Chickaloon Alaska, USA
20 L10 Chickamauga Lake ⊞ Tennessee, S USA
23 N7 Chickasawhay River ≈ Mississippi, S USA
26 M11 Chickasha Oklahoma, C USA
39 T9 Chicken Alaska, USA
104 J16 Chiclana de la Frontera Andalucía, S Spain
56 B11 Chiclayo Lambayeque, NW Peru
35 N5 Chico California, W USA
83 L15 Chicoa Tete, NW Mozambique
83 M20 Chicomo Gaza, S Mozambique
18 M11 Chicopee Massachusetts, NE USA
63 I19 Chico, Río ≈ SE Argentina
63 I21 Chico, Río ≈ S Argentina
27 W14 Chicot, Lake ◎ Arkansas, C USA
15 R7 Chicoutimi Québec, SE Canada
15 Q8 Chicoutimi ≈ Québec, SE Canada
83 L19 Chicualacuala Gaza, SW Mozambique
83 B14 Chicuma Benguela, C Angola
155 J21 Chidambaram Tamil Nādu, SE India
196 K13 Chidley, Cape headland Newfoundland and Labrador, E Canada
101 N24 Chiemsee ◎ SE Germany
Chiengmai see Chiang Mai
Chienrai see Chiang Rai
106 B8 Chieri Piemonte, NW Italy
106 F8 Chiese ≈ N Italy
107 K14 Chieti var. Teate. Abruzzo, C Italy
99 E19 Chièvres Hainaut, SW Belgium
163 S12 Chifeng var. Ulanhad. Nei Mongol Zizhiqu, N China
82 F13 Chifumage ≈ E Angola
82 M13 Chifunda Eastern, NE Zambia
145 S14 Chiganak var. Čiganak. Zhambyl, SE Kazakhstan
39 P15 Chiginagak, Mount ▲ Alaska, USA
Chigirin see Chyhyryn
41 P13 Chignahuapan Puebla, S Mexico
39 O15 Chignik Alaska, USA
83 M19 Chigombe ≈ S Mozambique
54 D7 Chigorodó Antioquia, NW Colombia
83 M19 Chigubo Gaza, S Mozambique
162 D6 Chihertey Bayan-Ölgiy, W Mongolia
Chih-fu see Yantai
Chihli see Hebei
Chihli, Gulf of see Bo Hai
40 J6 Chihuahua Chihuahua, NW Mexico
40 I6 Chihuahua ⬖ state N Mexico
145 O15 Chiili Kzylorda, S Kazakhstan
26 M7 Chikaskia River ≈ Kansas/Oklahoma, C USA
155 H19 Chik Ballāpur Karnātaka, W India
124 G15 Chikhachevo Pskovskaya Oblast', W Russian Federation
155 F19 Chikmagalūr Karnātaka, W India
83 J15 Chikumbi Lusaka, C Zambia
82 M13 Chikwa Eastern, NE Zambia
Chikwana see Chikwawa
83 N15 Chikwawa var. Chikwana. Southern, S Malawi
155 J16 Chilakalūrupet Andhra Pradesh, E India
146 L14 Chilan Lebap Welaýaty, E Turkmenistan
Chilapa see Chilapa de Alvarez
41 P16 Chilapa de Alvarez var. Chilapa. Guerrero, S Mexico
155 J25 Chilaw North Western Province, W Sri Lanka
57 D15 Chilca Lima, W Peru
23 Q4 Childersburg Alabama, S USA
25 P4 Childress Texas, SW USA
63 G14 Chile off. Republic of Chile. ◆ republic SW South America
193 U10 Chile Basin undersea feature E Pacific Ocean
63 H20 Chile Chico Aisén, W Chile
62 I9 Chilecito La Rioja, NW Argentina
62 H12 Chilecito Mendoza, W Argentina
83 L14 Chilembwe Eastern, E Zambia
193 S11 Chile Rise undersea feature SE Pacific Ocean
117 N13 Chilia Braţul ≈ SE Romania
Chilia-Nouă see Kiliya
145 V15 Chilik Almaty, SE Kazakhstan
145 V15 Chilik ≈ SE Kazakhstan
154 O13 Chilika Lake var. Chilka Lake. ◎ E India
82 J13 Chililabombwe Copperbelt, C Zambia
Chi-lin see Jilin
Chilka Lake see Chilika Lake
10 H9 Chilkoot Pass pass British Columbia, W Canada
Chill Ala, Cuan see Killala Bay
62 G13 Chillán Bío Bío, C Chile
61 C22 Chillar Buenos Aires, E Argentina
Chill Chiaráin, Cuan see Kilkieran Bay
30 K12 Chillicothe Illinois, N USA
27 S3 Chillicothe Missouri, C USA
31 S14 Chillicothe Ohio, N USA
25 Q4 Chillicothe Texas, SW USA
10 M17 Chilliwack British Columbia, SW Canada
Chill Mhantáin, Ceann see Wicklow Head
Chill Mhantáin, Sléibhte see Wicklow Mountains
108 C10 Chillon Vaud, W Switzerland
Chil'mamedkum, Peski/Chilmämetgum see Çilmämmetgum
63 F17 Chiloé, Isla de var. Isla Grande de Chiloé. island W Chile
32 H15 Chiloquin Oregon, NW USA
41 O16 Chilpancingo var. Chilpancingo de los Bravos. Guerrero, S Mexico
Chilpancingo de los Bravos see Chilpancingo
97 N21 Chiltern Hills hill range S England, UK
30 M7 Chilton Wisconsin, N USA
82 F11 Chiluage Lunda Sul, NE Angola
82 N12 Chilumba prev. Deep Bay. Northern, N Malawi
161 T12 Chilung var. Keelung, Jap. Kirun, Kirun'; prev. Sp. Santissima Trinidad. N Taiwan
83 N15 Chilwa, Lake var. Lago Chirua, Lake Shirwa. ◎ SE Malawi
167 R10 Chi, Mae Nam ≈ E Thailand
42 C6 Chimaltenango Chimaltenango, C Guatemala
42 A2 Chimaltenango off. Departamento de Chimaltenango. ⬖ department S Guatemala
43 V15 Chimán Panamá, E Panama
83 M17 Chimanimani prev. Mandidzudzure, Melsetter. Manicaland, E Zimbabwe
99 G22 Chimay Hainaut, S Belgium
37 S10 Chimayo New Mexico, SW USA
Chimbay see Chimboy
56 A13 Chimborazo ⬖ province C Ecuador
56 C7 Chimborazo ☒ C Ecuador
56 C12 Chimbote Ancash, W Peru
146 H7 Chimboy Rus. Chimbay. Qoraqalpog'iston Respublikasi, NW Uzbekistan
186 D7 Chimbu ⬖ province C PNG
54 F6 Chimichagua Cesar, N Colombia
Chimishliya see Cimişlia
Chimkent see Shymkent
Chimkentskaya Oblast' see Yuzhnyy Kazakhstan
28 I14 Chimney Rock rock Nebraska, C USA
83 M17 Chimoio Manica, C Mozambique
82 K11 Chimpembe Northern, NE Zambia
41 O8 China Nuevo León, NE Mexico
156 M9 China off. People's Republic of China, Chin. Chung-hua Jen-min Kung-ho-kuo, Zhonghua Renmin Gongheguo; prev. Chinese Empire. ◆ republic E Asia
19 Q7 China Lake ◎ Maine, NE USA
42 F8 Chinameca San Miguel, E El Salvador
Chi-nan/Chinan see Jinan
42 H9 Chinandega Chinandega, NW Nicaragua
42 H9 Chinandega ⬖ department NW Nicaragua
China, People's Republic of see China
China, Republic of see Taiwan

◆ Country ● Country Capital ◇ Dependent Territory ○ Dependent Territory Capital ⬖ Administrative Region × International Airport ▲ Mountain ▲ Mountain Range ☒ Volcano ≈ River ◎ Lake ⊞ Reservoir

CHINATI MOUNTAINS – CÎMPULUNG ••• 237

24 J11 **Chinati Mountains** ▲ Texas, SW USA
Chinaz *see* Chinoz
57 E15 **Chincha Alta** Ica, SW Peru
11 N11 **Chinchaga** ~ Alberta, SW Canada
Chin-chiang *see* Quanzhou
Chinchilla *see* Chinchilla de Monte Aragón
105 Q11 **Chinchilla de Monte Aragón** *var.* Chinchilla. Castilla-La Mancha, C Spain
54 D10 **Chinchiná** Caldas, W Colombia
105 O8 **Chinchón** Madrid, C Spain
41 Z14 **Chinchorro, Banco** *island* SE Mexico
Chin-chou/Chinchow *see* Jinzhou
21 Z5 **Chincoteague** Assateague Island, Virginia, NE USA
83 O17 **Chinde** Zambézia, NE Mozambique
163 X17 **Chin-do** *Jap.* Chin-tō. *island* SW South Korea
159 R13 **Chindu** *var.* Chuqung. Qinghai, C China
166 M2 **Chindwin** ~ N Myanmar
Chinese Empire *see* China
Ch'ing Hai *see* Qinghai Hu
Chinghai *see* Qinghai
Chingildi *see* Shengeldi
144 H9 **Chingirlau** *Kaz.* Shyngghyrlaū. Zapadnyy Kazakhstan, W Kazakhstan
82 J13 **Chingola** Copperbelt, C Zambia
Ching-Tao/Ch'ing-tao *see* Qingdao
82 C13 **Chinguar** Huambo, C Angola
76 I7 **Chinguețți** *var.* Chinguetti. Adrar, C Mauritania
163 Z16 **Chinhae** *Jap.* Chinkai. S South Korea
166 K4 **Chin Hills** ▲ W Myanmar
83 K16 **Chinhoyi** *prev.* Sinoia. Mashonaland West, N Zimbabwe
Chinhsien *see* Jinzhou
39 Q14 **Chiniak, Cape** *headland* Kodiak Island, Alaska, USA
14 G10 **Chiniguchi Lake** ◎ Ontario, S Canada
149 U8 **Chiniot** Punjab, NE Pakistan
163 Y16 **Chinju** *Jap.* Shinshū. S South Korea
Chinkai *see* Chinhae
78 M13 **Chinko** ~ E Central African Republic
37 O9 **Chinle** Arizona, SW USA
161 R13 **Chinmen Tao** *var.* Jinmen Dao, Quemoy. *island* W Taiwan
Chinnchâr *see* Shinshār
Chinnereth *see* Tiberias, Lake
164 C12 **Chino** *var.* Tino. Nagano, Honshū, S Japan
102 L8 **Chinon** Indre-et-Loire, C France
33 T7 **Chinook** Montana, NW USA
Chinook State *see* Washington
192 L4 **Chinook Trough** *undersea feature* N Pacific Ocean
36 K11 **Chino Valley** Arizona, SW USA
147 P10 **Chinoz** *Rus.* Chinaz. Toshkent Viloyati, E Uzbekistan
82 L12 **Chinsali** Northern, NE Zambia
166 K5 **Chin State** ◆ *state* W Myanmar
Chinsura *see* Chunchura
Chin-tō *see* Chin-do
54 E6 **Chinú** Córdoba, NW Colombia
99 K24 **Chiny, Forêt de** *forest* SE Belgium
83 M15 **Chioco** Tete, NW Mozambique
106 H8 **Chioggia** *anc.* Fossa Claudia. Veneto, NE Italy
114 H12 **Chionótrypa** ▲ NE Greece
115 L18 **Chíos** *var.* Hios, Khíos, *It.* Scio, *Turk.* Sakiz-Adasi. Chíos, E Greece
115 K18 **Chíos** *var.* Khíos. *island* E Greece
83 M14 **Chipata** *prev.* Fort Jameson. Eastern, E Zambia
83 C14 **Chipindo** Huíla, C Angola
23 R8 **Chipley** Florida, SE USA
155 D15 **Chiplūn** Mahārāshtra, W India
81 H22 **Chipogolo** Dodoma, C Tanzania
23 R8 **Chipola River** ~ Florida, SE USA
97 L22 **Chippenham** S England, UK
30 J6 **Chippewa Falls** Wisconsin, N USA
30 J4 **Chippewa, Lake** ⊞ Wisconsin, N USA
31 Q8 **Chippewa River** ~ Michigan, N USA
30 I6 **Chippewa River** ~ Wisconsin, N USA
Chipping Wycombe *see* High Wycombe
114 G8 **Chiprovtsi** Montana, NW Bulgaria
19 T4 **Chiputneticook Lakes** *lakes* Canada/USA
56 D13 **Chiquián** Ancash, W Peru
41 Y11 **Chiquilá** Quintana Roo, SE Mexico
42 E6 **Chiquimula** Chiquimula, SE Guatemala
42 A3 **Chiquimula** *off.* Departamento de Chiquimula. ◆ *department* SE Guatemala
42 D7 **Chiquimulilla** Santa Rosa, S Guatemala
54 F9 **Chiquinquirá** Boyacá, C Colombia
155 J17 **Chīrāla** Andhra Pradesh, E India
149 N4 **Chīras** Ghowr, N Afghanistan
152 H11 **Chirāwa** Rājasthān, N India
Chirchik *see* Chirchiq
147 Q9 **Chirchiq** *Rus.* Chirchik. Toshkent Viloyati, E Uzbekistan
147 P10 **Chirchiq** ~ E Uzbekistan
Chire *see* Shire
83 L18 **Chiredzi** Masvingo, SE Zimbabwe
25 X8 **Chireno** Texas, SW USA
77 X7 **Chirfa** Agadez, NE Niger
37 O16 **Chiricahua Mountains** ▲ Arizona, SW USA
37 O16 **Chiricahua Peak** ▲ Arizona, SW USA
54 F6 **Chiriguaná** Cesar, N Colombia
39 P15 **Chirikof Island** *island* Alaska, USA
43 P16 **Chiriquí** *off.* Provincia de Chiriquí. ◆ *province* SW Panama
43 P17 **Chiriquí, Golfo de** *Eng.* Chiriqui Gulf. *gulf* SW Panama
43 P15 **Chiriquí Grande** Bocas del Toro, W Panama
Chiriqui Gulf *see* Chiriquí, Golfo de
43 P15 **Chiriquí, Laguna de** *lagoon* NW Panama
43 O16 **Chiriquí Viejo, Río** ~ W Panama
Chiriquí, Volcán de *see* Barú, Volcán
83 N15 **Chiromo** Southern, S Malawi
114 J10 **Chirpan** Stara Zagora, C Bulgaria
43 N14 **Chirripó Atlántico, Río** ~ E Costa Rica
Chirripó, Cerro *see* Chirripó Grande, Cerro
43 N14 **Chirripó Grande, Cerro** *var.* Cerro Chirripó. ▲ SE Costa Rica
43 N13 **Chirripó, Río** *var.* Río Chirripó del Pacífico. ~ NE Costa Rica
Chirua, Lago *see* Chilwa, Lake
83 J15 **Chirundu** Southern, S Zambia
29 W8 **Chisago City** Minnesota, N USA
83 J14 **Chisamba** Central, C Zambia
39 T10 **Chisana** Alaska, USA
82 I13 **Chisasa** North Western, NW Zambia
12 I9 **Chisasibi** Québec, C Canada
42 D4 **Chisec** Alta Verapaz, C Guatemala
127 U5 **Chishmy** Respublika Bashkortostan, W Russian Federation
29 V4 **Chisholm** Minnesota, N USA
160 I11 **Chishui He** ~ C China
Chisimaio/Chisimayu *see* Kismaayo
117 N10 **Chişinău** *Rus.* Kishinev. ● (Moldova) C Moldova
117 N10 **Chişinău** × S Moldova
Chişinău-Criş *see* Chişineu-Criş
116 F10 **Chişineu-Criş** *Hung.* Kışjenő; *prev.* Chişinău-Criş. Arad, W Romania
83 K14 **Chisomo** Central, C Zambia
106 A8 **Chisone** ~ NW Italy
24 K12 **Chisos Mountains** ▲ Texas, SW USA
149 U10 **Chistiān Mandi** Punjab, E Pakistan
39 T10 **Chistochina** Alaska, USA
127 R4 **Chistopol'** Respublika Tatarstan, W Russian Federation
145 O8 **Chistopol'ye** Severnyy Kazakhstan, N Kazakhstan
123 O13 **Chita** Chitinskaya Oblast', S Russian Federation
83 B16 **Chitado** Cunene, SW Angola
Chitaldroog/Chitaldrug *see* Chitradurga
83 C15 **Chitanda** ~ S Angola
Chitangwiza *see* Chitungwiza
82 F10 **Chitato** Lunda Norte, NE Angola
83 C14 **Chitembo** Bié, C Angola
39 T11 **Chitina** Alaska, USA
39 T11 **Chitina River** ~ Alaska, USA
123 O12 **Chitinskaya Oblast'** ◆ *province* S Russian Federation
82 M11 **Chitipa** Northern, NW Malawi
165 S4 **Chitose** *var.* Titose. Hokkaidō, NE Japan
155 G18 **Chitradurga** *prev.* Chitaldroog, Chitaldrug. Karnātaka, W India
149 T3 **Chitrāl** North-West Frontier Province, NW Pakistan
43 S16 **Chitré** Herrera, S Panama
153 V16 **Chittagong** *Ben.* Chāttagām. Chittagong, SE Bangladesh
153 U16 **Chittagong** ◆ *division* E Bangladesh
153 Q15 **Chittaranjan** West Bengal, NE India
152 G14 **Chittaurgarh** Rājasthān, N India
155 I19 **Chittoor** Andhra Pradesh, E India
155 G21 **Chittūr** Kerala, SW India
83 K16 **Chitungwiza** *prev.* Chitangwiza. Mashonaland East, NE Zimbabwe
62 H4 **Chíuchíu** Antofagasta, N Chile
82 F12 **Chiumbe** *var.* Tshiumbe. ~ Angola/Dem. Rep. Congo
83 F15 **Chiume** Moxico, E Angola
82 K13 **Chiundaponde** Northern, NE Zambia
106 H13 **Chiusi** Toscana, C Italy
54 J5 **Chivacoa** Yaracuy, N Venezuela
106 B8 **Chivasso** Piemonte, NW Italy
83 L17 **Chivhu** *prev.* Enkeldoorn. Midlands, C Zimbabwe
61 C20 **Chivilcoy** Buenos Aires, E Argentina
82 N12 **Chiweta** Northern, N Malawi
42 D4 **Chixoy, Río** *var.* Río Negro, Río Salinas. ~ Guatemala/Mexico
82 H13 **Chizela** North Western, NW Zambia
125 O5 **Chizha** Nenetskiy Avtonomnyy Okrug, NW Russian Federation
161 Q9 **Chizhou** *var.* Guichi. Anhui, E China
164 I12 **Chizu** Tottori, Honshū, SW Japan
Chkalov *see* Orenburg
74 J5 **Chlef** *var.* Ech Cheliff, Ech Chleff; *prev.* Al-Asnam, El Asnam, Orléansville. NW Algeria
115 G18 **Chlómo** ▲ C Greece
111 M15 **Chmielnik** Świętokrzyskie, C Poland
167 S11 **Chŏâm Khsant** Preăh Vihéar, N Cambodia
62 G10 **Choapa, Río** *var.* Choapo. ~ C Chile
Choapas *see* Las Choapas
Choarta *see* Chwārtā
83 H17 **Chobe** ◆ *district* NE Botswana
14 K8 **Chochocouane** ~ Québec, SE Canada
110 E13 **Chocianów** *Ger.* Kotzenan. Dolnośląskie, SW Poland
54 C9 **Chocó** *off.* Departamento del Chocó. ◆ *province* W Colombia
35 X16 **Chocolate Mountains** ▲ California, W USA
21 W9 **Chocowinity** North Carolina, SE USA
27 N10 **Choctaw** Oklahoma, C USA
23 Q8 **Choctawhatchee Bay** *bay* Florida, SE USA
23 Q8 **Choctawhatchee River** ~ Florida, SE USA
Chodau *see* Chodov
163 V14 **Chŏ-do** *island* SW North Korea
Chodorów *see* Khodoriv
111 A16 **Chodov** *Ger.* Chodau. Karlovarský Kraj, W Czech Republic
110 G10 **Chodzież** Wielkopolskie, C Poland
63 J15 **Choele Choel** Río Negro, C Argentina
83 L14 **Chofombo** Tete, NW Mozambique
Chohtan *see* Chauhtan
11 U14 **Choiceland** Saskatchewan, C Canada
186 K8 **Choiseul** *var.* Lauru. *island* NW Solomon Islands
63 M23 **Choiseul Sound** *sound* East Falkland, Falkland Islands
40 H7 **Choix** Sinaloa, C Mexico
110 D10 **Chojna** Zachodnio-pomorskie, W Poland
110 H8 **Chojnice** *Ger.* Konitz. Pomorskie, N Poland
111 F14 **Chojnów** *Ger.* Hainau, Haynau. Dolnośląskie, SW Poland
167 Q10 **Chok Chai** Nakhon Ratchasima, C Thailand
80 I12 **Ch'ok'ē** *var.* Choke Mountains. ▲ NW Ethiopia
25 R13 **Choke Canyon Lake** ⊞ Texas, SW USA
Choke Mountains *see* Ch'ok'ē
145 T15 **Chokpar** *Kaz.* Shoqpar. Zhambyl, S Kazakhstan
147 W7 **Chok-Tal** *var.* Choktal. Issyk-Kul'skaya Oblast', E Kyrgyzstan
Chókué *see* Chokwé
123 R7 **Chokurdakh** Respublika Sakha (Yakutiya), NE Russian Federation
83 L20 **Chokwé** *var.* Chókué. Gaza, S Mozambique
188 F8 **Chol** Babeldaob, N Palau
160 E8 **Chola Shan** ▲ C China
102 J8 **Cholet** Maine-et-Loire, NW France
63 H17 **Cholila** Chubut, W Argentina
Cholo *see* Thyolo
147 V8 **Cholpon** Narynskaya Oblast', C Kyrgyzstan
147 X7 **Cholpon-Ata** Issyk-Kul'skaya Oblast', E Kyrgyzstan
41 P14 **Cholula** Puebla, S Mexico
42 I8 **Choluteca** Choluteca, S Honduras
42 H8 **Choluteca** ◆ *department* S Honduras
42 G6 **Choluteca, Río** ~ SW Honduras
83 I15 **Choma** Southern, S Zambia
153 T11 **Chomo Lhari** ▲ NW Bhutan
167 N7 **Chom Thong** Chiang Mai, NW Thailand
111 B15 **Chomutov** *Ger.* Komotau. Ústecký Kraj, NW Czech Republic
123 N11 **Chona** ~ C Russian Federation
163 X15 **Ch'ŏnan** *Jap.* Tenan. W South Korea
167 P11 **Chon Buri** *prev.* Bang Pla Soi. Chon Buri, S Thailand
56 B6 **Chone** Manabí, W Ecuador
163 W13 **Ch'ŏngch'ŏn-gang** ~ W North Korea
163 Y11 **Ch'ŏngjin** NE North Korea
163 W13 **Chŏngju** W North Korea
161 S8 **Chongming Dao** *island* E China
160 J10 **Chongqing** *var.* Ch'ung-ching, Ch'ung-ch'ing, Chungking, Pahsien, Tchongking, Yuzhou. Chongqing Shi, C China
Chŏngup *see* Chŏnju
161 O10 **Chongyang** *var.* Tiancheng. Hubei, C China
160 J15 **Chongzuo** Guangxi Zhuangzu Zizhiqu, S China
163 Y16 **Chŏnju** *prev.* Chŏngup, *Jap.* Seiyu. SW South Korea
163 Y15 **Chŏnju** *Jap.* Zenshū. SW South Korea
Chonnacht *see* Connaught
163 Q9 **Chonogol** Sühbaatar, E Mongolia
63 F19 **Chonos, Archipiélago de los** *island group* S Chile
42 K10 **Chontales** ◆ *department* S Nicaragua
167 T13 **Chơn Thanh** Sông Be, S Vietnam
158 K17 **Cho Oyu** *var.* Qowowuyag. ▲ China/Nepal
116 G7 **Chop** *Cz.* Čop, *Hung.* Csap. Zakarpats'ka Oblast', W Ukraine
21 Y3 **Choptank River** ~ Maryland, NE USA
Chorcaí, Cuan *see* Cork Harbour
43 P15 **Chorcha, Cerro** ▲ W Panama
Chorku *see* Chorkŭh
147 R11 **Chorkŭh** *Rus.* Chorku. N Tajikistan
97 K17 **Chorley** NW England, UK
Chorne More *see* Black Sea
117 R5 **Chornobay** Cherkas'ka Oblast', C Ukraine
117 O3 **Chornobyl'** *Rus.* Chernobyl'. Kyyivs'ka Oblast', N Ukraine
117 R12 **Chornomors'ke** *Rus.* Chernomorskoye. Respublika Krym, S Ukraine
117 R4 **Chornukhy** Poltavs'ka Oblast', C Ukraine
Chorokh/Chorokhi *see* Coruh Nehri
110 O9 **Choroszcz** Podlaskie, NE Poland
116 K6 **Chortkiv** *Rus.* Chortkov. Ternopil's'ka Oblast', W Ukraine
Chortkov *see* Chortkiv
Chorum *see* Çorum
110 M9 **Chorzele** Mazowieckie, C Poland
111 J16 **Chorzów** *Ger.* Königshütte; *prev.* Królewska Huta. Śląskie, S Poland
163 W12 **Ch'osan** N North Korea
Chośebuz *see* Cottbus
Chōsen-kaikyō *see* Korea Strait
164 P14 **Chōshi** *var.* Tyôsi. Chiba, Honshū, S Japan
63 H14 **Chos Malal** Neuquén, W Argentina
Chosŏn-minjujuŭi-inmin-kanghwaguk *see* North Korea
110 E9 **Choszczno** *Ger.* Arnswalde. Zachodnio-pomorskie, NW Poland
153 O15 **Chota Nāgpur** *plateau* N India
33 R8 **Choteau** Montana, NW USA
Chotqol *see* Chatkal
14 M8 **Chouart** ~ Québec, SE Canada
76 I7 **Choûm** Adrar, C Mauritania
27 Q9 **Chouteau** Oklahoma, C USA
21 X8 **Chowan River** ~ North Carolina, SE USA
35 Q10 **Chowchilla** California, W USA
163 P7 **Choybalsan** *prev.* Bayan Tumen. Dornod, E Mongolia
162 M9 **Choyr** Govĭ Sümber, C Mongolia
185 I19 **Christchurch** Canterbury, South Island, NZ
97 M24 **Christchurch** S England, UK
185 I18 **Christchurch** × Canterbury, South Island, NZ
44 J12 **Christiana** C Jamaica
83 H22 **Christiana** Free State, C South Africa
115 J23 **Christiáni** *island* Kykládes, Greece, Aegean Sea
Christiania *see* Oslo
14 G13 **Christian Island** *island* Ontario, S Canada
191 P16 **Christian, Point** *headland* Pitcairn Island, Pitcairn Islands
38 M11 **Christian River** ~ Alaska, USA
Christiansand *see* Kristiansand
21 S7 **Christiansburg** Virginia, NE USA
95 G23 **Christiansfeld** Sønderjylland, SW Denmark
Christianshåb *see* Qasigiannguit
39 X14 **Christian Sound** *inlet* Alaska, USA
45 T9 **Christiansted** Saint Croix, S Virgin Islands (US)
Christiansund *see* Kristiansund
25 R13 **Christine** Texas, SW USA
173 U7 **Christmas Island** ◇ *Australian external territory* E Indian Ocean
Christmas Island *see* Kiritimati
192 M7 **Christmas Ridge** *undersea feature* C Pacific Ocean
30 L16 **Christopher** Illinois, N USA
25 P9 **Christoval** Texas, SW USA
111 F17 **Chrudim** Pardubický Kraj, C Czech Republic
115 K25 **Chrýsi** *island* SE Greece
121 N2 **Chrysochoú, Kólpos** *var.* Khrysokhou Bay. *bay* E Mediterranean Sea
114 I13 **Chrysoúpoli** *var.* Hrisoupoli; *prev.* Khrisoúpolis. Anatolikí Makedonía kai Thráki, NE Greece
111 K16 **Chrzanów** *var.* Chrzanow, *Ger.* Zaumgarten. Śląskie, S Poland
145 R15 **Chu** *Kaz.* Shū. ~ Kazakhstan/Kyrgyzstan
42 C5 **Chuacús, Sierra de** ▲ W Guatemala
153 S15 **Chuadanga** Khulna, W Bangladesh
Chuan *see* Sichuan
Ch'uan-chou *see* Quanzhou
39 O11 **Chuathbaluk** Alaska, USA
Chubek *see* Moskva
63 I17 **Chubut** *off.* Provincia de Chubut. ◆ *province* S Argentina
63 I17 **Chubut, Río** ~ SE Argentina
43 V15 **Chucanti, Cerro** ▲ E Panama
Ch'u-chiang *see* Shaoguan
43 W15 **Chucunaque, Río** ~ E Panama
Chudin *see* Chudzin
116 M5 **Chudniv** Zhytomyrs'ka Oblast', N Ukraine
124 H13 **Chudovo** Novgorodskaya Oblast', W Russian Federation
Chudskoye Ozero *see* Peipus, Lake
119 J18 **Chudzin** *Rus.* Chudin. Brestskaya Voblasts', SW Belarus
39 Q13 **Chugach Islands** *island group* Alaska, USA
39 S11 **Chugach Mountains** ▲ Alaska, USA
164 G12 **Chūgoku-sanchi** ▲ Honshū, SW Japan
Chugqênsumdo *see* Jigzhi
Chuguyev *see* Chuhuyiv
117 V5 **Chuhuyiv** *var.* Chuguyev. Kharkivs'ka Oblast', E Ukraine
61 H19 **Chuí** Rio Grande do Sul, S Brazil
Chuí *see* Chuy
145 S15 **Chu-Iliyskiye Gory** *Kaz.* Shū-Ile Taūlary. ▲ S Kazakhstan
Chukai *see* Cukai
Chukchi Avtonomnyy Okrug *see* Chukotskiy Avtonomnyy Okrug
Chukchi Peninsula *see* Chukotskiy Poluostrov
197 R6 **Chukchi Plain** *undersea feature* Arctic Ocean
197 R6 **Chukchi Plateau** *undersea feature* Arctic Ocean
197 R4 **Chukchi Sea** *Rus.* Chukotskoye More. *sea* Arctic Ocean
125 N14 **Chukhloma** Kostromskaya Oblast', NW Russian Federation
Chukotka *see* Chukotskiy Avtonomnyy Okrug
123 V6 **Chukotskiy Avtonomnyy Okrug** *var.* Chukchi Avtonomnyy Okrug, Chukotka. ◆ *autonomous district* NE Russian Federation
123 W5 **Chukotskiy, Mys** *headland* NE Russian Federation
123 V5 **Chukotskiy Poluostrov** *Eng.* Chukchi Peninsula. *peninsula* NE Russian Federation
Chukotskoye More *see* Chukchi Sea
Chukurkak *see* Chuqurqoq
Chulakkurgan *see* Sholakkorgan
35 U17 **Chula Vista** California, W USA
123 Q12 **Chul'man** Respublika Sakha (Yakutiya), NE Russian Federation
56 B9 **Chulucanas** Piura, NW Peru
122 J12 **Chulym** ~ C Russian Federation
152 K6 **Chumar** Jammu and Kashmir, N India
114 K9 **Chumerna** ▲ C Bulgaria
123 R12 **Chumikan** Khabarovskiy Kray, E Russian Federation
167 Q9 **Chum Phae** Khon Kaen, C Thailand
167 N13 **Chumphon** *var.* Jumporn. Chumphon, SW Thailand
167 O9 **Chumsaeng** *var.* Chum Saeng. Nakhon Sawan, C Thailand
122 L12 **Chuna** ~ C Russian Federation
161 R9 **Chun'an** *var.* Pailing. Zhejiang, SE China
161 S13 **Chunan** N Taiwan
163 Y14 **Ch'unch'ŏn** *Jap.* Shunsen. N South Korea
153 S16 **Chunchura** *prev.* Chinsura. West Bengal, NE India
145 W15 **Chundzha** Almaty, SE Kazakhstan
Ch'ung-ch'ing/Ch'ung-ching *see* Chongqing
Chung-hua Jen-min Kung-ho-kuo *see* China
163 Y15 **Ch'ungju** *Jap.* Chūshū. C South Korea
Chungking *see* Chongqing
161 T14 **Chungyang Shanmo** *Chin.* Taiwan Shan. ▲ C Taiwan
149 V9 **Chūniān** Punjab, E Pakistan
122 L12 **Chunskiy** Irkutskaya Oblast', S Russian Federation
122 M11 **Chunya** ~ C Russian Federation
124 J6 **Chupa** Respublika Kareliya, NW Russian Federation
125 P8 **Chuprovo** Respublika Komi, NW Russian Federation
57 G17 **Chuquibamba** Arequipa, SW Peru
62 H4 **Chuquicamata** Antofagasta, N Chile
57 L21 **Chuquisaca** ◆ *department* S Bolivia
Chuquisaca *see* Sucre
Chuqung *see* Chindu
146 I8 **Chuqurqoq** *Rus.* Chukurkak. Qoraqalpog'iston Respublikasi, NW Uzbekistan
127 T2 **Chur** Udmurtskaya Respublika, NW Russian Federation
108 I9 **Chur** *Fr.* Coire, *It.* Coira, *Rmsch.* Cuera, Quera; *anc.* Curia Rhaetorum. Graubünden, E Switzerland
123 Q10 **Churapcha** Respublika Sakha (Yakutiya), NE Russian Federation
11 V16 **Churchbridge** Saskatchewan, S Canada
21 O8 **Church Hill** Tennessee, S USA
11 X9 **Churchill** Manitoba, C Canada
11 X10 **Churchill** ~ Manitoba /Saskatchewan, C Canada
13 P9 **Churchill** ~ Newfoundland and Labrador, E Canada
11 Y9 **Churchill, Cape** *headland* Manitoba, C Canada
13 P9 **Churchill Falls** Newfoundland and Labrador, E Canada
11 S12 **Churchill Lake** ◎ Saskatchewan, C Canada
19 Q3 **Churchill Lake** ⊞ Maine, NE USA
194 I5 **Churchill Peninsula** *peninsula* Antarctica
22 H8 **Church Point** Louisiana, S USA
29 O3 **Churchs Ferry** North Dakota, N USA
146 G12 **Churchuri** Ahal Welaýaty, C Turkmenistan
21 T5 **Churchville** Virginia, NE USA
152 G10 **Chūru** Rājasthān, NW India
54 J4 **Churuguara** Falcón, N Venezuela
167 U11 **Chư Sê** Gia Lai, C Vietnam
144 L12 **Chushkakul, Gory** ▲ SW Kazakhstan
Chūshū *see* Ch'ungju
37 O9 **Chuska Mountains** ▲ Arizona/New Mexico, SW USA
Chu, Sông *see* Sam, Nam
125 V14 **Chusovoy** Permskaya Oblast', NW Russian Federation
147 R10 **Chust** Namangan Viloyati, E Uzbekistan
Chust *see* Khust
15 U6 **Chute-aux-Outardes** Québec, SE Canada
117 U5 **Chutove** Poltavs'ka Oblast', C Ukraine
189 O15 **Chuuk** *var.* Truk. ◆ *state* C Micronesia
189 P15 **Chuuk Islands** *var.* Hogoley Islands; *prev.* Truk Islands. *island group* Caroline Islands, C Micronesia
Chuvashia *see* charvash Respubliki
Chuvashskaya Respublika *see* charvash Respubliki
Chuwārtah *see* Chwārtā
Chu Xian/Chuxian *see* Chuzhou
160 G13 **Chuxiong** Yunnan, SW China
147 V7 **Chuy** Chuyskaya Oblast', N Kyrgyzstan
61 H19 **Chuy** *var.* Chuí. Rocha, E Uruguay
123 O11 **Chuya** Respublika Sakha (Yakutiya), NE Russian Federation
Chüy Oblasty *see* Chuyskaya Oblast'
147 U8 **Chuyskaya Oblast'** *Kir.* Chüy Oblasty. ◆ *province* N Kyrgyzstan
161 Q7 **Chuzhou** *var.* Chuxian, Chu Xian. Anhui, E China
139 U3 **Chwārtā** *var.* Choarta, Chuwārtah. NE Iraq
119 N16 **Chyhirynskaye Vodaskhovishcha** ⊞ E Belarus
117 R6 **Chyhyryn** *Rus.* Chigirin. Cherkas'ka Oblast', N Ukraine
Chyrvonaya Slabada *see* Krasnaya Slabada
119 L19 **Chyrvonaye, Vozyera** *Rus.* Ozero Chervonoye. ◎ SE Belarus
117 N11 **Ciadîr-Lunga** *var.* Ceadâr-Lunga, *Rus.* Chadyr-Lunga. S Moldova
169 P16 **Ciamis** *prev.* Tjiamis. Jawa, C Indonesia
107 I16 **Ciampino** × Lazio, C Italy
169 N16 **Cianjur** *prev.* Tjiandjoer. Jawa, C Indonesia
60 H10 **Cianorte** Paraná, S Brazil
Ciarraí *see* Kerry
112 N13 **Ćićevac** Serbia, E Serbia and Montenegro (Yugo.)
187 Z14 **Cicia** *prev.* Thithia. *island* Lau Group, E Fiji
105 P4 **Cidacos** ~ N Spain
136 I10 **Cide** Kastamonu, N Turkey
110 L10 **Ciechanów** *prev.* Zichenau. Mazowieckie, C Poland
110 O10 **Ciechanowiec** *Ger.* Rudelstadt. Podlaskie, E Poland
110 J10 **Ciechocinek** Kujawsko-pomorskie, C Poland
44 F6 **Ciego de Ávila** Ciego de Ávila, C Cuba
54 F4 **Ciénaga** Magdalena, N Colombia
54 E6 **Ciénaga de Oro** Córdoba, NW Colombia
44 E5 **Cienfuegos** Cienfuegos, C Cuba
104 F4 **Cíes, Illas** *island group* NW Spain
111 P16 **Cieszanów** Podkarpackie, SE Poland
111 J17 **Cieszyn** *Cz.* Těšín, *Ger.* Teschen. Śląskie, S Poland
105 R12 **Cieza** Murcia, SE Spain
136 F13 **Çifteler** Eskişehir, W Turkey
105 P7 **Cifuentes** Castilla-La Mancha, C Spain
Ciganak *see* Chiganak
105 P9 **Cigüela** ~ C Spain
136 H14 **Cihanbeyli** Konya, C Turkey
136 H14 **Cihanbeyli Yaylası** *plateau* C Turkey
104 L10 **Cíjara, Embalse de** ⊞ C Spain
169 P16 **Cikalong** Jawa, S Indonesia
169 N16 **Cikawung** Jawa, S Indonesia
187 Y13 **Cikobia** *prev.* Thikombia. *island* N Fiji
169 P17 **Cilacap** *prev.* Tjilatjap. Jawa, C Indonesia
173 O16 **Cilaos** C Réunion
137 S11 **Çıldır** Ardahan, NE Turkey
137 S11 **Çıldır Gölü** ◎ NE Turkey
160 M10 **Cili** Hunan, S China
121 V10 **Cilicia Trough** *undersea feature* E Mediterranean Sea
Cill Airne *see* Killarney
Cill Chainnigh *see* Kilkenny
Cill Chaoi *see* Kilkee
Cill Choca *see* Kilcock
Cill Dara *see* Kildare
105 N3 **Cilleruelo de Bezana** Castilla-León, N Spain
Cilli *see* Celje
Cill Mhantáin *see* Wicklow
Cill Rois *see* Kilrush
146 C11 **Çilmämmetgum** *Rus.* Peski Chil'mamedkum, *Turkm.* Chilmämetgum. *desert* W Turkmenistan
137 Z11 **Çiloy Adası** *Rus.* Ostrov Zhiloy. *island* E Azerbaijan
26 J6 **Cimarron** Kansas, C USA
37 T9 **Cimarron** New Mexico, SW USA
26 M9 **Cimarron River** ~ Kansas/Oklahoma, C USA
117 N11 **Cimişlia** *Rus.* Chimishliya. S Moldova
Cimpia Turzii *see* Câmpia Turzii
Cîmpina *see* Câmpina
Cîmpulung *see* Câmpulung

◆ Country ● Country Capital ◇ Dependent Territory ○ Dependent Territory Capital ◆ Administrative Region × International Airport ▲ Mountain ▲ Mountain Range ⩕ Volcano ~ River ◎ Lake ⊞ Reservoir

COLERAINE – CORIA ••• 239

97 F14 **Coleraine** *Ir.* Cúil Raithin. N Northern Ireland, UK
185 G18 **Coleridge, Lake** ◎ South Island, NZ
83 H24 **Colesberg** Northern Cape, C South Africa
22 H7 **Colfax** Louisiana, S USA
32 L9 **Colfax** Washington, NW USA
30 J6 **Colfax** Wisconsin, N USA
63 I19 **Colhué Huapí, Lago** ◎ S Argentina
45 Z6 **Colibris, Pointe des** *headland* Grande Terre, E Guadeloupe
106 D6 **Colico** Lombardia, N Italy
99 E14 **Colijnsplaat** Zeeland, SW Netherlands
40 L14 **Colima** Colima, S Mexico
40 K14 **Colima** ◈ *state* SW Mexico
40 L14 **Colima, Nevado de** ▲ C Mexico
59 M14 **Colinas** Maranhão, E Brazil
96 F10 **Coll** *island* W Scotland, UK
105 N7 **Collado Villalba** *var.* Villalba. Madrid, C Spain
183 R4 **Collarenebri** New South Wales, SE Australia
37 P5 **Collbran** Colorado, C USA
106 G12 **Colle di Val d'Elsa** Toscana, C Italy
39 R9 **College** Alaska, USA
32 K10 **College Place** Washington, NW USA
25 U10 **College Station** Texas, SW USA
183 P4 **Collerina** New South Wales, SE Australia
180 I13 **Collie** Western Australia
180 L4 **Collier Bay** *bay* Western Australia
21 F10 **Collierville** Tennessee, S USA
106 F11 **Collina, Passo della** *pass* C Italy
14 G14 **Collingwood** Ontario, S Canada
184 I13 **Collingwood** Tasman, South Island, NZ
22 L7 **Collins** Mississippi, S USA
30 K15 **Collinsville** Illinois, N USA
27 P9 **Collinsville** Oklahoma, C USA
20 H10 **Collinwood** Tennessee, S USA
Collipo *see* Leiria
63 G14 **Collipulli** Araucanía, C Chile
97 D16 **Collooney** *Ir.* Cúil Mhuine. NW Ireland
29 R10 **Colman** South Dakota, N USA
103 U6 **Colmar** *Ger.* Kolmar. Haut-Rhin, NE France
104 M15 **Colmenar** Andalucía, S Spain
Colmenar *see* Colmenar de Oreja
105 O9 **Colmenar de Oreja** *var.* Colmenar. Madrid, C Spain
105 N7 **Colmenar Viejo** Madrid, C Spain
25 X9 **Colmesneil** Texas, SW USA
Cöln *see* Köln
Colneceaste *see* Colchester
40 C3 **Colnet** Baja California, NW Mexico
59 G15 **Colniza** Mato Grosso, W Brazil
Cologne *see* Köln
42 B6 **Colomba** Quezaltenango, SW Guatemala
Colomb-Béchar *see* Béchar
54 E11 **Colombia** Huila, C Colombia
54 G10 **Colombia** *off.* Republic of Colombia. ◆ *republic* N South America
64 E12 **Colombian Basin** *undersea feature* SW Caribbean Sea
Colombie-Britannique *see* British Columbia
15 T6 **Colombier** Québec, SE Canada
155 J25 **Colombo** ● (Sri Lanka) Western Province, W Sri Lanka
155 J25 **Colombo** ✕ Western Province, SW Sri Lanka
29 N11 **Colome** South Dakota, N USA
61 D18 **Colon** Entre Ríos, E Argentina
61 B19 **Colón** Buenos Aires, E Argentina
44 D5 **Colón** Matanzas, C Cuba
43 T14 **Colón** *prev.* Aspinwall. Colón, C Panama
42 K5 **Colón** ◈ *department* NE Honduras
43 S15 **Colón** *off.* Provincia de Colón. ◈ *province* N Panama
57 A16 **Colón, Archipiélago de** *var.* Islas de los Galápagos, *Eng.* Galapagos Islands, Tortoise Islands. *island group* Ecuador, E Pacific Ocean
44 K5 **Colonel Hill** Crooked Island, SE Bahamas
40 B3 **Colonet, Cabo** *headland* NW Mexico
188 G14 **Colonia** Yap, W Micronesia
61 D19 **Colonia** ◈ *department* SW Uruguay
Colonia *see* Kolonia, Micronesia
Colonia *see* Colonia del Sacramento, Uruguay
Colonia Agrippina *see* Köln
61 D20 **Colonia del Sacramento** *var.* Colonia. Colonia, SW Uruguay
62 L8 **Colonia Dora** Santiago del Estero, N Argentina
Colonia Julia Fanestris *see* Fano
21 W5 **Colonial Beach** Virginia, NE USA
21 V6 **Colonial Heights** Virginia, NE USA
193 S7 **Colón Ridge** *undersea feature* E Pacific Ocean
96 F12 **Colonsay** *island* W Scotland, UK
57 K22 **Colorada, Laguna** ◎ SW Bolivia
37 R6 **Colorado** *off.* State of Colorado; also known as Centennial State, Silver State. ◈ *state* C USA
63 H22 **Colorado, Cerro** ▲ S Argentina
25 O7 **Colorado City** Texas, SW USA
36 M7 **Colorado Plateau** *plateau* W USA
61 A24 **Colorado, Río** ≈ E Argentina
43 N12 **Colorado, Río** ≈ NE Costa Rica
Colorado, Río *see* Colorado River
16 F12 **Colorado River** *var.* Río Colorado. ≈ Mexico/USA
16 K14 **Colorado River** ≈ Texas, SW USA
35 W15 **Colorado River Aqueduct** *aqueduct* California, W USA
44 A4 **Colorados, Archipiélago de los** *island group* NW Cuba
62 J9 **Colorados, Desagües de los** ◎ W Argentina
37 T5 **Colorado Springs** Colorado, C USA
40 L11 **Colotlán** Jalisco, SW Mexico
57 L19 **Colquechaca** Potosí, C Bolivia
23 S7 **Colquitt** Georgia, SE USA
29 R11 **Colton** South Dakota, N USA
32 M10 **Colton** Washington, NW USA
35 P8 **Columbia** California, W USA
30 K16 **Columbia** Illinois, N USA
20 L7 **Columbia** Kentucky, S USA
22 I6 **Columbia** Louisiana, S USA
21 W3 **Columbia** Maryland, NE USA
22 L7 **Columbia** Mississippi, S USA
27 U4 **Columbia** Missouri, C USA
21 Y9 **Columbia** North Carolina, SE USA
18 G16 **Columbia** Pennsylvania, NE USA
21 Q12 **Columbia** *state capital* South Carolina, SE USA
20 I9 **Columbia** Tennessee, S USA
32 J10 **Columbia** ≈ Canada/USA
32 K9 **Columbia Basin** *basin* Washington, NW USA
197 Q10 **Columbia, Cape** *headland* Ellesmere Island, Nunavut, NE Canada
31 Q12 **Columbia City** Indiana, N USA
21 W3 **Columbia, District of** ◈ *federal district* NE USA
33 P7 **Columbia Falls** Montana, NW USA
11 O15 **Columbia Icefield** *icefield* Alberta/British Columbia, S Canada
11 O15 **Columbia, Mount** ▲ Alberta/British Columbia, SW Canada
11 N15 **Columbia Mountains** ▲ British Columbia, SW Canada
23 P4 **Columbiana** Alabama, S USA
31 V12 **Columbiana** Ohio, N USA
32 M14 **Columbia Plateau** *plateau* Idaho/Oregon, NW USA
29 P7 **Columbia Road Reservoir** ⊠ South Dakota, N USA
65 K16 **Columbia Seamount** *undersea feature* C Atlantic Ocean
83 D25 **Columbine, Cape** *headland* SW South Africa
105 U9 **Columbretes, Islas** *island group* E Spain
23 R5 **Columbus** Georgia, SE USA
31 P14 **Columbus** Indiana, N USA
27 R7 **Columbus** Kansas, C USA
23 N4 **Columbus** Mississippi, S USA
33 U11 **Columbus** Montana, NW USA
29 Q15 **Columbus** Nebraska, C USA
37 Q16 **Columbus** New Mexico, SW USA
21 P10 **Columbus** North Carolina, SE USA
28 K2 **Columbus** North Dakota, N USA
31 S13 **Columbus** *state capital* Ohio, N USA
25 U11 **Columbus** Texas, SW USA
30 L8 **Columbus** Wisconsin, N USA
31 R12 **Columbus Grove** Ohio, N USA
29 Y15 **Columbus Junction** Iowa, C USA
44 J3 **Columbus Point** *headland* Cat Island, C Bahamas
35 T8 **Columbus Salt Marsh** *salt marsh* Nevada, W USA
35 N6 **Colusa** California, W USA
32 L7 **Colville** Washington, NW USA
184 M5 **Colville, Cape** *headland* North Island, NZ
184 M5 **Colville Channel** *channel* North Island, NZ
39 P6 **Colville River** ≈ Alaska, USA
97 J18 **Colwyn Bay** N Wales, UK
106 H9 **Comacchio** *var.* Commachio; *anc.* Comactium. Emilia-Romagna, N Italy
106 H9 **Comacchio, Valli di** *lagoon* Adriatic Sea, N Mediterranean Sea
Comactium *see* Comacchio
41 V17 **Comalapa** Chiapas, SE Mexico
41 U15 **Comalcalco** Tabasco, SE Mexico
63 H16 **Comallo** Río Negro, SW Argentina
26 M12 **Comanche** Oklahoma, C USA
25 R8 **Comanche** Texas, SW USA
194 H2 **Comandante Ferraz** *Brazilian research station* Antarctica
62 N6 **Comandante Fontana** Formosa, N Argentina
63 I22 **Comandante Luis Peidra Buena** Santa Cruz, S Argentina
59 O18 **Comandatuba** Bahia, SE Brazil
116 K11 **Comănești** *Hung.* Kománfalva. Bacău, SW Romania
57 M19 **Comarapa** Santa Cruz, C Bolivia
116 J13 **Comarnic** Prahova, SE Romania
42 H6 **Comayagua** Comayagua, W Honduras
42 H6 **Comayagua** ◈ *department* W Honduras
42 I6 **Comayagua, Montañas de** ▲ C Honduras
21 R15 **Combahee River** ≈ South Carolina, SE USA
62 G10 **Combarbalá** Coquimbo, C Chile
103 S7 **Combeaufontaine** Haute-Saône, E France
97 G15 **Comber** *Ir.* An Comar. E Northern Ireland, UK
99 K20 **Comblain-au-Pont** Liège, E Belgium
102 I6 **Combourg** Ille-et-Vilaine, NW France
44 M9 **Comendador** *prev.* Elías Piña. W Dominican Republic
Comer See *see* Como, Lago di
25 R11 **Comfort** Texas, SW USA
153 V15 **Comilla** *Ben.* Kumillā. Chittagong, E Bangladesh
99 B18 **Comines** Hainaut, W Belgium
121 O15 **Comino** *Malt.* Kemmuna. *island* C Malta
107 D18 **Comino, Capo** *headland* Sardegna, Italy, C Mediterranean Sea
107 K25 **Comiso** Sicilia, Italy, C Mediterranean Sea
41 V16 **Comitán** *var.* Comitán de Domínguez. Chiapas, SE Mexico
Comitán de Domínguez *see* Comitán
Commachio *see* Comacchio
Commander Islands *see* Komandorskiye Ostrova
103 O10 **Commentry** Allier, C France
23 T2 **Commerce** Georgia, SE USA
27 R8 **Commerce** Oklahoma, C USA
25 V5 **Commerce** Texas, SW USA
37 T4 **Commerce City** Colorado, C USA
103 S5 **Commercy** Meuse, NE France
55 W9 **Commewijne** *var.* Commewyne. ◈ *district* NE Suriname
Commewyne *see* Commewijne
15 P8 **Commissaires, Lac des** ◎ Québec, SE Canada
64 A12 **Commissioner's Point** *headland* W Bermuda
9 O7 **Committee Bay** *bay* Nunavut, N Canada
106 D7 **Como** *anc.* Comum. Lombardia, N Italy
63 J19 **Comodoro Rivadavia** Chubut, SE Argentina
106 D6 **Como, Lago di** *var.* Lario, *Eng.* Lake Como, *Ger.* Comer See. ◎ N Italy
Como, Lake *see* Como, Lago di
40 E7 **Comondú** Baja California Sur, W Mexico
116 F12 **Comorâşte** *Hung.* Komornok. Caraş-Severin, SW Romania
Comores, République Fédérale Islamique des *see* Comoros
155 G24 **Comorin, Cape** *headland* SE India
172 M8 **Comoro Basin** *undersea feature* SW Indian Ocean
172 I14 **Comoro Islands** *island group* W Indian Ocean
172 H13 **Comoros** *off.* Federal Islamic Republic of the Comoros, *Fr.* République Fédérale Islamique des Comores. ◆ *republic* W Indian Ocean
10 L17 **Comox** Vancouver Island, British Columbia, SW Canada
103 O4 **Compiègne** Oise, N France
Complutum *see* Alcalá de Henares
Compniacum *see* Cognac
40 K12 **Compostela** Nayarit, C Mexico
Compostella *see* Santiago
60 L11 **Comprida, Ilha** *island* S Brazil
117 N11 **Comrat** *Rus.* Komrat. S Moldova
25 O11 **Comstock** Texas, SW USA
31 P9 **Comstock Park** Michigan, N USA
193 N3 **Comstock Seamount** *undersea feature* N Pacific Ocean
Comum *see* Como
159 N17 **Cona** Xizang Zizhiqu, W China
76 H14 **Conakry** ● (Guinea) Conakry, SW Guinea
76 H14 **Conakry** ✕ Conakry, SW Guinea
Conamara *see* Connemara
Conca *see* Cuenca
25 Q12 **Concan** Texas, SW USA
102 F6 **Concarneau** Finistère, NW France
83 O17 **Conceição** Sofala, C Mozambique
59 K15 **Conceição do Araguaia** Pará, NE Brazil
58 F10 **Conceição do Maú** Roraima, W Brazil
61 D14 **Concepción** *var.* Concepcion. Corrientes, NE Argentina
62 J8 **Concepción** Tucumán, N Argentina
57 O17 **Concepción** Santa Cruz, E Bolivia
62 G13 **Concepción** Bío Bío, C Chile
54 E14 **Concepción** Putumayo, S Colombia
62 O5 **Concepción** *var.* Villa Concepción. Concepción, C Paraguay
62 O5 **Concepción** *off.* Departamento de Concepción. ◈ *department* E Paraguay
Concepción *see* La Concepción
Concepción de la Vega *see* La Vega
41 N9 **Concepción del Oro** Zacatecas, C Mexico
61 D18 **Concepción del Uruguay** Entre Ríos, E Argentina
42 K11 **Concepción, Volcán** ▲ SW Nicaragua
44 J4 **Conception Island** *island* C Bahamas
35 P14 **Conception, Point** *headland* California, W USA
54 H6 **Concha** Zulia, W Venezuela
50 L9 **Conchas** São Paulo, S Brazil
37 U11 **Conchas Dam** New Mexico, SW USA
37 U10 **Conchas Lake** ⊠ New Mexico, SW USA
102 M5 **Conches-en-Ouche** Eure, N France
37 N12 **Concho** Arizona, SW USA
40 J5 **Conchos, Río** ≈ NW Mexico
41 O8 **Conchos, Río** ≈ C Mexico
108 C8 **Concise** Vaud, W Switzerland
35 N8 **Concord** California, W USA
19 O9 **Concord** *state capital* New Hampshire, NE USA
21 R10 **Concord** North Carolina, SE USA
61 D17 **Concordia** Entre Ríos, E Argentina
54 D9 **Concordia** Antioquia, W Colombia
40 J10 **Concordia** Sinaloa, C Mexico
57 I19 **Concordia** Tacna, SW Peru
27 N3 **Concordia** Kansas, C USA
27 S4 **Concordia** Missouri, C USA
60 I13 **Concórdia** Santa Catarina, S Brazil
167 S7 **Con Cuông** Nghê An, N Vietnam
167 T15 **Côn Đao** *var.* Con Son. *island* S Vietnam
Condate *see* St-Claude, Jura, France
Condate *see* Rennes, Ille-et-Vilaine, France
Condate *see* Montereau-Faut-Yonne, Seine-St-Denis, France
29 P8 **Conde** South Dakota, N USA
42 J8 **Condega** Estelí, NW Nicaragua
103 P2 **Condé-sur-l'Escaut** Nord, N France
102 K5 **Condé-sur-Noireau** Calvados, N France
Condivincum *see* Nantes
183 P8 **Condobolin** New South Wales, SE Australia
102 L15 **Condom** Gers, S France
32 J11 **Condon** Oregon, NW USA
54 D9 **Condoto** Chocó, W Colombia
23 P7 **Conecuh River** ≈ Alabama/Florida, SE USA
106 H7 **Conegliano** Veneto, NE Italy
61 C19 **Conesa** Buenos Aires, E Argentina
14 F15 **Conestogo** ≈ Ontario, S Canada
Confluentes *see* Koblenz
102 L10 **Confolens** Charente, W France
36 J4 **Confusion Range** ▲ Utah, W USA
62 N6 **Confuso, Río** ≈ C Paraguay
21 R12 **Congaree River** ≈ South Carolina, SE USA
Công Hoa Xa Hôi Chu Nghia Viêt Nam *see* Vietnam
160 K12 **Congjiang** *var.* Bingmei. Guizhou, S China
79 K19 **Congo** *off.* Democratic Republic of Congo; *prev.* Zaire, Belgian Congo, Congo (Kinshasa). ◆ *republic* C Africa
79 G18 **Congo** *off.* Republic of the Congo, *Fr.* Moyen-Congo; *prev.* Middle Congo. ◆ *republic* C Africa
79 H19 **Congo** *var.* Kongo, *Fr.* Zaire. ≈ C Africa
Congo *see* Zaire (province, Angola)
Congo/Congo (Kinshasa) *see* Congo (Democratic Republic of)
79 K18 **Congo Basin** *drainage basin* W Dem. Rep. Congo
Congo Cone *see* Congo Fan
65 P15 **Congo Fan** *var.* Congo Cone. *undersea feature* E Atlantic Ocean
Coni *see* Cuneo
63 H18 **Cónico, Cerro** ▲ SW Argentina
Conimbria/Conimbriga *see* Coimbra
Conjeeveram *see* Kānchipuram
11 R13 **Conklin** Alberta, C Canada
24 M1 **Conlen** Texas, SW USA
Conn, Loch *see* Conn, Lough
Connacht *see* Connaught
97 B17 **Connaught** *var.* Connacht, *Ir.* Chonnacht, Cúige. *cultural region* W Ireland
31 V10 **Conneaut** Ohio, N USA
18 L13 **Connecticut** *off.* State of Connecticut; also known as Blue Law State, Constitution State, Land of Steady Habits, Nutmeg State. ◈ *state* NE USA
19 N8 **Connecticut** ≈ Canada/USA
19 O6 **Connecticut Lakes** *lakes* New Hampshire, NE USA
32 K9 **Connell** Washington, NW USA
97 B17 **Connemara** *Ir.* Conamara. *region* W Ireland
31 Q14 **Connersville** Indiana, N USA
97 B16 **Conn, Lough** *Ir.* Loch Con. ◎ W Ireland
35 X6 **Connors Pass** *pass* Nevada, W USA
181 X7 **Connors Range** ▲ Queensland, E Australia
56 E7 **Cononaco, Río** ≈ E Ecuador
29 W13 **Conrad** Iowa, C USA
33 R7 **Conrad** Montana, NW USA
25 W10 **Conroe** Texas, SW USA
25 V10 **Conroe, Lake** ⊠ Texas, SW USA
61 C17 **Conscripto Bernardi** Entre Ríos, E Argentina
59 M20 **Conselheiro Lafaiete** Minas Gerais, SE Brazil
Consentia *see* Cosenza
97 L14 **Consett** N England, UK
44 B5 **Consolación del Sur** Pinar del Río, W Cuba
Côn Son *see* Côn Đao
11 R15 **Consort** Alberta, SW Canada
Constance *see* Konstanz
108 I6 **Constance, Lake** *Ger.* Bodensee. ◎ C Europe
104 G9 **Constância** Santarém, C Portugal
117 N14 **Constanţa** *var.* Küstendje, *Eng.* Constanza, *Ger.* Konstanza, *Turk.* Küstence. Constanţa, SE Romania
116 L14 **Constanţa** ◈ *county* SE Romania
Constantia *see* Coutances, France
Constantia *see* Konstanz, Germany
104 K13 **Constantina** Andalucía, S Spain
74 L5 **Constantine** *var.* Qacentina, *Ar.* Qoussantina. NE Algeria
39 O14 **Constantine, Cape** *headland* Alaska, USA
Constantinople *see* İstanbul
Constantiola *see* Olteniţa
Constanz *see* Konstanz
Constanza *see* Constanţa
62 G13 **Constitución** Maule, C Chile
61 D17 **Constitución** Salto, N Uruguay
Constitution State *see* Connecticut
105 N10 **Consuegra** Castilla-La Mancha, C Spain
181 X9 **Consuelo Peak** ▲ Queensland, E Australia
56 E11 **Contamana** Loreto, N Peru
Contrasto, Colle del *see* Contrasto, Portella del
107 K23 **Contrasto, Portella del** *var.* Colle del Contrasto. *pass* Sicilia, Italy, C Mediterranean Sea
54 G8 **Contratación** Santander, C Colombia
102 M8 **Contres** Loir-et-Cher, C France
107 O17 **Conversano** Puglia, SE Italy
27 U11 **Conway** Arkansas, C USA
19 O8 **Conway** New Hampshire, NE USA
21 U13 **Conway** South Carolina, SE USA
25 N2 **Conway** Texas, SW USA
27 U11 **Conway, Lake** ⊠ Arkansas, C USA
27 N7 **Conway Springs** Kansas, C USA
97 J18 **Conwy** N Wales, UK
23 T3 **Conyers** Georgia, SE USA
Coo *see* Kos
182 F4 **Coober Pedy** South Australia
181 P2 **Cooinda** Northern Territory, N Australia
182 B6 **Cook** South Australia
29 W4 **Cook** Minnesota, N USA
191 N6 **Cook, Baie de** *bay* Moorea, W French Polynesia
10 J16 **Cook, Cape** *headland* Vancouver Island, British Columbia, SW Canada
37 Q15 **Cookes Peak** ▲ New Mexico, SW USA
20 L8 **Cookeville** Tennessee, S USA
Cook, Grand Récif de *see* Cook, Récif de
39 Q12 **Cook Inlet** *inlet* Alaska, USA
191 X2 **Cook Island** *island* Line Islands, E Kiribati
190 J14 **Cook Islands** ◇ *territory in free association with NZ* S Pacific Ocean
Cook, Mount *see* Aoraki
187 O15 **Cook, Récif de** *var.* Grand Récif de Cook. *reef* S New Caledonia
14 G14 **Cookstown** Ontario, S Canada
97 F15 **Cookstown** *Ir.* An Chorr Chríochach. C Northern Ireland, UK
185 K14 **Cook Strait** *var.* Raukawa. *strait* NZ
181 W3 **Cooktown** Queensland, NE Australia
183 P6 **Coolabah** New South Wales, SE Australia
182 J11 **Coola Coola Swamp** *wetland* South Australia
183 S7 **Coolah** New South Wales, SE Australia
183 P9 **Coolamon** New South Wales, SE Australia
183 T4 **Coolatai** New South Wales, SE Australia
180 K12 **Coolgardie** Western Australia
36 L14 **Coolidge** Arizona, SW USA
25 U8 **Coolidge** Texas, SW USA
183 Q11 **Cooma** New South Wales, SE Australia
Coomassie *see* Kumasi
183 R6 **Coonabarabran** New South Wales, SE Australia
182 J10 **Coonalpyn** South Australia
183 R6 **Coonamble** New South Wales, SE Australia
Coondapoor *see* Kundāpura
155 G21 **Coonoor** Tamil Nādu, SE India
29 U14 **Coon Rapids** Iowa, C USA
29 V8 **Coon Rapids** Minnesota, N USA
25 V5 **Cooper** Texas, SW USA
181 U9 **Cooper Creek** *var.* Barcoo, Cooper's Creek. *seasonal river* Queensland/South Australia
39 R12 **Cooper Landing** Alaska, USA
21 T14 **Cooper River** ≈ South Carolina, SE USA
Cooper's Creek *see* Cooper Creek
44 H1 **Coopers Town** Great Abaco, N Bahamas
18 J10 **Cooperstown** New York, NE USA
29 P4 **Cooperstown** North Dakota, N USA
31 P9 **Coopersville** Michigan, N USA
182 D7 **Coorabie** South Australia
23 Q3 **Coosa River** ≈ Alabama/Georgia, S USA
32 E14 **Coos Bay** Oregon, NW USA
183 Q9 **Cootamundra** New South Wales, SE Australia
97 E16 **Cootehill** *Ir.* Muinchille. N Ireland
Čop *see* Chop
57 J17 **Copacabana** La Paz, W Bolivia
63 H14 **Copahué, Volcán** ▲ C Chile
41 U16 **Copainalá** Chiapas, SE Mexico
32 F8 **Copalis Beach** Washington, NW USA
42 F6 **Copán** ◈ *department* W Honduras
Copán *see* Copán Ruinas
25 T14 **Copano Bay** *bay* NW Gulf of Mexico
42 F6 **Copán Ruinas** *var.* Copán. Copán, W Honduras
Copenhagen *see* København
107 Q19 **Copertino** Puglia, SE Italy
62 H7 **Copiapó** Atacama, N Chile
62 G8 **Copiapó, Bahía** *bay* N Chile
62 G7 **Copiapó, Río** ≈ N Chile
114 M12 **Çöpköy** Edirne, NW Turkey
182 I5 **Copley** South Australia
106 H9 **Copparo** Emilia-Romagna, C Italy
55 V10 **Coppename Rivier** *var.* Koppename. ≈ C Suriname
25 S9 **Copperas Cove** Texas, SW USA
82 J13 **Copperbelt** ◈ *province* C Zambia
39 S11 **Copper Center** Alaska, USA
Coppermine *see* Kugluktuk
8 K8 **Coppermine** ≈ Northwest Territories/Nunavut, N Canada
39 T11 **Copper River** ≈ Alaska, USA
Copper State *see* Arizona
116 I11 **Copşa Mică** *Ger.* Kleinkopisch, *Hung.* Kiskapus. Sibiu, C Romania
158 J14 **Coqên** Xizang Zizhiqu, W China
Coquilhatville *see* Mbandaka
32 E14 **Coquille** Oregon, NW USA
62 G9 **Coquimbo** Coquimbo, N Chile
62 G9 **Coquimbo** *off.* Región de Coquimbo. ◈ *region* C Chile
116 I15 **Corabia** Olt, S Romania
57 F17 **Coracora** Ayacucho, SW Peru
Cora Droma Rúisc *see* Carrick-on-Shannon
44 K9 **Corail** SW Haiti
183 V4 **Coraki** New South Wales, SE Australia
180 G8 **Coral Bay** Western Australia
23 Y16 **Coral Gables** Florida, SE USA
9 P8 **Coral Harbour** Southampton Island, Northwest Territories, NE Canada
192 I9 **Coral Sea** *sea* SW Pacific Ocean
192 I9 **Coral Sea Basin** *undersea feature* N Coral Sea
192 H9 **Coral Sea Islands** ◇ *Australian external territory* SW Pacific Ocean
182 M12 **Corangamite, Lake** ◎ Victoria, SE Australia
Corantijn Rivier *see* Courantyne River
18 B14 **Coraopolis** Pennsylvania, NE USA
107 N17 **Corato** Puglia, SE Italy
103 O17 **Corbières** ▲ S France
103 P8 **Corbigny** Nièvre, C France
21 N7 **Corbin** Kentucky, S USA
104 L14 **Corbones** ≈ SW Spain
Corcaigh *see* Cork
35 R11 **Corcoran** California, W USA
63 G18 **Corcovado, Golfo** *gulf* S Chile
63 G18 **Corcovado, Volcán** ▲ S Chile
104 F3 **Corcubión** Galicia, NW Spain
Corcyra Nigra *see* Korčula
60 Q9 **Cordeiro** Rio de Janeiro, SE Brazil
23 T6 **Cordele** Georgia, SE USA
26 L11 **Cordell** Oklahoma, C USA
103 N14 **Cordes** Tarn, S France
62 O6 **Cordillera** *off.* Departamento de la Cordillera. ◈ *department* C Paraguay
182 K1 **Cordillo Downs** South Australia
62 K10 **Córdoba** Córdoba, C Argentina
41 R14 **Córdoba** Veracruz-Llave, E Mexico
104 M13 **Córdoba** *var.* Cordoba, *Eng.* Cordova; *anc.* Corduba. Andalucía, SW Spain
62 K11 **Córdoba** *off.* Provincia de Córdoba. ◈ *province* C Argentina
54 D7 **Córdoba** *off.* Departamento de Córdoba. ◈ *province* NW Colombia
104 L13 **Córdoba** ◈ *province* Andalucía, S Spain
62 K10 **Córdoba, Sierras de** ▲ C Argentina
23 O3 **Cordova** Alabama, S USA
39 S12 **Cordova** Alaska, USA
Cordova/Corduba *see* Córdoba
Corentyne River *see* Courantyne River
Corfu *see* Kérkyra
104 J9 **Coria** Extremadura, W Spain

◆ COUNTRY ● COUNTRY CAPITAL ◇ DEPENDENT TERRITORY ○ DEPENDENT TERRITORY CAPITAL ◈ ADMINISTRATIVE REGION ✕ INTERNATIONAL AIRPORT ▲ MOUNTAIN ▲ MOUNTAIN RANGE ▲ VOLCANO ≈ RIVER ◎ LAKE ⊠ RESERVOIR

240 ••• Coria del Río – Cuanza Sul

104 J14 **Coria del Río** Andalucía, S Spain
183 S8 **Coricudgy, Mount** ▲ New South Wales, SE Australia
107 N20 **Corigliano Calabro** Calabria, SW Italy
Corinium/Corinium Dobunorum see Cirencester
23 N1 **Corinth** Mississippi, S USA
Corinth see Kórinthos
Corinth Canal see Dióryga Korinthou
Corinth, Gulf of/Corinthiacus Sinus see Korinthiakós Kólpos
Corinthus see Kórinthos
42 I9 **Corinto** Chinandega, NW Nicaragua
97 C21 **Cork** Ir. Corcaigh. S Ireland
97 C21 **Cork** Ir. Corcaigh. cultural region SW Ireland
97 C21 **Cork** ✕ SW Ireland
97 D21 **Cork Harbour** Ir. Cuan Chorcaí. inlet SW Ireland
107 I23 **Corleone** Sicilia, Italy, C Mediterranean Sea
114 N13 **Çorlu** Tekirdağ, NW Turkey
114 N12 **Çorlu Çayı** ≈ NW Turkey
Cormaiore see Courmayeur
11 V13 **Cormorant** Manitoba, C Canada
23 T2 **Cornelia** Georgia, SE USA
60 J10 **Cornélio Procópio** Paraná, S Brazil
55 V9 **Corneliskondre** Sipaliwini, N Suriname
30 J5 **Cornell** Wisconsin, N USA
13 S12 **Corner Brook** Newfoundland and Labrador, E Canada
Corner Rise Seamounts see Corner Seamounts
64 I9 **Corner Seamounts** var. Corner Rise Seamounts. undersea feature NW Atlantic Ocean
116 M9 **Cornești** Rus. Korneshty. C Moldova
Corneto see Tarquinia
Cornhusker State see Nebraska
27 X8 **Corning** Arkansas, C USA
35 N5 **Corning** California, W USA
29 U15 **Corning** Iowa, C USA
18 G11 **Corning** New York, NE USA
Corn Islands see Maíz, Islas del
107 J14 **Corno Grande** ▲ C Italy
15 N13 **Cornwall** Ontario, SE Canada
97 H25 **Cornwall** cultural region SW England, UK
97 G25 **Cornwall, Cape** headland SW England, UK
54 J4 **Coro** prev. Santa Ana de Coro. Falcón, NW Venezuela
57 J18 **Corocoro** La Paz, W Bolivia
57 K17 **Coroico** La Paz, W Bolivia
184 M5 **Coromandel** Waikato, North Island, NZ
155 K20 **Coromandel Coast** coast E India
184 M5 **Coromandel Peninsula** peninsula North Island, NZ
184 M6 **Coromandel Range** ⛰ North Island, NZ
171 N5 **Coron** Busuanga Island, W Philippines
35 T15 **Corona** California, W USA
37 T12 **Corona** New Mexico, SW USA
11 U17 **Coronach** Saskatchewan, S Canada
35 U17 **Coronado** California, W USA
43 N15 **Coronado, Bahía de** bay S Costa Rica
11 R15 **Coronation** Alberta, SW Canada
8 K7 **Coronation Gulf** gulf Nunavut, N Canada
194 I1 **Coronation Island** island Antarctica
39 X14 **Coronation Island** island Alexander Archipelago, Alaska, USA
61 B18 **Coronda** Santa Fe, C Argentina
63 F14 **Coronel** Bío Bío, C Chile
61 D20 **Coronel Brandsen** var. Brandsen. Buenos Aires, E Argentina
62 K4 **Coronel Cornejo** Salta, N Argentina
61 B24 **Coronel Dorrego** Buenos Aires, E Argentina
62 P6 **Coronel Oviedo** Caaguazú, SE Paraguay
61 B23 **Coronel Pringles** Buenos Aires, E Argentina
61 B23 **Coronel Suárez** Buenos Aires, E Argentina
61 E22 **Coronel Vidal** Buenos Aires, E Argentina
55 V9 **Coronie** ◈ district NW Suriname
57 G17 **Coropuna, Nevado** ▲ S Peru
Çorovoda see Çorovodë
113 L22 **Çorovodë** var. Çorovoda. Berat, S Albania
183 P11 **Corowa** New South Wales, SE Australia
42 G1 **Corozal** Corozal, N Belize
54 E6 **Corozal** Sucre, NW Colombia
42 G1 **Corozal** ◈ district N Belize
25 T14 **Corpus Christi** Texas, SW USA
25 T14 **Corpus Christi Bay** inlet Texas, SW USA
25 R14 **Corpus Christi, Lake** ▣ Texas, SW USA
63 F16 **Corral** Los Lagos, C Chile
105 O9 **Corral de Almaguer** Castilla-La Mancha, C Spain
104 K6 **Corrales** Castilla-León, N Spain
37 R11 **Corrales** New Mexico, SW USA
Corrán Tuathail see Carrauntoohil
106 F9 **Correggio** Emilia-Romagna, C Italy
59 M16 **Corrente** Piauí, E Brazil
59 I19 **Correntes, Rio** ≈ SW Brazil
103 N12 **Corrèze** ◈ department C France
97 C17 **Corrib, Lough** Ir. Loch Coirib. ◎ W Ireland
61 C14 **Corrientes** Corrientes, NE Argentina
61 D15 **Corrientes** off. Provincia de Corrientes. ◈ province NE Argentina
44 A5 **Corrientes, Cabo** headland W Cuba
40 I13 **Corrientes, Cabo** headland SW Mexico
Corrientes, Provincia de see Corrientes
61 C16 **Corrientes, Río** ≈ NE Argentina
56 E8 **Corrientes, Río** ≈ Ecuador/Peru
25 W9 **Corrigan** Texas, SW USA
55 U9 **Corriverton** E Guyana
Corriza see Korçë
183 Q11 **Corryong** Victoria, SE Australia
103 Y12 **Corse** Eng. Corsica. ◈ region France, C Mediterranean Sea
103 X13 **Corse** Eng. Corsica. island France, C Mediterranean Sea
103 Y13 **Corse, Cap** headland Corse, France, C Mediterranean Sea
103 X15 **Corse-du-Sud** ◈ department Corse, France, C Mediterranean Sea
29 P11 **Corsica** South Dakota, N USA
Corsica see Corse
25 U7 **Corsicana** Texas, SW USA
103 Y15 **Corte** Corse, France, C Mediterranean Sea
63 G16 **Corte Alto** Los Lagos, S Chile
104 I13 **Cortegana** Andalucía, S Spain
43 N15 **Cortés** var. Ciudad Cortés. Puntarenas, SE Costa Rica
42 G5 **Cortés** ◈ department NW Honduras
37 P8 **Cortez** Colorado, C USA
Cortez, Sea of see California, Golfo de
106 H6 **Cortina d'Ampezzo** Veneto, NE Italy
18 H11 **Cortland** New York, NE USA
31 V11 **Cortland** Ohio, N USA
106 H12 **Cortona** Toscana, C Italy
76 H13 **Corubal, Rio** ≈ E Guinea-Bissau
104 G10 **Coruche** Santarém, C Portugal
Çoruh see Rize
137 R11 **Çoruh Nehri** Geor. Chorokhi, Rus. Chorokh. ≈ Georgia/Turkey
136 K12 **Çorum** var. Chorum. Çorum, N Turkey
136 J12 **Çorum** var. Chorum. ◈ province N Turkey
59 H19 **Corumbá** Mato Grosso do Sul, S Brazil
14 D16 **Corunna** Ontario, S Canada
Corunna see A Coruña
32 F12 **Corvallis** Oregon, NW USA
64 M1 **Corvo** var. Ilha do Corvo. island Azores, Portugal, NE Atlantic Ocean
Corvo, Ilha do see Corvo
31 O16 **Corydon** Indiana, N USA
29 V16 **Corydon** Iowa, C USA
Cos see Kos
40 I9 **Cosalá** Sinaloa, C Mexico
41 R15 **Cosamaloapan** var. Cosamaloapan de Carpio. Veracruz-Llave, E Mexico
Cosamaloapan de Carpio see Cosamaloapan
107 N21 **Cosenza** anc. Consentia. Calabria, SW Italy
31 T13 **Coshocton** Ohio, N USA
42 H9 **Cosigüina, Punta** headland NW Nicaragua
29 T9 **Cosmos** Minnesota, N USA
103 O8 **Cosne-sur-Loire** Nièvre, C France
108 B9 **Cossonay** Vaud, W Switzerland
Cossyra see Pantelleria
42 K13 **Costa Rica** off. Republic of Costa Rica. ◆ republic Central America
43 N15 **Costeña, Fila** ▲ S Costa Rica
Costermansville see Bukavu
116 I14 **Costești** Argeș, SW Romania
37 S8 **Costilla** New Mexico, SW USA
35 O7 **Cosumnes River** ≈ California, W USA
101 O16 **Coswig** Sachsen, E Germany
101 M14 **Coswig** Sachsen-Anhalt, E Germany
Cosyra see Pantelleria
171 Q7 **Cotabato** Mindanao, S Philippines
56 C5 **Cotacachi** ▲ N Ecuador
57 L21 **Cotagaita** Potosí, S Bolivia
103 V15 **Côte d'Azur** prev. Nice. ✕ (Nice) Alpes-Maritimes, SE France
Côte d'Ivoire see Ivory Coast
103 R8 **Côte d'Or** cultural region C France
103 R7 **Côte d'Or** ◈ department E France
Côte Française des Somalis see Djibouti
102 J4 **Cotentin** peninsula N France
102 G6 **Côtes d'Armor** prev. Côtes-du-Nord. ◈ department NW France
Côtes-du-Nord see Côtes d'Armor
Cöthen see Köthen
Côtière, Chaîne see Coast Mountains
40 M13 **Cotija** var. Cotija de la Paz. Michoacán de Ocampo, SW Mexico
Cotija de la Paz see Cotija
77 R16 **Cotonou** var. Kotonu. S Benin
77 R16 **Cotonou** ✕ S Benin
56 B6 **Cotopaxi** prev. León. ◈ province C Ecuador
56 C6 **Cotopaxi** Ѫ N Ecuador
Cotrone see Crotone
97 L21 **Cotswold Hills** var. Cotswolds. hill range S England, UK
Cotswolds see Cotswold Hills
32 F13 **Cottage Grove** Oregon, NW USA
21 S14 **Cottageville** South Carolina, SE USA
101 P14 **Cottbus** Lus. Chośebuz; prev. Kottbus. Brandenburg, E Germany
27 U9 **Cotter** Arkansas, C USA
106 A9 **Cottian Alps** Fr. Alpes Cottiennes, It. Alpi Cozie. ⛰ France/Italy
Cottiennes, Alpes see Cottian Alps
Cotton State, The see Alabama
22 G4 **Cotton Valley** Louisiana, S USA
36 L12 **Cottonwood** Arizona, SW USA
32 M10 **Cottonwood** Idaho, NW USA
29 S9 **Cottonwood** Minnesota, N USA
25 Q7 **Cottonwood** Texas, SW USA
27 O5 **Cottonwood Falls** Kansas, C USA
36 L3 **Cottonwood Heights** Utah, W USA
29 S10 **Cottonwood River** ≈ Minnesota, N USA
45 O9 **Cotuí** C Dominican Republic
25 Q13 **Cotulla** Texas, SW USA
Cotyora see Ordu
102 I11 **Coubre, Pointe de la** headland W France
18 E12 **Coudersport** Pennsylvania, NE USA
15 S9 **Coudres, Île aux** island Québec, SE Canada
182 G11 **Couedic, Cape de** headland South Australia
Couentrey see Coventry
102 I6 **Couesnon** ≈ NW France
32 H10 **Cougar** Washington, NW USA
102 L10 **Couhé** Vienne, W France
32 K8 **Coulee City** Washington, NW USA
195 Q15 **Coulman Island** island Antarctica
103 P5 **Coulommiers** Seine-et-Marne, N France
14 K11 **Coulonge** ≈ Québec, SE Canada
14 K11 **Coulonge Est** ≈ Québec, SE Canada
35 Q9 **Coulterville** California, W USA
38 M9 **Council** Alaska, USA
32 M12 **Council** Idaho, NW USA
29 S15 **Council Bluffs** Iowa, C USA
27 O5 **Council Grove** Kansas, C USA
27 O5 **Council Grove Lake** ▣ Kansas, C USA
32 G7 **Coupeville** Washington, NW USA
55 U12 **Courantyne River** var. Corantijn Rivier, Corentyne River. ≈ Guyana/Suriname
99 G21 **Courcelles** Hainaut, S Belgium
108 C7 **Courgenay** Jura, NW Switzerland
126 B2 **Courland Lagoon** Ger. Kurisches Haff, Rus. Kurskiy Zaliv. lagoon Lithuania/Russian Federation
118 B12 **Courland Spit** Lith. Kuršių Nerija, Rus. Kurshskaya Kosa. spit Lithuania/Russian Federation
106 A6 **Courmayeur** prev. Cormaiore. Valle d'Aosta, NW Italy
108 D7 **Courroux** Jura, NW Switzerland
10 K17 **Courtenay** Vancouver Island, British Columbia, SW Canada
21 W7 **Courtland** Virginia, NE USA
25 V10 **Courtney** Texas, SW USA
30 J4 **Court Oreilles, Lac** ◎ Wisconsin, N USA
Courtrai see Kortrijk
99 H19 **Court-Saint-Étienne** Wallon Brabant, C Belgium
22 G6 **Coushatta** Louisiana, S USA
172 I16 **Cousin** island Inner Islands, NE Seychelles
172 I16 **Cousine** island Inner Islands, NE Seychelles
102 J4 **Coutances** anc. Constantia. Manche, N France
102 K12 **Coutras** Gironde, SW France
45 U14 **Couva** Trinidad, Trinidad and Tobago
108 B8 **Couvet** Neuchâtel, W Switzerland
99 H22 **Couvin** Namur, S Belgium
116 K12 **Covasna** Ger. Kowasna, Hung. Kovászna. Covasna, E Romania
116 J11 **Covasna** ◈ county E Romania
14 E12 **Cove Island** island Ontario, S Canada
34 M5 **Covelo** California, W USA
97 M20 **Coventry** anc. Couentrey. C England, UK
Cove of Cork see Cobh
21 U5 **Covesville** Virginia, NE USA
104 I8 **Covilhã** Castelo Branco, E Portugal
23 T3 **Covington** Georgia, SE USA
31 N13 **Covington** Indiana, N USA
20 M3 **Covington** Kentucky, S USA
22 K8 **Covington** Louisiana, S USA
31 Q13 **Covington** Ohio, N USA
20 F9 **Covington** Tennessee, S USA
21 S6 **Covington** Virginia, NE USA
183 Q8 **Cowal, Lake** seasonal lake New South Wales, SE Australia
11 W15 **Cowan** Manitoba, S Canada
18 F12 **Cowanesque River** ≈ New York/Pennsylvania, NE USA
180 L12 **Cowan, Lake** ◎ Western Australia
15 P13 **Cowansville** Québec, SE Canada
182 H8 **Cowell** South Australia
97 M23 **Cowes** S England, UK
27 Q10 **Coweta** Oklahoma, C USA
32 G10 **Cowlitz River** ≈ Washington, NW USA
21 Q11 **Cowpens** South Carolina, SE USA
183 R8 **Cowra** New South Wales, SE Australia
Coxen Hole see Roatán
59 I19 **Coxim** Mato Grosso do Sul, S Brazil
59 I19 **Coxim, Rio** ≈ SW Brazil
Coxin Hole see Roatán
153 V17 **Cox's Bazar** Chittagong, S Bangladesh
76 H14 **Coyah** Conakry, W Guinea
40 K5 **Coyame** Chihuahua, N Mexico
24 L9 **Coyanosa Draw** ≈ Texas, SW USA
Coyhaique see Coihaique
42 C7 **Coyolate, Río** ≈ S Guatemala
Coyote State see South Dakota
40 I10 **Coyotitán** Sinaloa, C Mexico
41 N15 **Coyuca** var. Coyuca de Catalán. Guerrero, S Mexico
41 O16 **Coyuca** var. Coyuca de Benítez. Guerrero, S Mexico
Coyuca de Benítez/Coyuca de Catalán see Coyuca
29 N15 **Cozad** Nebraska, C USA
Cozie, Alpi see Cottian Alps
Cozmeni see Kitsman'
40 E3 **Cozón, Cerro** ▲ NW Mexico
41 Z12 **Cozumel** Quintana Roo, E Mexico
41 Z12 **Cozumel, Isla** island SE Mexico
32 K8 **Crab Creek** ≈ Washington, NW USA
44 H12 **Crab Pond Point** headland W Jamaica
Cracovia/Cracow see Małopolskie
83 I25 **Cradock** Eastern Cape, S South Africa
39 Y14 **Craig** Prince of Wales Island, Alaska, USA
37 Q3 **Craig** Colorado, C USA
97 F15 **Craigavon** C Northern Ireland, UK
21 T5 **Craigsville** Virginia, NE USA
101 J21 **Crailsheim** Baden-Württemberg, S Germany
116 H14 **Craiova** Dolj, SW Romania
10 K12 **Cranberry Junction** British Columbia, SW Canada
18 J8 **Cranberry Lake** ◎ New York, NE USA
11 V13 **Cranberry Portage** Manitoba, C Canada
11 P17 **Cranbrook** British Columbia, SW Canada
30 M5 **Crandon** Wisconsin, N USA
32 K14 **Crane** Oregon, NW USA
24 M9 **Crane** Texas, SW USA
Crane see The Crane
25 S8 **Cranfills Gap** Texas, SW USA
19 O12 **Cranston** Rhode Island, NE USA
Cranz see Zelenogradsk
59 L15 **Craolândia** Tocantins, E Brazil
102 J7 **Craon** Mayenne, NW France
195 V16 **Crary, Cape** headland Antarctica
Crasna see Kraszna
32 G14 **Crater Lake** ◎ Oregon, NW USA
33 P14 **Craters of the Moon National Monument** national park Idaho, NW USA
59 O14 **Crateús** Ceará, E Brazil
Crathis see Crati
107 N20 **Crati** anc. Crathis. ≈ S Italy
11 U16 **Craven** Saskatchewan, S Canada
54 I8 **Cravo Norte** Arauca, E Colombia
28 J12 **Crawford** Nebraska, C USA
25 T8 **Crawford** Texas, SW USA
11 O17 **Crawford Bay** British Columbia, SW Canada
65 M19 **Crawford Seamount** undersea feature S Atlantic Ocean
31 O13 **Crawfordsville** Indiana, N USA
23 S9 **Crawfordville** Florida, SE USA
97 O23 **Crawley** SE England, UK
33 S10 **Crazy Mountains** ⛰ Montana, NW USA
11 T11 **Cree** ≈ Saskatchewan, C Canada
37 R7 **Creede** Colorado, C USA
40 I6 **Creel** Chihuahua, N Mexico
11 S11 **Cree Lake** ◎ Saskatchewan, C Canada
11 V13 **Creighton** Saskatchewan, C Canada
29 Q13 **Creighton** Nebraska, C USA
103 O4 **Creil** Oise, N France
106 E8 **Crema** Lombardia, N Italy
106 E8 **Cremona** Lombardia, N Italy
Creole State see Louisiana
112 M10 **Crepaja** Hung. Cserépalja. Serbia, N Serbia and Montenegro (Yugo.)
103 O4 **Crépy-en-Valois** Oise, N France
112 B10 **Cres** It. Cherso. Primorje-Gorski Kotar, NW Croatia
112 A11 **Cres** It. Cherso; anc. Crexa. island W Croatia
32 H14 **Crescent** Oregon, NW USA
34 K1 **Crescent City** California, W USA
23 W10 **Crescent City** Florida, SE USA
167 X10 **Crescent Group** island group C Paracel Islands
23 W10 **Crescent Lake** ◎ Florida, SE USA
29 X11 **Cresco** Iowa, C USA
61 B18 **Crespo** Entre Ríos, E Argentina
54 E5 **Crespo** ✕ (Cartagena) Bolívar, NW Colombia
103 R13 **Crest** Drôme, E France
37 R5 **Crested Butte** Colorado, C USA
31 S12 **Crestline** Ohio, N USA
11 O17 **Creston** British Columbia, SW Canada
29 U15 **Creston** Iowa, C USA
33 V16 **Creston** Wyoming, C USA
37 S7 **Crestone Peak** ▲ Colorado, C USA
23 P8 **Crestview** Florida, SE USA
121 R10 **Cretan Trough** undersea feature Aegean Sea, C Mediterranean Sea
29 R16 **Crete** Nebraska, C USA
Crete see Kríti
103 O5 **Créteil** Val-de-Marne, N France
Crete, Sea of/Creticum, Mare see Kritikó Pélagos
105 X4 **Creus, Cap de** headland NE Spain
103 N10 **Creuse** ◈ department C France
102 L9 **Creuse** ≈ C France
103 T4 **Creutzwald** Moselle, NE France
105 S12 **Crevillente** País Valenciano, E Spain
97 L18 **Crewe** C England, UK
21 V7 **Crewe** Virginia, NE USA
Crexa see Cres
43 Q15 **Cricamola, Río** ≈ NW Panama
61 K14 **Criciúma** Santa Catarina, S Brazil
96 J11 **Crieff** C Scotland, UK
112 B10 **Crikvenica** It. Cirquenizza; prev. Cirkvenica, Crjkvenica. Primorje-Gorski Kotar, NW Croatia
Crimea/Crimean Oblast see Krym, Respublika
101 M16 **Crimmitschau** var. Krimmitschau. Sachsen, E Germany
116 G11 **Crișcior** Hung. Kristyor. Hunedoara, W Romania
21 Y5 **Crisfield** Maryland, NE USA
31 P3 **Crisp Point** headland Michigan, N USA
59 L19 **Cristalina** Goiás, C Brazil
44 J7 **Cristal, Sierra del** ⛰ E Cuba
43 T14 **Cristóbal** Colón, C Panama
54 F4 **Cristóbal Colón, Pico** ▲ N Colombia
Cristur/Cristuru Săcuiesc see Cristuru Secuiesc
116 I11 **Cristuru Secuiesc** prev. Cristur, Cristuru Săcuiesc, Sitaș Cristuru, Ger. Kreutz, Hung. Székelykeresztúr, Szitás-Keresztúr. Harghita, C Romania
116 F10 **Crișul Alb** var. Weisse Kreisch, Ger. Weisse Körös, Hung. Fehér-Körös. ≈ Hungary/Romania
116 F10 **Crișul Negru** Ger. Schwarze Körös, Hung. Fekete-Körös. ≈ Hungary/Romania
116 G10 **Crișul Repede** var. Schnelle Kreisch, Ger. Schnelle Körös, Hung. Sebes-Körös. ≈ Hungary/Romania
117 N10 **Criuleni** Rus. Kriulyany. C Moldova
Crivadia Vulcanului see Vulcan
Crjkvenica see Crikvenica
113 O17 **Crna Gora** ⛰ FYR Macedonia/Serbia and Montenegro (Yugo.)
Crna Gora see Montenegro
113 O20 **Crna Reka** ≈ S FYR Macedonia
Crni Drim see Black Drin
109 V10 **Črni vrh** ▲ NE Slovenia
109 V13 **Črnomelj** Ger. Tschernembl. SE Slovenia
97 A17 **Croagh Patrick** Ir. Cruach Phádraig. ▲ W Ireland
112 D9 **Croatia** off. Republic of Croatia, Ger. Kroatien, SCr. Hrvatska. ◆ republic SE Europe
Croce, Picco di see Wilde Kreuzspitze
15 P8 **Croche** ≈ Québec, SE Canada
169 V7 **Crocker, Banjaran** var. Crocker Range. ⛰ East Malaysia
Crocker Range see Crocker, Banjaran
25 V9 **Crockett** Texas, SW USA
Crocodile see Limpopo
20 I7 **Crofton** Kentucky, S USA
29 Q12 **Crofton** Nebraska, C USA
Croia see Krujë
103 R16 **Croisette, Cap** headland SE France
102 G8 **Croisic, Pointe du** headland NW France
103 S13 **Croix Haute, Col de la** pass E France
15 U5 **Croix, Pointe à la** headland Québec, SE Canada
14 F13 **Croker, Cape** headland Ontario, S Canada
181 P1 **Croker Island** island Northern Territory, N Australia
96 I8 **Cromarty** N Scotland, UK
99 M21 **Crombach** Liège, E Belgium
97 Q18 **Cromer** E England, UK
185 D22 **Cromwell** Otago, South Island, NZ
185 H16 **Cronadun** West Coast, South Island, NZ
39 O11 **Crooked Creek** Alaska, USA
44 K5 **Crooked Island** island SE Bahamas
44 J5 **Crooked Island Passage** channel SE Bahamas
32 I13 **Crooked River** ≈ Oregon, NW USA
29 R4 **Crookston** Minnesota, N USA
28 I10 **Crooks Tower** ▲ South Dakota, N USA
31 T14 **Crooksville** Ohio, N USA
183 R9 **Crookwell** New South Wales, SE Australia
14 L14 **Crosby** Ontario, SE Canada
97 K17 **Crosby** var. Great Crosby. NW England, UK
29 U6 **Crosby** Minnesota, N USA
28 K2 **Crosby** North Dakota, N USA
25 O5 **Crosbyton** Texas, SW USA
77 V16 **Cross** ≈ Cameroon/Nigeria
23 U10 **Cross City** Florida, SE USA
Crossen see Krosno Odrzańskie
27 V14 **Crossett** Arkansas, C USA
97 K15 **Cross Fell** ▲ N England, UK
11 P16 **Crossfield** Alberta, SW Canada
21 Q12 **Cross Hill** South Carolina, SE USA
19 U6 **Cross Island** island Maine, NE USA
11 X13 **Cross Lake** Manitoba, C Canada
22 F5 **Cross Lake** ▣ Louisiana, S USA
36 I12 **Crossman Peak** ▲ Arizona, SW USA
25 Q7 **Cross Plains** Texas, SW USA
77 V17 **Cross River** ◈ state SE Nigeria
20 L9 **Crossville** Tennessee, S USA
31 S8 **Croswell** Michigan, N USA
14 K13 **Crotch Lake** ◎ Ontario, SE Canada
Croton/Crotona see Crotone
107 O21 **Crotone** var. Cotrone; anc. Croton, Crotona. Calabria, SW Italy
33 V11 **Crow Agency** Montana, NW USA
183 U7 **Crowdy Head** headland New South Wales, SE Australia
25 Q4 **Crowell** Texas, SW USA
183 O6 **Crowl Creek** seasonal river New South Wales, SE Australia
22 H9 **Crowley** Louisiana, S USA
35 S9 **Crowley, Lake** ▣ California, W USA
27 X10 **Crowleys Ridge** hill range Arkansas, C USA
31 N11 **Crown Point** Indiana, N USA
37 P10 **Crownpoint** New Mexico, SW USA
33 R10 **Crow Peak** ▲ Montana, NW USA
11 P17 **Crowsnest Pass** pass Alberta/British Columbia, SW Canada
29 T6 **Crow Wing River** ≈ Minnesota, N USA
97 O22 **Croydon** SE England, UK
173 P11 **Crozet Basin** undersea feature S Indian Ocean
173 O12 **Crozet Islands** island group French Southern and Antarctic Territories
173 N12 **Crozet Plateau** var. Crozet Plateaus. undersea feature SW Indian Ocean
Crozet Plateaus see Crozet Plateau
102 E6 **Crozon** Finistère, NW France
Cruacha Dubha, Na see Macgillycuddy's Reeks
Cruach Phádraig see Croagh Patrick
116 M14 **Crucea** Constanța, SE Romania
44 E5 **Cruces** Cienfuegos, C Cuba
107 O20 **Crucoli Torretta** Calabria, SW Italy
41 P9 **Cruillas** Tamaulipas, C Mexico
64 K9 **Cruiser Tablemount** undersea feature E Atlantic Ocean
61 G14 **Cruz Alta** Rio Grande do Sul, S Brazil
44 G8 **Cruz, Cabo** headland S Cuba
60 N9 **Cruzeiro** São Paulo, S Brazil
60 H10 **Cruzeiro do Oeste** Paraná, S Brazil
59 A15 **Cruzeiro do Sul** Acre, W Brazil
23 U11 **Crystal Bay** bay Florida, SE USA
182 I8 **Crystal Brook** South Australia
11 X17 **Crystal City** Manitoba, S Canada
27 X5 **Crystal City** Missouri, C USA
25 P13 **Crystal City** Texas, SW USA
30 M4 **Crystal Falls** Michigan, N USA
23 Q8 **Crystal Lake** Florida, SE USA
31 O6 **Crystal Lake** ◎ Michigan, N USA
23 V11 **Crystal River** Florida, SE USA
37 Q5 **Crystal River** ≈ Colorado, C USA
22 K6 **Crystal Springs** Mississippi, S USA
Csaca see Čadca
Csakathurn/Csáktornya see Čakovec
Csap see Chop
Csepén see Čepin
Cserépalja see Crepaja
Csermő see Cermei
Csíkszereda see Miercurea-Ciuc
111 L24 **Csongrád** Csongrád, SE Hungary
111 L24 **Csongrád** off. Csongrád Megye. ◈ county SE Hungary
111 H22 **Csorna** Győr-Moson-Sopron, NW Hungary
Csucsa see Ciucea
111 G25 **Csurgó** Somogy, SW Hungary
Csurog see Čurug
54 L5 **Cúa** Miranda, N Venezuela
82 C11 **Cuale** Malanje, NW Angola
83 G16 **Cuando** var. Kwando. ≈ S Africa
83 E15 **Cuando Cubango** var. Kuando-Kubango. ◈ province SE Angola
83 E16 **Cuangar** Cuando Cubango, S Angola
82 D11 **Cuango** Lunda Norte, NE Angola
82 C10 **Cuango** Uíge, NW Angola
82 C10 **Cuango** var. Kwango. ≈ Angola/Dem. Rep. Congo see also Kwango
Cuan, Loch see Strangford Lough
82 C12 **Cuanza** var. Kwanza. ≈ C Angola
82 B11 **Cuanza Norte** var. Kuanza Norte. ◈ province NE Angola
82 B12 **Cuanza Sul** var. Kuanza Sul. ◈ province NE Angola

◆ Country
● Country Capital
◇ Dependent Territory
○ Dependent Territory Capital
◈ Administrative Region
✕ International Airport
▲ Mountain
⛰ Mountain Range
Ѫ Volcano
≈ River
◎ Lake
▣ Reservoir

Cuareim, Río – Dangila ••• 241

61 E16 Cuareim, Río var. Rio Quaraí. Brazil/Uruguay see also Quaraí, Rio
83 D15 Cuatir S Angola
40 M7 Cuatro Ciénegas var. Cuatro Ciénegas de Carranza. Coahuila de Zaragoza, NE Mexico
Cuatro Ciénegas de Carranza see Cuatro Ciénegas
40 I6 Cuauhtémoc Chihuahua, N Mexico
41 P14 Cuautla Morelos, S Mexico
104 H12 Cuba Beja, S Portugal
27 W6 Cuba Missouri, C USA
37 R10 Cuba New Mexico, SW USA
44 E6 Cuba off. Republic of Cuba. ◆ republic W West Indies
82 B13 Cubal Benguela, W Angola
83 C15 Cubango var. Kuvango, Port. Vila Artur de Paiva, Vila da Ponte. Huíla, SW Angola
83 D16 Cubango var. Kavango, Kavengo, Kubango, Okavango, Okavanggo. S Africa see also Okavango
54 H8 Cubará Boyacá, N Colombia
136 I12 Çubuk Ankara, N Turkey
83 D14 Cuchi Cuando Cubango, C Angola
42 C5 Cuchumatanes, Sierra de los ▲ W Guatemala
Cuculaya, Rio see Kukalaya, Rio
82 E12 Cucumbi prev. Trás-os-Montes. Lunda Sul, NE Angola
54 G7 Cúcuta var. San José de Cúcuta. Norte de Santander, N Colombia
31 N9 Cudahy Wisconsin, N USA
155 J21 Cuddalore Tamil Nādu, SE India
155 I18 Cuddapah Andhra Pradesh, S India
104 M6 Cuéllar Castilla-León, N Spain
82 D13 Cuemba var. Coemba. Bié, C Angola
56 B8 Cuenca Azuay, S Ecuador
105 Q9 Cuenca anc. Conca. Castilla-La Mancha, C Spain
105 P9 Cuenca ◇ province Castilla-La Mancha, C Spain
40 L9 Cuencamé var. Cuencamé de Ceniceros. Durango, C Mexico
Cuencamé de Ceniceros see Cuencamé
105 Q8 Cuenca, Serranía de ▲ C Spain
Cuera see Chur
105 P5 Cuerda del Pozo, Embalse de la ▣ N Spain
41 O14 Cuernavaca Morelos, S Mexico
25 T12 Cuero Texas, SW USA
44 I7 Cueto Holguín, E Cuba
41 Q13 Cuetzalán var. Cuetzalán del Progreso. Puebla, S Mexico
Cuetzalán del Progreso see Cuetzalán
105 Q14 Cuevas de Almanzora Andalucía, S Spain
105 T8 Cuevas de Vinromá País Valenciano, E Spain
116 H12 Cugir Hung. Kudzsir. Alba, SW Romania
59 H18 Cuiabá prev. Cuyabá. state capital Mato Grosso, SW Brazil
59 H19 Cuiabá, Rio SW Brazil
41 R15 Cuicatlán var. San Juan Bautista Cuicatlán. Oaxaca, SE Mexico
191 W15 Cuidado, Punta headland Easter Island, Chile, E Pacific Ocean
Cuidad Presidente Stroessner see Ciudad del Este
Cúige see Connaught
Cúige Laighean see Leinster
Cúige Mumhan see Munster
Cuihua see Daguan
98 L13 Cuijck Noord-Brabant, SE Netherlands
Cúil an tSúdaire see Portarlington
42 D7 Cuilapa Santa Rosa, S Guatemala
42 B5 Cuilco, Río W Guatemala
Cúil Mhuine see Collooney
Cúil Raithin see Coleraine
83 C14 Cuima Huambo, C Angola
83 E16 Cuito var. Kwito. SE Angola
83 E15 Cuito Cuanavale Cuando Cubango, E Angola
41 N14 Cuitzeo, Lago de ◎ C Mexico
27 W4 Cuivre River Missouri, C USA
Çuka see Çukë
168 L8 Cukai var. Chukai, Kemaman. Terengganu, Peninsular Malaysia
113 L23 Çukë var. Çuka. Vlorë, S Albania
Cularo see Grenoble
33 Y7 Culbertson Montana, NW USA
28 M16 Culbertson Nebraska, C USA
183 P10 Culcairn New South Wales, SE Australia
45 W5 Culebra var. Dewey. E Puerto Rico
45 W6 Culebra, Isla de island E Puerto Rico
37 T8 Culebra Peak ▲ Colorado, C USA
104 J5 Culebra, Sierra de la ▲ NW Spain
98 J12 Culemborg Gelderland, C Netherlands
137 V14 Culfa Rus. Dzhul'fa. SW Azerbaijan
183 P4 Culgoa River New South Wales/Queensland, SE Australia
40 I9 Culiacán var. Culiacán Rosales, Culiacán-Rosales. Sinaloa, C Mexico
Culiacán-Rosales/Culiacán Rosales see Culiacán
105 P14 Cúllar-Baza Andalucía, S Spain
105 S10 Cullera País Valenciano, E Spain
23 P3 Cullman Alabama, S USA
108 B10 Cully Vaud, W Switzerland
Culm see Chełmno
Culmsee see Chełmża
21 V4 Culpeper Virginia, NE USA
185 I17 Culverden Canterbury, South Island, NZ
55 N5 Cumaná Sucre, NE Venezuela
55 O5 Cumanacoa Sucre, NE Venezuela
54 C13 Cumbal, Nevado de elevation S Colombia
21 O7 Cumberland Kentucky, S USA
21 U2 Cumberland Maryland, NE USA
21 V6 Cumberland Virginia, NE USA
187 P12 Cumberland, Cape var. Cape Nahoi. headland Espiritu Santo, N Vanuatu
11 V14 Cumberland House Saskatchewan, C Canada
23 W8 Cumberland Island island Georgia, SE USA
20 L7 Cumberland, Lake ▣ Kentucky, S USA
9 R5 Cumberland Peninsula peninsula Baffin Island, Nunavut, NE Canada
17 Q12 Cumberland Plateau plateau E USA
30 L1 Cumberland Point headland Michigan, N USA
21 O7 Cumberland River Kentucky/Tennessee, S USA
9 S6 Cumberland Sound inlet Baffin Island, Nunavut, NE Canada
96 I12 Cumbernauld S Scotland, UK
97 K15 Cumbria cultural region NW England, UK
97 K15 Cumbrian Mountains ▲ NW England, UK
23 S2 Cumming Georgia, SE USA
Cummin in Pommern see Kamień Pomorski
182 G9 Cummins South Australia
96 I13 Cumnock W Scotland, UK
40 G4 Cumpas Sonora, NW Mexico
136 H16 Çumra Konya, C Turkey
63 G15 Cunco Araucanía, C Chile
54 E9 Cundinamarca off. Departamento de Cundinamarca. ◇ province C Colombia
41 U15 Cunduacán Tabasco, SE Mexico
83 C16 Cunene ◇ province S Angola
83 A16 Cunene var. Kunene. Angola/Namibia see also Kunene
106 A9 Cuneo Fr. Coni. Piemonte, NW Italy
83 E15 Cunjamba Cuando Cubango, E Angola
181 V10 Cunnamulla Queensland, E Australia
Čunusavvon see Junosuando
Cuokkarašša see Čohkarášša
106 B7 Cuorgnè Piemonte, NE Italy
96 K11 Cupar E Scotland, UK
116 L8 Cupcina Rus. Kupchino; prev. Calinisc, Kalinisk. N Moldova
54 C8 Cupica Chocó, W Colombia
54 C8 Cupica, Golfo de gulf W Colombia
112 N13 Ćuprija Serbia, E Serbia and Montenegro (Yugo.)
Cura see Villa de Cura
45 P16 Curaçao island Netherlands Antilles
56 H13 Curanja, Río E Peru
56 F7 Curaray, Río Ecuador/Peru
116 K14 Curcani Călărași, SE Romania
182 H4 Curdimurka South Australia
103 P7 Cure C France
173 Y16 Curepipe C Mauritius
55 R6 Curiapo Delta Amacuro, NE Venezuela
Curia Rhaetorum see Chur
62 G12 Curicó Maule, C Chile
Curieta see Krk
172 I15 Curieuse island Inner Islands, NE Seychelles
59 C16 Curitiba Acre, W Brazil
60 K12 Curitiba prev. Curytiba. state capital Paraná, S Brazil
60 J13 Curitibanos Santa Catarina, S Brazil
183 S6 Curlewis New South Wales, SE Australia
182 J6 Curnamona South Australia
83 A15 Curoca SW Angola
183 T6 Currabubula New South Wales, SE Australia
59 Q14 Currais Novos Rio Grande do Norte, E Brazil
35 W7 Currant Nevada, W USA
35 W6 Currant Mountain ▲ Nevada, W USA
44 H2 Current Eleuthera Island, C Bahamas
27 W8 Current River Arkansas/Missouri, C USA
182 M14 Currie Tasmania, SE Australia
21 Y8 Currituck North Carolina, SE USA
21 Y8 Currituck Sound sound North Carolina, SE USA
39 R11 Curry Alaska, USA
Curtbunar see Tervel
116 I13 Curtea de Argeș var. Curtea-de-Arges. Argeș, S Romania
116 E10 Curtici Ger. Kurtitsch, Hung. Kürtös. Arad, W Romania
28 M16 Curtis Nebraska, C USA
104 H2 Curtis-Estación Galicia, NW Spain
183 O14 Curtis Group island group Tasmania, SE Australia
181 Y8 Curtis Island island Queensland, SE Australia
58 K11 Curuá, Ilha do island NE Brazil
59 A14 Curuçá, Rio NW Brazil
112 L9 Čurug Hung. Csurog. Serbia, N Serbia and Montenegro (Yugo.)
61 D16 Curuzú Cuatiá Corrientes, NE Argentina
59 M19 Curvelo Minas Gerais, SE Brazil
18 E14 Curwensville Pennsylvania, NE USA
30 M3 Curwood, Mount ▲ Michigan, N USA
Curytiba see Curitiba
Curzola see Korčula
42 A10 Cuscatlán ◇ department C El Salvador
57 H15 Cusco var. Cuzco. Cusco, C Peru
57 H15 Cusco off. Departamento de Cusco; var. Cuzco. ◇ department C Peru
27 O9 Cushing Oklahoma, C USA
25 W8 Cushing Texas, SW USA
40 I6 Cusihuiriachic Chihuahua, N Mexico
103 P10 Cusset Allier, C France
23 S6 Cusseta Georgia, SE USA
28 J10 Custer South Dakota, N USA
Cüstrin see Kostrzyn
33 Q7 Cut Bank Montana, NW USA
Cutch, Gulf of see Kachchh, Gulf of
23 S6 Cuthbert Georgia, SE USA
11 S15 Cut Knife Saskatchewan, S Canada
23 Y16 Cutler Ridge Florida, SE USA
22 K10 Cut Off Louisiana, S USA
63 I15 Cutral-Có Neuquén, C Argentina
107 O21 Cutro Calabria, SW Italy
183 O4 Cuttaburra Channels seasonal river New South Wales, SE Australia
154 O12 Cuttack Orissa, E India
83 C15 Cuvelai Cunene, SW Angola
79 G18 Cuvette var. Région de la Cuvette. ◇ province C Congo
173 V9 Cuvier Basin undersea feature E Indian Ocean
173 U9 Cuvier Plateau undersea feature E Indian Ocean
82 B12 Cuvo W Angola
100 H9 Cuxhaven Niedersachsen, NW Germany
Cuyabá see Cuiabá
Cuyuni, Río see Cuyuni River
55 S8 Cuyuni River var. Río Cuyuni. Guyana/Venezuela
Cuzco see Cusco
97 K22 Cwmbran Wel. Cwmbrân. SW Wales, UK
28 K15 C.W.McConaughy, Lake ▣ Nebraska, C USA
81 D20 Cyangugu SW Rwanda
110 D11 Cybinka Ger. Ziebingen. Lubuskie, W Poland
Cyclades see Kykládes
Cydonia see Chaniá
Cymru see Wales
20 M5 Cynthiana Kentucky, S USA
11 S17 Cypress Hills ▲ Alberta/Saskatchewan, SW Canada
Cypro-Syrian Basin see Cyprus Basin
121 U11 Cyprus off. Republic of Cyprus, Gk. Kypros, Turk. Kıbrıs, Kıbrıs Cumhuriyeti. ◆ republic E Mediterranean Sea
121 W11 Cyprus Basin var. Cypro-Syrian Basin. undersea feature E Mediterranean Sea
Cythera see Kýthira
Cythnos see Kýthnos
110 F9 Czaplinek Ger. Tempelburg. Zachodnio-pomorskie, NW Poland
Czarna Woda see Wda
110 G8 Czarne Pomorskie, N Poland
110 G10 Czarnków Wielkopolskie, C Poland
111 E17 Czech Republic Cz. Česká Republika. ◆ republic C Europe
Czegléd see Cegléd
110 G12 Czempiń Wielkopolskie, C Poland
Czenstochau see Częstochowa
Czerkow see Čerchov
Czernowitz see Chernivtsi
110 I8 Czersk Pomorskie, N Poland
111 J15 Częstochowa Ger. Czenstochau, Tschenstochau, Rus. Chenstokhov. Śląskie, S Poland
110 F10 Człopa Ger. Schloppe. Zachodnio-pomorskie, NW Poland
110 H8 Człuchów Ger. Schlochau. Pomorskie, NW Poland

D

163 V9 Da'an var. Dalai. Jilin, NE China
15 S10 Daaquam Québec, SE Canada
Daawo, Webi see Dawa Wenz
54 I4 Dabajuro Falcón, NW Venezuela
77 N15 Dabakala NE Ivory Coast
163 S11 Daban var. Bairin Youqi. Nei Mongol Zizhiqu, N China
111 K23 Dabas Pest, C Hungary
160 L8 Daba Shan ▲ C China
Dabba see Daocheng
140 J5 Dabbāgh, Jabal ▲ NW Saudi Arabia
54 D8 Dabeiba Antioquia, NW Colombia
154 E11 Dabhoi Gujarāt, W India
161 P8 Dabie Shan ▲ C China
76 I13 Dabola Haute-Guinée, C Guinea
77 N17 Dabou S Ivory Coast
162 M15 Dabqig var. Uxin Qi. Nei Mongol Zizhiqu, N China
110 P8 Dąbrowa Białostocka Podlaskie, NE Poland
111 M16 Dąbrowa Tarnowska Małopolskie, S Poland
119 M20 Dabryn' Rus. Dobryn'. Homyel'skaya Voblasts', SE Belarus
159 P10 Dabsan Hu ◎ C China
161 Q13 Dabu var. Huliao. Guangdong, S China
116 H15 Dăbuleni Dolj, SW Romania
Dacca see Dhaka
101 L23 Dachau Bayern, SE Germany
160 K8 Dachuan prev. Daxian, Da Xian. Sichuan, C China
Dacia Bank see Dacia Seamount
64 M10 Dacia Seamount var. Dacia Bank. undersea feature E Atlantic Ocean
37 T3 Dacono Colorado, C USA
Đắc Tô see Đak Tô
Dacura see Dákura
23 V12 Dade City Florida, SE USA
152 L10 Dadeldhura var. Dandeldhura. Far Western, W Nepal
23 Q5 Dadeville Alabama, S USA
Dadong see Donggang
103 N15 Dadou S France
154 D12 Dādra and Nagar Haveli ◇ union territory W India
149 P14 Dādu Sind, SE Pakistan
167 U11 Da Du Boloc Kon Tum, C Vietnam
160 G9 Dadu He C China
Daegu see Taegu
Daerah Istimewa Aceh see Aceh
171 P4 Daet Luzon, N Philippines
160 I11 Dafang Guizhou, S China
Dafeng see Shanglin
153 W11 Dafla Hills ▲ NE India
11 U15 Dafoe Saskatchewan, S Canada
76 G10 Dagana N Senegal
Dagana see Dahana, Tajikistan
Dagana see Massakory, Chad
Dagcagoin see Zoigê
118 K11 Dagda Krāslava, SE Latvia
Dagden see Hiiumaa
Dagden-Sund see Soela Väin
127 P16 Dagestan, Respublika prev. Dagestanskaya ASSR, Eng. Daghestan. ◇ autonomous republic SW Russian Federation
Dagestanskaya ASSR see Dagestan, Respublika
127 R17 Dagestanskiye Ogni Respublika Dagestan, SW Russian Federation
185 A23 Dagg Sound sound South Island, NZ
Daghestan see Dagestan, Respublika
141 Y8 Daghmar NE Oman
Dağliq Qarabağ see Nagorno-Karabakh
Dagö see Hiiumaa
54 D11 Dagua Valle del Cauca, W Colombia
160 H11 Daguan var. Cuihua. Yunnan, SW China
171 N3 Dagupan off. Dagupan City. Luzon, N Philippines
159 N16 Dagzê var. Dêqên. Xizang Zizhiqu, W China
147 Q13 Dahana Rus. Dagana, Dakhana. SW Tajikistan
163 V10 Dahei Shan ▲ N China
163 T7 Da Hinggan Ling Eng. Great Khingan Range. ▲ NE China
Dahlac Archipelago see Dahlak Archipelago
80 K9 Dahlak Archipelago var. Dahlac Archipelago. island group E Eritrea
23 T2 Dahlonega Georgia, SE USA
101 O14 Dahme Brandenburg, E Germany
100 O13 Dahme E Germany
141 O14 Dahm, Ramlat desert NW Yemen
154 E10 Dāhod prev. Dohad. Gujarāt, W India
Dahomey see Benin
158 G10 Dahongliutan Xinjiang Uygur Zizhiqu, NW China
Dahra see Dara
139 R2 Dahūk var. Dohuk, Kurd. Dihōk. N Iraq
116 J15 Daia Giurgiu, S Romania
165 P12 Daigo Ibaraki, Honshū, S Japan
163 O13 Dai Hai ◎ N China
Daihoku see T'aipei
186 M8 Dai Island island N Solomon Islands
166 M8 Daik-u Pegu, SW Myanmar
138 H9 Dā'īl Dar'ā, S Syria
167 U12 Đại Lanh Khanh Hoa, S Vietnam
161 Q13 Daimao Shan ▲ SE China
105 N11 Daimiel Castilla-La Mancha, C Spain
115 F22 Daimoniá Pelopónnisos, S Greece
Dainan see T'ainan
25 W6 Daingerfield Texas, SW USA
Daingin, Bá an see Dingle Bay
159 R13 Dainkognubma Xizang Zizhiqu, W China
164 K14 Daiō-zaki headland Honshū, SW Japan
Dairbhre see Valencia Island
61 B22 Daireaux Buenos Aires, E Argentina
Dairen see Dalian
75 W9 Dairūt var. Dayrūṭ. C Egypt
25 X10 Daisetta Texas, SW USA
192 G5 Daitō-jima island group SW Japan
192 G5 Daitō Ridge undersea feature N Philippine Sea
161 N3 Daixian var. Dai Xian. Shanxi, C China
Daiyue see Shanyin
161 Q12 Daiyun Shan ▲ SE China
44 M8 Dajabón NW Dominican Republic
150 G8 Dajin Chuan C China
148 J6 Dak W Afghanistan
75 F11 Dakar ● (Senegal) W Senegal
75 F11 Dakar ✕ W Senegal
167 U10 Đak Glây Kon Tum, C Vietnam
Dakhana see Dahana
153 U16 Dakhin Shahbazpur Island island S Bangladesh
Dakhla see Ad Dakhla
76 F7 Dakhlet Nouâdhibou ◇ region NW Mauritania
Đak Lap see Kiên Đưc
167 U13 Đak Nông Đắc Lắc, S Vietnam
77 U11 Dakoro Maradi, S Niger
29 U12 Dakota City Iowa, C USA
29 R13 Dakota City Nebraska, C USA
113 M17 Đakovica var. Djakovica, Alb. Gjakovë. Serbia, S Serbia and Montenegro (Yugo.)
112 I10 Đakovo var. Djakovo, Hung. Diakovár. Osijek-Baranja, E Croatia
Dakshin see Deccan
167 U11 Đak Tô var. Đắc Tô. Kon Tum, C Vietnam
43 N7 Dákura var. Dacura. Región Autónoma Atlántico Norte, NE Nicaragua
95 I14 Dal Akershus, S Norway
82 E12 Dala Lunda Sul, E Angola
108 J8 Dalaas Vorarlberg, W Austria
76 I13 Dalaba Moyenne-Guinée, W Guinea
Dalai see Da'an
162 I12 Dalain Hob var. Ejin Qi. Nei Mongol Zizhiqu, N China
Dalai Nor see Hulun Nur
163 Q11 Dalai Nur salt lake N China
Dala-Jarna see Järna
95 M14 Dalälven C Sweden
136 C16 Dalaman Muğla, SW Turkey
136 C16 Dalaman ✕ Muğla, SW Turkey
136 D16 Dalaman Çayı SW Turkey
162 K11 Dalandzadgad Ömnögovĭ, S Mongolia
95 D17 Dalane physical region S Norway
189 Z2 Dalap-Uliga-Djarrit var. Delap-Uliga-Darrit, D-U-D. island group Ratak Chain, SE Marshall Islands
94 L12 Dalarna prev. Kopparberg. ◇ county C Sweden
94 L13 Dalarna prev. Eng. Dalecarlia. cultural region C Sweden
95 P16 Dalarö Stockholm, C Sweden
167 U13 Đa Lat Lâm Đông, S Vietnam
162 J11 Dalay Ömnögovĭ, S Mongolia
148 L12 Dālbandīn var. Dāl Bandin. Baluchistān, SW Pakistan
95 J17 Dalbosjön lake bay S Sweden
181 Y10 Dalby Queensland, E Australia
94 D13 Dale Hordaland, S Norway
94 C12 Dale Sogn og Fjordane, S Norway
32 K12 Dale Oregon, NW USA
25 T11 Dale Texas, SW USA
Dalecarlia see Dalarna
21 W4 Dale City Virginia, NE USA
20 L8 Dale Hollow Lake ▣ Kentucky/Tennessee, S USA
98 O8 Dalen Drenthe, NE Netherlands
95 E15 Dalen Telemark, S Norway
166 K14 Daletme Chin State, W Myanmar
23 Q7 Daleville Alabama, S USA
98 M9 Dalfsen Overijssel, E Netherlands
24 M1 Dalhart Texas, SW USA
13 O13 Dalhousie New Brunswick, SE Canada
152 I6 Dalhousie Himāchal Pradesh, N India
160 F12 Dali var. Xiaguan. Yunnan, SW China
Dali see Idálion
163 U14 Dalian var. Dairen, Dalien, Lüda, Ta-lien, Rus. Dalny. Liaoning, NE China
105 O15 Dalías Andalucía, S Spain
Dalien see Dalian
Dalijan see Delījān
112 J9 Dalj Hung. Dalja. Osijek-Baranja, E Croatia
Dalja see Dalj
32 F12 Dallas Oregon, NW USA
25 U6 Dallas Texas, SW USA
25 T7 Dallas-Fort Worth ✕ Texas, SW USA
154 K12 Dalli Rājhara Chhattīsgarh, C India
39 X15 Dall Island island Alexander Archipelago, Alaska, USA
38 M12 Dall Lake ◎ Alaska, USA
Dállogilli see Korpilombolo
77 S12 Dallol Bosso seasonal river W Niger
141 U7 Dalmā island W UAE
113 E14 Dalmacija Eng. Dalmatia, Ger. Dalmatien, It. Dalmazia. cultural region S Croatia
Dalmatia/Dalmatien/Dalmazia see Dalmacija
123 S15 Dal'negorsk Primorskiy Kray, SE Russian Federation
Dalny see Dalian
76 M16 Daloa C Ivory Coast
160 J11 Dalou Shan ▲ S China
181 X7 Dalrymple Lake ◎ Queensland, E Australia
14 H14 Dalrymple Lake ◎ Ontario, S Canada
131 X7 Dalrymple, Mount ▲ Queensland, E Australia
93 K20 Dalsbruk Fin. Taalintehdas. Länsi-Suomi, W Finland
95 K19 Dalsjöfors Västra Götaland, S Sweden
95 J17 Dals Långed var. Långed. Västra Götaland, S Sweden
153 O15 Dāltenganj prev. Daltonganj. Jhārkhand, N India
23 R2 Dalton Georgia, SE USA
Daltonganj see Dāltenganj
195 X14 Dalton Iceberg Tongue ice feature Antarctica
Dálvvadis see Jokkmokk
92 J1 Dalvík Nordhurland Eystra, N Iceland
35 N8 Daly City California, W USA
181 P2 Daly River Northern Territory, N Australia
181 Q3 Daly Waters Northern Territory, N Australia
119 F20 Damachava var. Damachova, Pol. Domaczewo, Rus. Domachëvo. Brestskaya Voblasts', SW Belarus
Damachova see Damachava
77 W11 Damagaram Takaya Zinder, S Niger
154 D12 Damān Damān and Diu, W India
154 B12 Damān and Diu ◇ union territory W India
75 V7 Damanhûr anc. Hermopolis Parva. N Egypt
Damão see Damān
161 O1 Damaqun Shan ▲ E China
79 I15 Damara Ombella-Mpoko, S Central African Republic
83 D18 Damaraland physical region C Namibia
171 S15 Damar, Kepulauan var. Baraf Daja Islands, Kepulauan Barat Daya. island group C Indonesia
168 J8 Damar Laut Perak, Peninsular Malaysia
171 S15 Damar, Pulau island Maluku, E Indonesia
Damas see Dimashq
77 Y12 Damasak Borno, NE Nigeria
Damasco see Dimashq
21 Q8 Damascus Virginia, NE USA
Damascus see Dimashq
77 X13 Damaturu Yobe, NE Nigeria
171 R9 Damau Pulau Kaburuang, N Indonesia
143 O5 Damāvand, Qolleh-ye ▲ N Iran
82 B10 Damba Uíge, NW Angola
114 M12 Dambaslar Tekirdağ, NW Turkey
116 J13 Dâmbovița prev. Dîmbovița. ◇ county SE Romania
116 J13 Dâmbovița prev. Dîmbovița. S Romania
173 Y15 D'Ambre, Île island NE Mauritius
155 K24 Dambulla Central Province, C Sri Lanka
44 K9 Dame-Marie SW Haiti
44 J9 Dame Marie, Cap headland SW Haiti
143 Q4 Dāmghān Semnān, N Iran
Damietta see Dumyāt
138 G10 Dāmiyā Al Balqā', NW Jordan
146 G11 Damla Daşoguz Welaýaty, N Turkmenistan
Dammām see Ad Dammām
100 G12 Damme Niedersachsen, NW Germany
153 R15 Dāmodar NE India
154 J9 Damoh Madhya Pradesh, C India
77 P15 Damongo NW Ghana
138 G7 Damoûr var. Ad Dāmūr. W Lebanon
171 N11 Dampal, Teluk bay Sulawesi, C Indonesia
180 H7 Dampier Western Australia
180 H6 Dampier Archipelago island group Western Australia
141 U14 Damqawt var. Damqut. E Yemen
159 O13 Dam Qu C China
Damqut see Damqawt
167 R13 Dâmrei, Chuŏr Phmun Fr. Chaîne de l'Éléphant. ▲ SW Cambodia
108 C7 Damvant Jura, NW Switzerland
Damwâld see Damwoude
98 L5 Damwoude Fris. Damwâld. Friesland, N Netherlands
159 N15 Damxung var. Gongtang. Xizang Zizhiqu, W China
80 K11 Danakil Desert var. Afar Depression, Danakil Plain. desert E Africa
Danakil Plain see Danakil Desert
35 R8 Dana, Mount ▲ California, W USA
76 L16 Danané W Ivory Coast
167 U10 Đa Nâng prev. Tourane. Quang Nam-Đa Nâng, C Vietnam
160 G9 Danba var. Zhanggu, Tib. Rongzhag. Sichuan, C China
Danborg see Daneborg
18 L13 Danbury Connecticut, NE USA
25 W12 Danbury Texas, SW USA
35 X15 Danby Lake ◎ California, W USA
194 H4 Danco Coast physical region Antarctica
82 B11 Dande NW Angola
Dandeldhura see Dadeldhura
155 E17 Dandeli Karnātaka, W India
183 O12 Dandenong Victoria, SE Australia
163 V13 Dandong var. Tan-tung; prev. An-tung. Liaoning, NE China
197 Q14 Daneborg var. Danborg. Tunu, N Greenland
25 V12 Danevang Texas, SW USA
Dänew see Galkynyş
Danfeng see Shizong
14 L12 Danford Lake Québec, SE Canada
19 T4 Danforth Maine, NE USA
37 P3 Danforth Hills ▲ Colorado, C USA
Dangara see Danghara
159 V12 Dangchang Gansu, C China
159 P8 Dangchengwan var. Subei, Subei Mongolzu Zizhixian. Gansu, N China
82 B10 Dange Uíge, NW Angola
Dangerous Archipelago see Tuamotu, Îles
83 E26 Danger Point headland SW South Africa
147 Q13 Danghara Rus. Dangara. SW Tajikistan
159 P8 Danghe Nanshan ▲ W China
80 I12 Dangila var. Dāngilā. Amhara, NW Ethiopia

◆ Country ● Country Capital ◇ Dependent Territory ○ Dependent Territory Capital ◇ Administrative Region ✕ International Airport ▲ Mountain ▲ Mountain Range Volcano River ◎ Lake ▣ Reservoir

242 ••• DANGJIN SHANKOU – DELSBO

159 P8 **Dangjin Shankou** *pass* N China
Dangla *see* Tanggula Shan, China
Dang La *see* Tanggula Shankou, China
Dāngla *see* Dangila, Ethiopia
Dangme Chu *see* Manās
153 Y11 **Dāngori** Assam, NE India
Dang Raek, Phanom/Dangrek, Chaîne des *see* Dângrêk, Chuŏr Phnum
167 S11 **Dângrêk, Chuŏr Phnum** *var.* Phanom Dang Raek, Phanom Dong Rak, *Fr.* Chaîne des Dangrek. ▲▲ Cambodia/Thailand
42 G3 **Dangriga** *prev.* Stann Creek. Stann Creek, E Belize
161 P6 **Dangshan** Anhui, E China
33 T15 **Daniel** Wyoming, C USA
83 H22 **Daniëlskuil** Northern Cape, N South Africa
19 N12 **Danielson** Connecticut, NE USA
124 M15 **Danilov** Yaroslavskaya Oblast', W Russian Federation
127 O9 **Danilovka** Volgogradskaya Oblast', SW Russian Federation
Danish West Indies *see* Virgin Islands (US)
160 L7 **Dan Jiang** ~ C China
160 M7 **Danjiangkou Shuiku** ▣ C China
141 W8 **Ḑank** *var.* Dhank. NW Oman
152 J7 **Dankhar** Himāchal Pradesh, N India
126 L6 **Dankov** Lipetskaya Oblast', W Russian Federation
42 J7 **Danlí** El Paraíso, S Honduras
Danmark *see* Denmark
Danmarksstraedet *see* Denmark Strait
95 O14 **Dannemora** Uppsala, C Sweden
18 L6 **Dannemora** New York, NE USA
100 K11 **Dannenberg** Niedersachsen, N Germany
184 N12 **Dannevirke** Manawatu-Wanganui, North Island, NZ
21 U8 **Dan River** ~ Virginia, NE USA
167 P8 **Dan Sai** Loei, C Thailand
18 F10 **Dansville** New York, NE USA
Dantzig *see* Gdańsk
116 G14 **Danube** *Bul.* Dunav, *Cz.* Dunaj, *Ger.* Donau, *Hung.* Duna, *Rom.* Dunărea. ~ C Europe
Danubian Plain *see* Dunavska Ravnina
166 L8 **Danubyu** Irrawaddy, SW Myanmar
Danum *see* Doncaster
19 P11 **Danvers** Massachusetts, NE USA
27 T11 **Danville** Arkansas, C USA
31 N13 **Danville** Illinois, N USA
31 O14 **Danville** Indiana, N USA
29 Y15 **Danville** Iowa, C USA
20 M6 **Danville** Kentucky, S USA
18 G14 **Danville** Pennsylvania, NE USA
21 T6 **Danville** Virginia, NE USA
Danxian/Dan Xian *see* Danzhou
160 L17 **Danzhou** *prev.* Danxian, Dan Xian, Nada. Hainan, S China
Danzig *see* Gdańsk
Danziger Bucht *see* Danzig, Gulf of
110 J6 **Danzig, Gulf of** *var.* Gulf of Gdańsk, *Ger.* Danziger Bucht, *Pol.* Zakota Gdańska, *Rus.* Gdan'skaya Bukhta. *gulf* N Poland
160 F10 **Daocheng** *var.* Jinzhu, *Tib.* Dabba. Sichuan, C China
Daojiang *see* Daoxian
Daokou *see* Huaxian
104 H7 **Dão, Rio** ~ N Portugal
Daosa *see* Dausa
77 Y7 **Dao Timmi** Agadez, NE Niger
160 M13 **Daoxian** *var.* Daojiang, Dao Xian. Hunan, S China
77 Q14 **Dapaong** N Togo
23 N8 **Daphne** Alabama, S USA
171 P7 **Dapitan** Mindanao, S Philippines
159 P9 **Da Qaidam** Qinghai, C China
163 V8 **Daqing** *var.* Sartu. Heilongjiang, NE China
163 O13 **Daqing Shan** ▲▲ N China
163 T11 **Daqin Tal** *var.* Naiman Qi. Nei Mongol Zizhiqu, N China
Daqm *see* Duqm
160 G8 **Da Qu** *var.* Do Qu. ~ C China
139 T5 **Dāqūq** *var.* Tāwūq. N Iraq
76 G10 **Dara** *var.* Dahra. NW Senegal
138 H9 **Dar'ā** *var.* Der'a, *Fr.* Déraa. Dar'ā, SW Syria
138 H8 **Dar'ā** *off.* Muḩāfaẓat Dar'ā, *var.* Dará, Derá, Derrá. ◈ *governorate* S Syria
143 Q12 **Dārāb** Fārs, S Iran
116 K8 **Darabani** Botoşani, NW Romania
Daraj *see* Dirj
142 M8 **Dārān** Eşfahān, W Iran
167 U12 **Đa Răng, Sông** *var.* Ba. ~ S Vietnam
Daraut-Kurgan *see* Daroot-Korgon
77 W13 **Darazo** Bauchi, E Nigeria
139 S3 **Darband** N Iraq
139 V4 **Darband-i Khān, Sadd** *dam* NE Iraq
139 N1 **Darbāsīyah** *var.* Derbisīye. Al Ḩasakah, N Syria
118 C11 **Darbėnai** Klaipėda, NW Lithuania
153 Q13 **Darbhanga** Bihār, N India
38 M9 **Darby, Cape** *headland* Alaska, USA
112 I9 **Darda** *Hung.* Dárda. Osijek-Baranja, E Croatia
27 T11 **Dardanelle** Arkansas, C USA
27 S11 **Dardanelle, Lake** ▣ Arkansas, C USA
Dardanelles *see* Çanakkale Boğazı
Dardanelli *see* Çanakkale
Dardo *see* Kangding
Dar-el-Beida *see* Casablanca
136 M14 **Darende** Malatya, C Turkey
81 J22 **Dar es Salaam** Dar es Salaam, E Tanzania
81 J22 **Dar es Salaam** × Pwani, E Tanzania
185 H18 **Darfield** Canterbury, South Island, NZ
106 F7 **Darfo** Lombardia, N Italy
80 B10 **Darfur** *var.* Darfur Massif. *cultural region* W Sudan
Darfur Massif *see* Darfur
Darganata/Dargan-Ata *see* Birata
143 T3 **Dargaz** *var.* Darreh Gaz; *prev.* Moḩammadābād. Khorāsān, NE Iran
139 U4 **Dargazayn** NE Iraq
183 P12 **Dargo** Victoria, SE Australia
162 K7 **Darhan** Bulgan, C Mongolia
162 L6 **Darhan** Darhan Uul, N Mongolia
163 N8 **Darhan** Hentiy, C Mongolia
Darhan Muminggan Lianheqi *see* Bailingmiao
162 L6 **Darhan Uul** ◈ *province* N Mongolia
23 W7 **Darien** Georgia, SE USA
43 W16 **Darién** *off.* Provincia del Darién. ◈ *province* SE Panama
Darién, Golfo del *see* Darien, Gulf of
43 X14 **Darien, Gulf of** *Sp.* Golfo del Darién. *gulf* S Caribbean Sea
Darien, Isthmus of *see* Panamá, Istmo de
42 K9 **Dariense, Cordillera** ▲▲ C Nicaragua
43 W15 **Darién, Serranía del** ▲▲ Colombia/Panama
Dario *see* Ciudad Darío
Dariorigum *see* Vannes
Dariv *see* Darvi
Darj *see* Dirj
Darjeeling *see* Darjiling
153 S12 **Darjiling** *prev.* Darjeeling. West Bengal, NE India
Darkehnen *see* Ozersk
159 S12 **Darlag** *var.* Gümai. Qinghai, C China
183 T3 **Darling Downs** *hill range* Queensland, E Australia
28 M2 **Darling, Lake** ▣ North Dakota, N USA
180 I12 **Darling Range** ▲▲ Western Australia
182 L8 **Darling River** ~ New South Wales, SE Australia
97 M15 **Darlington** N England, UK
21 T12 **Darlington** South Carolina, SE USA
30 K9 **Darlington** Wisconsin, N USA
110 G7 **Darłowo** Zachodnio-pomorskie, NW Poland
101 G19 **Darmstadt** Hessen, SW Germany
75 S7 **Darnah** *var.* Dérna. NE Libya
103 S6 **Darney** Vosges, NE France
182 M7 **Darnick** New South Wales, SE Australia
195 Y6 **Darnley, Cape** *headland* Antarctica
105 R7 **Daroca** Aragón, NE Spain
147 S11 **Daroot-Korgon** *var.* Daraut-Kurgan. Oshskaya Oblast', SW Kyrgyzstan
61 A23 **Darragueira** *var.* Darregueira. Buenos Aires, E Argentina
Darregueira *see* Darragueira
Darreh Gaz *see* Dargaz
142 K7 **Darreh Shahr** *var.* Darreh-ye Shahr. Īlām, W Iran
Darreh-ye Shahr *see* Darreh Shahr
32 I7 **Darrington** Washington, NW USA
25 P1 **Darrouzett** Texas, SW USA
153 S15 **Darsana** *var.* Darshana. Khulna, N Bangladesh
Darshana *see* Darsana
100 M7 **Darss** *peninsula* NE Germany
100 M7 **Darsser Ort** *headland* NE Germany
97 J24 **Dart** ~ SW England, UK
Dartang *see* Baqên
97 P22 **Dartford** SE England, UK
182 L12 **Dartmoor** Victoria, SE Australia
97 I24 **Dartmoor** *moorland* SW England, UK
13 Q15 **Dartmouth** Nova Scotia, SE Canada
97 J24 **Dartmouth** SW England, UK
15 Y6 **Dartmouth** ~ Québec, SE Canada
183 Q11 **Dartmouth Reservoir** ◎ Victoria, SE Australia
Dartuch, Cabo *see* Artrutx, Cap d'
186 C9 **Daru** Western, SW PNG
112 G9 **Daruvar** *Hung.* Daruvár. Bjelovar-Bilogora, NE Croatia
Darvaza, Turkmenistan *see* Derweze
Darvaza, Uzbekistan *see* Darvoza
Darvazskiy Khrebet *see* Darvoz, Qatorkŭhi
162 F8 **Darvi** *var.* Dariv. Govĭ-Altay, W Mongolia
148 L9 **Darvīshān** *var.* Darweshan, Garmser. Helmand, S Afghanistan
147 R13 **Darvoz, Qatorkŭhi** *Rus.* Darvazskiy Khrebet. ▲▲ C Tajikistan
Darweshan *see* Darvīshān
63 J15 **Darwin** Río Negro, S Argentina
181 O1 **Darwin** *prev.* Palmerston, Port Darwin. *territory capital* Northern Territory, N Australia
65 D24 **Darwin** *var.* Darwin Settlement. East Falkland, Falkland Islands
62 H8 **Darwin, Cordillera** ▲▲ N Chile
57 B17 **Darwin, Volcán** ✱ Galapagos Islands, Ecuador, E Pacific Ocean
147 O10 **Darvoza** *Rus.* Darvaza. Jizzax Viloyati, C Uzbekistan
149 S8 **Darya Khān** Punjab, E Pakistan
145 O15 **Dar'yalyktakyr, Ravnina** *plain* S Kazakhstan
143 T11 **Dārzīn** Kermān, S Iran
Dashennongjia *see* Shennong Ding
Dashhowuz *see* Daşoguz
Dashhowuz Welayaty *see* Daşoguz Welaýaty
119 O16 **Dashkawka** *Rus.* Dashkovka. Mahilyowskaya Voblasts', E Belarus
Dashkhovuz *see* Daşoguz/Daşoguz Welaýaty
Dashkhovuzskiy Velayat *see* Daşoguz Welaýaty
Dashköpri *see* Daşköpri
Dashkovka *see* Dashkawka
148 J15 **Dasht** ~ SW Pakistan
Dashtidzhum *see* Dashtijum
147 R13 **Dashtijum** *Rus.* Dashtidzhum. SW Tajikistan
149 W7 **Daska** Punjab, NE Pakistan
146 J16 **Daşköpri** *var.* Dashköpri, *Rus.* Tashkepri. Mary Welaýaty, S Turkmenistan
146 H8 **Daşoguz** *Rus.* Dashkhovuz, *Turkm.* Dashhowuz; *prev.* Tashauz. Daşoguz Welaýaty, N Turkmenistan
146 E9 **Daşoguz Welaýaty** *var.* Dashhowuz Welayaty, *Rus.* Dashkhovuz, Dashkhovuzskiy Velayat. ◈ *province* N Turkmenistan
Đa, Sông *see* Black River
77 R15 **Dassa** *var.* Dassa-Zoumé. S Benin
Dassa-Zoumé *see* Dassa
29 U8 **Dassel** Minnesota, N USA
152 H3 **Dastegil Sar** *var.* Disteghil Sār. ▲ N India
136 C16 **Datça** Muğla, SW Turkey
165 R4 **Date** Hokkaidō, NE Japan
154 I8 **Datia** *prev.* Duttia. Madhya Pradesh, C India
Dåtnejaevrie *see* Tunnsjøen
159 T10 **Datong** *var.* Qiaotou. Qinghai, C China
161 N2 **Datong** *var.* Tatung, Ta-t'ung. Shanxi, C China
Datong *see* Tong'an
159 S9 **Datong He** ~ C China
159 S9 **Datong Shan** ▲▲ C China
169 O10 **Datu, Tanjung** *headland* Indonesia/Malaysia
Daua *see* Dawa Wenz
172 H16 **Dauban, Mount** ▲ Silhouette, NE Seychelles
149 T7 **Dāūd Khel** Punjab, E Pakistan
119 G15 **Daugai** Alytus, S Lithuania
Daugava *see* Western Dvina
118 J11 **Daugavpils** *Ger.* Dünaburg; *prev. Rus.* Dvinsk. *municipality* Daugvapils, SE Latvia
Dauka *see* Dawkah
Daulatabad *see* Maläyer
101 D18 **Daun** Rheinland-Pfalz, W Germany
155 E14 **Daund** *prev.* Dhond. Mahārāshtra, W India
166 M12 **Daung Kyun** *island* S Myanmar
11 W15 **Dauphin** Manitoba, S Canada
103 S13 **Dauphiné** *cultural region* E France
23 N9 **Dauphin Island** *island* Alabama, S USA
11 X15 **Dauphin River** Manitoba, S Canada
77 V12 **Daura** Katsina, N Nigeria
152 H12 **Dausa** *prev.* Daosa. Rājasthān, N India
Dauwa *see* Dawwah
137 Y10 **Däväçi** *Rus.* Divichi. NE Azerbaijan
155 F18 **Dāvangere** Karnātaka, W India
171 Q8 **Davao** *off.* Davao City. Mindanao, S Philippines
171 Q8 **Davao Gulf** *gulf* Mindanao, S Philippines
15 Q11 **Daveluyville** Québec, SE Canada
29 Z14 **Davenport** Iowa, C USA
32 L8 **Davenport** Washington, NW USA
43 P16 **David** Chiriquí, W Panama
15 O11 **David** ~ Québec, SE Canada
29 R15 **David City** Nebraska, C USA
David-Gorodok *see* Davyd-Haradok
11 T16 **Davidson** Saskatchewan, S Canada
21 R10 **Davidson** North Carolina, SE USA
26 K12 **Davidson** Oklahoma, C USA
39 S6 **Davidson Mountains** ▲▲ Alaska, USA
172 M8 **Davie Ridge** *undersea feature* W Indian Ocean
182 A1 **Davies, Mount** ▲ South Australia
35 O7 **Davis** California, W USA
27 N12 **Davis** Oklahoma, C USA
195 Y7 **Davis** *Australian research station* Antarctica
194 H3 **Davis Coast** *physical region* Antarctica
18 C16 **Davis, Mount** ▲ Pennsylvania, NE USA
24 K9 **Davis Mountains** ▲▲ Texas, SW USA
195 Z9 **Davis Sea** *sea* Antarctica
65 O20 **Davis Seamounts** *undersea feature* S Atlantic Ocean
196 M13 **Davis Strait** *strait* Baffin Bay/Labrador Sea
127 U5 **Davlekanovo** Respublika Bashkortostan, W Russian Federation
108 J9 **Davos** *Rmsch.* Tavau. Graubünden, E Switzerland
119 J20 **Davyd-Haradok** *Pol.* Dawidgródek, *Rus.* David-Gorodok. Brestskaya Voblasts', SW Belarus
163 U12 **Dawa** Liaoning, NE China
141 O11 **Dawāsir, Wādī ad** *dry watercourse* S Saudi Arabia
81 K15 **Dawa Wenz** *var.* Daua, Webi Daawo. ~ E Africa
Dawaymah, Birkat ad *see* Umm al Baqar, Hawr
Dawei *see* Tavoy
119 K14 **Dawhinava** *Rus.* Dolginovo. Minskaya Voblasts', N Belarus
Dawidgródek *see* Davyd-Haradok
141 V12 **Dawkah** *var.* Dauka. SW Oman
Dawlat Qaṭar *see* Qatar
24 M3 **Dawn** Texas, SW USA
Dawo *see* Maqên
140 M11 **Daws** Al Bāḩah, SW Saudi Arabia
10 H5 **Dawson** *var.* Dawson City. Yukon Territory, NW Canada
23 S6 **Dawson** Georgia, SE USA
29 S9 **Dawson** Minnesota, N USA
Dawson City *see* Dawson
11 N13 **Dawson Creek** British Columbia, W Canada
8 H7 **Dawson Range** ▲▲ Yukon Territory, W Canada
181 Y9 **Dawson River** ~ Queensland, E Australia
10 J15 **Dawsons Landing** British Columbia, SW Canada
20 I7 **Dawson Springs** Kentucky, S USA
23 S2 **Dawsonville** Georgia, SE USA
160 G8 **Dawu** *var.* Xianshui. Sichuan, C China
Dawu *see* Maqên
Dawukou *see* Shizuishan
141 Y10 **Dawwah** *var.* Dauwa. W Oman
102 J15 **Dax** *var.* Ax; *anc.* Aquae Augustae, Aquae Tarbelicae. Landes, SW France
Da Xian/Daxian *see* Dachuan
Daxue *see* Wencheng
160 G9 **Daxue Shan** ▲▲ C China
Dayan *see* Lijiang
160 G12 **Dayao** *var.* Jinbi. Yunnan, SW China
Dayishan *see* Gaoyou
183 N12 **Daylesford** Victoria, SE Australia
35 U10 **Daylight Pass** *pass* California, W USA
61 D17 **Daymán, Río** ~ N Uruguay
Dayr *see* Ad Dayr
138 G10 **Dayr 'Allā** *var.* Deir 'Alla. Al Balqā', N Jordan
139 N4 **Dayr az Zawr** *var.* Deir ez Zor. Dayr az Zawr, E Syria
138 M5 **Dayr az Zawr** *off.* Muḩāfaẓat Dayr az Zawr, *var.* Dayr Az-Zor. ◈ *governorate* E Syria
Dayr Az-Zor *see* Dayr az Zawr
Dayrūṭ *see* Dairûṭ
11 Q15 **Daysland** Alberta, SW Canada
31 R14 **Dayton** Ohio, N USA
20 L10 **Dayton** Tennessee, S USA
25 W11 **Dayton** Texas, SW USA
32 L10 **Dayton** Washington, NW USA
23 X10 **Daytona Beach** Florida, SE USA
169 U12 **Dayu** Borneo, C Indonesia
161 O13 **Dayu Ling** ▲▲ S China
161 R7 **Da Yunhe** *Eng.* Grand Canal. *canal* E China
161 S11 **Dayu Shan** *island* SE China
160 J9 **Dazhu** *var.* Zhuyang. Sichuan, C China
160 J9 **Dazu** *var.* Longgang. Chongqing Shi, C China
83 H24 **De Aar** Northern Cape, C South Africa
194 K5 **Deacon, Cape** *headland* Antarctica
39 R5 **Deadhorse** Alaska, USA
33 T12 **Dead Indian Peak** ▲ Wyoming, C USA
23 R9 **Dead Lake** ◎ Florida, SE USA
44 J4 **Deadman's Cay** Long Island, C Bahamas
138 G11 **Dead Sea** *var.* Bahret Lut, Lacus Asphaltites, *Ar.* Al Baḩr al Mayyit, Baḩrat Lūt, *Heb.* Yam HaMelaḩ. *salt lake* Israel/Jordan
28 J9 **Deadwood** South Dakota, N USA
97 Q22 **Deal** SE England, UK
83 I22 **Dealesville** Free State, C South Africa
161 P10 **De'an** *var.* Puting. Jiangxi, S China
62 K9 **Deán Funes** Córdoba, C Argentina
194 L12 **Dean Island** *island* Antarctica
Deanuvuotna *see* Tanafjorden
31 S10 **Dearborn** Michigan, N USA
27 R3 **Dearborn** Missouri, C USA
Deargget *see* Tärendö
32 K9 **Deary** Idaho, NW USA
32 M9 **Deary** Washington, NW USA
10 J10 **Dease** ~ British Columbia, W Canada
10 J10 **Dease Lake** British Columbia, W Canada
35 U11 **Death Valley** California, W USA
35 U11 **Death Valley** *valley* California, W USA
92 M8 **Deatnu** *Fin.* Tenojoki, *Nor.* Tana. ~ Finland/Norway *see also* Tenojoki
102 L4 **Deauville** Calvados, N France
117 X7 **Debal'tseve** *Rus.* Debal'tsevo. Donets'ka Oblast', SE Ukraine
Debal'tsevo *see* Debal'tseve
113 M19 **Debar** *Ger.* Dibra, *Turk.* Debre. W FYR Macedonia
39 O9 **Debauch Mountain** ▲ Alaska, USA
De Behagle *see* Laï
25 X7 **De Berry** Texas, SW USA
127 T2 **Debessy** Udmurtskaya Respublika, NW Russian Federation
111 N16 **Dębica** Podkarpackie, SE Poland
De Bildt *see* De Bilt
98 J11 **De Bilt** *var.* De Bildt. Utrecht, C Netherlands
123 T9 **Debin** Magadanskaya Oblast', E Russian Federation
110 N13 **Dęblin** *Rus.* Ivangorod. Lubelskie, E Poland
110 D10 **Dębno** Zachodnio-pomorskie, NW Poland
39 S10 **Deborah, Mount** ▲ Alaska, USA
33 N8 **De Borgia** Montana, NW USA
Debra Birhan *see* Debre Birhan
Debra Marcos *see* Debre Mark'os
Debra Tabor *see* Debre Tabor
Debre *see* Debar
80 J13 **Debre Birhan** *var.* Debra Birhan. Amhara, N Ethiopia
111 N22 **Debrecen** *Ger.* Debreczin, *Rom.* Debreţin; *prev.* Debreczen. Hajdú-Bihar, E Hungary
Debreczen/Debreczin *see* Debrecen
80 I12 **Debre Mark'os** *var.* Debra Marcos. Amhara, N Ethiopia
113 N19 **Debrešte** SW FYR Macedonia
80 J11 **Debre Tabor** *var.* Debra Tabor. Amhara, N Ethiopia
Debreţin *see* Debrecen
80 J13 **Debre Zeyt** Oromo, C Ethiopia
113 L16 **Dečani** Serbia, S Serbia and Montenegro (Yugo.)
23 P2 **Decatur** Alabama, S USA
23 S3 **Decatur** Georgia, SE USA
30 L13 **Decatur** Illinois, N USA
31 Q12 **Decatur** Indiana, N USA
22 M5 **Decatur** Mississippi, S USA
29 S14 **Decatur** Nebraska, C USA
25 S6 **Decatur** Texas, SW USA
20 H9 **Decaturville** Tennessee, S USA
103 O13 **Decazeville** Aveyron, S France
155 H17 **Deccan** *Hind.* Dakshin. *plateau* C India
14 J8 **Decelles, Réservoir** ▣ Québec, SE Canada
12 K2 **Déception** Québec, NE Canada
160 G11 **Dechang** *var.* Dezhou. Sichuan, C China
111 C15 **Děčín** *Ger.* Tetschen. Ústecký Kraj, NW Czech Republic
103 P9 **Decize** Nièvre, C France
98 I6 **De Cocksdorp** Noord-Holland, NW Netherlands
29 X11 **Decorah** Iowa, C USA
Dedeagaç/Dedeagach *see* Alexandroúpoli
188 C15 **Dededo** N Guam
98 N9 **Dedemsvaart** Overijssel, E Netherlands
19 O11 **Dedham** Massachusetts, NE USA
63 H19 **Dedo, Cerro** ▲ SW Argentina
77 O13 **Dédougou** W Burkina
124 G15 **Dedovichi** Pskovskaya Oblast', W Russian Federation
Dedu *see* Wudalianchi
155 J24 **Deduru Oya** ~ W Sri Lanka
83 N14 **Dedza** Central, S Malawi
83 N14 **Dedza Mountain** ▲ C Malawi
97 J19 **Dee** *Wel.* Afon Dyfrdwy. ~ England/Wales, UK
96 K9 **Dee** ~ NE Scotland, UK
Deep Bay *see* Chilumba
21 T3 **Deep Creek Lake** ▣ Maryland, NE USA
36 J4 **Deep Creek Range** ▲▲ Utah, W USA
27 P10 **Deep Fork** ~ Oklahoma, C USA
14 J11 **Deep River** Ontario, SE Canada
21 T10 **Deep River** ~ North Carolina, SE USA
183 U4 **Deepwater** New South Wales, SE Australia
31 S14 **Deer Creek Lake** ◎ Ohio, N USA
23 Z15 **Deerfield Beach** Florida, SE USA
39 N8 **Deering** Alaska, USA
38 M16 **Deer Island** *island* Alaska, USA
19 S7 **Deer Isle** *island* Maine, NE USA
13 S11 **Deer Lake** Newfoundland and Labrador, SE Canada
99 D18 **Deerlijk** West-Vlaanderen, W Belgium
33 Q10 **Deer Lodge** Montana, NW USA
32 L8 **Deer Park** Washington, NW USA
29 U5 **Deer River** Minnesota, N USA
Deés *see* Dej
Defeng *see* Liping
31 R11 **Defiance** Ohio, N USA
23 Q8 **De Funiak Springs** Florida, SE USA
95 L23 **Degeberga** Skåne, S Sweden
104 H12 **Degebe, Ribeira** ~ S Portugal
80 M13 **Degeh Bur** Somali, E Ethiopia
15 U9 **Dégelis** Québec, SE Canada
77 U17 **Degema** Rivers, S Nigeria
95 L16 **Degerfors** Örebro, C Sweden
193 R14 **De Gerlache Seamounts** *undersea feature* SE Pacific Ocean
101 N21 **Deggendorf** Bayern, SE Germany
80 I11 **Degoma** Amhara, N Ethiopia
De Gordyk *see* Gorredijk
27 T12 **De Gray Lake** ▣ Arkansas, C USA
180 J6 **De Grey River** ~ Western Australia
126 M10 **Degtevo** Rostovskaya Oblast', SW Russian Federation
143 X13 **Dehak** Sīstān va Balūchestān, SE Iran
143 R9 **Deh 'Alī** Kermān, C Iran
143 S13 **Dehbārez** *var.* Rūdān. Hormozgān, S Iran
143 P10 **Deh Bīd** Fārs, C Iran
142 M10 **Deh Dasht** Kohgīlūyeh va Būyer Aḩmad, SW Iran
75 N8 **Dehibat** SE Tunisia
Dehli *see* Delhi
142 K8 **Dehlorān** Īlām, W Iran
147 N13 **Dehqonobod** *Rus.* Dekhkanabad. Qashqadaryo Viloyati, S Uzbekistan
152 J9 **Dehra Dūn** Uttaranchal, N India
153 O14 **Dehri** Bihār, N India
148 K10 **Deh Shū** *var.* Deshu. Helmand, S Afghanistan
99 D17 **Deinze** Oost-Vlaanderen, NW Belgium
Deir 'Alla *see* Dayr 'Allā
Deir ez Zor *see* Dayr az Zawr
Deirgeirt, Loch *see* Derg, Lough
116 H9 **Dej** *Hung.* Dés; *prev.* Deés. Cluj, NW Romania
95 K15 **Deje** Värmland, C Sweden
171 Y15 **De Jongs, Tanjung** *headland* Papua, SE Indonesia
De Jouwer *see* Joure
30 M10 **De Kalb** Illinois, N USA
22 M5 **De Kalb** Mississippi, S USA
25 W5 **De Kalb** Texas, SW USA
Dékéleia *see* Dhekélia
79 K20 **Dekese** Kasai Occidental, C Dem. Rep. Congo
Dekhkanabad *see* Dehqonobod
79 I14 **Dékoa** Kémo, C Central African Republic
98 H6 **De Koog** Noord-Holland, NW Netherlands
30 M9 **Delafield** Wisconsin, N USA
61 C23 **De La Garma** Buenos Aires, E Argentina
14 K10 **Delahey, Lac** ◎ Québec, SE Canada
80 E11 **Delami** Southern Kordofan, C Sudan
23 X11 **De Land** Florida, SE USA
35 R12 **Delano** California, W USA
29 V8 **Delano** Minnesota, N USA
36 K6 **Delano Peak** ▲ Utah, W USA
Delap-Uliga-Darrit *see* Dalap-Uliga-Djarrit
148 L7 **Delārām** Farāh, SW Afghanistan
38 F17 **Delarof Islands** *island group* Aleutian Islands, Alaska, USA
30 M9 **Delavan** Wisconsin, N USA
31 S13 **Delaware** Ohio, N USA
18 I17 **Delaware** *off.* State of Delaware; also known as Blue Hen State, Diamond State, First State. ◈ *state* NE USA
18 I17 **Delaware Bay** *bay* NE USA
24 J8 **Delaware Mountains** ▲▲ Texas, SW USA
18 I12 **Delaware River** ~ NE USA
27 Q3 **Delaware River** ~ Kansas, C USA
18 J14 **Delaware Water Gap** *valley* New Jersey/Pennsylvania, NE USA
101 G14 **Delbrück** Nordrhein-Westfalen, W Germany
11 Q15 **Delburne** Alberta, SW Canada
172 M12 **Del Cano Rise** *undersea feature* SW Indian Ocean
113 Q18 **Delčevo** NE FYR Macedonia
Delcommune, Lac *see* Nzilo, Lac
98 O10 **Delden** Overijssel, E Netherlands
183 R12 **Delegate** New South Wales, SE Australia
De Lemmer *see* Lemmer
108 D7 **Delémont** *Ger.* Delsberg. Jura, NW Switzerland
25 R7 **De Leon** Texas, SW USA
115 F18 **Delfoí** Stereá Ellás, C Greece
98 G12 **Delft** Zuid-Holland, W Netherlands
155 J23 **Delft** *island* NW Sri Lanka
98 O5 **Delfzijl** Groningen, NE Netherlands
42 F7 **Delgado** San Salvador, SW El Salvador
82 Q12 **Delgado, Cabo** *headland* N Mozambique
80 E6 **Delgo** Northern, N Sudan
159 R10 **Delhi** *var.* Delingha. Qinghai, C China
152 I10 **Delhi** *var.* Dehli, *Hind.* Dilli; *hist.* Shahjahanabad. Delhi, N India
22 J5 **Delhi** Louisiana, S USA
18 J11 **Delhi** New York, NE USA
152 I10 **Delhi** ◈ *union territory* NW India
136 J17 **Deli Burnu** *headland* S Turkey
55 X10 **Délices** C French Guiana
136 J12 **Delice Çayı** ~ C Turkey
40 J6 **Delicias** *var.* Ciudad Delicias. Chihuahua, N Mexico
143 N7 **Delījān** *var.* Dalijan, Dilijan. Markazī, W Iran
112 P12 **Deli Jovan** ▲ E Serbia and Montenegro (Yugo.)
Déli-Kárpátok *see* Carpaţii Meridionali
8 I8 **Déline** *prev.* Fort Franklin. Northwest Territories, NW Canada
Delingha *see* Delhi
15 Q7 **Delisle** Québec, SE Canada
11 T15 **Delisle** Saskatchewan, S Canada
101 M15 **Delitzsch** Sachsen, E Germany
33 Q12 **Dell** Montana, NW USA
24 I7 **Dell City** Texas, SW USA
103 U7 **Delle** Territoire-de-Belfort, E France
36 J9 **Dellenbaugh, Mount** ▲ Arizona, SW USA
29 R11 **Dell Rapids** South Dakota, N USA
21 Y4 **Delmar** Maryland, NE USA
18 K11 **Delmar** New York, NE USA
100 G11 **Delmenhorst** Niedersachsen, NW Germany
112 C9 **Delnice** Primorje-Gorski Kotar, NW Croatia
37 R7 **Del Norte** Colorado, C USA
39 N6 **De Long Mountains** ▲▲ Alaska, USA
183 P16 **Deloraine** Tasmania, SE Australia
11 W17 **Deloraine** Manitoba, S Canada
31 O12 **Delphi** Indiana, N USA
31 Q12 **Delphos** Ohio, N USA
23 Z15 **Delray Beach** Florida, SE USA
25 O12 **Del Rio** Texas, SW USA
Delsberg *see* Delémont
94 N11 **Delsbo** Gävleborg, C Sweden

◆ Country ● Country Capital ◇ Dependent Territory ○ Dependent Territory Capital ◈ Administrative Region × International Airport ▲ Mountain ▲▲ Mountain Range ✱ Volcano ~ River ◎ Lake ▣ Reservoir

244 ••• Dingolfing – Dos Hermanas

101 N22 **Dingolfing** Bayern, SE Germany
171 O1 **Dingras** Luzon, N Philippines
76 J13 **Dinguiraye** Haute-Guinée, N Guinea
96 I8 **Dingwall** N Scotland, UK
159 V10 **Dingxi** Gansu, C China
161 Q7 **Dingyuan** Anhui, E China
161 O3 **Dingzhou** *prev.* Ding Xian. Hebei, E China
167 U6 **Đinh Lập** Lang Sơn, N Vietnam
167 T13 **Đinh Quan** Đông Nai, S Vietnam
100 E13 **Dinkel** ≈ Germany/Netherlands
101 J21 **Dinkelsbühl** Bayern, S Germany
101 D14 **Dinslaken** Nordrhein-Westfalen, W Germany
35 R11 **Dinuba** California, W USA
21 W7 **Dinwiddie** Virginia, NE USA
98 N13 **Dinxperlo** Gelderland, E Netherlands
115 F14 **Dió** *anc.* Dium. *site of ancient city* Kentrikí Makedonía, N Greece
Diófás *see* Nucet
76 M12 **Dioïla** Koulikoro, W Mali
115 G19 **Dióryga Korinthou** *Eng.* Corinth Canal. *canal* S Greece
76 G12 **Diouloulou** SW Senegal
77 N11 **Dioura** Mopti, W Mali
76 G11 **Diourbel** W Senegal
152 L10 **Dipayal** Far Western, W Nepal
121 R1 **Dipkarpaz** *Gk.* Rizokarpaso, Rizokárpason. NE Cyprus
149 R17 **Diplo** Sind, SE Pakistan
171 P7 **Dipolog** *var.* Dipolog City. Mindanao, S Philippines
185 C23 **Dipton** Southland, South Island, NZ
77 O10 **Diré** Tombouctou, C Mali
80 L13 **Dirē Dawa** Dirē Dawa, E Ethiopia
Dirfis *see* Dírfys
115 H18 **Dírfys** *var.* Dirfis. ▲ Évvioa, C Greece
75 N9 **Dirj** *var.* Daraj, Darj. W Libya
180 G10 **Dirk Hartog Island** *island* Western Australia
77 Y8 **Dirkou** Agadez, NE Niger
181 X11 **Dirranbandi** Queensland, E Australia
81 O16 **Dirri** Galguduud, C Somalia
Dirschau *see* Tczew
37 N6 **Dirty Devil River** ≈ Utah, W USA
32 E10 **Disappointment, Cape** *headland* Washington, NW USA
180 L8 **Disappointment, Lake** *salt lake* Western Australia
183 R12 **Disaster Bay** *bay* New South Wales, SE Australia
44 J11 **Discovery Bay** C Jamaica
182 K13 **Discovery Bay** *inlet* SE Australia
Discovery Seamount/Discovery Seamounts *see* Discovery Tablemount
65 O19 **Discovery Tablemount** *var.* Discovery Seamount, Discovery Seamounts. *undersea feature* SW Indian Ocean
108 G9 **Disentis** *Rmsch.* Mustér. Graubünden, S Switzerland
39 O10 **Dishna River** ≈ Alaska, USA
195 X4 **Dismal Mountains** ⛰ Antarctica
28 M14 **Dismal River** ≈ Nebraska, C USA
Disna *see* Dzisna
99 L19 **Dison** Liège, E Belgium
153 V12 **Dispur** Assam, NE India
15 R11 **Disraeli** Québec, SE Canada
115 F18 **Dístomo** *prev.* Dhístomon. Stereá Ellás, C Greece
115 H18 **Dístos, Límni** ⊚ Évvoia, C Greece
59 L18 **Distrito Federal** *Eng.* Federal District. ◈ *federal district* C Brazil
41 P14 **Distrito Federal** ◈ *federal district* S Mexico
54 L4 **Distrito Federal** *off.* Territorio Distrito Federal. ◈ *federal district* N Venezuela
Distrito Federal, Territorio *see* Distrito Federal
116 J10 **Ditrău** *Hung.* Ditró. Harghita, C Romania
Ditró *see* Ditrău
154 B12 **Diu** Damān and Diu, W India
Dium *see* Dió
109 S13 **Divača** SW Slovenia
102 K5 **Dives** ≈ N France
Divichi *see* Däväçi
33 Q11 **Divide** Montana, NW USA
Divin *see* Dzivin
83 N18 **Divinhe** Sofala, E Mozambique
59 L20 **Divinópolis** Minas Gerais, SE Brazil
127 N13 **Divnoye** Stavropol'skiy Kray, SW Russian Federation
76 M17 **Divo** S Ivory Coast
Divodurum Mediomatricum *see* Metz
137 N13 **Divriği** Sivas, C Turkey
Diwaniyah *see* Ad Dīwānīyah
14 J10 **Dix Milles, Lac** ⊚ Québec, SE Canada
14 M8 **Dix Milles, Lac des** ⊚ Québec, SE Canada
Dixmude/Dixmuide *see* Diksmuide
35 N7 **Dixon** California, W USA
30 L10 **Dixon** Illinois, N USA
20 I6 **Dixon** Kentucky, S USA
27 V6 **Dixon** Missouri, C USA
37 S9 **Dixon** New Mexico, SW USA
39 Y15 **Dixon Entrance** *strait* Canada/USA
18 D14 **Dixonville** Pennsylvania, NE USA
137 T13 **Diyadin** Ağrı, E Turkey
139 V5 **Diyālá, Nahr** *var.* Rudkhaneh-ye Sīrvān, Sirwan. ≈ Iran/Iraq *see also* Sīrvān, Rudkhaneh-ye
137 P15 **Diyarbakır** *var.* Diarbekr; *anc.* Amida. Diyarbakır, SE Turkey
137 P15 **Diyarbakır** *var.* Diarbekr. ◈ *province* SE Turkey
Dizful *see* Dezfūl
79 F16 **Dja** ≈ SE Cameroon
Djadié *see* Zadié
77 X7 **Djado** Agadez, NE Niger
77 X6 **Djado, Plateau du** ⛰ NE Niger
Djailolo *see* Halmahera, Pulau
Djajapura *see* Jayapura
Djakarta *see* Jakarta
Djakovica *see* Đakovica
Djakovo *see* Đakovo
79 G20 **Djambala** Plateaux, C Congo
Djambi *see* Jambi
Djambi *see* Hari, Batang, Sumatera, W Indonesia
74 M9 **Djanet** E Algeria
74 M11 **Djanet** *prev.* Fort Charlet. SE Algeria
Djatiwangi *see* Jatiwangi
Djaul *see* Dyaul Island
Djawa *see* Jawa
Djéblé *see* Jablah
78 I10 **Djédaa** Batha, C Chad
74 J6 **Djelfa** *var.* El Djelfa. N Algeria
79 M14 **Djéma** Haut-Mbomou, E Central African Republic
Djeneponto *see* Jeneponto
77 N12 **Djenné** *var.* Jenné. Mopti, C Mali
Djérablous *see* Jarābulus
Djerba *see* Jerba, Île de
79 F15 **Djérem** ≈ C Cameroon
Djevdjelija *see* Gevgelija
77 P11 **Djibo** N Burkina
80 L12 **Djibouti** *var.* Jibuti. ● (Djibouti) E Djibouti
80 L12 **Djibouti** *off.* Republic of Djibouti, *var.* Jibuti; *prev.* French Somaliland, French Territory of the Afars and Issas, *Fr.* Côte Française des Somalis, Territoire Français des Afars et des Issas. ◆ *republic* E Africa
80 L12 **Djibouti** ✕ C Djibouti
Djidjel/Djidjelli *see* Jijel
55 W10 **Djoemoe** Sipaliwini, C Suriname
Djokjakarta *see* Yogyakarta
79 K21 **Djoku-Punda** Kasai Occidental, S Dem. Rep. Congo
79 K18 **Djolu** Equateur, N Dem. Rep. Congo
Djorče Petrov *see* Đorče Petrov
79 F17 **Djoua** ≈ Congo/Gabon
77 R14 **Djougou** W Benin
79 F16 **Djoum** Sud, S Cameroon
78 I8 **Djourab, Erg du** *dunes* N Chad
79 P17 **Djugu** Orientale, NE Dem. Rep. Congo
Djumbir *see* Ďumbier
92 L3 **Djúpivogur** Austurland, SE Iceland
94 L13 **Djura** Dalarna, C Sweden
Djurdjevac *see* Đurđevac
83 G18 **D'Kar** Ghanzi, NW Botswana
197 U6 **Dmitriya Lapteva, Proliv** *strait* N Russian Federation
126 J7 **Dmitriyev-L'govskiy** Kurskaya Oblast', W Russian Federation
Dmitriyevsk *see* Makiyivka
126 K3 **Dmitrov** Moskovskaya Oblast', W Russian Federation
Dmitrovichi *see* Dzmitravichy
126 J6 **Dmitrovsk-Orlovskiy** Orlovskaya Oblast', W Russian Federation
117 R3 **Dmytrivka** Chernihivs'ka Oblast', N Ukraine
Dnepr *see* Dnieper
Dneprodzerzhinsk *see* Dniprodzerzhyns'k
Dneprodzerzhinskoye Vodokhranilishche *see* Dniprodzerzhyns'ke Vodoskhovyshche
Dnepropetrovsk *see* Dnipropetrovs'k
Dnepropetrovskaya Oblast' *see* Dnipropetrovs'ka Oblast'
Dneprorudnoye *see* Dniprorudne
Dneprovskiy Liman *see* Dniprovs'kyy Lyman
Dneprovsko-Bugskiy Kanal *see* Dnyaprowska-Buhski, Kanal
Dnestr *see* Dniester
Dnestrovskiy Liman *see* Dnistrovs'kyy Lyman
117 S10 **Dnieper** *Bel.* Dnyapro, *Rus.* Dnepr, *Ukr.* Dnipro. ≈ E Europe
117 P3 **Dnieper Lowland** *Bel.* Prydnyaprowskaya Nizina, *Ukr.* Prydniprovs'ka Nyzovyna. *lowlands* Belarus/Ukraine
116 M8 **Dniester** *Rom.* Nistru, *Rus.* Dnestr, *Ukr.* Dnister; *anc.* Tyras. ≈ Moldova/Ukraine
Dnipro *see* Dnieper
117 T7 **Dniprodzerzhyns'k** *Rus.* Dneprodzerzhinsk; *prev.* Kamenskoye. Dnipropetrovs'ka Oblast', E Ukraine
117 T7 **Dniprodzerzhyns'ke Vodoskhovyshche** *Rus.* Dneprodzerzhinskoye Vodokhranilishche. ⊞ C Ukraine
117 U7 **Dnipropetrovs'k** *Rus.* Dnepropetrovsk; *prev.* Yekaterinoslav. Dnipropetrovs'ka Oblast', E Ukraine
117 U8 **Dnipropetrovs'k** ✕ Dnipropetrovs'ka Oblast', S Ukraine
Dnipropetrovs'k *see* Dnipropetrovs'ka Oblast'
117 T7 **Dnipropetrovs'ka Oblast'** *var.* Dnipropetrovs'k, *Rus.* Dnepropetrovskaya Oblast'. ◈ *province* E Ukraine
117 U9 **Dniprorudne** *Rus.* Dneprorudnoye. Zaporiz'ka Oblast', SE Ukraine
117 Q11 **Dniprovs'kyy Lyman** *Rus.* Dneprovskiy Liman. *bay* S Ukraine
Dnister *see* Dniester
117 O11 **Dnistrovs'kyy Lyman** *Rus.* Dnestrovskiy Liman. *inlet* S Ukraine
124 G14 **Dno** Pskovskaya Oblast', W Russian Federation
Dnyapro *see* Dnieper
119 H20 **Dnyaprowska-Buhski, Kanal** *Rus.* Dneprovsko-Bugskiy Kanal. *canal* SW Belarus
13 O14 **Doaktown** New Brunswick, SE Canada
78 H13 **Doba** Logone-Oriental, S Chad
118 E9 **Dobele** *Ger.* Doblen. Dobele, W Latvia
101 N16 **Döbeln** Sachsen, E Germany
171 U12 **Doberai, Jazirah** *Dut.* Vogelkop. *peninsula* Papua, E Indonesia
110 F10 **Dobiegniew** *Ger.* Lubuskie, W Poland
Doblen *see* Dobele
81 K18 **Dobli** *spring/well* SW Somalia
112 H11 **Doboj** Republika Srpska, N Bosnia and Herzegovina
110 L8 **Dobre Miasto** *Ger.* Guttstadt. Warmińsko-Mazurskie, NE Poland
114 N7 **Dobrich** *Rom.* Bazargic; *prev.* Tolbukhin. Dobrich, NE Bulgaria
114 N7 **Dobrich** ◈ *province* NE Bulgaria
126 M8 **Dobrinka** Lipetskaya Oblast', W Russian Federation
126 M7 **Dobrinka** Volgogradskaya Oblast', SW Russian Federation
Dobrla Vas *see* Eberndorf
111 I15 **Dobrodzień** *Ger.* Guttentag. Opolskie, S Poland
Dobrogea *see* Dobruja
117 W7 **Dobropillya** *Rus.* Dobropol'ye. Donets'ka Oblast', SE Ukraine
Dobropol'ye *see* Dobropillya
117 P8 **Dobrovelychkivka** Kirovohrads'ka Oblast', C Ukraine
Dobrudja/Dobrudzha *see* Dobruja
114 O7 **Dobruja** *var.* Dobrudja, *Bul.* Dobrudzha, *Rom.* Dobrogea. *physical region* Bulgaria/Romania
119 P19 **Dobrush** Homyel'skaya Voblasts', SE Belarus
125 U14 **Dobryanka** Permskaya Oblast', NW Russian Federation
117 P2 **Dobryanka** Chernihivs'ka Oblast', N Ukraine
Dobryn' *see* Dabryn'
21 R8 **Dobson** North Carolina, SE USA
59 N20 **Doce, Rio** ≈ SE Brazil
93 I16 **Docksta** Västernorrland, C Sweden
41 N10 **Doctor Arroyo** Nuevo León, NE Mexico
62 L4 **Doctor Pedro P. Peña** Boquerón, W Paraguay
171 S11 **Dodaga** Pulau Halmahera, E Indonesia
155 G21 **Dodda Betta** ▲ S India
Dodecanese *see* Dodekánisos
115 M22 **Dodekánisos** *var.* Nóties Sporádes, *Eng.* Dodecanese; *prev.* Dhodhekánisos. *island group* SE Greece
26 J6 **Dodge City** Kansas, C USA
30 K9 **Dodgeville** Wisconsin, N USA
97 H25 **Dodman Point** *headland* SW England, UK
81 J14 **Dodola** Oromo, C Ethiopia
81 H22 **Dodoma** ● (Tanzania) Dodoma, C Tanzania
81 H22 **Dodoma** ◈ *region* C Tanzania
115 C16 **Dodóni** *var.* Dhodhóni. *site of ancient city* Ípeiros, W Greece
33 U7 **Dodson** Montana, NW USA
25 P3 **Dodson** Texas, SW USA
98 M12 **Doesburg** Gelderland, E Netherlands
98 N12 **Doetinchem** Gelderland, E Netherlands
158 L12 **Dogai Coring** *var.* Lake Montcalm. ⊚ W China
137 N15 **Doğanşehir** Malatya, C Turkey
23 S10 **Dog Island** *island* Florida, SE USA
14 C7 **Dog Lake** ⊚ Ontario, S Canada
106 B9 **Dogliani** Piemonte, NE Italy
164 H11 **Dōgo** *island* Oki-shotō, SW Japan
Do Gonbadān *see* Dow Gonbadān
77 S12 **Dogondoutchi** Dosso, SW Niger
Dogrular *see* Pravda
137 T13 **Doğubayazıt** Ağrı, E Turkey
137 P12 **Doğu Karadeniz Dağları** *var.* Anadolu Dağları. ⛰ NE Turkey
158 K16 **Dogxung Zangbo** ≈ W China
Doha *see* Ad Dawḩah
Dohad *see* Dāhod
Dohuk *see* Dahūk
159 N16 **Doilungdêqên** *var.* Namka. Xizang Zizhiqu, W China
114 F12 **Doïranis, Límnis** *Bul.* Ezero Doyransko. ⊚ N Greece
Doire *see* Londonderry
99 H22 **Doische** Namur, S Belgium
59 P17 **Dois de Julho** ✕ (Salvador) Bahia, NE Brazil
60 H12 **Dois Vizinhos** Paraná, S Brazil
80 H10 **Doka** Gedaref, E Sudan
Doka *see* Kéita, Bahr
139 T3 **Dokan** *var.* Dūkān. E Iraq
94 H13 **Dokka** Oppland, S Norway
98 L5 **Dokkum** Friesland, N Netherlands
98 L5 **Dokkumer Ee** ≈ N Netherlands
76 K13 **Doko** Haute-Guinée, NE Guinea
Dokshitsy *see* Dokshytsy
118 K13 **Dokshytsy** *Rus.* Dokshitsy. Vitsyebskaya Voblasts', N Belarus
117 X8 **Dokuchayevs'k** *var.* Dokuchayevsk. Donets'ka Oblast', SE Ukraine
Dolak, Pulau *see* Yos Sudarso, Pulau
29 P9 **Doland** South Dakota, N USA
63 J18 **Dolavón** Chaco, S Argentina
15 P6 **Dolbeau** Québec, SE Canada
102 I5 **Dol-de-Bretagne** Ille-et-Vilaine, NW France
64 J13 **Doldrums Fracture Zone** *tectonic feature* W Atlantic Ocean
103 S8 **Dôle** Jura, E France
97 J19 **Dolgellau** NW Wales, UK
Dolginovo *see* Dawhinava
Dolgi, Ostrov *see* Dolgiy, Ostrov
127 U2 **Dolgiy, Ostrov** *var.* Ostrov Dolgi. *island* NW Russian Federation
162 J9 **Dölgöön** Övörhangay, C Mongolia
107 C20 **Dolianova** Sardegna, Italy, C Mediterranean Sea
Dolina *see* Dolyna
123 T13 **Dolinsk** Ostrov Sakhalin, Sakhalinskaya Oblast', SE Russian Federation
Dolinskaya *see* Dolyns'ka
79 F21 **Dolisie** *prev.* Loubomo. Le Niari, S Congo
116 G14 **Dolj** ◈ *county* SW Romania
98 P5 **Dollard** *bay* NW Germany
194 J5 **Dolleman Island** *island* Antarctica
114 I8 **Dolni Dŭbnik** Pleven, N Bulgaria
114 F8 **Dolni Lom** Vidin, NW Bulgaria
Dolnja Lendava *see* Lendava
114 K9 **Dolno Panicherevo** *var.* Panicherevo. Sliven, C Bulgaria
111 F14 **Dolnośląskie** ◈ *province* SW Poland
111 K18 **Dolný Kubín** *Hung.* Alsókubin. Žilinský Kraj, N Slovakia
106 H8 **Dolo** Veneto, NE Italy
Dolomites/Dolomiti *see* Dolomitiche, Alpi
106 H6 **Dolomitiche, Alpi** *var.* Dolomiti, *Eng.* Dolomites. ⛰ NE Italy
Dolonnur *see* Duolun
162 K10 **Doloon** Ömnögovĭ, S Mongolia
61 E21 **Dolores** Buenos Aires, E Argentina
42 E3 **Dolores** Petén, N Guatemala
171 Q5 **Dolores** Samar, C Philippines
105 S12 **Dolores** País Valenciano, E Spain
61 D19 **Dolores** Soriano, SW Uruguay
41 N12 **Dolores Hidalgo** *var.* Ciudad de Dolores Hidalgo. Guanajuato, C Mexico
8 J7 **Dolphin and Union Strait** *strait* Northwest Territories / Nunavut, N Canada
65 D23 **Dolphin, Cape** *headland* East Falkland, Falkland Islands
44 H12 **Dolphin Head** *hill* W Jamaica
83 B21 **Dolphin Head** *var.* Cape Dernberg. *headland* SW Namibia
110 G12 **Dolsk** *Ger.* Dolzig. Wielkopolskie, C Poland
167 S8 **Đô Lương** Nghê An, N Vietnam
116 I6 **Dolyna** *Rus.* Dolina. Ivano-Frankivs'ka Oblast', W Ukraine
117 R8 **Dolyns'ka** *Rus.* Dolinskaya. Kirovohrads'ka Oblast', S Ukraine
Dolzig *see* Dolsk
Domachëvo/Domaczewo *see* Damachava
117 P9 **Domanivka** Mykolayivs'ka Oblast', S Ukraine
153 S13 **Domar** Rajshahi, N Bangladesh
108 I9 **Domat/Ems** Graubünden, SE Switzerland
111 A18 **Domažlice** *Ger.* Taus. Plzeňský Kraj, W Czech Republic
127 X8 **Dombarovskiy** Orenburgskaya Oblast', W Russian Federation
94 G10 **Dombås** Oppland, S Norway
83 M17 **Dombe** Manica, C Mozambique
82 A13 **Dombe Grande** Benguela, C Angola
103 R10 **Dombes** *physical region* E France
111 I25 **Dombóvár** Tolna, S Hungary
99 D14 **Domburg** Zeeland, SW Netherlands
58 L13 **Dom Eliseu** Pará, NE Brazil
Domel Island *see* Letsôk-aw Kyun
103 O11 **Dôme, Puy de** ▲ C France
36 H13 **Dome Rock Mountains** ⛰ Arizona, SW USA
Domesnes, Cape *see* Kolkasrags
62 G8 **Domeyko** Atacama, N Chile
62 H5 **Domeyko, Cordillera** ⛰ N Chile
102 K5 **Domfront** Orne, N France
171 X13 **Dom, Gunung** ▲ Papua, E Indonesia
45 X11 **Dominica** *off.* Commonwealth of Dominica. ◆ *republic* E West Indies
Dominica Channel *see* Martinique Passage
43 N15 **Dominical** Puntarenas, SE Costa Rica
45 Q8 **Dominican Republic** ◆ *republic* C West Indies
45 X11 **Dominica Passage** *passage* E Caribbean Sea
99 K14 **Dommel** ≈ S Netherlands
81 O14 **Domo** Somali, E Ethiopia
126 L4 **Domodedovo** ✕ (Moskva) Moskovskaya Oblast', W Russian Federation
106 C6 **Domodossola** Piemonte, NE Italy
115 F17 **Domokós** *var.* Dhomokós. Stereá Ellás, C Greece
172 I14 **Domoni** Anjouan, SE Comoros
61 G16 **Dom Pedrito** Rio Grande do Sul, S Brazil
Dompoe *see* Dompu
170 M16 **Dompu** *prev.* Dompoe. Sumbawa, C Indonesia
Domschale *see* Domžale
62 H13 **Domuyo, Volcán** ✱ W Argentina
109 U11 **Domžale** *Ger.* Domschale. C Slovenia
127 O10 **Don** *var.* Duna, Tanais. ≈ SW Russian Federation
96 K9 **Don** ≈ NE Scotland, UK
182 M11 **Donald** Victoria, SE Australia
22 J9 **Donaldsonville** Louisiana, S USA
23 S8 **Donalsonville** Georgia, SE USA
Donau *see* Danube
101 G23 **Donaueschingen** Baden-Württemberg, SW Germany
101 K22 **Donaumoos** *wetland* S Germany
101 K22 **Donauwörth** Bayern, S Germany
109 U7 **Donawitz** Steiermark, SE Austria
117 X7 **Donbass** *industrial region* Russian Federation/Ukraine
104 K11 **Don Benito** Extremadura, W Spain
97 M17 **Doncaster** *anc.* Danum. N England, UK
44 K12 **Don Christophers Point** *headland* C Jamaica
55 V9 **Donderkamp** Sipaliwini, NW Suriname
82 B12 **Dondo** Cuanza Norte, NW Angola
171 O12 **Dondo** Sulawesi, N Indonesia
83 N17 **Dondo** Sofala, C Mozambique
155 K26 **Dondra Head** *headland* S Sri Lanka
Dondușani *see* Dondușeni
116 M8 **Dondușeni** *var.* Dondușani, *Rus.* Dondyushany. N Moldova
Dondyushany *see* Dondușeni
97 D15 **Donegal** *Ir.* Dún na nGall. NW Ireland
97 D14 **Donegal** *Ir.* Dún na nGall. *cultural region* NW Ireland
97 C15 **Donegal Bay** *Ir.* Bá Dhún na nGall. *bay* NW Ireland
117 X7 **Donets** ≈ Russian Federation/Ukraine
117 X8 **Donets'k** *Rus.* Donetsk; *prev.* Stalino. Donets'ka Oblast', E Ukraine
117 W8 **Donets'k** ✕ Donets'ka Oblast', E Ukraine
Donets'k *see* Donets'ka Oblast'
117 W8 **Donets'ka Oblast'** *var.* Donets'k, *Rus.* Donetskaya Oblast'; *prev. Rus.* Stalinskaya Oblast'. ◈ *province* SE Ukraine
Donetskaya Oblast' *see* Donets'ka Oblast'
157 O13 **Dongchuan** Yunnan, SW China
99 I14 **Dongen** Noord-Brabant, S Netherlands
160 K17 **Dongfang** *var.* Basuo. Hainan, S China
163 Z7 **Dongfanghong** Heilongjiang, NE China
163 W11 **Dongfeng** Jilin, NE China
171 N12 **Donggala** Sulawesi, C Indonesia
163 V13 **Donggang** *var.* Dadong, *prev.* Donggou. Liaoning, NE China
Donggou *see* Donggang
161 O14 **Dongguan** Guangdong, S China
167 T9 **Đông Ha** Quang Tri, C Vietnam
Dong Hai *see* East China Sea
160 M16 **Donghai Dao** *island* S China
162 I12 **Dong He** *Mong.* Narin Gol. ≈ N China
167 T9 **Đông Hơi** Quang Binh, C Vietnam
108 H10 **Dongio** Ticino, S Switzerland
Dongkan *see* Binhai
160 L11 **Dongkou** Hunan, S China
Dongliao *see* Liaoyuan
Dong-nai *see* Đông Nai, Sông
167 U13 **Đông Nai, Sông** *var.* Dong-nai, Dong Noi, Donnai. ≈ S Vietnam
161 N14 **Dongnan Qiuling** *plateau* SE China
163 Y9 **Dongning** Heilongjiang, NE China
Dong Noi *see* Đông Nai, Sông
83 C14 **Dongo** Huíla, C Angola
80 E7 **Dongola** *var.* Donqola, Dunqulah. Northern, N Sudan
79 I17 **Dongou** La Likouala, NE Congo
Đông Phu *see* Đông Xoai
Dongping *see* Anhua
Dong Rak, Phanom *see* Dângrêk, Chuŏr Phnum
161 Q14 **Dongshan Dao** *island* SE China
Dongsheng *see* Ordos
161 R7 **Dongtai** Jiangsu, E China
161 N10 **Dongting Hu** *var.* Tung-t'ing Hu. ⊚ S China
161 P10 **Dongxiang** *var.* Xiaogang. Jiangxi, S China
167 T13 **Đông Xoai** *var.* Đông Phu. Sông Be, S Vietnam
161 Q4 **Dongying** Shandong, E China
27 X8 **Doniphan** Missouri, C USA
Donja Łužyca *see* Niederlausitz
10 G7 **Donjek** ≈ Yukon Territory, W Canada
112 E11 **Donji Lapac** Lika-Senj, W Croatia
112 H8 **Donji Miholjac** Osijek-Baranja, NE Croatia
112 P12 **Donji Milanovac** Serbia, E Serbia and Montenegro (Yugo.)
112 G12 **Donji Vakuf** *var.* Srbobran. Federacija Bosna I Hercegovina, C Bosnia & Herzegovina
98 M6 **Donkerbroek** Friesland, N Netherlands
167 P11 **Don Muang** ✕ (Krung Thep) Nonthaburi, C Thailand
25 S17 **Donna** Texas, SW USA
15 Q10 **Donnacona** Québec, SE Canada
Donnai *see* Đông Nai, Sông
29 Y16 **Donnellson** Iowa, C USA
11 O13 **Donnelly** Alberta, W Canada
35 H6 **Donner Pass** *pass* California, W USA
101 F19 **Donnersberg** ▲ W Germany
Donoso *see* Miguel de la Borda
105 P2 **Donostia-San Sebastián** País Vasco, N Spain
115 K21 **Donoússa** *island* Kykládes, Greece, Aegean Sea
35 P8 **Don Pedro Reservoir** ⊞ California, W USA
Donqola *see* Dongola
126 L5 **Donskoy** Tul'skaya Oblast', W Russian Federation
81 L16 **Doolow** Somali, E Ethiopia
39 Q7 **Doonerak, Mount** ▲ Alaska, USA
98 J12 **Doorn** Utrecht, C Netherlands
Doornik *see* Tournai
31 N6 **Door Peninsula** *peninsula* Wisconsin, N USA
80 P13 **Dooxo Nugaaleed** *var.* Nogal Valley. *valley* E Somalia
Do Qu *see* Da Qu
106 B7 **Dora Baltea** *anc.* Duria Major. ≈ NW Italy
180 K7 **Dora, Lake** *salt lake* Western Australia
106 A8 **Dora Riparia** *anc.* Duria Minor. ≈ NW Italy
Dorbiljin *see* Emin
Dorbod/Dorbod Mongolzu Zizhixian *see* Taikang
113 N18 **Đorče Petrov** *var.* Djorče Petrov, Gorče Petrov. N FYR Macedonia
14 F16 **Dorchester** Ontario, S Canada
97 L24 **Dorchester** *anc.* Durnovaria. S England, UK
9 P7 **Dorchester, Cape** *headland* Baffin Island, Nunavut, NE Canada
83 D19 **Dordabis** Khomas, C Namibia
102 L12 **Dordogne** ◈ *department* SW France
103 N12 **Dordogne** ≈ W France
98 H13 **Dordrecht** *var.* Dordt, Dort. Zuid-Holland, SW Netherlands
Dordt *see* Dordrecht
103 P11 **Dore** ≈ C France
11 S13 **Doré Lake** Saskatchewan, C Canada
103 O12 **Dore, Monts** ⛰ C France
101 M23 **Dorfen** Bayern, SE Germany
107 D18 **Dorgali** Sardegna, Italy, C Mediterranean Sea
159 N11 **Dorgê Co** *var.* Elsen Nur. ⊚ C China
162 F7 **Dörgön Nuur** ⊚ NW Mongolia
77 Q12 **Dori** N Burkina
83 E24 **Doring** ≈ S South Africa
101 E16 **Dormagen** Nordrhein-Westfalen, W Germany
103 P4 **Dormans** Marne, N France
108 E6 **Dornach** Solothurn, NW Switzerland
Dorna Watra *see* Vatra Dornei
108 J7 **Dornbirn** Vorarlberg, W Austria
96 I7 **Dornoch** N Scotland, UK
96 J7 **Dornoch Firth** *inlet* N Scotland, UK
163 P7 **Dornod** ◈ *province* E Mongolia
163 N10 **Dornogovĭ** ◈ *province* SE Mongolia
77 P10 **Doro** Tombouctou, S Mali
116 L14 **Dorobanțu** Călărași, S Romania
111 J22 **Dorog** Komárom-Esztergom, N Hungary
126 I4 **Dorogobuzh** Smolenskaya Oblast', W Russian Federation
116 K8 **Dorohoi** Botoșani, NE Romania
93 H15 **Dorotea** Västerbotten, N Sweden
Dorpat *see* Tartu
180 G10 **Dorre Island** *island* Western Australia
183 U5 **Dorrigo** New South Wales, SE Australia
35 N1 **Dorris** California, W USA
14 H13 **Dorset** Ontario, SE Canada
97 K23 **Dorset** *cultural region* S England, UK
101 E14 **Dorsten** Nordrhein-Westfalen, W Germany
Dort *see* Dordrecht
101 F15 **Dortmund** Nordrhein-Westfalen, W Germany
100 F12 **Dortmund-Ems-Kanal** *canal* W Germany
136 L17 **Dörtyol** Hatay, S Turkey
142 L7 **Do Rūd** *var.* Dow Rūd, Durud. Lorestān, W Iran
79 O15 **Doruma** Orientale, N Dem. Rep. Congo
15 O12 **Dorval** ✕ (Montréal) Québec, SE Canada
45 T5 **Dos Bocas, Lago** ⊞ C Puerto Rico
104 K14 **Dos Hermanas** Andalucía, S Spain

◆ Country ● Country Capital ◇ Dependent Territory ○ Dependent Territory Capital ◈ Administrative Region ✕ International Airport ▲ Mountain ⛰ Mountain Range ✱ Volcano ≈ River ⊚ Lake ⊞ Reservoir

Dospad Dagh – Duque de York, Isla ••• 245

Dospad Dagh see Rhodope Mountains
35 P10 Dos Palos California, W USA
114 I11 Dospat Smolyan, S Bulgaria
114 H11 Dospat, Yazovir ⊠ SW Bulgaria
100 M11 Dosse ~ NE Germany
77 S12 Dosso Dosso, SW Niger
77 S12 Dosso ◈ department SW Niger
144 G12 Dossor Atyrau, SW Kazakhstan
147 O10 Do'stlik Jizzax Viloyati, C Uzbekistan
147 V9 Dostuk Narynskaya Oblast', C Kyrgyzstan
145 X13 Dostyk prev. Druzhba. Almaty, SE Kazakhstan
23 R7 Dothan Alabama, S USA
39 T9 Dot Lake Alaska, USA
118 F12 Dotnuva Kaunas, C Lithuania
99 D19 Dottignies Hainaut, W Belgium
103 P2 Douai prev. Douay, anc. Duacum. Nord, N France
14 L9 Douaire, Lac ◎ Québec, SE Canada
79 D16 Douala var. Duala. Littoral, W Cameroon
79 D16 Douala ✕ Littoral, W Cameroon
102 F6 Douarnenez Finistère, NW France
102 E6 Douarnenez, Baie de bay NW France
Douay see Douai
25 O6 Double Mountain Fork Brazos River ~ Texas, SW USA
23 O3 Double Springs Alabama, S USA
103 T8 Doubs ◈ department E France
108 C8 Doubs ~ France/Switzerland
185 A22 Doubtful Sound sound South Island, NZ
184 J2 Doubtless Bay bay North Island, NZ
25 X9 Doucette Texas, SW USA
102 K8 Doué-la-Fontaine Maine-et-Loire, NW France
77 O11 Douentza Mopti, S Mali
65 D24 Douglas East Falkland, Falkland Islands
97 I16 Douglas ○ (Isle of Man) E Isle of Man
83 H23 Douglas Northern Cape, C South Africa
39 X13 Douglas Alexander Archipelago, Alaska, USA
37 O17 Douglas Arizona, SW USA
23 U7 Douglas Georgia, SE USA
33 Y15 Douglas Wyoming, C USA
38 L9 Douglas, Cape headland Alaska USA
10 J14 Douglas Channel channel British Columbia, W Canada
182 G3 Douglas Creek seasonal river South Australia
31 P5 Douglas Lake ◎ Michigan, N USA
21 O9 Douglas Lake ⊠ Tennessee, S USA
39 Q13 Douglas, Mount ▲ Alaska, USA
194 I6 Douglas Range ▲ Alexander Island, Antarctica
121 P9 Doukáto, Akrotírio headland Lefkáda, W Greece
103 O2 Doullens Somme, N France
Douma see Dūmā
79 F15 Doumé Est, E Cameroon
99 E21 Dour Hainaut, S Belgium
59 K18 Dourada, Serra ▲ S Brazil
59 I21 Dourados Mato Grosso do Sul, S Brazil
103 N5 Dourdan Essonne, N France
104 I6 Douro Sp. Duero. ~ Portugal/Spain see also Duero
104 G6 Douro Litoral former province N Portugal
Douvres see Dover
102 K15 Douze ~ SW France
183 P17 Dover Tasmania, SE Australia
97 Q22 Dover Fr. Douvres; Lat. Dubris Portus. SE England, UK
21 Y3 Dover state capital Delaware, NE USA
19 P9 Dover New Hampshire, NE USA
18 J14 Dover New Jersey, NE USA
31 U12 Dover Ohio, N USA
20 H8 Dover Tennessee, S USA
97 Q23 Dover, Strait of var. Straits of Dover, Fr. Pas de Calais. strait England, UK/France
Dover, Straits of see Dover, Strait of
Dovlen see Devin
94 G11 Dovre Oppland, S Norway
94 G10 Dovrefjell plateau S Norway
Dovsk see Dowsk
83 M14 Dowa Central, C Malawi
31 O10 Dowagiac Michigan, N USA
143 N10 Dow Gonbadān var. Do Gonbadān, Gonbadān. Kohgīlūyeh va Būyer Aḩmad, SW Iran
148 M2 Dowlatābād Fāryāb, N Afghanistan
97 G16 Down cultural region SE Northern Ireland, UK
33 R16 Downey Idaho, NW USA
35 P5 Downieville California, W USA
97 G16 Downpatrick Ir. Dún Pádraig. SE Northern Ireland, UK
26 M3 Downs Kansas, C USA
18 J12 Downsville New York, NE USA
Dow Rūd see Do Rūd
29 V12 Dows Iowa, C USA
119 O17 Dowsk Rus. Dovsk. Homyel'skaya Voblasts', SE Belarus
35 Q4 Doyle California, W USA
18 I15 Doylestown Pennsylvania, NE USA
Doyransko, Ezero see Doïranis, Límnis
114 I8 Doyrentsi Lovech, N Bulgaria
164 G11 Dōzen island Oki-shotō, SW Japan
14 K9 Dozois, Réservoir ⊠ Québec, SE Canada
74 D9 Drâa seasonal river S Morocco
Drâa, Hammada du see Dra, Hamada du
Drabble see José Enrique Rodó
117 Q5 Drabiv Cherkas'ka Oblast', C Ukraine
Drable see José Enrique Rodó
103 S13 Drac ~ E France
Drač/Draç see Durrës
60 I8 Dracena São Paulo, S Brazil
98 M6 Drachten Friesland, N Netherlands
92 H11 Drag Lapp. Ájluokta. Nordland, C Norway
116 L14 Dragalina Călăraşi, SE Romania
116 I14 Drăgăneşti-Olt Olt, S Romania
116 J14 Drăgăneşti-Vlaşca Teleorman, S Romania
116 I13 Drăgăşani Vâlcea, SW Romania
114 G9 Dragoman Sofiya, W Bulgaria
115 L25 Dragonáda island SE Greece
Dragonera, Isla see Sa Dragonera
45 T14 Dragon's Mouths, The strait Trinidad and Tobago/Venezuela
95 J23 Dragør København, E Denmark
114 F10 Dragovishitsa Kyustendil, W Bulgaria
103 U15 Draguignan Var, SE France
74 E9 Dra, Hamada du var. Hammada du Drâa, Haut Plateau du Dra. plateau W Algeria
Dra, Haut Plateau du see Dra, Hamada du
119 H19 Drahichyn Pol. Drohiczyn Poleski, Rus. Drogichin. Brestskaya Voblasts', SW Belarus
29 N4 Drake North Dakota, N USA
83 K23 Drakensberg ▲ Lesotho/South Africa
194 F3 Drake Passage passage Atlantic Ocean/Pacific Ocean
114 L8 Dralfa Tŭrgovishte, N Bulgaria
114 J12 Dráma var. Dhráma. Anatolikí Makedonía kai Thráki, NE Greece
Dramburg see Drawsko Pomorskie
95 H15 Drammen Buskerud, S Norway
95 H15 Drammensfjorden fjord S Norway
92 H1 Drangajökull ▲ NW Iceland
95 F16 Drangedal Telemark, S Norway
92 I2 Drangsnes Vestfirdhir, NW Iceland
Drann see Dravinja
109 T10 Drau var. Drava, Eng. Drave, Hung. Dráva. ~ C Europe see also Drava
112 F7 Drava var. Drau, Eng. Drave, Hung. Dráva. ~ C Europe see also Drau
Dráva see Drau/Drava
Drave see Drau/Drava
109 W10 Dravinja Ger. Drann. ~ NE Slovenia
109 V9 Dravograd Ger. Unterdrauburg; prev. Spodnji Dravograd. N Slovenia
110 F10 Drawa ~ NW Poland
110 F9 Drawno Zachodnio-pomorskie, NW Poland
110 F9 Drawsko Pomorskie Ger. Dramburg. Zachodnio-pomorskie, NW Poland
29 R3 Drayton North Dakota, N USA
11 P14 Drayton Valley Alberta, SW Canada
186 B6 Dreikikir East Sepik, NW PNG
Dreikirchen see Teiuş
98 N7 Drenthe ◈ province NE Netherlands
115 H15 Drépano, Akrotírio var. Akra Dhrepanon. headland N Greece
Drepanum see Trapani
14 D17 Dresden Ontario, S Canada
101 O16 Dresden Sachsen, E Germany
20 G8 Dresden Tennessee, S USA
118 M11 Dretun' Rus. Dretun'. Vitsyebskaya Voblasts', N Belarus
102 M5 Dreux anc. Drocae, Durocasses. Eure-et-Loir, C France
94 I11 Drevsjø Hedmark, S Norway
22 K3 Drew Mississippi, S USA
110 F10 Drezdenko Ger. Driesen. Lubuskie, W Poland
98 J12 Driebergen var. Driebergen-Rijsenburg. Utrecht, C Netherlands
Driebergen-Rijsenburg see Driebergen
Driesen see Drezdenko
97 N16 Driffield E England, UK
65 D25 Driftwood Point headland East Falkland, Falkland Islands
33 S14 Driggs Idaho, NW USA
Drin see Drinit, Lumi i
112 K12 Drina ~ Bosnia and Herzegovina/Serbia and Montenegro (Yugo.)
Drin, Gulf of see Drinit, Gjiri i
113 K18 Drinit, Gjiri i var. Pellg i Drinit, Eng. Gulf of Drin. gulf NW Albania
113 L17 Drinit, Lumi i var. Drin. ~ NW Albania
Drinit, Pellg i see Drinit, Gjiri i
Drinit të Zi, Lumi i see Black Drin
113 L22 Drino var. Drino, Drínos Pótamos, Alb. Lumi i Drinos. ~ Albania/Greece
Drinos, Lumi i/Drínos Pótamos see Drino
25 S11 Dripping Springs Texas, SW USA
25 S15 Driscoll Texas, SW USA
22 H5 Driskill Mountain ▲ Louisiana, S USA
Drissa see Drysa
94 G10 Driva ~ S Norway
112 E13 Drniš It. Šibenik-Knin, S Croatia
95 H15 Drøbak Akershus, S Norway
116 G13 Drobeta-Turnu Severin prev. Turnu Severin. Mehedinţi, SW Romania
Drocae see Dreux
116 M8 Drochia Rus. Drokiya. N Moldova
97 F17 Drogheda Ir. Droichead Átha. NE Ireland
Drogichin see Drahichyn
Drogobych see Drohobych
Drohiczyn Poleski see Drahichyn
116 H6 Drohobych Pol. Drohobycz, Rus. Drogobych. L'vivs'ka Oblast', NW Ukraine
Drohobycz see Drohobych
Droichead Átha see Drogheda
Droicheadna Bandan see Bandon
Droichead na Banna see Banbridge
Droim Mór see Dromore
Drokiya see Drochia
103 R13 Drôme ◈ department E France
103 S13 Drôme ~ E France
97 G15 Dromore Ir. Droim Mór. SE Northern Ireland, UK
106 A9 Dronero Piemonte, NE Italy
102 L12 Dronne ~ SW France
195 Q3 Dronning Maud Land physical region Antarctica
98 K6 Dronrijp Fris. Dronryp. Friesland, N Netherlands
Dronryp see Dronrijp
98 L9 Dronten Flevoland, C Netherlands
Drontheim see Trondheim
102 L13 Dropt ~ SW France
149 T4 Drosh North-West Frontier Province, NW Pakistan
Drossen see Ośno Lubuskie
Drug see Durg
118 H12 Drūkšiai ◎ NE Lithuania
Druk-yul see Bhutan
11 Q16 Drumheller Alberta, SW Canada
33 Q10 Drummond Montana, NW USA
31 R4 Drummond Island island Michigan, N USA
Drummond Island see Tabiteuea
21 X7 Drummond, Lake ◎ Virginia, NE USA
15 P12 Drummondville Québec, SE Canada
39 T11 Drum, Mount ▲ Alaska, USA
27 O9 Drumright Oklahoma, C USA
99 J14 Drunen Noord-Brabant, S Netherlands
Druskienniki see Druskininkai
119 F15 Druskininkai Pol. Druskienniki. Alytus, S Lithuania
98 K13 Druten Gelderland, SE Netherlands
118 K11 Druya Vitsyebskaya Voblasts', NW Belarus
117 S2 Druzhba Sums'ka Oblast', NE Ukraine
Druzhba see Dostyk, Kazakhstan
Druzhba see Pitnak, Uzbekistan
123 R7 Druzhina Respublika Sakha (Yakutiya), NE Russian Federation
117 X7 Druzhkivka Donets'ka Oblast', E Ukraine
112 E12 Drvar Federacija Bosna I Hercegovina, Bosnia and Herzegovina
113 G15 Drvenik Split-Dalmacija, SE Croatia
114 K9 Dryanovo Gabrovo, N Bulgaria
26 G7 Dry Cimarron River ~ Kansas/Oklahoma, C USA
12 B11 Dryden Ontario, C Canada
24 M11 Dryden Texas, SW USA
195 Q14 Drygalski Ice Tongue ice feature Antarctica
118 L11 Drysa Rus. Drissa. ~ N Belarus
23 V17 Dry Tortugas island Florida, SE USA
79 D15 Dschang Ouest, W Cameroon
54 J5 Duaca Lara, N Venezuela
Duacum see Douai
Duala see Douala
45 N9 Duarte, Pico ▲ C Dominican Republic
140 J5 Ḑubā Tabūk, NW Saudi Arabia
Dubai see Dubayy
117 N9 Dubăsari Rus. Dubossary. NE Moldova
117 N9 Dubăsari Reservoir ⊠ NE Moldova
8 M10 Dubawnt ~ Nunavut, NW Canada
8 L9 Dubawnt Lake ◎ Northwest Territories/Nunavut, N Canada
30 L6 Du Bay, Lake ◎ Wisconsin, N USA
141 U7 Dubayy Eng. Dubai. Dubayy, NE UAE
141 W7 Dubayy Eng. Dubai. ✕ Dubayy, NE UAE
183 R7 Dubbo New South Wales, SE Australia
108 G7 Dübendorf Zürich, NW Switzerland
97 F18 Dublin Ir. Baile Átha Cliath; anc. Eblana. ● (Ireland) E Ireland
23 U5 Dublin Georgia, SE USA
25 R7 Dublin Texas, SW USA
97 G18 Dublin Ir. Baile Átha Cliath; anc. Eblana. cultural region E Ireland
97 G18 Dublin Airport ✕ E Ireland
189 V12 Dublon var. Tonoas. island Chuuk Islands, C Micronesia
126 K2 Dubna Moskovskaya Oblast', W Russian Federation
111 G19 Dubňany Ger. Dubnian. Jihomoravský Kraj, SE Czech Republic
Dubnian see Dubňany
111 I19 Dubnica nad Váhom Hung. Máriatölgyes; prev. Dubnicz. Trenčiansky Kraj, W Slovakia
Dubnicz see Dubnica nad Váhom
116 K4 Dubno Rivnens'ka Oblast', NW Ukraine
18 D13 Du Bois Pennsylvania, NE USA
33 R13 Dubois Idaho, NW USA
33 T14 Dubois Wyoming, C USA
Dubossary see Dubăsari
127 O10 Dubovka Volgogradskaya Oblast', SW Russian Federation
76 H14 Dubréka Guinée-Maritime, SW Guinea
14 B7 Dubreuilville Ontario, S Canada
Dubris Portus see Dover
119 L20 Dubrova Rus. Dubrova Homyel'skaya Voblasts', SE Belarus
126 I5 Dubrovka Bryanskaya Oblast', W Russian Federation
113 H16 Dubrovnik It. Ragusa. Dubrovnik-Neretva, SE Croatia
113 I16 Dubrovnik ✕ Dubrovnik-Neretva, SE Croatia
113 F16 Dubrovnik-Neretva off. Dubrovačko-Neretvanska Županija. ◈ province SE Croatia
Dubrovno see Dubrowna
116 L2 Dubrovytsya Rivnens'ka Oblast', NW Ukraine
119 O14 Dubrowna Rus. Dubrovno. Vitsyebskaya Voblasts', N Belarus
29 Z13 Dubuque Iowa, C USA
118 E12 Dubysa ~ C Lithuania
167 U11 Đưc Cơ Gia Lai, C Vietnam
191 V12 Duc de Gloucester, Îles du Eng. Duke of Gloucester Islands. island group C French Polynesia
111 C15 Duchcov Ger. Dux. Ústecký Kraj, NW Czech Republic
37 N3 Duchesne Utah, W USA
191 P17 Ducie Island atoll E Pitcairn Islands
11 W15 Duck Bay Manitoba, S Canada
23 X17 Duck Key island Florida Keys, Florida, SE USA
11 T14 Duck Lake Saskatchewan, S Canada
11 V15 Duck Mountain ▲ Manitoba, S Canada
20 I9 Duck River ~ Tennessee, S USA
20 M10 Ducktown Tennessee, S USA
167 U10 Đưc Phô Quang Ngai, C Vietnam
Đưc Tho see Lin Camh
167 U13 Đưc Trong var. Liên Nghia. Lâm Đông, S Vietnam
D-U-D see Dalap-Uliga-Djarrit
99 M25 Dudelange var. Forge du Sud, Ger. Dudelingen. Luxembourg, S Luxembourg
Dudelingen see Dudelange
101 J15 Duderstadt Niedersachsen, C Germany
153 N15 Dūdhi Uttar Pradesh, N India
122 K8 Dudinka Taymyrskiy (Dolgano-Nenetskiy) Avtonomnyy Okrug, N Russian Federation
97 L20 Dudley C England, UK
154 G13 Dudna ~ C India
76 L16 Duékoué W Ivory Coast
104 M5 Dueñas Castilla-León, N Spain
104 K4 Duerna ~ NW Spain
105 O6 Duero Port. Douro. ~ Portugal/Spain see also Douro
Duesseldorf see Düsseldorf
21 P12 Due West South Carolina, SE USA
195 P11 Dufek Coast physical region Antarctica
99 H17 Duffel Antwerpen, C Belgium
35 S2 Duffer Peak ▲ Nevada, W USA
187 Q9 Duff Islands island group E Solomon Islands
Dufour, Pizzo/Dufour, Punta see Dufour Spitze
108 E12 Dufour Spitze It. Pizzo Dufour, Punta Dufour. ▲ Italy/Switzerland
112 D9 Duga Resa Karlovac, C Croatia
22 H5 Dugdemona River ~ Louisiana, S USA
154 J12 Duggipar Mahārāshtra, C India
112 B13 Dugi Otok var. Isola Grossa, It. Isola Lunga. island W Croatia
113 F14 Dugopolje Split-Dalmacija, S Croatia
160 L8 Du He ~ C China
54 M11 Duida, Cerro ▲ S Venezuela
Duinekerke see Dunkerque
101 E15 Duisburg prev. Duisburg-Hamborn. Nordrhein-Westfalen, W Germany
Duisburg-Hamborn see Duisburg
99 F14 Duiveland island SW Netherlands
98 M12 Duiven Gelderland, E Netherlands
139 W10 Dujaylah, Hawr ad ◎ S Iraq
160 H9 Dujiangyan var. Guanxian, Guan Xian. Sichuan, C China
81 L18 Dujuuma Shabeellaha Hoose, S Somalia
Dūkān see Dokan
39 Z14 Duke Island island Alexander Archipelago, Alaska, USA
Dukelský Priesmy/Dukelský Průsmyk see Dukla Pass
Duke of Gloucester Islands see Duc de Gloucester, Îles du
81 F14 Duk Faiwil Jonglei, SE Sudan
141 T7 Dukhān C Qatar
Dukhan Heights see Dukhān, Jabal
143 N16 Dukhān, Jabal var. Dukhan Heights. hill range S Qatar
127 Q7 Dukhovnitskoye Saratovskaya Oblast', W Russian Federation
126 H4 Dukhovshchina Smolenskaya Oblast', W Russian Federation
Dukielska, Przełęcz see Dukla Pass
111 N17 Dukla Podkarpackie, SE Poland
Duklai Hág see Dukla Pass
111 N18 Dukla Pass Cz. Dukelský Průsmyk, Ger. Dukla-Pass, Hung. Duklai Hág, Pol. Przełęcz Dukielska, Slvk. Dukelský Priesmy. pass Poland/Slovakia
Dukou see Panzhihua
118 I12 Dūkštas Utena, E Lithuania
162 M8 Dulaan Hentiy, C Mongolia
159 R10 Dulan var. Qagan Us. Qinghai, C China
37 R8 Dulce New Mexico, SW USA
43 N16 Dulce, Golfo gulf S Costa Rica
Dulce, Golfo see Izabal, Lago de
42 K6 Dulce Nombre de Culmí Olancho, C Honduras
62 L9 Dulce, Río ~ C Argentina
123 Q9 Dulgalakh ~ NE Russian Federation
114 M8 Dŭlgopol Varna, E Bulgaria
153 V14 Dullabchara Assam, NE India
20 D3 Dulles ✕ (Washington DC) Virginia, NE USA
101 E14 Dülmen Nordrhein-Westfalen, W Germany
114 M7 Dulovo Silistra, NE Bulgaria
29 W5 Duluth Minnesota, N USA
138 H7 Dūmā Fr. Douma. Dimashq, SW Syria
171 O8 Dumagasa Point headland Mindanao, S Philippines
171 P6 Dumaguete var. Dumaguete City. Negros, C Philippines
168 J10 Dumai Sumatera, W Indonesia
183 T4 Dumaresq River ~ New South Wales/Queensland, SE Australia
27 W13 Dumas Arkansas, C USA
25 N1 Dumas Texas, SW USA
138 I7 Ḑumayr Dimashq, W Syria
96 I12 Dumbarton W Scotland, UK
96 I12 Dumbarton cultural region C Scotland, UK
187 Q17 Dumbéa Province Sud, S New Caledonia
111 K19 Ďumbier Ger. Djumbir, Hung. Gyömbér. ▲ C Slovakia
116 I11 Dumbrăveni Ger. Elisabethstedt, Hung. Erzsébetváros; prev. Ebesfalva, Eppeschdorf, Ibaşfalău. Sibiu, C Romania
116 L12 Dumbrăveni Vrancea, E Romania
97 J14 Dumfries S Scotland, UK
97 J14 Dumfries cultural region SW Scotland, UK
153 R15 Dumka Jhārkhand, NE India
Dümmer see Dümmersee
100 G12 Dümmersee var. Dümmer. ◎ NW Germany
14 J11 Dumoine ~ Québec, SE Canada
14 J10 Dumoine, Lac ◎ Québec, SE Canada
195 V16 Dumont d'Urville French research station Antarctica
195 W15 Dumont d'Urville Sea S Pacific Ocean
14 K11 Dumont, Lac ◎ Québec, SE Canada
75 W7 Dumyāt Eng. Damietta. N Egypt
Duna see Don, Russian Federation
Duna see Danube, C Europe
Düna see Western Dvina
Dünaburg see Daugavpils
111 J24 Dunaföldvár Tolna, C Hungary
Dunaj see Wien, Austria
Dunaj see Danube, C Europe
111 L18 Dunajec ~ S Poland
111 H21 Dunajská Streda Hung. Dunaszerdahely. Trnavský Kraj, W Slovakia
Dunapentele see Dunaújváros
Dunărea see Danube
116 M13 Dunărea Veche, Braţul ~ SE Romania
117 N13 Dunării, Delta delta SE Romania
Dunaszerdahely see Dunajská Streda
111 J23 Dunaújváros prev. Dunapentele, Sztálinváros. Fejér, C Hungary
Dunav see Danube
114 J8 Dunavska Ravnina Eng. Danubian Plain. plain N Bulgaria
114 G7 Dunavtsi Vidin, NW Bulgaria
123 S15 Dunay Primorskiy Kray, SE Russian Federation
Dunayevtsy see Dunayivtsi
116 L7 Dunayivtsi Rus. Dunayevtsy. Khmel'nyts'ka Oblast', NW Ukraine
185 F22 Dunback Otago, South Island, NZ
10 L17 Duncan Vancouver Island, British Columbia, SW Canada
37 O15 Duncan Arizona, SW USA
26 M12 Duncan Oklahoma, C USA
Duncan Island see Pinzón, Isla
151 Q20 Duncan Passage strait Andaman Sea/Bay of Bengal
96 K6 Duncansby Head headland N Scotland, UK
14 G12 Dunchurch Ontario, S Canada
118 D7 Dundaga Talsi, NW Latvia
14 G14 Dundalk Ontario, S Canada
97 F16 Dundalk Ir. Dún Dealgan. NE Ireland
21 X3 Dundalk Maryland, NE USA
97 F16 Dundalk Bay Ir. Cuan Dhún Dealgan. bay NE Ireland
14 G16 Dundas Ontario, S Canada
180 L12 Dundas, Lake salt lake Western Australia
163 O7 Dundbürd Hentiy, E Mongolia
Dún Dealgan see Dundalk
15 N13 Dundee Québec, SE Canada
83 K22 Dundee KwaZulu/Natal, E South Africa
96 K11 Dundee E Scotland, UK
31 R10 Dundee Michigan, N USA
25 R5 Dundee Texas, SW USA
194 H3 Dundee Island island Antarctica
162 L9 Dundgovĭ ◈ province C Mongolia
97 G16 Dundrum Bay Ir. Cuan Dhún Droma. inlet NW Irish Sea
11 T15 Dundurn Saskatchewan, S Canada
162 E6 Dund-Us Hovd, W Mongolia
185 F23 Dunedin Otago, South Island, NZ
183 R7 Dunedoo New South Wales, SE Australia
97 D14 Dunfanaghy Ir. Dún Fionnachaidh. NW Ireland
96 J12 Dunfermline C Scotland, UK
Dún Fionnachaidh see Dunfanaghy
149 V10 Dunga Bunga Punjab, E Pakistan
97 F15 Dungannon Ir. Dún Geanainn. C Northern Ireland, UK
Dun Garbháin see Dungarvan
152 F15 Dūngarpur Rājasthān, N India
97 E21 Dungarvan Ir. Dun Garbháin. S Ireland
101 N21 Dungau cultural region SE Germany
Dún Geanainn see Dungannon
97 P23 Dungeness headland SE England, UK
63 I23 Dungeness, Punta headland S Argentina
Dungloe see Dunglow
97 D14 Dunglow var. Dungloe, Ir. An Clochán Liath. NW Ireland
183 T7 Dungog New South Wales, SE Australia
79 O16 Dungu Orientale, NE Dem. Rep. Congo
168 L8 Dungun var. Kuala Dungun. Terengganu, Peninsular Malaysia
80 I6 Dungūnab Red Sea, NE Sudan
15 P13 Dunham Québec, SE Canada
Dunheved see Launceston
Dunholme see Durham
163 X10 Dunhua Jilin, NE China
159 P8 Dunhuang Gansu, N China
182 L12 Dunkeld Victoria, SE Australia
103 O1 Dunkerque Eng. Dunkirk, Flem. Duinekerke; prev. Dunquerque. Nord, N France
97 K23 Dunkery Beacon ▲ SW England, UK
18 C11 Dunkirk New York, NE USA
Dunkirk see Dunkerque
77 P17 Dunkwa SW Ghana
97 G18 Dún Laoghaire Eng. Dunleary; prev. Kingstown. E Ireland
29 S14 Dunlap Iowa, C USA
20 L10 Dunlap Tennessee, S USA
Dunleary see Dún Laoghaire
Dún Mánmhaí see Dunmanway
97 B21 Dunmanway Ir. Dún Mánmhaí. SW Ireland
18 I13 Dunmore Pennsylvania, NE USA
21 U10 Dunn North Carolina, SE USA
Dún na nGall see Donegal
23 V11 Dunnellon Florida, SE USA
96 J6 Dunnet Head headland N Scotland, UK
29 N14 Dunning Nebraska, C USA
65 B24 Dunnose Head Settlement West Falkland, Falkland Islands
14 G17 Dunnville Ontario, S Canada
Dún Pádraig see Downpatrick
Dunquerque see Dunkerque
Dunqulah see Dongola
96 L12 Duns SE Scotland, UK
29 N2 Dunseith North Dakota, N USA
35 N2 Dunsmuir California, W USA
97 N21 Dunstable Lat. Durocobrivae. E England, UK
185 D21 Dunstan Mountains ▲ South Island, NZ
103 O9 Dun-sur-Auron Cher, C France
185 F21 Duntroon Canterbury, South Island, NZ
149 T10 Dunyāpur Punjab, E Pakistan
163 U5 Duobukur He ~ NE China
163 R12 Duolun var. Dolonnur. Nei Mongol Zizhiqu, N China
167 Q14 Dương Đông Kiên Giang, S Vietnam
114 G10 Dupnitsa prev. Marek, Stanke Dimitrov. Kyustendil, W Bulgaria
28 L8 Dupree South Dakota, N USA
33 Q7 Dupuyer Montana, NW USA
141 Y11 Duqm var. Daqm. E Oman
63 F23 Duque de York, Isla island S Chile

◆ Country ● Country Capital ◇ Dependent Territory ○ Dependent Territory Capital ◈ Administrative Region ✕ International Airport ▲ Mountain ▲ Mountain Range ⛰ Volcano ~ River ◎ Lake ⊠ Reservoir

246 ••• Durack Range – Edmonton

181 N4 **Durack Range** ▲ Western Australia
136 K10 **Durağan** Sinop, N Turkey
103 S15 **Durance** ≈ SE France
31 R9 **Durand** Michigan, N USA
30 I6 **Durand** Wisconsin, N USA
40 K10 **Durango** *var.* Victoria de Durango. Durango, W Mexico
105 P3 **Durango** País Vasco, N Spain
37 Q8 **Durango** Colorado, C USA
40 J9 **Durango** ◈ *state* C Mexico
114 O7 **Durankulak** *Rom.* Răcari; *prev.* Blatnitsa, Duranulac. Dobrich, NE Bulgaria
22 L4 **Durant** Mississippi, S USA
27 P13 **Durant** Oklahoma, C USA
Duranulac *see* Durankulak
105 N6 **Duratón** ≈ N Spain
61 E19 **Durazno** *var.* San Pedro de Durazno. Durazno, C Uruguay
61 E19 **Durazno** ◈ *department* C Uruguay
Durazzo *see* Durrës
83 K23 **Durban** *var.* Port Natal. KwaZulu/Natal, E South Africa
83 K23 **Durban** ✕ KwaZulu/Natal, E South Africa
118 C9 **Durbe** *Ger.* Durben. Liepāja, W Latvia
Durben *see* Durbe
99 K21 **Durbuy** Luxembourg, SE Belgium
105 N15 **Dúrcal** Andalucía, S Spain
112 F8 **Đurđevac** *Ger.* Sankt Georgen, *Hung.* Szentgyörgy; *prev.* Djurdjevac, Gjurgjevac. Koprivnica-Križevci, N Croatia
113 K15 **Đurđevica Tara** Montenegro, SW Serbia and Montenegro (Yugo.)
97 L24 **Durdle Door** *natural arch* S England, UK
158 L3 **Düre** Xinjiang Uygur Zizhiqu, W China
101 D16 **Düren** *anc.* Marcodurum. Nordrhein-Westfalen, W Germany
154 K12 **Durg** *prev.* Drug. Chhattīsgarh, C India
153 U13 **Durgapur** Dhaka, N Bangladesh
153 R15 **Durgāpur** West Bengal, NE India
14 F14 **Durham** Ontario, S Canada
97 M14 **Durham** *hist.* Dunholme. N England, UK
21 U9 **Durham** North Carolina, SE USA
97 L15 **Durham** *cultural region* N England, UK
168 J10 **Duri** Sumatera, W Indonesia
Duria Major *see* Dora Baltea
Duria Minor *see* Dora Riparia
Durlas *see* Thurles
141 P8 **Ḑurmā** Ar Riyāḑ, C Saudi Arabia
113 J15 **Durmitor** ▲ N Serbia and Montenegro (Yugo.)
96 H6 **Durness** N Scotland, UK
109 Y3 **Dürnkrut** Niederösterreich, E Austria
Durnovaria *see* Dorchester
Durobrivae *see* Rochester
Durocasses *see* Dreux
Durocobrivae *see* Dunstable
Durocortorum *see* Reims
Durostorum *see* Silistra
Durovernum *see* Canterbury
113 K20 **Durrës** *var.* Durrësi, Dursi, *It.* Durazzo, *SCr.* Drač, *Turk.* Draç. Durrës, W Albania
113 K19 **Durrës** ◈ *district* W Albania
Durrësi *see* Durrës
97 A21 **Dursey Island** *Ir.* Oileán Baoi. *island* SW Ireland
Dursi *see* Durrës
Duru *see* Wuchuan
Durud *see* Do Rūd
114 P12 **Durusu** İstanbul, NW Turkey
114 O12 **Durusu Gölü** ◎ NW Turkey
138 I9 **Durūz, Jabal ad** ▲ SW Syria
184 K13 **D'Urville Island** *island* C NZ
171 X12 **D'Urville, Tanjung** *headland* Papua, E Indonesia
146 H14 **Duşak** *Rus.* Dushak. Ahal Welaýaty, S Turkmenistan
Dusa Mareb/Dusa Marreb *see* Dhuusa Marreeb
118 I11 **Dusetos** Utena, NE Lithuania
Dushak *see* Duşak
160 K12 **Dushan** Guizhou, S China
147 P13 **Dushanbe** *var.* Dyushambe; *prev.* Stalinabad, *Taj.* Stalinobod. ● (Tajikistan) W Tajikistan
147 P13 **Dushanbe** ✕ W Tajikistan
137 T9 **Dushet'i** E Georgia
18 H13 **Dushore** Pennsylvania, NE USA
185 A23 **Dusky Sound** *sound* South Island, NZ
101 E15 **Düsseldorf** *var.* Duesseldorf. Nordrhein-Westfalen, W Germany
147 P14 **Dŭsti** *Rus.* Dusti. SW Tajikistan
194 I9 **Dustin Island** *island* Antarctica
Dutch East Indies *see* Indonesia
Dutch Guiana *see* Suriname
38 L17 **Dutch Harbor** Unalaska Island, Alaska, USA
36 J3 **Dutch Mount** ▲ Utah, W USA
Dutch New Guinea *see* Papua
Dutch West Indies *see* Netherlands Antilles
83 H20 **Dutlwe** Kweneng, S Botswana
125 U8 **Dutovo** Respublika Komi, NW Russian Federation
77 V13 **Dutsan Wai** *var.* Dutsen Wai. Kaduna, C Nigeria
77 W13 **Dutse** Jigawa, N Nigeria
Dutsen Wai *see* Dutsan Wai
Duttia *see* Datia
14 E17 **Dutton** Ontario, S Canada
36 L7 **Dutton, Mount** ▲ Utah, W USA
162 E7 **Duut** Hovd, W Mongolia
14 K11 **Duval, Lac** ◎ Québec, SE Canada
127 W3 **Duvan** Respublika Bashkortostan, W Russian Federation
138 L9 **Duwaykhilat Satīḩ ar Ruwayshid** *seasonal river* SE Jordan
Dux *see* Duchcov
160 J13 **Duyang Shan** ▲ S China
167 T14 **Duyên Hai** Tra Vinh, S Vietnam
160 K12 **Duyun** Guizhou, S China
136 G11 **Düzce** Bolu, NW Turkey
Duzdab *see* Zāhedān
Duzenkyr, Khrebet *see* Duzkyr, Khrebet
146 I16 **Duzkyr, Khrebet** *prev.* Khrebet Duzenkyr. ▲ S Turkmenistan
Dvina Bay *see* Chëshskaya Guba
Dvinsk *see* Daugavpils
126 L7 **Dvinskaya Guba** *bay* NW Russian Federation
112 E10 **Dvor** Sisak-Moslavina, C Croatia
117 W5 **Dvorichna** Kharkivs'ka Oblast', E Ukraine
111 F16 **Dvůr Králové nad Labem** *Ger.* Königinhof an der Elbe. Královéhradecký Kraj, NE Czech Republic
154 A10 **Dwārka** Gujarāt, W India
30 M12 **Dwight** Illinois, N USA
98 N8 **Dwingeloo** Drenthe, NE Netherlands
33 N10 **Dworshak Reservoir** ▣ Idaho, NW USA
Dyal *see* Dyaul Island
Dyanev *see* Galkynyş
Dyatlovo *see* Dzyatlava
186 G5 **Dyaul Island** *var.* Djaul, Dyal. *island* NE PNG
20 G8 **Dyer** Tennessee, S USA
9 S5 **Dyer, Cape** *headland* Baffin Island, Nunavut, NE Canada
20 F8 **Dyersburg** Tennessee, S USA
29 Y13 **Dyersville** Iowa, C USA
97 I21 **Dyfed** *cultural region* SW Wales, UK
Dyfrdwy, Afon *see* Dee
Dyhernfurth *see* Brzeg Dolny
111 E19 **Dyje** *var.* Thaya. ≈ Austria/Czech Republic *see also* Thaya
117 T5 **Dykanska** Poltavs'ka Oblast', C Ukraine
127 N16 **Dykhtau** ▲ SW Russian Federation
111 A16 **Dyleń** *Ger.* Tillenberg. ▲ NW Czech Republic
110 K9 **Dylewska Góra** ▲ N Poland
117 O4 **Dymer** Kyyivs'ka Oblast', N Ukraine
117 W7 **Dymytrov** *Rus.* Dimitrov. Donets'ka Oblast', SE Ukraine
111 O17 **Dynów** Podkarpackie, SE Poland
29 X13 **Dysart** Iowa, C USA
Dysna *see* Dzisna
115 D18 **Dytikí Elláda** *Eng.* Greece West. ◈ *region* C Greece
115 C14 **Dytikí Makedonía** *Eng.* Macedonia West. ◈ *region* N Greece
Dyurment'tyube *see* Dermentobe
127 U4 **Dyurtyuli** Respublika Bashkortostan, W Russian Federation
Dyushambe *see* Dushanbe
162 I7 **Dzaanhushuu** Arhangay, C Mongolia
Dza Chu *see* Mekong
162 I8 **Dzadgay** Bayanhongor, C Mongolia
162 H8 **Dzag** Bayanhongor, C Mongolia
162 H10 **Dzalaa** Bayanhongor, C Mongolia
172 J14 **Dzaoudzi** E Mayotte
Dzaudzhikau *see* Vladikavkaz
162 G7 **Dzavhan** ◈ *province* NW Mongolia
162 G7 **Dzavhan Gol** ≈ NW Mongolia
162 J7 **Dzegstey** Arhangay, C Mongolia
127 O3 **Dzerzhinsk** Nizhegorodskaya Oblast', W Russian Federation
Dzerzhinsk *see* Dzyarzhynsk, Belarus
Dzerzhinsk *see* Dzerzhyns'k, Ukraine
Dzerzhinskiy *see* Nar'yan-Mar
Dzerzhinskoye *see* Tokzhaylau
117 X7 **Dzerzhyns'k** *Rus.* Dzerzhinsk. Donets'ka Oblast', SE Ukraine
116 M5 **Dzerzhyns'k** Zhytomyrs'ka Oblast', N Ukraine
Dzhailgan *see* Jayilgan
145 N14 **Dzhalagash** *Kaz.* Zhalashash. Kzylorda, S Kazakhstan
147 T10 **Dzhalal-Abad** *Kir.* Jalal-Abad. Dzhalal-Abadskaya Oblast', W Kyrgyzstan
147 S9 **Dzhalal-Abadskaya Oblast'** *Kir.* Jalal-Abad Oblasty. ◈ *province* W Kyrgyzstan
Dzhalilabad *see* Cälilabad
Dzhambeyty *see* Zhympity
Dzhambulskaya Oblast' *see* Zhambyl
144 D9 **Dzhanibek** *var.* Dzhanybek, *Kaz.* Zhanibek, Zhänibek. Zapadnyy Kazakhstan, W Kazakhstan
Dzhankel'dy *see* Jongeldi
117 T12 **Dzhankoy** Respublika Krym, S Ukraine
145 V14 **Dzhansugurov** *Kaz.* Zhansügirov. Almaty, SE Kazakhstan
147 R9 **Dzhany-Bazar** *var.* Yangibazar. Dzhalal-Abadskaya Oblast', W Kyrgyzstan
Dzhanybek *see* Dzhanibek
123 P8 **Dzhardzhan** Respublika Sakha (Yakutiya), NE Russian Federation
Dzharkurgan *see* Jarqo'rg'on
117 S11 **Dzharylhats'ka Zatoka** *gulf* S Ukraine
Dzhayilgan *see* Jayilgan
Dzhebel *see* Jebel
147 T14 **Dzhelandy** SE Tajikistan
147 Y7 **Dzhergalan** *Kir.* Jyrgalan. Issyk-Kul'skaya Oblast', NE Kyrgyzstan
Dzherzinskoye *see* Tokzhaylau
Dzhetygara *see* Zhitikara
Dzhetysay *see* Zhetysay.
Dzhezkazgan *see* Zhezkazgan
Dzhigirbent *see* Jigerbent
Dzhirgatal' *see* Jirgatol
Dzhizak *see* Jizzakh
Dzhizakskaya Oblast' *see* Jizzax Viloyati
123 P8 **Dzhugdzhur, Khrebet** ▲ E Russian Federation
Dzhul'fa *see* Culfa
Dzhuma *see* Juma
145 W14 **Dzhungarskiy Alatau** ▲ China/Kazakhstan
144 M14 **Dzhusaly** *Kaz.* Zholsaly. Kzylorda, SW Kazakhstan
146 J12 **Dzhynlykum, Peski** *desert* E Turkmenistan
110 L9 **Działdowo** Warmińsko-Mazurskie, C Poland
111 L16 **Działoszyce** Świętokrzyskie, C Poland
41 X11 **Dzidzantún** Yucatán, E Mexico
111 G15 **Dzierżoniów** *Ger.* Reichenbach. Dolnośląskie, SW Poland
41 X11 **Dzilam de Bravo** Yucatán, E Mexico
118 L12 **Dzisna** *Rus.* Disna. Vitsyebskaya Voblasts', N Belarus
118 K12 **Dzisna** *Lith.* Dysna, *Rus.* Disna. ≈ Belarus/Lithuania
119 G20 **Dzivin** *Rus.* Divin. Brestskaya Voblasts', SW Belarus
119 M15 **Dzmitravichy** *Rus.* Dmitrovichi. Minskaya Voblasts', C Belarus
162 M8 **Dzogsool** Töv, C Mongolia
Dzungarian Basin *see* Junggar Pendi
162 G5 **Dzür** Dzavhan, W Mongolia
163 Q8 **Dzüünbulag** Dornod, E Mongolia
163 O8 **Dzüünbulag** Sühbaatar, E Mongolia
162 H7 **Dzuunmod** Dzavhan, C Mongolia
162 L8 **Dzuunmod** Töv, C Mongolia
Dzüün Soyonï Nuruu *see* Eastern Sayans
162 F8 **Dzüyl** Govĭ-Altay, SW Mongolia
Dzvina *see* Western Dvina
119 J16 **Dzyarzhynsk** *Rus.* Dzerzhinsk; *prev.* Kaydanovo. Minskaya Voblasts', C Belarus
119 H17 **Dzyatlava** *Pol.* Zdzięcioł, *Rus.* Dyatlovo. Hrodzyenskaya Voblasts', W Belarus

E

E *see* Hubei
Éadan Doire *see* Edenderry
37 W6 **Eads** Colorado, C USA
37 O13 **Eagar** Arizona, SW USA
39 T8 **Eagle** Alaska, USA
13 S8 **Eagle** ≈ Newfoundland and Labrador, E Canada
10 I3 **Eagle** ≈ Yukon Territory, NW Canada
29 T7 **Eagle Bend** Minnesota, N USA
28 M8 **Eagle Butte** South Dakota, N USA
29 V12 **Eagle Grove** Iowa, C USA
19 R2 **Eagle Lake** Maine, NE USA
25 U11 **Eagle Lake** Texas, SW USA
12 A11 **Eagle Lake** ◎ Ontario, S Canada
35 P3 **Eagle Lake** ◎ California, W USA
19 R3 **Eagle Lake** ◎ Maine, NE USA
29 Y3 **Eagle Mountain** ▲ Minnesota, N USA
25 T6 **Eagle Mountain Lake** ▣ Texas, SW USA
37 S9 **Eagle Nest Lake** ▣ New Mexico, SW USA
25 P13 **Eagle Pass** Texas, SW USA
65 C25 **Eagle Passage** *passage* SW Atlantic Ocean
35 R8 **Eagle Peak** ▲ California, W USA
35 Q2 **Eagle Peak** ▲ California, W USA
37 P13 **Eagle Peak** ▲ New Mexico, SW USA
10 I4 **Eagle Plain** Yukon Territory, NW Canada
32 G15 **Eagle Point** Oregon, NW USA
186 P10 **Eagle Point** *headland* SE PNG
39 R11 **Eagle River** Alaska, USA
30 M2 **Eagle River** Michigan, N USA
30 L4 **Eagle River** Wisconsin, N USA
21 S6 **Eagle Rock** Virginia, NE USA
36 J13 **Eagletail Mountains** ▲ Arizona, SW USA
167 U12 **Ea Hleo** Đăc Lăc, S Vietnam
167 U12 **Ea Kar** Đăc Lăc, S Vietnam
Eanjum *see* Anjum
Eanodat *see* Enontekiö
12 B10 **Ear Falls** Ontario, C Canada
27 X10 **Earle** Arkansas, C USA
35 R12 **Earlimart** California, W USA
20 I6 **Earlington** Kentucky, S USA
14 H8 **Earlton** Ontario, S Canada
29 T13 **Early** Iowa, C USA
96 J11 **Earn** ≈ N Scotland, UK
185 C21 **Earnslaw, Mount** ▲ South Island, NZ
24 M4 **Earth** Texas, SW USA
21 P11 **Easley** South Carolina, SE USA
East *see* Est
East Açores Fracture Zone *see* East Azores Fracture Zone
97 P19 **East Anglia** *physical region* E England, UK
15 Q12 **East Angus** Québec, SE Canada
East Antarctica *see* Greater Antarctica
18 E10 **East Aurora** New York, NE USA
East Australian Basin *see* Tasman Basin
East Azerbaijan *see* Āzarbāyjān-e Sharqī
64 L9 **East Azores Fracture Zone** *var.* East Açores Fracture Zone. *tectonic feature* E Atlantic Ocean
22 M11 **East Bay** *bay* Louisiana, S USA
25 V11 **East Bernard** Texas, SW USA
29 V8 **East Bethel** Minnesota, N USA
East Borneo *see* Kalimantan Timur
97 P23 **Eastbourne** SE England, UK
15 R11 **East-Broughton** Québec, SE Canada
44 M6 **East Caicos** *island* E Turks and Caicos Islands
184 R7 **East Cape** *headland* North Island, NZ
192 P4 **East China Sea** *Chin.* Dong Hai. *sea* W Pacific Ocean
97 P19 **East Dereham** E England, UK
30 J9 **East Dubuque** Illinois, N USA
11 S17 **Eastend** Saskatchewan, S Canada
193 S10 **Easter Fracture Zone** *tectonic feature* E Pacific Ocean
Easter Island *see* Pascua, Isla de
81 J18 **Eastern** ◈ *province* Kenya
153 Q12 **Eastern** ◈ *zone* E Nepal
82 L13 **Eastern** ◈ *province* E Zambia
83 H24 **Eastern Cape** *off.* Eastern Cape Province, *Afr.* Oos-Kaap. ◈ *province* SE South Africa
Eastern Desert *see* Sahara el Sharqîya
81 F15 **Eastern Equatoria** ◈ *state* SE Sudan
Eastern Euphrates *see* Murat Nehri
155 J17 **Eastern Ghats** ▲ SE India
186 E7 **Eastern Highlands** ◈ *province* C PNG
155 K25 **Eastern Province** ◈ *province* E Sri Lanka
Eastern Region *see* Ash Sharqīyah
122 L13 **Eastern Sayans** *Mong.* Dzüün Soyonï Nuruu, *Rus.* Vostochnyy Sayan. ▲ Mongolia/Russian Federation
Eastern Scheldt *see* Oosterschelde
Eastern Sierra Madre *see* Madre Oriental, Sierra
Eastern Transvaal *see* Mpumalanga
11 W14 **Easterville** Manitoba, C Canada
Easterwâlde *see* Oosterwolde
63 M23 **East Falkland** *var.* Isla Soledad. *island* E Falkland Islands
19 P12 **East Falmouth** Massachusetts, NE USA
East Fayu *see* Fayu
East Flanders *see* Oost Vlaanderen
39 S6 **East Fork Chandalar River** ≈ Alaska, USA
29 U12 **East Fork Des Moines River** ≈ Iowa/Minnesota, C USA
East Frisian Islands *see* Ostfriesische Inseln
18 K10 **East Glenville** New York, NE USA
29 R4 **East Grand Forks** Minnesota, N USA
97 O23 **East Grinstead** SE England, UK
18 M12 **East Hartford** Connecticut, NE USA
18 M13 **East Haven** Connecticut, NE USA
173 T9 **East Indiaman Ridge** *undersea feature* E Indian Ocean
East Java *see* Jawa Timur
31 Q6 **East Jordan** Michigan, N USA
East Kalimantan *see* Kalimantan Timur
East Kazakhstan *see* Vostochnyy Kazakhstan
96 I12 **East Kilbride** S Scotland, UK
25 R7 **Eastland** Texas, SW USA
31 Q9 **East Lansing** Michigan, N USA
35 X11 **East Las Vegas** Nevada, W USA
97 M23 **Eastleigh** S England, UK
31 V12 **East Liverpool** Ohio, N USA
83 J25 **East London** *Afr.* Oos-Londen; *prev.* Emonti, Port Rex. Eastern Cape, S South Africa
96 K12 **East Lothian** *cultural region* SE Scotland, UK
12 I10 **Eastmain** Québec, E Canada
12 J10 **Eastmain** ≈ Québec, C Canada
15 P13 **Eastman** Québec, SE Canada
23 U6 **Eastman** Georgia, SE USA
192 I7 **East Mariana Basin** *undersea feature* W Pacific Ocean
30 K11 **East Moline** Illinois, N USA
186 H7 **East New Britain** ◈ *province* E PNG
29 T15 **East Nishnabotna River** ≈ Iowa, C USA
197 V12 **East Novaya Zemlya Trough** *var.* Novaya Zemlya Trough. *undersea feature* W Kara Sea
East Nusa Tenggara *see* Nusa Tenggara Timur
21 X4 **Easton** Maryland, NE USA
18 I14 **Easton** Pennsylvania, NE USA
193 R16 **East Pacific Rise** *undersea feature* E Pacific Ocean
East Pakistan *see* Bangladesh
31 V12 **East Palestine** Ohio, N USA
30 L12 **East Peoria** Illinois, N USA
23 S3 **East Point** Georgia, SE USA
19 U6 **Eastport** Maine, NE USA
27 Z8 **East Prairie** Missouri, C USA
19 O12 **East Providence** Rhode Island, NE USA
20 L11 **East Ridge** Tennessee, S USA
97 N16 **East Riding** *cultural region* N England, UK
18 F9 **East Rochester** New York, NE USA
30 K15 **East Saint Louis** Illinois, N USA
65 K21 **East Scotia Basin** *undersea feature* SE Scotia Sea
157 Y7 **East Sea** *var.* Sea of Japan, *Rus.* Yapanskoye More. *sea* NW Pacific Ocean *see also* Japan, Sea of
186 B6 **East Sepik** ◈ *province* NW PNG
173 N4 **East Sheba Ridge** *undersea feature* W Arabian Sea
East Siberian Sea *see* Vostochno-Sibirskoye More
18 I14 **East Stroudsburg** Pennsylvania, NE USA
East Tasmanian Rise/East Tasmania Plateau/East Tasmania Rise *see* East Tasman Plateau
192 I12 **East Tasman Plateau** *var.* East Tasmanian Rise, East Tasmania Plateau, East Tasmania Rise. *undersea feature* SW Tasman Sea
64 L7 **East Thulean Rise** *undersea feature* N Atlantic Ocean
171 R16 **East Timor** *var* Loro Sae *prev.* Portuguese Timor, Timor Timur ◆ *country* SE Asia
21 Y6 **Eastville** Virginia, NE USA
35 R7 **East Walker River** ≈ California/Nevada, W USA
182 D1 **Eateringinna Creek** ≈ South Australia
37 T3 **Eaton** Colorado, C USA
15 Q12 **Eaton** ≈ Québec, SE Canada
11 S16 **Eatonia** Saskatchewan, S Canada
31 Q10 **Eaton Rapids** Michigan, N USA
23 U4 **Eatonton** Georgia, SE USA
32 H9 **Eatonville** Washington, NW USA
30 J6 **Eau Claire** Wisconsin, N USA
Eau Claire, Lac à L' *see* St.Clair, Lake
12 J7 **Eau Claire, Lac à l'** ◎ Québec, SE Canada
30 L6 **Eau Claire River** ≈ Wisconsin, N USA
188 J16 **Eauripik Atoll** *atoll* Caroline Islands, C Micronesia
192 H7 **Eauripik Rise** *undersea feature* W Pacific Ocean
102 K15 **Eauze** Gers, S France
41 P11 **Ébano** San Luis Potosí, C Mexico
97 K21 **Ebbw Vale** SE Wales, UK
79 E17 **Ebebiyin** NE Equatorial Guinea
95 H22 **Ebeltoft** Århus, C Denmark
109 X5 **Ebenfurth** Niederösterreich, E Austria
18 D14 **Ebensburg** Pennsylvania, NE USA
109 S5 **Ebensee** Oberösterreich, N Austria
101 H20 **Eberbach** Baden-Württemberg, SW Germany
121 U8 **Eber Gölü** *salt lake* C Turkey
109 U9 **Eberndorf** *Slvn.* Dobrla Vas. Kärnten, S Austria
109 R4 **Eberschwang** Oberösterreich, N Austria
100 O11 **Eberswalde-Finow** Brandenburg, E Germany
Ebesfalva *see* Dumbrăveni
165 T4 **Ebetsu** *var.* Ebetu. Hokkaidō, NE Japan
Ebetu *see* Ebetsu
Ebinayon *see* Evinayong
158 I4 **Ebinur Hu** ◎ NW China
138 I3 **Ebla** *Ar.* Tell Mardīkh. *site of ancient city* Idlib, NW Syria
Eblana *see* Dublin
108 H7 **Ebnat** Sankt Gallen, NE Switzerland
107 L18 **Eboli** Campania, S Italy
79 E16 **Ebolowa** Sud, S Cameroon
79 N21 **Ebombo** Kasai Oriental, C Dem. Rep. Congo
189 T9 **Ebon Atoll** *var.* Epoon. *atoll* Ralik Chain, S Marshall Islands
Ebora *see* Évora
Eboracum *see* York
Eborodunum *see* Yverdon
101 J19 **Ebrach** Bayern, C Germany
109 X5 **Ebreichsdorf** Niederösterreich, E Austria
105 S6 **Ebro** ≈ NE Spain
105 N3 **Ebro, Embalse del** ▣ N Spain
120 G7 **Ebro Fan** *undersea feature* W Mediterranean Sea
Eburacum *see* York
Ebusus *see* Eivissa
99 F20 **Écaussinnes-d'Enghien** Hainaut, SW Belgium
Ecbatana *see* Hamadān
21 Q6 **Eccles** West Virginia, NE USA
115 L14 **Eceabat** Çanakkale, NW Turkey
171 O2 **Echague** Luzon, N Philippines
Ech Cheliff/Ech Chleff *see* Chlef
Echeng *see* Ezhou
115 C18 **Echinádes** *island group* W Greece
114 J12 **Echínos** *var.* Ehinos, Ekhínos. Anatolikí Makedonía kai Thráki, NE Greece
164 J12 **Echizen-misaki** *headland* Honshū, SW Japan
Echmiadzin *see* Ejmiatsin
8 J8 **Echo Bay** Northwest Territories, NW Canada
35 Y11 **Echo Bay** Nevada, W USA
36 L9 **Echo Cliffs** *cliff* Arizona, SW USA
14 C10 **Echo Lake** ◎ Ontario, S Canada
35 Q7 **Echo Summit** ▲ California, W USA
14 L8 **Échouani, Lac** ◎ Québec, SE Canada
99 L17 **Echt** Limburg, SE Netherlands
101 H22 **Echterdingen** ✕ (Stuttgart) Baden-Württemberg, SW Germany
99 N24 **Echternach** Grevenmacher, E Luxembourg
183 N11 **Echuca** Victoria, SE Australia
104 L14 **Ecija** *anc.* Astigi. Andalucía, SW Spain
Eckengraf *see* Viesīte
100 I7 **Eckernförde** Schleswig-Holstein, N Germany
100 J7 **Eckernförder Bucht** *inlet* N Germany
102 L7 **Écommoy** Sarthe, NW France
14 L10 **Écorce, Lac de l'** ◎ Québec, SE Canada
15 Q8 **Écorces, Rivière aux** ≈ Québec, SE Canada
56 C7 **Ecuador** *off.* Republic of Ecuador. ◆ *republic* NW South America
80 L10 **Ed** *var.* Edd. SE Eritrea
95 I17 **Ed** Västra Götaland, S Sweden
98 I9 **Edam** Noord-Holland, C Netherlands
96 K4 **Eday** *island* NE Scotland, UK
25 S17 **Edcouch** Texas, SW USA
Edd *see* Ed
80 C11 **Ed Da'ein** Southern Darfur, W Sudan
80 G11 **Ed Damazin** *var.* Ad Damazīn. Blue Nile, E Sudan
80 G8 **Ed Damer** *var.* Ad Damar, Ad Dāmir. River Nile, NE Sudan
80 E8 **Ed Debba** Northern, N Sudan
80 F10 **Ed Dueim** *var.* Ad Duwaym, Ad Duwēm White Nile, C Sudan
183 Q16 **Eddystone Point** *headland* Tasmania, SE Australia
97 I25 **Eddystone Rocks** *rocks* SW England, UK
29 W15 **Eddyville** Iowa, C USA
20 H7 **Eddyville** Kentucky, S USA
98 L12 **Ede** Gelderland, C Netherlands
77 T16 **Ede** Osun, SW Nigeria
79 D16 **Edéa** Littoral, SW Cameroon
111 M20 **Edelény** Borsod-Abaúj-Zemplén, NE Hungary
183 R12 **Eden** New South Wales, SE Australia
21 T8 **Eden** North Carolina, SE USA
25 P9 **Eden** Texas, SW USA
97 K14 **Eden** ≈ NW England, UK
83 I23 **Edenburg** Free State, C South Africa
185 D24 **Edendale** Southland, South Island, NZ
97 E18 **Edenderry** *Ir.* Éadan Doire. C Ireland
182 L11 **Edenhope** Victoria, SE Australia
21 X8 **Edenton** North Carolina, SE USA
101 G16 **Eder** ≈ NW Germany
101 H15 **Edersee** ◎ W Germany
Edessa *see* Şanlıurfa
114 E13 **Édessa** *var.* Édhessa. Kentrikí Makedonía, N Greece
Edfu *see* Idfu
29 P16 **Edgar** Nebraska, C USA
19 P13 **Edgartown** Martha's Vineyard, Massachusetts, NE USA
39 X13 **Edgecumbe, Mount** ▲ Baranof Island, Alaska, USA
21 Q13 **Edgefield** South Carolina, SE USA
29 P6 **Edgeley** North Dakota, N USA
28 I11 **Edgemont** South Dakota, N USA
92 O3 **Edgeøya** *island* S Svalbard
27 Q4 **Edgerton** Kansas, C USA
29 S10 **Edgerton** Minnesota, N USA
21 X3 **Edgewood** Maryland, NE USA
25 V6 **Edgewood** Texas, SW USA
Édhessa *see* Édessa
29 V9 **Edina** Minnesota, N USA
27 U2 **Edina** Missouri, C USA
25 S17 **Edinburg** Texas, SW USA
65 M24 **Edinburgh** *var.* Settlement of Edinburgh. ○ (Tristan da Cunha) NW Tristan da Cunha
96 J12 **Edinburgh** ● S Scotland, UK
31 P14 **Edinburgh** Indiana, N USA
96 J12 **Edinburgh** ✕ S Scotland, UK
116 L8 **Edineţ** *var.* Edineţi, *Rus.* Yedintsy. NW Moldova
Edineţi *see* Edineţ
Edingen *see* Enghien
136 B9 **Edirne** *Eng.* Adrianople; *anc.* Adrianopolis, Hadrianopolis. Edirne, NW Turkey
136 B11 **Edirne** ◈ *province* NW Turkey
18 K15 **Edison** New Jersey, NE USA
21 S15 **Edisto Island** South Carolina, SE USA
21 R14 **Edisto River** ≈ South Carolina, SE USA
33 S10 **Edith, Mount** ▲ Montana, NW USA
27 N10 **Edmond** Oklahoma, C USA
32 H8 **Edmonds** Washington, NW USA
11 Q14 **Edmonton** Alberta, SW Canada

◆ Country ● Country Capital ◇ Dependent Territory ○ Dependent Territory Capital ◈ Administrative Region ✕ International Airport ▲ Mountain ▲ Mountain Range ⚠ Volcano ≈ River ◎ Lake ▣ Reservoir

◆ COUNTRY ◇ DEPENDENT TERRITORY ◆ ADMINISTRATIVE REGION ▲ MOUNTAIN ✕ VOLCANO ◎ LAKE
● COUNTRY CAPITAL ○ DEPENDENT TERRITORY CAPITAL ✕ INTERNATIONAL AIRPORT ▲ MOUNTAIN RANGE ☇ RIVER ⊟ RESERVOIR

248 ••• El Puerto de Santa María – Eskişehir

104 J15 El Puerto de Santa María Andalucía, S Spain
62 I8 El Puesto Catamarca, NW Argentina
El Qâhira see Cairo
75 V10 El Qaşr var. Al Qaşr. C Egypt
El Qatrani see Al Qaţrānah
40 I10 El Quelite Sinaloa, C Mexico
62 G9 Elqui, Río ≈ N Chile
El Quneitra see Al Qunayţirah
El Quseir see Al Quşayr
El Quweira see Al Quwayrah
141 O15 El-Rahaba × (Şan'ā') W Yemen
42 M10 El Rama Región Autónoma Atlántico Sur, SE Nicaragua
43 W16 El Real var. El Real de Santa María. Darién, SE Panama
El Real de Santa María see El Real
26 M10 El Reno Oklahoma, C USA
40 K9 El Rodeo Durango, C Mexico
104 J13 El Ronquillo Andalucía, S Spain
11 S16 Elrose Saskatchewan, S Canada
30 K8 Elroy Wisconsin, N USA
25 S17 Elsa Texas, SW USA
75 W8 El Şaff var. Aş Şaff. N Egypt
40 J10 El Salto Durango, C Mexico
42 D8 El Salvador off. Republica de El Salvador. ◆ republic Central America
54 K7 El Samán de Apure Apure, C Venezuela
14 D7 Elsas Ontario, S Canada
40 F3 El Sásabe var. Aduana del Sásabe. Sonora, NW Mexico
Elsass see Alsace
40 J5 El Sáuz Chihuahua, N Mexico
27 W4 Elsberry Missouri, C USA
45 P9 El Seibo var. Santa Cruz de El Seibo, Santa Cruz del Seibo. E Dominican Republic
42 B7 El Semillero Barra Nahualate Escuintla, SW Guatemala
Elsene see Ixelles
Elsen Nur see Dorgê Co
36 L6 Elsinore Utah, W USA
Elsinore see Helsingør
99 L18 Elsloo Limburg, SE Netherlands
60 G13 El Soberbio Misiones, NE Argentina
55 N6 El Socorro Guárico, C Venezuela
54 L6 El Sombrero Guárico, N Venezuela
98 L10 Elspeet Gelderland, E Netherlands
98 L12 Elst Gelderland, E Netherlands
101 O15 Elsterwerda Brandenburg, E Germany
40 J4 El Sueco Chihuahua, N Mexico
El Suweida see As Suwaydā'
El Suweis see Suez
54 D12 El Tambo Cauca, SW Colombia
193 P13 Eltanin Fracture Zone tectonic feature SE Pacific Ocean
105 X5 El Ter ≈ NE Spain
184 K11 Eltham Taranaki, North Island, NZ
55 O6 El Tigre Anzoátegui, NE Venezuela
El Tigrito see San José de Guanipa
54 J5 El Tocuyo Lara, N Venezuela
127 Q10 El'ton Volgogradskaya Oblast', SW Russian Federation
32 K10 Eltopia Washington, NW USA
105 Z8 El Toro var. Mare de Déu del Toro. ▲ Menorca, Spain, W Mediterranean Sea
61 A18 El Trébol Santa Fe, C Argentina
40 J13 El Tuito Jalisco, SW Mexico
75 X8 El Ţūr var. Aţ Ţūr. NE Egypt
155 K16 Elūru prev. Ellore. Andhra Pradesh, E India
118 H13 Elva Ger. Elwa. Tartumaa, SE Estonia
37 R9 El Vado Reservoir ▣ New Mexico, SW USA
43 S15 El Valle Coclé, C Panama
104 I11 Elvas Portalegre, C Portugal
54 K7 El Venado Apure, C Venezuela
105 V6 El Vendrell Cataluña, NE Spain
94 I13 Elverum Hedmark, S Norway
42 I9 El Viejo Chinandega, NW Nicaragua
54 G7 El Viejo, Cerro ▲ C Colombia
54 H6 El Vigía Mérida, NW Venezuela
105 Q4 El Villar de Arnedo La Rioja, N Spain
59 A14 Elvira Amazonas, W Brazil
Elwa see Elva
El Wad see El Oued
81 K17 El Wak North Eastern, NE Kenya
33 R7 Elwell, Lake ▣ Montana, NW USA
31 P13 Elwood Indiana, N USA
27 R3 Elwood Kansas, C USA
29 N16 Elwood Nebraska, C USA
Elx see Elche
97 O20 Ely E England, UK
29 X4 Ely Minnesota, N USA
35 X6 Ely Nevada, W USA
El Yopal see Yopal
31 T11 Elyria Ohio, N USA
45 S9 El Yunque ▲ E Puerto Rico
101 F23 Elz ≈ SW Germany
187 R14 Emae island Shepherd Islands, C Vanuatu
118 I5 Emajõgi Ger. Embach. ≈ SE Estonia
Emāmrūd see Shāhrūd
149 Q2 Emām Şāḩeb var. Emam Saheb, Hazarat Imam. Kunduz, NE Afghanistan
Emāmshahr see Shāhrūd
95 M20 Emån ≈ S Sweden
144 J11 Emba Kaz. Embi. Aktyubinsk, W Kazakhstan
144 H12 Emba Kaz. Zhem. ≈ W Kazakhstan
Embach see Emajõgi
62 K5 Embarcación Salta, N Argentina
30 M15 Embarras River ≈ Illinois, N USA
Embi see Emba
81 I19 Embu Eastern, C Kenya
100 E10 Emden Niedersachsen, NW Germany
160 H9 Emei Shan ▲ Sichuan, C China
29 Q4 Emerado North Dakota, N USA
181 X8 Emerald Queensland, E Australia
Emerald Isle see Montserrat
57 J15 Emero, Río ≈ W Bolivia
11 Y17 Emerson Manitoba, S Canada
29 T15 Emerson Iowa, C USA
29 R13 Emerson Nebraska, C USA
36 M5 Emery Utah, W USA
Emesa see Ḩimş
136 E13 Emet Kütahya, W Turkey
186 B8 Emeti Western, SW PNG
35 V3 Emigrant Pass pass Nevada, W USA
78 I6 Emi Koussi ▲ N Chad
Emilia see Emilia-Romagna
41 V15 Emiliano Zapata Chiapas, SE Mexico
106 E9 Emilia-Romagna prev. Emilia, anc. Æmilia. ◈ region N Italy
158 J3 Emin var. Dorbiljin. Xinjiang Uygur Zizhiqu, NW China
149 W8 Eminābād Punjab, E Pakistan
21 L5 Eminence Kentucky, S USA
27 W7 Eminence Missouri, C USA
114 N9 Emine, Nos headland E Bulgaria
158 I3 Emin He ≈ NW China
186 G4 Emirau Island island N PNG
136 F13 Emirdağ Afyon, W Turkey
95 M21 Emmaboda Kalmar, S Sweden
118 E5 Emmaste Hiiumaa, W Estonia
18 I15 Emmaus Pennsylvania, NE USA
183 U4 Emmaville New South Wales, SE Australia
108 E9 Emme ≈ W Switzerland
98 L8 Emmeloord Flevoland, N Netherlands
98 O8 Emmen Drenthe, NE Netherlands
108 F8 Emmen Luzern, C Switzerland
101 F23 Emmendingen Baden-Württemberg, SW Germany
98 P8 Emmer-Compascuum Drenthe, NE Netherlands
101 D14 Emmerich Nordrhein-Westfalen, W Germany
29 U12 Emmetsburg Iowa, C USA
32 M14 Emmett Idaho, NW USA
38 M10 Emmonak Alaska, USA
Emona see Ljubljana
Emonti see East London
24 L12 Emory Peak ▲ Texas, SW USA
40 F6 Empalme Sonora, NW Mexico
83 L23 Empangeni KwaZulu/Natal, E South Africa
61 C14 Empedrado Corrientes, NE Argentina
192 K3 Emperor Seamounts undersea feature NW Pacific Ocean
192 L3 Emperor Trough undersea feature N Pacific Ocean
35 R4 Empire Nevada, W USA
Empire State of the South see Georgia
Emplawas see Amplawas
106 F11 Empoli Toscana, C Italy
27 P5 Emporia Kansas, C USA
21 W7 Emporia Virginia, NE USA
18 E13 Emporium Pennsylvania, NE USA
Empty Quarter see Ar Rub' al Khālī
100 E10 Ems Dut. Eems. ≈ NW Germany
100 F13 Emsdetten Nordrhein-Westfalen, NW Germany
Ems-Hunte Canal see Küstenkanal
100 F10 Ems-Jade-Kanal canal NW Germany
100 F11 Emsland cultural region NW Germany
182 D3 Emu Junction South Australia
163 T3 Emur He ≈ NE China
55 R8 Enachu Landing NW Guyana
93 F16 Enafors Jämtland, C Sweden
94 N11 Enånger Gävleborg, C Sweden
96 G7 Enard Bay bay NW Scotland, UK
Enareträsk see Inarijärvi
171 X14 Enarotali Papua, E Indonesia
138 E12 En 'Avedat var. Ein 'Avedat, well S Israel
165 T2 Enbetsu Hokkaidō, NE Japan
61 H16 Encantadas, Serra das ▲ S Brazil
40 E7 Encantado, Cerro ▲ NW Mexico
62 P7 Encarnación Itapúa, S Paraguay
40 M12 Encarnación de Díaz Jalisco, SW Mexico
77 O17 Enchi SW Ghana
25 Q14 Encinal Texas, SW USA
35 U17 Encinitas California, W USA
25 S16 Encino Texas, SW USA
54 H6 Encontrados Zulia, NW Venezuela
182 I10 Encounter Bay inlet South Australia
61 F15 Encruzilhada Rio Grande do Sul, S Brazil
61 H16 Encruzilhada do Sul Rio Grande do Sul, S Brazil
111 M20 Encs Borsod-Abaúj-Zemplén, NE Hungary
193 P3 Endeavour Seamount undersea feature N Pacific Ocean
181 V1 Endeavour Strait strait Queensland, NE Australia
171 O16 Endeh Flores, S Indonesia
95 G23 Endelave island C Denmark
191 T4 Enderbury Island atoll Phoenix Islands, C Kiribati
11 N16 Enderby British Columbia, SW Canada
195 W4 Enderby Land physical region Antarctica
173 N14 Enderby Plain undersea feature S Indian Ocean
29 Q6 Enderlin North Dakota, N USA
Endersdorf see Jędrzejów
28 K16 Enders Reservoir ▣ Nebraska, C USA
18 H11 Endicott New York, NE USA
39 P7 Endicott Mountains ▲ Alaska, USA
118 I5 Endla Raba wetland C Estonia
117 T9 Enerhodar Zaporiz'ka Oblast', SE Ukraine
57 F14 Ene, Río ≈ C Peru
189 N4 Enewetak Atoll var. Ānewetak, Eniwetok. atoll Ralik Chain, W Marshall Islands
114 L13 Enez Edirne, NW Turkey
21 W8 Enfield North Carolina, SE USA
186 B7 Enga ◈ province W PNG
45 Q9 Engaño, Cabo headland E Dominican Republic
164 U3 Engaru Hokkaidō, NE Japan
138 F11 'En Gedi Southern, E Israel
108 F9 Engelberg Unterwalden, C Switzerland
21 Y9 Engelhard North Carolina, SE USA
127 P8 Engel's Saratovskaya Oblast', W Russian Federation
101 G24 Engen Baden-Württemberg, SW Germany
Engeten see Aiud
168 K15 Enggano, Pulau island W Indonesia
80 J8 Enghershatu ▲ N Eritrea
99 F19 Enghien Dut. Edingen. Hainaut, SW Belgium
27 V12 England Arkansas, C USA
97 M20 England Lat. Anglia. national region UK
14 H8 Englehart Ontario, S Canada
37 T4 Englewood Colorado, C USA
31 O16 English Indiana, N USA
39 Q13 English Bay Alaska, USA
English Bazar see Ingrāj Bāzār
97 N25 English Channel var. The Channel, Fr. la Manche. channel NW Europe
194 J7 English Coast physical region Antarctica
105 S11 Enguera País Valenciano, E Spain
118 E8 Engure Tukums, W Latvia
118 E8 Engures Ezers ◎ NW Latvia
137 R9 Enguri Rus. Inguri. ≈ NW Georgia
Engyum see Gangi
26 M9 Enid Oklahoma, C USA
22 L3 Enid Lake ▣ Mississippi, S USA
189 Y2 Enigu island Ratak Chain, SE Marshall Islands
Enikale Strait see Kerch Strait
147 Z8 Enil'chek Issyk-Kul'skaya Oblast', E Kyrgyzstan
115 F17 Enipéfs ≈ C Greece
165 S4 Eniwa Hokkaidō, NE Japan
Eniwetok see Enewetak Atoll
Enjiang see Yongfeng
123 S11 Enkan, Mys headland NE Russian Federation
Enkeldoorn see Chivhu
98 J8 Enkhuizen Noord-Holland, NW Netherlands
109 Q4 Enknach ≈ N Austria
95 N15 Enköping Uppsala, C Sweden
107 K24 Enna var. Castrogiovanni, Henna. Sicilia, Italy, C Mediterranean Sea
80 D11 En Nahud Western Kordofan, C Sudan
138 F8 En Nâqoûra var. An Nāqūrah. SW Lebanon
En Nazira see Nazerat
78 K8 Ennedi plateau E Chad
101 E15 Ennepetal Nordrhein-Westfalen, W Germany
183 P4 Enngonia New South Wales, SE Australia
97 C19 Ennis Ir. Inis. W Ireland
33 R11 Ennis Montana, NW USA
25 U7 Ennis Texas, SW USA
97 F20 Enniscorthy Ir. Inis Córthaidh. SE Ireland
97 E15 Enniskillen var. Inniskilling, Ir. Inis Ceithleann. SW Northern Ireland, UK
97 B19 Ennistimon Ir. Inis Díomáin. W Ireland
109 T4 Enns Oberösterreich, N Austria
109 T4 Enns ≈ C Austria
93 O16 Eno Itä-Suomi, E Finland
24 M5 Enochs Texas, SW USA
93 N17 Enonkoski Isä-Suomi, E Finland
92 K10 Enontekiö Lapp. Eanodat. Lappi, N Finland
21 Q11 Enoree South Carolina, SE USA
21 P11 Enoree River ≈ South Carolina, SE USA
18 M6 Enosburg Falls Vermont, NE USA
171 N13 Enrekang Sulawesi, C Indonesia
45 N10 Enriquillo SW Dominican Republic
45 N9 Enriquillo, Lago ◎ SW Dominican Republic
98 L9 Ens Flevoland, N Netherlands
98 P11 Enschede Overijssel, E Netherlands
40 B2 Ensenada Baja California, NW Mexico
101 E20 Ensheim × (Saarbrücken) Saarland, W Germany
160 L9 Enshi Hubei, C China
164 L14 Enshū-nada gulf SW Japan
23 O8 Ensley Florida, SE USA
Enso see Svetogorsk
81 F18 Entebbe S Uganda
81 F18 Entebbe × C Uganda
101 M18 Entenbühl ▲ Czech Republic/Germany
98 N10 Enter Overijssel, E Netherlands
23 Q7 Enterprise Alabama, S USA
32 L11 Enterprise Oregon, NW USA
36 J7 Enterprise Utah, W USA
32 J8 Entiat Washington, NW USA
105 P15 Entinas, Punta de las headland S Spain
108 F8 Entlebuch Luzern, W Switzerland
108 F8 Entlebuch valley C Switzerland
63 I22 Entrada, Punta headland S Argentina
103 O13 Entraygues-sur-Truyère Aveyron, S France
187 O14 Entrecasteaux, Récifs d' reef N New Caledonia
61 C17 Entre Ríos off. Provincia de Entre Ríos. ◈ province NE Argentina
42 K7 Entre Ríos, Cordillera ▲ Honduras/Nicaragua
104 G9 Entroncamento Santarém, C Portugal
77 V16 Enugu Enugu, S Nigeria
77 U16 Enugu ◈ state SE Nigeria
123 V5 Enurmino Chukotskiy Avtonomnyy Okrug, NE Russian Federation
54 E9 Envigado Antioquia, W Colombia
59 B15 Envira Amazonas, W Brazil
Enyélé see Enyellé
79 I16 Enyellé var. Enyélé. La Likouala, NE Congo
101 H21 Enz ≈ SW Germany
165 N13 Enzan Yamanashi, Honshū, S Japan
104 I2 Eo ≈ NW Spain
Eochaill see Youghal
Eochaille, Cuan see Youghal Bay
107 K22 Eolie, Isole var. Isole Lipari, Eng. Aeolian Islands, Lipari Islands. island group S Italy
189 U12 Eot island Chuuk, C Micronesia
115 J25 Epáno Archánes var. Áno Arkhánai; prev. Epáno Arkhánai. Kríti, Greece, E Mediterranean Sea
Epáno Arkhánai see Epáno Archánes
115 G14 Epanomí Kentrikí Makedonía, N Greece
98 M10 Epe Gelderland, E Netherlands
77 S16 Epe Lagos, S Nigeria
79 I17 Epéna La Likouala, NE Congo
Eperies/Eperjes see Prešov
103 Q4 Épernay anc. Sparnacum. Marne, N France
36 L5 Ephraim Utah, W USA
18 H15 Ephrata Pennsylvania, NE USA
32 J8 Ephrata Washington, NW USA
187 R14 Epi var. Épi. island C Vanuatu
105 R6 Épila Aragón, NE Spain
103 T6 Épinal Vosges, NE France
Epiphania see Ḩamāh
Epirus see Ípeiros
121 P3 Episkopí SW Cyprus
Episkopi Bay see Episkopí, Kólpos
121 P3 Episkopí, Kólpos var. Episkopi Bay. bay SE Cyprus
Epitoli see Pretoria
Epoon see Ebon Atoll
Eporedia see Ivrea
Eppeschdorf see Dumbrăveni
101 H21 Eppingen Baden-Württemberg, SW Germany
83 E18 Epukiro Omaheke, E Namibia
29 Y13 Epworth Iowa, C USA
143 O10 Eqlīd var. Iqlid. Fārs, C Iran
Equality State see Wyoming
79 J18 Equateur off. Région de l' Equateur. ◈ region N Dem. Rep. Congo
151 K22 Equatorial Channel channel S Maldives
79 B17 Equatorial Guinea off. Republic of Equatorial Guinea. ◆ republic C Africa
121 V11 Eratosthenes Tablemount undersea feature E Mediterranean Sea
Erautini see Johannesburg
136 L12 Erbaa Tokat, N Turkey
101 E19 Erbeskopf ▲ W Germany
Erbil see Arbīl
121 P2 Ercan × (Nicosia) N Cyprus
Ercegnovi see Herceg-Novi
137 T14 Erçek Gölü ◎ E Turkey
137 S14 Erciş Van, E Turkey
136 K14 Erciyes Dağı anc. Argaeus. ▲ C Turkey
111 J22 Érd Ger. Hanselbeck. Pest, C Hungary
Erdaobaihe see Baihe
159 O12 Erdaogou Qinghai, W China
163 X11 Erdao Jiang ≈ NE China
Erdăt-Sângeorz see Sângeorgiu de Pădure
136 C11 Erdek Balıkesir, NW Turkey
Erdély see Transylvania
Erdélyi-Havasok see Carpaţii Meridionali
136 J17 Erdemli İçel, S Turkey
162 K6 Erdenet Orhon, N Mongolia
162 I8 Erdenetsogt Bayanhongor, C Mongolia
78 K7 Erdi plateau NE Chad
78 L7 Erdi Ma desert NE Chad
101 M23 Erding Bayern, SE Germany
Erdőszáda see Ardusat
Erdőszentgyörgy see Sângeorgiu de Pădure
102 I7 Erdre ≈ NW France
195 R13 Erebus, Mount ▲ Ross Island, Antarctica
61 H14 Erechim Rio Grande do Sul, S Brazil
163 O7 Ereen Davaanï Nuruu ▲ NE Mongolia
163 Q6 Ereentsav Dornod, NE Mongolia
136 I16 Ereğli Konya, S Turkey
136 I15 Ereğli Gölü ◎ W Turkey
115 A15 Ereíkoussa island Iónioi Nísoi, Greece, C Mediterranean Sea
163 O11 Erenhot var. Erlian. Nei Mongol Zizhiqu, NE China
104 M6 Eresma ≈ N Spain
115 K17 Eresós var. Eressós. Lésvos, E Greece
Eressós see Eresós
Erevan see Yerevan
Ereymentau see Yereymentau
99 K21 Érezée Luxembourg, SE Belgium
74 G7 Erfoud SE Morocco
101 D16 Erft ≈ W Germany
101 K16 Erfurt Thüringen, C Germany
137 P15 Ergani Dıyarbakır, SE Turkey
163 N11 Ergel Dornogovĭ, SE Mongolia
Ergene Irmağı see Ergene Çayı
162 L11 Ergenetsogt Ömnögovĭ, S Mongolia
136 C10 Ergene Çayı var. Ergene Irmağı. ≈ NW Turkey
118 I9 Ērgļi Madona, C Latvia
78 H11 Erguig, Bahr ≈ SW Chad
163 S5 Ergun var. Labudalin, prev. Ergun Youqi. Nei Mongol Zizhiqu, N China
Ergun He see Argun
Ergun Youqi see Ergun
Ergun Zuoqi see Genhe
160 F12 Er Hai ◎ SW China
102 G4 Er, Îles d' island group NW France
106 K4 Ería ≈ NW Spain
80 H8 Eriba Kassala, NE Sudan
96 I6 Eriboll, Loch inlet NW Scotland, UK
65 Q18 Erica Seamount undersea feature SW Indian Ocean
107 H23 Erice Sicilia, Italy, C Mediterranean Sea
104 E10 Ericeira Lisboa, C Portugal
96 H10 Ericht, Loch ◎ C Scotland, UK
26 J11 Erick Oklahoma, C USA
18 B11 Erie Pennsylvania, NE USA
18 E9 Erie Canal canal New York, NE USA
Érié, Lac see Erie, Lake
31 T10 Erie, Lake Fr. Lac Érié. ◎ Canada/USA
Erigabo see Ceerigaabo
77 N8 'Erîgât desert N Mali
Erigavo see Ceerigaabo
92 P2 Erik Eriksenstretet strait E Svalbard
11 X15 Eriksdale Manitoba, S Canada
189 V6 Erikub Atoll var. Ādkup. atoll Ratak Chain, C Marshall Islands
Erimanthos see Erýmanthos
165 T6 Erimo Hokkaidō, NE Japan
165 T6 Erimo-misaki headland Hokkaidō, NE Japan
20 H8 Erin Tennessee, S USA
96 E9 Eriskay island NW Scotland, UK
Erithraí see Erythrés
80 I9 Eritrea off. State of Eritrea, Tig. Ērtra. ◆ transitional government E Africa
Erivan see Yerevan
101 D16 Erkelenz Nordrhein-Westfalen, W Germany
95 P15 Erken ◎ C Sweden
101 K19 Erlangen Bayern, S Germany
160 G9 Erlang Shan ▲ C China
Erlau see Eger
109 V5 Erlauf ≈ NE Austria
181 Q8 Erldunda Roadhouse Northern Territory, N Australia
Erlian see Erenhot
27 T15 Erling, Lake ▣ Arkansas, USA
109 O8 Erlsbach Tirol, W Austria
Ermak see Aksu
98 K10 Ermelo Gelderland, C Netherlands
83 K21 Ermelo Mpumalanga, NE South Africa
136 H17 Ermenek Karaman, S Turkey
Érmihályfalva see Valea lui Mihai
115 G20 Ermióni Pelopónnisos, S Greece
115 J20 Ermoúpoli var. Hermoupolis; prev. Ermoúpolis. Sýros, Kykládes, Greece, Aegean Sea
Ermoúpolis see Ermoúpoli
Ernabella see Pukatja
155 G22 Ernākulam Kerala, SW India
102 J6 Ernée Mayenne, NW France
61 H14 Ernestina, Barragem ▣ S Brazil
54 E4 Ernesto Cortissoz × (Barranquilla) Atlántico, N Colombia
155 H21 Erode Tamil Nādu, SE India
Eroj see Iroj
83 C19 Erongo ◈ district W Namibia
99 F21 Erquelinnes Hainaut, S Belgium
74 G7 Er-Rachidia var. Ksar al Soule. E Morocco
80 E11 Er Rahad var. Ar Rahad. Northern Kordofan, C Sudan
Er Ramle see Ramla
83 O15 Errego Zambézia, NE Mozambique
Errenteria see Rentería
Er Rif/Er Riff see Rif
97 D14 Errigal Mountain Ir. An Earagail. ▲ N Ireland
97 A15 Erris Head Ir. Ceann Iorrais. headland W Ireland
187 S15 Erromango island S Vanuatu
Error Guyot see Error Tablemount
173 O4 Error Tablemount var. Error Guyot. undersea feature W Indian Ocean
80 G11 Er Roseires Blue Nile, E Sudan
Erseka see Ersekë
113 M22 Ersekë var. Erseka, Kolonjë. Korçë, SE Albania
Érsekújvár see Nové Zámky
29 S4 Erskine Minnesota, N USA
103 V6 Erstein Bas-Rhin, NE France
108 G9 Erstfeld Uri, C Switzerland
158 M3 Ertai Xinjiang Uygur Zizhiqu, NW China
126 M7 Ertil' Voronezhskaya Oblast', W Russian Federation
Ertis see Irtysh, C Asia
Ertis see Irtyshsk, Kazakhstan
158 K2 Ertix He Rus. Chërnyy Irtysh. ≈ China/Kazakhstan
Ertra see Eritrea
21 P9 Erwin North Carolina, SE USA
114 L12 Erydropótamos Bul. Byala Reka. ≈ Bulgaria/Greece
115 E19 Erýmanthos var. Erimanthos. ▲ S Greece
115 G19 Erythrés prev. Erithraí. Stereá Elláda, C Greece
160 F12 Eryuan var. Yuhu. Yunnan, SW China
109 U6 Erzbach ≈ W Austria
Erzerum see Erzurum
101 N17 Erzgebirge Cz. Krušné Hory, Eng. Ore Mountains. ▲ Czech Republic/Germany see also Krušné Hory
122 L14 Erzin Respublika Tyva, S Russian Federation
137 O13 Erzincan var. Erzinjan. Erzincan, E Turkey
137 N13 Erzincan var. Erzinjan. ◈ province NE Turkey
Erzinjan see Erzincan
Erzsébetváros see Dumbrăveni
137 Q13 Erzurum prev. Erzerum. Erzurum, NE Turkey
137 Q12 Erzurum prev. Erzerum. ◈ province NE Turkey
186 G9 Esa'ala Normanby Island, SE PNG
165 T2 Esashi Hokkaidō, NE Japan
165 Q9 Esashi var. Esasi. Iwate, Honshū, C Japan
165 Q5 Esasho Hokkaidō, N Japan
Esasi see Esashi
95 F23 Esbjerg Ribe, W Denmark
Esbo see Espoo
36 L7 Escalante Utah, W USA
36 M7 Escalante River ≈ Utah, W USA
14 L12 Escalier, Réservoir l' ▣ Québec, SE Canada
40 K7 Escalón Chihuahua, N Mexico
104 M8 Escalona Castilla-La Mancha, C Spain
23 O8 Escambia River ≈ Florida, SE USA
31 N5 Escanaba Michigan, N USA
31 N4 Escanaba River ≈ Michigan, N USA
105 R8 Escandón, Puerto de pass E Spain
41 W14 Escárcega Campeche, SE Mexico
171 O1 Escarpada Point headland Luzon, N Philippines
23 N8 Escatawpa River ≈ Alabama/Mississippi, S USA
103 P2 Escaut ≈ N France
Escaut see Scheldt
99 M25 Esch-sur-Alzette Luxembourg, S Luxembourg
101 J15 Eschwege Hessen, C Germany
101 D16 Eschweiler Nordrhein-Westfalen, W Germany
Esclaves, Grand Lac des see Great Slave Lake
45 O8 Escocesa, Bahía bay N Dominican Republic
43 W15 Escocés, Punta headland NE Panama
35 U17 Escondido California, W USA
42 M10 Escondido, Río ≈ SE Nicaragua
15 S7 Escoumins, Rivière des ≈ Québec, SE Canada
37 O13 Escudilla Mountain ▲ Arizona, SW USA
40 J11 Escuinapa var. Escuinapa de Hidalgo. Sinaloa, C Mexico
Escuinapa de Hidalgo see Escuinapa
42 C6 Escuintla Escuintla, S Guatemala
41 V17 Escuintla Chiapas, SE Mexico
42 A2 Escuintla off. Departamento de Escuintla. ◈ department S Guatemala
15 W7 Escuminac ≈ Québec, SE Canada
79 D16 Eséka Centre, SW Cameroon
136 I12 Esenboğa × (Ankara) Ankara, C Turkey
146 B13 Esenguly Rus. Gasan-Kuli. Balkan Welaýaty, W Turkmenistan
136 D17 Eşen Çayı ≈ SW Turkey
105 T4 Ésera ≈ NE Spain
143 N8 Eşfahān Eng. Isfahan; anc. Aspadana. Eşfahān, C Iran
143 O7 Eşfahān off. Ostān-e Eşfahān. ◈ province C Iran
105 N5 Esgueva ≈ N Spain
149 Q3 Eshkamesh Takhār, NE Afghanistan
149 T2 Eshkāshem Badakhshān, NE Afghanistan
83 L23 Eshowe KwaZulu/Natal, E South Africa
143 T5 'Eshqābād Khorāsān, NE Iran
Esh Sham see Dimashq
Esh Sharā see Ash Sharāh
Esik see Yesik
Esil see Ishim, Kazakhstan/Russian Federation
Esil see Yesil', Kazakhstan
183 V2 Esk Queensland, E Australia
184 O11 Eskdale Hawke's Bay, North Island, NZ
Eski Dzhumaya see Tŭrgovishte
92 L2 Eskifjördhur Austurland, E Iceland
139 S3 Eski Kaļak var. Askī Kalak, Kalak. N Iraq
95 N16 Eskilstuna Södermanland, C Sweden
8 H6 Eskimo Lakes lakes Northwest Territories, NW Canada
9 O10 Eskimo Point headland Nunavut, E Canada
Eskimo Point see Arviat
139 Q2 Eski Mosul N Iraq
147 T10 Eski-Nookat var. Iski-Nauket. Oshskaya Oblast', SW Kyrgyzstan
136 F12 Eskişehir var. Eskishehr. Eskişehir, W Turkey

◆ Country ● Country Capital ◇ Dependent Territory ○ Dependent Territory Capital ◈ Administrative Region × International Airport ▲ Mountain ▲ Mountain Range Volcano ≈ River ◎ Lake ▣ Reservoir

ESKIŞEHIR – FARADAY ••• 249

136 F13 **Eskişehir** *var.* Eski shehr. ◈ *province* NW Turkey
Eskishehr *see* Eskişehir
104 K5 **Esla** ≈ NW Spain
142 J6 **Eslāmābād** *var.* Eslāmābād-e Gharb; *prev.* Harunabad, Shāhābād. Kermānshāhān, W Iran
Eslāmābād-e Gharb *see* Eslāmābād
148 J4 **Eslām Qal'eh** *Pash.* Islam Qala. Herāt, W Afghanistan
95 K23 **Eslöv** Skåne, S Sweden
143 S12 **Esmā'īlābād** Kermān, S Iran
143 U8 **Esmā'īlābād** Khorāsān, E Iran
136 D14 **Eşme** Uşak, W Turkey
44 G6 **Esmeralda** Camagüey, E Cuba
63 F21 **Esmeralda, Isla** *island* S Chile
56 B5 **Esmeraldas** Esmeraldas, N Ecuador
56 B5 **Esmeraldas** ◈ *province* NW Ecuador
Esna *see* Isna
14 B6 **Esnagi Lake** ◎ Ontario, S Canada
143 V14 **Espakeh** Sīstān va Balūchestān, SE Iran
103 O13 **Espalion** Aveyron, S France
España *see* Spain
14 E11 **Espanola** Ontario, S Canada
37 S10 **Espanola** New Mexico, SW USA
57 C18 **Española, Isla** *var.* Hood Island. *island* Galapagos Islands, Ecuador, E Pacific Ocean
104 M13 **Espejo** Andalucía, S Spain
94 C13 **Espeland** Hordaland, S Norway
100 G12 **Espelkamp** Nordrhein-Westfalen, NW Germany
38 M8 **Espenberg, Cape** *headland* Alaska, USA
180 L13 **Esperance** Western Australia
186 L9 **Esperance, Cape** *headland* Guadacanal, C Solomon Islands
57 P18 **Esperancita** Santa Cruz, E Bolivia
61 B17 **Esperanza** Santa Fe, C Argentina
40 G6 **Esperanza** Sonora, NW Mexico
24 H9 **Esperanza** Texas, SW USA
194 H3 **Esperanza** *Argentinian research station* Antarctica
104 E12 **Espichel, Cabo** *headland* S Portugal
54 E10 **Espinal** Tolima, C Colombia
104 G6 **Espinho** Aveiro, N Portugal
59 N18 **Espinosa** Minas Gerais, SE Brazil
103 O15 **Espinouse** ▲ S France
60 Q8 **Espírito Santo** *off.* Estado do Espírito Santo. ◈ *state* E Brazil
187 P13 **Espiritu Santo** *var.* Santo. *island* W Vanuatu
41 Z13 **Espíritu Santo, Bahía del** *bay* SE Mexico
40 F9 **Espíritu Santo, Isla del** *island* W Mexico
41 Y12 **Espita** Yucatán, SE Mexico
15 Y7 **Espoir, Cap d'** *headland* Québec, SE Canada
Esponsede/Esponsende *see* Esposende
93 L20 **Espoo** *Swe.* Esbo. Etelä-Suomi, S Finland
104 G5 **Esposende** *var.* Esponsede, Esponsende. Braga, N Portugal
83 M18 **Espungabera** Manica, SW Mozambique
63 H17 **Esquel** Chubut, SW Argentina
10 L17 **Esquimalt** Vancouver Island, British Columbia, SW Canada
61 C16 **Esquina** Corrientes, NE Argentina
42 E6 **Esquipulas** Chiquimula, SE Guatemala
42 K9 **Esquipulas** Matagalpa, C Nicaragua
94 I8 **Essandjøen** ◎ S Norway
74 E7 **Essaouira** *prev.* Mogador. W Morocco
Esseg *see* Osijek
Es Semara *see* Smara
99 G15 **Essen** Antwerpen, N Belgium
101 E15 **Essen** *var.* Essen an der Ruhr. Nordrhein-Westfalen, W Germany
Essen an der Ruhr *see* Essen
74 I5 **Es Senia** ✕ (Oran) NW Algeria
55 T8 **Essequibo Islands** *island group* N Guyana
55 T11 **Essequibo River** ≈ C Guyana
14 C18 **Essex** Ontario, S Canada
29 T16 **Essex** Iowa, C USA
97 P21 **Essex** *cultural region* E England, UK
31 R8 **Essexville** Michigan, N USA
101 H22 **Esslingen** *var.* Esslingen am Neckar. Baden-Württemberg, SW Germany
Esslingen am Neckar *see* Esslingen
103 N6 **Essonne** ◈ *department* N France
Es Suweida *see* As Suwaydā'
79 F16 **Est** *Eng.* East. ◈ *province* SE Cameroon
104 I1 **Estaca de Bares, Punta da** *point* NW Spain
24 M5 **Estacado, Llano** *plain* New Mexico/Texas, SW USA
63 K25 **Estados, Isla de los** *prev. Eng.* Staten Island. *island* S Argentina
143 P12 **Eşţahbān** Fārs, S Iran
14 F11 **Estaire** Ontario, S Canada
37 S12 **Estancia** New Mexico, SW USA
59 P16 **Estância** Sergipe, E Brazil
104 G7 **Estarreja** Aveiro, N Portugal
102 M17 **Estats, Pic d'** *Sp.* Pico d'Estats. ▲ France/Spain
Estats, Pico d' *see* Estats, Pic d'
83 K23 **Estcourt** KwaZulu/Natal, E South Africa
106 H8 **Este** *anc.* Ateste. Veneto, NE Italy
42 J9 **Estelí** Estelí, NW Nicaragua
42 J9 **Estelí** ◈ *department* NW Nicaragua
105 Q4 **Estella** *Bas.* Lizarra. Navarra, N Spain
29 R9 **Estelline** South Dakota, N USA
25 P4 **Estelline** Texas, SW USA
104 L14 **Estepa** Andalucía, S Spain
104 L16 **Estepona** Andalucía, S Spain
39 R9 **Ester** Alaska, USA
11 V16 **Esterhazy** Saskatchewan, S Canada
37 S3 **Estes Park** Colorado, C USA
11 V17 **Estevan** Saskatchewan, S Canada
29 T11 **Estherville** Iowa, C USA
21 R15 **Estill** South Carolina, SE USA
103 Q6 **Estissac** Aube, N France
15 T9 **Est, Lac de l'** ◎ Québec, SE Canada
Estland *see* Estonia
11 S16 **Eston** Saskatchewan, S Canada
118 G5 **Estonia** *off.* Republic of Estonia, *Est.* Eesti Vabariik, *Ger.* Estland, *Latv.* Igaunija; *prev.* Estonian SSR, *Rus.* Estonskaya SSR. ◆ *republic* NE Europe
Estonskaya SSR *see* Estonia
104 E11 **Estoril** Lisboa, W Portugal
59 L14 **Estreito** Maranhão, E Brazil
104 I8 **Estrela, Serra da** ▲ C Portugal
40 D3 **Estrella, Punta** *headland* NW Mexico
Estremadura *see* Extremadura
104 F10 **Estremadura** *cultural and historical region* W Portugal
104 H11 **Estremoz** Évora, S Portugal
79 D18 **Estuaire** *off.* Province de l'Estuaire, *var.* L'Estuaire. ◈ *province* NW Gabon
Eszék *see* Osijek
111 I22 **Esztergom** *Ger.* Gran; *anc.* Strigonium. Komárom-Esztergom, N Hungary
152 K11 **Etah** Uttar Pradesh, N India
189 R17 **Etal Atoll** *atoll* Mortlock Islands, C Micronesia
99 K24 **Étalle** Luxembourg, SE Belgium
103 N6 **Étampes** Essonne, N France
182 J1 **Etamunbanie, Lake** *salt lake* South Australia
103 N1 **Étaples** Pas-de-Calais, N France
152 K12 **Etāwah** Uttar Pradesh, N India
15 R10 **Etchemin** ≈ Québec, SE Canada
Etchmiadzin *see* Ejmiatsin
40 G7 **Etchojoa** Sonora, NW Mexico
93 L19 **Etelä-Suomi** ◈ *province* S Finland
83 B16 **Etengua** Kunene, NW Namibia
99 K25 **Éthe** Luxembourg, SE Belgium
11 W15 **Ethelbert** Manitoba, S Canada
80 H12 **Ethiopia** *off.* Federal Democratic Republic of Ethiopia; *prev.* Abyssinia, People's Democratic Republic of Ethiopia. ◆ *republic* E Africa
80 I13 **Ethiopian Highlands** *var.* Ethiopian Plateau. *plateau* N Ethiopia
Ethiopian Plateau *see* Ethiopian Highlands
34 M2 **Etna** California, W USA
18 B14 **Etna** Pennsylvania, NE USA
94 G12 **Etna** ≈ S Norway
107 L24 **Etna, Monte** *Eng.* Mount Etna. ⛰ Sicilia, Italy, C Mediterranean Sea
Etna, Mount *see* Etna, Monte
95 C15 **Etne** Hordaland, S Norway
Etoliko *see* Aitolikó
39 Y14 **Etolin Island** *island* Alexander Archipelago, Alaska, USA
38 L12 **Etolin Strait** *strait* Alaska, USA
83 C17 **Etosha Pan** *salt lake* N Namibia
79 G18 **Etoumbi** Cuvette, NW Congo
20 M10 **Etowah** Tennessee, S USA
23 S2 **Etowah River** ≈ Georgia, SE USA
146 B13 **Etrek** *var.* Gyzyletrek, *Rus.* Kizyl-Atrek. Balkan Welaýaty, W Turkmenistan
146 C13 **Etrek** *Per.* Rūd-e Atrak, *Rus.* Atrak, Atrek. ≈ Iran/Turkmenistan
102 L3 **Étretat** Seine-Maritime, N France
114 H9 **Etropole** Sofiya, W Bulgaria
Etsch *see* Adige
Et Tafila *see* Aţ Ţafīlah
99 M23 **Ettelbrück** Diekirch, C Luxembourg
189 V12 **Etten** *atoll* Chuuk Islands, C Micronesia
99 H14 **Etten-Leur** Noord-Brabant, S Netherlands
76 G7 **Et Tîdra** *var.* Ile Tîdra. *island* Dakhlet Nouâdhibou, NW Mauritania
101 G21 **Ettlingen** Baden-Württemberg, SW Germany
102 M2 **Eu** Seine-Maritime, N France
193 W16 **'Eua** *prev.* Middleburg Island. *island* Tongatapu Group, SE Tonga
193 W15 **Eua Iki** *island* Tongatapu Group, S Tonga
Euboea *see* Évvoia
181 O12 **Eucla** Western Australia
31 U11 **Euclid** Ohio, N USA
27 W14 **Eudora** Arkansas, C USA
27 Q4 **Eudora** Kansas, C USA
182 J9 **Eudunda** South Australia
23 R6 **Eufaula** Alabama, S USA
27 Q11 **Eufaula** Oklahoma, C USA
27 Q11 **Eufaula Lake** *var.* Eufaula Reservoir. ▣ Oklahoma, C USA
Eufaula Reservoir *see* Eufaula Lake
32 F13 **Eugene** Oregon, NW USA
40 B6 **Eugenia, Punta** *headland* W Mexico
183 Q8 **Eugowra** New South Wales, SE Australia
104 I2 **Eume** ≈ NW Spain
104 H2 **Eume, Embalse do** ▣ NW Spain
Eumolpias *see* Plovdiv
59 O18 **Eunápolis** Bahia, SE Brazil
22 H8 **Eunice** Louisiana, S USA
37 W15 **Eunice** New Mexico, SW USA
99 M19 **Eupen** Liège, E Belgium
138 J9 **Euphrates** *Ar.* Al Furāt, *Turk.* Firat Nehri. ≈ SW Asia
138 L3 **Euphrates Dam** *dam* N Syria
22 M4 **Eupora** Mississippi, S USA
93 K19 **Eura** Länsi-Suomi, W Finland
93 K19 **Eurajoki** Länsi-Suomi, W Finland
102 L4 **Eure** ◈ *department* N France
102 M4 **Eure** ≈ N France
102 M6 **Eure-et-Loir** ◈ *department* C France
34 K3 **Eureka** California, W USA
27 P6 **Eureka** Kansas, C USA
33 O6 **Eureka** Montana, NW USA
35 V5 **Eureka** Nevada, W USA
29 O7 **Eureka** South Dakota, N USA
36 L4 **Eureka** Utah, W USA
32 K10 **Eureka** Washington, NW USA
27 S9 **Eureka Springs** Arkansas, C USA
182 K6 **Eurinilla Creek** *seasonal river* South Australia
183 O11 **Euroa** Victoria, SE Australia
172 M9 **Europa** *island* W Madagascar
104 L3 **Europa, Picos de** ▲ N Spain
104 L16 **Europa Point** *headland* S Gibraltar
86-91 **Europe** *continent*
98 F12 **Europoort** Zuid-Holland, W Netherlands
Euskadi *see* País Vasco
101 D17 **Euskirchen** Nordrhein-Westfalen, W Germany
23 W11 **Eustis** Florida, SE USA
182 M9 **Euston** New South Wales, SE Australia
23 N5 **Eutaw** Alabama, S USA
100 K8 **Eutin** Schleswig-Holstein, N Germany
10 K14 **Eutsuk Lake** ▣ British Columbia, SW Canada
Euxine Sea *see* Black Sea
83 C16 **Evale** Cunene, SW Angola
37 T3 **Evans** Colorado, C USA
11 P14 **Evansburg** Alberta, SW Canada
29 X13 **Evansdale** Iowa, C USA
183 V4 **Evans Head** New South Wales, SE Australia
12 J11 **Evans, Lac** ◎ Québec, SE Canada
37 S5 **Evans, Mount** ▲ Colorado, C USA
9 Q8 Nunavut, N Canada
31 N10 **Evanston** Illinois, N USA
33 S17 **Evanston** Wyoming, C USA
14 D11 **Evansville** Manitoulin Island, Ontario, S Canada
31 N16 **Evansville** Indiana, N USA
30 L9 **Evansville** Wisconsin, N USA
25 S8 **Evant** Texas, SW USA
143 P13 **Evaz** Fārs, S Iran
29 W4 **Eveleth** Minnesota, N USA
182 E3 **Evelyn Creek** *seasonal river* South Australia
181 Q2 **Evelyn, Mount** ▲ Northern Territory, N Australia
122 K10 **Evenkiyskiy Avtonomnyy Okrug** ◈ *autonomous district* N Russian Federation
183 R13 **Everard, Cape** *headland* Victoria, SE Australia
182 F6 **Everard, Lake** *salt lake* South Australia
182 C2 **Everard Ranges** ▲ South Australia
153 R11 **Everest, Mount** *Chin.* Qomolangma Feng, *Nep.* Sagarmatha. ▲ China/Nepal
18 E15 **Everett** Pennsylvania, NE USA
32 H7 **Everett** Washington, NW USA
99 E17 **Evergem** Oost-Vlaanderen, NW Belgium
23 X16 **Everglades City** Florida, SE USA
23 Y16 **Everglades, The** *wetland* Florida, SE USA
23 P7 **Evergreen** Alabama, S USA
37 T4 **Evergreen** Colorado, C USA
Evergreen State *see* Washington
97 L21 **Evesham** C England, UK
103 T10 **Évian-les-Bains** Haute-Savoie, E France
93 K15 **Evijärvi** Länsi-Suomi, W Finland
79 D17 **Evinayong** *var.* Ebinayon Evinayoung. C Equatorial Guinea
Evinayoung *see* Evinayong
115 E18 **Évinos** ≈ C Greece
95 E17 **Evje** Aust-Agder, S Norway
Evmolpia *see* Plovdiv
104 H11 **Évora** *anc.* Ebora, *Lat.* Liberalitas Julia. Évora, C Portugal
104 G11 **Évora** ◈ *district* S Portugal
102 M4 **Évreux** *anc.* Civitas Eburovicum. Eure, N France
102 K6 **Évron** Mayenne, NW France
114 L12 **Évros** *Bul.* Maritsa, *Turk.* Meriç; *anc.* Hebrus. ≈ SE Europe *see also* Maritsa/Meriç
115 F21 **Evrótas** ≈ S Greece
103 O5 **Évry** Essonne, N France
25 O8 **E.V.Spence Reservoir** ▣ Texas, SW USA
115 I18 **Évvoia** *Lat.* Euboea. *island* C Greece
38 D9 **'Ewa Beach** *var.* Ewa Beach. O'ahu, Hawai'i, USA, C Pacific Ocean
32 L9 **Ewan** Washington, NW USA
44 K12 **Ewarton** C Jamaica
81 J18 **Ewaso Ng'iro** *var.* Nyiro. ≈ C Kenya
29 P13 **Ewing** Nebraska, C USA
194 J5 **Ewing Island** *island* Antarctica
65 P17 **Ewing Seamount** *undersea feature* E Atlantic Ocean
158 L6 **Ewirgol** Xinjiang Uygur Zizhiqu, W China
79 G19 **Ewo** Cuvette, W Congo
27 S3 **Excelsior Springs** Missouri, C USA
97 J23 **Exe** ≈ SW England, UK
194 L12 **Executive Committee Range** ▲ Antarctica
14 E16 **Exeter** Ontario, S Canada
97 J24 **Exeter** *anc.* Isca Damnoniorum. SW England, UK
35 R11 **Exeter** California, W USA
19 P10 **Exeter** New Hampshire, NE USA
Exin *see* Kcynia
29 T14 **Exira** Iowa, C USA
97 J23 **Exmoor** *moorland* SW England, UK
21 Y6 **Exmore** Virginia, NE USA
180 G8 **Exmouth** Western Australia
97 J24 **Exmouth** SW England, UK
180 G8 **Exmouth Gulf** *gulf* Western Australia
173 V8 **Exmouth Plateau** *undersea feature* E Indian Ocean
115 J20 **Exompourgo** *ancient monument* Tínos, Kykládes, Greece, Aegean Sea
104 I10 **Extremadura** *var.* Estremadura. ◈ *autonomous community* W Spain
78 F12 **Extrême-Nord** *Eng.* Extreme North. ◈ *province* N Cameroon
Extreme North *see* Extrême-Nord
44 I3 **Exuma Cays** *islets* C Bahamas
44 I3 **Exuma Sound** *sound* C Bahamas
81 H20 **Eyasi, Lake** ◎ N Tanzania
95 F17 **Eydehavn** Aust-Agder, S Norway
96 L12 **Eyemouth** SE Scotland, UK
96 G7 **Eye Peninsula** *peninsula* NW Scotland, UK
80 Q13 **Eyl** *It.* Eil. Nugaal, E Somalia
103 N11 **Eymoutiers** Haute-Vienne, C France
Eyo (lower course) *see* Uolo, Río
29 X10 **Eyota** Minnesota, N USA
182 H2 **Eyre Basin, Lake** *salt lake* South Australia
182 I1 **Eyre Creek** *seasonal river* Northern Territory/South Australia
185 C22 **Eyre Mountains** ▲ South Island, NZ
182 H3 **Eyre North, Lake** *salt lake* South Australia
182 G7 **Eyre Peninsula** *peninsula* South Australia
182 H4 **Eyre South, Lake** *salt lake* South Australia
95 B18 **Eysturoy** *Dan.* Østerø Island Faeroe Islands
61 D20 **Ezeiza** ✕ (Buenos Aires) Buenos Aires, E Argentina
Ezeres *see* Ezeriş
116 F12 **Ezeriş** *Hung.* Ezeres. Caraş-Severin, W Romania
161 O9 **Ezhou** *prev.* Echeng. Hubei, C China
125 R11 **Ezhva** Respublika Komi, NW Russian Federation
136 B12 **Ezine** Çanakkale, NW Turkey
Ezo *see* Hokkaidō
Ezra/Ezraa *see* Izra'

F

191 P7 **Faaa** Tahiti, W French Polynesia
191 P7 **Faaa** ✕ (Papeete) Tahiti, W French Polynesia
95 H24 **Faaborg** *var.* Fåborg. Fyn, C Denmark
151 K19 **Faadhippolhu Atoll** *var.* Fadiffolu, Lhaviyani Atoll. *atoll* N Maldives
191 U10 **Faaite** *atoll* Îles Tuamotu, C French Polynesia
191 Q8 **Faaone** Tahiti, W French Polynesia
24 H8 **Fabens** Texas, SW USA
94 H12 **Fåberg** Oppland, S Norway
Fåborg *see* Faaborg
106 I12 **Fabriano** Marche, C Italy
145 U16 **Fabrichnyy** Almaty, SE Kazakhstan
54 F10 **Facatativá** Cundinamarca, C Colombia
77 X9 **Fachi** Agadez, C Niger
188 B16 **Facpi Point** *headland* W Guam
18 I13 **Factoryville** Pennsylvania, NE USA
78 K8 **Fada** Borkou-Ennedi-Tibesti, E Chad
77 Q13 **Fada-Ngourma** E Burkina
123 N6 **Faddeya, Zaliv** *bay* N Russian Federation
123 Q5 **Faddeyevskiy, Ostrov** *island* Novosibirskiye Ostrova, NE Russian Federation
141 W12 **Fadhī** S Oman
106 H10 **Faenza** *anc.* Faventia. Emilia-Romagna, N Italy
64 M5 **Faeroe-Iceland Ridge** *undersea feature* NW Norwegian Sea
64 M5 **Faeroe Islands** *Dan.* Færøerne, *Faer.* Føroyar. ◇ *Danish external territory* N Atlantic Ocean
Færøerne *see* Faeroe Islands
64 N6 **Faeroe-Shetland Trough** *undersea feature* NE Atlantic Ocean
104 H6 **Fafe** Braga, N Portugal
80 K13 **Fafen Shet'** ≈ E Ethiopia
193 V15 **Fafo** *island* Tongatapu Group, S Tonga
192 I16 **Fagaloa Bay** *bay* Upolu, E Samoa
192 H15 **Fagamālo** Savai'i, N Samoa
116 I12 **Făgăraş** *Ger.* Fogarasch, *Hung.* Fogaras. Braşov, C Romania
95 M20 **Fagerhult** Kalmar, S Sweden
94 G13 **Fagernes** Oppland, S Norway
92 I9 **Fagernes** Troms, N Norway
95 M14 **Fagersta** Västmanland, C Sweden
77 W13 **Faggo** *var.* Foggo. Bauchi, N Nigeria
Faghman *see* Fughmah
Fagibina, Lake *see* Faguibine, Lac
63 J25 **Fagnano, Lago** ◎ S Argentina
99 G22 **Fagne** *hill range* S Belgium
77 N10 **Faguibine, Lac** *var.* Lake Fagibina. ◎ NW Mali
Fahaheel *see* Al Fuḩayḩīl
Fahlun *see* Falun
143 U12 **Fahraj** Kermān, SE Iran
64 P5 **Faial** Madeira, Portugal, NE Atlantic Ocean
64 N2 **Faial** *var.* Ilha do Faial. *island* Azores, Portugal, NE Atlantic Ocean
Faial, Ilha do *see* Faial
108 G10 **Faido** Ticino, S Switzerland
Faifo *see* Hôi An
Failaka Island *see* Faylakah
190 G12 **Faioa, Île** *island* N Wallis and Futuna
181 W8 **Fairbairn Reservoir** ▣ Queensland, E Australia
39 R9 **Fairbanks** Alaska, USA
21 U12 **Fair Bluff** North Carolina, SE USA
31 R14 **Fairborn** Ohio, N USA
23 S3 **Fairburn** Georgia, SE USA
30 M12 **Fairbury** Illinois, N USA
29 Q17 **Fairbury** Nebraska, C USA
29 T9 **Fairfax** Minnesota, N USA
27 O8 **Fairfax** Oklahoma, C USA
21 R14 **Fairfax** South Carolina, SE USA
35 N8 **Fairfield** California, W USA
33 O14 **Fairfield** Idaho, NW USA
30 M16 **Fairfield** Illinois, N USA
29 X15 **Fairfield** Iowa, C USA
33 R8 **Fairfield** Montana, NW USA
31 Q14 **Fairfield** Ohio, N USA
25 U8 **Fairfield** Texas, SW USA
27 T7 **Fair Grove** Missouri, C USA
19 P12 **Fairhaven** Massachusetts, NE USA
23 N8 **Fairhope** Alabama, S USA
96 L4 **Fair Isle** *island* NE Scotland, UK
185 F20 **Fairlie** Canterbury, South Island, NZ
29 U11 **Fairmont** Minnesota, N USA
29 Q16 **Fairmont** Nebraska, C USA
21 S3 **Fairmont** West Virginia, NE USA
31 P13 **Fairmount** Indiana, N USA
18 H10 **Fairmount** New York, NE USA
29 R7 **Fairmount** North Dakota, N USA
37 S5 **Fairplay** Colorado, C USA
18 F9 **Fairport** New York, NE USA
11 O12 **Fairview** Alberta, W Canada
26 L9 **Fairview** Oklahoma, C USA
36 L4 **Fairview** Utah, W USA
35 T6 **Fairview Peak** ▲ Nevada, W USA
188 H14 **Fais** *atoll* Caroline Islands, W Micronesia
149 U8 **Faisalābād** *prev.* Lyallpur. Punjab, NE Pakistan
Faisaliya *see* Fayşalīyah
28 L8 **Faith** South Dakota, N USA
153 N12 **Faizābād** Uttar Pradesh, N India
Faizabad/Faizābād *see* Feyẕābād
45 S9 **Fajardo** E Puerto Rico
139 R9 **Fajj, Wādī al** *dry watercourse* S Iraq
140 K4 **Fajr, Bi'r** *well* NW Saudi Arabia
191 W10 **Fakahina** *atoll* Îles Tuamotu, C French Polynesia
190 L10 **Fakaofo Atoll** *island* SE Tokelau
191 U10 **Fakarava** *atoll* Îles Tuamotu, C French Polynesia
127 T2 **Fakel** Udmurtskaya Respublika, NW Russian Federation
97 P19 **Fakenham** E England, UK
171 U13 **Fakfak** Papua, E Indonesia
153 T12 **Fakīragrām** Assam, NE India
114 M10 **Fakiyska Reka** ≈ SE Bulgaria
95 J24 **Fakse** Storstrøm, SE Denmark
95 J24 **Fakse Bugt** *bay* SE Denmark
95 J24 **Fakse Ladeplads** Storstrøm, SE Denmark
163 V11 **Faku** Liaoning, NE China
76 J14 **Falaba** N Sierra Leone
102 K5 **Falaise** Calvados, N France
114 H12 **Falakró** ▲ NE Greece
189 T12 **Falalu** *island* Chuuk, C Micronesia
166 L4 **Falam** Chin State, W Myanmar
143 N8 **Falāvarjān** Eşfahān, C Iran
115 M11 **Fălciu** Vaslui, E Romania
54 I4 **Falcón** *off.* Estado Falcón. ◈ *state* NW Venezuela
106 J12 **Falconara Marittima** Marche, C Italy
Falcone, Capo del *see* Falcone, Punta del
107 A16 **Falcone, Punta del** *var.* Capo del Falcone. *headland* Sardegna, Italy, C Mediterranean Sea
11 Y16 **Falcon Lake** Manitoba, S Canada
Falcon Lake *see* Falcón, Presa/Falcon Reservoir
41 O7 **Falcón, Presa** *var.* Falcon Lake, Falcon Reservoir. ▣ Mexico/USA *see also* Falcon Reservoir
25 Q16 **Falcon Reservoir** *var.* Falcon Lake, Presa Falcón. ▣ Mexico/USA *see also* Falcón, Presa
190 L10 **Fale** *island* Fakaofo Atoll, SE Tokelau
192 F15 **Faleālupo** Savai'i, NW Samoa
190 B10 **Falefatu** *island* Funafuti Atoll, C Tuvalu
192 G15 **Fālelima** Savai'i, NW Samoa
95 N18 **Falerum** Östergötland, S Sweden
Faleshty *see* Făleşti
115 M9 **Făleşti** *Rus.* Faleshty. NW Moldova
25 S15 **Falfurrias** Texas, SW USA
11 O13 **Falher** Alberta, W Canada
Falkenau an der Eger *see* Sokolov
95 J21 **Falkenberg** Halland, S Sweden
Falkenberg *see* Niemodlin
Falkenburg in Pommern *see* Złocieniec
100 N12 **Falkensee** Brandenburg, NE Germany
96 J12 **Falkirk** C Scotland, UK
65 I20 **Falkland Escarpment** *undersea feature* SW Atlantic Ocean
63 K24 **Falkland Islands** *var.* Falklands, Islas Malvinas. ◇ *UK dependent territory* SW Atlantic Ocean
65 I20 **Falkland Plateau** *var.* Argentine Rise. *undersea feature* SW Atlantic Ocean
Falklands *see* Falkland Islands
63 M23 **Falkland Sound** *var.* Estrecho de San Carlos. *strait* C Falkland Islands
Falknov nad Ohří *see* Sokolov
115 H21 **Falkonéra** *island* S Greece
95 K18 **Falköping** Västra Götaland, S Sweden
139 U8 **Fallāḩ** E Iraq
35 U16 **Fallbrook** California, W USA
189 U12 **Falleallej Pass** *passage* Chuuk Islands, C Micronesia
93 J14 **Fällfors** Västerbotten, N Sweden
194 I6 **Fallières Coast** *physical region* Antarctica
100 I11 **Fallingbostel** Niedersachsen, NW Germany
33 X9 **Fallon** Montana, NW USA
35 S5 **Fallon** Nevada, W USA
19 O12 **Fall River** Massachusetts, NE USA
27 P6 **Fall River Lake** ▣ Kansas, C USA
35 O3 **Fall River Mills** California, W USA
21 W4 **Falls Church** Virginia, NE USA
29 S17 **Falls City** Nebraska, C USA
25 S12 **Falls City** Texas, SW USA
Falluja *see* Al Fallūjah
77 S12 **Falmey** Dosso, SW Niger
45 W10 **Falmouth** Antigua, Antigua and Barbuda
44 J11 **Falmouth** W Jamaica
97 H25 **Falmouth** SW England, UK
20 M4 **Falmouth** Kentucky, S USA
19 P13 **Falmouth** Massachusetts, NE USA
21 W5 **Falmouth** Virginia, NE USA
189 U12 **Falos** *island* Chuuk, C Micronesia
83 E26 **False Bay** *Afr.* Valsbaai. *bay* SW South Africa
155 K17 **False Divi Point** *headland* E India
38 M16 **False Pass** Unimak Island, Alaska, USA
154 P12 **False Point** *headland* E India
105 U6 **Falset** Cataluña, NE Spain
95 I25 **Falster** *island* SE Denmark
116 K9 **Fălticeni** *Hung.* Falticsén. Suceava, NE Romania
Falticsén *see* Fălticeni
94 M13 **Falun** *var.* Fahlun. Dalarna, C Sweden
Famagusta *see* Gazimağusa
Famagusta Bay *see* Gazimağusa Körfezi
62 I8 **Famatina** La Rioja, NW Argentina
99 J21 **Famenne** *physical region* SE Belgium
113 D22 **Fan** *var.* Fani. ≈ N Albania
77 X15 **Fan** ≈ E Nigeria
76 M12 **Fana** Koulikoro, SW Mali
115 K19 **Fána** *ancient harbour* Chíos, SE Greece
189 V13 **Fanan** *island* Chuuk, C Micronesia
189 U12 **Fanapanges** *island* Chuuk, C Micronesia
115 L20 **Fanári, Akrotírio** *headland* Ikaría, Dodekánisos, Greece, Aegean Sea
45 Q13 **Fancy** Saint Vincent, Saint Vincent and the Grenadines
172 I5 **Fandriana** Fianarantsoa, SE Madagascar
167 O6 **Fang** Chiang Mai, NW Thailand
80 E13 **Fangak** Jonglei, SE Sudan
191 W10 **Fangatau** *atoll* Îles Tuamotu, C French Polynesia
191 X12 **Fangataufa** *island* Îles Tuamotu, SE French Polynesia
193 V15 **Fanga Uta** *bay* S Tonga
161 N7 **Fangcheng** Henan, C China
160 K15 **Fangchenggang** *var.* Fangcheng Gezu Zizhixian; *prev.* Fangcheng. Guangxi Zhuangzu Zizhiqu, S China
161 S15 **Fangshan** S Taiwan
163 X8 **Fangzheng** Heilongjiang, NE China
Fani *see* Fan
119 K16 **Fanipal'** *Rus.* Fanipol'. Minskaya Voblasts', C Belarus
Fanipol' *see* Fanipal'
25 T13 **Fannin** Texas, SW USA
Fanning Island *see* Tabuaeran
94 G8 **Fannrem** Sør-Trøndelag, S Norway
106 I11 **Fano** *anc.* Colonia Julia Fanestris, Fanum Fortunae. Marche, C Italy
95 E23 **Fanø** *island* W Denmark
167 R5 **Fan Si Pan** ▲ N Vietnam
Fanum Fortunae *see* Fano
Fao *see* Al Fāw
141 W7 **Faq'** *var.* Al Faqa. Dubayy, E UAE
Farab *see* Farap
194 H5 **Faraday** *UK research station* Antarctica

◆ Country
● Country Capital
◇ Dependent Territory
○ Dependent Territory Capital
◈ Administrative Region
✕ International Airport
▲ Mountain
▲ Mountain Range
⛰ Volcano
≈ River
◎ Lake
▣ Reservoir

250 ••• FARADAY, MOUNT – FLINDERS ISLAND

185 G16 **Faraday, Mount** ▲ South Island, NZ
79 P16 **Faradje** Orientale, NE Dem. Rep. Congo
Faradofay *see* Tôlañaro
172 I7 **Farafangana** Fianarantsoa, SE Madagascar
148 J7 **Farāh** *var.* Farah, Fararud. Farāh, W Afghanistan
148 K7 **Farāh** ◐ *province* W Afghanistan
148 J7 **Farāh Rūd** ≈ W Afghanistan
188 K7 **Farallon de Medinilla** *island* C Northern Mariana Islands
188 J2 **Farallon de Pajaros** *var.* Uracas. *island* N Northern Mariana Islands
76 J14 **Faranah** Haute-Guinée, S Guinea
146 K12 **Farap** *Rus.* Farab. Lebap Welaýaty, NE Turkmenistan
Fararud *see* Farāh
140 M13 **Farasān, Jazā'ir** *island group* SW Saudi Arabia
172 I5 **Faratsiho** Antananarivo, C Madagascar
188 K15 **Faraulep Atoll** *atoll* Caroline Islands, C Micronesia
99 H20 **Farciennes** Hainaut, S Belgium
105 O14 **Fardes** ≈ S Spain
191 S10 **Fare** Huahine, W French Polynesia
97 M23 **Fareham** S England, UK
39 P11 **Farewell** Alaska, USA
184 H13 **Farewell, Cape** *headland* South Island, NZ
Farewell, Cape *see* Nunap Isua
184 I13 **Farewell Spit** *spit* South Island, NZ
95 I17 **Färgelanda** Västra Götaland, S Sweden
Farghona Valley *see* Fergana Valley
147 R10 **Farg'ona Viloyati** *Rus.* Ferganskaya Oblast'. ◐ *province* E Uzbekistan
Farghona, Wodii/Farghona Wodiysi *see* Fergana Valley
23 V8 **Fargo** Georgia, SE USA
29 R5 **Fargo** North Dakota, N USA
147 S10 **Farg'ona** *Rus.* Fergana; *prev.* Novyy Margilan. Farg'ona Viloyati, E Uzbekistan
29 V10 **Faribault** Minnesota, N USA
152 J11 **Farīdābād** Haryāna, N India
152 H8 **Farīdkot** Punjab, NW India
153 T15 **Faridpur** Dhaka, C Bangladesh
121 P14 **Fārigh, Wādī al** ≈ N Libya
172 I4 **Farihy Alaotra** ⊚ C Madagascar
94 M11 **Färila** Gävleborg, C Sweden
104 E9 **Farilhões** *island* C Portugal
76 G12 **Farim** NW Guinea-Bissau
Farish *see* Forish
141 T11 **Fāris, Qalamat** *well* SE Saudi Arabia
95 N21 **Färjestaden** Kalmar, S Sweden
149 R2 **Farkhār** Takhār, NE Afghanistan
147 Q14 **Farkhor** *Rus.* Parkhar. SW Tajikistan
116 F12 **Fârliug** *prev.* Fîrliug, *Hung.* Furluk. Caraş-Severin, SW Romania
115 M21 **Farmakonísi** *island* Dodekánisos, Greece, Aegean Sea
30 M13 **Farmer City** Illinois, N USA
31 N14 **Farmersburg** Indiana, N USA
25 U6 **Farmersville** Texas, SW USA
22 H5 **Farmerville** Louisiana, S USA
29 X16 **Farmington** Iowa, C USA
19 Q6 **Farmington** Maine, NE USA
29 V9 **Farmington** Minnesota, N USA
27 X6 **Farmington** Missouri, C USA
19 O9 **Farmington** New Hampshire, NE USA
37 P9 **Farmington** New Mexico, SW USA
36 L2 **Farmington** Utah, W USA
21 W9 **Farmville** North Carolina, SE USA
21 U6 **Farmville** Virginia, NE USA
97 N22 **Farnborough** S England, UK
97 N22 **Farnham** S England, UK
10 J7 **Faro** Yukon Territory, W Canada
104 G14 **Faro** Faro, S Portugal
104 G14 **Faro** ◐ *district* S Portugal
104 G14 **Faro** ✕ Faro, S Portugal
78 F13 **Faro** ≈ Cameroon/Nigeria
95 Q18 **Fårö** Gotland, SE Sweden
Faro, Punta del *see* Peloro, Capo
95 Q18 **Fårösund** Gotland, SE Sweden
173 N7 **Farquhar Group** *island group* S Seychelles
18 B13 **Farrell** Pennsylvania, NE USA
152 K11 **Farrukhābād** Uttar Pradesh, N India
143 P11 **Fārs** *off.* Ostān-e Fārs; *anc.* Persis. ◐ *province* S Iran
115 F16 **Fársala** Thessalía, C Greece
143 R4 **Fārsīān** Golestān, N Iran
Fars, Khalīj-e *see* Persian Gulf
95 G21 **Farsø** Nordjylland, N Denmark
95 D18 **Farsund** Vest-Agder, S Norway
141 U14 **Fartak, Ra's** *headland* E Yemen
60 H13 **Fartura, Serra da** ▲ S Brazil
Farvel, Kap *see* Nunap Isua
24 L4 **Farwell** Texas, SW USA
194 I9 **Farwell Island** *island* Antarctica
152 L9 **Far Western** ◐ *zone* W Nepal
148 M3 **Fāryāb** ◐ *province* N Afghanistan
143 P12 **Fasā** Fārs, S Iran
141 U12 **Fasad, Ramlat** *desert* SW Oman
107 P17 **Fasano** Puglia, SE Italy
92 L3 **Fáskrúdhsfjördhur** Austurland, E Iceland
117 O5 **Fastiv** *Rus.* Fastov. Kyyivs'ka Oblast', NW Ukraine
97 B22 **Fastnet Rock** *Ir.* Carraig Aonair. *island* SW Ireland
Fastov *see* Fastiv
190 C9 **Fatato** *island* Funafuti Atoll, C Tuvalu
152 K12 **Fatehgarh** Uttar Pradesh, N India
149 U6 **Fatehjang** Punjab, E Pakistan
152 G11 **Fatehpur** Rājasthān, N India
152 L13 **Fatehpur** Uttar Pradesh, N India
126 J7 **Fatezh** Kurskaya Oblast', W Russian Federation
76 G11 **Fatick** W Senegal
104 G9 **Fátima** Santarém, W Portugal
136 M11 **Fatsa** Ordu, N Turkey
Fatshan *see* Foshan
190 D12 **Fatua, Pointe** *var.* Pointe Nord. *headland* Île Futuna, S Wallis and Futuna
191 X7 **Fatu Hiva** *island* Îles Marquises, NE French Polynesia
Fatunda *see* Fatundu
79 H21 **Fatundu** *var.* Fatunda. Bandundu, W Dem. Rep. Congo
187 S11 **Fatutaka** *island*, E Soloman Islands
29 O8 **Faulkton** South Dakota, N USA
116 L13 **Făurei** *prev.* Filimon Sîrbu. Brăila, SE Romania
92 G12 **Fauske** Nordland, C Norway
11 P13 **Faust** Alberta, W Canada
99 L23 **Fauvillers** Luxembourg, SE Belgium
107 J24 **Favara** Sicilia, Italy, C Mediterranean Sea
Faventia *see* Faenza
107 G23 **Favignana, Isola** *island* Isole Egadi, S Italy
12 D8 **Fawn** ≈ Ontario, SE Canada
Faxa Bay *see* Faxaflói
92 H3 **Faxaflói** *Eng.* Faxa Bay. *bay* W Iceland
78 I7 **Faya** *prev.* Faya-Largeau, Largeau. Borkou-Ennedi-Tibesti, N Chad
Faya-Largeau *see* Faya
187 Q16 **Fayaoué** Province des Îles Loyauté, C New Caledonia
138 M5 **Fayḑāt** *hill range* E Syria
23 O3 **Fayette** Alabama, S USA
29 X12 **Fayette** Iowa, C USA
22 J6 **Fayette** Mississippi, S USA
27 U4 **Fayette** Missouri, C USA
27 S9 **Fayetteville** Arkansas, C USA
21 U10 **Fayetteville** North Carolina, SE USA
20 J10 **Fayetteville** Tennessee, S USA
25 U11 **Fayetteville** Texas,SW USA
21 R5 **Fayetteville** West Virginia, NE USA
141 R4 **Faylakah** *var.* Failaka Island. *island* E Kuwait
139 T10 **Fayşalīyah** *var.* Faisaliya. S Iraq
189 P15 **Fayu** *var.* East Fayu. *island* Hall Islands, C Micronesia
152 G8 **Fāzilka** Punjab, NW India
Fdérick *see* Fdérik
76 I6 **Fdérik** *var.* Fdérick, *Fr.* Fort Gouraud. Tiris Zemmour, NW Mauritania
Feabhail, Loch *see* Foyle, Lough
97 B20 **Feale** ≈ SW Ireland
21 V12 **Fear, Cape** *headland* Bald Head Island, North Carolina, SE USA
35 O6 **Feather River** ≈ California, W USA
185 M14 **Featherston** Wellington, North Island, NZ
102 L3 **Fécamp** Seine-Maritime, N France
Fédala *see* Mohammedia
61 D17 **Federación** Entre Ríos, E Argentina
61 D17 **Federal** Entre Ríos, E Argentina
77 T15 **Federal Capital District** ◐ *capital territory* C Nigeria
Federal Capital Territory *see* Australian Capital Territory
Federal District *see* Distrito Federal
21 Y4 **Federalsburg** Maryland, NE USA
74 M6 **Fedjaj, Chott el** *var.* Chott el Fejaj, Shaţţ al Fijāj. *salt lake* C Tunisia
94 B13 **Fedje** *island* S Norway
144 M7 **Fedorovka** Kostanay, N Kazakhstan
127 U6 **Fedorovka** Respublika Bashkortostan, W Russian Federation
Fëdory *see* Fyadory
117 U11 **Fedotova Kosa** *spit* SE Ukraine
189 V13 **Fefan** *atoll* Chuuk Islands, C Micronesia
111 O21 **Fehérgyarmat** Szabolcs-Szatmár-Bereg, E Hungary
Fehér-Körös *see* Crişul Alb
Fehértemplom *see* Bela Crkva
Fehérvölgy *see* Albac
100 L7 **Fehmarn** *island* N Germany
95 H25 **Fehmarn Belt** *Dan.* Femern Bælt, *Ger.* Fehmarnbelt. *strait* Denmark/Germany **see also** Femern Bælt
Fehmarnbelt *see* Fehmarn Belt/Femern Bælt
109 X8 **Fehring** Steiermark, SE Austria
59 B15 **Feijó** Acre, W Brazil
184 M12 **Feilding** Manawatu-Wanganui, North Island, NZ
Feira *see* Feira de Santana
59 O17 **Feira de Santana** *var.* Feira. Bahia, E Brazil
109 X7 **Feistritz** ≈ SE Austria
Feistritz *see* Ilirska Bistrica
161 P8 **Feixi** *var.* Shangpai. Anhui, E China
Fejaj, Chott el *see* Fedjaj, Chott el
111 I23 **Fejér** *off.* Fejér Megye. ◐ *county* W Hungary
95 I24 **Fejø** *island* SE Denmark
136 K15 **Feke** Adana, S Turkey
Feketehalom *see* Codlea
Fekete-Körös *see* Crişul Negru
109 T3 **Feldaist** ≈ N Austria
109 W8 **Feldbach** Steiermark, SE Austria
101 F24 **Feldberg** ▲ SW Germany
116 J12 **Feldioara** *Ger.* Marienburg, *Hung.* Földvár. Braşov, C Romania
108 I7 **Feldkirch** *anc.* Clunia. Vorarlberg, W Austria
109 S9 **Feldkirchen in Kärnten** *Slvn.* Trg. Kärnten, S Austria
Félegyháza *see* Kiskunfélegyháza
192 H16 **Feleolo** ✕ (Āpia) Upolu, C Samoa
104 H6 **Felgueiras** Porto, N Portugal
Felicitas Julia *see* Lisboa
172 J16 **Félicité** *island* Inner Islands, NE Seychelles
151 K20 **Felidhu Atoll** *atoll* C Maldives
41 Y13 **Felipe Carrillo Puerto** Quintana Roo, SE Mexico
97 Q21 **Felixstowe** E England, UK
103 N11 **Felletin** Creuse, C France
Fellin *see* Viljandi
Felsőbánya *see* Baia Sprie
Felsőmuzslya *see* Mužlja
Felsővisó *see* Vişeu de Sus
35 N10 **Felton** California, W USA
106 H7 **Feltre** Veneto, NE Italy
95 H25 **Femern Bælt** *Ger.* Fehmarnbelt, Fehmarn Belt. *strait* Denmark/Germany **see also** Fehmarn Belt
95 I24 **Femø** *island* SE Denmark
94 I10 **Femunden** ⊚ S Norway
104 H2 **Fene** Galicia, NW Spain
14 I14 **Fenelon Falls** Ontario, SE Canada
189 U13 **Feneppi** *atoll* Chuuk Islands, C Micronesia
137 O11 **Fener Burnu** *headland* N Turkey
115 J14 **Fengári** ▲ Samothráki, E Greece
163 V13 **Fengcheng** *var.* Feng-cheng, Fenghwangcheng. Liaoning, NE China
160 K11 **Fenggang** *var.* Longquan. Guizhou, S China
161 S9 **Fenghua** Zhejiang, SE China
Fenghwangcheng *see* Fengcheng
Fengjiaba *see* Wangcang
160 L9 **Fengjie** *var.* Yong'an. Chongqing Shi, C China
160 M14 **Fengkai** *var.* Jiangkou. Guangdong, S China
161 T13 **Fenglin** *Jap.* Hōrin. C Taiwan
161 P1 **Fengning** *prev.* Dagezhen. Hebei, E China
160 E13 **Fengqing** *var.* Fengshan. Yunnan, SW China
161 O6 **Fengqiu** Henan, C China
161 Q2 **Fengrun** Hebei, E China
Fengshan *see* Fengqing, Yunnan, China
Fengshan *see* Luoyuan, Fujian, China
163 T4 **Fengshui Shan** ▲ NE China
161 P14 **Fengshun** Guangdong, S China
Fengtien *see* Liaoning, China
Fengtien *see* Shenyang, China
160 J7 **Fengxian** *var.* Feng Xian; *prev.* Shuangshipu. Shaanxi, C China
Fengxiang *see* Luobei
163 P13 **Fengzhen** Nei Mongol Zizhiqu, N China
160 M6 **Fen He** ≈ C China
153 V15 **Feni** Chittagong, E Bangladesh
186 I6 **Feni Islands** *island group* NE PNG
38 H17 **Fenimore Pass** *strait* Aleutian Islands, Alaska, USA
Fennern *see* Vändra
30 J9 **Fennimore** Wisconsin, N USA
172 J4 **Fenoarivo** Toamasina, E Madagascar
95 I24 **Fensmark** Storstrøm, SE Denmark
97 O19 **Fens, The** *wetland* E England, UK
31 R9 **Fenton** Michigan, N USA
190 K10 **Fenua Fala** *island* SE Tokelau
190 F12 **Fenuafo'ou, Île** *island* E Wallis and Futuna
190 L10 **Fenua Loa** *island* Fakaofo Atoll, E Tokelau
160 M4 **Fenyang** Shanxi, C China
117 U13 **Feodosiya** *var.* Kefe, *It.* Kaffa; *anc.* Theodosia. Respublika Krym, S Ukraine
94 I10 **Feragen** ⊚ S Norway
74 L5 **Fer, Cap de** *headland* NE Algeria
31 O16 **Ferdinand** Indiana, N USA
Ferdinand *see* Montana, Bulgaria
Ferdinand *see* Mihail Kogălniceanu, Romania
Ferdinandsberg *see* Oţelu Roşu
143 T7 **Ferdows** *var.* Firdaus; *prev.* Tūn. Khorāsān, E Iran
103 Q5 **Fère-Champenoise** Marne, N France
Ferencz-Jósef Csúcs *see* Gerlachovský stít
107 J16 **Ferentino** Lazio, C Italy
114 L13 **Féres** Anatolikí Makedonía kai Thráki, NE Greece
Fergana *see* Farg'ona
147 S10 **Fergana Valley** *var.* Farghona Valley, *Rus.* Ferganskaya Dolina, *Taj.* Wodii Farghona, *Uzb.* Farghona Wodiysi. *basin* Tajikistan/Uzbekistan
Ferganskaya Dolina *see* Fergana Valley
Ferganskaya Oblast' *see* Farg'ona Viloyati
147 U9 **Ferganskiy Khrebet** ▲ C Kyrgyzstan
14 F15 **Fergus** Ontario, S Canada
29 S6 **Fergus Falls** Minnesota, N USA
186 G9 **Fergusson Island** *var.* Kaluwawa. *island* SE PNG
111 K22 **Ferihegy** ✕ (Budapest) Budapest, C Hungary
Ferizaj *see* Uroševac
77 N14 **Ferkessédougou** N Ivory Coast
109 T10 **Ferlach** *Slvn.* Borovlje. Kärnten, S Austria
97 E16 **Fermanagh** *cultural region* SW Northern Ireland, UK
106 J13 **Fermo** *anc.* Firmum Picenum. Marche, C Italy
104 J6 **Fermoselle** Castilla-León, N Spain
97 D20 **Fermoy** *Ir.* Mainistir Fhear Maí. SW Ireland
23 W8 **Fernandina Beach** Amelia Island, Florida, SE USA
57 A17 **Fernandina, Isla** *var.* Narborough Island. *island* Galapagos Islands, Ecuador, E Pacific Ocean
65 K14 **Fernando de Noronha** *island* E Brazil
Fernando Po/Fernando Póo *see* Bioco, Isla de
60 J7 **Fernandópolis** São Paulo, S Brazil
104 M13 **Fernán Núñez** Andalucía, S Spain
83 Q14 **Fernão Veloso, Baia de** *bay* NE Mozambique
34 K3 **Ferndale** California, W USA
32 H6 **Ferndale** Washington, NW USA
11 P17 **Fernie** British Columbia, SW Canada
35 R5 **Fernley** Nevada, W USA
Ferozepore *see* Fīrozpur
107 N18 **Ferrandina** Basilicata, S Italy
106 G9 **Ferrara** *anc.* Forum Alieni. Emilia-Romagna, N Italy
120 F9 **Ferrat, Cap** *headland* NW Algeria
107 D20 **Ferrato, Capo** *headland* Sardegna, Italy, C Mediterranean Sea
104 G12 **Ferreira do Alentejo** Beja, S Portugal
56 B11 **Ferreñafe** Lambayeque, W Peru
108 C12 **Ferret** Valais, SW Switzerland
102 I13 **Ferret, Cap** *headland* W France
22 I6 **Ferriday** Louisiana, S USA
Ferro *see* Hierro
107 D16 **Ferro, Capo** *headland* Sardegna, Italy, C Mediterranean Sea
104 H2 **Ferrol** *var.* El Ferrol; *prev.* El Ferrol del Caudillo. Galicia, NW Spain
56 B12 **Ferrol, Península de** *peninsula* W Peru
36 M5 **Ferron** Utah, W USA
21 S7 **Ferrum** Virginia, NE USA
23 O8 **Ferry Pass** Florida, SE USA
Ferryville *see* Menzel Bourguiba
29 S4 **Fertile** Minnesota, N USA
Fertő *see* Neusiedler See
98 L5 **Ferwerd** *Fris.* Ferwert. Friesland, N Netherlands
Ferwert *see* Ferwerd
74 G6 **Fès** *Eng.* Fez. N Morocco
79 I22 **Feshi** Bandundu, SW Dem. Rep. Congo
29 O4 **Fessenden** North Dakota, N USA
Festenberg *see* Twardogóra
27 X5 **Festus** Missouri, C USA
116 M14 **Feteşti** Ialomiţa, SE Romania
136 D17 **Fethiye** Muğla, SW Turkey
96 M1 **Fetlar** *island* NE Scotland, UK
95 I15 **Fetsund** Akershus, S Norway
12 L5 **Feuilles, Lac aux** ⊚ Québec, E Canada
12 L5 **Feuilles, Rivière aux** ≈ Québec, E Canada
99 M23 **Feulen** Diekirch, C Luxembourg
103 Q11 **Feurs** Loire, E France
95 F18 **Fevik** Aust-Agder, S Norway
123 R13 **Fevral'sk** Amurskaya Oblast', SE Russian Federation
149 S2 **Feyẕābād** *var.* Faizabad, Faizābād, Feyzābād, Fyzabad. Badakhshān, NE Afghanistan
Fez *see* Fès
97 J19 **Ffestiniog** NW Wales, UK
Fhóid Duibh, Cuan an *see* Blacksod Bay
62 I8 **Fiambalá** Catamarca, NW Argentina
172 I6 **Fianarantsoa** Fianarantsoa, C Madagascar
172 H6 **Fianarantsoa** ◐ *province* SE Madagascar
78 G12 **Fianga** Mayo-Kébbi, SW Chad
Ficce *see* Fichē
80 J12 **Fichē** *It.* Ficce. Oromo, C Ethiopia
101 N17 **Fichtelberg** ▲ Czech Republic/Germany
101 M18 **Fichtelgebirge** ▲ SE Germany
101 M19 **Fichtelnaab** ≈ SE Germany
106 E9 **Fidenza** Emilia-Romagna, N Italy
113 K21 **Fier** *var.* Fieri. Fier, SW Albania
113 K21 **Fier** ◐ *district* W Albania
Fieri *see* Fier
Fierza *see* Fierzë
113 L17 **Fierzë** *var.* Fierza. Shkodër, N Albania
113 L17 **Fierzës, Liqeni i** ⊚ N Albania
108 F10 **Fiesch** Valais, SW Switzerland
106 G11 **Fiesole** Toscana, C Italy
138 G12 **Fīfah** Aţ Ţafīlah, W Jordan
96 K11 **Fife** *var.* Kingdom of Fife. *cultural region* E Scotland, UK
96 K11 **Fife Ness** *headland* E Scotland, UK
Fifteen Twenty Fracture Zone *see* Barracuda Fracture Zone
103 N13 **Figeac** Lot, S France
95 N19 **Figeholm** Kalmar, SE Sweden
Figig *see* Figuig
83 J18 **Figtree** Matabeleland South, SW Zimbabwe
104 F8 **Figueira da Foz** Coimbra, W Portugal
105 X4 **Figueres** Cataluña, E Spain
74 H7 **Figuig** *var.* Figig. E Morocco
Fijāj, Shaţţ al *see* Fedjaj, Chott el
187 Y15 **Fiji** *off.* Sovereign Democratic Republic of Fiji, *Fij.* Viti. ◆ *republic* SW Pacific Ocean
192 K9 **Fiji** *island group* SW Pacific Ocean
105 P14 **Filabres, Sierra de los** ▲ SE Spain
83 K18 **Filabusi** Matabeleland South, S Zimbabwe
42 K13 **Filadelfia** Guanacaste, W Costa Rica
111 K20 **Fil'akovo** *Hung.* Fülek. Banskobystrický Kraj, C Slovakia
195 N5 **Filchner Ice Shelf** *ice shelf* Antarctica
14 J11 **Fildegrand** ≈ Québec, SE Canada
33 O15 **Filer** Idaho, NW USA
Filevo *see* Vŭrbitsa
116 H14 **Filiaşi** Dolj, SW Romania
115 B16 **Filiátes** Ípeiros, W Greece
115 D21 **Filiatrá** Pelopónnisos, S Greece
107 K22 **Filicudi, Isola** *island* Isole Eolie, S Italy
141 Y10 **Filim** E Oman
Filimon Sîrbu *see* Făurei
77 S11 **Filingué** Tillabéri, W Niger
114 K13 **Filiourí** ≈ NE Greece
114 I13 **Fílippoi** *anc.* Philippi. *site of ancient city* Anatolikí Makedonía kai Thráki, NE Greece
95 L15 **Filipstad** Värmland, C Sweden
108 I9 **Filisur** Graubünden, S Switzerland
94 E12 **Filefjell** ▲ S Norway
35 R14 **Fillmore** California, W USA
36 K5 **Fillmore** Utah, W USA
14 J10 **Fils, Lac du** ⊚ Québec, SE Canada
136 H11 **Filyos Çayı** ≈ N Turkey
195 Q2 **Fimbulheimen** *physical region* Antarctica
195 Q1 **Fimbul Ice Shelf** *ice shelf* Antarctica
106 G9 **Finale Emilia** Emilia-Romagna, C Italy
106 C10 **Finale Ligure** Liguria, NW Italy
105 P14 **Fiñana** Andalucía, S Spain
172 I6 **Finandrahana** Fianarantsoa, SE Madagascar
21 S6 **Fincastle** Virginia, NE USA
99 M25 **Findel** ✕ (Luxembourg) Luxembourg, C Luxembourg
96 J9 **Findhorn** ≈ N Scotland, UK
31 R12 **Findlay** Ohio, N USA
18 G11 **Finger Lakes** *lakes* New York, NE USA
83 L14 **Fingoè** Tete, NW Mozambique
136 E17 **Finike** Antalya, SW Turkey
102 F6 **Finistère** ◐ *department* NW France
186 D7 **Finisterre Range** ▲ N PNG
181 Q8 **Finke** Northern Territory, N Australia
109 S10 **Finkenstein** Kärnten, S Austria
189 Y15 **Finkol, Mount** *var.* Mount Crozer. ▲ Kosrae, E Micronesia
93 L17 **Finland** *off.* Republic of Finland, *Fin.* Suomen Tasavalta, Suomi. ◆ *republic* N Europe
126 F12 **Finland, Gulf of** *Est.* Soome Laht, *Fin.* Suomenlahti, *Ger.* Finnischer Meerbusen, *Rus.* Finskiy Zaliv, *Swe.* Finska Viken. *gulf* E Baltic Sea
10 L11 **Finlay** ≈ British Columbia, W Canada
183 O10 **Finley** New South Wales, SE Australia
29 Q4 **Finley** North Dakota, N USA
Finnischer Meerbusen *see* Finland, Gulf of
92 K9 **Finnmark** ◐ *county* N Norway
92 K9 **Finnmarksvidda** *physical region* N Norway
92 I9 **Finnsnes** Troms, N Norway
186 E7 **Finschhafen** Morobe, C PNG
94 E13 **Finse** Hordaland, S Norway
Finska Viken/Finskiy Zaliv *see* Finland, Gulf of
95 M17 **Finspång** Östergötland, S Sweden
108 F10 **Finsteraarhorn** ▲ Swtizerland
101 O14 **Finsterwalde** Brandenburg, E Germany
185 A23 **Fiordland** *physical region* South Island, NZ
106 E9 **Fiorenzuola d'Arda** Emilia-Romagna, C Italy
Firat Nehri *see* Euphrates
Firdaus *see* Ferdows
18 M14 **Fire Island** *island* New York, NE USA
106 G11 **Firenze** *Eng.* Florence; *anc.* Florentia. Toscana, C Italy
106 G10 **Firenzuola** Toscana, C Italy
14 C6 **Fire River** Ontario, S Canada
Fîrliug *see* Fârliug
61 B19 **Firmat** Santa Fe, C Argentina
103 Q12 **Firminy** Loire, E France
Firmum Picenum *see* Fermo
152 J12 **Fīrozābād** Uttar Pradesh, N India
152 G8 **Fīrozpur** *var.* Ferozepore. Punjab, NW India
First State *see* Delaware
143 O12 **Fīrūzābād** Fārs, S Iran
Fischamend *see* Fischamend Markt
109 Y4 **Fischamend Markt** *var.* Fischamend. Niederösterreich, NE Austria
109 W6 **Fischbacher Alpen** ▲ E Austria
Fischhausen *see* Primorsk
83 D21 **Fish** *var.* Vis. ≈ S Namibia
83 F24 **Fish** *Afr.* Vis. ≈ SW South Africa
11 X15 **Fisher Branch** Manitoba, S Canada
11 X15 **Fisher River** Manitoba, S Canada
19 N13 **Fishers Island** *island* New York, NE USA
37 U8 **Fishers Peak** ▲ Colorado, C USA
9 P9 **Fisher Strait** *strait* Nunavut, N Canada
97 H21 **Fishguard** *Wel.* Abergwaun. SW Wales, UK
19 R2 **Fish River Lake** ⊚ Maine, NE USA
194 K6 **Fiske, Cape** *headland* Antarctica
103 P4 **Fismes** Marne, N France
104 F3 **Fisterra, Cabo** *headland* NW Spain
19 N11 **Fitchburg** Massachusetts, NE USA
96 L3 **Fitful Head** *headland* NE Scotland, UK
95 C14 **Fitjar** Hordaland, S Norway
192 H16 **Fito** ▲ Upolu, C Samoa
23 U6 **Fitzgerald** Georgia, SE USA
180 M5 **Fitzroy Crossing** Western Australia
63 G21 **Fitzroy, Monte** *var.* Cerro Chaltel. ▲ S Argentina
181 Y8 **Fitzroy River** ≈ Queensland, E Australia
180 L5 **Fitzroy River** ≈ Western Australia
14 E12 **Fitzwilliam Island** *island* Ontario, S Canada
107 J15 **Fiuggi** Lazio, C Italy
Fiume *see* Rijeka
107 H15 **Fiumicino** Lazio, C Italy
Fiumicino *see* Leonardo da Vinci
106 E10 **Fivizzano** Toscana, C Italy
79 O21 **Fizi** Sud Kivu, E Dem. Rep. Congo
Fizuli *see* Füzuli
92 I11 **Fjällåsen** Norrbotten, N Sweden
95 G20 **Fjerritslev** Nordjylland, N Denmark
F.J.S. *see* Franz Josef Strauss
95 L16 **Fjugesta** Örebro, C Sweden
Fladstrand *see* Frederikshavn
37 V5 **Flagler** Colorado, C USA
23 X10 **Flagler Beach** Florida, SE USA
36 L11 **Flagstaff** Arizona, SW USA
65 H24 **Flagstaff Bay** *bay* Saint Helena, C Atlantic Ocean
19 P5 **Flagstaff Lake** ⊚ Maine, NE USA
94 E13 **Flåm** Sogn og Fjordane S Norway
15 O8 **Flamand** ≈ Québec, SE Canada
30 J5 **Flambeau River** ≈ Wisconsin, N USA
97 O16 **Flamborough Head** *headland* E England, UK
100 N13 **Fläming** *hill range* NE Germany
16 H8 **Flaming Gorge Reservoir** ⊞ Utah/Wyoming, NW USA
99 B18 **Flanders** *Dut.* Vlaanderen, *Fr.* Flandre. *cultural region* Belgium/France
Flandre *see* Flanders
29 R10 **Flandreau** South Dakota, N USA
96 D6 **Flannan Isles** *island group* NW Scotland, UK
28 M6 **Flasher** North Dakota, N USA
93 G15 **Flåsjön** ⊚ N Sweden
39 O11 **Flat** Alaska, USA
92 H1 **Flateyri** Vestfirdhir, NW Iceland
33 P8 **Flathead Lake** ⊚ Montana, NW USA
173 Y15 **Flat Island** *Fr.* Île Plate. *island* N Mauritius
25 T11 **Flatonia** Texas, SW USA
185 M14 **Flat Point** *headland* North Island, NZ
27 X6 **Flat River** Missouri, C USA
31 P8 **Flat River** ≈ Michigan, N USA
31 P14 **Flatrock River** ≈ Indiana, N USA
32 E6 **Flattery, Cape** *headland* Washington, NW USA
64 B12 **Flatts Village** *var.* The Flatts Village. C Bermuda
108 H7 **Flawil** Sankt Gallen, NE Switzerland
97 N22 **Fleet** S England, UK
97 K16 **Fleetwood** NW England, UK
18 H15 **Fleetwood** Pennsylvania, NE USA
95 D18 **Flekkefjord** Vest-Agder, S Norway
21 N5 **Flemingsburg** Kentucky, S USA
18 J15 **Flemington** New Jersey, NE USA
64 I7 **Flemish Cap** *undersea feature* NW Atlantic Ocean
95 N16 **Flen** Södermanland, C Sweden
100 I6 **Flensburg** Schleswig-Holstein, N Germany
100 J6 **Flensburger Förde** *inlet* Denmark/Germany
102 K5 **Flers** Orne, N France
95 C14 **Flesland** ✕ (Bergen) Hordaland, S Norway
Flessingue *see* Vlissingen
21 P10 **Fletcher** North Carolina, SE USA
31 R6 **Fletcher Pond** ⊚ Michigan, N USA
102 L15 **Fleurance** Gers, S France
108 B8 **Fleurier** Neuchâtel, W Switzerland
99 H20 **Fleurus** Hainaut, S Belgium
103 N7 **Fleury-les-Aubrais** Loiret, C France
98 K10 **Flevoland** ◐ *province* C Netherlands
Flickertail State *see* North Dakota
108 H9 **Flims** Glarus, NE Switzerland
182 F8 **Flinders Island** *island* Investigator Group, South Australia
183 P14 **Flinders Island** *island* Furneaux Group, Tasmania, SE Australia

◆ Country
● Country Capital
◇ Dependent Territory
○ Dependent Territory Capital
◐ Administrative Region
✕ International Airport
▲ Mountain
▲ Mountain Range
Volcano
≈ River
⊚ Lake
⊞ Reservoir

252 ••• FREDERICKTOWN – GAMBA

27 X6 **Fredericktown** Missouri, C USA
60 H13 **Frederico Westphalen** Rio Grande do Sul, S Brazil
13 O15 **Fredericton** New Brunswick, SE Canada
95 I22 **Frederiksborg** *off.* Frederiksborgs Amt. ◆ *county* E Denmark
Frederikshåb *see* Paamiut
95 H19 **Frederikshavn** *prev.* Fladstrand. Nordjylland, N Denmark
95 J22 **Frederikssund** Frederiksborg, E Denmark
45 T9 **Frederiksted** Saint Croix, S Virgin Islands (US)
95 I22 **Frederiksværk** *var.* Frederiksværk og Hanehoved. Frederiksborg, E Denmark
Frederiksværk og Hanehoved *see* Frederiksværk
54 E9 **Fredonia** Antioquia, W Colombia
36 K8 **Fredonia** Arizona, SW USA
27 P7 **Fredonia** Kansas, C USA
18 C11 **Fredonia** New York, NE USA
35 P4 **Fredonyer Pass** *pass* California, W USA
93 I15 **Fredrika** Västerbotten, N Sweden
95 L14 **Fredriksberg** Dalarna, C Sweden
Fredrikshald *see* Halden
Fredrikshamn *see* Hamina
95 H16 **Fredrikstad** Østfold, S Norway
30 K16 **Freeburg** Illinois, N USA
18 K15 **Freehold** New Jersey, NE USA
18 H14 **Freeland** Pennsylvania, NE USA
182 J5 **Freeling Heights** ▲ South Australia
35 Q7 **Freel Peak** ▲ California, W USA
9 Z9 **Freels, Cape** *headland* Newfoundland and Labrador, E Canada
29 Q11 **Freeman** South Dakota, N USA
44 G1 **Freeport** Grand Bahama Island, N Bahamas
30 L10 **Freeport** Illinois, N USA
25 W12 **Freeport** Texas, SW USA
44 G1 **Freeport** × Grand Bahama Island, N Bahamas
25 R14 **Freer** Texas, SW USA
83 I22 **Free State** *off.* Free State Province; *prev.* Orange Free State, *Afr.* Oranje Vrystaat. ◆ *province* C South Africa
Free State *see* Maryland
76 G15 **Freetown** ● (Sierra Leone) W Sierra Leone
172 J16 **Frégate** *island* Inner Islands, NE Seychelles
104 J12 **Fregenal de la Sierra** Extremadura, W Spain
182 C2 **Fregon** South Australia
102 H5 **Fréhel, Cap** *headland* NW France
94 F8 **Frei** Møre og Romsdal, S Norway
101 O16 **Freiberg** Sachsen, E Germany
101 O16 **Freiberger Mulde** ≈ E Germany
Freiburg *see* Fribourg, Switzerland
Freiburg *see* Freiburg im Breisgau, Germany
101 F23 **Freiburg im Breisgau** *var.* Freiburg, *Fr.* Fribourg-en-Brisgau. Baden-Württemberg, SW Germany
Freiburg in Schlesien *see* Świebodzice
Freie Hansestadt Bremen *see* Bremen
Freie und Hansestadt Hamburg *see* Brandenburg
101 L22 **Freising** Bayern, SE Germany
109 T3 **Freistadt** Oberösterreich, N Austria
Freistadtl *see* Hlohovec
101 O16 **Freital** Sachsen, E Germany
Freiwaldau *see* Jeseník
104 J6 **Freixo de Espada à Cinta** Bragança, N Portugal
103 U15 **Fréjus** *anc.* Forum Julii. Var, SE France
180 I13 **Fremantle** Western Australia
35 N9 **Fremont** California, W USA
31 Q11 **Fremont** Indiana, N USA
29 W15 **Fremont** Iowa, C USA
31 P8 **Fremont** Michigan, N USA
29 R15 **Fremont** Nebraska, C USA
31 S11 **Fremont** Ohio, N USA
33 T14 **Fremont Peak** ▲ Wyoming, C USA
36 M6 **Fremont River** ≈ Utah, W USA
21 O9 **French Broad River** ≈ Tennessee, S USA
21 N5 **Frenchburg** Kentucky, S USA
18 C12 **French Creek** ≈ Pennsylvania, NE USA
32 K15 **Frenchglen** Oregon, NW USA
55 Y10 **French Guiana** *var.* Guiana, Guyane. ◇ *French overseas department* N South America
French Guinea *see* Guinea
31 O15 **French Lick** Indiana, N USA
185 J14 **French Pass** Marlborough, South Island, NZ
191 T11 **French Polynesia** ◇ *French overseas territory* C Polynesia
French Republic *see* France
14 F11 **French River** ≈ Ontario, S Canada
French Somaliland *see* Djibouti
173 P12 **French Southern and Antarctic Territories** *Fr.* Terres Australes et Antarctiques Françaises. ◇ *French overseas territory* S Indian Ocean
French Sudan *see* Mali
French Territory of the Afars and Issas *see* Djibouti
French Togoland *see* Togo
74 J6 **Frenda** NW Algeria
111 I18 **Frenštát pod Radhoštěm** *Ger.* Frankstadt. Moravskoslezský Kraj, E Czech Republic
76 M17 **Fresco** S Ivory Coast
195 U16 **Freshfield, Cape** *headland* Antarctica
40 L10 **Fresnillo** *var.* Fresnillo de González Echeverría. Zacatecas, C Mexico
Fresnillo de González Echeverría *see* Fresnillo
35 Q10 **Fresno** California, W USA
Freu, Cabo del *see* Freu, Cap des
105 Y9 **Freu, Cap des** *var.* Cabo del Freu. *headland* Mallorca, Spain, W Mediterranean Sea
101 G22 **Freudenstadt** Baden-Württemberg, SW Germany
Freudenthal *see* Bruntál
183 Q17 **Freycinet Peninsula** *peninsula* Tasmania, SE Australia
76 H14 **Fria** Guinée-Maritime, W Guinea
83 A17 **Fria, Cape** *headland* NW Namibia
35 Q10 **Friant** California, W USA
62 K8 **Frías** Catamarca , N Argentina
108 D9 **Fribourg** *Ger.* Freiburg. Fribourg, W Switzerland
108 C9 **Fribourg** *Ger.* Freiburg. ◆ *canton* W Switzerland
Fribourg-en-Brisgau *see* Freiburg im Breisgau
32 G7 **Friday Harbor** San Juan Islands, Washington, NW USA
Friedau *see* Ormož
101 K23 **Friedberg** Bayern, S Germany
101 H18 **Friedberg** Hessen, W Germany
Friedeberg Neumark *see* Strzelce Krajeńskie
Friedek-Mistek *see* Frýdek-Místek
Friedland *see* Pravdinsk
101 I24 **Friedrichshafen** Baden-Württemberg, S Germany
Friedrichstadt *see* Jaunjelgava
29 Q16 **Friend** Nebraska, C USA
Friendly Islands *see* Tonga
55 V9 **Friendship** Coronie, N Suriname
30 L7 **Friendship** Wisconsin, N USA
109 T8 **Friesach** Kärnten, S Austria
101 F22 **Friesenheim** Baden-Württemberg, SW Germany
98 K6 **Friesland** ◆ *province* N Netherlands
60 Q10 **Frio, Cabo** *headland* SE Brazil
24 M3 **Friona** Texas, SW USA
42 L12 **Frío, Río** ≈ N Costa Rica
25 R13 **Frio River** ≈ Texas, SW USA
99 M25 **Frisange** Luxembourg, S Luxembourg
Frisches Haff *see* Vistula Lagoon
36 J6 **Frisco Peak** ▲ Utah, W USA
18 L12 **Frissell, Mount** ▲ Connecticut, NE USA
95 J19 **Fristad** Västra Götaland, S Sweden
25 N2 **Fritch** Texas, SW USA
95 J19 **Fritsla** Västra Götaland, S Sweden
101 H16 **Fritzlar** Hessen, C Germany
106 H6 **Friuli-Venezia Giulia** ◆ *region* NE Italy
Frjentsjer *see* Franeker
196 L13 **Frobisher Bay** *inlet* Baffin Island, Nunavut, NE Canada
Frobisher Bay *see* Iqaluit
11 S12 **Frobisher Lake** ◎ Saskatchewan, C Canada
94 G7 **Frohavet** *sound* C Norway
Frohenbruck *see* Veselí nad Lužnicí
109 V7 **Frohnleiten** Steiermark, SE Austria
99 G22 **Froidchapelle** Hainaut, S Belgium
127 O9 **Frolovo** Volgogradskaya Oblast', SW Russian Federation
110 K7 **Frombork** *Ger.* Frauenburg. Warmińsko-Mazurskie, NE Poland
97 L22 **Frome** SW England, UK
182 I4 **Frome Creek** *seasonal river* South Australia
182 J6 **Frome Downs** South Australia
182 J5 **Frome, Lake** *salt lake* South Australia
Fronicken *see* Wronki
104 H10 **Fronteira** Portalegre, C Portugal
40 M7 **Frontera** Coahuila de Zaragoza, NE Mexico
41 U14 **Frontera** Tabasco, SE Mexico
40 G3 **Fronteras** Sonora, NW Mexico
103 Q16 **Frontignan** Hérault, S France
54 D8 **Frontino** Antioquia, NW Colombia
21 V4 **Front Royal** Virginia, NE USA
107 J16 **Frosinone** *anc.* Frusino. Lazio, C Italy
107 K16 **Frosolone** Molise, C Italy
25 U7 **Frost** Texas, SW USA
21 U2 **Frostburg** Maryland, NE USA
23 X13 **Frostproof** Florida, SE USA
Frostviken *see* Kvarnbergsvattnet
95 M15 **Frövi** Örebro, C Sweden
94 F7 **Frøya** *island* W Norway
37 P5 **Fruita** Colorado, C USA
28 J9 **Fruitdale** South Dakota, N USA
23 W11 **Fruitland Park** Florida, SE USA
Frumentum *see* Formentera
147 S11 **Frunze** Batkenskaya Oblast', SW Kyrgyzstan
Frunze *see* Bishkek
117 O9 **Frunzivka** Odes'ka Oblast', SW Ukraine
Frusino *see* Frosinone
108 E9 **Frutigen** Bern, W Switzerland
111 I17 **Frýdek-Místek** *Ger.* Friedek-Mistek. Moravskoslezský Kraj, E Czech Republic
193 V16 **Fua'amotu** Tongatapu, S Tonga
190 A9 **Fuafatu** *island* Funafuti Atoll, C Tuvalu
190 A9 **Fuagea** *island* Funafuti Atoll, C Tuvalu
190 B8 **Fualifeke** *atoll* C Tuvalu
190 A8 **Fualopa** *island* Funafuti Atoll, C Tuvalu
151 K22 **Fuammulah** *var.* Gnaviyani Atoll. *atoll* S Maldives
161 R11 **Fu'an** Fujian, SE China
Fu-chien *see* Fujian
Fu-chou *see* Fuzhou
164 G13 **Fuchū** *var.* Hutyû. Hiroshima, Honshū, SW Japan
160 M13 **Fuchuan** Guangxi Zhuangzu Zizhiqu, S China
165 R8 **Fudai** Iwate, Honshū, C Japan
161 S11 **Fuding** Fujian, SE China
81 J20 **Fudua** *spring/well* S Kenya
104 M16 **Fuengirola** Andalucía, S Spain
104 J12 **Fuente de Cantos** Extremadura, W Spain
104 J11 **Fuente del Maestre** Extremadura, W Spain
104 L12 **Fuente Obejuna** Andalucía, S Spain
104 L6 **Fuentesaúco** Castilla-León, N Spain
62 O3 **Fuerte Olimpo** *var.* Olimpo. Alto Paraguay, NE Paraguay
40 H8 **Fuerte, Río** ≈ C Mexico
64 Q11 **Fuerteventura** *island* Islas Canarias, Spain, NE Atlantic Ocean
141 S14 **Fughmah** *var.* Faghman, Fugma. C Yemen
92 M2 **Fuglehuken** *headland* W Svalbard
95 B18 **Fugloy** *Dan.* Fuglø *Island* Faeroe Islands
197 T15 **Fugløya Bank** *undersea feature* E Norwegian Sea
166 E11 **Fugong** Yunnang, SW China
Fugma *see* Fughmah
81 K16 **Fugugo** *spring/well* NE Kenya
158 L2 **Fuhai** *var.* Burultokay. Xinjiang Uygur Zizhiqu, NW China
161 P10 **Fu He** ≈ S China
Fuhkien *see* Fujian
100 J9 **Fuhlsbüttel** × (Hamburg) Hamburg, N Germany
101 L14 **Fuhne** ≈ C Germany
Fu-hsin *see* Fuxin
Fujairah *see* Al Fujayrah
164 M14 **Fuji** *var.* Huzi. Shizuoka, Honshū, S Japan
161 Q12 **Fujian** *var.* Fu-chien, Fuhkien, Fujian Sheng, Fukien, Min. ◆ *province* SE China
160 I9 **Fu Jiang** ≈ C China
Fujian Sheng *see* Fujian
164 M14 **Fujieda** *var.* Huzieda. Shizuoka, Honshū, S Japan
Fuji, Mount/Fujiyama *see* Fuji-san
163 Y7 **Fujin** Heilongjiang, NE China
164 M13 **Fujinomiya** *var.* Huzinomiya. Shizuoka, Honshū, S Japan
164 N13 **Fuji-san** *var.* Fujiyama, *Eng.* Mount Fuji. ▲ Honshū, SE Japan
165 N14 **Fujisawa** *var.* Huzisawa. Kanagawa, Honshū, S Japan
165 T3 **Fukagawa** *var.* Hukagawa. Hokkaidō, NE Japan
158 L5 **Fukang** Xinjiang Uygur Zizhiqu, W China
165 P7 **Fukaura** Aomori, Honshū, C Japan
193 W15 **Fukave** *island* Tongatapu Group, S Tonga
Fukien *see* Fujian
164 J13 **Fukuchiyama** *var.* Hukutiyama. Kyōto, Honshū, SW Japan
164 A14 **Fukue** *var.* Hukue. Nagasaki, Fukue-jima, SW Japan
164 A13 **Fukue-jima** *island* Gotō-rettō, SW Japan
164 K12 **Fukui** *var.* Hukui. Fukui, Honshū, SW Japan
164 K12 **Fukui** *off.* Fukui-ken, *var.* Hukui. ◆ *prefecture* Honshū, SW Japan
164 D13 **Fukuoka** *var.* Hukuoka; *hist.* Najima. Fukuoka, Kyūshū, SW Japan
164 D13 **Fukuoka** *off.* Fukuoka-ken, *var.* Hukuoka. ◆ *prefecture* Kyūshū, SW Japan
165 P11 **Fukushima** *var.* Hukusima. Fukushima, Honshū, C Japan
165 Q6 **Fukushima** Hokkaidō, NE Japan
165 Q12 **Fukushima** *off.* Fukushima-ken, *var.* Hukusima. ◆ *prefecture* Honshū, C Japan
164 G13 **Fukuyama** *var.* Hukuyama. Hiroshima, Honshū, SW Japan
76 G13 **Fulacunda** C Guinea-Bissau
187 Z15 **Fulaga** *island* Lau Group, E Fiji
101 I17 **Fulda** Hessen, C Germany
29 S10 **Fulda** Minnesota, N USA
101 I16 **Fulda** ≈ C Germany
Fülek *see* Fil'akovo
Fulin *see* Hanyuan
160 K10 **Fuling** Chongqing Shi, C China
35 T15 **Fullerton** California, SE USA
29 P15 **Fullerton** Nebraska, C USA
108 M8 **Fulpmes** Tirol, W Austria
20 G8 **Fulton** Kentucky, S USA
23 N2 **Fulton** Mississippi, S USA
27 V4 **Fulton** Missouri, C USA
18 H9 **Fulton** New York, NE USA
Fuman/Fumen *see* Fowman
103 R3 **Fumay** Ardennes, N France
102 M13 **Fumel** Lot-et-Garonne, SW France
190 B10 **Funafara** *atoll* C Tuvalu
190 C9 **Funafuti** × Funafuti Atoll, C Tuvalu
Funafuti *see* Fongafale
190 F8 **Funafuti Atoll** *atoll* C Tuvalu
190 B9 **Funangongo** *atoll* C Tuvalu
93 F17 **Funäsdalen** Jämtland, C Sweden
64 O6 **Funchal** Madeira, Portugal, NE Atlantic Ocean
64 P5 **Funchal** × Madeira, Portugal, NE Atlantic Ocean
54 F5 **Fundación** Magdalena, N Colombia
104 I8 **Fundão** *var.* Fundão. Castelo Branco, C Portugal
13 O16 **Fundy, Bay of** *bay* Canada/USA
Fünen *see* Fyn
54 C13 **Fúnes** Nariño, SW Colombia
Fünfkirchen *see* Pécs
83 M19 **Funhalouro** Inhambane, S Mozambique
161 R6 **Funing** Jiangsu, E China
160 I14 **Funing** *var.* Xinhua. Yunnan, SW China
160 M7 **Funiu Shan** ▲▲ C China
77 U13 **Funtua** Katsina, N Nigeria
161 R12 **Fuqing** Fujian, SE China
83 M14 **Furancungo** Tete, NW Mozambique
116 I15 **Furculeşti** Teleorman, S Romania
Füred *see* Balatonfüred
165 W4 **Füren-ko** ◎ Hokkaidō, NE Japan
143 R12 **Fürg** Fārs, S Iran
Furluk *see* Fârliug
Fürmanov/Furmanovka *see* Moyynkum
Furmanovo *see* Zhalpaktal
59 L20 **Furnas, Represa de** ⊠ SE Brazil
183 Q14 **Furneaux Group** *island group* Tasmania, SE Australia
Furnes *see* Veurne
160 J10 **Furong Jiang** ≈ S China
138 I5 **Furqlus** Ḥimṣ, W Syria
100 F12 **Fürstenau** Niedersachsen, NW Germany
109 X8 **Fürstenfeld** Steiermark, SE Austria
101 L23 **Fürstenfeldbruck** Bayern, S Germany
100 P12 **Fürstenwalde** Brandenburg, NE Germany
101 K20 **Fürth** Bayern, S Germany
109 W3 **Furth bei Göttweig** Niederösterreich, NW Austria
165 R3 **Furubira** Hokkaidō, NE Japan
94 L12 **Furudal** Dalarna, C Sweden
164 L12 **Furukawa** Gifu, Honshū, SW Japan
165 Q10 **Furukawa** *var.* Hurukawa. Miyagi, Honshū, C Japan
54 F10 **Fusagasugá** Cundinamarca, C Colombia
Fusan *see* Pusan
Fushë-Arëzi/Fushë-Arrësi *see* Fushë-Arrëz
113 L18 **Fushë-Arrëz** *var.* Fushë-Arëzi, Fushë-Arrësi. Shkodër, N Albania
Fushë-Kruja *see* Fushë-Krujë
113 K19 **Fushë-Krujë** *var.* Fushë-Kruja. Durrës, C Albania
163 V12 **Fushun** *var.* Fou-shan, Fu-shun. Liaoning, NE China
Fusin *see* Fuxin
108 G10 **Fusio** Ticino, S Switzerland
163 X11 **Fusong** Jilin, NE China
101 K24 **Füssen** Bayern, S Germany
160 K15 **Fusui** *prev.* Funan. Guangxi Zhuangzu Zizhiqu, S China
Futa Jallon *see* Fouta Djallon
63 G18 **Futaleufú** Los Lagos, S Chile
112 K10 **Futog** Serbia, NW Serbia and Montenegro (Yugo.)
165 O14 **Futtsu** *var.* Huttu. Chiba, Honshū, S Japan
187 S15 **Futuna** *island* S Vanuatu
190 D12 **Futuna, Île** *island* S Wallis and Futuna
161 Q11 **Futun Xi** ≈ SE China
160 L5 **Fuxian** *var.* Fu Xian. Shaanxi, C China
Fuxian *see* Wafangdian
160 G13 **Fuxian Hu** ⊠ SW China
163 U12 **Fuxin** *var.* Fou-hsin, Fu-hsin, Fusin. Liaoning, NE China
Fuxing *see* Wangmo
161 P7 **Fuyang** Anhui, E China
161 O4 **Fuyang He** ≈ E China
163 U7 **Fuyu** Heilongjiang, NE China
Fuyu/Fu-yü *see* Songyuan
163 Z6 **Fuyuan** Heilongjiang, NE China
158 M3 **Fuyun** *var.* Koktokay. Xinjiang Uygur Zizhiqu, NW China
111 L22 **Füzesabony** Heves, E Hungary
161 R12 **Fuzhou** *var.* Foochow, Fu-chou. Fujian, SE China
161 P11 **Fuzhou** *prev.* Linchuan. Jiangxi, S China
137 W13 **Füzuli** *Rus.* Fizuli. SW Azerbaijan
119 I20 **Fyadory** *Rus.* Fëdory. Brestskaya Voblasts', SW Belarus
95 G24 **Fyn** *off.* Fyns Amt, *var.* Fünen. ◆ *county* C Denmark
95 G23 **Fyn** *Ger.* Fünen. *island* C Denmark
96 H12 **Fyne, Loch** *inlet* W Scotland, UK
95 E16 **Fyresvatn** ◎ S Norway
FYR Macedonia/FYROM *see* Macedonia, FYR
Fyzabad *see* Feyẓābād

G

81 O14 **Gaalkacyo** *var.* Galka'yo, *It.* Galcaio. Mudug, C Somalia
146 J11 **Gabakly** *Rus.* Kabakly. Lebap Welaýaty, NE Turkmenistan
114 H8 **Gabare** Vratsa, NW Bulgaria
102 K15 **Gabas** ≈ SW France
Gabasumdo *see* Tongde
35 T7 **Gabbs** Nevada, W USA
82 B12 **Gabela** Cuanza Sul, W Angola
Gaberones *see* Gaborone
189 X14 **Gabert** *island* Caroline Islands, E Micronesia
74 M7 **Gabès** *var.* Qābis. E Tunisia
74 M6 **Gabès, Golfe de** *Ar.* Khalīj Qābis. *gulf* E Tunisia
Gablonz an der Neisse *see* Jablonec nad Nisou
Gablös *see* Cavalese
79 E18 **Gabon** *off.* Gabonese Republic. ◆ *republic* C Africa
83 I20 **Gaborone** *prev.* Gaberones. ● (Botswana) South East, SE Botswana
83 I20 **Gaborone** × South East, SE Botswana
104 K8 **Gabriel y Galán, Embalse de** ⊠ W Spain
143 U15 **Gābrīk, Rūd-e** ≈ SE Iran
114 J9 **Gabrovo** Gabrovo, N Bulgaria
114 J9 **Gabrovo** ◆ *province* N Bulgaria
76 H12 **Gabú** *prev.* Nova Lamego. E Guinea-Bissau
29 O6 **Gackle** North Dakota, N USA
113 I15 **Gacko** Republika Srpska, Bosnia and Herzegovina
155 F17 **Gadag** Karnātaka, W India
93 G15 **Gäddede** Jämtland, C Sweden
159 S12 **Gadê** Qinghai, C China
Gades/Gadier/Gadir/Gadire *see* Cádiz
105 P15 **Gádor, Sierra de** ▲ S Spain
149 S15 **Gadra** Sind, SE Pakistan
23 Q3 **Gadsden** Alabama, S USA
36 H15 **Gadsden** Arizona, SW USA
Gadyach *see* Hadyach
79 H15 **Gadzi** Mambéré-Kadéï, SW Central African Republic
116 J13 **Găeşti** Dâmboviţa, S Romania
107 J17 **Gaeta** Lazio, C Italy
107 J17 **Gaeta, Golfo di** *var.* Gulf of Gaeta. *gulf* C Italy
188 L14 **Gaferut** *atoll* Caroline Islands, W Micronesia
21 Q10 **Gaffney** South Carolina, SE USA
Gäfle *see* Gävle
Gäfleborg *see* Gävleborg
74 M6 **Gafsa** *var.* Qafşah. W Tunisia
Gafurov *see* Ghafurov
147 O10 **Gagarin** Jizzax Viloyati, C Uzbekistan
101 G21 **Gaggenau** Baden-Württemberg, SW Germany
188 F16 **Gagil Tamil** *var.* Gagil-Tomil. *island* Caroline Islands, W Micronesia
Gagil-Tomil *see* Gagil Tamil
127 O4 **Gagino** Nizhegorodskaya Oblast', W Russian Federation
107 Q19 **Gagliano del Capo** Puglia, SE Italy
94 L13 **Gagnef** Dalarna, C Sweden
76 M17 **Gagnoa** C Ivory Coast
13 N10 **Gagnon** Québec, E Canada
Gago Coutinho *see* Lumbala N'Guimbo
137 P8 **Gagra** NW Georgia
31 S13 **Gahanna** Ohio, N USA
143 R13 **Gahkom** Hormozgān, S Iran
Gahnpa *see* Ganta
57 Q19 **Gaíba, Laguna** ◎ E Bolivia
153 T13 **Gaibanda** *var.* Gaibandah. Rajshahi, NW Bangladesh
Gaibandah *see* Gaibanda
Gaibhlte, Cnoc Mór na n *see* Galtymore Mountain
109 R9 **Gail** ≈ S Austria
101 I21 **Gaildorf** Baden-Württemberg, S Germany
103 N15 **Gaillac** *var.* Gaillac-sur-Tarn. Tarn, S France
Gaillac-sur-Tarn *see* Gaillac
Gaillimh *see* Galway
Gaillimhe, Cuan na *see* Galway Bay
109 Q9 **Gailtaler Alpen** ▲▲ S Austria
63 J17 **Gaimán** Chaco, S Argentina
20 K8 **Gainesboro** Tennessee, S USA
23 V10 **Gainesville** Florida, SE USA
23 T2 **Gainesville** Georgia, SE USA
27 U8 **Gainesville** Missouri, C USA
25 T5 **Gainesville** Texas, SW USA
109 X5 **Gainfarn** Niederösterreich, NE Austria
97 N18 **Gainsborough** E England, UK
182 G6 **Gairdner, Lake** *salt lake* South Australia
Gaissane *see* Gáissát
92 L8 **Gáissát** *var.* Gaissane. ▲▲ N Norway
43 T15 **Gaital, Cerro** ▲ C Panama
21 W3 **Gaithersburg** Maryland, NE USA
163 U13 **Gaizhou** Liaoning, NE China
Gaizina Kalns *see* Gaiziņkalns
118 H7 **Gaiziņkalns** *var.* Gaizina Kalns. ▲ E Latvia
Gajac *see* Villeneuve-sur-Lot
39 S10 **Gakona** Alaska, USA
Galaassiya *see* Galaosiyo
Galāğil *see* Jalājil
Galam, Pulau *see* Gelam, Pulau
62 J6 **Galán, Cerro** ▲ NW Argentina
111 H21 **Galanta** *Hung.* Galánta. Trnavský Kraj, W Slovakia
146 L11 **Galaosiyo** *Rus.* Galaassiya. Buxoro Viloyati, C Uzbekistan
57 B17 **Galápagos** *off.* Provincia de Galápagos. ◆ *province* Ecuador, E Pacific Ocean
193 P8 **Galapagos Fracture Zone** *tectonic feature* E Pacific Ocean
193 S9 **Galapagos Rise** *undersea feature* E Pacific Ocean
96 K13 **Galashiels** SE Scotland, UK
116 M12 **Galaţi** *Ger.* Galatz. Galaţi, E Romania
116 L12 **Galaţi** ◆ *county* E Romania
107 Q19 **Galatina** Puglia, SE Italy
107 Q19 **Galatone** Puglia, SE Italy
Galatz *see* Galaţi
21 R8 **Galax** Virginia, NE USA
146 J16 **Galaýmor** *Rus.* Kala-i-Mor. Mary Welaýaty, S Turkmenistan
Galcaio *see* Gaalkacyo
64 P11 **Gáldar** Gran Canaria, Islas Canarias, NE Atlantic Ocean
94 F11 **Galdhøpiggen** ▲ S Norway
40 I4 **Galeana** Chihuahua, N Mexico
41 O9 **Galeana** Nuevo León, NE Mexico
60 P9 **Galeão** × (Rio de Janeiro) Rio de Janeiro, SE Brazil
171 R10 **Galela** Pulau Halmahera, E Indonesia
39 O9 **Galena** Alaska, USA
30 K10 **Galena** Illinois, N USA
27 R7 **Galena** Kansas, C USA
27 T8 **Galena** Missouri, C USA
45 V15 **Galeota Point** *headland* Trinidad, Trinidad and Tobago
105 P13 **Galera** Andalucía, S Spain
45 Y16 **Galera Point** *headland* Trinidad, Trinidad and Tobago
56 A5 **Galera, Punta** *headland* NW Ecuador
30 K12 **Galesburg** Illinois, N USA
30 J7 **Galesville** Wisconsin, N USA
18 F12 **Galeton** Pennsylvania, NE USA
116 H9 **Gâlgău** *Hung.* Galgó; *prev.* Gilgău. Sălaj, NW Romania
Galgó *see* Gâlgău
Galgóc *see* Hlohovec
81 N15 **Galguduud** *off.* Gobolka Galguduud. ◆ *region* E Somalia
137 Q9 **Gali** W Georgia
125 N14 **Galich** Kostromskaya Oblast', NW Russian Federation
114 H7 **Galiche** Vratsa, NW Bulgaria
104 H3 **Galicia** *anc.* Gallaecia. ◆ *autonomous community* NW Spain
64 M8 **Galicia Bank** *undersea feature* E Atlantic Ocean
Galilee *see* HaGalil
181 W7 **Galilee, Lake** ◎ Queensland, NE Australia
Galilee, Sea of *see* Tiberias, Lake
106 E11 **Galileo Galilei** × (Pisa) Toscana, C Italy
31 S12 **Galion** Ohio, N USA
Galka'yo *see* Gaalkacyo
146 K12 **Galkynyş** *prev. Rus.* Deynau, Dyanev, *Turkm.* Dänew. Lebap Welaýaty, NE Turkmenistan
80 H11 **Gallabat** Gedaref, E Sudan
Gallaecia *see* Galicia
106 C7 **Gallarate** Lombardia, NW Italy
27 S2 **Gallatin** Missouri, C USA
20 J8 **Gallatin** Tennessee, S USA
33 R11 **Gallatin Peak** ▲ Montana, NW USA
33 R12 **Gallatin River** ≈ Montana/Wyoming, NW USA
155 J26 **Galle** *prev.* Point de Galle. Southern Province, SW Sri Lanka
105 S5 **Gállego** ≈ NE Spain
193 Q8 **Gallego Rise** *undersea feature* E Pacific Ocean
Gallegos *see* Río Gallegos
63 H23 **Gallegos, Río** ≈ Argentina/Chile
Gallia *see* France
22 K10 **Galliano** Louisiana, S USA
114 G13 **Gallikós** ≈ N Greece
37 S12 **Gallinas Peak** ▲ New Mexico, SW USA
54 H3 **Gallinas, Punta** *headland* NE Colombia
37 T11 **Gallinas River** ≈ New Mexico, SW USA
107 Q19 **Gallipoli** Puglia, SE Italy
Gallipoli *see* Gelibolu
Gallipoli Peninsula *see* Gelibolu Yarımadası
31 T15 **Gallipolis** Ohio, N USA
92 J12 **Gällivare** *Lapp.* Váhtjer. Norrbotten, N Sweden
109 T4 **Gallneukirchen** Oberösterreich, N Austria
105 Q7 **Gallo** ≈ C Spain
93 G17 **Gällö** Jämtland, C Sweden
107 I23 **Gallo, Capo** *headland* Sicilia, Italy, C Mediterranean Sea
37 P13 **Gallo Mountains** ▲▲ New Mexico, SW USA
18 G8 **Galloo Island** *island* New York, NE USA
97 H15 **Galloway, Mull of** *headland* S Scotland, UK
37 P10 **Gallup** New Mexico, SW USA
105 R5 **Gallur** Aragón, NE Spain
Gâlma *see* Guelma
35 O8 **Galt** California, W USA
74 C10 **Galtat-Zemmour** C Western Sahara
95 G22 **Galten** Århus, C Denmark
97 D20 **Galtymore Mountain** *Ir.* Cnoc Mór na nGaibhlte. ▲ S Ireland
97 D20 **Galty Mountains** *Ir.* Na Gaibhlte. ▲▲ S Ireland
30 K11 **Galva** Illinois, N USA
25 X12 **Galveston** Texas, SW USA
25 W11 **Galveston Bay** *inlet* Texas, SW USA
25 W12 **Galveston Island** *island* Texas, SW USA
61 B18 **Gálvez** Santa Fe, C Argentina
97 C18 **Galway** *Ir.* Gaillimh. W Ireland
97 B18 **Galway** *Ir.* Gaillimh. *cultural region* W Ireland
97 B18 **Galway Bay** *Ir.* Cuan na Gaillimhe. *bay* W Ireland
83 F18 **Gam** Otjozondjupa, NE Namibia
164 L14 **Gamagōri** Aichi, Honshū, SW Japan
54 F7 **Gamarra** Cesar, N Colombia
Gámas *see* Kaamanen
158 L17 **Gamba** Xizang Zizhiqu, W China
Gamba *see* Zamtang

◆ Country ◇ Dependent Territory ◆ Administrative Region ▲ Mountain ⚠ Volcano ◎ Lake
● Country Capital ○ Dependent Territory Capital × International Airport ▲▲ Mountain Range ≈ River ⊠ Reservoir

GAMBAGA – GEORGES BANK ••• 253

77 P14 Gambaga NE Ghana
80 G13 Gambēla Gambēla, W Ethiopia
83 H14 Gambēla ◈ region, W Ethiopia
38 K10 Gambell Saint Lawrence Island, Alaska, USA
76 E12 Gambia off. Republic of The Gambia, The Gambia. ◆ republic W Africa
76 I12 Gambia Fr. Gambie. ≈ W Africa
64 K12 Gambia Plain undersea feature E Atlantic Ocean
Gambie see Gambia
31 T13 Gambier Ohio, N USA
191 Y13 Gambier, Îles island group E French Polynesia
182 G10 Gambier Islands island group South Australia
79 H19 Gamboma Plateaux, E Congo
79 G16 Gamboula Mambéré-Kadéï, SW Central African Republic
37 P10 Gamerco New Mexico, SW USA
137 V12 Gamış Dağı ▲ W Azerbaijan
Gamlakarleby see Kokkola
95 N18 Gamleby Kalmar, S Sweden
Gammelstad see Gammelstaden
93 J14 Gammelstaden var. Gammelstad. Norrbotten, N Sweden
Gammouda see Sidi Bouzid
155 J25 Gampaha Western Province, W Sri Lanka
155 K25 Gampola Central Province, C Sri Lanka
167 S5 Gâm, Sông ≈ N Vietnam
92 L7 Gamvik Finnmark, N Norway
150 H13 Gan Addu Atoll, C Maldives
Gan see Gansu, China
Gan see Jiangxi, China
Ganaane see Juba
37 O10 Ganado Arizona, SW USA
25 U12 Ganado Texas, SW USA
14 L14 Gananoque Ontario, SE Canada
Ganāveh see Bandar-e Gonāveh
137 V11 Gäncä Rus. Gyandzha; prev. Kirovabad, Yelisavetpol. W Azerbaijan
Ganchi see Ghonchí
Gand see Gent
82 B13 Ganda var. Mariano Machado, Port. Vila Mariano Machado. Benguela, W Angola
79 L22 Gandajika Kasai Oriental, S Dem. Rep. Congo
153 O12 Gandak Nep. Nārāyāni. ≈ India/Nepal
13 U11 Gander Newfoundland and Labrador, SE Canada
13 U11 Gander ✕ Newfoundland and Labrador, E Canada
100 G11 Ganderkesee Niedersachsen, NW Germany
105 T7 Gandesa Cataluña, NE Spain
154 B10 Gāndhīdhām Gujarāt, W India
154 D10 Gāndhīnagar Gujarāt, W India
154 F9 Gāndhi Sāgar ◎ C India
105 T11 Gandía País Valenciano, E Spain
159 O10 Gang Qinghai, W China
152 G9 Gangānagar Rājasthān, NW India
152 I12 Gangāpur Rājasthān, N India
153 S17 Ganga Sāgar West Bengal, NE India
Gangavathi see Gangāwati
155 G17 Gangāwati var. Gangavathi. Karnātaka, C India
159 S9 Gangca var. Shaliuhe. Qinghai, C China
158 H14 Gangdisê Shan Eng. Kailas Range. ▲▲ W China
103 Q15 Ganges Hérault, S France
153 P13 Ganges Ben. Padma. ≈ Bangladesh/India see also Padma
Ganges Cone see Ganges Fan
173 S3 Ganges Fan var. Ganges Cone. undersea feature N Bay of Bengal
153 U17 Ganges, Mouths of the delta Bangladesh/India
107 K23 Gangi anc. Engyum. Sicilia, Italy, C Mediterranean Sea
152 K8 Gangotri Uttaranchal, N India
Gangra see Çankırı
153 S11 Gangtok Sikkim, N India
159 W11 Gangu Gansu, C China
163 U5 Gan He ≈ NE China
171 S12 Gani Pulau Halmahera, E Indonesia
161 O12 Gan Jiang ≈ S China
163 U11 Ganjig var. Horqin Zuoyi Houqi. Nei Mongol Zizhiqu, N China
146 H15 Gannaly Ahal Welaýaty, S Turkmenistan
163 U7 Gannan Heilongjiang, NE China
103 P10 Gannat Allier, C France
33 T14 Gannett Peak ▲ Wyoming, C USA
29 O10 Gannvalley South Dakota, N USA
Ganqu see Lhünzhub
109 Y3 Gänserndorf Niederösterreich, NE Austria
Gansos, Lago dos see Goose Lake
159 T9 Gansu var. Gan, Gansu Sheng, Kansu. ◈ province N China
Gansu Sheng see Gansu
76 K16 Ganta var. Gahnpa. NE Liberia
182 H11 Gantheaume, Cape headland South Australia
Gantsevichi see Hantsavichy
161 Q6 Ganyu var. Qingkou. Jiangsu, E China
144 D12 Ganyushkino Atyrau, SW Kazakhstan
161 O12 Ganzhou Jiangxi, S China
Ganzhou see Zhangye
77 Q10 Gao Gao, E Mali
77 R10 Gao ◈ region SE Mali
161 O10 Gao'an Jiangxi, S China
Gaocheng see Litang
Gaoleshan see Xianfeng
161 R5 Gaomi Shandong, E China
161 N5 Gaoping Shanxi, C China
159 S8 Gaotai Gansu, N China
Gaoth Dobhair see Gweedore
77 O14 Gaoua SW Burkina
76 I13 Gaoual Moyenne-Guinée, N Guinea
Gaoxiong see Kaohsiung
161 R7 Gaoyou var. Dayishan. Jiangsu, E China
161 R7 Gaoyou Hu ◎ E China
160 M15 Gaozhou Guangdong, S China
103 T13 Gap anc. Vapincum. Hautes-Alpes, SE France
146 E9 Gaplangyr Platosy Rus. Plato Kaplangky. ridge Turkmenistan/Uzbekistan
158 G13 Gar var. Gar Xincun. Xizang Zizhiqu, W China
Garabekevyul see Garabekewül
146 L13 Garabekewül Rus. Garabekevyul, Karabekaul. Lebap Welaýaty, E Turkmenistan
146 K15 Garabil Belentligi Rus. Vozvyshennost' Karabil'. ▲▲ S Turkmenistan
146 B9 Garabogaz Aylagy Rus. Zaliv Kara-Bogaz-Gol. bay NW Turkmenistan
146 A9 Garabogazköl Rus. Kara-Bogaz-Kol. Balkan Welaýaty, NW Turkmenistan
43 V16 Garachiné Darién, SE Panama
43 V16 Garachiné, Punta headland SE Panama
146 K12 Garagan Rus. Karagan. Ahal Welaýaty, C Turkmenistan
54 G10 Garagoa Boyacá, C Colombia
146 A11 Garagöl Rus. Karagel'. Balkan Welaýaty, W Turkmenistan
146 F12 Garagum var. Garagumy, Qara Qum, Eng. Black Sand Desert, Kara Kum; prev. Peski Karakumy. desert C Turkmenistan
146 E12 Garagum Kanaly var. Kara Kum Canal, Rus. Garagumskiy Kanal, Karakumskiy Kanal. canal C Turkmenistan
Garagumskiy Kanal see Garagum Kanaly
Garagumy see Garagum
183 S4 Garah New South Wales, SE Australia
64 O11 Garajonay ▲ Gomera, Islas Canarias, NE Atlantic Ocean
114 M8 Gara Khitrino Shumen, NE Bulgaria
76 L13 Garalo Sikasso, SW Mali
Garam see Hron
146 L14 Garamätnyýaz Rus. Karamet-Niyaz. Lebap Welaýaty, E Turkmenistan
Garamszentkereszt see Žiar nad Hronom
77 Q13 Garango S Burkina
59 Q15 Garanhuns Pernambuco, E Brazil
188 H5 Garapan Saipan, S Northern Mariana Islands
Gárasavvon see Karesuando
Gárassavon see Kaaresuvanto
78 J13 Garba Bamingui-Bangoran, N Central African Republic
Garba see Jiulong
81 L16 Garbahaarrey It. Garba Harre. Gedo, SW Somalia
Garba Harre see Garbahaarrey
81 J18 Garba Tula Eastern, C Kenya
27 N9 Garber Oklahoma, C USA
34 L4 Garberville California, W USA
100 I12 Garbsen Niedersachsen, N Germany
Garbo see Lhozhag
60 K9 Garça São Paulo, S Brazil
104 L10 García de Solá, Embalse de ⊠ C Spain
103 Q14 Gard ◈ department S France
103 Q14 Gard ≈ S France
106 F7 Garda, Lago di var. Benaco, Eng. Lake Garda, Ger. Gardasee. ◎ NE Italy
Garda, Lake see Garda, Lago di
Gardan Divāl see Gardan Dīwāl
149 Q5 Gardan Dīwāl var. Gardan Divāl. Wardag, C Afghanistan
103 S15 Gardanne Bouches-du-Rhône, SE France
Gardasee see Garda, Lago di
100 L12 Gardelegen Sachsen-Anhalt, C Germany
14 B10 Garden ≈ Ontario, S Canada
23 X6 Garden City Georgia, SE USA
26 I6 Garden City Kansas, C USA
27 S5 Garden City Missouri, C USA
25 N8 Garden City Texas, SW USA
23 P3 Gardendale Alabama, S USA
31 P5 Garden Island island Michigan, N USA
22 M11 Garden Island Bay bay Louisiana, S USA
31 O5 Garden Peninsula peninsula Michigan, N USA
Garden State see New Jersey
95 I14 Gardermoen Akershus, S Norway
Gardeyz see Gardēz
149 Q6 Gardēz var. Gardeyz, Gordiaz. Paktiā, E Afghanistan
93 G14 Gardiken ◎ N Sweden
19 Q7 Gardiner Maine, NE USA
33 S12 Gardiner Montana, NW USA
19 N13 Gardiners Island island New York, NE USA
Gardner Island see Nikumaroro
19 T6 Gardner Lake ◎ Maine, NE USA
35 Q6 Gardnerville Nevada, W USA
Gardo see Qardho
106 F7 Gardone Val Trompia Lombardia, N Italy
Garegegasnjárga see Karigasniemi
38 F17 Gareloi Island island Aleutian Islands, Alaska, USA
Gares see Puente la Reina
106 B10 Garessio Piemonte, NE Italy
32 M9 Garfield Washington, NW USA
31 U11 Garfield Heights Ohio, N USA
Gargaliani see Gargaliánoi
115 D21 Gargaliánoi var. Gargaliani. Pelopónnisos, S Greece
107 N15 Gargano, Promontorio del headland SE Italy
108 I8 Gargellen Graubünden, W Switzerland
93 I14 Gargnäs Västerbotten, N Sweden
118 C11 Gargždai Klaipėda, W Lithuania
154 J13 Garhchiroli Mahārāshtra, C India
153 C15 Garhwa Jhārkhand, N India
171 V13 Gariau Papua, E Indonesia
83 E24 Garies Northern Cape, W South Africa
109 K17 Garigliano ≈ C Italy
81 K19 Garissa Coast, E Kenya
21 V11 Garland North Carolina, SE USA
25 T6 Garland Texas, SW USA
36 L1 Garland Utah, W USA
106 D8 Garlasco Lombardia, N Italy
119 F14 Garliava Kaunas, S Lithuania
Garm see Gharm
142 M9 Garm, Āb-e var. Rūd-e Khersān. ≈ SW Iran
101 K25 Garmisch-Partenkirchen Bayern, S Germany
143 O5 Garmsār prev. Qishlaq. Semnān, N Iran
Garmser see Darvishān
29 V12 Garner Iowa, C USA
21 U9 Garner North Carolina, SE USA
27 Q5 Garnett Kansas, C USA
99 M25 Garnich Luxembourg, SW Luxembourg
182 M8 Garnpung, Lake salt lake New South Wales, SE Australia
Garoe see Garoowe
Garoet see Garut
153 U13 Garo Hills hill range NE India
102 K13 Garonne anc. Garumna. ≈ S France
80 P13 Garoowe var. Garoe. Nugaal, N Somalia
78 F12 Garoua var. Garua. Nord, N Cameroon
79 G16 Garoua Boulaï Est, E Cameroon
77 O10 Garou, Lac ◎ C Mali
95 L16 Garphyttan Örebro, C Sweden
29 R11 Garretson South Dakota, N USA
31 Q11 Garrett Indiana, N USA
33 Q10 Garrison Montana, NW USA
28 M4 Garrison North Dakota, N USA
25 X8 Garrison Texas, SW USA
28 L4 Garrison Dam dam North Dakota, N USA
104 J9 Garrovillas Extremadura, W Spain
146 D12 Garrygala Rus. Kara-Kala. Balkan Welaýaty, W Turkmenistan
8 L8 Garry Lake ◎ Nunavut, N Canada
Gars see Gars am Kamp
109 W3 Gars am Kamp var. Gars. Niederösterreich, NE Austria
81 K20 Garsen Coast, S Kenya
Garshy see Garşy
14 F10 Garson Ontario, S Canada
109 T5 Garsten Oberösterreich, N Austria
146 A9 Garşy var. Garshy, Rus. Karshi. Balkan Welaýaty, NW Turkmenistan
Gartar see Qianning
102 M10 Gartempe ≈ C France
Gartog see Markam
Garua see Garoua
83 D21 Garub Karas, SW Namibia
Garumna see Garonne
169 P16 Garut prev. Garoet. Jawa, C Indonesia
185 C20 Garvie Mountains ▲▲ South Island, NZ
110 N12 Garwolin Mazowieckie, E Poland
25 U12 Garwood Texas, SW USA
Gar Xincun see Gar
31 N11 Gary Indiana, N USA
25 X7 Gary Texas, SW USA
158 G13 Gar Zangbo ≈ W China
160 F8 Garzê Sichuan, C China
54 E12 Garzón Huila, S Colombia
Gasan-Kuli see Esenguly
31 P13 Gas City Indiana, N USA
102 K15 Gascogne Eng. Gascony. cultural region S France
Gascogne, Golfe de see Gascony, Gulf of
26 V5 Gasconade River ≈ Missouri, C USA
Gascony see Gascogne
180 H9 Gascoyne Junction Western Australia
173 V8 Gascoyne Plain undersea feature E Indian Ocean
180 H9 Gascoyne River ≈ Western Australia
192 J11 Gascoyne Tablemount undersea feature N Tasman Sea
149 X3 Gasherbrum ▲ NE Pakistan
Gas Hu see Gas Hure Hu
77 X12 Gashua Yobe, NE Nigeria
159 N9 Gas Hure Hu var. Gas Hu. ◎ C China
186 G7 Gasmata New Britain, E PNG
23 V14 Gasparilla Island island Florida, SE USA
169 O13 Gaspar, Selat strait W Indonesia
15 Y6 Gaspé Québec, SE Canada
15 Z6 Gaspé, Cap de headland Québec, SE Canada
15 X6 Gaspé, Péninsule de var. Péninsule de la Gaspésie. peninsula Québec, SE Canada
Gaspésie, Péninsule de la see Gaspé, Péninsule de
77 W15 Gassol Taraba, E Nigeria
Gastein see Badgastein
21 R10 Gastonia North Carolina, SE USA
21 V8 Gaston, Lake ⊠ North Carolina/Virginia, SE USA
115 D19 Gastoúni Dytikí Ellás, S Greece
63 I17 Gastre Chubut, S Argentina
Gat see Ghāt
105 P15 Gata, Cabo de headland S Spain
Gata, Cape see Gátas, Akrotíri
105 T11 Gata de Gorgos País Valenciano, E Spain
116 E12 Gătaia Ger. Gataja, Hung. Gátalja; prev. Gáttája. Timiş, W Romania
Gataja/Gátalja see Gătaia
121 P3 Gátas, Akrotíri var. Cape Gata. headland S Cyprus
104 J8 Gata, Sierra de ▲▲ W Spain
124 C13 Gatchina Leningradskaya Oblast', NW Russian Federation
21 P8 Gate City Virginia, NE USA
97 M14 Gateshead NE England, UK
21 X8 Gatesville North Carolina, SE USA
25 S8 Gatesville Texas, SW USA
14 L12 Gatineau Québec, SE Canada
14 L11 Gatineau ≈ Ontario/Québec, SE Canada
21 N9 Gatlinburg Tennessee, S USA
Gatooma see Kadoma
Gáttája see Gătaia
43 T14 Gatún, Lago ◎ C Panama
59 N14 Gaturiano Piauí, NE Brazil
97 O22 Gatwick ✕ (London) SE England, UK
187 Y14 Gau prev. Ngau. island C Fiji
187 R12 Gaua var. Santa Maria. island Banks Islands, N Vanuatu
104 L16 Gaucín Andalucía, S Spain
Gauhāti see Guwāhāti
118 I8 Gauja Ger. Aa. ≈ Estonia/Latvia
118 I7 Gaujiena Alūksne, NE Latvia
Gaul/Gaule see France
94 H5 Gauldalen valley S Norway
21 R5 Gauley River ≈ West Virginia, NE USA
99 D19 Gaurain-Ramecroix Hainaut, SW Belgium
95 F15 Gaustatoppen ▲ S Norway
83 J21 Gauteng off. Gauteng Province; prev. Pretoria-Witwatersrand-Vereeniging. ◈ province NE South Africa
Gauteng see Germiston, South Africa
Gauteng see Johannesburg, South Africa
143 P14 Gāvbandī Hormozgān, S Iran
115 H25 Gavdopoúla island SE Greece
115 H26 Gávdos island SE Greece
102 K16 Gave de Pau var. Gave-de-Pay. ≈ SW France
Gave-de-Pay see Gave de Pau
102 J16 Gave d'Oloron ≈ SW France
99 E18 Gavere Oost-Vlaanderen, NW Belgium
94 N13 Gävle var. Gäfle; prev. Gefle. Gävleborg, C Sweden
94 M11 Gävleborg var. Gäfleborg, Gefleborg. ◈ county C Sweden
94 O13 Gävlebukten bay C Sweden
124 L16 Gavrilov-Yam Yaroslavskaya Oblast', W Russian Federation
182 I9 Gawler South Australia
182 G7 Gawler Ranges hill range South Australia
Gawso see Goaso
162 H11 Gaxun Nur ◎ N China
153 P14 Gaya Bihār, N India
77 S13 Gaya Dosso, SW Niger
Gaya see Kyjov
31 Q6 Gaylord Michigan, N USA
29 U9 Gaylord Minnesota, N USA
181 Y9 Gayndah Queensland, E Australia
125 T12 Gayny Komi-Permyatskiy Avtonomnyy Okrug, NW Russian Federation
Gaysin see Haysyn
Gayvorno see Hayvoron
138 E11 Gaza Ar. Ghazzah, Heb. 'Azza. NE Gaza Strip
83 L20 Gaza off. Província de Gaza. ◈ province SW Mozambique
Gaz-Achak see Gazojak
Gazalkent see G'azalkent
147 Q9 G'azalkent Rus. Gazalkent. Toshkent Viloyati, E Uzbekistan
Gazandzhyk/Gazanjyk see Bereket
77 V12 Gazaoua Maradi, S Niger
138 E11 Gaza Strip Ar. Qiţā' Ghazzah. disputed region SW Asia
Gazgan see G'ozg'on
Gazi Antep see Gaziantep
136 M16 Gaziantep var. Gazi Antep; prev. Aintab, Antep. Gaziantep, S Turkey
136 M17 Gaziantep var. Gazi Antep. ◈ province S Turkey
114 M13 Gaziköy Tekirdağ, NW Turkey
121 Q2 Gazimağusa var. Famagusta, Gk. Ammóchostos. E Cyprus
121 Q2 Gazimağusa Körfezi var. Famagusta Bay, Gk. Kólpos Ammóchostos. bay E Cyprus
146 K11 Gazli Buxoro Viloyati, C Uzbekistan
146 I9 Gazojak Rus. Gaz-Achak. Lebap Welaýaty, NE Turkmenistan
79 K15 Gbadolite Equateur, NW Dem. Rep. Congo
76 K16 Gbanga var. Gbarnga. N Liberia
Gbarnga see Gbanga
77 S14 Gbéroubouè var. Béroubouay. N Benin
77 W16 Gboko Benue, S Nigeria
Gcuwa see Butterworth
110 J7 Gdańsk Fr. Dantzig, Ger. Danzig. Pomorskie, N Poland
Gdan'skaya Bukhta/Gdańsk, Gulf of see Danzig, Gulf of
Gdańska, Zakota see Danzig, Gulf of
Gdingen see Gdynia
124 F13 Gdov Pskovskaya Oblast', W Russian Federation
110 I6 Gdynia Ger. Gdingen. Pomorskie, N Poland
26 M10 Geary Oklahoma, C USA
Geavvú see Kevo
76 H12 Gêba, Rio ≈ C Guinea-Bissau
136 E11 Gebze Kocaeli, NW Turkey
80 H10 Gedaref var. Al Qaḍārif, El Gedaref. Gedaref, E Sudan
80 H10 Gedaref ◈ state E Sudan
80 B11 Gedid Ras el Fil Southern Darfur, W Sudan
101 I23 Gedinne Namur, SE Belgium
136 E13 Gediz Kütahya, W Turkey
136 C14 Gediz Nehri ≈ W Turkey
81 N14 Gedlegubē Somali, E Ethiopia
81 L17 Gedo off. Gobolka Gedo. ◈ region SW Somalia
95 I25 Gedser Storstrøm, SE Denmark
99 I16 Geel var. Gheel. Antwerpen, N Belgium
183 N13 Geelong Victoria, SE Australia
Ge'e'mu see Golmud
99 I14 Geertruidenberg Noord-Brabant, S Netherlands
100 H10 Geeste ≈ NW Germany
100 J10 Geesthacht Schleswig-Holstein, N Germany
183 P17 Geeveston Tasmania, SE Australia
Gefle see Gävle
Gefleborg see Gävleborg
158 G13 Gê'gyai Xizang Zizhiqu, W China
77 X12 Geidam Yobe, NE Nigeria
11 T11 Geikie ≈ Saskatchewan, C Canada
94 F13 Geilo Buskerud, S Norway
94 E10 Geiranger Møre og Romsdal, S Norway
101 I22 Geislingen var. Geislingen an der Steige. Baden-Württemberg, SW Germany
Geislingen an der Steige see Geislingen
81 F20 Geita Mwanza, NW Tanzania
95 G15 Geithus Buskerud, S Norway
160 H14 Gejiu var. Kochiu. Yunnan, S China
Gëkdepe see Gökdepe
146 E9 Geklengkui, Solonchak var. Solonchak Goklenkuy. salt marsh NW Turkmenistan
81 D14 Gel ≈ W Sudan
107 K25 Gela prev. Terranova di Sicilia. Sicilia, Italy, C Mediterranean Sea
159 N13 Geladaindong ▲ C China
81 N14 Geladī Somali, E Ethiopia
169 F13 Gelam, Pulau var. Pulau Galam. island N Indonesia
Gelaozu Miaozu Zizhixian see Wuchuan
98 L11 Gelderland prev. Eng. Guelders. ◈ province E Netherlands
98 J13 Geldermalsen Gelderland, C Netherlands
101 D14 Geldern Nordrhein-Westfalen, W Germany
99 K15 Geldrop Noord-Brabant, SE Netherlands
99 L17 Geleen Limburg, SE Netherlands
126 K14 Gelendzhik Krasnodarskiy Kray, SW Russian Federation
Gelib see Jilib
136 B11 Gelibolu Eng. Gallipoli. Çanakkale, NW Turkey
115 L14 Gelibolu Yarımadası Eng. Gallipoli Peninsula. peninsula NW Turkey
81 O14 Gellinsor Mudug, C Somalia
101 H18 Gelnhausen Hessen, C Germany
101 E14 Gelsenkirchen Nordrhein-Westfalen, W Germany
83 C20 Geluk Hardap, SW Namibia
99 H20 Gembloux Namur, Belgium
79 J16 Gemena Equateur, NW Dem. Rep. Congo
99 L14 Gemert Noord-Brabant, SE Netherlands
136 E11 Gemlik Bursa, NW Turkey
Gem of the Mountains see Idaho
106 J6 Gemona del Friuli Friuli-Venezia Giulia, NE Italy
Gem State see Idaho
Genalē Wenz see Juba
169 R10 Genali, Danau ◎ Borneo, N Indonesia
99 G19 Genappe Wallon Brabant, C Belgium
137 P14 Genç Bingöl, E Turkey
Genck see Genk
98 M9 Genemuiden Overijssel, E Netherlands
63 K14 General Acha La Pampa, C Argentina
61 C21 General Alvear Buenos Aires, E Argentina
62 I12 General Alvear Mendoza, W Argentina
61 B20 General Arenales Buenos Aires, E Argentina
61 D21 General Belgrano Buenos Aires, E Argentina
194 H3 General Bernardo O'Higgins Chilean research station Antarctica
41 O8 General Bravo Nuevo León, NE Mexico
62 M7 General Capdevila Chaco, N Argentina
General Carrera, Lago see Buenos Aires, Lago
41 N9 General Cepeda Coahuila de Zaragoza, NE Mexico
63 K15 General Conesa Río Negro, E Argentina
61 G18 General Enrique Martínez Treinta y Tres, E Uruguay
62 L3 General Eugenio A. Garay var. Fortín General Eugenio Garay; prev. Yrendagüé. Nueva Asunción, NW Paraguay
61 C18 General Galarza Entre Ríos, E Argentina
61 E22 General Guido Buenos Aires, E Argentina
General José F.Uriburu see Zárate
61 E22 General Juan Madariaga Buenos Aires, E Argentina
41 O16 General Juan N Alvarez ✕ (Acapulco) Guerrero, S Mexico
61 B22 General La Madrid Buenos Aires, E Argentina
61 E21 General Lavalle Buenos Aires, E Argentina
General Machado see Camacupa
62 I8 General Manuel Belgrano, Cerro ▲ W Argentina
41 O8 General Mariano Escobero ✕ (Monterrey) Nuevo León, NE Mexico
61 B20 General O'Brien Buenos Aires, E Argentina
62 K13 General Pico La Pampa, C Argentina
62 M7 General Pinedo Chaco, N Argentina
61 B20 General Pinto Buenos Aires, E Argentina
61 E22 General Pirán Buenos Aires, E Argentina
43 N15 General, Río ≈ S Costa Rica
63 I15 General Roca Río Negro, C Argentina
171 Q8 General Santos off. General Santos City. Mindanao, S Philippines
41 O9 General Terán Nuevo León, NE Mexico
114 N7 General Toshevo Rom. I.G.Duca, prev. Casim, Kasimköj. Dobrich, NE Bulgaria
61 B20 General Viamonte Buenos Aires, E Argentina
61 A20 General Villegas Buenos Aires, E Argentina
Gênes see Genova
18 E11 Genesee River ≈ New York/Pennsylvania, NE USA
30 K11 Geneseo Illinois, N USA
18 F10 Geneseo New York, NE USA
57 L14 Geneshuaya, Río ≈ N Bolivia
23 Q8 Geneva Alabama, S USA
30 M10 Geneva Illinois, N USA
29 Q16 Geneva Nebraska, C USA
18 G10 Geneva New York, NE USA
31 U10 Geneva Ohio, NE USA
Geneva see Genève
108 B10 Geneva, Lake Fr. Lac de Genève, Lac Léman, le Léman, Ger. Genfer See. ◎ France/Switzerland
108 A10 Genève Eng. Geneva, Ger. Genf, It. Ginevra. Genève, SW Switzerland
108 A11 Genève Eng. Geneva, Ger. Genf, It. Ginevra. ◈ canton SW Switzerland
108 A10 Genève var. Geneva. ✕ Vaud, SW Switzerland
Genève, Lac de see Geneva, Lake
Genf see Genève
Genfer See see Geneva, Lake
163 T5 Genhe prev. Ergun Zuoqi. Nei Mongol Zizhiqu, N China
163 S5 Gen He ≈ NE China
Genichesk see Heniches'k
104 L14 Genil ≈ S Spain
99 K18 Genk var. Genck. Limburg, NE Belgium
164 C13 Genkai-nada gulf Kyūshū, SW Japan
107 C19 Gennargentu, Monti del ▲ Sardegna, Italy, C Mediterranean Sea
99 M14 Gennep Limburg, SE Netherlands
30 M10 Genoa Illinois, N USA
29 Q15 Genoa Nebraska, C USA
Genoa see Genova
Genoa, Gulf of see Genova, Golfo di
106 D10 Genova Eng. Genoa, Fr. Gênes; anc. Genua. Liguria, NW Italy
106 D10 Genova, Golfo di Eng. Gulf of Genoa. gulf NW Italy
57 C17 Genovesa, Isla var. Tower Island. island Galapagos Islands, Ecuador, E Pacific Ocean
Genshū see Wŏnju
99 E17 Gent Eng. Ghent, Fr. Gand. Oost-Vlaanderen, NW Belgium
169 N16 Genteng Jawa, C Indonesia
100 M12 Genthin Sachsen-Anhalt, E Germany
27 R9 Gentry Arkansas, C USA
Genua see Genova
107 I15 Genzano di Roma Lazio, C Italy
Geokchay see Göyçay
Geok-Tepe see Gökdepe
122 I3 Georga, Zemlya Eng. George Land. island Zemlya Frantsa-Iosifa, N Russian Federation
83 G26 George Western Cape, S South Africa
29 S11 George Iowa, C USA
13 O5 George ≈ Newfoundland and Labrador/Québec, E Canada
45 T11 George FL Charles ✕ (Castries) prev. Vigie NE Saint Lucia
65 C25 George Island island S Falkland Islands
183 R10 George, Lake ◎ New South Wales, SE Australia
81 E18 George, Lake ◎ SW Uganda
23 W10 George, Lake ◎ Florida, SE USA
18 L8 George, Lake ⊠ New York, NE USA
George Land see Georga, Zemlya
Georgenburg see Jurbarkas
George River see Kangiqsualujjuaq
64 G8 Georges Bank undersea feature W Atlantic Ocean

◆ Country ◇ Dependent Territory ◈ Administrative Region ▲ Mountain ☒ Volcano ◎ Lake
● Country Capital ○ Dependent Territory Capital ✕ International Airport ▲▲ Mountain Range ≈ River ⊠ Reservoir

254 ••• George Sound – Gods Lake

185 A21 **George Sound** *sound* South Island, NZ
65 F15 **Georgetown** ○ (Ascension Island) NW Ascension Island
181 V5 **Georgetown** Queensland, NE Australia
183 P15 **George Town** Tasmania, SE Australia
44 I4 **George Town** Great Exuma Island, C Bahamas
44 D8 **George Town** *var.* Georgetown. ○ (Cayman Islands) Grand Cayman, SW Cayman Islands
76 H12 **Georgetown** E Gambia
55 T8 **Georgetown** ● (Guyana) N Guyana
168 I7 **George Town** *var.* Penang, Pinang. Pinang, Peninsular Malaysia
45 Y14 **Georgetown** Saint Vincent, Saint Vincent and the Grenadines
21 Y4 **Georgetown** Delaware, NE USA
23 R6 **Georgetown** Georgia, SE USA
20 M5 **Georgetown** Kentucky, S USA
21 T13 **Georgetown** South Carolina, SE USA
25 S10 **Georgetown** Texas, SW USA
55 T8 **Georgetown** ✈ N Guyana
195 U16 **George V Coast** *physical region* Antarctica
195 T15 **George V Land** *physical region* Antarctica
194 J7 **George VI Ice Shelf** *ice shelf* Antarctica
194 J6 **George VI Sound** *sound* Antarctica
25 S14 **George West** Texas, SW USA
137 R9 **Georgia** *off.* Republic of Georgia, *Geor.* Sak'art'velo, *Rus.* Gruzinskaya SSR, Gruziya; *prev.* Georgian SSR. ◆ *republic* SW Asia
23 S5 **Georgia** *off.* State of Georgia; also known as Empire State of the South, Peach State. ◈ *state* SE USA
14 F12 **Georgian Bay** *lake bay* Ontario, S Canada
10 L17 **Georgia, Strait of** *strait* British Columbia, W Canada
Georgi Dimitrov *see* Kostenets
Georgi Dimitrov, Yazovir *see* Koprinka, Yazovir
114 M9 **Georgi Traykov, Yazovir** ⊞ NE Bulgaria
Georgiu-Dezh *see* Liski
145 W10 **Georgiyevka** Vostochnyy Kazakhstan, E Kazakhstan
Georgiyevka *see* Korday
127 N15 **Georgiyevsk** Stavropol'skiy Kray, SW Russian Federation
100 G13 **Georgsmarienhütte** Niedersachsen, NW Germany
195 O1 **Georg von Neumayer** *German research station* Antarctica
101 M16 **Gera** Thüringen, E Germany
101 K16 **Gera** ≈ C Germany
99 E19 **Geraardsbergen** Oost-Vlaanderen, SW Belgium
115 F21 **Geráki** Pelopónnisos, S Greece
27 W5 **Gerald** Missouri, C USA
185 G20 **Geraldine** Canterbury, South Island, NZ
180 H11 **Geraldton** Western Australia
12 E11 **Geraldton** Ontario, S Canada
60 J12 **Geral, Serra** ▲ S Brazil
103 U6 **Gérardmer** Vosges, NE France
Gerasa *see* Jarash
Gerdauen *see* Zheleznodorozhnyy
39 Q11 **Gerdine, Mount** ▲ Alaska, USA
136 H11 **Gerede** Bolu, N Turkey
136 H11 **Gerede Çayı** ≈ N Turkey
148 M8 **Gereshk** Helmand, SW Afghanistan
101 L24 **Geretsried** Bayern, S Germany
105 P14 **Gérgal** Andalucía, S Spain
28 I14 **Gering** Nebraska, C USA
35 R3 **Gerlach** Nevada, W USA
Gerlachfalvi Csúcs/Gerlachovka *see* Gerlachovský štít
111 L18 **Gerlachovský štít** *var.* Gerlachovka, *Ger.* Gerlsdorfer Spitze, *Hung.* Gerlachfalvi Csúcs; *prev.* Stalinov Štít, *Ger.* Franz-Josef Spitze, *Hung.* Ferencz-József Csúcs. ▲ N Slovakia
108 E8 **Gerlafingen** Solothurn, NW Switzerland
Gerlsdorfer Spitze *see* Gerlachovský štít
139 V3 **Germak** E Iraq
German East Africa *see* Tanzania
Germanicopolis *see* Çankırı
Germanicum, Mare/German Ocean *see* North Sea
Germanovichi *see* Hyermanavichy
German Southwest Africa *see* Namibia
20 E10 **Germantown** Tennessee, S USA
101 I15 **Germany** *off.* Federal Republic of Germany, *Ger.* Bundesrepublik Deutschland, Deutschland. ◆ *federal republic* N Europe
101 L23 **Germering** Bayern, SE Germany
83 J21 **Germiston** *var.* Gauteng. Gauteng, NE South Africa
Gernika *see* Gernika-Lumo
105 P2 **Gernika-Lumo** *var.* Gernika, Guernica, Guernica y Lumo. País Vasco, N Spain
164 L12 **Gero** Gifu, Honshū, SW Japan
115 F22 **Geroliménas** Pelopónnisos, S Greece
Gerona *see* Girona
99 H21 **Gerpinnes** Hainaut, S Belgium
102 L15 **Gers** ◈ *department* S France
102 L14 **Gers** ≈ S France
Gerunda *see* Girona
136 K10 **Gerze** Sinop, N Turkey
158 I13 **Gêrzê** *var.* Luring. Xizang Zizhiqu, W China
Gesoriacum/Gessoriacum *see* Boulogne-sur-Mer
99 J21 **Gesves** Namur, SE Belgium
93 J20 **Geta** Åland, SW Finland
105 N8 **Getafe** Madrid, C Spain
95 J21 **Getinge** Halland, S Sweden
18 F16 **Gettysburg** Pennsylvania, NE USA
29 N8 **Gettysburg** South Dakota, N USA
194 K12 **Getz Ice Shelf** *ice shelf* Antarctica
137 S15 **Gevaş** Van, SE Turkey
Gevgeli *see* Gevgelija
113 Q20 **Gevgelija** *var.* Đevđelija, Djevdjelija, *Turk.* Gevgeli. SE FYR Macedonia
103 T10 **Gex** Ain, E France
92 I3 **Geysir** *physical region* SW Iceland
136 F11 **Geyve** Sakarya, NW Turkey
80 G10 **Gezira** ◈ *state* E Sudan
109 V3 **Gföhl** Niederösterreich, N Austria
83 H22 **Ghaap Plateau** *Afr.* Ghaapplato. *plateau* C South Africa
Ghaapplato *see* Ghaap Plateau
Ghaba *see* Al Ghābah
138 J8 **Ghāb, Tall** ▲ SE Syria
139 Q9 **Ghadaf, Wādī al** *dry watercourse* C Iraq
Ghadamès *see* Ghadāmis
74 M9 **Ghadāmis** *var.* Ghadamès, Rhadames. W Libya
141 Y10 **Ghadan** E Oman
75 O10 **Ghaddūwah** C Libya
147 Q11 **Ghafurov** *Rus.* Gafurov; *prev.* Sovetabad. NW Tajikistan
153 N12 **Ghāghara** ≈ S Asia
149 P13 **Ghabi Dero** Sind, SE Pakistan
141 Y10 **Ghalat** E Oman
147 O11 **G'allaorol** Jizzax Viloyati, C Uzbekistan
139 W11 **Ghamūkah, Hawr** ⊚ S Iraq
77 P15 **Ghana** *off.* Republic of Ghana. ◆ *republic* W Africa
141 X12 **Ghānah** *spring/well* S Oman
Ghanongga *see* Ranongga
Ghansi/Ghansiland *see* Ghanzi
83 F18 **Ghanzi** *var.* Khanzi. Ghanzi, W Botswana
83 G19 **Ghanzi** *var.* Ghansi, Ghansiland, Khanzi. ◈ *district* C Botswana
Ghap'an *see* Kapan
138 F13 **Gharandal** Ma'ān, SW Jordan
Gharbt, Jabal al *see* Liban, Jebel
74 K7 **Ghardaïa** N Algeria
139 U14 **Gharibīyah, Sha'īb al** ≈ S Iraq
147 R12 **Gharm** *Rus.* Garm. C Tajikistan
149 P17 **Gharo** Sind, SE Pakistan
139 W10 **Gharrāf, Shaṭṭ al** ≈ S Iraq
Gharvān *see* Gharyān
75 O7 **Gharyān** *var.* Gharvān. NW Libya
74 M11 **Ghāt** *var.* Gat. SW Libya
Ghawdex *see* Gozo
141 U8 **Ghayathi** Abū Ẓaby, W UAE
Ghazāl, Baḥr al *see* Ghazal, Bahr el
78 H9 **Ghazal, Bahr el** *var.* Soro. *seasonal river* C Chad
80 E13 **Ghazal, Bahr el** *var.* Baḥr al Ghazāl. ≈ S Sudan
74 H6 **Ghazaouet** NW Algeria
152 J10 **Ghāziābād** Uttar Pradesh, N India
153 O13 **Ghāzīpur** Uttar Pradesh, N India
149 Q6 **Ghaznī** *var.* Ghazni. Ghaznī, E Afghanistan
149 P7 **Ghaznī** ◈ *province* SE Afghanistan
Ghazzah *see* Gaza
Gheel *see* Geel
Ghelīzāne *see* Relizane
Ghent *see* Gent
Gheorghe Braţul *see* Sfântu Gheorghe, Braţul
Gheorghe Gheorghiu-Dej *see* Oneşti
116 J10 **Gheorgheni** *prev.* Gheorghieni, Sînt-Miclăuş, *Ger.* Niklasmarkt, *Hung.* Gyergyószentmiklós. Harghita, C Romania
Gheorghieni *see* Gheorgheni
116 H10 **Gherla** *Ger.* Neuschliss, *Hung.* Szamosújvár; *prev.* Armenierstadt. Cluj, NW Romania
Gheweifat *see* Ghuwayfāt
Ghilan *see* Gīlān
107 C18 **Ghilarza** Sardegna, Italy, C Mediterranean Sea
Ghilizane *see* Relizane
Ghimbi *see* Gīmbī
Ghiriş *see* Câmpia Turzii
103 Y15 **Ghisonaccia** Corse, France, C Mediterranean Sea
147 Q11 **Ghonchí** *Rus.* Ganchi. NW Tajikistan
Ghor *see* Ghowr
153 T13 **Ghoraghat** Rajshahi, NW Bangladesh
149 R13 **Ghotki** Sind, SE Pakistan
148 M5 **Ghowr** *var.* Ghor. ◈ *province* C Afghanistan
147 T13 **Ghŭdara** *var.* Gudara, *Rus.* Kudara. SE Tajikistan
153 R13 **Ghugri** ≈ N India
147 S14 **Ghund** *Rus.* Gunt. ≈ SE Tajikistan
Ghurdaqah *see* Hurghada
148 J5 **Ghūrīān** Herāt, W Afghanistan
141 T8 **Ghuwayfāt** *var.* Gheweifat. Abū Ẓaby, W UAE
121 O14 **Ghuzayyil, Sabkhat** *salt lake* N Libya
115 G17 **Giáltra** Évvoia, C Greece
Giamame *see* Jamaame
167 U13 **Gia Nghia** *var.* Đak Nông. Đắc Lắc, S Vietnam
114 F13 **Giannitsá** *var.* Yiannitsá. Kentrikí Makedonía, N Greece
107 F14 **Giannutri, Isola di** *island* Archipelago Toscano, C Italy
96 F13 **Giant's Causeway** *Ir.* Clochán an Aifir. *lava flow* N Northern Ireland, UK
167 S15 **Gia Rai** Minh Hai, S Vietnam
107 L24 **Giarre** Sicilia, Italy, C Mediterranean Sea
44 I7 **Gibara** Holguín, E Cuba
29 O16 **Gibbon** Nebraska, C USA
32 K11 **Gibbon** Oregon, NW USA
33 P11 **Gibbonsville** Idaho, NW USA
64 A13 **Gibb's Hill** *hill* S Bermuda
92 I9 **Gibostad** Troms, N Norway
104 I14 **Gibraleón** Andalucía, S Spain
104 L16 **Gibraltar** ○ (Gibraltar) S Gibraltar
104 L16 **Gibraltar** ◇ *UK dependent territory* SW Europe
Gibraltar, Détroit de/Gibraltar, Estrecho de *see* Gibraltar, Strait of
104 J17 **Gibraltar, Strait of** *Fr.* Détroit de Gibraltar, *Sp.* Estrecho de Gibraltar. *strait* Atlantic Ocean/Mediterranean Sea
31 S11 **Gibsonburg** Ohio, N USA
30 M13 **Gibson City** Illinois, N USA
180 L8 **Gibson Desert** *desert* Western Australia
10 L17 **Gibsons** British Columbia, SW Canada
149 N12 **Gīdār** Baluchistān, SW Pakistan
155 I17 **Giddalūr** Andhra Pradesh, E India
24 U10 **Giddings** Texas, SW USA
27 Y8 **Gideon** Missouri, C USA
81 I15 **Gīdolē** Southern, S Ethiopia
118 H13 **Giedraičiai** Utena, E Lithuania
103 O7 **Gien** Loiret, C France
101 G17 **Giessen** Hessen, W Germany
98 O6 **Gieten** Drenthe, NE Netherlands
23 Y13 **Gifford** Florida, SE USA
9 O5 **Gifford** ≈ Baffin Island, Nunavut, NE Canada
100 J12 **Gifhorn** Niedersachsen, N Germany
11 P13 **Gift Lake** Alberta, W Canada
164 K13 **Gifu** *var.* Gihu. Gifu, Honshū, SW Japan
164 L13 **Gifu** *off.* Gifu-ken, *var.* Gihu. ◈ *prefecture* Honshū, SW Japan
126 M13 **Gigant** Rostovskaya Oblast', SW Russian Federation
40 E8 **Giganta, Sierra de la** ▲ W Mexico
54 E12 **Gigante** Huila, S Colombia
114 I7 **Gigen** Pleven, N Bulgaria
Giggiga *see* Jijiga
96 G12 **Gigha Island** *island* SW Scotland, UK
107 E14 **Giglio, Isola del** *island* Archipelago Toscano, C Italy
Gihu *see* Gifu
146 L11 **G'ijduvon** *Rus.* Gizhduvan. Buxoro Viloyati, C Uzbekistan
104 L2 **Gijón** *var.* Xixón. Asturias, NW Spain
81 D20 **Gikongoro** SW Rwanda
36 K14 **Gila Bend** Arizona, SW USA
36 J14 **Gila Bend Mountains** ▲ Arizona, SW USA
37 N14 **Gila Mountains** ▲ Arizona, SW USA
36 I15 **Gila Mountains** ▲ Arizona, SW USA
142 M4 **Gīlān** *off.* Ostān-e Gīlān; *var.* Ghilan, Guilan. ◈ *province* NW Iran
Gilani *see* Gnjilane
36 L14 **Gila River** ≈ Arizona, SW USA
29 W4 **Gilbert** Minnesota, N USA
Gilbert Islands *see* Tungaru
10 L16 **Gilbert, Mount** ▲ British Columbia, SW Canada
181 U4 **Gilbert River** ≈ Queensland, NE Australia
193 N3 **Gilbert Seamounts** *undersea feature* NE Pacific Ocean
33 S7 **Gildford** Montana, NW USA
83 P15 **Gilé** Zambézia, NE Mozambique
30 K4 **Gile Flowage** ⊚ Wisconsin, N USA
182 G7 **Giles, Lake** *salt lake* South Australia
75 U12 **Gilf Kebir Plateau** *Ar.* Haḍabat al Jilf al Kabīr. *plateau* SW Egypt
183 R6 **Gilgandra** New South Wales, SE Australia
Gilgău *see* Gâlgău
81 I19 **Gilgil** Rift Valley, SW Kenya
183 S4 **Gil Gil Creek** ≈ New South Wales, SE Australia
149 V3 **Gilgit** Jammu and Kashmir, NE Pakistan
149 V3 **Gilgit** ≈ N Pakistan
11 X11 **Gillam** Manitoba, C Canada
95 J22 **Gilleleje** Frederiksborg, E Denmark
30 K14 **Gillespie** Illinois, N USA
27 W13 **Gillett** Arkansas, C USA
33 X12 **Gillette** Wyoming, C USA
97 P22 **Gillingham** SE England, UK
195 X6 **Gillock Island** *island* Antarctica
173 O16 **Gillot** ✈ (St-Denis) N Réunion
65 H25 **Gill Point** *headland* E Saint Helena
30 M12 **Gilman** Illinois, N USA
25 W6 **Gilmer** Texas, SW USA
Gilolo *see* Halmahera, Pulau
81 G14 **Gilo Wenz** ≈ SW Ethiopia
35 O10 **Gilroy** California, W USA
123 Q12 **Gilyuy** ≈ SE Russian Federation
99 I14 **Gilze** Noord-Brabant, S Netherlands
165 R16 **Gima** Okinawa, Kume-jima, SW Japan
80 H13 **Gīmbī** *It.* Ghimbi. Oromo, C Ethiopia
45 T12 **Gimie, Mount** ▲ C Saint Lucia
11 X16 **Gimli** Manitoba, S Canada
Gimma *see* Jīma
95 O14 **Gimo** Uppsala, C Sweden
102 L15 **Gimone** ≈ S France
Gimpoe *see* Gimpu
171 N12 **Gimpu** *prev.* Gimpoe. Sulawesi, C Indonesia
182 F5 **Gina** South Australia
Ginevra *see* Genève
99 J19 **Gingelom** Limburg, NE Belgium
180 I12 **Gingin** Western Australia
171 Q7 **Gingoog** Mindanao, S Philippines
81 K14 **Gīnīr** Oromo, C Ethiopia
Giohar *see* Jawhar
107 O17 **Gioia del Colle** Puglia, SE Italy
107 M22 **Gioia, Golfo di** *gulf* S Italy
Giona *see* Gkióna
115 I16 **Gioúra** *island* Vóreioi Sporádes, Greece, Aegean Sea
107 O17 **Giovinazzo** Puglia, SE Italy
Gipeswic *see* Ipswich
Gipuzkoa *see* Guipúzcoa
Giran *see* Ilan
30 K14 **Girard** Illinois, N USA
27 R7 **Girard** Kansas, C USA
25 O6 **Girard** Texas, SW USA
54 E10 **Girardot** Cundinamarca, C Colombia
172 M7 **Giraud Seamount** *undersea feature* SW Indian Ocean
83 A15 **Giraul** ≈ SW Angola
96 L9 **Girdle Ness** *headland* NE Scotland, UK
137 N11 **Giresun** *var.* Kerasunt; *anc.* Cerasus, Pharnacia. Giresun, NE Turkey
137 N12 **Giresun** *var.* Kerasunt. ◈ *province* NE Turkey
137 N12 **Giresun Dağları** ▲ N Turkey
75 X10 **Girga** *var.* Girgeh, Jirjā. C Egypt
Girgeh *see* Girga
Girgenti *see* Agrigento
153 Q15 **Girīdīh** Jhārkhand, NE India
183 P6 **Girilambone** New South Wales, SE Australia
Girin *see* Jilin
121 W10 **Girne** *Gk.* Kerýneia, Kyrenia. N Cyprus
Giron *see* Kiruna
105 X5 **Girona** *var.* Gerona; *anc.* Gerunda. Cataluña, NE Spain
105 W5 **Girona** *var.* Gerona ◈ *province* Cataluña, NE Spain
102 J12 **Gironde** ◈ *department* SW France
102 J11 **Gironde** *estuary* SW France
105 V5 **Gironella** Cataluña, NE Spain
103 N15 **Girou** ≈ S France
97 H14 **Girvan** W Scotland, UK
24 M9 **Girvin** Texas, SW USA
184 Q9 **Gisborne** Gisborne, North Island, NZ
184 P9 **Gisborne** *off.* Gisborne District. ◈ *unitary authority* North Island, NZ
Giseifu *see* Üijŏngbu
Gisenye *see* Gisenyi
81 D19 **Gisenyi** *var.* Gisenye. NW Rwanda
95 K20 **Gislaved** Jönköping, S Sweden
103 N4 **Gisors** Eure, N France
Gissar *see* Hisor
147 P12 **Gissar Range** *Rus.* Gissarskiy Khrebet. ▲ Tajikistan/Uzbekistan
Gissarskiy Khrebet *see* Gissar Range
99 B16 **Gistel** West-Vlaanderen, W Belgium
108 F9 **Giswil** Unterwalden, C Switzerland
115 B16 **Gitánes** *ancient monument* Ípeiros, W Greece
81 E20 **Gitarama** C Rwanda
81 E20 **Gitega** C Burundi
Githio *see* Gýtheio
108 H11 **Giubiasco** Ticino, S Switzerland
106 K13 **Giulianova** Abruzzo, C Italy
Giulie, Alpi *see* Julian Alps
Giumri *see* Gyumri
116 M13 **Giurgeni** Ialomiţa, SE Romania
116 J15 **Giurgiu** Giurgiu, S Romania
116 J14 **Giurgiu** ◈ *county* SE Romania
95 F22 **Give** Vejle, C Denmark
103 R2 **Givet** Ardennes, N France
103 R11 **Givors** Rhône, E France
83 K19 **Giyani** Limpopo, NE South Africa
80 I13 **Giyon** Oromo, C Ethiopia
Gîza/Gizeh *see* El Gîza
75 V8 **Giza, Pyramids of** *ancient monument* N Egypt
Gizhduvan *see* G'ijduvon
123 U8 **Gizhiga** Magadanskaya Oblast', E Russian Federation
123 T9 **Gizhiginskaya Guba** *bay* E Russian Federation
186 K8 **Gizo** Gizo, NW Solomon Islands
110 N7 **Giżycko** *Ger.* Warmińsko-Mazurskie, NE Poland
Gízymałów *see* Hrymayliv
Gjakovë *see* Đakovica
94 F12 **Gjende** ⊚ S Norway
95 F17 **Gjerstad** Aust-Agder, S Norway
Gjilan *see* Gnjilane
Gjinokastër *see* Gjirokastër
113 L23 **Gjirokastër** *var.* Gjirokastra; *prev.* Gjinokastër, *Gk.* Argyrokastron, *It.* Argirocastro. Gjirokastër, S Albania
113 L22 **Gjirokastër** ◈ *district* S Albania
8 M7 **Gjoa Haven** King William Island, Nunavut, NW Canada
94 H13 **Gjøvik** Oppland, S Norway
113 J22 **Gjuhëzës, Kepi i** *headland* SW Albania
Gjurgjevac *see* Đurđevac
115 E18 **Gkióna** *var.* Giona. ▲ C Greece
121 R3 **Gkréko, Akrotíri** *var.* Cape Greco, Pidálion. *headland* E Cyprus
99 I18 **Glabbeek-Zuurbemde** Vlaams Brabant, C Belgium
13 R14 **Glace Bay** Cape Breton Island, Nova Scotia, SE Canada
11 O16 **Glacier** British Columbia, SW Canada
39 W12 **Glacier Bay** *inlet* Alaska, USA
32 I7 **Glacier Peak** ▲ Washington, NW USA
21 Q7 **Glade Spring** Virginia, NE USA
25 W7 **Gladewater** Texas, SW USA
181 Y8 **Gladstone** Queensland, E Australia
182 I8 **Gladstone** South Australia
11 X16 **Gladstone** Manitoba, S Canada
31 O5 **Gladstone** Michigan, N USA
27 R4 **Gladstone** Missouri, C USA
31 Q7 **Gladwin** Michigan, N USA
95 J15 **Glafsfjorden** ⊚ C Sweden
92 H2 **Gláma** *physical region* NW Iceland
94 I12 **Glåma** *var.* Glommen, Glomma. ≈ S Norway
112 F13 **Glamoč** Federacija Bosna I Hercegovina, NE Bosnia and Herzegovina
97 J22 **Glamorgan** *cultural region* S Wales, UK
95 G24 **Glamsbjerg** Fyn, C Denmark
171 Q8 **Glan** Mindanao, S Philippines
95 M17 **Glan** ⊚ S Sweden
109 T9 **Glan** ≈ SE Austria
101 F19 **Glan** ≈ W Germany
Glaris *see* Glarus
108 H9 **Glarner Alpen** *Eng.* Glarus Alps. ▲ E Switzerland
108 H8 **Glarus** Glarus, E Switzerland
108 H9 **Glarus** *Fr.* Glaris. ◈ *canton* C Switzerland
Glarus Alps *see* Glarner Alpen
27 N3 **Glasco** Kansas, C USA
96 I12 **Glasgow** S Scotland, UK
20 K7 **Glasgow** Kentucky, S USA
27 T4 **Glasgow** Missouri, C USA
33 W7 **Glasgow** Montana, NW USA
21 T6 **Glasgow** Virginia, NE USA
96 I12 **Glasgow** ✈ W Scotland, UK
11 S14 **Glaslyn** Saskatchewan, S Canada
18 I16 **Glassboro** New Jersey, NE USA
24 L10 **Glass Mountains** ▲ Texas, SW USA
97 K23 **Glastonbury** SW England, UK
Glatz *see* Kłodzko
101 N16 **Glauchau** Sachsen, E Germany
Glavn'a Morava *see* Velika Morava
113 N16 **Glavnik** Serbia, S Serbia and Montenegro (Yugo.)
127 T1 **Glazov** Udmurtskaya Respublika, NW Russian Federation
Głda *see* Gwda
109 U8 **Gleinalpe** ▲ SE Austria
109 W8 **Gleisdorf** Steiermark, SE Austria
Gleiwitz *see* Gliwice
39 S11 **Glenallen** Alaska, USA
102 F7 **Glénan, Îles** *island group* NW France
185 G21 **Glenavy** Canterbury, South Island, NZ
10 H5 **Glenboyle** Yukon Territory, NW Canada
21 X3 **Glen Burnie** Maryland, NE USA
36 L8 **Glen Canyon** *canyon* Utah, W USA
36 L8 **Glen Canyon Dam** *dam* Arizona, SW USA
30 K15 **Glen Carbon** Illinois, N USA
14 E17 **Glencoe** Ontario, S Canada
83 K22 **Glencoe** KwaZulu/Natal, E South Africa
29 U9 **Glencoe** Minnesota, N USA
96 H10 **Glen Coe** *valley* N Scotland, UK
36 K13 **Glendale** Arizona, SW USA
35 S15 **Glendale** California, W USA
182 G5 **Glendambo** South Australia
33 Y8 **Glendive** Montana, NW USA
33 Y15 **Glendo** Wyoming, C USA
55 S10 **Glendor Mountains** ▲ C Guyana
182 K12 **Glenelg River** ≈ South Australia/Victoria, SE Australia
29 P4 **Glenfield** North Dakota, N USA
25 V12 **Glen Flora** Texas, SW USA
181 P7 **Glen Helen** Northern Territory, N Australia
183 U5 **Glen Innes** New South Wales, SE Australia
31 P6 **Glen Lake** ⊚ Michigan, N USA
10 I7 **Glenlyon Peak** ▲ Yukon Territory, W Canada
37 N16 **Glenn, Mount** ▲ Arizona, SW USA
33 N15 **Glenns Ferry** Idaho, NW USA
23 W6 **Glennville** Georgia, SE USA
10 J10 **Glenora** British Columbia, W Canada
182 M11 **Glenorchy** Victoria, SE Australia
183 V5 **Glenreagh** New South Wales, SE Australia
33 X15 **Glenrock** Wyoming, C USA
96 K11 **Glenrothes** E Scotland, UK
18 L9 **Glens Falls** New York, NE USA
97 D14 **Glenties** *Ir.* Na Gleannta. NW Ireland
28 L5 **Glen Ullin** North Dakota, N USA
21 R4 **Glenville** West Virginia, NE USA
27 T12 **Glenwood** Arkansas, C USA
29 S15 **Glenwood** Iowa, C USA
29 T7 **Glenwood** Minnesota, N USA
36 L5 **Glenwood** Utah, W USA
30 I5 **Glenwood City** Wisconsin, N USA
37 Q4 **Glenwood Springs** Colorado, C USA
108 F10 **Gletsch** Valais, S Switzerland
Glevum *see* Gloucester
29 U14 **Glidden** Iowa, C USA
112 E9 **Glina** Sisak-Moslavina, NE Croatia
94 F11 **Glittertind** ▲ S Norway
111 J16 **Gliwice** *Ger.* Gleiwitz. Śląskie, S Poland
36 M14 **Globe** Arizona, SW USA
Globino *see* Hlobyne
108 L9 **Glockturm** ▲ SW Austria
116 L9 **Glodeni** *Rus.* Glodyany. N Moldova
109 S9 **Glödnitz** Kärnten, S Austria
Glodyany *see* Glodeni
Glogau *see* Głogów
109 W6 **Gloggnitz** Niederösterreich, E Austria
110 F13 **Głogów** *Ger.* Glogau, Glogow. Dolnośląskie, SW Poland
111 I16 **Głogówek** *Ger.* Oberglogau. Opolskie, S Poland
92 G12 **Glomfjord** Nordland, C Norway
Glommen *see* Glåma
93 I14 **Glommersträsk** Norrbotten, N Sweden
172 I1 **Glorieuses, Nosy** *island group* N Madagascar
65 C25 **Glorious Hill** *hill* East Falkland, Falkland Islands
38 J12 **Glory of Russia Cape** *headland* Saint Matthew Island, Alaska, USA
22 J7 **Gloster** Mississippi, S USA
183 U7 **Gloucester** New South Wales, SE Australia
186 F7 **Gloucester** New Britain, E PNG
97 L21 **Gloucester** *hist.* Caer Glou, *Lat.* Glevum. C England, UK
19 P10 **Gloucester** Massachusetts, NE USA
21 X6 **Gloucester** Virginia, NE USA
97 K21 **Gloucestershire** *cultural region* C England, UK
31 T14 **Glouster** Ohio, N USA
42 H3 **Glovers Reef** *reef* E Belize
18 K10 **Gloversville** New York, NE USA
110 K12 **Głowno** Łódź, C Poland
111 H16 **Głubczyce** *Ger.* Leobschütz. Opolskie, S Poland
126 L11 **Glubokiy** Rostovskaya Oblast', SW Russian Federation
145 W9 **Glubokoye** Vostochnyy Kazakhstan, E Kazakhstan
Glubokoye *see* Hlybokaye
111 H16 **Głuchołazy** *Ger.* Ziegenhais. Opolskie, S Poland
100 I9 **Glückstadt** Schleswig-Holstein, N Germany
Glukhov *see* Hlukhiv
Glushkevichi *see* Hlushkavichy
Glusk/Glussk *see* Hlusk
Glybokaya *see* Hlyboka
95 F21 **Glyngøre** Viborg, NW Denmark
127 Q9 **Gmelinka** Volgogradskaya Oblast', SW Russian Federation
109 R8 **Gmünd** Kärnten, S Austria
109 U2 **Gmünd** Niederösterreich, N Austria
Gmünd *see* Schwäbisch Gmünd
109 S5 **Gmunden** Oberösterreich, N Austria
Gmundner See *see* Traunsee
94 N10 **Gnarp** Gävleborg, C Sweden
109 W8 **Gnas** Steiermark, SE Austria
Gnesen *see* Gniezno
95 O16 **Gnesta** Södermanland, C Sweden
110 H11 **Gniezno** *Ger.* Gnesen. Wielkopolskie, C Poland
113 O17 **Gnjilane** *var.* Gilani, *Alb.* Gjilan. Serbia, S Serbia and Montenegro (Yugo.)
95 K20 **Gnosjö** Jönköping, S Sweden
155 E17 **Goa** *prev.* Old Goa, Vela Goa, Velha Goa. Goa, W India
155 E17 **Goa** *var.* Old Goa. ◈ *state* W India
Goabddális *see* Kåbdalis
42 H7 **Goascorán, Río** ≈ El Salvador/Honduras
77 O16 **Goaso** *var.* Gawso. W Ghana
81 K14 **Goba** *It.* Oromo, S Ethiopia
83 C20 **Gobabed** Erongo, W Namibia
83 E19 **Gobabis** Omaheke, E Namibia
Gobannium *see* Abergavenny
64 M7 **Goban Spur** *undersea feature* NW Atlantic Ocean
Gobbà *see* Goba
63 H21 **Gobernador Gregores** Santa Cruz, S Argentina
61 F14 **Gobernador Ingeniero Virasoro** Corrientes, NE Argentina
162 L12 **Gobi** *desert* China/Mongolia
164 I14 **Gobō** Wakayama, Honshū, SW Japan
101 D14 **Goch** Nordrhein-Westfalen, W Germany
83 E20 **Gochas** Hardap, S Namibia
155 I14 **Godāvari** *var.* Godavari. ≈ C India
155 L16 **Godāvari, Mouths of the** *delta* E India
15 V5 **Godbout** Québec, SE Canada
15 U5 **Godbout** ≈ Québec, SE Canada
15 U5 **Godbout Est** ≈ Québec, SE Canada
27 N6 **Goddard** Kansas, C USA
14 E15 **Goderich** Ontario, S Canada
Godhavn *see* Qeqertarsuaq
154 E10 **Godhra** Gujarāt, W India
Göding *see* Hodonín
111 K22 **Gödöllő** Pest, N Hungary
62 H11 **Godoy Cruz** Mendoza, W Argentina
11 Y11 **Gods** ≈ Manitoba, C Canada
11 Y13 **Gods Lake** Manitoba, C Canada
11 X13 **Gods Lake** ⊚ Manitoba, C Canada

◆ Country ● Country Capital ◇ Dependent Territory ○ Dependent Territory Capital ◈ Administrative Region ✈ International Airport ▲ Mountain ▲ Mountain Range Volcano ≈ River ⊚ Lake ⊞ Reservoir

Godthaab/Godthåb – Grande de Chiloé, Isla ••• 255

Godthaab/Godthåb see Nuuk
Godwin Austen, Mount see K2
Goede Hoop, Kaap de see Good Hope, Cape of
Goedgegun see Nhlangano
Goeie Hoop, Kaap die see Good Hope, Cape of
13 O7 **Goélands, Lac aux** ◎ Québec, SE Canada
98 E13 **Goeree** island SW Netherlands
99 F15 **Goes** Zeeland, SW Netherlands
Goettingen see Göttingen
19 O10 **Goffstown** New Hampshire, NE USA
14 E8 **Gogama** Ontario, S Canada
30 L3 **Gogebic, Lake** ◎ Michigan, N USA
30 K3 **Gogebic Range** hill range Michigan/Wisconsin, N USA
137 V13 **Gogi, Mount** Arm. Gogi Lerr, Az. Küküdağ. ▲ Armenia/Azerbaijan
126 F12 **Gogland, Ostrov** island NW Russian Federation
111 I15 **Gogolin** Opolskie, S Poland
Gogonou see Gogounou
77 S14 **Gogounou** var. Gogonou. N Benin
152 I10 **Gohāna** Haryāna, N India
59 K18 **Goianésia** Goiás, C Brazil
59 K18 **Goiânia** prev. Goyania. state capital Goiás, C Brazil
59 K18 **Goiás** Goiás, C Brazil
59 J18 **Goiás** off. Estado de Goiás; prev. Goiaz, Goyaz. ◆ state C Brazil
Goiaz see Goiás
159 R14 **Goinsargoin** Xizang Zizhiqu, W China
60 H10 **Goio-Erê** Paraná, SW Brazil
99 I15 **Goirle** Noord-Brabant, S Netherlands
104 H8 **Góis** Coimbra, N Portugal
165 Q8 **Gojōme** Akita, Honshū, NW Japan
149 U9 **Gojra** Punjab, E Pakistan
136 A11 **Gökçeada** var. Imroz Adası, Gk. Imbros. island NW Turkey
Gökçeada see İmroz
146 F13 **Gökdepe** Rus. Gëkdepe, Geok-Tepe. Ahal Welaýaty, C Turkmenistan
136 I10 **Gökırmak** ≈ N Turkey
Goklenkuy, Solonchak see Geklengkui, Solonchak
136 C16 **Gökova Körfezi** gulf SW Turkey
136 K15 **Göksu** ≈ S Turkey
136 L15 **Göksun** Kahramanmaraş, C Turkey
136 I17 **Göksu Nehri** ≈ S Turkey
83 J16 **Gokwe** Midlands, NW Zimbabwe
94 F13 **Gol** Buskerud, S Norway
153 X12 **Golāghāt** Assam, NE India
110 H10 **Gołańcz** Wielkopolskie, C Poland
138 G8 **Golan Heights** Ar. Al Jawlān, Heb. HaGolan. ▲ SW Syria
Golārā see Ārān
Golaya Pristan see Hola Prystan'
143 T11 **Golbāf** Kermān, C Iran
136 M15 **Gölbaşı** Adıyaman, S Turkey
109 P9 **Gölbner** ▲ SW Austria
30 M17 **Golconda** Illinois, N USA
35 T3 **Golconda** Nevada, W USA
136 E11 **Gölcük** Kocaeli, NW Turkey
108 I7 **Goldach** Sankt Gallen, NE Switzerland
110 N7 **Gołdap** Ger. Goldap. Warmińsko-Mazurskie, NE Poland
32 E15 **Gold Beach** Oregon, NW USA
Goldberg see Złotoryja
183 V3 **Gold Coast** cultural region Queensland, E Australia
39 R10 **Gold Creek** Alaska, USA
11 O16 **Golden** British Columbia, SW Canada
37 T4 **Golden** Colorado, C USA
184 I13 **Golden Bay** bay South Island, NZ
27 R7 **Golden City** Missouri, C USA
32 I11 **Goldendale** Washington, NW USA
Goldener Tisch see Zlatý Stôl
44 L13 **Golden Grove** E Jamaica
14 J12 **Golden Lake** ◎ Ontario, SE Canada
22 K10 **Golden Meadow** Louisiana, S USA
45 V10 **Golden Rock** ✕ (Basseterre) Saint Kitts, Saint Kitts and Nevis
Golden State, The see California
83 K16 **Golden Valley** Mashonaland West, N Zimbabwe
35 U9 **Goldfield** Nevada, W USA
Goldingen see Kuldīga
Goldmarkt see Zlatna
10 K17 **Gold River** Vancouver Island, British Columbia, SW Canada
21 V10 **Goldsboro** North Carolina, SE USA
24 M8 **Goldsmith** Texas, SW USA
25 R8 **Goldthwaite** Texas, SW USA
137 R11 **Göle** Ardahan, NE Turkey
Golema Ada see Ostrovo
114 H9 **Golema Planina** ▲ W Bulgaria
114 F9 **Golemi Vrŭkh** ▲ W Bulgaria
110 D8 **Goleniów** Ger. Gollnow. Zachodnio-pomorskie, NW Poland
149 R3 **Golestān** ◆ province N Iran
35 Q14 **Goleta** California, W USA
43 O16 **Golfito** Puntarenas, SE Costa Rica
25 T13 **Goliad** Texas, SW USA
113 L14 **Golija** ▲ SW Serbia and Montenegro (Yugo.)
Golinka see Gongbo'gyamda
113 O16 **Goljak** ▲ SE Serbia and Montenegro (Yugo.)
136 M12 **Gölköy** Ordu, N Turkey
Gollel see Lavumisa
109 X3 **Göllersbach** ≈ NE Austria
Gollnow see Goleniów
Golmo see Golmud
159 P10 **Golmud** var. Ge'e'mu, Golmo, Chin. Ko-erh-mu. Qinghai, C China
103 Y14 **Golo** ≈ Corse, France, C Mediterranean Sea
Golovanevsk see Holovanivs'k
Golovchin see Halowchyn
39 N9 **Golovin** Alaska, USA
142 M7 **Golpāyegān** var. Gulpaigan. Eşfahān, W Iran
Golshan see Ţabas
Gol'shany see Hal'shany
96 J7 **Golspie** N Scotland, UK
112 O11 **Golubac** Serbia, NE Serbia and Montenegro (Yugo.)
110 J9 **Golub-Dobrzyń** Kujawski-pomorskie, C Poland
145 S7 **Golubovka** Pavlodar, N Kazakhstan
82 B11 **Golungo Alto** Cuanza Norte, NW Angola
114 M8 **Golyama Kamchiya** ≈ E Bulgaria
114 L8 **Golyama Reka** ≈ N Bulgaria
114 H11 **Golyama Syutkya** ▲ SW Bulgaria
114 I12 **Golyam Perelik** ▲ S Bulgaria
114 I11 **Golyam Persenk** ▲ S Bulgaria
79 P19 **Goma** Nord Kivu, NE Dem. Rep. Congo
Gomati see Gumti
77 X14 **Gombe** Gombe, E Nigeria
77 Y14 **Gombi** Adamawa, E Nigeria
Gombroon see Bandar-e 'Abbās
Gomel' see Homyel'
Gomel'skaya Oblast' see Homyel'skaya Voblasts'
64 N11 **Gomera** island Islas Canarias, Spain, NE Atlantic Ocean
40 I5 **Gómez Farias** Chihuahua, N Mexico
40 L8 **Gómez Palacio** Durango, C Mexico
158 J13 **Gomo** Xizang Zizhiqu, W China
143 T6 **Gonābād** var. Gunabad. Khorāsān, NE Iran
44 L8 **Gonaïves** var. Les Gonaïves. N Haiti
123 Q12 **Gonam** ≈ NE Russian Federation
44 L9 **Gonâve, Canal de la** var. Canal de Sud. channel N Caribbean Sea
44 K9 **Gonâve, Golfe de la** gulf N Caribbean Sea
Gonāveh see Bandar-e Gonāveh
44 K9 **Gonâve, Île de la** island C Haiti
Gonbadān see Dow Gonbadān
143 Q3 **Gonbad-e Kāvūs** var. Gunbad-i-Qawus. Golestān, N Iran
152 M12 **Gonda** Uttar Pradesh, N India
Gondar see Gonder
80 I11 **Gonder** var. Gondar. Amhara, N Ethiopia
78 J13 **Gondey** Moyen-Chari, S Chad
154 J12 **Gondia** Mahārāshtra, C India
104 G6 **Gondomar** Porto, NW Portugal
136 C12 **Gönen** Balıkesir, W Turkey
136 C12 **Gönen Çayı** ≈ NW Turkey
159 O15 **Gongbo'gyamda** var. Golinka. Xizang Zizhiqu, W China
159 N16 **Gonggar** var. Gyixong. Xizang Zizhiqu, W China
160 G9 **Gongga Shan** ▲ C China
159 T10 **Gonghe** var. Qabqa. Qinghai, C China
Gongjiang see Yudu
158 I5 **Gongliu** var. Tokkuztara. Xinjiang Uygur Zizhiqu, NW China
77 W14 **Gongola** ≈ E Nigeria
Gongoleh State see Jonglei
183 P5 **Gongolgon** New South Wales, SE Australia
159 Q6 **Gongpoquan** Gansu, N China
Gongquan see Gongxian
Gongtang see Damxung
160 I10 **Gongxian** var. Gongquan, Gong Xian. Sichuan, C China
157 V10 **Gongzhuling** prev. Huaide. Jilin, NE China
159 S14 **Gonjo** Xizang Zizhiqu, W China
107 B20 **Gonnesa** Sardegna, Italy, C Mediterranean Sea
Gonni/Gónnos see Gónnoi
115 F15 **Gónnoi** var. Gonni, Gónnos; prev. Dereli. Thessalía, C Greece
164 C13 **Gōnoura** Nagasaki, Iki, SW Japan
35 O11 **Gonzales** California, W USA
22 J9 **Gonzales** Louisiana, S USA
25 T12 **Gonzales** Texas, SW USA
41 P11 **González** Tamaulipas, C Mexico
21 V6 **Goochland** Virginia, NE USA
195 X14 **Goodenough, Cape** headland Antarctica
186 F9 **Goodenough Island** var. Morata. island SE PNG
Good Hope see Fort Good Hope
39 N8 **Goodhope Bay** bay Alaska, USA
83 D26 **Good Hope, Cape of** Afr. Kaap de Goede Hoop, Kaap die Goeie Hoop. headland SW South Africa
10 K10 **Good Hope Lake** British Columbia, W Canada
83 E23 **Goodhouse** Northern Cape, W South Africa
33 O15 **Gooding** Idaho, NW USA
26 H3 **Goodland** Kansas, C USA
173 Y15 **Goodlands** NW Mauritius
20 J8 **Goodlettsville** Tennessee, S USA
39 N13 **Goodnews** Alaska, USA
25 O3 **Goodnight** Texas, SW USA
183 Q4 **Goodooga** New South Wales, SE Australia
29 N4 **Goodrich** North Dakota, N USA
25 W10 **Goodrich** Texas, SW USA
29 X10 **Goodview** Minnesota, N USA
26 H8 **Goodwell** Oklahoma, C USA
97 N17 **Goole** E England, UK
183 O8 **Goolgowi** New South Wales, SE Australia
182 I10 **Goolwa** South Australia
181 Y11 **Goondiwindi** Queensland, E Australia
98 O11 **Goor** Overijssel, E Netherlands
Goose Bay see Happy Valley-Goose Bay
33 V13 **Gooseberry Creek** ≈ Wyoming, C USA
21 S14 **Goose Creek** South Carolina, SE USA
63 M23 **Goose Green** var. Prado del Ganso. East Falkland, Falkland Islands
16 D8 **Goose Lake** var. Lago dos Gansos. ◎ California/Oregon, W USA
29 Q4 **Goose River** ≈ North Dakota, N USA
153 T16 **Gopalganj** Dhaka, S Bangladesh
153 O12 **Gopālganj** Bihār, N India
Gopher State see Minnesota
101 I22 **Göppingen** Baden-Württemberg, SW Germany
110 G13 **Góra** Ger. Guhrau. Dolnośląskie, SW Poland
110 M12 **Góra Kalwaria** Mazowieckie, C Poland
153 O12 **Gorakhpur** Uttar Pradesh, N India
Gorany see Harany
113 J14 **Goražde** Federacija Bosna I Hercegovina, Bosnia and Herzegovina
Gorbovichi see Harbavichy
Gorče Petrov see Đorče Petrov
193 F4 **Gorda Ridges** undersea feature NE Pacific Ocean
Gordiaz see Gardēz
78 K12 **Gordil** Vakaga, N Central African Republic
23 U5 **Gordon** Georgia, SE USA
28 K12 **Gordon** Nebraska, C USA
25 R7 **Gordon** Texas, SW USA
28 L13 **Gordon Creek** ≈ Nebraska, C USA
63 I25 **Gordon, Isla** island S Chile
183 O17 **Gordon, Lake** ◎ Tasmania, SE Australia
183 O17 **Gordon River** ≈ Tasmania, SE Australia
21 V5 **Gordonsville** Virginia, NE USA
80 H13 **Gorē** Oromo, C Ethiopia
185 D24 **Gore** Southland, South Island, NZ
78 H13 **Goré** Logone-Oriental, S Chad
14 D11 **Gore Bay** Manitoulin Island, Ontario, S Canada
25 Q5 **Goree** Texas, SW USA
137 O11 **Görele** Giresun, NE Turkey
19 N6 **Gore Mountain** ▲ Vermont, NE USA
39 R13 **Gore Point** headland Alaska, USA
37 R4 **Gore Range** ▲ Colorado, C USA
97 F19 **Gorey** Ir. Guaire. SE Ireland
143 R12 **Gorgāb** Kermān, S Iran
143 Q4 **Gorgān** var. Astarabad, Astrabad, Gurgan; prev. Asterābād, anc. Hyrcania. Golestān, N Iran
143 Q4 **Gorgān, Rūd-e** ≈ N Iran
76 I10 **Gorgol** ◆ region S Mauritania
106 D12 **Gorgona, Isola di** island Archipelago Toscano, C Italy
19 P8 **Gorham** Maine, NE USA
137 T10 **Gori** C Georgia
98 I13 **Gorinchem** var. Gorkum. Zuid-Holland, C Netherlands
137 V13 **Goris** SE Armenia
124 K16 **Goritsy** Tverskaya Oblast', W Russian Federation
106 J7 **Gorizia** Ger. Görz. Friuli-Venezia Giulia, NE Italy
116 G13 **Gorj** ◆ county SW Romania
109 W12 **Gorjanci** var. Uskočke Planine, Žumberak, Žumberačko Gorje, Ger. Uskokengebirge; prev. Sichelburger Gerbirge. ▲ Croatia/Slovenia see also Žumberačko Gorje
Görkau see Jirkov
Gorki see Horki
Gor'kiy see Nizhniy Novgorod
Gor'kiy Reservoir see Gor'kovskoye Vodokhranilishche
Gorkum see Gorinchem
95 I23 **Gørlev** Vestsjælland, E Denmark
111 M17 **Gorlice** Małopolskie, S Poland
101 Q15 **Görlitz** Sachsen, E Germany
Görlitz see Zgorzelec
Gorlovka see Horlivka
25 R7 **Gorman** Texas, SW USA
21 T3 **Gormania** West Virginia, NE USA
Gorna Dzhumaya see Blagoevgrad
114 K8 **Gorna Oryakhovitsa** Veliko Tŭrnovo, N Bulgaria
114 J8 **Gorna Studena** Veliko Tŭrnovo, N Bulgaria
Gornja Mužlja see Mužlja
109 X9 **Gornja Radgona** Ger. Oberradkersburg. NE Slovenia
112 M13 **Gornji Milanovac** Serbia, C Serbia and Montenegro (Yugo.)
112 G13 **Gornji Vakuf** var. Uskoplje. Federacija Bosna I Hercegovina, W Bosnia and Herzegovina
122 J13 **Gorno-Altaysk** Respublika Altay, S Russian Federation
Gorno-Altayskaya Respublika see Altay, Respublika
123 N12 **Gorno-Chuyskiy** Irkutskaya Oblast', C Russian Federation
125 V14 **Gornozavodsk** Permskaya Oblast', NW Russian Federation
122 I13 **Gornyak** Altayskiy Kray, S Russian Federation
123 O14 **Gornyy** Chitinskaya Oblast', S Russian Federation
127 R8 **Gornyy** Saratovskaya Oblast', W Russian Federation
Gornyy Altay see Altay Respublika
127 O10 **Gornyy Balykley** Volgogradskaya Oblast', SW Russian Federation
80 I13 **Goroch'an** ▲ W Ethiopia
Gorodenka see Horodenka
127 O3 **Gorodets** Nizhegorodskaya Oblast', W Russian Federation
Gorodets see Haradzyets
Gorodeya see Haradzyeya
127 P6 **Gorodishche** Penzenskaya Oblast', W Russian Federation
Gorodishche see Horodyshche
Gorodnya see Horodnya
Gorodok see Haradok
Gorodok/Gorodok Yagellonski see Horodok
126 M13 **Gorodovikovsk** Respublika Kalmykiya, SW Russian Federation
186 D7 **Goroka** Eastern Highlands, C PNG
Gorokhov see Horokhiv
127 N3 **Gorokhovets** Vladimirskaya Oblast', W Russian Federation
77 Q11 **Gorom-Gorom** NE Burkina
171 U13 **Gorong, Kepulauan** island group E Indonesia
83 M17 **Gorongosa** Sofala, C Mozambique
171 P11 **Gorontalo** Sulawesi, C Indonesia
171 P11 **Gorontalo** off. Propinsi Gorontalo. ◆ province N Indonesia
Gorontalo, Teluk see Tomini, Gulf of
110 L7 **Górowo Iławeckie** Ger. Landsberg. Warmińsko-Mazurskie, NE Poland
98 M7 **Gorredijk** Fris. De Gordyk. Friesland, N Netherlands
98 M11 **Gorssel** Gelderland, E Netherlands
109 T8 **Görtschitz** ≈ S Austria
Goryn see Horyn'
Görz see Gorizia
110 E10 **Gorzów Wielkopolski** Ger. Landsberg, Landsberg an der Warthe. Lubuskie, W Poland
108 G9 **Göschenen** Uri C Switzerland
165 O11 **Gosen** Niigata, Honshū, C Japan
183 T8 **Gosford** New South Wales, SE Australia
31 P11 **Goshen** Indiana, N USA
18 K13 **Goshen** New York, NE USA
Goshoba see Goşoba
165 Q7 **Goshogawara** var. Gosyogawara. Aomori, Honshū, C Japan
101 J14 **Goslar** Niedersachsen, C Germany
27 Y9 **Gosnell** Arkansas, C USA
146 B10 **Goşoba** var. Goshoba, Rus. Koshoba. Balkanskiy Welaýaty, NW Turkmenistan
112 C11 **Gospić** Lika-Senj, C Croatia
97 N23 **Gosport** S England, UK
94 D9 **Gossa** island S Norway
108 H7 **Gossau** Sankt Gallen, NE Switzerland
99 G20 **Gosselies** var. Goss'lies. Hainaut, S Belgium
77 P10 **Gossi** Tombouctou, C Mali
Goss'lies see Gosselies
113 N18 **Gostivar** W FYR Macedonia
Gostomel' see Hostomel'
110 G12 **Gostyń** var. Gostyn. Wielkopolskie, C Poland
110 K11 **Gostynin** Mazowieckie, C Poland
Gosyogawara see Goshogawara
95 J18 **Göta Älv** ≈ S Sweden
95 N17 **Göta kanal** canal S Sweden
95 K18 **Götaland** cultural region S Sweden
95 H17 **Göteborg** Eng. Gothenburg. Västra Götaland, S Sweden
77 X16 **Gotel Mountains** ▲ E Nigeria
95 K17 **Götene** Västra Götaland, S Sweden
Gotera see San Francisco
101 K16 **Gotha** Thüringen, C Germany
29 N15 **Gothenburg** Nebraska, C USA
Gothenburg see Göteborg
77 R12 **Gothèye** Tillabéri, SW Niger
Gotland see Gotland
95 P19 **Gotland** var. Gothland, Gottland. ◆ county SE Sweden
95 O18 **Gotland** island SE Sweden
164 B13 **Gotō-rettō** island group SW Japan
114 H12 **Gotse Delchev** prev. Nevrokop. Blagoevgrad, SW Bulgaria
95 P17 **Gotska Sandön** island SE Sweden
101 I15 **Göttingen** var. Goettingen. Niedersachsen, C Germany
Gottland see Gotland
93 I16 **Gottne** Västernorrland, C Sweden
Gottschee see Kočevje
Gottwaldov see Zlín
Gôtu see Gôtsu
146 B11 **Goturdepe** Rus. Koturdepe. Balkan Welaýaty, W Turkmenistan
108 I7 **Götzis** Vorarlberg, NW Austria
98 H12 **Gouda** Zuid-Holland, C Netherlands
76 I11 **Goudiri** var. Goudiry. E Senegal
Goudiry see Goudiri
77 X12 **Goudoumaria** Diffa, S Niger
15 R9 **Gouffre, Rivière du** ≈ Québec, SE Canada
65 M19 **Gough Fracture Zone** tectonic feature S Atlantic Ocean
65 M19 **Gough Island** island Tristan da Cunha, S Atlantic Ocean
15 N8 **Gouin, Réservoir** ▣ Québec, SE Canada
14 B10 **Goulais River** Ontario, S Canada
183 R9 **Goulburn** New South Wales, SE Australia
183 O11 **Goulburn River** ≈ Victoria, SE Australia
195 O10 **Gould Coast** physical region Antarctica
Goulimime see Guelmime
114 F13 **Gouménissa** Kentrikí Makedonía, N Greece
77 O10 **Goundam** Tombouctou, NW Mali
78 H12 **Goundi** Moyen-Chari, S Chad
78 G12 **Gounou-Gaya** Mayo-Kébbi, SW Chad
77 O12 **Gourci** var. Gourcy. NW Burkina
Gourcy see Gourci
102 M13 **Gourdon** Lot, S France
77 W11 **Gouré** Zinder, SE Niger
102 G6 **Gourin** Morbihan, NW France
77 P10 **Gourma-Rharous** Tombouctou, C Mali
103 N4 **Gournay-en-Bray** Seine-Maritime, N France
78 J6 **Gouro** Borkou-Ennedi-Tibesti, N Chad
104 H8 **Gouveia** Guarda, N Portugal
18 I7 **Gouverneur** New York, NE USA
99 L21 **Gouvy** Luxembourg, E Belgium
45 R14 **Gouyave** var. Charlotte Town. NW Grenada
Goverla, Gora see Hoverla, Hora
59 N20 **Governador Valadares** Minas Gerais, SE Brazil
171 R8 **Governor Generoso** Mindanao, S Philippines
44 I2 **Governor's Harbour** Eleuthera Island, C Bahamas
162 F9 **Govĭ-Altay** ◆ province SW Mongolia
162 I10 **Govĭ Altayn Nuruu** ▲ S Mongolia
154 L9 **Govind Ballabh Pant Sāgar** ▣ C India
152 I7 **Govind Sāgar** ▣ NE India
162 M8 **Govĭ-Sumber** ◆ province C Mongolia
Govurdak see Gowurdak
18 D11 **Gowanda** New York, NE USA
148 J10 **Gowd-e Zereh, Dasht-e** var. Guad-i-Zirreh. marsh SW Afghanistan
14 F8 **Gowganda** Ontario, S Canada
14 G8 **Gowganda Lake** ◎ Ontario, S Canada
29 U13 **Gowrie** Iowa, C USA
147 N14 **Gowurdak** Rus. Govurdak; prev. Guardak. Lebap Welaýaty, E Turkmenistan
61 C15 **Goya** Corrientes, NE Argentina
Goyania see Goiânia
137 X11 **Göyçay** Rus. Geokchay. C Azerbaijan
146 D10 **Goymat** Rus. Koymat. Balkan Welaýaty, NW Turkmenistan
146 D10 **Goymatdag** Rus. Gory Koymatdag. hill range NW Turkmenistan
136 F12 **Göynük** Bolu, NW Turkey
165 R9 **Goyō-san** ▲ Honshū, C Japan
78 K11 **Goz Beïda** Ouaddaï, SE Chad
146 M10 **G'ozg'on** Rus. Gazgan. Navoiy Viloyati, C Uzbekistan
158 H11 **Gozha Co** ◎ W China
121 O15 **Gozo** Malt. Ghawdex. island N Malta
80 H9 **Goz Regeb** Kassala, NE Sudan
Gozyō see Gojō
83 H25 **Graaff-Reinet** Eastern Cape, S South Africa
Graasten see Gråsten
76 L17 **Grabo** SW Ivory Coast
112 P11 **Grabovica** Serbia, E Serbia and Montenegro (Yugo.)
110 I13 **Grabów nad Prosną** Wielkopolskie, C Poland
108 I8 **Grabs** Sankt Gallen, NE Switzerland
112 D12 **Gračac** Zadar, C Croatia
112 I11 **Gračanica** Federacija Bosna I Hercegovina, NE Bosnia and Herzegovina
14 L11 **Gracefield** Québec, SE Canada
99 K19 **Grâce-Hollogne** Liège, E Belgium
23 R8 **Graceville** Florida, SE USA
29 R8 **Graceville** Minnesota, N USA
42 G6 **Gracias** Lempira, W Honduras
Gracias see Lempira
42 L5 **Gracias a Dios** ◆ department E Honduras
43 O6 **Gracias a Dios, Cabo de** headland Honduras/Nicaragua
64 O2 **Graciosa** var. Ilha Graciosa. island Azores, Portugal, NE Atlantic Ocean
64 Q11 **Graciosa** island Islas Canarias, Spain, NE Atlantic Ocean
Graciosa, Ilha see Graciosa
112 I11 **Gradačac** Federacija Bosna I Hercegovina, N Bosnia and Herzegovina
59 J15 **Gradaús, Serra dos** ▲ C Brazil
104 L3 **Gradefes** Castilla-León, N Spain
Gradiška see Bosanska Gradiška
Gradizhsk see Hradyz'k
106 J7 **Grado** Friuli-Venezia Giulia, NE Italy
104 K2 **Grado** Asturias, N Spain
113 P19 **Gradsko** C FYR Macedonia
37 V11 **Grady** New Mexico, SW USA
29 T12 **Graettinger** Iowa, C USA
101 M23 **Grafing** Bayern, SE Germany
25 S6 **Graford** Texas, SW USA
183 V5 **Grafton** New South Wales, SE Australia
29 Q3 **Grafton** North Dakota, N USA
21 S3 **Grafton** West Virginia, NE USA
21 T9 **Graham** North Carolina, SE USA
25 R6 **Graham** Texas, SW USA
Graham Bell Island see Greem-Bell, Ostrov
10 I13 **Graham Island** island Queen Charlotte Islands, British Columbia, SW Canada
19 S6 **Graham Lake** ◎ Maine, NE USA
194 H4 **Graham Land** physical region Antarctica
37 N15 **Graham, Mount** ▲ Arizona, SW USA
Grahamstad see Grahamstown
83 I25 **Grahamstown** Afr. Grahamstad. Eastern Cape, S South Africa
Grahovo see Bosansko Grahovo
169 S17 **Grajagan, Teluk** bay Jawa, S Indonesia
59 L14 **Grajaú** Maranhão, E Brazil
58 M13 **Grajaú, Rio** ≈ NE Brazil
110 O8 **Grajewo** Podlaskie, NE Poland
95 F24 **Gram** Sønderjylland, SW Denmark
103 N13 **Gramat** Lot, S France
22 H5 **Grambling** Louisiana, S USA
115 C14 **Grámmos** ▲ Albania/Greece
96 I9 **Grampian Mountains** ▲ C Scotland, UK
182 L12 **Grampians, The** ▲ Victoria, SE Australia
98 O9 **Gramsbergen** Overijssel, E Netherlands
113 L21 **Gramsh** var. Gramshi. Elbasan, C Albania
Gramshi see Gramsh
Gran see Hron, Slovakia
Gran see Esztergom, N Hungary
54 F11 **Granada** Meta, C Colombia
42 J10 **Granada** Granada, SW Nicaragua
105 N14 **Granada** Andalucía, S Spain
37 W6 **Granada** Colorado, C USA
42 J11 **Granada** ◆ department SW Nicaragua
105 N14 **Granada** ◆ province Andalucía, S Spain
63 I21 **Gran Altiplanicie Central** plain S Argentina
97 E17 **Granard** Ir. Gránard. C Ireland
63 J20 **Gran Bajo** basin S Argentina
63 J15 **Gran Bajo del Gualicho** basin E Argentina
63 I21 **Gran Bajo de San Julián** basin SE Argentina
25 S7 **Granbury** Texas, SW USA
15 P12 **Granby** Québec, SE Canada
27 S8 **Granby** Missouri, C USA
37 S3 **Granby, Lake** ▣ Colorado, C USA
64 O12 **Gran Canaria** var. Grand Canary. island Islas Canarias, Spain, NE Atlantic Ocean
62 M5 **Gran Chaco** var. Chaco. lowland plain South America
45 R14 **Grand Anse** SW Grenada
Grand-Anse see Portsmouth
44 G1 **Grand Bahama Island** island N Bahamas
Grand Balé see Tui
103 U7 **Grand Ballon** Ger. Ballon de Guebwiller. ▲ NE France
13 T13 **Grand Bank** Newfoundland and Labrador, SE Canada
64 I7 **Grand Banks of Newfoundland and Labrador** undersea feature NW Atlantic Ocean
Grand Bassa see Buchanan
77 N17 **Grand-Bassam** var. Bassam. SE Ivory Coast
14 E16 **Grand Bend** Ontario, S Canada
76 L17 **Grand-Bérébi** var. Grand-Béréby. SW Ivory Coast
Grand-Béréby see Grand-Bérébi
45 X11 **Grand-Bourg** Marie-Galante, SE Guadeloupe
44 M6 **Grand Caicos** var. Middle Caicos. island C Turks and Caicos Islands
14 K12 **Grand Calumet, Île du** island Québec, SE Canada
97 E18 **Grand Canal** Ir. An Chanáil Mhór. canal C Ireland
Grand Canary see Gran Canaria
36 K10 **Grand Canyon** Arizona, SW USA
36 J9 **Grand Canyon** canyon Arizona, SW USA
Grand Canyon State see Arizona
44 D8 **Grand Cayman** island SW Cayman Islands
11 R14 **Grand Centre** Alberta, SW Canada
76 L17 **Grand Cess** SE Liberia
108 D12 **Grand Combin** ▲ S Switzerland
32 K8 **Grand Coulee** Washington, NW USA
32 J8 **Grand Coulee** valley Washington, NW USA
45 X5 **Grand Cul-de-Sac Marin** bay N Guadeloupe
Grand Duchy of Luxembourg see Luxembourg
63 I22 **Grande, Bahía** bay S Argentina
11 N14 **Grande Cache** Alberta, W Canada
103 U12 **Grande Casse** ▲ E France
172 G12 **Grande Comore** var. Njazidja, Great Comoro. island NW Comoros
61 G18 **Grande, Cuchilla** hill range E Uruguay
45 S5 **Grande de Añasco, Río** ≈ W Puerto Rico
Grande de Chiloé, Isla see Chiloé, Isla de

◆ Country ● Country Capital ◇ Dependent Territory ○ Dependent Territory Capital ◆ Administrative Region ✕ International Airport ▲ Mountain ▲ Mountain Range ⚠ Volcano ≈ River ◎ Lake ▣ Reservoir

256 ••• GRANDE DE GURUPÁ, ILHA – GRONG

58 J12 **Grande de Gurupá, Ilha** river island NE Brazil
57 K21 **Grande de Lipez, Río** ≈ SW Bolivia
45 U6 **Grande de Loíza, Río** ≈ E Puerto Rico
45 T5 **Grande de Manatí, Río** ≈ C Puerto Rico
42 L9 **Grande de Matagalpa, Río** ≈ C Nicaragua
40 K12 **Grande de Santiago, Río** var. Santiago. ≈ C Mexico
43 O15 **Grande de Térraba, Río** var. Río Térraba. ≈ SE Costa Rica
12 J9 **Grande Deux, Réservoir la** ⊟ Québec, E Canada
60 O10 **Grande, Ilha** island SE Brazil
11 O13 **Grande Prairie** Alberta, W Canada
74 I8 **Grand Erg Occidental** desert W Algeria
74 L9 **Grand Erg Oriental** desert Algeria/Tunisia
59 J20 **Grande, Rio** ≈ S Brazil
16 K16 **Grande, Rio** var. Río Bravo, Sp. Río Bravo del Norte, Bravo del Norte. ≈ Mexico/USA
57 M18 **Grande, Río** ≈ C Bolivia
15 Y7 **Grande-Rivière** Québec, SE Canada
15 Y6 **Grande Rivière** ≈ Québec, SE Canada
44 M8 **Grande-Rivière-du-Nord** N Haiti
62 K9 **Grande, Salina** var. Gran Salitral. salt lake C Argentina
15 S7 **Grandes-Bergeronnes** Québec, SE Canada
40 K4 **Grande, Sierra** ⛰ N Mexico
103 S12 **Grandes Rousses** ⛰ E France
63 K17 **Grandes, Salinas** salt lake E Argentina
45 Y5 **Grande Terre** island E West Indies
15 X5 **Grande-Vallée** Québec, SE Canada
45 Y5 **Grande Vigie, Pointe de la** headland Grande Terre, N Guadeloupe
13 N14 **Grand Falls** New Brunswick, SE Canada
13 T11 **Grand Falls** Newfoundland and Labrador, SE Canada
24 L9 **Grandfalls** Texas, SW USA
21 P9 **Grandfather Mountain** ▲ North Carolina, SE USA
26 L13 **Grandfield** Oklahoma, C USA
11 N17 **Grand Forks** British Columbia, SW Canada
29 R4 **Grand Forks** North Dakota, N USA
31 O9 **Grand Haven** Michigan, N USA
Grandichi see Hrandzichy
29 P15 **Grand Island** Nebraska, C USA
31 O3 **Grand Island** island Michigan, N USA
22 K10 **Grand Isle** Louisiana, S USA
65 A23 **Grand Jason** island Jason Islands, NW Falkland Islands
37 P5 **Grand Junction** Colorado, C USA
20 F10 **Grand Junction** Tennessee, S USA
14 J9 **Grand-Lac-Victoria** Québec, SE Canada
14 J9 **Grand lac Victoria** ◎ Québec, SE Canada
77 N17 **Grand-Lahou** var. Grand Lahu. S Ivory Coast
Grand Lahu see Grand-Lahou
37 S3 **Grand Lake** Colorado, C USA
13 S11 **Grand Lake** ◎ Newfoundland and Labrador, E Canada
22 G9 **Grand Lake** ◎ Louisiana, S USA
31 R5 **Grand Lake** ◎ Michigan, N USA
31 Q13 **Grand Lake** ⊟ Ohio, N USA
27 R9 **Grand Lake O' The Cherokees** var. Lake O' The Cherokees. ⊟ Oklahoma, C USA
31 Q9 **Grand Ledge** Michigan, N USA
102 I8 **Grand-Lieu, Lac de** ◎ NW France
19 U6 **Grand Manan Channel** channel Canada/USA
13 O15 **Grand Manan Island** island New Brunswick, SE Canada
29 Y4 **Grand Marais** Minnesota, N USA
15 P10 **Grand-Mère** Quebec, SE Canada
37 P5 **Grand Mesa** ⛰ Colorado, C USA
108 C10 **Grand Muveran** ▲ W Switzerland
104 G12 **Grândola** Setúbal, S Portugal
Grand Paradis see Gran Paradiso
187 O15 **Grand Passage** passage N New Caledonia
77 R16 **Grand-Popo** S Benin
29 Z3 **Grand Portage** Minnesota, N USA
25 T6 **Grand Prairie** Texas, SW USA
11 W14 **Grand Rapids** Manitoba, C Canada
31 P9 **Grand Rapids** Michigan, N USA
29 V5 **Grand Rapids** Minnesota, N USA
14 L10 **Grand-Remous** Québec, SE Canada
14 F15 **Grand River** ≈ Ontario, S Canada
31 P9 **Grand River** ≈ Michigan, N USA
27 T3 **Grand River** ≈ Missouri, C USA
28 M7 **Grand River** ≈ South Dakota, N USA
45 Q11 **Grand' Rivière** N Martinique
32 F11 **Grand Ronde** Oregon, NW USA
32 L11 **Grand Ronde River** ≈ Oregon/Washington, NW USA
Grand-Saint-Bernard, Col du see Great Saint Bernard Pass
25 V6 **Grand Saline** Texas, SW USA
55 X10 **Grand-Santi** W French Guiana
Grandsee see Grandson
108 B9 **Grandson** prev. Grandsee. Vaud, W Switzerland
172 J16 **Grand Sœur** island Les Sœurs, NE Seychelles
33 S14 **Grand Teton** ▲ Wyoming, C USA
31 P5 **Grand Traverse Bay** lake bay Michigan, N USA
45 N6 **Grand Turk** ○ (Turks and Caicos Islands) Grand Turk Island, S Turks and Caicos Islands
45 N6 **Grand Turk Island** island SE Turks and Caicos Islands
103 S13 **Grand Veymont** ▲ E France
11 W15 **Grandview** Manitoba, S Canada
27 R4 **Grandview** Missouri, C USA
36 I10 **Grand Wash Cliffs** cliff Arizona, SW USA
14 J8 **Granet, Lac** ◎ Québec, SE Canada
95 L14 **Grangärde** Dalarna, C Sweden
44 H12 **Grange Hill** W Jamaica
96 J12 **Grangemouth** C Scotland, UK
25 T10 **Granger** Texas, SW USA
32 J10 **Granger** Washington, NW USA
33 T17 **Granger** Wyoming, C USA
Granges see Grenchen
95 L14 **Grängesberg** Dalarna, C Sweden
33 N11 **Grangeville** Idaho, NW USA
10 K13 **Granisle** British Columbia, SW Canada
30 K15 **Granite City** Illinois, N USA
29 S9 **Granite Falls** Minnesota, N USA
21 Q9 **Granite Falls** North Carolina, SE USA
36 K12 **Granite Mountain** ▲ Arizona, SW USA
33 T12 **Granite Peak** ▲ Montana, NW USA
35 T2 **Granite Peak** ▲ Nevada, W USA
36 J3 **Granite Peak** ▲ Utah, W USA
Granite State see New Hampshire
107 H24 **Granitola, Capo** headland Sicilia, Italy, C Mediterranean Sea
185 H15 **Granity** West Coast, South Island, NZ
Gran Lago see Nicaragua, Lago de
63 J18 **Gran Laguna Salada** ◎ S Argentina
Gran Malvina, Isla see West Falkland
95 L18 **Gränna** Jönköping, S Sweden
105 W5 **Granollers** var. Granollérs. Cataluña, NE Spain
106 A7 **Gran Paradiso** Fr. Grand Paradis. ▲ NW Italy
Gran Pilastro see Hochfeiler
Gran Salitral see Grande, Salina
Gran San Bernardo, Passo di see Great Saint Bernard Pass
Gran Santiago see Santiago
107 J14 **Gran Sasso d'Italia** ⛰ C Italy
100 N11 **Gransee** Brandenburg, NE Germany
28 L15 **Grant** Nebraska, C USA
27 R1 **Grant City** Missouri, C USA
97 N19 **Grantham** E England, UK
65 D24 **Grantham Sound** sound East Falkland, Falkland Islands
194 K13 **Grant Island** island Antarctica
45 Z14 **Grantley Adams** ✈ (Bridgetown) SE Barbados
35 S7 **Grant, Mount** ▲ Nevada, W USA
96 J9 **Grantown-on-Spey** N Scotland, UK
35 W8 **Grant Range** ⛰ Nevada, W USA
37 Q11 **Grants** New Mexico, SW USA
30 I4 **Grantsburg** Wisconsin, N USA
32 F15 **Grants Pass** Oregon, NW USA
36 K3 **Grantsville** Utah, W USA
21 R4 **Grantsville** West Virginia, NE USA
102 I5 **Granville** Manche, N France
11 V12 **Granville Lake** ◎ Manitoba, C Canada
25 V8 **Grapeland** Texas, SW USA
25 T6 **Grapevine** Texas, SW USA
83 K20 **Graskop** Mpumalanga, NE South Africa
95 P14 **Gräsö** Uppsala, C Sweden
93 I19 **Gräsö** island C Sweden
103 U15 **Grasse** Alpes-Maritimes, SE France
18 E14 **Grassflat** Pennsylvania, NE USA
33 U9 **Grassrange** Montana, NW USA
18 J6 **Grass River** ≈ New York, NE USA
35 P6 **Grass Valley** California, W USA
183 N14 **Grassy** Tasmania, SE Australia
28 K4 **Grassy Butte** North Dakota, N USA
21 R5 **Grassy Knob** ▲ West Virginia, NE USA
95 G24 **Gråsten** var. Graasten. Sønderjylland, SW Denmark
95 J18 **Grästorp** Västra Götaland, S Sweden
Gratianopolis see Grenoble
109 V8 **Gratwein** Steiermark, SE Austria
Gratz see Graz
108 I9 **Graubünden** Fr. Grisons, It. Grigioni. ◈ canton SE Switzerland
Graudenz see Grudziądz
103 N15 **Graulhet** Tarn, S France
105 T4 **Graus** Aragón, NE Spain
61 I16 **Gravataí** Rio Grande do Sul, S Brazil
98 L13 **Grave** Noord-Brabant, SE Netherlands
11 T17 **Gravelbourg** Saskatchewan, S Canada
103 N1 **Gravelines** Nord, N France
Graven see Grez-Doiceau
14 H13 **Gravenhurst** Ontario, S Canada
33 O10 **Grave Peak** ▲ Idaho, NW USA
102 I11 **Grave, Pointe de** headland W France
183 S4 **Gravesend** New South Wales, SE Australia
97 P22 **Gravesend** SE England, UK
107 N17 **Gravina in Puglia** Puglia, SE Italy
103 S8 **Gray** Haute-Saône, E France
23 T4 **Gray** Georgia, SE USA
195 V16 **Gray, Cape** headland Antarctica
32 F9 **Grayland** Washington, NW USA
39 N10 **Grayling** Alaska, USA
31 Q6 **Grayling** Michigan, N USA
32 F9 **Grays Harbor** inlet Washington, NW USA
21 O5 **Grayson** Kentucky, S USA
37 S4 **Grays Peak** ▲ Colorado, C USA
30 M16 **Grayville** Illinois, N USA
109 V8 **Graz** prev. Gratz. Steiermark, SE Austria
104 L15 **Grazalema** Andalucía, S Spain
113 P15 **Grdelica** Serbia, SE Serbia and Montenegro (Yugo.)
44 H1 **Great Abaco** var. Abaco Island. island N Bahamas
Great Admiralty Island see Manus Island
Great Alfold see Great Hungarian Plain
Great Ararat see Büyükağrı Dağı
181 U8 **Great Artesian Basin** lowlands Queensland, C Australia
181 O12 **Great Australian Bight** bight S Australia
64 E11 **Great Bahama Bank** undersea feature E Gulf of Mexico
184 M4 **Great Barrier Island** island N NZ
181 X4 **Great Barrier Reef** reef Queensland, NE Australia
18 L11 **Great Barrington** Massachusetts, NE USA
16 E9 **Great Basin** basin W USA
8 I8 **Great Bear Lake** Fr. Grand Lac de l'Ours. ◎ Northwest Territories, NW Canada
Great Belt see Storebælt
26 L5 **Great Bend** Kansas, C USA
97 A20 **Great Blasket Island** Ir. An Blascaod Mór. island SW Ireland
Great Britain see Britain
151 Q23 **Great Channel** channel Andaman Sea/Indian Ocean
166 J10 **Great Coco Island** island SW Myanmar
Great Crosby see Crosby
21 X7 **Great Dismal Swamp** wetland North Carolina/Virginia, SE USA
33 V16 **Great Divide Basin** basin Wyoming, C USA
181 W7 **Great Dividing Range** ⛰ NE Australia
14 D12 **Great Duck Island** island Ontario, S Canada
Great Elder Reservoir see Waconda Lake
195 V8 **Greater Antarctica** var. East Antarctica. physical region Antarctica
44 G8 **Greater Antilles** island group West Indies
184 I1 **Great Exhibition Bay** inlet North Island, NZ
44 H4 **Great Exuma Island** island C Bahamas
33 R8 **Great Falls** Montana, NW USA
21 R11 **Great Falls** South Carolina, SE USA
Great Glen see Mor, Glen
Great Grimsby see Grimsby
44 I4 **Great Guana Cay** island C Bahamas
64 I5 **Great Hellefiske Bank** undersea feature N Atlantic Ocean
111 L24 **Great Hungarian Plain** var. Great Alfold, Plain of Hungary, Hung. Alföld. plain SE Europe
44 L7 **Great Inagua** var. Inagua Islands. island S Bahamas
Great Indian Desert see Thar Desert
83 G25 **Great Karoo** var. Great Karroo, High Veld, Afr. Groot Karoo, Hoë Karoo. plateau region S South Africa
Great Karroo see Great Karoo
Great Kei see Groot-Kei
Great Khingan Range see Da Hinggan Ling
14 E11 **Great La Cloche Island** island Ontario, S Canada
183 P16 **Great Lake** ◎ Tasmania, SE Australia
Great Lake see Tônlé Sap
9 R15 **Great Lakes** lakes Ontario, Canada/USA
Great Lakes State see Michigan
97 L20 **Great Malvern** W England, UK
184 M5 **Great Mercury Island** island N NZ
Great Meteor Seamount see Great Meteor Tablemount
64 K10 **Great Meteor Tablemount** var. Great Meteor Seamount. undersea feature E Atlantic Ocean
31 Q14 **Great Miami River** ≈ Ohio, N USA
151 Q24 **Great Nicobar** island Nicobar Islands, India, NE Indian Ocean
97 O19 **Great Ouse** var. Ouse. ≈ E England, UK
183 Q17 **Great Oyster Bay** bay Tasmania, SE Australia
44 I13 **Great Pedro Bluff** headland W Jamaica
21 T12 **Great Pee Dee River** ≈ North Carolina/South Carolina, SE USA
16 J9 **Great Plains** var. High Plains. plains Canada/USA
37 W6 **Great Plains Reservoirs** ⊟ Colorado, C USA
19 Q13 **Great Point** headland Nantucket Island, Massachusetts, NE USA
81 J14 **Great Rift Valley** var. Rift Valley. depression Asia/Africa
81 I23 **Great Ruaha** ≈ S Tanzania
18 K10 **Great Sacandaga Lake** ⊟ New York, NE USA
108 C12 **Great Saint Bernard Pass** Fr. Col du Grand-Saint-Bernard, It. Passo di Gran San Bernardo. pass Italy/Switzerland
44 F1 **Great Sale Cay** island N Bahamas
Great Salt Desert see Kavīr, Dasht-e
36 K1 **Great Salt Lake** salt lake Utah, W USA
36 J3 **Great Salt Lake Desert** plain Utah, W USA
26 M8 **Great Salt Plains Lake** ⊟ Oklahoma, C USA
75 T9 **Great Sand Sea** desert Egypt/Libya
180 L6 **Great Sandy Desert** desert Western Australia
Great Sandy Desert see Ar Rub' al Khālī
Great Sandy Island see Fraser Island
187 Y13 **Great Sea Reef** reef Vanua Levu, N Fiji
38 H17 **Great Sitkin Island** island Aleutian Islands, Alaska, USA
8 J10 **Great Slave Lake** Fr. Grand Lac des Esclaves. ◎ Northwest Territories, NW Canada
21 O10 **Great Smoky Mountains** ⛰ North Carolina/Tennessee, SE USA
10 L11 **Great Snow Mountain** ▲ British Columbia, W Canada
64 A12 **Great Sound** bay Bermuda, NW Atlantic Ocean
180 M10 **Great Victoria Desert** desert South Australia/Western Australia
194 H2 **Great Wall** Chinese research station South Shetland Islands, Antarctica
19 T7 **Great Wass Island** island Maine, NE USA
97 Q19 **Great Yarmouth** var. Yarmouth. E England, UK
139 S1 **Great Zab** Ar. Az Zāb al Kabīr, Kurd. Zē-i Bādīnān, Turk. Büyükzap Suyu. ≈ Iraq/Turkey
95 I17 **Grebbestad** Västra Götaland, S Sweden
Grebenka see Hrebinka
42 M13 **Grecia** Alajuela, C Costa Rica
61 E18 **Greco** Río Negro, W Uruguay
Greco, Cape see Gkréko, Akrotíri
104 L8 **Gredos, Sierra de** ⛰ W Spain
18 F9 **Greece** New York, NE USA
115 E17 **Greece** off. Hellenic Republic, Gk. Ellás; anc. Hellas. ◆ republic SE Europe
Greece Central see Stereá Ellás
Greece West see Dytikí Ellás
37 T3 **Greeley** Colorado, C USA
29 P14 **Greeley** Nebraska, C USA
122 K3 **Greem-Bell, Ostrov** Eng. Graham Bell Island. island Zemlya Frantsa-Iosifa, N Russian Federation
30 M6 **Green Bay** Wisconsin, N USA
31 N6 **Green Bay** lake bay Michigan/Wisconsin, N USA
21 S5 **Greenbrier River** ≈ West Virginia, NE USA
29 S2 **Greenbush** Minnesota, N USA
183 R12 **Green Cape** headland New South Wales, SE Australia
31 O14 **Greencastle** Indiana, N USA
18 F16 **Greencastle** Pennsylvania, NE USA
27 T2 **Green City** Missouri, C USA
21 O9 **Greeneville** Tennessee, S USA
35 O11 **Greenfield** California, W USA
31 P14 **Greenfield** Indiana, N USA
29 U15 **Greenfield** Iowa, C USA
18 M11 **Greenfield** Massachusetts, NE USA
27 S7 **Greenfield** Missouri, C USA
31 S14 **Greenfield** Ohio, N USA
20 G8 **Greenfield** Tennessee, S USA
30 M9 **Greenfield** Wisconsin, N USA
27 T9 **Green Forest** Arkansas, C USA
37 T7 **Greenhorn Mountain** ▲ Colorado, C USA
Green Island see Lü Tao
186 I6 **Green Islands** var. Nissan Islands. island group NE PNG
11 S14 **Green Lake** Saskatchewan, C Canada
30 L8 **Green Lake** ◎ Wisconsin, N USA
197 O14 **Greenland** Dan. Grønland, Inuit Kalaallit Nunaat. ◇ Danish external territory NE North America
197 R13 **Greenland Plain** undersea feature N Greenland Sea
197 R14 **Greenland Sea** sea Arctic Ocean
37 R4 **Green Mountain Reservoir** ⊟ Colorado, C USA
18 M8 **Green Mountains** ⛰ Vermont, NE USA
Green Mountain State see Vermont
96 H12 **Greenock** W Scotland, UK
39 T5 **Greenough, Mount** ▲ Alaska, USA
186 A6 **Green River** Sandaun, NW PNG
37 N5 **Green River** Utah, W USA
33 U17 **Green River** Wyoming, C USA
16 H9 **Green River** ≈ W USA
30 K11 **Green River** ≈ Illinois, N USA
20 J7 **Green River** ≈ Kentucky, S USA
28 K5 **Green River** ≈ North Dakota, N USA
37 N6 **Green River** ≈ Utah, W USA
33 T16 **Green River** ≈ Wyoming, C USA
20 L7 **Green River Lake** ⊟ Kentucky, S USA
23 O5 **Greensboro** Alabama, S USA
23 U3 **Greensboro** Georgia, SE USA
21 T9 **Greensboro** North Carolina, SE USA
31 P14 **Greensburg** Indiana, N USA
26 K6 **Greensburg** Kansas, C USA
20 L7 **Greensburg** Kentucky, S USA
18 C15 **Greensburg** Pennsylvania, NE USA
37 O13 **Greens Peak** ▲ Arizona, SW USA
21 V12 **Green Swamp** wetland North Carolina, SE USA
21 O4 **Greenup** Kentucky, S USA
36 M16 **Green Valley** Arizona, SW USA
76 K17 **Greenville** var. Sino, Sinoe. SE Liberia
23 P6 **Greenville** Alabama, S USA
23 T8 **Greenville** Florida, SE USA
23 S4 **Greenville** Georgia, SE USA
30 L15 **Greenville** Illinois, N USA
20 I7 **Greenville** Kentucky, S USA
19 Q5 **Greenville** Maine, NE USA
31 P9 **Greenville** Michigan, N USA
22 J4 **Greenville** Mississippi, S USA
21 W9 **Greenville** North Carolina, SE USA
31 Q13 **Greenville** Ohio, N USA
19 O12 **Greenville** Rhode Island, NE USA
21 P11 **Greenville** South Carolina, SE USA
25 U6 **Greenville** Texas, SW USA
31 T12 **Greenwich** Ohio, N USA
27 S11 **Greenwood** Arkansas, C USA
31 O14 **Greenwood** Indiana, N USA
22 K4 **Greenwood** Mississippi, S USA
21 P12 **Greenwood** South Carolina, SE USA
21 Q12 **Greenwood, Lake** ⊟ South Carolina, SE USA
21 P11 **Greer** South Carolina, SE USA
27 V10 **Greers Ferry Lake** ⊟ Arkansas, C USA
27 S13 **Greeson, Lake** ⊟ Arkansas, C USA
29 O12 **Gregory** South Dakota, N USA
182 J3 **Gregory, Lake** salt lake South Australia
180 J9 **Gregory Lake** ◎ Western Australia
181 V5 **Gregory Range** ⛰ Queensland, E Australia
Greifenberg/Greifenberg in Pommern see Gryfice
Greifenhagen see Gryfino
100 O8 **Greifswald** Mecklenburg-Vorpommern, NE Germany
100 O8 **Greifswalder Bodden** bay NE Germany
109 U4 **Grein** Oberösterreich, N Austria
101 M17 **Greiz** Thüringen, C Germany
Gremicha/Gremiha see Gremikha
124 M4 **Gremikha** var. Gremicha, Gremiha. Murmanskaya Oblast', NW Russian Federation
125 V14 **Gremyachinsk** Permskaya Oblast', NW Russian Federation
Grenå see Grenaa
95 H21 **Grenaa** var. Grenå. Århus, C Denmark
22 L3 **Grenada** Mississippi, S USA
45 W15 **Grenada** ◆ commonwealth republic SE West Indies
22 L3 **Grenada Lake** ⊟ Mississippi, S USA
45 Y14 **Grenadines, The** island group Grenada/St Vincent and the Grenadines
108 D7 **Grenchen** Fr. Granges. Solothurn, NW Switzerland
183 Q9 **Grenfell** New South Wales, SE Australia
11 V16 **Grenfell** Saskatchewan, S Canada
92 J1 **Grenivík** Nordhurland Eystra, N Iceland
103 S12 **Grenoble** anc. Cularo, Gratianopolis. Isère, E France
28 J2 **Grenora** North Dakota, N USA
92 N8 **Grense-Jakobselv** Finnmark, N Norway
45 S14 **Grenville** E Grenada
32 G11 **Gresham** Oregon, NW USA
Gresk see Hresk
106 B7 **Gressoney-St-Jean** Valle d'Aosta, NW Italy
22 K9 **Gretna** Louisiana, S USA
21 T7 **Gretna** Virginia, NE USA
98 F13 **Grevelingen** inlet S North Sea
100 F13 **Greven** Nordrhein-Westfalen, NW Germany
115 D15 **Grevená** Dytikí Makedonía, N Greece
101 D16 **Grevenbroich** Nordrhein-Westfalen, W Germany
99 N24 **Grevenmacher** Grevenmacher, E Luxembourg
99 M24 **Grevenmacher** ◈ district E Luxembourg
100 K9 **Grevesmühlen** Mecklenburg-Vorpommern, N Germany
185 H16 **Grey** ≈ South Island, NZ
33 V12 **Greybull** Wyoming, C USA
33 U13 **Greybull River** ≈ Wyoming, C USA
65 A24 **Grey Channel** sound Falkland Islands
Greyerzer See see Gruyère, Lac de la
13 T10 **Grey Islands** island group Newfoundland and Labrador, E Canada
18 L10 **Greylock, Mount** ▲ Massachusetts, NE USA
185 G17 **Greymouth** West Coast, South Island, NZ
181 U10 **Grey Range** ⛰ New South Wales/Queensland, E Australia
97 G18 **Greystones** Ir. Na Clocha Liatha. E Ireland
185 M14 **Greytown** Wellington, North Island, NZ
83 K23 **Greytown** KwaZulu/Natal, E South Africa
Greytown see San Juan del Norte
99 H19 **Grez-Doiceau** Dut. Graven. Wallon Brabant, C Belgium
115 J19 **Griá, Akrotírio** headland Ándros, Kykládes, Greece, Aegean Sea
127 N8 **Gribanovskiy** Voronezhskaya Oblast', W Russian Federation
78 I13 **Gribingui** ≈ N Central African Republic
35 O6 **Gridley** California, W USA
83 G23 **Griekwastad** Northern Cape, C South Africa
23 S4 **Griffin** Georgia, SE USA
183 O9 **Griffith** New South Wales, SE Australia
14 F13 **Griffith Island** island Ontario, S Canada
21 W10 **Grifton** North Carolina, SE USA
Grigioni see Graubünden
119 H14 **Grigiškes** Vilnius, SE Lithuania
117 N10 **Grigoriopol** C Moldova
147 X7 **Grigor'yevka** Issyk-Kul'skaya Oblast', E Kyrgyzstan
193 U8 **Grijalva Ridge** undersea feature E Pacific Ocean
41 U15 **Grijalva, Río** var. Tabasco. ≈ Guatemala/Mexico
98 N5 **Grijpskerk** Groningen, NE Netherlands
83 C22 **Grillenthal** Karas, SW Namibia
79 J15 **Grimari** Ouaka, C Central African Republic
Grimaylov see Hrymayliv
99 G18 **Grimbergen** Vlaams Brabant, C Belgium
183 N15 **Grim, Cape** headland Tasmania, SE Australia
100 N8 **Grimmen** Mecklenburg-Vorpommern, NE Germany
14 G16 **Grimsby** Ontario, S Canada
97 O17 **Grimsby** prev. Great Grimsby. E England, UK
92 J1 **Grímsey** var. Grimsey. island N Iceland
11 O12 **Grimshaw** Alberta, W Canada
95 F18 **Grimstad** Aust-Agder, S Norway
92 H4 **Grindavík** Reykjanes, W Iceland
108 F9 **Grindelwald** Bern, S Switzerland
95 F23 **Grindsted** Ribe, W Denmark
29 W14 **Grinnell** Iowa, C USA
8 K4 **Grinnell Peninsula** peninsula Nunavut, N Canada
109 U10 **Grintovec** ▲ N Slovenia
9 N3 **Grise Fiord** var. Aujuittuq. Nunavut, N Canada
182 H1 **Griselda, Lake** salt lake South Australia
Grisons see Graubünden
95 P14 **Grisslehamn** Stockholm, C Sweden
29 T15 **Griswold** Iowa, C USA
102 M1 **Griz Nez, Cap** headland N France
112 P13 **Grljan** Serbia, E Serbia and Montenegro (Yugo.)
112 E11 **Grmeč** ⛰ NW Bosnia and Herzegovina
99 H16 **Grobbendonk** Antwerpen, N Belgium
Grobin see Grobiņa
118 C10 **Grobiņa** Ger. Grobin. Liepāja, W Latvia
83 K20 **Groblersdal** Mpumalanga, NE South Africa
83 G23 **Groblershoop** Northern Cape, W South Africa
Gródek Jagielloński see Horodok
109 Q6 **Grödig** Salzburg, W Austria
111 H15 **Grodków** Opolskie, S Poland
Grodnenskaya Oblast' see Hrodzyenskaya Voblasts'
Grodno see Hrodna
110 L12 **Grodzisk Mazowiecki** Mazowieckie, C Poland
110 F12 **Grodzisk Wielkopolski** Wielkolpolskie, C Poland
Grodzyanka see Hradzyanka
98 O12 **Groenlo** Gelderland, E Netherlands
83 E22 **Groenrivier** Karas, SE Namibia
25 U8 **Groesbeck** Texas, SW USA
98 L13 **Groesbeek** Gelderland, SE Netherlands
102 G7 **Groix, Îles de** island group NW France
110 M12 **Grójec** Mazowieckie, C Poland
65 K15 **Gröll Seamount** undersea feature C Atlantic Ocean
100 E13 **Gronau** var. Gronau in Westfalen. Nordrhein-Westfalen, NW Germany
Gronau in Westfalen see Gronau
93 F15 **Grong** Nord-Trøndelag, C Norway

◆ Country ● Country Capital ◇ Dependent Territory ○ Dependent Territory Capital ◈ Administrative Region ✈ International Airport ▲ Mountain ⛰ Mountain Range ▲ Volcano ≈ River ◎ Lake ⊟ Reservoir

Grönhögen – Gurahumora ••• 257

95 N22 Grönhögen Kalmar, S Sweden
98 N5 Groningen Groningen, NE Netherlands
55 W9 Groningen Saramacca, N Suriname
98 N5 Groningen ◆ province NE Netherlands
Grønland see Greenland
108 H11 Grono Graubünden, S Switzerland
95 M20 Grönskåra Kalmar, S Sweden
25 O2 Groom Texas, SW USA
35 W9 Groom Lake ◎ Nevada, W USA
83 H25 Groot ⁓ S South Africa
181 S2 Groote Eylandt island Northern Territory, N Australia
98 M6 Grootegast Groningen, NE Netherlands
83 D17 Grootfontein Otjozondjupa, N Namibia
83 E22 Groot Karasberge ▲ S Namibia
Groot Karoo see Great Karoo
83 J25 Groot-Kei Eng. Great Kei. ⁓ S South Africa
45 T10 Gros Islet N Saint Lucia
44 L8 Gros-Morne NW Haiti
13 S11 Gros Morne ▲ Newfoundland and Labrador, E Canada
103 R9 Grosne ⁓ C France
45 S12 Gros Piton ▲ SW Saint Lucia
Grossa, Isola see Dugi Otok
Grossbetschkerek see Zrenjanin
Grosse Isper see Grosse Ysper
Grosse Kokel see Târnava Mare
101 M21 Grosse Laaber var. Grosse Laber. ⁓ SE Germany
Grosse Laber see Grosse Laaber
Grosse Morava see Velika Morava
101 O15 Grossenhain Sachsen, E Germany
109 Y4 Grossenzersdorf Niederösterreich, NE Austria
101 O21 Grosser Arber ▲ SE Germany
101 K17 Grosser Beerberg ▲ C Germany
101 G18 Grosser Feldberg ▲ W Germany
109 O8 Grosser Löffler It. Monte Lovello. ▲ Austria/Italy
109 N8 Grosser Möseler var. Mesule. ▲ Austria/Italy
100 J8 Grosser Plöner See ◎ N Germany
101 O21 Grosser Rachel ▲ SE Germany
Grosser Sund see Suur Väin
15 V6 Grosses-Roches Québec, SE Canada
109 P8 Grosses Weiesbachhorn var. Wiesbachhorn. ▲ W Austria
106 F13 Grosseto Toscana, C Italy
101 M22 Grosse Vils ⁓ SE Germany
109 U4 Grosse Ysper var. Grosse Isper. ⁓ N Austria
101 G19 Gross-Gerau Hessen, W Germany
109 U3 Gross Gerungs Niederösterreich, N Austria
109 P8 Grossglockner ▲ W Austria
Grosskanizsa see Nagykanizsa
Gross-Karol see Carei
Grosskikinda see Kikinda
109 W9 Grossklein Steiermark, SE Austria
Grosskoppe see Velká Deštná
Grossmeseritsch see Velké Meziříčí
Grossmichel see Michalovce
101 H19 Grossostheim Bayern, C Germany
109 X7 Grosspetersdorf Burgenland, SE Austria
109 T5 Grossraming Oberösterreich, C Austria
101 P14 Grossräschen Brandenburg, E Germany
Grossrauschenbach see Revúca
Gross-Sankt-Johannis see Suure-Jaani
Gross-Schlatten see Abrud
109 V2 Gross-Siegharts Niederösterreich, N Austria
Gross-Skaisgirren see Bol'shakovo
Gross-Steffelsdorf see Rimavská Sobota
Gross Strehlitz see Strzelce Opolskie
109 O8 Grossvenediger ▲ W Austria
Grosswardein see Oradea
Gross Wartenberg see Syców
109 U11 Grosuplje C Slovenia
99 H17 Grote Nete ⁓ N Belgium
94 E10 Grotli Oppland, S Norway
19 N13 Groton Connecticut, NE USA
29 P8 Groton South Dakota, N USA
107 P18 Grottaglie Puglia, SE Italy
107 L17 Grottaminarda Campania, S Italy
106 K13 Grottammare Marche, C Italy
21 U5 Grottoes Virginia, NE USA
Grou see Grouw
13 N10 Groulx, Monts ▲ Québec, E Canada
14 E7 Groundhog ⁓ Ontario, S Canada
36 J1 Grouse Creek Utah, W USA
36 J1 Grouse Creek Mountains ▲ Utah, W USA
98 L6 Grouw Fris. Grou. Friesland, N Netherlands
27 R8 Grove Oklahoma, C USA
31 S13 Grove City Ohio, N USA
18 B13 Grove City Pennsylvania, NE USA
23 O6 Grove Hill Alabama, S USA
33 S15 Grover Wyoming, C USA
35 P13 Grover City California, W USA
25 Y11 Groves Texas, SW USA
19 O7 Groveton New Hampshire, NE USA
25 W9 Groveton Texas, SW USA
36 J15 Growler Mountains ▲ Arizona, SW USA
Grozdovo see Bratya Daskalovi
127 P16 Groznyy Chechenskaya Respublika, SW Russian Federation
Grubeshov see Hrubieszów
112 G9 Grubišno Polje Bjelovar-Bilogora, NE Croatia
Grudovo see Sredets
110 J9 Grudziądz Ger. Graudenz. Kujawsko-pomorskie, C Poland
25 R17 Grulla var. La Grulla. Texas, SW USA
40 K14 Grullo Jalisco, SW Mexico
95 K16 Grums Värmland, C Sweden
109 S5 Grünau im Almtal Oberösterreich, N Austria
101 H17 Grünberg Hessen, W Germany
Grünberg/Grünberg in Schlesien see Zielona Góra
Grünberg in Schlesien see Zielona Góra
92 H3 Grundarfjördhur Vestfirdhir, W Iceland
21 P7 Grundy Virginia, NE USA
29 W13 Grundy Center Iowa, C USA
Grüneberg see Zielona Góra
25 N1 Gruver Texas, SW USA
108 C9 Gruyère, Lac de la Ger. Greyerzer See. ◎ SW Switzerland
108 C9 Gruyères Fribourg, W Switzerland
118 E11 Gruzdžiai Šiauliai, N Lithuania
Gruzinskaya SSR/Gruziya see Georgia
Gryada Akkyr see Akgyr Erezi
126 L7 Gryazi Lipetskaya Oblast', W Russian Federation
124 M14 Gryazovets Vologodskaya Oblast', NW Russian Federation
111 M17 Grybów Małopolskie, SE Poland
94 M13 Grycksbo Dalarna, C Sweden
110 E8 Gryfice Ger. Greifenberg, Greifenberg in Pommern. Zachodnio-pomorskie, NW Poland
110 D9 Gryfino Ger. Greifenhagen. Zachodnio-pomorskie, NW Poland
92 H9 Gryllefjord Troms, N Norway
95 L15 Grythyttan Örebro, C Sweden
108 D10 Gstaad Bern, W Switzerland
43 P14 Guabito Bocas del Toro, NW Panama
44 G7 Guacanayabo, Golfo de gulf S Cuba
40 I7 Guachochi Chihuahua, N Mexico
104 J11 Guadajira ⁓ SW Spain
104 M13 Guadajoz ⁓ S Spain
40 L13 Guadalajara Jalisco, C Mexico
105 O8 Guadalajara Ar. Wad Al-Hajarah; anc. Arriaca. Castilla-La Mancha, C Spain
105 O7 Guadalajara ◆ province Castilla-La Mancha, C Spain
104 K12 Guadalcanal Andalucía, S Spain
186 L10 Guadalcanal off. Guadalcanal Province. ◆ province C Solomon Islands
186 M9 Guadalcanal island C Solomon Islands
105 O12 Guadalén ⁓ S Spain
105 R13 Guadalentín ⁓ SE Spain
104 K15 Guadalete ⁓ SW Spain
105 O13 Guadalimar ⁓ S Spain
105 P12 Guadalmena ⁓ S Spain
104 L11 Guadalmez ⁓ W Spain
105 S7 Guadalope ⁓ E Spain
104 K13 Guadalquivir ⁓ W Spain
104 J14 Guadalquivir, Marismas del var. Las Marismas. wetland SW Spain
40 M11 Guadalupe Zacatecas, C Mexico
57 E16 Guadalupe Ica, W Peru
104 L10 Guadalupe Extremadura, W Spain
36 L14 Guadalupe Arizona, SW USA
35 P13 Guadalupe California, W USA
Guadalupe see Canelones
40 J3 Guadalupe Bravos Chihuahua, N Mexico
40 A4 Guadalupe, Isla island NW Mexico
37 U15 Guadalupe Mountains ▲ New Mexico/Texas, SW USA
24 J8 Guadalupe Peak ▲ Texas, SW USA
25 R11 Guadalupe River ⁓ SW USA
104 K10 Guadalupe, Sierra de ▲ W Spain
40 K9 Guadalupe Victoria Durango, C Mexico
40 I8 Guadalupe y Calvo Chihuahua, N Mexico
105 N7 Guadarrama Madrid, C Spain
105 N7 Guadarrama ⁓ C Spain
104 M7 Guadarrama, Puerto de pass C Spain
105 N9 Guadarrama, Sierra de ▲ C Spain
105 Q9 Guadazaón ⁓ C Spain
45 X10 Guadeloupe ◇ French overseas department E West Indies
45 W10 Guadeloupe Passage passage E Caribbean Sea
104 H13 Guadiana ⁓ Portugal/Spain
105 O13 Guadiana Menor ⁓ S Spain
105 Q8 Guadiela ⁓ C Spain
105 O14 Guadix Andalucía, S Spain
Guad-i-Zirreh see Gowd-e Zereh, Dasht-e
193 T12 Guafo Fracture Zone tectonic feature SE Pacific Ocean
63 F18 Guafo, Isla island S Chile
42 I6 Guaimaca Francisco Morazán, C Honduras
54 J12 Guainía off. Comisaría del Guainía. ◆ province E Colombia
54 K12 Guainía, Río ⁓ Colombia/Venezuela
55 O9 Guaiquinima, Cerro elevation SE Venezuela
62 O7 Guairá off. Departamento del Guairá. ◆ department S Paraguay
60 G10 Guaíra Paraná, S Brazil
60 L7 Guaíra São Paulo, S Brazil
Guaire see Gorey
63 F18 Guaiteca, Isla island S Chile
44 G6 Guajaba, Cayo headland C Cuba
59 D16 Guajará-Mirim Rondônia, W Brazil
Guajira see La Guajira
54 H3 Guajira, Península de la peninsula N Colombia
42 J6 Gualaco Olancho, C Honduras
34 L7 Gualala California, W USA
42 E5 Gualán Zacapa, C Guatemala
61 C19 Gualeguay Entre Ríos, E Argentina
61 D18 Gualeguaychú Entre Ríos, E Argentina
61 C18 Gualeguay, Río ⁓ E Argentina
63 K16 Gualicho, Salina del salt lake E Argentina
188 B15 Guam ◇ US unincorporated territory W Pacific Ocean
63 F19 Guamblin, Isla island Archipiélago de los Chonos, S Chile
61 A22 Guaminí Buenos Aires, E Argentina
40 H8 Guamúchil Sinaloa, C Mexico
54 H4 Guana var. Misión de Guana. Zulia, NW Venezuela
44 C4 Guanabacoa La Habana, W Cuba
42 K13 Guanacaste off. Provincia de Guanacaste. ◆ province NW Costa Rica
42 K12 Guanacaste, Cordillera de ▲ NW Costa Rica
40 J8 Guanaceví Durango, C Mexico
44 A5 Guanahacabibes, Golfo de gulf W Cuba
42 K4 Guanaja, Isla de island Islas de la Bahía, N Honduras
44 C4 Guanajay La Habana, W Cuba
41 N12 Guanajuato Guanajuato, C Mexico
40 M12 Guanajuato ◆ state C Mexico
54 J6 Guanare Portuguesa, N Venezuela
54 K7 Guanare, Río ⁓ W Venezuela
54 J6 Guanarito Portuguesa, NW Venezuela
160 M3 Guancen Shan ▲ C China
62 I9 Guandacol La Rioja, W Argentina
44 A5 Guane Pinar del Río, W Cuba
161 N14 Guangdong var. Guangdong Sheng, Kuang-tung, Kwangtung, Yue. ◆ province S China
Guangdong Sheng see Guangdong
Guanghua see Laohekou
Guangju see Kwangju
160 I13 Guangnan var. Liancheng. Yunnan, SW China
161 N8 Guangshui prev. Yingshan. Hubei, C China
Guangxi see Guangxi Zhuangzu Zizhiqu
160 K14 Guangxi Zhuangzu Zizhiqu var. Guangxi, Gui, Kuang-hsi, Kwangsi, Eng. Kwangsi Chuang Autonomous Region. ◆ autonomous region S China
160 J8 Guangyuan var. Kuang-yuan, Kwangyuan. Sichuan, C China
161 N14 Guangzhou var. Kuang-chou, Kwangchow, Eng. Canton. Guangdong, S China
59 N19 Guanhães Minas Gerais, SE Brazil
160 I12 Guanling var. Guanling Buyeizu Miaozu Zizhixian. Guizhou, S China
Guanling Buyeizu Miaozu Zizhixian see Guanling
55 N5 Guanta Anzoátegui, NE Venezuela
44 J8 Guantánamo Guantánamo, SE Cuba
44 J8 Guantánamo, Bahía de Eng. Guantanamo Bay. US military installation SE Cuba
Guantánamo Bay see Guantánamo, Bahía de
Guanxian see Dujiangyan
161 Q6 Guanyun Jiangsu, E China
54 C12 Guapí Cauca, SW Colombia
43 N13 Guápiles Limón, NE Costa Rica
61 I15 Guaporé Rio Grande do Sul, S Brazil
59 E17 Guaporé, Rio var. Río Iténez. ⁓ Bolivia/Brazil see also Iténez, Río
56 B7 Guaranda Bolívar, C Ecuador
60 H11 Guaraniaçu Paraná, S Brazil
59 O20 Guarapari Espírito Santo, SE Brazil
60 I12 Guarapuava Paraná, S Brazil
60 J8 Guararapes São Paulo, S Brazil
105 S4 Guara, Sierra de ▲ NE Spain
60 N10 Guaratinguetá São Paulo, S Brazil
104 I7 Guarda Guarda, N Portugal
104 I7 Guarda ◆ district N Portugal
Guardak see Gowurdak
104 M3 Guardo Castilla-León, N Spain
104 K11 Guareña Extremadura, W Spain
60 J11 Guaricana, Pico ▲ S Brazil
54 L6 Guárico off. Estado Guárico. ◆ state N Venezuela
44 J7 Guarico, Punta headland E Cuba
54 L7 Guárico, Río ⁓ C Venezuela
60 M10 Guarujá São Paulo, S Brazil
61 L22 Guarulhos ✕ (São Paulo) São Paulo, S Brazil
43 R17 Guarumal Veraguas, S Panama
Guasapa see Guasopa
40 H8 Guasave Sinaloa, C Mexico
54 I8 Guasdualito Apure, C Venezuela
55 Q7 Guasipati Bolívar, E Venezuela
186 I9 Guasopa var. Guasapa. Woodlark Island, SE PNG
106 F9 Guastalla Emilia-Romagna, C Italy
42 D6 Guastatoya var. El Progreso. El Progreso, C Guatemala
42 D5 Guatemala off. Republic of Guatemala. ◆ republic Central America
42 A2 Guatemala off. Departamento de Guatemala. ◆ department S Guatemala
193 S7 Guatemala Basin undersea feature E Pacific Ocean
Guatemala City see Ciudad de Guatemala
45 V14 Guatuaro Point headland Trinidad, Trinidad and Tobago
186 B8 Guavi ⁓ SW PNG
54 G13 Guaviare off. Comisaría Guaviare. ◆ province S Colombia
54 J11 Guaviare, Río ⁓ E Colombia
61 E15 Guaviravi Corrientes, NE Argentina
54 G12 Guayabero, Río ⁓ SW Colombia
45 U6 Guayama E Puerto Rico
42 J7 Guayambre, Río ⁓ S Honduras
Guayanas, Macizo de las see Guiana Highlands
45 V6 Guayanés, Punta headland E Puerto Rico
42 J6 Guayape, Río ⁓ C Honduras
56 B7 Guayaquil var. Santiago de Guayaquil. Guayas, SW Ecuador
Guayaquil see Simon Bolivar
56 A8 Guayaquil, Golfo de var. Gulf of Guayaquil. gulf SW Ecuador
Guayaquil, Gulf of see Guayaquil, Golfo de
56 A7 Guayas ◆ province W Ecuador
62 N7 Guaycurú, Río ⁓ NE Argentina
40 F6 Guaymas Sonora, NW Mexico
45 U5 Guaynabo E Puerto Rico
80 H12 Guba Benishangul, W Ethiopia
146 H8 Gubadag Turkm. Tel'man; prev. Tel'mansk. Daşoguz Welaýaty, N Turkmenistan
125 T1 Guba Dolgaya Nenetskiy Avtonomnyy Okrug, NW Russian Federation
125 V13 Gubakha Permskaya Oblast', NW Russian Federation
106 I12 Gubbio Umbria, C Italy
100 Q13 Guben var. Wilhelm-Pieck-Stadt. Brandenburg, E Germany
Guben see Gubin
110 D12 Gubin Ger. Guben. Lubuskie, W Poland
126 K8 Gubkin Belgorodskaya Oblast', W Russian Federation
Gudara see Ghŭdara
105 S8 Gúdar, Sierra de ▲ E Spain
137 P8 Gudaut'a NW Georgia
94 G12 Gudbrandsdalen valley S Norway
95 G21 Gudenå var. Gudenaa. ⁓ C Denmark
Gudenaa see Gudenå
127 P16 Gudermes Chechenskaya Respublika, SW Russian Federation
155 J18 Gūdūr Andhra Pradesh, E India
146 B13 Gudurolum Balkan Welaýaty, W Turkmenistan
94 D13 Gudvangen Sogn og Fjordane, S Norway
103 U7 Guebwiller Haut-Rhin, NE France
Guéckédou see Guékédou
14 K8 Guéguen, Lac ◎ Québec, SE Canada
76 J15 Guékédou var. Guéckédou. Guinée-Forestière, S Guinea
41 R16 Guelatao Oaxaca, SE Mexico
Guelders see Gelderland
78 G11 Guélengdeng Mayo-Kébbi, W Chad
74 L5 Guelma var. Gâlma. NE Algeria
74 D8 Guelmime var. Goulimime. SW Morocco
14 G15 Guelph Ontario, S Canada
102 I7 Guéméné-Penfao Loire-Atlantique, NW France
102 I7 Guer Morbihan, NW France
78 I11 Guéra off. Préfecture du Guéra. ◆ prefecture S Chad
102 H8 Guérande Loire-Atlantique, NW France
78 K9 Guéréda Biltine, E Chad
103 N10 Guéret Creuse, C France
Guernica/Guernica y Lumo see Gernika-Lumo
33 Z15 Guernsey Wyoming, C USA
97 K25 Guernsey island Channel Islands, NW Europe
76 J10 Guérou Assaba, S Mauritania
25 R16 Guerra Texas, SW USA
41 O15 Guerrero ◆ state S Mexico
40 D6 Guerrero Negro Baja California Sur, NW Mexico
103 P9 Gueugnon Saône-et-Loire, C France
76 M17 Guéyo S Ivory Coast
107 L15 Guglionesi Molise, C Italy
188 K5 Guguan island C Northern Mariana Islands
Guhrau see Góra
Gui see Guangxi Zhuangzu Zizhiqu
Guiana see French Guiana
55 P10 Guiana Highlands var. Macizo de las Guayanas. ▲ N South America
Guiba see Juba
102 I7 Guichen Ille-et-Vilaine, NW France
Guichi see Chizhou
61 E18 Guichón Paysandú, W Uruguay
77 U12 Guidan-Roumji Maradi, S Niger
Guidder see Guider
159 T10 Guide var. Heyin. Qinghai, C China
78 F12 Guider var. Guidder. Nord, N Cameroon
76 I11 Guidimaka ◆ region S Mauritania
77 W12 Guidimouni Zinder, S Niger
76 G10 Guier, Lac de var. Lac de Guiers. ◎ N Senegal
160 L14 Guigang prev. Guixian, Gui Xian. Guangxi Zhuangzu Zizhiqu, S China
76 L16 Guiglo W Ivory Coast
54 L5 Güigüe Carabobo, N Venezuela
83 M20 Guijá Gaza, S Mozambique
42 E7 Güija, Lago de ◎ El Salvador/Guatemala
160 L14 Gui Jiang var. Gui Shui. ⁓ S China
104 K8 Guijuelo Castilla-León, N Spain
Guilan see Gīlān
97 N22 Guildford SE England, UK
19 R5 Guildford Maine, NE USA
19 O7 Guildhall Vermont, NE USA
103 R13 Guilherand Ardèche, E France
160 L13 Guilin var. Kuei-lin, Kweilin. Guangxi Zhuangzu Zizhiqu, S China
12 J6 Guillaume-Delisle, Lac ◎ Québec, NE Canada
103 U13 Guillestre Hautes-Alpes, SE France
104 H6 Guimarães var. Guimaráes. Braga, N Portugal
58 D11 Guimarães Rosas, Pico ▲ NW Brazil
23 N3 Guin Alabama, S USA
Güina see Wina
76 I14 Guinea off. Republic of Guinea, var. Guinée; prev. French Guinea, People's Revolutionary Republic of Guinea. ◆ republic W Africa
64 N13 Guinea Basin undersea feature E Atlantic Ocean
76 E12 Guinea-Bissau off. Republic of Guinea-Bissau, Fr. Guinée-Bissau, Port. Guiné-Bissau; prev. Portuguese Guinea. ◆ republic W Africa
64 O13 Guinea, Gulf of Fr. Golfe de Guinée. gulf E Atlantic Ocean
Guiné-Bissau see Guinea-Bissau
Guinée see Guinea
Guinée-Bissau see Guinea-Bissau
76 K15 Guinée-Forestière ◆ state SE Guinea
Guinée, Golfe de see Guinea, Gulf of
76 H13 Guinée-Maritime ◆ state W Guinea
44 C4 Güines La Habana, W Cuba
102 G5 Guingamp Côtes d'Armor, NW France
105 P3 Guipúzcoa Basq. Gipuzkoa. ◆ province País Vasco, N Spain
44 C5 Güira de Melena La Habana, W Cuba
74 G8 Guir, Hamada du desert Algeria/Morocco
55 P5 Güiria Sucre, NE Venezuela
Gui Shui see Gui Jiang
104 H2 Guitiriz Galicia, NW Spain
77 N17 Guitri S Ivory Coast
171 Q5 Guiuan Samar, C Philippines
Gui Xian/Guixian see Guigang
160 J12 Guiyang var. Kuei-Yang, Kuei-yang, Kueyang, Kweiyang; prev. Kweichu. Guizhou, S China
160 J12 Guizhou var. Guizhou Sheng, Kuei-chou, Kweichow, Qian. ◆ province S China
Guizhou Sheng see Guizhou
102 J13 Gujan-Mestras Gironde, SW France
154 B10 Gujarāt var. Gujerat. ◆ state W India
149 V6 Gūjar Khān Punjab, E Pakistan
Gujerat see Gujarāt
149 V7 Gujrānwāla Punjab, NE Pakistan
149 V7 Gujrāt Punjab, E Pakistan
146 B8 Gulandag Rus. Gory Kulandag. ▲ W Turkmenistan
159 U9 Gulang Gansu, C China
183 R6 Gulargambone New South Wales, SE Australia
155 G15 Gulbarga Karnātaka, C India
118 J8 Gulbene Ger. Alt-Schwanenburg. Gulbene, NE Latvia
147 U10 Gul'cha Kir. Gülchö. Oshskaya Oblast', SW Kyrgyzstan
Gülchö see Gul'cha
173 T10 Gulden Draak Seamount undersea feature E Indian Ocean
136 J16 Gülek Boğazı var. Cilician Gates. pass S Turkey
186 D8 Gulf ◆ province S PNG
23 O9 Gulf Breeze Florida, SE USA
23 V13 Gulfport Florida, SE USA
22 M9 Gulfport Mississippi, S USA
23 O9 Gulf Shores Alabama, S USA
Gulf, The see Persian Gulf
183 R7 Gulgong New South Wales, SE Australia
160 I11 Gulin Sichuan, C China
171 U14 Gulir Pulau Kasiui, E Indonesia
Gulistan see Guliston
147 P10 Guliston Rus. Gulistan. Sirdaryo Viloyati, E Uzbekistan
163 T6 Guliya Shan ▲ NE China
Gulja see Yining
39 S11 Gulkana Alaska, USA
11 S17 Gull Lake Saskatchewan, S Canada
31 P10 Gull Lake ◎ Michigan, N USA
29 T6 Gull Lake ◎ Minnesota, N USA
95 L16 Gullspång Västra Götaland, S Sweden
136 B15 Güllük Körfezi prev. Akbük Limanı. bay W Turkey
152 H5 Gulmarg Jammu and Kashmir, NW India
Gulpaigan see Golpāyegān
99 L18 Gulpen Limburg, SE Netherlands
Gul'shad see Gul'shat
145 S13 Gul'shat var. Gul'shad. Karaganda, E Kazakhstan
81 F17 Gulu N Uganda
114 K10 Gŭlŭbovo Stara Zagora, C Bulgaria
114 I7 Gulyantsi Pleven, N Bulgaria
Gulyaypole see Hulyaypole
Guma see Pishan
Gümai see Darlag
79 K16 Gumba Equateur, NW Dem. Rep. Congo
Gumbinnen see Gusev
81 H24 Gumbiro Ruvuma, S Tanzania
146 B11 Gumdag prev. Kum-Dag. Balkan Welaýaty, W Turkmenistan
77 W12 Gumel Jigawa, N Nigeria
105 N5 Gumiel de Hizán Castilla-León, N Spain
Gumire see Gumine
153 P16 Gumla Jhārkhand, N India
Gumma see Gunma
101 F16 Gummersbach Nordrhein-Westfalen, W Germany
77 T13 Gummi Zamfara, NW Nigeria
Gumpolds see Humpolec
153 N13 Gumti var. Gomati. ⁓ N India
Gümülcine/Gümüljina see Komotiní
Gümüşane see Gümüşhane
137 O12 Gümüşhane var. Gümüşane, Gumushkhane. Gümüşhane, NE Turkey
137 O12 Gümüşhane var. Gümüşane, Gumushkhane. ◆ province NE Turkey
Gumushkhane see Gümüşhane
171 V14 Gumzai Pulau Kola, E Indonesia
154 H9 Guna Madhya Pradesh, C India
Gunabad see Gonābād
Gunan see Qijiang
Gunbad-i-Qawus see Gonbad-e Kāvūs
183 O9 Gunbar New South Wales, SE Australia
183 O9 Gun Creek seasonal river New South Wales, SE Australia
183 Q10 Gundagai New South Wales, SE Australia
79 K17 Gundji Equateur, N Dem. Rep. Congo
155 G20 Gundlupet Karnātaka, W India
136 G16 Gündoğmuş Antalya, S Turkey
137 O14 Güney Doğu Toroslar ▲ SE Turkey
79 J21 Gungu Bandundu, SW Dem. Rep. Congo
127 P17 Gunib Respublika Dagestan, SW Russian Federation
112 J11 Gunja Vukovar-Srijem, E Croatia
31 P9 Gun Lake ◎ Michigan, N USA
165 N12 Gunma off. Gunma-ken, var. Gumma. ◆ prefecture Honshū, S Japan
197 P15 Gunnbjørn Fjeld var. Gunnbjørns Bjerge. ▲ C Greenland
183 S6 Gunnedah New South Wales, SE Australia
173 Y15 Gunner's Quoin var. Coin de Mire. island N Mauritius
37 R6 Gunnison Colorado, C USA
36 L5 Gunnison Utah, W USA
37 P5 Gunnison River ⁓ Colorado, C USA
21 X2 Gunpowder River ⁓ Maryland, NE USA
Güns see Kőszeg
Gunsan see Kunsan
109 S4 Gunskirchen Oberösterreich, N Austria
Gunt see Ghund
155 H17 Guntakal Andhra Pradesh, C India
23 Q2 Guntersville Alabama, S USA
23 Q2 Guntersville Lake ▦ Alabama, S USA
109 X4 Guntramsdorf Niederösterreich, E Austria
155 J16 Guntūr var. Guntur. Andhra Pradesh, SE India
168 H10 Gunungsitoli Pulau Nias, W Indonesia
155 M14 Gunupur Orissa, E India
101 J23 Günz ⁓ S Germany
Gunzan see Kunsan
101 J22 Günzburg Bayern, S Germany
101 K21 Gunzenhausen Bayern, S Germany
Guovdageaidu see Kautokeino
161 P7 Guoyang Anhui, E China
116 G11 Gurahonț Hung. Honctő. Arad, W Romania
Gurahumora see Gura Humorului

◆ Country ● Country Capital ◇ Dependent Territory ○ Dependent Territory Capital ◆ Administrative Region ✕ International Airport ▲ Mountain ▲ Mountain Range Volcano ⁓ River ◎ Lake ▦ Reservoir

258 ••• GURA HUMORULUI – HAMLIN LAKE

116 K9 **Gura Humorului** *Ger.* Gurahumora. Suceava, NE Romania
158 K4 **Gurbantünggüt Shamo** *desert* W China
152 H7 **Gurdāspur** Punjab, N India
27 T13 **Gurdon** Arkansas, C USA
Gurdzhaani *see* Gurjaani
Gurgan *see* Gorgān
152 I10 **Gurgaon** Haryāna, N India
59 M15 **Gurguéia, Rio** ≈ NE Brazil
55 Q7 **Guri, Embalse de** ⊞ E Venezuela
137 V10 **Gurjaani** *Rus.* Gurdzhaani. E Georgia
109 T8 **Gurk** Kärnten, S Austria
109 T9 **Gurk** *Slvn.* Krka. ≈ S Austria
Gurkfeld *see* Krško
114 K9 **Gurkovo** *prev.* Kolupchii. Stara Zagora, C Bulgaria
109 S9 **Gurktaler Alpen** ⛰ S Austria
146 H8 **Gurlan** *Rus.* Gurlen. Xorazm Viloyati, W Uzbekistan
Gurlen *see* Gurlan
83 M16 **Guro** Manica, C Mozambique
136 M14 **Gürün** Sivas, C Turkey
59 K16 **Gurupi** Tocantins, C Brazil
58 L12 **Gurupi, Rio** ≈ NE Brazil
152 E14 **Guru Sikhar** ▲ NW India
Gur'yev/Gur'yevskaya Oblast' *see* Atyrau
77 U13 **Gusau** Zamfara, NW Nigeria
126 C3 **Gusev** *Ger.* Gumbinnen. Kaliningradskaya Oblast', W Russian Federation
146 J17 **Gushgy** *Rus.* Kushka. ≈ S Turkmenistan
Gushgy *see* Serhetabat
Gushiago *see* Gushiegu
77 Q14 **Gushiegu** *var.* Gushiago. NE Ghana
165 S17 **Gushikawa** Okinawa, Okinawa, SW Japan
113 L16 **Gusinje** Montenegro, SW Serbia and Montenegro (Yugo.)
126 M4 **Gus'-Khrustal'nyy** Vladimirskaya Oblast', W Russian Federation
107 B19 **Guspini** Sardegna, Italy, C Mediterranean Sea
109 X8 **Güssing** Burgenland, SE Austria
109 V6 **Gusswerk** Steiermark, E Austria
92 O2 **Gustav Adolf Land** *physical region* NE Svalbard
195 X5 **Gustav Bull Mountains** ⛰ Antarctica
39 W13 **Gustavus** Alaska, USA
92 O1 **Gustav V Land** *physical region* NE Svalbard
35 P9 **Gustine** California, W USA
25 R8 **Gustine** Texas, SW USA
100 M9 **Güstrow** Mecklenburg-Vorpommern, NE Germany
95 N18 **Gusum** Östergötland, S Sweden
Guta/Gúta *see* Kolárovo
Gutenstein *see* Ravne na Koroškem
101 G14 **Gütersloh** Nordrhein-Westfalen, W Germany
27 N10 **Guthrie** Oklahoma, C USA
25 P5 **Guthrie** Texas, SW USA
29 U14 **Guthrie Center** Iowa, C USA
41 Q13 **Gutiérrez Zamora** Veracruz-Llave, E Mexico
Gutta *see* Kolárovo
29 Y12 **Guttenberg** Iowa, C USA
Guttentag *see* Dobrodzień
Guttstadt *see* Dobre Miasto
162 G8 **Guulin** Govĭ-Altay, C Mongolia
153 V12 **Guwāhāti** *prev.* Gauhāti. Assam, NE India
139 R3 **Guwēr** *var.* Al Kuwayr, Al Quwayr, Quwair. N Iraq
146 A10 **Guwlumaýak** *Rus.* Kuuli-Mayak. Balkan Welaýaty, NW Turkmenistan
55 R9 **Guyana** *off.* Cooperative Republic of Guyana; *prev.* British Guiana. ◆ *republic* N South America
21 P5 **Guyandotte River** ≈ West Virginia, NE USA
Guyane *see* French Guiana
Guyi *see* Sanjiang
26 H8 **Guymon** Oklahoma, C USA
146 K12 **Guynuk** Lebap Welaýaty, NE Turkmenistan
Guyong *see* Jiangle
21 O9 **Guyot, Mount** ▲ North Carolina/Tennessee, SE USA
183 U5 **Guyra** New South Wales, SE Australia
159 W10 **Guyuan** Ningxia, N China
Guzar *see* G'uzor
147 N13 **G'uzor** *Rus.* Guzar. Qashqadaryo Viloyati, S Uzbekistan
121 P2 **Güzelyurt** *Gk.* Mórfou, Morphou. W Cyprus
121 N2 **Güzelyurt Körfezi** *var.* Morfou Bay, Morphou Bay, *Gk.* Kólpos Mórfou. *bay* W Cyprus
Guzhou *see* Rongjiang
40 I3 **Guzmán** Chihuahua, N Mexico
119 B14 **Gvardeysk** *Ger.* Tapaiu. Kaliningradskaya Oblast', W Russian Federation
Gvardeyskoye *see* Hvardiys'ke
183 R5 **Gwabegar** New South Wales, SE Australia
148 J16 **Gwādar** *var.* Gwadur. Baluchistān, SW Pakistan
148 J16 **Gwādar East Bay** *bay* SW Pakistan
148 J16 **Gwādar West Bay** *bay* SW Pakistan
Gwadur *see* Gwādar
83 J17 **Gwai** Matabeleland North, W Zimbabwe
154 I7 **Gwalior** Madhya Pradesh, C India
83 J18 **Gwanda** Matabeleland South, SW Zimbabwe
79 N15 **Gwane** Orientale, N Dem. Rep. Congo
83 I17 **Gwayi** ≈ W Zimbabwe
110 G8 **Gwda** *var.* Głda, *Ger.* Küddow. ≈ NW Poland
97 C14 **Gweebarra Bay** *Ir.* Béal an Bheara. *inlet* W Ireland
97 D14 **Gweedore** *Ir.* Gaoth Dobhair. NW Ireland
Gwelo *see* Gweru
97 K21 **Gwent** *cultural region* S Wales, UK
83 K17 **Gweru** *prev.* Gwelo. Midlands, C Zimbabwe
29 Q7 **Gwinner** North Dakota, N USA
77 Y13 **Gwoza** Borno, NE Nigeria
Gwy *see* Wye
183 R4 **Gwydir River** ≈ New South Wales, SE Australia
97 I19 **Gwynedd** *var.* Gwyneth. *cultural region* NW Wales, UK
Gwyneth *see* Gwynedd
159 O16 **Gyaca** *var.* Ngarrab. Xizang Zizhiqu, W China
Gya'gya *see* Saga
Gyaijêpozhanggê *see* Zhidoi
Gyaisi *see* Jiulong
115 M22 **Gyalí** *var.* Yialí. *island* Dodekánisos, Greece, Aegean Sea
Gyamotang *see* Dêngqên
Gyandzha *see* Gäncä
Gyangkar *see* Dinggyê
158 M16 **Gyangzê** Xizang Zizhiqu, W China
158 L14 **Gyaring Co** ◎ W China
159 Q12 **Gyaring Hu** ◎ C China
115 I20 **Gyáros** *var.* Yioúra. *island* Kykládes, Greece, Aegean Sea
122 J7 **Gyda** Yamalo-Nenetskiy Avtonomnyy Okrug, N Russian Federation
122 J7 **Gydanskiy Poluostrov** *Eng.* Gyda Peninsula. *peninsula* N Russian Federation
Gyda Peninsula *see* Gydanskiy Poluostrov
Gyêgu *see* Yushu
Gyéres *see* Câmpia Turzii
Gyergyószentmiklós *see* Gheorgheni
Gyergyótölgyes *see* Tulgheş
Gyertyámos *see* Cărpiniş
Gyeva *see* Detva
Gyigang *see* Zayü
Gyixong *see* Gonggar
95 I23 **Gyldenløveshøj** *hill range* C Denmark
181 Z10 **Gympie** Queensland, E Australia
166 L7 **Gyobingauk** Pegu, SW Myanmar
111 M23 **Gyomaendrőd** Békés, SE Hungary
Gyömbér *see* Ďumbier
111 L22 **Gyöngyös** Heves, NE Hungary
111 H22 **Győr** *Ger.* Raab; *Lat.* Arrabona. Győr-Moson-Sopron, NW Hungary
111 G22 **Győr-Moson-Sopron** *off.* Győr-Moson-Sopron Megye. ◈ *county* NW Hungary
11 X15 **Gypsumville** Manitoba, S Canada
12 M4 **Gyrfalcon Islands** *island group* Nunavut, NE Canada
95 N14 **Gysinge** Gävleborg, C Sweden
115 F22 **Gýtheio** *var.* Githio; *prev.* Ýithion. Pelopónnisos, S Greece
146 L13 **Gyuichbirleshik** Lebap Welaýaty, E Turkmenistan
111 N24 **Gyula** *Rom.* Jula. Békés, SE Hungary
Gyulafehérvár *see* Alba Iulia
Gyulovo *see* Roza
137 T11 **Gyumri** *var.* Giumri, *Rus.* Kumayri; *prev.* Aleksandropol', Leninakan. W Armenia
146 D13 **Gyunuzyndag, Gora** ▲ W Turkmenistan
Gyzylarbat *see* Serdar
146 J15 **Gyzylbaýdak** *Rus.* Krasnoye Znamya. Mary Welaýaty, S Turkmenistan
Gyzyletrek *see* Etrek
146 D10 **Gyzylgaýa** *Rus.* Kizyl-Kaya. Balkan Welaýaty, NW Turkmenistan
146 K12 **Gyzylsuw** *Rus.* Kizyl-Su. Balkan Welaýaty, W Turkmenistan
126 J3 **Gzhatsk** Smolenskaya Oblast', W Russian Federation

H

159 T12 **Ha** W Bhutan
Haabai *see* Ha'apai Group
99 H17 **Haacht** Vlaams Brabant, C Belgium
109 T4 **Haag** Niederösterreich, NE Austria
194 L8 **Haag Nunataks** ⛰ Antarctica
92 N2 **Haakon VII Land** *physical region* NW Svalbard
98 O11 **Haaksbergen** Overijssel, E Netherlands
99 E14 **Haamstede** Zeeland, SW Netherlands
193 Y15 **Ha'ano** *island* Ha'apai Group, C Tonga
193 Y15 **Ha'apai Group** *var.* Haabai. *island group* C Tonga
93 L15 **Haapajärvi** Oulu, C Finland
93 L17 **Haapamäki** Länsi-Suomi, W Finland
93 L15 **Haapavesi** Oulu, C Finland
191 N7 **Haapiti** Moorea, W French Polynesia
118 F4 **Haapsalu** *Ger.* Hapsal. Läänemaa, W Estonia
Ha'Arava *see* 'Arabah, Wādī al
95 G24 **Haarby** *var.* Hårby. Fyn, C Denmark
98 H10 **Haarlem** *prev.* Harlem. Noord-Holland, W Netherlands
185 D19 **Haast** West Coast, South Island, NZ
185 C20 **Haast** ≈ South Island, NZ
185 D20 **Haast Pass** *pass* South Island, NZ
193 W16 **Ha'atua** 'Eau, E Tonga
149 P15 **Hab** ≈ SW Pakistan
141 W7 **Haba** *var.* Al Haba. Dubayy, NE UAE
158 K2 **Habahe** *var.* Kaba. Xinjiang Uygur Zizhiqu, NW China
141 U13 **Ḩabarūt** *var.* Habrut. SW Oman
81 J18 **Habaswein** North Eastern, NE Kenya
99 L24 **Habay-la-Neuve** Luxembourg, SE Belgium
139 S8 **Ḩabbānīyah, Buḩayrat** ◎ C Iraq
Habelschwerdt *see* Bystrzyca Kłodzka
153 V14 **Habiganj** Chittagong, NE Bangladesh
163 Q12 **Habirag** Nei Mongol Zizhiqu, N China
95 L19 **Habo** Västra Götaland, S Sweden
123 V14 **Habomai Islands** *island group* Kuril'skiye Ostrova, SE Russian Federation
165 S2 **Haboro** Hokkaidō, NE Japan
153 S16 **Habra** West Bengal, NE India
Habrut *see* Ḩabarūt
143 P17 **Ḩabshān** Abū Ẓaby, C UAE
54 E14 **Hacha** Putumayo, S Colombia
165 X13 **Hachijō** Tōkyō, Hachijō-jima, SE Japan
165 X13 **Hachijō-jima** *var.* Hatizyô Zima. *island* Izu-shotō, SE Japan
164 L12 **Hachiman** Gifu, Honshū, SW Japan
165 P7 **Hachimori** Akita, Honshū, C Japan
165 R7 **Hachinohe** Aomori, Honshū, C Japan
93 G17 **Hackås** Jämtland, C Sweden
18 K14 **Hackensack** New Jersey, NE USA
Hadama *see* Nazrēt
141 W13 **Ḩadbaram** S Oman
139 T13 **Ḩaddānīyah** *well* S Iraq
96 K12 **Haddington** SE Scotland, UK
141 Z8 **Ḩadd, Ra's al** *headland* NE Oman
Haded *see* Xadeed
77 W12 **Hadejia** Jigawa, N Nigeria
77 W12 **Hadejia** ≈ N Nigeria
138 F9 **Hadera** *var.* Khadera. Haifa, C Israel
Hadersleben *see* Haderslev
95 G24 **Haderslev** *Ger.* Hadersleben. Sønderjylland, SW Denmark
151 J21 **Hadhdhunmathi Atoll** *var.* Haddummati Atoll, Laamu Atoll. *atoll* S Maldives
Hadhramaut *see* Ḩaḑramawt
141 W17 **Hadīboh** Suquṭrā, SE Yemen
158 K9 **Hadilik** Xinjiang Uygur Zizhiqu, W China
136 H16 **Hadım** Konya, S Turkey
140 K7 **Hadīyah** Al Madīnah, W Saudi Arabia
8 L5 **Hadley Bay** *bay* Victoria Island, Nunavut, N Canada
167 S6 **Ha Đông** *var.* Hadong. Ha Tây, N Vietnam
141 R15 **Ḩaḑramawt** *Eng.* Hadhramaut. ⛰ S Yemen
Hadria *see* Adria
Hadrianopolis *see* Edirne
Hadria Picena *see* Apricena
95 G22 **Hadsten** Århus, C Denmark
95 G21 **Hadsund** Nordjylland, N Denmark
117 S4 **Hadyach** *Rus.* Gadyach. Poltavs'ka Oblast', NE Ukraine
112 I13 **Hadžići** Federacija Bosna I Hercegovina, SE Bosnia and Herzegovina
163 W14 **Haeju** S North Korea
Haerbin/Haerhpin/Ha-erh-pin *see* Harbin
141 P5 **Ḩafar al Bāṭin** Ash Sharqīyah, N Saudi Arabia
11 T15 **Hafford** Saskatchewan, S Canada
136 M13 **Hafik** Sivas, N Turkey
149 V8 **Ḩāfizābād** Punjab, E Pakistan
92 H4 **Hafnarfjördhur** Reykjanes, W Iceland
Hafnia *see* København, Denmark
Hafnia *see* Denmark
Hafren *see* Severn
Hafun *see* Xaafuun
Hafun, Ras *see* Xaafuun, Raas
80 G10 **Hag 'Abdullah** Sinnar, E Sudan
81 K18 **Hagadera** North Eastern, E Kenya
138 G8 **HaGalil** *Eng.* Galilee. ▲ N Israel
14 G10 **Hagar** Ontario, S Canada
155 G18 **Hagari** *var.* Vedāvati. ≈ W India
188 B16 **Hagåtña** *var.* Agana, Agaña. ○ (Guam) NW Guam
100 M13 **Hagelberg** *hill* NE Germany
39 N14 **Hagemeister Island** *island* Alaska, USA
101 F15 **Hagen** Nordrhein-Westfalen, W Germany
100 K10 **Hagenow** Mecklenburg-Vorpommern, N Germany
10 K15 **Hagensborg** British Columbia, SW Canada
80 I13 **Hägere Hiywet** *var.* Agere Hiywet, Ambo. Oromo, C Ethiopia
33 O15 **Hagerman** Idaho, NW USA
37 U14 **Hagerman** New Mexico, SW USA
21 V2 **Hagerstown** Maryland, NE USA
14 G16 **Hagersville** Ontario, S Canada
102 J15 **Hagetmau** Landes, SW France
95 K14 **Hagfors** Värmland, C Sweden
93 G16 **Häggenås** Jämtland, C Sweden
164 E12 **Hagi** Yamaguchi, Honshū, SW Japan
167 S5 **Ha Giang** Ha Giang, N Vietnam
Hagios Evstrátios *see* Ágios Efstrátios
HaGolan *see* Golan Heights
103 T4 **Hagondange** Moselle, NE France
97 B18 **Hag's Head** *Ir.* Ceann Caillí. *headland* W Ireland
102 I3 **Hague, Cap de la** *headland* N France
103 V5 **Haguenau** Bas-Rhin, NE France
165 X16 **Hahajima-rettō** *island group* SE Japan
15 R8 **Ha! Ha!, Lac** ◎ Québec, SE Canada
172 H13 **Hahaya** ✈ (Moroni) Grande Comore, NW Comoros
22 K9 **Hahnville** Louisiana, S USA
83 E22 **Haib** Karas, S Namibia
Haibak *see* Āybak
149 N15 **Haibo** ≈ SW Pakistan
Haibowan *see* Wuhai
163 U12 **Haicheng** Liaoning, NE China
Haida *see* Nový Bor
Haidarabad *see* Hyderābād
Haidenschaft *see* Ajdovščina
167 T6 **Hai Dương** Hai Hưng, N Vietnam
138 F9 **Haifa** ◈ *district* NW Israel
Haifa *see* Ḩefa
Haifa, Bay of *see* Ḩefa, Mifraẕ
161 P14 **Haifeng** Guangdong, S China
Haifong *see* Hai Phong
161 P3 **Hai He** ≈ E China
Haikang *see* Leizhou
160 L17 **Haikou** *var.* Hai-k'ou, Hoihow, *Fr.* Hoï-Hao. Hainan, S China
140 M6 **Ḩā'il** Ḩā'il, NW Saudi Arabia
141 N5 **Ḩā'il** *off.* Minṭaqah Ḩā'il. ◈ *province* N Saudi Arabia
Hai-la-erh *see* Hailar
163 S6 **Hailar** *var.* Hai-la-erh; *prev.* Hulun. Nei Mongol Zizhiqu, N China
163 S6 **Hailar He** ≈ NE China
33 P14 **Hailey** Idaho, NW USA
14 H9 **Haileybury** Ontario, S Canada
163 X9 **Hailin** Heilongjiang, NE China
Ḩā'il, Minṭaqah *see* Ḩā'il
93 K14 **Hailuoto** *Swe.* Karlö. *island* W Finland
Haima *see* Haymā'
Haimen *see* Taizhou
160 M17 **Hainan** *var.* Hainan Sheng, Qiong. ◈ *province* S China
160 K17 **Hainan Dao** *island* S China
Hainan Sheng *see* Hainan
Hainan Strait *see* Qiongzhou Haixia
Hainasch *see* Ainaži
Hainau *see* Chojnów
99 E20 **Hainaut** ◈ *province* SW Belgium
Hainburg *see* Hainburg an der Donau
109 Z4 **Hainburg an der Donau** *var.* Hainburg. Niederösterreich, NE Austria
39 W12 **Haines** Alaska, USA
32 L12 **Haines** Oregon, NW USA
23 W12 **Haines City** Florida, SE USA
10 H8 **Haines Junction** Yukon Territory, W Canada
109 W4 **Hainfeld** Niederösterreich, NE Austria
101 N16 **Hainichen** Sachsen, E Germany
167 T6 **Hai Phong** *var.* Haifong, Haiphong. N Vietnam
161 S12 **Haitan Dao** *island* SE China
44 K8 **Haiti** *off.* Republic of Haiti. ◆ *republic* C West Indies
35 T11 **Haiwee Reservoir** ⊞ California, W USA
80 I7 **Haiya** Red Sea, NE Sudan
159 T10 **Haiyan** *var.* Sanjiaocheng. Qinghai, W China
160 M13 **Haiyang Shan** ⛰ S China
159 V10 **Haiyuan** Ningxia, N China
Hajda *see* Nový Bor
111 M22 **Hajdú-Bihar** *off.* Hajdú-Bihar Megye. ◈ *county* E Hungary
111 N22 **Hajdúböszörmény** Hajdú-Bihar, E Hungary
111 N22 **Hajdúhadház** Hajdú-Bihar, E Hungary
111 N21 **Hajdúnánás** Hajdú-Bihar, E Hungary
111 N22 **Hajdúszoboszló** Hajdú-Bihar, E Hungary
142 I3 **Ḩājī Ebrāhīm, Kūh-e** ▲ Iran/Iraq
165 O9 **Hajiki-zaki** *headland* Sado, C Japan
Hajîne *see* Abū Ḩardān
153 P13 **Hājīpur** Bihār, N India
141 N14 **Ḩajjah** W Yemen
139 U11 **Ḩajjama** S Iraq
143 R12 **Ḩājjīābād** Hormozgān, C Iran
139 U14 **Ḩājj, Thaqb al** *well* S Iraq
113 L16 **Hajla** ▲ SW Serbia and Montenegro (Yugo.)
110 P10 **Hajnówka** *Ger.* Hermhausen. Podlaskie, NE Poland
166 K4 **Haka** Chin State, W Myanmar
Hakapehi *see* Punaauia
Hakâri *see* Hakkâri
137 T16 **Hakkâri** *var.* Çölemerik, Hakâri. Hakkâri, SE Turkey
137 T16 **Hakkâri** *var.* Hakkari. ◈ *province* SE Turkey
92 J12 **Hakkas** Norrbotten, N Sweden
164 J14 **Hakken-zan** ▲ Honshū, SW Japan
165 R7 **Hakkōda-san** ▲ Honshū, C Japan
165 T2 **Hako-dake** ▲ Hokkaidō, NE Japan
165 R5 **Hakodate** Hokkaidō, NE Japan
164 L11 **Hakui** Ishikawa, Honshū, SW Japan
190 B16 **Hakupu** SE Niue
164 L12 **Haku-san** ▲ Honshū, SW Japan
Hal *see* Halle
149 Q15 **Hāla** Sind, SE Pakistan
138 I3 **Ḩalab** *Eng.* Aleppo, *Fr.* Alep; *anc.* Beroea. Ḩalab, NW Syria
138 J3 **Ḩalab** *off.* Muḩāfaẓat Ḩalab, *var.* Aleppo, Halab. ◈ *governorate* NW Syria
138 J3 **Ḩalab** ✈ Ḩalab, NW Syria
141 O8 **Ḩalabān** *var.* Halibān. Ar Riyāḑ, C Saudi Arabia
139 V4 **Ḩalabja** NE Iraq
146 L13 **Halaç** *Rus.* Khalach. Lebap Welaýaty, E Turkmenistan
190 A16 **Halagigie Point** *headland* W Niue
75 Z11 **Halaib** SE Egypt
190 G12 **Halalo** Île Uvea, N Wallis and Futuna
Halandri *see* Chalándri
141 X13 **Ḩalānīyāt, Juzur al** *var.* Jazā'ir Bin Ghalfān, *Eng.* Kuria Muria Islands. *island group* S Oman
141 W13 **Ḩalānīyāt, Khalīj al** *Eng.* Kuria Muria Bay. *bay* S Oman
Halas *see* Kiskunhalas
38 G11 **Hālawa** Hawai'i, USA, C Pacific Ocean
38 F9 **Hālawa, Cape** *var.* Cape Halawa *headland* Moloka'i, Hawai'i, USA, C Pacific Ocean
162 H6 **Halban** Hövsgöl, N Mongolia
101 K14 **Halberstadt** Sachsen-Anhalt, C Germany
184 M12 **Halcombe** Manawatu-Wanganui, North Island, NZ
95 I16 **Halden** *prev.* Fredrikshald. Østfold, S Norway
100 L13 **Haldensleben** Sachsen-Anhalt, C Germany
Háldi *see* Halti
153 S17 **Haldia** West Bengal, NE India
152 K10 **Haldwāni** Uttaranchal, N India
38 F10 **Haleakalā** *var.* Haleakala *crater* Maui, Hawai'i, USA, C Pacific Ocean
25 N4 **Hale Center** Texas, SW USA
99 J18 **Halen** Limburg, NE Belgium
23 O2 **Haleyville** Alabama, S USA
77 O17 **Half Assini** SW Ghana
35 R8 **Half Dome** ▲ California, W USA
185 C25 **Halfmoon Bay** *var.* Oban. Stewart Island, Southland, NZ
182 E5 **Half Moon Lake** *salt lake* South Australia
163 R7 **Halhgol** Dornod, E Mongolia
Haliacmon *see* Aliákmonas
Halibān *see* Ḩalabān
14 I13 **Haliburton** Ontario, SE Canada
14 I12 **Haliburton Highlands** *var.* Madawaska Highlands. *hill range* Ontario, SE Canada
13 Q15 **Halifax** Nova Scotia, SE Canada
97 L17 **Halifax** N England, UK
21 W8 **Halifax** North Carolina, SE USA
21 U7 **Halifax** Virginia, NE USA
13 Q15 **Halifax** ✈ Nova Scotia, SE Canada
143 T13 **Halīl Rūd** *seasonal river* SE Iran
138 I6 **Ḩalīmah** ▲ Lebanon/Syria
162 G8 **Haliun** Govĭ-Altay, W Mongolia
118 I3 **Haljala** *Ger.* Halljal. Lääne-Virumaa, N Estonia
39 Q4 **Halkett, Cape** *headland* Alaska, USA
Halkida *see* Chalkída
96 J6 **Halkirk** N Scotland, UK
15 X7 **Hall** ≈ Québec, SE Canada
Hall *see* Schwäbisch Hall
93 H15 **Hälla** Västerbotten, N Sweden
96 J6 **Halladale** ≈ N Scotland, UK
95 J21 **Halland** ◈ *county* S Sweden
23 Z15 **Hallandale** Florida, SE USA
95 K22 **Hallandsås** *physical region* S Sweden
9 P6 **Hall Beach** Nunavut, N Canada
99 G19 **Halle** *Fr.* Hal. Vlaams Brabant, C Belgium
101 M15 **Halle** *var.* Halle an der Saale. Sachsen-Anhalt, C Germany
Halle an der Saale *see* Halle
35 W3 **Halleck** Nevada, W USA
95 L15 **Hällefors** Örebro, C Sweden
95 N16 **Hälleforsnäs** Södermanland, C Sweden
109 Q6 **Hallein** Salzburg, N Austria
101 L15 **Halle-Neustadt** Sachsen-Anhalt, C Germany
25 U12 **Hallettsville** Texas, SW USA
195 N4 **Halley** *UK research station* Antarctica
28 L4 **Halliday** North Dakota, N USA
37 S2 **Halligan Reservoir** ⊞ Colorado, C USA
100 G7 **Halligen** *island group* N Germany
94 G13 **Hallingdal** *valley* S Norway
38 J12 **Hall Island** *island* Alaska, USA
Hall Island *see* Maiana
189 P15 **Hall Islands** *island group* C Micronesia
118 H6 **Halliste** ≈ S Estonia
Halljal *see* Haljala
93 I15 **Hällnäs** Västerbotten, N Sweden
29 R2 **Hallock** Minnesota, N USA
9 S6 **Hall Peninsula** *peninsula* Baffin Island, Nunavut, NE Canada
20 F9 **Halls** Tennessee, S USA
95 M16 **Hallsberg** Örebro, C Sweden
181 N5 **Halls Creek** Western Australia
182 L12 **Halls Gap** Victoria, SE Australia
95 N15 **Hallstahammar** Västmanland, C Sweden
109 R6 **Hallstatt** Salzburg, W Austria
109 R6 **Hallstatter See** ◎ C Austria
95 P14 **Hallstavik** Stockholm, C Sweden
24 X7 **Hallsville** Texas, SW USA
103 P1 **Halluin** Nord, N France
Halmahera, Laut *see* Halmahera Sea
171 R11 **Halmahera, Pulau** *prev.* Djailolo, Gilolo, Jailolo. *island* E Indonesia
171 S12 **Halmahera Sea** *Ind.* Laut Halmahera. *sea* E Indonesia
95 J21 **Halmstad** Halland, S Sweden
119 N15 **Halowchyn** *Rus.* Golovchin. Mahilyowskaya Voblasts', E Belarus
95 H20 **Hals** Nordjylland, N Denmark
94 F8 **Halsa** Møre og Romsdal, S Norway
119 I15 **Hal'shany** *Rus.* Gol'shany. Hrodzyenskaya Voblasts', W Belarus
Hälsingborg *see* Helsingborg
29 R5 **Halstad** Minnesota, N USA
27 N6 **Halstead** Kansas, C USA
99 G15 **Halsteren** Noord-Brabant, S Netherlands
93 L16 **Halsua** Länsi-Suomi, W Finland
101 E14 **Haltern** Nordrhein-Westfalen, W Germany
92 J9 **Halti** *var.* Haltiatunturi, *Lapp.* Háldi. ▲ Finland/Norway
Haltiatunturi *see* Halti
116 J6 **Halych** Ivano-Frankivs'ka Oblast', W Ukraine
Halycus *see* Platani
103 P3 **Ham** Somme, N France
Hama *see* Ḩamāh
164 F12 **Hamada** Shimane, Honshū, SW Japan
142 L6 **Hamadān** *anc.* Ecbatana. Hamadān, W Iran
142 L6 **Hamadān** *off.* Ostān-e Hamadān. ◈ *province* W Iran
138 I5 **Ḩamāh** *var.* Hama; *anc.* Epiphania, *Bibl.* Hamath. Ḩamāh, W Syria
138 I5 **Ḩamāh** *off.* Muḩāfaẓat Ḩamāh, *var.* Hama. ◈ *governorate* C Syria
165 S3 **Hamamasu** Hokkaidō, NE Japan
164 L14 **Hamamatsu** *var.* Hamamatu. Shizuoka, Honshū, S Japan
Hamamatu *see* Hamamatsu
165 W14 **Hamanaka** Hokkaidō, NE Japan
164 L14 **Hamana-ko** ◎ Honshū, S Japan
94 I13 **Hamar** *prev.* Storhammer. Hedmark, S Norway
141 U10 **Ḩamārīr al Kidan, Qalamat** *well* E Saudi Arabia
164 I12 **Hamasaka** Hyōgo, Honshū, SW Japan
Hamath *see* Ḩamāh
165 T1 **Hamatonbetsu** Hokkaidō, NE Japan
155 K26 **Hambantota** Southern Province, SE Sri Lanka
Hambourg *see* Hamburg
100 J9 **Hamburg** Hamburg, N Germany
27 V14 **Hamburg** Arkansas, C USA
29 S16 **Hamburg** Iowa, C USA
18 D10 **Hamburg** New York, NE USA
100 I10 **Hamburg** *Fr.* Hambourg. ◈ *state* N Germany
148 K5 **Hamdam Āb, Dasht-e** *Pash.* Dasht-i Hamdamab. ▲ W Afghanistan
Hamdamab, Dasht-i *see* Hamdam Āb, Dasht-e
18 M13 **Hamden** Connecticut, NE USA
140 K6 **Ḩamḑ, Wādī al** *dry watercourse* W Saudi Arabia
93 K18 **Hämeenkyrö** Länsi-Suomi, W Finland
93 L19 **Hämeenlinna** *Swe.* Tavastehus. Etelä-Suomi, S Finland
HaMelaḩ, Yam *see* Dead Sea
Hamelin *see* Hameln
100 I13 **Hameln** *Eng.* Hamelin. Niedersachsen, N Germany
180 I8 **Hamersley Range** ⛰ Western Australia
163 Y12 **Hamgyŏng-sanmaek** ⛰ N North Korea
163 X13 **Hamhŭng** C North Korea
159 O6 **Hami** *var.* Ha-mi, *Uigh.* Kumul, Qomul. Xinjiang Uygur Zizhiqu, NW China
139 X10 **Ḩāmid Amīn** E Iraq
141 W11 **Ḩamīdān, Khawr** *oasis* SE Saudi Arabia
138 H5 **Ḩamīdīyah** *var.* Hamîdîyé. Ţartūs, W Syria
114 L12 **Hamidiye** Edirne, NW Turkey
Hamîdîyé *see* Ḩamīdīyah
182 L12 **Hamilton** Victoria, SE Australia
64 B12 **Hamilton** ○ (Bermuda) C Bermuda
14 G16 **Hamilton** Ontario, S Canada
184 M7 **Hamilton** Waikato, North Island, NZ
96 I12 **Hamilton** S Scotland, UK
23 N3 **Hamilton** Alabama, S USA
38 M10 **Hamilton** Alaska, USA
30 J13 **Hamilton** Illinois, N USA
27 S3 **Hamilton** Missouri, C USA
33 P10 **Hamilton** Montana, NW USA
25 S8 **Hamilton** Texas, SW USA
14 G16 **Hamilton** ✈ Ontario, SE Canada
64 I6 **Hamilton Bank** *undersea feature* SE Labrador Sea
182 E1 **Hamilton Creek** *seasonal river* South Australia
13 R8 **Hamilton Inlet** *inlet* Newfoundland and Labrador, E Canada
27 T12 **Hamilton, Lake** ⊞ Arkansas, C USA
35 W6 **Hamilton, Mount** ▲ Nevada, W USA
75 S8 **Ḩamīm, Wādī al** ≈ NE Libya
93 N19 **Hamina** *Swe.* Fredrikshamn. Etelä-Suomi, S Finland
11 W16 **Hamiota** Manitoba, S Canada
152 L13 **Hamīrpur** Uttar Pradesh, N India
Hamīs Musait *see* Khamīs Mushayt
21 T11 **Hamlet** North Carolina, SE USA
25 P6 **Hamlin** Texas, SW USA
21 P5 **Hamlin** West Virginia, NE USA
31 O7 **Hamlin Lake** ◎ Michigan, N USA

◆ Country ● Country Capital ◇ Dependent Territory ○ Dependent Territory Capital ◈ Administrative Region ✈ International Airport ▲ Mountain ⛰ Mountain Range ✕ Volcano ≈ River ◎ Lake ⊞ Reservoir

101 F14 Hamm var. Hamm in Westfalen. Nordrhein-Westfalen, W Germany
Ḩammāmāt, Khalīj al see Hammamet, Golfe de
75 N5 Hammamet, Golfe de Ar. Khalīj al Ḩammāmāt. gulf NE Tunisia
139 R3 Ḩammān al 'Alīl N Iraq
139 X12 Ḩammār, Hawr al ◎ SE Iraq
93 J20 Hammarland Åland, SW Finland
93 H16 Hammarstrand Jämtland, C Sweden
93 O17 Hammaslahti Itä-Suomi, E Finland
99 F17 Hamme Oost-Vlaanderen, NW Belgium
100 H10 Hamme ↝ NW Germany
95 G22 Hammel Århus, C Denmark
101 I18 Hammelburg Bayern, C Germany
99 H18 Hamme-Mille Wallon Brabant, C Belgium
100 H10 Hamme-Oste-Kanal canal NW Germany
93 G16 Hammerdal Jämtland, C Sweden
92 K8 Hammerfest Finnmark, N Norway
101 D14 Hamminkeln Nordrhein-Westfalen, W Germany
Hamm in Westfalen see Hamm
26 K10 Hammon Oklahoma, C USA
31 N11 Hammond Indiana, N USA
22 K8 Hammond Louisiana, S USA
99 K20 Hamoir Liège, E Belgium
99 J21 Hamois Namur, SE Belgium
99 K16 Hamont Limburg, NE Belgium
185 F22 Hampden Otago, South Island, NZ
19 R6 Hampden Maine, NE USA
97 M23 Hampshire cultural region S England, UK
13 O15 Hampton New Brunswick, SE Canada
27 U14 Hampton Arkansas, C USA
29 V12 Hampton Iowa, C USA
19 P10 Hampton New Hampshire, NE USA
21 R14 Hampton South Carolina, SE USA
21 P8 Hampton Tennessee, S USA
21 X7 Hampton Virginia, NE USA
94 L11 Hamra Gävleborg, C Sweden
80 D10 Hamrat esh Sheikh Northern Kordofan, C Sudan
139 S5 Ḩamrīn, Jabal ▲ N Iraq
121 P16 Hamrun C Malta
167 U14 Ham Thuân Nam Binh Thuân, S Vietnam
Hāmūn, Daryācheh-ye see Şāberī, Hāmūn-e/Sīstān, Daryācheh-ye
Hamwih see Southampton
38 G10 Hāna var. Hana. Maui, Hawai'i, USA, C Pacific Ocean
21 S14 Hanahan South Carolina, SE USA
38 B8 Hanalei Kaua'i, Hawai'i, USA, C Pacific Ocean
167 U10 Ha Nam Quang Nam-Đa Năng, C Vietnam
165 Q9 Hanamaki Iwate, Honshū, C Japan
38 F10 Hanamanioa, Cape headland Maui, Hawai'i, USA, C Pacific Ocean
190 B16 Hanan ✈ (Alofi) SW Niue
101 H18 Hanau Hessen, W Germany
8 L9 Hanbury ↝ Northwest Territories, NW Canada
Hâncești see Hîncești
10 M15 Hanceville British Columbia, SW Canada
23 P3 Hanceville Alabama, S USA
Hancewicze see Hantsavichy
160 L6 Hancheng Shaanxi, C China
21 V2 Hancock Maryland, NE USA
30 M3 Hancock Michigan, N USA
29 S8 Hancock Minnesota, N USA
18 I12 Hancock New York, NE USA
80 Q12 Handa Bari, NE Somalia
161 O5 Handan var. Han-tan. Hebei, E China
95 P16 Handen Stockholm, C Sweden
81 J22 Handeni Tanga, E Tanzania
37 Q7 Handies Peak ▲ Colorado, C USA
111 J19 Handlová Ger. Krickerhäu, Hung. Nyitrabánya; prev. Ger. Kriegerhaj. Trenčiansky Kraj, W Slovakia
165 O13 Haneda ✈ (Tōkyō) Tōkyō, Honshū, S Japan
138 F13 HaNegev Eng. Negev. desert S Israel
35 Q11 Hanford California, W USA
191 V16 Hanga Roa Easter Island, Chile, E Pacific Ocean
162 H7 Hangayn Nuruu ▲ C Mongolia
Hang-chou/Hangchow see Hangzhou
95 K20 Hånger Jönköping, S Sweden
Hangö see Hanko
161 R9 Hangzhou var. Hang-chou, Hangchow. Zhejiang, SE China
162 F5 Hanhöhiy Uul ▲ NW Mongolia
146 I14 Hanhowuz Rus. Khauz-Khan. Ahal Welaýaty, S Turkmenistan
146 I14 Hanhowuz Suw Howdany Rus. Khauzkhanskoye Vodokhranilishche. ◎ S Turkmenistan
137 P15 Hani Diyarbakır, SE Turkey
Hania see Chaniá
141 R11 Ḩanīsh al Kabīr, Jazīrat al island SW Yemen
Hanka, Lake see Khanka, Lake
93 M17 Hankasalmi Länsi-Suomi, W Finland
29 R7 Hankinson North Dakota, N USA
93 K20 Hanko Swe. Hangö. Etelä-Suomi, SW Finland
Han-kou/Han-k'ou/Hankow see Wuhan
36 M6 Hanksville Utah, W USA
152 K6 Hanle Jammu and Kashmir, NW India
185 I17 Hanmer Springs Canterbury, South Island, NZ
11 R16 Hanna Alberta, SW Canada
27 V3 Hannibal Missouri, C USA
180 M3 Hann, Mount ▲ Western Australia
100 I12 Hannover Eng. Hanover. Niedersachsen, NW Germany
99 J19 Hannut Liège, C Belgium
95 L22 Hanöbukten bay S Sweden
167 T6 Ha Nôi Eng. Hanoi, Fr. Hanoï. ● (Vietnam) N Vietnam
14 F14 Hanover Ontario, S Canada
31 P15 Hanover Indiana, N USA
18 G16 Hanover Pennsylvania, NE USA
21 W6 Hanover Virginia, NE USA
Hanover see Hannover
63 G23 Hanover, Isla island S Chile
Hanselbeck see Érd
195 X5 Hansen Mountains ▲ Antarctica
160 M8 Han Shui ↝ C China
152 H10 Hānsi Haryāna, NW India
95 F20 Hanstholm Viborg, NW Denmark
Han-tan see Handan
158 H6 Hantengri Feng var. Pik Khan-Tengri. ▲ China/Kazakhstan see also Khan-Tengri, Pik
119 I18 Hantsavichy Pol. Hancewicze, Rus. Gantsevichi. Brestskaya Voblasts', SW Belarus
9 Q6 Hantzsch ↝ Baffin Island, Nunavut, NE Canada
152 G9 Hanumāngarh Rājasthān, NW India
183 O9 Hanwood New South Wales, SE Australia
Hanyang see Caidian
Hanyang see Wuhan
160 H10 Hanyuan var. Fulin. Sichuan, C China
Hanyuan see Xihe
160 J7 Hanzhong Shaanxi, C China
191 W11 Hao atoll Îles Tuamotu, C French Polynesia
153 S16 Hāora prev. Howrah. West Bengal, NE India
78 K8 Haouach, Ouadi dry watercourse E Chad
92 K13 Haparanda Norrbotten, N Sweden
25 N3 Happy Texas, SW USA
34 M1 Happy Camp California, W USA
13 Q9 Happy Valley-Goose Bay prev. Goose Bay. Newfoundland and Labrador, E Canada
Hapsal see Haapsalu
152 J10 Hāpur Uttar Pradesh, N India
138 F12 HaQatan, HaMakhtesh ▲ S Israel
140 J4 Ḩaql Tabūk, NW Saudi Arabia
171 U14 Har Pulau Kai Besar, E Indonesia
162 M8 Haraat Dundgovī, C Mongolia
141 R8 Ḩaraḑ var. Haradh. Ash Sharqīyah, E Saudi Arabia
Haradh see Ḩaraḑ
118 N12 Haradok Rus. Gorodok. Vitsyebskaya Voblasts', N Belarus
92 J13 Harads Norrbotten, N Sweden
119 G19 Haradzyets Rus. Gorodets. Brestskaya Voblasts', SW Belarus
119 J17 Haradzyeya Rus. Gorodeya. Minskaya Voblasts', C Belarus
191 V10 Haraiki atoll Îles Tuamotu, C French Polynesia
165 Q11 Haramachi Fukushima, Honshū, E Japan
118 M12 Harany Rus. Gorany. Vitsyebskaya Voblasts', N Belarus
83 L16 Harare prev. Salisbury. ● (Zimbabwe) Mashonaland East, NE Zimbabwe
83 L16 Harare ✈ Mashonaland East, NE Zimbabwe
78 J10 Haraz-Djombo Batha, C Chad
119 O16 Harbavichy Rus. Gorbovichi. Mahilyowskaya Voblasts', E Belarus
76 J16 Harbel W Liberia
163 W8 Harbin var. Haerbin, Ha-erh-pin, Kharbin; prev. Haerhpin, Pingkiang, Pinkiang. Heilongjiang, NE China
31 S7 Harbor Beach Michigan, N USA
13 T13 Harbour Breton Newfoundland and Labrador, E Canada
65 D25 Harbours, Bay of bay East Falkland, Falkland Islands
Hårby see Haarby
36 I13 Harcuvar Mountains ▲ Arizona, SW USA
108 I7 Hard Vorarlberg, NW Austria
154 H11 Harda Khās Madhya Pradesh, C India
95 D14 Hardanger physical region S Norway
95 D14 Hardangerfjorden fjord S Norway
94 E13 Hardangerjøkulen glacier S Norway
95 E14 Hardangervidda plateau S Norway
83 D20 Hardap ◆ district S Namibia
21 R15 Hardeeville South Carolina, SE USA
93 L5 Hardegarijp Fris. Hurdegaryp. Friesland, N Netherlands
98 O9 Hardenberg Overijssel, E Netherlands
183 Q9 Harden-Murrumburrah New South Wales, SE Australia
98 K10 Harderwijk Gelderland, C Netherlands
30 J14 Hardin Illinois, N USA
33 V11 Hardin Montana, NW USA
23 R5 Harding, Lake ◎ Alabama/Georgia, SE USA
20 J6 Hardinsburg Kentucky, S USA
98 I13 Hardinxveld-Giessendam Zuid-Holland, C Netherlands
11 R15 Hardisty Alberta, SW Canada
152 L12 Hardoi Uttar Pradesh, N India
23 U4 Hardwick Georgia, SE USA
27 W9 Hardy Arkansas, C USA
94 D10 Hareid Møre og Romsdal, S Norway
8 H7 Hare Indian ↝ Northwest Territories, NW Canada
99 D18 Harelbeke var. Harlebeke. West-Vlaanderen, W Belgium
Harem see Ḩārim
100 E11 Haren Niedersachsen, NW Germany
98 N6 Haren Groningen, NE Netherlands
80 L13 Hārer Hārer, E Ethiopia
95 P14 Harg Uppsala, C Sweden
Hargeisa see Hargeysa
80 M13 Hargeysa var. Hargeisa. Woqooyi Galbeed, NW Somalia
116 J10 Harghita ◆ county NE Romania
25 S17 Hargill Texas, SW USA
162 J8 Harhorin Övörhangay, C Mongolia
159 Q9 Har Hu ◎ C China
Hariana see Haryāna
141 P15 Ḩarīb W Yemen
168 M12 Hari, Batang prev. Djambi. ↝ Sumatera, W Indonesia
152 J9 Haridwār prev. Hardwar. Uttaranchal, N India
155 F18 Harihar Karnātaka, W India
185 F18 Harihari West Coast, South Island, NZ
138 I3 Ḩārim var. Harem. Idlib, W Syria
98 F13 Haringvliet channel SW Netherlands
98 F13 Haringvlietdam dam SW Netherlands
149 U5 Harīpur North-West Frontier Province, NW Pakistan
148 J4 Harīrūd var. Tedzhen, Turkm. Tejen. ↝ Afghanistan/Iran see also Tejen
93 K18 Harjavalta Länsi-Suomi, W Finland
Härjehågna see Østrehogna
118 G4 Harjumaa off. Harju Maakond. ◆ province NW Estonia
21 X11 Harkers Island North Carolina, SE USA
139 S1 Harki N Iraq
29 T14 Harlan Iowa, C USA
20 O7 Harlan Kentucky, S USA
29 N17 Harlan County Lake ◎ Nebraska, C USA
116 L9 Hârlău var. Hîrlău. Iași, NE Romania
Harlebeke see Harelbeke
33 U7 Harlem Montana, NW USA
Harlem see Haarlem
95 G22 Harlev Århus, C Denmark
98 K6 Harlingen Fris. Harns. Friesland, N Netherlands
25 T17 Harlingen Texas, SW USA
97 O21 Harlow E England, UK
33 T10 Harlowton Montana, NW USA
94 N11 Harmånger Gävleborg, C Sweden
98 I11 Harmelen Utrecht, C Netherlands
29 X11 Harmony Minnesota, N USA
32 J14 Harney Basin basin Oregon, NW USA
16 D7 Harney Basin ▲ Oregon, NW USA
32 J14 Harney Lake ◎ Oregon, NW USA
28 J10 Harney Peak ▲ South Dakota, N USA
93 H17 Härnösand var. Hernösand. Västernorrland, C Sweden
Harns see Harlingen
162 F6 Har Nuur ◎ NW Mongolia
105 P4 Haro La Rioja, N Spain
40 F6 Haro, Cabo headland NW Mexico
94 D9 Harøy island S Norway
97 N21 Harpenden E England, UK
76 L18 Harper var. Cape Palmas. NE Liberia
26 M7 Harper Kansas, C USA
32 L13 Harper Oregon, NW USA
25 Q10 Harper Texas, SW USA
35 U13 Harper Lake salt flat California, W USA
39 T9 Harper, Mount ▲ Alaska, USA
95 J21 Harplinge Halland, S Sweden
36 J13 Harquahala Mountains ▲ Arizona, SW USA
141 T15 Ḩarrah SE Yemen
12 H11 Harricana ↝ Québec, SE Canada
20 M9 Harriman Tennessee, S USA
13 R11 Harrington Harbour Québec, E Canada
64 B12 Harrington Sound bay Bermuda, NW Atlantic Ocean
96 F8 Harris physical region NW Scotland, UK
27 X10 Harrisburg Arkansas, C USA
30 M17 Harrisburg Illinois, N USA
28 I14 Harrisburg Nebraska, C USA
32 F12 Harrisburg Oregon, NW USA
18 G15 Harrisburg state capital Pennsylvania, NE USA
182 F6 Harris, Lake ◎ South Australia
23 W11 Harris, Lake ◎ Florida, SE USA
83 J22 Harrismith Free State, E South Africa
27 T9 Harrison Arkansas, C USA
31 Q7 Harrison Michigan, N USA
28 I12 Harrison Nebraska, C USA
39 Q5 Harrison Bay inlet Alaska, USA
22 I6 Harrisonburg Louisiana, S USA
21 U4 Harrisonburg Virginia, NE USA
13 R7 Harrison, Cape headland Newfoundland and Labrador, E Canada
27 R5 Harrisonville Missouri, C USA
Harris Ridge see Lomonosov Ridge
192 M3 Harris Seamount undersea feature N Pacific Ocean
96 F8 Harris, Sound of strait NW Scotland, UK
31 R6 Harrisville Michigan, N USA
21 R3 Harrisville West Virginia, NE USA
20 M6 Harrodsburg Kentucky, S USA
97 M16 Harrogate N England, UK
25 Q4 Harrold Texas, SW USA
27 S5 Harry S.Truman Reservoir ◎ Missouri, C USA
100 G13 Harsewinkel Nordrhein-Westfalen, W Germany
116 M14 Hârșova prev. Hîrșova. Constanța, SE Romania
92 H10 Harstad Troms, N Norway
31 O8 Hart Michigan, N USA
24 M4 Hart Texas, SW USA
10 I5 Hart ↝ Yukon Territory, NW Canada
83 F23 Hartbees ↝ C South Africa
109 X7 Hartberg Steiermark, SE Austria
182 I10 Hart, Cape headland South Australia
95 E14 Hårteigen ▲ S Norway
23 Q7 Hartford Alabama, S USA
27 R11 Hartford Arkansas, C USA
18 M12 Hartford state capital Connecticut, NE USA
20 J6 Hartford Kentucky, S USA
31 P10 Hartford Michigan, N USA
29 R11 Hartford South Dakota, N USA
30 M8 Hartford Wisconsin, N USA
31 P13 Hartford City Indiana, N USA
29 Q13 Hartington Nebraska, C USA
13 N14 Hartland New Brunswick, SE Canada
97 H23 Hartland Point headland SW England, UK
97 M15 Hartlepool N England, UK
29 T12 Hartley Iowa, C USA
24 M1 Hartley Texas, SW USA
32 J15 Hart Mountain ▲ Oregon, NW USA
173 U10 Hartog Ridge undersea feature W Indian Ocean
93 M18 Hartola Etelä-Suomi, S Finland
23 P2 Hartselle Alabama, S USA
23 S3 Hartsfield Atlanta ✈ Georgia, SE USA
27 Q11 Hartshorne Oklahoma, C USA
21 S12 Hartsville South Carolina, SE USA
20 K8 Hartsville Tennessee, S USA
27 U7 Hartville Missouri, C USA
23 U2 Hartwell Georgia, SE USA
21 O11 Hartwell Lake ◎ Georgia/South Carolina, SE USA
Hartz see Harts
Harunabad see Eslāmābād
162 E6 Har-Us Hovd, W Mongolia
162 E6 Har Us Nuur ◎ NW Mongolia
30 M10 Harvard Illinois, N USA
29 P16 Harvard Nebraska, C USA
37 R5 Harvard, Mount ▲ Colorado, C USA
31 N11 Harvey Illinois, N USA
29 N4 Harvey North Dakota, N USA
97 Q21 Harwich E England, UK
152 H10 Haryāna var. Hariana. ◆ state N India
141 Y9 Ḩaryān, Ṭawī al spring/well NE Oman
101 J14 Harz ▲ C Germany
Hasakah see Al Ḩasakah
165 Q9 Hasama Miyagi, Honshū, C Japan
136 J15 Hasan Dağı ▲ C Turkey
139 T9 Ḩasan Ibn Ḩassūn C Iraq
149 R6 Ḩasan Khēl var. Ahmad Khel. Paktīā, SE Afghanistan
100 F12 Hase ↝ NW Germany
Haselberg see Krasnoznamensk
100 F12 Haselünne Niedersachsen, NW Germany
162 K9 Hashaat Dundgovī, C Mongolia
Hashemite Kingdom of Jordan see Jordan
139 V8 Hāshimah E Iraq
141 W13 Ḩāsik S Oman
149 U10 Hāsilpur Punjab, E Pakistan
Hasimoto see Hashimoto
27 Q10 Haskell Oklahoma, C USA
25 Q6 Haskell Texas, SW USA
114 M11 Hasköy Edirne, NW Turkey
95 L24 Hasle Bornholm, E Denmark
97 N23 Haslemere SE England, UK
102 I16 Hasparren Pyrénées-Atlantiques, SW France
Hassakeh see Al Ḩasakah
155 G19 Hassan Karnātaka, W India
36 J13 Hassayampa River ↝ Arizona, SW USA
101 J18 Hassberge hill range C Germany
94 N10 Hassela Gävleborg, C Sweden
99 J18 Hasselt Limburg, NE Belgium
98 M9 Hasselt Overijssel, E Netherlands
Hassetché see Al Ḩasakah
101 J18 Hassfurt Bayern, C Germany
74 L9 Hassi Bel Guebbour E Algeria
74 L8 Hassi Messaoud E Algeria
95 K22 Hässleholm Skåne, S Sweden
Hasta Colonia/Hasta Pompeia see Asti
183 O13 Hastings Victoria, SE Australia
184 O11 Hastings Hawke's Bay, North Island, NZ
97 P23 Hastings SE England, UK
31 P9 Hastings Michigan, N USA
29 W9 Hastings Minnesota, N USA
29 P16 Hastings Nebraska, C USA
95 K22 Hästveda Skåne, S Sweden
92 J8 Hasvik Finnmark, N Norway
37 V6 Haswell Colorado, C USA
162 I10 Hatansuudal Bayanhongor, C Mongolia
163 P9 Hatavch Sühbaatar, E Mongolia
136 K17 Hatay ◆ province S Turkey
37 R15 Hatch New Mexico, SW USA
36 K7 Hatch Utah, W USA
20 F9 Hatchie River ↝ Tennessee, S USA
116 G12 Hațeg Ger. Wallenthal, Hung. Hátszeg; prev. Hatzeg, Hötzing. Hunedoara, SW Romania
165 O17 Hateruma-jima island Yaeyama-shotō, SW Japan
183 N8 Hatfield New South Wales, SE Australia
162 I5 Hatgal Hövsgöl, N Mongolia
153 V16 Hathazari Chittagong, SE Bangladesh
141 T13 Hathūt, Hişā' oasis NE Yemen
167 R14 Ha Tiên Kiên Giang, S Vietnam
167 T8 Ha Tinh Ha Tinh, N Vietnam
Hatiözi see Hachiōji
138 F12 Ḩatira, Haré hill range S Israel
167 R6 Hat Lot Sơn La, N Vietnam
45 P16 Hato Airport ✈ (Willemstad) Curaçao, SW Netherlands Antilles
54 H9 Hato Corozal Casanare, C Colombia
Hato del Volcán see Volcán
45 P9 Hato Mayor E Dominican Republic
Hatra see Al Ḩaḑr
Hatria see Adria
Hátszeg see Hațeg
143 R16 Ḩattá Dubayy, NE UAE
182 L9 Hattah Victoria, SE Australia
98 M9 Hattem Gelderland, E Netherlands
21 Z10 Hatteras Hatteras Island, North Carolina, SE USA
21 Z10 Hatteras, Cape headland North Carolina, SE USA
21 Z9 Hatteras Island island North Carolina, SE USA
64 F10 Hatteras Plain undersea feature W Atlantic Ocean
93 G14 Hattfjelldal Troms, N Norway
22 M7 Hattiesburg Mississippi, S USA
29 Q4 Hatton North Dakota, N USA
Hatton Bank see Hatton Ridge
64 L6 Hatton Ridge var. Hatton Bank. undersea feature N Atlantic Ocean
191 W6 Hatutu island Îles Marquises, NE French Polynesia
111 K22 Hatvan Heves, NE Hungary
167 O16 Hat Yai var. Ban Hat Yai. Songkhla, SW Thailand
Hatzeg see Hațeg
Hatzfeld see Jimbolia
80 N13 Haud plateau Ethiopia/Somalia
95 D18 Hauge Rogaland, S Norway
95 C15 Haugesund Rogaland, S Norway
109 X2 Haugsdorf Niederösterreich, NE Austria
184 M9 Hauhungaroa Range ▲ North Island, NZ
95 E15 Haukeligrend Telemark, S Norway
93 L14 Haukipudas Oulu, C Finland
93 M17 Haukivesi ◎ SE Finland
93 M17 Haukivuori Isä-Suomi, E Finland
Hauptkanal see Havelländ Grosse
187 N10 Hauraha San Cristobal, SE Solomon Islands
184 L5 Hauraki Gulf gulf North Island, NZ
185 B24 Hauroko, Lake ◎ South Island, NZ
167 S14 Hâu, Sông ↝ S Vietnam
92 N12 Hautajärvi Lappi, NE Finland
74 F7 Haut Atlas Eng. High Atlas. ▲ C Morocco
79 M17 Haut-Congo off. Région du Haut-Congo; prev. Haut-Zaïre. ◆ region NE Dem. Rep. Congo
103 Y14 Haute-Corse ◆ department Corse, France, C Mediterranean Sea
102 L16 Haute-Garonne ◆ department S France
76 J13 Haute-Guinée ◆ state NE Guinea
79 K14 Haute-Kotto ◆ prefecture E Central African Republic
103 P12 Haute-Loire ◆ department C France
103 R6 Haute-Marne ◆ department N France
102 M3 Haute-Normandie ◆ region N France
15 U6 Hauterive Québec, SE Canada
103 T13 Hautes-Alpes ◆ department SE France
103 S7 Haute-Saône ◆ department E France
103 T10 Haute-Savoie ◆ department E France
99 M20 Hautes Fagnes Ger. Hohes Venn. ▲ E Belgium
102 K16 Hautes-Pyrénées ◆ department S France
99 L23 Haute Sûre, Lac de la ◎ NW Luxembourg
102 M11 Haute-Vienne ◆ department C France
19 S8 Haut, Isle au island Maine, NE USA
79 M14 Haut-Mbomou ◆ préfecture SE Central African Republic
103 Q2 Hautmont Nord, N France
79 F19 Haut-Ogooué off. Province du Haut-Ogooué, var. Le Haut-Ogooué. ◆ province SE Gabon
Haut-Ogooué, Le see Haut-Ogooué
103 U7 Haut-Rhin ◆ department NE France
74 I6 Hauts Plateaux plateau Algeria/Morocco
38 D9 Hau'ula var. Hauula. O'ahu, Hawai'i, USA, C Pacific Ocean
101 O22 Hauzenberg Bayern, SE Germany
30 K13 Havana Illinois, N USA
Havana see La Habana
97 N23 Havant S England, UK
35 Y14 Havasu, Lake ◎ Arizona/California, W USA
95 J23 Havdrup Roskilde, E Denmark
100 N10 Havel ↝ NE Germany
99 J21 Havelange Namur, SE Belgium
100 M11 Havelberg Sachsen-Anhalt, NE Germany
149 U5 Haveliān North-West Frontier Province, NW Pakistan
100 N12 Havelländ Grosse var. Hauptkanal. canal NE Germany
14 J14 Havelock Ontario, SE Canada
185 J14 Havelock Marlborough, South Island, NZ
21 X11 Havelock North Carolina, SE USA
184 O11 Havelock North Hawke's Bay, North Island, NZ
98 M8 Havelte Drenthe, NE Netherlands
27 N6 Haven Kansas, C USA
97 H21 Haverfordwest SW Wales, UK
97 P20 Haverhill E England, UK
19 O10 Haverhill Massachusetts, NE USA
93 G17 Haverö Västernorrland, C Sweden
111 I17 Havířov Moravskoslezský Kraj, E Czech Republic
111 E17 Havlíčkův Brod Ger. Deutsch-Brod; prev. Německý Brod. Vysočina, C Czech Republic
92 K7 Havøysund Finnmark, N Norway
33 T7 Havre Montana, NW USA
Havre see le Havre
99 F20 Havré Hainaut, S Belgium
13 P11 Havre-St-Pierre Québec, E Canada
136 B10 Havsa Edirne, NW Turkey
38 D8 Hawai'i off. State of Hawai'i; also known as Aloha State, Paradise of the Pacific var. Hawaii. ◆ state USA, C Pacific Ocean
38 G12 Hawai'i var. Hawaii. island Hawaiian Islands, USA, C Pacific Ocean
192 M5 Hawaiian Islands prev. Sandwich Islands. island group Hawaii, USA, C Pacific Ocean
192 L5 Hawaiian Ridge undersea feature N Pacific Ocean
193 N6 Hawaiian Trough undersea feature N Pacific Ocean
29 R12 Hawarden Iowa, C USA
Hawash see Āwash
139 P6 Hawbayn al Gharbīyah C Iraq
185 D21 Hawea, Lake ◎ South Island, NZ
184 K11 Hawera Taranaki, North Island, NZ
20 J5 Hawesville Kentucky, S USA
38 G11 Hāwī var. Hawi. Hawai'i, USA, C Pacific Ocean
96 K13 Hawick SE Scotland, UK
139 S4 Ḩawījah C Iraq
139 Y10 Ḩawīzah, Hawr al ◎ S Iraq
185 E21 Hawkdun Range ▲ South Island, NZ
184 P10 Hawke Bay bay North Island, NZ
182 I6 Hawker South Australia
184 N11 Hawke's Bay off. Hawkes Bay Region. ◆ region North Island, NZ
149 O16 Hawkes Bay bay SE Pakistan
15 N12 Hawkesbury Ontario, SE Canada
Hawkeye State see Iowa
23 T5 Hawkinsville Georgia SE USA
14 B7 Hawk Junction Ontario, S Canada
21 N10 Haw Knob ▲ North Carolina/Tennessee, SE USA
21 Q9 Hawksbill Mountain ▲ North Carolina, SE USA
33 Z16 Hawk Springs Wyoming, C USA
Hawler see Arbīl
29 S5 Hawley Minnesota, N USA
25 P7 Hawley Texas, SW USA
141 R14 Ḩawrā' C Yemen
139 P7 Ḩawrān, Wadi dry watercourse W Iraq
21 T9 Haw River ↝ North Carolina, SE USA
139 U5 Hawshqūrah E Iraq
35 S7 Hawthorne Nevada, W USA
37 W3 Haxtun Colorado, C USA
183 N9 Hay New South Wales, SE Australia
11 O10 Hay ↝ W Canada
171 S13 Haya Pulau Seram, E Indonesia
165 R9 Hayachine-san ▲ Honshū, C Japan
103 S4 Hayange Moselle, NE France
HaYarden see Jordan
Hayastani Hanrapetut'yun see Armenia
Hayasui-seto see Hōyo-kaikyō
39 N9 Haycock Alaska, USA
36 M14 Hayden Arizona, SW USA
37 Q3 Hayden Colorado, C USA
28 M10 Hayes South Dakota, N USA
11 X13 Hayes ↝ Manitoba, C Canada
9 P12 Hayes ↝ Nunavut, NE Canada

◆ Country ◇ Dependent Territory ◆ Administrative Region ▲ Mountain ▲ Volcano ◎ Lake
● Country Capital ○ Dependent Territory Capital ✈ International Airport ▲ Mountain Range ↝ River ◎ Reservoir

260 ••• HAYES CENTER – HILL CITY

28 M16 Hayes Center Nebraska, C USA
39 S10 Hayes, Mount ▲ Alaska, USA
21 N11 Hayesville North Carolina, SE USA
35 X10 Hayford Peak ▲ Nevada, W USA
34 M3 Hayfork California, W USA
Hayir, Qasr al see Ḩayr al Gharbī, Qaşr al
163 P8 Haylaastay Sühbaatar, E Mongolia
14 I12 Hay Lake ◎ Ontario, SE Canada
141 X11 Haymā' var. Haima. C Oman
136 H13 Haymana Ankara, C Turkey
138 J7 Ḩaymūr, Jabal ▲ W Syria
Haynau see Chojnów
22 G4 Haynesville Louisiana, S USA
23 P6 Hayneville Alabama, S USA
114 M12 Hayrabolu Tekirdağ, NW Turkey
136 C10 Hayrabolu Deresi ~ NW Turkey
138 J6 Ḩayr al Gharbī, Qaşr al var. Qasr al Hayir, Qasr al Hir al Gharbi. ruins Ḩimş, C Syria
138 L5 Ḩayr ash Sharqī, Qaşr al var. Qasr al Hir Ash Sharqī. ruins Ḩimş, C Syria
8 J10 Hay River Northwest Territories, W Canada
26 K4 Hays Kansas, C USA
28 K12 Hay Springs Nebraska, C USA
65 H25 Haystack, The ▲ NE Saint Helena
27 N7 Haysville Kansas, C USA
117 O7 Haysyn Rus. Gaysin. Vinnyts'ka Oblast', C Ukraine
27 Y9 Hayti Missouri, C USA
29 Q9 Hayti South Dakota, N USA
117 O8 Hayvoron Rus. Gayvorno. Kirovohrads'ka Oblast', C Ukraine
35 N9 Hayward California, W USA
30 J4 Hayward Wisconsin, N USA
97 O23 Haywards Heath SE England, UK
146 A11 Hazar prev. Rus. Cheleken. Balkan Welaýaty, W Turkmenistan
143 S11 Hazārān, Kūh-e var. Kūh-e ā Hazr. ▲ SE Iran
Hazarat Imam see Emām Şāḩeb
21 O7 Hazard Kentucky, S USA
137 O15 Hazar Gölü ◎ C Turkey
153 P15 Hazārībāg var. Hazārībāgh. Jhārkhand, N India
Hazārībāgh see Hazārībāg
103 O1 Hazebrouck Nord, N France
30 K9 Hazel Green Wisconsin, N USA
192 K9 Hazel Holme Bank undersea feature S Pacific Ocean
10 K13 Hazelton British Columbia, SW Canada
29 N6 Hazelton North Dakota, N USA
35 R5 Hazen Nevada, W USA
28 L5 Hazen North Dakota, N USA
38 L12 Hazen Bay bay E Bering Sea
9 N1 Hazen, Lake ◎ Nunavut, N Canada
139 S5 Hazīm, Bi'r well C Iraq
23 V6 Hazlehurst Georgia, SE USA
22 K6 Hazlehurst Mississippi, S USA
18 K15 Hazlet New Jersey, NE USA
146 I9 Hazorasp Rus. Khazarosp. Xorazm Viloyati, W Uzbekistan
147 R13 Hazratishoh, Qatorkŭhi var. Khrebet Khazretishi, Rus. Khrebet Khozretishi. ▲ S Tajikistan
Hazr, Kūh-e ā see Hazārān, Kūh-e
149 U6 Hazro Punjab, E Pakistan
23 R7 Headland Alabama, S USA
182 C6 Head of Bight headland South Australia
33 N10 Headquarters Idaho, NW USA
34 M7 Healdsburg California, W USA
27 N13 Healdton Oklahoma, C USA
183 O12 Healesville Victoria, SE Australia
39 R10 Healy Alaska, USA
173 R13 Heard and McDonald Islands ◇ Australian external territory S Indian Ocean
173 R13 Heard Island island Heard and McDonald Islands, S Indian Ocean
25 U9 Hearne Texas, SW USA
12 F12 Hearst Ontario, S Canada
194 J5 Hearst Island island Antarctica
Heart of Dixie see Alabama
28 L5 Heart River ~ North Dakota, N USA
31 T13 Heath Ohio, N USA
183 N11 Heathcote Victoria, SE Australia
97 N22 Heathrow ✕ (London)SE England, UK
21 X5 Heathsville Virginia, NE USA
27 R11 Heavener Oklahoma, C USA
25 R15 Hebbronville Texas, SW USA
163 Q13 Hebei var. Hebei Sheng, Hopeh, Hopei, Ji; prev. Chihli. ◆ province E China
Hebei Sheng see Hebei
36 M3 Heber City Utah, W USA
27 V10 Heber Springs Arkansas, C USA
161 N5 Hebi Henan, C China
32 F11 Hebo Oregon, NW USA
96 F9 Hebrides, Sea of the sea NW Scotland, UK
13 P5 Hebron Newfoundland and Labrador, E Canada
31 N11 Hebron Indiana, N USA
29 Q17 Hebron Nebraska, C USA
28 L5 Hebron North Dakota, N USA
138 F11 Hebron var. Al Khalīl, El Khalil, Heb. Hevron; anc. Kiriath-Arba. S West Bank
Hebrus see Évros/Maritsa/Meriç
95 N14 Heby Västmanland, C Sweden
10 I14 Hecate Strait strait British Columbia, W Canada
41 W12 Hecelchakán Campeche, SE Mexico
160 K13 Hechi var. Jinchengjiang. Guangxi Zhuangzu Zizhiqu, S China
101 H23 Hechingen Baden-Württemberg, S Germany
99 K17 Hechtel Limburg, NE Belgium
160 J9 Hechuan Chongqing Shi, C China
29 P7 Hecla South Dakota, N USA
9 N1 Hecla, Cape headland Nunavut, N Canada
29 T9 Hector Minnesota, N USA
93 F17 Hede Jämtland, C Sweden
95 M14 Hedemora Dalarna, C Sweden
92 K13 Hedenäset Norrbotten, N Sweden
95 G23 Hedensted Vejle, C Denmark
95 N14 Hedesunda Gävleborg, C Sweden
95 N14 Hedesundafjord ◎ C Sweden
25 O3 Hedley Texas, SW USA
94 I12 Hedmark ◆ county S Norway
165 T16 Hedo-misaki headland Okinawa, SW Japan
29 X15 Hedrick Iowa, C USA
99 L16 Heel Limburg, SE Netherlands
189 Y12 Heel Point point Wake Island
98 H9 Heemskerk Noord-Holland, W Netherlands
98 M10 Heerde Gelderland, E Netherlands
98 L7 Heerenveen Fris. It Hearrenfean. Friesland, N Netherlands
98 I8 Heerhugowaard Noord-Holland, NW Netherlands
92 O3 Heer Land physical region C Svalbard
99 M18 Heerlen Limburg, SE Netherlands
99 J19 Heers Limburg, NE Belgium
Heerwegen see Polkowice
98 K13 Heesch Noord-Brabant, S Netherlands
99 K15 Heeze Noord-Brabant, SE Netherlands
138 F8 Ḩefa var. Haifa; hist. Caiffa, Caiphas, anc. Sycaminum. Haifa, N Israel
138 F8 Ḩefa, Mifraz Eng. Bay of Haifa. bay N Israel
161 Q8 Hefei var. Hofei; hist. Luchow. Anhui, E China
23 R3 Heflin Alabama, S USA
163 X7 Hegang Heilongjiang, NE China
164 L10 Hegura-jima island SW Japan
Heguri-jima see Heigun-tō
Hei see Heilongjiang
100 H8 Heide Schleswig-Holstein, N Germany
101 G20 Heidelberg Baden-Württemberg, SW Germany
83 J21 Heidelberg Gauteng, NE South Africa
22 M6 Heidelberg Mississippi, S USA
Heidenheim see Heidenheim an der Brenz
101 J22 Heidenheim an der Brenz var. Heidenheim. Baden-Württemberg, S Germany
109 U2 Heidenreichstein Niederösterreich, N Austria
164 F14 Heigun-tō var. Heguri-jima. island SW Japan
163 W5 Heihe prev. Ai-hun. Heilongjiang, NE China
159 S8 Hei He ~ C China
Hei-ho see Nagqu
83 J22 Heilbron Free State, N South Africa
101 H21 Heilbronn Baden-Württemberg, SW Germany
Heiligenbeil see Mamonovo
109 Q8 Heiligenblut Tirol, W Austria
100 K7 Heiligenhafen Schleswig-Holstein, N Germany
Heiligenkreuz see Žiar nad Hronom
101 J15 Heiligenstadt Thüringen, C Germany
Heilong Jiang see Amur
163 W8 Heilongjiang var. Hei, Heilongjiang Sheng, Hei-lung-chiang, Heilungkiang. ◆ province NE China
Heilongjiang Sheng see Heilongjiang
98 H9 Heiloo Noord-Holland, NW Netherlands
Heilsberg see Lidzbark Warmiński
Hei-lung-chiang/Heilungkiang see Heilongjiang
92 I4 Heimaey var. Heimaæy. island S Iceland
94 H8 Heimdal Sør-Trøndelag, S Norway
Heinaste see Ainaži
93 N17 Heinävesi Itä-Suomi, E Finland
99 M22 Heinerscheid Diekirch, N Luxembourg
98 M10 Heino Overijssel, E Netherlands
93 M18 Heinola Etelä-Suomi, S Finland
101 C16 Heinsberg Nordrhein-Westfalen, W Germany
163 U12 Heishan Liaoning, NE China
160 H8 Heishui var. Luhua. Sichuan, C China
99 H17 Heist-op-den-Berg Antwerpen, C Belgium
Heitō see P'ingtung
171 X15 Heitske Papua, E Indonesia
Hejanah see Al Hijānah
Hejaz see Al Ḩijāz
160 M14 He Jiang ~ S China
Hejiayan see Lüeyang
158 K6 Hejing Xinjiang Uygur Zizhiqu, NW China
Héjjasfalva see Vânători
Heka see Hoika
137 N14 Hekimhan Malatya, C Turkey
92 J4 Hekla ▲ S Iceland
Hekou see Yajiang, Sichuan, China
Hekou see Yanshan, Jiangxi, China
110 J6 Hel Ger. Hela. Pomorskie, N Poland
Hela see Hel
93 F17 Helagsfjället ▲ C Sweden
159 W8 Helan var. Xigang. Ningxia, N China
162 K14 Helan Shan ▲ N China
99 M16 Helden Limburg, SE Netherlands
27 X12 Helena Arkansas, C USA
33 R10 Helena state capital Montana, NW USA
96 H12 Helensburgh W Scotland, UK
184 K5 Helensville Auckland, North Island, NZ
95 L20 Helgasjön ◎ S Sweden
100 G8 Helgoland Eng. Heligoland. island NW Germany
Helgoland Bay see Helgoländer Bucht
100 G8 Helgoländer Bucht var. Helgoland Bay, Heligoland Bight. bay NW Germany
Heligoland see Helgoland
Heligoland Bight see Helgoländer Bucht
Heliopolis see Baalbek
92 I4 Hella Sudhurland, SW Iceland
Hellas see Greece
143 N11 Ḩelleh, Rūd-e ~ S Iran
98 N10 Hellendoorn Overijssel, E Netherlands
Hellenic Republic see Greece
121 Q10 Hellenic Trough undersea feature Aegean Sea, C Mediterranean Sea
94 E10 Hellesylt Møre og Romsdal, S Norway
98 F13 Hellevoetsluis Zuid-Holland, SW Netherlands
105 Q12 Hellín Castilla-La Mancha, C Spain
115 H19 Hellinikon ✕ (Athína) Attikí, C Greece
32 M12 Hells Canyon valley Idaho/Oregon, NW USA
148 L9 Helmand ◆ province S Afghanistan
148 K10 Helmand, Daryā-ye var. Rūd-e Hīrmand. ~ Afghanistan/Iran see also Hīrmand, Rūd-e
Helmantica see Salamanca
101 K15 Helme ~ C Germany
99 L15 Helmond Noord-Brabant, S Netherlands
96 J7 Helmsdale N Scotland, UK
100 K13 Helmstedt Niedersachsen, N Germany
163 Y10 Helong Jilin, NE China
36 M4 Helper Utah, W USA
100 O10 Helpter Berge hill NE Germany
95 J22 Helsingborg prev. Hälsingborg. Skåne, S Sweden
Helsingfors see Helsinki
95 J22 Helsingør Eng. Elsinore. Frederiksborg, E Denmark
93 M20 Helsinki Swe. Helsingfors. ● (Finland) Etelä-Suomi, S Finland
97 H25 Helston SW England, UK
Heltau see Cisnădie
61 C17 Helvecia Santa Fe, C Argentina
97 K15 Helvellyn ▲ NW England, UK
Helvetia see Switzerland
75 W8 Helwân var. Hilwân, Hulwan, Hulwân. N Egypt
97 N21 Hemel Hempstead E England, UK
35 U16 Hemet California, W USA
28 J13 Hemingford Nebraska, C USA
21 T13 Hemingway South Carolina, SE USA
92 G13 Hemnesberget Nordland, C Norway
25 Y8 Hemphill Texas, SW USA
25 V11 Hempstead Texas, SW USA
95 P20 Hemse Gotland, SE Sweden
94 F13 Hemsedal valley S Norway
159 T11 Henan var. Henan Mongolzu Zizhixian, Yêgainnyin. Qinghai, C China
161 N6 Henan var. Henan Sheng, Honan, Yu. ◆ province C China
184 L4 Hen and Chickens island group N NZ
Henan Mongolzu Zizhixian/Henan Sheng see Henan
105 O7 Henares ~ C Spain
165 P7 Henashi-zaki headland Honshū, C Japan
102 I16 Hendaye Pyrénées-Atlantiques, SW France
136 F11 Hendek Sakarya, NW Turkey
61 B21 Henderson Buenos Aires, E Argentina
20 I5 Henderson Kentucky, S USA
35 X11 Henderson Nevada, W USA
21 V8 Henderson North Carolina, SE USA
20 G10 Henderson Tennessee, S USA
25 W7 Henderson Texas, SW USA
30 J12 Henderson Creek ~ Illinois, N USA
186 M9 Henderson Field ✕ (Honiara) Guadalcanal, C Solomon Islands
191 O17 Henderson Island atoll N Pitcairn Islands
21 O10 Hendersonville North Carolina, SE USA
20 J8 Hendersonville Tennessee, S USA
143 O14 Hendorābī, Jazīreh-ye island S Iran
55 V10 Hendrik Top var. Hendriktop. elevation C Suriname
Hendū Kosh see Hindu Kush
14 L12 Heney, Lac ◎ Québec, SE Canada
Hengchow see Hengyang
161 S15 Hengchun S Taiwan
159 R16 Hengduan Shan ▲ SW China
98 N12 Hengelo Gelderland, E Netherlands
98 O10 Hengelo Overijssel, E Netherlands
Hengnan see Hengyang
161 N11 Hengshan Hunan, S China
160 L4 Hengshan Shaanxi, C China
161 O4 Hengshui Hebei, E China
161 N12 Hengyang var. Hengnan, Heng-yang; prev. Hengchow. Hunan, S China
117 U11 Heniches'k Rus. Genichesk. Khersons'ka Oblast', S Ukraine
21 Z4 Henlopen, Cape headland Delaware, NE USA
Henna see Enna
94 M10 Hennan Gävleborg, C Sweden
102 G7 Hennebont Morbihan, NW France
30 L11 Hennepin Illinois, N USA
26 M9 Hennessey Oklahoma, C USA
100 N12 Hennigsdorf var. Hennigsdorf bei Berlin. Brandenburg, NE Germany
Hennigsdorf bei Berlin see Hennigsdorf
19 N9 Henniker New Hampshire, NE USA
25 S5 Henrietta Texas, SW USA
Henrique de Carvalho see Saurimo
30 L12 Henry Illinois, N USA
21 Y7 Henry, Cape headland Virginia, NE USA
27 P10 Henryetta Oklahoma, C USA
194 M7 Henry Ice Rise ice cap Antarctica
9 Q5 Henry Kater, Cape headland Baffin Island, Nunavut, NE Canada
33 R13 Henrys Fork ~ Idaho, NW USA
14 E15 Hensall Ontario, S Canada
100 J9 Henstedt-Ulzburg Schleswig-Holstein, N Germany
163 N7 Hentiy ◆ province N Mongolia
162 M7 Hentiyn Nuruu ▲ N Mongolia
183 P10 Henty New South Wales, SE Australia
166 L8 Henzada Irrawaddy, SW Myanmar
Heping see Huishui
101 G19 Heppenheim Hessen, W Germany
32 J11 Heppner Oregon, NW USA
160 L15 Hepu var. Lianzhou. Guangxi Zhuangzu Zizhiqu, S China
92 J2 Heradhsvötn ~ C Iceland
Herakleion see Irákleio
148 K5 Herāt var. Herat; anc. Aria. Herāt, W Afghanistan
148 J5 Herāt ◆ province W Afghanistan
103 P14 Hérault ◆ department S France
103 P15 Hérault ~ S France
11 T16 Herbert Saskatchewan, S Canada
185 F22 Herbert Otago, South Island, NZ
38 J17 Herbert Island island Aleutian Islands, Alaska, USA
Herbertshöhe see Kokopo
15 Q7 Herbertville Québec, SE Canada
101 G17 Herborn Hessen, W Germany
113 I17 Herceg-Novi It. Castelnuovo; prev. Ercegnovi. Montenegro, SW Serbia and Montenegro (Yugo.)
11 X10 Herchmer Manitoba, C Canada
186 E8 Hercules Bay bay E PNG
92 K2 Herdhubreidh ▲ C Iceland
42 M13 Heredia Heredia, C Costa Rica
42 M12 Heredia off. Provincia de Heredia. ◆ province N Costa Rica
97 K21 Hereford W England, UK
24 M3 Hereford Texas, SW USA
15 Q13 Hereford, Mont ▲ Québec, SE Canada
97 K21 Herefordshire cultural region W England, UK
191 U11 Hereheretue atoll Îles Tuamotu, C French Polynesia
105 N10 Herencia Castilla-La Mancha, C Spain
99 H18 Herent Vlaams Brabant, C Belgium
99 I16 Herentals var. Herenthals. Antwerpen, N Belgium
Herenthals see Herentals
99 H17 Herenthout Antwerpen, N Belgium
95 J23 Herfølge Roskilde, E Denmark
100 G13 Herford Nordrhein-Westfalen, NW Germany
27 O5 Herington Kansas, C USA
108 H7 Herisau Fr. Hérisau. Appenzell Ausser Rhoden, NE Switzerland
Héristal see Herstal
99 J18 Herk-de-Stad Limburg, NE Belgium
Herkulesbad/Herkulesfürdő see Băile Herculane
Herlen Gol/Herlen He see Kerulen
35 Q4 Herlong California, W USA
97 L26 Herm island Channel Islands
109 R9 Hermagor Slvn. Šmohor. Kärnten, S Austria
29 S7 Herman Minnesota, N USA
96 L1 Herma Ness headland NE Scotland, UK
27 V4 Hermann Missouri, C USA
181 Q8 Hermannsburg Northern Territory, N Australia
Hermannstadt see Sibiu
94 E12 Hermansverk Sogn og Fjordane, S Norway
138 H6 Hermel var. Hirmil. NE Lebanon
Hermhausen see Hajnówka
183 P6 Hermidale New South Wales, SE Australia
55 X9 Herminadorp Sipaliwini, NE Suriname
32 K11 Hermiston Oregon, NW USA
27 T6 Hermitage Missouri, C USA
186 D4 Hermit Islands island group N PNG
25 O7 Hermleigh Texas, SW USA
138 G7 Hermon, Mount Ar. Jabal ash Shaykh. ▲ S Syria
Hermopolis Parva see Damanhûr
28 J10 Hermosa South Dakota, N USA
40 F5 Hermosillo Sonora, NW Mexico
Hermoupolis see Ermoúpoli
111 N20 Hernád var. Hornád, Ger. Kundert. ~ Hungary /Slovakia
61 C18 Hernández Entre Ríos, E Argentina
23 V11 Hernando Florida, SE USA
22 L1 Hernando Mississippi, S USA
105 Q2 Hernani País Vasco, N Spain
99 F19 Herne Vlaams Brabant, C Belgium
101 E14 Herne Nordrhein-Westfalen, W Germany
95 F22 Herning Ringkøbing, W Denmark
Hernösand see Härnösand
121 U11 Herodotus Basin undersea feature E Mediterranean Sea
121 Q12 Herodotus Trough undersea feature C Mediterranean Sea
29 T11 Heron Lake Minnesota, N USA
Herowābād see Khalkhāl
95 G16 Herre Telemark, S Norway
29 N7 Herreid South Dakota, N USA
101 H22 Herrenberg Baden-Württemberg, S Germany
104 L14 Herrera Andalucía, S Spain
43 R17 Herrera off. Provincia de Herrera. ◆ province S Panama
104 L10 Herrera del Duque Extremadura, W Spain
104 M4 Herrera de Pisuerga Castilla-León, N Spain
41 Z13 Herrero, Punta headland SE Mexico
183 P16 Herrick Tasmania, SE Australia
30 L17 Herrin Illinois, N USA
20 M6 Herrington Lake ⊡ Kentucky, S USA
95 K18 Herrljunga Västra Götaland, S Sweden
103 N16 Hers ~ S France
10 I1 Herschel Island island Yukon Territory, NW Canada
99 I17 Herselt Antwerpen, C Belgium
18 G15 Hershey Pennsylvania, NE USA
99 K19 Herstal Fr. Héristal. Liège, E Belgium
97 O21 Hertford E England, UK
21 X8 Hertford North Carolina, SE USA
97 O21 Hertfordshire cultural region E England, UK
181 Z9 Hervey Bay Queensland, E Australia
101 O14 Herzberg Brandenburg, E Germany
99 E18 Herzele Oost-Vlaanderen, NW Belgium
101 K20 Herzogenaurach Bayern, SE Germany
109 W4 Herzogenburg Niederösterreich, NE Austria
Herzogenbusch see 's-Hertogenbosch
103 N2 Hesdin Pas-de-Calais, N France
160 K14 Heshan Guangxi Zhuangzu Zizhiqu, S China
159 X10 Heshui var. Xihuachi. Gansu, C China
99 M25 Hespérange Luxembourg, SE Luxembourg
35 U14 Hesperia California, W USA
37 P7 Hesperus Mountain ▲ Colorado, C USA
10 J6 Hess ~ Yukon Territory, NW Canada
Hesse see Hessen
101 J21 Hesselberg ▲ S Germany
95 I22 Hesselo island E Denmark
101 H17 Hessen Eng./Fr. Hesse. ◆ state C Germany
192 L6 Hess Tablemount undersea feature C Pacific Ocean
27 N6 Hesston Kansas, C USA
93 G15 Hestskjøltoppen ▲ C Norway
97 K18 Heswall NW England, UK
153 P12 Hetauda Central, C Nepal
Hétfalu see Săcele
28 K7 Hettinger North Dakota, N USA
101 L14 Hettstedt Sachsen-Anhalt, C Germany
92 P3 Heuglin, Kapp headland SE Svalbard
187 N10 Heuru San Cristobal, SE Solomon Islands
99 J17 Heusden Limburg, NE Belgium
98 J13 Heusden Noord-Brabant, S Netherlands
102 K3 Hève, Cap de la headland N France
99 H18 Heverlee Vlaams Brabant, C Belgium
111 L22 Heves Heves, NE Hungary
111 L22 Heves off. Heves Megye. ◆ county NE Hungary
Hevron see Hebron
45 Y13 Hewanorra ✕ (Saint Lucia) S Saint Lucia
Hexian see Hezhou
160 L6 Heyang Shaanxi, C China
Heydebrech see Kędzierzyn-Kozle
Heydekrug see Šilutė
Heyin see Guide
97 K16 Heysham NW England, UK
161 O14 Heyuan Guangdong, S China
182 L12 Heywood Victoria, SE Australia
180 K3 Heywood Islands island group Western Australia
161 O6 Heze var. Caozhou. Shandong, E China
159 U11 Hezheng Gansu, C China
160 M13 Hezhou var. Babu; prev. Hexian. Guangxi Zhuangzu Zizhiqu, S China
159 U11 Hezuo Gansu, C China
23 Z16 Hialeah Florida, SE USA
27 Q3 Hiawatha Kansas, C USA
36 M4 Hiawatha Utah, W USA
29 V4 Hibbing Minnesota, N USA
183 N17 Hibbs, Point headland Tasmania, SE Australia
20 F8 Hickman Kentucky, S USA
21 Q9 Hickory North Carolina, SE USA
21 Q9 Hickory, Lake ◎ North Carolina, SE USA
184 Q7 Hicks Bay Gisborne, North Island, NZ
25 S8 Hico Texas, SW USA
165 T4 Hidaka Hokkaidō, NE Japan
164 I12 Hidaka Hyōgo, Honshū, SW Japan
165 T5 Hidaka-sanmyaku ▲ Hokkaidō, NE Japan
41 O6 Hidalgo var. Villa Hidalgo. Coahuila de Zaragoza, NE Mexico
41 N8 Hidalgo Nuevo León, NE Mexico
41 O10 Hidalgo Tamaulipas, C Mexico
41 O13 Hidalgo ◆ state C Mexico
40 J7 Hidalgo del Parral var. Parral. Chihuahua, N Mexico
100 N7 Hiddensee island NE Germany
80 G6 Hidiglib, Wadi ~ NE Sudan
109 U6 Hieflau Salzburg, E Austria
187 P16 Hienghène Province Nord, C New Caledonia
Hierosolyma see Jerusalem
64 N12 Hierro var. Ferro. island Islas Canarias, Spain, NE Atlantic Ocean
164 G13 Higashi-Hiroshima var. Higasihirosima. Hiroshima, Honshū, SW Japan
164 C12 Higashi-suidō strait SW Japan
Higasihirosima see Higashi-Hiroshima
Higasine see Higashine
25 P1 Higgins Texas, SW USA
31 P7 Higgins Lake ◎ Michigan, N USA
27 S4 Higginsville Missouri, C USA
High Atlas see Haut Atlas
30 M5 High Falls Reservoir ⊡ Wisconsin, N USA
44 K12 Highgate C Jamaica
25 X11 High Island Texas, SW USA
31 O5 High Island island Michigan, N USA
30 K15 Highland Illinois, N USA
31 N10 Highland Park Illinois, N USA
21 O10 Highlands North Carolina, SE USA
11 O11 High Level Alberta, W Canada
29 O9 Highmore South Dakota, N USA
171 N3 High Peak ▲ Luzon, N Philippines
High Plains see Great Plains
21 S9 High Point North Carolina, SE USA
18 J13 High Point hill New Jersey, NE USA
11 P13 High Prairie Alberta, W Canada
11 Q16 High River Alberta, SW Canada
21 S9 High Rock Lake ⊡ North Carolina, SE USA
23 V9 High Springs Florida, SE USA
High Veld see Great Karoo
97 J24 High Willhays ▲ SW England, UK
97 N22 High Wycombe prev. Chepping Wycombe, Chipping Wycombe. SE England, UK
41 P12 Higos var. El Higo. Veracruz-Llave, E Mexico
102 I16 Higuer, Cap headland NE Spain
45 R5 Higüero, Punta headland W Puerto Rico
45 P9 Higüey var. Salvaleón de Higüey. E Dominican Republic
190 G11 Hihifo ✕ (Matā'utu) Île Uvea, N Wallis and Futuna
81 N16 Hiiraan off. Gobolka Hiiraan. ◆ region C Somalia
118 E4 Hiiumaa off. Hiiumaa Maakond. ◆ province W Estonia
118 D4 Hiiumaa Ger. Dagden, Swe. Dagö. island W Estonia
Hijanah see Al Hijānah
105 S6 Híjar Aragón, NE Spain
191 V10 Hikueru atoll Îles Tuamotu, C French Polynesia
184 K3 Hikurangi Northland, North Island, NZ
184 Q8 Hikurangi ▲ North Island, NZ
192 L11 Hikurangi Trench var. Hikurangi Trough. undersea feature SW Pacific Ocean
Hikurangi Trough see Hikurangi Trench
190 B15 Hikutavake NW Niue
121 Q12 Hilāl, Ra's al headland N Libya
61 A24 Hilario Ascasubi Buenos Aires, E Argentina
101 K17 Hildburghausen Thüringen, C Germany
101 E15 Hilden Nordrhein-Westfalen, W Germany
100 I13 Hildesheim Niedersachsen, N Germany
33 T9 Hilger Montana, NW USA
Hili see Hilli
Hilla see Al Ḩillah
45 O14 Hillaby, Mount ▲ N Barbados
95 K19 Hillared Västra Götaland, S Sweden
195 R12 Hillary Coast physical region Antarctica
42 G2 Hill Bank Orange Walk, N Belize
33 O14 Hill City Idaho, NW USA
26 K3 Hill City Kansas, C USA
29 V5 Hill City Minnesota, N USA

◆ Country ● Country Capital ◇ Dependent Territory ○ Dependent Territory Capital ◆ Administrative Region ✕ International Airport ▲ Mountain ▲ Mountain Range Volcano ~ River ◎ Lake ⊡ Reservoir

HILL CITY – HORMOZ, TANGEH-YE ••• 261

28 *J10* **Hill City** South Dakota, N USA
65 *C24* **Hill Cove Settlement** West Falkland, Falkland Islands
98 *H10* **Hillegom** Zuid-Holland, W Netherlands
95 *J22* **Hillerød** Frederiksborg, E Denmark
36 *M7* **Hillers, Mount** ▲ Utah, W USA
153 *S13* **Hilli** *var.* Hili. Rajshahi, NW Bangladesh
29 *R11* **Hills** Minnesota, N USA
30 *L14* **Hillsboro** Illinois, N USA
27 *N5* **Hillsboro** Kansas, C USA
27 *X5* **Hillsboro** Missouri, C USA
19 *N10* **Hillsboro** New Hampshire, NE USA
37 *Q14* **Hillsboro** New Mexico, SW USA
29 *R4* **Hillsboro** North Dakota, N USA
31 *R14* **Hillsboro** Ohio, N USA
32 *G11* **Hillsboro** Oregon, NW USA
25 *T8* **Hillsboro** Texas, SW USA
30 *K8* **Hillsboro** Wisconsin, N USA
23 *Y14* **Hillsboro Canal** *canal* Florida, SE USA
45 *Y15* **Hillsborough** Carriacou, N Grenada
97 *G15* **Hillsborough** E Northern Ireland, UK
21 *U9* **Hillsborough** North Carolina, SE USA
31 *Q10* **Hillsdale** Michigan, N USA
183 *O8* **Hillston** New South Wales, SE Australia
21 *R7* **Hillsville** Virginia, NE USA
96 *L2* **Hillswick** NE Scotland, UK
Hill Tippera *see* Tripura
38 *H11* **Hilo** Hawai'i, USA, C Pacific Ocean
18 *F9* **Hilton** New York, NE USA
14 *C10* **Hilton Beach** Ontario, S Canada
21 *R16* **Hilton Head Island** South Carolina, SE USA
21 *R16* **Hilton Head Island** *island* South Carolina, SE USA
99 *J15* **Hilvarenbeek** Noord-Brabant, S Netherlands
98 *J11* **Hilversum** Noord-Holland, C Netherlands
Hilwān *see* Helwân
152 *J7* **Himāchal Pradesh** ◆ *state* NW India
Himalaya/Himalaya Shan *see* Himalayas
152 *M9* **Himalayas** *var.* Himalaya, *Chin.* Himalaya Shan. ▲ S Asia
171 *P6* **Himamaylan** Negros, C Philippines
93 *K15* **Himanka** Länsi-Suomi, W Finland
Himara *see* Himarë
113 *L23* **Himarë** *var.* Himara. Vlorë, S Albania
138 *M2* **Ḩimār, Wādī al** *dry watercourse* N Syria
154 *D9* **Himatnagar** Gujarāt, W India
109 *Y4* **Himberg** Niederösterreich, E Austria
164 *I13* **Himeji** *var.* Himezi. Hyōgo, Honshū, SW Japan
164 *E14* **Hime-jima** *island* SW Japan
Himezi *see* Himeji
164 *L13* **Himi** Toyama, Honshū, SW Japan
109 *S9* **Himmelberg** Kärnten, S Austria
138 *I5* **Ḩimş** *var.* Homs; *anc.* Emesa. Ḩimş, C Syria
138 *K6* **Ḩimş** *off.* Muḩāfaẓat Ḩimş, *var.* Homs. ❖ *governorate* C Syria
138 *I5* **Ḩimş, Buḩayrat** *var.* Buḩayrat Qaţţīnah. ⊚ W Syria
171 *R7* **Hinatuan** Mindanao, S Philippines
117 *N10* **Hinceşti** *var.* Hânceşti; *prev.* Kotovsk. C Moldova
44 *M9* **Hinche** C Haiti
181 *X5* **Hinchinbrook Island** *island* Queensland, NE Australia
39 *S12* **Hinchinbrook Island** *island* Alaska, USA
97 *M19* **Hinckley** C England, UK
29 *V7* **Hinckley** Minnesota, N USA
36 *K5* **Hinckley** Utah, W USA
18 *J9* **Hinckley Reservoir** ⊠ New York, NE USA
152 *I12* **Hindaun** Rājasthān, N India
Hindenburg/Hindenburg in Oberschlesien *see* Zabrze
Hindiya *see* Al Hindīyah
21 *O6* **Hindman** Kentucky, S USA
182 *L10* **Hindmarsh, Lake** ⊚ Victoria, SE Australia
185 *G19* **Hinds** Canterbury, South Island, NZ
185 *G19* **Hinds** ↝ South Island, NZ
95 *H23* **Hindsholm** *island* C Denmark
149 *S4* **Hindu Kush** *Per.* Hendū Kosh. ▲ Afghanistan/Pakistan
155 *H19* **Hindupur** Andhra Pradesh, E India
11 *O12* **Hines Creek** Alberta, W Canada
23 *W6* **Hinesville** Georgia, SE USA
154 *I12* **Hinganghāt** Mahārāshtra, C India
149 *N15* **Hingol** ↝ SW Pakistan
154 *H13* **Hingoli** Mahārāshtra, C India
137 *R13* **Hınıs** Erzurum, E Turkey
92 *O2* **Hinlopenstretet** *strait* N Svalbard
92 *G10* **Hinnøya** *Lapp.* Iinnasuolu. *island* C Norway
108 *H10* **Hinterrhein** ↝ SW Switzerland
11 *O14* **Hinton** Alberta, SW Canada
26 *M10* **Hinton** Oklahoma, C USA
21 *R6* **Hinton** West Virginia, NE USA
Hios *see* Chíos
41 *N8* **Hipolito** Coahuila de Zaragoza, NE Mexico
Hipponium *see* Vibo Valentia
164 *B13* **Hirado** Nagasaki, Hirado-shima, SW Japan
164 *B13* **Hirado-shima** *island* SW Japan
165 *P16* **Hirakubo-saki** *headland* Ishigaki-jima, SW Japan
154 *M11* **Hīrākud Reservoir** ⊠ E India
Hir al Gharbi, Qasr al *see* Ḩayr al Gharbī, Qaşr al
165 *Q16* **Hirara** Okinawa, Miyako-jima, SW Japan
Qasr al Hir Ash Sharqī *see* Ḩayr ash Sharqī, Qaşr al
164 *G12* **Hirata** Shimane, Honshū, SW Japan
Hiratuka *see* Hiratsuka
136 *I13* **Hirfanlı Barajı** ⊠ C Turkey
155 *G18* **Hiriyūr** Karnātaka, W India
Hîrlău *see* Hârlău
148 *K10* **Hīrmand, Rūd-e** *var* Daryā-ye Helmand. ↝ Afghanistan/Iran *see also* Helmand, Daryā-ye
Hirmil *see* Hermel
165 *T5* **Hiroo** Hokkaidō, NE Japan
165 *Q7* **Hirosaki** Aomori, Honshū, C Japan
164 *F13* **Hiroshima** *var.* Hirosima. Hiroshima, Honshū, SW Japan
164 *G13* **Hiroshima** *off.* Hiroshima-ken, *var.* Hirosima. ❖ *prefecture* Honshū, SW Japan
Hirosima *see* Hiroshima
Hirschberg/Hirschberg im Riesengebirge/Hirschberg in Schlesien *see* Jelenia Góra
103 *Q3* **Hirson** Aisne, N France
Hirşova *see* Hârşova
95 *G19* **Hirtshals** Nordjylland, N Denmark
152 *H10* **Hisār** Haryāna, NW India
186 *E9* **Hisiu** Central, SW PNG
147 *P13* **Hisor** *Rus.* Gissar. W Tajikistan
Hispalis *see* Sevilla
Hispana/Hispania *see* Spain
44 *M7* **Hispaniola** *island* Dominion Republic/Haiti
64 *F11* **Hispaniola Basin** *var.* Hispaniola Trough. *undersea feature* SW Atlantic Ocean
Hispaniola Trough *see* Hispaniola Basin
Histonium *see* Vasto
139 *R7* **Hīt** SW Iraq
165 *P14* **Hita** Ōita, Kyūshū, SW Japan
165 *P12* **Hitachi** *var.* Hitati. Ibaraki, Honshū, S Japan
165 *P12* **Hitachi-Ōta** *var.* Hitatiôta. Ibaraki, Honshū, S Japan
Hitati *see* Hitachi
Hitatiôta *see* Hitachi-Ōta
97 *O21* **Hitchin** E England, UK
191 *Q7* **Hitiaa** Tahiti, W French Polynesia
164 *D15* **Hitoyoshi** *var.* Hitoyosi. Kumamoto, Kyūshū, SW Japan
Hitoyosi *see* Hitoyoshi
94 *F7* **Hitra** *prev.* Hitteren. *island* S Norway
Hitteren *see* Hitra
187 *Q11* **Hiu** *island* Torres Islands, N Vanuatu
165 *O11* **Hiuchiga-take** ▲ Honshū, C Japan
191 *X7* **Hiva Oa** *island* Îles Marquises, N French Polynesia
20 *M10* **Hiwassee Lake** ⊠ North Carolina, SE USA
20 *M10* **Hiwassee River** ↝ SE USA
95 *H20* **Hjallerup** Nordjylland, N Denmark
95 *M16* **Hjälmaren** *Eng.* Lake Hjalmar. ⊚ C Sweden
Hjalmar, Lake *see* Hjälmaren
95 *C14* **Hjellestad** Hordaland, S Norway
95 *D16* **Hjelmeland** Rogaland, S Norway
94 *G10* **Hjerkinn** Oppland, S Norway
95 *L18* **Hjo** Västra Götaland, S Sweden
95 *G19* **Hjørring** Nordjylland, N Denmark
167 *O1* **Hkakabo Razi** ▲ Myanmar/China
167 *N1* **Hkring Bum** ▲ N Myanmar
83 *L21* **Hlathikulu** *var.* Hlatikulu. S Swaziland
Hlatikulu *see* Hlathikulu
Hliboka *see* Hlyboka
111 *F17* **Hlinsko** *var.* Hlinsko v Čechách. Pardubický Kraj, C Czech Republic
Hlinsko v Čechách *see* Hlinsko
117 *S6* **Hlobyne** *Rus.* Globino. Poltavs'ka Oblast', NE Ukraine
111 *H20* **Hlohovec** *Ger.* Freistadtl, *Hung.* Galgóc; *prev.* Frakštát. Trnavský Kraj, W Slovakia
83 *J23* **Hlotse** *var.* Leribe. NW Lesotho
111 *I17* **Hlučín** *Ger.* Hultschin, *Pol.* Hulczyn. Moravskoslezský Kraj, E Czech Republic
117 *S2* **Hlukhiv** *Rus.* Glukhov. Sums'ka Oblast', NE Ukraine
119 *K21* **Hlushkavichy** *Rus.* Glushkevichi. Homyel'skaya Voblasts', SE Belarus
119 *L18* **Hlusk** *Rus.* Glusk, Glussk. Mahilyowskaya Voblasts', E Belarus
116 *K8* **Hlyboka** *Ger.* Hliboka, *Rus.* Glybokaya. Chernivets'ka Oblast', W Ukraine
118 *K13* **Hlybokaye** *Rus.* Glubokoye. Vitsyebskaya Voblasts', N Belarus
77 *Q16* **Ho** SE Ghana
167 *S6* **Hoa Binh** Hoa Binh, N Vietnam
83 *E20* **Hoachanas** Hardap, C Namibia
Hoai Nhon *see* Bông Sơn
167 *T8* **Hoa Lac** Quang Binh, C Vietnam
167 *S5* **Hoang Liên Sơn** ▲ N Vietnam
83 *B17* **Hoanib** ↝ NW Namibia
33 *S15* **Hoback Peak** ▲ Wyoming, C USA
183 *P17* **Hobart** *prev.* Hobarton, Hobart Town. *state capital* Tasmania, SE Australia
26 *L11* **Hobart** Oklahoma, C USA
183 *P17* **Hobart** ✕ Tasmania, SE Australia
Hobarton/Hobart Town *see* Hobart
37 *W14* **Hobbs** New Mexico, SW USA
194 *L12* **Hobbs Coast** *physical region* Antarctica
23 *Z14* **Hobe Sound** Florida, SE USA
Hobicaurikány *see* Uricani
54 *E12* **Hobo** Huila, S Colombia
99 *G16* **Hoboken** Antwerpen, N Belgium
158 *K3* **Hoboksar** *var.* Hoboksar Mongol Zizhixian. Xinjiang Uygur Zizhiqu, NW China
Hoboksar Mongol Zizhixian *see* Hoboksar
95 *G21* **Hobro** Nordjylland, N Denmark
21 *X10* **Hobucken** North Carolina, SE USA
95 *O20* **Hoburgen** *headland* SE Sweden
81 *P15* **Hobyo** *It.* Obbia. Mudug, E Somalia
109 *R8* **Hochalmspitze** ▲ SW Austria
109 *Q4* **Hochburg** Oberösterreich, N Austria
108 *F8* **Hochdorf** Luzern, N Switzerland
109 *N8* **Hochfeiler** *It.* Gran Pilastro. ▲ Austria/Italy
167 *T14* **Hô Chi Minh** *var.* Ho Chi Minh City; *prev.* Saigon. S Vietnam
Ho Chi Minh City *see* Hô Chi Minh
108 *I7* **Höchst** Vorarlberg, NW Austria
Höchstadt *see* Höchstadt an der Aisch
101 *K19* **Höchstadt an der Aisch** *var.* Höchstadt. Bayern, C Germany
108 *L9* **Hochwilde** *It.* L'Altissima. ▲ Austria/Italy
109 *S7* **Hochwildstelle** ▲ C Austria
31 *T14* **Hocking River** ↝ Ohio, N USA
Hoctúm *see* Hoctún
41 *X12* **Hoctún** *var.* Hoctúm. Yucatán, E Mexico
Hodeida *see* Al Ḩudaydah
20 *K6* **Hodgenville** Kentucky, S USA
11 *T17* **Hodgeville** Saskatchewan, S Canada
76 *L9* **Hodh ech Chargui** ❖ *region* E Mauritania
Hodh el Garbi *see* Hodh el Gharbi
76 *J10* **Hodh el Gharbi** *var.* Hodh el Garbi. ❖ *region* S Mauritania
111 *L25* **Hódmezővásárhely** Csongrád, SE Hungary
74 *J6* **Hodna, Chott El** *var.* Chott el-Hodna, *Ar.* Shatt al-Hodna. *salt lake* N Algeria
Hodna, Shatt al- *see* Hodna, Chott El
111 *G19* **Hodonín** *Ger.* Göding. Jihomoravský Kraj, SE Czech Republic
162 *G6* **Hödrögö** Dzavhan, N Mongolia
Hodság/Hodschag *see* Odžaci
39 *R7* **Hodzana River** ↝ Alaska, USA
Hoei *see* Huy
99 *H19* **Hoeilaart** Vlaams Brabant, C Belgium
Hoë Karoo *see* Great Karoo
98 *F12* **Hoek van Holland** *Eng.* Hook of Holland. Zuid-Holland, W Netherlands
98 *L11* **Hoenderloo** Gelderland, E Netherlands
99 *L18* **Hoensbroek** Limburg, SE Netherlands
163 *Y11* **Hoeryŏng** NE North Korea
99 *K18* **Hoeselt** Limburg, NE Belgium
98 *K11* **Hoevelaken** Gelderland, C Netherlands
Hoey *see* Huy
101 *M18* **Hof** Bayern, SE Germany
Höfðhakaupstaðhur *see* Skagaströnd
Hofei *see* Hefei
101 *G18* **Hofheim am Taunus** Hessen, W Germany
Hofmarkt *see* Odorheiu Secuiesc
92 *L3* **Höfn** Austurland, SE Iceland
94 *N13* **Hofors** Gävleborg, C Sweden
92 *J6* **Hofsjökull** *glacier* C Iceland
92 *J1* **Hofsós** Norðurland Vestra, N Iceland
164 *E13* **Hōfu** Yamaguchi, Honshū, SW Japan
Hofuf *see* Al Hufūf
95 *J22* **Höganäs** Skåne, S Sweden
183 *P14* **Hogan Group** *island group* Tasmania, SE Australia
23 *R4* **Hogansville** Georgia, SE USA
39 *P8* **Hogatza River** ↝ Alaska, USA
28 *I14* **Hogback Mountain** ▲ Nebraska, C USA
95 *G14* **Høgevarde** ▲ S Norway
Högfors *see* Karkkila
31 *P5* **Hog Island** *island* Michigan, N USA
21 *Y6* **Hog Island** *island* Virginia, NE USA
Hogoley Islands *see* Chuuk Islands
95 *N20* **Högsby** Kalmar, S Sweden
36 *K1* **Hogup Mountains** ▲ Utah, W USA
101 *E17* **Hohe Acht** ▲ W Germany
Hohenelbe *see* Vrchlabí
108 *I7* **Hohenems** Vorarlberg, W Austria
Hohenmauth *see* Vysoké Mýto
Hohensalza *see* Inowrocław
Hohenstadt *see* Zábřeh
Hohenstein in Ostpreussen *see* Olsztynek
20 *I9* **Hohenwald** Tennessee, S USA
101 *L17* **Hohenwarte-Stausee** ⊠ C Germany
Hohes Venn *see* Hautes Fagnes
109 *Q8* **Hohe Tauern** ▲▲ W Austria
163 *O13* **Hohhot** *var.* Huhehot, Huhohaote, *Mong.* Kukukhoto; *prev.* Kweisui, Kwesui. Nei Mongol Zizhiqu, N China
103 *U6* **Hohneck** ▲ NE France
77 *Q16* **Hohoe** E Ghana
164 *E12* **Hōhoku** Yamaguchi, Honshū, SW Japan
159 *O11* **Hoh Sai Hu** ⊚ C China
159 *N11* **Hoh Xil Hu** ⊚ C China
158 *L11* **Hoh Xil Shan** ▲▲ W China
167 *U10* **Hôi An** *prev.* Faifo. Quang Nam-Đa Năng, C Vietnam
Hoï-Hao/Hoihow *see* Haikou
159 *S11* **Hoika** *prev.* Heka. Qinghai, W China
81 *F17* **Hoima** W Uganda
26 *L5* **Hoisington** Kansas, C USA
146 *D12* **Hojagala** *Rus.* Khodzhakala. Balkan Welaýaty, W Turkmenistan
146 *M13* **Hojambaz** *Rus.* Khodzhambas. Lebap Welaýaty, E Turkmenistan
95 *H23* **Højby** Fyn, C Denmark
95 *F24* **Højer** Sønderjylland, SW Denmark
164 *E14* **Hōjō** *var.* Hôzyô. Ehime, Shikoku, SW Japan
184 *J3* **Hokianga Harbour** *inlet* SE Tasman Sea
185 *F17* **Hokitika** West Coast, South Island, NZ
165 *U4* **Hokkai-dō** ❖ *territory* Hokkaidō, NE Japan
165 *T3* **Hokkaidō** *prev.* Ezo, Yeso, Yezo. *island* NE Japan
95 *G15* **Hokksund** Buskerud, S Norway
143 *S4* **Hokmābād** Khorāsān, N Iran
Hokō *see* P'ohang
Hoko-guntō/Hoko-shotō *see* P'enghu Liehtao
Hoktemberyan *see* Armavir
94 *F13* **Hol** Buskerud, S Norway
117 *R11* **Hola Prystan'** *Rus.* Golaya Pristan. Khersons'ka Oblast', S Ukraine
95 *I23* **Holbæk** Vestsjælland, E Denmark
162 *G6* **Holboo** Dzavhan, W Mongolia
183 *P10* **Holbrook** New South Wales, SE Australia
37 *N11* **Holbrook** Arizona, SW USA
27 *S5* **Holden** Missouri, C USA
36 *K5* **Holden** Utah, W USA
27 *O11* **Holdenville** Oklahoma, C USA
29 *O16* **Holdrege** Nebraska, C USA
35 *X3* **Hole in the Mountain Peak** ▲ Nevada, W USA
155 *G20* **Hole Narsipur** Karnātaka, W India
111 *H18* **Holešov** *Ger.* Holleschau. Zlínský Kraj, E Czech Republic
45 *N14* **Holetown** *prev.* Jamestown. W Barbados
31 *Q12* **Holgate** Ohio, N USA
44 *I7* **Holguín** Holguín, SE Cuba
23 *V12* **Holiday** Florida, SE USA
39 *O12* **Holitna River** ↝ Alaska, USA
94 *J13* **Höljes** Värmland, C Sweden
109 *X3* **Hollabrunn** Niederösterreich, NE Austria
36 *L3* **Holladay** Utah, W USA
11 *X16* **Holland** Manitoba, S Canada
31 *O9* **Holland** Michigan, N USA
25 *T9* **Holland** Texas, SW USA
Holland *see* Netherlands
22 *K4* **Hollandale** Mississippi, S USA
Hollandia *see* Jayapura
Hollandsch Diep *see* Hollands Diep
99 *H14* **Hollands Diep** *var.* Hollandsch Diep. *channel* SW Netherlands
Holleschau *see* Holešov
25 *R5* **Holliday** Texas, SW USA
18 *E15* **Hollidaysburg** Pennsylvania, NE USA
21 *S6* **Hollins** Virginia, NE USA
26 *J12* **Hollis** Oklahoma, C USA
35 *O10* **Hollister** California, W USA
27 *T8* **Hollister** Missouri, C USA
93 *M19* **Hollola** Etelä-Suomi, S Finland
98 *K4* **Hollum** Friesland, N Netherlands
95 *J23* **Höllviksnäs** Skåne, S Sweden
37 *W6* **Holly** Colorado, C USA
31 *R9* **Holly** Michigan, N USA
21 *S14* **Holly Hill** South Carolina, SE USA
21 *W11* **Holly Ridge** North Carolina, SE USA
22 *L1* **Holly Springs** Mississippi, S USA
23 *Z15* **Hollywood** Florida, SE USA
8 *J6* **Holman** Victoria Island, Northwest Territories, N Canada
92 *I2* **Hólmavík** Vestfirdhir, NW Iceland
30 *J7* **Holmen** Wisconsin, N USA
23 *R8* **Holmes Creek** ↝ Alabama/Florida, SE USA
95 *H16* **Holmestrand** Vestfold, S Norway
93 *J16* **Holmön** *island* N Sweden
95 *E22* **Holmsland Klit** *beach* W Denmark
93 *J16* **Holmsund** Västerbotten, N Sweden
95 *Q18* **Holmudden** *headland* SE Sweden
138 *F10* **Holon** *var.* Kholon. Tel Aviv, C Israel
117 *P8* **Holovanivs'k** *Rus.* Golovanevsk. Kirovohrads'ka Oblast', C Ukraine
95 *F21* **Holstebro** Ringkøbing, W Denmark
95 *F23* **Holsted** Ribe, W Denmark
29 *T13* **Holstein** Iowa, C USA
Holsteinborg/Holsteinsborg/Holstenborg/Holstensborg *see* Sisimiut
21 *O8* **Holston River** ↝ Tennessee, S USA
31 *Q9* **Holt** Michigan, N USA
98 *N10* **Holten** Overijssel, E Netherlands
27 *P3* **Holton** Kansas, C USA
27 *U5* **Holts Summit** Missouri, C USA
35 *X17* **Holtville** California, W USA
98 *L5* **Holwerd** *Fris.* Holwert. Friesland, N Netherlands
Holwert *see* Holwerd
39 *O11* **Holy Cross** Alaska, USA
37 *R4* **Holy Cross, Mount Of The** ▲ Colorado, C USA
97 *I18* **Holyhead** *Wel.* Caer Gybi. NW Wales, UK
97 *H18* **Holy Island** *island* NW Wales, UK
96 *L12* **Holy Island** *island* NE England, UK
37 *W3* **Holyoke** Colorado, C USA
18 *M11* **Holyoke** Massachusetts, NE USA
101 *I14* **Holzminden** Niedersachsen, C Germany
81 *G19* **Homa Bay** Nyanza, W Kenya
Homāyūnshahr *see* Khomeynīshahr
77 *P11* **Hombori** Mopti, S Mali
101 *E20* **Homburg** Saarland, SW GermanyQ5
9 *R5* **Home Bay** *bay* Baffin Bay, Nunavut, NE Canada
Homenau *see* Humenné
39 *Q13* **Homer** Alaska, USA
22 *H4* **Homer** Louisiana, S USA
18 *H10* **Homer** New York, NE USA
23 *V7* **Homerville** Georgia, SE USA
23 *Y16* **Homestead** Florida, SE USA
27 *O9* **Hominy** Oklahoma, C USA
94 *H8* **Hommelvik** Sør-Trøndelag, S Norway
95 *C16* **Hommersåk** Rogaland, S Norway
155 *H15* **Homnābād** Karnātaka, C India
22 *J7* **Homochitto River** ↝ Mississippi, S USA
83 *N20* **Homoine** Inhambane, SE Mozambique
112 *O12* **Homoljske Planine** ▲ E Serbia and Montenegro (Yugo.)
Homonna *see* Humenné
Homs *see* Al Khums, Libya
Homs *see* Ḩimş, Syria
119 *P19* **Homyel'** *Rus.* Gomel'. Homyel'skaya Voblasts', SE Belarus
118 *L12* **Homyel'** Vitsyebskaya Voblasts', N Belarus
119 *L19* **Homyel'skaya Voblasts'** *prev. Rus.* Gomel'skaya Oblast'. ❖ *province* SE Belarus
Honan *see* Henan, China
Honan *see* Luoyang, China
165 *U4* **Honbetsu** Hokkaidō, NE Japan
Honctő *see* Gurahonţ
54 *E9* **Honda** Tolima, C Colombia
83 *D24* **Hondeklip** *Afr.* Hondeklipbaai. Northern Cape, W South Africa
Hondeklipbaai *see* Hondeklip
11 *Q13* **Hondo** Alberta, W Canada
164 *C15* **Hondo** Kumamoto, Shimo-jima, SW Japan
25 *Q12* **Hondo** Texas, SW USA
42 *G1* **Hondo** ↝ Central America
Hondo *see* Honshū
42 *G6* **Honduras** *off.* Republic of Honduras. ◆ *republic* Central America
Honduras, Golfo de *see* Honduras, Gulf of
42 *H4* **Honduras, Gulf of** *Sp.* Golfo de Honduras. *gulf* W Caribbean Sea
11 *V12* **Hone** Manitoba, C Canada
21 *P12* **Honea Path** South Carolina, SE USA
95 *H14* **Hønefoss** Buskerud, S Norway
31 *S12* **Honey Creek** ↝ Ohio, N USA
25 *V5* **Honey Grove** Texas, SW USA
35 *Q4* **Honey Lake** ⊚ California, W USA
102 *L4* **Honfleur** Calvados, N France
Hon Gai *see* Hông Gai
161 *O8* **Hong'an** *prev.* Huang'an. Hubei, C China
Hongay *see* Hông Gai
167 *T6* **Hông Gai** *var.* Hon Gai, Hongay. Quang Ninh, N Vietnam
161 *O15* **Honghai Wan** *bay* N South China Sea
Hông Hà, Sông *see* Red River
161 *O7* **Hong He** ↝ C China
161 *N9* **Hong Hu** ⊚ C China
160 *L11* **Hongjiang** Hunan, S China
Hongjiang *see* Wangcang
161 *O15* **Hong Kong** *Chin.* Xianggang. S China
160 *L4* **Hongliu He** ↝ C China
159 *P8* **Hongliuwan** *var.* Aksay, Aksay Kazakzu Zizhixian. Gansu, N China
159 *P7* **Hongliuyuan** Gansu, N China
163 *O9* **Hongor** Dornogovĭ, SE Mongolia
161 *S8* **Hongqiao** ✕ (Shanghai) Shanghai Shi, E China
160 *K14* **Hongshui He** ↝ S China
160 *M5* **Hongtong** Shanxi, C China
164 *J15* **Hongū** Wakayama, Honshū, SW Japan
Honguedo, Détroit d' *see* Honguedo Passage
15 *Y5* **Honguedo Passage** *var.* Honguedo Strait, *Fr.* Détroit d'Honguedo. *strait* Québec, E Canada
Honguedo Strait *see* Honguedo Passage
Hongwan *see* Hongwansi
159 *S8* **Hongwansi** *var.* Sunan, Sunan Yugurzu Zizhixian; *prev.* Hongwan. Gansu, N China
163 *X13* **Hongwŏn** E North Korea
160 *H7* **Hongyuan** *var.* Qiongxi; *prev.* Hurama. Sichuan, C China
161 *Q7* **Hongze Hu** *var.* Hung-tse Hu. ⊚ E China
186 *L9* **Honiara** ● (Solomon Islands) Guadalcanal, C Solomon Islands
165 *P8* **Honjō** *var.* Honzyô. Akita, Honshū, C Japan
93 *K18* **Honkajoki** Länsi-Suomi, W Finland
92 *K7* **Honningsvåg** Finnmark, N Norway
95 *I19* **Hönö** Västra Götaland, S Sweden
38 *G11* **Honoka'a** *var.* Honokaa. Hawai'i, USA, C Pacific Ocean
38 *D9* **Honolulu** ❖ O'ahu, Hawai'i, USA, C Pacific Ocean
38 *H11* **Honomū** *var.* Honomu. Hawai'i, USA, C Pacific Ocean
105 *P10* **Honrubia** Castilla-La Mancha, C Spain
164 *M12* **Honshū** *var.* Hondo, Honsyû. *island* SW Japan
Honsyû *see* Honshū
Honte *see* Westerschelde
Honzyô *see* Honjō
8 *K8* **Hood** ↝ Nunavut, NW Canada
Hood Island *see* Española, Isla
32 *H11* **Hood, Mount** ▲ Oregon, NW USA
32 *H11* **Hood River** Oregon, NW USA
98 *H10* **Hoofddorp** Noord-Holland, W Netherlands
99 *G15* **Hoogerheide** Noord-Brabant, S Netherlands
98 *N8* **Hoogeveen** Drenthe, NE Netherlands
98 *O6* **Hoogezand-Sappemeer** Groningen, NE Netherlands
98 *J8* **Hoogkarspel** Noord-Holland, NW Netherlands
98 *N5* **Hoogkerk** Groningen, NE Netherlands
98 *G13* **Hoogvliet** Zuid-Holland, SW Netherlands
26 *I8* **Hooker** Oklahoma, C USA
97 *E21* **Hook Head** *Ir.* Rinn Duáin. *headland* SE Ireland
Hook of Holland *see* Hoek van Holland
162 *J9* **Hoolt** Övörhangay, C Mongolia
39 *W13* **Hoonah** Chichagof Island, Alaska, USA
38 *L11* **Hooper Bay** Alaska, USA
31 *N13* **Hoopeston** Illinois, N USA
95 *K22* **Höör** Skåne, S Sweden
98 *I9* **Hoorn** Noord-Holland, NW Netherlands
18 *L10* **Hoosic River** ↝ New York, NE USA
Hoosier State *see* Indiana
35 *Y11* **Hoover Dam** *dam* Arizona/Nevada, W USA
162 *I9* **Höövör** Övörhangay, C Mongolia
137 *Q11* **Hopa** Artvin, NE Turkey
18 *J14* **Hopatcong** New Jersey, NE USA
10 *M17* **Hope** British Columbia, SW Canada
39 *R12* **Hope** Alaska, USA
27 *T14* **Hope** Arkansas, C USA
31 *P14* **Hope** Indiana, N USA
29 *Q5* **Hope** North Dakota, N USA
13 *Q7* **Hopedale** Newfoundland and Labrador, NE Canada
Hopeh/Hopei *see* Hebei
180 *K13* **Hope, Lake** *salt lake* Western Australia
41 *X13* **Hopelchén** Campeche, SE Mexico
21 *U11* **Hope Mills** North Carolina, SE USA
183 *O7* **Hope, Mount** New South Wales, SE Australia
92 *P4* **Hopen** *island* SE Svalbard
197 *Q4* **Hope, Point** *headland* Alaska, USA
12 *M3* **Hopes Advance, Cap** *headland* Québec, NE Canada
182 *L10* **Hopetoun** Victoria, SE Australia
83 *H23* **Hopetown** Northern Cape, W South Africa
21 *W6* **Hopewell** Virginia, NE USA
109 *O7* **Hopfgarten-im-Brixental** Tirol, W Austria
181 *N8* **Hopkins Lake** *salt lake* Western Australia
182 *M12* **Hopkins River** ↝ Victoria, SE Australia
20 *I7* **Hopkinsville** Kentucky, S USA
34 *M6* **Hopland** California, W USA
95 *G24* **Hoptrup** Sønderjylland, SW Denmark
Hoqin Zuoyi Zhongji *see* Baokang
32 *F9* **Hoquiam** Washington, NW USA
29 *R6* **Horace** North Dakota, N USA
137 *R12* **Horasan** Erzurum, NE Turkey
101 *G22* **Horb am Neckar** Baden-Württemberg, S Germany
95 *K23* **Hörby** Skåne, S Sweden
43 *P16* **Horconcitos** Chiriquí, W Panama
95 *C14* **Hordaland** ❖ *county* S Norway
116 *H13* **Horezu** Vâlcea, SW Romania
108 *G7* **Horgen** Zürich, N Switzerland
162 *I7* **Horgo** Arhangay, C Mongolia
Hōrin *see* Fenglin
163 *O13* **Horinger** Nei Mongol Zizhiqu, N China
162 *I9* **Horiult** Bayanhongor, C Mongolia
11 *U17* **Horizon** Saskatchewan, S Canada
192 *K9* **Horizon Bank** *undersea feature* S Pacific Ocean
192 *L10* **Horizon Deep** *undersea feature* W Pacific Ocean
95 *L14* **Hörken** Örebro, S Sweden
119 *O15* **Horki** *Rus.* Gorki. Mahilyowskaya Voblasts', E Belarus
195 *O10* **Horlick Mountains** ▲▲ Antarctica
117 *X7* **Horlivka** *Rom.* Adâncata, *Rus.* Gorlovka. Donets'ka Oblast', E Ukraine
143 *V11* **Ḩormak** Sīstān va Balūchestān, SE Iran
143 *R13* **Hormozgān** *off.* Ostān-e Hormozgān. ❖ *province* S Iran
Hormoz, Tangeh-ye *see* Hormuz, Strait of

◆ COUNTRY ● COUNTRY CAPITAL ◇ DEPENDENT TERRITORY ○ DEPENDENT TERRITORY CAPITAL ❖ ADMINISTRATIVE REGION ✕ INTERNATIONAL AIRPORT ▲ MOUNTAIN ▲▲ MOUNTAIN RANGE Ж VOLCANO ↝ RIVER ⊚ LAKE ⊠ RESERVOIR

262 ••• Hormuz, Strait of – Hunters

141 W6 **Hormuz, Strait of** var. Strait of Ormuz, Per. Tangeh-ye Hormoz. strait Iran/Oman
109 W2 **Horn** Niederösterreich, NE Austria
95 M18 **Horn** Östergötland, S Sweden
8 J9 **Horn** ≈ Northwest Territories, NW Canada
Hornád see Hernád
8 I6 **Hornaday** ≈ Northwest Territories, NW Canada
92 H13 **Hornavan** ⊚ N Sweden
65 C24 **Hornby Mountains** hill range West Falkland, Falkland Islands
Horn, Cape see Hornos, Cabo de
97 O18 **Horncastle** E England, UK
95 N14 **Horndal** Dalarna, C Sweden
93 I16 **Hörnefors** Västerbotten, N Sweden
18 F11 **Hornell** New York, NE USA
Horné Nové Mesto see Kysucké Nové Mesto
12 F12 **Hornepayne** Ontario, S Canada
94 D10 **Hornindalsvatnet** ⊚ S Norway
101 G22 **Hornisgrinde** ▲ SW Germany
22 M9 **Horn Island** island Mississippi, S USA
Hornja Łužica see Oberlausitz
63 J26 **Hornos, Cabo de** Eng. Cape Horn. headland S Chile
117 S10 **Hornostayivka** Khersons'ka Oblast', S Ukraine
183 T9 **Hornsby** New South Wales, SE Australia
97 O16 **Hornsea** E England, UK
94 O11 **Hornslandet** peninsula C Sweden
95 H22 **Hornslet** Århus, C Denmark
92 O4 **Hornsundtind** ▲ S Svalbard
Horochów see Horokhiv
116 J7 **Horodenka** Rus. Gorodenka. Ivano-Frankivs'ka Oblast', W Ukraine
117 Q2 **Horodnya** Rus. Gorodnya. Chernihivs'ka Oblast', NE Ukraine
116 K6 **Horodok** Khmel'nyts'ka Oblast', W Ukraine
116 H5 **Horodok** Pol. Gródek Jagielloński, Rus. Gorodok, Gorodok Yagellonski. L'vivs'ka Oblast', NW Ukraine
117 Q6 **Horodyshche** Rus. Gorodishche. Cherkas'ka Oblast', C Ukraine
165 T3 **Horokanai** Hokkaidō, NE Japan
116 J4 **Horokhiv** Pol. Horochów, Rus. Gorokhov. Volyns'ka Oblast', NW Ukraine
165 T4 **Horoshiri-dake** var. Horosiri Dake. ▲ Hokkaidō, N Japan
Horosiri Dake see Horoshiri-dake
111 C17 **Hořovice** Ger. Horowitz. Středočeský Kraj, W Czech Republic
Horowitz see Hořovice
Horqin Zuoyi Houqi see Ganjig
Horqin Zuoyi Zhongji see Bayan Huxu
62 O5 **Horqueta** Concepción, C Paraguay
55 O12 **Horqueta Minas** Amazonas, S Venezuela
95 J20 **Horred** Västra Götaland, S Sweden
151 J19 **Horsburgh Atoll** atoll N Maldives
20 K7 **Horse Cave** Kentucky, S USA
37 V6 **Horse Creek** ≈ Colorado, C USA
27 S6 **Horse Creek** ≈ Missouri, C USA
18 G11 **Horseheads** New York, NE USA
37 P13 **Horse Mount** ▲ New Mexico, SW USA
95 G22 **Horsens** Vejle, C Denmark
65 F25 **Horse Pasture Point** headland W Saint Helena
33 N13 **Horseshoe Bend** Idaho, NW USA
36 L13 **Horseshoe Reservoir** ⊠ Arizona, SW USA
64 M9 **Horseshoe Seamounts** undersea feature E Atlantic Ocean
182 L11 **Horsham** Victoria, SE Australia
97 O23 **Horsham** SE England, UK
99 M15 **Horst** Limburg, SE Netherlands
64 N2 **Horta** Faial, Azores, Portugal, NE Atlantic Ocean
95 H16 **Horten** Vestfold, S Norway
111 M23 **Hortobágy-Berettyó** ≈ E Hungary
27 Q3 **Horton** Kansas, C USA
8 I7 **Horton** ≈ Northwest Territories, NW Canada
95 I23 **Hørve** Vestsjælland, E Denmark
95 L22 **Hörvik** Blekinge, S Sweden
138 E11 **Ḥorvot Ḥaluẓa** var. Khorvot Khalutsa. ruins Southern, S Israel
14 E7 **Horwood Lake** ⊚ Ontario, S Canada
116 K4 **Horyn'** Rus. Goryn. ≈ NW Ukraine
81 I14 **Hosa'ina** var. Hosseina, It. Hosanna. Southern, S Ethiopia
Hosanna see Hosa'ina
101 H18 **Hösbach** Bayern, C Germany
Hose Mountains see Hose, Pegunungan
169 T9 **Hose, Pegunungan** var. Hose Mountains. ▲▲ East Malaysia
148 L15 **Hoshāb** Baluchistān, SW Pakistan
154 H10 **Hoshangābād** Madhya Pradesh, C India
116 L4 **Hoshcha** Rivnens'ka Oblast', NW Ukraine
152 I7 **Hoshiārpur** Punjab, NW India
162 J7 **Höshööt** Arhangay, C Mongolia
99 M23 **Hosingen** Diekirch, NE Luxembourg
186 G7 **Hoskins** New Britain, E PNG
155 G17 **Hospet** Karnātaka, C India
104 K4 **Hospital de Orbigo** Castilla-León, N Spain
Hospitalet see L'Hospitalet de Llobregat
92 N13 **Hossa** Oulu, E Finland
Hosseina see Hosa'ina
Hosszúmezjő see Câmpulung Moldovenesc
63 I25 **Hoste, Isla** island S Chile
117 O4 **Hostomel'** Rus. Gostomel'. Kyyivs'ka Oblast', N Ukraine
155 H20 **Hosūr** Tamil Nādu, SE India
167 N8 **Hot** Chiang Mai, NW Thailand
158 G10 **Hotan** var. Khotan, Chin. Ho-t'ien. Xinjiang Uygur Zizhiqu, NW China
158 H9 **Hotan He** ≈ NW China
83 G22 **Hotazel** Northern Cape, N South Africa
37 Q5 **Hotchkiss** Colorado, C USA
35 V7 **Hot Creek Range** ▲▲ Nevada, W USA
Hote see Hoti
171 T13 **Hoti** var. Hote. Pulau Seram, E Indonesia
Ho-t'ien see Hotan
Hotin see Khotyn
93 H15 **Hoting** Jämtland, C Sweden
162 L14 **Hotong Qagan Nur** ⊚ N China
162 J8 **Hotont** Arhangay, C Mongolia
27 T12 **Hot Springs** Arkansas, C USA
28 J11 **Hot Springs** South Dakota, N USA
21 S5 **Hot Springs** Virginia, NE USA
35 Q4 **Hot Springs Peak** ▲ California, W USA
27 T12 **Hot Springs Village** Arkansas, C USA
Hotspur Bank see Hotspur Seamount
65 J16 **Hotspur Seamount** var. Hotspur Bank. undersea feature C Atlantic Ocean
8 J8 **Hottah Lake** ⊚ Northwest Territories, NW Canada
44 K9 **Hotte, Massif de la** ▲▲ SW Haiti
99 K21 **Hotton** Luxembourg, SE Belgium
Hötzing see Haţeg
187 P17 **Houaïlou** Province Nord, C New Caledonia
74 K5 **Houari Boumediène** × (Alger) N Algeria
167 P6 **Houayxay** var. Ban Houayxay, Ban Houei Sai. Bokèo, N Laos
103 N5 **Houdan** Yvelines, N France
99 F20 **Houdeng-Goegnies** var. Houdeng-Gœgnies. Hainaut, S Belgium
102 K14 **Houeillès** Lot-et-Garonne, SW France
99 L22 **Houffalize** Luxembourg, SE Belgium
30 M3 **Houghton** Michigan, N USA
31 Q7 **Houghton Lake** Michigan, N USA
31 Q7 **Houghton Lake** ⊚ Michigan, N USA
19 T3 **Houlton** Maine, NE USA
160 M5 **Houma** Shanxi, C China
193 U15 **Houma** 'Eua, C Tonga
193 U16 **Houma** Tongatapu, S Tonga
22 J10 **Houma** Louisiana, S USA
196 V16 **Houma Taloa** headland Tongatapu, S Tonga
77 O13 **Houndé** SW Burkina
102 J12 **Hourtin-Carcans, Lac d'** ⊚ SW France
36 J5 **House Range** ▲▲ Utah, W USA
10 K13 **Houston** British Columbia, SW Canada
39 R11 **Houston** Alaska, USA
29 X10 **Houston** Minnesota, N USA
22 M3 **Houston** Mississippi, S USA
27 V7 **Houston** Missouri, C USA
25 W11 **Houston** Texas, SW USA
25 W11 **Houston** × Texas, SW USA
98 J12 **Houten** Utrecht, C Netherlands
99 K17 **Houthalen** Limburg, NE Belgium
99 I22 **Houyet** Namur, SE Belgium
95 H22 **Hov** Århus, C Denmark
95 L17 **Hova** Västra Götaland, S Sweden
162 E6 **Hovd** var. Khovd, Kobdo; prev. Jirgalanta. Hovd, W Mongolia
162 J10 **Hovd** Övörhangay, C Mongolia
162 E7 **Hovd** ❖ province W Mongolia
162 C5 **Hovd Gol** ≈ NW Mongolia
97 O23 **Hove** SE England, UK
29 N8 **Hoven** South Dakota, N USA
116 I8 **Hoverla, Hora** Rus. Gora Goverla. ▲ W Ukraine
162 H8 **Höviyn Am** Bayanhongor, C Mongolia
95 M21 **Hovmantorp** Kronoberg, S Sweden
163 N11 **Hövsgöl** Dornogovĭ, SE Mongolia
162 I5 **Hṇvsgṇl** Hṇvsgṇl ❖ province N Mongolia
Hovsgol, Lake see Hövsgöl Nuur
162 J5 **Hövsgöl Nuur** var. Lake Hovsgol. ⊚ N Mongolia
78 L9 **Howa, Ouadi** var. Wādi Howar. ≈ Chad/Sudan see also Howar, Wādi
27 P7 **Howard** Kansas, C USA
29 Q10 **Howard** South Dakota, N USA
25 N10 **Howard Draw** valley Texas, SW USA
29 U8 **Howard Lake** Minnesota, N USA
80 B8 **Howar, Wādi** var. Ouadi Howa. ≈ Chad/Sudan see also Howa, Ouadi
25 U5 **Howe** Texas, SW USA
183 R12 **Howe, Cape** headland New South Wales/Victoria, SE Australia
31 R9 **Howell** Michigan, N USA
28 L9 **Howes** South Dakota, N USA
83 K23 **Howick** KwaZulu/Natal, E South Africa
Howrah see Hāora
27 W9 **Hoxie** Arkansas, C USA
26 J3 **Hoxie** Kansas, C USA
101 I14 **Höxter** Nordrhein-Westfalen, W Germany
158 K6 **Hoxud** Xinjiang Uygur Zizhiqu, NW China
96 J5 **Hoy** island N Scotland, UK
43 S17 **Hoya, Cerro** ▲ S Panama
94 D12 **Høyanger** Sogn og Fjordane, S Norway
101 P15 **Hoyerswerda** Lus. Wojerecy. Sachsen, E Germany
164 E14 **Hōyo-kaikyō** var. Hayasui-seto. strait SW Japan
104 J8 **Hoyos** Extremadura, W Spain
29 W4 **Hoyt Lakes** Minnesota, N USA
137 O14 **Hozat** Tunceli, E Turkey
Hôzyô see Hōjō
111 F16 **Hradec Králové** Ger. Königgrätz. Královéhradecký Kraj, N Czech Republic
Hradecký Kraj see Královéhradecký Kraj
111 B16 **Hradiště** Ger. Burgstadlberg. ▲ NW Czech Republic
117 R6 **Hradyz'k** Rus. Gradizhsk. Poltavs'ka Oblast', NE Ukraine
119 M16 **Hradzyanka** Rus. Grodzyanka. Mahilyowskaya Voblasts', E Belarus
119 F16 **Hrandzichy** Rus. Grandichi. Hrodzyenskaya Voblasts', W Belarus
111 H18 **Hranice** Ger. Mährisch-Weisskirchen. Olomoucký Kraj, E Czech Republic
112 I13 **Hrasnica** Federacija Bosna I Hercegovina, SE Bosnia and Herzegovina
109 V11 **Hrastnik** C Slovenia
137 U12 **Hrazdan** Rus. Razdan. C Armenia
137 T12 **Hrazdan** var. Zanga, Rus. Razdan. ≈ C Armenia
117 R5 **Hrebinka** Rus. Grebenka. Poltavs'ka Oblast', NE Ukraine
119 K17 **Hresk** Rus. Gresk. Minskaya Voblasts', C Belarus
Hrisoupoli see Chrysoúpoli
119 F16 **Hrodna** Pol. Grodno. Hrodzyenskaya Voblasts', W Belarus
119 F16 **Hrodzyenskaya Voblasts'** prev. Rus. Grodnenskaya Oblast'. ❖ province W Belarus
111 J21 **Hron** Ger. Gran, Hung. Garam. ≈ C Slovakia
111 Q14 **Hrubieszów** Rus. Grubeshov. Lubelskie, E Poland
112 F13 **Hrvace** Split-Dalmacija, SE Croatia
Hrvatska see Croatia
112 F10 **Hrvatska Kostajnica** var. Kostajnica. Sisak-Moslavina, C Croatia
Hrvatsko Grahovo see Bosansko Grahovo
116 K6 **Hrymayliv** Pol. Gízymałów, Rus. Grimaylov. Ternopil's'ka Oblast', W Ukraine
167 N4 **Hsenwi** Shan State, E Myanmar
Hsia-men see Xiamen
Hsiang-t'an see Xiangtan
Hsi Chiang see Xi Jiang
167 N6 **Hsihseng** Shan State, C Myanmar
161 S13 **Hsinchu** municipality N Taiwan
Hsing-k'ai Hu see Khanka, Lake
Hsi-ning/Hsining see Xining
Hsinking see Changchun
Hsin-yang see Xinyang
161 S14 **Hsinying** var. Sinying, Jap. Shinei. C Taiwan
167 N4 **Hsipaw** Shan State, C Myanmar
Hsu-chou see Xuzhou
161 S13 **Hsüeh Shan** ▲ N Taiwan
Hu see Shanghai Shi
83 B18 **Huab** ≈ W Namibia
57 M21 **Huacaya** Chuquisaca, S Bolivia
57 J19 **Huachacalla** Oruro, SW Bolivia
159 X9 **Huachi** var. Rouyuanchengzi. Gansu, C China
57 N16 **Huachi, Laguna** ⊚ N Bolivia
57 D14 **Huacho** Lima, W Peru
163 Y8 **Huachuan** Heilongjiang, NE China
163 P12 **Huade** Nei Mongol Zizhiqu, N China
163 W10 **Huadian** Jilin, NE China
56 E13 **Huagaruncho, Cordillera** ▲▲ C Peru
Hua Hin see Ban Hua Hin
191 S10 **Huahine** island Îles Sous le Vent, W French Polynesia
Huahua, Rio see Wawa, Río
167 R8 **Huai** ≈ E Thailand
161 Q7 **Huai'an** var. Qingjiang; prev. Huaiyin. Jiangsu, E China
161 P6 **Huaibei** Anhui, E China
Huaide see Gongzhuling
157 T10 **Huai He** ≈ C China
160 L11 **Huaihua** Hunan, S China
161 N14 **Huaiji** Guangdong, S China
161 O2 **Huailai** var. Shacheng. Hebei, E China
161 P7 **Huainan** var. Huai-nan, Hwainan. Anhui, E China
161 N2 **Huairen** Shanxi, C China
161 O7 **Huaiyang** Henan, C China
Huaiyin see Huai'an
167 N16 **Huai Yot** Trang, SW Thailand
41 Q15 **Huajuapan** var. Huajuapan de León. Oaxaca, SE Mexico
Huajuapan de León see Huajuapan
41 O9 **Hualahuises** Nuevo León, NE Mexico
36 I11 **Hualapai Mountains** ▲▲ Arizona, SW USA
36 I11 **Hualapai Peak** ▲ Arizona, SW USA
62 J7 **Hualfin** Catamarca, N Argentina
161 T13 **Hualien** var. Hwalien, Jap. Karen. C Taiwan
56 E10 **Huallaga, Río** ≈ N Peru
56 C11 **Huamachuco** La Libertad, C Peru
41 Q14 **Huamantla** Tlaxcala, S Mexico
82 C13 **Huambo** Port. Nova Lisboa. Huambo, C Angola
82 B13 **Huambo** ❖ province C Angola
41 P15 **Huamuxtitlán** Guerrero, S Mexico
163 Y8 **Huanan** Heilongjiang, NE China
63 H17 **Huancache, Sierra** ▲▲ SW Argentina
57 I17 **Huancané** Puno, SE Peru
57 F16 **Huancapi** Ayacucho, C Peru
57 E15 **Huancavelica** Huancavelica, SW Peru
57 E15 **Huancavelica** off. Departamento de Huancavelica. ❖ department W Peru
57 E14 **Huancayo** Junín, C Peru
57 K20 **Huanchaca, Cerro** ▲ S Bolivia
56 C12 **Huandoy, Nevado** ▲ W Peru
161 O8 **Huangchuan** Henan, C China
161 O9 **Huanggang** Hubei, C China
Huang Hai see Yellow Sea
157 Q8 **Huang He** var. Yellow River. ≈ C China
161 Q4 **Huanghe Kou** delta E China
160 L5 **Huangling** Shaanxi, C China
163 P13 **Huangqi Hai** ⊚ N China
161 Q9 **Huang Shan** ▲ Anhui, E China
161 Q9 **Huangshan** var. Tunxi. Anhui, E China
161 O9 **Huangshi** var. Huang-shih, Hwangshih. Hubei, C China
Huang-shih see Huangshi
160 L5 **Huangtu Gaoyuan** plateau C China
61 B22 **Huanguelén** Buenos Aires, E Argentina
161 S10 **Huangyan** Zhejiang, SE China
159 T10 **Huangyuan** Qinghai, C China
159 T10 **Huangzhong** var. Lushar. Qinghai, C China
163 W12 **Huanren** var. Huanren Manzu Zizhixian. Liaoning, NE China
Huanren Manzu Zizhixian see Huanren
57 F15 **Huanta** Ayacucho, C Peru
56 E13 **Huánuco** Huánuco, C Peru
56 D13 **Huánuco** off. Departamento de Huánuco. ❖ department C Peru
57 K19 **Huanuni** Oruro, W Bolivia
159 X9 **Huanxian** Gansu, C China
161 S12 **Huap'ing Yu** island N Taiwan
62 H3 **Huara** Tarapacá, N Chile
57 D14 **Huaral** Lima, W Peru
Huarás see Huaraz
56 D13 **Huaraz** var. Huarás. Ancash, W Peru
57 I16 **Huari Huari, Río** ≈ S Peru
56 C13 **Huarmey** Ancash, W Peru
40 H4 **Huásabas** Sonora, NW Mexico
56 D8 **Huasaga, Río** ≈ Ecuador/Peru
167 O15 **Hua Sai** Nakhon Si Thammarat, SW Thailand
56 D12 **Huascarán, Nevado** ▲ W Peru
62 G8 **Huasco** Atacama, N Chile
62 G8 **Huasco, Río** ≈ C Chile
159 S11 **Huashikia** Qinghai, W China
40 G7 **Huatabampo** Sonora, NW Mexico
159 W10 **Huating** Gansu, C China
167 S7 **Huatt, Phou** ▲ N Vietnam
41 Q14 **Huatusco** var. Huatusco de Chicuellar. Veracruz-Llave, C Mexico
Huatusco de Chicuellar see Huatusco
41 P13 **Huauchinango** Puebla, S Mexico
Huaunta see Wounta
41 R15 **Huautla** var. Huautla de Jiménez. Oaxaca, SE Mexico
Huautla de Jiménez see Huautla
161 O5 **Huaxian** var. Daokou, Hua Xian. Henan, C China
Huazangsi see Tianzhu
29 V13 **Hubbard** Iowa, C USA
25 U8 **Hubbard** Texas, SW USA
25 Q6 **Hubbard Creek Lake** ⊚ Texas, SW USA
31 R6 **Hubbard Lake** ⊚ Michigan, N USA
160 M9 **Hubei** var. E, Hubei Sheng, Hupeh, Hupei. ❖ province C China
Hubei Sheng see Hubei
109 P8 **Huben** Tirol, W Austria
31 R13 **Huber Heights** Ohio, N USA
155 F17 **Hubli** Karnātaka, SW India
163 X12 **Huch'ang** N North Korea
97 M18 **Hucknall** C England, UK
97 L17 **Huddersfield** N England, UK
95 O16 **Huddinge** Stockholm, C Sweden
94 N11 **Hudiksvall** Gävleborg, C Sweden
29 W13 **Hudson** Iowa, C USA
19 O11 **Hudson** Massachusetts, NE USA
31 Q11 **Hudson** Michigan, N USA
30 H6 **Hudson** Wisconsin, N USA
11 V14 **Hudson Bay** Saskatchewan, S Canada
12 G6 **Hudson Bay** bay NE Canada
195 T16 **Hudson, Cape** headland Antarctica
Hudson, Détroit d' see Hudson Strait
27 Q9 **Hudson, Lake** ⊚ Oklahoma, C USA
18 K9 **Hudson River** ≈ New Jersey/New York, NE USA
10 M12 **Hudson's Hope** British Columbia, W Canada
12 L2 **Hudson Strait** Fr. Détroit d'Hudson. strait Nunavut/Québec, NE Canada
Hudūd ash Shamālīyah, Minṭaqat al see Al Ḥudūd ash Shamālīyah
Hudur see Xuddur
167 U9 **Huê** Thưa Thiên-Huê, C Vietnam
104 J7 **Huebra** ≈ W Spain
24 H8 **Hueco Mountains** ▲▲ Texas, SW USA
116 G10 **Huedin** Hung. Bánffyhunyad. Cluj, NW Romania
40 J10 **Huehuento, Cerro** ▲ C Mexico
42 B5 **Huehuetenango** Huehuetenango, W Guatemala
42 B4 **Huehuetenango** off. Departamento de Huehuetenango. ❖ department W Guatemala
40 L11 **Huejuquilla** Jalisco, SW Mexico
41 P12 **Huejutla** var. Huejutla de Reyes. Hidalgo, C Mexico
Huejutla de Reyes see Huejutla
102 G6 **Huelgoat** Finistère, NW France
105 O13 **Huelma** Andalucía, S Spain
104 I14 **Huelva** anc. Onuba. Andalucía, SW Spain
104 I13 **Huelva** ❖ province Andalucía, SW Spain
104 J13 **Huelva** ≈ SW Spain
105 Q14 **Huercal-Overa** Andalucía, S Spain
37 Q9 **Huerfano Mountain** ▲ New Mexico, SW USA
37 T7 **Huerfano River** ≈ Colorado, C USA
105 S12 **Huertas, Cabo** headland SE Spain
105 R6 **Huerva** ≈ N Spain
105 S4 **Huesca** anc. Osca. Aragón, NE Spain
105 T4 **Huesca** ❖ province Aragón, NE Spain
105 P13 **Huéscar** Andalucía, S Spain
41 N15 **Huetamo** var. Huetamo de Núñez. Michoacán de Ocampo, SW Mexico
Huetamo de Núñez see Huetamo
105 P8 **Huete** Castilla-La Mancha, C Spain
23 P4 **Hueytown** Alabama, S USA
28 L16 **Hugh Butler Lake** ⊠ Nebraska, C USA
181 V6 **Hughenden** Queensland, NE Australia
182 A6 **Hughes** South Australia
39 P8 **Hughes** Alaska, USA
27 X11 **Hughes** Arkansas, C USA
25 W6 **Hughes Springs** Texas, SW USA
37 V5 **Hugo** Colorado, C USA
27 Q13 **Hugo** Oklahoma, C USA
27 Q13 **Hugo Lake** ⊠ Oklahoma, C USA
26 H7 **Hugoton** Kansas, C USA
Huhehot/Huhuohaote see Hohhot
Huhttán see Kvikkjokk
161 R13 **Hui'an** var. Luocheng. Fujian, SE China
184 O9 **Huiarau Range** ▲▲ North Island, NZ
83 D22 **Huib-Hoch Plateau** plateau S Namibia
41 O13 **Huichapán** Hidalgo, C Mexico
Huicheng see Shexian
163 W13 **Hŭich'ŏn** C North Korea
54 E12 **Huila** off. Departamento del Huila. ❖ province S Colombia
83 B15 **Huíla** ❖ province SW Angola
54 D11 **Huila, Nevado del** elevation C Colombia
83 B15 **Huíla Plateau** plateau S Angola
160 G12 **Huili** Sichuan, C China
161 P4 **Huimin** Shandong, E China
163 W11 **Huinan** var. Chaoyang. Jilin, NE China
62 K12 **Huinca Renancó** Córdoba, C Argentina
159 V10 **Huining** var. Huishi. Gansu, C China
Huishi see Huining
160 J12 **Huishui** var. Heping. Guizhou, S China
102 L6 **Huisne** ≈ NW France
98 L12 **Huissen** Gelderland, SE Netherlands
159 N11 **Huiten Nur** ⊚ C China
93 K19 **Huittinen** Länsi-Suomi, W Finland
41 O15 **Huitzuco** var. Huitzuco de los Figueroa. Guerrero, S Mexico
Huitzuco de los Figueroa see Huitzuco
159 W11 **Huixian** var. Hui Xian. Gansu, C China
41 V17 **Huixtla** Chiapas, SE Mexico
160 H12 **Huize** var. Zhongping. Yunnan, SW China
98 J10 **Huizen** Noord-Holland, C Netherlands
161 O14 **Huizhou** Guangdong, S China
162 J6 **Hujirt** Arhangay, C Mongolia
162 J8 **Hujirt** Övörhangay, C Mongolia
162 K8 **Hujrt** Töv, C Mongolia
Hukagawa see Fukagawa
Hŭksan-chedo see Hŭksan-gundo
163 W17 **Hŭksan-gundo** var. Hŭksan-chedo. island group SW South Korea
Hukue see Fukue
Hukui see Fukui
83 G20 **Hukuntsi** Kgalagadi, SW Botswana
Hukuoka see Fukuoka
Hukusima see Fukushima
Hukutiyama see Fukuchiyama
Hukuyama see Fukuyama
163 W8 **Hulan** Heilongjiang, NE China
163 W8 **Hulan He** ≈ NE China
31 Q4 **Hulbert Lake** ⊚ Michigan, N USA
Hulczyn see Hlučín
Huliao see Dabu
163 Z8 **Hulin** Heilongjiang, NE China
163 S9 **Hulingol** prev. Huolin Gol. Nei Mongol Zizhiqu, N China
14 L12 **Hull** Québec, SE Canada
29 S12 **Hull** Iowa, C USA
Hull see Kingston upon Hull
Hull Island see Orona
99 F16 **Hulst** Zeeland, SW Netherlands
163 Q7 **Hulstay** Dornod, NE Mongolia
Hultschin see Hlučín
95 M19 **Hultsfred** Kalmar, S Sweden
163 T13 **Huludao** prev. Jinxi, Lianshan. Liaoning, NE China
Hulun see Hailar
Hu-lun Ch'ih see Hulun Nur
163 Q6 **Hulun Nur** var. Hu-lun Ch'ih; prev. Dalai Nor. ⊚ NE China
Hulwan/Hulwân see Helwân
117 V8 **Hulyaypole** Rus. Gulyaypole. Zaporiz'ka Oblast', SE Ukraine
163 V4 **Huma** Heilongjiang, NE China
45 V6 **Humacao** E Puerto Rico
163 U4 **Huma He** ≈ NE China
62 J5 **Humahuaca** Jujuy, N Argentina
59 E14 **Humaitá** Amazonas, N Brazil
62 N7 **Humaitá** Ñeembucú, S Paraguay
83 H26 **Humansdorp** Eastern Cape, S South Africa
27 S6 **Humansville** Missouri, C USA
40 I8 **Humaya, Río** ≈ C Mexico
83 C16 **Humbe** Cunene, SW Angola
97 N17 **Humber** estuary E England, UK
97 N17 **Humberside** cultural region E England, UK
Humberto see Umberto
25 W11 **Humble** Texas, SW USA
11 U15 **Humboldt** Saskatchewan, S Canada
29 U12 **Humboldt** Iowa, C USA
27 Q6 **Humboldt** Kansas, C USA
29 S17 **Humboldt** Nebraska, C USA
35 S3 **Humboldt** Nevada, W USA
20 G9 **Humboldt** Tennessee, S USA
34 K3 **Humboldt Bay** bay California, W USA
35 S4 **Humboldt Lake** ⊚ Nevada, W USA
35 S4 **Humboldt River** ≈ Nevada, W USA
35 T5 **Humboldt Salt Marsh** wetland Nevada, W USA
183 P11 **Hume, Lake** ⊚ New South Wales/Victoria, SE Australia
111 N19 **Humenné** Ger. Homenau, Hung. Homonna. Prešovský Kraj, E Slovakia
29 V15 **Humeston** Iowa, C USA
54 J5 **Humocaro Bajo** Lara, N Venezuela
29 Q14 **Humphrey** Nebraska, C USA
35 S9 **Humphreys, Mount** ▲ California, W USA
36 L11 **Humphreys Peak** ▲ Arizona, SW USA
111 E17 **Humpolec** Ger. Gumpolds, Humpoletz. Vysočina, C Czech Republic
Humpoletz see Humpolec
93 K19 **Humppila** Etelä-Suomi, S Finland
32 F8 **Humptulips** Washington, NW USA
42 H7 **Humuya, Río** ≈ W Honduras
75 P9 **Hūn** N Libya
Hunabasi see Funabashi
92 I1 **Húnaflói** bay NW Iceland
160 M11 **Hunan** var. Hunan Sheng, Xiang. ❖ province S China
Hunan Sheng see Hunan
163 Y10 **Hunchun** Jilin, NE China
95 I22 **Hundested** Frederiksborg, E Denmark
Hundred Mile House see 100 Mile House
116 G12 **Hunedoara** Ger. Eisenmarkt, Hung. Vajdahunyad. Hunedoara, SW Romania
116 G12 **Hunedoara** ❖ county W Romania
101 I17 **Hünfeld** Hessen, C Germany
111 H23 **Hungary** off. Republic of Hungary, Ger. Ungarn, Hung. Magyarország, Rom. Ungaria, SCr. Mađarska, Ukr. Uhorshchyna; prev. Hungarian People's Republic. ◆ republic C Europe
Hungary, Plain of see Great Hungarian Plain
162 F6 **Hungiy** Dzavhan, W Mongolia
163 X13 **Hŭngnam** E North Korea
33 P8 **Hungry Horse Reservoir** ⊠ Montana, NW USA
Hungt'ou see Lan Yü
Hung-tse Hu see Hongze Hu
167 T6 **Hưng Yên** Hai Hưng, N Vietnam
Hunjiang see Baishan
95 I18 **Hunnebostrand** Västra Götaland, S Sweden
101 E19 **Hunsrück** ▲▲ W Germany
97 P18 **Hunstanton** E England, UK
155 G20 **Hunsūr** Karnātaka, E India
162 I7 **Hunt** Arhangay, C Mongolia
100 G12 **Hunte** ≈ NW Germany
29 Q5 **Hunter** North Dakota, N USA
25 S11 **Hunter** Texas, SW USA
185 D20 **Hunter** ≈ South Island, NZ
183 N15 **Hunter Island** island Tasmania, SE Australia
18 K11 **Hunter Mountain** ▲ New York, NE USA
185 B23 **Hunter Mountains** ▲▲ South Island, NZ
183 S7 **Hunter River** ≈ New South Wales, SE Australia
32 L7 **Hunters** Washington, NW USA

◆ Country ● Country Capital ◇ Dependent Territory ○ Dependent Territory Capital ❖ Administrative Region × International Airport ▲ Mountain ▲▲ Mountain Range Volcano ≈ River ⊚ Lake ⊠ Reservoir

HUNTERS HILLS, THE – INCA DE ORO ••• 263

185 F20 **Hunters Hills, The** *hill range* South Island, NZ
184 M12 **Hunterville** Manawatu-Wanganui, North Island, NZ
31 N16 **Huntingburg** Indiana, N USA
97 O20 **Huntingdon** E England, UK
18 E15 **Huntingdon** Pennsylvania, NE USA
20 G9 **Huntingdon** Tennessee, S USA
97 O20 **Huntingdonshire** *cultural region* C England, UK
31 P12 **Huntington** Indiana, N USA
32 L13 **Huntington** Oregon, NW USA
25 X9 **Huntington** Texas, SW USA
36 M5 **Huntington** Utah, W USA
21 P5 **Huntington** West Virginia, NE USA
35 T16 **Huntington Beach** California, W USA
35 W4 **Huntington Creek** ⟿ Nevada, W USA
184 L7 **Huntly** Waikato, North Island, NZ
96 K8 **Huntly** NE Scotland, UK
10 K8 **Hunt, Mount** ▲ Yukon Territory, NW Canada
14 H12 **Huntsville** Ontario, S Canada
23 P2 **Huntsville** Alabama, S USA
27 S9 **Huntsville** Arkansas, C USA
27 U3 **Huntsville** Missouri, C USA
20 M8 **Huntsville** Tennessee, S USA
25 V10 **Huntsville** Texas, SW USA
36 L2 **Huntsville** Utah, W USA
41 W12 **Hunucmá** Yucatán, SE Mexico
149 W3 **Hunza** *var.* Karīmābād. Jammu and Kashmir, NE Pakistan
149 W3 **Hunza** ⟿ NE Pakistan
Hunze *see* Oostermoers Vaart
158 H4 **Huocheng** *var.* Shuiding. Xinjiang Uygur Zizhiqu, NW China
161 N6 **Huojia** Henan, C China
Huolin Gol *see* Hulingol
186 N14 **Huon** *reef* N New Caledonia
186 E7 **Huon Peninsula** *headland* C PNG
Huoshao Dao *see* Lü Tao
Huoshao Tao *see* Lan Yü
Hupeh/Hupei *see* Hubei
Hurama *see* Hongyuan
Hurano *see* Furano
95 H14 **Hurdalssjøen** ◎ S Norway
14 E13 **Hurd, Cape** *headland* Ontario, S Canada
Hurdegaryp *see* Hardegarijp
29 N4 **Hurdsfield** North Dakota, N USA
162 J7 **Hüremt** Bulgan, C Mongolia
162 J8 **Hüremt** Övörhangay, C Mongolia
75 X9 **Hurghada** *var.* Al Ghurdaqah, Ghurdaqah. E Egypt
37 P15 **Hurley** New Mexico, SW USA
30 K4 **Hurley** Wisconsin, N USA
21 Y4 **Hurlock** Maryland, NE USA
29 P10 **Huron** South Dakota, N USA
31 S6 **Huron, Lake** ◎ Canada/USA
31 N3 **Huron Mountains** *hill range* Michigan, N USA
36 J8 **Hurricane** Utah, W USA
21 P5 **Hurricane** West Virginia, NE USA
36 J8 **Hurricane Cliffs** *cliff* Arizona, SW USA
23 V6 **Hurricane Creek** ⟿ Georgia, SE USA
94 E12 **Hurrungane** ▲ S Norway
101 E16 **Hürth** Nordrhein-Westfalen, W Germany
Hurukawa *see* Furukawa
185 I17 **Hurunui** ⟿ South Island, NZ
95 F21 **Hurup** Viborg, NW Denmark
117 T14 **Hurzuf** Respublika Krym, S Ukraine
Huş *see* Huşi
95 B19 **Húsavík** *Dan.* Husevig Faeroe Islands
92 K1 **Húsavík** Nordhurland Eystra, NE Iceland
116 M10 **Huşi** *var.* Huş. Vaslui, E Romania
95 L19 **Huskvarna** Jönköping, S Sweden
39 P8 **Huslia** Alaska, USA
Husn *see* Al Ḩuşn
95 C15 **Husnes** Hordaland, S Norway
94 D8 **Hustadvika** *sea area* S Norway
Husté *see* Khust
100 H7 **Husum** Schleswig-Holstein, N Germany
93 I16 **Husum** Västernorrland, C Sweden
116 K6 **Husyatyn** Ternopil's'ka Oblast', W Ukraine
Huszt *see* Khust
162 K6 **Hutag** Bulgan, N Mongolia
26 M6 **Hutchinson** Kansas, C USA
29 U9 **Hutchinson** Minnesota, N USA
23 Y13 **Hutchinson Island** *island* Florida, SE USA
36 L11 **Hutch Mountain** ▲ Arizona, SW USA
141 O14 **Ḩūth** NW Yemen
186 I7 **Hutjena** Buka Island, NE PNG
109 T8 **Hüttenberg** Kärnten, S Austria
25 T10 **Hutto** Texas, SW USA
Huttu *see* Futtsu
108 E8 **Huttwil** Bern, W Switzerland
158 K5 **Hutubi** Xinjiang Uygur Zizhiqu, NW China
161 N4 **Hutuo He** ⟿ C China
Hutyû *see* Fuchū
185 E20 **Huxley, Mount** ▲ South Island, NZ
99 J20 **Huy** *Dut.* Hoei, Hoey. Liège, E Belgium
161 R8 **Huzhou** *var.* Wuxing. Zhejiang, SE China
Huzi *see* Fuji
Huzieda *see* Fujieda
Huzinomiya *see* Fujinomiya
Huzisawa *see* Fujisawa
Huziyosida *see* Fuji-Yoshida
92 I2 **Hvammstangi** Nordhurland Vestra, N Iceland
92 K4 **Hvannadalshnúkur** ▲ S Iceland
113 E15 **Hvar** *It.* Lesina. Split-Dalmacija, S Croatia
113 F15 **Hvar** *It.* Lesina; *anc.* Pharus. *island* S Croatia
117 T13 **Hvardiys'ke** *Rus.* Gvardeyskoye. Respublika Krym, S Ukraine
92 I4 **Hveragerdhi** Sudhurland, SW Iceland
95 E22 **Hvide Sande** Ringkøbing, W Denmark
92 I3 **Hvítá** ⟿ C Iceland
95 G15 **Hvittingfoss** Buskerud, S Norway
92 I4 **Hvolsvöllur** Sudhurland, SW Iceland
Hwach'ŏn-chŏsuji *see* P'aro-ho
Hwainan *see* Huainan
Hwalien *see* Hualien
83 I16 **Hwange** *prev.* Wankie. Matabeleland North, W Zimbabwe
Hwang-Hae *see* Yellow Sea
Hwangshih *see* Huangshi
83 L17 **Hwedza** Mashonaland East, E Zimbabwe
63 G20 **Hyades, Cerro** ▲ S Chile
19 Q12 **Hyannis** Massachusetts NE USA
28 L13 **Hyannis** Nebraska, C USA
162 F6 **Hyargas Nuur** ◎ NW Mongolia
Hybla/Hybla Major *see* Paternò
39 Y14 **Hydaburg** Prince of Wales Island, Alaska, USA
185 F22 **Hyde** Otago, South Island, NZ
21 O7 **Hyden** Kentucky, S USA
18 K12 **Hyde Park** New York, NE USA
39 Z14 **Hyder** Alaska, USA
155 I15 **Hyderābād** *var.* Haidarabad. Andhra Pradesh, C India
149 Q16 **Hyderābād** *var.* Haidarabad. Sind, SE Pakistan
103 T16 **Hyères** Var, SE France
103 T16 **Hyères, Îles d'** *island group* S France
118 K12 **Hyermanavichy** *Rus.* Germanovichi. Vitsyebskaya Voblasts', N Belarus
163 X12 **Hyesan** NE North Korea
10 K8 **Hyland** ⟿ Yukon Territory, NW Canada
95 K20 **Hyltebruk** Halland, S Sweden
18 D16 **Hyndman** Pennsylvania, NE USA
33 P14 **Hyndman Peak** ▲ Idaho, NW USA
164 I13 **Hyōgo** *off.* Hyōgo-ken. ◆ *prefecture* Honshū, SW Japan
Hypanis *see* Kuban'
Hypsas *see* Belice
Hyrcania *see* Gorgān
36 L1 **Hyrum** Utah, W USA
93 N14 **Hyrynsalmi** Oulu, C Finland
33 V10 **Hysham** Montana, NW USA
11 N13 **Hythe** Alberta, W Canada
97 Q23 **Hythe** SE England, UK
164 D15 **Hyūga** Miyazaki, Kyūshū, SW Japan
Hyvinge *see* Hyvinkää
93 L19 **Hyvinkää** *Swe.* Hyvinge. Etelä-Suomi, S Finland

— I —

118 J9 **Iacobeni** *Ger.* Jakobeny. Suceava, NE Romania
Iader *see* Zadar
172 I7 **Iakora** Fianarantsoa, SE Madagascar
116 K14 **Ialomița** *var.* Jalomitsa. ◆ *county* SE Romania
116 K14 **Ialomița** ⟿ SE Romania
117 N10 **Ialoveni** *Rus.* Yaloveny. C Moldova
117 N11 **Ialpug** *var.* Ialpugul Mare, *Rus.* Yalpug. ⟿ Moldova/Ukraine
Ialpugul Mare *see* Ialpug
23 T8 **Iamonia, Lake** ◎ Florida, SE USA
116 L13 **Ianca** Brăila, SE Romania
116 M10 **Iași** *Ger.* Jassy. Iași, NE Romania
116 L9 **Iași** *Ger.* Jassy, Yassy. ◆ *county* NE Romania
114 J13 **Íasmos** Anatolikí Makedonía kai Thráki, NE Greece
22 H6 **Iatt, Lake** ▣ Louisiana, S USA
58 B11 **Iauaretê** Amazonas, NW Brazil
171 N3 **Iba** Luzon, N Philippines
77 S16 **Ibadan** Oyo, SW Nigeria
54 E10 **Ibagué** Tolima, C Colombia
60 J10 **Ibaiti** Paraná, S Brazil
36 J4 **Ibapah Peak** ▲ Utah, W USA
113 M15 **Ibar** *Alb.* Ibër. ⟿ C Serbia and Montenegro (Yugo.)
165 P13 **Ibaraki** *off.* Ibaraki-ken. ◆ *prefecture* Honshū, S Japan
56 C5 **Ibarra** *var.* San Miguel de Ibarra. Imbabura, N Ecuador
Ibaşfalău *see* Dumbrăveni
141 O16 **Ibb** W Yemen
100 F13 **Ibbenbüren** Nordrhein-Westfalen, NW Germany
79 H16 **Ibenga** ⟿ N Congo
Ibër *see* Ibar
57 I14 **Iberia** Madre de Dios, E Peru
Iberia *see* Spain
Iberian Mountains *see* Ibérico, Sistema
64 M8 **Iberian Plain** *undersea feature* E Atlantic Ocean
Ibérica, Cordillera *see* Ibérico, Sistema
105 P6 **Ibérico, Sistema** *var.* Cordillera Ibérica, *Eng.* Iberian Mountains. ▲ NE Spain
12 K7 **Iberville, Lac d'** ◎ Québec, NE Canada
77 T14 **Ibeto** Niger, W Nigeria
77 W15 **Ibi** Taraba, C Nigeria
105 S11 **Ibi** País Valenciano, E Spain
59 L20 **Ibiá** Minas Gerais, SE Brazil
61 F15 **Ibicuí, Rio** ⟿ S Brazil
61 C19 **Ibicuy** Entre Ríos, E Argentina
61 F16 **Ibirapuitã** ⟿ S Brazil
Ibiza *see* Eivissa
138 J4 **Ibn Wardān, Qaşr** *ruins* Ḩamāh, C Syria
Ibo *see* Sassandra
188 E9 **Ibobang** Babeldaob, N Palau
171 V13 **Ibonma** Papua, E Indonesia
59 N17 **Ibotirama** Bahia, E Brazil
141 Y8 **Ibrā** NE Oman
127 Q4 **Ibresi** Chuvashskaya Respublika, W Russian Federation
141 X8 **'Ibrī** NW Oman
164 C16 **Ibusuki** Kagoshima, Kyūshū, SW Japan
57 E16 **Ica** Ica, SW Peru
57 E16 **Ica** *off.* Departamento de Ica. ◆ *department* SW Peru
58 C11 **Içana** Amazonas, NW Brazil
Icaria *see* Ikaría
58 B13 **Içá, Rio** *var.* Río Putumayo. ⟿ NW South America *see also* Putumayo, Río
136 I17 **İçel** *var.* Ichili. ◆ *province* S Turkey
92 I3 **Iceland** *off.* Republic of Iceland, *Dan.* Island, *Icel.* Ísland. ◆ *republic* N Atlantic Ocean
64 L5 **Iceland Basin** *undersea feature* N Atlantic Ocean
Icelandic Plateau *see* Iceland Plateau
197 Q15 **Iceland Plateau** *var.* Icelandic Plateau. *undersea feature* S Greenland Sea
155 E16 **Ichalkaranji** Mahārāshtra, W India
164 D15 **Ichifusa-yama** ▲ Kyūshū, SW Japan
Ichili *see* İçel
164 K13 **Ichinomiya** *var.* Itinomiya. Aichi, Honshū, SW Japan
165 Q9 **Ichinoseki** *var.* Itinoseki. Iwate, Honshū, C Japan
117 R3 **Ichnya** Chernihivs'ka Oblast', NE Ukraine
57 L17 **Ichoa, Río** ⟿ C Bolivia
I-ch'un *see* Yichun
Iconium *see* Konya
Iculisma *see* Angoulême
39 U12 **Icy Bay** *inlet* Alaska, USA
39 N5 **Icy Cape** *headland* Alaska, USA
39 W13 **Icy Strait** *strait* Alaska, USA
27 R13 **Idabel** Oklahoma, C USA
29 T13 **Ida Grove** Iowa, C USA
77 U16 **Idah** Kogi, S Nigeria
33 N13 **Idaho** *off.* State of Idaho; also known as Gem of the Mountains, Gem State. ◆ *state* NW USA
33 N14 **Idaho City** Idaho, NW USA
33 F14 **Idaho Falls** Idaho, NW USA
121 F2 **Idálion** *var.* Dali, Dhali. C Cyprus
25 N5 **Idalou** Texas, SW USA
104 I9 **Idanha-a-Nova** Castelo Branco, C Portugal
101 E19 **Idar-Oberstein** Rheinland-Pfalz, SW Germany
118 J3 **Ida-Virumaa** *off.* Ida-Viru Maakond. ◆ *province* NE Estonia
124 J8 **Idel'** Respublika Kareliya, NW Russian Federation
79 C15 **Idenao** Sud-Ouest, SW Cameroon
Idenburg-rivier *see* Taritatu, Sungai
Idensalmi *see* Iisalmi
162 I6 **Ider** Hövsgöl, C Mongolia
75 X10 **Idfu** *var.* Edfu. SE Egypt
Ídhi Óros *see* Ídi
Ídhra *see* Ýdra
168 H7 **Idi** Sumatera, W Indonesia
115 I25 **Ídi** *var.* Ídhi Óros. ▲ Kríti, Greece, E Mediterranean Sea
Idi Amin, Lac *see* Edward, Lake
106 G10 **Idice** ⟿ N Italy
76 G9 **Idîni** Trarza, W Mauritania
79 J21 **Idiofa** Bandundu, SW Dem. Rep. Congo
39 O10 **Iditarod River** ⟿ Alaska, USA
95 M14 **Idkerberget** Dalarna, C Sweden
138 I3 **Idlib** Idlib, NW Syria
138 I4 **Idlib** *off.* Muḩāfaz̧at Idlib. ◆ *governorate* NW Syria
Idra *see* Ýdra
94 J11 **Idre** Dalarna, C Sweden
Idria *see* Idrija
109 S11 **Idrija** *It.* Idria. W Slovenia
101 G18 **Idstein** Hessen, W Germany
83 I25 **Idutywa** Eastern Cape, SE South Africa
Idzhevan *see* Ijevan
118 G9 **Iecava** Bauska, S Latvia
165 T16 **Ie-jima** *var.* Ii-shima. *island* Nansei-shotō, SW Japan
99 B18 **Ieper** *Fr.* Ypres. West-Vlaanderen, W Belgium
115 K25 **Ierápetra** Kríti, Greece, E Mediterranean Sea
115 G22 **Iérax, Akrotírio** *headland* S Greece
Ierisós *see* Ierissós
115 H14 **Ierissós** *var.* Ierisós. Kentrikí Makedonía, N Greece
116 I11 **Iernut** *Hung.* Radnót. Mureș, C Romania
106 J12 **Iesi** *var.* Jesi. Marche, C Italy
92 K9 **Iešjávri** *var.* Jiesjavrre. ◎ N Norway
Iesolo *see* Jesolo
188 K16 **Ifalik Atoll** *atoll* Caroline Islands, C Micronesia
172 I6 **Ifanadiana** Fianarantsoa, SE Madagascar
77 T16 **Ife** Osun, SW Nigeria
77 V8 **Iferouâne** Agadez, N Niger
Iferten *see* Yverdon
92 L8 **Ifjord** Finnmark, N Norway
77 R8 **Ifôghas, Adrar des** *var.* Adrar des Iforas. ▲ NE Mali
Iforas, Adrar des *see* Ifôghas, Adrar des
182 D5 **Ifould lake** *salt lake* South Australia
74 G6 **Ifrane** C Morocco
171 S11 **Iga** Pulau Halmahera, E Indonesia
81 G18 **Iganga** SE Uganda
60 L7 **Igarapava** São Paulo, S Brazil
122 K9 **Igarka** Krasnoyarskiy Kray, N Russian Federation
Igaunija *see* Estonia
I.G.Duca *see* General Toshevo
Igel *see* Jihlava
137 T12 **Iğdır** ◆ *province* E Turkey
94 N11 **Iggesund** Gävleborg, C Sweden
39 P7 **Igikpak, Mount** ▲ Alaska, USA
39 P13 **Igiugig** Alaska, USA
Iglau/Iglawa/Igława *see* Jihlava
107 B20 **Iglesias** Sardegna, Italy C Mediterranean Sea
127 V4 **Iglino** Respublika Bashkortostan, W Russian Federation
Igló *see* Spišská Nová Ves
9 O6 **Igloolik** Nunavut, N Canada
12 B11 **Ignace** Ontario, S Canada
118 I12 **Ignalina** Utena, E Lithuania
127 Q5 **Ignatovka** Ul'yanovskaya Oblast', W Russian Federation
124 K12 **Ignatovo** Vologodskaya Oblast', NW Russian Federation
114 N11 **İğneada** Kırklareli, NW Turkey
121 S7 **İğneada Burnu** *headland* NW Turkey
115 B16 **Igoumenítsa** Ípeiros, W Greece
127 T2 **Igra** Udmurtskaya Respublika, NW Russian Federation
122 H9 **Igrim** Khanty-Mansiyskiy Avtonomnyy Okrug, N Russian Federation
60 G12 **Iguaçu, Rio** *Sp.* Río Iguazú. ⟿ Argentina/Brazil *see also* Iguazú, Río
59 I22 **Iguaçu, Salto do** *Sp.* Cataratas del Iguazú; *prev.* Victoria Falls. *waterfall* Argentina/Brazil *see also* Iguazú, Cataratas del
41 O15 **Iguala** *var.* Iguala de la Independencia. Guerrero, S Mexico
105 V5 **Igualada** Cataluña, NE Spain
Iguala de la Independencia *see* Iguala
60 G12 **Iguazú, Cataratas del** *Port.* Salto do Iguaçu, *prev.* Victoria Falls. *waterfall* Argentina/Brazil *see also* Iguaçu, Salto do
62 Q6 **Iguazú, Río** *Port.* Rio Iguaçu. ⟿ Argentina/Brazil *see also* Iguaçu, Rio
79 D19 **Iguéla** Ogooué-Maritime, SW Gabon
Iguid, Erg *see* Iguîdi, 'Erg
74 F9 **Iguîdi, 'Erg** *var.* Erg Iguid. *desert* Algeria/Mauritania
172 K2 **Iharaña** *prev.* Vohémar. Antsirañana, NE Madagascar
151 K18 **Ihavandippolhu Atoll** *var.* Ihavandiffulu Atoll. *atoll* N Maldives
162 M11 **Ih Bulag** Ömnögovĭ, S Mongolia
165 T16 **Iheya-jima** *island* Nansei-shotō, SW Japan
162 L8 **Ihhayrhan** Töv, C Mongolia
172 I6 **Ihosy** Fianarantsoa, S Madagascar
162 L7 **Ihsüüj** Töv, C Mongolia
93 L14 **Ii** Oulu, C Finland
164 M13 **Iida** Nagano, Honshū, S Japan
93 M14 **Iijoki** ⟿ C Finland
Iinnasuolu *see* Hinnøya
118 J4 **Iisaku** *Ger.* Isaak. Ida-Virumaa, NE Estonia
93 M16 **Iisalmi** *var.* Idensalmi. Itä-Suomi, C Finland
165 N11 **Iiyama** Nagano, Honshū, S Japan
77 S16 **Ijebu-Ode** Ogun, SW Nigeria
137 U11 **Ijevan** *Rus.* Idzhevan. N Armenia
98 H9 **IJmuiden** Noord-Holland, W Netherlands
98 M12 **IJssel** *var.* Yssel. ⟿ Netherlands/Germany
98 J8 **IJsselmeer** *prev.* Zuider Zee. ◎ N Netherlands
98 L9 **IJsselmuiden** Overijssel, E Netherlands
98 I12 **IJsselstein** Utrecht, C Netherlands
61 G14 **Ijuí** Rio Grande do Sul, S Brazil
61 G14 **Ijuí, Rio** ⟿ S Brazil
189 R8 **Ijuw** NE Nauru
99 E16 **IJzendijke** Zeeland, SW Netherlands
99 A18 **IJzer** ⟿ W Belgium
93 K18 **Ikaalinen** Länsi-Suomi, W Finland
172 I6 **Ikalamavony** Fianarantsoa, SE Madagascar
185 G16 **Ikamatua** West Coast, South Island, NZ
77 U16 **Ikare** Ondo, SW Nigeria
115 L20 **Ikaría** *var.* Kariot, Nicaria, Nikaria; *anc.* Icaria. *island* Dodekánisos, Greece, Aegean Sea
95 F22 **Ikast** Ringkøbing, W Denmark
184 O9 **Ikawhenua Range** ▲ North Island, NZ
165 U4 **Ikeda** Hokkaidō, NE Japan
164 H14 **Ikeda** Tokushima, Shikoku, SW Japan
77 S16 **Ikeja** Lagos, SW Nigeria
79 L19 **Ikela** Equateur, C Dem. Rep. Congo
114 H10 **Ikhtiman** Sofiya, W Bulgaria
164 C13 **Iki** *island* SW Japan
127 O13 **Iki Burul** Respublika Kalmykiya, SW Russian Federation
137 P11 **İkizdere** Rize, NE Turkey
39 P14 **Ikolik, Cape** *headland* Kodiak Island, Alaska, USA
77 V17 **Ikom** Cross River, SE Nigeria
172 I6 **Ikongo** *prev.* Fort-Carnot. Fianarantsoa, SE Madagascar
39 P5 **Ikpikpuk River** ⟿ Alaska, USA
190 H1 **Iku** *prev.* Lone Tree Islet. *atoll* Tungaru, W Kiribati
164 I12 **Ikuno** Hyōgo, Honshū, SW Japan
190 H16 **Ikurangi** ▲ Rarotonga, S Cook Islands
171 X14 **Ilaga** Papua, E Indonesia
171 O2 **Ilagan** Luzon, N Philippines
153 R12 **Ilam** Eastern, E Nepal
142 J7 **Īlām** *var.* Elam. Īlām, W Iran
142 J8 **Īlām** *off.* Ostān-e Īlām. ◆ *province* W Iran
161 T13 **Ilan** *Jap.* Giran. N Taiwan
146 G9 **Ilanly Obvodnitel'nyy Kanal** *canal* N Turkmenistan
122 L12 **Ilanskiy** Krasnoyarskiy Kray, S Russian Federation
108 H9 **Ilanz** Graubünden, S Switzerland
77 S16 **Ilaro** Ogun, SW Nigeria
57 I17 **Ilave** Puno, S Peru
110 K8 **Iława** *Ger.* Deutsch-Eylau. Warmińsko-Mazurskie, NE Poland
123 P10 **Il'benge** Respublika Sakha (Yakutiya), NE Russian Federation
145 U14 **Ile** *var.* Ili, *Chin.* Ili He, *Rus.* Reka Ili. ⟿ China/Kazakhstan *see also* Ili He
11 S13 **Île-à-la-Crosse** Saskatchewan, C Canada
79 J21 **Ilebo** *prev.* Port-Francqui. Kasai Occidental, W Dem. Rep. Congo
103 N5 **Île-de-France** ◆ *region* N France
144 I9 **Ilek** *Kaz.* Elek. ⟿ Kazakhstan/Russian Federation
Ilerda *see* Lleida
77 T16 **Ilesha** Osun, SW Nigeria
187 Q16 **Îles Loyauté, Province des** ◆ *province* E New Caledonia
11 X12 **Ilford** Manitoba, C Canada
97 I23 **Ilfracombe** SW England, UK
136 I11 **Ilgaz Dağları** ▲ N Turkey
136 G15 **Ilgın** Konya, W Turkey
60 I7 **Ilha Solteira** São Paulo, S Brazil
104 G7 **Ílhavo** Aveiro, N Portugal
59 O18 **Ilhéus** Bahia, E Brazil
Ili *see* Ile/Ili He
116 G11 **Ilia** *Hung.* Marosillye. Hunedoara, SW Romania
39 P13 **Iliamna** Alaska, USA
39 P13 **Iliamna Lake** ◎ Alaska, USA
137 N13 **İliç** Erzincan, C Turkey
Il'ichevsk *see* Şărur, Azerbaijan
Il'ichevsk *see* Illichivs'k, Ukraine
Ilici *see* Elche
37 V2 **Iliff** Colorado, C USA
171 Q7 **Iligan** *off.* Iligan City. Mindanao, S Philippines
171 Q7 **Iligan Bay** *bay* S Philippines
158 I5 **Ili He** *var.* Ili, *Kaz.* Ile, *Rus.* Reka Ili. ⟿ China/Kazakhstan *see also* Ile
56 C6 **Iliniza** ▲ N Ecuador
Ilinski *see* Il'inskiy
125 U14 **Il'inskiy** *var.* Ilinski. Permskaya Oblast', NW Russian Federation
123 T13 **Il'inskiy** Ostrov Sakhalin, Sakhalinskaya Oblast', SE Russian Federation
18 I10 **Ilion** New York, NE USA
38 E9 **'Ilio Point** *var.* Ilio Point *headland* Moloka'i, Hawai'i, USA, C Pacific Ocean
109 T13 **Ilirska Bistrica** *prev.* Bistrica, *Ger.* Feistritz, Illyrisch-Feistritz, *It.* Villa del Nevoso. SW Slovenia
137 Q16 **Ilısu Barajı** ▣ SE Turkey
155 G17 **Ilkal** Karnātaka, C India
97 M19 **Ilkeston** C England, UK
121 O16 **Il-Kullana** *headland* SW Malta
108 J8 **Ill** ⟿ W Austria
103 U6 **Ill** ⟿ NE France
62 G10 **Illapel** Coquimbo, C Chile
Illaue Fartak Trench *see* Alula-Fartak Trench
182 C2 **Illbillee, Mount** ▲ South Australia
102 I5 **Ille-et-Vilaine** ◆ *department* NW France
77 T11 **Illéla** Tahoua, SW Niger
101 J24 **Iller** ⟿ S Germany
101 J23 **Illertissen** Bayern, S Germany
105 N8 **Illescas** Castilla-La Mancha, C Spain
Ille-sur-la-Têt *see* Ille-sur-Têt
103 O17 **Ille-sur-Têt** *var.* Ille-sur-la-Têt. Pyrénées-Orientales, S France
Illiberis *see* Elne
117 P11 **Illichivs'k** *Rus.* Il'ichevsk. Odes'ka Oblast', SW Ukraine
Illicis *see* Elche
102 M6 **Illiers-Combray** Eure-et-Loir, C France
30 K12 **Illinois** *off.* State of Illinois; also known as Prairie State, Sucker State. ◆ *state* C USA
30 J13 **Illinois River** ⟿ Illinois, N USA
117 N6 **Illintsi** Vinnyts'ka Oblast', C Ukraine
Illiturgis *see* Andújar
74 M10 **Illizi** SE Algeria
27 Y7 **Illmo** Missouri, C USA
Illur co *see* Lorca
Illuro *see* Mataró
Illyrisch-Feistritz *see* Ilirska Bistrica
101 K16 **Ilm** ⟿ C Germany
101 K17 **Ilmenau** Thüringen, C Germany
126 H14 **Il'men', Ozero** ◎ NW Russian Federation
57 H18 **Ilo** Moquegua, SW Peru
171 O6 **Iloilo** *off.* Iloilo City. Panay Island, C Philippines
112 K10 **Ilok** *Hung.* Újlak. Serbia, NW Serbia and Montenegro (Yugo.)
93 O16 **Ilomantsi** Itä-Suomi, E Finland
42 F8 **Ilopango, Lago de** *volcanic lake* C El Salvador
77 T15 **Ilorin** Kwara, W Nigeria
117 X8 **Ilovays'k** *Rus.* Ilovaysk. Donets'ka Oblast', SE Ukraine
127 O10 **Ilovlya** Volgogradskaya Oblast', SW Russian Federation
127 O10 **Ilovlya** ⟿ SW Russian Federation
123 V8 **Il'pyrskoy** Koryakskiy Avtonomnyy Okrug, E Russian Federation
126 K14 **Il'skiy** Krasnodarskiy Kray, SW Russian Federation
182 B2 **Iltur** South Australia
171 Y13 **Ilugwa** Papua, E Indonesia
Iluh *see* Batman
118 I11 **Ilūkste** Daugvapils, SE Latvia
171 U14 **Ilur** Pulau Gorong, E Indonesia
32 F10 **Ilwaco** Washington, NW USA
Il'yaly *see* Ýylanly
Ilyasbaba Burnu *see* Tekke Burnu
127 U9 **Ilych** ⟿ NW Russian Federation
101 O21 **Ilz** ⟿ SE Germany
111 M14 **Iłża** Radom, SE Poland
164 G13 **Imabari** *var.* Imaharu. Ehime, Shikoku, SW Japan
Imaharu *see* Imabari
165 O12 **Imaichi** *var.* Imaiti. Tochigi, Honshū, S Japan
Imaiti *see* Imaichi
164 K12 **Imajō** Fukui, Honshū, SW Japan
139 R9 **Imām Ibn Hāshim** C Iraq
139 T11 **Imān 'Abd Allāh** S Iraq
126 J4 **Imandra, Ozero** ◎ NW Russian Federation
164 F15 **Imano-yama** ▲ Shikoku, SW Japan
164 C13 **Imari** Saga, Kyūshū, SW Japan
Imarssuak Mid-Ocean Seachannel *see* Imarssuak Seachannel
64 J6 **Imarssuak Seachannel** *var.* Imarssuak Mid-Ocean Seachannel. *channel* N Atlantic Ocean
93 N18 **Imatra** Etelä-Suomi, S Finland
164 K13 **Imazu** Shiga, Honshū, SW Japan
56 C6 **Imbabura** ◆ *province* N Ecuador
55 R9 **Imbaimadai** W Guyana
61 K14 **Imbituba** Santa Catarina, S Brazil
27 W9 **Imboden** Arkansas, C USA
Imbros *see* Gökçeada
Imeni 26 Bakinskikh Komissarov *see* 26 Bakı Komissarı/Uzboý
125 N13 **Imeni Babushkina** Vologodskaya Oblast', NW Russian Federation
126 J7 **Imeni Karla Libknekhta** Kurskaya Oblast', W Russian Federation
Imeni Mollanepesa *see* Mollanepes Adyndaky
Imeni S.A.Niyazova *see* S.A.Nyýazow Adyndaky
Imeni Sverdlova Rudnik *see* Sverdlovs'k
188 E9 **Imeong** Babeldaob, N Palau
81 L14 **Īmī** Somali, E Ethiopia
115 M21 **Imia** *Turk.* Kardak. *island* Dodekánisos, Greece, Aegean Sea
Imishli *see* İmişli
137 X12 **İmişli** *Rus.* Imishli. C Azerbaijan
163 X14 **Imjin-gang** ⟿ North Korea/South Korea
33 S4 **Imlay** Nevada, W USA
31 S9 **Imlay City** Michigan, N USA
23 X15 **Immokalee** Florida, SE USA
77 U17 **Imo** ◆ *state* SE Nigeria
106 G10 **Imola** Emilia-Romagna, N Italy
186 A5 **Imonda** Sandaun, NW PNG
Imoschi *see* Imotski
113 G14 **Imotski** *It.* Imoschi. Split-Dalmacija, SE Croatia
59 L14 **Imperatriz** Maranhão, NE Brazil
106 B10 **Imperia** Liguria, NW Italy
57 E15 **Imperial** Lima, W Peru
35 X17 **Imperial** California, W USA
28 L16 **Imperial** Nebraska, C USA
24 M9 **Imperial** Texas, SW USA
35 Y17 **Imperial Dam** *dam* California, W USA
79 I17 **Impfondo** La Likouala, NE Congo
153 X14 **Imphāl** Manipur, NE India
103 P9 **Imphy** Nièvre, C France
106 G11 **Impruneta** Toscana, C Italy
115 K15 **İmroz** *var.* Gökçeada. Çanakkale, NW Turkey
Imroz Adası *see* Gökçeada
108 L7 **Imst** Tirol, W Austria
40 F3 **Imuris** Sonora, NW Mexico
164 M13 **Ina** Nagano, Honshū, S Japan
65 M18 **Inaccessible Island** *island* W Tristan da Cunha
115 F20 **Ínachos** ⟿ S Greece
188 H6 **I Naftan, Puntan** *headland* Saipan, S Northern Mariana Islands
Inagua Islands *see* Great Inagua/Little Inagua
185 H15 **Inangahua** West Coast, South Island, NZ
57 I14 **Iñapari** Madre de Dios, E Peru
188 B17 **Inarajan** SE Guam
92 L10 **Inari** *Lapp.* Anár, Aanaar. Lappi, N Finland
92 L10 **Inarijärvi** *Lapp.* Aanaarjävri, *Swe.* Enareträsk. ◎ N Finland
92 L9 **Inarijoki** *Lapp.* Anárjohka. ⟿ Finland/Norway
Ináu *see* Ineu
165 P11 **Inawashiro-ko** *var.* Inawashiro Ko. ◎ Honshū, C Japan
Inawashiro Ko *see* Inawashiro-ko
62 H7 **Inca de Oro** Atacama, N Chile

◆ Country ● Country Capital ◇ Dependent Territory ○ Dependent Territory Capital ◆ Administrative Region ✕ International Airport ▲ Mountain ▲ Mountain Range ⚠ Volcano ⟿ River ◎ Lake ▣ Reservoir

264 ••• İnce Burnu – Isloch'

115 *J15* **İnce Burnu** *headland* NW Turkey
136 *K9* **İnce Burnu** *headland* N Turkey
136 *I17* **İncekum Burnu** *headland* S Turkey
76 *G7* **Inchiri** ◈ *region* NW Mauritania
163 *X15* **Inch'ŏn** *off.* Inch'ŏn-gwangyŏksi, *Jap.* Jinsen; *prev.* Chemulpo. NW South Korea
163 *X15* **Inch'ŏn** × (Sŏul) NW South Korea
83 *M17* **Inchope** Manica, C Mozambique
Incoronata *see* Kornat
103 *Y15* **Incudine, Monte** ▲ Corse, France, C Mediterranean Sea
60 *M10* **Indaiatuba** São Paulo, S Brazil
93 *H17* **Indal** Västernorrland, C Sweden
93 *H17* **Indalsälven** ≈ C Sweden
40 *K8* **Inde** Durango, C Mexico
Indefatigable Island *see* Santa Cruz, Isla
35 *S10* **Independence** California, W USA
29 *X13* **Independence** Iowa, C USA
27 *P7* **Independence** Kansas, C USA
20 *M4* **Independence** Kentucky, S USA
27 *R4* **Independence** Missouri, C USA
21 *R8* **Independence** Virginia, NE USA
30 *J7* **Independence** Wisconsin, N USA
197 *R12* **Independence Fjord** *fjord* N Greenland
Independence Island *see* Malden Island
35 *W2* **Independence Mountains** ▲ Nevada, W USA
57 *K18* **Independencia** Cochabamba, C Bolivia
57 *E16* **Independencia, Bahía de la** *bay* W Peru
Independencia, Monte *see* Adam, Mount
116 *M12* **Independenţa** Galaţi, SE Romania
Inderagiri *see* Indragiri, Sungai
Inderbor *see* Inderborskiy
144 *F11* **Inderborskiy** *Kaz.* Inderbor. Atyrau, W Kazakhstan
151 *I14* **India** *off.* Republic of India, *var.* Indian Union, Union of India, *Hind.* Bhārat. ◆ *republic* S Asia
India *see* Indija
18 *D14* **Indiana** Pennsylvania, NE USA
31 *N13* **Indiana** *off.* State of Indiana; also known as The Hoosier State. ◈ *state* N USA
31 *O14* **Indianapolis** *state capital* Indiana, N USA
11 *O10* **Indian Cabins** Alberta, W Canada
42 *G1* **Indian Church** Orange Walk, N Belize
Indian Desert *see* Thar Desert
11 *U16* **Indian Head** Saskatchewan, S Canada
31 *O4* **Indian Lake** ⊚ Michigan, N USA
18 *K9* **Indian Lake** ⊚ New York, NE USA
31 *R13* **Indian Lake** ⊠ Ohio, N USA
180-181 **Indian Ocean** *ocean*
29 *V15* **Indianola** Iowa, C USA
22 *K4* **Indianola** Mississippi, S USA
36 *J6* **Indian Peak** ▲ Utah, W USA
23 *Y13* **Indian River** *lagoon* Florida, SE USA
35 *W10* **Indian Springs** Nevada, W USA
23 *Y14* **Indiantown** Florida, SE USA
59 *K19* **Indiara** Goiás, S Brazil
125 *Q4* **Indiga** Nenetskiy Avtonomnyy Okrug, NW Russian Federation
123 *R9* **Indigirka** ≈ NE Russian Federation
112 *L10* **Inđija** *Hung.* India; *prev.* Indjija. Serbia, N Serbia and Montenegro (Yugo.)
35 *V16* **Indio** California, W USA
42 *M12* **Indio, Río** ≈ SE Nicaragua
152 *I10* **Indira Gandhi International** × (Delhi) Delhi, N India
151 *Q23* **Indira Point** *headland* Andaman and Nicobar Islands, India, NE Indian Ocean
Indjija *see* Inđija
173 *N11* **Indomed Fracture Zone** *tectonic feature* SW Indian Ocean
170 *L12* **Indonesia** *off.* Republic of Indonesia, *Ind.* Republik Indonesia; *prev.* Dutch East Indies, Netherlands East Indies, United States of Indonesia. ◆ *republic* SE Asia
Indonesian Borneo *see* Kalimantan
154 *G10* **Indore** Madhya Pradesh, C India
168 *L11* **Indragiri, Sungai** *var.* Batang Kuantan, Inderagiri. ≈ Sumatera, W Indonesia
Indramajoe/Indramaju *see* Indramayu
169 *P15* **Indramayu** *prev.* Indramajoe, Indramaju. Jawa, C Indonesia
155 *K14* **Indrāvati** ≈ S India
103 *N9* **Indre** ◈ *department* C France
102 *M8* **Indre** ≈ C France
94 *D13* **Indre Ålvik** Hordaland, S Norway
102 *L8* **Indre-et-Loire** ◈ *department* C France
Indreville *see* Châteauroux
152 *G3* **Indus** *Chin.* Yindu He; *prev.* Yin-tu Ho. ≈ S Asia
Indus Cone *see* Indus Fan
173 *P3* **Indus Fan** *var.* Indus Cone. *undersea feature* N Arabian Sea
149 *P17* **Indus, Mouths of the** *delta* S Pakistan
83 *I24* **Indwe** Eastern Cape, SE South Africa
136 *I10* **İnebolu** Kastamonu, N Turkey
77 *P8* **I-n-Échaï** *oasis* C Mali
114 *M13* **İnecik** Tekirdağ, NW Turkey
136 *E12* **İnegöl** Bursa, NW Turkey
Inessa *see* Biancavilla
116 *F10* **Ineu** *Hung.* Borosjenő; *prev.* Inău. Arad, W Romania
Ineul/Ineu, Vîrful *see* Ineu, Vârful
116 *J9* **Ineu, Vârful** *var.* Ineul; *prev.* Vîrful Ineu. ▲ N Romania
21 *P6* **Inez** Kentucky, S USA
74 *E8* **Inezgane** × (Agadir) W Morocco
41 *T17* **Inferior, Laguna** *lagoon* S Mexico
40 *M15* **Infiernillo, Presa del** ⊠ S Mexico
104 *L2* **Infiesto** Asturias, N Spain
93 *L20* **Ingå** *Fin.* Inkoo. Etelä-Suomi, S Finland
77 *U10* **Ingal** *var.* I-n-Gall. Agadez, C Niger
I-n-Gall *see* Ingal
99 *C18* **Ingelmunster** West-Vlaanderen, W Belgium
79 *I18* **Ingende** Equateur, W Dem. Rep. Congo
62 *L5* **Ingeniero Guillermo Nueva Juárez** Formosa, N Argentina
63 *H16* **Ingeniero Jacobacci** Río Negro, C Argentina
14 *F16* **Ingersoll** Ontario, S Canada
162 *K6* **Ingettolgoy** Bulgan, N Mongolia
181 *W5* **Ingham** Queensland, NE Australia
146 *M11* **Ingichka** Samarqand Viloyati, C Uzbekistan
97 *L16* **Ingleborough** ▲ N England, UK
25 *T14* **Ingleside** Texas, SW USA
184 *K10* **Inglewood** Taranaki, North Island, NZ
35 *S15* **Inglewood** California, W USA
101 *L21* **Ingolstadt** Bayern, S Germany
33 *V9* **Ingomar** Montana, NW USA
13 *R14* **Ingonish Beach** Cape Breton Island, Nova Scotia, SE Canada
153 *S14* **Ingrāj Bāzār** *prev.* English Bazar. West Bengal, NE India
25 *Q11* **Ingram** Texas, SW USA
195 *X7* **Ingrid Christensen Coast** *physical region* Antarctica
74 *K14* **I-n-Guezzam** S Algeria
Ingulets *see* Inhulets'
Inguri *see* Enguri
Ingushetia/Ingushetiya, Respublika *see* Ingushskaya Respublika
127 *O15* **Ingushskaya Respublika** *var.* Respublika Ingushetiya, *Eng.* Ingushetia. ◈ *autonomous republic* SW Russian Federation
83 *N20* **Inhambane** Inhambane, SE Mozambique
83 *M20* **Inhambane** *off.* Província de Inhambane. ◈ *province* S Mozambique
83 *N17* **Inhaminga** Sofala, C Mozambique
83 *N20* **Inharrime** Inhambane, SE Mozambique
83 *M18* **Inhassoro** Inhambane, E Mozambique
117 *S9* **Inhulets'** *Rus.* Ingulets. Dnipropetrovs'ka Oblast', E Ukraine
117 *R10* **Inhulets'** *Rus.* Ingulets. ≈ S Ukraine
105 *Q10* **Iniesta** Castilla-La Mancha, C Spain
I-ning *see* Yining
54 *K11* **Inírida, Río** ≈ E Colombia
Inis *see* Ennis
Inis Ceithleann *see* Enniskillen
Inis Córthaidh *see* Enniscorthy
Inis Díomáin *see* Ennistimon
97 *A17* **Inishbofin** *Ir.* Inis Bó Finne. *island* W Ireland
97 *B18* **Inisheer** *var.* Inishere, *Ir.* Inis Oírr. *island* W Ireland
Inishere *see* Inisheer
97 *B18* **Inishmaan** *Ir.* Inis Meáin. *island* W Ireland
97 *A18* **Inishmore** *Ir.* Árainn. *island* W Ireland
96 *E13* **Inishtrahull** *Ir.* Inis Trá Tholl. *island* NW Ireland
97 *A17* **Inishturk** *Ir.* Inis Toirc. *island* W Ireland
Inkoo *see* Ingå
185 *J16* **Inland Kaikoura Range** ▲ South Island, NZ
Inland Sea *see* Seto-naikai
21 *P11* **Inman** South Carolina, SE USA
108 *L7* **Inn** ≈ C Europe
197 *O11* **Innaanganeq** *var.* Kap York. *headland* NW Greenland
182 *K2* **Innamincka** South Australia
92 *G12* **Inndyr** Nordland, C Norway
42 *G3* **Inner Channel** *inlet* SE Belize
96 *F11* **Inner Hebrides** *island group* W Scotland, UK
172 *H15* **Inner Islands** *var.* Central Group. *island group* NE Seychelles
Inner Mongolia/Inner Mongolian Autonomous Region *see* Nei Mongol Zizhiqu
96 *G8* **Inner Sound** *strait* NW Scotland, UK
100 *J13* **Innerste** ≈ C Germany
181 *W5* **Innisfail** Queensland, NE Australia
11 *Q15* **Innisfail** Alberta, SW Canada
Inniskilling *see* Enniskillen
39 *O11* **Innoko River** ≈ Alaska, USA
Innosima *see* Innoshima
Innsbruch *see* Innsbruck
108 *M7* **Innsbruck** *var.* Innsbruch. Tirol, W Austria
79 *I19* **Inongo** Bandundu, W Dem. Rep. Congo
Inoucdjouac *see* Inukjuak
Inowrazlaw *see* Inowrocław
110 *I10* **Inowrocław** *Ger.* Hohensalza; *prev.* Inowrazlaw. Kujawski-pomorskie, C Poland
57 *K18* **Inquisivi** La Paz, W Bolivia
Inrin *see* Yüanlin
77 *O8* **I-n-Sâkâne, 'Erg** *desert* N Mali
74 *J10* **I-n-Salah** *var.* In Salah. C Algeria
127 *O5* **Insar** Respublika Mordoviya, W Russian Federation
189 *X15* **Insiaf** Kosrae, E Micronesia
94 *L13* **Insjön** Dalarna, C Sweden
Insterburg *see* Chernyakhovsk
Insula *see* Lille
116 *L13* **Însurăţei** Brăila, SE Romania
125 *V6* **Inta** Respublika Komi, NW Russian Federation
77 *R9* **I-n-Tebezas** Kidal, E Mali
Interamna *see* Teramo
Interamna Nahars *see* Terni
28 *L11* **Interior** South Dakota, N USA
108 *E9* **Interlaken** Bern, SW Switzerland
29 *V2* **International Falls** Minnesota, N USA
167 *O7* **Inthanon, Doi** ▲ NW Thailand
42 *G7* **Intibucá** ◈ *department* SW Honduras
42 *G8* **Intipucá** La Unión, SE El Salvador
61 *B15* **Intiyaco** Santa Fe, C Argentina
116 *K12* **Întorsura Buzăului** *Ger.* Bozau, *Hung.* Bodzafordulő. Covasna, E Romania
22 *H9* **Intracoastal Waterway** *inland waterway system* Louisiana, S USA
25 *V13* **Intracoastal Waterway** *inland waterway system* Texas, SW USA
108 *G11* **Intragna** Ticino, S Switzerland
165 *P14* **Inubō-zaki** *headland* Honshū, S Japan
164 *E14* **Inukai** Ōita, Kyūshū, SW Japan
12 *I5* **Inukjuak** *var.* Inoucdjouac; *prev.* Port Harrison. Québec, NE Canada
63 *I24* **Inútil, Bahía** *bay* S Chile
Inuuvik *see* Inuvik
9 *R8* **Inuvik** *var.* Inuuvik. Northwest Territories, NW Canada
164 *L13* **Inuyama** Aichi, Honshū, SW Japan
56 *G13* **Inuya, Río** ≈ E Peru
127 *U13* **In'va** ≈ NW Russian Federation
96 *H11* **Inveraray** W Scotland, UK
185 *C24* **Invercargill** Southland, South Island, NZ
183 *T5* **Inverell** New South Wales, SE Australia
96 *I8* **Invergordon** N Scotland, UK
11 *P16* **Invermere** British Columbia, SW Canada
13 *R14* **Inverness** Cape Breton Island, Nova Scotia, SE Canada
96 *I8* **Inverness** N Scotland, UK
23 *V11* **Inverness** Florida, SE USA
96 *I9* **Inverness** *cultural region* NW Scotland, UK
96 *K9* **Inverurie** NE Scotland, UK
182 *F8* **Investigator Group** *island group* South Australia
173 *T7* **Investigator Ridge** *undersea feature* E Indian Ocean
182 *H10* **Investigator Strait** *strait* South Australia
29 *R11* **Inwood** Iowa, C USA
123 *S10* **Inya** ≈ E Russian Federation
Inyanga *see* Nyanga
83 *M16* **Inyangani** ▲ NE Zimbabwe
83 *J17* **Inyathi** Matabeleland North, SW Zimbabwe
35 *T12* **Inyokern** California, W USA
35 *T10* **Inyo Mountains** ▲ California, W USA
127 *P6* **Inza** Ul'yanovskaya Oblast', W Russian Federation
127 *W5* **Inzer** Respublika Bashkortostan, W Russian Federation
127 *N7* **Inzhavino** Tambovskaya Oblast', W Russian Federation
115 *C16* **Ioánnina** *var.* Janina, Yannina. Ípeiros, W Greece
164 *B17* **Iō-jima** *var.* Iwojima. *island* Nansei-shotō, SW Japan
126 *L4* **Iokan'ga** ≈ NW Russian Federation
27 *Q6* **Iola** Kansas, C USA
Iolcus *see* Iolkós
115 *G16* **Iolkós** *anc.* Iolcus. *site of ancient city* Thessalía, C Greece
Iolotan' *see* Ýolöten
83 *A16* **Iona** Namibe, SW Angola
96 *F11* **Iona** *island* W Scotland, UK
116 *M15* **Ion Corvin** Constanţa, SE Romania
35 *P7* **Ione** California, W USA
116 *I13* **Ioneşti** Vâlcea, SW Romania
31 *Q9* **Ionia** Michigan, N USA
Ionia Basin *see* Ionian Basin
121 *O10* **Ionian Basin** *var.* Ionia Basin. *undersea feature* Ionian Sea, C Mediterranean Sea
Ionian Islands *see* Iónioi Nísoi
121 *O10* **Ionian Sea** *Gk.* Iónio Pélagos, *It.* Mar Ionio. *sea* C Mediterranean Sea
115 *B17* **Iónioi Nísoi** *Eng.* Ionian Islands. ◈ *region* W Greece
115 *B17* **Iónioi Nísoi** *Eng.* Ionian Islands. *island group* W Greece
Ionio, Mar/Iónio Pélagos *see* Ionian Sea
Iordan *see* Yordon
137 *U10* **Iori** *var.* Qabırrı. ≈ Azerbaijan/Georgia
Iorrais, Ceann *see* Erris Head
115 *J22* **Íos** Íos, Kykládes, Greece, Aegean Sea
115 *J22* **Íos** *var.* Nio. *island* Kykládes, Greece, Aegean Sea
22 *G9* **Iowa** Louisiana, S USA
29 *V13* **Iowa** *off.* State of Iowa; also known as The Hawkeye State. ◈ *state* C USA
29 *Y14* **Iowa City** Iowa, C USA
29 *V13* **Iowa Falls** Iowa, C USA
25 *R4* **Iowa Park** Texas, SW USA
29 *Y14* **Iowa River** ≈ Iowa, C USA
119 *M19* **Ipa** *Rus.* Ipa. ≈ SE Belarus
59 *N20* **Ipatinga** Minas Gerais, SE Brazil
127 *N13* **Ipatovo** Stavropol'skiy Kray, SW Russian Federation
115 *C16* **Ípeiros** *Eng.* Epirus. ◈ *region* W Greece
Ipek *see* Peć
111 *J21* **Ipel'** *var.* Ipoly, *Ger.* Eipel. ≈ Hungary/Slovakia
54 *C13* **Ipiales** Nariño, SW Colombia
189 *V14* **Ipis** *atoll* Chuuk Islands, C Micronesia
59 *A14* **Ipixuna** Amazonas, W Brazil
168 *J8* **Ipoh** Perak, Peninsular Malaysia
Ipoly *see* Ipel'
187 *S15* **Ipota** Erromango, S Vanuatu
79 *K14* **Ippy** Ouaka, C Central African Republic
114 *L13* **İpsala** Edirne, NW Turkey
Ipsario *see* Ypsário
183 *V3* **Ipswich** Queensland, E Australia
97 *Q20* **Ipswich** *hist.* Gipeswic. E England, UK
29 *O8* **Ipswich** South Dakota, N USA
Iput' *see* Iputs'
119 *P18* **Iputs'** *Rus.* Iput'. ≈ Belarus/Russian Federation
9 *R7* **Iqaluit** *prev.* Frobisher Bay. Baffin Island, Nunavut, NE Canada
159 *P9* **Iqe** Qinghai, W China
159 *P9* **Iqe He** ≈ C China
Iqlid *see* Eqlīd
62 *G3* **Iquique** Tarapacá, N Chile
56 *G8* **Iquitos** Loreto, N Peru
25 *N9* **Iraan** Texas, SW USA
79 *K14* **Ira Banda** Haute-Kotto, E Central African Republic
165 *P16* **Irabu-jima** *island* Miyako-shotō, SW Japan
55 *Y9* **Iracoubo** N French Guiana
60 *H13* **Iraí** Rio Grande do Sul, S Brazil
114 *G12* **Irákleia** Kentrikí Makedonía, N Greece
115 *J21* **Irákleia** *island* Kykládes, Greece, Aegean Sea
115 *J25* **Irákleio** *var.* Herakleion, *Eng.* Candia; *prev.* Iráklion. Kríti, Greece, E Mediterranean Sea
115 *J25* **Irákleio** × Kríti, Greece, E Mediterranean Sea
115 *F15* **Irákleio** *anc.* Heracleum. *castle* Kentrikí Makedonía, N Greece
Iráklion *see* Irákleio
143 *O7* **Iran** *off.* Islamic Republic of Iran; *prev.* Persia. ◆ *republic* SW Asia
58 *F13* **Iranduba** Amazonas, NW Brazil
143 *Q9* **Iranian Plateau** *var.* Plateau of Iran. *plateau* N Iran
169 *U9* **Iran, Pegunungan** *var.* Iran Mountains. ▲ Indonesia/Malaysia
Iran, Plateau of *see* Iranian Plateau
143 *W13* **Īrānshahr** Sīstān va Balūchestān, SE Iran
55 *P5* **Irapa** Sucre, NE Venezuela
41 *N13* **Irapuato** Guanajuato, C Mexico
139 *R7* **Iraq** *off.* Republic of Iraq, *Ar.* 'Irāq. ◆ *republic* SW Asia
60 *J12* **Irati** Paraná, S Brazil
105 *R3* **Irati** ≈ N Spain
125 *T8* **Irayël'** Respublika Komi, NW Russian Federation
43 *N13* **Irazú, Volcán** ⩕ C Costa Rica
Irbenskiy Zaliv/Irbes Šaurums *see* Irbe Strait
118 *D7* **Irbe Strait** *Est.* Kura Kurk, *Latv.* Irbes Šaurums, *Rus.* Irbenskiy Zaliv; *prev. Est.* Irbe Väin. *strait* Estonia/Latvia
Irbe Väin *see* Irbe Strait
138 *G9* **Irbid** Irbid, N Jordan
138 *G9* **Irbid** *off.* Muḥāfaẓat Irbid. ◈ *governorate* N Jordan
Irbīl *see* Arbīl
109 *S6* **Irdning** Steiermark, SE Austria
79 *I18* **Irebu** Equateur, W Dem. Rep. Congo
97 *D17* **Ireland** *var.* Republic of Ireland, *Ir.* Éire. ◆ *republic* NW Europe
64 *A12* **Ireland Island North** *island* W Bermuda
64 *A12* **Ireland Island South** *island* W Bermuda
Ireland, Republic of *see* Ireland
127 *V15* **Iren'** ≈ NW Russian Federation
185 *A22* **Irene, Mount** ▲ South Island, NZ
Irgalem *see* Yirga 'Alem
144 *L11* **Irgiz** Aktyubinsk, C Kazakhstan
Irian *see* New Guinea
Irian Barat *see* Papua
Irian Jaya *see* Papua
Irian, Teluk *see* Cenderawasih, Teluk
78 *K9* **Iriba** Biltine, NE Chad
127 *X7* **Iriklinskoye Vodokhranilishche** ⊠ W Russian Federation
81 *H23* **Iringa** Iringa, C Tanzania
81 *H23* **Iringa** ◈ *region* S Tanzania
165 *O16* **Iriomote-jima** *island* Sakishima-shotō, SW Japan
42 *L4* **Iriona** Colón, NE Honduras
58 *I13* **Iriri, Rio** ≈ C Brazil
Iris *see* Yeşilırmak
35 *W9* **Irish, Mount** ▲ Nevada, W USA
97 *H17* **Irish Sea** *Ir.* Muir Éireann. *sea* C British Isles
139 *U12* **Irjal ash Shaykhīyah** S Iraq
147 *U11* **Irkeshtam** Oshskaya Oblast', SW Kyrgyzstan
122 *M13* **Irkutsk** Irkutskaya Oblast', S Russian Federation
122 *M12* **Irkutskaya Oblast'** ◈ *province* S Russian Federation
Irlir, Gora *see* Irlir Tog'l
146 *K8* **Irlir Tog'l** *var.* Gora Irlir. ▲ N Uzbekistan
Irminger Basin *see* Reykjanes Basin
21 *R12* **Irmo** South Carolina, SE USA
102 *E6* **Iroise** *sea* NW France
189 *X2* **Iroj** *var.* Eroj. *island* Ratak Chain, SE Marshall Islands
182 *H7* **Iron Baron** South Australia
14 *C10* **Iron Bridge** Ontario, S Canada
20 *H10* **Iron City** Tennessee, S USA
14 *I13* **Irondale** ≈ Ontario, SE Canada
182 *H7* **Iron Knob** South Australia
30 *M5* **Iron Mountain** Michigan, N USA
30 *M4* **Iron River** Michigan, N USA
30 *J3* **Iron River** Wisconsin, N USA
27 *X6* **Ironton** Missouri, C USA
31 *S15* **Ironton** Ohio, N USA
30 *K4* **Ironwood** Michigan, N USA
12 *H12* **Iroquois Falls** Ontario, S Canada
31 *N12* **Iroquois River** ≈ Illinois/Indiana, N USA
164 *M15* **Irō-zaki** *headland* Honshū, S Japan
Irpen' *see* Irpin'
117 *O4* **Irpin'** *Rus.* Irpen'. Kyyivs'ka Oblast', N Ukraine
117 *O4* **Irpin'** *Rus.* Irpen'. ≈ N Ukraine
141 *Q16* **'Irqah** SW Yemen
166 *K8* **Irrawaddy** *var.* Ayeyarwady. ◈ *division* SW Myanmar
166 *L6* **Irrawaddy** *var.* Ayeyarwady. ≈ W Myanmar
166 *K8* **Irrawaddy, Mouths of the** *delta* SW Myanmar
117 *N4* **Irsha** ≈ N Ukraine
116 *H7* **Irshava** Zakarpats'ka Oblast', W Ukraine
107 *N18* **Irsina** Basilicata, S Italy
Irtish *see* Irtysh
122 *H11* **Irtysh** *var.* Irtish, *Kaz.* Ertis. ≈ C Asia
145 *S7* **Irtyshsk** *Kaz.* Ertis. Pavlodar, NE Kazakhstan
79 *P17* **Irumu** Orientale, E Dem. Rep. Congo
105 *Q2* **Irún** País Vasco, N Spain
Iruña *see* Pamplona
105 *Q3* **Iruntzun** Navarra, N Spain
96 *I13* **Irvine** W Scotland, UK
21 *N6* **Irvine** Kentucky, S USA
25 *T6* **Irving** Texas, SW USA
20 *K5* **Irvington** Kentucky, S USA
Isaak *see* Iisaku
28 *L8* **Isabel** South Dakota, N USA
186 *L8* **Isabel** *off.* Isabel Province. ◈ *province* N Solomon Islands
171 *O8* **Isabela** Basilan Island, SW Philippines
45 *S5* **Isabela** W Puerto Rico
45 *N8* **Isabela, Cabo** *headland* NW Dominican Republic
57 *A18* **Isabela, Isla** *var.* Albemarle Island. *island* Galapagos Islands, Ecuador, E Pacific Ocean
40 *I12* **Isabela, Isla** *island* C Mexico
42 *K9* **Isabelia, Cordillera** ▲ NW Nicaragua
35 *S12* **Isabella Lake** ⊠ California, W USA
31 *N2* **Isabelle, Point** *headland* Michigan, N USA
Isabel Segunda *see* Vieques
116 *M13* **Isaccea** Tulcea, E Romania
92 *H1* **Ísafjarðardjúp** *inlet* NW Iceland
92 *H1* **Ísafjörður** Vestfirdhir, NW Iceland
164 *C14* **Isahaya** Nagasaki, Kyūshū, SW Japan
149 *S7* **Īsa Khel** Punjab, E Pakistan
172 *H7* **Isalo** *var.* Massif de L'Isalo. ▲ SW Madagascar
Isalo, Massif de L' *see* Isalo
79 *K20* **Isandja** Kasai Occidental, C Dem. Rep. Congo
187 *R15* **Isangel** Tanna, S Vanuatu
79 *M18* **Isangi** Orientale, C Dem. Rep. Congo
101 *L24* **Isar** ≈ Austria/Germany
101 *M23* **Isar-Kanal** *canal* SE Germany
Isbarta *see* Isparta
Isca Damnoniorum *see* Exeter
107 *K18* **Ischia** *var.* Isola d'Ischia; *anc.* Aenaria. Campania, S Italy
107 *J18* **Ischia, Isola d'** *island* S Italy
54 *B12* **Iscuandé** *var.* Santa Bárbara. Nariño, SW Colombia
164 *K14* **Ise** Mie, Honshū, SW Japan
100 *J12* **Ise** ≈ N Germany
95 *I23* **Isefjord** *fjord* E Denmark
Iseghem *see* Izegem
192 *M14* **Iselin Seamount** *undersea feature* S Pacific Ocean
Isenhof *see* Püssi
106 *E7* **Iseo** Lombardia, N Italy
103 *U12* **Iseran, Col de l'** *pass* E France
103 *S11* **Isère** ◈ *department* E France
103 *S12* **Isère** ≈ E France
101 *F15* **Iserlohn** Nordrhein-Westfalen, W Germany
107 *K16* **Isernia** *var.* Æsernia. Molise, C Italy
165 *N12* **Isesaki** Gunma, Honshū, S Japan
77 *S15* **Iseyin** Oyo, W Nigeria
Isfahan *see* Eşfahān
147 *Q11* **Isfana** Batkenskaya Oblast', SW Kyrgyzstan
147 *R11* **Isfara** N Tajikistan
149 *O4* **Isfi Maidān** Ghowr, N Afghanistan
92 *O3* **Isfjorden** *fjord* W Svalbard
Isha Baydhabo *see* Baydhabo
127 *V11* **Isherim, Gora** ▲ NW Russian Federation
127 *Q5* **Isheyevka** Ul'yanovskaya Oblast', W Russian Federation
165 *P16* **Ishigaki** Okinawa, Ishigaki-jima, SW Japan
165 *P16* **Ishigaki-jima** *var.* Isigaki Zima. *island* Sakishima-shotō, SW Japan
165 *R3* **Ishikari-wan** *bay* Hokkaidō, NE Japan
165 *S16* **Ishikawa** *var.* Isikawa. Okinawa, Okinawa, SW Japan
164 *K11* **Ishikawa** *off.* Ishikawa-ken, *var.* Isikawa. ◈ *prefecture* Honshū, SW Japan
122 *H11* **Ishim** Tyumenskaya Oblast', C Russian Federation
122 *H11* **Ishim** *Kaz.* Esil. ≈ Kazakhstan/Russian Federation
127 *V6* **Ishimbay** Respublika Bashkortostan, W Russian Federation
145 *O9* **Ishimskoye** Akmola, C Kazakhstan
165 *Q10* **Ishinomaki** *var.* Isinomaki. Miyagi, Honshū, C Japan
165 *P13* **Ishioka** *var.* Isioka. Ibaraki, Honshū, S Japan
Ishkashim *see* Ishkoshim
Ishkashimskiy Khrebet *see* Ishkoshim, Qatorkŭhi
147 *S15* **Ishkoshim** *Rus.* Ishkashim. S Tajikistan
147 *S15* **Ishkoshim, Qatorkŭhi** *Rus.* Ishkashimskiy Khrebet. ▲ SE Tajikistan
31 *N4* **Ishpeming** Michigan, N USA
147 *N11* **Ishtixon** *Rus.* Ishtykhan. Samarqand Viloyati, C Uzbekistan
Ishtykhan *see* Ishtixon
153 *T15* **Ishurdi** *var.* Iswardi. Rajshahi, W Bangladesh
61 *G17* **Isidoro Noblia** Cerro Largo, NE Uruguay
102 *J4* **Isigny-sur-Mer** Calvados, N France
Isikari Gawa *see* Ishikari-gawa
Isikawa *see* Ishikawa
136 *C11* **Işıklar Dağı** ▲ NW Turkey
107 *C19* **Isili** Sardegna, Italy, C Mediterranean Sea
122 *H12* **Isil'kul'** Omskaya Oblast', C Russian Federation
Isinomaki *see* Ishinomaki
Isioka *see* Ishioka
81 *I18* **Isiolo** Eastern, C Kenya
79 *O16* **Isiro** Orientale, NE Dem. Rep. Congo
92 *P2* **Isispynten** *headland* NE Svalbard
123 *P11* **Isit** Respublika Sakha (Yakutiya), NE Russian Federation
149 *O2* **Iskabad Canal** *canal* N Afghanistan
147 *Q9* **Iskandar** *Rus.* Iskander. Toshkent Viloyati, E Uzbekistan
Iskander *see* Iskandar
Iskăr *see* Iskŭr
121 *Q2* **İskele** *var.* Trikomo, *Gk.* Tríkomon. E Cyprus
136 *K17* **İskenderun** *Eng.* Alexandretta. Hatay, S Turkey
138 *H2* **İskenderun Körfezi** *Eng.* Gulf of Alexandretta. *gulf* S Turkey
136 *J11* **İskilip** Çorum, N Turkey
Iski-Nauket *see* Eski-Nookat
114 *J11* **Iskra** *prev.* Popovo. Kŭrdzhali, S Bulgaria
114 *G10* **Iskŭr** *var.* Iskăr. ≈ NW Bulgaria
114 *H10* **Iskŭr, Yazovir** *prev.* Yazovir Stalin. ⊠ W Bulgaria
41 *S15* **Isla** Veracruz-Llave, SE Mexico
119 *J15* **Islach** *Rus.* Isloch'. ≈ C Belarus
104 *H14* **Isla Cristina** Andalucía, S Spain
Isla de León *see* San Fernando
149 *U6* **Islāmābād** ● (Pakistan) Federal Capital Territory Islāmābād, NE Pakistan
149 *V6* **Islāmābād** × Federal Capital Territory Islāmābād, NE Pakistan
Islamabad *see* Anantnāg
149 *R17* **Islāmkot** Sind, SE Pakistan
23 *Y17* **Islamorada** Florida Keys, Florida, SE USA
153 *P14* **Islāmpur** Bihār, N India
Islam Qala *see* Eslām Qal'eh
Island/Ísland *see* Iceland
18 *K16* **Island Beach** *spit* New Jersey, NE USA
19 *S4* **Island Falls** Maine, NE USA
182 *H6* **Island Lagoon** ⊚ South Australia
11 *Y13* **Island Lake** ⊚ Manitoba, C Canada
29 *W5* **Island Lake Reservoir** ⊠ Minnesota, N USA
33 *R13* **Island Park** Idaho, NW USA
19 *N6* **Island Pond** Vermont, NE USA
184 *K2* **Islands, Bay of** *inlet* North Island, NZ
103 *R7* **Is-sur-Tille** Côte d'Or, C France
42 *J3* **Islas de la Bahía** ◈ *department* N Honduras
65 *L20* **Islas Orcadas Rise** *undersea feature* S Atlantic Ocean
96 *F12* **Islay** *island* SW Scotland, UK
116 *I15* **Islaz** Teleorman, S Romania
29 *V7* **Isle** Minnesota, N USA
102 *M12* **Isle** ≈ W France
97 *I16* **Isle of Man** ◇ *UK crown dependency* NW Europe
21 *X7* **Isle of Wight** Virginia, NE USA
97 *M24* **Isle of Wight** *cultural region* S England, UK
191 *Y3* **Isles Lagoon** ⊚ Kiritimati, E Kiribati
37 *R11* **Isleta Pueblo** New Mexico, SW USA
Isloch' *see* Islach

◆ Country ● Country Capital ◇ Dependent Territory ○ Dependent Territory Capital ◈ Administrative Region × International Airport ▲ Mountain ▲ Mountain Range ⩕ Volcano ≈ River ⊚ Lake ⊠ Reservoir

◆ COUNTRY ◇ DEPENDENT TERRITORY
● COUNTRY CAPITAL ○ DEPENDENT TERRITORY CAPITAL
◆ ADMINISTRATIVE REGION
× INTERNATIONAL AIRPORT
▲ MOUNTAIN
▲ MOUNTAIN RANGE
✕ VOLCANO
◆ RIVER
◎ LAKE
◙ RESERVOIR

266 ••• JARANDILLA DE LA VEGA – JONESBORO

Jarandilla de la Vega *see* Jarandilla de la Vera
104 *K8* **Jarandilla de la Vera** ***var.*** Jarandilla de la Vega. Extremadura, W Spain
149 *V9* **Jarānwāla** Punjab, E Pakistan
138 *G9* **Jarash** ***var.*** Jerash; ***anc.*** Gerasa. Irbid, NW Jordan
Jarbah, Jazīrat *see* Jerba, Île de
94 *N13* **Järbo** Gävleborg, C Sweden
Jardan *see* Yordon
44 *F7* **Jardines de la Reina, Archipiélago de los** *island group* C Cuba
162 *J7* **Jargalant** Arhangay, C Mongolia
162 *I8* **Jargalant** Bayanhongor, C Mongolia
162 *D7* **Jargalant** Bayan-Ölgiy, W Mongolia
162 *K6* **Jargalant** Bulgan, N Mongolia
162 *G9* **Jargalant** Govĭ-Altay, W Mongolia
Jarīd, Shaṭṭ al *see* Jerid, Chott el
58 *I11* **Jari, Rio** ***var.*** Jary. ≈ N Brazil
141 *N7* **Jarīr, Wādī al** *dry watercourse* C Saudi Arabia
Jarja *see* Yur'ya
94 *L13* **Järna** ***var.*** Dala-Jarna. Dalarna, C Sweden
95 *O16* **Järna** Stockholm, C Sweden
102 *K11* **Jarnac** Charente, W France
110 *H12* **Jarocin** Wielkopolskie, C Poland
111 *F16* **Jaroměř** ***Ger.*** Jermer. Královéhradecký Kraj, N Czech Republic
Jaroslau *see* Jarosław
111 *O16* **Jarosław** ***Ger.*** Jaroslau, ***Rus.*** Yaroslav. Podkarpackie, SE Poland
93 *F16* **Järpen** Jämtland, C Sweden
147 *O14* **Jarqo'rg'on** ***Rus.*** Dzharkurgan. Surxondaryo Viloyati, S Uzbekistan
139 *P2* **Jarrāh, Wadi** *dry watercourse* NE Syria
Jars, Plain of *see* Xiangkhoang, Plateau de
162 *K14* **Jartai Yanchi** ◎ N China
59 *E16* **Jaru** Rondônia, W Brazil
Jarud Qi *see* Lubei
118 *I4* **Järva-Jaani** ***Ger.*** Sankt-Johannis. Järvamaa, N Estonia
118 *G5* **Järvakandi** ***Ger.*** Jerwakant. Raplamaa, NW Estonia
118 *H4* **Järvamaa** ***off.*** Järva Maakond. ◈ *province* N Estonia
93 *L19* **Järvenpää** Etelä-Suomi, S Finland
14 *G17* **Jarvis** Ontario, S Canada
192 *M8* **Jarvis Island** ◇ *US unincorporated territory* C Pacific Ocean
94 *M11* **Järvsö** Gävleborg, C Sweden
Jary *see* Jari, Rio
112 *M9* **Jaša Tomić** Serbia, NE Serbia and Montenegro (Yugo.)
112 *D12* **Jasenice** Zadar, SW Croatia
138 *I11* **Jashshat al 'Adlah, Wādī al** *dry watercourse* C Jordan
77 *Q16* **Jasikan** E Ghana
143 *T15* **Jāsk** Hormozgān, SE Iran
146 *F6* **Jasliq** ***Rus.*** Zhaslyk. Qoraqalpog'iston Respublikasi, NW Uzbekistan
111 *N17* **Jasło** Podkarpackie, SE Poland
11 *U16* **Jasmin** Saskatchewan, S Canada
65 *A23* **Jason Islands** *island group* NW Falkland Islands
194 *I4* **Jason Peninsula** *peninsula* Antarctica
31 *N15* **Jasonville** Indiana, N USA
11 *O15* **Jasper** Alberta, SW Canada
14 *L13* **Jasper** Ontario, SE Canada
23 *O3* **Jasper** Alabama, S USA
27 *T9* **Jasper** Arkansas, C USA
23 *U8* **Jasper** Florida, SE USA
31 *N16* **Jasper** Indiana, N USA
29 *R11* **Jasper** Minnesota, N USA
27 *S7* **Jasper** Missouri, C USA
20 *K10* **Jasper** Tennessee, S USA
25 *Y9* **Jasper** Texas, SW USA
11 *O15* **Jasper National Park** *national park* Alberta/British Columbia, SW Canada
Jassy *see* Iași
113 *N14* **Jastrebac** ⛰ SE Serbia and Montenegro (Yugo.)
112 *D9* **Jastrebarsko** Zagreb, N Croatia
Jastrow *see* Jastrowie
110 *G9* **Jastrowie** ***Ger.*** Jastrow. Wielkopolskie, C Poland
111 *J17* **Jastrzębie-Zdrój** Śląskie, S Poland
111 *L22* **Jászapáti** Jász-Nagykun-Szolnok, E Hungary
111 *L22* **Jászberény** Jász-Nagykun-Szolnok, E Hungary
111 *L23* **Jász-Nagykun-Szolnok** ***off.*** Jász-Nagykun-Szolnok Megye. ◈ *county* E Hungary
59 *J19* **Jataí** Goiás, C Brazil
58 *G12* **Jatapu, Serra do** ⛰ N Brazil
41 *W16* **Jatate, Río** ≈ SE Mexico
149 *P17* **Jāti** Sind, SE Pakistan
44 *F6* **Jatibonico** Sancti Spíritus, C Cuba
169 *O16* **Jatiluhur, Danau** ◎ Jawa, S Indonesia
Jativa *see* Xátiva
149 *S11* **Jattoi** Punjab, E Pakistan
60 *L9* **Jaú** São Paulo, S Brazil
58 *F11* **Jauaperi, Rio** ≈ N Brazil
99 *I19* **Jauche** Wallon Brabant, C Belgium
Jauer *see* Jawor
Jauf *see* Al Jawf
149 *U7* **Jauharābād** Punjab, E Pakistan
57 *E14* **Jauja** Junín, C Peru
41 *O10* **Jaumave** Tamaulipas, C Mexico
118 *H10* **Jaunjelgava** ***Ger.*** Friedrichstadt. Aizkraukle, S Latvia
Jaunlatgale *see* Pytalovo
118 *I8* **Jaunpiebalga** Gulbene, NE Latvia
118 *E9* **Jaunpils** Tukums, C Latvia
153 *N13* **Jaunpur** Uttar Pradesh, N India
29 *N8* **Java** South Dakota, N USA
Java *see* Jawa
105 *R9* **Javalambre** ▲ E Spain
173 *V7* **Java Ridge** *undersea feature* E Indian Ocean
59 *A14* **Javari, Rio** ***var.*** Yavarí. ≈ Brazil/Peru
163 *O7* **Javarthushuu** Dornod, NE Mongolia
169 *Q15* **Java Sea** ***Ind.*** Laut Jawa. *sea* W Indonesia
173 *U7* **Java Trench** ***var.*** Sunda Trench. *undersea feature* E Indian Ocean
105 *T11* **Jávea** ***Cat.*** Xábia. País Valenciano, E Spain
163 *O7* **Javhlant** Hentiy, E Mongolia
63 *G20* **Javier, Isla** *island* S Chile
113 *L14* **Javor** ⛰ Bosnia and Herzegovina/Serbia and Montenegro (Yugo.)
111 *K20* **Javorie** ***Hung.*** Jávoros. ▲ S Slovakia
Jávoros *see* Javorie
93 *J14* **Jävre** Norrbotten, N Sweden
192 *E8* **Jawa** ***Eng.*** Java; ***prev.*** Djawa. *island* C Indonesia
169 *O16* **Jawa Barat** ***off.*** Propinsi Jawa Barat, ***Eng.*** West Java. ◈ *province* S Indonesia
Jawa, Laut *see* Java Sea
139 *R3* **Jawān** NW Iraq
169 *P16* **Jawa Tengah** ***off.*** Propinsi Jawa Tengah, ***Eng.*** Central Java. ◈ *province* S Indonesia
169 *R16* **Jawa Timur** ***off.*** Propinsi Jawa Timur, ***Eng.*** East Java. ◈ *province* S Indonesia
81 *N17* **Jawhar** ***var.*** Jowhar, ***It.*** Giohar. Shabeellaha Dhexe, S Somalia
111 *F14* **Jawor** ***Ger.*** Jauer. Dolnośląskie, SW Poland
Jaworów *see* Yavoriv
111 *J16* **Jaworzno** Śląskie, S Poland
Jaxartes *see* Syr Darya
27 *R9* **Jay** Oklahoma, C USA
Jayabum *see* Chaiyaphum
Jayanath *see* Chai Nat
153 *T12* **Jayanti** ***prev.*** Jainti. West Bengal, NE India
171 *X14* **Jaya, Puncak** ***prev.*** Puntjak Carstensz, Puntjak Sukarno. ▲ Papua, E Indonesia
171 *Z13* **Jayapura** ***var.*** Djajapura, ***Dut.*** Hollandia; ***prev.*** Kotabaru, Sukarnapura. Papua, E Indonesia
Jay Dairen *see* Dalian
Jayhawker State *see* Kansas
147 *S12* **Jayilgan** ***Rus.*** Dzhailgan, Dzhayilgan. C Tajikistan
155 *L14* **Jaypur** ***var.*** Jeypore, Jeypur. Orissa, E India
25 *O6* **Jayton** Texas, SW USA
143 *U13* **Jaz Murian, Hāmūn-e** ◎ SE Iran
138 *M4* **Jazrah** Ar Raqqah, C Syria
138 *G6* **Jbaïl** ***var.*** Jebeil, Jubayl, Jubeil; ***anc.*** Biblical Gebal, Bybles. W Lebanon
25 *O7* **J.B.Thomas, Lake** ⊠ Texas, SW USA
Jdaïdé *see* Judaydah
35 *X12* **Jean** Nevada, W USA
22 *I9* **Jeanerette** Louisiana, S USA
44 *L8* **Jean-Rabel** NW Haiti
143 *T12* **Jebāl Bārez, Kūh-e** ⛰ SE Iran
Jebat *see* Jabwot
77 *T15* **Jebba** Kwara, W Nigeria
Jebeil *see* Jbaïl
116 *E12* **Jebel** ***Hung.*** Széphely; ***prev. Hung.*** Zsebely. Timiș, W Romania
146 *B11* **Jebel** ***Rus.*** Dzhebel. Balkan Welaýaty, W Turkmenistan
Jebel, Bahr el *see* White Nile
Jebel Dhanna *see* Jabal aẓ Ẓannah
Jeble *see* Jablah
96 *K13* **Jedburgh** SE Scotland, UK
Jedda *see* Jiddah
111 *L15* **Jędrzejów** ***Ger.*** Endersdorf. Świętokrzyskie, C Poland
100 *K12* **Jeetze** ***var.*** Jeetzel. ≈ C Germany
Jeetzel *see* Jeetze
29 *U14* **Jefferson** Iowa, C USA
21 *Q8* **Jefferson** North Carolina, SE USA
25 *X6* **Jefferson** Texas, SW USA
30 *M9* **Jefferson** Wisconsin, N USA
27 *U5* **Jefferson City** *state capital* Missouri, C USA
33 *R10* **Jefferson City** Montana, NW USA
21 *N9* **Jefferson City** Tennessee, S USA
35 *U7* **Jefferson, Mount** ▲ Nevada, W USA
32 *H12* **Jefferson, Mount** ▲ Oregon, NW USA
20 *L5* **Jeffersontown** Kentucky, S USA
31 *P16* **Jeffersonville** Indiana, N USA
33 *V15* **Jeffrey City** Wyoming, C USA
77 *T13* **Jega** Kebbi, NW Nigeria
Jehol *see* Chengde
62 *P5* **Jejui-Guazú, Río** ≈ E Paraguay
118 *I10* **Jēkabpils** ***Ger.*** Jakobstadt. Jēkabpils, S Latvia
23 *W7* **Jekyll Island** *island* Georgia, SE USA
169 *R13* **Jelai, Sungai** ≈ Borneo, N Indonesia
Jelalabad *see* Jalālābād
111 *H14* **Jelcz-Laskowice** Dolnośląskie, SW Poland
111 *E14* **Jelenia Góra** ***Ger.*** Hirschberg, Hirschberg im Riesengebirge, Hirschberg in Riesengebirge, Hirschberg in Schlesien. Dolnośląskie, SW Poland
153 *S11* **Jelep La** *pass* N India
118 *F9* **Jelgava** ***Ger.*** Mitau. Jelgava, C Latvia
112 *L13* **Jelica** ⛰ C Serbia and Montenegro (Yugo.)
20 *M8* **Jellico** Tennessee, S USA
95 *G23* **Jelling** Vejle, C Denmark
169 *N9* **Jemaja, Pulau** *island* W Indonesia
Jemaluang *see* Jamaluang
99 *E20* **Jemappes** Hainaut, S Belgium
169 *S17* **Jember** ***prev.*** Djember. Jawa, C Indonesia
99 *I20* **Jemeppe-sur-Sambre** Namur, S Belgium
37 *R10* **Jemez Pueblo** New Mexico, SW USA
158 *K2* **Jeminay** Xinjiang Uygur Zizhiqu, NW China
189 *U5* **Jemo Island** *atoll* Ratak Chain, C Marshall Islands
169 *U11* **Jempang, Danau** ◎ Borneo, N Indonesia
101 *L16* **Jena** Thüringen, C Germany
22 *I6* **Jena** Louisiana, S USA
108 *I8* **Jenaz** Graubünden, SE Switzerland
109 *N7* **Jenbach** Tirol, W Austria
171 *N15* **Jeneponto** ***prev.*** Djeneponto. Sulawesi, C Indonesia
138 *F9* **Jenīn** N West Bank
21 *P7* **Jenkins** Kentucky, S USA
27 *P9* **Jenks** Oklahoma, C USA
Jenné *see* Djenné
109 *X8* **Jennersdorf** Burgenland, SE Austria
22 *H9* **Jennings** Louisiana, S USA
9 *N7* **Jenny Lind Island** *island* Nunavut, N Canada
23 *Y13* **Jensen Beach** Florida, SE USA
9 *P6* **Jens Munk Island** *island* Nunavut, NE Canada
59 *O17* **Jequié** Bahia, E Brazil
59 *O18* **Jequitinhonha, Rio** ≈ E Brazil
Jerablus *see* Jarābulus
74 *H6* **Jerada** NE Morocco
Jerash *see* Jarash
75 *N7* **Jerba, Île de** ***var.*** Djerba, Jazīrat Jarbah. *island* E Tunisia
44 *K9* **Jérémie** SW Haiti
Jerez *see* Jeréz de la Frontera, Spain
Jeréz *see* Jerez de García Salinas, Mexico
40 *L11* **Jerez de García Salinas** ***var.*** Jeréz. Zacatecas, C Mexico
104 *J15* **Jeréz de la Frontera** ***var.*** Jerez; ***prev.*** Xeres. Andalucía, SW Spain
104 *I12* **Jeréz de los Caballeros** Extremadura, W Spain
Jergucati *see* Jorgucat
138 *G10* **Jericho** ***Ar.*** Arīḥā, ***Heb.*** Yeriḫo. E West Bank
74 *M7* **Jerid, Chott el** ***var.*** Shaṭṭ al Jarīd. *salt lake* SW Tunisia
183 *O10* **Jerilderie** New South Wales, SE Australia
Jerischmarkt *see* Câmpia Turzii
92 *K11* **Jerisjärvi** ◎ NW Finland
Jermentau *see* Yereymentau
Jermer *see* Jaroměř
36 *K11* **Jerome** Arizona, SW USA
33 *O15* **Jerome** Idaho, NW USA
97 *L26* **Jersey** *island* Channel Islands, NW Europe
18 *K14* **Jersey City** New Jersey, NE USA
18 *F13* **Jersey Shore** Pennsylvania, NE USA
30 *K14* **Jerseyville** Illinois, N USA
104 *K8* **Jerte** ≈ W Spain
138 *F10* **Jerusalem** ***Ar.*** Al Quds, Al Quds ash Sharīf, ***Heb.*** Yerushalayim; ***anc.*** Hierosolyma. ● (Israel) Jerusalem, NE Israel
138 *G10* **Jerusalem** ◈ *district* E Israel
183 *S10* **Jervis Bay** New South Wales, SE Australia
183 *S10* **Jervis Bay Territory** ◈ *territory* SE Australia
Jerwakant *see* Järvakandi
109 *S10* **Jesenice** ***Ger.*** Assling. NW Slovenia
111 *H16* **Jeseník** ***Ger.*** Freiwaldau. Olomoucký Kraj, E Czech Republic
Jesi *see* Iesi
106 *I8* **Jesolo** ***var.*** Iesolo. Veneto, NE Italy
Jesselton *see* Kota Kinabalu
95 *I14* **Jessheim** Akershus, S Norway
153 *T15* **Jessore** Khulna, W Bangladesh
23 *W6* **Jesup** Georgia, SE USA
41 *S15* **Jesús Carranza** Veracruz-Llave, SE Mexico
62 *K10* **Jesús María** Córdoba, C Argentina
26 *K6* **Jetmore** Kansas, C USA
103 *Q2* **Jeumont** Nord, N France
95 *H14* **Jevnaker** Oppland, S Norway
Jewe *see* Jõhvi
25 *V9* **Jewett** Texas, SW USA
19 *N12* **Jewett City** Connecticut, NE USA
Jewish Autonomous Oblast *see* Yevreyskaya Avtonomnaya Oblast'
Jeypore/Jeypur *see* Jaypur, Orissa, India
Jeypore *see* Jaipur, Rājasthān, India
113 *L17* **Jezercës, Maja e** ▲ N Albania
111 *B18* **Jezerní Hora** ▲ SW Czech Republic
154 *F10* **Jhābua** Madhya Pradesh, C India
152 *H14* **Jhālāwār** Rājasthān, N India
Jhang/Jhang Sadar *see* Jhang Sadr
149 *U9* **Jhang Sadr** ***var.*** Jhang, Jhang Sadar. Punjab, NE Pakistan
152 *J13* **Jhānsi** Uttar Pradesh, N India
153 *O16* **Jhārkhand** ◈ *state* NE India
154 *M11* **Jhārsuguda** Orissa, E India
149 *V7* **Jhelum** Punjab, NE Pakistan
Jhenaidaha *see* Jhenida
153 *T15* **Jhenida** ***var.*** Jhenaidaha. Dhaka, W Bangladesh
149 *P16* **Jhimpīr** Sind, SE Pakistan
Jhind *see* Jīnd
149 *R16* **Jhudo** Sind, SE Pakistan
Jhumra *see* Chak Jhumra
152 *H11* **Jhunjhunūn** Rājasthān, N India
Ji *see* Hebei, China
Ji *see* Jilin, China
Jiading *see* Xinfeng
153 *S14* **Jiāganj** West Bengal, NE India
160 *J7* **Jialing Jiang** ≈ C China
163 *Y7* **Jiamusi** ***var.*** Chia-mu-ssu, Kiamusze. Heilongjiang, NE China
161 *O11* **Ji'an** Jiangxi, S China
163 *W12* **Ji'an** Jilin, NE China
163 *T13* **Jianchang** Liaoning, NE China
Jianchang *see* Nancheng
160 *F11* **Jianchuan** ***var.*** Jinhuan. Yunnan, SW China
158 *M4* **Jiangjunmiao** Xinjiang Uygur Zizhiqu, W China
160 *K11* **Jiangkou** ***var.*** Shuangjiang. Guizhou, S China
Jiangkou *see* Fengkai
161 *Q12* **Jiangle** ***var.*** Guyong. Fujian, SE China
161 *N15* **Jiangmen** Guangdong, S China
Jiangna *see* Yanshan
161 *Q10* **Jiangshan** Zhejiang, SE China
161 *Q7* **Jiangsu** ***var.*** Chiang-su, Jiangsu Sheng, Kiangsu, Su. ◈ *province* E China
Jiangsu Sheng *see* Jiangsu
161 *O11* **Jiangxi** ***var.*** Chiang-hsi, Gan, Jiangxi Sheng, Kiangsi. ◈ *province* S China
Jiangxi Sheng *see* Jiangxi
160 *I8* **Jiangyou** ***prev.*** Zhongba. Sichuan, C China
161 *N9* **Jianli** ***var.*** Rongcheng. Hubei, C China
161 *Q11* **Jian'ou** Fujian, SE China
163 *S12* **Jianping** ***var.*** Yebaishou. Liaoning, NE China
Jianshe *see* Baiyü
160 *L9* **Jianshi** ***var.*** Yezhou. Hubei, C China
161 *Q11* **Jianyang** Fujian, SE China
160 *I9* **Jianyang** Sichuan, C China
163 *X10* **Jiaohe** Jilin, NE China
Jiaojiang *see* Taizhou
Jiaoxian *see* Jiaozhou
161 *R5* **Jiaozhou** ***prev.*** Jiaoxian. Shandong, E China
161 *N6* **Jiaozuo** Henan, C China
Jiashan *see* Mingguang
158 *F8* **Jiashi** ***var.*** Payzawat. Xinjiang Uygur Zizhiqu, NW China
154 *L9* **Jiāwān** Madhya Pradesh, C India
161 *S9* **Jiaxing** Zhejiang, SE China
Jiayi *see* Chiai
163 *X6* **Jiayin** ***var.*** Chaoyang. Heilongjiang, NE China
159 *R8* **Jiayuguan** Gansu, N China
Jibhalanta *see* Uliastay
138 *M4* **Jibli** Ar Raqqah, C Syria
116 *H9* **Jibou** ***Hung.*** Zsibó. Sălaj, NW Romania
141 *Z9* **Jibsh, Ra's al** *headland* E Oman
Jibuti *see* Djibouti
111 *E15* **Jičín** ***Ger.*** Jitschin. Královéhradecký Kraj, N Czech Republic
140 *K10* **Jiddah** ***Eng.*** Jedda. ● (Saudi Arabia) Makkah, W Saudi Arabia
141 *W11* **Jiddat al Ḥarāsīs** *desert* C Oman
Jiesjavrre *see* Iešjávri
160 *M4* **Jiexiu** Shanxi, C China
161 *P14* **Jieyang** Guangdong, S China
119 *F14* **Jieznas** Kaunas, S Lithuania
Jīfa', Bi'r *see* Jif'īyah, Bi'r
141 *P15* **Jif'īyah, Bi'r** ***var.*** Bi'r Jīfa'. *well* C Yemen
77 *W13* **Jigawa** ◈ *state* N Nigeria
146 *J10* **Jigerbent** ***Rus.*** Dzhigirbent. Lebap Welaýaty, NE Turkmenistan
44 *I7* **Jiguaní** Granma, E Cuba
159 *T12* **Jigzhi** ***var.*** Chugqênsumdo. Qinghai, C China
Jih-k'a-tse *see* Xigazê
111 *E18* **Jihlava** ***Ger.*** Iglau, ***Pol.*** Igława. Vysočina, C Czech Republic
111 *E18* **Jihlava** ***var.*** Igel, ***Ger.*** Iglawa. ≈ S Czech Republic
Jihlavský Kraj *see* Vysočina
111 *C18* **Jihočeský Kraj** ***prev.*** Budějovický Kraj. ◈ *region* S Czech Republic
111 *G19* **Jihomoravský Kraj** ***prev.*** Brněnský Kraj. ◈ *region* SE Czech Republic
74 *L5* **Jijel** ***var.*** Djidjel; ***prev.*** Djidjelli. NE Algeria
116 *L9* **Jijia** ≈ N Romania
80 *L13* **Jijiga** ***It.*** Giggiga. Somali, E Ethiopia
105 *S12* **Jijona** ***var.*** Xixona. País Valenciano, E Spain
Jilf al Kabīr, Haḍabat al *see* Gilf Kebir Plateau
81 *L18* **Jilib** ***It.*** Gelib. Jubbada Dhexe, S Somalia
163 *W10* **Jilin** ***var.*** Chi-lin, Girin, Kirin; ***prev.*** Yungki, Yunki. Jilin, NE China
163 *W10* **Jilin** ***var.*** Chi-lin, Girin, Ji, Jilin Sheng, Kirin. ◈ *province* NE China
163 *W11* **Jilin Hada Ling** ⛰ NE China
Jilin Sheng *see* Jilin
163 *S4* **Jiliu He** ≈ NE China
105 *Q6* **Jiloca** ≈ N Spain
81 *I14* **Jīma** ***var.*** Jimma, ***It.*** Gimma. Oromo, C Ethiopia
44 *M9* **Jimaní** W Dominican Republic
116 *E11* **Jimbolia** ***Ger.*** Hatzfeld, ***Hung.*** Zsombolya. Timiș, W Romania
104 *K16* **Jimena de la Frontera** Andalucía, S Spain
40 *K7* **Jiménez** Chihuahua, N Mexico
41 *N5* **Jiménez** Coahuila de Zaragoza, NE Mexico
41 *P9* **Jiménez** ***var.*** Santander Jiménez. Tamaulipas, C Mexico
40 *L10* **Jiménez del Teul** Zacatecas, C Mexico
77 *Y14* **Jimeta** Adamawa, E Nigeria
Jimma *see* Jīma
158 *M5* **Jimsar** Xinjiang Uygur Zizhiqu, NW China
18 *I14* **Jim Thorpe** Pennsylvania, NE USA
Jin *see* Shanxi, China
Jin *see* Tianjin Shi, China
161 *P5* **Jinan** ***var.*** Chinan, Chi-nan, Tsinan. Shandong, E China
Jin'an *see* Songpan
Jinbi *see* Dayao
159 *T8* **Jinchang** Gansu, N China
161 *N5* **Jincheng** Shanxi, C China
Jincheng *see* Wuding
Jinchengjiang *see* Hechi
152 *I9* **Jīnd** ***prev.*** Jhind. Haryāna, NW India
183 *Q11* **Jindabyne** New South Wales, SE Australia
111 *O18* **Jindřichův Hradec** ***Ger.*** Neuhaus. Jihočeský Kraj, S Czech Republic
Jing *see* Beijing Shi, China
Jing *see* Jinghe, China
159 *X10* **Jingchuan** Gansu, C China
161 *Q10* **Jingdezhen** Jiangxi, S China
161 *O12* **Jinggangshan** Jiangxi, S China
161 *P3* **Jinghai** Tianjin Shi, E China
160 *K6* **Jing He** ≈ C China
158 *I4* **Jinghe** ***var.*** Jing. Xinjiang Uygur Zizhiqu, NW China
160 *F15* **Jinghong** ***var.*** Yunjinghong. Yunnan, SW China
160 *M9* **Jingmen** Hubei, C China
163 *X10* **Jingpo Hu** ◎ NE China
160 *M8* **Jing Shan** ⛰ C China
159 *V9* **Jingtai** ***var.*** Yitiaoshan. Gansu, C China
160 *J14* **Jingxi** ***var.*** Xinjing. Guangxi Zhuangzu Zizhiqu, S China
Jing Xian *see* Jingzhou, Hunan
163 *W11* **Jingyu** Jilin, NE China
159 *V10* **Jingyuan** Gansu, C China
160 *M9* **Jingzhou** ***prev.*** Shashi, Shashih, Shasi. Hubei, C China
160 *L12* **Jingzhou** ***var.*** Jing Xian, Jingzhou Miaozu Dongzu Zizhixian, Quyang. Hunan, S China
Jingzhou Miaozu Dongzu Zizhixian *see* Jingzhou, Hunan
161 *R10* **Jinhua** Zhejiang, SE China
Jinhuan *see* Jianchuan
163 *P13* **Jining** Nei Mongol Zizhiqu, N China
161 *P5* **Jining** Shandong, E China
81 *G18* **Jinja** S Uganda
161 *R13* **Jinjiang** ***var.*** Qingyang. Fujian, SE China
161 *O11* **Jin Jiang** ≈ S China
Jinjiang *see* Chengmai
171 *V15* **Jin, Kepulauan** *island group* E Indonesia
Jinmen Dao *see* Chinmen Tao
42 *J9* **Jinotega** Jinotega, NW Nicaragua
42 *K7* **Jinotega** ◈ *department* N Nicaragua
42 *J11* **Jinotepe** Carazo, SW Nicaragua
160 *L13* **Jinping** ***var.*** Sanjiang. Guizhou, S China
160 *H14* **Jinping** Yunnan, SW China
Jinsen *see* Inch'ŏn
160 *J11* **Jinsha** Guizhou, S China
157 *N12* **Jinsha Jiang** ***Eng.*** Yangtze. ≈ SW China
160 *M10* **Jinshi** Hunan, S China
Jinshi *see* Xinning
159 *R7* **Jinta** Gansu, N China
161 *Q12* **Jin Xi** ≈ SE China
Jinxi *see* Huludao
Jinxian *see* Jinzhou
161 *P6* **Jinxiang** Shandong, E China
161 *P8* **Jinzhai** ***var.*** Meishan. Anhui, E China
161 *N4* **Jinzhong** ***var.*** Yuci. Shanxi, C China
163 *U14* **Jinzhou** ***prev.*** Jinxian. Liaoning, NE China
163 *T12* **Jinzhou** ***var.*** Chin-chou, Chinchow; ***prev.*** Chinhsien. Liaoning, NE China
Jinzhu *see* Daocheng
138 *H12* **Jinz, Qā' al** ◎ C Jordan
56 *A7* **Jipijapa** Manabí, W Ecuador
42 *F8* **Jiquilisco** Usulután, S El Salvador
Jirgalanta *see* Hovd
147 *S12* **Jirgatol** ***Rus.*** Dzhirgatal'. C Tajikistan
Jirjā *see* Girga
111 *B15* **Jirkov** ***Ger.*** Görkau. Ústecký Kraj, NW Czech Republic
Jiroft *see* Sabzvārān
160 *L11* **Jishou** Hunan, S China
Jisr ash Shadadi *see* Ash Shadādah
116 *I14* **Jitaru** Olt, S Romania
Jitschin *see* Jičín
116 *H14* **Jiu** ***Ger.*** Schil, Schyl, ***Hung.*** Zsil, Zsily. ≈ S Romania
161 *R11* **Jiufeng Shan** ⛰ SE China
161 *P9* **Jiujiang** Jiangxi, S China
161 *O10* **Jiuling Shan** ⛰ S China
160 *G10* **Jiulong** ***var.*** Garba, ***Tib.*** Gyaisi. Sichuan, C China
161 *Q13* **Jiulong Jiang** ≈ SE China
161 *Q12* **Jiulong Xi** ≈ SE China
159 *R8* **Jiuquan** ***var.*** Suzhou. Gansu, N China
160 *K17* **Jiusuo** Hainan, S China
163 *W10* **Jiutai** Jilin, NE China
160 *K13* **Jiuwan Dashan** ⛰ S China
160 *I7* **Jiuzhaigou** ***prev.*** Nanping. Sichuan, C China
148 *I16* **Jīwani** Baluchistān, SW Pakistan
163 *Y8* **Jixi** Heilongjiang, NE China
163 *Y7* **Jixian** Heilongjiang, NE China
160 *M5* **Jixian** ***var.*** Ji Xian. Shanxi, C China
Jiza *see* Al Jīzah
141 *N13* **Jīzān** ***var.*** Qīzān. Jīzān, SW Saudi Arabia
141 *N13* **Jīzān** ***var.*** Minṭaqat Jīzān. ◈ *province* SW Saudi Arabia
140 *K6* **Jizl, Wādī al** *dry watercourse* W Saudi Arabia
164 *H12* **Jizō-zaki** *headland* Honshū, SW Japan
141 *U14* **Jiz', Wādī al** *dry watercourse* E Yemen
147 *O11* **Jizzakh** ***Rus.*** Dzhizak. Jizzax Viloyati, C Uzbekistan
147 *N10* **Jizzax Viloyati** ***Rus.*** Dzhizakskaya Oblast'. ◈ *province* C Uzbekistan
60 *I13* **Joaçaba** Santa Catarina, S Brazil
Joal *see* Joal-Fadiout
76 *F11* **Joal-Fadiout** ***prev.*** Joal. W Senegal
76 *E10* **João Barrosa** Boa Vista, E Cape Verde
João Belo *see* Xai-Xai
João de Almeida *see* Chibia
59 *Q15* **João Pessoa** ***prev.*** Paraíba. *state capital* Paraíba, E Brazil
25 *X7* **Joaquin** Texas, SW USA
62 *K6* **Joaquín V.González** Salta, N Argentina
Joazeiro *see* Juazeiro
Jo'burg *see* Johannesburg
109 *O7* **Jochberger Ache** ≈ W Austria
Jo-ch'iang *see* Ruoqiang
92 *K12* **Jock** Norrbotten, N Sweden
42 *I5* **Jocón** Yoro, N Honduras
105 *O13* **Jódar** Andalucía, S Spain
152 *F12* **Jodhpur** Rājasthān, NW India
99 *I19* **Jodoigne** Wallon Brabant, C Belgium
95 *I22* **Jægerspris** Frederiksborg, E Denmark
93 *O16* **Joensuu** Itä-Suomi, E Finland
95 *C17* **Jæren** *physical region* S Norway
37 *W4* **Joes** Colorado, C USA
191 *Z3* **Joe's Hill** *hill* Kiritimati, NE Kiribati
165 *N11* **Jōetsu** ***var.*** Zyôetu. Niigata, Honshū, C Japan
83 *M18* **Jofane** Inhambane, S Mozambique
153 *R12* **Jogbani** Bihār, NE India
118 *I5* **Jõgeva** ***Ger.*** Laisholm. Jõgevamaa, E Estonia
118 *I4* **Jõgevamaa** ***off.*** Jõgeva Maakond. ◈ *province* E Estonia
155 *E18* **Jog Falls** *waterfall* Karnātaka, W India
143 *S4* **Joghatāy** Khorāsān, NE Iran
153 *U12* **Jogīghopa** Assam, NE India
152 *I7* **Jogindarnagar** Himāchal Pradesh, N India
Jogjakarta *see* Yogyakarta
164 *L11* **Jōhana** Toyama, Honshū, SW Japan
83 *J21* **Johannesburg** ***var.*** Egoli, Erautini, Gauteng, ***abbrev.*** Jo'burg. Gauteng, NE South Africa
35 *T13* **Johannesburg** California, W USA
83 *I21* **Johannesburg** ✈ Gauteng, NE South Africa
Johannisburg *see* Pisz
149 *P14* **Johi** Sind, SE Pakistan
55 *T13* **Johi Village** S Guyana
32 *K13* **John Day** Oregon, NW USA
32 *I11* **John Day River** ≈ Oregon, NW USA
18 *L14* **John F Kennedy** ✈ (New York) Long Island, New York, NE USA
21 *V8* **John H.Kerr Reservoir** ***var.*** Buggs Island Lake, Kerr Lake. ⊠ North Carolina/Virginia, SE USA
37 *V6* **John Martin Reservoir** ⊠ Colorado, C USA
96 *K6* **John o'Groats** N Scotland, UK
27 *P5* **John Redmond Reservoir** ⊠ Kansas, C USA
39 *Q7* **John River** ≈ Alaska, USA
26 *H6* **Johnson** Kansas, C USA
18 *M7* **Johnson** Vermont, NE USA
18 *D13* **Johnsonburg** Pennsylvania, NE USA
18 *H11* **Johnson City** New York, NE USA
21 *P8* **Johnson City** Tennessee, S USA
25 *R10* **Johnson City** Texas, SW USA
35 *S12* **Johnsondale** California, W USA
10 *I8* **Johnsons Crossing** Yukon Territory, W Canada
21 *T13* **Johnsonville** South Carolina, SE USA
21 *Q13* **Johnston** South Carolina, SE USA
192 *M6* **Johnston Atoll** ◇ *US unincorporated territory* C Pacific Ocean
30 *L17* **Johnston City** Illinois, N USA
180 *K12* **Johnston, Lake** *salt lake* Western Australia
31 *S13* **Johnstown** Ohio, N USA
18 *D15* **Johnstown** Pennsylvania, NE USA
168 *L10* **Johor** ***var.*** Johore. ◈ *state* Peninsular Malaysia
Johor Baharu *see* Johor Bahru
168 *K10* **Johor Bahru** ***var.*** Johor Baharu, Johore Bahru. Johor, Peninsular Malaysia
Johore *see* Johor
Johore Bahru *see* Johor Bahru
118 *K3* **Jõhvi** ***Ger.*** Jewe. Ida-Virumaa, NE Estonia
103 *P7* **Joigny** Yonne, C France
Joinvile *see* Joinville
60 *K12* **Joinville** ***var.*** Joinvile. Santa Catarina, S Brazil
103 *R6* **Joinville** Haute-Marne, N France
194 *H3* **Joinville Island** *island* Antarctica
41 *O15* **Jojutla** ***var.*** Jojutla de Juárez. Morelos, S Mexico
Jojutla de Juárez *see* Jojutla
92 *I12* **Jokkmokk** ***Lapp.*** Dálvvadis. Norrbotten, N Sweden
92 *L2* **Jökulsá á Dal** ≈ E Iceland
92 *K2* **Jökulsá á Fjöllum** ≈ NE Iceland
Jokyakarta *see* Yogyakarta
30 *M11* **Joliet** Illinois, N USA
15 *O11* **Joliette** Québec, SE Canada
171 *O8* **Jolo** Jolo Island, SW Philippines
94 *D11* **Jølstravatnet** ◎ S Norway
169 *S16* **Jombang** ***prev.*** Djombang. Jawa, S Indonesia
159 *R14* **Jomda** Xizang Zizhiqu, W China
118 *G13* **Jonava** ***Ger.*** Janow, ***Pol.*** Janów. Kaunas, C Lithuania
146 *L11* **Jondor** ***Rus.*** Zhondor. Buxoro Viloyati, C Uzbekistan
159 *V11* **Jonê** Gansu, C China
27 *X9* **Jonesboro** Arkansas, C USA
23 *S4* **Jonesboro** Georgia, SE USA
30 *L17* **Jonesboro** Illinois, N USA
22 *H5* **Jonesboro** Louisiana, S USA

◆ Country
● Country Capital
◇ Dependent Territory
○ Dependent Territory Capital
◈ Administrative Region
✈ International Airport
▲ Mountain
⛰ Mountain Range
Volcano
≈ River
◎ Lake
⊠ Reservoir

JONESBORO – KALACH ••• 267

21 P8 **Jonesboro** Tennessee, S USA
19 T6 **Jonesport** Maine, NE USA
9 N4 **Jones Sound** channel Nunavut, N Canada
22 I6 **Jonesville** Louisiana, S USA
31 Q10 **Jonesville** Michigan, N USA
21 Q11 **Jonesville** South Carolina, SE USA
146 K10 **Jongeldi** Rus. Dzhankel'dy. Buxoro Viloyati, C Uzbekistan
81 F14 **Jonglei** Jonglei, SE Sudan
81 F14 **Jonglei** var. Gongoleh State. ◈ state SE Sudan
81 F14 **Jonglei Canal** canal S Sudan
118 F11 **Joniškėlis** Panevėžys, N Lithuania
118 F10 **Joniškis** Ger. Janischken. Šiauliai, N Lithuania
95 L19 **Jönköping** Jönköping, S Sweden
95 K20 **Jönköping** ◈ county S Sweden
15 Q7 **Jonquière** Québec, SE Canada
41 V15 **Jonuta** Tabasco, SE Mexico
102 K12 **Jonzac** Charente-Maritime, W France
27 R7 **Joplin** Missouri, C USA
33 W8 **Jordan** Montana, NW USA
138 H12 **Jordan** off. Hashemite Kingdom of Jordan, Ar. Al Mamlakah al Urdunīyah al Hāshimīyah, Al Urdunn; prev. Transjordan. ◆ monarchy SW Asia
138 G9 **Jordan** Ar. Urdunn, Heb. HaYarden. ~ SW Asia
Jordan Lake see B.Everett Jordan Reservoir
111 K17 **Jordanów** Małopolskie, S Poland
32 M15 **Jordan Valley** Oregon, NW USA
138 G9 **Jordan Valley** valley N Israel
57 D15 **Jorge Chávez International** var. Lima. ✈ (Lima) Lima, W Peru
113 L23 **Jorgucat** var. Jergucati, Jorgucati. Gjirokastër, S Albania
Jorgucati see Jorgucat
153 X12 **Jorhāt** Assam, NE India
93 J14 **Jörn** Västerbotten, N Sweden
37 R14 **Jornada Del Muerto** valley New Mexico, SW USA
93 N17 **Joroinen** Isä-Suomi, E Finland
95 C16 **Jørpeland** Rogaland, S Norway
77 W14 **Jos** Plateau, C Nigeria
171 Q8 **Jose Abad Santos** var. Trinidad. Mindanao, S Philippines
61 F19 **José Batlle y Ordóñez** var. Batlle y Ordóñez. Florida, C Uruguay
63 H18 **José de San Martín** Chubut, S Argentina
61 E19 **José Enrique Rodó** var. Rodó, José E.Rodo; prev. Drabble, Drable. Soriano, SW Uruguay
José E.Rodo see José Enrique Rodó
Josefsdorf see Žabalj
44 C4 **José Martí** ✈ (La Habana) Cuidad de La Habana, N Cuba
61 F19 **José Pedro Varela** var. José P.Varela. Lavalleja, S Uruguay
181 N2 **Joseph Bonaparte Gulf** gulf N Australia
37 N11 **Joseph City** Arizona, SW USA
13 O9 **Joseph, Lake** ◎ Newfoundland and Labrador, E Canada
14 G13 **Joseph, Lake** ◎ Ontario, S Canada
186 C6 **Josephstaal** Madang, N PNG
José P.Varela see José Pedro Varela
59 J14 **José Rodrigues** Pará, N Brazil
152 K9 **Joshīmath** Uttaranchal, N India
25 T7 **Joshua** Texas, SW USA
35 V15 **Joshua Tree** California, W USA
77 V14 **Jos Plateau** plateau C Nigeria
102 H6 **Josselin** Morbihan, NW France
Jos Sudarso see Yos Sudarso, Pulau
94 E11 **Jostedalsbreen** glacier S Norway
94 F12 **Jotunheimen** ▲ S Norway
138 G7 **Joûnié** var. Juniyah. W Lebanon
25 R13 **Jourdanton** Texas, SW USA
98 L7 **Joure** Fris. De Jouwer. Friesland, N Netherlands
93 M18 **Joutsa** Länsi-Suomi, W Finland
93 N18 **Joutseno** Etelä-Suomi, S Finland
92 M12 **Joutsijärvi** Lappi, NE Finland
108 A9 **Joux, Lac de** ◎ W Switzerland
44 D5 **Jovellanos** Matanzas, W Cuba
153 V13 **Jowai** Meghālaya, NE India
Jowat see Jabwot
Jowhar see Jawhar
143 O12 **Jowkān** Fārs, S Iran
143 Q10 **Jowzam** Kermān, C Iran
149 N2 **Jowzjān** ◈ province N Afghanistan
Józseffalva see Žabalj
J.Storm Thurmond Reservoir see Clark Hill Lake
45 T6 **Juana Díaz** C Puerto Rico
40 L9 **Juan Aldama** Zacatecas, C Mexico
32 F7 **Juan de Fuca, Strait of** strait Canada/USA
Juan Fernandez Islands see Juan Fernández, Islas
193 S11 **Juan Fernández, Islas** Eng. Juan Fernandez Islands. island group W Chile
55 O4 **Juangriego** Nueva Esparta, NE Venezuela
56 D11 **Juanjuí** var. Juanjuy. San Martín, N Peru
Juanjuy see Juanjuí
93 N16 **Juankoski** Itä-Suomi, C Finland
Juan Lacaze see Juan L.Lacaze
61 E20 **Juan L.Lacaze** var. Juan Lacaze, Puerto Sauce; prev. Sauce. Colonia, SW Uruguay
62 L5 **Juan Solá** Salta, N Argentina
63 F21 **Juan Stuven, Isla** island S Chile
59 H16 **Juará** Mato Grosso, W Brazil
41 N7 **Juárez** var. Villa Juárez. Coahuila de Zaragoza, NE Mexico
40 C2 **Juárez, Sierra de** ▲ NW Mexico
59 O15 **Juazeiro** prev. Joazeiro. Bahia, E Brazil
59 P14 **Juazeiro do Norte** Ceará, E Brazil
81 F15 **Juba** var. Jūbā. Bahr el Gabel, S Sudan
81 L17 **Juba** Amh. Genalē Wenz, It. Guiba, Som. Ganaane, Webi Jubba. ~ Ethiopia/Somalia
194 H2 **Jubany** Argentinian research station Antarctica
Jubayl see Jbaïl
81 L18 **Jubbada Dhexe** off. Gobolka Jubbada Dhexe. ◈ region SW Somalia
81 K18 **Jubbada Hoose** ◈ region SW Somalia
Jubba, Webi see Juba
Jubbulpore see Jabalpur
Jubeil see Jbaïl
74 B9 **Juby, Cap** headland SW Morocco
105 R10 **Júcar** var. Jucar. ~ C Spain
40 L12 **Juchipila** Zacatecas, C Mexico
41 S16 **Juchitán** var. Juchitán de Zaragosa. Oaxaca, SE Mexico
Juchitán de Zaragosa see Juchitán
138 G11 **Judaea** cultural region Israel/West Bank
138 F11 **Judaean Hills** Heb. Haré Yehuda. hill range E Israel
138 H8 **Judaydah** Fr. Jdaïdé. Dimashq, W Syria
139 F11 **Judayyidat Hāmir** S Iraq
109 U8 **Judenburg** Steiermark, C Austria
33 T8 **Judith River** ~ Montana, NW USA
27 V11 **Judsonia** Arkansas, C USA
141 P14 **Jufrah, Wādī al** dry watercourse NW Yemen
Jugar see Sêrxü
Jugoslavija/Jugoslavija, Savezna Republika see Serbia and Montenegro (Yugo.)
42 K10 **Juigalpa** Chontales, S Nicaragua
151 T13 **Juishui** C Taiwan
100 E9 **Juist** island NW Germany
59 M21 **Juiz de Fora** Minas Gerais, SE Brazil
62 J5 **Jujuy** off. Provincia de Jujuy. ◈ province N Argentina
Jujuy see San Salvador de Jujuy
92 J11 **Jukkasjärvi** Lapp. Čohkkiras. Norrbotten, N Sweden
Jula see Gyula, Hungary
Jūlā see Jālū, Libya
37 W2 **Julesburg** Colorado, C USA
Julia Beterrae see Béziers
57 I17 **Juliaca** Puno, SE Peru
181 U6 **Julia Creek** Queensland, C Australia
35 V17 **Julian** California, W USA
98 H7 **Julianadorp** Noord-Holland, NW Netherlands
109 S11 **Julian Alps** Ger. Julische Alpen, It. Alpi Giulie, Slvn. Julijske Alpe. ▲ Italy/Slovenia
55 V11 **Juliana Top** ▲ C Suriname
Julianehåb see Qaqortoq
Julijske Alpe see Julian Alps
40 J6 **Julimes** Chihuahua, N Mexico
Julio Briga see Bragança, Portugal
Juliobriga see Logroño, Spain
61 G15 **Júlio de Castilhos** Rio Grande do Sul, S Brazil
Juliomagus see Angers
Julische Alpen see Julian Alps
Jullundur see Jalandhar
147 N11 **Juma** Rus. Dzhuma. Samarqand Viloyati, C Uzbekistan
161 O3 **Juma He** ~ E China
81 L18 **Jumboo** Jubbada Hoose, S Somalia
35 Y11 **Jumbo Peak** ▲ Nevada, W USA
105 R12 **Jumilla** Murcia, SE Spain
153 N10 **Jumla** Mid Western, NW Nepal
Jummoo see Jammu
Jumna see Yamuna
Jumporn see Chumphon
30 K5 **Jump River** ~ Wisconsin, N USA
154 B11 **Jūnāgadh** var. Junagarh. Gujarāt, W India
Junagarh see Jūnāgadh
161 Q6 **Junan** var. Shizilu. Shandong, E China
62 G11 **Juncal, Cerro** ▲ C Chile
25 Q10 **Junction** Texas, SW USA
36 K6 **Junction** Utah, W USA
27 O4 **Junction City** Kansas, C USA
32 F13 **Junction City** Oregon, NW USA
60 M10 **Jundiaí** São Paulo, S Brazil
39 X12 **Juneau** state capital Alaska, USA
30 M8 **Juneau** Wisconsin, N USA
105 U6 **Juneda** Cataluña, NE Spain
183 Q9 **Junee** New South Wales, SE Australia
35 R8 **June Lake** California, W USA
Jungbunzlau see Mladá Boleslav
158 L4 **Junggar Pendi** Eng. Dzungarian Basin. basin NW China
99 N24 **Junglinster** Grevenmacher, C Luxembourg
18 F14 **Juniata River** ~ Pennsylvania, NE USA
61 B20 **Junín** Buenos Aires, E Argentina
57 E14 **Junín** Junín, C Peru
57 F14 **Junín** off. Departamento de Junín. ◈ department C Peru
63 H15 **Junín de los Andes** Neuquén, W Argentina
57 D14 **Junín, Lago de** ◎ C Peru
Juniyah see Joûnié
Junkseylon see Phuket
160 I11 **Junlian** Sichuan, C China
25 O11 **Juno** Texas, SW USA
92 J11 **Junosuando** Lapp. Čunusavvon. Norrbotten, N Sweden
93 H16 **Junsele** Västernorrland, C Sweden
Junten see Sunch'ŏn
32 L14 **Juntura** Oregon, NW USA
93 N14 **Juntusranta** Oulu, E Finland
118 H11 **Juodupė** Panevėžys, NE Lithuania
119 H14 **Juozapinės Kalnas** ▲ SE Lithuania
99 K19 **Juprelle** Liège, E Belgium
80 D13 **Jur** ~ C Sudan
103 S9 **Jura** ◈ department E France
108 C7 **Jura** ◈ canton NW Switzerland
108 B8 **Jura** var. Jura Mountains. ▲ France/Switzerland
96 G12 **Jura** island SW Scotland, UK
Juraciszki see Yuratsishki
54 C8 **Juradó** Chocó, NW Colombia
Jura Mountains see Jura
96 G12 **Jura, Sound of** strait W Scotland, UK
139 V15 **Juraybīyāt, Bi'r** well S Iraq
118 E13 **Jurbarkas** Ger. Georgenburg, Jurburg. Tauragė, W Lithuania
99 F20 **Jurbise** Hainaut, SW Belgium
Jurburg see Jurbarkas
118 F9 **Jūrmala** Riga, C Latvia
58 D13 **Juruá** Amazonas, NW Brazil
58 C13 **Juruá, Rio** var. Río Yuruá. ~ Brazil/Peru
59 G16 **Juruena** Mato Grosso, W Brazil
59 G16 **Juruena** ~ W Brazil
165 Q6 **Jūsan-ko** ◎ Honshū, C Japan
25 O6 **Justiceburg** Texas, SW USA
Justinianopolis see Kirşehir
62 K11 **Justo Daract** San Luis, C Argentina
59 C14 **Jutaí** Amazonas, W Brazil
58 C13 **Jutaí, Rio** ~ NW Brazil
100 N13 **Jüterbog** Brandenburg, E Germany
42 E6 **Jutiapa** Jutiapa, S Guatemala
42 A3 **Jutiapa** off. Departamento de Jutiapa. ◈ department SE Guatemala
42 J6 **Juticalpa** Olancho, C Honduras
82 I13 **Jutila** North Western, NW Zambia
Jutland see Jylland
93 N16 **Juuka** Itä-Suomi, E Finland
93 N17 **Juva** Isä-Suomi, SE Finland
Juvavum see Salzburg
44 A6 **Juventud, Isla de la** var. Isla de Pinos, Eng. Isle of Youth; prev. The Isle of the Pines. island W Cuba
161 Q5 **Juxian** var. Chengyang, Ju Xian. Shandong, E China
161 P6 **Juye** Shandong, E China
113 O15 **Južna Morava** Ger. Südliche Morava. ~ SE Serbia and Montenegro (Yugo.)
83 H20 **Jwaneng** Southern, S Botswana
95 I23 **Jyderup** Vestsjælland, E Denmark
95 F22 **Jylland** Eng. Jutland. peninsula W Denmark
Jyrgalan see Dzhergalan
93 M17 **Jyväskylä** Länsi-Suomi, W Finland

K

155 X3 **K2** Chin. Qogir Feng, Eng. Mount Godwin Austen. ▲ China/Pakistan
38 D9 **Ka'a'awa** var. Kaaawa. O'ahu, Hawai'i, USA, C Pacific Ocean
81 G16 **Kaabong** NE Uganda
Kaaden see Kadaň
55 V9 **Kaaimanston** Sipaliwini, N Suriname
Kaakhka see Kaka
Kaala see Caála
187 O16 **Kaala-Gomen** Province Nord, W New Caledonia
92 L9 **Kaamanen** Lapp. Gámas. Lappi, N Finland
Kaapstad see Cape Town
Kaarasjoki see Karasjok
Kaaresuanto see Karesuando
92 J10 **Kaaresuvanto** Lapp. Gárassavon. Lappi, N Finland
93 K19 **Kaarina** Länsi-Suomi, W Finland
99 I14 **Kaatsheuvel** Noord-Brabant, S Netherlands
93 N16 **Kaavi** Itä-Suomi, C Finland
Ka'a'wa see Kaaawa
Kaba see Habahe
171 O14 **Kabaena, Pulau** island C Indonesia
Kabakly see Gabakly
76 J14 **Kabala** N Sierra Leone
81 E19 **Kabale** SW Uganda
55 U10 **Kabalebo Rivier** ~ W Suriname
79 N22 **Kabalo** Katanga, SE Dem. Rep. Congo
145 W13 **Kabanbay** Kaz. Qabanbay; prev. Andreyevka, Kaz. Andreevka. Almaty, SE Kazakhstan
79 O21 **Kabambare** Maniema, E Dem. Rep. Congo
187 Y15 **Kabara** prev. Kambara. island Lau Group, E Fiji
Kabardino-Balkaria see Kabardino-Balkarskaya Respublika
126 M15 **Kabardino-Balkarskaya Respublika** Eng. Kabardino-Balkaria. ◈ autonomous republic SW Russian Federation
79 O19 **Kabare** Sud Kivu, E Dem. Rep. Congo
171 T11 **Kabarei** Papua, E Indonesia
171 P7 **Kabasalan** Mindanao, S Philippines
77 U15 **Kabba** Kogi, S Nigeria
92 I13 **Kåbdalis** Lapp. Gcabddális. Norrbotten, N Sweden
138 M6 **Kabd aş Şārim** hill range E Syria
14 B7 **Kabenung Lake** ◎ Ontario, S Canada
29 W3 **Kabetogama Lake** ◎ Minnesota, N USA
Kabia, Pulau see Kabin, Pulau
79 M22 **Kabinda** Kasai Oriental, SE Dem. Rep. Congo
Kabinda see Cabinda
171 O15 **Kabin, Pulau** var. Pulau Kabia. island W Indonesia
171 P16 **Kabir** Pulau Pantar, S Indonesia
149 T10 **Kabīrwāla** Punjab, E Pakistan
78 I13 **Kabo** Ouham, NW Central African Republic
Kābol see Kābul
83 H14 **Kabompo** North Western, W Zambia
83 H14 **Kabompo** ~ W Zambia
79 M22 **Kabongo** Katanga, SE Dem. Rep. Congo
120 K11 **Kaboudia, Rass** headland E Tunisia
143 U4 **Kabūd Gonbad** Khorāsān, NE Iran
142 L5 **Kabūd Rāhang** Hamadān, W Iran
82 L12 **Kabuko** Northern, NE Zambia
149 Q5 **Kābul** var. Kabul, Per. Kābol. ● (Afghanistan) Kābul, E Afghanistan
149 Q5 **Kābul** Eng. Kabul, Per. Kābol. ◈ province E Afghanistan
149 Q5 **Kābul** ✈ Kābul, E Afghanistan
149 R5 **Kabul** var. Daryā-ye Kābul. ~ Afghanistan/Pakistan see also Kābul, Daryā-ye
149 S5 **Kābul, Daryā-ye** var. Kabul. ~ Afghanistan/Pakistan see also Kabul
79 O25 **Kabunda** Katanga, SE Dem. Rep. Congo
171 R9 **Kaburuang, Pulau** island Kepulauan Talaud, N Indonesia
80 G8 **Kabushiya** River Nile, NE Sudan
83 J14 **Kabwe** Central, C Zambia
186 E7 **Kabwum** Morobe, C PNG
113 N17 **Kačanik** Serbia, S Serbia and Montenegro (Yugo.)
118 F13 **Kačerginė** Kaunas, C Lithuania
117 S13 **Kacha** Respublika Krym, S Ukraine
154 A10 **Kachchh, Gulf of** var. Gulf of Cutch, Gulf of Kutch. gulf W India
154 I11 **Kachchhīdhāna** Madhya Pradesh, C India
149 Q11 **Kachchh, Rann of** var. Rann of Kachh, Rann of Kutch. salt marsh India/Pakistan
39 Q13 **Kachemak Bay** bay Alaska, USA
Kachh, Rann of see Kachchh, Rann of
77 V14 **Kachia** Kaduna, C Nigeria
167 N2 **Kachin State** ◈ state N Myanmar
145 T7 **Kachiry** Pavlodar, NE Kazakhstan
137 Q11 **Kaçkar Dağları** ▲ NE Turkey
155 C21 **Kadamatt Island** island Lakshadweep, India, N Indian Ocean
111 B15 **Kadaň** Ger. Kaaden. Ústecký Kraj, NW Czech Republic
167 N11 **Kadan Kyun** prev. King Island. island Mergui Archipelago, S Myanmar
187 X15 **Kadavu** prev. Kandavu. island S Fiji
187 X15 **Kadavu Passage** channel S Fiji
79 G16 **Kadéï** ~ Cameroon/Central African Republic
Kadhimain see Al Kāzimīyah
Kadijica see Kadiytsa
114 M13 **Kadıköy Barajı** ⊡ NW Turkey
182 I8 **Kadina** South Australia
136 H15 **Kadınhanı** Konya, C Turkey
76 M14 **Kadiolo** Sikasso, S Mali
136 L16 **Kadirli** Osmaniye, S Turkey
114 G11 **Kadiytsa** Mac. Kadijica. ▲ Bulgaria/FYR Macedonia
28 L10 **Kadoka** South Dakota, N USA
127 N5 **Kadom** Ryazanskaya Oblast', W Russian Federation
83 K16 **Kadoma** prev. Gatooma. Mashonaland West, C Zimbabwe
80 E12 **Kadugli** Southern Kordofan, S Sudan
77 V14 **Kaduna** Kaduna, C Nigeria
77 V14 **Kaduna** ◈ state C Nigeria
77 V15 **Kaduna** ~ N Nigeria
124 K14 **Kaduy** Vologodskaya Oblast', NW Russian Federation
154 E13 **Kadwa** ~ W India
123 S9 **Kadykchan** Magadanskaya Oblast', E Russian Federation
Kadzharan see K'ajaran
125 T7 **Kadzherom** Respublika Komi, NW Russian Federation
147 X8 **Kadzhi-Say** Kir. Kajisay. Issyk-Kul'skaya Oblast', NE Kyrgyzstan
76 I10 **Kaédi** Gorgol, S Mauritania
78 G12 **Kaélé** Extrême-Nord, N Cameroon
38 C9 **Ka'ena Point** var. Kaena Point. headland O'ahu, Hawai'i, USA, C Pacific Ocean
184 J2 **Kaeo** Northland, North Island, NZ
163 X14 **Kaesŏng** var. Kaesŏng-si. S North Korea
Kaesŏng-si see Kaesŏng
Kaewieng see Kavieng
79 L24 **Kafakumba** Katanga, S Dem. Rep. Congo
Kafan see Kapan
77 V14 **Kafanchan** Kaduna, C Nigeria
Kaffa see Feodosiya
76 G11 **Kaffrine** C Senegal
Kafiau see Kofiau, Pulau
115 I19 **Kafireas, Akrotírio** headland Évvoia, C Greece
115 I19 **Kafiréos, Stenó** strait Évvoia, Kykládes, Greece, Aegean Sea
Kafirnigan see Kofarnihon
Kafo see Kafu
Kafr ash Shaykh/Kafrel Sheik see Kafr el Sheikh
75 W7 **Kafr el Sheikh** var. Kafr ash Shaykh, Kafrel Sheik. N Egypt
81 F17 **Kafu** var. Kafo. ~ W Uganda
83 J15 **Kafue** Lusaka, SE Zambia
83 I14 **Kafue** ~ C Zambia
164 K12 **Kaga** Ishikawa, Honshū, SW Japan
79 J14 **Kaga Bandoro** prev. Fort-Crampel. Nana-Grébizi, C Central African Republic
81 E18 **Kagadi** W Uganda
38 H17 **Kagalaska Island** island Aleutian Islands, Alaska, USA
Kagan see Kogon
Kaganovichabad see Kolkhozobod
Kagarlyk see Kaharlyk
164 H14 **Kagawa** off. Kagawa-ken. ◈ prefecture Shikoku, SW Japan
154 J13 **Kagaznagar** Andhra Pradesh, C India
93 J14 **Kåge** Västerbotten, N Sweden
81 E19 **Kagera** var. Ziwa Magharibi, Eng. West Lake. ◈ region NW Tanzania
81 E19 **Kagera** var. Akagera. ~ Rwanda/Tanzania see also Akagera
76 L5 **Kâgheț** var. Karet. physical region N Mauritania
Kagi see Chiai
137 S12 **Kağızman** Kars, NE Turkey
188 I6 **Kagman Point** headland Saipan, S Northern Mariana Islands
164 C16 **Kagoshima** var. Kagosima. Kagoshima, Kyūshū, SW Japan
164 C16 **Kagoshima** off. Kagoshima-ken, var. Kagosima. ◈ prefecture Kyūshū, SW Japan
Kagosima see Kagoshima
Kagul see Cahul
Kagul, Ozero see Kahul, Ozero
38 B8 **Kahala Point** headland Kaua'i, Hawai'i, USA, C Pacific Ocean
81 F21 **Kahama** Shinyanga, NW Tanzania
117 P5 **Kaharlyk** Rus. Kagarlyk. Kyyivs'ka Oblast', N Ukraine
169 T13 **Kahayan, Sungai** ~ Borneo, C Indonesia
79 I22 **Kahemba** Bandundu, SW Dem. Rep. Congo
185 A23 **Kaherekoau Mountains** ▲ South Island, NZ
143 W14 **Kahīrī** var. Kūhīrī. Sīstān va Balūchestān, SE Iran
101 L16 **Kahla** Thüringen, C Germany
101 C15 **Kahler Asten** ▲ W Germany
149 Q4 **Kahmard, Daryā-ye** prev. Darya-i-Surkhab. ~ NE Afghanistan
143 T13 **Kahnūj** Kermān, SE Iran
27 V1 **Kahoka** Missouri, C USA
38 E10 **Kaho'olawe** var. Kahoolawe. island Hawai'i, USA, C Pacific Ocean
136 M16 **Kahramanmaraş** var. Kahraman Maraş, Maraş, Marash. Kahramanmaraş, S Turkey
136 L15 **Kahramanmaraş** var. Kahraman Maraş, Maraş, Marash. ◈ province C Turkey
Kahror/Kahror Pakka see Karor Pacca
137 N15 **Kâhta** Adıyaman, S Turkey
38 D8 **Kahuku** O'ahu, Hawai'i, USA, C Pacific Ocean
38 D8 **Kahuku Point** headland O'ahu, Hawai'i, USA, C Pacific Ocean
116 M12 **Kahul, Ozero** var. Lacul Cahul, Rus. Ozero Kagul. ◎ Moldova/Ukraine
143 V11 **Kahūrak** Sīstān va Balūchestān, SE Iran
184 G13 **Kahurangi Point** headland South Island, NZ
149 V6 **Kahūta** Punjab, E Pakistan
77 S14 **Kaiama** Kwara, W Nigeria
186 D7 **Kaiapit** Morobe, C PNG
185 I18 **Kaiapoi** Canterbury, South Island, NZ
36 K9 **Kaibab Plateau** plain Arizona, SW USA
171 U14 **Kai Besar, Pulau** island Kepulauan Kai, E Indonesia
36 L9 **Kaibito Plateau** plain Arizona, SW USA
158 K6 **Kaidu He** var. Karaxahar. ~ NW China
55 S10 **Kaieteur Falls** waterfall C Guyana
161 O6 **Kaifeng** Henan, C China
184 J3 **Kaihu** Northland, North Island, NZ
Kaihua see Wenshan
171 U14 **Kai Kecil, Pulau** island Kepulauan Kai, E Indonesia
169 U16 **Kai, Kepulauan** prev. Kei Islands. island group Maluku, SE Indonesia
184 J3 **Kaikohe** Northland, North Island, NZ
185 J16 **Kaikoura** Canterbury, South Island, NZ
185 J16 **Kaikoura Peninsula** peninsula South Island, NZ
Kailas Range see Gangdisê Shan
160 K12 **Kaili** Guizhou, S China
38 F10 **Kailua** Maui, Hawai'i, USA, C Pacific Ocean
Kailua see Kalaoa
38 G11 **Kalaoa** var. Kailua. Hawai'i, USA, C Pacific Ocean
38 G11 **Kailua-Kona** var. Kona. Hawai'i, USA, C Pacific Ocean
186 B7 **Kaim** ~ W PNG
171 X14 **Kaimana** Papua, E Indonesia
184 M7 **Kaimai Range** ▲ North Island, NZ
114 E13 **Kaïmaktsalán** ▲ Greece/FYR Macedonia
185 C20 **Kaimanawa Mountains** ▲ North Island, NZ
118 E4 **Käina** Ger. Keinis; prev. Keina. Hiiumaa, W Estonia
109 V7 **Kainach** ~ SE Austria
164 I14 **Kainan** Tokushima, Shikoku, SW Japan
154 H15 **Kainan** Wakayama, Honshū, SW Japan
147 U7 **Kaindy** Kir. Kayyngdy. Chuyskaya Oblast', N Kyrgyzstan
77 T14 **Kainji Dam** dam W Nigeria
Kainji Lake see Kainji Reservoir
77 T14 **Kainji Reservoir** var. Kainji Lake. ⊡ W Nigeria
186 D8 **Kaintiba** var. Kamina. Gulf, S PNG
92 K12 **Kainulaisjärvi** Norrbotten, N Sweden
184 K5 **Kaipara Harbour** harbour North Island, NZ
152 I10 **Kairāna** Uttar Pradesh, N India
74 M6 **Kairouan** var. Al Qayrawān. E Tunisia
Kaisaria see Kayseri
101 F20 **Kaiserslautern** Rheinland-Pfalz, SW Germany
118 G13 **Kaišiadorys** Kaunas, S Lithuania
184 I2 **Kaitaia** Northland, North Island, NZ
185 E24 **Kaitangata** Otago, South Island, NZ
152 I9 **Kaithal** Haryāna, NW India
Kaitong see Tongyu
169 N13 **Kait, Tanjung** headland Sumatera, W Indonesia
38 E9 **Kaiwi Channel** channel Hawai'i, USA, C Pacific Ocean
160 K9 **Kaixian** var. Kai Xian. Sichuan, C China
163 V11 **Kaiyuan** var. K'ai-yüan. Liaoning, NE China
160 H14 **Kaiyuan** Yunnan, SW China
39 O9 **Kaiyuh Mountains** ▲ Alaska, USA
93 M15 **Kajaani** Swe. Kajana. Oulu, C Finland
149 N7 **Kajakī, Band-e** ◎ C Afghanistan
Kajan see Kayan, Sungai
Kajana see Kajaani
137 V13 **K'ajaran** Rus. Kadzharan. SE Armenia
Kajisay see Kadzhi-Say
113 O20 **Kajmakčalan** ▲ S FYR Macedonia
Kajnar see Kaynar
149 N6 **Kajrān** Urūzgān, C Afghanistan
149 N5 **Kaj Rūd** ~ C Afghanistan
146 G14 **Kaka** Rus. Kaakhka. Ahal Welaýaty, S Turkmenistan
12 C12 **Kakabeka Falls** Ontario, S Canada
83 F23 **Kakamas** Northern Cape, W South Africa
81 H18 **Kakamega** Western, W Kenya
112 H13 **Kakanj** Federacija Bosna I Hercegovina, Bosnia and Herzegovina
185 F22 **Kakanui Mountains** ▲ South Island, NZ
184 K11 **Kakaramea** Taranaki, North Island, NZ
76 J16 **Kakata** C Liberia
184 M11 **Kakatahi** Manawatu-Wanganui, North Island, NZ
113 M23 **Kakavi** Gjirokastër, S Albania
147 O14 **Kakaydi** Surxondaryo Viloyati, S Uzbekistan
164 F13 **Kake** Hiroshima, Honshū, SW Japan
39 X13 **Kake** Kupreanof Island, Alaska, USA
171 P14 **Kakea** Pulau Wowoni, C Indonesia
164 M14 **Kakegawa** Shizuoka, Honshū, S Japan
165 V16 **Kakeromajima** Kagoshima, SW Japan
143 T6 **Kākhak** var. Kākhk. Khorāsān, E Iran
118 L11 **Kakhanavichy** Rus. Kokhanovichi. Vitsyebskaya Voblasts', N Belarus
39 P13 **Kakhonak** Alaska, USA
117 S10 **Kakhovka** Khersons'ka Oblast', S Ukraine
117 U9 **Kakhovs'ka Vodoskhovyshche** Rus. Kakhovskoye Vodokhranilishche. ⊡ SE Ukraine
Kakhovskoye Vodokhranilishche see Kakhovs'ka Vodoskhovyshche
117 T11 **Kakhovs'kyy Kanal** canal S Ukraine
Kakia see Khakhea
155 L16 **Kākināda** prev. Cocanada. Andhra Pradesh, E India
Kākisalmi see Priozersk
164 I13 **Kakogawa** Hyōgo, Honshū, SW Japan
81 F18 **Kakoge** C Uganda
145 O7 **Kak, Ozero** ◎ N Kazakhstan
Ka-Krem see Malyy Yenisey
Kakshaal-Too, Khrebet see Kokshaal-Tau
39 S5 **Kaktovik** Alaska, USA
165 Q11 **Kakuda** Miyagi, Honshū, C Japan
165 Q8 **Kakunodate** Akita, Honshū, C Japan
Kalaallit Nunaat see Greenland
149 T7 **Kālābāgh** Punjab, E Pakistan
171 Q16 **Kalabahi** Pulau Alor, S Indonesia
188 I5 **Kalabera** Saipan, S Northern Mariana Islands
83 G14 **Kalabo** Western, W Zambia
126 M9 **Kalach** Voronezhskaya Oblast', W Russian Federation

◆ COUNTRY ● COUNTRY CAPITAL ◇ DEPENDENT TERRITORY ○ DEPENDENT TERRITORY CAPITAL ◈ ADMINISTRATIVE REGION ✈ INTERNATIONAL AIRPORT ▲ MOUNTAIN ▲ MOUNTAIN RANGE ⛰ VOLCANO ~ RIVER ◎ LAKE ⊡ RESERVOIR

268 ••• KALACH-NA-DONU – KAPAN

127 N10 **Kalach-na-Donu** Volgogradskaya Oblast', SW Russian Federation
166 K5 **Kaladan** ≈ W Myanmar
14 K14 **Kaladar** Ontario, SE Canada
38 G13 **Ka Lae** *var.* South Cape, South Point. *headland* Hawai'i, USA, C Pacific Ocean
83 G19 **Kalahari Desert** *desert* Southern Africa
38 B8 **Kalāheo** *var.* Kalaheo. Kaua'i, Hawai'i, USA, C Pacific Ocean
Kalaikhum *see* Qal'aikhum
Kala-i-Mor *see* Galaýmor
93 K15 **Kalajoki** Oulu, W Finland
Kalak *see* Eski Kaļak
Kal al Sraghna *see* El Kelâa Srarhna
32 G10 **Kalama** Washington, NW USA
Kalámai *see* Kalámata
115 G14 **Kalamariá** Kentrikí Makedonía, N Greece
115 E21 **Kalámata** *prev.* Kalámai. Pelopónnisos, S Greece
31 P10 **Kalamazoo** Michigan, N USA
31 P9 **Kalamazoo River** ≈ Michigan, N USA
Kalambaka *see* Kalampáka
117 S13 **Kalamits'ka Zatoka** *Rus.* Kalamitskiy Zaliv. *gulf* S Ukraine
Kalamitskiy Zaliv *see* Kalamits'ka Zatoka
115 H18 **Kálamos** Attikí, C Greece
115 C18 **Kálamos** *island* Iónioi Nísoi, Greece, C Mediterranean Sea
115 D15 **Kalampáka** *var.* Kalambaka. Thessalía, C Greece
Kalan *see* Călan, Romania
Kalan *see* Tunceli, Turkey
117 S11 **Kalanchak** Khersons'ka Oblast', S Ukraine
38 G11 **Kalaoa** *var.* Kailua. Hawai'i, USA, C Pacific Ocean
171 O15 **Kalaotoa, Pulau** *island* W Indonesia
155 J24 **Kala Oya** ≈ NW Sri Lanka
Kalarash *see* Călărași
93 H17 **Kälarne** Jämtland, C Sweden
143 V15 **Kalar Rūd** ≈ SE Iran
167 R9 **Kalasin** *var.* Muang Kalasin. Kalasin, E Thailand
149 O8 **Kalāt** *Per.* Qalāt. Zābul, S Afghanistan
149 O11 **Kālat** *var.* Kelat, Khelat. Baluchistān, SW Pakistan
115 J14 **Kalathriá, Akrotírio** *headland* Samothráki, NE Greece
193 W17 **Kalau** *island* Tongatapu Group, SE Tonga
38 E9 **Kalaupapa** Moloka'i, Hawai'i, USA, C Pacific Ocean
127 N13 **Kalaus** ≈ SW Russian Federation
Kalávrita *see* Kalávryta
115 E19 **Kalávryta** *var.* Kalávrita. Dytikí Ellás, S Greece
141 Y10 **Kalbān** W Oman
180 H11 **Kalbarri** Western Australia
145 X10 **Kalbinskiy Khrebet** *Kaz.* Qalba Zhotasy. ▲▲ E Kazakhstan
144 G10 **Kaldygayty** ≈ W Kazakhstan
136 I12 **Kalecik** Ankara, N Turkey
79 O19 **Kalehe** Sud Kivu, E Dem. Rep. Congo
79 P22 **Kalemie** *prev.* Albertville. Katanga, SE Dem. Rep. Congo
166 L4 **Kalemyo** Sagaing, W Myanmar
82 H12 **Kalene Hill** North Western, NW Zambia
Kale Sultanie *see* Çanakkale
124 I7 **Kalevala** Respublika Kareliya, NW Russian Federation
166 L4 **Kalewa** Sagaing, C Myanmar
Kalgan *see* Zhangjiakou
39 Q12 **Kalgin Island** *island* Alaska, USA
180 L12 **Kalgoorlie** Western Australia
Kali *see* Sārda
115 E17 **Kaliakoúda** ▲ C Greece
114 O8 **Kaliakra, Nos** *headland* NE Bulgaria
115 F19 **Kaliánoi** Pelopónnisos, S Greece
115 N24 **Kalí Límni** ▲ Kárpathos, SE Greece
79 N20 **Kalima** Maniema, E Dem. Rep. Congo
169 S11 **Kalimantan** *Eng.* Indonesian Borneo. *geopolitical region* Borneo, C Indonesia
169 Q11 **Kalimantan Barat** *off.* Propinsi Kalimantan Barat, *Eng.* West Borneo, West Kalimantan. ◈ *province* N Indonesia
169 T13 **Kalimantan Selatan** *off.* Propinsi Kalimantan Selatan, *Eng.* South Borneo, South Kalimantan. ◈ *province* N Indonesia
169 R12 **Kalimantan Tengah** *off.* Propinsi Kalimantan Tengah, *Eng.* Central Borneo, Central Kalimantan. ◈ *province* N Indonesia
169 U10 **Kalimantan Timur** *off.* Propinsi Kalimantan Timur, *Eng.* East Borneo, East Kalimantan. ◈ *province* N Indonesia
Kálimnos *see* Kálymnos
153 S12 **Kālimpang** West Bengal, NE India
Kalinin *see* Tver', Russian Federation
Kalinin *see* Boldumsaz, Turkmenistan
Kalininabad *see* Kalininobod
126 B3 **Kaliningrad** Kaliningradskaya Oblast', W Russian Federation
Kaliningrad *see* Kaliningradskaya Oblast'
126 A3 **Kaliningradskaya Oblast'** *var.* Kaliningrad. ◈ *province and enclave* W Russian Federation
Kalinino *see* Tashir
147 P14 **Kalininobod** *Rus.* Kalininabad. SW Tajikistan
127 O8 **Kalininsk** Saratovskaya Oblast', W Russian Federation
Kalininsk *see* Boldumsaz
Kalinisk *see* Cupcina
119 M19 **Kalinkavichy** *Rus.* Kalinkovichi. Homyel'skaya Voblasts', SE Belarus
Kalinkovichi *see* Kalinkavichy
81 G18 **Kaliro** SE Uganda
Kalisch/Kalish *see* Kalisz
33 O7 **Kalispell** Montana, NW USA
110 I13 **Kalisz** *Ger.* Kalisch, *Rus.* Kalish; *anc.* Calisia. Wielkopolskie, C Poland
110 F9 **Kalisz Pomorski** *Ger.* Kallies. Zachodnio-pomorskie, NW Poland
126 M10 **Kalitva** ≈ SW Russian Federation
81 F21 **Kaliua** Tabora, C Tanzania
92 K13 **Kalix** Norrbotten, N Sweden
92 J11 **Kalixfors** Norrbotten, N Sweden
145 T8 **Kalkaman** Pavlodar, NE Kazakhstan
Kalkandelen *see* Tetovo
181 O4 **Kalkarindji** Northern Territory, N Australia
31 P6 **Kalkaska** Michigan, N USA
93 F16 **Kall** Jämtland, C Sweden
189 X2 **Kallalen** *var.* Calalen. *island* Ratak Chain, SE Marshall Islands
118 J5 **Kallaste** *Ger.* Krasnogor. Tartumaa, SE Estonia
93 N16 **Kallavesi** ◎ SE Finland
115 F17 **Kallidromo** ▲▲ C Greece
Kallies *see* Kalisz Pomorski
95 M22 **Kallinge** Blekinge, S Sweden
115 L16 **Kalloní** Lésvos, E Greece
93 F16 **Kallsjön** ◎ C Sweden
95 N21 **Kalmar** *var.* Calmar. Kalmar, S Sweden
95 M19 **Kalmar** *var.* Calmar. ◈ *county* S Sweden
95 N20 **Kalmarsund** *strait* S Sweden
148 L16 **Kalmat, Khor** *Eng.* Kalmat Lagoon. *lagoon* SW Pakistan
Kalmat Lagoon *see* Kalmat, Khor
117 X9 **Kal'mius** ≈ E Ukraine
99 H15 **Kalmthout** Antwerpen, N Belgium
Kalmykia/Kalmykiya-Khal'mg Tangch, Respublika *see* Kalmykiya, Respublika
127 O12 **Kalmykiya, Respublika** *var.* Respublika Kalmykiya-Khal'mg Tangch, *Eng.* Kalmykia; *prev.* Kalmytskaya ASSR. ◈ *autonomous republic* SW Russian Federation
Kalmytskaya ASSR *see* Kalmykiya, Respublika
118 F9 **Kalnciems** Jelgava, C Latvia
114 L10 **Kalnitsa** ≈ SE Bulgaria
111 J24 **Kalocsa** Bács-Kiskun, S Hungary
114 J9 **Kalofer** Plovdiv, C Bulgaria
38 E10 **Kalohi Channel** *channel* Hawai'i, USA, C Pacific Ocean
83 I16 **Kalomo** Southern, S Zambia
29 X14 **Kalona** Iowa, C USA
115 K22 **Kalotási, Akrotírio** *headland* Amorgós, Kykládes, Greece, Aegean Sea
152 J8 **Kalpa** Himāchal Pradesh, N India
115 C15 **Kalpáki** Ípeiros, W Greece
155 C22 **Kalpeni Island** *island* Lakshadweep, India, N Indian Ocean
152 K13 **Kālpi** Uttar Pradesh, N India
158 G7 **Kalpin** Xinjiang Uygur Zizhiqu, NW China
149 P16 **Kalri Lake** ◎ SE Pakistan
143 R5 **Kāl Shūr** ≈ N Iran
39 N11 **Kalskag** Alaska, USA
95 B18 **Kalsoy** *Dan.* Kalsø *Island* Faeroe Islands
39 O9 **Kaltag** Alaska, USA
108 H7 **Kaltbrunn** Sankt Gallen, NE Switzerland
Kaltdorf *see* Pruszków
77 X14 **Kaltungo** Gombe, E Nigeria
126 K4 **Kaluga** Kaluzhskaya Oblast', W Russian Federation
155 J26 **Kalu Ganga** ≈ S Sri Lanka
82 J13 **Kalulushi** Copperbelt, C Zambia
180 M2 **Kalumburu** Western Australia
95 H23 **Kalundborg** Vestsjælland, E Denmark
82 K11 **Kalungwishi** ≈ N Zambia
149 T8 **Kalūr Kot** Punjab, E Pakistan
116 I6 **Kalush** *Pol.* Kałusz. Ivano-Frankivs'ka Oblast', W Ukraine
Kałusz *see* Kalush
110 N11 **Kałuszyn** Mazowieckie, C Poland
155 J26 **Kalutara** Western Province, SW Sri Lanka
Kaluwawa *see* Fergusson Island
126 I5 **Kaluzhskaya Oblast'** ◈ *province* W Russian Federation
119 E14 **Kalvarija** *Pol.* Kalwaria. Marijampolė, S Lithuania
93 K15 **Kalvià** Länsi-Suomi, W Finland
109 U6 **Kalwang** Steiermark, E Austria
Kalwaria *see* Kalvarija
154 D13 **Kalyān** Mahārāshtra, W India
124 K16 **Kalyazin** Tverskaya Oblast', W Russian Federation
115 D18 **Kalydón** *anc.* Calydon. *site of ancient city* Dytikí Ellás, C Greece
115 M21 **Kálymnos** *var.* Kálimnos. Kálymnos, Dodekánisos, Greece, Aegean Sea
115 M21 **Kálymnos** *var.* Kálimnos. *island* Dodekánisos, Greece, Aegean Sea
117 O5 **Kalynivka** Kyyivs'ka Oblast', N Ukraine
117 N6 **Kalynivka** Vinnyts'ka Oblast', C Ukraine
42 M10 **Kama** *var.* Cama. Región Autónoma Atlántico Sur, SE Nicaragua
165 R9 **Kamaishi** *var.* Kamaisi. Iwate, Honshū, C Japan
Kamaisi *see* Kamaishi
118 H11 **Kamajai** Panevėžys, NE Lithuania
118 H13 **Kamajai** Utena, E Lithuania
149 U9 **Kamālia** Punjab, NE Pakistan
83 I14 **Kamalondo** North Western, NW Zambia
136 I13 **Kaman** Kırşehir, C Turkey
79 O20 **Kamanyola** Sud Kivu, E Dem. Rep. Congo
141 N14 **Kamarān** *island* W Yemen
55 R9 **Kamarang** W Guyana
Kāmāreddi/Kamareddy *see* Rāmāreddi
Kama Reservoir *see* Kamskoye Vodokhranilishche
148 K13 **Kamarod** Baluchistān, SW Pakistan
171 P14 **Kamaru** Pulau Buton, C Indonesia
77 S13 **Kamba** Kebbi, NW Nigeria
Kambaeng Petch *see* Kamphaeng Phet
180 L12 **Kambalda** Western Australia
149 P13 **Kambar** *var.* Qambar. Sind, SE Pakistan
Kambara *see* Kabara
76 I14 **Kambia** W Sierra Leone
Kambos *see* Kámpos
79 N25 **Kambove** Katanga, SE Dem. Rep. Congo
Kambryk *see* Cambrai
123 V10 **Kamchatka** ≈ E Russian Federation
Kamchatka *see* Kamchatka, Poluostrov
Kamchatka Basin *see* Komandorskaya Basin
123 U10 **Kamchatka, Poluostrov** *Eng.* Kamchatka. *peninsula* E Russian Federation
123 V10 **Kamchatskaya Oblast'** ◈ *province* E Russian Federation
123 V10 **Kamchatskiy Zaliv** *gulf* E Russian Federation
114 N9 **Kamchiya** ≈ E Bulgaria
114 L9 **Kamchiya, Yazovir** ⊡ E Bulgaria
Kamdesh *see* Kāmdeysh
149 T4 **Kāmdeysh** *var.* Kamdesh. Kunar, E Afghanistan
118 M13 **Kamen'** *Rus.* Kamen'. Vitsyebskaya Voblasts', N Belarus
Kamenets *see* Kamyanyets
Kamenets-Podol'skaya Oblast' *see* Khmel'nyts'ka Oblast'
Kamenets-Podol'skiy *see* Kam"yanets'-Podil's'kyy
113 Q18 **Kamenica** NE FYR Macedonia
112 A11 **Kamenjak, Rt** *headland* NW Croatia
144 F8 **Kamenka** Zapadnyy Kazakhstan, NW Kazakhstan
125 O6 **Kamenka** Arkhangel'skaya Oblast', NW Russian Federation
126 O6 **Kamenka** Penzenskaya Oblast', W Russian Federation
127 L8 **Kamenka** Voronezhskaya Oblast', W Russian Federation
Kamenka *see* Camenca, Moldova
Kamenka *see* Kam"yanka, Ukraine
Kamenka-Bugskaya *see* Kam"yanka-Buz'ka
Kamenka Dneprovskaya *see* Kam"yanka-Dniprovs'ka
Kamen Kashirskiy *see* Kamin'-Kashyrs'kyy
1028L15 **Kamennomostskiy** Respublika Adygeya, SW Russian Federation
126 L11 **Kamenolomni** Rostovskaya Oblast', SW Russian Federation
127 P8 **Kamenskiy** Saratovskaya Oblast', W Russian Federation
Kamenskoye *see* Dniprodzerzhyns'k
126 L11 **Kamensk-Shakhtinskiy** Rostovskaya Oblast', SW Russian Federation
101 P15 **Kamenz** Sachsen, E Germany
164 J13 **Kameoka** Kyōto, Honshū, SW Japan
126 M3 **Kameshkovo** Vladimirskaya Oblast', W Russian Federation
164 C11 **Kami-Agata** Nagasaki, Tsushima, SW Japan
33 N10 **Kamiah** Idaho, NW USA
Kamień Koszyrski *see* Kamin'-Kashyrs'kyy
110 H9 **Kamień Krajeński** *Ger.* Kamin in Westpreussen. Kujawsko-pomorskie, C Poland
111 F15 **Kamienna Góra** *Ger.* Landeshut, Landeshut in Schlesien. Dolnośląskie, SW Poland
110 D8 **Kamień Pomorski** *Ger.* Cummin in Pommern. Zachodnio-pomorskie, NW Poland
165 R5 **Kamiiso** Hokkaidō, NE Japan
79 L22 **Kamiji** Kasai Oriental, S Dem. Rep. Congo
165 T3 **Kamikawa** Hokkaidō, NE Japan
164 B15 **Kami-Koshiki-jima** *island* SW Japan
79 M23 **Kamina** Katanga, S Dem. Rep. Congo
Kamina *see* Kaintiba
42 C6 **Kaminaljuyú** *ruins* Guatemala, C Guatemala
Kamin in Westpreussen *see* Kamień Krajeński
116 J2 **Kamin'-Kashyrs'kyy** *Pol.* Kamień Koszyrski, *Rus.* Kamen Kashirskiy. Volyns'ka Oblast', NW Ukraine
165 Q5 **Kaminokuni** Hokkaidō, NE Japan
165 P10 **Kaminoyama** Yamagata, Honshū, C Japan
39 Q13 **Kamishak Bay** *bay* Alaska, USA
165 U4 **Kami-Shihoro** Hokkaidō, NE Japan
Kamishli *see* Al Qāmishlī
Kamissar *see* Kamsar
164 C11 **Kami-Tsushima** Nagasaki, Tsushima, SW Japan
79 O20 **Kamituga** Sud Kivu, E Dem. Rep. Congo
164 B17 **Kamiyaku** Kagoshima, Yaku-shima, SW Japan
11 N16 **Kamloops** British Columbia, SW Canada
107 G25 **Kamma** Sicilia, Italy, C Mediterranean Sea
192 K4 **Kammu Seamount** *undersea feature* N Pacific Ocean
109 U11 **Kamnik** *Ger.* Stein. C Slovenia
Kamniške Alpe *see* Kamniško-Savinjske Alpe
109 T10 **Kamniško-Savinjske Alpe** *var.* Kamniške Alpe, Sanntaler Alpen, *Ger.* Steiner Alpen. ▲▲ N Slovenia
165 O14 **Kamogawa** Chiba, Honshū, S Japan
149 W8 **Kāmoke** Punjab, E Pakistan
82 L13 **Kamoto** Eastern, E Zambia
109 V3 **Kamp** ≈ N Austria
81 F18 **Kampala** ● (Uganda) S Uganda
168 K11 **Kampar, Sungai** ≈ Sumatera, W Indonesia
98 L9 **Kampen** Overijssel, E Netherlands
79 N20 **Kampene** Maniema, E Dem. Rep. Congo
29 Q9 **Kampeska, Lake** ◎ South Dakota, N USA
167 O9 **Kamphaeng Phet** *var.* Kambaeng Petch. Kamphaeng Phet, W Thailand
Kampo *see* Campo, Cameroon
Kampo *see* Ntem, Cameroon/Equatorial Guinea
167 S12 **Kâmpóng Cham** *prev.* Kompong Cham. Kâmpóng Cham, C Cambodia
167 R12 **Kâmpóng Chhnăng** *prev.* Kompong. Kâmpóng Chhnăng, C Cambodia
167 R12 **Kâmpóng Khleăng** *prev.* Kompong Kleang. Siĕmréab, NW Cambodia
167 Q14 **Kâmpóng Saôm** *prev.* Kompong Som, Sihanoukville. Kâmpóng Saôm, SW Cambodia
167 R13 **Kâmpóng Spoe** *prev.* Kompong Speu. Kâmpóng Spœ, S Cambodia
121 O2 **Kámpos** *var.* Kambos. NW Cyprus
167 R14 **Kâmpôt** Kâmpôt, SW Cambodia
Kamptee *see* Kāmthi
77 O14 **Kampti** SW Burkina
Kampuchea *see* Cambodia
169 Q9 **Kampung Sirik** Sarawak, East Malaysia
11 V15 **Kamsack** Saskatchewan, S Canada
76 H13 **Kamsar** *var.* Kamissar. Guinée-Maritime, W Guinea
127 R4 **Kamskoye Ust'ye** Respublika Tatarstan, W Russian Federation
127 U14 **Kamskoye Vodokhranilishche** *var.* Kama Reservoir. ⊡ NW Russian Federation
154 I12 **Kāmthi** *prev.* Kamptee. Mahārāshtra, C India
Kamuela *see* Waimea
165 R3 **Kamuenai** Hokkaidō, NE Japan
165 T5 **Kamui-dake** ☒ Hokkaidō, NE Japan
165 R3 **Kamui-misaki** *headland* Hokkaidō, NE Japan
43 O15 **Kámuk, Cerro** ▲ SE Costa Rica
116 K7 **Kam"yanets'-Podil's'kyy** *Rus.* Kamenets-Podol'skiy. Khmel'nyts'ka Oblast', W Ukraine
117 Q6 **Kam"yanka** *Rus.* Kamenka. Cherkas'ka Oblast', C Ukraine
116 I5 **Kam"yanka-Buz'ka** *Rus.* Kamenka-Bugskaya. L'vivs'ka Oblast', NW Ukraine
117 T9 **Kam"yanka-Dniprovs'ka** *Rus.* Kamenka Dneprovskaya. Zaporiz'ka Oblast', SE Ukraine
119 F19 **Kamyanyets** *Rus.* Kamenets. Brestskaya Voblasts', SW Belarus
127 P9 **Kamyshin** Volgogradskaya Oblast', SW Russian Federation
127 Q13 **Kamyzyak** Astrakhanskaya Oblast', SW Russian Federation
12 K8 **Kanaaupscow** ≈ Québec, C Canada
36 K8 **Kanab** Utah, W USA
36 K9 **Kanab Creek** ≈ Arizona/Utah, SW USA
187 Y14 **Kanacea** *prev.* Kanathea. Taveuni, N Fiji
38 G17 **Kanaga Island** *island* Aleutian Islands, Alaska, USA
38 G17 **Kanaga Volcano** ▲ Kanaga Island, Alaska, USA
165 N14 **Kanagawa** *off.* Kanagawa-ken. ◈ *prefecture* Honshū, S Japan
13 Q8 **Kanairiktok** ≈ Newfoundland and Labrador, E Canada
Kanaky *see* New Caledonia
79 K22 **Kananga** *prev.* Luluabourg. Kasai Occidental, S Dem. Rep. Congo
Kananur *see* Cannanore
Kanara *see* Karnātaka
36 J7 **Kanarraville** Utah, W USA
127 Q4 **Kanash** Chuvashskaya Respublika, W Russian Federation
Kanathea *see* Kanacea
21 Q4 **Kanawha River** ≈ West Virginia, NE USA
164 L13 **Kanayama** Gifu, Honshū, SW Japan
164 L11 **Kanazawa** Ishikawa, Honshū, SW Japan
166 M4 **Kanbalu** Sagaing, C Myanmar
166 L8 **Kanbe** Yangon, SW Myanmar
167 O11 **Kanchanaburi** Kanchanaburi, W Thailand
Kānchenjunga *see* Kangchenjunga
145 V11 **Kanchingiz, Khrebet** ▲▲ E Kazakhstan
155 J19 **Kānchīpuram** *prev.* Conjeeveram. Tamil Nādu, SE India
149 N8 **Kandahār** *Per.* Qandahār. Kandahār, S Afghanistan
149 N9 **Kandahār** *Per.* Qandahār. ◈ *province* SE Afghanistan
Kandalakša *see* Kandalaksha
124 I5 **Kandalaksha** *var.* Kandalakša, *Fin.* Kantalahti. Murmanskaya Oblast', NW Russian Federation
Kandalaksha Gulf/Kandalakshskaya Guba *see* Kandalakshskiy Zaliv
126 K6 **Kandalakshskiy Zaliv** *var.* Kandalakshskaya Guba, *Eng.* Kandalaksha Gulf. *bay* NW Russian Federation
Kandalangodi *see* Kandalengoti
83 G17 **Kandalengoti** *var.* Kandalangodi. Ngamiland, NW Botswana
169 U13 **Kandangan** Borneo, C Indonesia
Kandau *see* Kandava
118 E8 **Kandava** *Ger.* Kandau. Tukums, W Latvia
Kandavu *see* Kadavu
77 R14 **Kandé** *var.* Kanté. NE Togo
101 F23 **Kandel** ▲ SW Germany
186 C7 **Kandep** Enga, W PNG
149 R12 **Kandh Kot** Sind, SE Pakistan
77 S13 **Kandi** N Benin
149 P14 **Kandiāro** Sind, SE Pakistan
136 F11 **Kandıra** Kocaeli, NW Turkey
183 S8 **Kandos** New South Wales, SE Australia
148 M16 **Kandrāch** *var.* Kanrach. Baluchistān, SW Pakistan
172 I4 **Kandreho** Mahajanga, C Madagascar
186 F7 **Kandrian** New Britain, E PNG
Kandukur *see* Kondukür
155 K25 **Kandy** Central Province, C Sri Lanka
144 I10 **Kandyagash** *Kaz.* Qandyaghash; *prev.* Oktyabr'sk. Aktyubinsk, W Kazakhstan
18 D12 **Kane** Pennsylvania, NE USA
64 I11 **Kane Fracture Zone** *tectonic feature* NW Atlantic Ocean
Kanëka *see* Kanëvka
78 G9 **Kanem** *off.* Préfecture du Kanem. ◈ *prefecture* W Chad
38 D9 **Kāne'ohe** *var.* Kaneohe. O'ahu, Hawai'i, USA, C Pacific Ocean
Kanestron, Akrotírio *see* Palioúri, Akrotírio
Kanëv *see* Kaniv
124 M5 **Kanëvka** *var.* Kanëka. Murmanskaya Oblast', NW Russian Federation
126 K13 **Kanevskaya** Krasnodarskiy Kray, SW Russian Federation
Kanevskoye Vodokhranilishche *see* Kanivs'ke Vodoskhovyshche
165 P9 **Kaneyama** Yamagata, Honshū, C Japan
83 G20 **Kang** Kgalagadi, C Botswana
76 L13 **Kangaba** Koulikoro, SW Mali
136 M13 **Kangal** Sivas, C Turkey
143 O13 **Kangān** Būshehr, S Iran
143 S15 **Kangān** Hormozgān, SE Iran
168 J6 **Kangar** Perlis, Peninsular Malaysia
76 L13 **Kangaré** Sikasso, S Mali
182 F10 **Kangaroo Island** *island* South Australia
93 M17 **Kangasniemi** Itä-Suomi, E Finland
142 K6 **Kangāvar** *var.* Kangāwar. Kermānshāh, W Iran
Kangāwar *see* Kangāvar
153 S11 **Kangchenjunga** *var.* Kānchenjunga. ▲ NE India
160 G9 **Kangding** *var.* Lucheng, *Tib.* Dardo. Sichuan, C China
169 U16 **Kangean, Kepulauan** *island group* S Indonesia
169 T16 **Kangean, Pulau** *island* Kepulauan Kangean, S Indonesia
197 N14 **Kangerlussuaq** *Dan.* Sondre Strømfjord ✕ Kitaa, W Greenland
197 Q15 **Kangertittivaq** *Dan.* Scoresby Sund. *fjord* E Greenland
167 O2 **Kangfang** Kachin State, N Myanmar
163 X12 **Kanggye** N North Korea
197 P15 **Kangikajik** *var.* Kap Brewster. *headland* E Greenland
13 N5 **Kangiqsualujjuaq** *prev.* George River, Port-Nouveau-Quebec. Québec, E Canada
12 L2 **Kangiqsujuaq** *prev.* Maricourt, Wakeham Bay. Québec, NE Canada
12 M4 **Kangirsuk** *prev.* Bellin, Payne. Québec, E Canada
Kangle *see* Wanzai
158 J15 **Kangmar** Xizang Zizhiqu, W China
158 M16 **Kangmar** Xizang Zizhiqu, W China
163 Y14 **Kangnŭng** *Jap.* Kōryō. NE South Korea
79 D18 **Kango** Estuaire, NW Gabon
152 I7 **Kāngra** Himāchal Pradesh, NW India
153 Q16 **Kangsabati Reservoir** ⊡ N India
159 O17 **Kangto** ▲ China/India
159 W12 **Kangxian** *var.* Kang Xian, Zuitai, Zuitaizi. Gansu, C China
166 L4 **Kani** Sagaing, C Myanmar
76 M15 **Kani** NW Ivory Coast
79 M23 **Kaniama** Katanga, S Dem. Rep. Congo
Kanibadam *see* Konibodom
169 V6 **Kanibongan** Sabah, East Malaysia
185 F17 **Kaniere** West Coast, South Island, NZ
185 G17 **Kaniere, Lake** ◎ South Island, NZ
188 E17 **Kanifaay** Yap, W Micronesia
127 O4 **Kanin Kamen'** ▲▲ NW Russian Federation
125 N3 **Kanin Nos** Nenetskiy Avtonomnyy Okrug, NW Russian Federation
127 N3 **Kanin Nos, Mys** *headland* NW Russian Federation
127 O5 **Kanin, Poluostrov** *peninsula* NW Russian Federation
139 V8 **Kānī Sakht** E Iraq
139 T3 **Kānī Sulaymān** N Iraq
165 Q6 **Kanita** Aomori, Honshū, C Japan
117 Q5 **Kaniv** *Rus.* Kanëv. Cherkas'ka Oblast', C Ukraine
182 K11 **Kaniva** Victoria, SE Australia
117 Q5 **Kanivs'ke Vodoskhovyshche** *Rus.* Kanevskoye Vodokhranilishche. ⊡ C Ukraine
112 L8 **Kanjiža** *Ger.* Altkanischa, *Hung.* Magyarkanizsa, Ókanizsa; *prev.* Stara Kanjiža. Serbia, N Serbia and Montenegro (Yugo.)
93 K18 **Kankaanpää** Länsi-Suomi, W Finland
30 M12 **Kankakee** Illinois, N USA
31 O11 **Kankakee River** ≈ Illinois/Indiana, N USA
76 K14 **Kankan** Haute-Guinée, E Guinea
154 K13 **Kānker** Chhattīsgarh, C India
76 J10 **Kankossa** Assaba, S Mauritania
167 N12 **Kanmaw Kyun** *var.* Kisseraing, Kithareng. *island* Mergui Archipelago, S Myanmar
164 F12 **Kanmuri-yama** ▲ Kyūshū, SW Japan
21 R10 **Kannapolis** North Carolina, SE USA
93 L16 **Kannonkoski** Länsi-Suomi, W Finland
Kannur *see* Cannanore
93 K15 **Kannus** Länsi-Suomi, W Finland
77 V13 **Kano** Kano, N Nigeria
77 V13 **Kano** ◈ *state* N Nigeria
77 V13 **Kano** ✕ Kano, N Nigeria
164 G14 **Kan'onji** *var.* Kanonzi. Kagawa, Shikoku, SW Japan
Kanonzi *see* Kan'onji
26 M5 **Kanopolis Lake** ⊡ Kansas, C USA
36 K5 **Kanosh** Utah, W USA
169 R9 **Kanowit** Sarawak, East Malaysia
164 C16 **Kanoya** Kagoshima, Kyūshū, SW Japan
152 L13 **Kānpur** *Eng.* Cawnpore. Uttar Pradesh, N India
Kanrach *see* Kandrāch
164 I14 **Kansai** ✕ (Ōsaka) Ōsaka, Honshū, SW Japan
27 R9 **Kansas** Oklahoma, C USA
26 L5 **Kansas** *off.* State of Kansas; also known as Jayhawker State, Sunflower State. ◈ *state* C USA
27 R4 **Kansas City** Kansas, C USA
27 R4 **Kansas City** Missouri, C USA
27 R3 **Kansas City** ✕ Missouri, C USA
27 P4 **Kansas River** ≈ Kansas, C USA
122 L14 **Kansk** Krasnoyarskiy Kray, S Russian Federation
Kansu *see* Gansu
147 V7 **Kant** Chuyskaya Oblast', N Kyrgyzstan
Kantalahti *see* Kandalaksha
167 N16 **Kantang** *var.* Ban Kantang. Trang, SW Thailand
115 H25 **Kántanos** Kríti, Greece, E Mediterranean Sea
77 R12 **Kantchari** E Burkina
Kanté *see* Kandé
Kantemir *see* Cantemir
126 L9 **Kantemirovka** Voronezhskaya Oblast', W Russian Federation
167 R11 **Kantharalak** Si Sa Ket, E Thailand
Kantipur *see* Kathmandu
39 Q9 **Kantishna River** ≈ Alaska, USA
191 S3 **Kanton** *var.* Abariringa, Canton Island; *prev.* Mary Island. *atoll* Phoenix Islands, C Kiribati
97 C20 **Kanturk** *Ir.* Ceann Toirc. SW Ireland
55 T11 **Kanuku Mountains** ▲▲ S Guyana
165 O12 **Kanuma** Tochigi, Honshū, S Japan
83 H20 **Kanye** Southern, SE Botswana
83 H17 **Kanyu** Ngamiland, C Botswana
166 M7 **Kanyutkwin** Pegu, C Myanmar
79 M24 **Kanzenze** Katanga, SE Dem. Rep. Congo
193 Y15 **Kao** *island* Kotu Group, W Tonga
161 S14 **Kaohsiung** *var.* Gaoxiong, *Jap.* Takao, Takow. S Taiwan
161 S14 **Kaohsiung** ✕ S Taiwan
Kaokaona *see* Kirakira
83 B17 **Kaoko Veld** ▲▲ N Namibia
76 G11 **Kaolack** *var.* Kaolak. W Senegal
Kaolak *see* Kaolack
Kaolan *see* Lanzhou
186 M8 **Kaolo** San Jorge, N Solomon Islands
83 H14 **Kaoma** Western, W Zambia
38 B8 **Kapa'a** *var.* Kapaa. Kaua'i, Hawai'i, USA, C Pacific Ocean
113 J16 **Kapa Moračka** ▲ SW Serbia and Montenegro (Yugo.)
137 V13 **Kapan** *Rus.* Kafan; *prev.* Ghap'an. SE Armenia

◆ COUNTRY ● COUNTRY CAPITAL ◇ DEPENDENT TERRITORY ○ DEPENDENT TERRITORY CAPITAL ◈ ADMINISTRATIVE REGION ✕ INTERNATIONAL AIRPORT ▲ MOUNTAIN ▲▲ MOUNTAIN RANGE ☒ VOLCANO ≈ RIVER ◎ LAKE ⊡ RESERVOIR

KAPANDASHILA – KATERYNOPIL' ••• 269

82 L13 **Kapandashila** Northern, NE Zambia
79 L23 **Kapanga** Katanga, S Dem. Rep. Congo
145 U15 **Kapchagay** Kaz. Kapshaghay. Almaty, SE Kazakhstan
145 V15 **Kapchagayskoye Vodokhranilishche** Kaz. Qapshagay Böyeni. ⊠ SE Kazakhstan
99 F15 **Kapelle** Zeeland, SW Netherlands
99 G16 **Kapellen** Antwerpen, N Belgium
95 P15 **Kapellskär** Stockholm, C Sweden
81 H18 **Kapenguria** Rift Valley, W Kenya
109 V6 **Kapfenberg** Steiermark, C Austria
83 J14 **Kapiri Mposhi** Central, C Zambia
149 R4 **Kāpīsā** ◆ province E Afghanistan
12 G10 **Kapiskau** ∾ Ontario, C Canada
184 K13 **Kapiti Island** island C NZ
78 K9 **Kapka, Massif du** ▲ E Chad
Kaplamada see Kaubalatmada, Gunung
22 H9 **Kaplan** Louisiana, S USA
Kaplangky, Plato see Gaplañgyr Platosy
111 D19 **Kaplice** Ger. Kaplitz. Jihočeský Kraj, S Czech Republic
Kaplitz see Kaplice
Kapoche see Capoche
171 T12 **Kapocol** Papua, E Indonesia
167 N14 **Kapoe** Ranong, SW Thailand
Kapoeas see Kapuas, Sungai
81 G15 **Kapoeta** Eastern Equatoria, SE Sudan
111 I25 **Kapos** ∾ S Hungary
111 H25 **Kaposvár** Somogy, SW Hungary
94 H13 **Kapp** Oppland, S Norway
100 I7 **Kappeln** Schleswig-Holstein, N Germany
Kaproncza see Koprivnica
109 P7 **Kaprun** Salzburg, C Austria
Kapshaghay see Kapchagay
Kapstad see Cape Town
Kapsukas see Marijampolė
171 Y13 **Kaptiau** Papua, E Indonesia
119 L19 **Kaptsevichy** Rus. Koptsevichi. Homyel'skaya Voblasts', SE Belarus
Kapuas Hulu, Banjaran/Kapuas Hulu, Pegunungan see Kapuas Mountains
169 S10 **Kapuas Mountains** Ind. Banjaran Kapuas Hulu, Pegunungan Kapuas Hulu. ▲ Indonesia/Malaysia
169 P11 **Kapuas, Sungai** ∾ Borneo, N Indonesia
169 T13 **Kapuas, Sungai** prev. Kapoeas. ∾ Borneo, C Indonesia
182 J9 **Kapunda** South Australia
152 H8 **Kapūrthala** Punjab, N India
12 G12 **Kapuskasing** Ontario, S Canada
14 D6 **Kapuskasing** ∾ Ontario, S Canada
127 P11 **Kapustin Yar** Astrakhanskaya Oblast', SW Russian Federation
82 K11 **Kaputa** Northern, NE Zambia
111 G22 **Kapuvár** Győr-Moson-Sopron, NW Hungary
Kapydzhik, Gora see Qazangödağ
119 J17 **Kapyl'** Rus. Kopyl'. Minskaya Voblasts', C Belarus
43 N9 **Kara** var. Cara. Región Autónoma Atlántico Sur, E Nicaragua
77 R14 **Kara** var. Lama-Kara. NE Togo
77 Q14 **Kara** ∾ N Togo
144 L7 **Karabalyk** Kaz. Komsomol, Komsomolets. Kostanay, N Kazakhstan
147 U7 **Kara-Balta** Chuyskaya Oblast', N Kyrgyzstan
144 G11 **Karabau** Atyrau, W Kazakhstan
146 E7 **Karabaur', Uval** Kaz. Korabavur Pastligi, Uzb. Qorabowur Kirlari. physical region Kazakhstan/Uzbekistan
Karabekaul see Garabekewül
Karabil', Vozvyshennost' see Garabil Belentligi
Kara-Bogaz-Gol see Garabogazköl
Kara-Bogaz-Gol, Zaliv see Garabogaz Aylagy
145 R15 **Karaboget** Kaz. Qaraböget. Zhambyl, S Kazakhstan
136 H11 **Karabük** Karabük, NW Turkey
136 H11 **Karabük** ◆ province NW Turkey
122 L12 **Karabula** Krasnoyarskiy Kray, C Russian Federation
145 V14 **Karabulak** Kaz. Qarabulaq. Almaty, SE Kazakhstan
145 Y11 **Karabulak** Kaz. Qarabulaq. Vostochnyy Kazakhstan, E Kazakhstan
145 Q17 **Karabulak** Kaz. Qarabulaq. Yuzhnyy Kazakhstan, S Kazakhstan
136 C17 **Kara Burnu** headland SW Turkey
144 K10 **Karabutak** Kaz. Qarabutaq. Aktyubinsk W Kazakhstan
136 D12 **Karacabey** Bursa, NW Turkey
114 O12 **Karacaköy** İstanbul, NW Turkey
114 M12 **Karacaoğlan** Kırklareli, NW Turkey
Karachay-Cherkessia see Karachayevo-Cherkesskaya Respublika
126 L15 **Karachayevo-Cherkesskaya Respublika** Eng. Karachay-Cherkessia. ◆ autonomous republic SW Russian Federation
126 M15 **Karachayevsk** Karachayevo-Cherkesskaya Respublika, SW Russian Federation
126 J6 **Karachev** Bryanskaya Oblast', W Russian Federation
149 O16 **Karāchi** Sind, SE Pakistan
149 O16 **Karāchi** ✕ Sind, S Pakistan
Karácsonkő see Piatra-Neamţ
155 E15 **Karād** Mahārāshtra, W India
136 H16 **Karadağ** ▲ S Turkey
147 T10 **Karadar'ya** Uzb. Qoradaryo. ∾ Kyrgyzstan/Uzbekistan
Karadeniz see Black Sea
Karadeniz Boğazı see İstanbul Boğazı
146 B13 **Karadepe** Balkan Welaýaty, W Turkmenistan
Karadzhar see Qorajar
Karaferiye see Véroia
Karagan see Garagan
145 R10 **Karaganda** Kaz. Qaraghandy. Karaganda, C Kazakhstan
145 R10 **Karaganda** off. Karagandinskaya Oblast', Kaz. Qaraghandy Oblysy. ◆ province C Kazakhstan
Karagandinskaya Oblast' see Karaganda
145 T10 **Karagayly** Kaz. Qaraghayly. Karaganda, C Kazakhstan
Karagel' see Garagöl
123 U9 **Karaginskiy, Ostrov** island E Russian Federation
197 T1 **Karaginskiy Zaliv** bay E Russian Federation
137 P13 **Karagöl Dağları** ▲ NE Turkey
114 L13 **Karahisar** Edirne, NW Turkey
127 V3 **Karaidel'** Respublika Bashkortostan, W Russian Federation
127 V3 **Karaidel'skiy** Respublika Bashkortostan, W Russian Federation
114 L13 **Karaidemir Barajı** ⊠ NW Turkey
155 J21 **Kāraikāl** Pondicherry, SE India
155 I22 **Kāraikkudi** Tamil Nādu, SE India
145 Y11 **Kara Irtysh** Rus. Chërnyy Irtysh. ∾ NE Kazakhstan
143 N5 **Karaj** Tehrān, N Iran
168 K8 **Karak** Pahang, Peninsular Malaysia
Karak see Al Karak
147 T11 **Kara-Kabak** Oshskaya Oblast', SW Kyrgyzstan
Kara-Kala see Garrygala
Karakala see Oqqal'a
Karakalpakstan, Respublika see Qoraqalpog'iston Respublikasi
Karakalpakya see Qoraqalpog'iston
Karakax see Moyu
158 G10 **Karakax He** ∾ NW China
121 X8 **Karakaya Barajı** ⊠ C Turkey
171 Q9 **Karakelang, Pulau** island N Indonesia
Karakılısse see Ağrı
Karak, Muḩāfaẓat al see Al Karak
Kara-Köl see Kara-Kul'
147 Y7 **Karakol** prev. Przheval'sk. Issyk-Kul'skaya Oblast', NE Kyrgyzstan
147 X8 **Karakol** var. Karakolka. Issyk-Kul'skaya Oblast', NE Kyrgyzstan
Karakolka see Karakol
149 W2 **Karakoram Highway** road China/Pakistan
149 Z3 **Karakoram Pass** Chin. Karakoram Shankou. pass C Asia
152 I3 **Karakoram Range** ▲ C Asia
Karakoram Shankou see Karakoram Pass
Karaköse see Ağrı
145 P14 **Karakoyyn, Ozero** Kaz. Qaraqoyyn. ◎ C Kazakhstan
83 F19 **Karakubis** Ghanzi, W Botswana
147 T9 **Kara-Kul'** Kir. Kara-Köl. Dzhalal-Abadskaya Oblast', W Kyrgyzstan
Karakul' see Qarokŭl, Tajikistan
Karakul' see Qorako'l, Uzbekistan
147 U10 **Kara-Kul'dzha** Oshskaya Oblast', SW Kyrgyzstan
127 T3 **Karakulino** Udmurtskaya Respublika, NW Russian Federation
Karakul', Ozero see Qarokŭl
Kara Kum see Garagum
Kara Kum Canal/Karakumskiy Kanal see Garagum Kanaly
Karakumy, Peski see Garagum
83 E17 **Karakuwisa** Okavango, NE Namibia
122 M13 **Karam** Irkutskaya Oblast', S Russian Federation
Karamai see Karamay
169 T14 **Karamain, Pulau** island N Indonesia
136 I16 **Karaman** Karaman, S Turkey
136 H16 **Karaman** ◆ province S Turkey
114 M8 **Karamandere** ∾ NE Bulgaria
158 J4 **Karamay** var. Karamai, Kelamayi; prev. Chin. K'o-la-ma-i. Xinjiang Uygur Zizhiqu, NW China
169 U14 **Karambu** Borneo, N Indonesia
185 H14 **Karamea** West Coast, South Island, NZ
185 H14 **Karamea** ∾ South Island, NZ
185 G15 **Karamea Bight** gulf South Island, NZ
Karamet-Niyaz see Garamätnyýaz
158 K10 **Karamiran He** ∾ NW China
147 S11 **Karamyk** Oshskaya Oblast', SW Kyrgyzstan
169 U17 **Karangasem** Bali, S Indonesia
154 H12 **Kāranja** Mahārāshtra, C India
Karanpur see Karanpura
152 F9 **Karanpura** var. Karanpur. Rājasthān, NW India
Karánsebes/Karansebesch see Caransebeş
145 T14 **Karaoy** Kaz. Qaraoy. Almaty, SE Kazakhstan
114 N7 **Karapelit** Rom. Stejarul. Dobrich, NE Bulgaria
136 I15 **Karapınar** Konya, C Turkey
83 D22 **Karas** ◆ district S Namibia
147 Y8 **Kara-Say** Issyk-Kul'skaya Oblast', NE Kyrgyzstan
83 E22 **Karasburg** Karas, S Namibia
Kara Sea see Karskoye More
92 K9 **Kárášjohka** var. Karašjokka. ∾ N Norway
92 L9 **Karasjok** Fin. Kaarasjoki, Lap. Kárášjohka. Finnmark, N Norway
Karašjokka see Kárášjohka
Kara Strait see Karskiye Vorota, Proliv
Kara Su see Mesta/Néstos
145 N8 **Karasu** Kaz. Qarasū. Kostanay, N Kazakhstan
136 F11 **Karasu** Sakarya, NW Turkey
Karasubazar see Bilohirs'k
122 I12 **Karasuk** Novosibirskaya Oblast', C Russian Federation
145 U13 **Karatal** Kaz. Qaratal. ∾ SE Kazakhstan
136 K17 **Karataş** Adana, S Turkey
145 Q16 **Karatau** Kaz. Qarataū. Zhambyl, S Kazakhstan
Karatau see Karatau, Khrebet
145 P16 **Karatau, Khrebet** var. Karatau, Kaz. Qarataū. ▲ S Kazakhstan
144 G13 **Karaton** Kaz. Qaraton. Atyrau, W Kazakhstan
164 C13 **Karatsu** var. Karatu. Saga, Kyūshū, SW Japan
Karatu see Karatsu
122 K8 **Karaul** Taymyrskiy (Dolgano-Nenetskiy) Avtonomnyy Okrug, N Russian Federation
Karaulbazar see Qorovulbozor
Karauzyak see Qorao'zak
115 D16 **Karáva** ▲ C Greece
Karavanke see Karawanken
115 F22 **Karavás** Kýthira, S Greece
113 J20 **Karavastasë, Laguna e** var. Kënet' e Karavastas, Kravasta Lagoon. lagoon W Albania
Karavastas, Kënet' e see Karavastasë, Laguna e
118 I5 **Karavere** Tartumaa, E Estonia
115 L23 **Karavonísia** island Kykládes, Greece, Aegean Sea
169 O15 **Karawang** prev. Krawang. Jawa, C Indonesia
109 T10 **Karawanken** Slvn. Karavanke. ▲ Austria/Serbia and Montenegro (Yugo.)
Karaxahar see Kaidu He
137 R13 **Karayazı** Erzurum, NE Turkey
145 Q12 **Karazhal** Karaganda, C Kazakhstan
139 S9 **Karbalā'** var. Kerbala, Kerbela. S Iraq
94 L11 **Kårböle** Gävleborg, C Sweden
111 M23 **Karcag** Jász-Nagykun-Szolnok, E Hungary
Kardak see Imia
114 N7 **Kardam** Dobrich, NE Bulgaria
115 M22 **Kardámaina** Kos, Dodekánisos, Greece, Aegean Sea
Kardamila see Kardámyla
115 L18 **Kardámyla** var. Kardamila, Kardhámila. Chíos, E Greece
Kardeljevo see Ploče
Kardh see Qardho
Kardhámila see Kardámyla
Kardhítsa see Kardítsa
115 E16 **Kardítsa** var. Kardhítsa. Thessalía, C Greece
118 E4 **Kärdla** Ger. Kertel. Hiiumaa, W Estonia
Karelia see Kareliya, Respublika
119 I16 **Karelichy** Pol. Korelicze, Rus. Korelichi. Hrodzyenskaya Voblasts', W Belarus
126 I10 **Kareliya, Respublika** prev. Karel'skaya ASSR, Eng. Karelia. ◆ autonomous republic NW Russian Federation
Karel'skaya ASSR see Kareliya, Respublika
81 E22 **Karema** Rukwa, W Tanzania
Karen see Hualien
83 I14 **Karenda** Central, C Zambia
167 N8 **Karen State** var. Kawthule State, Kayin State. ◆ state S Myanmar
92 J10 **Karesuando** Fin. Kaaresuanto, Lapp. Gárasavvon. Norrbotten, N Sweden
Karet see Kâghet
Kareyz-e-Elyās/Kārez Iliās see Kārīz-e Elyās
122 J11 **Kargasok** Tomskaya Oblast', C Russian Federation
122 I12 **Kargat** Novosibirskaya Oblast', C Russian Federation
136 J11 **Kargı** Çorum, N Turkey
152 I5 **Kargil** Jammu and Kashmir, NW India
Kargilik see Yecheng
124 L11 **Kargopol'** Arkhangel'skaya Oblast', NW Russian Federation
110 F12 **Kargowa** Ger. Unruhstadt. Lubuskie, W Poland
77 X13 **Kari** Bauchi, E Nigeria
83 J15 **Kariba** Mashonaland West, N Zimbabwe
83 J16 **Kariba, Lake** ⊠ Zambia/Zimbabwe
165 Q4 **Kariba-yama** ▲ Hokkaidō, NE Japan
83 C19 **Karibib** Erongo, C Namibia
Karies see Karyés
92 L9 **Karigasniemi** Lapp. Garegegasnjárga. Lappi, N Finland
184 J2 **Karikari, Cape** headland North Island, NZ
Karīmābād see Hunza
169 P12 **Karimata, Kepulauan** island group N Indonesia
169 P12 **Karimata, Pulau** island Kepulauan Karimata, N Indonesia
169 O11 **Karimata, Selat** strait W Indonesia
155 I14 **Karīmnagar** Andhra Pradesh, C India
186 C7 **Karimui** Chimbu, C PNG
169 Q15 **Karimunjawa, Pulau** island S Indonesia
80 N12 **Karin** Woqooyi Galbeed, N Somalia
Kariot see Ikaría
93 L20 **Karis** Fin. Karjaa. Etelä-Suomi, SW Finland
Káristos see Kárystos
148 J4 **Kārīz-e Elyās** var. Kareyz-e-Elyās, Kārez Iliās. Herāt, NW Afghanistan
Karjaa see Karis
145 T10 **Karkaralinsk** Kaz. Qarqaraly. Karaganda, E Kazakhstan
186 D6 **Karkar Island** island N PNG
143 N7 **Karkas, Kūh-e** ▲ C Iran
142 K8 **Karkheh, Rūd-e** ∾ SW Iran
115 L20 **Karkinágrio** Ikaría, Dodekánisos, Greece, Aegean Sea
117 R12 **Karkinits'ka Zatoka** Rus. Karkinitskiy Zaliv. gulf S Ukraine
Karkinitskiy Zaliv see Karkinits'ka Zatoka
93 L19 **Karkkila** Swe. Högfors. Etelä-Suomi, S Finland
93 M19 **Kärkölä** Etelä-Suomi, S Finland
182 G9 **Karkoo** South Australia
Karkūk see Kirkūk
118 D5 **Kärla** Ger. Kergel. Saaremaa, W Estonia
Karleby see Kokkola
110 F7 **Karlino** Ger. Körlin an der Persante. Zachodnio-pomorskie, NW Poland
137 Q13 **Karlıova** Bingöl, E Turkey
117 U6 **Karlivka** Poltavs'ka Oblast', C Ukraine
Karl-Marx-Stadt see Chemnitz
Karlö see Hailuoto
112 C11 **Karlobag** It. Carlopago. Lika-Senj, W Croatia
112 D9 **Karlovac** Ger. Karlstadt, Hung. Károlyváros. Karlovac, C Croatia
112 C10 **Karlovac** off. Karlovačka Županija. ◆ province C Croatia
Karlovačka Županija see Karlovac
111 A16 **Karlovarský Kraj** ◆ W Czech Republic
114 J9 **Karlovo** prev. Levskigrad. Plovdiv, C Bulgaria
111 A16 **Karlovy Vary** Ger. Karlsbad; prev. Eng. Carlsbad. Karlovarský Kraj, W Czech Republic
Karlsbad see Karlovy Vary
95 L17 **Karlsborg** Västra Götaland, S Sweden
Karlsburg see Alba Iulia
95 L22 **Karlshamn** Blekinge, S Sweden
95 L16 **Karlskoga** Örebro, C Sweden
95 M22 **Karlskrona** Blekinge, S Sweden
101 G21 **Karlsruhe** var. Carlsruhe. Baden-Württemberg, SW Germany
95 K16 **Karlstad** Värmland, C Sweden
29 R3 **Karlstad** Minnesota, N USA
101 I18 **Karlstadt** Bayern, C Germany
Karlstadt see Karlovac
39 Q14 **Karluk** Kodiak Island, Alaska, USA
Karluk see Qarluq
119 O17 **Karma** Rus. Korma. Homyel'skaya Voblasts', SE Belarus
155 F14 **Karmāla** Mahārāshtra, W India
146 M11 **Karmana** Navoiy Viloyati, C Uzbekistan
138 G8 **Karmi'él** var. Carmiel. Northern, N Israel
95 B16 **Karmøy** island S Norway
152 I9 **Karnāl** Haryāna, N India
153 W15 **Karnaphuli Reservoir** ⊠ NE India
155 F17 **Karnātaka** var. Kanara; prev. Maisur, Mysore. ◆ state W India
25 S13 **Karnes City** Texas, SW USA
109 P9 **Karnische Alpen** It. Alpi Carniche. ▲ Austria/Italy
114 M9 **Karnobat** Burgas, E Bulgaria
109 Q9 **Kärnten** off. Land Kärnten, Eng. Carinthia, Slvn. Koroška. ◆ state S Austria
Karnul see Kurnool
83 K16 **Karoi** Mashonaland West, N Zimbabwe
Karol see Carei
Károly-Fehérvár see Alba Iulia
Károlyváros see Karlovac
82 M12 **Karonga** Northern, N Malawi
147 W10 **Karool-Tëbë** Narynskaya Oblast', C Kyrgyzstan
182 J9 **Karoonda** South Australia
149 S9 **Karor Lāl Esan** Punjab, E Pakistan
149 T11 **Karor Pacca** var. Kahror, Kahror Pakka. Punjab, E Pakistan
171 N12 **Karosa** Sulawesi, C Indonesia
Karpaten see Carpathian Mountains
115 L22 **Karpathio Pélagos** sea Dodekánisos, Greece, Aegean Sea
115 N24 **Kárpathos** Kárpathos, SE Greece
115 N24 **Kárpathos** It. Scarpanto; anc. Carpathos, Carpathus. island SE Greece
Karpathos Strait see Karpathou, Stenó
115 N24 **Karpathou, Stenó** var. Karpathos Strait, Scarpanto Strait. strait Dodekánisos, Greece, Aegean Sea
Karpaty see Carpathian Mountains
115 E17 **Karpenísi** prev. Karpenísion. Stereá Ellás, C Greece
Karpenísion see Karpenísi
Karpilovka see Aktsyabrski
125 O8 **Karpogory** Arkhangel'skaya Oblast', NW Russian Federation
180 I7 **Karratha** Western Australia
137 S12 **Kars** var. Qars. Kars, NE Turkey
137 S12 **Kars** var. Qars. ◆ province NE Turkey
145 O12 **Karsakpay** Kaz. Qarsaqbay. Karaganda, C Kazakhstan
93 L15 **Kärsämäki** Oulu, C Finland
Karsau see Kārsava
118 K9 **Kārsava** Ger. Karsau; prev. Rus. Korsovka. Ludza, E Latvia
Karshi Turkmenistan see Garşy
Karshi Uzbekistan see Qarshi
Karshinskaya Step see Qarshi Chŏli
Karshinskiy Kanal see Qarshi Kanali
122 H7 **Karskiye Vorota, Proliv** Eng. Kara Strait. strait N Russian Federation
122 J6 **Karskoye More** Eng. Kara Sea. sea Arctic Ocean
93 L17 **Karstula** Länsi-Suomi, W Finland
127 Q5 **Karsun** Ul'yanovskaya Oblast', W Russian Federation
122 F11 **Kartaly** Chelyabinskaya Oblast', C Russian Federation
18 E13 **Karthaus** Pennsylvania, NE USA
110 I7 **Kartuzy** Pomorskie, NW Poland
165 R8 **Karumai** Iwate, Honshū, C Japan
181 U4 **Karumba** Queensland, NE Australia
142 L10 **Kārūn** var. Rūd-e Kārūn. ∾ SW Iran
92 K13 **Karungi** Norrbotten, N Sweden
92 K13 **Karunki** Lappi, N Finland
Kārūn, Rūd-e see Kārūn
155 H21 **Karūr** Tamil Nādu, SE India
93 K17 **Karvia** Länsi-Suomi, W Finland
111 I17 **Karviná** Ger. Karwin, Pol. Karwina; prev. Nová Karvinná. Moravskoslezský Kraj, E Czech Republic
155 E17 **Kārwār** Karnātaka, W India
108 M7 **Karwendelgebirge** ▲ Austria/Germany
Karwin/Karwina see Karviná
115 I14 **Karyés** var. Karies. Ágion Óros, N Greece
115 I19 **Kárystos** var. Káristos. Évvoia, C Greece
136 E17 **Kaş** Antalya, SW Turkey
39 Y14 **Kasaan** Prince of Wales Island, Alaska, USA
164 I13 **Kasai** Hyōgo, Honshū, SW Japan
79 K21 **Kasai** var. Cassai, Kassai. ∾ Angola/Dem. Rep. Congo
79 K22 **Kasai Occidental** off. Région Kasai Occidental. ◆ region S Dem. Rep. Congo
79 L21 **Kasai Oriental** off. Région Kasai Oriental. ◆ region C Dem. Rep. Congo
79 L24 **Kasaji** Katanga, S Dem. Rep. Congo
82 L12 **Kasama** Northern, N Zambia
Kasan see Koson
83 H16 **Kasane** Chobe, NE Botswana
81 E23 **Kasanga** Rukwa, W Tanzania
79 G21 **Kasangulu** Bas-Congo, W Dem. Rep. Congo
Kasansay see Kosonsoy
Kasargen see Kasari
155 E20 **Kāsargod** Kerala, SW India
118 P13 **Kasari** var. Kasari Jõgi, Ger. Kasargen. ∾ W Estonia
Kasari Jõgi see Kasari
8 L11 **Kasba Lake** ◎ Northwest Territories/Nunavut, N Canada
Kaschau see Košice
164 B16 **Kaseda** Kagoshima, Kyūshū, SW Japan
83 I14 **Kasempa** North Western, NW Zambia
79 O24 **Kasenga** Katanga, SE Dem. Rep. Congo
79 P17 **Kasenye** var. Kasenyi. Orientale, NE Dem. Rep. Congo
Kasenyi see Kasenye
81 E18 **Kasese** SW Uganda
79 O19 **Kasese** Maniema, E Dem. Rep. Congo
152 J11 **Kāsganj** Uttar Pradesh, N India
143 U4 **Kashaf Rūd** ∾ NE Iran
143 N7 **Kāshān** Eşfahān, C Iran
126 M10 **Kashary** Rostovskaya Oblast', SW Russian Federation
39 O12 **Kashegelok** Alaska, USA
Kashgar see Kashi
158 E7 **Kashi** Chin. Kaxgar, K'o-shih, Uigh. Kashgar. Xinjiang Uygur Zizhiqu, NW China
164 J14 **Kashihara** var. Kasihara. Nara, Honshū, SW Japan
165 P13 **Kashima-nada** gulf S Japan
124 K15 **Kashin** Tverskaya Oblast', W Russian Federation
152 K10 **Kāshīpur** Uttaranchal, N India
126 L4 **Kashira** Moskovskaya Oblast', W Russian Federation
165 N11 **Kashiwazaki** var. Kasiwazaki. Niigata, Honshū, C Japan
Kashkadar'inskaya Oblast' see Qashqadaryo Viloyati
143 T5 **Kāshmar** var. Turshiz; prev. Solţānābād, Torshiz. Khorāsān, NE Iran
Kashmir see Jammu and Kashmir
149 R12 **Kashmor** Sind, SE Pakistan
149 S5 **Kashmūnd Ghar** Eng. Kashmund Range. ▲ E Afghanistan
Kashmund Range see Kashmūnd Ghar
Kasi see Vārānasi
153 O12 **Kasia** Uttar Pradesh, N India
35 N12 **Kasigluk** Alaska, USA
Kasihara see Kashihara
39 R12 **Kasilof** Alaska, USA
Kasima see Kashima
Kasimköj see General Toshevo
126 M4 **Kasimov** Ryazanskaya Oblast', W Russian Federation
79 P18 **Kasindi** Nord Kivu, E Dem. Rep. Congo
82 M12 **Kasitu** ∾ N Malawi
Kasiwa see Kashiwa
Kasiwazaki see Kashiwazaki
30 L14 **Kaskaskia River** ∾ Illinois, N USA
93 J17 **Kaskinen** Swe. Kaskö. Länsi-Suomi, W Finland
Kaskö see Kaskinen
Kas Kong see Kŏng, Kaôh
11 O17 **Kaslo** British Columbia, SW Canada
Käsmark see Kežmarok
169 T12 **Kasongan** Borneo, C Indonesia
79 N21 **Kasongo** Maniema, E Dem. Rep. Congo
79 H22 **Kasongo-Lunda** Bandundu, SW Dem. Rep. Congo
115 M24 **Kásos** island S Greece
Kasos Strait see Kasou, Stenó
115 M25 **Kasou, Stenó** var. Kasos Strait. strait Dodekánisos/Kríti, Greece, Aegean Sea
137 T10 **Kaspi** C Georgia
114 M8 **Kaspichan** Shumen, NE Bulgaria
Kaspiy Mangy Oypaty see Caspian Depression
127 Q16 **Kaspiysk** Respublika Dagestan, SW Russian Federation
Kaspiyskiy see Lagan'
Kaspiyskoye More/Kaspiy Tengizi see Caspian Sea
Kassa see Košice
Kassai see Kasai
80 I9 **Kassala** Kassala, E Sudan
80 H9 **Kassala** ◆ state NE Sudan
115 G15 **Kassándra** prev. Pallíni; anc. Pallene. peninsula NE Greece
115 G15 **Kassándras, Akrotírio** headland N Greece
115 H15 **Kassándras, Kólpos** var. Kólpos Toronaíos. gulf N Greece
139 Y11 **Kassārah** E Iraq
101 I15 **Kassel** prev. Cassel. Hessen, C Germany
74 M6 **Kasserine** var. Al Qaşrayn. W Tunisia
14 J14 **Kasshabog Lake** ◎ Ontario, SE Canada
139 O5 **Kassīr, Sabkhat al** ◎ E Syria
29 W10 **Kasson** Minnesota, N USA
115 C17 **Kassópi** site of ancient city Ípeiros, W Greece
115 N24 **Kastállou, Akrotírio** headland Kárpathos, SE Greece
136 I11 **Kastamonu** var. Castamoni, Kastamuni. Kastamonu, N Turkey
136 I10 **Kastamonu** var. Kastamuni. ◆ province N Turkey
Kastamuni see Kastamonu
115 E14 **Kastaneá** Kentrikí Makedonía, N Greece
115 H24 **Kastélli** Kríti, Greece, E Mediterranean Sea
Kastellórizon see Megísti
95 N21 **Kastlösa** Kalmar, S Sweden
115 D14 **Kastoría** Dytikí Makedonía, N Greece
126 K7 **Kastornoye** Kurskaya Oblast', W Russian Federation
115 I21 **Kástro** Sífnos, Kykládes, Greece, Aegean Sea
95 J23 **Kastrup** ✕ (København) København, E Denmark
119 Q17 **Kastsyukovichy** Rus. Kostyukovichi. Mahilyowskaya Voblasts', E Belarus
119 O18 **Kastsyukowka** Rus. Kostyukovka. Homyel'skaya Voblasts', SE Belarus
164 D13 **Kasuga** Fukuoka, Kyūshū, SW Japan
164 L13 **Kasugai** Aichi, Honshū, SW Japan
81 E21 **Kasulu** Kigoma, W Tanzania
164 I12 **Kasumi** Hyōgo, Honshū, SW Japan
127 R17 **Kasumkent** Respublika Dagestan, SW Russian Federation
82 M13 **Kasungu** Central, C Malawi
149 W9 **Kasūr** Punjab, E Pakistan
83 G15 **Kataba** Western, W Zambia
19 R4 **Katahdin, Mount** ▲ Maine, NE USA
79 M20 **Katako-Kombe** Kasai Oriental, C Dem. Rep. Congo
39 T12 **Katalla** Alaska, USA
Katana see Qaţanā
79 L24 **Katanga** off. Région du Katanga; prev. Shaba. ◆ region SE Dem. Rep. Congo
122 M11 **Katanga** ∾ C Russian Federation
154 J11 **Katangi** Madhya Pradesh, C India
180 J13 **Katanning** Western Australia
189 P8 **Kata Tjuta** var. Mount Olga. ▲ Northern Territory, C Australia
Katawaz see Zarghūn Shahr
151 Q22 **Katchall Island** island Nicobar Islands, India, NE Indian Ocean
115 F14 **Kateríni** Kentrikí Makedonía, N Greece
117 P7 **Katerynopil'** Cherkas'ka Oblast', C Ukraine

◆ Country ◇ Dependent Territory ◆ Administrative Region ▲ Mountain ♖ Volcano ◎ Lake
● Country Capital ○ Dependent Territory Capital ✕ International Airport ▲ Mountain Range ∾ River ⊠ Reservoir

270 ••• KATHA – KERNERSVILLE

166 M3 **Katha** Sagaing, N Myanmar
181 P2 **Katherine** Northern Territory, N Australia
154 B11 **Kāthiāwār Peninsula** *peninsula* W India
153 P11 **Kathmandu** *prev.* Kantipur. ● (Nepal) Central, C Nepal
152 H7 **Kathua** Jammu and Kashmir, NW India
76 L12 **Kati** Koulikoro, SW Mali
153 R13 **Katihār** Bihār, NE India
184 N7 **Katikati** Bay of Plenty, North Island, NZ
83 H16 **Katima Mulilo** Caprivi, NE Namibia
77 N15 **Katiola** C Ivory Coast
191 V10 **Katiu** *atoll* Îles Tuamotu, C French Polynesia
117 N12 **Katlabukh, Ozero** ◎ SW Ukraine
39 P14 **Katmai, Mount** ▲ Alaska, USA
154 J9 **Katni** Madhya Pradesh, C India
115 D19 **Káto Achaïa** *var.* Kato Ahaia, Káto Akhaía. Dytikí Ellás, S Greece
Kato Ahaia/Káto Akhaía *see* Káto Achaïa
121 P2 **Kato Lakatámeia** *var.* Kato Lakatamia. C Cyprus
Kato Lakatamia *see* Kato Lakatámeia
79 N22 **Katompi** Katanga, SE Dem. Rep. Congo
83 K14 **Katondwe** Lusaka, C Zambia
114 H12 **Káto Nevrokópi** *prev.* Káto Nevrokópion. Anatolikí Makedonía kai Thráki, NE Greece
Káto Nevrokópion *see* Káto Nevrokópi
81 E18 **Katonga** ↝ S Uganda
115 F15 **Káto Ólympos** ▲ C Greece
115 D17 **Katoúna** Dytikí Ellás, C Greece
115 E19 **Káto Vlasiá** Dytikí Makedonía, S Greece
111 J16 **Katowice** *Ger.* Kattowitz. Śląskie, S Poland
153 S15 **Kātoya** West Bengal, NE India
136 E16 **Katrançik Dağı** ▲ SW Turkey
95 N16 **Katrineholm** Södermanland, C Sweden
96 I11 **Katrine, Loch** ◎ C Scotland, UK
77 V12 **Katsina** Katsina, N Nigeria
77 U12 **Katsina** ◆ *state* N Nigeria
164 C13 **Katsumoto** Nagasaki, Iki, SW Japan
165 P13 **Katsuta** *var.* Katuta. Ibaraki, Honshū, S Japan
165 O14 **Katsuura** *var.* Katuura. Chiba, Honshū, S Japan
164 K12 **Katsuyama** *var.* Katuyama. Fukui, Honshū, SW Japan
164 H12 **Katsuyama** Okayama, Honshū, SW Japan
Kattakurgan *see* Kattaqo'rg'on
147 N11 **Kattaqo'rg'on** *Rus.* Kattakurgan. Samarqand Viloyati, C Uzbekistan
115 O23 **Kattavía** Ródos, Dodekánisos, Greece, Aegean Sea
95 I21 **Kattegat** *Dan.* Kattegatt. *strait* N Europe
Kattegatt *see* Kattegat
95 P19 **Katthammarsvik** Gotland, SE Sweden
Kattowitz *see* Katowice
122 J13 **Katun'** ↝ S Russian Federation
Katuta *see* Katsuta
Katuura *see* Katsuura
Katuyama *see* Katsuyama
Katwijk *see* Katwijk aan Zee
98 G11 **Katwijk aan Zee** *var.* Katwijk. Zuid-Holland, W Netherlands
38 B8 **Kaua'i** *var.* Kauai. *island* Hawaiian Islands, Hawai'i, USA, C Pacific Ocean
38 C8 **Kaua'i Channel** *var.* Kauai Channel *channel* Hawai'i, USA, C Pacific Ocean
171 R13 **Kaubalatmada, Gunung** *var.* Kaplamada. ▲ Pulau Buru, E Indonesia
191 U10 **Kauehi** *atoll* Îles Tuamotu, C French Polynesia
Kauen *see* Kaunas
101 K24 **Kaufbeuren** Bayern, S Germany
25 U7 **Kaufman** Texas, SW USA
101 I15 **Kaufungen** Hessen, C Germany
93 K17 **Kauhajoki** Länsi-Suomi, W Finland
93 K16 **Kauhava** Länsi-Suomi, W Finland
30 M7 **Kaukauna** Wisconsin, N USA
92 L11 **Kaukonen** Lappi, N Finland
38 A8 **Kaulakahi Channel** *channel* Hawai'i, USA, C Pacific Ocean
38 E9 **Kaunakakai** Moloka'i, Hawai'i, USA, C Pacific Ocean
38 F12 **Kaunā Point** *var.* Kauna Point *headland* Hawai'i, USA, C Pacific Ocean
118 F13 **Kaunas** *Ger.* Kauen, *Pol.* Kowno; *prev. Rus.* Kovno. Kaunas, C Lithuania
118 F13 **Kaunas** ◆ *province* C Lithuania
186 C6 **Kaup** East Sepik, NW PNG
77 U12 **Kaura Namoda** Zamfara, NW Nigeria
Kaushany *see* Căuşeni
93 K16 **Kaustinen** Länsi-Suomi, W Finland
99 M23 **Kautenbach** Diekirch, NE Luxembourg
92 K10 **Kautokeino** *Lap.* Guovdageaidnu. Finnmark, N Norway
Kavadar *see* Kavadarci
113 P19 **Kavadarci** *Turk.* Kavadar. C FYR Macedonia
Kavaja *see* Kavajë
113 K20 **Kavajë** *It.* Cavaia, Kavaja. Tiranë, W Albania
114 M13 **Kavak Çayı** ↝ NW Turkey
Kavakli *see* Topolovgrad
114 I13 **Kavála** *prev.* Kavälla. Anatolikí Makedonía kai Thráki, NE Greece
114 I13 **Kaválas, Kólpos** *gulf* Aegean Sea, NE Mediterranean Sea
155 J17 **Kāvali** Andhra Pradesh, E India
Kavälla *see* Kavála
Kavango *see* Cubango/Okavango
155 C21 **Kavaratti** Lakshadweep, SW India
114 O8 **Kavarna** Dobrich, NE Bulgaria
118 G12 **Kavarskas** Utena, E Lithuania
76 I13 **Kavendou** ▲ C Guinea
Kavengo *see* Cubango/Okavango
155 F20 **Kāveri** *var.* Cauvery. ↝ S India
186 G5 **Kavieng** *var.* Kaewieng. NE PNG
83 H16 **Kavimba** Chobe, NE Botswana
83 I15 **Kavingu** Southern, S Zambia
143 Q6 **Kavīr, Dasht-e** *var.* Great Salt Desert. *salt pan* N Iran
Kavirondo Gulf *see* Winam Gulf
Kavkaz *see* Caucasus
95 K23 **Kävlinge** Skåne, S Sweden
82 G12 **Kavungo** Moxico, E Angola
165 Q8 **Kawabe** Akita, Honshū, C Japan
165 R9 **Kawai** Iwate, Honshū, C Japan
38 A8 **Kawaihoa Point** *headland* Ni'ihau, Hawai'i, USA, C Pacific Ocean
184 K3 **Kawakawa** Northland, North Island, NZ
82 I13 **Kawama** North Western, NW Zambia
82 K11 **Kawambwa** Luapula, N Zambia
154 K11 **Kawardha** Chhattīsgarh, C India
14 I14 **Kawartha Lakes** ◎ Ontario, SE Canada
165 O13 **Kawasaki** Kanagawa, Honshū, S Japan
171 R12 **Kawassi** Pulau Obi, E Indonesia
165 R6 **Kawauchi** Aomori, Honshū, C Japan
184 L5 **Kawau Island** *island* N NZ
184 N10 **Kaweka Range** ▲ North Island, NZ
Kawelecht *see* Puhja
184 O8 **Kawerau** Bay of Plenty, North Island, NZ
184 L8 **Kawhia** Waikato, North Island, NZ
184 K8 **Kawhia Harbour** *inlet* North Island, NZ
35 V8 **Kawich Peak** ▲ Nevada, W USA
35 V9 **Kawich Range** ▲ Nevada, W USA
14 G12 **Kawigamog Lake** ◎ Ontario, S Canada
171 P9 **Kawio, Kepulauan** *island group* N Indonesia
167 N9 **Kawkareik** Karen State, S Myanmar
27 O8 **Kaw Lake** ⊠ Oklahoma, C USA
166 M3 **Kawlin** Sagaing, N Myanmar
Kawm Umbū *see* Kôm Ombo
Kawthule State *see* Karen State
Kaxgar *see* Kashi
158 D7 **Kaxgar He** ↝ NW China
158 J5 **Kax He** ↝ NW China
77 P12 **Kaya** C Burkina
167 N6 **Kayah State** ◆ *state* C Myanmar
39 T12 **Kayak Island** *island* Alaska, USA
114 M11 **Kayalıköy Barajı** ⊠ NW Turkey
155 G23 **Kāyamkulam** Kerala, SW India
166 M8 **Kayan** Yangon, SW Myanmar
169 V9 **Kayan, Sungai** *prev.* Kajan. ↝ Borneo, C Indonesia
144 F14 **Kaydak, Sor** *salt flat* SW Kazakhstan
Kaydanovo *see* Dzyarzhynsk
37 N9 **Kayenta** Arizona, SW USA
76 J11 **Kayes** Kayes, W Mali
76 J11 **Kayes** ◆ *region* SW Mali
Kayin State *see* Karen State
145 U10 **Kaynar** *var.* Kajnar. Vostochnyy Kazakhstan, E Kazakhstan
Kaynary *see* Căinari
83 H15 **Kayoya** Western, W Zambia
Kayrakkum *see* Qayroqqum
Kayrakkumskoye Vodokhranilishche *see* Qayroqqum, Obanbori
136 K14 **Kayseri** *var.* Kaisaria; *anc.* Caesarea Mazaca, Mazaca. Kayseri, C Turkey
136 K14 **Kayseri** *var.* Kaisaria. ◆ *province* C Turkey
36 L2 **Kaysville** Utah, W USA
Kayyngdy *see* Kaindy
14 L11 **Kazabazua** Québec, SE Canada
14 L12 **Kazabazua** ↝ Québec, SE Canada
123 Q7 **Kazach'ye** Respublika Sakha (Yakutiya), NE Russian Federation
Kazakdar'ya *see* Qozoqdaryo
146 E9 **Kazakhlyshor, Solonchak** *var.* Solonchak Shorkazakhly. *salt marsh* NW Turkmenistan
Kazakhskaya SSR/Kazakh Soviet Socialist Republic *see* Kazakhstan
145 R9 **Kazakhskiy Melkosopochnik** *Eng.* Kazakh Uplands, Kirghiz Steppe, *Kaz.* Saryarqa. *uplands* C Kazakhstan
144 L12 **Kazakhstan** *off.* Republic of Kazakhstan, *var.* Kazakstan, *Kaz.* Qazaqstan, Qazaqstan Respublikasy; *prev.* Kazakh Soviet Socialist Republic, *Rus.* Kazakhskaya SSR. ◆ *republic* C Asia
Kazakh Uplands *see* Kazakhskiy Melkosopochnik
Kazakstan *see* Kazakhstan
144 L14 **Kazalinsk** Kzylorda, S Kazakhstan
127 R4 **Kazan'** Respublika Tatarstan, W Russian Federation
127 R4 **Kazan'** ✕ Respublika Tatarstan, W Russian Federation
8 M10 **Kazan** ↝ Nunavut, NW Canada
Kazandzhik *see* Bereket
117 R8 **Kazanka** Mykolayivs'ka Oblast', S Ukraine
Kazanketken *see* Qozonketkan
Kazanlik *see* Kazanlŭk
114 J9 **Kazanlŭk** *prev.* Kazanlik. Stara Zagora, C Bulgaria
165 Y16 **Kazan-rettō** *Eng.* Volcano Islands. *island group* SE Japan
117 V12 **Kazantip, Mys** *headland* S Ukraine
147 U9 **Kazarman** Narynskaya Oblast', C Kyrgyzstan
Kazatin *see* Kozyatyn
Kazbegi *see* Kazbek
Kazbegi *see* Qazbegi
137 T9 **Kazbek** *var.* Kazbegi, *Geor.* Mqinvartsveri. ▲ N Georgia
82 M13 **Kazembe** Eastern, NE Zambia
143 N11 **Kāzerūn** Fārs, S Iran
125 R12 **Kazhym** Respublika Komi, NW Russian Federation
Kazi Ahmad *see* Qāzi Ahmad
Kazi Magomed *see* Qazimämmäd
136 H16 **Kâzımkarabekir** Karaman, S Turkey
111 M20 **Kazincbarcika** Borsod-Abaúj-Zemplén, NE Hungary
119 H17 **Kazlowshchyna** *Pol.* Kozlowszczyzna, *Rus.* Kozlovshchina. Hrodzyenskaya Voblasts', W Belarus
119 E14 **Kazlų Rūda** Marijampolė, S Lithuania
144 E9 **Kaztalovka** Zapadnyy Kazakhstan, W Kazakhstan
79 K22 **Kazumba** Kasai Occidental, S Dem. Rep. Congo
165 Q8 **Kazuno** Akita, Honshū, C Japan
Kazvin *see* Qazvīn
118 J12 **Kaz'yany** *Rus.* Koz'yany. Vitsyebskaya Voblasts', NW Belarus
122 H9 **Kazym** ↝ N Russian Federation
110 H10 **Kcynia** *Ger.* Exin. Kujawsko-pomorskie, C Poland
115 I20 **Kéa** Kéa, Kykládes, Greece, Aegean Sea
115 I20 **Kéa** *prev.* Kéos, *anc.* Ceos. *island* Kykládes, Greece, Aegean Sea
38 H11 **Kea'au** *var.* Keaau. Hawai'i, USA, C Pacific Ocean
38 F11 **Keāhole Point** *var.* Keahole Point *headland* Hawai'i, USA, C Pacific Ocean
38 G12 **Kealakekua** Hawai'i, USA, C Pacific Ocean
38 H11 **Kea, Mauna** ▲ Hawai'i, USA, C Pacific Ocean
37 N10 **Keams** Arizona, SW USA
Kéamu *see* Aneityum
29 O16 **Kearney** Nebraska, C USA
36 L3 **Kearns** Utah, W USA
115 H20 **Kéas, Stenó** *strait* SE Greece
137 O14 **Keban Barajı** *dam* C Turkey
137 O14 **Keban Barajı** ⊠ C Turkey
77 S13 **Kebbi** ◆ *state* NW Nigeria
76 G10 **Kébémèr** NW Senegal
74 M7 **Kebili** *var.* Qibilī. C Tunisia
138 H4 **Kebir, Nahr el** ↝ NW Syria
80 A10 **Kebkabiya** Northern Darfur, W Sudan
92 I11 **Kebnekaise** ▲ N Sweden
81 M14 **K'ebrī Dehar** Somali, E Ethiopia
148 K15 **Kech** ↝ SW Pakistan
10 K10 **Kechika** ↝ British Columbia, W Canada
111 K23 **Kecskemét** Bács-Kiskun, C Hungary
168 J6 **Kedah** ◆ *state* Peninsular Malaysia
118 F12 **Kėdainiai** Kaunas, C Lithuania
Kedder *see* Kehra
13 N13 **Kedgwick** New Brunswick, SE Canada
169 R16 **Kediri** Jawa, C Indonesia
171 Y13 **Kedir Sarmi** Papua, E Indonesia
163 V7 **Kedong** Heilongjiang, NE China
76 I12 **Kédougou** SE Senegal
122 I11 **Kedrovyy** Tomskaya Oblast', C Russian Federation
111 H16 **Kędzierzyn-Koźle** *Ger.* Heydebrech. Opolskie, S Poland
8 H8 **Keele** ↝ Northwest Territories, NW Canada
10 K6 **Keele Peak** ▲ Yukon Territory, NW Canada
Keelung *see* Chilung
19 N10 **Keene** New Hampshire, NE USA
99 H17 **Keerbergen** Vlaams Brabant, C Belgium
83 E21 **Keetmanshoop** Karas, S Namibia
12 A11 **Keewatin** Ontario, S Canada
29 V4 **Keewatin** Minnesota, N USA
115 B18 **Kefallinía** *var.* Kefallonía. *island* Iónioi Nísoi, Greece, C Mediterranean Sea
Kefallonía *see* Kefallinía
115 M22 **Kéfalos** Kos, Dodekánisos, Greece, Aegean Sea
171 Q17 **Kefamenanu** Timor, C Indonesia
138 F10 **Kefar Sava** *var.* Kfar Saba. Central, C Israel
Kefe *see* Feodosiya
77 V15 **Keffi** Nassarawa, C Nigeria
92 H4 **Keflavik** ✕ (Reykjavík) Reykjanes, W Iceland
92 H4 **Keflavík** Reykjanes, W Iceland
Kegalee *see* Kegalla
155 J25 **Kegalla** *var.* Kegalee, Kegalle. Sabaragamuwa Province, C Sri Lanka
Kegalle *see* Kegalla
Kegayli *see* Kegeyli
Kegel *see* Keila
145 W16 **Kegen** Almaty, SE Kazakhstan
146 H7 **Kegeyli** *prev.* Kegayli. Qoraqalpog'iston Respublikasi, W Uzbekistan
101 F22 **Kehl** Baden-Württemberg, SW Germany
118 H3 **Kehra** *Ger.* Kedder. Harjumaa, NW Estonia
117 U6 **Kehychivka** Kharkivs'ka Oblast', E Ukraine
97 L17 **Keighley** N England, UK
Kei Islands *see* Kai, Kepulauan
Keijō *see* Sŏul
118 G3 **Keila** *Ger.* Kegel. Harjumaa, NW Estonia
Keilberg *see* Klínovec
83 F23 **Keimoes** Northern Cape, W South Africa
Keina/Keinis *see* Käina
Keishū *see* Kyŏngju
77 T11 **Keïta** Tahoua, C Niger
78 J12 **Kéita, Bahr** *var.* Doka. ↝ S Chad
182 K10 **Keith** South Australia
96 K8 **Keith** NE Scotland, UK
26 K3 **Keith Sebelius Lake** ⊠ Kansas, C USA
32 G11 **Keizer** Oregon, NW USA
38 A8 **Kekaha** Kaua'i, Hawai'i, USA, C Pacific Ocean
147 U10 **Këk-Art** *prev.* Alaykel', Alay-Kuu. Oshskaya Oblast', SW Kyrgyzstan
147 W10 **Këk-Aygyr** *var.* Keyaygyr. Narynskaya Oblast', C Kyrgyzstan
147 V9 **Këk-Dzhar** Narynskaya Oblast', C Kyrgyzstan
14 L8 **Kekek** ↝ Québec, SE Canada
185 K15 **Kekerengu** Canterbury, South Island, NZ
111 L21 **Kékes** ▲ N Hungary
171 P17 **Kekneno, Gunung** ▲ Timor, S Indonesia
147 S9 **Këk-Tash** *Kir.* Kök-Tash. Dzhalal-Abadskaya Oblast', W Kyrgyzstan
81 M15 **K'elafo** Somali, E Ethiopia
169 U10 **Kelai, Sungai** ↝ Borneo, N Indonesia
Kelamayi *see* Karamay
Kelang *see* Klang
168 K7 **Kelantan** ◆ *state* Peninsular Malaysia
Kelantan *see* Kelantan, Sungai
168 K7 **Kelantan, Sungai** *var.* Kelantan. ↝ Peninsular Malaysia
Kelat *see* Kālat
Këlcyra *see* Këlcyrë
113 L22 **Këlcyrë** *var.* Këlcyra. Gjirokastër, S Albania
Kelifskiy Uzboy *see* Kelif Uzboýy
146 L14 **Kelif Uzboýy** *Rus.* Kelifskiy Uzboy. *salt marsh* E Turkmenistan
137 O12 **Kelkit** Gümüşhane, NE Turkey
136 M12 **Kelkit Çayı** ↝ N Turkey
77 W11 **Kellé** Zinder, S Niger
79 G18 **Kéllé** Cuvette, W Congo
145 P7 **Kellerovka** Severnyy Kazakhstan, N Kazakhstan
8 I5 **Kellett, Cape** *headland* Banks Island, Northwest Territories, NW Canada
31 S11 **Kelleys Island** *island* Ohio, N USA
33 N8 **Kellogg** Idaho, NW USA
92 M12 **Kelloselkä** Lappi, N Finland
97 F17 **Kells** *Ir.* Ceanannas. E Ireland
118 E12 **Kelmė** Šiauliai, C Lithuania
99 M19 **Kelmis** *var.* La Calamine. Liège, E Belgium
78 H12 **Kélo** Tandjilé, SW Chad
83 I14 **Kelongwa** North Western, NW Zambia
11 N17 **Kelowna** British Columbia, SW Canada
11 X12 **Kelsey** Manitoba, C Canada
34 M6 **Kelseyville** California, W USA
96 K13 **Kelso** SE Scotland, UK
32 G10 **Kelso** Washington, NW USA
195 W15 **Keltie, Cape** *headland* Antarctica
Keltsy *see* Kielce
168 L9 **Keluang** *var.* Kluang. Johor, Peninsular Malaysia
168 M11 **Kelume** Pulau Lingga, W Indonesia
11 U15 **Kelvington** Saskatchewan, S Canada
124 J7 **Kem'** Respublika Kareliya, NW Russian Federation
126 I7 **Kem'** ↝ NW Russian Federation
137 O13 **Kemah** Erzincan, E Turkey
137 N13 **Kemaliye** Erzincan, C Turkey
Kemaman *see* Cukai
Kemanlar *see* Isperikh
10 K14 **Kemano** British Columbia, SW Canada
Kemarat *see* Khemmarat
171 P12 **Kembani** Pulau Peleng, N Indonesia
136 F17 **Kemer** Antalya, SW Turkey
122 J12 **Kemerovo** *prev.* Shcheglovsk. Kemerovskaya Oblast', C Russian Federation
122 K12 **Kemerovskaya Oblast'** ◆ *province* S Russian Federation
92 L13 **Kemi** Lappi, NW Finland
92 M12 **Kemijärvi** *Swe.* Kemiträsk. Lappi, N Finland
92 M12 **Kemijärvi** ◎ N Finland
92 L13 **Kemijoki** ↝ NW Finland
147 V7 **Kemin** *prev.* Bystrovka. Chuyskaya Oblast', N Kyrgyzstan
92 L13 **Keminmaa** Lappi, NW Finland
Kemins Island *see* Nikumaroro
Kemiö *see* Kimito
Kemiträsk *see* Kemijärvi
127 P5 **Kemlya** Respublika Mordoviya, W Russian Federation
99 B18 **Kemmel** West-Vlaanderen, W Belgium
33 S16 **Kemmerer** Wyoming, C USA
Kemmuna *see* Comino
79 I14 **Kémo** ◆ *prefecture* S Central African Republic
25 U7 **Kemp** Texas, SW USA
93 L14 **Kempele** Oulu, C Finland
101 D15 **Kempen** Nordrhein-Westfalen, W Germany
25 Q5 **Kemp, Lake** ◎ Texas, SW USA
195 W5 **Kemp Land** *physical region* Antarctica
25 S9 **Kempner** Texas, SW USA
44 H3 **Kemp's Bay** Andros Island, W Bahamas
183 U6 **Kempsey** New South Wales, SE Australia
101 J24 **Kempten** Bayern, S Germany
15 N9 **Kempt, Lac** ◎ Québec, SE Canada
183 P17 **Kempton** Tasmania, SE Australia
154 J9 **Ken** ↝ C India
39 R12 **Kenai** Alaska, USA
39 R12 **Kenai Peninsula** *peninsula* Alaska, USA
21 V11 **Kenansville** North Carolina, SE USA
146 A10 **Kenar** *prev. Rus.* Ufra. Balkan Welaýaty, NW Turkmenistan
121 U13 **Kenâyis, Râs el** *headland* N Egypt
97 K16 **Kendal** NW England, UK
23 Y16 **Kendall** Florida, SE USA
9 O8 **Kendall, Cape** *headland* Nunavut, E Canada
18 J15 **Kendall Park** New Jersey, NE USA
31 Q11 **Kendallville** Indiana, N USA
171 P14 **Kendari** Sulawesi, C Indonesia
169 Q13 **Kendawangan** Borneo, C Indonesia
154 O12 **Kendrāpāra** *var.* Kendraparha. Orissa, E India
Kendraparha *see* Kendrāpāra
154 O11 **Kendujhargarh** *prev.* Keonjhargarh. Orissa, E India
25 S13 **Kenedy** Texas, SW USA
Kënekesir *see* Könekesir
76 J15 **Kenema** SE Sierra Leone
29 P16 **Kenesaw** Nebraska, C USA
Këneurgench *see* Köneürgenç
79 H21 **Kenge** Bandundu, SW Dem. Rep. Congo
Kengen *see* Kangen
167 O5 **Keng Tung** *var.* Kentung. Shan State, E Myanmar
83 F23 **Kenhardt** Northern Cape, W South Africa
76 J12 **Kéniéba** Kayes, W Mali
Kenimekh *see* Konimex
169 U7 **Keningau** Sabah, East Malaysia
74 F6 **Kénitra** *prev.* Port-Lyautey. NW Morocco
21 V9 **Kenly** North Carolina, SE USA
97 B21 **Kenmare** *Ir.* Neidín. S Ireland
28 L2 **Kenmare** N Dakota, N USA
97 A21 **Kenmare River** *Ir.* An Ribhéar. *inlet* NE Atlantic Ocean
18 D10 **Kenmore** New York, NE USA
25 W8 **Kennard** Texas, SW USA
29 N10 **Kennebec** South Dakota, N USA
19 Q7 **Kennebec River** ↝ Maine, NE USA
19 P9 **Kennebunk** Maine, NE USA
39 R13 **Kennedy Entrance** *strait* Alaska, USA
166 L3 **Kennedy Peak** ▲ W Myanmar
22 K9 **Kenner** Louisiana, S USA
180 I8 **Kenneth Range** ▲ Western Australia
27 Y9 **Kennett** Missouri, C USA
18 I16 **Kennett Square** Pennsylvania, NE USA
32 K10 **Kennewick** Washington, NW USA
12 E11 **Kenogami** ↝ Ontario, S Canada
15 Q7 **Kénogami, Lac** ◎ Québec, SE Canada
14 G8 **Kenogami Lake** Ontario, S Canada
14 F7 **Kenogamissi Lake** ◎ Ontario, S Canada
10 I6 **Keno Hill** Yukon Territory, NW Canada
12 A11 **Kenora** Ontario, S Canada
31 N9 **Kenosha** Wisconsin, N USA
13 P14 **Kensington** Prince Edward Island, SE Canada
26 L3 **Kensington** Kansas, C USA
32 I11 **Kent** Oregon, NW USA
24 J9 **Kent** Texas, SW USA
32 H8 **Kent** Washington, NW USA
97 P22 **Kent** *cultural region* SE England, UK
145 P16 **Kentau** Yuzhnyy Kazakhstan, S Kazakhstan
183 P14 **Kent Group** *island group* Tasmania, SE Australia
31 N12 **Kentland** Indiana, N USA
31 R12 **Kenton** Ohio, N USA
8 K7 **Kent Peninsula** *peninsula* Nunavut, N Canada
115 F14 **Kentrikí Makedonía** *Eng.* Macedonia Central. ◆ *region* N Greece
20 J6 **Kentucky** *off.* Commonwealth of Kentucky; also known as The Bluegrass State. ◆ *state* C USA
20 H8 **Kentucky Lake** ⊠ Kentucky/Tennessee, S USA
Kentung *see* Keng Tung
13 P15 **Kentville** Nova Scotia, SE Canada
22 K8 **Kentwood** Louisiana, S USA
31 P9 **Kentwood** Michigan, N USA
81 H17 **Kenya** *off.* Republic of Kenya. ◆ *republic* E Africa
Kenya, Mount *see* Kirinyaga
168 L7 **Kenyir, Tasik** *var.* Tasek Kenyir. ◎ Peninsular Malaysia
29 W10 **Kenyon** Minnesota, N USA
29 Y16 **Keokuk** Iowa, C USA
Keonjihargarh *see* Kendujhargarh
Kéos *see* Kéa
29 X16 **Keosauqua** Iowa, C USA
29 X15 **Keota** Iowa, C USA
21 O11 **Keowee, Lake** ⊠ South Carolina, SE USA
124 I7 **Kepa** *var.* Kepe. Respublika Kareliya, NW Russian Federation
Kepe *see* Kepa
189 O13 **Kepirohi Falls** *waterfall* Pohnpei, E Micronesia
185 B22 **Kepler Mountains** ▲ South Island, NZ
111 I14 **Kępno** Wielkopolskie, C Poland
65 C24 **Keppel Island** *island* N Falkland Islands
Keppel Island *see* Niuatoputapu
65 C23 **Keppel Sound** *sound* N Falkland Islands
136 D12 **Kepsut** Balıkesir, NW Turkey
168 M11 **Kepulauan Riau** *off.* Propinsi Kepulauan Riau. ◆ *province* NW Indonesia
171 V13 **Kerai** Papua, E Indonesia
Kerak *see* Al Karak
155 F22 **Kerala** ◆ *state* S India
165 R16 **Kerama-rettō** *island group* SW Japan
183 N10 **Kerang** Victoria, SE Australia
Kerasunt *see* Giresun
115 H19 **Keratéa** *var.* Keratea. Attikí, C Greece
93 M19 **Kerava** *Swe.* Kervo. Etelä-Suomi, S Finland
Kerbala/Kerbela *see* Karbalā'
32 F15 **Kerby** Oregon, NW USA
117 W12 **Kerch** *Rus.* Kerch'. Respublika Krym, SE Ukraine
Kerchens'ka Protska/Kerchenskiy Proliv *see* Kerch Strait
117 V13 **Kerchens'kyy Pivostriv** *peninsula* S Ukraine
121 V4 **Kerch Strait** *var.* Bosporus Cimmerius, Enikale Strait, *Rus.* Kerchenskiy Proliv, *Ukr.* Kerchens'ka Protska. *strait* Black Sea/Sea of Azov
152 K8 **Kerdārnāth** Uttaranchal, N India
Kerdilio *see* Kerdýlio
114 H13 **Kerdýlio** *var.* Kerdilio. ▲ N Greece
186 D8 **Kerema** Gulf, S PNG
Keremitlik *see* Lyulyakovo
136 I9 **Kerempe Burnu** *headland* N Turkey
80 J9 **Keren** *var.* Cheren. C Eritrea
25 U7 **Kerens** Texas, SW USA
184 M6 **Kerepehi** Waikato, North Island, NZ
145 P10 **Kerey, Ozero** ◎ C Kazakhstan
Kergel *see* Kärla
173 Q12 **Kerguelen** *island* C French Southern and Antarctic Territories
173 Q13 **Kerguelen Plateau** *undersea feature* S Indian Ocean
115 C20 **Kerí** Zákynthos, Iónioi Nísoi, Greece, C Mediterranean Sea
81 H19 **Kericho** Rift Valley, W Kenya
184 K2 **Kerikeri** Northland, North Island, NZ
93 O17 **Kerimäki** Itä-Suomi, E Finland
168 K12 **Kerinci, Gunung** ▲ Sumatera, W Indonesia
Keriya *see* Yutian
158 H9 **Keriya He** ↝ NW China
98 J9 **Kerkbuurt** Noord-Holland, C Netherlands
98 J13 **Kerkdriel** Gelderland, C Netherlands
75 N6 **Kerkenah, Îles de** *var.* Kerkenna Islands, *Ar.* Juzur Qarqannah. *island group* E Tunisia
Kerkenna Islands *see* Kerkenah, Îles de
115 M20 **Kerketévs** ▲ Sámos, Dodekánisos, Greece, Aegean Sea
29 T8 **Kerkhoven** Minnesota, N USA
Kerki *see* Atamyrat
Kerkichi *see* Kerkiçi
146 M14 **Kerkiçi** *Rus.* Kerkichi. Lebap Welaýaty, E Turkmenistan
115 F16 **Kerkíneo** *prehistoric site* Thessalía, C Greece
114 G12 **Kerkinitis, Límni** ◎ N Greece
Kérkira *see* Kérkyra
99 M18 **Kerkrade** Limburg, SE Netherlands
Kerkuk *see* Kirkūk
115 B16 **Kerkyra** ✕ Kérkyra, Iónioi Nísoi, Greece, C Mediterranean Sea
115 B16 **Kérkyra** *var.* Kérkira, *Eng.* Corfu. Kérkyra, Iónioi Nísoi, Greece, C Mediterranean Sea
115 A16 **Kérkyra** *var.* Kérkira, *Eng.* Corfu. *island* Iónioi Nísoi, Greece, C Mediterranean Sea
192 K10 **Kermadec Islands** *island group* NZ, SW Pacific Ocean
192 L11 **Kermadec Trench** *undersea feature* SW Pacific Ocean
143 S10 **Kermān** *var.* Kirman; *anc.* Carmania. Kermān, C Iran
143 R11 **Kermān** *off.* Ostān-e Kermān, *var.* Kirman; *anc.* Carmania. ◆ *province* SE Iran
143 U12 **Kermān, Biābān-e** *var.* Kerman Desert. *desert* SE Iran
142 K6 **Kermānshāh** *var.* Qahremānshahr, *prev.* Bākhtarān. Kermānshāh, W Iran
143 Q9 **Kermānshāh** Yazd, C Iran
142 J6 **Kermānshāh** *off.* Ostān-e Kermānshāh; *prev.* Bākhtarān, Kermānshāhān. ◆ *province* W Iran
Kermānshāhān *see* Kermānshāh
114 L10 **Kermen** Sliven, C Bulgaria
24 L8 **Kermit** Texas, SW USA
21 P6 **Kermit** West Virginia, NE USA
21 S9 **Kernersville** North Carolina, SE USA

◆ Country
● Country Capital
◇ Dependent Territory
○ Dependent Territory Capital
◆ Administrative Region
✕ International Airport
▲ Mountain
▲ Mountain Range
Volcano
↝ River
◎ Lake
⊠ Reservoir

KLOSTERNEUBURG – KOPRIVNICA ••• 273

109 X3 **Klosterneuburg** Niederösterreich, NE Austria
108 J9 **Klosters** Graubünden, SE Switzerland
108 G7 **Kloten** Zürich, N Switzerland
108 G7 **Kloten** ✈ (Zürich) Zürich, N Switzerland
100 K12 **Klötze** Sachsen-Anhalt, C Germany
12 K3 **Klotz, Lac** ◎ Québec, NE Canada
101 O15 **Klotzsche** ✈ (Dresden) Sachsen, E Germany
10 H7 **Kluane Lake** ◎ Yukon Territory, W Canada
Kluang see Keluang
111 I14 **Kluczbork** Ger. Kreuzburg, Kreuzburg in Oberschlesien. Opolskie, S Poland
39 W12 **Klukwan** Alaska, USA
Klyastitsy see Klyastsitsy
118 L11 **Klyastsitsy** Rus. Klyastitsy. Vitsyebskaya Voblasts', N Belarus
127 T5 **Klyavlino** Samarskaya Oblast', W Russian Federation
127 N3 **Klyaz'ma** ≈ W Russian Federation
119 J17 **Klyetsk** Pol. Kleck, Rus. Kletsk. Minskaya Voblasts', SW Belarus
147 S8 **Klyuchevka** Talasskaya Oblast', NW Kyrgyzstan
123 V10 **Klyuchevskaya Sopka, Vulkan** ◬ E Russian Federation
95 D17 **Knaben** Vest-Agder, S Norway
Knanzi see Ghanzi
95 K21 **Knäred** Halland, S Sweden
97 M16 **Knaresborough** N England, UK
114 H8 **Knezha** Vratsa, NW Bulgaria
25 O9 **Knickerbocker** Texas, SW USA
28 K5 **Knife River** ≈ North Dakota, N USA
10 K16 **Knight Inlet** inlet British Columbia, W Canada
39 S12 **Knight Island** island Alaska, USA
97 K20 **Knighton** E Wales, UK
35 O7 **Knights Landing** California, W USA
112 E13 **Knin** Šibenik-Knin, S Croatia
25 Q12 **Knippal** Texas, SW USA
109 U7 **Knittelfeld** Steiermark, C Austria
95 O15 **Knivsta** Uppsala, C Sweden
113 P14 **Knjaževac** Serbia, E Serbia and Montenegro (Yugo.)
27 S4 **Knob Noster** Missouri, C USA
99 D15 **Knokke-Heist** West-Vlaanderen, NW Belgium
95 H20 **Knøsen** hill N Denmark
Knosós see Knossos
115 J25 **Knossos** Gk. Knosós. prehistoric site Kríti, Greece, E Mediterranean Sea
25 N7 **Knott** Texas, SW USA
194 K5 **Knowles, Cape** headland Antarctica
31 O11 **Knox** Indiana, N USA
29 O3 **Knox** North Dakota, N USA
18 C13 **Knox** Pennsylvania, NE USA
189 X8 **Knox Atoll** var. Nadikdik, Narikrik. atoll Ratak Chain, SE Marshall Islands
10 H13 **Knox, Cape** headland Graham Island, British Columbia, SW Canada
25 P5 **Knox City** Texas, SW USA
195 Y11 **Knox Coast** physical region Antarctica
31 T12 **Knox Lake** ▣ Ohio, N USA
23 T5 **Knoxville** Georgia, SE USA
30 K12 **Knoxville** Illinois, N USA
29 W15 **Knoxville** Iowa, C USA
21 N9 **Knoxville** Tennessee, S USA
197 P11 **Knud Rasmussen Land** physical region N Greenland
Knüll see Knüllgebirge
101 I16 **Knüllgebirge** var. Knüll. ▲▲ C Germany
Knyazhevo see Sredishte
Knyazhitsy see Knyazhytsy
119 O15 **Knyazhytsy** Rus. Knyazhitsy. Mahilyowskaya Voblasts', E Belarus
83 G26 **Knysna** Western Cape, SW South Africa
Koartac see Quaqtaq
169 N13 **Koba** Pulau Bangka, W Indonesia
164 D16 **Kobayashi** var. Kobayasi. Miyazaki, Kyūshū, SW Japan
Kobayasi see Kobayashi
Kobdo see Hovd
164 I13 **Kōbe** Hyōgo, Honshū, SW Japan
Kobelyaki see Kobelyaky
117 T6 **Kobelyaky** Rus. Kobelyaki. Poltavs'ka Oblast', NE Ukraine
95 J22 **København** Eng. Copenhagen; anc. Hafnia. ● (Denmark) Sjælland, København, E Denmark
95 J23 **København** off. Københavns Amt. ◈ county E Denmark
76 K10 **Kobenni** Hodh el Gharbi, S Mauritania
171 T13 **Kobi** Pulau Seram, E Indonesia
101 F17 **Koblenz** prev. Coblenz, Fr. Coblence, anc. Confluentes. Rheinland-Pfalz, W Germany
108 F6 **Koblenz** Aargau, N Switzerland
124 J14 **Kobozha** Novgorodskaya Oblast', W Russian Federation
Kobrin see Kobryn
171 V15 **Kobroor, Pulau** island Kepulauan Aru, E Indonesia
119 G19 **Kobryn** Pol. Kobryń, Rus. Kobrin. Brestskaya Voblasts', SW Belarus
39 O7 **Kobuk** Alaska, USA
39 O7 **Kobuk River** ≈ Alaska, USA
137 Q10 **K'obulet'i** W Georgia
123 P10 **Kobyay** Respublika Sakha (Yakutiya), NE Russian Federation
136 E11 **Kocaeli** ◈ province NW Turkey
113 P18 **Kočani** NE FYR Macedonia
112 K12 **Koceljevo** Serbia, W Serbia and Montenegro (Yugo.)
109 U12 **Kočevje** Ger. Gottschee. S Slovenia
153 T12 **Koch Bihār** West Bengal, NE India
122 M9 **Kochechum** ≈ N Russian Federation
101 I20 **Kocher** ≈ SW Germany
125 T13 **Kochevo** Komi-Permyatskiy Avtonomnyy Okrug, NW Russian Federation
164 G14 **Kōchi** var. Kôti. Kōchi, Shikoku, SW Japan
164 G14 **Kōchi** off. Kōchi-ken, var. Kôti. ◈ prefecture Shikoku, SW Japan
Kochi see Cochin
Kochiu see Gejiu
Kochkor see Kochkorka
147 V8 **Kochkorka** Kir. Kochkor. Narynskaya Oblast', C Kyrgyzstan
125 V5 **Kochmes** Respublika Komi, NW Russian Federation
127 P15 **Kochubey** Respublika Dagestan, SW Russian Federation
115 I17 **Kochýlas** ▲ Skýros, Vóreioi Sporádes, Greece, Aegean Sea
110 O13 **Kock** Lubelskie, E Poland
81 J19 **Kodacho** spring/well S Kenya
155 K24 **Koddiyar Bay** bay NE Sri Lanka
39 Q14 **Kodiak** Kodiak Island, Alaska, USA
39 Q14 **Kodiak Island** island Alaska, USA
154 B12 **Kodīnār** Gujarāt, W India
124 M9 **Kodino** Arkhangel'skaya Oblast', NW Russian Federation
122 M12 **Kodinsk** Krasnoyarskiy Kray, C Russian Federation
80 F12 **Kodok** Upper Nile, SE Sudan
117 N8 **Kodyma** Odes'ka Oblast', SW Ukraine
99 B17 **Koekelare** West-Vlaanderen, W Belgium
Koeln see Köln
Koepang see Kupang
Ko-erh-mu see Golmud
99 J17 **Koersel** Limburg, NE Belgium
83 E21 **Koës** Karas, SE Namibia
Koetai see Mahakam, Sungai
Koetaradja see Bandaaceh
36 I14 **Kofa Mountains** ▲▲ Arizona, SW USA
171 Y15 **Kofarau** Papua, E Indonesia
147 P13 **Kofarnihon** Rus. Kofarnikhon; prev. Ordzhonikidzeabad, Taj. Orjonikidzeobod, Yangi-Bazar. W Tajikistan
147 P14 **Kofarnihon** Rus. Kafirnigan. ≈ SW Tajikistan
Kofarnikhon see Kofarnihon
114 M11 **Kofçaz** Kırklareli, NW Turkey
115 J25 **Kófinas** ▲ Kríti, Greece, E Mediterranean Sea
121 P3 **Kofínou** var. Kophinou. S Cyprus
109 V8 **Köflach** Steiermark, SE Austria
77 Q17 **Koforidua** SE Ghana
164 H12 **Kōfu** Tottori, Honshū, SW Japan
164 M13 **Kōfu** var. Kôhu. Yamanashi, Honshū, S Japan
81 F22 **Koga** Tabora, C Tanzania
Kogălniceanu see Mihail Kogălniceanu
13 P6 **Kogaluk** ≈ Newfoundland and Labrador, E Canada
12 J4 **Kogaluk** ≈ Québec, NE Canada
122 I10 **Kogalym** Khanty-Mansiyskiy Avtonomnyy Okrug, C Russian Federation
95 J23 **Køge** Roskilde, E Denmark
95 J23 **Køge Bugt** bay E Denmark
77 U16 **Kogi** ◈ state C Nigeria
146 L11 **Kogon** Rus. Kagan. Buxoro Viloyati, C Uzbekistan
163 Y17 **Kōgŭm-do** island S South Korea
Kŏhalom see Rupea
149 T6 **Kohāt** North-West Frontier Province, NW Pakistan
118 G4 **Kohila** Ger. Koil. Raplamaa, NW Estonia
153 X13 **Kohīma** Nāgāland, E India
Koh I Noh see Büyükağrı Dağı
142 L10 **Kohgīlūyeh va Būyer Aḥmad** off. Ostān-e Kohgīlūyeh va Būyer Aḥmad, var. Boyer Ahmadī va Kohkīlūyeh. ◈ province SW Iran
Kohsān see Kūhestān
118 J3 **Kohtla-Järve** Ida-Virumaa, NE Estonia
Kôhu see Kōfu
117 N10 **Kohyl'nyk** Rom. Cogîlnic. ≈ Moldova/Ukraine
165 N11 **Koide** Niigata, Honshū, C Japan
10 G7 **Koidern** Yukon Territory, W Canada
76 J15 **Koidu** E Sierra Leone
118 I4 **Koigi** Järvamaa, C Estonia
Koil see Kohila
172 H13 **Koimbani** Grande Comore, NW Comoros
139 T3 **Koi Sanjaq** var. Koysanjaq, Kūysanjaq. N Iraq
93 O16 **Koitere** ◎ E Finland
Koivisto see Primorsk
163 Z16 **Kōje-do** Jap. Kyōsai-tō. island S South Korea
80 J13 **K'ok'a Hāyk'** ◎ C Ethiopia
Kokand see Qo'qon
182 F6 **Kokatha** South Australia
Kokcha see Kŭkcha
Kokchetav see Kokshetau
93 K18 **Kokemäenjoki** ≈ SW Finland
171 W14 **Kokenau** var. Kokonau. Papua, E Indonesia
83 E22 **Kokerboom** Karas, SE Namibia
119 N14 **Kokhanava** Rus. Kokhanovo. Vitsyebskaya Voblasts', NE Belarus
Kokhanovichi see Kakhanavichy
Kokhanovo see Kokhanava
Kök-Janggak see Kok-Yangak
93 K16 **Kokkola** Swe. Karleby; prev. Swe. Gamlakarleby. Länsi-Suomi, W Finland
158 L3 **Kok Kuduk** well N China
118 H9 **Koknese** Aizkraukle, C Latvia
77 T13 **Koko** Kebbi, W Nigeria
186 E9 **Kokoda** Northern, S PNG
76 K12 **Kokofata** Kayes, W Mali
39 N6 **Kokolik River** ≈ Alaska, USA
31 O13 **Kokomo** Indiana, N USA
Kokonau see Kokenau
Koko Nor see Qinghai Hu, China
Koko Nor see Qinghai, China
185 H6 **Kokopo** var. Kopopo; prev. Herbertshöhe. New Britain, E PNG
145 X10 **Kokpekti** Kaz. Kökpekti. Vostochnyy Kazakhstan, E Kazakhstan
145 X11 **Kokpekti** ≈ E Kazakhstan
39 P9 **Kokrines** Alaska, USA
39 P9 **Kokrines Hills** ▲▲ Alaska, USA
145 P17 **Koksaray** Yuzhnyy Kazakhstan, S Kazakhstan
147 X9 **Kokshaal-Tau** Rus. Khrebet Kakshaal-Too. ▲▲ China/Kyrgyzstan
145 P7 **Kokshetau** Kaz. Kökshetaū; prev. Kokchetav. Akmola, N Kazakhstan
99 A17 **Koksijde** West-Vlaanderen, W Belgium
12 M5 **Koksoak** ≈ Québec, E Canada
83 K24 **Kokstad** KwaZulu/Natal, E South Africa
145 W15 **Koktal** Kaz. Köktal. Almaty, SE Kazakhstan
145 Q12 **Koktas** ≈ C Kazakhstan
Kök-Tash see Kek-Tash
Koktokay see Fuyun
147 T9 **Kok-Yangak** Kir. Kök-Janggak. Dzhalal-Abadskaya Oblast', W Kyrgyzstan
158 F9 **Kokyar** Xinjiang Uygur Zizhiqu, W China
149 O13 **Kolāchi** var. Kulachi. ≈ SW Pakistan
76 J15 **Kolahun** N Liberia
171 O14 **Kolaka** Sulawesi, C Indonesia
Kolam see Quilon
K'o-la-ma-i see Karamay
Kola Peninsula see Kol'skiy Poluostrov
155 H19 **Kolār** Karnātaka, E India
155 H19 **Kolār Gold Fields** Karnātaka, E India
92 K11 **Kolari** Lappi, NW Finland
111 I21 **Kolárovo** Ger. Gutta; prev. Guta, Hung. Gúta. Nitriansky Kraj, SW Slovakia
113 K16 **Kolašin** Montenegro, SW Serbia and Montenegro (Yugo.)
152 F11 **Kolāyat** Rājasthān, NW India
95 N15 **Kolbäck** Västmanland, C Sweden
Kolbcha see Kowbcha
197 Q15 **Kolbeinsey Ridge** undersea feature Denmark Strait/Norwegian Sea
Kolberg see Kołobrzeg
95 H15 **Kolbotn** Akershus, S Norway
111 N16 **Kolbuszowa** Podkarpackie, SE Poland
126 L3 **Kol'chugino** Vladimirskaya Oblast', W Russian Federation
76 H12 **Kolda** S Senegal
95 G23 **Kolding** Vejle, C Denmark
79 M17 **Kole** Orientale, N Dem. Rep. Congo
79 K20 **Kole** Kasai Oriental, SW Dem. Rep. Congo
Kôle see Kili Island
Kolepom, Pulau see Yos Sudarso, Pulau
118 H3 **Kolga Laht** Ger. Kolko-Wiek. bay N Estonia
127 Q3 **Kolguyev, Ostrov** island NW Russian Federation
155 E16 **Kolhāpur** Mahārāshtra, SW India
151 K21 **Kolhumadulu Atoll** var. Kolumadulu Atoll, Thaa Atoll. atoll S Maldives
93 O16 **Koli** var. Kolinkylä. Itä-Suomi, E Finland
39 O13 **Koliganek** Alaska, USA
111 E16 **Kolín** Ger. Kolin. Středočeský Kraj, C Czech Republic
Kolinkylä see Koli
190 E12 **Koliu** Île Futuna, W Wallis and Futuna
118 E7 **Kolka** Talsi, NW Latvia
118 E7 **Kolkasrags** prev. Eng. Cape Domesnes. headland NW Latvia
Kolkhozabad see Kolkhozobod
147 P14 **Kolkhozobod** Rus. Kolkhozabad; prev. Kaganovichabad, Tugalan. SW Tajikistan
Kolki/Kołki see Kolky
Kolko-Wiek see Kolga Laht
116 K3 **Kolky** Pol. Kołki, Rus. Kolki. Volyns'ka Oblast', NW Ukraine
Kollam see Quilon
155 G20 **Kollegāl** Karnātaka, W India
98 M5 **Kollum** Friesland, N Netherlands
Kolmar see Colmar
101 E16 **Köln** var. Koeln, Eng./Fr. Cologne; prev. Cöln, anc. Colonia Agrippina, Oppidum Ubiorum. Nordrhein-Westfalen, W Germany
110 N9 **Kolno** Podlaskie, NE Poland
110 J12 **Koło** Wielkopolskie, C Poland
38 B8 **Kōloa** var. Koloa. Kaua'i, Hawai'i, USA, C Pacific Ocean
110 E7 **Kołobrzeg** Ger. Kolberg. Zachodnio-pomorskie, NW Poland
126 H4 **Kolodnya** Smolenskaya Oblast', W Russian Federation
190 E13 **Kolofau, Mont** ◬ Île Alofi, S Wallis and Futuna
125 O14 **Kologriv** Kostromskaya Oblast', NW Russian Federation
76 L12 **Kolokani** Koulikoro, W Mali
77 N13 **Koloko** W Burkina
186 K8 **Kolombangara** var. Kilimbangara, Nduke. island New Georgia Islands, NW Solomon Islands
Kolomea see Kolomyya
126 L4 **Kolomna** Moskovskaya Oblast', W Russian Federation
116 J7 **Kolomyya** Ger. Kolomea. Ivano-Frankivs'ka Oblast', W Ukraine
76 M13 **Kolondiéba** Sikasso, SW Mali
193 V15 **Kolonga** Tongatapu, S Tonga
189 U16 **Kolonia** var. Colonia. Pohnpei, E Micronesia
Kolonja see Kolonjë
113 K21 **Kolonjë** var. Kolonja. Fier, C Albania
Kolonjë see Ersekë
Kolotambu see Avuavu
193 U15 **Kolovai** Tongatapu, S Tonga
Kolozsvár see Cluj-Napoca
112 C9 **Kolpa** Ger. Kulpa, SCr. Kupa. ≈ Croatia/Slovenia
122 J11 **Kolpashevo** Tomskaya Oblast', C Russian Federation
124 H13 **Kolpino** Leningradskaya Oblast', NW Russian Federation
100 M10 **Kölpinsee** ◎ NE Germany
146 K8 **Ko'lquduq** Rus. Kulkuduk. Navoiy Viloyati, N Uzbekistan
126 K5 **Kol'skiy Poluostrov** Eng. Kola Peninsula. peninsula NW Russian Federation
127 T6 **Koltubanovskiy** Orenburgskaya Oblast', W Russian Federation
112 L11 **Kolubara** ≈ C Serbia and Montenegro (Yugo.)
Kolupchii see Gurkovo
110 K13 **Koluszki** Łodzkie, C Poland
127 T6 **Kolva** ≈ NW Russian Federation
93 E14 **Kolvereid** Nord-Trøndelag, W Norway
148 L15 **Kolwa** Baluchistān, SW Pakistan
79 M24 **Kolwezi** Katanga, S Dem. Rep. Congo
123 S7 **Kolyma** ≈ NE Russian Federation
Kolyma Lowland see Kolymskaya Nizmennost'
Kolyma Range/Kolymskiy, Khrebet see Kolymskoye Nagor'ye
123 S7 **Kolymskaya Nizmennost'** Eng. Kolyma Lowland. lowlands NE Russian Federation
123 S7 **Kolymskoye** Respublika Sakha (Yakutiya), NE Russian Federation
123 U8 **Kolymskoye Nagor'ye** var. Khrebet Kolymskiy, Eng. Kolyma Range. ▲▲ E Russian Federation
123 V5 **Kolyuchinskaya Guba** bay NE Russian Federation
145 W15 **Kol'zhat** Almaty, SE Kazakhstan
114 G8 **Kom** ▲ NW Bulgaria
80 I13 **Koma** Oromo, C Ethiopia
77 X12 **Komadugu Gana** ≈ NE Nigeria
164 M13 **Komagane** Nagano, Honshū, S Japan
79 P17 **Komanda** Orientale, NE Dem. Rep. Congo
197 U1 **Komandorskaya Basin** var. Kamchatka Basin. undersea feature SW Bering Sea
123 W9 **Komandorskiye Ostrova** Eng. Commander Islands. island group E Russian Federation
Komanfalva see Comănești
111 I22 **Komárno** Ger. Komorn, Hung. Komárom. Nitriansky Kraj, SW Slovakia
111 I22 **Komárom** Komárom-Esztergom, NW Hungary
Komárom see Komárno
111 I22 **Komárom-Esztergom** off. Komárom-Esztergom Megye. ◈ county N Hungary
164 K11 **Komatsu** var. Komatu. Ishikawa, Honshū, SW Japan
Komatu see Komatsu
83 D17 **Kombat** Otjozondjupa, N Namibia
Kombissiguiri see Kombissiri
77 P13 **Kombissiri** var. Kombissiguiri. C Burkina
188 E10 **Komebail Lagoon** lagoon N Palau
81 F20 **Kome Island** island N Tanzania
Komeyo see Wandai
117 P10 **Kominternivs'ke** Odes'ka Oblast', SW Ukraine
125 R12 **Komi-Permyatskiy Avtonomnyy Okrug** ◈ autonomous district W Russian Federation
127 R8 **Komi, Respublika** ◈ autonomous republic NW Russian Federation
111 I25 **Komló** Baranya, SW Hungary
Kommunarsk see Alchevs'k
147 S12 **Kommunizm, Qullai** ▲ E Tajikistan
186 B7 **Komo** Southern Highlands, W PNG
170 M16 **Komodo, Pulau** island Nusa Tenggara, S Indonesia
77 N15 **Komoé** var. Komoé Fleuve. ≈ E Ivory Coast
Komoé Fleuve see Komoé
75 X11 **Kôm Ombo** var. Kawm Umbū. SE Egypt
79 F20 **Komono** La Lékoumou, SW Congo
171 Y16 **Komoran** Papua, E Indonesia
171 Y16 **Komoran, Pulau** island E Indonesia
Komorn see Komárno
Komornok see Comorâște
Komosolabad see Komsomolobod
Komotau see Chomutov
114 K13 **Komotiní** var. Gümüljina, Turk. Gümülcine. Anatolikí Makedonía kai Thráki, NE Greece
113 K16 **Komovi** ▲▲ SW Serbia and Montenegro (Yugo.)
117 R8 **Kompaniyivka** Kirovohrads'ka Oblast', C Ukraine
Kompong see Kâmpóng Chhnăng
Kompong Cham see Kâmpóng Cham
Kompong Kleang see Kâmpóng Khleăng
Kompong Som see Kâmpóng Saôm
Kompong Speu see Kâmpóng Spoe
Komrat see Comrat
Komsomol see Komsomol'skiy, Atyrau, Kazakhstan
Komsomol/Komsomolets see Karabalyk, Kostanay, Kazakhstan
122 K14 **Komsomolets, Ostrov** island Severnaya Zemlya, N Russian Federation
144 F13 **Komsomolets, Zaliv** lake gulf SW Kazakhstan
147 Q12 **Komsomolobod** Rus. Komosolabad. C Tajikistan
124 M16 **Komsomol'sk** Ivanovskaya Oblast', W Russian Federation
117 S6 **Komsomol's'k** Poltavs'ka Oblast', C Ukraine
146 M11 **Komsomol'sk** Navoiy Viloyati, N Uzbekistan
144 G12 **Komsomol'skiy** Kaz. Komsomol. Atyrau, W Kazakhstan
125 W4 **Komsomol'skiy** Respublika Komi, NW Russian Federation
123 S13 **Komsomol'sk-na-Amure** Khabarovskiy Kray, SE Russian Federation
Komsomol'sk-na-Ustyurte see Kubla-Ustyurt
144 K10 **Komsomol'skoye** Aktyubinsk, NW Kazakhstan
127 Q8 **Komsomol'skoye** Saratovskaya Oblast', W Russian Federation
145 P10 **Kon** ≈ C Kazakhstan
Kona see Kailua-Kona
124 K16 **Konakovo** Tverskaya Oblast', W Russian Federation
143 V15 **Konārak** Sīstān va Balūchestān, SE Iran
Konarhā see Kunar
27 O11 **Konawa** Oklahoma, C USA
122 H10 **Konda** ≈ C Russian Federation
154 L13 **Kondagaon** Chhattīsgarh, C India
14 K10 **Kondiaronk, Lac** ◎ Québec, SE Canada
180 J13 **Kondinin** Western Australia
81 H21 **Kondoa** Dodoma, C Tanzania
127 P6 **Kondol'** Penzenskaya Oblast', W Russian Federation
114 N10 **Kondolovo** Burgas, E Bulgaria
171 Z16 **Kondomirat** Papua, E Indonesia
124 J10 **Kondopoga** Respublika Kareliya, NW Russian Federation
Kondoz see Kunduz
155 J17 **Kondukūr** var. Kandukur. Andhra Pradesh, E India
Kondūz see Kunduz
187 P16 **Koné** Province Nord, W New Caledonia
146 E13 **Könekesir** Rus. Kënekesir. Balkan Welaýaty, W Turkmenistan
146 G8 **Köneürgenç** var. Köneürgench, Rus. Këneurgench; prev. Kunya-Urgench. Daşoguz Welaýaty, N Turkmenistan
Köneürgench see Köneürgenç
77 N15 **Kong** N Ivory Coast
39 S5 **Kongakut River** ≈ Alaska, USA
197 O14 **Kong Christian IX Land** Eng. King Christian IX Land. physical region SE Greenland
197 P13 **Kong Christian X Land** Eng. King Christian X Land. physical region E Greenland
197 N13 **Kong Frederik IX Land** Eng. King Frederik IX Land. physical region SW Greenland
197 Q12 **Kong Frederik VIII Land** Eng. King Frederik VIII Land. physical region NE Greenland
197 N15 **Kong Frederik VI Kyst** Eng. King Frederik VI Coast. physical region SE Greenland
167 P13 **Kông, Kaôh** prev. Kas Kong. island SW Cambodia
92 P2 **Kong Karls Land** Eng. King Charles Islands. island group SE Svalbard
81 G14 **Kong Kong** ≈ SE Sudan
Kongo see Congo (river)
83 G16 **Kongola** Caprivi, NE Namibia
79 N21 **Kongolo** Katanga, E Dem. Rep. Congo
81 F14 **Kongor** Jonglei, SE Sudan
197 Q14 **Kong Oscar Fjord** fjord E Greenland
77 P12 **Kongoussi** N Burkina
95 G15 **Kongsberg** Buskerud, S Norway
92 Q2 **Kongsøya** island Kong Karls Land, E Svalbard
95 I14 **Kongsvinger** Hedmark, S Norway
Kongtong see Pingliang
167 T11 **Kông, Tônle** Lao. Xê Kong. ≈ Cambodia/Laos
158 E8 **Kongur Shan** ▲ NW China
81 I22 **Kongwa** Dodoma, C Tanzania
Kong, Xê see Kông, Tônle
Konia see Konya
147 R11 **Konibodom** Rus. Kanibadam. N Tajikistan
111 K15 **Koniecpol** Śląskie, S Poland
Konieh see Konya
Königgrätz see Hradec Králové
Königinhof an der Elbe see Dvůr Králové nad Labem
101 K23 **Königsbrunn** Bayern, S Germany
Königshütte see Chorzów
101 O24 **Königssee** ◎ SE Germany
109 S8 **Königstuhl** ▲ S Austria
109 U3 **Königswiesen** Oberösterreich, N Austria
101 E17 **Königswinter** Nordrhein-Westfalen, W Germany
146 M11 **Konimex** Rus. Kenimekh. Navoiy Viloyati, N Uzbekistan
110 I12 **Konin** Ger. Kuhnau. Wielkopolskie, C Poland
Koninkrijk der Nederlanden see Netherlands
113 L24 **Konispol** var. Konispoli. Vlorë, S Albania
Konispoli see Konispol
115 C15 **Kónitsa** Ípeiros, W Greece
Konitz see Chojnice
108 D8 **Köniz** Bern, W Switzerland
113 H14 **Konjic** Federacija Bosna I Hercegovina, C Bosnia and Herzegovina
92 J10 **Könkämäälven** ≈ Finland/Sweden
155 D14 **Konkan** W India
83 D22 **Konkiep** ≈ S Namibia
76 I14 **Konkouré** ≈ W Guinea
77 O11 **Konna** Mopti, S Mali
186 H6 **Konogaiang, Mount** ▲ New Ireland, NE PNG
186 H5 **Konogogo** New Ireland, NE PNG
108 E9 **Konolfingen** Bern, W Switzerland
77 P16 **Konongo** C Ghana
186 H5 **Konos** New Ireland, NE PNG
124 M12 **Konosha** Arkhangel'skaya Oblast', NW Russian Federation
117 R3 **Konotop** Sums'ka Oblast', NE Ukraine
158 L7 **Konqi He** ≈ NW China
111 L14 **Końskie** Świętokrzyskie, C Poland
Konstantinovka see Kostyantynivka
126 M11 **Konstantinovsk** Rostovskaya Oblast', SW Russian Federation
101 H24 **Konstanz** var. Constanz, Eng. Constance; hist. Kostnitz, anc. Constantia. Baden-Württemberg, S Germany
Konstanza see Constanța
77 T14 **Kontagora** Niger, W Nigeria
78 E13 **Kontcha** Nord, N Cameroon
99 G17 **Kontich** Antwerpen, N Belgium
93 O16 **Kontiolahti** Itä-Suomi, E Finland
93 M15 **Kontiomäki** Oulu, C Finland
167 U11 **Kon Tum** var. Kontum. Kon Tum, C Vietnam
Konur see Sulakyurt
136 H15 **Konya** var. Konieh; prev. Konia, anc. Iconium. Konya, C Turkey
136 H15 **Konya** var. Konia, Konieh. ◈ province C Turkey
145 T13 **Konyrat** var. Kounradskiy, Kaz. Qongyrat. Karaganda, C Kazakhstan
145 W15 **Konyrolen** Almaty, SE Kazakhstan
81 I19 **Konza** Eastern, S Kenya
98 I9 **Koog aan den Zaan** Noord-Holland, C Netherlands
182 E7 **Koonibba** South Australia
31 O11 **Koontz Lake** Indiana, N USA
171 U12 **Koor** Papua, E Indonesia
183 R9 **Koorawatha** New South Wales, SE Australia
118 J5 **Koosa** Tartumaa, E Estonia
33 N7 **Kootenai** var. Kootenay. ≈ Canada/USA see also Kootenay
11 P17 **Kootenay** var. Kootenai. ≈ Canada/USA see also Kootenai
83 F24 **Kootjieskolk** Northern Cape, W South Africa
113 M15 **Kopaonik** ▲▲ S Serbia and Montenegro (Yugo.)
Kopar see Koper
92 K1 **Kópasker** Nordhurland Eystra, N Iceland
92 H4 **Kópavogur** Reykjanes, W Iceland
145 U13 **Kopbirlik** prev. Kirov. Almaty, SE Kazakhstan
109 S13 **Koper** It. Capodistria; prev. Kopar. SW Slovenia
95 C16 **Kopervik** Rogaland, S Norway
Köpetdag Gershi/Kopetdag, Khrebet see Koppeh Dāgh
Kophinou see Kofínou
182 G8 **Kopi** South Australia
Kopiago see Lake Copiago
153 W12 **Kopili** ≈ NE India
95 M15 **Köping** Västmanland, C Sweden
113 K17 **Koplik** var. Kopliku. Shkodër, NW Albania
Kopliku see Koplik
Kopopo see Kokopo
94 I11 **Koppang** Hedmark, S Norway
Kopparberg see Dalarna
143 S3 **Koppeh Dāgh** Rus. Khrebet Kopetdag, Turkm. Köpetdag Gershi. ▲▲ Iran/Turkmenistan
Koppename see Coppename Rivier
95 J15 **Koppom** Värmland, C Sweden
Kopreinitz see Koprivnica
114 K9 **Koprinka, Yazovir** prev. Yazovir Georgi Dimitrov. ▣ C Bulgaria
112 F7 **Koprivnica** Ger. Kopreinitz, Hung. Kaproncza. Koprivnica-Križevci, N Croatia

◆ Country ● Country Capital ◇ Dependent Territory ○ Dependent Territory Capital ◈ Administrative Region ✈ International Airport ▲ Mountain ▲▲ Mountain Range ◬ Volcano ≈ River ◎ Lake ▣ Reservoir

274 ••• Koprivnica-Križevci – Krasnyy Lyman

112 F8 **Koprivnica-Križevci** *off.* Koprivničko-Križevačka Županija. ◆ *province* N Croatia
111 I17 **Kopřivnice** *Ger.* Nesselsdorf. Moravskoslezský Kraj, E Czech Republic
Köprülü *see* Veles
Koptsevichi *see* Kaptsevichy
Kopyl' *see* Kapyl'
119 O14 **Kopys'** *Rus.* Kopys'. Vitsyebskaya Voblasts', NE Belarus
113 M18 **Korab** ▲ Albania/FYR Macedonia
Korabavur Pastligi *see* Karabaur', Uval
81 M14 **K'orahē** Somali, E Ethiopia
115 L16 **Kórakas, Akrotírio** *headland* Lésvos, E Greece
112 D9 **Korana** ↝ C Croatia
155 L14 **Korāput** Orissa, E India
Korat *see* Nakhon Ratchasima
167 Q9 **Korat Plateau** *plateau* E Thailand
139 T1 **Kōrāwa, Sar-i** ▲ NE Iraq
154 L11 **Korba** Chhattisgarh, C India
101 H15 **Korbach** Hessen, C Germany
Korça *see* Korçë
113 M21 **Korçë** *var.* Korça, *Gk.* Korytsa, *It.* Corriza; *prev.* Koritsa. Korçë, SE Albania
113 M21 **Korçë** ◆ *district* SE Albania
113 G15 **Korčula** *It.* Curzola. Dubrovnik-Neretva, S Croatia
113 F15 **Korčula** *It.* Curzola; *anc.* Corcyra Nigra. *island* S Croatia
113 F15 **Korčulanski Kanal** *channel* S Croatia
145 T6 **Korday** *prev.* Georgiyevka. Zhambyl, SE Kazakhstan
142 J5 **Kordestān** *off.* Ostān-e Kordestān, *var.* Kurdestan. ◆ *province* W Iran
143 P4 **Kord Kūy** *var.* Kurd Kui. Golestān, N Iran
163 V13 **Korea Bay** *bay* China/North Korea
Korea, Democratic People's Republic of *see* North Korea
171 T15 **Koreare** Pulau Yamdena, E Indonesia
Korea, Republic of *see* South Korea
163 Z17 **Korea Strait** *Jap.* Chōsen-kaikyō, *Kor.* Taehan-haehyŏp. *channel* Japan/South Korea
Korelichi/Korelicze *see* Karelichy
80 J11 **Korem** Tigray, N Ethiopia
77 U11 **Korén Adoua** ↝ C Niger
126 I7 **Korenevo** Kurskaya Oblast', W Russian Federation
126 L13 **Korenovsk** Krasnodarskiy Kray, SW Russian Federation
116 L4 **Korets'** *Pol.* Korzec, *Rus.* Korets. Rivnens'ka Oblast', NW Ukraine
194 L7 **Korff Ice Rise** *ice cap* Antarctica
145 Q10 **Korgalzhyn** *var.* Kurgal'dzhino, Kurgal'dzhinsky, *Kaz.* Qorgazhyn. Akmola, C Kazakhstan
92 G13 **Korgen** Troms, N Norway
147 R9 **Korgon-Dëbë** Dzhalal-Abadskaya Oblast', W Kyrgyzstan
76 M14 **Korhogo** N Ivory Coast
115 F19 **Korinthiakós Kólpos** *Eng.* Gulf of Corinth; *anc.* Corinthiacus Sinus. *gulf* C Greece
115 F19 **Kórinthos** *Eng.* Corinth; *anc.* Corinthus. Pelopónnisos, S Greece
113 M18 **Koritnik** ▲ S Serbia and Montenegro (Yugo.)
Koritsa *see* Korçë
165 P11 **Kōriyama** Fukushima, Honshū, C Japan
136 E16 **Korkuteli** Antalya, SW Turkey
158 K6 **Korla** *Chin.* K'u-erh-lo. Xinjiang Uygur Zizhiqu, NW China
122 J10 **Korliki** Khanty-Mansiyskiy Avtonomnyy Okrug, C Russian Federation
Körlin an der Persante *see* Karlino
Korma *see* Karma
14 D8 **Kormak** Ontario, S Canada
Kormakíti, Akrotíri/Kormakiti, Cape/Kormakítis *see* Koruçam Burnu
111 G23 **Körmend** Vas, W Hungary
139 T5 **Kōrmōr** E Iraq
112 C13 **Kornat** *It.* Incoronata. *island* W Croatia
Korneshty *see* Cornești
109 X3 **Korneuburg** Niederösterreich, NE Austria
145 P7 **Korneyevka** Severnyy Kazakhstan, N Kazakhstan
95 I17 **Kornsjø** Østfold, S Norway
77 O11 **Koro** Mopti, S Mali
187 Y14 **Koro** *island* C Fiji
186 B7 **Koroba** Southern Highlands, W PNG
126 K8 **Korocha** Belgorodskaya Oblast', W Russian Federation
136 H12 **Köroğlu Dağları** ▲ C Turkey
183 V6 **Korogoro Point** *headland* New South Wales, SE Australia
81 J21 **Korogwe** Tanga, E Tanzania
182 L13 **Koroit** Victoria, SE Australia
187 X15 **Korolevu** Viti Levu, W Fiji
190 I17 **Koromiri** *island* S Cook Islands
171 Q8 **Koronadal** Mindanao, S Philippines
115 E22 **Koróni** Pelopónnisos, S Greece
114 G13 **Korónia, Límni** ⊗ N Greece
110 I9 **Koronowo** *Ger.* Krone an der Brahe. Kujawski-pomorskie, C Poland
117 R2 **Korop** Chernihivs'ka Oblast', N Ukraine
115 H19 **Koropí** Attikí, C Greece
188 C8 **Koror** *var.* Oreor. ● (Palau) Oreor, N Palau
Koror *see* Oreor
Kőrös *see* Križevci
111 L23 **Körös** ↝ E Hungary
Körösbánya *see* Baia de Criș
187 Y14 **Koro Sea** *sea* C Fiji
Koroška *see* Kärnten
117 N3 **Korosten'** Zhytomyrs'ka Oblast', NW Ukraine
Korostyshev *see* Korostyshiv
117 N4 **Korostyshiv** *Rus.* Korostyshev. Zhytomyrs'ka Oblast', N Ukraine
127 V3 **Korotaikha** ↝ NW Russian Federation
122 J9 **Korotchayevo** Yamalo-Nenetskiy Avtonomnyy Okrug, N Russian Federation
78 I8 **Koro Toro** Borkou-Ennedi-Tibesti, N Chad
39 N16 **Korovin Island** *island* Shumagin Islands, Alaska, USA
187 X14 **Korovou** Viti Levu, W Fiji
93 M17 **Korpilahti** Länsi-Suomi, W Finland
92 K12 **Korpilombolo** *Lapp.* Dállogilli. Norrbotten, N Sweden
123 T13 **Korsakov** Ostrov Sakhalin, Sakhalinskaya Oblast', SE Russian Federation
93 J16 **Korsholm** *Fin.* Mustasaari. Länsi-Suomi, W Finland
95 I23 **Korsør** Vestsjælland, E Denmark
Korsovka *see* Kārsava
117 P6 **Korsun'-Shevchenkivs'kyy** *Rus.* Korsun'-Shevchenkovskiy. Cherkas'ka Oblast', C Ukraine
Korsun'-Shevchenkovskiy *see* Korsun'-Shevchenkivs'kyy
99 C17 **Kortemark** West-Vlaanderen, W Belgium
99 H18 **Kortenberg** Vlaams Brabant, C Belgium
99 K18 **Kortessem** Limburg, NE Belgium
99 E14 **Kortgene** Zeeland, SW Netherlands
80 F8 **Korti** Northern, N Sudan
99 C18 **Kortrijk** *Fr.* Courtrai. West-Vlaanderen, W Belgium
121 O2 **Koruçam Burnu** *var.* Cape Kormakiti, Kormakítis, *Gk.* Akrotíri Kormakíti. *headland* N Cyprus
183 O13 **Korumburra** Victoria, SE Australia
Koryak Range *see* Koryakskoye Nagor'ye
123 V8 **Koryakskiy Avtonomnyy Okrug** ◆ *autonomous district* E Russian Federation
Koryakskiy Khrebet *see* Koryakskoye Nagor'ye
123 V7 **Koryakskoye Nagor'ye** *var.* Koryakskiy Khrebet, *Eng.* Koryak Range. ▲ NE Russian Federation
125 P11 **Koryazhma** Arkhangel'skaya Oblast', NW Russian Federation
Köryŏ *see* Kangnŭng
Korytsa *see* Korçë
117 Q2 **Koryukivka** Chernihivs'ka Oblast', N Ukraine
115 N21 **Kos** Kos, Dodekánisos, Greece, Aegean Sea
115 M21 **Kos** *It.* Coo; *anc.* Cos. *island* Dodekánisos, Greece, Aegean Sea
125 T12 **Kosa** Komi-Permyatskiy Avtonomnyy Okrug, NW Russian Federation
127 T13 **Kosa** ↝ NW Russian Federation
164 B12 **Kō-saki** *headland* Nagasaki, Tsushima, SW Japan
163 X13 **Kosan** SE North Korea
119 H18 **Kosava** *Rus.* Kosovo. Brestskaya Voblasts', SW Belarus
Kosch *see* Kose
144 G12 **Koschagyl** *Kaz.* Qosshaghyl. Atyrau, W Kazakhstan
110 G12 **Kościan** *Ger.* Kosten. Wielkopolskie, C Poland
110 I7 **Kościerzyna** Pomorskie, NW Poland
22 L4 **Kosciusko** Mississippi, S USA
Kosciusko, Mount *see* Kosciuszko, Mount
183 R11 **Kosciuszko, Mount** *prev.* Mount Kosciusko ▲ New South Wales, SE Australia
118 H4 **Kose** *Ger.* Kosch. Harjumaa, NW Estonia
114 G6 **Koshava** Vidin, NW Bulgaria
147 U9 **Kosh-Dëbë** *var.* Koshtebë. Narynskaya Oblast', C Kyrgyzstan
K'o-shih *see* Kashi
164 B16 **Koshikijima-rettō** *var.* Kosikizima Rettô. *island group* SW Japan
145 W13 **Koshkarkol', Ozero** ⊗ SE Kazakhstan
30 L9 **Koshkonong, Lake** ⊗ Wisconsin, N USA
Koshoba *see* Goşoba
164 M12 **Kōshoku** *var.* Kôsyoku. Nagano, Honshū, S Japan
Koshtebë *see* Kosh-Dëbë
Kōshū *see* Kwangju
111 N19 **Košice** *Ger.* Kaschau, *Hung.* Kassa. Košický Kraj, E Slovakia
111 M20 **Košický Kraj** ◆ *region* E Slovakia
Kosigaya *see* Koshigaya
Kosikizima Rettô *see* Koshikijima-retto
153 R12 **Kosi Reservoir** ⊠ E Nepal
116 J8 **Kosiv** Ivano-Frankivs'ka Oblast', W Ukraine
145 O11 **Koskol'** Karaganda, C Kazakhstan
125 Q9 **Koslan** Respublika Komi, NW Russian Federation
Köslin *see* Koszalin
146 M12 **Koson** *Rus.* Kasan. Qashqadaryo Viloyati, S Uzbekistan
163 Y13 **Kosŏng** SE North Korea
147 S9 **Kosonsoy** *Rus.* Kasansay. Namangan Viloyati, E Uzbekistan
113 M16 **Kosovo** *prev.* Autonomous Province of Kosovo and Metohija. *region* S Serbia and Montenegro (Yugo.)
Kosovo *see* Kosava
Kosovo and Metohija, Autonomous Province of *see* Kosovo
113 N16 **Kosovo Polje** Serbia, S Serbia and Montenegro (Yugo.)
113 O16 **Kosovska Kamenica** Serbia, SE Serbia and Montenegro (Yugo.)
113 M16 **Kosovska Mitrovica** *Alb.* Mitrovicë; *prev.* Mitrovica, Titova Mitrovica. Serbia, S Serbia and Montenegro (Yugo.)
189 X17 **Kosrae** ◆ *state* E Micronesia
189 Y14 **Kosrae** *prev.* Kusaie. *island* Caroline Islands, E Micronesia
25 U9 **Kosse** Texas, SW USA
109 P6 **Kössen** Tirol, W Austria
76 M16 **Kossou, Lac de** ⊗ C Ivory Coast
Kossukavak *see* Krumovgrad
Kostajnica *see* Hrvatska Kostajnica
150 M7 **Kostanay** *var.* Kustanay, *Kaz.* Qostanay. N Kazakhstan
150 L8 **Kostanay** *var.* Kostanayskaya Oblast, *Kaz.* Qostanay Oblysy. ◆ *province* N Kazakhstan
Kostanayskaya Oblast *see* Kostanay
Kostamus *see* Kostomuksha
Kosten *see* Kościan
114 H10 **Kostenets** *prev.* Georgi Dimitrov. Sofiya, W Bulgaria
80 F10 **Kosti** White Nile, C Sudan
Kostnitz *see* Konstanz
124 H7 **Kostomuksha** *Fin.* Kostamus. Respublika Kareliya, NW Russian Federation
116 K3 **Kostopil'** *Rus.* Kostopol'. Rivnens'ka Oblast', NW Ukraine
Kostopol' *see* Kostopil'
124 M15 **Kostroma** Kostromskaya Oblast', NW Russian Federation
127 N14 **Kostroma** ↝ NW Russian Federation
125 N14 **Kostromskaya Oblast'** ◆ *province* NW Russian Federation
110 D11 **Kostrzyn** *Ger.* Cüstrin, Küstrin. Lubuskie, W Poland
110 H11 **Kostrzyn** Wielkolpolskie, C Poland
117 X7 **Kostyantynivka** *Rus.* Konstantinovka. Donets'ka Oblast', SE Ukraine
Kostyukovichi *see* Kastsyukovichy
Kostyukovka *see* Kastsyukowka
Kōsyoku *see* Kōshoku
125 U6 **Kos'yu** Respublika Komi, NW Russian Federation
127 U6 **Kos'yu** ↝ NW Russian Federation
110 F7 **Koszalin** *Ger.* Köslin. Zachodnio-pomorskie, NW Poland
111 F22 **Kőszeg** *Ger.* Güns. Vas, W Hungary
152 H13 **Kota** *prev.* Kotah. Rājasthān, N India
168 K12 **Kota Baru** Sumatera, W Indonesia
169 U13 **Kotabaru** Pulau Laut, C Indonesia
Kotabaru *see* Jayapura
168 K6 **Kota Bharu** *var.* Kota Baharu, Kota Bahru. Kelantan, Peninsular Malaysia
Kotaboemi *see* Kotabumi
168 M14 **Kotabumi** *prev.* Kotaboemi. Sumatera, W Indonesia
149 S10 **Kot Addu** Punjab, E Pakistan
Kotah *see* Kota
169 U7 **Kota Kinabalu** *prev.* Jesselton. Sabah, East Malaysia
169 U7 **Kota Kinabalu** ✈ Sabah, East Malaysia
92 M12 **Kotala** Lappi, N Finland
Kotamobagoe *see* Kotamobagu
171 Q11 **Kotamobagu** *prev.* Kotamobagoe. Sulawesi, C Indonesia
155 L14 **Kotapad** *var.* Kotapārh. Orissa, E India
Kotapārh *see* Kotapad
166 N17 **Ko Ta Ru Tao** *island* SW Thailand
169 R13 **Kotawaringin, Teluk** *bay* Borneo, C Indonesia
149 Q13 **Kot Dīji** Sind, SE Pakistan
152 K9 **Kotdwāra** Uttaranchal, N India
125 Q14 **Kotel'nich** Kirovskaya Oblast', NW Russian Federation
127 N12 **Kotel'nikovo** Volgogradskaya Oblast', SW Russian Federation
123 Q6 **Kotel'nyy, Ostrov** *island* Novosibirskiye Ostrova, N Russian Federation
117 T5 **Kotel'va** Poltavs'ka Oblast', C Ukraine
101 M14 **Köthen** *var.* Cöthen. Sachsen-Anhalt, C Germany
Kōti *see* Kōchi
81 G17 **Kotido** NE Uganda
93 N19 **Kotka** Etelä-Suomi, S Finland
125 P11 **Kotlas** Arkhangel'skaya Oblast', NW Russian Federation
38 M10 **Kotlik** Alaska, USA
77 Q17 **Kotoka** ✈ (Accra) S Ghana
Kotonu *see* Cotonou
113 J17 **Kotor** *It.* Cattaro. Montenegro, SW Serbia and Montenegro (Yugo.)
Kotor *see* Kotoriba
112 F7 **Kotoriba** *Hung.* Kotor. Međimurje, N Croatia
113 I17 **Kotorska, Boka** *It.* Bocche di Cattaro. *bay* Montenegro, SW Serbia and Montenegro (Yugo.)
112 H11 **Kotorsko** Republika Srpska, N Bosnia and Herzegovina
112 G11 **Kotor Varoš** Republika Srpska, N Bosnia and Herzegovina
Koto Sho/Kotosho *see* Lan Yü
126 M7 **Kotovsk** Tambovskaya Oblast', W Russian Federation
117 O9 **Kotovs'k** *Rus.* Kotovsk. Odes'ka Oblast', SW Ukraine
Kotovsk *see* Hîncești
119 G16 **Kotra** *Rus.* Kotra. ↝ W Belarus
149 P16 **Kotri** Sind, SE Pakistan
109 Q9 **Kötschach** Kärnten, S Austria
155 K15 **Kottagūdem** Andhra Pradesh, E India
155 F21 **Kottappadi** Kerala, SW India
155 G23 **Kottayam** Kerala, SW India
Kottbus *see* Cottbus
Kotte *see* Sri Jayawardanapura
79 K15 **Kotto** ↝ Central African Republic/Dem. Rep. Congo
193 X15 **Kotu Group** *island group* W Tonga
Koturdepe *see* Goturdepe
122 M9 **Kotuy** ↝ N Russian Federation
83 M16 **Kotwa** Mashonaland East, NE Zimbabwe
39 N7 **Kotzebue** Alaska, USA
38 M7 **Kotzebue Sound** *inlet* Alaska, USA
Kotzenan *see* Chocianów
Kotzman *see* Kitsman'
77 R14 **Kouandé** NW Benin
79 J15 **Kouango** Ouaka, S Central African Republic
77 O13 **Koudougou** C Burkina
98 K7 **Koudum** Friesland, N Netherlands
115 L25 **Koufonísi** *island* SE Greece
115 K21 **Koufonísi** *island* Kykládes, Greece, Aegean Sea
38 M8 **Kougarok Mountain** ▲ Alaska, USA
79 E20 **Kouilou** ↝ S Congo
121 O3 **Koúklia** SW Cyprus
79 E19 **Koulamoutou** Ogooué-Lolo, C Gabon
76 L12 **Koulikoro** Koulikoro, SW Mali
76 L11 **Koulikoro** ◆ *region* SW Mali
187 P16 **Koumac** Province Nord, W New Caledonia
165 N12 **Koumi** Nagano, Honshū, S Japan
78 I13 **Koumra** Moyen-Chari, S Chad
Kounadougou *see* Koundougou
76 M15 **Kounahiri** C Ivory Coast
76 I12 **Koundâra** Moyenne-Guinée, NW Guinea
77 N13 **Koundougou** *var.* Kounadougou. C Burkina
76 H11 **Koungheul** C Senegal
Kounradskiy *see* Konyrat
25 X10 **Kountze** Texas, SW USA
77 Q13 **Koupéla** C Burkina
77 N13 **Kouri** Sikasso, SW Mali
55 Y9 **Kourou** N French Guiana
114 J12 **Kouroú** ↝ NE Greece
76 K14 **Kouroussa** Haute-Guinée, C Guinea
Kousseir *see* Al Quşayr
78 G11 **Kousséri** *prev.* Fort-Foureau. Extrême-Nord, NE Cameroon
Kouteifé *see* Al Quţayfah
76 M13 **Koutiala** Sikasso, S Mali
76 M14 **Kouto** NW Ivory Coast
93 M19 **Kouvola** Etelä-Suomi, S Finland
79 G18 **Kouyou** ↝ C Congo
112 M10 **Kovačica** *Hung.* Antafalva; *prev.* Kovacsicza. Serbia, N Serbia and Montenegro (Yugo.)
Kovacsicza *see* Kovačica
Kővárhosszúfalu *see* Satulung
Kovászna *see* Covasna
124 I4 **Kovdor** Murmanskaya Oblast', NW Russian Federation
126 I5 **Kovdozero, Ozero** ⊗ NW Russian Federation
116 J3 **Kovel'** *Pol.* Kowel. Volyns'ka Oblast', NW Ukraine
112 M11 **Kovin** *Hung.* Kevevára; *prev.* Temes-Kubin. Serbia, NE Serbia and Montenegro (Yugo.)
Kovno *see* Kaunas
127 N3 **Kovrov** Vladimirskaya Oblast', W Russian Federation
127 O5 **Kovylkino** Respublika Mordoviya, W Russian Federation
110 J11 **Kowal** Kujawsko-pomorskie, C Poland
110 J9 **Kowalewo Pomorskie** *Ger.* Schönsee. Kujawsko-pomorskie, C Poland
Kowasna *see* Covasna
119 M16 **Kowbcha** *Rus.* Kolbcha. Mahilyowskaya Voblasts', E Belarus
Koweit *see* Kuwait
Kowel *see* Kovel'
185 F17 **Kowhitirangi** West Coast, South Island, NZ
161 O15 **Kowloon** *Chin.* Jiulong. Hong Kong, S China
Kowno *see* Kaunas
159 N7 **Kox Kuduk** *well* NW China
136 D16 **Köyceğiz** Muğla, SW Turkey
125 N6 **Koyda** Arkhangel'skaya Oblast', NW Russian Federation
Koymat *see* Goymat
Koymatdag, Gory *see* Goymatdag
Koyna Reservoir *see* Shivāji Sāgar
165 P9 **Koyoshi-gawa** ↝ Honshū, C Japan
Koysanjaq *see* Koi Sanjaq
Koytash *see* Qo'ytosh
146 M14 **Köýtendag** *prev. Rus.* Charshanga, Charshangy, *Turkm.* Charshangngy. Lebap Welaýaty, E Turkmenistan
39 N9 **Koyuk** Alaska, USA
39 N9 **Koyuk River** ↝ Alaska, USA
39 O9 **Koyukuk** Alaska, USA
39 O9 **Koyukuk River** ↝ Alaska, USA
136 J13 **Kozaklı** Nevşehir, C Turkey
136 K16 **Kozan** Adana, S Turkey
115 E14 **Kozáni** Dytikí Makedonía, N Greece
112 F10 **Kozara** ▲ NW Bosnia and Herzegovina
Kozarska Dubica *see* Bosanska Dubica
117 P3 **Kozelets'** *Rus.* Kozelets. Chernihivs'ka Oblast', NE Ukraine
117 S6 **Kozel'shchyna** Poltavs'ka Oblast', C Ukraine
126 J5 **Kozel'sk** Kaluzhskaya Oblast', W Russian Federation
Kozhikode *see* Calicut
127 V9 **Kozhimiz, Gora** ▲ NW Russian Federation
126 L9 **Kozhozero, Ozero** ⊗ NW Russian Federation
125 T7 **Kozhva** *var.* Kozya. Respublika Komi, NW Russian Federation
127 T7 **Kozhva** ↝ NW Russian Federation
110 N13 **Kozienice** Mazowieckie, C Poland
125 U6 **Kozhim** Respublika Komi, NW Russian Federation
109 S13 **Kozina** SW Slovenia
114 H7 **Kozloduy** Vratsa, NW Bulgaria
127 Q3 **Kozlovka** Chuvashskaya Respublika, W Russian Federation
Kozlovshchina/Kozlowszczyzna *see* Kazlowshchyna
127 P3 **Koz'modem'yansk** Respublika Mariy El, W Russian Federation
116 J6 **Kozova** Ternopil's'ka Oblast', W Ukraine
113 P20 **Kožuf** ▲ S FYR Macedonia
165 N15 **Kōzu-shima** *island* E Japan
Kozya *see* Kozhva
Koz'yany *see* Kaz'yany
117 N5 **Kozyatyn** *Rus.* Kazatin. Vinnyts'ka Oblast', C Ukraine
77 Q16 **Kpalimé** *var.* Palimé. SW Togo
77 Q16 **Kpandu** E Ghana
99 F15 **Krabbendijke** Zeeland, SW Netherlands
167 N15 **Krabi** *var.* Muang Krabi. Krabi, SW Thailand
167 N13 **Kra Buri** Ranong, SW Thailand
167 S12 **Krâchéh** *prev.* Kratie. Krâchéh, E Cambodia
95 G17 **Kragerø** Telemark, S Norway
112 M13 **Kragujevac** Serbia, C Serbia and Montenegro (Yugo.)
Krainburg *see* Kranj
166 N13 **Kra, Isthmus of** *isthmus* Malaysia/Thailand
112 D12 **Krajina** *cultural region* SW Croatia
Krakatau, Pulau *see* Rakata, Pulau
Krakau *see* Małopolskie
111 L16 **Kraków** *Eng.* Cracow, *Ger.* Krakau; *anc.* Cracovia. Małopolskie, S Poland
100 L9 **Krakower See** ⊗ NE Germany
167 Q11 **Krâlănh** Siĕmréab, NW Cambodia
45 Q16 **Kralendijk** Bonaire, E Netherlands Antilles
112 B10 **Kraljevica** *It.* Porto Re. Primorje-Gorski Kotar, NW Croatia
112 M13 **Kraljevo** *prev.* Rankovićevo. Serbia, C Serbia and Montenegro (Yugo.)
111 E16 **Královéhradecký Kraj** *prev.* Hradecký Kraj. ◆ *region* N Czech Republic
Kralup an der Moldau *see* Kralupy nad Vltavou
111 C16 **Kralupy nad Vltavou** *Ger.* Kralup an der Moldau. Středočeský Kraj, NW Czech Republic
117 W7 **Kramators'k** *Rus.* Kramatorsk. Donets'ka Oblast', SE Ukraine
Kramatorsk *see* Kramators'k
93 H17 **Kramfors** Västernorrland, C Sweden
115 D15 **Kranéa** Dytikí Makedonía, N Greece
108 M7 **Kranebitten** ✈ (Innsbruck) Tirol, W Austria
115 G20 **Kranídi** Pelopónnisos, S Greece
109 T11 **Kranj** *Ger.* Krainburg. NW Slovenia
115 F16 **Krannón** *battleground* Thessalía, C Greece
Kranz *see* Zelenogradsk
112 D7 **Krapina** Krapina-Zagorje, N Croatia
112 E8 **Krapina** ↝ N Croatia
112 D8 **Krapina-Zagorje** *off.* Krapinsko-Zagorska Županija. ◆ *province* N Croatia
114 L7 **Krapinets** ↝ NE Bulgaria
111 I15 **Krapkowice** *Ger.* Krappitz. Opolskie, S Poland
Krappitz *see* Krapkowice
125 O12 **Krasavino** Vologodskaya Oblast', NW Russian Federation
122 H6 **Krasino** Novaya Zemlya, Arkhangel'skaya Oblast', N Russian Federation
123 S15 **Kraskino** Primorskiy Kray, SE Russian Federation
118 J11 **Krāslava** Krāslava, SE Latvia
119 M14 **Krasnaluki** *Rus.* Krasnoluki. Vitsyebskaya Voblasts', N Belarus
119 P17 **Krasnapollye** *Rus.* Krasnopol'ye. Mahilyowskaya Voblasts', E Belarus
126 L15 **Krasnaya Polyana** Krasnodarskiy Kray, SW Russian Federation
119 J18 **Krasnaya Slabada** *var.* Chyrvonaya Slabada, *Rus.* Krasnaya Sloboda. Minskaya Voblasts', S Belarus
Krasnaya Sloboda *see* Krasnaya Slabada
119 J15 **Krasnaye** *Rus.* Krasnoye. Minskaya Voblasts', C Belarus
111 O14 **Kraśnik** *Ger.* Kratznick. Lubelskie, E Poland
117 O9 **Krasni Okny** Odes'ka Oblast', SW Ukraine
145 P7 **Krasnoarmeysk** Severnyy Kazakhstan, N Kazakhstan
127 P8 **Krasnoarmeysk** Saratovskaya Oblast', W Russian Federation
Krasnoarmeysk *see* Krasnoarmiys'k/Tayynsha
123 T6 **Krasnoarmeyskiy** Chukotskiy Avtonomnyy Okrug, NE Russian Federation
117 W7 **Krasnoarmiys'k** *Rus.* Krasnoarmeysk. Donets'ka Oblast', SE Ukraine
125 P11 **Krasnoborsk** Arkhangel'skaya Oblast', NW Russian Federation
126 K14 **Krasnodar** *prev.* Ekaterinodar, Yekaterinodar. Krasnodarskiy Kray, SW Russian Federation
126 K13 **Krasnodarskiy Kray** ◆ *territory* SW Russian Federation
117 Z7 **Krasnodon** Luhans'ka Oblast', E Ukraine
Krasnogor *see* Kallaste
127 T2 **Krasnogorskoye** *Latv.* Sarkaņi. Udmurtskaya Respublika, NW Russian Federation
Krasnograd *see* Krasnohrad
Krasnogvardeysk *see* Bulung'ur
126 M13 **Krasnogvardeyskoye** Stavropol'skiy Kray, SW Russian Federation
Krasnogvardeyskoye *see* Krasnohvardiys'ke
117 U6 **Krasnohrad** *Rus.* Krasnograd. Kharkivs'ka Oblast', E Ukraine
117 S12 **Krasnohvardiys'ke** *Rus.* Krasnogvardeyskoye. Respublika Krym, S Ukraine
123 P14 **Krasnokamensk** Chitinskaya Oblast', S Russian Federation
125 U14 **Krasnokamsk** Permskaya Oblast', W Russian Federation
127 U8 **Krasnokholm** Orenburgskaya Oblast', W Russian Federation
117 U5 **Krasnokuts'k** *Rus.* Krasnokutsk. Kharkivs'ka Oblast', E Ukraine
126 L7 **Krasnolesnyy** Voronezhskaya Oblast', W Russian Federation
Krasnoluki *see* Krasnaluki
Krasnoosol'skoye Vodokhranilishche *see* Chervonooskil's'ke Vodoskhovyshche
117 S11 **Krasnoperekops'k** *Rus.* Krasnoperekopsk. Respublika Krym, S Ukraine
117 U4 **Krasnopillya** Sums'ka Oblast', NE Ukraine
Krasnopol'ye *see* Krasnapollye
124 L5 **Krasnoshchel'ye** Murmanskaya Oblast', NW Russian Federation
127 O5 **Krasnoslobodsk** Respublika Mordoviya, W Russian Federation
127 T2 **Krasnoslobodsk** Volgogradskaya Oblast', SW Russian Federation
Krasnostav *see* Krasnystaw
127 V5 **Krasnousol'skiy** Respublika Bashkortostan, W Russian Federation
125 U12 **Krasnovishersk** Permskaya Oblast', NW Russian Federation
Krasnovodsk *see* Türkmenbaşy
Krasnovodskiy Zaliv *see* Türkmenbaşy Aylagy
146 B10 **Krasnovodskoye Plato** *Turkm.* Krasnowodsk Platosy. *plateau* NW Turkmenistan
Krasnowodsk Aylagy *see* Türkmenbaşy Aylagy
Krasnowodsk Platosy *see* Krasnovodskoye Plato
122 K12 **Krasnoyarsk** Krasnoyarskiy Kray, S Russian Federation
127 X7 **Krasnoyarskiy** Orenburgskaya Oblast', W Russian Federation
122 K11 **Krasnoyarskiy Kray** ◆ *territory* C Russian Federation
Krasnoye *see* Krasnaye
Krasnoye Znamya *see* Gyzylbaýdak
125 R11 **Krasnozatonskiy** Respublika Komi, NW Russian Federation
118 D13 **Krasnoznamensk** *prev.* Lasdehnen, *Ger.* Haselberg. Kaliningradskaya Oblast', W Russian Federation
126 K4 **Krasnoznamensk** Moskovskaya Oblast', W Russian Federation
117 R11 **Krasnoznam"yans'kyy Kanal** *canal* S Ukraine
111 P14 **Krasnystaw** *Rus.* Krasnostav. Lubelskie, SE Poland
126 H4 **Krasnyy** Smolenskaya Oblast', W Russian Federation
127 P2 **Krasnyye Baki** Nizhegorodskaya Oblast', W Russian Federation
127 Q13 **Krasnyye Barrikady** Astrakhanskaya Oblast', SW Russian Federation
124 K15 **Krasnyy Kholm** Tverskaya Oblast', W Russian Federation
127 Q8 **Krasnyy Kut** Saratovskaya Oblast', W Russian Federation
Krasnyy Liman *see* Krasnyy Lyman
117 Y7 **Krasnyy Luch** *prev.* Krindachevka. Luhans'ka Oblast', E Ukraine
117 X6 **Krasnyy Lyman** *Rus.* Krasnyy Liman. Donets'ka Oblast', SE Ukraine

◆ Country ● Country Capital ◇ Dependent Territory ○ Dependent Territory Capital ◆ Administrative Region ✈ International Airport ▲ Mountain ▲ Mountain Range ⨁ Volcano ↝ River ⊗ Lake ⊠ Reservoir

KRASNYY STEKLOVAR – KŪRDZHALI, YAZOVIR ••• 275

127 *R3* **Krasnyy Steklovar** Respublika Mariy El, W Russian Federation
127 *P8* **Krasnyy Tekstil'shchik** Saratovskaya Oblast', W Russian Federation
127 *R13* **Krasnyy Yar** Astrakhanskaya Oblast', SW Russian Federation
Krassóvár *see* Caraşova
116 *L5* **Krasyliv** Khmel'nyts'ka Oblast', W Ukraine
111 *O21* **Kraszna** ***Rom.*** Crasna. ≈ Hungary/Romania
Kratie *see* Krâchéh
113 *P17* **Kratovo** NE FYR Macedonia
Kratznick *see* Kraśnik
171 *Y13* **Krau** Papua, E Indonesia
167 *Q13* **Krâvanh, Chuŏr Phnum** ***Eng.*** Cardamom Mountains, ***Fr.*** Chaîne des Cardamomes. ⛰ W Cambodia
Kravasta Lagoon *see* Karavastasë, Laguna e
Krawang *see* Karawang
Kraxatau *see* Rakata, Pulau
127 *Q15* **Kraynovka** Respublika Dagestan, SW Russian Federation
118 *D12* **Kražiai** Šiauliai, C Lithuania
27 *P11* **Krebs** Oklahoma, C USA
101 *D15* **Krefeld** Nordrhein-Westfalen, W Germany
Kreisstadt *see* Krosno Odrzańskie
115 *D17* **Kremastón, Technití Límni** ⊠ C Greece
Kremenchug *see* Kremenchuk
Kremenchugskoye Vodokhranilishche/ Kremenchuk Reservoir *see* Kremenchuts'ke Vodoskhovyshche
117 *S6* **Kremenchuk** ***Rus.*** Kremenchug. Poltavs'ka Oblast', NE Ukraine
117 *R6* **Kremenchuts'ke Vodoskhovyshche** ***Eng.*** Kremenchuk Reservoir, ***Rus.*** Kremenchugskoye Vodokhranilishche. ⊠ C Ukraine
116 *K5* **Kremenets'** ***Pol.*** Krzemieniec, ***Rus.*** Kremenets. Ternopil's'ka Oblast', W Ukraine
Kremennaya *see* Kreminna
117 *X6* **Kreminna** ***Rus.*** Kremennaya. Luhans'ka Oblast', E Ukraine
37 *R4* **Kremmling** Colorado, C USA
109 *V3* **Krems** ≈ NE Austria
Krems *see* Krems an der Donau
109 *W3* **Krems an der Donau** *var.* Krems. Niederösterreich, N Austria
Kremsier *see* Kroměříž
109 *S4* **Kremsmünster** Oberösterreich, N Austria
38 *M17* **Krenitzin Islands** *island* Aleutian Islands, Alaska, USA
Kresena *see* Kresna
114 *G11* **Kresna** *var.* Kresena. Blagoevgrad, SW Bulgaria
112 *O12* **Krespoljin** Serbia, E Serbia and Montenegro (Yugo.)
25 *N4* **Kress** Texas, SW USA
123 *V6* **Kresta, Zaliv** *bay* E Russian Federation
115 *D20* **Kréstena** ***prev.*** Selinoús. Dytikí Elláda, S Greece
124 *H14* **Kresttsy** Novgorodskaya Oblast', W Russian Federation
Kretikon Delagos *see* Kritikó Pélagos
118 *C11* **Kretinga** ***Ger.*** Krottingen. Klaipėda, NW Lithuania
Kreutz *see* Cristuru Secuiesc
Kreuz *see* Križevci, Croatia
Kreuz *see* Risti, Estonia
Kreuzburg/Kreuzburg in Oberschlesien *see* Kluczbork
Kreuzingen *see* Bol'shakovo
108 *H6* **Kreuzlingen** Thurgau, NE Switzerland
101 *K25* **Kreuzspitze** ▲ S Germany
101 *F16* **Kreuztal** Nordrhein-Westfalen, W Germany
119 *I15* **Kreva** ***Rus.*** Krevo. Hrodzyenskaya Voblasts', W Belarus
Krevo *see* Kreva
Kría Vrísi *see* Krýa Vrýsi
79 *D16* **Kribi** Sud, SW Cameroon
Krichëv *see* Krychaw
Krickerhäu/Kriegerhaj *see* Handlová
109 *W6* **Krieglach** Steiermark, E Austria
108 *F8* **Kriens** Luzern, W Switzerland
Krimmitschau *see* Crimmitschau
98 *H12* **Krimpen aan den IJssel** Zuid-Holland, SW Netherlands
Krindachevka *see* Krasnyy Luch
115 *G25* **Kríos, Akrotírio** *headland* Kríti, Greece, E Mediterranean Sea
155 *J16* **Krishna** ***prev.*** Kistna. ≈ C India
155 *H20* **Krishnagiri** Tamil Nādu, SE India
155 *K17* **Krishna, Mouths of the** *delta* SE India
153 *S15* **Krishnanagar** West Bengal, N India
155 *G20* **Krishnarājāsāgara Reservoir** ⊠ W India
95 *N19* **Kristdala** Kalmar, S Sweden
Kristiania *see* Oslo
95 *E18* **Kristiansand** *var.* Christiansand. Vest-Agder, S Norway
95 *L22* **Kristianstad** Skåne, S Sweden
94 *F8* **Kristiansund** *var.* Christiansund. Møre og Romsdal, S Norway
Kristiinankaupunki *see* Kristinestad
93 *I14* **Kristineberg** Västerbotten, N Sweden
95 *L16* **Kristinehamn** Värmland, C Sweden
93 *J17* **Kristinestad** ***Fin.*** Kristiinankaupunki. Länsi-Suomi, W Finland
Kristyor *see* Crişcior
115 *J25* **Kríti** ***Eng.*** Crete. ◈ *region* Greece, Aegean Sea
115 *J24* **Kríti** ***Eng.*** Crete. *island* Greece, Aegean Sea
115 *J23* **Kritikó Pélagos** *var.* Kretikon Delagos, ***Eng.*** Sea of Crete; ***anc.*** Mare Creticum. *sea* Greece, Aegean Sea
Kriulyany *see* Criuleni
112 *I12* **Krivaja** ≈ NE Bosnia and Herzegovina
Krivaja *see* Mali Iđoš
113 *P17* **Kriva Palanka** ***Turk.*** Eğri Palanka. NE FYR Macedonia
Krivichi *see* Kryvychy
114 *H8* **Krivodol** Vratsa, NW Bulgaria
126 *M10* **Krivorozh'ye** Rostovskaya Oblast', SW Russian Federation
Krivoshin *see* Kryvoshyn
Krivoy Rog *see* Kryvyy Rih
112 *F7* **Križevci** ***Ger.*** Kreuz, ***Hung.*** Kőrös. Varaždin, NE Croatia
112 *B10* **Krk** ***It.*** Veglia. Primorje-Gorski Kotar, NW Croatia
112 *B10* **Krk** ***It.*** Veglia; ***anc.*** Curieta. *island* NW Croatia
109 *V12* **Krka** ≈ SE Slovenia
Krka *see* Gurk
109 *R11* **Krn** ▲ NW Slovenia
111 *H16* **Krnov** ***Ger.*** Jägerndorf. Moravskoslezský Kraj, E Czech Republic
Kroatien *see* Croatia
95 *G14* **Krøderen** Buskerud, S Norway
95 *G14* **Krøderen** ◎ S Norway
Kroi *see* Krui
95 *N17* **Krokek** Östergötland, S Sweden
93 *G16* **Krokom** Jämtland, C Sweden
117 *S2* **Krolevets'** ***Rus.*** Krolevets. Sums'ka Oblast', NE Ukraine
Królewska Huta *see* Chorzów
111 *H18* **Kroměříž** ***Ger.*** Kremsier. Zlínský Kraj, E Czech Republic
98 *I9* **Krommenie** Noord-Holland, C Netherlands
126 *J6* **Kromy** Orlovskaya Oblast', W Russian Federation
101 *L18* **Kronach** Bayern, E Germany
Krone an der Brahe *see* Koronowo
167 *Q13* **Krŏng Kaôh Kŏng** Kaôh Kông, SW Cambodia
95 *K21* **Kronoberg** ◈ *county* S Sweden
123 *V10* **Kronotskiy Zaliv** *bay* E Russian Federation
195 *O2* **Kronprinsesse Märtha Kyst** *physical region* Antarctica
195 *V3* **Kronprins Olav Kyst** *physical region* Antarctica
124 *G12* **Kronshtadt** Leningradskaya Oblast', NW Russian Federation
Kronstadt *see* Braşov
83 *I22* **Kroonstad** Free State, C South Africa
123 *O12* **Kropotkin** Irkutskaya Oblast', C Russian Federation
126 *L14* **Kropotkin** Krasnodarskiy Kray, SW Russian Federation
110 *J11* **Krośniewice** Łódzkie, C Poland
111 *N17* **Krosno** ***Ger.*** Krossen. Podkarpackie, SE Poland
110 *E12* **Krosno Odrzańskie** ***Ger.*** Crossen, Kreisstadt. Lubuskie, W Poland
Krossen *see* Krosno
Krotoschin *see* Krotoszyn
110 *H13* **Krotoszyn** ***Ger.*** Krotoschin. Wielkopolskie, C Poland
Krottingen *see* Kretinga
Krousón *see* Krousónas
115 *J25* **Krousónas** ***prev.*** Krousón, Kroussón. Kríti, Greece, E Mediterranean Sea
Kroussón *see* Krousónas
Krraba *see* Krrabë
113 *L20* **Krrabë** *var.* Krraba. Tiranë, C Albania
113 *L17* **Krrabit, Mali i** ⛰ N Albania
109 *W12* **Krško** ***Ger.*** Gurkfeld; ***prev.*** Videm-Krško. E Slovenia
83 *K19* **Kruger National Park** *national park* Limpopo, N South Africa
83 *J21* **Krugersdorp** Gauteng, NE South Africa
38 *D16* **Krugloi Point** *headland* Agattu Island, Alaska, USA
Krugloye *see* Kruhlaye
119 *N15* **Kruhlaye** ***Rus.*** Krugloye. Mahilyowskaya Voblasts', E Belarus
168 *L15* **Krui** *var.* Kroi. Sumatera, SW Indonesia
99 *G16* **Kruibeke** Oost-Vlaanderen, N Belgium
83 *G25* **Kruidfontein** Western Cape, SW South Africa
99 *F15* **Kruiningen** Zeeland, SW Netherlands
Kruja *see* Krujë
113 *L19* **Krujë** *var.* Kruja, ***It.*** Croia. Durrës, C Albania
Krulevshchina *see* Krulewshchyna
118 *K13* **Krulewshchyna** ***Rus.*** Krulevshchina. Vitsyebskaya Voblasts', N Belarus
25 *T6* **Krum** Texas, SW USA
101 *J23* **Krumbach** Bayern, S Germany
113 *M17* **Krumë** Kukës, NE Albania
Krummau *see* Český Krumlov
114 *K12* **Krumovgrad** ***prev.*** Kossukavak. Kŭrdzhali, S Bulgaria
114 *K12* **Krumovitsa** ≈ S Bulgaria
114 *L10* **Krumovo** Yambol, E Bulgaria
167 *O11* **Krung Thep** *var.* Krung Thep Mahanakhon, ***Eng.*** Bangkok. ● (Thailand) Bangkok, C Thailand
167 *O11* **Krung Thep, Ao** *var.* Bight of Bangkok. *bay* S Thailand
Krung Thep Mahanakhon *see* Krung Thep
Krupa/Krupa na Uni *see* Bosanska Krupa
119 *M15* **Krupki** ***Rus.*** Krupki. Minskaya Voblasts', C Belarus
95 *G24* **Kruså** *var.* Krusaa. Sønderjylland, SW Denmark
Krusaa *see* Kruså
113 *N14* **Kruševac** Serbia, C Serbia and Montenegro (Yugo.)
113 *N19* **Kruševo** SW FYR Macedonia
111 *A15* **Krušné Hory** ***Eng.*** Ore Mountains, ***Ger.*** Erzgebirge. ⛰ Czech Republic/Germany ***see also*** Erzgebirge
39 *W13* **Kruzof Island** *island* Alexander Archipelago, Alaska, USA
114 *F13* **Krýa Vrýsi** *var.* Kría Vrísi. Kentrikí Makedonía, N Greece
119 *P16* **Krychaw** ***Rus.*** Krichëv. Mahilyowskaya Voblasts', E Belarus
64 *K11* **Krylov Seamount** *undersea feature* E Atlantic Ocean
Krym *see* Krym, Respublika
117 *S13* **Krym, Respublika** *var.* Krym, ***Eng.*** Crimea, Crimean Oblast; ***prev. Rus.*** Krymskaya ASSR, Krymskaya Oblast'. ◈ *province* SE Ukraine
126 *K14* **Krymsk** Krasnodarskiy Kray, SW Russian Federation
Krymskaya ASSR/ Krymskaya Oblast' *see* Krym, Respublika
117 *T13* **Kryms'ki Hory** ⛰ S Ukraine
117 *T13* **Kryms'kyy Pivostriv** *peninsula* S Ukraine
111 *M18* **Krynica** ***Ger.*** Tannenhof. Małopolskie, S Poland
117 *P8* **Kryve Ozero** Odes'ka Oblast', SW Ukraine
119 *I18* **Kryvoshyn** ***Rus.*** Krivoshin. Brestskaya Voblasts', SW Belarus
119 *K14* **Kryvychy** ***Rus.*** Krivichi. Minskaya Voblasts', C Belarus
117 *S8* **Kryvyy Rih** ***Rus.*** Krivoy Rog. Dnipropetrovs'ka Oblast', SE Ukraine
117 *N8* **Kryzhopil'** Vinnyts'ka Oblast', C Ukraine
Krzemieniec *see* Kremenets'
111 *J14* **Krzepice** Śląskie, S Poland
110 *F10* **Krzyż Wielkopolski** Wielkopolskie, C Poland
Ksar al Kabir *see* Ksar-el-Kebir
Ksar al Soule *see* Er-Rachidia
74 *J5* **Ksar El Boukhari** N Algeria
74 *G5* **Ksar-el-Kebir** *var.* Alcázar, Ksar al Kabir, Ksar-el-Kébir, ***Ar.*** Al-Kasr al-Kebir, Al-Qsar al-Kbir, ***Sp.*** Alcazarquivir. NW Morocco
110 *H12* **Książ Wielkopolski** ***Ger.*** Xions. Wielkolpolskie, C Poland
127 *C3* **Kstovo** Nizhegorodskaya Oblast', W Russian Federation
169 *T8* **Kuala Belait** W Brunei
Kuala Dungun *see* Dungun
169 *S10* **Kualakerian** Borneo, C Indonesia
169 *S12* **Kualakuayan** Borneo, C Indonesia
168 *K8* **Kuala Lipis** Pahang, Peninsular Malaysia
168 *K9* **Kuala Lumpur** ● (Malaysia) Kuala Lumpur, Peninsular Malaysia
168 *K9* **Kuala Lumpur International** ✕ Selangor, Peninsular Malaysia
Kuala Pelabohan Kelang *see* Pelabuhan Klang
169 *U7* **Kuala Penyu** Sabah, East Malaysia
38 *E9* **Kualapu'u** *var.* Kualapuu. Moloka'i, Hawai'i, USA, C Pacific Ocean
168 *L7* **Kuala Terengganu** *var.* Kuala Trengganu. Terengganu, Peninsular Malaysia
168 *L11* **Kualatungkal** Sumatera, W Indonesia
171 *P11* **Kuandang** Sulawesi, N Indonesia
163 *V12* **Kuandian** *var.* Kuandian Manzu Zizhixian. Liaoning, NE China
Kuandian Manzu Zizhixian *see* Kuandian
Kuando-Kubango *see* Cuando Cubango
Kuang-chou *see* Guangzhou
Kuang-hsi *see* Guangxi Zhuangzu Zizhiqu
Kuang-tung *see* Guangdong
Kuang-yuan *see* Guangyuan
Kuantan, Batang *see* Indragiri, Sungai
Kuanza Norte *see* Cuanza Norte
Kuanza Sul *see* Cuanza Sul
Kuba *see* Quba
Kubango *see* Cubango/Okavango
141 *X8* **Kubārah** NW Oman
93 *H16* **Kubbe** Västernorrland, C Sweden
80 *A11* **Kubbum** Southern Darfur, W Sudan
126 *L13* **Kubenskoye, Ozero** ◎ NW Russian Federation
146 *G6* **Kubla-Ustyurt** ***Rus.*** Komsomol'sk-na-Ustyurte. Qoraqalpog'iston Respublikasi, NW Uzbekistan
164 *G15* **Kubokawa** Kōchi, Shikoku, SW Japan
114 *L7* **Kubrat** ***prev.*** Balbunar. Razgrad, N Bulgaria
112 *O13* **Kučajske Planine** ⛰ E Serbia and Montenegro (Yugo.)
165 *T1* **Kuccharo-ko** ◎ Hokkaidō, N Japan
112 *O11* **Kučevo** Serbia, NE Serbia and Montenegro (Yugo.)
Kuchan *see* Qūchān
169 *Q10* **Kuching** ***prev.*** Sarawak. Sarawak, East Malaysia
169 *Q10* **Kuching** ✕ Sarawak, East Malaysia
164 *B17* **Kuchinoerabu-jima** *island* Nansei-shotō, SW Japan
164 *C14* **Kuchinotsu** Nagasaki, Kyūshū, SW Japan
109 *Q6* **Kuchl** Salzburg, NW Austria
148 *L9* **Kūchnay Darweyshān** Helmand, S Afghanistan
Kuchurgan *see* Kuchurhan
117 *O9* **Kuchurhan** ***Rus.*** Kuchurgan. ≈ NE Ukraine
Kuçova *see* Kuçovë
113 *L21* **Kuçovë** *var.* Kuçova; ***prev.*** Qyteti Stalin. Berat, C Albania
136 *D11* **Küçük Çekmece** İstanbul, NW Turkey
164 *F14* **Kudamatsu** *var.* Kudamatu. Yamaguchi, Honshū, SW Japan
Kudamatu *see* Kudamatsu
Kudara *see* Ghŭdara
169 *V6* **Kudat** Sabah, East Malaysia
Kuddow *see* Gwda
155 *G17* **Kūdligi** Karnātaka, W India
Kudowa *see* Kudowa-Zdrój
111 *F16* **Kudowa-Zdrój** ***Ger.*** Kudowa. Wałbrzych, SW Poland
117 *P9* **Kudryavtsivka** Mykolayivs'ka Oblast', S Ukraine
169 *R16* **Kudus** ***prev.*** Koedoes. Jawa, C Indonesia
125 *T13* **Kudymkar** Komi-Permyatskiy Avtonomnyy Okrug, NW Russian Federation
Kudzsir *see* Cugir
Kuei-chou *see* Guizhou
Kuei-lin *see* Guilin
Kuei-yang *see* Guiyang
K'u-erh-lo *see* Korla
Kueyang *see* Guiyang
Kufa *see* Al Kūfah
136 *E14* **Küfiçayı** ≈ C Turkey
109 *O6* **Kufstein** Tirol, W Austria
145 *V14* **Kugaly** ***Kaz.*** Qoghaly. Almaty, SE Kazakhstan
8 *K8* **Kugluktuk** *var.* Qurlurtuuq; ***prev.*** Coppermine. Nunavut, NW Canada
143 *Y13* **Kūhak** Sīstān va Balūchestān, SE Iran
143 *R9* **Kūhbonān** Kermān, C Iran
148 *J5* **Kūhestān** *var.* Kohsān. Herāt, W Afghanistan
93 *N15* **Kuhmo** Oulu, E Finland
93 *L18* **Kuhmoinen** Länsi-Suomi, W Finland
Kuhnau *see* Konin
Kühnö *see* Kihnu
143 *O8* **Kūhpāyeh** Eşfahān, C Iran
167 *O12* **Kui Buri** *var.* Ban Kui Nua. Prachuap Khiri Khan, SW Thailand
Kuibyshev *see* Kuybyshevskoye Vodokhranilishche
82 *D13* **Kuito** ***Port.*** Silva Porto. Bié, C Angola
39 *X14* **Kuiu Island** *island* Alexander Archipelago, Alaska, USA
92 *L13* **Kuivaniemi** Oulu, C Finland
77 *V14* **Kujama** Kaduna, C Nigeria
110 *I10* **Kujawsko-pomorskie** ◈ *province* C Poland
165 *R8* **Kuji** *var.* Kuzi. Iwate, Honshū, C Japan
Kujto, Ozero *see* Kuyto, Ozero
Kujū-renzan *see* Kujū-san
164 *D14* **Kujū-san** *var.* Kujū-renzan. ▲ Kyūshū, SW Japan
43 *N7* **Kukalaya, Rio** *var.* Rio Cuculaya, Rio Kukulaya. ≈ NE Nicaragua
113 *O16* **Kukavica** *var.* Vlajna. ▲ SE Serbia and Montenegro (Yugo.)
146 *M10* **Kŭk'kcha** ***Rus.*** Kokcha. Buxoro Viloyati, C Uzbekistan
113 *M18* **Kukës** *var.* Kukësi. Kukës, NE Albania
113 *L18* **Kukës** ◈ *district* NE Albania
Kukësi *see* Kukës
186 *D8* **Kukipi** Gulf, S PNG
127 *S3* **Kukmor** Respublika Tatarstan, W Russian Federation
Kukong *see* Shaoguan
39 *N6* **Kukpowruk River** ≈ Alaska, USA
38 *M6* **Kukpuk River** ≈ Alaska, USA
Kukukhoto *see* Hohhot
Kukulaya, Rio *see* Kukalaya, Rio
189 *W12* **Kuku Point** *headland* NW Wake Island
146 *G11* **Kukurtli** Ahal Welaýaty, C Turkmenistan
Kūl *see* Kūl, Rūd-e
114 *F7* **Kula** Vidin, NW Bulgaria
136 *D14* **Kula** Manisa, W Turkey
112 *K9* **Kula** Serbia, NW Serbia and Montenegro (Yugo.)
149 *S8* **Kulāchi** North-West Frontier Province, NW Pakistan
Kulachi *see* Kolāchi
144 *F11* **Kulagino** ***Kaz.*** Kūlagīno. Atyrau, W Kazakhstan
168 *L10* **Kulai** Johor, Peninsular Malaysia
114 *M7* **Kulak** ≈ NE Bulgaria
153 *T11* **Kula Kangri** *var.* Kulhakangri. ▲ Bhutan/China
144 *E13* **Kulaly, Ostrov** *island* SW Kazakhstan
145 *S16* **Kulan** ***Kaz.*** Qulan; ***prev.*** Lugovoy, Lugovoye. Zhambyl, S Kazakhstan
147 *V9* **Kulanak** Narynskaya Oblast', C Kyrgyzstan
Kulandag, Gory *see* Gulandag
153 *V14* **Kulaura** Chittagong, NE Bangladesh
118 *D9* **Kuldīga** ***Ger.*** Goldingen. Kuldīga, W Latvia
Kuldja *see* Yining
Kul'dzhuktau, Gory *see* Quljuqtov-Toghi
127 *N4* **Kulebaki** Nizhegorodskaya Oblast', W Russian Federation
112 *E11* **Kulen Vakuf** *var.* Spasovo, Federacija Bosna I Hercegovina, NW Bosnia and Herzegovina
181 *Q9* **Kulgera Roadhouse** Northern Territory, N Australia
Kulhakangri *see* Kula Kangri
127 *T1* **Kuliga** Udmurtskaya Respublika, NW Russian Federation
Kulkuduk *see* Ko'lquduq
118 *G4* **Kullamaa** Läänemaa, W Estonia
197 *O12* **Kullorsuaq** *var.* Kuvdlorssuak. Kitaa, C Greenland
29 *O6* **Kulm** North Dakota, N USA
Kulm *see* Chełmno
146 *D12* **Kul'mach** ***prev. Turkm.*** Isgender. Balkan Welaýaty, W Turkmenistan
101 *L18* **Kulmbach** Bayern, SE Germany
Kulmsee *see* Chełmża
147 *Q14* **Kŭlob** ***Rus.*** Kulyab. SW Tajikistan
92 *M13* **Kuloharju** Lappi, N Finland
125 *N7* **Kuloy** Arkhangel'skaya Oblast', NW Russian Federation
127 *N7* **Kuloy** ≈ NW Russian Federation
137 *Q14* **Kulp** Diyarbakır, SE Turkey
Kulpa *see* Kolpa
77 *P14* **Kulpawn** ≈ N Ghana
143 *R13* **Kūl, Rūd-e** *var.* Kūl. ≈ S Iran
144 *G12* **Kul'sary** ***Kaz.*** Qulsary. Atyrau, W Kazakhstan
153 *R15* **Kulti** West Bengal, NE India
93 *G14* **Kultsjön** ◎ N Sweden
136 *I14* **Kulu** Konya, W Turkey
123 *S9* **Kulu** ≈ E Russian Federation
122 *I13* **Kulunda** Altayskiy Kray, S Russian Federation
145 *T7* **Kulunda Steppe** ***Kaz.*** Qulyndy Zhazyghy, ***Rus.*** Kulundinskaya Ravnina. *grassland* Kazakhstan/Russian Federation
Kulundinskaya Ravnina *see* Kulunda Steppe
182 *M9* **Kulwin** Victoria, SE Australia
Kulyab *see* Kŭlob
117 *Q3* **Kulykivka** Chernihivs'ka Oblast', N Ukraine
Kum *see* Qom
164 *F14* **Kuma** Ehime, Shikoku, SW Japan
127 *P14* **Kuma** ≈ SW Russian Federation
165 *O12* **Kumagaya** Saitama, Honshū, S Japan
165 *Q5* **Kumaishi** Hokkaidō, NE Japan
169 *R13* **Kumai, Teluk** *bay* Borneo, C Indonesia
127 *Y7* **Kumak** Orenburgskaya Oblast', W Russian Federation
164 *C14* **Kumamoto** Kumamoto, Kyūshū, SW Japan
164 *D15* **Kumamoto** ***off.*** Kumamoto-ken. ◈ *prefecture* Kyūshū, SW Japan
164 *J15* **Kumano** Mie, Honshū, SW Japan
Kumanova *see* Kumanovo
113 *O17* **Kumanovo** ***Turk.*** Kumanova. N FYR Macedonia
185 *G17* **Kumara** West Coast, South Island, NZ
180 *J8* **Kumarina Roadhouse** Western Australia
153 *T15* **Kumarkhali** Khulna, W Bangladesh
77 *P16* **Kumasi** ***prev.*** Coomassie. C Ghana
Kumayri *see* Gyumri
79 *D15* **Kumba** Sud-Ouest, W Cameroon
114 *N13* **Kumbağ** Tekirdağ, NW Turkey
155 *I21* **Kumbakonam** Tamil Nādu, SE India
Kum-Dag *see* Gumdag
165 *R16* **Kume-jima** *island* Nansei-shotō, SW Japan
127 *V6* **Kumertau** Respublika Bashkortostan, W Russian Federation
35 *R4* **Kumiva Peak** ▲ Nevada, W USA
159 *N8* **Kum Kuduk** *well* NW China
159 *N7* **Kumkuduk** Xinjiang Uygur Zizhiqu, W China
Kumkurgan *see* Qumqo'rg'on
95 *M16* **Kumla** Örebro, C Sweden
136 *E17* **Kumluca** Antalya, S Turkey
100 *N9* **Kummerower See** ◎ NE Germany
77 *X14* **Kumo** Gombe, E Nigeria
145 *O13* **Kumola** ≈ C Kazakhstan
167 *N1* **Kumon Range** ⛰ N Myanmar
83 *F22* **Kums** Karas, SE Namibia
155 *E18* **Kumta** Karnātaka, W India
158 *L6* **Kümük** Xinjiang Uygur Zizhiqu, W China
38 *H12* **Kumukahi, Cape** *headland* Hawai'i, USA, C Pacific Ocean
127 *Q17* **Kumukh** Respublika Dagestan, SW Russian Federation
Kumul *see* Hami
127 *N9* **Kumylzhenskaya** Volgogradskaya Oblast', SW Russian Federation
141 *W6* **Kumzār** N Oman
149 *S4* **Kunar** ***Per.*** Konarhā. ◈ *province* E Afghanistan
Kunashiri *see* Kunashir, Ostrov
123 *U14* **Kunashir, Ostrov** *var.* Kunashiri. *island* Kuril'skiye Ostrova, SE Russian Federation
118 *I3* **Kunda** Lääne-Virumaa, NE Estonia
152 *M13* **Kunda** Uttar Pradesh, N India
155 *E19* **Kundāpura** *var.* Coondapoor. Karnātaka, W India
79 *O24* **Kundelungu, Monts** ⛰ S Dem. Rep. Congo
Kundert *see* Hernád
186 *D7* **Kundiawa** Chimbu, W PNG
Kundla *see* Sāvarkundla
168 *L10* **Kundur, Pulau** *island* W Indonesia
149 *Q2* **Kunduz** *var.* Kondoz, Kundūz, Qondūz, ***Per.*** Kondūz. Kunduz, NE Afghanistan
149 *Q2* **Kunduz** ***Per.*** Kondūz. ◈ *province* NE Afghanistan
Kuneitra *see* Al Qunayţirah
83 *B18* **Kunene** ◈ *district* NE Namibia
83 *A16* **Kunene** *var.* Cunene. ≈ Angola/Namibia ***see also*** Cunene
Künes *see* Xinyuan
158 *J5* **Künes He** ≈ NW China
95 *I19* **Kungälv** Västra Götaland, S Sweden
147 *W7* **Kungei Ala-Tau** ***Rus.*** Khrebet Kyungëy Ala-Too, ***Kir.*** Küngöy Ala-Too. ⛰ Kazakhstan/Kyrgyzstan
Küngöy Ala-Too *see* Kungei Ala-Tau
Kungrad *see* Qo'ng'irot
95 *J19* **Kungsbacka** Halland, S Sweden
95 *I18* **Kungshamn** Västra Götaland, S Sweden
95 *M16* **Kungsör** Västmanland, C Sweden
79 *J16* **Kungu** Equateur, NW Dem. Rep. Congo
125 *V15* **Kungur** Permskaya Oblast', NW Russian Federation
166 *L9* **Kungyangon** Yangon, SW Myanmar
111 *M22* **Kunhegyes** Jász-Nagykun-Szolnok, E Hungary
167 *O5* **Kunhing** Shan State, E Myanmar
158 *D9* **Kunjirap Daban** *var.* Khūnjerāb Pass. *pass* China/Pakistan ***see also*** Khūnjerāb Pass
Kunlun Mountains *see* Kunlun Shan
158 *H10* **Kunlun Shan** ***Eng.*** Kunlun Mountains. ⛰ NW China
159 *P11* **Kunlun Shankou** *pass* C China
160 *G13* **Kunming** *var.* K'un-ming; ***prev.*** Yunnan. Yunnan, SW China
165 *R4* **Kunnui** Hokkaidō, NE Japan
95 *B18* **Kunoy** ***Dan.*** Kunø *Island* Faeroe Islands
163 *X16* **Kunsan** *var.* Gunsan, ***Jap.*** Gunzan. W South Korea
111 *L24* **Kunszentmárton** Jász-Nagykun-Szolnok, E Hungary
111 *J23* **Kunszentmiklós** Bács-Kiskun, C Hungary
181 *N3* **Kununurra** Western Australia
Kunyang *see* Pingyang
Kunya-Urgench *see* Köneürgenç
Kunyé *see* Pins, Île des
169 *T11* **Kunyi** Borneo, C Indonesia
101 *I20* **Künzelsau** Baden-Württemberg, S Germany
161 *S10* **Kuocang Shan** ⛰ SE China
124 *H5* **Kuoloyarvi** *var.* Luolajarvi. Murmanskaya Oblast', NW Russian Federation
93 *N16* **Kuopio** Itä-Suomi, C Finland
93 *K17* **Kuortane** Länsi-Suomi, W Finland
93 *M18* **Kuortti** Itä-Suomi, E Finland
Kupa *see* Kolpa
171 *P17* **Kupang** ***prev.*** Koepang. Timor, C Indonesia
39 *Q5* **Kuparuk River** ≈ Alaska, USA
Kupchino *see* Cupcina
186 *E9* **Kupiano** Central, S PNG
180 *M4* **Kupingarri** Western Australia
122 *I12* **Kupino** Novosibirskaya Oblast', C Russian Federation
118 *H11* **Kupiškis** Panevėžys, NE Lithuania
114 *L13* **Küplü** Edirne, NW Turkey
39 *X13* **Kupreanof Island** *island* Alexander Archipelago, Alaska, USA
39 *O16* **Kupreanof Point** *headland* Alaska, USA
112 *G13* **Kupres** Federacija Bosna I Hercegovina, SW Bosnia and Herzegovina
117 *W5* **Kup"yans'k** ***Rus.*** Kupyansk. Kharkivs'ka Oblast', E Ukraine
117 *W5* **Kup"yans'k-Vuzlovyy** Kharkivs'ka Oblast', E Ukraine
158 *I6* **Kuqa** Xinjiang Uygur Zizhiqu, NW China
Kür *see* Kura
137 *W11* **Kura** ***Az.*** Kür, ***Geor.*** Mtkvari, ***Turk.*** Kura Nehri. ≈ SW Asia
55 *R8* **Kuracki** NW Guyana
Kura Kurk *see* Irbe Strait
147 *Q10* **Kurama Range** ***Rus.*** Kuraminskiy Khrebet. ⛰ Tajikistan/Uzbekistan
Kuraminskiy Khrebet *see* Kurama Range
Kura Nehri *see* Kura
119 *J14* **Kuranyets** ***Rus.*** Kurenets. Minskaya Voblasts', C Belarus
164 *H13* **Kurashiki** *var.* Kurasiki. Okayama, Honshū, SW Japan
154 *L10* **Kurasia** Chhattīsgarh, C India
Kurasiki *see* Kurashiki
164 *H12* **Kurayoshi** *var.* Kurayosi. Tottori, Honshū, SW Japan
Kurayosi *see* Kurayoshi
163 *X6* **Kurbin He** ≈ NE China
145 *X10* **Kurchum** ***Kaz.*** Kürshim. Vostochnyy Kazakhstan, E Kazakhstan
145 *Y10* **Kurchum** ≈ E Kazakhstan
137 *X11* **Kürdämir** ***Rus.*** Kyurdamir. C Azerbaijan
Kurdestan *see* Kordestān
139 *S1* **Kurdistan** *cultural region* SW Asia
Kurd Kui *see* Kord Kūy
155 *F15* **Kurduvādi** Mahārāshtra, W India
114 *J11* **Kŭrdzhali** *var.* Kirdzhali. Kŭrdzhali, S Bulgaria
114 *K11* **Kŭrdzhali** ◈ *province* S Bulgaria
114 *J11* **Kŭrdzhali, Yazovir** ⊠ S Bulgaria

◆ COUNTRY
● COUNTRY CAPITAL
◇ DEPENDENT TERRITORY
○ DEPENDENT TERRITORY CAPITAL
◈ ADMINISTRATIVE REGION
✕ INTERNATIONAL AIRPORT
▲ MOUNTAIN
⛰ MOUNTAIN RANGE
Λ VOLCANO
≈ RIVER
◎ LAKE
⊠ RESERVOIR

276 ••• Kure – Lādnūn

164 F13 **Kure** Hiroshima, Honshū, SW Japan
192 K5 **Kure Atoll** *var.* Ocean Island. *atoll* Hawaiian Islands, Hawaii, USA, C Pacific Ocean
136 J10 **Küre Dağları** ▲ N Turkey
Kurenets *see* Kuranyets
118 E6 **Kuressaare** *Ger.* Arensburg; *prev.* Kingissepp. Saaremaa, W Estonia
122 K9 **Kureyka** Krasnoyarskiy Kray, N Russian Federation
122 K9 **Kureyka** ≈ N Russian Federation
Kurgal'dzhino/Kurgal'dzhinskiy *see* Korgalzhyn
122 G11 **Kurgan** Kurganskaya Oblast', C Russian Federation
126 L14 **Kurganinsk** Krasnodarskiy Kray, SW Russian Federation
122 G11 **Kurganskaya Oblast'** ◆ *province* C Russian Federation
Kurgan-Tyube *see* Qŭrghonteppa
191 O2 **Kuria** *prev.* Woodle Island. *island* Tungaru, W Kiribati
Kuria Muria Bay *see* Ḥalānīyāt, Khalīj al
Kuria Muria Islands *see* Ḥalānīyāt, Juzur al
153 T13 **Kurigram** Rajshahi, N Bangladesh
93 K17 **Kurikka** Länsi-Suomi, W Finland
192 I3 **Kurile Basin** *undersea feature* NW Pacific Ocean
Kurile Islands *see* Kuril'skiye Ostrova
Kurile-Kamchatka Depression *see* Kurile Trench
192 J3 **Kurile Trench** *var.* Kurile-Kamchatka Depression. *undersea feature* NW Pacific Ocean
127 Q9 **Kurilovka** Saratovskaya Oblast', W Russian Federation
123 U13 **Kuril'sk** Kuril'skiye Ostrova, Sakhalinskaya Oblats', SE Russian Federation
122 G11 **Kuril'skiye Ostrova** *Eng.* Kurile Islands. *island group* SE Russian Federation
42 M9 **Kurinwas, Río** ≈ E Nicaragua
Kurisches Haff *see* Courland Lagoon
Kurkund *see* Kilingi-Nõmme
126 M4 **Kurlovskiy** Vladimirskaya Oblast', W Russian Federation
80 G12 **Kurmuk** Blue Nile, SE Sudan
Kurna *see* Al Qurnah
155 H17 **Kurnool** *var.* Karnul. Andhra Pradesh, S India
164 M11 **Kurobe** Toyama, Honshū, SW Japan
165 Q7 **Kuroishi** *var.* Kuroisi. Aomori, Honshū, C Japan
Kuroisi *see* Kuroishi
165 O12 **Kuroiso** Tochigi, Honshū, S Japan
165 Q4 **Kuromatsunai** Hokkaidō, NE Japan
164 B17 **Kuro-shima** *island* SW Japan
185 F21 **Kurow** Canterbury, South Island, NZ
127 N15 **Kursavka** Stavropol'skiy Kray, SW Russian Federation
118 E11 **Kuršėnai** Šiauliai, N Lithuania
Kürshim *see* Kurchum
Kurshskaya Kosa/Kuršių Nerija *see* Courland Spit
126 J7 **Kursk** Kurskaya Oblast', W Russian Federation
126 J7 **Kurskaya Oblast'** ◆ *province* W Russian Federation
Kurskiy Zaliv *see* Courland Lagoon
113 N15 **Kuršumlija** Serbia, S Serbia and Montenegro (Yugo.)
137 R15 **Kurtalan** Siirt, SE Turkey
Kurtbunar *see* Tervel
Kurt-Dere *see* Vŭlchidol
Kurtitsch/Kürtös *see* Curtici
Kurtty *see* Kurty
145 U15 **Kurty** *var.* Kurtty. ≈ SE Kazakhstan
93 L18 **Kuru** Länsi-Suomi, W Finland
80 C13 **Kuru** ≈ W Sudan
114 M13 **Kuru Dağı** ▲ NW Turkey
158 L7 **Kuruktag** ▲ NW China
83 G22 **Kuruman** Northern Cape, N South Africa
164 D14 **Kurume** Fukuoka, Kyūshū, SW Japan
123 N13 **Kurumkan** Respublika Buryatiya, S Russian Federation
155 J25 **Kurunegala** North Western Province, C Sri Lanka
55 T10 **Kurupukari** C Guyana
125 U10 **Kur"ya** Respublika Komi, NW Russian Federation
144 E15 **Kuryk** *prev.* Yeraliyev. Mangistau, SW Kazakhstan
136 B15 **Kuşadası** Aydın, SW Turkey
115 M19 **Kuşadası Körfezi** *gulf* SW Turkey
164 A17 **Kusagaki-guntō** *island* SW Japan
Kusaie *see* Kosrae
145 T12 **Kusak** ≈ C Kazakhstan
Kusary *see* Qusar
167 P7 **Ku Sathan, Doi** ▲ NW Thailand
164 J13 **Kusatsu** *var.* Kusatu. Shiga, Honshū, SW Japan
Kusatu *see* Kusatsu
138 F11 **Kuseifa** Southern, C Israel
136 C12 **Kuş Gölü** ◎ NW Turkey
126 L12 **Kushchevskaya** Krasnodarskiy Kray, SW Russian Federation
164 D16 **Kushima** *var.* Kusima. Miyazaki, Kyūshū, SW Japan
164 I15 **Kushimoto** Wakayama, Honshū, SW Japan
165 V4 **Kushiro** *var.* Kusiro. Hokkaidō, NE Japan
148 K4 **Kūshk** Herāt, W Afghanistan
Kushka *see* Gushgy/Serhetabat
145 N8 **Kushmurun** *Kaz.* Qusmuryn. Kostanay, N Kazakhstan
145 N8 **Kushmurun, Ozero** *Kaz.* Qusmuryn. ◎ N Kazakhstan
127 U4 **Kushnarenkovo** Respublika Bashkortostan, W Russian Federation
Kushrabat *see* Qo'shrabot
153 T15 **Kushtia** *var.* Kustia. Khulna, W Bangladesh
Kusikino *see* Kushikino
Kusima *see* Kushima
Kusiro *see* Kushiro
38 M13 **Kuskokwim Bay** *bay* Alaska, USA
39 P11 **Kuskokwim Mountains** ▲ Alaska, USA
39 N12 **Kuskokwim River** ≈ Alaska, USA
108 G7 **Küsnacht** Zürich, N Switzerland
165 V4 **Kussharo-ko** *var.* Kussyaro. ◎ Hokkaidō, NE Japan
Küssnacht *see* Küssnacht am Rigi
108 F8 **Küssnacht am Rigi** *var.* Küssnacht. Schwyz, C Switzerland
Kussyaro *see* Kussharo-ko
Kustanay *see* Kostanay
Küstence/Küstendje *see* Constanța
100 F11 **Küstenkanal** *var.* Ems-Hunte Canal. *canal* NW Germany
Küstrin *see* Kostrzyn
Kustia *see* Kushtia
171 R11 **Kusu** Pulau Halmahera, E Indonesia
170 L16 **Kuta** Pulau Lombok, S Indonesia
139 T4 **Kutabān** N Iraq
136 E13 **Kütahya** *prev.* Kutaia. Kütahya, W Turkey
136 E13 **Kütahya** *var.* Kutaia. ◆ *province* W Turkey
Kutai *see* Mahakam, Sungai
Kutaia *see* Kütahya
137 R9 **K'ut'aisi** W Georgia
Kūt al 'Amārah *see* Al Kūt
Kut al Hai/Kūt al Ḥayy *see* Al Ḥayy
Kut al Imara *see* Al Kūt
123 Q11 **Kutana** Respublika Sakha (Yakutiya), NE Russian Federation
Kutaradja/Kutaraja *see* Bandaaceh
165 R4 **Kutchan** Hokkaidō, NE Japan
Kutch, Gulf of *see* Kachchh, Gulf of
Kutch, Rann of *see* Kachchh, Rann of
112 F9 **Kutina** Sisak-Moslavina, NE Croatia
112 H9 **Kutjevo** Požega-Slavonija, NE Croatia
111 E17 **Kutná Hora** *Ger.* Kuttenberg. Středočeský Kraj, C Czech Republic
110 K12 **Kutno** Łódzkie, C Poland
Kuttenberg *see* Kutná Hora
79 I20 **Kutu** Bandundu, W Dem. Rep. Congo
153 V17 **Kutubdia Island** *island* SE Bangladesh
80 B10 **Kutum** Northern Darfur, W Sudan
147 Y7 **Kuturgu** Issyk-Kul'skaya Oblast', E Kyrgyzstan
12 M5 **Kuujjuaq** *prev.* Fort-Chimo. Québec, E Canada
12 I7 **Kuujjuarapik** Québec, C Canada
Kuuli-Mayak *see* Guwlumaýak
118 I6 **Kuulse magi** ▲ S Estonia
92 N13 **Kuusamo** Oulu, E Finland
93 M19 **Kuusankoski** Etelä-Suomi, S Finland
127 W7 **Kuvandyk** Orenburgskaya Oblast', W Russian Federation
Kuvango *see* Cubango
Kuvasay *see* Quvasoy
Kuvdlorssuak *see* Kullorsuaq
124 I16 **Kuvshinovo** Tverskaya Oblast', W Russian Federation
141 Q4 **Kuwait** *off.* State of Kuwait, *var.* Dawlat al Kuwait, Koweit, Kuweit. ◆ *monarchy* SW Asia
Kuwait *see* Al Kuwayt
Kuwait Bay *see* Kuwayt, Jūn al
Kuwait City *see* Al Kuwayt
Kuwait, Dawlat al *see* Kuwait
Kuwajleen *see* Kwajalein Atoll
164 K13 **Kuwana** Mie, Honshū, SW Japan
139 X9 **Kuwayt** E Iraq
142 K11 **Kuwayt, Jūn al** *var.* Kuwait Bay. *bay* E Kuwait
Kuweit *see* Kuwait
117 P10 **Kuyal'nyts'kyy Lyman** ◎ SW Ukraine
122 I12 **Kuybyshev** Novosibirskaya Oblast', C Russian Federation
Kuybyshev *see* Bolgar, Respublika Tatarstan, Russian Federation
Kuybyshev *see* Samara
117 W9 **Kuybysheve** *Rus.* Kuybyshevo. Zaporiz'ka Oblast', SE Ukraine
Kuybyshevo *see* Kuybysheve
Kuybyshev Reservoir *see* Kuybyshevskoye Vodokhranilishche
Kuybyshevskaya Oblast' *see* Samarskaya Oblast'
Kuybyshevskiy *see* Novoishimskiy
127 R4 **Kuybyshevskoye Vodokhranilishche** *var.* Kuibyshev, *Eng.* Kuybyshev Reservoir. ⊠ W Russian Federation
123 S9 **Kuydusun** Respublika Sakha (Yakutiya), NE Russian Federation
125 U16 **Kuyeda** Permskaya Oblast', NW Russian Federation
Küysanjaq *see* Koi Sanjaq
126 I7 **Kuyto, Ozero** *var.* Ozero Kujto. ◎ NW Russian Federation
158 J4 **Kuytun** Xinjiang Uygur Zizhiqu, NW China
122 M13 **Kuytun** Irkutskaya Oblast', S Russian Federation
55 S12 **Kuyuwini Landing** S Guyana
Kuzi *see* Kuji
38 M9 **Kuzitrin River** ≈ Alaska, USA
127 P6 **Kuznetsk** Penzenskaya Oblast', W Russian Federation
116 K3 **Kuznetsovs'k** Rivnens'ka Oblast', NW Ukraine
124 K6 **Kuzomen'** Murmanskaya Oblast', NW Russian Federation
165 R8 **Kuzumaki** Iwate, Honshū, C Japan
92 H9 **Kvaløya** *island* N Norway
92 K8 **Kvalsund** Finnmark, N Norway
94 G11 **Kvam** Oppland, S Norway
127 X7 **Kvarkeno** Orenburgskaya Oblast', W Russian Federation
93 G15 **Kvarnbergsvattnet** *var.* Frostviken. ◎ N Sweden
112 A11 **Kvarner** *var.* Carnaro, *It.* Quarnero. *gulf* W Croatia
112 B11 **Kvarnerić** *channel* W Croatia
39 O14 **Kvichak Bay** *bay* Alaska, USA
92 H12 **Kvikkjokk** *Lapp.* Huhttán. Norrbotten, N Sweden
95 D17 **Kvina** ≈ S Norway
92 Q1 **Kvitøya** *island* NE Svalbard
95 F16 **Kviteseid** Telemark, S Norway
95 H24 **Kværndrup** Fyn, C Denmark
79 H20 **Kwa** ≈ W Dem. Rep. Congo
77 Q15 **Kwadwokurom** C Ghana
186 M8 **Kwailibesi** Malaita, N Solomon Islands
189 S6 **Kwajalein Atoll** *var.* Kuwajleen. *atoll* Ralik Chain, C Marshall Islands
55 W9 **Kwakoegron** Brokopondo, N Suriname
81 J21 **Kwale** Coast, S Kenya
77 U17 **Kwale** Delta, S Nigeria
79 H20 **Kwamouth** Bandundu, W Dem. Rep. Congo
Kwando *see* Cuando
Kwangchow *see* Guangzhou
Kwangchu *see* Gwangju
163 X16 **Kwangju** *off.* Kwangju-gwangyŏksi, *var.* Guangju, Kwangchu, *Jap.* Kōshū. SW South Korea
79 H20 **Kwango** *Port.* Cuango. ≈ Angola/Dem. Rep. Congo *see also* Cuango
Kwangsi/Kwangsi Chuang Autonomous Region *see* Guangxi Zhuangzu Zizhiqu
Kwangtung *see* Guangdong
Kwangyuan *see* Guangyuan
81 F17 **Kwania, Lake** ◎ C Uganda
Kwanza *see* Cuanza
77 S15 **Kwara** ◆ *state* SW Nigeria
83 K22 **KwaZulu/Natal** *off.* KwaZulu/Natal Province; *prev.* Natal. ◆ *province* E South Africa
Kweichow *see* Guizhou
Kweichu *see* Guiyang
Kweilin *see* Guilin
Kweisui *see* Hohhot
Kweiyang *see* Guiyang
83 K17 **Kwekwe** *prev.* Que Que. Midlands, C Zimbabwe
83 G20 **Kweneng** ◆ *district* S Botswana
Kwesui *see* Hohhot
39 N12 **Kwethluk** Alaska, USA
39 N12 **Kwethluk River** ≈ Alaska, USA
110 J8 **Kwidzyń** *Ger.* Marienwerder. Pomorskie, N Poland
38 M13 **Kwigillingok** Alaska, USA
186 E9 **Kwikila** Central, S PNG
79 I20 **Kwilu** ≈ W Dem. Rep. Congo
Kwito *see* Cuito
171 U12 **Kwoka, Gunung** ▲ Papua, E Indonesia
78 I12 **Kyabé** Moyen-Chari, S Chad
183 O11 **Kyabram** Victoria, SE Australia
166 M9 **Kyaikkami** *prev.* Amherst. Mon State, S Myanmar
166 L9 **Kyaiklat** Irrawaddy, SW Myanmar
166 M8 **Kyaikto** Mon State, S Myanmar
123 N14 **Kyakhta** Respublika Buryatiya, S Russian Federation
182 G8 **Kyancutta** South Australia
167 T8 **Ky Anh** Ha Tinh, N Vietnam
166 L5 **Kyaukpadaung** Mandalay, C Myanmar
166 J6 **Kyaukpyu** Arakan State, W Myanmar
166 M5 **Kyaukse** Mandalay, C Myanmar
166 L8 **Kyaunggon** Irrawaddy, SW Myanmar
119 E14 **Kybartai** *Pol.* Kibarty. Marijampolė, S Lithuania
152 I7 **Kyelang** Himāchal Pradesh, NW India
111 G19 **Kyjov** *Ger.* Gaya. Jihomoravský Kraj, SE Czech Republic
115 J21 **Kykládes** *var.* Kikládhes, *Eng.* Cyclades. *island group* SE Greece
25 S11 **Kyle** Texas, SW USA
96 G9 **Kyle of Lochalsh** N Scotland, UK
101 D18 **Kyll** ≈ W Germany
115 F19 **Kyllíni** *var.* Killini. ▲ S Greece
93 M19 **Kymijoki** ≈ S Finland
115 H18 **Kýmis, Akrotírio** *headland* Évvoia, C Greece
125 W14 **Kyn** Permskaya Oblast', NW Russian Federation
183 N12 **Kyneton** Victoria, SE Australia
81 G17 **Kyoga, Lake** *var.* Lake Kioga. ◎ C Uganda
164 J12 **Kyōga-misaki** *headland* Honshū, SW Japan
183 V4 **Kyogle** New South Wales, SE Australia
163 W15 **Kyŏnggi-man** *bay* NW South Korea
163 Z16 **Kyŏngju** *Jap.* Keishū. SE South Korea
Kyŏngsŏng *see* Sŏul
Kyōsai-tō *see* Kŏje-do
81 F19 **Kyotera** S Uganda
164 J13 **Kyōto** Kyōto, Honshū, SW Japan
164 J13 **Kyōto** *off.* Kyōto-fu, *var.* Kyōto Hu. ◆ *urban prefecture* Honshū, SW Japan
Kyōto-fu/Kyōto Hu *see* Kyōto
115 D21 **Kyparissía** *var.* Kiparissía. Pelopónnisos, S Greece
115 D20 **Kyparissiakós Kólpos** *gulf* S Greece
Kyperounda *see* Kyperoúnta
121 P3 **Kyperoúnta** *var.* Kyperounda. C Cyprus
Kypros *see* Cyprus
115 H16 **Kyrá Panagía** *island* Vóreioi Sporádes, Greece, Aegean Sea
Kyrenia *see* Girne
Kyrenia Mountains *see* Beşparmak Dağları
Kyrgyz Republic *see* Kyrgyzstan
147 U9 **Kyrgyzstan** *off.* Kyrgyz Republic, *var.* Kirghizia; *prev.* Kirgizskaya SSR, Kirghiz SSR, Republic of Kyrgyzstan. ◆ *republic* C Asia
100 M11 **Kyritz** Brandenburg, NE Germany
Kyrkslätt *see* Kirkkonummi
94 G8 **Kyrkseterøra** Sør-Trøndelag, S Norway
125 U8 **Kyrta** Respublika Komi, NW Russian Federation
111 J18 **Kysucké Nové Mesto** *prev.* Horné Nové Mesto, *Ger.* Kisutzaneustadtl, Oberneustadtl, *Hung.* Kiszucaújhely. Žilinský Kraj, N Slovakia
117 N12 **Kytay, Ozero** ◎ SW Ukraine
115 F23 **Kýthira** *var.* Kíthira, *It.* Cerigo; *Lat.* Cythera. Kýthira, S Greece
115 F23 **Kýthira** *var.* Kíthira, *It.* Cerigo; *Lat.* Cythera. *island* S Greece
115 I20 **Kýthnos** Kýthnos, Kykládes, Greece, Aegean Sea
115 I20 **Kýthnos** *var.* Kíthnos, Thermiá, *It.* Termia; *anc.* Cythnos. *island* Kykládes, Greece, Aegean Sea
115 I20 **Kýthnou, Stenó** *strait* Kykládes, Greece, Aegean Sea
Kyungëy Ala-Too, Khrebet *see* Kungei Ala-Tau
Kyurdamir *see* Kürdämir
146 C11 **Kürendag** *Rus.* Gora Kyuren. ▲ W Turkmenistan
Kyuren, Gora *see* Kürendag
164 D15 **Kyūshū** *var.* Kyûsyû. *island* SW Japan
192 H6 **Kyushu-Palau Ridge** *var.* Kyusyu-Palau Ridge. *undersea feature* W Pacific Ocean
114 F10 **Kyustendil** *anc.* Pautalia. Kyustendil, W Bulgaria
114 G11 **Kyustendil** ◆ *province* W Bulgaria
Kyûsyû *see* Kyūshū
Kyusyu-Palau Ridge *see* Kyushu-Palau Ridge
123 P8 **Kyusyur** Respublika Sakha (Yakutiya), NE Russian Federation
183 P10 **Kywong** New South Wales, SE Australia
117 P4 **Kyyiv** *Eng.* Kiev, *Rus.* Kiyev. ● (Ukraine) Kyyivs'ka Oblast', N Ukraine
Kyyiv *see* Kyyivs'ka Oblast'
117 O4 **Kyyivs'ka Oblast'** *var.* Kyyiv, *Rus.* Kiyevskaya Oblast'. ◆ *province* N Ukraine
117 P3 **Kyyivs'ke Vodoskhovyshche** *Eng.* Kiev Reservoir, *Rus.* Kiyevskoye Vodokhranilishche. ⊠ N Ukraine
93 L16 **Kyyjärvi** Länsi-Suomi, W Finland
122 K14 **Kyzyl** Respublika Tyva, C Russian Federation
147 S8 **Kyzyl-Adyr** *prev.* Kirovskoye. Talasskaya Oblast', NW Kyrgyzstan
145 V14 **Kyzylagash** Almaty, SE Kazakhstan
146 C13 **Kyzylbair** Balkan Welaýaty, W Turkmenistan
Kyzyl-Dzhiik, Pereval *see* Uzbel Shankou
145 S7 **Kyzylkak, Ozero** ◎ NE Kazakhstan
145 X11 **Kyzylkesek** Vostochnyy Kazakhstan, E Kazakhstan
147 S10 **Kyzyl-Kiya** *Kir.* Kyzyl-Kyya. Batkenskaya Oblast', SW Kyrgyzstan
144 L11 **Kyzylkol', Ozero** ◎ C Kazakhstan
151 N15 **Kyzylorda** *var.* Kzyl-Orda, Qizil Orda *Kaz.* Qyzylorda; *prev.* Perovsk. Kyzylorda, S Kazakhstan
150 L14 **Kyzylorda** *off.* Kyzylordinskaya Oblast' *Kaz.* Qyzylorda Oblysy. ◆ *province* S Kazakhstan
122 K14 **Kyzyl Kum** *var.* Kizil Kum, Qizil Qum, *Uzb.* Qizilqum. *desert* Kazakhstan/Uzbekistan
Kyzyl-Kyya *see* Kyzyl-Kiya
Kyzylrabat *see* Qizilravot
Kyzylrabot *see* Qizilrabot
Kyzylsu *see* Kyzyl-Suu
147 X7 **Kyzyl-Suu** *prev.* Pokrovka. Issyk-Kul'skaya Oblast', NE Kyrgyzstan
147 S12 **Kyzyl-Suu** *var.* Kyzylsu. ≈ Kyrgyzstan/Tajikistan
147 X8 **Kyzyl-Tuu** Issyk-Kul'skaya Oblast', E Kyrgyzstan
145 Q12 **Kyzylzhar** *Kaz.* Qyzylzhar. Karaganda, C Kazakhstan
Kzyl-Orda *see* Kyzylorda
Kzylordinskaya Oblast' *see* Kyzylorda
Kzyltu *see* Kishkenekol'

L

109 X2 **Laa an der Thaya** Niederösterreich, NE Austria
63 K15 **La Adela** La Pampa, SE Argentina
Laagen *see* Numedalslågen
109 S5 **Laakirchen** Oberösterreich, N Austria
Laaland *see* Lolland
104 I11 **La Albuera** Extremadura, W Spain
105 O7 **La Alcarria** *physical region* C Spain
104 K14 **La Algaba** Andalucía, S Spain
105 P9 **La Almarcha** Castilla-La Mancha, C Spain
105 R6 **La Almunia de Doña Godina** Aragón, NE Spain
41 N5 **La Amistad, Presa** ⊠ NW Mexico
118 F4 **Läänemaa** *off.* Lääne Maakond. ◆ *province* NW Estonia
118 I3 **Lääne-Virumaa** *off.* Lääne-Viru Maakond. ◆ *province* NE Estonia
62 J9 **La Antigua, Salina** *salt lake* W Argentina
99 E17 **Laarne** Oost-Vlaanderen, NW Belgium
80 O13 **Laas Caanood** Nugaal, N Somalia
41 O9 **La Ascensión** Nuevo León, NE Mexico
80 N12 **Laas Dhaareed** Woqooyi Galbeed, N Somalia
55 O4 **La Asunción** Nueva Esparta, NE Venezuela
Laatokka *see* Ladozhskoye Ozero
100 I13 **Laatzen** Niedersachsen, NW Germany
38 E9 **Lā'au Point** *var.* Laau Point. *headland* Moloka'i, Hawai'i, USA, C Pacific Ocean
42 D6 **La Aurora** ✕ (Ciudad de Guatemala) Guatemala, C Guatemala
74 C9 **Laâyoune** *var.* Aaiún. ○ (Western Sahara) NW Western Sahara
126 L14 **Laba** ≈ SW Russian Federation
40 M6 **La Babia** Coahuila de Zaragoza, NE Mexico
15 R7 **La Baie** Québec, SE Canada
171 P16 **Labala** Pulau Lomblen, S Indonesia
62 K8 **La Banda** Santiago del Estero, N Argentina
La Banda Oriental *see* Uruguay
104 K4 **La Bañeza** Castilla-León, N Spain
40 M13 **La Barca** Jalisco, SW Mexico
40 K14 **La Barra de Navidad** Jalisco, C Mexico
187 Y13 **Labasa** *prev.* Lambasa. Vanua Levu, N Fiji
102 H8 **la Baule-Escoublac** Loire-Atlantique, NW France
Labe *see* Elbe
76 I13 **Labé** Moyenne-Guinée, NW Guinea
23 X14 **La Belle** Florida, SE USA
15 N11 **Labelle** Québec, SE Canada
10 H7 **Laberge, Lake** ◎ Yukon Territory, W Canada
Labes *see* Łobez
Labiau *see* Polessk
112 A10 **Labin** *It.* Albona. Istra, NW Croatia
126 L14 **Labinsk** Krasnodarskiy Kray, SW Russian Federation
105 X5 **La Bisbal d'Empordà** Cataluña, NE Spain
119 P16 **Labkovichy** *Rus.* Lobkovichi. Mahilyowskaya Voblasts', E Belarus
15 S4 **La Blache, Lac de** ◎ Québec, SE Canada
171 P4 **Labo** Luzon, N Philippines
Laboehanbadjo *see* Labuhanbajo
Laborca *see* Laborec
111 N18 **Laborec** *Hung.* Laborca. ≈ E Slovakia
108 D11 **La Borgne** ≈ S Switzerland
45 T12 **Laborie** SW Saint Lucia
79 F21 **La Bouenza** ◆ *province* S Congo
102 J14 **Labouheyre** Landes, SW France
62 L12 **Laboulaye** Córdoba, C Argentina
13 Q7 **Labrador** *cultural region* Newfoundland and Labrador, SW Canada
64 I6 **Labrador Basin** *var.* Labrador Sea Basin. *undersea feature* Labrador Sea
13 N9 **Labrador City** Newfoundland and Labrador, E Canada
13 Q5 **Labrador Sea** *sea* NW Atlantic Ocean
Labrador Sea Basin *see* Labrador Basin
Labrang *see* Xiahe
54 G9 **Labranzagrande** Boyacá, C Colombia
45 U15 **La Brea** Trinidad, Trinidad and Tobago
59 D14 **Lábrea** Amazonas, N Brazil
15 S6 **Labrieville** Québec, SE Canada
102 K14 **Labrit** Landes, SW France
108 C9 **La Broye** ≈ SW Switzerland
103 N15 **Labruguière** Tarn, S France
168 M11 **Labu** Pulau Singkep, W Indonesia
169 T7 **Labuan** *var.* Victoria. Labuan, East Malaysia
169 T7 **Labuan** ◆ *federal territory* East Malaysia
Labuan *see* Labuan, Pulau
169 T7 **Labuan, Pulau** *var.* Labuan. *island* East Malaysia
Labudalin *see* Ergun
171 N16 **Labuhanbajo** *prev.* Laboehanbadjo. Flores, S Indonesia
168 J9 **Labuhanbilik** Sumatera, N Indonesia
168 G8 **Labuhanhaji** Sumatera, W Indonesia
Labuk *see* Labuk, Sungai
Labuk Bay *see* Labuk, Teluk
169 V7 **Labuk, Sungai** *var.* Labuk. ≈ East Malaysia
169 W6 **Labuk, Teluk** *var.* Labuk Bay, Telukan Labuk. *bay* S Sulu Sea
Labuk, Telukan *see* Labuk, Teluk
166 K9 **Labutta** Irrawaddy, SW Myanmar
122 I8 **Labytnangi** Yamalo-Nenetskiy Avtonomnyy Okrug, N Russian Federation
78 F10 **Lac** *off.* Préfecture du Lac. ◆ *prefecture* W Chad
113 K19 **Laç** *var.* Laci. Lezhë, C Albania
57 K19 **Lacajahuira, Rio** ≈ W Bolivia
La Calamine *see* Kelmis
62 G11 **La Calera** Valparaíso, C Chile
13 P11 **Lac-Allard** Québec, E Canada
104 L13 **La Campana** Andalucía, S Spain
102 J12 **Lacanau** Gironde, SW France
42 C2 **Lacandón, Sierra del** ▲ Guatemala/Mexico
La Cañiza *see* A Cañiza
41 W16 **Lacantún, Río** ≈ SE Mexico
103 Q3 **la Capelle** Aisne, N France
112 K10 **Laćarak** Serbia, NW Serbia and Montenegro (Yugo.)
62 L11 **La Carlota** Córdoba, C Argentina
104 L13 **La Carlota** Andalucía, S Spain
105 N12 **La Carolina** Andalucía, S Spain
103 O15 **Lacaune** Tarn, S France
15 P7 **Lac-Bouchette** Québec, SE Canada
Laccadive Islands/Laccadive Minicoy and Amindivi Islands, the *see* Lakshadweep
11 Y16 **Lac du Bonnet** Manitoba, S Canada
30 L4 **Lac du Flambeau** Wisconsin, N USA
15 P8 **Lac-Édouard** Québec, SE Canada
42 I4 **La Ceiba** Atlántida, N Honduras
54 E9 **La Ceja** Antioquia, W Colombia
182 J11 **Lacepede Bay** *bay* South Australia
32 G9 **Lacey** Washington, NW USA
103 P12 **la Chaise-Dieu** Haute-Loire, C France
114 G13 **Lachanás** Kentrikí Makedonía, N Greece
126 L11 **Lacha, Ozero** ◎ NW Russian Federation
103 O8 **la Charité-sur-Loire** Nièvre, C France
103 N9 **la Châtre** Indre, C France
108 C8 **La Chaux-de-Fonds** Neuchâtel, W Switzerland
Lach Dera *see* Dheere Laaq
108 G8 **Lachen** Schwyz, C Switzerland
183 Q8 **Lachlan River** ≈ New South Wales, SE Australia
43 T15 **La Chorrera** Panamá, C Panama
15 V7 **Lac-Humqui** Québec, SE Canada
15 N12 **Lachute** Québec, SE Canada
Lachyn *see* Laçın
Laci *see* Laç
137 W13 **Laçın** *Rus.* Lachyn. SW Azerbaijan
103 S16 **la Ciotat** *anc.* Citharista. Bouches-du-Rhône, SE France
18 D10 **Lackawanna** New York, NE USA
11 Q13 **Lac La Biche** Alberta, SW Canada
Lac La Martre *see* Wha Ti
15 R12 **Lac-Mégantic** *var.* Mégantic. Québec, SE Canada
Lacobriga *see* Lagos
40 G5 **La Colorada** Sonora, NW Mexico
11 Q15 **Lacombe** Alberta, SW Canada
30 L12 **Lacon** Illinois, N USA
43 P16 **La Concepción** *var.* Concepción. Chiriquí, W Panama
54 H5 **La Concepción** Zulia, NW Venezuela
54 H5 **La Concepción** Zulia, NW Venezuela
107 C19 **Laconi** Sardegna, Italy, C Mediterranean Sea
19 O9 **Laconia** New Hampshire, NE USA
61 H19 **La Coronilla** Rocha, E Uruguay
La Coruña *see* A Coruña
103 O11 **la Courtine** Creuse, C France
102 J16 **Lacq** Pyrénées-Atlantiques, SW France
15 P9 **La Croche** Québec, SE Canada
29 X3 **la Croix, Lac** ◎ Canada/USA
26 K5 **La Crosse** Kansas, C USA
21 V7 **La Crosse** Virginia, NE USA
32 L9 **La Crosse** Washington, NW USA
30 J7 **La Crosse** Wisconsin, N USA
54 C13 **La Cruz** Nariño, SW Colombia
42 K12 **La Cruz** Guanacaste, NW Costa Rica
40 I10 **La Cruz** Sinaloa, W Mexico
61 F19 **La Cruz** Florida, S Uruguay
42 M9 **La Cruz de Río Grande** Región Autónoma Atlántico Sur, E Nicaragua
54 J4 **La Cruz de Taratara** Falcón, N Venezuela
15 Q10 **Lac-St-Charles** Québec, SE Canada
40 M6 **La Cuesta** Coahuila de Zaragoza, NE Mexico
57 A17 **La Cumbra, Volcán** ⅄ Galapagos Islands, Ecuador, E Pacific Ocean
152 J5 **Ladākh Range** ▲ NE India
26 I5 **Ladder Creek** ≈ Kansas, C USA
45 X10 **la Désirade** *atoll* E Guadeloupe
Lādhiqīyah, Muḥāfaẓat al *see* Al Lādhiqīyah
83 F25 **Ladismith** Western Cape, SW South Africa
152 G11 **Lādnūn** Rājasthān, NW India

◆ Country ● Country Capital ◇ Dependent Territory ○ Dependent Territory Capital ◆ Administrative Region ✕ International Airport ▲ Mountain ▲ Mountain Range ⅄ Volcano ≈ River ◎ Lake ⊠ Reservoir

LADOGA, LAKE – LANGRES, PLATEAU DE ••• 277

Ladoga, Lake *see* Ladozhskoye Ozero
115 *E19* **Ládon** ≈ S Greece
54 *E9* **La Dorada** Caldas, C Colombia
126 *H11* **Ladozhskoye Ozero** *Eng.* Lake Ladoga, *Fin.* Laatokka. ◎ NW Russian Federation
37 *R12* **Ladron Peak** ▲ New Mexico, SW USA
124 *J11* **Ladva-Vetka** Respublika Kareliya, NW Russian Federation
183 *Q15* **Lady Barron** Tasmania, SE Australia
14 *G9* **Lady Evelyn Lake** ◎ Ontario, S Canada
23 *W11* **Lady Lake** Florida, SE USA
10 *L17* **Ladysmith** Vancouver Island, British Columbia, SW Canada
83 *J22* **Ladysmith** KwaZulu/Natal, E South Africa
30 *J5* **Ladysmith** Wisconsin, N USA
145 *P9* **Ladyzhenka** Akmola, C Kazakhstan
186 *E7* **Lae** Morobe, W PNG
189 *R6* **Lae Atoll** *atoll* Ralik Chain, W Marshall Islands
40 *C3* **La Encantada, Cerro de** ▲ NW Mexico
94 *E12* **Lærdalsøyri** Sogn og Fjordane, S Norway
55 *N11* **La Esmeralda** Amazonas, S Venezuela
42 *G7* **La Esperanza** Intibucá, SW Honduras
30 *K8* **La Farge** Wisconsin, N USA
23 *R5* **Lafayette** Alabama, S USA
37 *T4* **Lafayette** Colorado, C USA
23 *R2* **La Fayette** Georgia, SE USA
31 *O13* **Lafayette** Indiana, N USA
22 *I9* **Lafayette** Louisiana, S USA
20 *K8* **Lafayette** Tennessee, S USA
19 *N7* **Lafayette, Mount** ▲ New Hampshire, NE USA
La Fe *see* Santa Fé
103 *P3* **la Fère** Aisne, N France
102 *L6* **la Ferté-Bernard** Sarthe, NW France
102 *K5* **la Ferté-Macé** Orne, N France
103 *N7* **la Ferté-St-Aubin** Loiret, C France
103 *P5* **la Ferté-sous-Jouarre** Seine-et-Marne, N France
77 *V15* **Lafia** Nassarawa, C Nigeria
77 *T15* **Lafiagi** Kwara, W Nigeria
11 *T17* **Lafleche** Saskatchewan, S Canada
102 *K7* **la Flèche** Sarthe, NW France
109 *X7* **Lafnitz** *Hung.* Lapines. ≈ Austria/Hungary
187 *P17* **La Foa** Province Sud, S New Caledonia
20 *M8* **La Follette** Tennessee, S USA
15 *N12* **Lafontaine** Québec, SE Canada
22 *K10* **Lafourche, Bayou** ≈ Louisiana, S USA
62 *K6* **La Fragua** Santiago del Estero, N Argentina
54 *H7* **La Fría** Táchira, NW Venezuela
104 *J7* **La Fuente de San Esteban** Castilla-León, N Spain
186 *C7* **Lagaip** ≈ W PNG
61 *B15* **La Gallareta** Santa Fe, C Argentina
127 *Q14* **Lagan'** *prev.* Kaspiyskiy. Respublika Kalmykiya, SW Russian Federation
95 *L20* **Lagan** Kronoberg, S Sweden
95 *K21* **Lågan** ≈ S Sweden
92 *L2* **Lagarfljót** *var.* Lögurinn. ◎ E Iceland
37 *R7* **La Garita Mountains** ▲ Colorado, C USA
171 *O2* **Lagawe** Luzon, N Philippines
78 *F13* **Lagdo** Nord, N Cameroon
78 *F13* **Lagdo, Lac de** ◎ N Cameroon
100 *H13* **Lage** Nordrhein-Westfalen, W Germany
94 *H12* **Lågen** ≈ S Norway
61 *J14* **Lages** Santa Catarina, S Brazil
Lágesvuotna *see* Laksefjorden
149 *R4* **Laghmān** ◈ *province* E Afghanistan
74 *J6* **Laghouat** N Algeria
105 *Q10* **La Gineta** Castilla-La Mancha, C Spain
115 *E21* **Lagkáda** *var.* Langada. Pelopónnisos, S Greece
114 *G13* **Lagkadás** *var.* Langades, Langadhás. Kentrikí Makedonía, N Greece
115 *E20* **Lagkádia** *var.* Langádhia, Langadia. Pelopónnisos, S Greece
54 *F6* **La Gloria** Cesar, N Colombia
41 *O7* **La Gloria** Nuevo León, NE Mexico
92 *N3* **Lågneset** *headland* W Svalbard
104 *G14* **Lagoa** Faro, S Portugal
La Goagira *see* La Guajira
Lago Agrio *see* Nueva Loja
61 *I14* **Lagoa Vermelha** Rio Grande do Sul, S Brazil
137 *V10* **Lagodekhi** SE Georgia
42 *C7* **La Gomera** Escuintla, S Guatemala
Lagone *see* Logone
107 *M19* **Lagonegro** Basilicata, S Italy
63 *G16* **Lago Ranco** Los Lagos, S Chile
77 *S16* **Lagos** Lagos, SW Nigeria
104 *F14* **Lagos** *anc.* Lacobriga. Faro, S Portugal
77 *S16* **Lagos** ◈ *state* SW Nigeria
40 *M12* **Lagos de Moreno** Jalisco, SW Mexico
Lagosta *see* Lastovo
74 *A12* **Lagouira** SW Western Sahara
92 *O1* **Lågøya** *island* N Svalbard
32 *L11* **La Grande** Oregon, NW USA
103 *Q14* **la Grande-Combe** Gard, S France
12 *K9* **La Grande Rivière** *var.* Fort George. ≈ Québec, SE Canada
23 *R4* **La Grange** Georgia, SE USA
31 *P11* **Lagrange** Indiana, N USA
20 *L5* **La Grange** Kentucky, S USA
27 *V2* **La Grange** Missouri, C USA
21 *V10* **La Grange** North Carolina, SE USA
25 *U11* **La Grange** Texas, SW USA
105 *N7* **La Granja** Castilla-León, N Spain
55 *Q9* **La Gran Sabana** *grassland* E Venezuela
54 *H7* **La Grita** Táchira, NW Venezuela
La Grulla *see* Grulla
15 *R11* **La Guadeloupe** Québec, SE Canada
64 *F12* **La Guaira** Distrito Federal, N Venezuela
54 *G4* **La Guajira** *off.* Departamento de La Guajira, *var.* Guajira, La Goagira. ◈ *province* NE Colombia
188 *K4* **Lagua Lichan, Punta** *headland* Saipan, S Northern Mariana Islands
18 *K14* **La Guardia** ✕ (New York) Long Island, New York, NE USA
La Guardia/Laguardia *see* A Guarda
105 *P4* **Laguardia** País Vasco, N Spain
La Gudiña *see* A Gudiña
103 *O9* **la Guerche-sur-l'Aubois** Cher, C France
103 *O13* **Laguiole** Aveyron, S France
83 *F26* **L'Agulhas** *var.* Agulhas. W Cape, SW South Africa
61 *K14* **Laguna** Santa Catarina, S Brazil
37 *Q11* **Laguna** New Mexico, SW USA
35 *T16* **Laguna Beach** California, W USA
35 *Y17* **Laguna Dam** *dam* Arizona/California, W USA
40 *L7* **Laguna El Rey** Coahuila de Zaragoza, N Mexico
35 *V17* **Laguna Mountains** ▲ California, W USA
61 *B17* **Laguna Paiva** Santa Fe, C Argentina
62 *H3* **Lagunas** Tarapacá, N Chile
56 *E9* **Lagunas** Loreto, N Peru
57 *M20* **Lagunillas** Santa Cruz, SE Bolivia
54 *H6* **Lagunillas** Mérida, NW Venezuela
44 *C4* **La Habana** *var.* Havana. ● (Cuba) Ciudad de La Habana, W Cuba
169 *W7* **Lahad Datu** Sabah, East Malaysia
169 *W7* **Lahad Datu, Teluk** *var.* Telukan Lahad Datu, Teluk Darvel, Teluk Datu; *prev.* Darvel Bay. *bay* Sabah, East Malaysia
38 *F10* **Lahaina** Maui, Hawai'i, USA, C Pacific Ocean
168 *L14* **Lahat** Sumatera, W Indonesia
La Haye *see* 's-Gravenhage
Lahej *see* Laḩij
62 *G9* **La Higuera** Coquimbo, N Chile
141 *S13* **Lahī, Ḩisā' al** *spring/well* NE Yemen
141 *O16* **Laḩij** *var.* Laḩj, *Eng.* Lahej. SW Yemen
142 *M3* **Lāhījān** Gīlān, NW Iran
119 *I19* **Lahishyn** *Pol.* Lohiszyn, *Rus.* Logishin. Brestskaya Voblasts', SW Belarus
Laḩj *see* Laḩij
101 *F18* **Lahn** ≈ W Germany
Lähn *see* Wleń
95 *J21* **Laholm** Halland, S Sweden
95 *J21* **Laholmsbukten** *bay* S Sweden
35 *R6* **Lahontan Reservoir** ⊞ Nevada, W USA
149 *W8* **Lahore** Punjab, NE Pakistan
149 *W8* **Lahore** ✕ Punjab, E Pakistan
55 *Q6* **La Horqueta** Delta Amacuro, NE Venezuela
119 *K15* **Lahoysk** *Rus.* Logoysk. Minskaya Voblasts', C Belarus
101 *F22* **Lahr** Baden-Württemberg, S Germany
93 *M19* **Lahti** *Swe.* Lahtis. Etelä-Suomi, S Finland
Lahtis *see* Lahti
40 *M14* **La Huacana** Michoacán de Ocampo, SW Mexico
40 *K14* **La Huerta** Jalisco, SW Mexico
78 *H12* **Laï** *prev.* Behagle, De Behagle. Tandjilé, S Chad
Laibach *see* Ljubljana
167 *Q5* **Lai Châu** Lai Châu, N Vietnam
38 *D9* **Lā'ie** *var.* Laie. O'ahu, Hawai'i, USA, C Pacific Ocean
102 *L5* **l'Aigle** Orne, N France
103 *Q7* **Laignes** Côte d'Or, C France
93 *K17* **Laihia** Länsi-Suomi, W Finland
Laila *see* Laylā
83 *F25* **Laingsburg** Western Cape, SW South Africa
109 *U2* **Lainsitz** *Cz.* Lužnice. ≈ Austria/Czech Republic
96 *I7* **Lairg** N Scotland, UK
81 *I17* **Laisamis** Eastern, N Kenya
Laisberg *see* Leisi
127 *R4* **Laishevo** Respublika Tatarstan, W Russian Federation
Laisholm *see* Jõgeva
92 *H13* **Laisvall** Norrbotten, N Sweden
93 *K19* **Laitila** Länsi-Suomi, W Finland
161 *P5* **Laiwu** Shandong, E China
161 *R4* **Laixi** *var.* Shuiji. Shandong, E China
161 *R4* **Laiyang** Shandong, E China
161 *O3* **Laiyuan** Hebei, E China
161 *R4* **Laizhou** *var.* Ye Xian. Shandong, E China
161 *Q4* **Laizhou Wan** *var.* Laichow Bay. *bay* E China
37 *S8* **La Jara** Colorado, C USA
61 *I15* **Lajeado** Rio Grande do Sul, S Brazil
112 *L12* **Lajkovac** Serbia, C Serbia and Montenegro (Yugo.)
111 *K23* **Lajosmizse** Bács-Kiskun, C Hungary
Lajta *see* Leitha
40 *I6* **La Junta** Chihuahua, N Mexico
37 *V7* **La Junta** Colorado, C USA
92 *I13* **Lakaträsk** Norrbotten, N Sweden
Lak Dera *see* Dheere Laaq
Lakeamu *see* Lakekamu
29 *P12* **Lake Andes** South Dakota, N USA
22 *H9* **Lake Arthur** Louisiana, S USA
187 *Z15* **Lakeba** *prev.* Lakemba. *island* Lau Group, E Fiji
187 *Z14* **Lakeba Passage** *channel* E Fiji
29 *S10* **Lake Benton** Minnesota, N USA
23 *V9* **Lake Butler** Florida, SE USA
183 *P8* **Lake Cargelligo** New South Wales, SE Australia
22 *G9* **Lake Charles** Louisiana, S USA
27 *X9* **Lake City** Arkansas, C USA
37 *Q7* **Lake City** Colorado, C USA
23 *V9* **Lake City** Florida, SE USA
29 *U13* **Lake City** Iowa, C USA
31 *P7* **Lake City** Michigan, N USA
29 *W9* **Lake City** Minnesota, N USA
21 *T13* **Lake City** South Carolina, SE USA
29 *Q7* **Lake City** South Dakota, N USA
20 *M8* **Lake City** Tennessee, S USA
10 *L17* **Lake Cowichan** Vancouver Island, British Columbia, SW Canada
29 *U10* **Lake Crystal** Minnesota, N USA
25 *T6* **Lake Dallas** Texas, SW USA
97 *K15* **Lake District** *physical region* NW England, UK
18 *D10* **Lake Erie Beach** New York, NE USA
29 *T11* **Lakefield** Minnesota, N USA
25 *V6* **Lake Fork Reservoir** ⊞ Texas, SW USA
30 *M9* **Lake Geneva** Wisconsin, N USA
18 *L9* **Lake George** New York, NE USA
9 *R7* **Lake Harbour** Baffin Island, Nunavut, NE Canada
36 *I12* **Lake Havasu City** Arizona, SW USA
25 *W12* **Lake Jackson** Texas, SW USA
186 *D8* **Lakekamu** *var.* Lakeamu. ≈ S PNG
180 *K13* **Lake King** Western Australia
23 *V12* **Lakeland** Florida, SE USA
23 *U7* **Lakeland** Georgia, SE USA
181 *W4* **Lakeland Downs** Queensland, NE Australia
11 *P16* **Lake Louise** Alberta, SW Canada
Lakemba *see* Lakeba
29 *V11* **Lake Mills** Iowa, C USA
39 *Q10* **Lake Minchumina** Alaska, USA
Lakemti *see* Nek'emtē
186 *A7* **Lake Murray** Western, SW PNG
80 *F5* **Lake Nasser** *var.* Buhayrat Nasir, Buḩayrat Nāşir, Buheiret Nâşir. ◎ Egypt/Sudan
31 *R9* **Lake Orion** Michigan, N USA
190 *B16* **Lakepa** NE Niue
29 *T11* **Lake Park** Iowa, C USA
18 *K7* **Lake Placid** New York, NE USA
18 *K9* **Lake Pleasant** New York, NE USA
34 *M6* **Lakeport** California, W USA
29 *Q10* **Lake Preston** South Dakota, N USA
22 *J5* **Lake Providence** Louisiana, S USA
185 *E20* **Lake Pukaki** Canterbury, South Island, NZ
183 *Q12* **Lakes Entrance** Victoria, SE Australia
37 *N12* **Lakeside** Arizona, SW USA
35 *V17* **Lakeside** California, W USA
23 *S9* **Lakeside** Florida, SE USA
28 *K13* **Lakeside** Nebraska, C USA
32 *E13* **Lakeside** Oregon, NW USA
21 *W6* **Lakeside** Virginia, NE USA
Lakes State *see* El Buhayrat
Lake State *see* Michigan
185 *F20* **Lake Tekapo** Canterbury, South Island, NZ
21 *O10* **Lake Toxaway** North Carolina, SE USA
29 *T13* **Lake View** Iowa, C USA
32 *I16* **Lakeview** Oregon, NW USA
25 *O3* **Lakeview** Texas, SW USA
27 *W14* **Lake Village** Arkansas, C USA
23 *W12* **Lake Wales** Florida, SE USA
37 *T4* **Lakewood** Colorado, C USA
18 *K15* **Lakewood** New Jersey, NE USA
18 *C11* **Lakewood** New York, NE USA
31 *T11* **Lakewood** Ohio, N USA
23 *Y13* **Lakewood Park** Florida, SE USA
23 *Z14* **Lake Worth** Florida, SE USA
152 *H4* **Lake Wular** ◎ NE India
124 *H11* **Lakhdenpokh'ya** Respublika Kareliya, NW Russian Federation
152 *L11* **Lakhīmpur** Uttar Pradesh, N India
154 *J11* **Lakhnādon** Madhya Pradesh, C India
Lakhnau *see* Lucknow
154 *A9* **Lakhpat** Gujarāt, W India
119 *K19* **Lakhva** *Rus.* Lakhva. Brestskaya Voblasts', SW Belarus
26 *I6* **Lakin** Kansas, C USA
149 *S7* **Lakki Marwat** North-West Frontier Province, NW Pakistan
115 *F21* **Lakonía** *historical region* S Greece
115 *F22* **Lakonikós Kólpos** *gulf* S Greece
76 *M17* **Lakota** S Ivory Coast
29 *U11* **Lakota** Iowa, C USA
29 *P3* **Lakota** North Dakota, N USA
Lak Sao *see* Ban Lakxao
92 *L8* **Laksefjorden** *Lapp.* Lágesvuotna. *fjord* N Norway
92 *K8* **Lakselv** *Lapp.* Leavdnja. Finnmark, N Norway
155 *B21* **Lakshadweep** *prev.* the Laccadive, Minicoy and Amindivi Islands. ◈ *union territory* India, N Indian Ocean
155 *C22* **Lakshadweep** *Eng.* Laccadive Islands. *island group* India, N Indian Ocean
153 *S17* **Lakshmikāntapur** West Bengal, NE India
112 *G11* **Laktaši** Republika Srpska, N Bosnia and Herzegovina
149 *V7* **Lāla Mūsa** Punjab, NE Pakistan
la Laon *see* Laon
114 *M11* **Lalapaşa** Edirne, NW Turkey
83 *P14* **Lalaua** Nampula, N Mozambique
105 *S10* **L'Alcúdia** *var.* L'Alcudia. País Valenciano, E Spain
80 *J11* **Lalibela** Amhara, N Ethiopia
153 *T12* **Lalmanirhat** Rajshahi, N Bangladesh
79 *F20* **La Lékoumou** ◈ *province* SW Congo
42 *E8* **La Libertad** La Libertad, SW El Salvador
42 *E3* **La Libertad** Petén, N Guatemala
42 *H6* **La Libertad** Comayagua, SW Honduras
40 *E4* **La Libertad** *var.* Puerto Libertad. Sonora, NW Mexico
42 *K10* **La Libertad** Chontales, S Nicaragua
42 *A9* **La Libertad** ◈ *department* SW El Salvador
56 *B11* **La Libertad** *off.* Departamento de La Libertad. ◈ *department* W Peru
62 *G11* **La Ligua** Valparaíso, C Chile
139 *U5* **La'li Khān** E Iraq
79 *H16* **La Likouala** ◈ *province* NE Congo
104 *H3* **Lalín** Galicia, NW Spain
102 *L13* **Lalinde** Dordogne, SW France
104 *K16* **La Línea** *var.* La Línea de la Concepción. Andalucía, S Spain
La Línea de la Concepción *see* La Línea
152 *J14* **Lalitpur** Uttar Pradesh, N India
153 *P11* **Lalitpur** Central, C Nepal
152 *K10* **Lālkua** Uttaranchal, N India
11 *R12* **La Loche** Saskatchewan, C Canada
102 *M6* **la Loupe** Eure-et-Loir, C France
99 *G20* **La Louvière** Hainaut, S Belgium
L'Altissima *see* Hochwilde
104 *L14* **La Luisiana** Andalucía, S Spain
37 *S14* **La Luz** New Mexico, SW USA
107 *D16* **La Maddalena** Sardegna, Italy, C Mediterranean Sea
62 *J7* **La Madrid** Tucumán, N Argentina
Lama-Kara *see* Kara
15 *S8* **La Malbaie** Québec, SE Canada
167 *T10* **Lamam** Xékong, S Laos
105 *P10* **La Mancha** *physical region* C Spain
la Manche *see* English Channel
187 *R13* **Lamap** Malekula, C Vanuatu
37 *W6* **Lamar** Colorado, C USA
27 *S7* **Lamar** Missouri, C USA
21 *S12* **Lamar** South Carolina, SE USA
107 *C19* **La Marmora, Punta** ▲ Sardegna, Italy, C Mediterranean Sea
8 *I9* **La Martre, Lac** ◎ Northwest Territories, NW Canada
56 *D10* **Lamas** San Martín, N Peru
42 *I5* **La Masica** Atlántida, NW Honduras
103 *R12* **Lamastre** Ardèche, E France
La Matepec *see* Santa Ana, Volcan de
44 *I7* **La Maya** Santiago de Cuba, E Cuba
109 *S5* **Lambach** Oberösterreich, N Austria
168 *I11* **Lamoak** Pulau Pini, W Indonesia
102 *H5* **Lamballe** Côtes d'Armor, NW France
79 *D18* **Lambaréné** Moyen-Ogooué, W Gabon
Lambasa *see* Labasa
56 *B11* **Lambayeque** Lambayeque, W Peru
56 *A10* **Lambayeque** *off.* Departamento de Lambayeque. ◈ *department* NW Peru
97 *G17* **Lambay Island** *Ir.* Reachrainn. *island* E Ireland
186 *G6* **Lambert, Cape** *headland* New Britain, E PNG
195 *W6* **Lambert Glacier** *glacier* Antarctica
29 *T10* **Lamberton** Minnesota, N USA
27 *X4* **Lambert-Saint Louis** ✕ Missouri, C USA
31 *R11* **Lambertville** Michigan, N USA
18 *J15* **Lambertville** New Jersey, NE USA
171 *N12* **Lambogo** Sulawesi, N Indonesia
106 *D8* **Lambro** ≈ N Italy
33 *W11* **Lame Deer** Montana, NW USA
104 *H6* **Lamego** Viseu, N Portugal
187 *Q14* **Lamen Bay** Épi, C Vanuatu
45 *X6* **Lamentin** Basse Terre, N Guadeloupe
Lamentin *see* le Lamentin
182 *K10* **Lameroo** South Australia
54 *F10* **La Mesa** Cundinamarca, C Colombia
35 *U17* **La Mesa** California, W USA
37 *R16* **La Mesa** New Mexico, SW USA
25 *N6* **Lamesa** Texas, SW USA
107 *N21* **Lamezia Terme** Calabria, SE Italy
115 *F17* **Lamía** Stereá Ellás, C Greece
171 *O8* **Lamitan** Basilan Island, SW Philippines
187 *Y14* **Lamiti** Gau, C Fiji
171 *T11* **Lamlam** Papua, E Indonesia
188 *B16* **Lamlam, Mount** ▲ SW Guam
109 *Q6* **Lammer** ≈ E Austria
185 *E23* **Lammerlaw Range** ▲ South Island, NZ
95 *L20* **Lammhult** Kronoberg, S Sweden
93 *L18* **Lammi** Etelä-Suomi, S Finland
189 *U11* **Lamoil** *island* Chuuk, C Micronesia
35 *W3* **Lamoille** Nevada, W USA
18 *M7* **Lamoille River** ≈ Vermont, NE USA
30 *J13* **La Moine River** ≈ Illinois, N USA
171 *P4* **Lamon Bay** *bay* Luzon, N Philippines
29 *V16* **Lamoni** Iowa, C USA
35 *R13* **Lamont** California, W USA
27 *N8* **Lamont** Oklahoma, C USA
54 *E13* **La Montañita** *var.* Montañita. Caquetá, S Colombia
43 *N8* **La Mosquitia** *var.* Miskito Coast, *Eng.* Mosquito Coast. *coastal region* E Nicaragua
102 *I9* **la Mothe-Achard** Vendée, NW France
188 *L15* **Lamotrek Atoll** *atoll* Caroline Islands, C Micronesia
29 *P6* **La Moure** North Dakota, N USA
167 *O8* **Lampang** *var.* Muang Lampang. Lampang, NW Thailand
167 *R9* **Lam Pao Reservoir** ⊞ E Thailand
25 *S9* **Lampasas** Texas, SW USA
25 *S9* **Lampasas River** ≈ Texas, SW USA
41 *N7* **Lampazos** *var.* Lampazos de Naranjo. Nuevo León, NE Mexico
Lampazos de Naranjo *see* Lampazos
115 *E19* **Lámpeia** Dytikí Ellás, S Greece
101 *G19* **Lampertheim** Hessen, W Germany
97 *I20* **Lampeter** SW Wales, UK
167 *O7* **Lamphun** *var.* Lampun, Muang Lamphun. Lamphun, NW Thailand
11 *X10* **Lamprey** Manitoba, C Canada
Lampun *see* Lamphun
168 *M15* **Lampung** *off.* Propinsi Lampung. ◈ *province* SW Indonesia
126 *K6* **Lamskoye** Lipetskaya Oblast', W Russian Federation
81 *K20* **Lamu** Coast, SE Kenya
43 *N14* **La Muerte, Cerro** ▲ C Costa Rica
103 *S13* **la Mure** Isère, E France
37 *S10* **Lamy** New Mexico, SW USA
119 *J18* **Lan'** *Rus.* Lan'. ≈ C Belarus
38 *E10* **Lāna'i** *var.* Lanai. *island* Hawai'i, USA, C Pacific Ocean
38 *E10* **Lāna'i City** *var.* Lanai City. Lāna'i, Hawai'i, USA, C Pacific Ocean
99 *L18* **Lanaken** Limburg, NE Belgium
171 *Q7* **Lanao, Lake** *var.* Lake Sultan Alonto. ◎ Mindanao, S Philippines
96 *J12* **Lanark** S Scotland, UK
96 *I13* **Lanark** *cultural region* C Scotland, UK
104 *L9* **La Nava de Ricomalillo** Castilla-La Mancha, C Spain
166 *M13* **Lanbi Kyun** *prev.* Sullivan Island. *island* Mergui Archipelago, S Myanmar
Lancang Jiang *see* Mekong
97 *K17* **Lancashire** *cultural region* NW England, UK
15 *N13* **Lancaster** Ontario, SE Canada
97 *K16* **Lancaster** NW England, UK
35 *T14* **Lancaster** California, W USA
20 *M6* **Lancaster** Kentucky, S USA
27 *U1* **Lancaster** Missouri, C USA
19 *O7* **Lancaster** New Hampshire, NE USA
18 *D10* **Lancaster** New York, NE USA
31 *T14* **Lancaster** Ohio, N USA
18 *H16* **Lancaster** Pennsylvania, NE USA
21 *R11* **Lancaster** South Carolina, SE USA
25 *U7* **Lancaster** Texas, SW USA
21 *X5* **Lancaster** Virginia, NE USA
30 *J9* **Lancaster** Wisconsin, N USA
9 *O4* **Lancaster Sound** *sound* Nunavut, N Canada
Lan-chou/Lan-chow/Lanchow *see* Lanzhou
107 *K14* **Lanciano** Abruzzo, C Italy
111 *O16* **Łańcut** Podkarpackie, SE Poland
169 *Q11* **Landak, Sungai** ≈ Borneo, N Indonesia
Landao *see* Lantau Island
Landau *see* Landau an der Isar, Bayern, Germany
Landau *see* Landau in der Pfalz, Rheinland-Pfalz, Germany
101 *N22* **Landau an der Isar** *var.* Landau. Bayern, SE Germany
101 *F20* **Landau in der Pfalz** *var.* Landau. Rheinland-Pfalz, SW Germany
Land Burgenland *see* Burgenland
108 *K8* **Landeck** Tirol, W Austria
99 *J19* **Landen** Vlaams Brabant, C Belgium
33 *U15* **Lander** Wyoming, C USA
102 *F5* **Landerneau** Finistère, NW France
95 *K20* **Landeryd** Halland, S Sweden
102 *J15* **Landes** ◈ *department* SW France
Landeshut/Landeshut in Schlesien *see* Kamienna Góra
105 *R9* **Landete** Castilla-La Mancha, C Spain
99 *M18* **Landgraaf** Limburg, SE Netherlands
102 *F5* **Landivisiau** Finistère, NW France
Land of Enchantment *see* New Mexico
Land of Opportunity *see* Arkansas
Land of Steady Habits *see* Connecticut
Land of the Midnight Sun *see* Alaska
108 *I8* **Landquart** Graubünden, SE Switzerland
108 *J9* **Landquart** ≈ Austria/Switzerland
21 *P10* **Landrum** South Carolina, SE USA
Landsberg *see* Górowo Iławeckie, Warmińsko-Mazurskie, NE Poland
Landsberg *see* Gorzów Wielkopolski, Gorzów, Poland
101 *K23* **Landsberg am Lech** Bayern, S Germany
Landsberg an der Warthe *see* Gorzów Wielkopolski
8 *J4* **Lands End** *headland* Northwest Territories, NW Canada
97 *G25* **Land's End** *headland* SW England, UK
101 *M22* **Landshut** Bayern, SE Germany
Landskron *see* Lanškroun
95 *J22* **Landskrona** Skåne, S Sweden
98 *I10* **Landsmeer** Noord-Holland, C Netherlands
95 *J19* **Landvetter** ✕ (Göteborg) Västra Götaland, S Sweden
Landwarów *see* Lentvaris
23 *R5* **Lanett** Alabama, S USA
108 *C8* **La Neuveville** *var.* Neuveville, *Ger.* Neuenstadt. Neuchâtel, W Switzerland
95 *G21* **Langå** *var.* Langaa. Århus, C Denmark
Langaa *see* Langå
158 *G14* **La'nga Co** ◎ W China
Langada *see* Lagkáda
Langades/Langadhás *see* Lagkadás
Langádhia/Langadia *see* Lagkádia
147 *T14* **Langar** *Rus.* Lyangar. SE Tajikistan
146 *M10* **Langar** *Rus.* Lyangar. Navoiy Viloyati, C Uzbekistan
142 *M3* **Langarūd** Gīlān, NW Iran
11 *V16* **Langbank** Saskatchewan, S Canada
29 *P2* **Langdon** North Dakota, N USA
103 *P12* **Langeac** Haute-Loire, C France
102 *L8* **Langeais** Indre-et-Loire, C France
80 *I8* **Langeb, Wadi** ≈ NE Sudan
Långed *see* Dals Långed
95 *G25* **Langeland** *island* S Denmark
99 *B18* **Langemark** West-Vlaanderen, W Belgium
101 *G18* **Langen** Hessen, W Germany
101 *J22* **Langenau** Baden-Württemberg, S Germany
11 *V16* **Langenburg** Saskatchewan, S Canada
101 *E16* **Langenfeld** Nordrhein-Westfalen, W Germany
108 *L8* **Längenfeld** Tirol, W Austria
100 *I12* **Langenhagen** Niedersachsen, N Germany
100 *I12* **Langenhagen** ✕ (Hannover) Niedersachsen, NW Germany
109 *W3* **Langenlois** Niederösterreich, NE Austria
108 *E7* **Langenthal** Bern, NW Switzerland
109 *W6* **Langenwang** Steiermark, E Austria
109 *X3* **Langenzersdorf** Niederösterreich, E Austria
100 *F9* **Langeoog** *island* NW Germany
95 *H23* **Langeskov** Fyn, C Denmark
95 *G16* **Langesund** Telemark, S Norway
95 *G17* **Langesundsfjorden** *fjord* S Norway
94 *D10* **Langevåg** Møre og Romsdal, S Norway
161 *P3* **Langfang** Hebei, E China
94 *E9* **Langfjorden** *fjord* S Norway
29 *Q8* **Langford** South Dakota, N USA
168 *I10* **Langgapayung** Sumatera, W Indonesia
106 *E9* **Langhirano** Emilia-Romagna, C Italy
97 *K14* **Langholm** S Scotland, UK
92 *I3* **Langjökull** *glacier* C Iceland
168 *I6* **Langkawi, Pulau** *island* Peninsular Malaysia
166 *M14* **Langkha Tuk, Khao** ▲ SW Thailand
14 *L8* **Langlade** Québec, SE Canada
10 *M17* **Langley** British Columbia, SW Canada
167 *S7* **Lang Mô** Thanh Hoa, N Vietnam
Langnau *see* Langnau im Emmental
108 *E8* **Langnau im Emmental** *var.* Langnau. Bern, W Switzerland
103 *Q13* **Langogne** Lozère, S France
102 *K13* **Langon** Gironde, SW France
La Ngounié *see* Ngounié
92 *G10* **Langøya** *island* C Norway
158 *G14* **Langqên Zangbo** ≈ China/India
104 *K2* **Langreo** *var.* Sama de Langreo. Asturias, N Spain
103 *S7* **Langres** Haute-Marne, N France
103 *R8* **Langres, Plateau de** *plateau* C France

◆ Country ● Country Capital ◇ Dependent Territory ○ Dependent Territory Capital ◈ Administrative Region ✕ International Airport ▲ Mountain ▲ Mountain Range ⩘ Volcano ≈ River ◎ Lake ⊞ Reservoir

LEAIBEVUOTNA – LEVÍTHA ••• 279

92 K8 **Leaibevuotna** *Nor.* Olderfjord. Finnmark, N Norway
23 N7 **Leakesville** Mississippi, S USA
25 Q11 **Leakey** Texas, SW USA
Leal *see* Lihula
83 G15 **Lealui** Western, W Zambia
Leamhcán *see* Lucan
14 C18 **Leamington** Ontario, S Canada
Leamington/Leamington Spa *see* Royal Leamington Spa
Leammi *see* Lemmenjoki
25 S10 **Leander** Texas, SW USA
60 F13 **Leandro N.Alem** Misiones, NE Argentina
97 A20 **Leane, Lough** *Ir.* Loch Léin. ◎ SW Ireland
180 G8 **Learmouth** Western Australia
Leau *see* Zoutleeuw
L'Eau d'Heure *see* Plate Taille, Lac de la
190 D12 **Leava** Île Futuna, S Wallis and Futuna
Leavdnja *see* Lakselv
27 R3 **Leavenworth** Kansas, C USA
32 I8 **Leavenworth** Washington, NW USA
92 L8 **Leavvajohka** *var.* Levajok, Lœvvajok. Finnmark, N Norway
27 R4 **Leawood** Kansas, C USA
110 H6 **Łeba** *Ger.* Leba. Pomorskie, N Poland
110 I6 **Łeba** *Ger.* Leba. ≈ N Poland
101 D20 **Lebach** Saarland, SW Germany
Łeba, Jezioro *see* Łebsko, Jezioro
171 P8 **Lebak** Mindanao, S Philippines
31 O13 **Lebanon** Indiana, N USA
20 L6 **Lebanon** Kentucky, S USA
27 U6 **Lebanon** Missouri, C USA
19 N9 **Lebanon** New Hampshire, NE USA
32 G12 **Lebanon** Oregon, NW USA
18 H15 **Lebanon** Pennsylvania, NE USA
20 J8 **Lebanon** Tennessee, S USA
21 P7 **Lebanon** Virginia, NE USA
138 G6 **Lebanon** *off.* Republic of Lebanon, *Ar.* Al Lubnān, *Fr.* Liban. ◆ *republic* SW Asia
20 K6 **Lebanon Junction** Kentucky, S USA
Lebanon, Mount *see* Liban, Jebel
146 J10 **Lebap** Lebapskiy Velayat, NE Turkmenistan
Lebapskiy Velayat *see* Lebap Welaýaty
146 H11 **Lebap Welaýaty** *Rus.* Lebapskiy Velayat; *prev. Rus.* Chardzhevskaya Oblast', *Turkm.* Chärjew Oblasty. ◈ *province* E Turkmenistan
Lebasee *see* Łebsko, Jezioro
99 F17 **Lebbeke** Oost-Vlaanderen, NW Belgium
35 S14 **Lebec** California, W USA
Lebedin *see* Lebedyn
123 Q11 **Lebedinyy** Respublika Sakha (Yakutiya), NE Russian Federation
126 L6 **Lebedyan'** Lipetskaya Oblast', W Russian Federation
117 T4 **Lebedyn** *Rus.* Lebedin. Sums'ka Oblast', NE Ukraine
12 I12 **Lebel-sur-Quévillon** Québec, SE Canada
92 L8 **Lebesby** Finnmark, N Norway
102 M9 **le Blanc** Indre, C France
27 P5 **Lebo** Kansas, C USA
79 L15 **Lebo** Orientale, N Dem. Rep. Congo
110 H6 **Lębork** *var.* Lębórk, *Ger.* Lauenburg, Lauenburg in Pommern. Pomorskie, N Poland
103 O17 **le Boulou** Pyrénées-Orientales, S France
108 A9 **Le Brassus** Vaud, W Switzerland
104 J15 **Lebrija** Andalucía, S Spain
110 G6 **Łebsko, Jezioro** *Ger.* Lebasee; *prev.* Jezioro Łeba. ◎ N Poland
63 F14 **Lebu** Bío Bío, C Chile
Lebyazh'ye *see* Akku
104 F6 **Leça da Palmeira** Porto, N Portugal
103 U15 **le Cannet** Alpes-Maritimes, SE France
Le Cap *see* Cap-Haïtien
103 P2 **le Cateau-Cambrésis** Nord, N France
107 Q18 **Lecce** Puglia, SE Italy
106 D7 **Lecco** Lombardia, N Italy
29 V10 **Le Center** Minnesota, N USA
108 J7 **Lech** Vorarlberg, W Austria
101 K22 **Lech** ≈ Austria/Germany
115 D19 **Lechainá** *var.* Lehena, Lekhainá. Dytikí Ellás, S Greece
102 J11 **le Château d'Oléron** Charente-Maritime, W France
103 R3 **le Chesne** Ardennes, N France
103 R13 **le Cheylard** Ardèche, E France
108 K7 **Lechtaler Alpen** ▲ W Austria
100 H6 **Leck** Schleswig-Holstein, N Germany
14 L9 **Lecointre, Lac** ◎ Québec, SE Canada
22 H7 **Lecompte** Louisiana, S USA
103 Q9 **le Creusot** Saône-et-Loire, C France
Lecumberri *see* Lekunberri
110 P13 **Łęczna** Lubelskie, E Poland
110 J12 **Łęczyca** *Ger.* Lentschiza, *Rus.* Lenchitsa. Łódzkie, C Poland
100 F10 **Leda** ≈ NW Germany
109 Y9 **Ledava** ≈ NE Slovenia
99 F17 **Lede** Oost-Vlaanderen, NW Belgium
104 K6 **Ledesma** Castilla-León, N Spain
45 Q12 **le Diamant** SW Martinique
172 J16 **Le Digue** *island* Inner Islands, NE Seychelles
103 Q10 **le Donjon** Allier, C France
102 M10 **le Dorat** Haute-Vienne, C France
Ledo Salinarius *see* Lons-le-Saunier
11 Q14 **Leduc** Alberta, SW Canada
123 V7 **Ledyanaya, Gora** ▲ E Russian Federation
97 C21 **Lee** *Ir.* An Laoi. ≈ SW Ireland
29 U5 **Leech Lake** ◎ Minnesota, N USA
26 K10 **Leedey** Oklahoma, C USA
97 M17 **Leeds** N England, UK
23 P4 **Leeds** Alabama, S USA
29 O3 **Leeds** North Dakota, N USA
98 N6 **Leek** Groningen, NE Netherlands
99 K15 **Leende** Noord-Brabant, SE Netherlands
100 F10 **Leer** Niedersachsen, NW Germany
98 J13 **Leerdam** Zuid-Holland, C Netherlands
98 K12 **Leersum** Utrecht, C Netherlands
23 W11 **Leesburg** Florida, SE USA
21 V3 **Leesburg** Virginia, NE USA
27 R4 **Lees Summit** Missouri, C USA
22 G7 **Leesville** Louisiana, S USA
25 S12 **Leesville** Texas, SW USA
31 U13 **Leesville Lake** ◎ Ohio, N USA
Leesville Lake *see* Smith Mountain Lake
183 P9 **Leeton** New South Wales, SE Australia
98 L6 **Leeuwarden** *Fris.* Ljouwert. Friesland, N Netherlands
180 I14 **Leeuwin, Cape** *headland* Western Australia
35 R8 **Lee Vining** California, W USA
45 V8 **Leeward Islands** *island group* E West Indies
Leeward Islands *see* Vent, Îles Sous le, W French Polynesia
Leeward Islands *see* Sotavento, Ilhas de, Cape Verde
79 G20 **Léfini** ≈ SE Congo
Léfka *see* Lefke
115 C17 **Lefkáda** *prev.* Levkás. Lefkáda, Iónioi Nísoi, Greece, C Mediterranean Sea
115 B17 **Lefkáda** *It.* Santa Maura; *prev.* Levkás, *anc.* Leucas. *island* Iónioi Nísoi, Greece, C Mediterranean Sea
115 H25 **Lefká Óri** ▲ Kríti, Greece, E Mediterranean Sea
115 B16 **Lefkímmi** *var.* Levkímmi. Kérkyra, Iónioi Nísoi, Greece, C Mediterranean Sea
Lefkoşa/Lefkosía *see* Nicosia
25 O2 **Lefors** Texas, SW USA
45 R12 **le François** E Martinique
180 L12 **Lefroy, Lake** *salt lake* Western Australia
Legaceaster *see* Chester
105 N8 **Leganés** Madrid, C Spain
171 P4 **Legaspi** *off.* Legaspi City. Luzon, N Philippines
Leghorn *see* Livorno
110 M11 **Legionowo** Mazowieckie, C Poland
99 K24 **Léglise** Luxembourg, SE Belgium
106 G8 **Legnago** Lombardia, NE Italy
106 D7 **Legnano** Veneto, NE Italy
111 F14 **Legnica** *Ger.* Liegnitz. Dolnośląskie, SW Poland
35 Q9 **Le Grand** California, W USA
103 Q15 **le Grau-du-Roi** Gard, S France
183 U3 **Legume** New South Wales, SE Australia
102 L4 **le Havre** *Eng.* Havre; *prev.* le Havre-de-Grâce. Seine-Maritime, N France
le Havre-de-Grâce *see* le Havre
Lehena *see* Lechainá
36 L3 **Lehi** Utah, W USA
18 I14 **Lehighton** Pennsylvania, NE USA
29 O6 **Lehr** North Dakota, N USA
38 A8 **Lehua Island** *island* Hawaiian Islands, Hawai'i, USA, C Pacific Ocean
149 S9 **Leiāh** Punjab, NE Pakistan
109 W9 **Leibnitz** Steiermark, SE Austria
97 M19 **Leicester** *Lat.* Batae Coritanorum. C England, UK
97 M19 **Leicestershire** *cultural region* C England, UK
98 H11 **Leiden** *prev.* Leyden, *anc.* Lugdunum Batavorum. Zuid-Holland, W Netherlands
98 H11 **Leiderdorp** Zuid-Holland, W Netherlands
98 G11 **Leidschendam** Zuid-Holland, W Netherlands
99 D18 **Leie** *Fr.* Lys. ≈ Belgium/France
Leifear *see* Lifford
184 L4 **Leigh** Auckland, North Island, NZ
97 K17 **Leigh** NW England, UK
182 I5 **Leigh Creek** South Australia
23 O2 **Leighton** Alabama, S USA
97 M21 **Leighton Buzzard** E England, UK
Léim an Bhradáin *see* Leixlip
Léim an Mhadaidh *see* Limavady
Léime, Ceann *see* Loop Head, Ireland
Léime, Ceann *see* Slyne Head, Ireland
101 G20 **Leimen** Baden-Württemberg, SW Germany
100 I13 **Leine** ≈ NW Germany
101 J15 **Leinefelde** Thüringen, C Germany
Léin, Loch *see* Leane, Lough
97 D19 **Leinster** *Ir.* Cúige Laighean. *cultural region* E Ireland
97 F19 **Leinster, Mount** *Ir.* Stua Laighean. ▲ SE Ireland
119 F15 **Leipalingis** Alytus, S Lithuania
92 J12 **Leipojärvi** Norrbotten, N Sweden
31 R12 **Leipsic** Ohio, N USA
Leipsic *see* Leipzig
115 M20 **Leipsoí** *island* Dodekánisos, Greece, Aegean Sea
101 M15 **Leipzig** *Pol.* Lipsk; *hist.* Leipsic, *anc.* Lipsia. Sachsen, E Germany
101 M15 **Leipzig Halle** ✈ Sachsen, E Germany
104 G9 **Leiria** *anc.* Collipo. Leiria, C Portugal
104 F9 **Leiria** ◈ *district* C Portugal
95 C15 **Leirvik** Hordaland, S Norway
118 E5 **Leisi** *Ger.* Laisberg. Saaremaa, W Estonia
104 J3 **Leitariegos, Puerto de** *pass* NW Spain
20 J6 **Leitchfield** Kentucky, S USA
109 Y5 **Leitha** *Hung.* Lajta. ≈ Austria/Hungary
Leitir Ceanainn *see* Letterkenny
Leitmeritz *see* Litoměřice
Leitomischl *see* Litomyšl
97 D16 **Leitrim** *Ir.* Liatroim. *cultural region* NW Ireland
115 F18 **Leivádia** *prev.* Levádhia. Stereá Ellás, C Greece
Leix *see* Laois
97 F18 **Leixlip** *Eng.* Salmon Leap, *Ir.* Léim an Bhradáin. E Ireland
64 N8 **Leixões** Porto, N Portugal
161 N12 **Leiyang** Hunan, S China
160 L16 **Leizhou** *var.* Haikang. Guangdong, S China
160 L16 **Leizhou Bandao** *var.* Luichow Peninsula. *peninsula* S China
98 H13 **Lek** ≈ SW Netherlands
114 I13 **Lekánis** ▲ NE Greece
172 H13 **Le Kartala** ▲ Grande Comore, NW Comoros
Le Kef *see* El Kef
79 G20 **Lékéti, Monts de la** ▲ S Congo
Lekhainá *see* Lechainá
114 H8 **Lekhchevo** Montana, NW Bulgaria
92 G11 **Leknes** Nordland, C Norway
79 E21 **Le Kouilou** ◈ *province* SW Congo
94 L13 **Leksand** Dalarna, C Sweden
126 H8 **Leksozero, Ozero** ◎ NW Russian Federation
105 Q3 **Lekunberri** *var.* Lecumberri. Navarra, N Spain
171 S11 **Lelai, Tanjung** *headland* Pulau Halmahera, N Indonesia
45 Q12 **le Lamentin** *var.* Lamentin. C Martinique
45 Q12 **le Lamentin** ✈ (Fort-de-France) C Martinique
31 P6 **Leland** Michigan, N USA
22 J4 **Leland** Mississippi, S USA
95 J16 **Lelång** *var.* Lelången. ◎ S Sweden
Lelången *see* Lelång
Lel'chitsy *see* Lyel'chytsy
le Léman *see* Geneva, Lake
Leli *see* Tianlin
25 O3 **Lelia Lake** Texas, SW USA
113 I14 **Lelija** ▲ SE Bosnia and Herzegovina
108 C8 **Le Locle** Neuchâtel, W Switzerland
189 Y14 **Lelu** Kosrae, E Micronesia
Lelu *see* Lelu Island
189 Y14 **Lelu Island** *var.* Lelu. *island* Kosrae, E Micronesia
55 W9 **Lelydorp** Wanica, N Suriname
98 K9 **Lelystad** Flevoland, C Netherlands
63 K25 **Le Maire, Estrecho de** *strait* S Argentina
168 L10 **Lemang** Pulau Rangsang, W Indonesia
186 I7 **Lemankoa** Buka Island, NE PNG
Léman, Lac *see* Geneva, Lake
102 L6 **le Mans** Sarthe, NW France
29 S12 **Le Mars** Iowa, C USA
109 S3 **Lembach im Mühlkreis** Oberösterreich, N Austria
101 G23 **Lemberg** ▲ SW Germany
Lemberg *see* L'viv
Lemdiyya *see* Médéa
121 P3 **Lemesós** *var.* Limassol. SW Cyprus
100 H13 **Lemgo** Nordrhein-Westfalen, W Germany
33 P13 **Lemhi Range** ▲ Idaho, NW USA
9 S6 **Lemieux Islands** *island group* Nunavut, NE Canada
171 O11 **Lemito** Sulawesi, N Indonesia
92 L10 **Lemmenjoki** *Lapp.* Leammi. ≈ NE Finland
98 L7 **Lemmer** *Fris.* De Lemmer. Friesland, N Netherlands
28 L7 **Lemmon** South Dakota, N USA
36 M15 **Lemmon, Mount** ▲ Arizona, SW USA
Lemnos *see* Límnos
31 O14 **Lemon, Lake** ◎ Indiana, N USA
102 J5 **le Mont St-Michel** *castle* Manche, N France
35 Q11 **Lemoore** California, W USA
189 T13 **Lemotol Bay** *bay* Chuuk Islands, C Micronesia
45 Y5 **le Moule** *var.* Moule. Grande Terre, NE Guadeloupe
Lemovices *see* Limoges
Le Moyen-Ogooué *see* Moyen-Ogooué
12 M6 **le Moyne, Lac** ◎ Québec, E Canada
93 L18 **Lempäälä** Länsi-Suomi, W Finland
42 E7 **Lempa, Río** ≈ Central America
42 F7 **Lempira** *prev.* Gracias. ◈ *department* SW Honduras
Lemsalu *see* Limbaži
107 N17 **Le Murge** ▲ SE Italy
127 V6 **Lemva** ≈ NW Russian Federation
95 F21 **Lemvig** Ringkøbing, W Denmark
166 K8 **Lemyethna** Irrawaddy, SW Myanmar
30 K10 **Lena** Illinois, N USA
123 P9 **Lena** ≈ NE Russian Federation
173 N13 **Lena Tablemount** *undersea feature* S Indian Ocean
Lenchitsa *see* Łęczyca
59 N17 **Lençóis** Bahia, E Brazil
60 K9 **Lençóis Paulista** São Paulo, S Brazil
109 Y9 **Lendava** *Hung.* Lendva, *Ger.* Unterlimbach; *prev.* Dolnja Lendava. NE Slovenia
83 F20 **Lendepas** Hardap, SE Namibia
124 H9 **Lendery** Respublika Kareliya, NW Russian Federation
Lendum *see* Lens
Lendva *see* Lendava
27 R4 **Lenexa** Kansas, C USA
109 Q5 **Lengau** Oberösterreich, N Austria
145 Q17 **Lenger** Yuzhnyy Kazakhstan, S Kazakhstan
Lenghu *see* Lenghuzhen
159 O9 **Lenghuzhen** *var.* Lenghu. Qinghai, C China
159 T9 **Lenglong Ling** ▲ N China
108 D7 **Lengnau** Bern, W Switzerland
160 M12 **Lengshuitan** Hunan, S China
95 M20 **Lenhovda** Kronoberg, S Sweden
79 E20 **Le Niari** ◈ *province* SW Congo
Lenin *see* Akdepe, Turkmenistan
Lenin *see* Uzynkol', Kazakhstan
Leninabad *see* Khŭjand
Leninakan *see* Gyumri
Lenina, Pik *see* Lenin Peak
117 V12 **Lenine** *Rus.* Lenino. Respublika Krym, S Ukraine
Leningor *see* Leninogorsk
147 Q13 **Leningrad** *Rus.* Leningradskiy; *prev.* Mŭ'minobod, *Rus.* Muminabad. SW Tajikistan
Leningrad *see* Sankt-Peterburg
126 L13 **Leningradskaya** Krasnodarskiy Kray, SW Russian Federation
195 S16 **Leningradskaya** *Russian research station* Antarctica
124 H12 **Leningradskaya Oblast'** ◈ *province* NW Russian Federation
Leningradskiy *see* Leningrad
Lenino *see* Lenine, Ukraine
Lenino *see* Lyenina, Belarus
Leninobod *see* Khŭjand
145 X9 **Leninogorsk** *Kaz.* Leningor. Vostochnyy Kazakhstan, E Kazakhstan
127 T5 **Leninogorsk** Respublika Tatarstan, W Russian Federation
147 T12 **Lenin Peak** *Rus.* Pik Lenina, *Taj.* Qullai Lenin. ▲ Kyrgyzstan/Tajikistan
147 S8 **Leninpol'** Talasskaya Oblast', NW Kyrgyzstan
Lenin, Qullai *see* Lenin Peak
127 P11 **Leninsk** Volgogradskaya Oblast', SW Russian Federation
Leninsk *see* Akdepe, Turkmenistan
Leninsk *see* Asaka, Uzbekistan
Leninsk *see* Baykonyr, Kazakhstan
145 T8 **Leninskiy** Pavlodar, E Kazakhstan
122 I13 **Leninsk-Kuznetskiy** Kemerovskaya Oblast', S Russian Federation
125 P15 **Leninskoye** Kirovskaya Oblast', NW Russian Federation
Leninskoye *see* Uzynkol', Kazakhstan
Leninsk-Turkmenski *see* Turkmenabat
Leninváros *see* Tiszaújváros
Lenkoran' *see* Länkäran
101 F15 **Lenne** ≈ W Germany
101 G16 **Lennestadt** Nordrhein-Westfalen, W Germany
29 R11 **Lennox** South Dakota, N USA
63 J25 **Lennox, Isla** *Eng.* Lennox Island. *island* S Chile
Lennox Island *see* Lennox, Isla
21 Q9 **Lenoir** North Carolina, SE USA
20 M9 **Lenoir City** Tennessee, S USA
108 C7 **Le Noirmont** Jura, NW Switzerland
14 L9 **Lenôtre, Lac** ◎ Québec, SE Canada
29 U15 **Lenox** Iowa, C USA
103 O2 **Lens** *anc.* Lendum, Lentium. Pas-de-Calais, N France
123 O11 **Lensk** Respublika Sakha (Yakutiya), NE Russian Federation
111 F24 **Lenti** Zala, SW Hungary
Lentia *see* Linz
93 N14 **Lentiira** Oulu, E Finland
107 L25 **Lentini** *anc.* Leontini. Sicilia, Italy, C Mediterranean Sea
Lentium *see* Lens
Lentschiza *see* Łęczyca
93 N15 **Lentua** ◎ E Finland
119 H14 **Lentvaris** *Pol.* Landwarów. Vilnius, SE Lithuania
108 F7 **Lenzburg** Aargau, N Switzerland
109 R5 **Lenzing** Oberösterreich, N Austria
77 P13 **Léo** SW Burkina
109 V7 **Leoben** Steiermark, C Austria
Leobschütz *see* Głubczyce
44 L9 **Léogâne** S Haiti
171 O11 **Leok** Sulawesi, N Indonesia
29 O7 **Leola** South Dakota, N USA
97 K20 **Leominster** W England, UK
19 N11 **Leominster** Massachusetts, NE USA
29 V16 **Leon** Iowa, C USA
40 M12 **León** *var.* León de los Aldamas. Guanajuato, C Mexico
42 I10 **León** León, NW Nicaragua
104 L4 **León** Castilla-León, NW Spain
42 I9 **León** ◈ *department* W Nicaragua
104 K4 **León** ◈ *province* Castilla-León, NW Spain
León *see* Cotopaxi
102 I15 **Léon** Landes, SW France
25 V9 **Leona** Texas, SW USA
180 K11 **Leonara** Western Australia
25 U5 **Leonard** Texas, SW USA
107 H15 **Leonardo da Vinci** *prev.* Fiumicino. ✈ (Roma) Lazio, C Italy
21 X5 **Leonardtown** Maryland, NE USA
25 Q13 **Leona River** ≈ Texas, SW USA
41 Z11 **Leona Vicario** Quintana Roo, SE Mexico
101 H21 **Leonberg** Baden-Württemberg, SW Germany
62 M3 **León, Cerro** ▲ NW Paraguay
León de los Aldamas *see* León
109 T4 **Leonding** Oberösterreich, N Austria
107 I14 **Leonessa** Lazio, C Italy
107 K24 **Leonforte** Sicilia, Italy, C Mediterranean Sea
183 O13 **Leongatha** Victoria, SE Australia
115 F21 **Leonídi** Pelopónnisos, S Greece
104 J4 **León, Montes de** ▲ NW Spain
25 S8 **Leon River** ≈ Texas, SW USA
Leontini *see* Lentini
Leopold II, Lac *see* Mai-Ndombe, Lac
99 J17 **Leopoldsburg** Limburg, NE Belgium
Léopoldville *see* Kinshasa
26 I5 **Leoti** Kansas, C USA
116 M11 **Leova** *Rus.* Leovo. SW Moldova
Leovo *see* Leova
102 G8 **le Palais** Morbihan, NW France
27 X10 **Lepanto** Arkansas, C USA
169 N13 **Lepar, Pulau** *island* W Indonesia
104 I14 **Lepe** Andalucía, S Spain
Lepel' *see* Lyepyel'
83 I19 **Lephepe** Kweneng, SE Botswana
161 Q10 **Leping** Jiangxi, S China
Lépontiennes, Alpes/Lepontine, Alpi *see* Lepontine Alps
108 G10 **Lepontine Alps** *Fr.* Alpes Lépontiennes, *It.* Alpi Lepontine. ▲ Italy/Switzerland
79 G20 **Le Pool** ◈ *province* S Congo
173 O16 **le Port** NW Réunion
103 N1 **le Portel** Pas-de-Calais, N France
93 N17 **Leppävirta** Itä-Suomi, C Finland
45 Q11 **le Prêcheur** NW Martinique
Lepsi *see* Lepsy
145 V13 **Lepsy** *Kaz.* Lepsi. Almaty, SE Kazakhstan
145 V13 **Lepsy** *Kaz.* Lepsi. ≈ SE Kazakhstan
Le Puglie *see* Puglia
103 Q12 **le Puy** *prev.* le Puy-en-Velay, *hist.* Anicium, Podium Anicensis. Haute-Loire, C France
le Puy-en-Velay *see* le Puy
Le Raizet *see* le Raizet
45 X11 **le Raizet** *var.* Le Raizet. ✈ (Pointe-à-Pitre) Grande Terre, C Guadeloupe
107 J24 **Lercara Friddi** Sicilia, Italy, C Mediterranean Sea
78 G12 **Léré** Mayo-Kébbi, SW Chad
Leribe *see* Hlotse
106 E10 **Lerici** Liguria, NW Italy
54 I14 **Lérida** Vaupés, SE Colombia
Lérida *see* Lleida
105 N5 **Lerma** Castilla-León, N Spain
40 M13 **Lerma, Río** ≈ C Mexico
115 F20 **Lérna** *prehistoric site* Pelopónnisos, S Greece
45 R11 **le Robert** E Martinique
115 M21 **Léros** *island* Dodekánisos, Greece, Aegean Sea
30 L13 **Le Roy** Illinois, N USA
27 Q6 **Le Roy** Kansas, C USA
29 W11 **Le Roy** Minnesota, N USA
18 E10 **Le Roy** New York, NE USA
Lerrnayin Gharabakh *see* Nagorno-Karabakh
95 J19 **Lerum** Västra Götaland, S Sweden
96 M2 **Lerwick** NE Scotland, UK
45 Y6 **les Abymes** *var.* Abymes. Grande Terre, C Guadeloupe
les Albères *see* Albères, Chaîne des
102 M4 **les Andelys** Eure, N France
45 Q12 **les Anses-d'Arlets** SW Martinique
105 U6 **Les Borges Blanques** *var.* Borjas Blancas. Cataluña, NE Spain
Lesbos *see* Lésvos
Les Cayes *see* Cayes
31 Q4 **Les Cheneaux Islands** *island* Michigan, N USA
103 T12 **les Écrins** ▲ E France
108 C10 **Le Sépey** Vaud, W Switzerland
15 T7 **Les Escoumins** Québec, SE Canada
Les Gonaïves *see* Gonaïves
Lesh/Leshi *see* Lezhë
160 H9 **Leshan** Sichuan, C China
108 D11 **Les Haudères** Valais, SW Switzerland
102 J9 **les Herbiers** Vendée, NW France
125 O8 **Leshukonskoye** Arkhangel'skaya Oblast', NW Russian Federation
Lesina *see* Hvar
107 M15 **Lesina, Lago di** ◎ SE Italy
114 K13 **Lesítse** ▲ NE Greece
94 G10 **Lesja** Oppland, S Norway
95 L15 **Lesjöfors** Värmland, C Sweden
111 O18 **Lesko** Podkarpackie, SE Poland
113 O15 **Leskovac** Serbia, SE Serbia and Montenegro (Yugo.)
113 M22 **Leskovik** *var.* Leskoviku. Korçë, S Albania
Leskoviku *see* Leskovik
33 P14 **Leslie** Idaho, NW USA
31 Q10 **Leslie** Michigan, N USA
Lesna/Lesnaya *see* Lyasnaya
102 F5 **Lesneven** Finistère, NW France
112 J11 **Lešnica** Serbia, W Serbia and Montenegro (Yugo.)
125 S13 **Lesnoy** Kirovskaya Oblast', NW Russian Federation
122 G10 **Lesnoy** Sverdlovskaya Oblast', C Russian Federation
122 K12 **Lesosibirsk** Krasnoyarskiy Kray, C Russian Federation
83 J23 **Lesotho** *off.* Kingdom of Lesotho; *prev.* Basutoland. ◆ *monarchy* S Africa
102 J12 **Lesparre-Médoc** Gironde, SW France
108 C8 **Les Ponts-de-Martel** Neuchâtel, W Switzerland
102 I9 **les Sables-d'Olonne** Vendée, NW France
103 P1 **Lesquin** ✈ Nord, N France
109 S7 **Lessach** *var.* Lessachbach. ≈ E Austria
Lessachbach *see* Lessach
45 W11 **les Saintes** *var.* Îles des Saintes. *island group* S Guadeloupe
74 L5 **Les Salines** ✈ (Annaba) NE Algeria
99 J22 **Lesse** ≈ SE Belgium
95 M21 **Lessebo** Kronoberg, S Sweden
194 M10 **Lesser Antarctica** *var.* West Antarctica. *physical region* Antarctica
45 P15 **Lesser Antilles** *island group* E West Indies
137 T10 **Lesser Caucasus** *Rus.* Malyy Kavkaz. ▲ SW Asia
Lesser Khingan Range *see* Xiao Hinggan Ling
11 P13 **Lesser Slave Lake** ◎ Alberta, W Canada
Lesser Sunda Islands *see* Nusa Tenggara
99 E19 **Lessines** Hainaut, SW Belgium
103 R16 **les Stes-Maries-de-la-Mer** Bouches-du-Rhône, SE France
14 G15 **Lester B.Pearson** *var.* Toronto. ✈ (Toronto) Ontario, S Canada
29 U9 **Lester Prairie** Minnesota, N USA
93 L16 **Lestijärvi** Länsi-Suomi, W Finland
L'Estuaire *see* Estuaire
29 U9 **Le Sueur** Minnesota, N USA
108 B8 **Les Verrières** Neuchâtel, W Switzerland
115 L17 **Lésvos** *anc.* Lesbos. *island* E Greece
110 G12 **Leszno** *Ger.* Lissa. Wielkopolskie, C Poland
83 L20 **Letaba** Limpopo, NE South Africa
173 P17 **le Tampon** SW Réunion
97 O21 **Letchworth** E England, UK
111 G25 **Letenye** Zala, SW Hungary
11 Q17 **Lethbridge** Alberta, SW Canada
55 S11 **Lethem** S Guyana
83 H18 **Letiahau** ≈ W Botswana
54 J18 **Leticia** Amazonas, S Colombia
171 S16 **Leti, Kepulauan** *island group* E Indonesia
83 I18 **Letlhakane** Central, C Botswana
83 H20 **Letlhakeng** Kweneng, SE Botswana
114 J8 **Letnitsa** Lovech, N Bulgaria
103 N1 **le Touquet-Paris-Plage** Pas-de-Calais, N France
166 L8 **Letpadan** Pegu, SW Myanmar
166 K6 **Letpan** Arakan State, W Myanmar
102 M2 **le Tréport** Seine-Maritime, N France
166 M12 **Letsôk-aw Kyun** *var.* Letsutan Island; *prev.* Domel Island. *island* Mergui Archipelago, S Myanmar
Letsutan Island *see* Letsôk-aw Kyun
97 E14 **Letterkenny** *Ir.* Leitir Ceanainn. NW Ireland
Lettland *see* Latvia
116 M6 **Letychiv** Khmel'nyts'ka Oblast', W Ukraine
Lëtzebuerg *see* Luxembourg
116 H14 **Leu** Dolj, SW Romania
Leucas *see* Lefkáda
103 P17 **Leucate** Aude, S France
103 P17 **Leucate, Étang de** ◎ S France
108 E10 **Leuk** Valais, SW Switzerland
108 E10 **Leukerbad** Valais, SW Switzerland
Leusden *see* Leusden-Centrum
98 K11 **Leusden-Centrum** *var.* Leusden. Utrecht, C Netherlands
Leutensdorf *see* Litvínov
Leutschau *see* Levoča
99 H18 **Leuven** *Fr.* Louvain, *Ger.* Löwen. Vlaams Brabant, C Belgium
99 I20 **Leuze** Namur, C Belgium
Leuze *see* Leuze-en-Hainaut
99 E19 **Leuze-en-Hainaut** *var.* Leuze. Hainaut, SW Belgium
Léva *see* Levice
Levádhia *see* Leivádia
Levajok *see* Leavvajohka
36 L4 **Levan** Utah, W USA
93 E16 **Levanger** Nord-Trøndelag, C Norway
121 S12 **Levantine Basin** *undersea feature* E Mediterranean Sea
106 D10 **Levanto** Liguria, W Italy
107 H23 **Levanzo, Isola di** *island* Isole Egadi, S Italy
127 Q17 **Levashi** Respublika Dagestan, SW Russian Federation
24 M5 **Levelland** Texas, SW USA
39 P13 **Levelock** Alaska, USA
101 E16 **Leverkusen** Nordrhein-Westfalen, W Germany
111 J21 **Levice** *Ger.* Lewentz, Lewenz, *Hung.* Léva. Nitriansky Kraj, SW Slovakia
106 G6 **Levico Terme** Trentino-Alto Adige, N Italy
115 E20 **Levídi** Pelopónnisos, S Greece
103 P14 **le Vigan** Gard, S France
184 L13 **Levin** Manawatu-Wanganui, North Island, NZ
15 R10 **Lévis** *var.* Levis. Québec, SE Canada
21 P6 **Levisa Fork** ≈ Kentucky/Virginia, S USA
115 L21 **Levítha** *island* Kykládes, Greece, Aegean Sea

◆ Country ● Country Capital ◇ Dependent Territory ○ Dependent Territory Capital ◈ Administrative Region ✈ International Airport ▲ Mountain ▲ Mountain Range ✱ Volcano ≈ River ◎ Lake ▣ Reservoir

280 ••• Levittown – Litohoro/Litókhoron

18 L14 **Levittown** Long Island, New York, NE USA
18 J15 **Levittown** Pennsylvania, NE USA
Levkás see Lefkáda
Levkímmi see Lefkímmi
111 L19 **Levoča** Ger. Leutschau, Hung. Locse. Prešovský Kraj, E Slovakia
Lévrier, Baie du see Nouâdhibou, Dakhlet
103 N9 **Levroux** Indre, C France
114 J8 **Levski** Pleven, N Bulgaria
Levskigrad see Karlovo
126 L6 **Lev Tolstoy** Lipetskaya Oblast', W Russian Federation
187 X14 **Levuka** Ovalau, C Fiji
166 L6 **Lewe** Mandalay, C Myanmar
Lewentz/Lewenz see Levice
97 O23 **Lewes** SE England, UK
21 Z4 **Lewes** Delaware, NE USA
29 Q12 **Lewis and Clark Lake** ▣ Nebraska/South Dakota, N USA
18 G14 **Lewisburg** Pennsylvania, NE USA
20 J10 **Lewisburg** Tennessee, S USA
21 S6 **Lewisburg** West Virginia, NE USA
96 F6 **Lewis, Butt of** headland NW Scotland, UK
96 F7 **Lewis, Isle of** island NW Scotland, UK
35 U4 **Lewis, Mount** ▲ Nevada, W USA
185 H16 **Lewis Pass** pass South Island, NZ
33 P7 **Lewis Range** ▲▲ Montana, NW USA
23 O3 **Lewis Smith Lake** ▣ Alabama, S USA
32 M10 **Lewiston** Idaho, NW USA
19 P7 **Lewiston** Maine, NE USA
29 X10 **Lewiston** Minnesota, N USA
18 D9 **Lewiston** New York, NE USA
36 L1 **Lewiston** Utah, W USA
30 K13 **Lewistown** Illinois, N USA
33 T9 **Lewistown** Montana, NW USA
27 T14 **Lewisville** Arkansas, C USA
25 T6 **Lewisville** Texas, SW USA
25 T6 **Lewisville, Lake** ▣ Texas, SW USA
Le Woleu-Ntem see Woleu-Ntem
23 U3 **Lexington** Georgia, SE USA
20 M5 **Lexington** Kentucky, S USA
22 L4 **Lexington** Mississippi, S USA
27 S4 **Lexington** Missouri, C USA
29 N16 **Lexington** Nebraska, C USA
20 S9 **Lexington** North Carolina, SE USA
27 N11 **Lexington** Oklahoma, C USA
21 R12 **Lexington** South Carolina, SE USA
20 G9 **Lexington** Tennessee, S USA
25 T10 **Lexington** Texas, SW USA
21 T6 **Lexington** Virginia, NE USA
21 X5 **Lexington Park** Maryland, NE USA
Leyden see Leiden
102 J14 **Leyre** ~ SW France
171 Q5 **Leyte** island C Philippines
171 Q6 **Leyte Gulf** gulf E Philippines
111 O16 **Leżajsk** Podkarpackie, SE Poland
Lezha see Lezhë
113 K18 **Lezhë** var. Lezha; prev. Lesh, Leshi. Lezhë, NW Albania
113 K18 **Lezhë** ◈ district NW Albania
103 O16 **Lézignan-Corbières** Aude, S France
126 J7 **L'gov** Kurskaya Oblast', W Russian Federation
159 P15 **Lhari** Xizang Zizhiqu, W China
159 N16 **Lhasa** var. La-sa, Lassa. Xizang Zizhiqu, W China
159 O15 **Lhasa He** ~ W China
158 K16 **Lhazê** var. Quxar. Xizang Zizhiqu, W China
158 K14 **Lhazhong** Xizang Zizhiqu, W China
168 H7 **Lhoksukon** Sumatera, W Indonesia
159 Q15 **Lhorong** var. Zito. Xizang Zizhiqu, W China
105 W6 **L'Hospitalet de Llobregat** var. Hospitalet. Cataluña, NE Spain
153 R11 **Lhotse** ▲ China/Nepal
159 N17 **Lhozhag** var. Garbo. Xizang Zizhiqu, W China
159 O16 **Lhünzê** var. Xingba. Xizang Zizhiqu, W China
159 N15 **Lhünzhub** var. Ganqu. Xizang Zizhiqu, W China
167 N8 **Li** Lamphun, NW Thailand
161 P12 **Liancheng** var. Lianfeng. Fujian, SE China
Liancheng see Guangnan, Yunnan, China
Liancheng see Qinglong, Guizhou, China
Lianfeng see Liancheng
160 K9 **Liangping** var. Liangshan. Chongqing Shi, C China
Liangshan see Liangping
Liangzhou see Wuwei
161 O9 **Liangzi Hu** ◎ C China
161 R12 **Lianjiang** Fujian, SE China
160 L15 **Lianjiang** Guangdong, S China
Lianjiang see Xingguo
161 O13 **Lianping** var. Yuanshan. Guangdong, S China
Lianshan see Huludao
Lian Xian see Lianzhou
160 M11 **Lianyuan** prev. Lantian. Hunan, S China
161 Q6 **Lianyungang** var. Xinpu. Jiangsu, E China
161 N13 **Lianzhou** var. Linxian; prev. Lian Xian. Guangdong, S China
Lianzhou see Hepu
Liao see Liaoning
161 P5 **Liaocheng** Shandong, E China
163 U13 **Liaodong Bandao** var. Liaotung Peninsula. peninsula NE China
163 T13 **Liaodong Wan** Eng. Gulf of Lantung, Gulf of Liaotung. gulf NE China
163 U11 **Liao He** ~ NE China
163 U12 **Liaoning** var. Liao, Liaoning Sheng, Shengking; hist. Fengtien, Shenking. ◈ province NE China
Liaoning Sheng see Liaoning
Liaotung, Gulf of see Liaodong Wan
Liaotung Peninsula see Liaodong Bandao
163 V12 **Liaoyang** var. Liao-yang. Liaoning, NE China
163 V11 **Liaoyuan** var. Dongliao, Shuang-liao, Jap. Chengchiatun. Jilin, NE China
163 U12 **Liaozhong** Liaoning, NE China
Liaqatabad see Piplān
10 M10 **Liard** ~ W Canada
Liard see Fort Liard
10 L10 **Liard River** British Columbia, W Canada
149 O15 **Liāri** Baluchistān, SW Pakistan
Liatroim see Leitrim
189 S6 **Lib** var. Ellep. island Ralik Chain, C Marshall Islands
Liban see Lebanon
138 H6 **Liban, Jebel** Ar. Jabal al Gharbt, Jabal Lubnān, Eng. Mount Lebanon. ▲▲ C Lebanon
Libau see Liepāja
33 N7 **Libby** Montana, NW USA
79 I16 **Libenge** Equateur, NW Dem. Rep. Congo
26 I7 **Liberal** Kansas, C USA
27 R7 **Liberal** Missouri, C USA
Liberalitas Julia see Évora
111 D15 **Liberec** Ger. Reichenberg. Liberecký Kraj, N Czech Republic
111 D15 **Liberecký Kraj** ◈ region N Czech Republic
42 K12 **Liberia** Guanacaste, NW Costa Rica
76 K17 **Liberia** off. Republic of Liberia. ◆ republic W Africa
61 D16 **Libertad** Corrientes, NE Argentina
61 E20 **Libertad** San José, S Uruguay
54 I7 **Libertad** Barinas, NW Venezuela
54 K6 **Libertad** Cojedes, N Venezuela
62 G12 **Libertador** off. Región del Libertador General Bernardo O'Higgins. ◈ region C Chile
Libertador General San Martín see Ciudad de Libertador General San Martín
20 L6 **Liberty** Kentucky, S USA
22 J7 **Liberty** Mississippi, S USA
27 R4 **Liberty** Missouri, C USA
18 J12 **Liberty** New York, NE USA
21 T9 **Liberty** North Carolina, SE USA
Libian Desert see Libyan Desert
99 J23 **Libin** Luxembourg, SE Belgium
160 K13 **Libo** var. Yuping. Guizhou, S China
Libohova see Libohovë
113 L23 **Libohovë** var. Libohova. Gjirokastër, S Albania
81 K18 **Liboi** North Eastern, E Kenya
102 K13 **Libourne** Gironde, SW France
99 K23 **Libramont** Luxembourg, SE Belgium
113 M20 **Librazhd** var. Librazhdi. Elbasan, E Albania
Librazhdi see Librazhd
79 C18 **Libreville** ● (Gabon) Estuaire, NW Gabon
75 P10 **Libya** off. Socialist People's Libyan Arab Jamahiriya, Ar. Al Jamāhīrīyah al 'Arabīyah al Lībīyah ash Sha'bīyah al Ishtirākīyah; prev. Libyan Arab Republic. ◆ Islamic state N Africa
75 T11 **Libyan Desert** var. Libian Desert, Ar. Aş Şahrā' al Lībīyah. desert N Africa
75 T8 **Libyan Plateau** var. Aḍ Diffah. plateau Egypt/Libya
Lībīyah, Aş Şahrā' al see Libyan Desert
62 G12 **Licantén** Maule, C Chile
107 J25 **Licata** anc. Phintias. Sicilia, Italy, C Mediterranean Sea
137 P14 **Lice** Diyarbakır, SE Turkey
97 L19 **Lichfield** C England, UK
83 N14 **Lichinga** Niassa, N Mozambique
109 V3 **Lichtenau** Niederösterreich, N Austria
83 I21 **Lichtenburg** North-West, N South Africa
101 K18 **Lichtenfels** Bayern, SE Germany
98 O12 **Lichtenvoorde** Gelderland, E Netherlands
Lichtenwald see Sevnica
99 C17 **Lichtervelde** West-Vlaanderen, W Belgium
160 L9 **Lichuan** Hubei, C China
27 V7 **Licking** Missouri, C USA
20 M4 **Licking River** ~ Kentucky, S USA
112 C11 **Lički Osik** Lika-Senj, C Croatia
Ličko-Senjska Županija see Lika-Senj
107 K19 **Licosa, Punta** headland S Italy
119 H16 **Lida** Rus. Lida. Hrodzyenskaya Voblasts', W Belarus
93 H17 **Liden** Västernorrland, C Sweden
29 R7 **Lidgerwood** North Dakota, N USA
Lidhorikíon see Lidoríki
95 K21 **Lidhult** Kronoberg, S Sweden
95 P16 **Lidingö** Stockholm, C Sweden
95 K17 **Lidköping** Västra Götaland, S Sweden
Lido di Iesolo see Lido di Jesolo
106 I8 **Lido di Jesolo** var. Lido di Iesolo. Veneto, NE Italy
107 H15 **Lido di Ostia** Lazio, C Italy
Lidokhorikion see Lidoríki
115 E18 **Lidoríki** prev. Lidhorikíon, Lidokhorikion. Stereá Ellás, C Greece
110 K9 **Lidzbark** Warmińsko-Mazurskie, NE Poland
110 L7 **Lidzbark Warmiński** Ger. Heilsberg. Warmińsko-Mazurskie, NE Poland,
109 U3 **Liebenau** Oberösterreich, N Austria
181 P7 **Liebig, Mount** ▲ Northern Territory, C Australia
109 V8 **Lieboch** Steiermark, SE Austria
108 I8 **Liechtenstein** off. Principality of Liechtenstein. ◆ principality C Europe
99 F18 **Liedekerke** Vlaams Brabant, C Belgium
99 K19 **Liège** Dut. Luik, Ger. Lüttich. Liège, E Belgium
99 K20 **Liège** Dut. Luik. ◈ province E Belgium
Liegnitz see Legnica
93 O16 **Lieksa** Itä-Suomi, E Finland
118 F10 **Lielupe** ~ Latvia/Lithuania
118 G9 **Lielvārde** Ogre, C Latvia
167 U13 **Liên Hương** var. Tuy Phong. Binh Thuận, S Vietnam
Liên Nghia see Đức Trong
109 P9 **Lienz** Tirol, W Austria
118 B10 **Liepāja** Ger. Libau. Liepāja, W Latvia
99 H17 **Lier** Fr. Lierre. Antwerpen, N Belgium
95 H15 **Lierbyen** Buskerud, S Norway
99 L21 **Lierneux** Liège, E Belgium
Lierre see Lier
101 D18 **Lieser** ~ W Germany
109 U7 **Liesing** ~ E Austria
108 E6 **Liestal** Basel-Land, N Switzerland
Lietuva see Lithuania
Lievenhof see Līvāni
103 O2 **Liévin** Pas-de-Calais, N France
14 M9 **Lièvre, Rivière du** ~ Québec, SE Canada
109 T6 **Liezen** Steiermark, C Austria
97 E14 **Lifford** Ir. Leifear. NW Ireland
187 Q16 **Lifou** island Îles Loyauté, E New Caledonia
193 Y15 **Lifuka** island Ha'apai Group, C Tonga
171 P4 **Ligao** Luzon, N Philippines
Liger see Loire
44 H2 **Lighthouse Reef** reef E Belize
183 Q4 **Lightning Ridge** New South Wales, SE Australia
103 N9 **Lignières** Cher, C France
103 S5 **Ligny-en-Barrois** Meuse, NE France
83 P15 **Ligonha** ~ NE Mozambique
31 P11 **Ligonier** Indiana, N USA
81 I25 **Ligunga** Ruvuma, S Tanzania
106 D9 **Ligure, Appennino** Eng. Ligurian Mountains. ▲▲ NW Italy
Ligure, Mar see Ligurian Sea
106 C9 **Liguria** ◈ region NW Italy
Ligurian Mountains see Ligure, Appennino
120 K6 **Ligurian Sea** Fr. Mer Ligurienne, It. Mar Ligure. sea N Mediterranean Sea
Ligurienne, Mer see Ligurian Sea
186 H5 **Lihir Group** island group NE PNG
38 B8 **Līhu'e** var. Lihue. Kaua'i, Hawai'i, USA, C Pacific Ocean
118 F5 **Lihula** Ger. Leal. Läänemaa, W Estonia
124 I2 **Liinakhamari** var. Linacmamari. Murmanskaya Oblast', NW Russian Federation
Liivi Laht see Riga, Gulf of
160 F11 **Lijiang** var. Dayan, Lijiang Naxizu Zizhixian. Yunnan, SW China
Lijiang Naxizu Zizhixian see Lijiang
112 C11 **Lika-Senj** off. Ličko-Senjska Županija. ◈ province W Croatia
79 N25 **Likasi** prev. Jadotville. Katanga, SE Dem. Rep. Congo
79 L16 **Likati** Orientale, N Dem. Rep. Congo
10 M15 **Likely** British Columbia, SW Canada
153 Y11 **Likhapāni** Assam, NE India
124 J16 **Likhoslavl'** Tverskaya Oblast', W Russian Federation
189 U5 **Likiep Atoll** atoll Ratak Chain, C Marshall Islands
95 D18 **Liknes** Vest-Agder, S Norway
79 H18 **Likouala** ~ N Congo
79 H18 **Likouala aux Herbes** ~ E Congo
190 B16 **Liku** E Niue
Likupang, Selat see Bangka, Selat
27 Y8 **Lilbourn** Missouri, C USA
103 X14 **l'Île-Rousse** Corse, France, C Mediterranean Sea
109 W5 **Lilienfeld** Niederösterreich, NE Austria
161 N11 **Liling** Hunan, S China
95 J18 **Lilla Edet** Västra Götaland, S Sweden
103 P1 **Lille** var. l'Isle, Dut. Rijssel, Flem. Ryssel; prev. Lisle, anc. Insula. Nord, N France
95 G24 **Lillebælt** var. Lille Bælt, Eng. Little Belt. strait S Denmark
102 L3 **Lillebonne** Seine-Maritime, N France
94 H12 **Lillehammer** Oppland, S Norway
103 O1 **Lillers** Pas-de-Calais, N France
95 F18 **Lillesand** Aust-Agder, S Norway
95 I15 **Lillestrøm** Akershus, S Norway
93 F18 **Lillhärdal** Jämtland, C Sweden
21 U10 **Lillington** North Carolina, SE USA
105 O9 **Lillo** Castilla-La Mancha, C Spain
10 M16 **Lillooet** British Columbia, SW Canada
83 M14 **Lilongwe** ● (Malawi) Central, W Malawi
83 M14 **Lilongwe** ✕ Central, W Malawi
83 M14 **Lilongwe** ~ W Malawi
171 P7 **Liloy** Mindanao, S Philippines
Lilybaeum see Marsala
182 J7 **Lilydale** South Australia
183 P16 **Lilydale** Tasmania, SE Australia
113 J14 **Lim** ~ Bosnia and Herzegovina/Serbia and Montenegro (Yugo.)
57 D15 **Lima** ● (Peru) Lima, W Peru
94 K13 **Lima** Dalarna, C Sweden
31 R12 **Lima** Ohio, NE USA
57 D14 **Lima** ◈ department W Peru
Lima see Jorge Chávez International
104 G5 **Lima, Rio** Sp. Limia ~ Portugal/Spain see also Limia
111 L17 **Limanowa** Małopolskie, S Poland
168 M11 **Limas** Pulau Sebangka, W Indonesia
Limassol see Lemesós
97 F14 **Limavady** Ir. Léim an Mhadaidh. NW Northern Ireland, UK
63 J14 **Limay Mahuida** La Pampa, C Argentina
63 H15 **Limay, Río** ~ W Argentina
101 N16 **Limbach-Oberfrohna** Sachsen, E Germany
81 F22 **Limba Limba** ~ C Tanzania
107 C17 **Limbara, Monte** ▲ Sardegna, Italy, C Mediterranean Sea
118 G7 **Limbaži** Est. Lemsalu. Limbaži, N Latvia
44 M8 **Limbé** N Haiti
99 L19 **Limbourg** Liège, E Belgium
99 K17 **Limburg** ◈ province NE Belgium
99 L16 **Limburg** ◈ province SE Netherlands
101 F17 **Limburg an der Lahn** Hessen, W Germany
94 K13 **Limedsforsen** Dalarna, C Sweden
60 L9 **Limeira** São Paulo, S Brazil
97 C19 **Limerick** Ir. Luimneach. SW Ireland
97 C20 **Limerick** Ir. Luimneach. cultural region SW Ireland
19 S2 **Limestone** Maine, NE USA
25 U9 **Limestone, Lake** ◎ Texas, SW USA
39 P12 **Lime Village** Alaska, USA
95 F20 **Limfjorden** fjord N Denmark
95 J23 **Limhamn** Skåne, S Sweden
104 H5 **Limia** Port. Rio Lima ~ Portugal/Spain see also Lima, Rio
93 L14 **Liminka** Oulu, C Finland
Limín Vathéos see Sámos
115 G17 **Límni** Évvoia, C Greece
115 J15 **Límnos** anc. Lemnos. island E Greece
102 M11 **Limoges** anc. Augustoritum Lemovicensium, Lemovices. Haute-Vienne, C France
37 U5 **Limon** Colorado, C USA
43 O13 **Limón** var. Puerto Limón. Limón, E Costa Rica
42 K4 **Limón** Colón, NE Honduras
43 N13 **Limón** off. Provincia de Limón. ◈ province E Costa Rica
106 A10 **Limone Piemonte** Piemonte, NE Italy
Limones see Valdéz
Limonum see Poitiers
103 N11 **Limousin** ◈ region C France
103 N16 **Limoux** Aude, S France
83 L19 **Limpopo** var. Crocodile. ~ S Africa
83 J20 **Limpopo** prev. Northern Province, Northern Transvaal. ◈ province NE South Africa
160 K17 **Limu Ling** ▲▲ S China
113 M20 **Lin** var. Lini. Elbasan, E Albania
Linacmamari see Liinakhamari
62 G13 **Linares** Maule, C Chile
54 C13 **Linares** Nariño, SW Colombia
41 O9 **Linares** Nuevo León, NE Mexico
105 N12 **Linares** Andalucía, S Spain
107 G15 **Linaro, Capo** headland C Italy
106 D8 **Linate** ✕ (Milano) Lombardia, N Italy
167 T8 **Lin Camh** prev. Đưc Tho. Ha Tinh, N Vietnam
160 F13 **Lincang** Yunnan, SW China
Lincheng see Lingao
Linchuan see Fuzhou
61 B20 **Lincoln** Buenos Aires, E Argentina
185 H19 **Lincoln** Canterbury, South Island, NZ
97 N18 **Lincoln** anc. Lindum, Lindum Colonia. E England, UK
35 O6 **Lincoln** California, W USA
30 L13 **Lincoln** Illinois, N USA
26 M4 **Lincoln** Kansas, C USA
19 S5 **Lincoln** Maine, NE USA
27 T5 **Lincoln** Missouri, C USA
29 R16 **Lincoln** state capital Nebraska, C USA
32 F11 **Lincoln City** Oregon, NW USA
167 X10 **Lincoln Island** island E Paracel Islands
197 Q11 **Lincoln Sea** sea Arctic Ocean
97 N18 **Lincolnshire** cultural region E England, UK
21 R10 **Lincolnton** North Carolina, SE USA
25 V7 **Lindale** Texas, SW USA
101 I25 **Lindau** var. Lindau am Bodensee. Bayern, S Germany
Lindau am Bodensee see Lindau
123 P9 **Linde** ~ NE Russian Federation
55 T9 **Linden** E Guyana
23 O6 **Linden** Alabama, S USA
20 H9 **Linden** Tennessee, S USA
25 X6 **Linden** Texas, SW USA
18 J16 **Lindenwold** New Jersey, NE USA
95 M15 **Lindesberg** Örebro, C Sweden
95 D18 **Lindesnes** headland S Norway
Líndhos see Líndos
81 K24 **Lindi** Lindi, SE Tanzania
81 J24 **Lindi** ◈ region SE Tanzania
79 N17 **Lindi** ~ NE Dem. Rep. Congo
163 V7 **Lindian** Heilongjiang, NE China
185 E21 **Lindis Pass** pass South Island, NZ
83 J22 **Lindley** Free State, C South Africa
95 J19 **Lindome** Västra Götaland, S Sweden
163 S10 **Lindong** var. Bairin Zuoqi. Nei Mongol Zizhiqu, N China
115 O23 **Líndos** var. Líndhos. Ródos, Dodekánisos, Greece, Aegean Sea
14 I14 **Lindsay** Ontario, SE Canada
35 R11 **Lindsay** California, W USA
33 X8 **Lindsay** Montana, NW USA
27 N11 **Lindsay** Oklahoma, C USA
27 N5 **Lindsborg** Kansas, C USA
95 N21 **Lindsdal** Kalmar, S Sweden
Lindum/Lindum Colonia see Lincoln
191 W3 **Line Islands** island group E Kiribati
Linëvo see Linova
160 M5 **Linfen** var. Lin-fen. Shanxi, C China
155 F18 **Linganamakki Reservoir** ▣ SW India
160 L17 **Lingao** var. Lincheng. Hainan, S China
171 N3 **Lingayen** Luzon, N Philippines
160 M6 **Lingbao** var. Guolüezhen. Henan, C China
94 N12 **Lingbo** Gävleborg, C Sweden
Lingeh see Bandar-e Langeh
100 E12 **Lingen** var. Lingen an der Ems. Niedersachsen, NW Germany
Lingen an der Ems see Lingen
168 M11 **Lingga, Kepulauan** island group W Indonesia
168 L11 **Lingga, Pulau** island Kepulauan Lingga, W Indonesia
14 J14 **Lingham Lake** ◎ Ontario, SE Canada
94 M13 **Linghed** Dalarna, C Sweden
33 Z15 **Lingle** Wyoming, C USA
18 G15 **Linglestown** Pennsylvania, NE USA
79 K18 **Lingomo II** Equateur, NW Dem. Rep. Congo
160 L15 **Lingshan** Guangxi Zhuangzu Zizhiqu, S China
160 L17 **Lingshui** var. Lingshui Lizu Zizhixian. Hainan, S China
Lingshui Lizu Zizhixian see Lingshui
155 G16 **Lingsugūr** Karnātaka, C India
107 L23 **Linguaglossa** Sicilia, Italy, C Mediterranean Sea
76 H10 **Linguère** N Senegal
159 W8 **Lingwu** Ningxia, N China
Lingxi Hunan, China see Yongshun
Lingxi Zhejiang, China see Cangnan
Lingxian/Ling Xian see Yanling
163 S12 **Lingyuan** Liaoning, NE China
163 U4 **Linhai** Heilongjiang, NE China
161 S10 **Linhai** var. Taizhou. Zhejiang, SE China
59 O20 **Linhares** Espírito Santo, SE Brazil
162 M13 **Linhe** Nei Mongol Zizhiqu, N China
Lini see Lin
139 S1 **Līnik, Chiyā-ē** ▲ N Iraq
95 M18 **Linköping** Östergötland, S Sweden
163 Y8 **Linkou** Heilongjiang, NE China
118 F11 **Linkuva** Šiauliai, N Lithuania
27 V5 **Linn** Missouri, C USA
25 S16 **Linn** Texas, SW USA
27 T2 **Linneus** Missouri, C USA
96 H10 **Linnhe, Loch** inlet W Scotland, UK
119 G19 **Linova** Rus. Linëvo. Brestskaya Voblasts', SW Belarus
161 O5 **Linqing** Shandong, E China
60 K8 **Lins** São Paulo, S Brazil
93 F17 **Linsell** Jämtland, C Sweden
160 J9 **Linshui** Sichuan, C China
44 K12 **Linstead** C Jamaica
159 U11 **Lintan** Gansu, N China
159 V11 **Lintao** Gansu, C China
15 S12 **Lintère** ~ Québec, SE Canada
108 H8 **Linth** ~ NW Switzerland
108 H8 **Linthal** Glarus, NE Switzerland
31 N15 **Linton** Indiana, N USA
29 N6 **Linton** North Dakota, N USA
163 R11 **Linxi** Nei Mongol Zizhiqu, N China
159 U11 **Linxia** var. Linxia Huizu Zizhizhou. Gansu, C China
Linxia Huizu Zizhizhou see Linxia
Linxian see Lianzhou
161 Q6 **Linyi** Shandong, S China
161 P4 **Linyi** Shandong, E China
160 M6 **Linyi** Shanxi, C China
109 T4 **Linz** anc. Lentia. Oberösterreich, N Austria
159 S8 **Linze** var. Shahepu. Gansu, N China
44 J13 **Lionel Town** C Jamaica
103 Q16 **Lion, Golfe du** Eng. Gulf of Lion, Gulf of Lions; anc. Sinus Gallicus. gulf S France
Lion, Gulf of/Lions, Gulf of see Lion, Golfe du
83 K16 **Lions Den** Mashonaland West, N Zimbabwe
14 F13 **Lion's Head** Ontario, S Canada
Lios Ceannúir, Bá see Liscannor Bay
Lios Mór see Lismore
Lios na gCearrbhach see Lisburn
Lios Tuathail see Listowel
79 G17 **Liouesso** La Sangha, N Congo
Liozno see Lyozna
171 O4 **Lipa** off. Lipa City. Luzon, N Philippines
25 S7 **Lipan** Texas, SW USA
Lipari Islands/Lipari, Isole see Eolie, Isole
107 L22 **Lipari, Isola** island Isole Eolie, S Italy
116 L8 **Lipcani** Rus. Lipkany. N Moldova
93 N17 **Liperi** Itä-Suomi, E Finland
126 L7 **Lipetsk** Lipetskaya Oblast', W Russian Federation
126 K6 **Lipetskaya Oblast'** ◈ province W Russian Federation
57 K22 **Lipez, Cordillera de** ▲▲ SW Bolivia
110 E10 **Lipiany** Ger. Lippehne. Zachodnio-pomorskie, W Poland
112 G9 **Lipik** Požega-Slavonija, NE Croatia
124 L12 **Lipin Bor** Vologodskaya Oblast', NW Russian Federation
160 L12 **Liping** var. Defeng. Guizhou, S China
Lipkany see Lipcani
119 H15 **Lipnishki** Rus. Lipnishki. Hrodzyenskaya Voblasts', W Belarus
110 J10 **Lipno** Kujawsko-pomorskie, C Poland
116 F11 **Lipova** Hung. Lippa. Arad, W Romania
Lipovets see Lypovets'
Lippa see Lipova
101 E14 **Lippe** ~ W Germany
Lippehne see Lipiany
101 G14 **Lippstadt** Nordrhein-Westfalen, W Germany
25 P1 **Lipscomb** Texas, SW USA
Lipsia/Lipsk see Leipzig
Liptau-Sankt-Nikolaus/Liptószentmiklós see Liptovský Mikuláš
111 K19 **Liptovský Mikuláš** Ger. Liptau-Sankt-Nikolaus, Hung. Liptószentmiklós. Žilinský Kraj, N Slovakia
183 O13 **Liptrap, Cape** headland Victoria, SE Australia
160 L13 **Lipu** Guangxi Zhuangzu Zizhiqu, S China
141 X12 **Liqbi** S Oman
81 G17 **Lira** N Uganda
57 F15 **Lircay** Huancavelica, C Peru
107 J15 **Liri** ~ C Italy
144 M8 **Lisakovsk** Kostanay, NW Kazakhstan
79 K17 **Lisala** Equateur, N Dem. Rep. Congo
104 F11 **Lisboa** Eng. Lisbon; anc. Felicitas Julia, Olisipo. ● (Portugal) Lisboa, W Portugal
104 F10 **Lisboa** ◈ Eng. Lisbon. district C Portugal
19 N7 **Lisbon** New Hampshire, NE USA
29 Q6 **Lisbon** North Dakota, N USA
Lisbon see Lisboa
19 Q8 **Lisbon Falls** Maine, NE USA
97 G15 **Lisburn** Ir. Lios na gCearrbhach. E Northern Ireland, UK
38 L6 **Lisburne, Cape** headland Alaska, USA
97 B19 **Liscannor Bay** Ir. Bá Lios Ceannúir. inlet W Ireland
113 Q18 **Lisec** ▲ E FYR Macedonia
160 F13 **Lishe Jiang** ~ SW China
160 M4 **Lishi** Shanxi, C China
163 V10 **Lishu** Jilin, NE China
161 R10 **Lishui** Zhejiang, SE China
192 L5 **Lisianski Island** island Hawaiian Islands, Hawaii, USA, C Pacific Ocean
Lisichansk see Lysychans'k
102 L4 **Lisieux** anc. Noviomagus. Calvados, N France
126 L8 **Liski** prev. Georgiu-Dezh. Voronezhskaya Oblast', W Russian Federation
Lisle/l'Isle see Lille
103 N4 **l'Isle-Adam** Val-d'Oise, N France
103 R15 **l'Isle-sur-la-Sorgue** Vaucluse, SE France
15 S9 **L'Islet** Québec, SE Canada
182 M12 **Lismore** Victoria, SE Australia
97 D20 **Lismore** Ir. Lios Mór. S Ireland
Lissa see Vis, Croatia
Lissa see Leszno, Poland
98 H11 **Lisse** Zuid-Holland, W Netherlands
95 D18 **Lista** peninsula S Norway
95 D18 **Listafjorden** fjord S Norway
195 R13 **Lister, Mount** ▲ Antarctica
126 M8 **Listopadovka** Voronezhskaya Oblast', W Russian Federation
14 F15 **Listowel** Ontario, S Canada
97 B20 **Listowel** Ir. Lios Tuathail. SW Ireland
160 L14 **Litang** Guangxi Zhuangzu Zizhiqu, S China
160 F9 **Litang** var. Gaocheng. Sichuan, C China
160 F10 **Litang Qu** ~ C China
55 X12 **Litani** var. Itany. ~ French Guiana/Suriname
138 G8 **Lītani, Nahr el** var. Nahr al Litant. ~ C Lebanon
Litant, Nahr al see Lītani, Nahr el
Litauen see Lithuania
30 K14 **Litchfield** Illinois, N USA
29 U8 **Litchfield** Minnesota, N USA
36 K13 **Litchfield Park** Arizona, SW USA
183 S8 **Lithgow** New South Wales, SE Australia
115 I26 **Líthino, Akrotírio** headland Kríti, Greece, E Mediterranean Sea
118 D12 **Lithuania** off. Republic of Lithuania, Ger. Litauen, Lith. Lietuva, Pol. Litwa, Rus. Litva; prev. Lithuanian SSR, Rus. Litovskaya SSR. ◆ republic NE Europe
Lithuanian SSR see Lithuania
109 U11 **Litija** Ger. Littai. C Slovenia
18 H15 **Lititz** Pennsylvania, NE USA
115 F15 **Litóchoro** var. Litohoro, Litókhoron. Kentrikí Makedonía, N Greece
Litohoro/Litókhoron see Litóchoro

◆ Country ● Country Capital ◇ Dependent Territory ○ Dependent Territory Capital ◈ Administrative Region ✕ International Airport ▲ Mountain ▲▲ Mountain Range Volcano ~ River ◎ Lake ▣ Reservoir

LITOMĚŘICE – LORENGAU ••• 281

111 C15 **Litoměřice** *Ger.* Ústecký Kraj, NW Czech Republic
111 F17 **Litomyšl** *Ger.* Pardubický Kraj, C Czech Republic
111 G17 **Litovel** *Ger.* Littau. Olomoucký Kraj, E Czech Republic
123 S13 **Litovko** Khabarovskiy Kray, SE Russian Federation
Litovskaya SSR *see* Lithuania
Littai *see* Litija
Littau *see* Litovel
44 G1 **Little Abaco** *var.* Abaco Island. *island* N Bahamas
111 I21 **Little Alföld** *Ger.* Kleines Ungarisches Tiefland, *Hung.* Kisalföld, *Slvk.* Podunajská Rovina. *plain* Hungary/Slovakia
151 Q20 **Little Andaman** *island* Andaman Islands, India, NE Indian Ocean
26 M5 **Little Arkansas River** ≈ Kansas, C USA
184 L4 **Little Barrier Island** *island* N NZ
Little Belt *see* Lillebælt
38 M11 **Little Black River** ≈ Alaska, USA
27 O2 **Little Blue River** ≈ Kansas/Nebraska, C USA
44 D8 **Little Cayman** *island* E Cayman Islands
11 X11 **Little Churchill** ≈ Manitoba, C Canada
166 J10 **Little Coco Island** *island* SW Myanmar
36 L10 **Little Colorado River** ≈ Arizona, SW USA
14 E11 **Little Current** Manitoulin Island, Ontario, S Canada
12 E11 **Little Current** ≈ Ontario, S Canada
38 L8 **Little Diomede Island** *island* Alaska, USA
44 I4 **Little Exuma** *island* C Bahamas
29 U7 **Little Falls** Minnesota, N USA
18 J10 **Little Falls** New York, NE USA
24 M5 **Littlefield** Texas, SW USA
29 V3 **Littlefork** Minnesota, N USA
29 V3 **Little Fork River** ≈ Minnesota, N USA
11 N16 **Little Fort** British Columbia, SW Canada
11 Y14 **Little Grand Rapids** Manitoba, C Canada
97 N23 **Littlehampton** SE England, UK
35 T2 **Little Humboldt River** ≈ Nevada, W USA
44 K6 **Little Inagua** *var.* Inagua Islands. *island* S Bahamas
21 Q4 **Little Kanawha River** ≈ West Virginia, NE USA
83 F25 **Little Karoo** *plateau* S South Africa
39 O16 **Little Koniuji Island** *island* Shumagin Islands, Alaska, USA
44 H12 **Little London** W Jamaica
13 R10 **Little Mecatina** *Fr.* Rivière du Petit Mécatina. ≈ Newfoundland and Labrador/Québec, E Canada
96 F8 **Little Minch, The** *strait* NW Scotland, UK
27 T13 **Little Missouri River** ≈ Arkansas, USA
28 J7 **Little Missouri River** ≈ NW USA
28 J3 **Little Muddy River** ≈ North Dakota, N USA
151 Q22 **Little Nicobar** *island* Nicobar Islands, India, NE Indian Ocean
27 R6 **Little Osage River** ≈ Missouri, C USA
97 P20 **Little Ouse** ≈ E England, UK
149 V2 **Little Pamir** *Pash.* Pāmīr-e Khord, *Rus.* Malyy Pamir. ▲ Afghanistan/Tajikistan
21 U12 **Little Pee Dee River** ≈ North Carolina/South Carolina, SE USA
27 V10 **Little Red River** ≈ Arkansas, C USA
Little Rhody *see* Rhode Island
185 I19 **Little River** Canterbury, South Island, NZ
21 U12 **Little River** South Carolina, SE USA
27 Y9 **Little River** ≈ Arkansas/Missouri, C USA
27 R13 **Little River** ≈ Arkansas/Oklahoma, USA
23 T7 **Little River** ≈ Georgia, SE USA
22 H6 **Little River** ≈ Louisiana, S USA
25 T10 **Little River** ≈ Texas, SW USA
27 V12 **Little Rock** *state capital* Arkansas, C USA
31 N8 **Little Sable Point** *headland* Michigan, N USA
103 U11 **Little Saint Bernard Pass** *Fr.* Col du Petit St-Bernard, *It.* Colle di Piccolo San Bernardo. *pass* France/Italy
36 K7 **Little Salt Lake** ◎ Utah, W USA
180 K8 **Little Sandy Desert** *desert* Western Australia
29 S13 **Little Sioux River** ≈ Iowa, C USA
38 E17 **Little Sitkin Island** *island* Aleutian Islands, Alaska, USA
11 O13 **Little Smoky** Alberta, W Canada
11 O14 **Little Smoky** ≈ Alberta, W Canada
37 P3 **Little Snake River** ≈ Colorado, C USA
64 A12 **Little Sound** *bay* Bermuda, NW Atlantic Ocean
37 T4 **Littleton** Colorado, C USA
19 N7 **Littleton** New Hampshire, NE USA
18 D11 **Little Valley** New York, NE USA
30 M15 **Little Wabash River** ≈ Illinois, N USA
14 D10 **Little White River** ≈ Ontario, S Canada
28 M12 **Little White River** ≈ South Dakota, N USA
25 R5 **Little Wichita River** ≈ Texas, SW USA
142 I4 **Little Zab** *Ar.* Nahraz Zāb aş Şaghīr, *Kurd.* Zē-i Kōya, *Per.* Rūdkhāneh-ye Zāb-e Kūchek. ≈ Iran/Iraq
79 D15 **Littoral** ◆ *province* W Cameroon
Littoria *see* Latina
Litva/Litwa *see* Lithuania
111 B15 **Litvínov** *Ger.* Ústecký Kraj, NW Czech Republic
116 M6 **Lityn** Vinnyts'ka Oblast', C Ukraine
Liu-chou/Liuchow *see* Liuzhou
163 W11 **Liuhe** Jilin, NE China
83 Q15 **Liúpo** Nampula, NE Mozambique
83 G14 **Liuwa Plain** *plain* W Zambia
160 L13 **Liuzhou** *var.* Liu-chou, Liuchow. Guangxi Zhuangzu Zizhiqu, S China
116 H8 **Livada** *Hung.* Sárköz. Satu Mare, NW Romania
115 J20 **Livádia, Akrotírio** *headland* Tínos, Kykládes, Greece, Aegean Sea
115 L21 **Livádi** *island* Kykládes, Greece, Aegean Sea
Livanátai *see* Livanátes
115 G18 **Livanátes** *prev.* Livanátai. Stereá Ellás, C Greece
113 I10 **Līvāni** *Ger.* Lievenhof. Preiļi, SE Latvia
65 E25 **Lively Island** *island* SE Falkland Islands
65 D25 **Lively Sound** *sound* SE Falkland Islands
39 R8 **Livengood** Alaska, USA
106 I7 **Livenza** ≈ NE Italy
35 O6 **Live Oak** California, W USA
23 U9 **Live Oak** Florida, SE USA
35 O9 **Livermore** California, W USA
20 I6 **Livermore** Kentucky, S USA
19 Q7 **Livermore Falls** Maine, NE USA
24 J10 **Livermore, Mount** ▲ Texas, SW USA
97 K17 **Liverpool** NW England, UK
183 S7 **Liverpool Range** ▲ New South Wales, SE Australia
96 J12 **Livingston** C Scotland, UK
23 N5 **Livingston** Alabama, S USA
35 P9 **Livingston** California, W USA
22 J8 **Livingston** Louisiana, S USA
33 S11 **Livingston** Montana, NW USA
20 L8 **Livingston** Tennessee, S USA
25 W9 **Livingston** Texas, SW USA
42 F4 **Livingston** Izabal, E Guatemala
83 I16 **Livingstone** *var.* Maramba. Southern, S Zambia
185 B22 **Livingstone Mountains** ▲ South Island, NZ
80 K13 **Livingstone Mountains** ▲ S Tanzania
82 N12 **Livingstonia** Northern, N Malawi
194 G4 **Livingston Island** *island* Antarctica
25 W9 **Livingston, Lake** ⊡ Texas, SW USA
112 F13 **Livno** Federacija Bosna I Hercegovina, SW Bosnia and Herzegovina
126 K7 **Livny** Orlovskaya Oblast', W Russian Federation
93 M14 **Livojoki** ≈ C Finland
31 R10 **Livonia** Michigan, N USA
106 E11 **Livorno** *Eng.* Leghorn. Toscana, C Italy
Livramento *see* Santana do Livramento
141 U8 **Līwā** *var.* Al Liwā'. *oasis region* S UAE
81 I24 **Liwale** Lindi, SE Tanzania
159 W9 **Liwangbu** Ningxia, N China
83 N15 **Liwonde** Southern, S Malawi
159 V11 **Lixian** *var.* Li Xian. Gansu, C China
160 H8 **Lixian** *var.* Li Xian, Zagunao. Sichuan, C China
Lixian Jiang *see* Black River
115 B18 **Lixoúri** *prev.* Lixoúrion. Kefallinía, Iónioi Nísoi, Greece, C Mediterranean Sea
Lixoúrion *see* Lixoúri
Lixus *see* Larache
Lizarra *see* Estella
33 U15 **Lizard Head Peak** ▲ Wyoming, C USA
97 H25 **Lizard Point** *headland* SW England, UK
112 L12 **Ljig** Serbia, C Serbia and Montenegro (Yugo.)
Ljouwert *see* Leeuwarden
Ljubelj *see* Loibl Pass
109 U11 **Ljubljana** *Ger.* Laibach, *It.* Lubiana; *anc.* Aemona, Emona. ● (Slovenia) C Slovenia
109 T11 **Ljubljana** ✈ C Slovenia
113 N17 **Ljuboten** ▲ S Serbia and Montenegro (Yugo.)
95 P19 **Ljugarn** Gotland, SE Sweden
84 G7 **Ljungan** ≈ N Sweden
95 F17 **Ljungan** ≈ C Sweden
95 K21 **Ljungby** Kronoberg, S Sweden
95 M17 **Ljungsbro** Östergötland, S Sweden
95 I18 **Ljungskile** Västra Götaland, S Sweden
94 M11 **Ljusdal** Gävleborg, C Sweden
94 M11 **Ljusnan** ≈ C Sweden
94 N12 **Ljusne** Gävleborg, C Sweden
95 P15 **Ljusterö** Stockholm, C Sweden
109 X9 **Ljutomer** *Ger.* Luttenberg. NE Slovenia
63 G15 **Llaima, Volcán** ▲ S Chile
105 X4 **Llançà** *var.* Llansá. Cataluña, NE Spain
97 J21 **Llandovery** C Wales, UK
97 J20 **Llandrindod Wells** E Wales, UK
97 J18 **Llandudno** N Wales, UK
97 I21 **Llanelli** *prev.* Llanelly. SW Wales, UK
Llanelly *see* Llanelli
104 M2 **Llanes** Asturias, N Spain
97 K19 **Llangollen** NE Wales, UK
25 R10 **Llano** Texas, SW USA
25 Q10 **Llano River** ≈ Texas, SW USA
54 I9 **Llanos** *physical region* Colombia/Venezuela
63 G16 **Llanquihue, Lago** ◎ S Chile
Llansá *see* Llançà
105 U5 **Lleida** *Cast.* Lérida; *anc.* Ilerda. Cataluña, NE Spain
105 U5 **Lleida** *Cast.* Lérida ◆ *province* Cataluña, NE Spain
104 K12 **Llerena** Extremadura, W Spain
105 S9 **Llíria** País Valenciano, E Spain
105 W4 **Llívia** Cataluña, NE Spain
105 O3 **Llodio** País Vasco, N Spain
105 X5 **Lloret de Mar** Cataluña, NE Spain
Llorri *see* Tossal de l'Orri
10 L11 **Lloyd George, Mount** ▲ British Columbia, W Canada
11 R14 **Lloydminster** Alberta/Saskatchewan, SW Canada
36 L6 **Loa** Utah, W USA
169 S8 **Loagan Bunut** ◎ East Malaysia
38 G12 **Loa, Mauna** ▲ Hawai'i, USA, C Pacific Ocean
Loanda *see* Luanda
79 J22 **Loange** ≈ S Dem. Rep. Congo
79 E21 **Loango** Le Kouilou, S Congo
106 B10 **Loano** Liguria, NW Italy
52 H4 **Loa, Río** ≈ N Chile
83 I20 **Lobatse** *var.* Lobatsi. Kgatleng, SE Botswana
Lobatsi *see* Lobatse
101 Q15 **Löbau** Sachsen, E Germany
79 H16 **Lobaye** ◆ *prefecture* SW Central African Republic
79 I16 **Lobaye** ≈ SW Central African Republic
99 G21 **Lobbes** Hainaut, S Belgium
61 D23 **Lobería** Buenos Aires, E Argentina
110 F8 **Łobez** *Ger.* Labes. Zachodnio-pomorskie, NW Poland
82 A13 **Lobito** Benguela, W Angola
Lobkovichi *see* Labkovichy
Lob Nor *see* Lop Nur
171 V13 **Lobo** Papua, E Indonesia
104 J11 **Lobón** Extremadura, W Spain
61 D20 **Lobos** Buenos Aires, E Argentina
40 E4 **Lobos, Cabo** *headland* NW Mexico
40 F6 **Lobos, Isla** *island* NW Mexico
Lobositz *see* Lovosice
Lobsens *see* Łobżenica
Loburi *see* Lop Buri
110 H9 **Łobżenica** *Ger.* Lobsens. Wielkopolskie, C Poland
108 G11 **Locarno** *Ger.* Luggarus. Ticino, S Switzerland
96 E9 **Lochboisdale** NW Scotland, UK
98 N11 **Lochem** Gelderland, E Netherlands
102 M8 **Loches** Indre-et-Loire, C France
Loch Garman *see* Wexford
96 F12 **Lochgilphead** W Scotland, UK
96 H7 **Lochinver** N Scotland, UK
96 F8 **Lochmaddy** NW Scotland, UK
96 J10 **Lochnagar** ▲ C Scotland, UK
99 E17 **Lochristi** Oost-Vlaanderen, NW Belgium
96 H9 **Lochy, Loch** ◎ N Scotland, UK
182 G8 **Lock** South Australia
97 J14 **Lockerbie** S Scotland, UK
27 S13 **Lockesburg** Arkansas, C USA
183 P10 **Lockhart** New South Wales, SE Australia
25 S11 **Lockhart** Texas, SW USA
18 F13 **Lock Haven** Pennsylvania, NE USA
25 N4 **Lockney** Texas, SW USA
100 O12 **Löcknitz** ≈ NE Germany
18 E9 **Lockport** New York, NE USA
167 T13 **Lộc Ninh** Sông Be, S Vietnam
107 N23 **Locri** Calabria, SW Italy
Locse *see* Levoča
27 T2 **Locust Creek** ≈ Missouri, C USA
23 P3 **Locust Fork** ≈ Alabama, S USA
27 Q9 **Locust Grove** Oklahoma, C USA
94 E11 **Lodalskåpa** ▲ S Norway
183 N10 **Loddon River** ≈ Victoria, SE Australia
Lodensee *see* Klooga
103 P15 **Lodève** *anc.* Luteva. Hérault, S France
124 I12 **Lodeynoye Pole** Leningradskaya Oblast', NW Russian Federation
33 V11 **Lodge Grass** Montana, NW USA
28 J15 **Lodgepole Creek** ≈ Nebraska/Wyoming, C USA
149 T11 **Lodhrān** Punjab, E Pakistan
106 D8 **Lodi** Lombardia, NW Italy
35 O8 **Lodi** California, W USA
31 T12 **Lodi** Ohio, N USA
92 H10 **Lødingen** Nordland, C Norway
79 L20 **Lodja** Kasai Oriental, C Dem. Rep. Congo
37 O3 **Lodore, Canyon of** *canyon* Colorado, C USA
105 Q4 **Lodosa** Navarra, N Spain
81 H16 **Lodwar** Rift Valley, NW Kenya
110 K13 **Łódź** *Rus.* Lodz. Łódź, C Poland
110 J13 **Łódzkie** ◆ *province* C Poland
167 P8 **Loei** *var.* Loey, Muang Loei. Loei, C Thailand
98 I11 **Loenen** Utrecht, C Netherlands
167 R9 **Loeng Nok Tha** Yasothon, E Thailand
83 F24 **Loeriesfontein** Northern Cape, W South Africa
95 H20 **Læsø** *island* N Denmark
Loewoek *see* Luwuk
Loey *see* Loei
76 J16 **Lofa** ≈ N Liberia
109 P6 **Lofer** Salzburg, C Austria
92 F11 **Lofoten** *var.* Lofoten Islands. *island group* C Norway
Lofoten Islands *see* Lofoten
95 N18 **Loftahammar** Kalmar, S Sweden
127 O10 **Log** Volgogradskaya Oblast', SW Russian Federation
77 S12 **Loga** Dosso, SW Niger
29 S14 **Logan** Iowa, C USA
26 K3 **Logan** Kansas, C USA
31 T14 **Logan** Ohio, N USA
36 L1 **Logan** Utah, W USA
21 P6 **Logan** West Virginia, NE USA
35 Y10 **Logandale** Nevada, W USA
19 O11 **Logan International** ✈ (Boston) Massachusetts, NE USA
11 N16 **Logan Lake** British Columbia, SW Canada
23 Q4 **Logan Martin Lake** ⊡ Alabama, S USA
10 G8 **Logan, Mount** ▲ Yukon Territory, W Canada
32 I7 **Logan, Mount** ▲ Washington, NW USA
33 P7 **Logan Pass** *pass* Montana, NW USA
31 O12 **Logansport** Indiana, N USA
22 F6 **Logansport** Louisiana, S USA
Logar *see* Lowgar
Logishin *see* Lahishyn
Log na Coille *see* Lugnaquillia Mountain
78 G11 **Logone** *var.* Lagone. ≈ Cameroon/Chad
78 G13 **Logone-Occidental** *off.* Préfecture du Logone-Occidental. ◆ *prefecture* SW Chad
78 H13 **Logone Occidental** ≈ SW Chad
78 G13 **Logone-Oriental** *off.* Préfecture du Logone-Oriental. ◆ *prefecture* SW Chad
78 H13 **Logone Oriental** ≈ SW Chad
Logone Oriental *see* Pendé
L'Ogooué-Ivindo *see* Ogooué-Ivindo
L'Ogooué-Lolo *see* Ogooué-Lolo
L'Ogooué-Maritime *see* Ogooué-Maritime
Logoysk *see* Lahoysk
105 P4 **Logroño** *anc.* Vareia, *Lat.* Juliobriga. La Rioja, N Spain
104 L10 **Logrosán** Extremadura, W Spain
95 G20 **Løgstør** Nordjylland, N Denmark
95 H22 **Løgten** Århus, C Denmark
95 F24 **Løgumkloster** Sønderjylland, SW Denmark
Lögurinn *see* Lagarfljót
153 P15 **Lohārdaga** Jhārkhand, N India
152 H10 **Lohāru** Haryāna, N India
101 D15 **Lohausen** ✈ (Düsseldorf) Nordrhein-Westfalen, W Germany
189 O14 **Lohd** Pohnpei, E Micronesia
92 L12 **Lohiniva** Lappi, N Finland
Lohiszyn *see* Lahishyn
93 L20 **Lohja** *var.* Lojo. Etelä-Suomi, S Finland
169 V11 **Lohjanan** Borneo, C Indonesia
25 Q9 **Lohn** Texas, SW USA
100 G12 **Lohne** Niedersachsen, NW Germany
Lohr *see* Lohr am Main
101 I18 **Lohr am Main** *var.* Lohr. Bayern, C Germany
109 T10 **Loibl Pass** *Ger.* Loiblpass, *Slvn.* Ljubelj. *pass* Austria/Slovenia
167 N6 **Loi-Kaw** Kayah State, C Myanmar
93 K19 **Loimaa** Länsi-Suomi, W Finland
103 O6 **Loing** ≈ C France
167 R6 **Loi, Phou** ▲ N Laos
102 L7 **Loir** ≈ C France
103 Q11 **Loire** ◆ *department* E France
102 M7 **Loire** *var.* Liger. ≈ C France
102 I7 **Loire-Atlantique** ◆ *department* NW France
103 O7 **Loiret** ◆ *department* C France
102 M8 **Loir-et-Cher** ◆ *department* C France
101 L24 **Loisach** ≈ SE Germany
56 B9 **Loja** Loja, S Ecuador
104 M14 **Loja** Andalucía, S Spain
56 B9 **Loja** ◆ *province* S Ecuador
Lojo *see* Lohja
116 J4 **Lokachi** Volyns'ka Oblast', NW Ukraine
79 M20 **Lokandu** Maniema, C Dem. Rep. Congo
92 M11 **Lokan Tekojärvi** ◎ NE Finland
137 Z11 **Lökbatan** *Rus.* Lokbatan. E Azerbaijan
99 F17 **Lokeren** Oost-Vlaanderen, NW Belgium
Lokhvytsya *see* Lokhvytsya
117 S4 **Lokhvytsya** *Rus.* Lokhvitsa. Poltavs'ka Oblast', NE Ukraine
81 H17 **Lokichar** Rift Valley, NW Kenya
81 G16 **Lokichokio** Rift Valley, NW Kenya
81 H16 **Lokitaung** Rift Valley, NW Kenya
92 M11 **Lokka** Lappi, N Finland
94 G8 **Løkken Verk** Sør-Trøndelag, S Norway
124 G16 **Loknya** Pskovskaya Oblast', W Russian Federation
77 V15 **Loko** Nassarawa, C Nigeria
77 U15 **Lokoja** Kogi, C Nigeria
81 H17 **Lokori** Rift Valley, W Kenya
77 R16 **Lokossa** S Benin
118 I3 **Loksa** *Ger.* Loxa. Harjumaa, NW Estonia
9 T7 **Loks Land** *island* Nunavut, NE Canada
80 C13 **Lol** ≈ S Sudan
76 K15 **Lola** Guinée-Forestière, SE Guinea
35 Q5 **Lola, Mount** ▲ California, W USA
81 H20 **Loliondo** Arusha, NE Tanzania
95 H25 **Lolland** *prev.* Laaland. *island* S Denmark
186 G6 **Lolobau Island** *island* E PNG
79 E16 **Lolodorf** Sud, SW Cameroon
114 G7 **Lom** *prev.* Lom-Palanka. Oblast Montana, NW Bulgaria
114 G7 **Lom** ≈ Montana, NW Bulgaria
79 M19 **Lomami** ≈ C Dem. Rep. Congo
57 F17 **Lomas** Arequipa, SW Peru
63 I23 **Lomas, Bahía** *bay* S Chile
61 D20 **Lomas de Zamora** Buenos Aires, E Argentina
61 D20 **Loma Verde** Buenos Aires, E Argentina
180 K4 **Lombadina** Western Australia
106 E6 **Lombardia** *Eng.* Lombardy. ◆ *region* N Italy
Lombardy *see* Lombardia
102 M15 **Lombez** Gers, S France
171 Q16 **Lomblen, Pulau** *island* Nusa Tenggara, S Indonesia
173 W7 **Lombok Basin** *undersea feature* E Indian Ocean
170 L16 **Lombok, Pulau** *island* Nusa Tenggara, C Indonesia
77 Q16 **Lomé** ● (Togo) S Togo
77 Q16 **Lomé** ✈ S Togo
79 L19 **Lomela** Kasai Oriental, C Dem. Rep. Congo
25 R9 **Lometa** Texas, SW USA
79 F16 **Lomié** Est, SE Cameroon
30 M8 **Lomira** Wisconsin, N USA
95 K23 **Lomma** Skåne, S Sweden
99 J16 **Lommel** Limburg, N Belgium
96 I11 **Lomond, Loch** ◎ C Scotland, UK
197 R9 **Lomonosov Ridge** *var.* Harris Ridge, *Rus.* Khrebet Lomonsova. *undersea feature* Arctic Ocean
Lomonsova, Khrebet *see* Lomonosov Ridge
Lom-Palanka *see* Lom
Lomphat *see* Lumphăt
35 P14 **Lompoc** California, W USA
157 P9 **Lom Sak** *var.* Muang Lom Sak. Phetchabun, C Thailand
110 N9 **Łomża** *Rus.* Lomzha. Podlaskie, NE Poland
Lomzha *see* Łomża
155 D14 **Lonāvale** *prev.* Lonauli. Mahārāshtra, W India
63 G15 **Loncoche** Araucanía, C Chile
63 H14 **Loncopue** Neuquén, W Argentina
99 G17 **Londerzeel** Vlaams Brabant, C Belgium
Londinium *see* London
14 E16 **London** Ontario, S Canada
191 Y2 **London** Kiritimati, E Kiribati
97 O22 **London** *anc.* Augusta, *Lat.* Londinium. ● (UK) SE England, UK
21 N7 **London** Kentucky, S USA
31 S13 **London** Ohio, NE USA
25 Q10 **London** Texas, SW USA
97 O22 **London City** ✈ SE England, UK
97 E14 **Londonderry** *var.* Derry, *Ir.* Doire. NW Northern Ireland, UK
97 F14 **Londonderry** *cultural region* NW Northern Ireland, UK
180 M2 **Londonderry, Cape** *headland* Western Australia
63 H25 **Londonderry, Isla** *island* S Chile
43 C7 **Londres, Cayos** *reef* NE Nicaragua
60 I10 **Londrina** Paraná, S Brazil
27 N13 **Lone Grove** Oklahoma, C USA
14 E12 **Lonely Island** *island* Ontario, S Canada
35 T8 **Lone Mountain** ▲ Nevada, W USA
25 V6 **Lone Oak** Texas, SW USA
35 T11 **Lone Pine** California, W USA
Lone Star State *see* Texas
83 D14 **Longa** Cuando Cubango, C Angola
82 B12 **Longa** ≈ W Angola
83 E15 **Longa** ≈ SE Angola
Long'an *see* Pingwu
197 S4 **Longa, Proliv** *Eng.* Long Strait. *strait* NE Russian Federation
44 J13 **Long Bay** *bay* W Jamaica
21 V13 **Long Bay** *bay* North Carolina/South Carolina, E USA
35 T16 **Long Beach** California, W USA
22 M9 **Long Beach** Mississippi, S USA
18 L14 **Long Beach** Long Island, New York, NE USA
32 F9 **Long Beach** Washington, NW USA
18 K16 **Long Beach Island** *island* New Jersey, NE USA
65 M25 **Longbluff** *headland* SW Tristan da Cunha
23 U13 **Longboat Key** *island* Florida, SE USA
18 K15 **Long Branch** New Jersey, NE USA
44 J5 **Long Cay** *island* SE Bahamas
Longcheng *see* Xiaoxian
161 P14 **Longchuan** *var.* Laolong. Guangdong, S China
Longchuan *see* Nanhua
Longchuan Jiang *see* Shweli
32 K12 **Long Creek** Oregon, NW USA
159 W10 **Longde** Ningxia, N China
183 P16 **Longford** Tasmania, SE Australia
97 D17 **Longford** *Ir.* An Longfort. C Ireland
97 E17 **Longford** *Ir.* An Longfort. *cultural region* C Ireland
Longgang *see* Dazu
163 W11 **Longgang Shan** ▲ NE China
161 P1 **Longhua** Hebei, E China
169 U11 **Longiram** Borneo, C Indonesia
44 J4 **Long Island** *island* C Bahamas
12 H8 **Long Island** *island* Nunavut, C Canada
186 D7 **Long Island** *var.* Arop Island. *island* N PNG
18 L14 **Long Island** *island* New York, NE USA
18 M14 **Long Island Sound** *sound* NE USA
160 K13 **Long Jiang** ≈ S China
163 U7 **Longjiang** Heilongjiang, NE China
163 Y10 **Longjing** *var.* Yanji. Jilin, NE China
161 R4 **Longkou** Shandong, E China
12 E11 **Longlac** Ontario, S Canada
19 S1 **Long Lake** ◎ Maine, NE USA
31 O6 **Long Lake** ◎ Michigan, N USA
31 R5 **Long Lake** ◎ Michigan, N USA
29 N6 **Long Lake** ◎ North Dakota, N USA
30 J4 **Long Lake** ⊡ Wisconsin, N USA
99 K23 **Longlier** Luxembourg, SE Belgium
160 I13 **Longlin** *var.* Longlin Gezu Zizhixian, Xinzhou. Guangxi Zhuangzu Zizhiqu, S China
37 T3 **Longmont** Colorado, C USA
29 N13 **Long Pine** Nebraska, C USA
Longping *see* Luodian
14 F17 **Long Point** *headland* Ontario, S Canada
14 K15 **Long Point** *headland* Ontario, SE Canada
184 P10 **Long Point** *headland* North Island, NZ
30 L2 **Long Point** *headland* Michigan, N USA
14 G17 **Long Point Bay** *lake bay* Ontario, S Canada
29 T7 **Long Prairie** Minnesota, N USA
Longquan *see* Fenggang
13 S11 **Long Range Mountains** *hill range* Newfoundland and Labrador, E Canada
65 H25 **Long Range Point** *headland* SE Saint Helena
181 V8 **Longreach** Queensland, E Australia
160 H7 **Longriba** Sichuan, C China
160 L10 **Longshan** *var.* Min'an. Hunan, S China
37 S3 **Longs Peak** ▲ Colorado, C USA
Long Strait *see* Longa, Proliv
102 K8 **Longué** Maine-et-Loire, NW France
13 P11 **Longue-Pointe** Québec, E Canada
103 S4 **Longuyon** Meurthe-et-Moselle, NE France
25 W7 **Longview** Texas, SW USA
32 G10 **Longview** Washington, NW USA
65 H25 **Longwood** C Saint Helena
25 P7 **Longworth** Texas, SW USA
103 S3 **Longwy** Meurthe-et-Moselle, NE France
159 V11 **Longxi** Gansu, C China
Longxian *see* Wengyuan
167 S14 **Long Xuyên** *var.* Longxuyen. An Giang, S Vietnam
161 Q13 **Longyan** Fujian, SE China
92 O3 **Longyearbyen** ○ (Svalbard) Spitsbergen, W Svalbard
160 J15 **Longzhou** Guangxi Zhuangzu Zizhiqu, S China
Longzhouping *see* Changyang
100 F12 **Löningen** Niedersachsen, NW Germany
27 V11 **Lonoke** Arkansas, C USA
95 L21 **Lönsboda** Skåne, S Sweden
103 S9 **Lons-le-Saunier** *anc.* Ledo Salinarius. Jura, E France
31 O15 **Loogootee** Indiana, N USA
31 Q9 **Looking Glass River** ≈ Michigan, N USA
21 X11 **Lookout, Cape** *headland* North Carolina, SE USA
39 O6 **Lookout Ridge** *ridge* Alaska, USA
181 N11 **Loongana** Western Australia
99 I14 **Loon op Zand** Noord-Brabant, S Netherlands
97 A19 **Loop Head** *Ir.* Ceann Léime. *headland* W Ireland
109 V4 **Loosdorf** Niederösterreich, NE Austria
158 G10 **Lop** Xinjiang Uygur Zizhiqu, NW China
112 J11 **Lopare** Republika Srpska, NE Bosnia and Herzegovina
Lopatichi *see* Lapatsichy
127 Q15 **Lopatin** Respublika Dagestan, SW Russian Federation
127 P7 **Lopatino** Penzenskaya Oblast', W Russian Federation
167 P10 **Lop Buri** *var.* Loburi. Lop Buri, C Thailand
25 R16 **Lopeno** Texas, SW USA
79 C18 **Lopez, Cap** *headland* W Gabon
98 I12 **Lopik** Utrecht, C Netherlands
Lop Nor *see* Lop Nur
158 M7 **Lop Nur** *var.* Lob Nor, Lop Nor, Lo-pu Po. *seasonal lake* NW China
Lopnur *see* Yuli
79 K17 **Lopori** ≈ NW Dem. Rep. Congo
98 O5 **Loppersum** Groningen, NE Netherlands
92 I8 **Lopphavet** *sound* N Norway
Lo-pu Po *see* Lop Nur
Lora *see* Lowrah
182 F3 **Lora Creek** *seasonal river* South Australia
104 K13 **Lora del Río** Andalucía, S Spain
148 M11 **Lora, Hāmūn-i** *wetland* SW Pakistan
31 T11 **Lorain** Ohio, N USA
25 O7 **Loraine** Texas, SW USA
31 R13 **Loramie, Lake** ⊡ Ohio, N USA
105 Q13 **Lorca** *Ar.* Lurka; *anc.* Eliocroca, *Lat.* Illur co. Murcia, S Spain
192 I10 **Lord Howe Island** *island* E Australia
Lord Howe Island *see* Ontong Java Atoll
192 J11 **Lord Howe Rise** *undersea feature* SW Pacific Ocean
192 J10 **Lord Howe Seamounts** *undersea feature* W Pacific Ocean
37 P15 **Lordsburg** New Mexico, SW USA
186 E5 **Lorengau** *var.* Lorungau. Manus Island, N PNG

◆ Country ● Country Capital ◇ Dependent Territory ○ Dependent Territory Capital ❖ Administrative Region ✈ International Airport ▲ Mountain ▲ Mountain Range Volcano ≈ River ◎ Lake ⊡ Reservoir

282 ••• LORENZO – LUNINYETS

25 N5 **Lorenzo** Texas, SW USA
142 K7 **Lorestān** *off.* Ostān-e Lorestān, *var.* Luristan. ◈ *province* W Iran
57 M17 **Loreto** Beni, N Bolivia
106 J12 **Loreto** Marche, C Italy
40 F8 **Loreto** Baja California Sur, W Mexico
40 M11 **Loreto** Zacatecas, C Mexico
56 E9 **Loreto** *off.* Departamento de Loreto. ◈ *department* NE Peru
81 K18 **Lorian Swamp** *swamp* E Kenya
54 E6 **Lorica** Córdoba, NW Colombia
102 G7 **Lorient** *prev.* l'Orient. Morbihan, NW France
111 K22 **Lőrinci** Heves, NE Hungary
14 G11 **Loring** Ontario, S Canada
33 V6 **Loring** Montana, NW USA
103 R13 **Loriol-sur-Drôme** Drôme, E France
21 U12 **Loris** South Carolina, SE USA
57 I18 **Loriscota, Laguna** ◎ S Peru
183 N13 **Lorne** Victoria, SE Australia
96 G11 **Lorn, Firth of** *inlet* W Scotland, UK
Loro Sae *see* East Timor
101 F24 **Lörrach** Baden-Württemberg, S Germany
103 T5 **Lorraine** ◈ *region* NE France
Lorungau *see* Lorengau
94 L11 **Los** Gävleborg, C Sweden
35 P14 **Los Alamos** California, W USA
37 S10 **Los Alamos** New Mexico, SW USA
42 F5 **Los Amates** Izabal, E Guatemala
35 S15 **Los Angeles** California, W USA
35 S15 **Los Angeles** ✕ California, W USA
63 G14 **Los Ángeles** Bío Bío, C Chile
35 T13 **Los Angeles Aqueduct** *aqueduct* California, W USA
Losanna *see* Lausanne
63 H20 **Los Antiguos** Santa Cruz, SW Argentina
189 Q16 **Losap Atoll** *atoll* C Micronesia
35 P10 **Los Banos** California, W USA
104 K16 **Los Barrios** Andalucía, S Spain
62 L5 **Los Blancos** Salta, N Argentina
42 L12 **Los Chiles** Alajuela, NW Costa Rica
105 O2 **Los Corrales de Buelna** Cantabria, N Spain
25 T17 **Los Fresnos** Texas, SW USA
35 N9 **Los Gatos** California, W USA
110 O11 **Łosice** Mazowieckie, E Poland
112 B11 **Lošinj** *Ger.* Lussin, *It.* Lussino. *island* W Croatia
Los Jardines *see* Ngetik Atoll
63 G15 **Los Lagos** Los Lagos, C Chile
63 F17 **Los Lagos** *off.* Región de los Lagos. ◈ *region* C Chile
Loslau *see* Wodzisław Śląski
64 N11 **Los Llanos** *var.* Los Llanos de Aridane. La Palma, Islas Canarias, Spain, NE Atlantic Ocean
Los Llanos de Aridane *see* Los Llanos
37 R11 **Los Lunas** New Mexico, SW USA
63 I16 **Los Menucos** Río Negro, C Argentina
40 H8 **Los Mochis** Sinaloa, C Mexico
35 N4 **Los Molinos** California, W USA
104 M9 **Los Navalmorales** Castilla-La Mancha, C Spain
25 S15 **Los Olmos Creek** ≈ Texas, SW USA
Losonc/Losontz *see* Lučenec
167 S5 **Lô, Sông** *Chin.* Panlong Jiang. ≈ China/Vietnam
44 B5 **Los Palacios** Pinar del Río, W Cuba
104 K14 **Los Palacios y Villafranca** Andalucía, S Spain
171 R16 **Lospalos** E East Timor
37 R12 **Los Pinos Mountains** ▲ New Mexico, SW USA
37 R11 **Los Ranchos De Albuquerque** New Mexico, SW USA
40 M14 **Los Reyes** Michoacán de Ocampo, SW Mexico
56 B7 **Los Ríos** ◈ *province* C Ecuador
64 O11 **Los Rodeos** ✕ (Santa Cruz de Tenerife) Tenerife, Islas Canarias, Spain, NE Atlantic Ocean
54 L4 **Los Roques, Islas** *island group* N Venezuela
43 S17 **Los Santos** Los Santos, S Panama
43 S17 **Los Santos** *off.* Provincia de Los Santos. ◈ *province* S Panama
Los Santos *see* Los Santos de Maimona
104 J12 **Los Santos de Maimona** *var.* Los Santos. Extremadura, W Spain
98 P10 **Losser** Overijssel, E Netherlands
96 J8 **Lossiemouth** NE Scotland, UK
61 B14 **Los Tábanos** Santa Fe, C Argentina
54 J4 **Los Taques** Falcón, N Venezuela
14 G11 **Lost Channel** Ontario, S Canada
54 L5 **Los Teques** Miranda, N Venezuela
35 Q12 **Lost Hills** California, W USA
36 I7 **Lost Peak** ▲ Utah, W USA
33 P11 **Lost Trail Pass** *pass* Montana, NW USA
186 G9 **Losuia** Kiriwina Island, SE PNG
62 G10 **Los Vilos** Coquimbo, C Chile
105 N10 **Los Yébenes** Castilla-La Mancha, C Spain
103 N13 **Lot** ◈ *department* S France
103 N13 **Lot** ≈ S France
63 F14 **Lota** Bío Bío, C Chile
81 G15 **Lotagipi Swamp** *wetland* Kenya/Sudan
102 K14 **Lot-et-Garonne** ◈ *department* SW France
83 K21 **Lothair** Mpumalanga, NE South Africa
33 R7 **Lothair** Montana, NW USA
79 L20 **Loto** Kasai Oriental, C Dem. Rep. Congo
192 H16 **Lotofagā** Upolu, SE Samoa
108 E10 **Lötschbergtunnel** *tunnel* Valais, SW Switzerland
25 T9 **Lott** Texas, SW USA
126 H3 **Lotta** *var.* Lutto. ≈ Finland/Russian Federation
184 Q7 **Lottin Point** *headland* North Island, NZ
Lötzen *see* Giżycko
Loualaba *see* Lualaba
167 P6 **Louangnamtha** *var.* Luong Nam Tha. Louang Namtha, N Laos
167 Q7 **Louangphabang** *var.* Louangphrabang, Luang Prabang. Louangphabang, N Laos
Louangphrabang *see* Louangphabang
194 H5 **Loubet Coast** *physical region* Antarctica
Loubomo *see* Dolisie
Louch *see* Loukhi
102 H6 **Loudéac** Côtes d'Armor, NW France
160 M11 **Loudi** Hunan, S China
79 F21 **Loudima** La Bouenza, S Congo
20 M9 **Loudon** Tennessee, S USA
31 T12 **Loudonville** Ohio, N USA
102 L8 **Loudun** Vienne, W France
102 K7 **Loué** Sarthe, NW France
76 G10 **Louga** NW Senegal
97 M19 **Loughborough** C England, UK
8 L4 **Lougheed Island** *island* Nunavut, N Canada
97 C18 **Loughrea** *Ir.* Baile Locha Riach. W Ireland
103 S9 **Louhans** Saône-et-Loire, C France
21 P5 **Louisa** Kentucky, S USA
21 V5 **Louisa** Virginia, NE USA
21 V9 **Louisburg** North Carolina, SE USA
25 U12 **Louise** Texas, SW USA
15 P11 **Louiseville** Québec, SE Canada
27 W3 **Louisiana** Missouri, C USA
22 G8 **Louisiana** *off.* State of Louisiana; also known as Creole State, Pelican State. ◈ *state* S USA
186 E5 **Lou Island** *island* N PNG
83 K19 **Louis Trichardt** Limpopo, NE South Africa
23 V4 **Louisville** Georgia, SE USA
30 M15 **Louisville** Illinois, N USA
20 K5 **Louisville** Kentucky, S USA
22 M4 **Louisville** Mississippi, S USA
29 S15 **Louisville** Nebraska, C USA
192 L11 **Louisville Ridge** *undersea feature* S Pacific Ocean
124 J6 **Loukhi** *var.* Louch. Respublika Kareliya, NW Russian Federation
79 H19 **Loukoléla** Cuvette, E Congo
104 G14 **Loulé** Faro, S Portugal
111 C16 **Louny** *Ger.* Laun. Ústecký kraj NW Czech Republic
29 O15 **Loup City** Nebraska, C USA
29 P15 **Loup River** ≈ Nebraska, C USA
15 S9 **Loup, Rivière du** ≈ Québec, SE Canada
12 K7 **Loups Marins, Lacs des** *lakes* Québec, NE Canada
102 K16 **Lourdes** Hautes-Pyrénées, S France
Lourenço Marques *see* Maputo
104 F11 **Loures** Lisboa, C Portugal
104 F10 **Lourinhã** Lisboa, C Portugal
115 C16 **Loúros** ≈ W Greece
104 G8 **Lousã** Coimbra, N Portugal
160 M10 **Lou Shui** ≈ C China
183 O5 **Louth** New South Wales, SE Australia
97 O18 **Louth** E England, UK
97 F17 **Louth** *Ir.* Lú. *cultural region* NE Ireland
115 H15 **Loutrá** Kentrikí Makedonía, N Greece
115 G19 **Loutráki** Pelopónnisos, S Greece
Louvain *see* Leuven
99 H19 **Louvain-la Neuve** Wallon Brabant, C Belgium
14 J8 **Louvicourt** Québec, SE Canada
102 M4 **Louviers** Eure, N France
30 K14 **Lou Yaeger, Lake** ⊡ Illinois, N USA
93 J15 **Lövånger** Västerbotten, N Sweden
126 J14 **Lovat'** ≈ NW Russian Federation
113 J17 **Lovćen** ▲ S Serbia and Montenegro (Yugo.)
114 I8 **Lovech** Lovech, N Bulgaria
114 I9 **Lovech** ◈ *province* N Bulgaria
25 V9 **Lovelady** Texas, SW USA
37 T3 **Loveland** Colorado, C USA
33 U12 **Lovell** Wyoming, C USA
Lovello, Monte *see* Grosser Löffler
35 S4 **Lovelock** Nevada, W USA
106 E7 **Lovere** Lombardia, N Italy
30 L10 **Loves Park** Illinois, N USA
26 M2 **Lovewell Reservoir** ⊡ Kansas, C USA
93 M19 **Loviisa** *Swe.* Lovisa. Etelä-Suomi, S Finland
37 V15 **Loving** New Mexico, SW USA
21 U6 **Lovingston** Virginia, NE USA
37 V14 **Lovington** New Mexico, SW USA
Lovisa *see* Loviisa
111 C15 **Lovosice** *Ger.* Lobositz. Ústecký Kraj, NW Czech Republic
124 K4 **Lovozero** Murmanskaya Oblast', NW Russian Federation
126 K4 **Lovozero, Ozero** ◎ NW Russian Federation
112 B9 **Lovran** *It.* Laurana. Primorje-Gorski Kotar, NW Croatia
116 E11 **Lovrin** *Ger.* Lowrin. Timiş, W Romania
82 E10 **Lóvua** Lunda Norte, NE Angola
82 G12 **Lóvua** Moxico, E Angola
65 D25 **Low Bay** *bay* East Falkland, Falkland Islands
9 P9 **Low, Cape** *headland* Nunavut, E Canada
33 N10 **Lowell** Idaho, NW USA
19 O10 **Lowell** Massachusetts, NE USA
Löwen *see* Leuven
Löwenberg in Schlesien *see* Lwówek Śląski
Lower Austria *see* Niederösterreich
Lower Bann *see* Bann
Lower California *see* Baja California
Lower Danube *see* Niederösterreich
185 L14 **Lower Hutt** Wellington, North Island, NZ
39 N11 **Lower Kalskag** Alaska, USA
35 O1 **Lower Klamath Lake** ◎ California, W USA
35 Q2 **Lower Lake** ◎ California/Nevada, W USA
97 E15 **Lower Lough Erne** ◎ SW Northern Ireland, UK
Lower Lusatia *see* Niederlausitz
Lower Normandy *see* Basse-Normandie, France
10 K9 **Lower Post** British Columbia, W Canada
29 T4 **Lower Red Lake** ◎ Minnesota, N USA
Lower Rhine *see* Neder Rijn
Lower Saxony *see* Niedersachsen
Lower Tunguska *see* Nizhnyaya Tunguska
97 Q19 **Lowestoft** E England, UK
149 Q5 **Lowgar** *var.* Logar. ◈ *province* E Afghanistan
182 H7 **Low Hill** South Australia
110 K12 **Łowicz** Łódzkie, C Poland
33 N13 **Lowman** Idaho, NW USA
149 P8 **Lowrah** *var.* Lora. ≈ SE Afghanistan
Lowrin *see* Lovrin
183 N17 **Low Rocky Point** *headland* Tasmania, SE Australia
18 I8 **Lowville** New York, NE USA
Loxa *see* Loksa
182 K9 **Loxton** South Australia
81 G21 **Loya** Tabora, C Tanzania
30 K6 **Loyal** Wisconsin, N USA
18 G13 **Loyalsock Creek** ≈ Pennsylvania, NE USA
35 Q5 **Loyalton** California, W USA
Lo-yang *see* Luoyang
187 Q16 **Loyauté, Îles** *island group* S New Caledonia
Loyev *see* Loyew
119 O20 **Loyew** *Rus.* Loyev. Homyel'skaya Voblasts', SE Belarus
125 S13 **Loyno** Kirovskaya Oblast', NW Russian Federation
103 P13 **Lozère** ◈ *department* S France
103 Q14 **Lozère, Mont** ▲ S France
112 J11 **Loznica** Serbia, W Serbia and Montenegro (Yugo.)
117 V7 **Lozova** *Rus.* Lozovaya. Kharkivs'ka Oblast', E Ukraine
Lozovaya *see* Lozova
105 N7 **Lozoyuela** Madrid, C Spain
Lœvvajok *see* Leavvajohka
Lu *see* Shandong, China
Lú *see* Louth, Ireland
82 F12 **Luacano** Moxico, E Angola
79 N21 **Lualaba** *Fr.* Loualaba. ≈ SE Dem. Rep. Congo
83 H14 **Luampa** Western, NW Zambia
83 H15 **Luampa Kuta** Western, W Zambia
161 P8 **Lu'an** Anhui, E China
104 K2 **Luanco** Asturias, N Spain
82 A11 **Luanda** *var.* Loanda, *Port.* São Paulo de Loanda. ● (Angola) Luanda, NW Angola
82 A11 **Luanda** ◈ *province* NW Angola
82 A11 **Luanda** ✕ Luanda, NW Angola
82 D12 **Luando** ≈ C Angola
Luang *see* Tapi, Mae Nam
83 G14 **Luanginga** *var.* Luanguinga. ≈ Angola/Zambia
167 N15 **Luang, Khao** ▲ SW Thailand
Luang Prabang *see* Louangphabang
167 P8 **Luang Prabang Range** *Th.* Thiukhaoluang Phrahang. ▲ Laos/Thailand
167 N16 **Luang, Thale** *lagoon* S Thailand
Luangua, Rio *see* Luangwa
82 E11 **Luangue** ≈ NE Angola
Luanguinga *see* Luanginga
83 K15 **Luangwa** *var.* Aruângua. Lusaka, C Zambia
83 K14 **Luangwa** *var.* Aruângua, Rio Luangua. ≈ Mozambique/Zambia
161 Q2 **Luan He** ≈ E China
190 G11 **Luaniva, Île** *island* E Wallis and Futuna
161 P2 **Luanping** *var.* Anjiangying. Hebei, E China
82 J13 **Luanshya** Copperbelt, C Zambia
62 K13 **Luan Toro** La Pampa, C Argentina
161 Q2 **Luanxian** *var.* Luan Xian. Hebei, E China
82 J12 **Luapula** ◈ *province* N Zambia
79 O25 **Luapula** ≈ Dem. Rep. Congo/Zambia
104 J2 **Luarca** Asturias, N Spain
169 R10 **Luar, Danau** ◎ Borneo, N Indonesia
79 L25 **Luashi** Katanga, S Dem. Rep. Congo
82 G12 **Luau** *Port.* Vila Teixeira de Sousa. Moxico, NE Angola
79 C16 **Luba** *prev.* San Carlos. Isla de Bioco, NW Equatorial Guinea
42 F4 **Lubaantun** *ruins* Toledo, S Belize
111 P16 **Lubaczów** *var.* Lúbaczów. Podkarpackie, SE Poland
Lubale *see* Lubalo
82 E11 **Lubalo** Lunda Norte, NE Angola
82 E11 **Lubalo** *var.* Lubale. ≈ Angola/Zaire
118 J9 **Lubāna** Madona, E Latvia
Lubānas Ezers *see* Lubāns
171 N4 **Lubang Island** *island* N Philippines
83 B15 **Lubango** *Port.* Sá da Bandeira. Huíla, SW Angola
118 J9 **Lubāns** *var.* Lubānas Ezers. ◎ E Latvia
79 M21 **Lubao** Kasai Oriental, C Dem. Rep. Congo
110 O13 **Lubartów** *Ger.* Qumälisch. Lubelskie, E Poland
100 G13 **Lübbecke** Nordrhein-Westfalen, NW Germany
100 O13 **Lübben** Brandenburg, E Germany
101 P14 **Lübbenau** Brandenburg, E Germany
25 N5 **Lubbock** Texas, SW USA
Lubcz *see* Lyubcha
19 U6 **Lubec** Maine, NE USA
100 K9 **Lübeck** Schleswig-Holstein, N Germany
100 K8 **Lübecker Bucht** *bay* N Germany
79 M21 **Lubefu** Kasai Oriental, C Dem. Rep. Congo
163 T10 **Lubei** *var.* Jarud Qi. Nei Mongol Zizhiqu, N China
111 O14 **Lubelska, Wyżyna** *plateau* SE Poland
111 O14 **Lubelskie** ◈ *province* E Poland
Lubembe *see* Luembe
Lüben *see* Lubin
144 H9 **Lubenka** Zapadnyy Kazakhstan, W Kazakhstan
79 P18 **Lubero** Nord Kivu, E Dem. Rep. Congo
79 L22 **Lubi** ≈ S Dem. Rep. Congo
Lubiana *see* Ljubljana
110 J11 **Lubień Kujawski** Kujawsko-pomorskie, C Poland
110 F13 **Lubin** *Ger.* Lüben. Dolnośląskie, SW Poland
111 O14 **Lublin** *Rus.* Lyublin. Lubelskie, E Poland
111 J15 **Lubliniec** Śląskie, S Poland
Lubnān, Jabal *see* Liban, Jebel
117 R5 **Lubny** Poltavs'ka Oblast', NE Ukraine
Luboml *see* Lyuboml'
110 G11 **Luboń** *Ger.* Peterhof. Wielkolpolskie, C Poland
110 D12 **Lubsko** *Ger.* Sommerfeld. Lubuskie, W Poland
79 N24 **Lubudi** Katanga, SE Dem. Rep. Congo
168 L13 **Lubuklinggau** Sumatera, W Indonesia
79 N25 **Lubumbashi** *prev.* Élisabethville. Katanga, SE Dem. Rep. Congo
83 I14 **Lubungu** Central, C Zambia
110 E12 **Lubuskie** ◈ *province* W Poland
79 N18 **Lubutu** Maniema, E Dem. Rep. Congo
Luca *see* Lucca
82 C11 **Lucala** ≈ W Angola
14 E16 **Lucan** Ontario, S Canada
97 F18 **Lucan** *Ir.* Leamhcán. E Ireland
Lucanian Mountains *see* Lucano, Appennino
107 M18 **Lucano, Appennino** *Eng.* Lucanian Mountains. ▲ S Italy
82 F11 **Lucapa** *var.* Lukapa. Lunda Norte, NE Angola
29 V15 **Lucas** Iowa, C USA
61 C18 **Lucas González** Entre Ríos, E Argentina
65 C25 **Lucas Point** *headland* West Falkland, Falkland Islands
31 S15 **Lucasville** Ohio, N USA
106 F11 **Lucca** *anc.* Luca. Toscana, C Italy
44 H12 **Lucea** W Jamaica
97 H15 **Luce Bay** *inlet* SW Scotland, UK
22 M8 **Lucedale** Mississippi, S USA
171 O4 **Lucena** *off.* Lucena City. Luzon, N Philippines
104 M14 **Lucena** Andalucía, S Spain
105 S8 **Lucena del Cid** País Valenciano, E Spain
111 D15 **Lučenec** *Ger.* Losontz, *Hung.* Losonc. Banskobystrický Kraj, C Slovakia
Lucentum *see* Alicante
107 M16 **Lucera** Puglia, SE Italy
Lucerna/Lucerne *see* Luzern
Lucerne, Lake of *see* Vierwaldstätter See
40 J4 **Lucero** Chihuahua, N Mexico
123 S14 **Luchegorsk** Primorskiy Kray, SE Russian Federation
105 Q13 **Luchena** ≈ SE Spain
Lucheng *see* Kangding
82 N13 **Lucheringo** *var.* Luchulingo. ≈ N Mozambique
Luchesa *see* Luchosa
Luchin *see* Luchyn
118 N13 **Luchosa** *Rus.* Luchesa. ≈ N Belarus
Luchow *see* Hefei
100 K11 **Lüchow** Mecklenburg-Vorpommern, N Germany
Luchulingo *see* Lucheringo
119 N17 **Luchyn** *Rus.* Luchin. Homyel'skaya Voblasts', SE Belarus
55 U11 **Lucie Rivier** ≈ W Suriname
182 K11 **Lucindale** South Australia
83 A14 **Lucira** Namibe, SW Angola
Luck *see* Luts'k
101 O14 **Luckau** Brandenburg, E Germany
100 N13 **Luckenwalde** Brandenburg, E Germany
14 E15 **Lucknow** Ontario, S Canada
152 L12 **Lucknow** *var.* Lakhnau. Uttar Pradesh, N India
102 J10 **Luçon** Vendée, NW France
44 I7 **Lucrecia, Cabo** *headland* E Cuba
82 F13 **Lucusse** Moxico, E Angola
Lüda *see* Dalian
114 M9 **Luda Kamchiya** ≈ E Bulgaria
Ludasch *see* Luduş
114 I10 **Luda Yana** ≈ C Bulgaria
112 F7 **Ludbreg** Varaždin, N Croatia
29 P7 **Ludden** North Dakota, N USA
101 F15 **Lüdenscheid** Nordrhein-Westfalen, W Germany
83 C21 **Lüderitz** *prev.* Angra Pequena. Karas, SW Namibia
152 H8 **Ludhiāna** Punjab, N India
31 O7 **Ludington** Michigan, N USA
97 K20 **Ludlow** W England, UK
35 W14 **Ludlow** California, W USA
28 J7 **Ludlow** South Dakota, N USA
18 M9 **Ludlow** Vermont, NE USA
114 L7 **Ludogorie** *physical region* NE Bulgaria
23 W6 **Ludowici** Georgia, SE USA
Ludsan *see* Ludza
116 I10 **Luduş** *Ger.* Ludasch, *Hung.* Marosludas. Mureş, C Romania
95 M14 **Ludvika** Dalarna, C Sweden
101 H21 **Ludwigsburg** Baden-Württemberg, SW Germany
100 O13 **Ludwigsfelde** Brandenburg, NE Germany
101 G20 **Ludwigshafen** *var.* Ludwigshafen am Rhein. Rheinland-Pfalz, W Germany
Ludwigshafen am Rhein *see* Ludwigshafen
101 L20 **Ludwigskanal** *canal* SE Germany
100 L10 **Ludwigslust** Mecklenburg-Vorpommern, N Germany
118 K10 **Ludza** *Ger.* Ludsan. Ludza, E Latvia
79 K21 **Luebo** Kasai Occidental, SW Dem. Rep. Congo
25 Q6 **Lueders** Texas, SW USA
79 N20 **Lueki** Maniema, C Dem. Rep. Congo
82 F10 **Luembe** *var.* Lubembe. ≈ Angola/Dem. Rep. Congo
82 E13 **Luena** *var.* Lwena, *Port.* Luso. Moxico, E Angola
79 M24 **Luena** Katanga, SE Dem. Rep. Congo
82 K12 **Luena** Northern, NE Zambia
82 F13 **Luena** ≈ E Angola
83 F16 **Luengue** ≈ SE Angola
83 G15 **Lueti** ≈ Angola/Zambia
160 J7 **Lüeyang** *var.* Hejiayan. Shaanxi, C China
161 P14 **Lufeng** Guangdong, S China
79 N24 **Lufira** ≈ SE Dem. Rep. Congo
79 N25 **Lufira, Lac de Retenue de la** *var.* Lac Tshangalele. ⊡ SE Dem. Rep. Congo
25 W8 **Lufkin** Texas, SW USA
82 L11 **Lufubu** ≈ N Zambia
124 G14 **Luga** Leningradskaya Oblast', NW Russian Federation
126 G13 **Luga** ≈ NW Russian Federation
Luganer See *see* Lugano, Lago di
108 H11 **Lugano** *Ger.* Lauis. Ticino, S Switzerland
108 H12 **Lugano, Lago di** *var.* Ceresio, *Ger.* Luganer See. ◎ S Switzerland
Lugansk *see* Luhans'k
187 Q13 **Luganville** Espiritu Santo, C Vanuatu
Lugdunum *see* Lyon
Lugdunum Batavorum *see* Leiden
83 O15 **Lugela** Zambézia, NE Mozambique
83 O16 **Lugela** ≈ C Mozambique
82 P13 **Lugenda, Rio** ≈ N Mozambique
Luggarus *see* Locarno
Lugh Ganana *see* Luuq
97 G19 **Lugnaquillia Mountain** *Ir.* Log na Coille. ▲ E Ireland
106 H10 **Lugo** Emilia-Romagna, N Italy
104 I3 **Lugo** *anc.* Lugus Augusti. Galicia, NW Spain
104 I3 **Lugo** ◈ *province* Galicia, NW Spain
21 R12 **Lugoff** South Carolina, SE USA
116 F12 **Lugoj** *Ger.* Lugosch, *Hung.* Lugos. Timiş, W Romania
Lugos/Lugosch *see* Lugoj
Lugovoy/Lugovoye *see* Kulan
158 I13 **Lugu** Xizang Zizhiqu, W China
Lugus Augusti *see* Lugo
Luguvallium/Luguvallum *see* Carlisle
117 Y7 **Luhans'k** *Rus.* Lugansk; *prev.* Voroshilovgrad. Luhans'ka Oblast', E Ukraine
117 Y7 **Luhans'k** ✕ Luhans'ka Oblast', E Ukraine
117 X6 **Luhans'ka Oblast'** *var.* Luhans'k; *prev.* Voroshilovgrad, *Rus.* Voroshilovgradskaya Oblast'. ◈ *province* E Ukraine
161 Q7 **Luhe** Jiangsu, E China
171 S13 **Luhu** Pulau Seram, E Indonesia
Luhua *see* Heishui
160 G8 **Luhuo** *var.* Xindu, *Tib.* Zhaggo. Sichuan, C China
116 M3 **Luhyny** Zhytomyrs'ka Oblast', N Ukraine
83 G15 **Lui** ≈ W Zambia
83 G16 **Luiana** ≈ SE Angola
83 L15 **Luia, Rio** *var.* Ruya. ≈ Mozambique/Zimbabwe
Luichow Peninsula *see* Leizhou Bandao
Luik *see* Liège
82 C13 **Luimbale** Huambo, C Angola
Luimneach *see* Limerick
106 D6 **Luino** Lombardia, N Italy
82 E13 **Luio** ≈ E Angola
92 L11 **Luiro** ≈ NE Finland
79 N25 **Luishia** Katanga, SE Dem. Rep. Congo
59 M19 **Luislândia do Oeste** Minas Gerais, SE Brazil
40 K5 **Luis L.León, Presa** ⊡ N Mexico
Luis Muñoz Marin *see* San Juan
195 N5 **Luitpold Coast** *physical region* Antarctica
79 K22 **Luiza** Kasai Occidental, S Dem. Rep. Congo
61 D20 **Luján** Buenos Aires, E Argentina
79 N24 **Lukafu** Katanga, SE Dem. Rep. Congo
Lukapa *see* Lucapa
112 I11 **Lukavac** Federacija Bosna I Hercegovina, NE Bosnia and Herzegovina
79 I20 **Lukenie** ≈ C Dem. Rep. Congo
79 H19 **Lukolela** Equateur, W Dem. Rep. Congo
119 M14 **Lukoml'skaye, Vozyera** *Rus.* Ozero Lukoml'skoye. ◎ N Belarus
Lukoml'skoye, Ozero *see* Lukoml'skaye, Vozyera
114 I8 **Lukovit** Lovech, N Bulgaria
110 O12 **Łuków** *Ger.* Bogendorf. Lubelskie, E Poland
127 O4 **Lukoyanov** Nizhegorodskaya Oblast', W Russian Federation
79 N22 **Lukuga** ≈ SE Dem. Rep. Congo
79 F21 **Lukula** Bas-Congo, SW Dem. Rep. Congo
83 G14 **Lukulu** Western, NW Zambia
189 R17 **Lukunor Atoll** *atoll* Mortlock Islands, C Micronesia
82 J12 **Lukwesa** Luapula, NE Zambia
93 K14 **Luleå** Norrbotten, N Sweden
92 J13 **Luleälven** ≈ N Sweden
136 C10 **Lüleburgaz** Kırklareli, NW Turkey
160 M4 **Lüliang Shan** ▲ C China
79 O21 **Lulimba** Maniema, E Dem. Rep. Congo
22 K9 **Luling** Louisiana, S USA
25 T11 **Luling** Texas, SW USA
79 I18 **Lulonga** ≈ NW Dem. Rep. Congo
79 K22 **Lulua** ≈ S Dem. Rep. Congo
Luluabourg *see* Kananga
192 L17 **Luma** Ta'ū, E American Samoa
169 S17 **Lumajang** Jawa, C Indonesia
158 G12 **Lumajangdong Co** ◎ W China
82 G13 **Lumbala Kaquengue** Moxico, E Angola
83 F14 **Lumbala N'Guimbo** *var.* Nguimbo, *Port.* Gago Coutinho, Vila Gago Coutinho. Moxico, E Angola
21 T11 **Lumber River** ≈ North Carolina/South Carolina, SE USA
Lumber State *see* Maine
22 L8 **Lumberton** Mississippi, S USA
21 U11 **Lumberton** North Carolina, SE USA
105 R4 **Lumbier** Navarra, N Spain
83 Q15 **Lumbo** Nampula, NE Mozambique
124 M4 **Lumbovka** Murmanskaya Oblast', NW Russian Federation
104 J7 **Lumbrales** Castilla-León, N Spain
153 W13 **Lumding** Assam, NE India
82 F12 **Lumege** *var.* Lumeje. Moxico, E Angola
Lumeje *see* Lumege
99 J17 **Lummen** Limburg, NE Belgium
93 J20 **Lumparland** Åland, SW Finland
167 T11 **Lumphăt** *prev.* Lomphat. Rôtânôkiri, NE Cambodia
11 U16 **Lumsden** Saskatchewan, S Canada
185 C23 **Lumsden** Southland, South Island, NZ
169 N14 **Lumut, Tanjung** *headland* Sumatera, W Indonesia
157 P4 **Lün** Töv, C Mongolia
116 I13 **Lunca Corbului** Argeş, S Romania
95 K23 **Lund** Skåne, S Sweden
35 X6 **Lund** Nevada, W USA
82 D11 **Lunda Norte** ◈ *province* NE Angola
82 E12 **Lunda Sul** ◈ *province* NE Angola
82 M13 **Lundazi** Eastern, NE Zambia
95 G16 **Lunde** Telemark, S Norway
Lundenburg *see* Břeclav
95 C17 **Lundevatnet** ◎ S Norway
Lundi *see* Runde
97 I23 **Lundy** *island* SW England, UK
100 J10 **Lüneburg** Niedersachsen, N Germany
100 J11 **Lüneburger Heide** *heathland* NW Germany
103 Q15 **Lunel** Hérault, S France
101 F14 **Lünen** Nordrhein-Westfalen, W Germany
13 P16 **Lunenburg** Nova Scotia, SE Canada
21 V7 **Lunenburg** Virginia, NE USA
103 T5 **Lunéville** Meurthe-et-Moselle, NE France
83 I14 **Lunga** ≈ C Zambia
Lunga, Isola *see* Dugi Otok
158 H12 **Lungdo** Xizang Zizhiqu, W China
158 I14 **Lunggar** Xizang Zizhiqu, W China
76 I15 **Lungi** ✕ (Freetown) W Sierra Leone
Lungkiang *see* Qiqihar
Lungleh *see* Lunglei
153 W15 **Lunglei** *prev.* Lungleh. Mizoram, NE India
158 L15 **Lungsang** Xizang Zizhiqu, W China
82 E13 **Lungué-Bungo** *var.* Lungwebungu. ≈ Angola/Zambia *see also* Lungwebungu
83 G14 **Lungwebungu** *var.* Lungué-Bungo. ≈ Angola/Zambia *see also* Lungué-Bungo
152 F12 **Lūni** Rājasthān, N India
152 F12 **Lūni** ≈ N India
Luninets *see* Luninyets
35 S7 **Luning** Nevada, W USA
Łuniniec *see* Luninyets
127 P6 **Lunino** Penzenskaya Oblast', W Russian Federation
119 J19 **Luninyets** *Pol.* Łuniniec, *Rus.* Luninets. Brestskaya Voblasts', SW Belarus

◆ Country ● Country Capital ◇ Dependent Territory ○ Dependent Territory Capital ◈ Administrative Region ✕ International Airport ▲ Mountain ▲ Mountain Range ☈ Volcano ≈ River ◎ Lake ⊡ Reservoir

LŪNKARANSAR – MADURA, SELAT ••• 283

152 *F16* **Lūnkaransar** Rājasthān, NW India
119 *G17* **Lunna** *Pol.* Łunna, *Rus.* Lunna. Hrodzyenskaya Voblasts', W Belarus
76 *I15* **Lunsar** W Sierra Leone
83 *K14* **Lunsemfwa** ≈ C Zambia
158 *J6* **Luntai** *var.* Bügür. Xinjiang Uygur Zizhiqu, NW China
98 *K11* **Lunteren** Gelderland, C Netherlands
109 *U5* **Lunz am See** Niederösterreich, C Austria
163 *Y7* **Luobei** *var.* Fengxiang. Heilongjiang, NE China
Luocheng *see* Hui'an
160 *J13* **Luodian** *var.* Longping. Guizhou, S China
160 *M15* **Luoding** Guangdong, S China
160 *M6* **Luo He** ≈ C China
160 *L5* **Luo He** ≈ C China
161 *N7* **Luohe** Henan, C China
Luolajarvi *see* Kuoloyarvi
Luong Nam Tha *see* Louangnamtha
160 *L13* **Luoqing Jiang** ≈ S China
161 *O8* **Luoshan** Henan, C China
161 *O12* **Luoxiao Shan** ▲▲ S China
161 *N6* **Luoyang** *var.* Honan, Lo-yang. Henan, C China
161 *R12* **Luoyuan** *var.* Fengshan. Fujian, SE China
79 *F21* **Luozi** Bas-Congo, W Dem. Rep. Congo
83 *J17* **Lupane** Matabeleland North, W Zimbabwe
160 *I12* **Lupanshui** *prev.* Shuicheng. Guizhou, S China
169 *R10* **Lupar, Batang** ≈ East Malaysia
Lupatia *see* Altamura
116 *G12* **Lupeni** *Hung.* Lupény. Hunedoara, SW Romania
Lupény *see* Lupeni
82 *N13* **Lupiliche** Niassa, N Mozambique
83 *E14* **Lupire** Cuando Cubango, E Angola
79 *L22* **Luputa** Kasai Oriental, S Dem. Rep. Congo
121 *P16* **Luqa** ✕ (Valletta) S Malta
159 *U11* **Luqu** *var.* Ma'ai. Gansu, C China
45 *U5* **Luquillo, Sierra de** ▲▲ E Puerto Rico
26 *L4* **Luray** Kansas, C USA
21 *U4* **Luray** Virginia, NE USA
103 *T7* **Lure** Haute-Saône, E France
82 *D11* **Luremo** Lunda Norte, NE Angola
97 *F15* **Lurgan** *Ir.* An Lorgain. S Northern Ireland, UK
57 *K18* **Luribay** La Paz, W Bolivia
Luring *see* Gêrzê
83 *Q14* **Lúrio** Nampula, NE Mozambique
83 *P14* **Lúrio, Rio** ≈ NE Mozambique
Luristan *see* Lorestān
Lurka *see* Lorca
83 *J15* **Lusaka** ● (Zambia) Lusaka, SE Zambia
83 *J15* **Lusaka** ◈ *province* C Zambia
83 *J15* **Lusaka** ✕ Lusaka, C Zambia
79 *L21* **Lusambo** Kasai Oriental, C Dem. Rep. Congo
186 *F8* **Lusancay Islands and Reefs** *island group* SE PNG
79 *I21* **Lusanga** Bandundu, SW Dem. Rep. Congo
79 *N21* **Lusangi** Maniema, E Dem. Rep. Congo
Lusatian Mountains *see* Lausitzer Bergland
Lushar *see* Huangzhong
Lushnja *see* Lushnjë
113 *K21* **Lushnjë** *var.* Lushnja. Fier, C Albania
81 *J21* **Lushoto** Tanga, E Tanzania
102 *L10* **Lusignan** Vienne, W France
33 *Z15* **Lusk** Wyoming, C USA
Luso *see* Luena
102 *L10* **Lussac-les-Châteaux** Vienne, W France
Lussin/Lussino *see* Lošinj
Lussinpiccolo *see* Mali Lošinj
108 *I7* **Lustenau** Vorarlberg, W Austria
161 *T14* **Lü Tao** *var.* Huoshao Dao, Lütao, *Eng.* Green Island. *island* SE Taiwan
Lūt, Baḩrat/Lut, Bahret *see* Dead Sea
22 *K9* **Lutcher** Louisiana, S USA
143 *T9* **Lūt, Dasht-e** *var.* Kavīr-e Lūt. *desert* E Iran
83 *F14* **Lutembo** Moxico, E Angola
Lutetia/Lutetia Parisiorum *see* Paris
Luteva *see* Lodève
14 *G15* **Luther Lake** ◎ Ontario, S Canada
186 *K8* **Luti** Choiseul Island, NW Solomon Islands
Lūt, Kavīr-e *see* Lūt, Dasht-e
97 *N21* **Luton** SE England, UK
97 *N21* **Luton** ✕ (London) SE England, UK
108 *B10* **Lutry** Vaud, SW Switzerland
8 *K10* **Łutselk'e** *prev.* Snowdrift. Northwest Territories, W Canada
29 *Y4* **Lutsen** Minnesota, N USA
116 *J4* **Luts'k** *Pol.* Łuck, *Rus.* Lutsk. Volyns'ka Oblast', NW Ukraine
Luttenberg *see* Ljutomer
Lüttich *see* Liège
83 *G25* **Luttig** Western Cape, SW South Africa
Lutto *see* Lotta
82 *E13* **Lutuai** Moxico, E Angola
117 *Y7* **Lutuhyne** Luhans'ka Oblast', E Ukraine
171 *V14* **Lutur, Pulau** *island* Kepulauan Aru, E Indonesia
23 *V12* **Lutz** Florida, SE USA
Lutzow-Holm Bay *see* Lützow Holmbukta
195 *V2* **Lützow Holmbukta** *var.* Lutzow-Holm Bay. *bay* Antarctica
81 *L16* **Luuq** *It.* Lugh Ganana. Gedo, SW Somalia
92 *M12* **Luusua** Lappi, NE Finland
23 *Q6* **Luverne** Alabama, S USA
29 *S11* **Luverne** Minnesota, N USA
79 *O22* **Luvua** ≈ SE Dem. Rep. Congo
82 *F13* **Luvuei** Moxico, E Angola
81 *H24* **Luwego** ≈ S Tanzania
82 *K12* **Luwingu** Northern, NE Zambia
171 *P12* **Luwuk** *prev.* Loewoek. Sulawesi, C Indonesia
23 *N3* **Luxapallila Creek** ≈ Alabama/Mississippi, S USA
99 *M25* **Luxembourg** ● (Luxembourg) Luxembourg, S Luxembourg
99 *M25* **Luxembourg** *off.* Grand Duchy of Luxembourg, *var.* Lëtzebuerg, Luxemburg. ◆ *monarchy* NW Europe
99 *J23* **Luxembourg** ◈ *province* SE Belgium
99 *L24* **Luxembourg** ◈ *district* S Luxembourg
31 *N6* **Luxemburg** Wisconsin, N USA
Luxemburg *see* Luxembourg
103 *U7* **Luxeuil-les-Bains** Haute-Saône, E France
160 *E13* **Luxi** *prev.* Mangshi. Yunnan, SW China
82 *E10* **Luxico** ≈ Angola/Dem. Rep. Congo
75 *X10* **Luxor** *Ar.* Al Uqşur. E Egypt
75 *X10* **Luxor** ✕ C Egypt
160 *M4* **Luya Shan** ▲▲ C China
102 *J15* **Luy de Béarn** ≈ SW France
102 *J15* **Luy de France** ≈ SW France
125 *P12* **Luza** Kirovskaya Oblast', NW Russian Federation
127 *Q12* **Luza** ≈ NW Russian Federation
104 *I16* **Luz, Costa de la** *coastal region* SW Spain
111 *K20* **Luže** *var.* Lausche. ▲ Czech Republic/Germany *see also* Lausche
108 *F8* **Luzern** *Fr.* Lucerne, *It.* Lucerna. Luzern, C Switzerland
108 *E8* **Luzern** *Fr.* Lucerne. ◈ *canton* C Switzerland
160 *L13* **Luzhai** Guangxi Zhuangzu Zizhiqu, S China
118 *K12* **Luzhki** *Rus.* Luzhki. Vitsyebskaya Voblasts', N Belarus
160 *I10* **Luzhou** Sichuan, C China
Lužická Nisa *see* Neisse
Lužické Hory *see* Lausitzer Bergland
Lužnice *see* Lainsitz
171 *O2* **Luzon** *island* N Philippines
171 *N1* **Luzon Strait** *strait* Philippines/Taiwan
116 *I5* **L'viv** *Ger.* Lemberg, *Pol.* Lwów, *Rus.* L'vov. L'vivs'ka Oblast', W Ukraine
L'viv *see* L'vivs'ka Oblast'
116 *I4* **L'vivs'ka Oblast'** *var.* L'viv, *Rus.* L'vovskaya Oblast'. ◈ *province* NW Ukraine
L'vov *see* L'viv
L'vovskaya Oblast' *see* L'vivs'ka Oblast'
Lwena *see* Luena
Lwów *see* L'viv
110 *F11* **Lwówek** *Ger.* Neustadt bei Pinne. Wielkolpolskie, C Poland
111 *E14* **Lwówek Śląski** *Ger.* Löwenberg in Schlesien. Dolnośląskie, SW Poland
119 *I18* **Lyakhavichy** *Rus.* Lyakhovichi. Brestskaya Voblasts', SW Belarus
Lyakhovichi *see* Lyakhavichy
185 *B22* **Lyall, Mount** ▲ South Island, NZ
Lyallpur *see* Faisalābād
Lyangar *see* Langar
124 *H11* **Lyaskelya** Respublika Kareliya, NW Russian Federation
119 *I18* **Lyasnaya** *Rus.* Lesnaya. Brestskaya Voblasts', SW Belarus
119 *F19* **Lyasnaya** *Pol.* Leśna, *Rus.* Lesnaya. ≈ SW Belarus
124 *H15* **Lychkovo** Novgorodskaya Oblast', W Russian Federation
Lyck *see* Ełk
93 *I15* **Lycksele** Västerbotten, N Sweden
18 *G13* **Lycoming Creek** ≈ Pennsylvania, NE USA
Lycopolis *see* Asyût
195 *N3* **Lyddan Island** *island* Antarctica
83 *K20* **Lydenburg** Mpumalanga, NE South Africa
119 *L20* **Lyel'chytsy** *Rus.* Lel'chitsy. Homyel'skaya Voblasts', SE Belarus
119 *P14* **Lyenina** *Rus.* Lenino. Mahilyowskaya Voblasts', E Belarus
118 *L13* **Lyepyel'** *Rus.* Lepel'. Vitsyebskaya Voblasts', N Belarus
25 *S17* **Lyford** Texas, SW USA
95 *E17* **Lygna** ≈ S Norway
18 *G14* **Lykens** Pennsylvania, NE USA
115 *E21* **Lykódimo** ▲ S Greece
97 *K24* **Lyme Bay** *bay* S England, UK
97 *K24* **Lyme Regis** S England, UK
110 *L7* **Łyna** *Ger.* Alle. ≈ N Poland
29 *P12* **Lynch** Nebraska, C USA
20 *J10* **Lynchburg** Tennessee, S USA
21 *T6* **Lynchburg** Virginia, NE USA
21 *T12* **Lynches River** ≈ South Carolina, SE USA
32 *H6* **Lynden** Washington, NW USA
182 *I5* **Lyndhurst** South Australia
27 *Q5* **Lyndon** Kansas, C USA
19 *N7* **Lyndonville** Vermont, NE USA
95 *D18* **Lyngdal** Vest-Agder, S Norway
92 *I9* **Lyngen** *Lapp.* Ivgovuotna. *inlet* Arctic Ocean
95 *G17* **Lyngør** Aust-Agder, S Norway
92 *I9* **Lyngseidet** Troms, N Norway
19 *P11* **Lynn** Massachusetts, NE USA
Lynn *see* King's Lynn
23 *R9* **Lynn Haven** Florida, SE USA
11 *V11* **Lynn Lake** Manitoba, C Canada
Lynn Regis *see* King's Lynn
113 *I13* **Lyntupy** *Rus.* Lyntupy. Vitsyebskaya Voblasts', NW Belarus
103 *R11* **Lyon** *Eng.* Lyons; *anc.* Lugdunum. Rhône, E France
8 *I6* **Lyon, Cape** *headland* Northwest Territories, NW Canada
18 *K6* **Lyon Mountain** ▲ New York, NE USA
103 *Q11* **Lyonnais, Monts du** ▲▲ C France
65 *N25* **Lyon Point** *headland* SE Tristan da Cunha
182 *E5* **Lyons** South Australia
37 *T3* **Lyons** Colorado, C USA
23 *V6* **Lyons** Georgia, SE USA
26 *M5* **Lyons** Kansas, C USA
29 *R14* **Lyons** Nebraska, C USA
18 *G10* **Lyons** New York, NE USA
Lyons *see* Lyon
118 *O13* **Lyozna** *Rus.* Liozno. Vitsyebskaya Voblasts', NE Belarus
117 *S4* **Lypova Dolyna** Sums'ka Oblast', NE Ukraine
117 *N6* **Lypovets'** *Rus.* Lipovets. Vinnyts'ka Oblast', C Ukraine
Lys *see* Leie
111 *I18* **Lysá Hora** ▲ E Czech Republic
95 *D16* **Lysefjorden** *fjord* S Norway
95 *I18* **Lysekil** Västra Götaland, S Sweden
Lýsi *see* Akdoğan
33 *V14* **Lysite** Wyoming, C USA
127 *P3* **Lyskovo** Nizhegorodskaya Oblast', W Russian Federation
108 *D8* **Lyss** Bern, W Switzerland
95 *H22* **Lystrup** Århus, C Denmark
125 *V14* **Lys'va** Permskaya Oblast', NW Russian Federation
117 *P6* **Lysyanka** Cherkas'ka Oblast', C Ukraine
117 *X6* **Lysychans'k** *Rus.* Lisichansk. Luhans'ka Oblast', E Ukraine
97 *K17* **Lytham St Anne's** NW England, UK
185 *I19* **Lyttelton** Canterbury, South Island, NZ
10 *M17* **Lytton** British Columbia, SW Canada
119 *L18* **Lyuban'** *Rus.* Lyuban'. Minskaya Voblasts', S Belarus
119 *L18* **Lyubanskaye Vodaskhovishcha** ▣ C Belarus
116 *M5* **Lyubar** Zhytomyrs'ka Oblast', N Ukraine
Lyubashëvka *see* Lyubashivka
117 *O8* **Lyubashivka** *Rus.* Lyubashëvka. Odes'ka Oblast', SW Ukraine
119 *I16* **Lyubcha** *Pol.* Lubcz, *Rus.* Lyubcha. Hrodzyenskaya Voblasts', W Belarus
126 *L4* **Lyubertsy** Moskovskaya Oblast', W Russian Federation
116 *K2* **Lyubeshiv** Volyns'ka Oblast', NW Ukraine
124 *M14* **Lyubim** Yaroslavskaya Oblast', NW Russian Federation
114 *K11* **Lyubimets** Khaskovo, S Bulgaria
Lyublin *see* Lublin
116 *I3* **Lyuboml'** *Pol.* Luboml. Volyns'ka Oblast', NW Ukraine
Lyubotin *see* Lyubotyn
117 *U5* **Lyubotyn** *Rus.* Lyubotin. Kharkivs'ka Oblast', E Ukraine
126 *I5* **Lyudinovo** Kaluzhskaya Oblast', W Russian Federation
127 *T2* **Lyuk** Udmurtskaya Respublika, NW Russian Federation
114 *M9* **Lyulyakovo** *prev.* Keremitlik. Burgas, E Bulgaria
119 *I18* **Lyusina** *Rus.* Lyusino. Brestskaya Voblasts', SW Belarus
Lyusino *see* Lyusina

M

138 *G9* **Ma'ād** Irbid, N Jordan
Ma'ai *see* Luqu
Maalahti *see* Malax
Maale *see* Male'
138 *G13* **Ma'ān** Ma'ān, SW Jordan
138 *H13* **Ma'ān** *off.* Muḩāfaz̧at Ma'ān, *var.* Ma'an, Ma'ān. ◈ *governorate* S Jordan
93 *M16* **Maaninka** Itä-Suomi, C Finland
162 *K7* **Maanĭt** Bulgan, C Mongolia
162 *M8* **Maanĭt** Töv, C Mongolia
93 *N15* **Maanselkä** Oulu, C Finland
161 *Q8* **Ma'anshan** Anhui, E China
188 *F16* **Maap** *island* Caroline Islands, W Micronesia
118 *H3* **Maardu** *Ger.* Maart. Harjumaa, NW Estonia
Ma'aret-en-Nu'man *see* Ma'arrat an Nu'mān
99 *K16* **Maarheeze** Noord-Brabant, SE Netherlands
Maarianhamina *see* Mariehamn
138 *I4* **Ma'arrat an Nu'mān** *var.* Ma'aret-en-Nu'man, *Fr.* Maarret enn Naamâne. Idlib, NW Syria
Maarret enn Naamâne *see* Ma'arrat an Nu'mān
98 *I11* **Maarssen** Utrecht, C Netherlands
Maart *see* Maardu
99 *L17* **Maas** *Fr.* Meuse. ≈ W Europe *see also* Meuse
99 *M15* **Maasbree** Limburg, SE Netherlands
99 *L17* **Maaseik** *prev.* Maeseyck. Limburg, NE Belgium
171 *Q6* **Maasin** Leyte, C Philippines
99 *L17* **Maasmechelen** Limburg, NE Belgium
98 *G12* **Maassluis** Zuid-Holland, SW Netherlands
99 *L18* **Maastricht** *var.* Maestricht; *anc.* Traietum ad Mosam, Traiectum Tungorum. Limburg, SE Netherlands
183 *N18* **Maatsuyker Group** *island group* Tasmania, SE Australia
Maba *see* Qujiang
83 *L20* **Mabalane** Gaza, S Mozambique
25 *V7* **Mabank** Texas, SW USA
97 *O18* **Mablethorpe** E England, UK
171 *V12* **Maboi** Papua, E Indonesia
83 *M19* **Mabote** Inhambane, S Mozambique
32 *J10* **Mabton** Washington, NW USA
Mabuchi-gawa *see* Mabechi-gawa
83 *H20* **Mabutsane** Southern, S Botswana
63 *G19* **Macá, Cerro** ▲ S Chile
60 *Q9* **Macaé** Rio de Janeiro, SE Brazil
82 *N13* **Macaloge** Niassa, N Mozambique
Macan *see* Bonerate, Kepulauan
161 *N15* **Macao** *Chin.* Aomen, *Port.* Macau. S China
104 *H9* **Mação** Santarém, C Portugal
58 *J11* **Macapá** *state capital* Amapá, N Brazil
43 *S17* **Macaracas** Los Santos, S Panama
55 *P6* **Macare, Caño** ≈ NE Venezuela
55 *Q6* **Macareo, Caño** ≈ NE Venezuela
Macarsca *see* Makarska
MacArthur *see* Ormoc
182 *L12* **Macarthur** Victoria, SE Australia
56 *C7* **Macas** Morona Santiago, SE Ecuador
Macassar *see* Makassar
59 *Q14* **Macau** Rio Grande do Norte, E Brazil
Macau *see* Macao
Macău *see* Makó, Hungary
65 *E24* **Macbride Head** *headland* East Falkland, Falkland Islands
23 *V9* **Macclenny** Florida, SE USA
97 *L18* **Macclesfield** C England, UK
192 *F6* **Macclesfield Bank** *undersea feature* N South China Sea
MacCluer Gulf *see* Berau, Teluk
181 *N7* **Macdonald, Lake** *salt lake* Western Australia
181 *Q7* **Macdonnell Ranges** ▲▲ Northern Territory, C Australia
96 *K8* **Macduff** NE Scotland, UK
104 *I6* **Macedo de Cavaleiros** Bragança, N Portugal
Macedonia Central *see* Kentrikí Makedonía
Macedonia East and Thrace *see* Anatolikí Makedonía kai Thráki
113 *O19* **Macedonia, FYR** *off.* the Former Yugoslav Republic of Macedonia, *var.* Macedonia, Mac. Makedonija, *abbrev.* FYR Macedonia, FYROM. ◆ *republic* SE Europe
Macedonia West *see* Dytikí Makedonía
59 *Q16* **Maceió** *state capital* Alagoas, E Brazil
76 *K15* **Macenta** Guinée-Forestière, SE Guinea
106 *J12* **Macerata** Marche, C Italy
11 *S11* **MacFarlane** ≈ Saskatchewan, C Canada
182 *H7* **Macfarlane, Lake** *var.* Lake Mcfarlane. ◎ South Australia
Macgillicuddy's Reeks Mountains *see* Macgillycuddy's Reeks
97 *B21* **Macgillycuddy's Reeks** *var.* Macgillicuddy's Reeks Mountains, *Ir.* Na Cruacha Dubha. ▲▲ SW Ireland
11 *X16* **MacGregor** Manitoba, S Canada
149 *O10* **Mach** Baluchistān, SW Pakistan
56 *C6* **Machachi** Pichincha, C Ecuador
83 *M19* **Machaila** Gaza, S Mozambique
Machaire Fíolta *see* Magherafelt
Machaire Rátha *see* Maghera
81 *I19* **Machakos** Eastern, S Kenya
56 *B8* **Machala** El Oro, SW Ecuador
Machali *see* Madoi
83 *J19* **Machaneng** Central, SE Botswana
83 *M18* **Machanga** Sofala, E Mozambique
80 *G13* **Machar Marshes** *wetland* SE Sudan
102 *I8* **Machecoul** Loire-Atlantique, NW France
161 *O8* **Macheng** Hubei, C China
155 *J16* **Mächerla** Andhra Pradesh, C India
153 *O11* **Machhapuchhre** ▲ C Nepal
19 *T6* **Machias** Maine, NE USA
19 *R3* **Machias River** ≈ Maine, NE USA
19 *T6* **Machias River** ≈ Maine, NE USA
64 *P5* **Machico** Madeira, Portugal, NE Atlantic Ocean
155 *K16* **Machilīpatnam** *var.* Bandar Masulipatnam. Andhra Pradesh, E India
54 *G5* **Machiques** Zulia, NW Venezuela
57 *G15* **Machupicchu** Cusco, C Peru
83 *M20* **Macia** *var.* Vila de Macia. Gaza, S Mozambique
Macías Nguema Biyogo *see* Bioco, Isla de
116 *M13* **Măcin** Tulcea, SE Romania
183 *T4* **Macintyre River** ≈ New South Wales/Queensland, SE Australia
181 *Y7* **Mackay** Queensland, NE Australia
181 *O7* **Mackay, Lake** *salt lake* Northern Territory/Western Australia
10 *M13* **Mackenzie** British Columbia, W Canada
8 *I9* **Mackenzie** ≈ Northwest Territories, NW Canada
195 *Y6* **Mackenzie Bay** *bay* Antarctica
10 *J1* **Mackenzie Bay** *bay* NW Canada
8 *K3* **Mackenzie King Island** *island* Queen Elizabeth Islands, Northwest Territories, N Canada
8 *H8* **Mackenzie Mountains** ▲▲ Northwest Territories, NW Canada
31 *Q5* **Mackinac, Straits of** ◎ Michigan, N USA
194 *K5* **Mackintosh, Cape** *headland* Antarctica
11 *R15* **Macklin** Saskatchewan, S Canada
183 *V6* **Macksville** New South Wales, SE Australia
183 *V5* **Maclean** New South Wales, SE Australia
83 *J24* **Maclear** Eastern Cape, SE South Africa
183 *U6* **Macleay River** ≈ New South Wales, SE Australia
MacLeod *see* Fort Macleod
180 *G9* **Macleod, Lake** ◎ Western Australia
10 *I6* **Macmillan** ≈ Yukon Territory, NW Canada
30 *J12* **Macomb** Illinois, N USA
107 *B18* **Macomer** Sardegna, Italy, C Mediterranean Sea
82 *Q13* **Macomia** Cabo Delgado, NE Mozambique
23 *T5* **Macon** Georgia, SE USA
23 *N4* **Macon** Mississippi, S USA
27 *U3* **Macon** Missouri, C USA
103 *R10* **Mâcon** *anc.* Matisco, Matisco Ædourum. Saône-et-Loire, C France
22 *J6* **Macon, Bayou** ≈ Arkansas/Louisiana, S USA
82 *G13* **Macondo** Moxico, E Angola
83 *M16* **Macossa** Manica, C Mozambique
11 *T12* **Macoun Lake** ◎ Saskatchewan, C Canada
30 *K14* **Macoupin Creek** ≈ Illinois, N USA
Macouria *see* Tonate
83 *N18* **Macovane** Inhambane, SE Mozambique
183 *N17* **Macquarie Harbour** *inlet* Tasmania, SE Australia
192 *J13* **Macquarie Island** *island* NZ, SW Pacific Ocean
183 *T8* **Macquarie, Lake** *lagoon* New South Wales, SE Australia
183 *Q6* **Macquarie Marshes** *wetland* New South Wales, SE Australia
192 *K13* **Macquarie Ridge** *undersea feature* SW Pacific Ocean
183 *Q6* **Macquarie River** ≈ New South Wales, SE Australia
183 *P17* **Macquarie River** ≈ Tasmania, SE Australia
195 *V5* **Mac. Robertson Land** *physical region* Antarctica
97 *C21* **Macroom** *Ir.* Maigh Chromtha. SW Ireland
42 *G5* **Macuelizo** Santa Bárbara, NW Honduras
182 *G2* **Macumba River** ≈ South Australia
57 *I16* **Macusani** Puno, S Peru
56 *E8* **Macusari, Río** ≈ N Peru
41 *U15* **Macuspana** Tabasco, SE Mexico
138 *G10* **Ma'dabā** *var.* Mādabā, Madeba; *anc.* Medeba. 'Al Āşimah, NW Jordan
172 *G2* **Madagascar** *off.* Democratic Republic of Madagascar, *Malg.* Madagasikara; *prev.* Malagasy Republic. ◆ *republic* W Indian Ocean
172 *I5* **Madagascar** *island* W Indian Ocean
173 *O9* **Madagascar Basin** *undersea feature* W Indian Ocean
172 *M10* **Madagascar Plateau** *var.* Madagascar Ridge, Madagascar Rise, *Rus.* Madagaskarskiy Khrebet. *undersea feature* W Indian Ocean
Madagascar Ridge/Madagascar Rise *see* Madagascar Plateau
Madagasikara *see* Madagascar
Madagaskarskiy Khrebet *see* Madagascar Plateau
64 *N2* **Madalena** Pico, Azores, Portugal, NE Atlantic Ocean
77 *Y6* **Madama** Agadez, NE Niger
114 *J12* **Madan** Smolyan, S Bulgaria
155 *I19* **Madanapalle** Andhra Pradesh, E India
186 *D7* **Madang** Madang, N PNG
186 *C6* **Madang** ◈ *province* N PNG
146 *G7* **Madaniyat** *Rus.* Madeniyet. Qoraqalpog'iston Respublikasi, W Uzbekistan
Madanīyīn *see* Médenine
77 *U11* **Madaoua** Tahoua, SW Niger
Madaras *see* Vtáčnik
153 *U15* **Madaripur** Dhaka, C Bangladesh
77 *U12* **Madarounfa** Maradi, S Niger
Mađarska *see* Hungary
Madau *see* Madaw
186 *H9* **Madau Island** *island* SE PNG
146 *B13* **Madaw** *Rus.* Madau. Balkan Welaýaty, W Turkmenistan
19 *S1* **Madawaska** Maine, NE USA
14 *J13* **Madawaska** ≈ Ontario, SE Canada
Madawaska Highlands *see* Haliburton Highlands
166 *M4* **Madaya** Mandalay, C Myanmar
107 *K17* **Maddaloni** Campania, S Italy
29 *O3* **Maddock** North Dakota, N USA
99 *I14* **Made** Noord-Brabant, S Netherlands
Madeba *see* Ma'dabā
64 *L9* **Madeira** *var.* Ilha de Madeira. *island* Madeira, Portugal, NE Atlantic Ocean
Madeira, Ilha de *see* Madeira
64 *O5* **Madeira Islands** *Port.* Região Autoónoma da Madeira. ◈ *autonomous region* Madeira, Portugal, NE Atlantic Ocean
64 *L9* **Madeira Plain** *undersea feature* E Atlantic Ocean
64 *L9* **Madeira Ridge** *undersea feature* E Atlantic Ocean
59 *F14* **Madeira, Rio** *Sp.* Río Madera. ≈ Bolivia/Brazil *see also* Madera, Río
101 *J25* **Mädelegabel** ▲ Austria/Germany
15 *X6* **Madeleine** ≈ Québec, SE Canada
15 *X5* **Madeleine, Cap de la** *headland* Québec, SE Canada
13 *Q13* **Madeleine, Îles de la** *Eng.* Magdalen Islands. *island group* Québec, E Canada
29 *U10* **Madelia** Minnesota, N USA
35 *P3* **Madeline** California, W USA
30 *K3* **Madeline Island** *island* Apostle Islands, Wisconsin, N USA
137 *O15* **Maden** Elazığ, SE Turkey
145 *V12* **Madeniyet** Vostochnyy Kazakhstan, E Kazakhstan
Madeniyet *see* Madaniyat
40 *H5* **Madera** Chihuahua, N Mexico
35 *Q10* **Madera** California, W USA
56 *L13* **Madera, Río** *Port.* Rio Madeira. ≈ Bolivia/Brazil *see also* Madeira, Rio
106 *D6* **Madesimo** Lombardia, N Italy
141 *O14* **Madhāb, Wādī** *dry watercourse* NW Yemen
153 *R13* **Madhepura** *prev.* Madhipure. Bihār, NE India
Madhipure *see* Madhepura
153 *Q13* **Madhubani** Bihār, N India
153 *Q15* **Madhupur** Jhārkhand, NE India
154 *I10* **Madhya Pradesh** *prev.* Central Provinces and Berar. ◈ *state* C India
57 *K15* **Madidi, Río** ≈ W Bolivia
155 *F20* **Madikeri** *prev.* Mercara. Karnātaka, W India
27 *O13* **Madill** Oklahoma, C USA
79 *G21* **Madimba** Bas-Congo, SW Dem. Rep. Congo
138 *M4* **Ma'dīn** Ar Raqqah, C Syria
Madīnah, Minţaqat al *see* Al Madīnah
76 *M14* **Madinani** NW Ivory Coast
141 *O17* **Madīnat ash Sha'b** *prev.* Al Ittiḩād. SW Yemen
138 *K3* **Madīnat ath Thawrah** *var.* Ath Thawrah. Ar Raqqah, N Syria Asia
173 *O6* **Madingley Rise** *undersea feature* W Indian Ocean
79 *E21* **Madingo-Kayes** Le Kouilou, S Congo
79 *F21* **Madingou** La Bouenza, S Congo
Madioen *see* Madiun
23 *U8* **Madison** Florida, SE USA
23 *T3* **Madison** Georgia, SE USA
31 *P15* **Madison** Indiana, N USA
27 *P6* **Madison** Kansas, C USA
19 *Q6* **Madison** Maine, NE USA
29 *S9* **Madison** Minnesota, N USA
22 *K5* **Madison** Mississippi, S USA
29 *Q14* **Madison** Nebraska, C USA
29 *R10* **Madison** South Dakota, N USA
21 *V5* **Madison** Virginia, NE USA
21 *Q5* **Madison** West Virginia, NE USA
30 *L9* **Madison** *state capital* Wisconsin, N USA
21 *T6* **Madison Heights** Virginia, NE USA
20 *I6* **Madisonville** Kentucky, S USA
20 *M10* **Madisonville** Tennessee, S USA
25 *V9* **Madisonville** Texas, SW USA
169 *R16* **Madiun** *prev.* Madioen. Jawa, C Indonesia
Madjene *see* Majene
14 *J14* **Madoc** Ontario, SE Canada
Madoera *see* Madura, Pulau
81 *J18* **Mado Gashi** North Eastern, E Kenya
159 *R11* **Madoi** *var.* Machali. Qinghai, C China
189 *O13* **Madolenihmw** Pohnpei, E Micronesia
118 *I9* **Madona** *Ger.* Modohn. Madona, E Latvia
107 *J23* **Madonie** ▲▲ Sicilia, Italy, C Mediterranean Sea
141 *Y11* **Madrakah, Ra's** *headland* E Oman
32 *I12* **Madras** Oregon, NW USA
Madras *see* Chennai
57 *H14* **Madre de Dios** *off.* Departamento de Madre de Dios. ◈ *department* E Peru
63 *F22* **Madre de Dios, Isla** *island* S Chile
57 *J14* **Madre de Dios, Río** ≈ Bolivia/Peru
25 *T16* **Madre, Laguna** ◎ Texas, SW USA
41 *Q9* **Madre, Laguna** *lagoon* NE Mexico
37 *Q12* **Madre Mount** ▲ New Mexico, SW USA
105 *N8* **Madrid** ● (Spain) Madrid, C Spain
29 *V14* **Madrid** Iowa, C USA
105 *N7* **Madrid** ◈ *autonomous community* C Spain
105 *N10* **Madridejos** Castilla-La Mancha, C Spain
104 *L7* **Madrigal de las Altas Torres** Castilla-León, N Spain
104 *K10* **Madrigalejo** Extremadura, W Spain
34 *L3* **Mad River** ≈ California, W USA
42 *J8* **Madriz** ◈ *department* NW Nicaragua
104 *K10* **Madroñera** Extremadura, W Spain
181 *N12* **Madura** Western Australia
Madura *see* Madurai
155 *H22* **Madurai** *prev.* Madura, Mathurai. Tamil Nādu, S India
169 *S16* **Madura, Pulau** *prev.* Madoera. *island* C Indonesia
169 *S16* **Madura, Selat** *strait* C Indonesia

◆ Country ● Country Capital ◇ Dependent Territory ○ Dependent Territory Capital ◈ Administrative Region ✕ International Airport ▲ Mountain ▲▲ Mountain Range Volcano ≈ River ◎ Lake ▣ Reservoir

284 ••• Madzhalis – Mal'kovichi

127 Q17 **Madzhalis** Respublika Dagestan, SW Russian Federation
114 K12 **Madzharovo** Khaskovo, S Bulgaria
83 M14 **Madzimoyo** Eastern, E Zambia
165 O12 **Maebashi** *var.* Maebasi, Mayebashi. Gunma, Honshū, S Japan
Maebasi *see* Maebashi
167 O6 **Mae Chan** Chiang Rai, NW Thailand
167 N7 **Mae Hong Son** *var.* Maehongson, Muai To. Mae Hong Son, NW Thailand
Mae Nam Khong *see* Mekong
167 Q7 **Mae Nam Nan** ≈ NW Thailand
167 O10 **Mae Nam Tha Chin** ≈ W Thailand
167 P7 **Mae Nam Yom** ≈ W Thailand
37 O3 **Maeser** Utah, W USA
Maeseyck *see* Maaseik
167 N9 **Mae Sot** *var.* Ban Mae Sot. Tak, W Thailand
Maestricht *see* Maastricht
167 O7 **Mae Suai** *var.* Ban Mae Suai. Chiang Rai, NW Thailand
167 O7 **Mae Tho, Doi** ▲ NW Thailand
172 I4 **Maevatanana** Mahajanga, C Madagascar
187 R13 **Maéwo** *prev.* Aurora. *island* C Vanuatu
171 S11 **Mafa** Pulau Halmahera, E Indonesia
83 I23 **Mafeteng** W Lesotho
99 J21 **Maffe** Namur, SE Belgium
183 P12 **Maffra** Victoria, SE Australia
81 K23 **Mafia** *island* E Tanzania
81 J23 **Mafia Channel** *sea waterway* E Tanzania
83 I21 **Mafikeng** North-West, N South Africa
60 J12 **Mafra** Santa Catarina, S Brazil
104 F10 **Mafra** Lisboa, C Portugal
143 Q17 **Mafraq** Abū Ẓaby, C UAE
Mafraq/Mafraq, Muḥāfaẓat al *see* Al Mafraq
123 T10 **Magadan** Magadanskaya Oblast', E Russian Federation
123 T9 **Magadanskaya Oblast'** ◈ *province* E Russian Federation
108 G11 **Magadino** Ticino, S Switzerland
63 G23 **Magallanes** *off.* Región de Magallanes y de la Antártica Chilena. ◈ *region* S Chile
Magallanes *see* Punta Arenas
Magallanes, Estrecho de *see* Magellan, Strait of
14 I10 **Maganasipi, Lac** ◎ Québec, SE Canada
54 F6 **Magangué** Bolívar, N Colombia
Magareva *see* Mangareva
77 V12 **Magaria** Zinder, S Niger
186 F10 **Magarida** Central, SW PNG
171 O2 **Magat** ≈ Luzon, N Philippines
27 T11 **Magazine Mountain** ▲ Arkansas, C USA
76 I15 **Magburaka** C Sierra Leone
123 Q13 **Magdagachi** Amurskaya Oblast', SE Russian Federation
62 O12 **Magdalena** Buenos Aires, E Argentina
57 M15 **Magdalena** Beni, N Bolivia
40 F4 **Magdalena** Sonora, NW Mexico
37 Q13 **Magdalena** New Mexico, SW USA
54 F5 **Magdalena** *off.* Departamento del Magdalena. ◈ *province* N Colombia
40 E9 **Magdalena, Bahía** *bay* W Mexico
63 G19 **Magdalena, Isla** *island* Archipiélago de los Chonos, S Chile
40 D8 **Magdalena, Isla** *island* W Mexico
54 F7 **Magdalena, Río** ≈ C Colombia
40 F4 **Magdalena, Río** ≈ NW Mexico
Magdalen Islands *see* Madeleine, Îles de la
100 L13 **Magdeburg** Sachsen-Anhalt, C Germany
22 L6 **Magee** Mississippi, S USA
169 Q16 **Magelang** Jawa, C Indonesia
192 K7 **Magellan Rise** *undersea feature* C Pacific Ocean
63 H24 **Magellan, Strait of** *Sp.* Estrecho de Magallanes. *strait* Argentina/Chile
106 D7 **Magenta** Lombardia, NW Italy
Magerøy *see* Magerøya
92 K7 **Magerøya** *var.* Magerøy, *Lapp.* Máhkarávju. *island* N Norway
164 C17 **Mage-shima** *island* Nansei-shotō, SW Japan
108 G11 **Maggia** Ticino, S Switzerland
108 G10 **Maggia** ≈ SW Switzerland
Maggiore, Lago *see* Maggiore, Lake
106 C6 **Maggiore, Lake** *It.* Lago Maggiore. ◎ Italy/Switzerland
44 I12 **Maggotty** W Jamaica
76 I10 **Maghama** Gorgol, S Mauritania
97 F14 **Maghera** *Ir.* Machaire Rátha. C Northern Ireland, UK
97 F15 **Magherafelt** *Ir.* Machaire Fíolta. C Northern Ireland, UK
188 H6 **Magicienne Bay** *bay* Saipan, S Northern Mariana Islands
105 O13 **Magina** ▲ S Spain
81 H24 **Magingo** Ruvuma, S Tanzania
112 H11 **Maglaj** Federacija Bosna I Hercegovina, N Bosnia and Herzegovina
107 Q19 **Maglie** Puglia, SE Italy
36 L2 **Magna** Utah, W USA
Magnesia *see* Manisa
14 G12 **Magnetawan** ≈ Ontario, S Canada
27 T14 **Magnolia** Arkansas, C USA
22 K7 **Magnolia** Mississippi, S USA
25 V10 **Magnolia** Texas, SW USA
Magnolia State *see* Mississippi
95 J15 **Magnor** Hedmark, S Norway
187 Y14 **Mago** *prev.* Mango. *island* Lau Group, E Fiji
83 L15 **Màgoé** Tete, NW Mozambique
15 Q13 **Magog** Québec, SE Canada
83 J15 **Magoye** Southern, S Zambia
41 Q12 **Magozal** Veracruz-Llave, C Mexico
14 B7 **Magpie** ≈ Ontario, S Canada
11 Q17 **Magrath** Alberta, SW Canada
105 R10 **Magro** ≈ E Spain
76 I9 **Magta' Lahjar** *var.* Magta Lahjar, Magta' Lahjar, Magtá Lahjar. Brakna, SW Mauritania
83 L20 **Magude** Maputo, S Mozambique
77 Y12 **Magumeri** Borno, NE Nigeria
189 O14 **Magur Islands** *island group* Caroline Islands, C Micronesia
Magway *see* Magwe
166 L6 **Magwe** *var.* Magway. Magwe, W Myanmar
166 L6 **Magwe** *var.* Magway. ◈ *division* C Myanmar
Magyar-Becse *see* Bečej
Magyarkanizsa *see* Kanjiža
Magyarország *see* Hungary
Magyarzsombor *see* Zimbor
142 J4 **Mahābād** *var.* Mehabad; *prev.* Sāūjbulāgh. Āżarbāyjān-e Bākhtarī, NW Iran
172 H5 **Mahabo** Toliara, W Madagascar
Maha Chai *see* Samut Sakhon
155 D14 **Mahād** Mahārāshtra, W India
81 N17 **Mahadday Weyne** Shabeellaha Dhexe, C Somalia
79 Q17 **Mahagi** Orientale, NE Dem. Rep. Congo
Mahāil *see* Muhāyil
172 I4 **Mahajamba** *seasonal river* NW Madagascar
152 G10 **Mahājan** Rājasthān, NW India
172 I3 **Mahajanga** *var.* Majunga. Mahajanga, NW Madagascar
172 I3 **Mahajanga** ◈ *province* W Madagascar
172 I3 **Mahajanga** ✕ Mahajanga, NW Madagascar
169 U10 **Mahakam, Sungai** *var.* Koetai, Kutai. ≈ Borneo, C Indonesia
83 I19 **Mahalapye** *var.* Mahalatswe. Central, SE Botswana
Mahalatswe *see* Mahalapye
Mahalla el Kubra *see* El Maḥalla el Kubra
171 O13 **Mahalona** Sulawesi, C Indonesia
Mahameru *see* Semeru, Gunung
143 S11 **Māhān** Kermān, E Iran
154 N12 **Mahānadi** ≈ E India
172 J5 **Mahanoro** Toamasina, E Madagascar
153 P13 **Mahārājganj** Bihār, N India
154 G13 **Mahārāshtra** ◈ *state* W India
172 I4 **Mahavavy** *seasonal river* N Madagascar
155 K24 **Mahaweli Ganga** ≈ C Sri Lanka
Mahbés *see* El Mahbas
155 J15 **Mahbūbābād** Andhra Pradesh, E India
155 H16 **Mahbūbnagar** Andhra Pradesh, C India
140 M8 **Mahd adh Dhahab** Al Madīnah, W Saudi Arabia
55 S9 **Mahdia** C Guyana
75 N6 **Mahdia** *var.* Al Mahdīyah, Mehdia. NE Tunisia
155 F20 **Mahe** *Fr.* Mahé; *prev.* Mayyali. Pondicherry, SW India
172 I16 **Mahé** ✕ Mahé, NE Seychelles
172 H16 **Mahé** *island* Inner Islands, NE Seychelles
173 Y17 **Mahebourg** SE Mauritius
152 L10 **Mahendranagar** Far Western, W Nepal
81 I23 **Mahenge** Morogoro, SE Tanzania
185 F22 **Maheno** Otago, South Island, NZ
154 D9 **Mahesāna** Gujarāt, W India
154 F11 **Maheshwar** Madhya Pradesh, C India
151 F14 **Mahi** ≈ N India
184 Q10 **Mahia Peninsula** *peninsula* North Island, NZ
119 O16 **Mahilyow** *Rus.* Mogilëv. Mahilyowskaya Voblasts', E Belarus
119 M16 **Mahilyowskaya Voblasts'** *prev. Rus.* Mogilëvskaya Oblast'. ◈ *province* E Belarus
191 P7 **Mahina** Tahiti, W French Polynesia
185 E23 **Mahinerangi, Lake** ◎ South Island, NZ
Máhkarávju *see* Magerøya
83 L22 **Mahlabatini** KwaZulu/Natal, E South Africa
166 L5 **Mahlaing** Mandalay, C Myanmar
109 X8 **Mahldorf** Steiermark, SE Austria
Mahmūd-e 'Erāqī *see* Maḥmūd-e Rāqī
149 R4 **Maḥmūd-e Rāqī** *var.* Mahmūd-e 'Erāqī. Kāpīsā, NE Afghanistan
Mahmudiya *see* Al Maḥmūdīyah
29 S5 **Mahnomen** Minnesota, N USA
152 K14 **Mahoba** Uttar Pradesh, N India
105 Z9 **Mahón** *Cat.* Maó, *Eng.* Port Mahon; *anc.* Portus Magonis. Menorca, Spain, W Mediterranean Sea
18 D14 **Mahoning Creek Lake** ⊠ Pennsylvania, NE USA
105 Q10 **Mahora** Castilla-La Mancha, C Spain
Mähren *see* Moravia
Mährisch-Budwitz *see* Moravské Budějovice
Mährisch-Kromau *see* Moravský Krumlov
Mährisch-Neustadt *see* Uničov
Mährisch-Schönberg *see* Šumperk
Mährisch-Trübau *see* Moravská Třebová
Mährisch-Weisskirchen *see* Hranice
Māh-Shahr *see* Bandar-e Māhshahr
79 N19 **Mahulu** Maniema, E Dem. Rep. Congo
154 C12 **Mahuva** Gujarāt, W India
114 N11 **Mahya Dağı** ▲ NW Turkey
105 T6 **Maials** *var.* Mayals. Cataluña, NE Spain
191 O2 **Maiana** *prev.* Hall Island. *atoll* Tungaru, W Kiribati
191 S11 **Maiao** *var.* Tapuaemanu, Tubuai-Manu. *island* Îles du Vent, W French Polynesia
54 H4 **Maicao** La Guajira, N Colombia
Mai Ceu/Mai Chio *see* Maych'ew
103 U8 **Maîche** Doubs, E France
97 N22 **Maidenhead** S England, UK
11 S15 **Maidstone** Saskatchewan, S Canada
97 P22 **Maidstone** SE England, UK
77 Y13 **Maiduguri** Borno, NE Nigeria
108 I8 **Maienfeld** Sankt Gallen, NE Switzerland
116 J12 **Măieruș** *Hung.* Szászmagyarós. Brașov, C Romania
Maigh Chromtha *see* Macroom
Maigh Eo *see* Mayo
55 N9 **Maigualida, Sierra** ▲▲ S Venezuela
154 K9 **Maihar** Madhya Pradesh, C India
154 K11 **Maikala Range** ▲▲ C India
Mailand *see* Milano
152 L11 **Mailāni** Uttar Pradesh, N India
149 U10 **Māilsi** Punjab, E Pakistan
147 R8 **Maimak** Talasskaya Oblast', NW Kyrgyzstan
Maimāna *see* Meymaneh
Maimansingh *see* Mymensingh
171 V13 **Maimawa** Papua, E Indonesia
Maimuna *see* Al Maymūnah
101 G18 **Main** ≈ C Germany
115 F22 **Maïna** *ancient monument* Pelopónnisos, S Greece
115 E20 **Maínalo** ▲ S Greece
101 L22 **Mainburg** Bayern, SE Germany
Main Camp *see* Banana
14 E12 **Main Channel** *lake channel* Ontario, S Canada
79 I20 **Mai-Ndombe, Lac** *prev.* Lac Léopold II. ◎ W Dem. Rep. Congo
101 K20 **Main-Donau-Kanal** *canal* SE Germany
19 R6 **Maine** *off.* State of Maine; also known as Lumber State, Pine Tree State. ◈ *state* NE USA
102 K6 **Maine** *cultural region* NW France
102 J7 **Maine-et-Loire** ◈ *department* NW France
19 Q9 **Maine, Gulf of** *gulf* NE USA
77 X12 **Maïné-Soroa** Diffa, SE Niger
167 N2 **Maingkwan** *var.* Mungkawn. Kachin State, N Myanmar
Mainistir Fhear Maí *see* Fermoy
Mainistirna Búille *see* Boyle
Mainistir na Corann *see* Midleton
Mainistir na Féile *see* Abbeyfeale
96 J5 **Mainland** *island* Orkney, N Scotland, UK
96 L2 **Mainland** *island* Shetland, NE Scotland, UK
159 P16 **Mainling** *var.* Tungdor. Xizang Zizhiqu, W China
152 K12 **Mainpuri** Uttar Pradesh, N India
103 N5 **Maintenon** Eure-et-Loir, C France
172 H4 **Maintirano** Mahajanga, W Madagascar
93 M15 **Mainua** Oulu, C Finland
101 G18 **Mainz** *Fr.* Mayence. Rheinland-Pfalz, SW Germany
76 I9 **Maio** *var.* Vila do Maio. Maio, S Cape Verde
76 E10 **Maio** *var.* Mayo. *island* Ilhas de Sotavento, SE Cape Verde
62 G12 **Maipo, Río** ≈ C Chile
62 H12 **Maipo, Volcán** ▲ W Argentina
61 E22 **Maipú** Buenos Aires, E Argentina
62 I11 **Maipú** Mendoza, E Argentina
62 H11 **Maipú** Santiago, C Chile
54 L5 **Maiquetía** Distrito Federal, N Venezuela
108 I10 **Maira** *It.* Mera. ≈ Italy/Switzerland
106 A9 **Maira** ≈ NW Italy
153 V12 **Mairābari** Assam, NE India
44 K7 **Maisí** Guantánamo, E Cuba
118 H13 **Maišiagala** Vilnius, SE Lithuania
153 V17 **Maiskhal Island** *island* SE Bangladesh
167 N13 **Mai Sombun** Chumphon, SW Thailand
Maisur *see* Karnātaka, India
Maisur *see* Mysore, India
183 T8 **Maitland** New South Wales, SE Australia
182 I9 **Maitland** South Australia
14 F15 **Maitland** ≈ Ontario, S Canada
195 R1 **Maitri** *Indian research station* Antarctica
159 N15 **Maizhokunggar** Xizang Zizhiqu, W China
43 O10 **Maíz, Islas del** *var.* Corn Islands. *island group* SE Nicaragua
164 J12 **Maizuru** Kyōto, Honshū, SW Japan
54 F6 **Majagual** Sucre, N Colombia
41 Z13 **Majahual** Quintana Roo, E Mexico
Mājeej *see* Mejit Island
171 N13 **Majene** *prev.* Madjene. Sulawesi, C Indonesia
43 V15 **Majé, Serranía de** ▲▲ E Panama
112 I11 **Majevica** ▲▲ NE Bosnia and Herzegovina
81 H15 **Majī** Southern, S Ethiopia
141 X7 **Majīs** NW Oman
Majorca *see* Mallorca
Mājro *see* Majuro Atoll
Majunga *see* Mahajanga
189 Y3 **Majuro** ✕ Majuro Atoll, SE Marshall Islands
189 Y2 **Majuro Atoll** *var.* Mājro. *atoll* Ratak Chain, SE Marshall Islands
189 X2 **Majuro Lagoon** *lagoon* Majuro Atoll, SE Marshall Islands
76 H11 **Maka** C Senegal
79 F20 **Makabana** Le Niari, SW Congo
38 D9 **Mākaha** *var.* Makaha. O'ahu, Hawai'i, USA, C Pacific Ocean
38 B8 **Makahū'ena Point** *var.* Makahuena Point *headland* Kaua'i, Hawai'i, USA, C Pacific Ocean
38 D9 **Makakilo City** O'ahu, Hawai'i, USA, C Pacific Ocean
83 H18 **Makalamabedi** Central, C Botswana
Makale *see* Mek'elē
158 K17 **Makalu** *Chin.* Makaru Shan. ▲ China/Nepal
81 G23 **Makampi** Mbeya, S Tanzania
145 X12 **Makanchi** *Kaz.* Maqanshy. Vostochnyy Kazakhstan, E Kazakhstan
42 M8 **Makantaka** Región Autónoma Atlántico Norte, NE Nicaragua
190 B16 **Makapu Point** *headland* W Niue
185 C24 **Makarewa** Southland, South Island, NZ
117 O4 **Makariv** Kyyivs'ka Oblast', N Ukraine
185 D20 **Makarora** ≈ South Island, NZ
123 T13 **Makarov** Ostrov Sakhalin, Sakhalinskaya Oblast', SE Russian Federation
197 R9 **Makarov Basin** *undersea feature* Arctic Ocean
192 I5 **Makarov Seamount** *undersea feature* W Pacific Ocean
113 F15 **Makarska** *It.* Macarsca. Split-Dalmacija, SE Croatia
Makaru Shan *see* Makalu
125 O15 **Makar'yev** Kostromskaya Oblast', NW Russian Federation
82 L11 **Makasa** Northern, NE Zambia
Makasar *see* Makassar
Makasar, Selat *see* Makassar Straits
170 M14 **Makassar** *var.* Macassar, Makasar; *prev.* Ujungpandang. Sulawesi, C Indonesia
192 F7 **Makassar Straits** *Ind.* Selat Makasar. *strait* C Indonesia
144 G12 **Makat** *Kaz.* Maqat. Atyrau, SW Kazakhstan
191 T10 **Makatea** *island* Îles Tuamotu, C French Polynesia
139 U7 **Makātū** E Iraq
172 H6 **Makay** *var.* Massif du Makay. ▲▲ SW Madagascar
114 J12 **Makaza** *pass* Bulgaria/Greece
Makedonija *see* Macedonia, FYR
190 B16 **Makefu** W Niue
191 V10 **Makemo** *atoll* Îles Tuamotu, C French Polynesia
76 I15 **Makeni** C Sierra Leone
Makenzen *see* Orlyak
Makeyevka *see* Makiyivka
127 Q16 **Makhachkala** *prev.* Petrovsk-Port. Respublika Dagestan, SW Russian Federation
144 F11 **Makhambet** Atyrau, W Kazakhstan
Makharadze *see* Ozurget'i
139 W13 **Makhfar Al Buṣayyah** S Iraq
139 R4 **Makhmūr** N Iraq
138 I11 **Makhrūq, Wadi al** *dry watercourse* E Jordan
139 R4 **Makḥūl, Jabal** ▲ C Iraq
141 R13 **Makhyah, Wādī** *dry watercourse* N Yemen
171 V13 **Maki** Papua, E Indonesia
185 G21 **Makikihi** Canterbury, South Island, NZ
191 O2 **Makin** *prev.* Pitt Island. *atoll* Tungaru, W Kiribati
81 I20 **Makindu** Eastern, S Kenya
145 Q8 **Makinsk** Akmola, N Kazakhstan
187 N10 **Makira** *off.* Makira Province. ◈ *province* SE Solomon Islands
Makira *see* San Cristobal
117 X8 **Makiyivka** *Rus.* Makeyevka; *prev.* Dmitriyevsk. Donets'ka Oblast', E Ukraine
140 L10 **Makkah** *Eng.* Mecca. Makkah, W Saudi Arabia
140 M10 **Makkah** *var.* Minṭaqat Makkah. ◈ *province* W Saudi Arabia
13 R7 **Makkovik** Newfoundland and Labrador, NE Canada
98 K6 **Makkum** Friesland, N Netherlands
Mako *see* Makung
111 M25 **Makó** *Rom.* Macău. Csongrád, SE Hungary
14 G9 **Makobe Lake** ◎ Ontario, S Canada
79 F18 **Makokou** Ogooué-Ivindo, NE Gabon
81 G23 **Makongolosi** Mbeya, S Tanzania
81 E19 **Makota** SW Uganda
79 G18 **Makoua** Cuvette, C Congo
110 M10 **Maków Mazowiecki** Mazowieckie, C Poland
111 K17 **Maków Podhalański** Małopolskie, S Poland
143 V14 **Makran** *cultural region* Iran/Pakistan
152 G12 **Makrāna** Rājasthān, N India
143 U15 **Makran Coast** *coastal region* SE Iran
119 F20 **Makrany** *Rus.* Mokrany. Brestskaya Voblasts', SW Belarus
Makrinoros *see* Makrynóros
115 H20 **Makrónisosi** *island* Kykládes, Greece, Aegean Sea
115 D17 **Makrynóros** *var.* Makrinoros. ▲▲ C Greece
115 G19 **Makryplági** ▲ C Greece
Maksamaa *see* Maxmo
124 J15 **Maksatikha** *var.* Maksatha, Maksaticha. Tverskaya Oblast', W Russian Federation
154 G10 **Maksi** Madhya Pradesh, C India
142 I1 **Mākū** Āżarbāyjān-e Bākhtarī, NW Iran
153 Y11 **Mākum** Assam, NE India
Makun *see* Makung
161 R14 **Makung** *prev.* Mako, Makun. W Taiwan
164 B16 **Makurazaki** Kagoshima, Kyūshū, SW Japan
77 V15 **Makurdi** Benue, C Nigeria
38 L17 **Makushin Volcano** Ѫ Unalaska Island, Alaska, USA
83 K16 **Makwiro** Mashonaland West, N Zimbabwe
57 D15 **Mala** Lima, W Peru
Mala *see* Mallow, Ireland
Mala *see* Malaita, Solomon Islands
93 I14 **Malå** Västerbotten, N Sweden
190 G12 **Mala'atoli** Île Uvea, E Wallis and Futuna
171 P8 **Malabang** E Mindanao, S Philippines
155 E21 **Malabār Coast** *coast* SW India
79 C16 **Malabo** *prev.* Santa Isabel. ● (Equatorial Guinea) Isla de Bioco, NW Equatorial Guinea
79 C16 **Malabo** ✕ Isla de Bioco, N Equatorial Guinea
Malaca *see* Málaga
Malacca *see* Melaka
168 I7 **Malacca, Strait of** *Ind.* Selat Malaka. *strait* Indonesia/Malaysia
Malacka *see* Malacky
111 G20 **Malacky** *Hung.* Malacka. Bratislavský Kraj, W Slovakia
33 R16 **Malad City** Idaho, NW USA
117 Q4 **Mala Divytsya** Chernihivs'ka Oblast', N Ukraine
119 J15 **Maladzyechna** *Pol.* Molodeczno, *Rus.* Molodechno. Minskaya Voblasts', C Belarus
190 D12 **Malaee** Île Futuna, N Wallis and Futuna
37 V15 **Malaga** New Mexico, SW USA
54 G8 **Málaga** Santander, C Colombia
104 M15 **Málaga** *anc.* Malaca. Andalucía, S Spain
104 L15 **Málaga** ◈ *province* Andalucía, S Spain
104 M15 **Málaga** ✕ Andalucía, S Spain
Malagasy Republic *see* Madagascar
105 N10 **Malagón** Castilla-La Mancha, C Spain
97 G18 **Malahide** *Ir.* Mullach Íde. E Ireland
187 N9 **Malaita** *off.* Malaita Province. ◈ *province* N Solomon Islands
187 N8 **Malaita** *var.* Mala. *island* N Solomon Islands
80 F13 **Malakal** Upper Nile, S Sudan
112 C10 **Mala Kapela** ▲▲ NW Croatia
25 V7 **Malakoff** Texas, SW USA
Malakula *see* Malekula
149 V7 **Malakwāl** *var.* Mālikwāla. Punjab, E Pakistan
186 E7 **Malalamai** Madang, W PNG
GG Q11 **Malamala** Sulawesi, C Indonesia
169 S17 **Malang** Jawa, C Indonesia
83 O14 **Malanga** Niassa, N Mozambique
Malange *see* Malanje
92 I9 **Malangen** *sound* N Norway
82 C11 **Malanje** *var.* Malange. Malanje, NW Angola
82 C11 **Malanje** *var.* Malange. ◈ *province* N Angola
148 M16 **Malān, Rās** *headland* SW Pakistan
77 S13 **Malanville** NE Benin
Malapane *see* Ozimek
155 F21 **Malappuram** Kerala, SW India
43 T17 **Mala, Punta** *headland* S Panama
95 N16 **Mälaren** ◎ C Sweden
62 H13 **Malargüe** Mendoza, W Argentina
14 J8 **Malartic** Québec, SE Canada
119 F20 **Malaryta** *Pol.* Maloryta, *Rus.* Malorita. Brestskaya Voblasts', SW Belarus
63 J19 **Malaspina** Chubut, SE Argentina
39 U12 **Malaspina Glacier** *glacier* Alaska, USA
137 N15 **Malatya** *anc.* Melitene. Malatya, SE Turkey
136 M14 **Malatya** ◈ *province* C Turkey
117 Q7 **Mala Vyska** *Rus.* Malaya Viska. Kirovohrads'ka Oblast', S Ukraine
83 M14 **Malawi** *off.* Republic of Malawi; *prev.* Nyasaland, Nyasaland Protectorate. ◆ *republic* S Africa
Malawi, Lake *see* Nyasa, Lake
93 J17 **Malax** *Fin.* Maalahti. Länsi-Suomi, W Finland
124 H14 **Malaya Vishera** Novgorodskaya Oblast', W Russian Federation
Malaya Viska *see* Mala Vyska
171 Q7 **Malaybalay** Mindanao, S Philippines
142 L6 **Malāyer** *prev.* Daulatabad. Hamadān, W Iran
168 J7 **Malay Peninsula** *peninsula* Malaysia/Thailand
168 L7 **Malaysia** *var.* Federation of Malaysia; *prev.* the separate territories of Federation of Malaya, Sarawak and Sabah (North Borneo) and Singapore. ◆ *monarchy* SE Asia
137 R14 **Malazgirt** Muş, E Turkey
15 R8 **Malbaie** ≈ Québec, SE Canada
77 T12 **Malbaza** Tahoua, S Niger
110 J7 **Malbork** *Ger.* Marienburg, Marienburg in Westpreussen. Pomorskie, N Poland
100 N9 **Malchin** Mecklenburg-Vorpommern, N Germany
100 M9 **Malchiner See** ◎ NE Germany
99 D16 **Maldegem** Oost-Vlaanderen, NW Belgium
98 L13 **Malden** Gelderland, SE Netherlands
19 O11 **Malden** Massachusetts, NE USA
27 Y8 **Malden** Missouri, C USA
191 X4 **Malden Island** *prev.* Independence Island. *atoll* E Kiribati
173 Q6 **Maldives** *off.* Maldivian Divehi, Republic of Maldives. ◆ *republic* N Indian Ocean
Maldivian Divehi *see* Maldives
97 P21 **Maldon** E England, UK
61 G20 **Maldonado** Maldonado, S Uruguay
61 G20 **Maldonado** ◈ *department* S Uruguay
41 P17 **Maldonado, Punta** *headland* S Mexico
151 K19 **Male'** *Div.* Maale ● (Maldives) Male' Atoll, C Maldives
106 G6 **Malè** Trentino-Alto Adige, N Italy
76 K13 **Maléa** *var.* Maléya. Haute-Guinée, NE Guinea
115 G22 **Maléas, Akrotírio** *headland* S Greece
115 L17 **Maléas, Akrotírio** *headland* Lésvos, E Greece
151 K19 **Male' Atoll** *var.* Kaafu Atoll. *atoll* C Maldives
Malebo, Pool *see* Stanley Pool
154 E12 **Mālegaon** Mahārāshtra, W India
81 F15 **Malek** Jonglei, S Sudan
187 Q13 **Malekula** *var.* Malakula; *prev.* Mallicolo. *island* W Vanuatu
189 Y15 **Malem** Kosrae, E Micronesia
83 O15 **Malema** Nampula, N Mozambique
79 N23 **Malemba-Nkulu** Katanga, SE Dem. Rep. Congo
124 K9 **Malen'ga** Respublika Kareliya, NW Russian Federation
95 M20 **Målerås** Kalmar, S Sweden
103 O6 **Malesherbes** Loiret, C France
115 G18 **Malesína** Stereá Ellás, E Greece
Maléya *see* Maléa
127 O15 **Malgobek** Chechenskaya Respublika, SW Russian Federation
105 X5 **Malgrat de Mar** Cataluña, NE Spain
80 C9 **Malha** Northern Darfur, W Sudan
139 Q5 **Malḥāt** C Iraq
32 K14 **Malheur Lake** ◎ Oregon, NW USA
32 L14 **Malheur River** ≈ Oregon, NW USA
76 I13 **Mali** Moyenne-Guinée, NW Guinea
77 O9 **Mali** *off.* Republic of Mali, *Fr.* République du Mali; *prev.* French Sudan, Sudanese Republic. ◆ *republic* W Africa
171 Q16 **Maliana** W East Timor
167 O2 **Mali Hka** ≈ N Myanmar
Mali Idjoš *see* Mali Iđoš
112 K8 **Mali Iđoš** *var.* Mali Idjoš, *Hung.* Kishegyes; *prev.* Krivaja. Serbia, N Serbia and Montenegro (Yugo.)
112 K9 **Mali Kanal** *canal* N Serbia and Montenegro (Yugo.)
171 P12 **Maliku** Sulawesi, N Indonesia
Malik, Wadi al *see* Milk, Wadi el
Mālikwāla *see* Malakwāl
167 N11 **Mali Kyun** *var.* Tavoy Island. *island* Mergui Archipelago, S Myanmar
95 M19 **Målilla** Kalmar, S Sweden
112 B11 **Mali Lošinj** *It.* Lussinpiccolo. Primorje-Gorski Kotar, W Croatia
Malin *see* Malyn
171 P7 **Malindang, Mount** ▲ Mindanao, S Philippines
81 K20 **Malindi** Coast, SE Kenya
Malines *see* Mechelen
96 E13 **Malin Head** *Ir.* Cionn Mhálanna. *headland* NW Ireland
171 O11 **Malino, Gunung** ▲ Sulawesi, N Indonesia
113 M21 **Maliq** *var.* Maliqi. Korçë, SE Albania
Maliqi *see* Maliq
171 Q8 **Malita** Mindanao, S Philippines
154 G12 **Malkāpur** Mahārāshtra, C India
136 B10 **Malkara** Tekirdağ, NW Turkey
119 J19 **Mal'kavichy** *Rus.* Mal'kovichi. Brestskaya Voblasts', SW Belarus
Malkiye *see* Al Mālikīyah
114 L11 **Malko Sharkovo, Yazovir** ⊠ SE Bulgaria
114 N11 **Malko Tŭrnovo** Burgas, E Bulgaria
Mal'kovichi *see* Mal'kavichy

◆ Country ● Country Capital ◇ Dependent Territory ○ Dependent Territory Capital ◈ Administrative Region ✕ International Airport ▲ Mountain ▲▲ Mountain Range Ѫ Volcano ≈ River ◎ Lake ⊠ Reservoir

Mallacoota – Mapleton ••• 285

183 R12 **Mallacoota** Victoria, SE Australia
96 G10 **Mallaig** N Scotland, UK
182 I9 **Mallala** South Australia
75 W9 **Mallawi** C Egypt
105 R5 **Mallén** Aragón, NE Spain
106 F5 **Malles Venosta** *Ger.* Mals im Vinschgau. Trentino-Alto Adige, N Italy
Mallicolo *see* Malekula
109 Q8 **Mallnitz** Salzburg, S Austria
105 W9 **Mallorca** *Eng.* Majorca; *anc.* Baleares Major. *island* Islas Baleares, Spain, W Mediterranean Sea
97 C20 **Mallow** *Ir.* Mala. SW Ireland
93 E15 **Malm** Nord-Trøndelag, C Norway
95 L19 **Malmbäck** Jönköping, S Sweden
92 J12 **Malmberget** *Lapp.* Malmivaara. Norrbotten, N Sweden
99 M20 **Malmédy** Liège, E Belgium
83 E25 **Malmesbury** Western Cape, SW South Africa
Malmivaara *see* Malmberget
95 N16 **Malmköping** Södermanland, C Sweden
95 K23 **Malmö** Skåne, S Sweden
95 K23 **Malmo** × Skåne, S Sweden
45 Q16 **Malmok** *headland* Bonaire, S Netherlands Antilles
95 M18 **Malmslätt** Östergötland, S Sweden
125 R16 **Malmyzh** Kirovskaya Oblast', NW Russian Federation
187 Q13 **Malo** *island* W Vanuatu
126 J7 **Maloarkhangel'sk** Orlovskaya Oblast', W Russian Federation
Maloelap *see* Maloelap Atoll
189 V6 **Maloelap Atoll** *var.* Maloelap. *atoll* E Marshall Islands
Maloenda *see* Malunda
108 I10 **Maloja** Graubünden, S Switzerland
82 L12 **Malole** Northern, NE Zambia
171 O3 **Malolos** Luzon, N Philippines
18 K6 **Malone** New York, NE USA
79 K25 **Malonga** Katanga, S Dem. Rep. Congo
111 L15 **Małopolska** *plateau* S Poland
111 K17 **Małopolskie** ◆ *province* S Poland
Malorita/Maloryta *see* Malaryta
124 K9 **Maloshuyka** Arkhangel'skaya Oblast', NW Russian Federation
114 G10 **Mal'ovitsa** ▲ W Bulgaria
145 V15 **Malovodnoye** Almaty, SE Kazakhstan
94 C10 **Måløy** Sogn og Fjordane, S Norway
126 K4 **Maloyaroslavets** Kaluzhskaya Oblast', W Russian Federation
122 G7 **Malozemel'skaya Tundra** *physical region* NW Russian Federation
104 J10 **Malpartida de Cáceres** Extremadura, W Spain
104 K9 **Malpartida de Plasencia** Extremadura, W Spain
106 C7 **Malpensa** × (Milano) Lombardia, N Italy
76 J6 **Malqteïr** *desert* N Mauritania
Mals im Vinschgau *see* Malles Venosta
118 J10 **Malta** Rēzekne, SE Latvia
33 V7 **Malta** Montana, NW USA
120 M11 **Malta** *off.* Republic of Malta. ◆ *republic* C Mediterranean Sea
109 R8 **Malta** *var.* Maltabach. ≈ S Austria
120 M11 **Malta** *island* Malta, C Mediterranean Sea
Maltabach *see* Malta
Malta, Canale di *see* Malta Channel
120 M11 **Malta Channel** *It.* Canale di Malta. *strait* Italy/Malta
83 D20 **Maltahöhe** Hardap, SW Namibia
97 N16 **Malton** N England, UK
171 R13 **Maluku** *off.* Propinsi Maluku, *Dut.* Molukken, *Eng.* Moluccas. ◆ *province* E Indonesia
171 R13 **Maluku** *Dut.* Molukken, *Eng.* Moluccas; *prev.* Spice Islands. *island group* E Indonesia
Maluku, Laut *see* Molucca Sea
171 R11 **Maluku Utara** *off.* Propinsi Maluku Utara. ◆ *province* E Indonesia
77 V13 **Malumfashi** Katsina, N Nigeria
171 N13 **Malunda** *prev.* Maloenda. Sulawesi, C Indonesia
94 K13 **Malung** Dalarna, C Sweden
94 K13 **Malungsfors** Dalarna, C Sweden
186 M8 **Maluu** *var.* Malu'u. Malaita, N Solomon Islands
155 D16 **Mālvan** Mahārāshtra, W India
Malventum *see* Benevento
27 U12 **Malvern** Arkansas, C USA
29 S15 **Malvern** Iowa, C USA
44 I13 **Malvern** ▲ W Jamaica
Malvinas, Islas *see* Falkland Islands
117 N4 **Malyn** *Rus.* Malin. Zhytomyrs'ka Oblast', N Ukraine
127 O11 **Malyye Derbety** Respublika Kalmykiya, SW Russian Federation
Malyy Kavkaz *see* Lesser Caucasus
123 Q6 **Malyy Lyakhovskiy, Ostrov** *island* NE Russian Federation
Malyy Pamir *see* Little Pamir
122 N5 **Malyy Taymyr, Ostrov** *island* Severnaya Zemlya, N Russian Federation
144 E10 **Malyy Uzen'** *Kaz.* Kishiözen. ≈ Kazakhstan/Russian Federation
122 L14 **Malyy Yenisey** *var.* Ka-Krem. ≈ S Russian Federation
127 S3 **Mamadysh** Respublika Tatarstan, W Russian Federation
117 N14 **Mamaia** Constanța, E Romania
187 W14 **Mamanuca Group** *island group* Yasawa Group, W Fiji
146 L13 **Mamash** Lebap Welaýaty, E Turkmenistan
79 O17 **Mambasa** Orientale, NE Dem. Rep. Congo
171 X13 **Mamberamo, Sungai** ≈ Papua, E Indonesia
79 G15 **Mambéré** ≈ SW Central African Republic
79 G15 **Mambéré-Kadéï** ◆ *prefecture* SW Central African Republic
Mambij *see* Manbij
79 H18 **Mambili** ≈ W Congo
83 N18 **Mambone** *var.* Nova Mambone. Inhambane, E Mozambique
171 O4 **Mamburao** Mindoro, N Philippines
172 I16 **Mamelles** *island* Inner Islands, NE Seychelles
99 M25 **Mamer** Luxembourg, SW Luxembourg
102 L6 **Mamers** Sarthe, NW France
79 D15 **Mamfe** Sud-Ouest, W Cameroon
145 P6 **Mamlyutka** Severnyy Kazakhstan, N Kazakhstan
36 M15 **Mammoth** Arizona, SW USA
33 S12 **Mammoth Hot Springs** Wyoming, C USA
Mamoedjoe *see* Mamuju
119 A14 **Mamonovo** *Ger.* Heiligenbeil. Kaliningradskaya Oblast', W Russian Federation
57 L14 **Mamoré, Rio** ≈ Bolivia/Brazil
76 I14 **Mamou** Moyenne-Guinée, W Guinea
22 H8 **Mamou** Louisiana, S USA
172 I14 **Mamoudzou** ○ (Mayotte) C Mayotte
172 I3 **Mampikony** Mahajanga, N Madagascar
77 P16 **Mampong** C Ghana
110 M7 **Mamry, Jezioro** *Ger.* Mauersee. ⊗ NE Poland
171 N13 **Mamuju** *prev.* Mamoedjoe. Sulawesi, S Indonesia
83 F19 **Mamuno** Ghanzi, W Botswana
113 K19 **Mamuras** *var.* Mamurasi, Mamurras. Lezhë, C Albania
Mamurasi/Mamurras *see* Mamuras
76 L16 **Man** W Ivory Coast
55 X9 **Mana** NW French Guiana
56 A6 **Manabí** ◆ *province* W Ecuador
42 G4 **Manabique, Punta** *var.* Cabo Tres Puntas. *headland* E Guatemala
54 G11 **Manacacías, Río** ≈ C Colombia
58 F13 **Manacapuru** Amazonas, N Brazil
171 Q11 **Manado** *prev.* Menado. Sulawesi, C Indonesia
188 H5 **Managaha** *island* S Northern Mariana Islands
99 G20 **Manage** Hainaut, S Belgium
42 J10 **Managua** ● (Nicaragua) Managua, W Nicaragua
42 J10 **Managua** ◆ *department* W Nicaragua
42 J10 **Managua** × Managua, W Nicaragua
42 J10 **Managua, Lago de** *var.* Xolotlán. ⊗ W Nicaragua
Manah *see* Bilād Manah
18 K16 **Manahawkin** New Jersey, NE USA
184 K11 **Manaia** Taranaki, North Island, NZ
172 J6 **Manakara** Fianarantsoa, SE Madagascar
152 J7 **Manāli** Himāchal Pradesh, NW India
Ma, Nam *see* Mã, Sông
Manama *see* Al Manāmah
186 D6 **Manam Island** *island* N PNG
172 I7 **Mananara** ≈ SE Madagascar
182 M9 **Manangatang** Victoria, SE Australia
172 J6 **Mananjary** Fianarantsoa, SE Madagascar
76 L14 **Manankoro** Sikasso, SW Mali
76 J12 **Manantali, Lac de** ⊞ W Mali
Manáos *see* Manaus
185 B23 **Manapouri** Southland, South Island, NZ
185 B23 **Manapouri, Lake** ⊗ South Island, NZ
58 F13 **Manaquiri** Amazonas, NW Brazil
Manar *see* Mannar
158 K5 **Manas** Xinjiang Uygur Zizhiqu, NW China
153 U12 **Manās** *var.* Dangme Chu. ≈ Bhutan/India
147 R8 **Manas, Gora** ▲ Kyrgyzstan/Uzbekistan
158 K3 **Manas Hu** ⊗ NW China
153 P10 **Manaslu** ▲ C Nepal
37 S8 **Manassa** Colorado, C USA
21 W4 **Manassas** Virginia, NE USA
45 T5 **Manatí** C Puerto Rico
171 R16 **Manatuto** N East Timor
186 E8 **Manau** Northern, S PNG
54 H4 **Manaure** La Guajira, N Colombia
58 F12 **Manaus** *prev.* Manáos. *state capital* Amazonas, NW Brazil
136 G17 **Manavgat** Antalya, SW Turkey
184 M13 **Manawatu** ≈ North Island, NZ
184 L11 **Manawatu-Wanganui** *off.* Manawatu-Wanganui Region. ◆ *region* North Island, NZ
171 R7 **Manay** Mindanao, S Philippines
138 K2 **Manbij** *var.* Mambij, *Fr.* Membidj. Ḩalab, N Syria
105 N13 **Mancha Real** Andalucía, S Spain
102 I4 **Manche** ◆ *department* N France
97 L17 **Manchester** *Lat.* Mancunium. NW England, UK
23 S5 **Manchester** Georgia, SE USA
29 Y13 **Manchester** Iowa, C USA
21 N7 **Manchester** Kentucky, S USA
19 O10 **Manchester** New Hampshire, NE USA
20 K10 **Manchester** Tennessee, S USA
18 M9 **Manchester** Vermont, NE USA
97 L18 **Manchester** × NW England, UK
149 P15 **Manchhar Lake** ⊗ SE Pakistan
Man-chou-li *see* Manzhouli
163 U11 **Manchuria** *cultural region* NE China
Máncio Lima *see* Japiim
Mancunium *see* Manchester
148 J15 **Mand** Baluchistān, SW Pakistan
Mand *see* Mand, Rūd-e
81 H25 **Manda** Iringa, SW Tanzania
172 H6 **Mandabe** Toliara, W Madagascar
162 I5 **Mandal** Hövsgöl, N Mongolia
162 L7 **Mandal** Töv, C Mongolia
95 E18 **Mandal** Vest-Agder, S Norway
166 L5 **Mandalay** Mandalay, C Myanmar
166 M6 **Mandalay** ◆ *division* C Myanmar
162 L9 **Mandalgovĭ** Dundgovĭ, C Mongolia
139 V7 **Mandalī** E Iraq
95 E18 **Mandalselva** ≈ S Norway
163 P11 **Mandalt** *var.* Sonid Zuoqi. Nei Mongol Zizhiqu, N China
28 M5 **Mandan** North Dakota, N USA
Mandargiri Hill *see* Mandār Hill
153 R14 **Mandār Hill** *prev.* Mandargiri Hill. Bihār, NE India
170 M13 **Mandar, Teluk** *bay* Sulawesi, C Indonesia
107 C19 **Mandas** Sardegna, Italy, C Mediterranean Sea
Mandasor *see* Mandsaur
81 L16 **Mandera** North Eastern, NE Kenya
33 V13 **Manderson** Wyoming, C USA
44 I12 **Mandeville** C Jamaica
22 K9 **Mandeville** Louisiana, S USA
152 I7 **Mandi** Himāchal Pradesh, NW India
76 K14 **Mandiana** Haute-Guinée, E Guinea
149 U10 **Mandi Būrewāla** *var.* Būrewāla. Punjab, E Pakistan
152 G9 **Mandi Dabwāli** Haryāna, NW India
Mandidzudzure *see* Chimanimani
83 M15 **Mandié** Manica, NW Mozambique
83 N14 **Mandimba** Niassa, N Mozambique
57 Q19 **Mandioré, Laguna** ⊗ E Bolivia
154 J10 **Mandla** Madhya Pradesh, C India
83 M20 **Mandlakazi** *var.* Manjacaze. Gaza, S Mozambique
95 E24 **Mandø** *var.* Manø. *island* W Denmark
Mandoúdhion/Mandoudi *see* Mantoúdi
115 G19 **Mándra** Attikí, C Greece
172 I7 **Mandrare** ≈ S Madagascar
114 M10 **Mandra, Yazovir** *salt lake* SE Bulgaria
107 L23 **Mandrazzi, Portella** *pass* Sicilia, Italy, C Mediterranean Sea
172 J3 **Mandritsara** Mahajanga, N Madagascar
143 O13 **Mand, Rūd-e** *var.* Mand. ≈ S Iran
154 F9 **Mandsaur** *prev.* Mandasor. Madhya Pradesh, C India
154 F11 **Māndu** Madhya Pradesh, C India
169 W8 **Mandul, Pulau** *island* N Indonesia
83 G15 **Mandundu** Western, W Zambia
180 I13 **Mandurah** Western Australia
107 P18 **Manduria** Puglia, SE Italy
155 G20 **Mandya** Karnātaka, C India
77 P12 **Mané** C Burkina
106 E8 **Manerbio** Lombardia, NW Italy
Manevichi *see* Manevychi
116 K3 **Manevychi** *Pol.* Maniewicze, *Rus.* Manevichi. Volyns'ka Oblast', NW Ukraine
107 N16 **Manfredonia** Puglia, SE Italy
107 N16 **Manfredonia, Golfo di** *gulf* Adriatic Sea, N Mediterranean Sea
77 P13 **Manga** C Burkina
59 L16 **Mangabeiras, Chapada das** ▲ E Brazil
79 J20 **Mangai** Bandundu, W Dem. Rep. Congo
190 L17 **Mangaia** *island group* S Cook Islands
184 M9 **Mangakino** Waikato, North Island, NZ
115 M15 **Mangalia** *anc.* Callatis. Constanța, SE Romania
78 J11 **Mangalmé** Guéra, SE Chad
155 E19 **Mangalore** Karnātaka, W India
191 Y13 **Mangareva** *var.* Magareva. *island* Îles Tuamotu, SE French Polynesia
83 I23 **Mangaung** Free State, C South Africa
Mangaung *see* Bloemfontein
154 K9 **Mangawān** Madhya Pradesh, C India
184 M11 **Mangaweka** Manawatu-Wanganui, North Island, NZ
184 N11 **Mangaweka** ▲ North Island, NZ
79 P17 **Mangbwalu** Orientale, NE Dem. Rep. Congo
101 L24 **Mangfall** ≈ SE Germany
169 P13 **Manggar** Pulau Belitung, W Indonesia
166 M2 **Mangin Range** ▲ N Myanmar
139 R1 **Mangish** N Iraq
144 F15 **Mangistau** *Kaz.* Mangqystaū Oblysy; *prev.* Mangyshlakskaya. ◆ *province* SW Kazakhstan
Mangit *see* Mang'it
146 H8 **Mang'it** *Rus.* Mangit. Qoraqalpog'iston Respublikasi, W Uzbekistan
54 A13 **Manglares, Cabo** *headland* SW Colombia
149 V6 **Mangla Reservoir** ⊞ NE Pakistan
159 N9 **Mangnai** *var.* Lao Mangnai. Qinghai, C China
Mango *see* Mago, Fiji
Mango *see* Sansanné-Mango, Togo
Mangoche *see* Mangochi
83 N14 **Mangochi** *var.* Mangoche; *prev.* Fort Johnston. Southern, SE Malawi
77 N14 **Mangodara** SW Burkina
172 H6 **Mangoky** ≈ W Madagascar
171 Q12 **Mangole, Pulau** *island* Kepulauan Sula, E Indonesia
184 J2 **Mangonui** Northland, North Island, NZ
Mangqystaū Oblysy *see* Mangistau
Mangqystaū Shyghanaghy *see* Mangyshlakskiy Zaliv
104 H7 **Mangualde** Viseu, N Portugal
61 H18 **Mangueira, Lagoa** ⊗ S Brazil
77 X6 **Manguéni, Plateau du** ▲ NE Niger
163 T4 **Mangui** Nei Mongol Zizhiqu, N China
26 K11 **Mangum** Oklahoma, C USA
79 O18 **Manguredjipa** Nord Kivu, E Dem. Rep. Congo
83 L16 **Mangwendi** Mashonaland East, E Zimbabwe
144 F15 **Mangyshlak, Plato** *plateau* SW Kazakhstan
144 E14 **Mangyshlakskiy Zaliv** *Kaz.* Mangqystaū Shyghanaghy. *gulf* SW Kazakhstan
Mangyshlaskaya *see* Mangistau
162 I5 **Manhan** Hövsgöl, N Mongolia
27 O4 **Manhattan** Kansas, C USA
99 L21 **Manhay** Luxembourg, SE Belgium
83 L21 **Manhiça** *prev.* Vila de Manhiça. Maputo, S Mozambique
83 L21 **Manhoca** Maputo, S Mozambique
59 N20 **Manhuaçu** Minas Gerais, SE Brazil
143 R11 **Mānī** Kermān, C Iran
54 H10 **Maní** Casanare, C Colombia
83 M17 **Manica** *var.* Vila de Manica. Manica, W Mozambique
83 M17 **Manica** *off.* Província de Manica. ◆ *province* W Mozambique
83 L17 **Manicaland** ◆ *province* E Zimbabwe
15 U5 **Manic Deux, Réservoir** ⊞ Québec, SE Canada
Manich *see* Manych
59 F14 **Manicoré** Amazonas, N Brazil
13 N11 **Manicouagan** Québec, SE Canada
13 N11 **Manicouagan** ≈ Québec, SE Canada
15 U6 **Manicouagan, Péninsule de** *peninsula* Québec, SE Canada
13 N11 **Manicouagan, Réservoir** ⊗ Québec, E Canada
15 T4 **Manic Trois, Réservoir** ⊞ Québec, SE Canada
79 M20 **Maniema** *off.* Région du Maniema. ◆ *region* E Dem. Rep. Congo
Maniewicze *see* Manevychi
160 F8 **Maniganggo** Sichuan, C China
11 Y15 **Manigotagan** Manitoba, S Canada
153 R13 **Manihāri** Bihār, N India
191 U9 **Manihi** *island* Îles Tuamotu, C French Polynesia
190 L13 **Manihiki** *atoll* N Cook Islands
192 M8 **Manihiki Plateau** *undersea feature* C Pacific Ocean
196 M14 **Maniitsoq** *var.* Manîtsoq, *Dan.* Sukkertoppen. Kitaa, S Greenland
153 T15 **Manikganj** Dhaka, C Bangladesh
152 M14 **Mānikpur** Uttar Pradesh, N India
171 N4 **Manila** *off.* City of Manila. ● (Philippines) Luzon, N Philippines
27 Y9 **Manila** Arkansas, C USA
189 N16 **Manila Reef** *reef* W Micronesia
183 T6 **Manilla** New South Wales, SE Australia
192 P6 **Maniloa** *island* Tongatapu Group, S Tonga
123 U8 **Manily** Koryakskiy Avtonomnyy Okrug, E Russian Federation
171 V12 **Manim, Pulau** *island* E Indonesia
168 I11 **Maninjau, Danau** ⊗ Sumatera, W Indonesia
153 W13 **Manipur** ◆ *state* NE India
153 X14 **Manipur Hills** *hill range* E India
136 C14 **Manisa** *var.* Manissa; *prev.* Saruhan, *anc.* Magnesia. Manisa, W Turkey
136 C13 **Manisa** *var.* Manissa. ◆ *province* W Turkey
Manissa *see* Manisa
31 O7 **Manistee** Michigan, N USA
31 P7 **Manistee River** ≈ Michigan, N USA
31 O4 **Manistique** Michigan, N USA
31 P4 **Manistique Lake** ⊗ Michigan, N USA
11 W13 **Manitoba** ◆ *province* S Canada
11 X16 **Manitoba, Lake** ⊗ Manitoba, S Canada
11 X17 **Manitou** Manitoba, S Canada
31 N2 **Manitou Island** *island* Michigan, N USA
14 H11 **Manitou Lake** ⊗ Ontario, SE Canada
12 G15 **Manitoulin Island** *island* Ontario, S Canada
37 T5 **Manitou Springs** Colorado, C USA
14 G12 **Manitouwabing Lake** ⊗ Ontario, S Canada
12 E12 **Manitouwadge** Ontario, S Canada
12 G15 **Manitowaning** Manitoulin Island, Ontario, S Canada
14 B7 **Manitowik Lake** ⊗ Ontario, S Canada
31 N7 **Manitowoc** Wisconsin, N USA
Manîtsoq *see* Maniitsoq
139 O7 **Mānī', Wādī al** *dry watercourse* W Iraq
12 J14 **Maniwaki** Québec, SE Canada
171 W13 **Maniwori** Papua, E Indonesia
54 E10 **Manizales** Caldas, W Colombia
112 F11 **Manjača** ▲ NW Bosnia and Herzegovina
Manjacaze *see* Mandlakazi
180 J14 **Manjimup** Western Australia
109 V4 **Mank** Niederösterreich, C Austria
79 I17 **Mankanza** Equateur, NW Dem. Rep. Congo
153 N12 **Mankāpur** Uttar Pradesh, N India
26 M3 **Mankato** Kansas, C USA
29 U10 **Mankato** Minnesota, N USA
117 O7 **Man'kivka** Cherkas'ka Oblast', C Ukraine
76 M15 **Mankono** C Ivory Coast
11 T17 **Mankota** Saskatchewan, S Canada
155 K23 **Mankulam** Northern Province, N Sri Lanka
39 Q9 **Manley Hot Springs** Alaska, USA
18 H10 **Manlius** New York, NE USA
105 W5 **Manlleu** Cataluña, NE Spain
29 V11 **Manly** Iowa, C USA
154 E13 **Manmād** Mahārāshtra, W India
182 I7 **Mannahill** South Australia
155 J23 **Mannar** *var.* Manar. Northern Province, NW Sri Lanka
155 I24 **Mannar, Gulf of** *gulf* India/Sri Lanka
155 J23 **Mannar Island** *island* N Sri Lanka
Mannersdorf *see* Mannersdorf am Leithagebirge
109 Y5 **Mannersdorf am Leithagebirge** *var.* Mannersdorf. Niederösterreich, E Austria
109 Y6 **Mannersdorf an der Rabnitz** Burgenland, E Austria
101 G20 **Mannheim** Baden-Württemberg, SW Germany
11 O12 **Manning** Alberta, W Canada
29 T14 **Manning** Iowa, C USA
28 K5 **Manning** North Dakota, N USA
21 S13 **Manning** South Carolina, SE USA
191 Y2 **Manning, Cape** *headland* Kiritimati, NE Kiribati
21 S3 **Mannington** West Virginia, NE USA
182 A1 **Mann Ranges** ▲ South Australia
107 C19 **Mannu** ≈ Sardegna, Italy, C Mediterranean Sea
11 R14 **Mannville** Alberta, SW Canada
76 J15 **Mano** ≈ Liberia/Sierra Leone
Manø *see* Mandø
39 O13 **Manokotak** Alaska, USA
171 V12 **Manokwari** Papua, E Indonesia
79 N22 **Manono** Shaba, SE Dem. Rep. Congo
25 T10 **Manor** Texas, SW USA
97 D16 **Manorhamilton** *Ir.* Cluainín. NW Ireland
103 S15 **Manosque** Alpes-de-Haute-Provence, SE France
12 L11 **Manouane, Lac** ⊗ Québec, SE Canada
163 W12 **Manp'o** *var.* Manp'ojin. NW North Korea
Manp'ojin *see* Manp'o
191 T4 **Manra** *prev.* Sydney Island. *atoll* Phoenix Islands, C Kiribati
105 V5 **Manresa** Cataluña, NE Spain
152 H9 **Mānsa** Punjab, NW India
82 J12 **Mansa** *prev.* Fort Rosebery. Luapula, N Zambia
76 G12 **Mansa Konko** C Gambia
15 Q11 **Manseau** Québec, SE Canada
149 U5 **Mānsehra** North-West Frontier Province, NW Pakistan
9 Q9 **Mansel Island** *island* Nunavut, NE Canada
183 O12 **Mansfield** Victoria, SE Australia
97 M18 **Mansfield** C England, UK
27 S11 **Mansfield** Arkansas, C USA
22 G6 **Mansfield** Louisiana, S USA
19 O12 **Mansfield** Massachusetts, NE USA
31 T12 **Mansfield** Ohio, N USA
18 G12 **Mansfield** Pennsylvania, NE USA
18 M7 **Mansfield, Mount** ▲ Vermont, NE USA
59 M16 **Mansidão** Bahia, E Brazil
102 L11 **Mansle** Charente, W France
76 G12 **Mansôa** C Guinea-Bissau
Manşûra *see* El Manşûra
Mansurabad *see* Mehrān, Rūd-e
56 A5 **Manta** Manabí, W Ecuador
56 A6 **Manta, Bahía de** *bay* W Ecuador
57 F14 **Mantaro, Río** ≈ C Peru
35 O8 **Manteca** California, W USA
54 J7 **Mantecal** Apure, C Venezuela
31 N11 **Manteno** Illinois, N USA
21 Y9 **Manteo** Roanoke Island, North Carolina, SE USA
Mantes-Gassicourt *see* Mantes-la-Jolie
103 N5 **Mantes-la-Jolie** *prev.* Mantes-Gassicourt, Mantes-sur-Seine, *anc.* Medunta. Yvelines, N France
Mantes-sur-Seine *see* Mantes-la-Jolie
36 L5 **Manti** Utah, W USA
Mantinea *see* Mantíneia
115 F20 **Mantíneia** *anc.* Mantinea. *site of ancient city* Pelopónnisos, S Greece
59 M21 **Mantiqueira, Serra da** ▲ S Brazil
29 W10 **Mantorville** Minnesota, N USA
115 G17 **Mantoúdi** *var.* Mandoudi; *prev.* Mandoúdhion. Évvoia, C Greece
Mantoue *see* Mantova
106 F8 **Mantova** *Eng.* Mantua, *Fr.* Mantoue. Lombardia, NW Italy
93 M19 **Mäntsälä** Etelä-Suomi, S Finland
93 L17 **Mänttä** Länsi-Suomi, W Finland
Mantua *see* Mantova
125 O14 **Manturovo** Kostromskaya Oblast', NW Russian Federation
93 M18 **Mäntyharju** Itä-Suomi, SE Finland
92 M13 **Mäntyjärvi** Lappi, N Finland
190 L16 **Manuae** *island* S Cook Islands
191 Q10 **Manuae** *atoll* Îles Sous le Vent, W French Polynesia
192 L16 **Manua Islands** *island group* E American Samoa
40 L5 **Manuel Benavides** Chihuahua, N Mexico
61 D21 **Manuel J.Cobo** Buenos Aires, E Argentina
58 M12 **Manuel Luís, Recife** *reef* E Brazil
61 F15 **Manuel Viana** Rio Grande do Sul, S Brazil
59 I14 **Manuel Zinho** Pará, N Brazil
191 V11 **Manuhangi** *atoll* Îles Tuamotu, C French Polynesia
185 E22 **Manuherikia** ≈ South Island, NZ
171 P13 **Manui, Pulau** *island* N Indonesia
Manukau *see* Manurewa
184 L6 **Manukau Harbour** *harbour* North Island, NZ
191 Z2 **Manulu Lagoon** ⊗ Kiritimati, E Kiribati
182 J7 **Manunda Creek** *seasonal river* South Australia
57 K15 **Manupari, Río** ≈ N Bolivia
184 L6 **Manurewa** *var.* Manukau. Auckland, North Island, NZ
57 K15 **Manurimi, Río** ≈ NW Bolivia
186 D5 **Manus** ◆ *province* N PNG
186 D5 **Manus Island** *var.* Great Admiralty Island. *island* N PNG
171 T16 **Manuwui** Pulau Babar, E Indonesia
29 Q3 **Manvel** North Dakota, N USA
33 Z14 **Manville** Wyoming, C USA
22 G6 **Many** Louisiana, S USA
81 H21 **Manyara, Lake** ⊗ NE Tanzania
126 L12 **Manych** *var.* Manich. ≈ SW Russian Federation
127 N13 **Manych-Gudilo, Ozero** *salt lake* SW Russian Federation
83 H14 **Manyinga** North Western, NW Zambia
105 O11 **Manzanares** Castilla-La Mancha, C Spain
44 H7 **Manzanillo** Granma, E Cuba
40 K14 **Manzanillo** Colima, SW Mexico
40 K14 **Manzanillo, Bahía** *bay* SW Mexico
37 S11 **Manzano Mountains** ▲ New Mexico, SW USA
37 R12 **Manzano Peak** ▲ New Mexico, SW USA
163 R6 **Manzhouli** *var.* Man-chou-li. Nei Mongol Zizhiqu, N China
Manzil Bū Ruqaybah *see* Menzel Bourguiba
139 X9 **Manzilīyah** E Iraq
83 L21 **Manzini** *prev.* Bremersdorp. C Swaziland
83 L21 **Manzini** × (Mbabane) C Swaziland
78 G10 **Mao** Kanem, W Chad
45 N8 **Mao** NW Dominican Republic
Maó *see* Mahón
Maoemere *see* Maumere
159 W9 **Maojing** Gansu, N China
171 Y14 **Maoke, Pegunungan** *Dut.* Sneeuw-gebergte, *Eng.* Snow Mountains. ▲ Papua, E Indonesia
Maol Réidh, Caoc *see* Mweelrea
160 M15 **Maoming** Guangdong, S China
160 H8 **Maoxian** *var.* Mao Xian; *prev.* Fengyizhen. Sichuan, C China
83 L19 **Mapai** Gaza, SW Mozambique
158 H15 **Mapam Yumco** ⊗ W China
83 I15 **Mapanza** Southern, S Zambia
54 J4 **Mapararí** Falcón, N Venezuela
41 U17 **Mapastepec** Chiapas, SE Mexico
169 V9 **Mapat, Pulau** *island* N Indonesia
171 Y15 **Mapi** Papua, E Indonesia
171 V11 **Mapia, Kepulauan** *island group* E Indonesia
40 L8 **Mapimí** Durango, C Mexico
83 N19 **Mapinhane** Inhambane, SE Mozambique
55 N7 **Mapire** Monagas, NE Venezuela
11 S17 **Maple Creek** Saskatchewan, S Canada
31 Q9 **Maple River** ≈ Michigan, N USA
29 P7 **Maple River** ≈ North Dakota/South Dakota, N USA
29 S13 **Mapleton** Iowa, C USA
29 U10 **Mapleton** Minnesota, N USA

◆ Country ● Country Capital ◇ Dependent Territory ○ Dependent Territory Capital ◆ Administrative Region × International Airport ▲ Mountain ▲ Mountain Range ⚠ Volcano ≈ River ⊗ Lake ⊞ Reservoir

◆ COUNTRY ◇ DEPENDENT TERRITORY ◉ ADMINISTRATIVE REGION ▲ MOUNTAIN ▲ VOLCANO ◉ LAKE
● COUNTRY CAPITAL ○ DEPENDENT TERRITORY CAPITAL ✕ INTERNATIONAL AIRPORT ▲ MOUNTAIN RANGE ✍ RIVER ◙ RESERVOIR

MARYSVILLE – MCCLINTOCK, MOUNT ••• 287

32 H7 Marysville Washington, NW USA
27 R2 Maryville Missouri, C USA
21 N9 Maryville Tennessee, S USA
146 I15 Mary Welayaty var. Mary, Rus. Maryyskiy Velayat. ◈ province S Turkmenistan
Maryyskiy Velayat see Mary Welaýaty
Marzūq see Murzuq
42 J11 Masachapa var. Puerto Masachapa. Managua, W Nicaragua
81 G19 Masai Mara National Reserve reserve C Kenya
81 I21 Masai Steppe grassland NW Tanzania
81 F19 Masaka SW Uganda
169 T15 Masalembo Besar, Pulau island S Indonesia
137 Y13 Masallı Rus. Masally. S Azerbaijan
Masally see Masallı
171 N13 Masamba Sulawesi, C Indonesia
Masampo see Masan
163 Y16 Masan prev. Masampo. S South Korea
Masandam Peninsula see Musandam Peninsula
81 J25 Masasi Mtwara, SE Tanzania
Masawa see Massawa
42 J10 Masaya Masaya, W Nicaragua
42 J10 Masaya ◈ department W Nicaragua
171 P5 Masbate Masbate, N Philippines
171 P5 Masbate island C Philippines
74 I6 Mascara var. Mouaskar. NW Algeria
173 O7 Mascarene Basin undersea feature W Indian Ocean
173 O9 Mascarene Islands island group W Indian Ocean
173 N9 Mascarene Plain undersea feature W Indian Ocean
173 O7 Mascarene Plateau undersea feature W Indian Ocean
194 H5 Mascart, Cape headland Adelaide Island, Antarctica
62 J10 Mascasín, Salinas de salt lake C Argentina
40 K13 Mascota Jalisco, C Mexico
15 O12 Mascouche Québec, SE Canada
124 J9 Masel'gskaya Respublika Kareliya, NW Russian Federation
83 J23 Maseru ● (Lesotho) W Lesotho
83 J23 Maseru ✕ W Lesotho
Mashaba see Mashava
160 K14 Mashan var. Baishan. Guangxi Zhuangzu Zizhiqu, S China
83 K17 Mashava prev. Mashaba. Masvingo, SE Zimbabwe
143 U4 Mashhad var. Meshed. Khorāsān, NE Iran
165 S3 Mashike Hokkaidō, NE Japan
Mashiz see Bardsīr
149 N14 Mashkai ≈ SW Pakistan
143 X13 Māshkel var. Rūd-i Māshkel, Rūd-e Māshkīd. ≈ Iran/Pakistan
148 K12 Māshkel, Hāmūn-i salt marsh SW Pakistan
Māshkel, Rūd-i/Māshkīd, Rūd-e see Māshkel
83 K15 Mashonaland Central ◈ province N Zimbabwe
83 K16 Mashonaland East ◈ province NE Zimbabwe
83 J16 Mashonaland West ◈ province NW Zimbabwe
Mashtagi see Maştağa
141 S14 Masīlah, Wādī al dry watercourse SE Yemen
79 I21 Masi-Manimba Bandundu, SW Dem. Rep. Congo
81 F17 Masindi W Uganda
81 I19 Masinga Reservoir ⊠ S Kenya
Masīra see Maşīrah, Jazīrat
Masira, Gulf of see Maşīrah, Khalīj
141 Y10 Maşīrah, Jazīrat var. Masīra. island E Oman
141 Y10 Maşīrah, Khalīj var. Gulf of Masira. bay E Oman
Masis see Büyükağrı Dağı
79 O19 Masisi Nord Kivu, E Dem. Rep. Congo
Masjed-e Soleymān see Masjed Soleymān
142 L9 Masjed Soleymān var. Masjed-e Soleymān, Masjid-i Sulaiman. Khūzestān, SW Iran
Masjid-i Sulaiman see Masjed Soleymān
Maskat see Masqaţ
139 Q7 Maskhān C Iraq
142 X8 Maskin var. Miskin. NW Oman
97 B17 Mask, Lough Ir. Loch Measca. ◎ W Ireland
114 N10 Maslen Nos headland E Bulgaria
172 K3 Masoala, Tanjona headland NE Madagascar
Masohi see Amahai
31 Q9 Mason Michigan, N USA
31 R14 Mason Ohio, N USA
25 Q10 Mason Texas, SW USA
21 P4 Mason West Virginia, NE USA
185 B25 Mason Bay bay Stewart Island, NZ
30 K13 Mason City Illinois, N USA
29 V12 Mason City Iowa, C USA
167 S7 Mã, Sông var. Nam Ma. ≈ Laos/Vietnam
18 B16 Masontown Pennsylvania, NE USA
141 Y8 Masqaţ var. Maskat, Eng Muscat. ● (Oman) NE Oman
106 E10 Massa Toscana, C Italy
18 M11 Massachusetts off. Commonwealth of Massachusetts; also known as Bay State, Old Bay State, Old Colony State. ◈ state NE USA
19 P11 Massachusetts Bay bay Massachusetts, NE USA
35 R2 Massacre Lake ◎ Nevada, W USA
107 O18 Massafra Puglia, SE Italy
108 G11 Massagno Ticino, S Switzerland
78 G11 Massaguet Chari-Baguirmi, W Chad
Massakori see Massakory
78 G10 Massakory var. Massakori; prev. Dagana. Chari-Baguirmi, W Chad
78 H11 Massalassef Chari-Baguirmi, SW Chad
106 F13 Massa Marittima Toscana, C Italy
82 B11 Massangano Cuanza Norte, NW Angola
83 M18 Massangena Gaza, S Mozambique
80 J9 Massawa var. Masawa, Amh. Mits'iwa. E Eritrea
80 K9 Massawa Channel channel E Eritrea
18 J6 Massena New York, NE USA
78 H11 Massenya Chari-Baguirmi, SW Chad
10 I13 Masset Graham Island, British Columbia, SW Canada
102 L16 Masseube Gers, S France
14 E11 Massey Ontario, S Canada
103 P12 Massiac Cantal, C France
103 P12 Massif Central plateau C France
Massilia see Marseille
31 U12 Massillon Ohio, N USA
77 N12 Massina Ségou, W Mali
83 N19 Massinga Inhambane, SE Mozambique
83 L20 Massingir Gaza, SW Mozambique
195 Z10 Masson Island island Antarctica
Massoukou see Franceville
137 Z11 Maştağa Rus. Mashtagi, Mastaga. E Azerbaijan
Mastanli see Momchilgrad
184 M13 Masterton Wellington, North Island, NZ
18 M14 Mastic Long Island, New York, NE USA
149 O10 Mastung Baluchistān, SW Pakistan
119 J20 Mastva Rus. Mostva. ≈ SW Belarus
119 G17 Masty Rus. Mosty. Hrodzyenskaya Voblasts', W Belarus
164 F12 Masuda Shimane, Honshū, SW Japan
92 J11 Masugnsbyn Norrbotten, N Sweden
Masuku see Franceville
83 K17 Masvingo prev. Fort Victoria, Nyanda, Victoria. Masvingo, SE Zimbabwe
83 K18 Masvingo prev. Victoria. ◈ province SE Zimbabwe
138 H5 Maşyāf Fr. Misiaf. Ḩamāh, C Syria
Masyû Ko see Mashū-ko
110 E9 Maszewo Zachodniopomorskie, NW Poland
83 I17 Matabeleland North ◈ province W Zimbabwe
83 J18 Matabeleland South ◈ province S Zimbabwe
82 O13 Mataca Niassa, N Mozambique
14 G8 Matachewan Ontario, S Canada
79 F22 Matadi Bas-Congo, W Dem Rep. Congo
25 O4 Matador Texas, SW USA
42 J9 Matagalpa Matagalpa, C Nicaragua
42 K9 Matagalpa ◈ department W Nicaragua
12 I12 Matagami Québec, S Canada
25 U13 Matagorda Texas, SW USA
25 U13 Matagorda Bay inlet Texas, SW USA
25 U14 Matagorda Island island Texas, SW USA
25 V13 Matagorda Peninsula headland Texas, SW USA
191 Q8 Mataiea Tahiti, W French Polynesia
191 T9 Mataiva atoll Îles Tuamotu, C French Polynesia
183 O7 Matakana New South Wales, SE Australia
184 N7 Matakana Island island NE NZ
83 C15 Matala Huíla, SW Angola
190 G12 Matala'a Pointe headland Île Uvea, Wallis and Futuna
155 K25 Matale Central Province, C Sri Lanka
190 E12 Matalesina, Pointe headland Île Alofi, W Wallis and Futuna
76 I10 Matam NE Senegal
184 M8 Matamata Waikato, North Island, NZ
77 V12 Matamey Zinder, S Niger
40 L8 Matamoros Coahuila de Zaragoza, NE Mexico
41 P15 Matamoros var. Izúcar de Matamoros. Puebla, S Mexico
41 Q8 Matamoros Tamaulipas, C Mexico
75 S13 Ma'ṭan as Sārah SE Libya
82 J12 Matanda Luapula, N Zambia
81 J24 Matandu ≈ S Tanzania
15 V6 Matane Québec, SE Canada
15 V6 Matane ≈ Québec, SE Canada
77 S12 Matankari Dosso, SW Niger
39 R11 Matanuska River ≈ Alaska, USA
54 G7 Matanza Santander, N Colombia
44 D4 Matanzas Matanzas, NW Cuba
15 V7 Matapédia ≈ Québec, SE Canada
15 V6 Matapédia, Lac ◎ Québec, SE Canada
190 B17 Mata Point headland SE Niue
190 D12 Matapu, Pointe headland Île Futuna, W Wallis and Futuna
62 G12 Mataquito, Río ≈ C Chile
155 K26 Matara Southern Province, S Sri Lanka
115 D18 Matarágka var. Mataránga. Dytikí Elláda, C Greece
170 K16 Mataram Pulau Lombok, C Indonesia
Mataránga see Matarágka
181 Q3 Mataranka Northern Territory, N Australia
105 W6 Mataró anc. Illuro. Cataluña, E Spain
184 O8 Matata Bay of Plenty, North Island, NZ
192 K16 Matātula, Cape headland Tutuila, W American Samoa
185 D24 Mataura Southland, South Island, NZ
185 D24 Mataura ≈ South Island, NZ
Mata Uta see Matā'utu
190 G11 Matā'utu var. Mata Uta. ○ (Wallis and Futuna) Île Uvea, Wallis and Futuna
192 H16 Matāutu Upolu, C Samoa
190 G12 Matā'utu, Baie de bay Île Uvea, Wallis and Futuna
191 F7 Mataval, Baie de bay Tahiti, W French Polynesia
190 I16 Matavera Rarotonga, S Cook Islands
191 V16 Mataveri Easter Island, Chile, E Pacific Ocean
191 V17 Mataveri ✕ (Easter Island) Easter Island, Chile, E Pacific Ocean
184 P9 Matawai Gisborne, North Island, NZ
15 O10 Matawin ≈ Québec, SE Canada
145 V13 Matay Almaty, SE Kazakhstan
14 K8 Matchi-Manitou, Lac ◎ Québec, SE Canada
41 O10 Matehuala San Luis Potosí, C Mexico
45 V13 Matelot Trinidad, Trinidad and Tobago
83 M15 Matenge Tete, NW Mozambique
107 O18 Matera Basilicata, S Italy
111 O21 Mátészalka Szabolcs-Szatmár-Bereg, E Hungary
93 H17 Matfors Västernorrland, C Sweden
102 K11 Matha Charente-Maritime, W France
21 X6 Mathews Virginia, NE USA
25 S14 Mathis Texas, SW USA
152 J11 Mathura prev. Muttra. Uttar Pradesh, N India
Mathurai see Madurai
171 R7 Mati Mindanao, S Philippines
Matianus see Orūmīyeh, Daryācheh-ye
Matiara see Matiāri
149 Q15 Matiāri var. Matiara. Sind, SE Pakistan
41 S16 Matías Romero Oaxaca, SE Mexico
43 O13 Matina Limón, E Costa Rica
14 D10 Matinenda Lake ◎ Ontario, S Canada
19 R8 Matinicus Island island Maine, NE USA
Matisco/Matisco Ædourum see Mâcon
149 Q15 Mātli Sind, SE Pakistan
97 M18 Matlock C England, UK
59 F18 Mato Grosso prev. Vila Bela da Santíssima Trindade. Mato Grosso, W Brazil
59 G17 Mato Grosso off. Estado de Mato Grosso; prev. Matto Grosso. ◈ state W Brazil
60 H8 Mato Grosso do Sul off. Estado de Mato Grosso do Sul. ◈ state S Brazil
59 I18 Mato Grosso, Planalto de plateau C Brazil
104 G6 Matosinhos prev. Matozinhos. Porto, NW Portugal
Matou see Pingguo
55 Z10 Matoury NE French Guiana
Matozinhos see Matosinhos
111 L21 Mátra ▲▲ N Hungary
141 Y8 Maṭraḥ var. Mutrah. NE Oman
116 L12 Mătraşeşti Vrancea, E Romania
108 M8 Matrei Am Brenner Tirol, W Austria
109 P8 Matrei in Osttirol Tirol, W Austria
76 I15 Matru SW Sierra Leone
75 U7 Maṭrūḥ var. Mersa Maṭrūḥ; anc. Paraetonium. NW Egypt
165 U16 Matsubara var. Matubara. Kagoshima, Tokuno-shima, SW Japan
164 G12 Matsue var. Matsuye, Matue. Shimane, Honshū, SW Japan
165 Q6 Matsumae Hokkaidō, NE Japan
164 M12 Matsumoto var. Matumoto. Nagano, Honshū, S Japan
164 K14 Matsusaka var. Matsuzaka, Matusaka. Mie, Honshū, SW Japan
161 S12 Matsu Tao Chin. Mazu Dao. island NW Taiwan
Matsutō see Mattō
164 F14 Matsuyama var. Matuyama. Ehime, Shikoku, SW Japan
Matsuye see Matsue
Matsuzaka see Matsusaka
164 M14 Matsuzaki Shizuoka, Honshū, S Japan
14 F8 Mattagami ≈ Ontario, S Canada
14 F8 Mattagami Lake ◎ Ontario, S Canada
62 K12 Mattaldi Córdoba, C Argentina
21 Y9 Mattamuskeet, Lake ◎ North Carolina, SE USA
21 W6 Mattaponi River ≈ Virginia, NE USA
14 I11 Mattawa Ontario, SE Canada
14 I11 Mattawa ≈ Ontario, SE Canada
19 S5 Mattawamkeag Maine, NE USA
19 S4 Mattawamkeag Lake ◎ Maine, NE USA
108 D11 Matterhorn It. Monte Cervino. ▲ Italy/Switzerland see also Cervino, Monte
35 W1 Matterhorn ▲ Nevada, W USA
32 L12 Matterhorn var. Sacajawea Peak. ▲ Oregon, NW USA
35 R8 Matterhorn Peak ▲ California, W USA
109 Y5 Mattersburg Burgenland, E Austria
108 E11 Matter Vispa ≈ S Switzerland
55 R7 Matthews Ridge N Guyana
44 K7 Matthew Town Great Inagua, S Bahamas
109 Q4 Mattighofen Oberösterreich, NW Austria
107 N16 Mattinata Puglia, SE Italy
141 T9 Maţţī, Sabkhat salt flat Saudi Arabia/UAE
18 M14 Mattituck Long Island, New York, NE USA
164 L11 Mattō var. Matsutō. Ishikawa, Honshū, SW Japan
Matto Grosso see Mato Grosso
30 M14 Mattoon Illinois, N USA
57 L16 Mattos, Río ≈ C Bolivia
Mattu see Metu
169 R9 Matu Sarawak, East Malaysia
57 E14 Matucana Lima, W Peru
Matudo see Matsudo
Matue see Matsue
187 Y15 Matuku island S Fiji
112 B9 Matulji Primorje-Gorski Kotar, NW Croatia
Matumoto see Matsumoto
55 P5 Maturín Monagas, NE Venezuela
Matusaka see Matsusaka
Matuura see Matsuura
Matuyama see Matsuyama
126 K11 Matveyev Kurgan Rostovskaya Oblast', SW Russian Federation
127 O8 Matyshevo Volgogradskaya Oblast', SW Russian Federation
153 O13 Mau var. Maunāth Bhanjan. Uttar Pradesh, N India
83 O14 Maúa Niassa, N Mozambique
102 M17 Maubermé, Pic de var. Tuc de Moubermé, Sp. Pico Mauberme; prev. Tuc de Maubermé. ▲ France/Spain see also Moubermé, Tuc de
Mauberme, Pico see Maubermé, Pic de/Moubermé, Tuc de
Maubermé, Tuc de see Maubermé, Pic de/Moubermé, Tuc de
103 Q2 Maubeuge Nord, N France
166 L8 Maubin Irrawaddy, SW Myanmar
152 L13 Maudaha Uttar Pradesh, N India
183 N9 Maude New South Wales, SE Australia
195 P3 Maudheimvidda physical region Antarctica
65 N22 Maud Rise undersea feature S Atlantic Ocean
109 Q4 Mauerkirchen Oberösterreich, NW Austria
Mauersee see Mamry, Jezioro
188 K2 Maug Islands island group N Northern Mariana Islands
103 Q15 Mauguio Hérault, S France
193 N5 Maui island Hawai'i, USA, C Pacific Ocean
190 M16 Mauke atoll S Cook Islands
62 G13 Maule off. Región del Maule. ◈ region C Chile
102 J9 Mauléon Deux-Sèvres, W France
102 J16 Mauléon-Licharre Pyrénées-Atlantiques, SW France
62 G13 Maule, Río ≈ C Chile
63 G17 Maullín Los Lagos, S Chile
Maulmain see Moulmein
31 R11 Maumee Ohio, N USA
31 Q12 Maumee River ≈ Indiana/Ohio, N USA
27 V11 Maumelle Arkansas, C USA
27 T11 Maumelle, Lake ⊠ Arkansas, C USA
171 O16 Maumere prev. Maoemere. Flores, S Indonesia
83 G17 Maun Ngamiland, C Botswana
Maunāth Bhanjan see Mau
Maunawai see Waimea
190 H16 Maungaroa ▲ Rarotonga, S Cook Islands
184 K3 Maungatapere Northland, North Island, NZ
184 K4 Maungaturoto Northland, North Island, NZ
191 R10 Maupiti var. Maurua. island Îles Sous le Vent, W French Polynesia
152 K14 Mau Rānīpur Uttar Pradesh, N India
22 K9 Maurepas, Lake ◎ Louisiana, S USA
103 T16 Maures ▲▲ SE France
103 O12 Mauriac Cantal, C France
Maurice see Mauritius
65 J20 Maurice Ewing Bank undersea feature SW Atlantic Ocean
182 C4 Maurice, Lake salt lake South Australia
18 I17 Maurice River ≈ New Jersey, NE USA
25 Y10 Mauriceville Texas, SW USA
98 K12 Maurik Gelderland, C Netherlands
76 H8 Mauritania off. Islamic Republic of Mauritania, Ar. Mūrītānīyah. ◆ republic W Africa
173 W15 Mauritius off. Republic of Mauritius, Fr. Maurice. ◆ republic W Indian Ocean
173 N9 Mauritius Trench undersea feature W Indian Ocean
102 H6 Mauron Morbihan, NW France
103 N13 Maurs Cantal, C France
Maurua see Maupiti
Maury Mid-Ocean Channel see Maury Seachannel
64 L6 Maury Seachannel var. Maury Mid-Ocean Channel. undersea feature N Atlantic Ocean
30 K8 Mauston Wisconsin, N USA
109 R8 Mauterndorf Salzburg, NW Austria
109 T4 Mauthausen Oberösterreich, N Austria
109 Q9 Mauthen Kärnten, S Austria
83 F15 Mavinga Cuando Cubango, SE Angola
83 M17 Mavita Manica, W Mozambique
115 K22 Mavrópetra, Akrotírio headland Thíra, Kykládes, Greece, Aegean Sea
115 F16 Mavrovoúni ▲ C Greece
184 Q8 Mawhai Point headland North Island, NZ
166 L3 Mawlaik Sagaing, C Myanmar
Mawlamyine see Moulmein
141 N14 Mawr, Wādī dry watercourse NW Yemen
195 X5 Mawson Australian research station Antarctica
195 X5 Mawson Coast physical region Antarctica
28 M4 Max North Dakota, N USA
41 W12 Maxcanú Yucatán, SE Mexico
Maxesibebi see Mount Ayliff
109 Q5 Maxglan ✕ (Salzburg) Salzburg, W Austria
93 K16 Maxmo Fin. Maksamaa. Länsi-Suomi, W Finland
21 T11 Maxton North Carolina, SE USA
25 R8 May Texas, SW USA
186 B6 May ≈ NW PNG
123 R10 Maya ≈ E Russian Federation
151 Q19 Māyābandar Andaman and Nicobar Islands, India, E Indian Ocean
Mayadīn see Al Mayādīn
44 L5 Mayaguana island SE Bahamas
44 L5 Mayaguana Passage passage SE Bahamas
45 S6 Mayagüez W Puerto Rico
45 R6 Mayagüez, Bahía de bay W Puerto Rico
Mayals see Maials
79 G20 Mayama Le Pool, SE Congo
37 V8 Maya, Mesa De ▲ Colorado, C USA
143 R4 Mayamey Semnān, N Iran
42 F3 Maya Mountains Sp. Montañas Mayas. ▲▲ Belize/Guatemala
44 I7 Mayarí Holguín, E Cuba
Mayas, Montañas see Maya Mountains
18 I17 May, Cape headland New Jersey, NE USA
80 J11 Maych'ew var. Mai Chio, It. Mai Ceu. Tigray, N Ethiopia
138 I2 Maydān Ikbiz Ḩalab, N Syria
149 Q5 Maydān Shahr Wardag, E Afghanistan
80 O12 Maydh Sanaag, N Somalia
Maydī see Mīdī
Mayebashi see Maebashi
Mayence see Mainz
102 K6 Mayenne Mayenne, NW France
102 J5 Mayenne ◈ department NW France
102 J7 Mayenne ≈ N France
36 K12 Mayer Arizona, SW USA
22 J4 Mayersville Mississippi, S USA
11 F14 Mayerthorpe Alberta, SW Canada
21 S12 Mayesville South Carolina, SE USA
185 G19 Mayfield Canterbury, South Island, NZ
33 N14 Mayfield Idaho, NW USA
20 G7 Mayfield Kentucky, S USA
36 L5 Mayfield Utah, W USA
162 K9 Mayhan Övörhangay, C Mongolia
37 T14 Mayhill New Mexico, SW USA
145 T9 Maykain Kaz. Mayqayyng. Pavlodar, NE Kazakhstan
126 L14 Maykop Respublika Adygeya, SW Russian Federation
Maylibash see Maylybas
Mayli-Say see Mayluu-Suu
147 T9 Mayluu-Suu prev. Mayli-Say, Kir. Mayly-Say. Dzhalal-Abadskaya Oblast', W Kyrgyzstan
144 L14 Maylybas prev. Maylibash. Kyzylorda, S Kazakhstan
Mayly-Say see Mayluu-Suu
Maymana see Meymaneh
166 M5 Maymyo Mandalay, C Myanmar
123 V7 Mayn ≈ NE Russian Federation
127 Q5 Mayna Ul'yanovskaya Oblast', W Russian Federation
21 N8 Maynardville Tennessee, S USA
14 J13 Maynooth Ontario, SE Canada
10 I6 Mayo Yukon Territory, NW Canada
23 U9 Mayo Florida, SE USA
97 B16 Mayo Ir. Maigh Eo. cultural region W Ireland
Mayo see Maio
78 G12 Mayo-Kébbi off. Préfecture du Mayo-Kébbi, var. Mayo-Kébi. ◈ prefecture SW Chad
Mayo-Kébi see Mayo-Kébbi
79 F19 Mayoko Le Niari, SW Congo
171 P4 Mayon Volcano ※ Luzon, N Philippines
61 A24 Mayor Buratovich Buenos Aires, E Argentina
104 L4 Mayorga Castilla-León, N Spain
184 N6 Mayor Island island NE NZ
Mayor Pablo Lagerenza see Capitán Pablo Lagerenza
173 I14 Mayotte ◇ French territorial collectivity E Africa
Mayoumba see Mayumba
44 J13 May Pen C Jamaica
Mayqayyng see Maykain
171 O1 Mayraira Point headland Luzon, N Philippines
109 N8 Mayrhofen Tirol, W Austria
186 A6 May River East Sepik, NW PNG
123 R13 Mayskiy Amurskaya Oblast', SE Russian Federation
127 O15 Mayskiy Kabardino-Balkarskaya Respublika, SW Russian Federation
145 U9 Mayskoye Pavlodar, NE Kazakhstan
18 J17 Mays Landing New Jersey, NE USA
21 N4 Maysville Kentucky, S USA
27 R2 Maysville Missouri, C USA
79 D20 Mayumba var. Mayoumba. Nyanga, S Gabon
31 S8 Mayville Michigan, N USA
18 C11 Mayville New York, NE USA
29 Q4 Mayville North Dakota, N USA
Mayyali see Mahe
Mayyit, Al Baḩr al see Dead Sea
83 J15 Mazabuka Southern, S Zambia
Mazaca see Kayseri
Mazagan see El-Jadida
32 J7 Mazama Washington, NW USA
103 O15 Mazamet Tarn, S France
143 O4 Māzandarān off. Ostān-e Māzandarān. ◈ province N Iran
156 F7 Mazar Xinjiang Uygur Zizhiqu, NW China
107 H24 Mazara del Vallo Sicilia, Italy, C Mediterranean Sea
149 O2 Mazār-e Sharīf var. Mazār-i Sharif. Balkh, N Afghanistan
Mazār-i Sharif see Mazār-e Sharīf
105 R13 Mazarrón Murcia, SE Spain
105 R14 Mazarrón, Golfo de gulf SE Spain
55 S9 Mazaruni River ≈ N Guyana
42 B6 Mazatenango Suchitepéquez, SW Guatemala
40 I10 Mazatlán Sinaloa, C Mexico
36 L12 Mazatzal Mountains ▲▲ Arizona, SW USA
118 D10 Mažeikiai Telšiai, NW Lithuania
118 D7 Mazirbe Talsi, NW Latvia
40 G5 Mazocahui Sonora, NW Mexico
57 I18 Mazocruz Puno, S Peru
Mazoe, Rio see Mazowe
79 N21 Mazomeno Maniema, E Dem. Rep. Congo
159 Q6 Mazong Shan ▲ N China
83 L16 Mazowe var. Rio Mazoe. ≈ Mozambique/Zimbabwe
110 L11 Mazowieckie ◈ province C Poland
Mazra'a see Al Mazra'ah
138 G6 Mazraat Kfar Debiâne C Lebanon
118 H7 Mazsalaca Est. Väike-Salatsi, Ger. Salisburg. Valmiera, N Latvia
110 L9 Mazury physical region NE Poland
119 M20 Mazyr Rus. Mozyr'. Homyel'skaya Voblasts', SE Belarus
107 K25 Mazzarino Sicilia, Italy, C Mediterranean Sea
Mba see Ba
83 L21 Mbabane ● (Swaziland) NW Swaziland
Mbacké see Mbaké
77 N16 Mbahiakro E Ivory Coast
79 I16 Mbaïki var. M'Baiki. Lobaye, SW Central African Republic
79 F14 Mbakaou, Lac de ◎ C Cameroon
76 G11 Mbaké var. Mbacké. W Senegal
82 L11 Mbala prev. Abercorn. Northern, NE Zambia
83 J18 Mbalabala prev. Balla Balla. Matabeleland South, SW Zimbabwe
81 G18 Mbale E Uganda
79 E16 Mbalmayo var. M'Balmayo. Centre, S Cameroon
81 H25 Mbamba Bay Ruvuma, S Tanzania
79 I18 Mbandaka prev. Coquilhatville. Equateur, NW Dem. Rep. Congo
82 B9 M'Banza Congo var. Mbanza Congo; prev. São Salvador, São Salvador do Congo. Zaire, NW Angola
79 G21 Mbanza-Ngungu Bas-Congo, W Dem. Rep. Congo
81 E19 Mbarara SW Uganda
79 L15 Mbari ≈ SE Central African Republic
81 I24 Mbarika Mountains ▲▲ S Tanzania
83 J24 Mbashe ≈ S South Africa
Mbatiki see Batiki
78 F13 Mbé Nord, N Cameroon
81 J24 Mbemkuru var. Mbwemkuru. ≈ S Tanzania
Mbengga see Beqa
172 H13 Mbéni Grande Comore, NW Comoros
83 K18 Mberengwa Midlands, S Zimbabwe
81 G24 Mbeya Mbeya, SW Tanzania
81 G23 Mbeya ◈ region S Tanzania
79 E19 Mbigou Ngounié, C Gabon
Mbilua see Vella Lavella
79 F19 Mbinda Le Niari, SW Congo
79 D17 Mbini W Equatorial Guinea
Mbini see Uolo, Río
83 L18 Mbizi Masvingo, SE Zimbabwe
81 G23 Mbogo Mbeya, W Tanzania
79 N15 Mboki Haut-Mbomou, SE Central African Republic
79 G18 Mbomo Cuvette, NW Congo
79 L15 Mbomou ◈ prefecture SE Central African Republic
Mbomou/M'Bomu/Mbomu see Bomu
76 F11 Mbour W Senegal
76 I10 Mbout Gorgol, S Mauritania
79 J14 Mbrès var. Mbrés. Nana-Grébizi, C Central African Republic
79 L22 Mbuji-Mayi prev. Bakwanga. Kasai Oriental, S Dem. Rep. Congo
81 H21 Mbulu Arusha, N Tanzania
186 E5 M'bunai var. Bunai. Manus Island, N PNG
62 N8 Mburucuyá Corrientes, NE Argentina
Mbutha see Buca
Mbwemkuru see Mbemkuru
81 G21 Mbwikwe Singida, C Tanzania
13 O15 McAdam New Brunswick, SE Canada
25 O5 McAdoo Texas, SW USA
35 V2 McAfee Peak ▲ Nevada, W USA
27 P11 McAlester Oklahoma, C USA
25 S17 McAllen Texas, SW USA
21 S11 McBee South Carolina, SE USA
11 N14 McBride British Columbia, SW Canada
24 M9 McCamey Texas, SW USA
33 R15 McCammon Idaho, NW USA
35 X11 McCarran ✕ (Las Vegas) Nevada, W USA
39 T11 McCarthy Alaska, USA
30 M5 McCaslin Mountain hill Wisconsin, N USA
25 O2 McClellan Creek ≈ Texas, SW USA
21 T14 McClellanville South Carolina, SE USA
8 L6 McClintock Channel channel Nunavut, N Canada
195 R12 McClintock, Mount ▲ Antarctica

◆ COUNTRY ◇ DEPENDENT TERRITORY ◈ ADMINISTRATIVE REGION ▲ MOUNTAIN ※ VOLCANO ◎ LAKE
● COUNTRY CAPITAL ○ DEPENDENT TERRITORY CAPITAL ✕ INTERNATIONAL AIRPORT ▲▲ MOUNTAIN RANGE ≈ RIVER ⊠ RESERVOIR

288 ••• McCloud – Merend

35 N2 **McCloud** California, W USA
35 N3 **McCloud River** ≈ California, W USA
35 Q9 **McClure, Lake** ⊞ California, W USA
197 O8 **McClure Strait** *strait* Northwest Territories, N Canada
29 N4 **McClusky** North Dakota, N USA
21 T11 **McColl** South Carolina, SE USA
22 K7 **McComb** Mississippi, S USA
18 E16 **McConnellsburg** Pennsylvania, NE USA
31 T14 **McConnelsville** Ohio, N USA
28 M17 **McCook** Nebraska, C USA
21 P13 **McCormick** South Carolina, SE USA
11 W16 **McCreary** Manitoba, S Canada
27 W11 **McCrory** Arkansas, C USA
25 T10 **McDade** Texas, SW USA
23 O8 **McDavid** Florida, SE USA
35 T1 **McDermitt** Nevada, W USA
23 S4 **McDonough** Georgia, SE USA
36 L12 **McDowell Mountains** ▲ Arizona, SW USA
20 H8 **McEwen** Tennessee, S USA
35 R12 **McFarland** California, W USA
Mcfarlane, Lake *see* Macfarlane, Lake
27 P12 **McGee Creek Lake** ⊞ Oklahoma, C USA
27 W13 **McGehee** Arkansas, C USA
35 X5 **Mcgill** Nevada, W USA
14 K11 **McGillivray, Lac** ◎ Québec, SE Canada
39 P10 **Mcgrath** Alaska, USA
25 T8 **McGregor** Texas, SW USA
33 O12 **McGuire, Mount** ▲ Idaho, NW USA
83 M14 **Mchinji** *prev.* Fort Manning. Central, W Malawi
28 M7 **McIntosh** South Dakota, N USA
9 S7 **McKeand** ≈ Baffin Island, Nunavut, NE Canada
191 R4 **McKean Island** *island* Phoenix Islands, C Kiribati
30 J13 **McKee Creek** ≈ Illinois, N USA
18 C15 **Mckeesport** Pennsylvania, NE USA
21 V7 **McKenney** Virginia, NE USA
20 G8 **McKenzie** Tennessee, S USA
185 B20 **McKerrow, Lake** ◎ South Island, NZ
39 Q10 **McKinley, Mount** *var.* Denali. ▲ Alaska, USA
39 R10 **McKinley Park** Alaska, USA
34 K3 **McKinleyville** California, W USA
25 U6 **McKinney** Texas, SW USA
26 I5 **McKinney, Lake** ◎ Kansas, C USA
28 M7 **McLaughlin** South Dakota, N USA
25 O2 **McLean** Texas, SW USA
30 M16 **Mcleansboro** Illinois, N USA
11 O13 **McLennan** Alberta, W Canada
14 L9 **McLennan, Lac** ◎ Québec, SE Canada
10 M13 **McLeod Lake** British Columbia, W Canada
27 N10 **McLoud** Oklahoma, C USA
32 G15 **McLoughlin, Mount** ▲ Oregon, NW USA
8 J4 **M'Clure Strait** *strait* NW Canada
37 U15 **McMillan, Lake** ⊞ New Mexico, SW USA
32 G11 **McMinnville** Oregon, NW USA
20 K9 **McMinnville** Tennessee, S USA
195 R13 **McMurdo** *US research station* Antarctica
24 H9 **McNary** Texas, SW USA
37 N13 **Mcnary** Arizona, SW USA
27 N5 **McPherson** Kansas, C USA
McPherson *see* Fort McPherson
23 U6 **McRae** Georgia, SE USA
29 P4 **McVille** North Dakota, N USA
83 J25 **Mdantsane** Eastern Cape, SE South Africa
167 T6 **Me** Ninh Binh, N Vietnam
26 J7 **Meade** Kansas, C USA
39 O5 **Meade River** ≈ Alaska, USA
35 Y11 **Mead, Lake** ⊞ Arizona/Nevada, W USA
24 M5 **Meadow** Texas, SW USA
11 S14 **Meadow Lake** Saskatchewan, C Canada
35 Y10 **Meadow Valley Wash** ≈ Nevada, W USA
22 J7 **Meadville** Mississippi, S USA
18 B12 **Meadville** Pennsylvania, NE USA
14 F14 **Meaford** Ontario, S Canada
Meáin, Inis *see* Inishmaan
104 G8 **Mealhada** Aveiro, N Portugal
13 R8 **Mealy Mountains** ▲ Newfoundland and Labrador, E Canada
11 O10 **Meander River** Alberta, W Canada
32 E11 **Meares, Cape** *headland* Oregon, NW USA
Measca, Loch *see* Mask, Lough
97 F17 **Meath** *Ir.* An Mhí. *cultural region* E Ireland
11 T14 **Meath Park** Saskatchewan, S Canada
103 O5 **Meaux** Seine-et-Marne, N France
21 T9 **Mebane** North Carolina, SE USA
171 U12 **Mebo, Gunung** ▲ Papua, E Indonesia
94 I8 **Mebonden** Sør-Trøndelag, S Norway
82 A10 **Mebridege** ≈ NW Angola
35 W16 **Mecca** California, W USA
Mecca *see* Makkah
29 Y14 **Mechanicsville** Iowa, C USA
18 L10 **Mechanicville** New York, NE USA
99 H17 **Mechelen** *Eng.* Mechlin, *Fr.* Malines. Antwerpen, C Belgium
188 C8 **Mecherchar** *var.* Eil Malk. *island* Palau Islands, Palau
101 D17 **Mechernich** Nordrhein-Westfalen, W Germany
126 L12 **Mechetinskaya** Rostovskaya Oblast', SW Russian Federation
114 J11 **Mechka** ≈ S Bulgaria
Mechlin *see* Mechelen
61 D23 **Mechongué** Buenos Aires, E Argentina
115 L14 **Mecidiye** Edirne, NW Turkey
101 I24 **Meckenbeuren** Baden-Württemberg, S Germany
100 L8 **Mecklenburger Bucht** *bay* N Germany
100 M10 **Mecklenburgische Seenplatte** *wetland* NE Germany
100 L9 **Mecklenburg-Vorpommern** ◆ *state* NE Germany
83 Q15 **Meconta** Nampula, NE Mozambique
111 I25 **Mecsek** ▲ SW Hungary
83 P14 **Mecubúri** ≈ N Mozambique
83 Q14 **Mecúfi** Cabo Delgado, NE Mozambique
82 O13 **Mecula** Niassa, N Mozambique
168 I8 **Medan** Sumatera, E Indonesia
61 A24 **Médanos** *var.* Medanos. Buenos Aires, E Argentina
61 C19 **Médanos** Entre Ríos, E Argentina
155 K24 **Medawachchiya** North Central Province, N Sri Lanka
106 C8 **Mede** Lombardia, N Italy
74 J5 **Médéa** *var.* El Mediyya, Lemdiyya. N Algeria
Medeba *see* Ma'dabā
54 E8 **Medellín** Antioquia, NW Colombia
100 H9 **Medem** ≈ NW Germany
98 J8 **Medemblik** Noord-Holland, NW Netherlands
75 N7 **Médenine** *var.* Madanīyīn. SE Tunisia
76 G9 **Mederdra** Trarza, SW Mauritania
Medeshamstede *see* Peterborough
42 F4 **Medesto Mendez** Izabal, NE Guatemala
19 O11 **Medford** Massachusetts, NE USA
27 N8 **Medford** Oklahoma, C USA
32 G15 **Medford** Oregon, NW USA
30 K6 **Medford** Wisconsin, N USA
39 P10 **Medfra** Alaska, USA
116 M14 **Medgidia** Constanța, SE Romania
Medgyes *see* Mediaș
43 O5 **Media Luna, Arrecifes de la** *reef* E Honduras
60 G11 **Medianeira** Paraná, S Brazil
29 Y15 **Mediapolis** Iowa, C USA
116 I11 **Mediaș** *Ger.* Mediasch, *Hung.* Medgyes. Sibiu, C Romania
41 S15 **Medias Aguas** Veracruz-Llave, SE Mexico
Mediasch *see* Mediaș
106 G10 **Medicina** Emilia-Romagna, C Italy
33 X16 **Medicine Bow** Wyoming, C USA
37 S2 **Medicine Bow Mountains** ▲ Colorado/Wyoming, C USA
33 X16 **Medicine Bow River** ≈ Wyoming, C USA
11 R17 **Medicine Hat** Alberta, SW Canada
26 L7 **Medicine Lodge** Kansas, C USA
26 L7 **Medicine Lodge River** ≈ Kansas/Oklahoma, C USA
112 E7 **Međimurje** *off.* Međimurska Županija. ◆ *province* N Croatia
Međimurska Županija *see* Međimurje
54 G10 **Medina** Cundinamarca, C Colombia
18 E9 **Medina** New York, NE USA
29 O5 **Medina** North Dakota, N USA
31 T11 **Medina** Ohio, N USA
25 Q11 **Medina** Texas, SW USA
Medina *see* Al Madīnah
105 P6 **Medinaceli** Castilla-León, N Spain
104 L6 **Medina del Campo** Castilla-León, N Spain
104 L5 **Medina de Ríoseco** Castilla-León, N Spain
Médina Gonassé *see* Médina Gounas
76 H12 **Médina Gounas** *var.* Médina Gonassé. S Senegal
25 S12 **Medina River** ≈ Texas, SW USA
104 K16 **Medina Sidonia** Andalucía, S Spain
Medinat Israel *see* Israel
119 H14 **Medininkai** Vilnius, SE Lithuania
153 R16 **Medinīpur** West Bengal, NE India
Mediolanum *see* Saintes, France
Mediolanum *see* Milano, Italy
Mediomatrica *see* Metz
121 Q11 **Mediterranean Ridge** *undersea feature* C Mediterranean Sea
121 O16 **Mediterranean Sea** *Fr.* Mer Méditerranée. *sea* Africa/Asia/Europe
Méditerranée, Mer *see* Mediterranean Sea
79 N17 **Medje** Orientale, NE Dem. Rep. Congo
114 G7 **Medkovets** Montana, NW Bulgaria
93 J15 **Medle** Västerbotten, N Sweden
127 W7 **Mednogorsk** Orenburgskaya Oblast', W Russian Federation
123 W9 **Mednyy, Ostrov** *island* E Russian Federation
102 J12 **Médoc** *cultural region* SW France
159 Q16 **Mêdog** Xizang Zizhiqu, W China
28 J5 **Medora** North Dakota, N USA
79 E17 **Médouneu** Woleu-Ntem, N Gabon
106 I7 **Meduna** ≈ NE Italy
Medunta *see* Mantes-la-Jolie
Medvedica *see* Medveditsa
126 J16 **Medveditsa** *var.* Medvedica. ≈ W Russian Federation
127 O9 **Medveditsa** ≈ SW Russian Federation
112 E8 **Medvednica** ▲ NE Croatia
125 R15 **Medvedok** Kirovskaya Oblast', NW Russian Federation
123 S6 **Medvezh'i, Ostrova** *island group* NE Russian Federation
124 J9 **Medvezh'yegorsk** Respublika Kareliya, NW Russian Federation
109 T11 **Medvode** *Ger.* Zwischenwässern. NW Slovenia
126 J4 **Medyn'** Kaluzhskaya Oblast', W Russian Federation
180 J10 **Meekatharra** Western Australia
37 Q4 **Meeker** Colorado, C USA
13 T12 **Meelpaeg Lake** ◎ Newfoundland and Labrador, E Canada
Meenen *see* Menen
101 M16 **Meerane** Sachsen, E Germany
101 D15 **Meerbusch** Nordrhein-Westfalen, W Germany
98 I12 **Meerkerk** Zuid-Holland, C Netherlands
99 L18 **Meerssen** *var.* Mersen. Limburg, SE Netherlands
152 J10 **Meerut** Uttar Pradesh, N India
33 U13 **Meeteetse** Wyoming, C USA
99 K17 **Meeuwen** Limburg, NE Belgium
81 J16 **Mēga** Oromo, C Ethiopia
81 J16 **Mēga Escarpment** *escarpment* S Ethiopia
Megála Kalívia *see* Megála Kalývia
115 E16 **Megála Kalývia** *var.* Megála Kalívia. Thessalía, C Greece
115 H14 **Megáli Panagiá** *var.* Megáli Panayía. Kentrikí Makedonía, N Greece
Megáli Panayía *see* Megáli Panagiá
Megáli Préspa, Límni *see* Prespa, Lake
114 K12 **Megálo Livádi** ▲ Bulgaria/Greece
115 E20 **Megalópoli** *prev.* Megalópolis. Pelopónnisos, S Greece
Megalópolis *see* Megalópoli
171 U12 **Megamo** Papua, E Indonesia
115 C18 **Meganísi** *island* Iónioi Nísoi, Greece, C Mediterranean Sea
Meganom, Mys *see* Mehanom, Mys
Mégantic *see* Lac-Mégantic
15 R12 **Mégantic, Mont** ▲ Québec, SE Canada
115 G19 **Mégara** Attikí, C Greece
25 R5 **Megargel** Texas, SW USA
98 K13 **Megen** Noord-Brabant, S Netherlands
153 U13 **Meghālaya** ◆ *state* NE India
153 U16 **Meghna** ≈ S Bangladesh
137 V14 **Meghri** *Rus.* Megri. SE Armenia
115 Q23 **Megísti** *var.* Kastellórizon. *island* SE Greece
Megri *see* Meghri
Mehabad *see* Mahābād
116 F13 **Mehadia** *Hung.* Mehádia. Caraș-Severin, SW Romania
92 L7 **Mehamn** Finnmark, N Norway
117 U13 **Mehanom, Mys** *Rus.* Mys Meganom. *headland* S Ukraine
149 P14 **Mehar** Sind, SE Pakistan
180 J8 **Meharry, Mount** ▲ Western Australia
Mehdia *see* Mahdia
116 G14 **Mehedinți** ◆ *county* SW Romania
153 S15 **Meherpur** Khulna, W Bangladesh
21 W8 **Meherrin River** ≈ North Carolina/Virginia, SE USA
Meheso *see* Mī'ēso
191 T11 **Mehetia** *island* Îles du Vent, W French Polynesia
118 K6 **Mehikoorma** Tartumaa, E Estonia
Me Hka *see* Nmai Hka
143 N5 **Mehrabad** ✕ (Tehrān) Tehrān, N Iran
142 J7 **Mehrān** Īlām, W Iran
143 Q14 **Mehrān, Rūd-e** *prev.* Mansurabad. ≈ W Iran
143 Q9 **Mehrīz** Yazd, C Iran
149 R5 **Mehtarlām** *var.* Mehtar Lām, Meterlam, Methariam, Metharlam. Laghmān, E Afghanistan
103 N8 **Mehun-sur-Yèvre** Cher, C France
79 G14 **Meiganga** Adamaoua, NE Cameroon
160 H10 **Meigu** *var.* Bapu. Sichuan, C China
163 W11 **Meihekou** *var.* Hailong. Jilin, NE China
99 L15 **Meijel** Limburg, SE Netherlands
Meijiang *see* Ningdu
166 M5 **Meiktila** Mandalay, C Myanmar
Meilbhe, Loch *see* Melvin, Lough
108 G7 **Meilen** Zürich, N Switzerland
Meilu *see* Wuchuan
161 T12 **Meinhua Yu** *island* N Taiwan
101 J17 **Meiningen** Thüringen, C Germany
108 F9 **Meiringen** Bern, S Switzerland
Meishan *see* Jinzhai
101 O15 **Meissen** *var.* Meißen. Sachsen, E Germany
101 I15 **Meissner** ▲ C Germany
99 K25 **Meix-devant-Virton** Luxembourg, SE Belgium
Mei Xian *see* Meizhou
Meixing *see* Xinjin
161 P13 **Meizhou** *var.* Meixian, Mei Xian. Guangdong, S China
42 F7 **Mejicanos** San Salvador, C El Salvador
Méjico *see* Mexico
62 G5 **Mejillones** Antofagasta, N Chile
189 V5 **Mejit Island** *var.* Mājeej. *island* Ratak Chain, NE Marshall Islands
79 F17 **Mékambo** Ogooué-Ivindo, NE Gabon
80 J10 **Mek'elē** *var.* Makale. Tigray, N Ethiopia
74 I10 **Mekerrhane, Sebkha** *var.* Sebkha Meqerghane, Sebkra Mekerrhane. *salt flat* C Algeria
Mekerrhane, Sebkra *see* Mekerrhane, Sebkha
76 G10 **Mékhé** NW Senegal
146 G14 **Mekhinli** Ahal Welaýaty, C Turkmenistan
15 P9 **Mékinac, Lac** ◎ Québec, SE Canada
Meklong *see* Samut Songhram
74 G6 **Meknès** N Morocco
167 S10 **Mekong** *var.* Lan-ts'ang Chiang, *Cam.* Mékôngk, *Chin.* Lancang Jiang, *Lao.* Mènam Khong, *Th.* Mae Nam Khong, *Tib.* Dza Chu, *Vtn.* Sông Tiên Giang. ≈ SE Asia
Mékôngk *see* Mekong
167 T15 **Mekong, Mouths of the** *delta* S Vietnam
38 L12 **Mekoryuk** Nunivak Island, Alaska, USA
77 R14 **Mékrou** ≈ N Benin
168 K9 **Melaka** *var.* Malacca. Melaka, Peninsular Malaysia
168 L9 **Melaka** *var.* Malacca. ◆ *state* Peninsular Malaysia
Melaka, Selat *see* Malacca, Strait of
192 I7 **Melanesia** *island group* W Pacific Ocean
192 J7 **Melanesian Basin** *undersea feature* W Pacific Ocean
171 R9 **Melanguane** Pulau Karakelang, N Indonesia
169 R11 **Melawi, Sungai** ≈ Borneo, N Indonesia
183 N12 **Melbourne** *state capital* Victoria, SE Australia
27 V9 **Melbourne** Arkansas, C USA
23 Y12 **Melbourne** Florida, SE USA
29 W14 **Melbourne** Iowa, C USA
92 G10 **Melbu** Nordland, C Norway
Melchor de Mencos *see* Ciudad Melchor de Mencos
63 F19 **Melchor, Isla** *island* Archipiélago de los Chonos, S Chile
40 M9 **Melchor Ocampo** Zacatecas, C Mexico
14 C11 **Meldrum Bay** Manitoulin Island, Ontario, S Canada
Meleda *see* Mljet
106 D8 **Melegnano** *prev.* Marignano. Lombardia, N Italy
188 F9 **Melekeok** *var.* Melekeiok. Babeldaob, N Palau
112 L9 **Melenci** *Hung.* Melencze. Serbia, N Serbia and Montenegro (Yugo.)
Melencze *see* Melenci
127 N4 **Melenki** Vladimirskaya Oblast', W Russian Federation
127 V6 **Meleuz** Respublika Bashkortostan, W Russian Federation
12 L6 **Mélèzes, Rivière aux** ≈ Québec, C Canada
78 I11 **Melfi** Guéra, S Chad
107 M17 **Melfi** Basilicata, S Italy
11 U14 **Melfort** Saskatchewan, S Canada
104 H4 **Melgaço** Viana do Castelo, N Portugal
105 N4 **Melgar de Fernamental** Castilla-León, N Spain
74 L6 **Melghir, Chott** *var.* Chott Melrhir. *salt lake* E Algeria
94 H8 **Melhus** Sør-Trøndelag, S Norway
104 H3 **Melide** Galicia, NW Spain
Meligalá *see* Meligalás
115 E21 **Meligalás** *prev.* Meligalá. Pelopónnisos, S Greece
60 L12 **Mel, Ilha do** *island* S Brazil
120 E10 **Melilla** *anc.* Rusaddir, Russadir. Melilla, Spain, N Africa
63 G18 **Melimoyu, Monte** ▲ S Chile
169 V11 **Melintang, Danau** ◎ Borneo, N Indonesia
117 U7 **Melioratyvne** Dnipropetrovs'ka Oblast', E Ukraine
62 G11 **Melipilla** Santiago, C Chile
115 I25 **Mélissa, Akrotírio** *headland* Kríti, Greece, E Mediterranean Sea
11 W17 **Melita** Manitoba, S Canada
Melita *see* Mljet
Melitene *see* Malatya
107 M23 **Melito di Porto Salvo** Calabria, SW Italy
117 U10 **Melitopol'** Zaporiz'ka Oblast', SE Ukraine
109 V4 **Melk** Niederösterreich, NE Austria
95 K15 **Mellan-Fryken** ◎ C Sweden
99 E17 **Melle** Oost-Vlaanderen, NW Belgium
100 G13 **Melle** Niedersachsen, NW Germany
95 J17 **Mellerud** Västra Götaland, S Sweden
102 K10 **Melle-sur-Bretonne** Deux-Sèvres, W France
29 P8 **Mellette** South Dakota, N USA
121 O15 **Mellieħa** E Malta
80 B10 **Mellit** Northern Darfur, W Sudan
74 N7 **Mellita** ✕ SE Tunisia
63 G21 **Mellizo Sur, Cerro** ▲ S Chile
100 G9 **Mellum** *island* NW Germany
83 L22 **Melmoth** KwaZulu/Natal, E South Africa
111 D16 **Mělník** *Ger.* Melnik. Středočeský Kraj, NW Czech Republic
122 J12 **Mel'nikovo** Tomskaya Oblast', C Russian Federation
61 G18 **Melo** Cerro Largo, NE Uruguay
Melodunum *see* Melun
Melrhir, Chott *see* Melghir, Chott
183 P7 **Melrose** New South Wales, SE Australia
182 I7 **Melrose** South Australia
29 T7 **Melrose** Minnesota, N USA
33 Q11 **Melrose** Montana, NW USA
37 V12 **Melrose** New Mexico, SW USA
108 I8 **Mels** Sankt Gallen, NE Switzerland
Melsetter *see* Chimanimani
33 V9 **Melstone** Montana, NW USA
101 I16 **Melsungen** Hessen, C Germany
93 L12 **Meltaus** Lappi, NW Finland
97 N19 **Melton Mowbray** C England, UK
82 Q13 **Meluco** Cabo Delgado, NE Mozambique
103 O5 **Melun** *anc.* Melodunum. Seine-et-Marne, N France
80 F12 **Melut** Upper Nile, SE Sudan
27 P5 **Melvern Lake** ⊞ Kansas, C USA
11 V16 **Melville** Saskatchewan, S Canada
Melville Bay/Melville Bugt *see* Qimusseriarsuaq
45 O11 **Melville Hall** ✕ (Dominica) NE Dominica
181 O1 **Melville Island** *island* Northern Territory, N Australia
8 K5 **Melville Island** *island* Parry Islands, Northwest Territories, NW Canada
9 W9 **Melville, Lake** ◎ Newfoundland and Labrador, E Canada
9 O7 **Melville Peninsula** *peninsula* Nunavut, NE Canada
Melville Sound *see* Viscount Melville Sound
25 Q9 **Melvin** Texas, SW USA
97 D15 **Melvin, Lough** *Ir.* Loch Meilbhe. ◎ S Northern Ireland, UK/Ireland
169 S12 **Memala** Borneo, C Indonesia
113 L22 **Memaliaj** Gjirokastër, S Albania
83 Q14 **Memba** Nampula, NE Mozambique
83 Q14 **Memba, Baia de** *inlet* NE Mozambique
Membidj *see* Manbij
Memel *see* Neman, NE Europe
Memel *see* Klaipėda, Lithuania
101 J23 **Memmingen** Bayern, S Germany
27 U1 **Memphis** Missouri, C USA
20 E10 **Memphis** Tennessee, S USA
25 P3 **Memphis** Texas, SW USA
20 E10 **Memphis** ✕ Tennessee, S USA
15 Q13 **Memphrémagog, Lac** *var.* Lake Memphremagog. ◎ Canada/USA *see also* Memphremagog, Lake
19 N6 **Memphremagog, Lake** *var.* Lac Memphrémagog. ◎ Canada/USA *see also* Memphrémagog, Lac
117 Q2 **Mena** Chernihivs'ka Oblast', NE Ukraine
27 S12 **Mena** Arkansas, C USA
Menaam *see* Menaldum
Menado *see* Manado
106 D6 **Menaggio** Lombardia, N Italy
29 T6 **Menahga** Minnesota, N USA
77 R10 **Ménaka** Goa, E Mali
98 K5 **Menaldum** *Fris.* Menaam. Friesland, N Netherlands
Mènam Khong *see* Mekong
74 E7 **Menara** ✕ (Marrakech) C Morocco
25 Q9 **Menard** Texas, SW USA
193 Q12 **Menard Fracture Zone** *tectonic feature* E Pacific Ocean
30 M7 **Menasha** Wisconsin, N USA
Mencezi Garagum *see* Merkezi Garagumy
193 U9 **Mendaña Fracture Zone** *tectonic feature* E Pacific Ocean
169 S13 **Mendawai, Sungai** ≈ Borneo, C Indonesia
103 P13 **Mende** *anc.* Mimatum. Lozère, S France
81 J14 **Mendebo** ▲ C Ethiopia
80 J9 **Mendefera** *prev.* Adi Ugri. S Eritrea
197 S7 **Mendeleyev Ridge** *undersea feature* Arctic Ocean
127 T3 **Mendeleyevsk** Respublika Tatarstan, W Russian Federation
101 F15 **Menden** Nordrhein-Westfalen, W Germany
22 L6 **Mendenhall** Mississippi, S USA
38 L13 **Mendenhall, Cape** *headland* Nunivak Island, Alaska, USA
41 P9 **Méndez** *var.* Villa de Méndez. Tamaulipas, C Mexico
80 H13 **Mendi** Oromo, C Ethiopia
186 C7 **Mendi** Southern Highlands, W PNG
97 K22 **Mendip Hills** *var.* Mendips. *hill range* S England, UK
Mendips *see* Mendip Hills
34 L6 **Mendocino** California, W USA
34 J3 **Mendocino, Cape** *headland* California, W USA
193 N4 **Mendocino Fracture Zone** *tectonic feature* NE Pacific Ocean
35 P10 **Mendota** California, W USA
30 L11 **Mendota** Illinois, N USA
30 K8 **Mendota, Lake** ◎ Wisconsin, N USA
62 I11 **Mendoza** Mendoza, W Argentina
62 I12 **Mendoza** *off.* Provincia de Mendoza. ◆ *province* W Argentina
108 H12 **Mendrisio** Ticino, S Switzerland
168 L10 **Mendung** Pulau Mendol, W Indonesia
54 I5 **Mene de Mauroa** Falcón, NW Venezuela
54 I5 **Mene Grande** Zulia, NW Venezuela
136 B14 **Menemen** İzmir, W Turkey
99 C18 **Menen** *var.* Meenen, *Fr.* Menin. West-Vlaanderen, W Belgium
163 Q8 **Menengiyn Tal** *plain* E Mongolia
189 R9 **Meneng Point** *headland* SW Nauru
92 L10 **Menesjärvi** *Lapp.* Menešjávri. Lappi, N Finland
Menešjávri *see* Menesjärvi
107 I24 **Menfi** Sicilia, Italy, C Mediterranean Sea
161 P7 **Mengcheng** Anhui, E China
160 F15 **Menghai** Yunnan, SW China
160 F15 **Mengla** Yunnan, SW China
65 F24 **Mengeara Point** *headland* East Falkland, Falkland Islands
160 M13 **Mengzhu Ling** ▲ S China
160 H14 **Mengzi** Yunnan, SW China
Menin *see* Menen
182 L7 **Menindee** New South Wales, SE Australia
182 L7 **Menindee Lake** ◎ New South Wales, SE Australia
182 J10 **Meningie** South Australia
103 O5 **Mennecy** Essonne, N France
29 Q12 **Menno** South Dakota, N USA
114 H13 **Menoíkio** ▲ NE Greece
31 N5 **Menominee** Michigan, N USA
30 M5 **Menominee River** ≈ Michigan/Wisconsin, N USA
30 M8 **Menomonee Falls** Wisconsin, N USA
30 I6 **Menomonie** Wisconsin, N USA
83 D14 **Menongue** *var.* Vila Serpa Pinto, *Port.* Serpa Pinto. Cuando Cubango, C Angola
120 H8 **Menorca** *Eng.* Minorca; *anc.* Balearis Minor. *island* Islas Baleares, Spain, W Mediterranean Sea
105 S13 **Menor, Mar** *lagoon* SE Spain
39 S10 **Mentasta Lake** ◎ Alaska, USA
39 S10 **Mentasta Mountains** ▲ Alaska, USA
168 I13 **Mentawai, Kepulauan** *island group* W Indonesia
168 I12 **Mentawai, Selat** *strait* W Indonesia
168 M12 **Mentok** Pulau Bangka, W Indonesia
103 V15 **Menton** *It.* Mentone. Alpes-Maritimes, SE France
24 K8 **Mentone** Texas, SW USA
Mentone *see* Menton
31 U11 **Mentor** Ohio, N USA
169 U10 **Menyapa, Gunung** ▲ Borneo, N Indonesia
159 T9 **Menyuan** *var.* Menyuan Huizu Zizhixian. Qinghai, C China
Menyuan Huizu Zizhixian *see* Menyuan
74 M5 **Menzel Bourguiba** *var.* Manzil Bū Ruqaybah; *prev.* Ferryville. N Tunisia
136 M15 **Menzelet Barajı** ⊞ C Turkey
127 T4 **Menzelinsk** Respublika Tatarstan, W Russian Federation
180 K11 **Menzies** Western Australia
195 V6 **Menzies, Mount** ▲ Antarctica
40 J6 **Meoqui** Chihuahua, N Mexico
83 N14 **Meponda** Niassa, NE Mozambique
98 M8 **Meppel** Drenthe, NE Netherlands
100 E12 **Meppen** Niedersachsen, NW Germany
Meqerghane, Sebkha *see* Mekerrhane, Sebkha
105 T6 **Mequinenza, Embalse de** ⊞ NE Spain
30 M8 **Mequon** Wisconsin, N USA
Mera *see* Maira
182 D3 **Meramangye, Lake** *salt lake* South Australia
27 W5 **Meramec River** ≈ Missouri, C USA
Meran *see* Merano
168 K13 **Merangin** ≈ Sumatera, W Indonesia
106 G5 **Merano** *Ger.* Meran. Trentino-Alto Adige, N Italy
168 K8 **Merapuh Lama** Pahang, Peninsular Malaysia
106 D7 **Merate** Lombardia, N Italy
169 U13 **Meratus, Pegunungan** ▲ Borneo, N Indonesia
171 Y16 **Merauke, Sungai** ≈ Papua, E Indonesia
182 L9 **Merbein** Victoria, SE Australia
99 F21 **Merbes-le-Château** Hainaut, S Belgium
Merca *see* Marka
54 C13 **Mercaderes** Cauca, SW Colombia
Mercara *see* Madikeri
35 P9 **Merced** California, W USA
61 C20 **Mercedes** Buenos Aires, E Argentina
61 D15 **Mercedes** Corrientes, NE Argentina
62 J11 **Mercedes** *prev.* Villa Mercedes. San Luis, C Argentina
61 D19 **Mercedes** Soriano, SW Uruguay
25 S17 **Mercedes** Texas, SW USA
35 R9 **Merced Peak** ▲ California, W USA
35 P9 **Merced River** ≈ California, W USA
18 B13 **Mercer** Pennsylvania, NE USA
99 G18 **Merchtem** Vlaams Brabant, C Belgium
15 O13 **Mercier** Québec, SE Canada
25 Q9 **Mercury** Texas, SW USA
184 M5 **Mercury Islands** *island group* N NZ
19 O9 **Meredith** New Hampshire, NE USA
65 B25 **Meredith, Cape** *var.* Cabo Belgrano. *headland* West Falkland, Falkland Islands
37 V6 **Meredith, Lake** ◎ Colorado, C USA
25 N2 **Meredith, Lake** ⊞ Texas, SW USA
81 O16 **Mereeg** *var.* Mareeg, *It.* Meregh. Galguduud, E Somalia
117 V5 **Merefa** Kharkivs'ka Oblast', E Ukraine
Meregh *see* Mereeg
99 E17 **Merelbeke** Oost-Vlaanderen, NW Belgium
Merend *see* Marand

◆ Country ● Country Capital ◇ Dependent Territory ○ Dependent Territory Capital ◆ Administrative Region ✕ International Airport ▲ Mountain ▲ Mountain Range ▲ Volcano ◎ Lake ≈ River ⊞ Reservoir

MEREUCH – MÍLOS ••• 289

167 T12 **Mereuch** Môndól Kiri, E Cambodia
Mergate see Margate
167 N12 **Mergui** Tenasserim, S Myanmar
166 M12 **Mergui Archipelago** island group S Myanmar
114 L12 **Meriç** Edirne, NW Turkey
114 L12 **Meriç** Bul. Maritsa, Gk. Évros; anc. Hebrus. ≈ SE Europe see also Évros/Maritsa
41 X12 **Mérida** Yucatán, SW Mexico
104 J11 **Mérida** anc. Augusta Emerita. Extremadura, W Spain
54 I6 **Mérida** Mérida, W Venezuela
54 H7 **Mérida** off. Estado Mérida. ◆ state W Venezuela
18 M13 **Meriden** Connecticut, NE USA
22 M5 **Meridian** Mississippi, S USA
25 S8 **Meridian** Texas, SW USA
102 J13 **Mérignac** Gironde, SW France
102 J13 **Mérignac** ✕ (Bordeaux) Gironde, SW France
93 J18 **Merikarvia** Länsi-Suomi, W Finland
183 R12 **Merimbula** New South Wales, SE Australia
182 L9 **Meringur** Victoria, SE Australia
Merín, Laguna see Mirim Lagoon
97 I19 **Merioneth** cultural region W Wales, UK
188 A11 **Merir** island Palau Islands, N Palau
188 B17 **Merizo** SW Guam
Merjama see Märjamaa
145 S16 **Merke** Zhambyl, S Kazakhstan
25 P7 **Merkel** Texas, SW USA
146 E12 **Merkezi Garagumy** var. Mencezi Garagum, Rus. Tsentral'nyye Nizmennyye Garagumy. desert C Turkmenistan
119 F15 **Merkinė** Alytus, S Lithuania
99 G16 **Merksem** Antwerpen, N Belgium
99 I15 **Merksplas** Antwerpen, N Belgium
Merkulovichi see Myerkulavichy
119 G15 **Merkys** ≈ S Lithuania
32 F15 **Merlin** Oregon, NW USA
61 C20 **Merlo** Buenos Aires, E Argentina
138 G8 **Meron, Haré** ▲ N Israel
74 K6 **Merouane, Chott** salt lake NE Algeria
80 F7 **Merowe** Northern, N Sudan
180 J12 **Merredin** Western Australia
97 I14 **Merrick** ▲ S Scotland, UK
32 H16 **Merrill** Oregon, NW USA
30 L5 **Merrill** Wisconsin, N USA
31 N11 **Merrillville** Indiana, N USA
19 O10 **Merrimack River** ≈ Massachusetts/New Hampshire, NE USA
28 L12 **Merriman** Nebraska, C USA
11 N17 **Merritt** British Columbia, SW Canada
23 Y12 **Merritt Island** Florida, SE USA
23 Y11 **Merritt Island** island Florida, SE USA
28 M12 **Merritt Reservoir** ⊠ Nebraska, C USA
183 S7 **Merriwa** New South Wales, SE Australia
183 O8 **Merriwagga** New South Wales, SE Australia
22 G8 **Merryville** Louisiana, S USA
80 K9 **Mersa Fatma** E Eritrea
102 M7 **Mer St-Aubin** Loir-et-Cher, C France
Mersa Maṭrûḥ see Maṭrûḥ
99 M24 **Mersch** Luxembourg, C Luxembourg
101 M15 **Merseburg** Sachsen-Anhalt, C Germany
Mersen see Meerssen
97 K18 **Mersey** ≈ NW England, UK
136 J17 **Mersin** İçel, S Turkey
168 L9 **Mersing** Johor, Peninsular Malaysia
118 E8 **Mērsrags** Talsi, NW Latvia
152 G12 **Merta** var. Merta City. Rājasthān, N India
Merta City see Merta
152 F12 **Merta Road** Rājasthān, N India
97 J21 **Merthyr Tydfil** S Wales, UK
104 H13 **Mértola** Beja, S Portugal
144 G14 **Mertvyy Kultuk, Sor** salt flat SW Kazakhstan
195 V16 **Mertz Glacier** glacier Antarctica
99 M24 **Mertzig** Diekirch, C Luxembourg
25 O9 **Mertzon** Texas, SW USA
81 I18 **Meru** Eastern, C Kenya
103 N4 **Méru** Oise, N France
81 I20 **Meru, Mount** ▲ NE Tanzania
Merv see Mary
Mervdasht see Marv Dasht
136 K11 **Merzifon** Amasya, N Turkey
101 D20 **Merzig** Saarland, SW Germany
36 L14 **Mesa** Arizona, SW USA
29 V4 **Mesabi Range** ▲ Minnesota, N USA
54 H6 **Mesa Bolívar** Mérida, NW Venezuela
107 Q18 **Mesagne** Puglia, SE Italy
39 P12 **Mesa Mountain** ▲ Alaska, USA
115 J25 **Mesará** lowland Kríti, Greece, E Mediterranean Sea
37 S14 **Mescalero** New Mexico, SW USA
101 G15 **Meschede** Nordrhein-Westfalen, W Germany
137 Q12 **Mescit Dağları** ▲ NE Turkey
189 V13 **Mesegon** island Chuuk, C Micronesia
Meseritz see Międzyrzecz
54 F11 **Mesetas** Meta, C Colombia
Meshchera Lowland see Meshcherskaya Nizina
126 M4 **Meshcherskaya Nizina** Eng. Meshchera Lowland. basin W Russian Federation
126 J5 **Meshchovsk** Kaluzhskaya Oblast', W Russian Federation
125 R9 **Meshchura** Respublika Komi, NW Russian Federation
Meshed see Mashhad
Meshed-i-Sar see Bābolsar
80 E13 **Meshra'er Req** Warab, S Sudan
37 R15 **Mesilla** New Mexico, SW USA
108 H10 **Mesocco** Ger. Misox. Ticino, S Switzerland
115 D18 **Mesolóngi** prev. Mesolóngion. Dytikí Ellás, W Greece
Mesolóngion see Mesolóngi
14 E8 **Mesomikenda Lake** ◎ Ontario, S Canada
61 D15 **Mesopotamia** var. Mesopotamia Argentina. physical region NE Argentina
Mesopotamia Argentina see Mesopotamia
35 Y10 **Mesquite** Nevada, W USA
82 Q13 **Messalo, Rio** var. Mualo. ≈ NE Mozambique
Messana/Messene see Messina
99 L25 **Messancy** Luxembourg, SE Belgium
107 M23 **Messina** var. Messana, Messene; anc. Zancle. Sicilia, Italy, C Mediterranean Sea
Messina see Musina
Messina, Strait of see Messina, Stretto di
107 M23 **Messina, Stretto di** Eng. Strait of Messina. strait SW Italy
115 E21 **Messíni** Pelopónnisos, S Greece
115 E21 **Messinía** peninsula S Greece
115 E22 **Messiniakós Kólpos** gulf S Greece
122 J8 **Messoyakha** ≈ N Russian Federation
114 H11 **Mesta** Gk. Néstos, Turk. Kara Su. ≈ Bulgaria/Greece see also Néstos
Mestghanem see Mostaganem
137 R8 **Mestia** var. Mestiya. N Georgia
Mestiya see Mestia
115 K18 **Mestón, Akrotírio** headland Chíos, E Greece
106 H8 **Mestre** Veneto, NE Italy
59 M16 **Mestre, Espigão** ▲ E Brazil
169 N14 **Mesuji** ≈ Sumatera, W Indonesia
Mesule see Grosser Möseler
10 J10 **Meszah Peak** ▲ British Columbia, W Canada
54 G11 **Meta** off. Departamento del Meta. ◆ province C Colombia
15 Q8 **Metabetchouane** ≈ Québec, SE Canada
9 S7 **Meta Incognita Peninsula** peninsula Baffin Island, Nunavut, NE Canada
22 K9 **Metairie** Louisiana, S USA
32 M6 **Metaline Falls** Washington, NW USA
62 K6 **Metán** Salta, N Argentina
82 N13 **Metangula** Niassa, N Mozambique
42 E7 **Metapán** Santa Ana, NW El Salvador
54 K9 **Meta, Río** ≈ Colombia/Venezuela
106 I11 **Metauro** ≈ C Italy
80 H11 **Metema** Amhara, N Ethiopia
115 D15 **Metéora** religious building Thessalía, C Greece
65 O20 **Meteor Rise** undersea feature SW Indian Ocean
186 G5 **Meteran** New Hanover, NE PNG
Meterlam/Methariam/Metharlam see Mehtarlām
115 G20 **Methanon** peninsula S Greece
32 J5 **Methow River** ≈ Washington, NW USA
19 O10 **Methuen** Massachusetts, NE USA
185 G19 **Methven** Canterbury, South Island, NZ
Metis see Metz
113 G15 **Metković** Dubrovnik-Neretva, SE Croatia
39 Y14 **Metlakatla** Annette Island, Alaska, USA
109 V13 **Metlika** Ger. Möttling. SE Slovenia
109 T8 **Metnitz** Kärnten, S Austria
27 W12 **Meto, Bayou** ≈ Arkansas, C USA
168 M15 **Metro** Sumatera, W Indonesia
30 M17 **Metropolis** Illinois, N USA
Metropolitan see Santiago
35 N8 **Metropolitan Oakland** ✕ California, W USA
115 D15 **Métsovo** prev. Métsovon. Ípeiros, C Greece
Métsovon see Métsovo
23 V5 **Metter** Georgia, SE USA
99 H21 **Mettet** Namur, S Belgium
101 D20 **Mettlach** Saarland, SW Germany
Mettu see Metu
80 H13 **Metu** var. Mattu, Mettu. Oromo, C Ethiopia
169 T10 **Metulang** Borneo, N Indonesia
138 G8 **Metulla** Northern, N Israel
103 T4 **Metz** anc. Divodurum Mediomatricum, Mediomatrica, Metis. Moselle, NE France
101 H22 **Metzingen** Baden-Württemberg, S Germany
168 G8 **Meulaboh** Sumatera, W Indonesia
99 D18 **Meulebeke** West-Vlaanderen, W Belgium
103 U6 **Meurthe** ≈ NE France
103 S5 **Meurthe-et-Moselle** ◆ department NE France
103 S4 **Meuse** ◆ department NE France
84 F10 **Meuse** Dut. Maas. ≈ W Europe see also Maas
Mexcala, Río see Balsas, Río
25 U8 **Mexia** Texas, SW USA
58 K11 **Mexiana, Ilha** island NE Brazil
40 C1 **Mexicali** Baja California, NW Mexico
27 V4 **Mexico** Missouri, C USA
18 H9 **Mexico** New York, NE USA
40 L7 **Mexico** off. United Mexican States, var. Méjico, México, Sp. Estados Unidos Mexicanos. ◆ federal republic N Central America
41 O14 **México** var. Ciudad de México, Eng. Mexico City. ● (Mexico) México, C Mexico
41 O13 **México** ◆ state S Mexico
Mexico City see México
México, Golfo de see Mexico, Gulf of
44 B4 **Mexico, Gulf of** Sp. Golfo de México. gulf W Atlantic Ocean
Meyadine see Al Mayādīn
39 Y14 **Meyers Chuck** Etolin Island, Alaska, USA
148 M3 **Meymaneh** var. Maimāna, Maymana. Fāryāb, NW Afghanistan
143 N7 **Meymeh** Eşfahān, C Iran
123 V7 **Meynypil'gyno** Chukotskiy Avtonomnyy Okrug, NE Russian Federation
108 A10 **Meyrin** Genève, SW Switzerland
166 L7 **Mezaligon** Irrawaddy, SW Myanmar
41 O15 **Mezcala** Guerrero, S Mexico
114 H8 **Mezdra** Vratsa, NW Bulgaria
103 P16 **Mèze** Hérault, S France
125 O6 **Mezen'** Arkhangel'skaya Oblast', NW Russian Federation
127 P8 **Mezen'** ≈ NW Russian Federation
Mezen, Bay of see Mezenskaya Guba
103 Q13 **Mézenc, Mont** ▲ C France
127 O8 **Mezenskaya Guba** var. Bay of Mezen. bay NW Russian Federation
Mezha see Myazha
122 H6 **Mezhdusharskiy, Ostrov** island Novaya Zemlya, N Russian Federation
Mezhëvo see Myezhava
127 W4 **Mezhgor'ye** Respublika Bashkortostan, W Russian Federation
Mezhgor'ye see Mizhhir"ya
117 V8 **Mezhova** Dnipropetrovs'ka Oblast', E Ukraine
10 J12 **Meziadin Junction** British Columbia, W Canada
111 G16 **Mezileské Sedlo** var. Przełęcz Międzyleska. pass Czech Republic/Poland
102 L14 **Mézin** Lot-et-Garonne, SW France
111 M24 **Mezőberény** Békés, SE Hungary
111 M25 **Mezőhegyes** Békés, SE Hungary
111 M25 **Mezőkovácsháza** Békés, SE Hungary
111 M21 **Mezőkövesd** Borsod-Abaúj-Zemplén, NE Hungary
Mezőtelegd see Tileagd
111 M23 **Mezőtúr** Jász-Nagykun-Szolnok, E Hungary
40 K10 **Mezquital** Durango, C Mexico
106 G6 **Mezzolombardo** Trentino-Alto Adige, N Italy
82 L13 **Mfuwe** Northern, N Zambia
121 O15 **Mġarr** Gozo, N Malta
126 H6 **Mglin** Bryanskaya Oblast', W Russian Federation
Mhálanna, Cionn see Malin Head
154 G10 **Mhow** Madhya Pradesh, C India
Miadzioł Nowy see Myadzyel
171 O6 **Miagao** Panay Island, C Philippines
41 R17 **Miahuatlán** var. Miahuatlán de Porfirio Díaz. Oaxaca, SE Mexico
Miahuatlán de Porfirio Díaz see Miahuatlán
104 K10 **Miajadas** Extremadura, W Spain
Miajlar see Myājlār
36 M14 **Miami** Arizona, SW USA
23 Z16 **Miami** Florida, SE USA
27 R8 **Miami** Oklahoma, C USA
25 O2 **Miami** Texas, SW USA
23 Z16 **Miami** ✕ Florida, SE USA
23 Z16 **Miami Beach** Florida, SE USA
23 Y15 **Miami Canal** canal Florida, SE USA
31 R14 **Miamisburg** Ohio, N USA
149 U10 **Miān Channūn** Punjab, E Pakistan
142 J4 **Mīāndowāb** var. Mianduab, Miyāndoāb. Āžarbāyjān-e Bākhtarī, NW Iran
172 H5 **Miandrivazo** Toliara, C Madagascar
Mianduab see Mīāndowāb
142 K3 **Mīāneh** var. Miyāneh. Āžarbāyjān-e Khāvarī, NW Iran
149 O16 **Miāni Hōr** lagoon S Pakistan
160 G10 **Mianning** Sichuan, C China
149 T7 **Miānwāli** Punjab, NE Pakistan
160 J7 **Mianxian** var. Mian Xian. Shaanxi, C China
160 I8 **Mianyang** Sichuan, C China
Mianyang see Xiantao
161 R3 **Miaodao Qundao** island group E China
161 S13 **Miaoli** N Taiwan
122 F11 **Miass** Chelyabinskaya Oblast', C Russian Federation
110 G8 **Miastko** Ger. Rummelsburg in Pommern. Pomorskie, N Poland
Miava see Myjava
11 O15 **Mica Creek** British Columbia, SW Canada
160 J7 **Micang Shan** ▲ C China
Mi Chai see Nong Khai
111 O19 **Michalovce** Ger. Grossmichel, Hung. Nagymihály. Košický Kraj, E Slovakia
99 M20 **Michel, Baraque** hill E Belgium
39 S5 **Michelson, Mount** ▲ Alaska, USA
45 P9 **Miches** E Dominican Republic
30 M4 **Michigamme, Lake** ◎ Michigan, N USA
30 M4 **Michigamme Reservoir** ⊠ Michigan, N USA
31 N4 **Michigamme River** ≈ Michigan, N USA
31 O7 **Michigan** off. State of Michigan; also known as Great Lakes State, Lake State, Wolverine State. ◆ state N USA
31 O11 **Michigan City** Indiana, N USA
31 O8 **Michigan, Lake** ◎ N USA
31 P2 **Michipicoten Bay** lake bay Ontario, N Canada
14 A8 **Michipicoten Island** island Ontario, S Canada
14 B7 **Michipicoten River** Ontario, S Canada
Michurin see Tsarevo
126 M6 **Michurinsk** Tambovskaya Oblast', W Russian Federation
Mico, Punta/Mico, Punto see Monkey Point
42 L10 **Mico, Río** ≈ SE Nicaragua
45 T12 **Micoud** SE Saint Lucia
189 N16 **Micronesia** off. Federated States of Micronesia. ◆ federation W Pacific Ocean
192 J7 **Micronesia** island group W Pacific Ocean
169 O9 **Midai, Pulau** island Kepulauan Natuna, W Indonesia
Mid-Atlantic Cordillera see Mid-Atlantic Ridge
65 M17 **Mid-Atlantic Ridge** var. Mid-Atlantic Cordillera, Mid-Atlantic Rise, Mid-Atlantic Swell. undersea feature Atlantic Ocean
Mid-Atlantic Rise/Mid-Atlantic Swell see Mid-Atlantic Ridge
99 E15 **Middelburg** Zeeland, SW Netherlands
83 H24 **Middelburg** Eastern Cape, S South Africa
83 K21 **Middelburg** Mpumalanga, NE South Africa
95 G23 **Middelfart** Fyn, C Denmark
98 G13 **Middelharnis** Zuid-Holland, SW Netherlands
99 B16 **Middelkerke** West-Vlaanderen, W Belgium
98 I9 **Middenbeemster** Noord-Holland, C Netherlands
98 I8 **Middenmeer** Noord-Holland, NW Netherlands
35 Q2 **Middle Alkali Lake** ◎ California, W USA
193 S6 **Middle America Trench** undersea feature E Pacific Ocean
151 P19 **Middle Andaman** island Andaman Islands, India, NE Indian Ocean
Middle Atlas see Moyen Atlas
21 R3 **Middlebourne** West Virginia, NE USA
23 W9 **Middleburg** Florida, SE USA
Middleburg Island see 'Eua
Middle Caicos see Grand Caicos
25 N8 **Middle Concho River** ≈ Texas, SW USA
Middle Congo see Congo (Republic of)
39 R6 **Middle Fork Chandalar River** ≈ Alaska, USA
39 Q7 **Middle Fork Koyukuk River** ≈ Alaska, USA
33 O12 **Middle Fork Salmon River** ≈ Idaho, NW USA
11 T15 **Middle Lake** Saskatchewan, S Canada
28 L13 **Middle Loup River** ≈ Nebraska, C USA
185 E22 **Middlemarch** Otago, South Island, NZ
31 T15 **Middleport** Ohio, N USA
29 U14 **Middle Raccoon River** ≈ Iowa, C USA
29 R3 **Middle River** ≈ Minnesota, N USA
21 N8 **Middlesboro** Kentucky, S USA
97 M15 **Middlesbrough** N England, UK
42 G3 **Middlesex** Stann Creek, C Belize
97 N22 **Middlesex** cultural region SE England, UK
13 P15 **Middleton** Nova Scotia, SE Canada
20 F10 **Middleton** Tennessee, S USA
30 L9 **Middleton** Wisconsin, N USA
39 S13 **Middleton Island** island Alaska, USA
34 M7 **Middletown** California, W USA
21 Y2 **Middletown** Delaware, NE USA
18 K15 **Middletown** New Jersey, NE USA
18 K13 **Middletown** New York, NE USA
31 R14 **Middletown** Ohio, N USA
18 G15 **Middletown** Pennsylvania, NE USA
141 N14 **Midi** var. Maydī. NW Yemen
103 O16 **Midi, Canal du** canal S France
102 K17 **Midi de Bigorre, Pic du** ▲ S France
102 K17 **Midi d'Ossau, Pic du** ▲ SW France
173 R7 **Mid-Indian Basin** undersea feature N Indian Ocean
173 P7 **Mid-Indian Ridge** var. Central Indian Ridge. undersea feature C Indian Ocean
103 N14 **Midi-Pyrénées** ◆ region S France
25 N8 **Midkiff** Texas, SW USA
14 G13 **Midland** Ontario, S Canada
31 R8 **Midland** Michigan, N USA
28 M10 **Midland** South Dakota, N USA
24 M8 **Midland** Texas, SW USA
83 K17 **Midlands** ◆ province C Zimbabwe
97 D21 **Midleton** Ir. Mainistir na Corann. SW Ireland
25 T7 **Midlothian** Texas, SW USA
96 K12 **Midlothian** cultural region S Scotland, UK
172 I7 **Midongy** Fianarantsoa, S Madagascar
102 K15 **Midou** ≈ SW France
192 J6 **Mid-Pacific Mountains** var. Mid-Pacific Seamounts. undersea feature NW Pacific Ocean
Mid-Pacific Seamounts see Mid-Pacific Mountains
171 Q7 **Midsayap** Mindanao, S Philippines
36 L3 **Midway** Utah, W USA
192 L5 **Midway Islands** ◇ US territory C Pacific Ocean
33 X14 **Midwest** Wyoming, C USA
27 N10 **Midwest City** Oklahoma, C USA
152 M10 **Mid Western** ◆ zone W Nepal
98 P5 **Midwolda** Groningen, NE Netherlands
137 Q16 **Midyat** Mardin, SE Turkey
114 F8 **Midžhur** SCr. Midžor. ▲ Bulgaria/Serbia and Montenegro (Yugo.) see also Midžor
113 Q14 **Midžor** Bul. Midzhur. ▲ Bulgaria/Serbia and Montenegro (Yugo.) see also Midzhur
164 K14 **Mie** off. Mie-ken. ◆ prefecture Honshū, SW Japan
111 L16 **Miechów** Małopolskie, S Poland
110 F11 **Międzychód** Ger. Mitteldorf. Wielkopolskie, C Poland
Międzyleska, Przełęcz see Mezileské Sedlo
110 O12 **Międzyrzec Podlaski** Lubelskie, E Poland
110 E11 **Międzyrzecz** Ger. Meseritz. Lubelskie, W Poland
Mie-ken see Mie
102 L16 **Miélan** Gers, S France
111 N16 **Mielec** Podkarpackie, SE Poland
95 L21 **Mien** ◎ S Sweden
41 O8 **Mier** Tamaulipas, C Mexico
116 J11 **Miercurea-Ciuc** Ger. Szeklerburg, Hung. Csíkszereda. Harghita, C Romania
Mieresch see Maros/Mureş
Mieres del Camín see Mieres del Camino
104 K2 **Mieres del Camino** var. Mieres del Camín. Asturias, NW Spain
99 K15 **Mierlo** Noord-Brabant, SE Netherlands
41 O10 **Mier y Noriega** Nuevo León, NE Mexico
Mies see Stříbro
80 K13 **Mī'ēso** var. Meheso, Oromo. C Ethiopia
Miesso see Mī'ēso
110 D10 **Mieszkowice** Ger. Bärwalde Neumark. Zachodnio-pomorskie, W Poland
18 G14 **Mifflinburg** Pennsylvania, NE USA
18 F14 **Mifflintown** Pennsylvania, NE USA
41 K15 **Miguel Alemán, Presa** ⊠ SE Mexico
40 L9 **Miguel Asua** var. Miguel Auza. Zacatecas, C Mexico
Miguel Auza see Miguel Asua
43 S15 **Miguel de la Borda** var. Donoso. Colón, C Panama
41 N13 **Miguel Hidalgo** ✕ (Guadalajara) Jalisco, SW Mexico
40 H7 **Miguel Hidalgo, Presa** ⊠ W Mexico
116 J14 **Mihăileşti** Giurgiu, S Romania
116 M14 **Mihail Kogălniceanu** var. Kogălniceanu; prev. Caramurat, Ferdinand. Constanța, SE Romania
117 N14 **Mihai Viteazu** Constanța, SE Romania
136 G12 **Mihalıççık** Eskişehir, NW Turkey
164 G13 **Mihara** Hiroshima, Honshū, SW Japan
165 N14 **Mihara-yama** ▲ Miyako-jima, SE Japan
105 S8 **Mijares** ≈ E Spain
98 I11 **Mijdrecht** Utrecht, C Netherlands
165 S4 **Mikasa** Hokkaidō, NE Japan
Mikashevichi see Mikashevichy
119 K19 **Mikashevichy** Pol. Mikaszewicze, Rus. Mikashevichi. Brestskaya Voblasts', SW Belarus
Mikaszewicze see Mikashevichy
126 L5 **Mikhaylov** Ryazanskaya Oblast', W Russian Federation
Mikhaylovgrad see Montana
195 Z8 **Mikhaylov Island** island Antarctica
145 T6 **Mikhaylovka** Pavlodar, N Kazakhstan
127 N9 **Mikhaylovka** Volgogradskaya Oblast', SW Russian Federation
Mikhaylovka see Mykhaylivka
81 K24 **Mikindani** Mtwara, SE Tanzania
93 N18 **Mikkeli** Swe. Sankt Michel. Itä-Suomi, E Finland
110 M8 **Mikołajki** Ger. Nikolaiken. Warmińsko-Mazurskie, NE Poland
Míkonos see Mýkonos
114 I9 **Mikre** Lovech, N Bulgaria
114 C13 **Mikrí Préspa, Límni** ◎ N Greece
127 P4 **Mikulkin, Mys** headland NW Russian Federation
81 I23 **Mikumi** Morogoro, SE Tanzania
125 R10 **Mikun'** Respublika Komi, NW Russian Federation
164 K13 **Mikuni** Fukui, Honshū, SW Japan
165 X13 **Mikura-jima** island E Japan
29 V7 **Milaca** Minnesota, N USA
62 J10 **Milagro** La Rioja, C Argentina
56 B7 **Milagro** Guayas, SW Ecuador
31 P4 **Milakokia Lake** ◎ Michigan, N USA
30 J1 **Milan** Illinois, N USA
31 R10 **Milan** Michigan, N USA
27 T2 **Milan** Missouri, C USA
37 Q11 **Milan** New Mexico, SW USA
20 G9 **Milan** Tennessee, S USA
Milan see Milano
95 F15 **Miland** Telemark, S Norway
83 N15 **Milange** Zambézia, NE Mozambique
106 D8 **Milano** Eng. Milan, Ger. Mailand; anc. Mediolanum. Lombardia, N Italy
25 U10 **Milano** Texas, SW USA
136 C15 **Milas** Muğla, SW Turkey
119 K21 **Milashavichy** Rus. Milashevichi. Homyel'skaya Voblasts', SE Belarus
Milashevichi see Milashavichy
119 I18 **Milavidy** Rus. Milovidy. Brestskaya Voblasts', SW Belarus
107 L23 **Milazzo** anc. Mylae. Sicilia, Italy, C Mediterranean Sea
29 R8 **Milbank** South Dakota, N USA
19 T7 **Milbridge** Maine, NE USA
100 L11 **Milde** ≈ C Germany
14 F14 **Mildmay** Ontario, S Canada
182 L9 **Mildura** Victoria, SE Australia
137 X12 **Mil Düzü** Rus. Mil'skaya Ravnina, Mil'skaya Step'. physical region C Azerbaijan
160 H13 **Mile** var. Miyang. Yunnan, SW China
Mile see Mili Atoll
181 Y10 **Miles** Queensland, E Australia
25 P8 **Miles** Texas, SW USA
33 X9 **Miles City** Montana, NW USA
11 U17 **Milestone** Saskatchewan, S Canada
107 N22 **Mileto** Calabria, SW Italy
107 K16 **Miletto, Monte** ▲ C Italy
18 M13 **Milford** Connecticut, NE USA
21 Y3 **Milford** var. Milford City. Delaware, NE USA
29 T11 **Milford** Iowa, C USA
19 S6 **Milford** Maine, NE USA
29 R16 **Milford** Nebraska, C USA
19 O10 **Milford** New Hampshire, NE USA
18 J13 **Milford** Pennsylvania, NE USA
25 T7 **Milford** Texas, SW USA
36 K6 **Milford** Utah, W USA
Milford see Milford Haven
Milford City see Milford
97 H21 **Milford Haven** prev. Milford. SW Wales, UK
27 O4 **Milford Lake** ⊠ Kansas, C USA
185 B21 **Milford Sound** Southland, South Island, NZ
185 B21 **Milford Sound** inlet South Island, NZ
Milhau see Millau
Milḥ, Baḥr al see Razāzah, Buḥayrat ar
139 T10 **Milḥ, Wādī al** dry watercourse S Iraq
189 W8 **Mili Atoll** var. Mile. atoll Ratak Chain, SE Marshall Islands
110 H13 **Milicz** Dolnośląskie, SW Poland
107 L25 **Militello in Val di Catania** Sicilia, Italy, C Mediterranean Sea
123 V10 **Mil'kovo** Kamchatskaya Oblast', E Russian Federation
11 R17 **Milk River** Alberta, SW Canada
44 J13 **Milk River** ≈ C Jamaica
33 W7 **Milk River** ≈ Montana, NW USA
80 D9 **Milk, Wadi el** var. Wadi al Malik. ≈ C Sudan
99 L14 **Mill** Noord-Brabant, SE Netherlands
103 P14 **Millau** var. Milhau; anc. Æmilianum. Aveyron, S France
14 I14 **Millbrook** Ontario, SE Canada
23 U4 **Milledgeville** Georgia, SE USA
12 C12 **Mille Lacs, Lac des** ◎ Ontario, S Canada
29 V6 **Mille Lacs Lake** ◎ Minnesota, N USA
23 V4 **Millen** Georgia, SE USA
191 Y5 **Millennium Island** prev. Caroline Island, Thornton Island. atoll Line Islands, E Kiribati
29 O9 **Miller** South Dakota, N USA
30 K5 **Miller Dam Flowage** ◎ Wisconsin, N USA
39 U12 **Miller, Mount** ▲ Alaska, USA
126 L10 **Millerovo** Rostovskaya Oblast', SW Russian Federation
37 N17 **Miller Peak** ▲ Arizona, SW USA
31 T12 **Millersburg** Ohio, N USA
18 G15 **Millersburg** Pennsylvania, NE USA
185 D23 **Millers Flat** Otago, South Island, NZ
25 Q8 **Millersview** Texas, SW USA
106 B10 **Millesimo** Piemonte, NE Italy
12 C12 **Milles Lacs, Lac des** ◎ Ontario, SW Canada
25 Q13 **Millett** Texas, SW USA
103 N11 **Millevaches, Plateau de** plateau C France
182 K12 **Millicent** South Australia
98 M13 **Millingen aan den Rijn** Gelderland, SE Netherlands
20 E10 **Millington** Tennessee, S USA
19 R4 **Millinocket** Maine, NE USA
19 R4 **Millinocket Lake** ◎ Maine, NE USA
195 Z11 **Mill Island** island Antarctica
183 T3 **Millmerran** Queensland, E Australia
109 R9 **Millstatt** Kärnten, S Austria
97 B19 **Milltown Malbay** Ir. Sráid na Cathrach. W Ireland
18 J17 **Millville** New Jersey, NE USA
27 S13 **Millwood Lake** ⊠ Arkansas, C USA
Milne Bank see Milne Seamounts
186 G10 **Milne Bay** ◆ province SE PNG
64 J8 **Milne Seamounts** var. Milne Bank. undersea feature N Atlantic Ocean
29 Q6 **Milnor** North Dakota, N USA
19 R5 **Milo** Maine, NE USA
115 I22 **Mílos** Mílos, Kykládes, Greece, Aegean Sea
115 I22 **Mílos** island Kykládes, Greece, Aegean Sea

◆ Country ◇ Dependent Territory ◆ Administrative Region ▲ Mountain ▲ Volcano ◎ Lake
● Country Capital ○ Dependent Territory Capital ✕ International Airport ▲ Mountain Range ≈ River ⊠ Reservoir

290 ••• Miłosław – Moholm

110 H11 Miłosław Wielkolpolskie, C Poland
113 K19 Milot var. Miloti. Lezhë, C Albania
Miloti see Milot
117 Z5 Milove Luhans'ka Oblast', E Ukraine
Milovidy see Milavidy
182 L4 Milparinka New South Wales, SE Australia
35 N9 Milpitas California, W USA
Mil'skaya Ravnina/Mil'skaya Step' see Mil Düzü
14 G15 Milton Ontario, S Canada
185 E24 Milton Otago, South Island, NZ
21 Y4 Milton Delaware, NE USA
23 P8 Milton Florida, SE USA
18 G14 Milton Pennsylvania, NE USA
18 L7 Milton Vermont, NE USA
32 K11 Milton-Freewater Oregon, NW USA
97 N21 Milton Keynes SE England, UK
27 N3 Miltonvale Kansas, C USA
161 N10 Miluo Hunan, S China
30 M9 Milwaukee Wisconsin, N USA
Milyang see Miryang
Mimatum see Mende
37 Q15 Mimbres Mountains ▲ New Mexico, SW USA
182 D2 Mimili South Australia
102 J14 Mimizan Landes, SW France
Mimmaya see Minmaya
79 E19 Mimongo Ngounié, C Gabon
Min see Fujian
35 T7 Mina Nevada, W USA
143 S14 Mīnāb Hormozgān, SE Iran
Mīnā Baranīs see Berenice
149 R9 Mīna Bāzār Baluchistān, SW Pakistan
165 X17 Minami-Iō-jima Eng. San Augustine. island SE Japan
Min'an see Longshan
165 R5 Minami-Kayabe Hokkaidō, NE Japan
164 C17 Minamitane Kagoshima, Tanega-shima, SW Japan
Minami Tori Shima see Marcus Island
62 J4 Mina Pirquitas Jujuy, NW Argentina
173 O3 Mīnā' Qābūs NE Oman
61 F19 Minas Lavalleja, S Uruguay
13 P15 Minas Basin bay Nova Scotia, SE Canada
61 F17 Minas de Corrales Rivera, NE Uruguay
44 A5 Minas de Matahambre Pinar del Río, W Cuba
104 J13 Minas de Ríotinto Andalucía, S Spain
60 K7 Minas Gerais off. Estado de Minas Gerais. ◈ state E Brazil
42 E5 Minas, Sierra de las ▲ E Guatemala
41 T15 Minatitlán Veracruz-Llave, E Mexico
166 L6 Minbu Magwe, W Myanmar
149 V10 Minchinābād Punjab, E Pakistan
63 G17 Minchinmávida, Volcán ▲ S Chile
96 G7 Minch, The var. North Minch. strait NW Scotland, UK
106 F8 Mincio anc. Mincius. ↝ N Italy
Mincius see Mincio
26 M11 Minco Oklahoma, C USA
171 Q7 Mindanao island S Philippines
Mindanao Sea see Bohol Sea
101 J23 Mindel ↝ S Germany
101 J23 Mindelheim Bayern, S Germany
Mindello see Mindelo
76 C9 Mindelo var. Mindello; prev. Porto Grande. São Vicente, N Cape Verde
14 I13 Minden Ontario, SE Canada
100 H13 Minden anc. Minthun. Nordrhein-Westfalen, NW Germany
22 G5 Minden Louisiana, S USA
29 O16 Minden Nebraska, C USA
35 Q6 Minden Nevada, W USA
182 L8 Mindona Lake seasonal lake New South Wales, SE Australia
171 O4 Mindoro island N Philippines
171 N5 Mindoro Strait strait W Philippines
159 S9 Mine Gansu, N China
97 E21 Mine Head Ir. Mionn Ard. headland S Ireland
97 J23 Minehead SW England, UK
59 J19 Mineiros Goiás, C Brazil
25 V6 Mineola Texas, SW USA
25 S13 Mineral Texas, SW USA
127 N15 Mineral'nyye Vody Stavropol'skiy Kray, SW Russian Federation
30 K9 Mineral Point Wisconsin, N USA
25 S6 Mineral Wells Texas, SW USA
36 K6 Minersville Utah, W USA
31 U12 Minerva Ohio, N USA
107 N17 Minervino Murge Puglia, SE Italy
103 O16 Minervois physical region S France
158 I10 Minfeng var. Niya. Xinjiang Uygur Zizhiqu, NW China
79 O25 Minga Katanga, SE Dem. Rep. Congo
137 W11 Mingäçevir Rus. Mingechaur, Mingechevir. C Azerbaijan
137 W11 Mingäçevir Su Anbarı Rus. Mingechaurskoye Vodokhranilishche, Mingechevirskoye Vodokhranilishche. ▣ NW Azerbaijan
166 L8 Mingaladon ✕ (Yangon) Yangon, SW Myanmar
13 P11 Mingan Québec, E Canada
149 U5 Mingāora var. Mingora, Mongora. North-West Frontier Province, N Pakistan
146 K8 Mingbuloq Rus. Mynbulak. Navoiy Viloyati, N Uzbekistan
146 K9 Mingbuloq Botig'l Rus. Vpadina Mynbulak. depression N Uzbekistan
Mingechaur/Mingechevir see Mingäçevir
Mingechaurskoye Vodokhranilishche/Mingechevirskoye Vodokhranilishche see Mingäçevir Su Anbarı
161 Q7 Mingguang prev. Jiashan. Anhui, S China
166 L4 Mingin Sagaing, C Myanmar
105 Q10 Minglanilla Castilla-La Mancha, C Spain
31 V13 Mingo Junction Ohio, N USA
Mingora see Mingāora
163 V7 Mingshui Heilongjiang, NE China
Mingteke Daban see Mintaka Pass
83 Q14 Minguri Nampula, NE Mozambique
159 U10 Minhe var. Shangchuankou. Qinghai, C China
166 L6 Minhla Magwe, W Myanmar
167 S14 Minh Lương Kiên Giang, S Vietnam
104 G5 Minho, Rio Sp. Miño. ↝ Portugal/Spain see also Miño
104 G5 Minho former province N Portugal
155 C24 Minicoy Island island SW India
33 P15 Minidoka Idaho, NW USA
118 C11 Minija ↝ W Lithuania
180 G9 Minilya Western Australia
14 E8 Minisinakwa Lake ◎ Ontario, S Canada
45 T12 Ministre Point headland S Saint Lucia
11 V15 Minitonas Manitoba, S Canada
Minius see Miño
161 R12 Min Jiang ↝ SE China
160 H10 Min Jiang ↝ C China
182 H9 Minlaton South Australia
165 Q6 Minmaya var. Mimmaya. Aomori, Honshū, C Japan
77 U14 Minna Niger, C Nigeria
165 P16 Minna-jima island Sakishima-shotō, SW Japan
27 N4 Minneapolis Kansas, C USA
29 U9 Minneapolis Minnesota, N USA
29 V8 Minneapolis-Saint Paul ✕ Minnesota, N USA
11 W16 Minnedosa Manitoba, S Canada
26 J7 Minneola Kansas, C USA
29 S7 Minnesota off. State of Minnesota; also known as Gopher State, New England of the West, North Star State. ◈ state N USA
29 S9 Minnesota River ↝ Minnesota/South Dakota, N USA
29 V9 Minnetonka Minnesota, N USA
29 O3 Minnewaukan North Dakota, N USA
182 F7 Minnipa South Australia
104 H2 Miño Galicia, NW Spain
104 G5 Miño var. Mino, Minius, Port. Rio Minho. ↝ Portugal/Spain see also Minho, Rio
30 L4 Minocqua Wisconsin, N USA
30 L12 Minonk Illinois, N USA
Minorca see Menorca
28 M3 Minot North Dakota, N USA
159 U8 Minqin Gansu, N China
119 J16 Minsk ● (Belarus) Minskaya Voblasts', C Belarus
119 L16 Minsk ✕ Minskaya Voblasts', C Belarus
Minskaya Oblast' see Minskaya Voblasts'
119 K16 Minskaya Voblasts' prev. Rus. Minskaya Oblast'. ◈ province C Belarus
119 J16 Minskaya Wzvyshsha ▲ C Belarus
110 N12 Mińsk Mazowiecki var. Nowo-Minsk. Mazowieckie, C Poland
31 Q13 Minster Ohio, N USA
79 F15 Minta Centre, C Cameroon
149 W2 Mintaka Pass Chin. Mingteke Daban. pass China/Pakistan
115 D20 Mínthi ▲ S Greece
Minthun see Minden
13 O14 Minto New Brunswick, SE Canada
10 H6 Minto Yukon Territory, W Canada
39 R9 Minto Alaska, USA
29 Q3 Minto North Dakota, N USA
12 K6 Minto, Lac ◎ Québec, C Canada
195 R16 Minto, Mount ▲ Antarctica
11 U17 Minton Saskatchewan, S Canada
189 R15 Minto Reef atoll Caroline Islands, C Micronesia
37 R4 Minturn Colorado, C USA
107 J16 Minturno Lazio, C Italy
122 K13 Minusinsk Krasnoyarskiy Kray, S Russian Federation
108 G11 Minusio Ticino, S Switzerland
79 E17 Minvoul Woleu-Ntem, N Gabon
141 R13 Minwakh N Yemen
159 V11 Minxian var. Min Xian. Gansu, C China
Minya see El Minya
31 R6 Mio Michigan, N USA
Mionn Ard see Mine Head
158 L5 Miquan Xinjiang Uygur Zizhiqu, NW China
119 I17 Mir Hrodzyenskaya Voblasts', W Belarus
106 H8 Mira Veneto, NE Italy
104 G13 Mira, Rio ↝ S Portugal
12 K15 Mirabel var. Montreal. ✕ (Montréal) Québec, SE Canada
60 Q8 Miracema Rio de Janeiro, SE Brazil
54 G9 Miraflores Boyacá, C Colombia
40 G10 Miraflores Baja California Sur, W Mexico
44 L9 Miragoâne S Haiti
155 E16 Miraj Mahārāshtra, W India
61 E23 Miramar Buenos Aires, E Argentina
103 R15 Miramas Bouches-du-Rhône, SE France
102 K12 Mirambeau Charente-Maritime, W France
102 L13 Miramont-de-Guyenne Lot-et-Garonne, SW France
115 L25 Mirampéllou Kólpos gulf Kriti, Greece, E Mediterranean Sea
158 L8 Miran Xinjiang Uygur Zizhiqu, NW China
54 M5 Miranda off. Estado Miranda. ◈ state N Venezuela
Miranda de Corvo see Miranda do Corvo
105 O3 Miranda de Ebro La Rioja, N Spain
104 G8 Miranda do Corvo var. Miranda de Corvo. Coimbra, N Portugal
104 J6 Miranda do Douro Bragança, N Portugal
102 L15 Mirande Gers, S France
104 I6 Mirandela Bragança, N Portugal
25 R15 Mirando City Texas, SW USA
106 G9 Mirandola Emilia-Romagna, N Italy
60 I8 Mirandópolis São Paulo, S Brazil
60 K8 Mirassol São Paulo, S Brazil
104 J3 Miravalles ▲ NW Spain
42 L12 Miravalles, Volcán ▲ NW Costa Rica
141 W13 Mirbāṭ var. Marbat. S Oman
44 M9 Mirebalais C Haiti
103 T6 Mirecourt Vosges, NE France
103 N16 Mirepoix Ariège, S France
Mirgorod see Myrhorod
139 W10 Mīr Ḥājī Khalīl E Iraq
169 T8 Miri Sarawak, East Malaysia
77 W12 Miria Zinder, S Niger
182 F5 Mirikata South Australia
54 K4 Mirimire Falcón, N Venezuela
61 H18 Mirim Lagoon var. Lake Mirim, Sp. Laguna Merín. lagoon Brazil/Uruguay
Mirim, Lake see Mirim Lagoon
Mirina see Mýrina
172 H14 Miringoni Mohéli, S Comoros
143 W11 Mīrjāveh Sīstān va Balūchestān, SE Iran
195 Z9 Mirny Russian research station Antarctica
124 M10 Mirnyy Arkhangel'skaya Oblast', NW Russian Federation
123 O10 Mirnyy Respublika Sakha (Yakutiya), NE Russian Federation
Mironovka see Myronivka
110 F9 Mirosławiec Zachodnio-pomorskie, NW Poland
Mirovo see Vrattsa
100 N10 Mirow Mecklenburg-Vorpommern, N Germany
152 G6 Mīrpur Jammu and Kashmir, NW India
Mīrpur see New Mīrpur
149 P17 Mīrpur Batoro Sind, SE Pakistan
149 Q16 Mīrpur Khās Sind, SE Pakistan
149 P17 Mīrpur Sakro Sind, SE Pakistan
143 T14 Mīr Shahdād Hormozgān, S Iran
Mirtoan Sea see Mirtóo Pélagos
115 G21 Mirtóo Pélagos Eng. Mirtoan Sea; anc. Myrtoum Mare. sea S Greece
163 Z16 Miryang var. Milyang, Jap. Mitsuō. SE South Korea
Mirzachirla see Murzechirla
164 E14 Misaki Ehime, Shikoku, SW Japan
41 Q13 Misantla Veracruz-Llave, E Mexico
165 R7 Misawa Aomori, Honshū, C Japan
57 G14 Mishagua, Río ↝ C Peru
163 Z8 Mishan Heilongjiang, NE China
31 O11 Mishawaka Indiana, N USA
39 N6 Misheguk Mountain ▲ Alaska, USA
165 N14 Mishima var. Misima. Shizuoka, Honshū, S Japan
164 E12 Mi-shima island SW Japan
127 V4 Mishkino Respublika Bashkortostan, W Russian Federation
153 Y10 Mishmi Hills hill range NE India
161 N11 Mi Shui ↝ S China
Misiaf see Maṣyāf
107 J23 Misilmeri Sicilia, Italy, C Mediterranean Sea
Misima see Mishima
Misión de Guana see Guana
60 F13 Misiones off. Provincia de Misiones. ◈ province NE Argentina
62 P8 Misiones off. Departamento de las Misiones. ◈ department S Paraguay
Misión San Fernando see San Fernando
Miskin see Maskin
Miskito Coast see La Mosquitia
43 O7 Miskitos, Cayos island group NE Nicaragua
111 M21 Miskolc Borsod-Abaúj-Zemplén, NE Hungary
171 T12 Misool, Pulau island Maluku, E Indonesia
Misox see Mesocco
29 Y3 Misquah Hills hill range Minnesota, N USA
75 P7 Miṣrātah var. Misurata. NW Libya
14 C7 Missanabie Ontario, S Canada
58 E10 Missão Catrimani Roraima, N Brazil
14 D6 Missinaibi ↝ Ontario, S Canada
14 C7 Missinaibi Lake ◎ Ontario, S Canada
11 T13 Missinipe Saskatchewan, C Canada
28 M11 Mission South Dakota, N USA
25 S17 Mission Texas, SW USA
12 F10 Missisa Lake ◎ Ontario, C Canada
18 M6 Missisquoi Bay lake bay Canada/USA
14 C10 Mississagi ↝ Ontario, S Canada
14 G15 Mississauga Ontario, S Canada
31 P12 Mississinewa Lake ▣ Indiana, N USA
31 P12 Mississinewa River ↝ Indiana/Ohio, N USA
22 K4 Mississippi off. State of Mississippi; also known as Bayou State, Magnolia State. ◈ state SE USA
14 K13 Mississippi ↝ Ontario, SE Canada
22 M10 Mississippi Delta delta Louisiana, S USA
64 D10 Mississippi Fan undersea feature N Gulf of Mexico
14 L13 Mississippi Lake ◎ Ontario, SE Canada
17 O11 Mississippi River ↝ C USA
22 M9 Mississippi Sound sound Alabama/Mississippi, S USA
33 P9 Missoula Montana, NW USA
27 T5 Missouri off. State of Missouri; also known as Bullion State, Show Me State. ◈ state C USA
25 V11 Missouri City Texas, SW USA
16 L9 Missouri River ↝ C USA
15 Q6 Mistassibi ↝ Québec, SE Canada
15 P6 Mistassini Québec, SE Canada
15 P6 Mistassini ↝ Québec, SE Canada
12 J11 Mistassini, Lac ◎ Québec, SE Canada
109 Y3 Mistelbach an der Zaya Niederösterreich, NE Austria
107 L24 Misterbianco Sicilia, Italy, C Mediterranean Sea
95 N19 Misterhult Kalmar, S Sweden
57 H17 Misti, Volcán ▲ S Peru
Mistras see Mystrás
107 K23 Mistretta anc. Amestratus. Sicilia, Italy, C Mediterranean Sea
164 F12 Misumi Shimane, Honshū, SW Japan
Misurata see Miṣrātah
83 O14 Mitande Niassa, N Mozambique
40 J13 Mita, Punta de headland C Mexico
55 W12 Mitaraka, Massif du ▲ NE South America
Mitau see Jelgava
181 X9 Mitchell Queensland, E Australia
14 E15 Mitchell Ontario, S Canada
28 I13 Mitchell Nebraska, C USA
32 J12 Mitchell Oregon, NW USA
29 P11 Mitchell South Dakota, N USA
23 P5 Mitchell Lake ▣ Alabama, S USA
31 P7 Mitchell, Lake ◎ Michigan, N USA
21 P9 Mitchell, Mount ▲ North Carolina, SE USA
181 V3 Mitchell River ↝ Queensland, NE Australia
97 D20 Mitchelstown Ir. Baile Mhistéala. SW Ireland
14 M9 Mitchinamécus, Lac ◎ Québec, SE Canada
Mitèmboni see Mitemele, Río
79 D17 Mitemele, Río var. Mitèmboni, Temboni, Utamboni. ↝ S Equatorial Guinea
149 S12 Mithānkot Punjab, E Pakistan
149 T7 Mitha Tiwāna Punjab, E Pakistan
149 R17 Mithi Sind, SE Pakistan
Míthimna see Míthymna
Mi Tho see My Tho
115 L16 Míthymna var. Míthimna. Lésvos, E Greece
190 L16 Mitiaro island S Cook Islands
Mitilíni see Mytilíni
15 U7 Mitis ↝ Québec, SE Canada
41 R16 Mitla Oaxaca, SE Mexico
165 P13 Mito Ibaraki, Honshū, S Japan
92 N2 Mitra, Kapp headland W Svalbard
184 M13 Mitre ▲ North Island, NZ
185 B21 Mitre Peak ▲ S Island, NZ
39 O15 Mitrofania Island island Alaska, USA
Mitrovica/Mitrowitz see Sremska Mitrovica, Serbia, Serbia and Montenegro (Yugo.)
Mitrovica/Mitrovicë see Kosovska Mitrovica, Serbia, Serbia and Montenegro (Yugo.)
172 H12 Mitsamiouli Grande Comore, NW Comoros
172 I3 Mitsinjo Mahajanga, NW Madagascar
Mits'iwa see Massawa
172 H13 Mitsoudjé Grande Comore, NW Comoros
Mitspe Ramon see Miẓpé Ramon
165 T5 Mitsuishi Hokkaidō, NE Japan
165 O11 Mitsuke var. Mituke. Niigata, Honshū, C Japan
Mitsuō see Miryang
164 C12 Mitsushima Nagasaki, Tsushima, SW Japan
100 G12 Mittelandkanal canal NW Germany
108 J7 Mittelberg Vorarlberg, NW Austria
Mitteldorf see Międzychód
Mittelstadt see Baia Sprie
Mitterburg see Pazin
109 P7 Mittersill Salzburg, NW Austria
101 N16 Mittweida Sachsen, E Germany
54 J13 Mitú Vaupés, SE Colombia
Mituke see Mitsuke
Mitumba, Chaîne des/Mitumba Range see Mitumba, Monts
79 O22 Mitumba, Monts var. Chaîne des Mitumba, Mitumba Range. ▲ E Dem. Rep. Congo
79 N23 Mitwaba Katanga, SE Dem. Rep. Congo
79 E18 Mitzic Woleu-Ntem, N Gabon
82 K11 Miueru Wantipa, Lake ◎ N Zambia
165 N14 Miura Kanagawa, Honshū, S Japan
165 Q10 Miyagi off. Miyagi-ken. ◈ prefecture Honshū, C Japan
138 M7 Miyāh, Wādī al dry watercourse E Syria
165 X13 Miyake Tōkyō, Miyako-jima, SE Japan
165 R8 Miyako Iwate, Honshū, C Japan
165 Q16 Miyako-jima island Sakishima-shotō, SW Japan
164 D16 Miyakonojō var. Miyakonzyô. Miyazaki, Kyūshū, SW Japan
Miyakonzyô see Miyakonojō
165 Q16 Miyako-shotō island group SW Japan
144 G11 Miyaly Atyrau, W Kazakhstan
Miyāndoāb see Miāndowāb
Miyāneh see Miāneh
Miyang see Mile
164 D16 Miyazaki Miyazaki, Kyūshū, SW Japan
164 D16 Miyazaki off. Miyazaki-ken. ◈ prefecture Kyūshū, SW Japan
164 J12 Miyazu Kyōto, Honshū, SW Japan
Miyory see Myory
164 G12 Miyoshi var. Miyosi. Hiroshima, Honshū, SW Japan
Miyosi see Miyoshi
Miza see Mizë
81 H14 Mīzan Teferī Southern, S Ethiopia
Mizda see Mizdah
75 O8 Mizdah var. Mizda. NW Libya
113 K20 Mizë var. Miza. Fier, W Albania
97 A22 Mizen Head Ir. Carn Uí Néid. headland SW Ireland
116 H7 Mizhhir"ya Rus. Mezhgor'ye. Zakarpats'ka Oblast', W Ukraine
160 L4 Mizhi Shaanxi, C China
116 K13 Mizil Prahova, SE Romania
114 H7 Miziya Vratsa, NW Bulgaria
153 W15 Mizo Hills hill range E India
153 W15 Mizoram ◈ state NE India
138 F12 Miẓpé Ramon var. Mitspe Ramon. Southern, S Israel
57 L19 Mizque Cochabamba, C Bolivia
57 M19 Mizque, Río ↝ C Bolivia
165 Q9 Mizusawa Iwate, Honshū, C Japan
95 M18 Mjölby Östergötland, S Sweden
95 G15 Mjøndalen Buskerud, S Norway
95 J19 Mjörn ◎ S Sweden
94 I13 Mjøsa var. Mjøsen. ◎ S Norway
Mjøsen see Mjøsa
81 G21 Mkalama Singida, C Tanzania
80 K13 Mkata ↝ C Tanzania
83 K14 Mkushi Central, C Zambia
83 L22 Mkuze KwaZulu/Natal, E South Africa
81 J22 Mkwaja Tanga, E Tanzania
111 D16 Mladá Boleslav Ger. Jungbunzlau. Středočeský Kraj, N Czech Republic
112 M12 Mladenovac Serbia, C Serbia and Montenegro (Yugo.)
114 L11 Mladinovo Khaskovo, S Bulgaria
113 O17 Mlado Nagoričane N FYR Macedonia
Mlanje see Mulanje
112 N12 Mlava ↝ E Serbia and Montenegro (Yugo.)
110 L9 Mława Mazowieckie, C Poland
113 G16 Mljet It. Meleda; anc. Melita. island S Croatia
116 K4 Mlyniv Rivnens'ka Oblast', NW Ukraine
83 I21 Mmabatho North-West, N South Africa
83 I19 Mmashoro Central, E Botswana
44 J7 Moa Holguín, E Cuba
76 J15 Moa ↝ Guinea/Sierra Leone
37 O6 Moab Utah, W USA
181 V1 Moa Island island Queensland, NE Australia
187 Y15 Moala island S Fiji
83 L21 Moamba Maputo, SW Mozambique
79 F19 Moanda var. Mouanda. Haut-Ogooué, SE Gabon
83 M15 Moatize Tete, NW Mozambique
79 P22 Moba Katanga, E Dem. Rep. Congo
Mobay see Montego Bay
79 K15 Mobaye Basse-Kotto, S Central African Republic
79 K15 Mobayi-Mbongo Equateur, NW Dem. Rep. Congo
25 P2 Mobeetie Texas, SW USA
27 U3 Moberly Missouri, C USA
23 N8 Mobile Alabama, S USA
23 N9 Mobile Bay bay Alabama, S USA
23 N8 Mobile River ↝ Alabama, S USA
29 N8 Mobridge South Dakota, N USA
Mobutu Sese Seko, Lac see Albert, Lake
45 N8 Moca N Dominican Republic
Moçâmedes see Namibe
167 S6 Môc Châu Sơn La, N Vietnam
187 Z15 Moce island Lau Group, E Fiji
83 Q15 Moçambique Nampula, NE Mozambique
Mocha see Al Mukhā
193 T11 Mocha Fracture Zone tectonic feature SE Pacific Ocean
63 F14 Mocha, Isla island C Chile
56 C12 Moche, Río ↝ W Peru
167 S14 Môc Hoa Long An, S Vietnam
83 I20 Mochudi Kgatleng, SE Botswana
82 Q13 Mocímboa da Praia var. Vila de Mocímboa da Praia. Cabo Delgado, N Mozambique
94 L13 Mockfjärd Dalarna, C Sweden
21 R9 Mocksville North Carolina, SE USA
32 F8 Moclips Washington, NW USA
82 C13 Môco var. Morro de Môco. ▲ W Angola
54 D13 Mocoa Putumayo, SW Colombia
60 M8 Mococa São Paulo, S Brazil
Môco, Morro de see Môco
40 H8 Mocorito Sinaloa, C Mexico
40 J4 Moctezuma Chihuahua, N Mexico
41 N11 Moctezuma San Luis Potosí, C Mexico
40 G4 Moctezuma Sonora, NW Mexico
41 P12 Moctezuma, Río ↝ C Mexico
Mó, Cuan see Clew Bay
83 O16 Mocuba Zambézia, NE Mozambique
103 U12 Modane Savoie, E France
106 F9 Modena anc. Mutina. Emilia-Romagna, N Italy
36 I7 Modena Utah, W USA
35 O9 Modesto California, W USA
107 L25 Modica anc. Motyca. Sicilia, Italy, C Mediterranean Sea
83 J20 Modimolle prev. Nylstroom. Limpopo, NE South Africa
79 K17 Modjamboli Equateur, N Dem. Rep. Congo
109 X4 Mödling Niederösterreich, NE Austria
Modohn see Madona
163 N8 Modot Hentiy, C Mongolia
171 V14 Modowi Papua, E Indonesia
112 I12 Modračko Jezero ▣ NE Bosnia and Herzegovina
112 I10 Modriča Republika Srpska, N Bosnia and Herzegovina
183 O13 Moe Victoria, SE Australia
Moearatewe see Muaratewe
Moei, Mae Nam see Thaungyin
94 H13 Moelv Hedmark, S Norway
92 I10 Moen Troms, N Norway
Moen see Weno, Micronesia
Mōen see Møn, Denmark
Moena see Muna, Pulau
36 M10 Moenkopi Wash ↝ Arizona, SW USA
185 F22 Moeraki Point headland South Island, NZ
99 F16 Moerbeke Oost-Vlaanderen, NW Belgium
99 H14 Moerdijk Noord-Brabant, S Netherlands
Moero, Lac see Mweru, Lake
101 D15 Moers var. Mörs. Nordrhein-Westfalen, W Germany
Moesi see Musi, Air
Moeskroen see Mouscron
96 J13 Moffat S Scotland, UK
185 C22 Moffat Peak ▲ South Island, NZ
152 H8 Moga Punjab, N India
79 N19 Moga Sud Kivu, E Dem. Rep. Congo
Mogadiscio/Mogadishu see Muqdisho
Mogador see Essaouira
104 J6 Mogadouro Bragança, N Portugal
167 N2 Mogaung Kachin State, N Myanmar
110 L13 Mogielnica Mazowieckie, C Poland
Mogilëv see Mahilyow
Mogilev-Podol'skiy see Mohyliv-Podil's'kyy
Mogilëvskaya Oblast' see Mahilyowskaya Voblasts'
110 I11 Mogilno Kujawsko-pomorskie, C Poland
60 L9 Mogi-Mirim var. Moji-Mirim. São Paulo, S Brazil
83 Q15 Mogincual Nampula, NE Mozambique
114 E13 Moglenítsas ↝ N Greece
106 H8 Mogliano Veneto Veneto, NE Italy
113 M21 Moglicë Korçë, SE Albania
123 O13 Mogocha Chitinskaya Oblast', S Russian Federation
122 J11 Mogochin Tomskaya Oblast', C Russian Federation
80 F13 Mogogh Jonglei, SE Sudan
171 U12 Mogoi Papua, E Indonesia
166 M4 Mogok Mandalay, C Myanmar
37 P14 Mogollon Mountains ▲ New Mexico, SW USA
36 M12 Mogollon Rim cliff Arizona, SW USA
61 E23 Mogotes, Punta headland E Argentina
42 J8 Mogotón ▲ NW Nicaragua
104 I14 Moguer Andalucía, S Spain
111 J26 Mohács Baranya, SW Hungary
185 C20 Mohaka ↝ North Island, NZ
28 M2 Mohall North Dakota, N USA
Moḥammadābād see Dargaz
74 F6 Mohammedia prev. Fédala. NW Morocco
74 F6 Mohammed V ✕ (Casablanca) W Morocco
Mohammerah see Khorramshahr
36 H10 Mohave, Lake ▣ Arizona/Nevada, W USA
36 I12 Mohave Mountains ▲ Arizona, SW USA
36 I15 Mohawk Mountains ▲ Arizona, SW USA
18 J10 Mohawk River ↝ New York, NE USA
163 T3 Mohe var. Xilinji. Heilongjiang, NE China
95 L20 Moheda Kronoberg, S Sweden
172 H13 Mohéli var. Mwali, Mohilla, Mohila, Fr. Moili. island S Comoros
152 I11 Mohendergarh Haryāna, N India
38 K12 Mohican, Cape headland Nunivak Island, Alaska, USA
Mohn see Muhu
101 G15 Möhne ↝ W Germany
101 G15 Möhne-Stausee ▣ W Germany
92 P2 Mohn, Kapp headland NW Svalbard
197 S14 Mohns Ridge undersea feature Greenland Sea/Norwegian Sea
57 I17 Moho Puno, SW Peru
Mohokare see Caledon
95 L17 Moholm Västra Götaland, S Sweden

◆ Country ● Country Capital ◇ Dependent Territory ○ Dependent Territory Capital ◈ Administrative Region ✕ International Airport ▲ Mountain ▲ Mountain Range ✱ Volcano ↝ River ◎ Lake ▣ Reservoir

292 ••• Moose Factory – Mozdok

12 H10 **Moose Factory** Ontario, S Canada
19 Q4 **Moosehead Lake** ◎ Maine, NE USA
11 U16 **Moose Jaw** Saskatchewan, S Canada
11 V14 **Moose Lake** Manitoba, C Canada
29 W6 **Moose Lake** Minnesota, N USA
19 P6 **Mooselookmeguntic Lake** ◎ Maine, NE USA
39 R12 **Moose Pass** Alaska, USA
19 P5 **Moose River** ∾ Maine, NE USA
18 J9 **Moose River** ∾ New York, NE USA
11 V16 **Moosomin** Saskatchewan, S Canada
12 H10 **Moosonee** Ontario, SE Canada
19 N12 **Moosup** Connecticut, NE USA
83 N16 **Mopeia** Zambézia, NE Mozambique
83 H18 **Mopipi** Central, C Botswana
Moppo see Mokp'o
77 N11 **Mopti** Mopti, C Mali
77 O11 **Mopti** ◆ region S Mali
57 H18 **Moquegua** Moquegua, SE Peru
57 H18 **Moquegua** off. Departamento de Moquegua. ◆ department S Peru
111 I23 **Mór** Ger. Moor. Fejér, C Hungary
78 G11 **Mora** Extrême-Nord, N Cameroon
104 G11 **Mora** Évora, S Portugal
105 N9 **Mora** Castilla-La Mancha, C Spain
94 L12 **Mora** Dalarna, C Sweden
29 V7 **Mora** Minnesota, N USA
37 T10 **Mora** New Mexico, SW USA
113 J17 **Morača** ∾ SW Serbia and Montenegro (Yugo.)
152 K10 **Morādābād** Uttar Pradesh, N India
105 U6 **Móra d'Ebre** var. Mora de Ebro. Cataluña, NE Spain
Mora de Ebro see Móra d'Ebre
105 S8 **Mora de Rubielos** Aragón, NE Spain
172 H4 **Morafenobe** Mahajanga, W Madagascar
110 K8 **Morąg** Ger. Mohrungen. Warmińsko-Mazurskie, NE Poland,
111 L25 **Mórahalom** Csongrád, S Hungary
105 N11 **Moral de Calatrava** Castilla-La Mancha, C Spain
63 G19 **Moraleda, Canal** strait SE Pacific Ocean
54 J3 **Morales** Bolívar, N Colombia
54 D12 **Morales** Cauca, SW Colombia
42 F5 **Morales** Izabal, E Guatemala
172 J5 **Moramanga** Toamasina, E Madagascar
27 Q6 **Moran** Kansas, C USA
25 Q7 **Moran** Texas, SW USA
181 X7 **Moranbah** Queensland, NE Australia
44 L13 **Morant Bay** E Jamaica
96 G10 **Morar, Loch** ◎ N Scotland, UK
Morata see Goodenough Island
105 Q12 **Moratalla** Murcia, SE Spain
108 C8 **Morat, Lac de** Ger. Murtensee. ◎ W Switzerland
84 I11 **Morava** var. March. ∾ C Europe see also March
Morava see Moravia, Czech Republic
Morava see Velika Morava, Serbia and Montenegro (Yugo.)
29 W15 **Moravia** Iowa, C USA
111 F18 **Moravia** Cz. Morava, Ger. Mähren. cultural region E Czech Republic
111 H17 **Moravice** Ger. Mohra. ∾ NE Czech Republic
118 E12 **Moravița** Timiș, SW Romania
111 G17 **Moravská Třebová** Ger. Mährisch-Trübau. Pardubický Kraj, C Czech Republic
111 E19 **Moravské Budějovice** Ger. Mährisch-Budwitz. Vysočina, C Czech Republic
111 H17 **Moravskoslezský Kraj** prev. Ostravský Kraj. ◆ region E Czech Republic
111 F19 **Moravský Krumlov** Ger. Mährisch-Kromau. Jihomoravský Kraj, SE Czech Republic
96 J8 **Moray** cultural region N Scotland, UK
96 J8 **Moray Firth** inlet N Scotland, UK
42 B10 **Morazán** ◆ department NE El Salvador
154 C10 **Morbi** Gujarāt, W India
102 G7 **Morbihan** ◆ department NW France
Mörbisch see Mörbisch am See
109 Y5 **Mörbisch am See** var. Mörbisch. Burgenland, E Austria
95 N21 **Mörbylånga** Kalmar, S Sweden
102 J14 **Morcenx** Landes, SW France
Morcheh Khort see Mürcheh Khvort
163 T5 **Mordaga** Nei Mongol Zizhiqu, N China
11 X17 **Morden** Manitoba, S Canada
Mordovskaya ASSR/Mordvinia see Mordoviya, Respublika
127 N5 **Mordoviya, Respublika** prev. Mordovskaya ASSR, Eng. Mordovia, Mordvinia. ◆ autonomous republic W Russian Federation
126 M7 **Mordovo** Tambovskaya Oblast', W Russian Federation
Morea see Pelopónnisos
28 K8 **Moreau River** ∾ South Dakota, N USA
97 K16 **Morecambe** NW England, UK
97 K16 **Morecambe Bay** inlet NW England, UK
183 S4 **Moree** New South Wales, SE Australia
21 N5 **Morehead** Kentucky, S USA
21 X11 **Morehead City** North Carolina, SE USA
27 Y8 **Morehouse** Missouri, C USA
108 E10 **Mörel** Valais, SW Switzerland
54 D13 **Morelia** Caquetá, S Colombia
41 N14 **Morelia** Michoacán de Ocampo, S Mexico
105 T7 **Morella** País Valenciano, E Spain
40 I7 **Morelos** Chihuahua, N Mexico
41 O15 **Morelos** ◆ state S Mexico
154 H7 **Morena** Madhya Pradesh, C India
104 L12 **Morena, Sierra** ▲ S Spain
37 O14 **Morenci** Arizona, SW USA
31 R11 **Morenci** Michigan, N USA
116 J13 **Moreni** Dâmbovița, S Romania
94 D9 **Møre og Romsdal** ◆ county S Norway
10 I14 **Moresby Island** island Queen Charlotte Islands, British Columbia, SW Canada
183 W2 **Moreton Island** island Queensland, E Australia
103 O3 **Moreuil** Somme, N France
35 V7 **Morey Peak** ▲ Nevada, W USA
127 U4 **More-Yu** ∾ NW Russian Federation
103 T9 **Morez** Jura, E France
Mórfou see Güzelyurt
Morfou Bay/Mórfou, Kólpos see Güzelyurt Körfezi
182 J8 **Morgan** South Australia
23 S7 **Morgan** Georgia, SE USA
25 S8 **Morgan** Texas, SW USA
22 J10 **Morgan City** Louisiana, S USA
20 H6 **Morganfield** Kentucky, S USA
35 O10 **Morgan Hill** California, W USA
21 Q9 **Morganton** North Carolina, SE USA
20 J7 **Morgantown** Kentucky, S USA
21 S2 **Morgantown** West Virginia, NE USA
108 B10 **Morges** Vaud, SW Switzerland
148 M4 **Morghāb, Daryā-ye** Rus. Murgab, Murghab, Turkm. Murgap, Murgap Deryasy. ∾ Afghanistan/Turkmenistan see also Murgap
96 I9 **Mor, Glen** var. Glen Albyn, Great Glen. valley N Scotland, UK
103 T5 **Morhange** Moselle, NE France
158 M5 **Mori** var. Mori Kazak Zizhixian. Xinjiang Uygur Zizhiqu, NW China
165 R5 **Mori** Hokkaidō, NE Japan
35 Y6 **Moriah, Mount** ▲ Nevada, W USA
37 S11 **Moriarty** New Mexico, SW USA
54 J12 **Morichal** Guaviare, E Colombia
Mori Kazak Zizhixian see Mori
Morin Dawa Daurzu Zizhiqi see Nirji
11 Q14 **Morinville** Alberta, SW Canada
165 R8 **Morioka** Iwate, Honshū, C Japan
183 T8 **Morisset** New South Wales, SE Australia
165 Q8 **Moriyoshi-yama** ▲ Honshū, C Japan
92 K13 **Morjärv** Norrbotten, N Sweden
127 R3 **Morki** Respublika Mariy El, W Russian Federation
123 N10 **Morkoka** ∾ NE Russian Federation
102 F5 **Morlaix** Finistère, NW France
95 M20 **Mörlunda** Kalmar, S Sweden
107 N19 **Mormanno** Calabria, SW Italy
36 L11 **Mormon Lake** ◎ Arizona, SW USA
35 Y10 **Mormon Peak** ▲ Nevada, W USA
Mormon State see Utah
45 Y5 **Morne-à-l'Eau** Grande Terre, N Guadeloupe
29 Y15 **Morning Sun** Iowa, C USA
193 S12 **Mornington Abyssal Plain** undersea feature SE Pacific Ocean
63 F22 **Mornington, Isla** island S Chile
181 T4 **Mornington Island** island Wellesley Islands, Queensland, N Australia
115 E18 **Mórnos** ∾ C Greece
149 P14 **Moro** Sind, SE Pakistan
32 I11 **Moro** Oregon, NW USA
186 E8 **Morobe** Morobe, C PNG
186 E8 **Morobe** ◆ province C PNG
31 N12 **Morocco** Indiana, N USA
74 E8 **Morocco** off. Kingdom of Morocco, Ar. Al Mamlakah. ◆ monarchy N Africa
Morocco see Marrakech
81 I22 **Morogoro** Morogoro, E Tanzania
81 H24 **Morogoro** ◆ region SE Tanzania
171 Q7 **Moro Gulf** gulf S Philippines
41 N13 **Moroleón** Guanajuato, C Mexico
172 H6 **Morombe** Toliara, W Madagascar
44 G5 **Morón** Ciego de Ávila, C Cuba
54 K5 **Morón** Carabobo, N Venezuela
Morón see Morón de la Frontera
163 N8 **Mörön** Hentiy, C Mongolia
162 I6 **Mörön** Hövsgöl, N Mongolia
56 D8 **Morona, Río** ∾ N Peru
56 C8 **Morona Santiago** ◆ province E Ecuador
172 H5 **Morondava** Toliara, W Madagascar
104 K14 **Morón de la Frontera** var. Morón. Andalucía, S Spain
172 G13 **Moroni** ● (Comoros) Grande Comore, NW Comoros
171 S10 **Morotai, Pulau** island Maluku, E Indonesia
Morotiri see Marotiri
81 H17 **Moroto** NE Uganda
Morozov see Bratan
126 M11 **Morozovsk** Rostovskaya Oblast', SW Russian Federation
97 L14 **Morpeth** N England, UK
Morphou see Güzelyurt
Morphou Bay see Güzelyurt Körfezi
28 I13 **Morrill** Nebraska, C USA
27 U11 **Morrilton** Arkansas, C USA
11 Q16 **Morrin** Alberta, SW Canada
184 M7 **Morrinsville** Waikato, North Island, NZ
11 X16 **Morris** Manitoba, S Canada
30 M11 **Morris** Illinois, N USA
29 S8 **Morris** Minnesota, N USA
14 M13 **Morrisburg** Ontario, SE Canada
197 R11 **Morris Jesup, Kap** headland N Greenland
182 B1 **Morris, Mount** ▲ South Australia
30 K10 **Morrison** Illinois, N USA
36 K13 **Morristown** Arizona, SW USA
18 J14 **Morristown** New Jersey, NE USA
21 O8 **Morristown** Tennessee, S USA
42 L11 **Morrito** Río San Juan, SW Nicaragua
35 P13 **Morro Bay** California, W USA
95 L22 **Mörrum** Blekinge, S Sweden
83 N16 **Morrumbala** Zambézia, NE Mozambique
83 N20 **Morrumbene** Inhambane, SE Mozambique
95 F21 **Mors** island NW Denmark
Mörs see Moers
25 N1 **Morse** Texas, SW USA
127 N6 **Morshansk** Tambovskaya Oblast', W Russian Federation
102 L5 **Mortagne-au-Perche** Orne, N France
102 J8 **Mortagne-sur-Sèvre** Vendée, NW France
104 G8 **Mortágua** Viseu, N Portugal
102 J5 **Mortain** Manche, N France
106 C8 **Mortara** Lombardia, N Italy
59 J17 **Mortes, Rio das** ∾ C Brazil
182 M12 **Mortlake** Victoria, SE Australia
Mortlock Group see Takuu Islands
189 Q17 **Mortlock Islands** prev. Nomoi Islands. island group C Micronesia
29 T9 **Morton** Minnesota, N USA
22 L5 **Morton** Mississippi, S USA
24 M5 **Morton** Texas, SW USA
32 H9 **Morton** Washington, NW USA
45 U15 **Moruga** Trinidad, Trinidad and Tobago
183 P9 **Morundah** New South Wales, SE Australia
Moruroa see Mururoa
183 S11 **Moruya** New South Wales, SE Australia
103 Q8 **Morvan** physical region C France
185 G21 **Morven** Canterbury, South Island, NZ
183 O13 **Morwell** Victoria, SE Australia
127 N6 **Morzhovets, Ostrov** island NW Russian Federation
126 J4 **Mosal'sk** Kaluzhskaya Oblast', W Russian Federation
101 H20 **Mosbach** Baden-Württemberg, SW Germany
95 E18 **Mosby** Vest-Agder, S Norway
33 V9 **Mosby** Montana, NW USA
32 M9 **Moscow** Idaho, NW USA
20 F10 **Moscow** Tennessee, S USA
Moscow see Moskva
101 D19 **Mosel** Fr. Moselle. ∾ W Europe see also Moselle
103 T4 **Moselle** ◆ department NE France
103 T6 **Moselle** Ger. Mosel. ∾ W Europe see also Mosel
32 K9 **Moses Lake** ◎ Washington, NW USA
83 I18 **Mosetse** Central, E Botswana
92 H4 **Mosfellsbær** Sudhurland, SW Iceland
185 F23 **Mosgiel** Otago, South Island, NZ
126 M11 **Mosha** ∾ NW Russian Federation
81 I20 **Moshi** Kilimanjaro, NE Tanzania
110 G12 **Mosina** Wielkolpolskie, C Poland
30 L6 **Mosinee** Wisconsin, N USA
92 F13 **Mosjøen** Nordland, C Norway
123 S12 **Moskal'vo** Ostrov Sakhalin, Sakhalinskaya Oblast', SE Russian Federation
92 I13 **Moskosel** Norrbotten, N Sweden
126 K4 **Moskovskaya Oblast'** ◆ province W Russian Federation
Moskovskiy see Moskva
126 J3 **Moskva** Eng. Moscow. ● (Russian Federation) Gorod Moskva, W Russian Federation
147 Q14 **Moskva** Rus. Moskovskiy; prev. Chubek. SW Tajikistan
126 L4 **Moskva** ∾ W Russian Federation
83 I20 **Mosomane** Kgatleng, SE Botswana
Moson and Magyaróvár see Mosonmagyaróvár
111 H21 **Mosoni-Duna** Ger. Kleine Donau. ∾ NW Hungary
111 H21 **Mosonmagyaróvár** Ger. Wieselburg-Ungarisch-Altenburg; prev. Moson and Magyaróvár, Ger. Wieselburg and Ungarisch-Altenburg. Győr-Moson-Sopron, NW Hungary
Mospino see Mospyne
117 X8 **Mospyne** Rus. Mospino. Donets'ka Oblast', E Ukraine
54 B12 **Mosquera** Nariño, SW Colombia
37 U10 **Mosquero** New Mexico, SW USA
Mosquito Coast see La Mosquitia
31 U11 **Mosquito Creek Lake** ▣ Ohio, N USA
Mosquito Gulf see Mosquitos, Golfo de los
23 X11 **Mosquito Lagoon** wetland Florida, SE USA
43 N10 **Mosquito, Punta** headland E Nicaragua
43 W14 **Mosquito, Punta** headland NE Panama
43 Q15 **Mosquitos, Golfo de los** Eng. Mosquito Gulf. gulf N Panama
95 H16 **Moss** Østfold, S Norway
Mossâmedes see Namibe
22 G8 **Moss Bluff** Louisiana, S USA
185 C23 **Mossburn** Southland, South Island, NZ
83 G26 **Mosselbaai** var. Mosselbai, Eng. Mossel Bay. Western Cape, SW South Africa
Mosselbai/Mossel Bay see Mosselbaai
79 F20 **Mossendjo** Le Niari, SW Congo
183 N8 **Mossgiel** New South Wales, SE Australia
101 H22 **Mössingen** Baden-Württemberg, S Germany
181 W4 **Mossman** Queensland, NE Australia
59 P14 **Mossoró** Rio Grande do Norte, NE Brazil
23 N9 **Moss Point** Mississippi, S USA
183 S9 **Moss Vale** New South Wales, SE Australia
32 G9 **Mossyrock** Washington, NW USA
111 B15 **Most** Ger. Brüx. Ústecký Kraj, NW Czech Republic
121 P16 **Mosta** var. Musta. C Malta
74 I5 **Mostaganem** var. Mestghanem. NW Algeria
113 H14 **Mostar** Federacija Bosna I Hercegovina, S Bosnia and Herzegovina
61 J17 **Mostardas** Rio Grande do Sul, S Brazil
116 K14 **Mostiștea** ∾ S Romania
Mostva see Mastva
Mosty see Masty
116 H5 **Mostys'ka** L'vivs'ka Oblast', W Ukraine
Mosul see Al Mawṣil
95 F15 **Møsvatnet** ◎ S Norway
80 J12 **Mot'a** Amhara, N Ethiopia
79 H16 **Motaba** ∾ N Congo
105 O10 **Mota del Cuervo** Castilla-La Mancha, C Spain
104 L5 **Mota del Marqués** Castilla-León, N Spain
42 F5 **Motagua, Río** ∾ Guatemala/Honduras
119 H19 **Motal'** Brestskaya Voblasts', SW Belarus
95 L17 **Motala** Östergötland, S Sweden
191 X7 **Motane** var. Mohotani. island Îles Marquises, NE French Polynesia
152 K13 **Moth** Uttar Pradesh, N India
Mother of Presidents/Mother of States see Virginia
96 I12 **Motherwell** C Scotland, UK
153 P12 **Motīhāri** Bihār, N India
105 Q10 **Motilla del Palancar** Castilla-La Mancha, C Spain
184 N7 **Motiti Island** island NE NZ
65 E25 **Motley Island** island SE Falkland Islands
83 J19 **Motloutse** ∾ E Botswana
41 V17 **Motozintla de Mendoza** Chiapas, SE Mexico
105 N15 **Motril** Andalucía, S Spain
116 G13 **Motru** Gorj, SW Romania
165 Q3 **Motsuta-misaki** headland Hokkaidō, NE Japan
28 L6 **Mott** North Dakota, N USA
Möttling see Metlika
107 O18 **Mottola** Puglia, SE Italy
184 P8 **Motu** ∾ North Island, NZ
185 I14 **Motueka** Tasman, South Island, NZ
185 I14 **Motueka** ∾ South Island, NZ
Motu Iti see Tupai
41 X12 **Motul** var. Motul de Felipe Carrillo Puerto. Yucatán, SE Mexico
Motul de Felipe Carrillo Puerto see Motul
191 U17 **Motu Nui** island Easter Island, Chile, E Pacific Ocean
191 Q10 **Motu One** var. Bellingshausen. atoll Îles Sous le Vent, W French Polynesia
190 I16 **Motutapu** island E Cook Islands
193 V15 **Motu Tapu** island Tongatapu Group, S Tonga
184 L5 **Motutapu Island** island N NZ
Motyca see Modica
Mouanda see Moanda
Mouaskar see Mascara
105 U3 **Mouberné, Tuc de** Fr. Pic de Maubermé, Sp. Pico Mauberme; prev. Tuc de Maubermé. ▲ France/Spain see also Maubermé, Pic de
45 N7 **Mouchoir Passage** passage SE Turks and Caicos Islands
76 I9 **Moudjéria** Tagant, SW Mauritania
108 C9 **Moudon** Vaud, W Switzerland
Mouhoun see Black Volta
79 E19 **Mouila** Ngounié, C Gabon
79 K14 **Mouka** Haute-Kotto, C Central African Republic
Moukden see Shenyang
183 N10 **Moulamein** New South Wales, SE Australia
Moulamein Creek see Billabong Creek
74 F6 **Moulay-Bousselham** NW Morocco
Moule see le Moule
80 M11 **Moulhoulé** N Djibouti
103 P9 **Moulins** Allier, C France
166 M9 **Moulmein** var. Maulmain, Mawlamyine. Mon State, S Myanmar
166 L8 **Moulmeingyun** Irrawaddy, SW Myanmar
74 G6 **Moulouya** var. Mulucha, Muluya, Mulwiya. seasonal river NE Morocco
23 O2 **Moulton** Alabama, S USA
29 W16 **Moulton** Iowa, C USA
25 T11 **Moulton** Texas, SW USA
23 T7 **Moultrie** Georgia, SE USA
21 S14 **Moultrie, Lake** ▣ South Carolina, SE USA
22 K3 **Mound Bayou** Mississippi, S USA
30 L17 **Mound City** Illinois, N USA
27 R6 **Mound City** Kansas, C USA
27 Q2 **Mound City** Missouri, C USA
29 N7 **Mound City** South Dakota, N USA
78 H13 **Moundou** Logone-Occidental, SW Chad
27 P10 **Mounds** Oklahoma, C USA
21 R2 **Moundsville** West Virginia, NE USA
167 Q12 **Moŭng Roessei** Bătdâmbâng, W Cambodia
Moun Hou see Black Volta
8 H8 **Mountain** ∾ Northwest Territories, NW Canada
37 S12 **Mountainair** New Mexico, SW USA
35 V1 **Mountain City** Nevada, W USA
21 Q8 **Mountain City** Tennessee, S USA
27 U7 **Mountain Grove** Missouri, C USA
27 U9 **Mountain Home** Arkansas, C USA
33 N15 **Mountain Home** Idaho, NW USA
25 Q11 **Mountain Home** Texas, SW USA
29 W4 **Mountain Iron** Minnesota, N USA
29 T10 **Mountain Lake** Minnesota, N USA
23 S3 **Mountain Park** Georgia, SE USA
35 W12 **Mountain Pass** pass California, W USA
27 T12 **Mountain Pine** Arkansas, C USA
39 Y14 **Mountain Point** Annette Island, Alaska, USA
Mountain State see Montana, USA
Mountain State see West Virginia, USA
27 V7 **Mountain View** Arkansas, C USA
38 H12 **Mountain View** Hawai'i, USA, C Pacific Ocean
27 V10 **Mountain View** Missouri, C USA
38 M11 **Mountain Village** Alaska, USA
21 R8 **Mount Airy** North Carolina, SE USA
83 K24 **Mount Ayliff** Xh. Maxesibebi. Eastern Cape, SE South Africa
29 U16 **Mount Ayr** Iowa, C USA
182 J9 **Mount Barker** South Australia
180 J14 **Mount Barker** Western Australia
183 P11 **Mount Beauty** Victoria, SE Australia
14 E16 **Mount Brydges** Ontario, S Canada
31 N16 **Mount Carmel** Illinois, N USA
30 K10 **Mount Carroll** Illinois, N USA
31 S9 **Mount Clemens** Michigan, N USA
185 E19 **Mount Cook** Canterbury, South Island, NZ
83 L16 **Mount Darwin** Mashonaland Central, NE Zimbabwe
19 S7 **Mount Desert Island** island Maine, NE USA
23 W11 **Mount Dora** Florida, SE USA
182 G5 **Mount Eba** South Australia
25 W8 **Mount Enterprise** Texas, SW USA
182 J4 **Mount Fitton** South Australia
83 J24 **Mount Fletcher** Eastern Cape, SE South Africa
14 F15 **Mount Forest** Ontario, S Canada
182 K12 **Mount Gambier** South Australia
181 W5 **Mount Garnet** Queensland, NE Australia
21 P6 **Mount Gay** West Virginia, NE USA
31 S12 **Mount Gilead** Ohio, N USA
186 C7 **Mount Hagen** Western Highlands, C PNG
18 J16 **Mount Holly** New Jersey, NE USA
21 R10 **Mount Holly** North Carolina, SE USA
27 T12 **Mount Ida** Arkansas, C USA
181 T6 **Mount Isa** Queensland, C Australia
21 U4 **Mount Jackson** Virginia, NE USA
18 D12 **Mount Jewett** Pennsylvania, NE USA
18 L13 **Mount Kisco** New York, NE USA
18 B15 **Mount Lebanon** Pennsylvania, NE USA
182 J8 **Mount Lofty Ranges** ▲ South Australia
180 J10 **Mount Magnet** Western Australia
184 N7 **Mount Maunganui** Bay of Plenty, North Island, NZ
97 E18 **Mountmellick** Ir. Móinteach Mílic. C Ireland
30 L10 **Mount Morris** Illinois, N USA
31 R9 **Mount Morris** Michigan, N USA
18 F10 **Mount Morris** New York, NE USA
18 B16 **Mount Morris** Pennsylvania, NE USA
30 K15 **Mount Olive** Illinois, N USA
21 V10 **Mount Olive** North Carolina, SE USA
21 N4 **Mount Olivet** Kentucky, S USA
29 Y15 **Mount Pleasant** Iowa, C USA
31 Q8 **Mount Pleasant** Michigan, N USA
18 C15 **Mount Pleasant** Pennsylvania, NE USA
21 T14 **Mount Pleasant** South Carolina, SE USA
20 I9 **Mount Pleasant** Tennessee, S USA
25 W6 **Mount Pleasant** Texas, SW USA
36 L4 **Mount Pleasant** Utah, W USA
63 N23 **Mount Pleasant** ✕ (Stanley) East Falkland, Falkland Islands
97 G25 **Mount's Bay** inlet SW England, UK
35 N2 **Mount Shasta** California, W USA
30 J13 **Mount Sterling** Illinois, N USA
21 N5 **Mount Sterling** Kentucky, S USA
18 E15 **Mount Union** Pennsylvania, NE USA
23 V6 **Mount Vernon** Georgia, SE USA
30 L16 **Mount Vernon** Illinois, N USA
20 M6 **Mount Vernon** Kentucky, S USA
27 S7 **Mount Vernon** Missouri, C USA
31 T13 **Mount Vernon** Ohio, N USA
32 K13 **Mount Vernon** Oregon, NW USA
25 W6 **Mount Vernon** Texas, SW USA
32 H7 **Mount Vernon** Washington, NW USA
20 L5 **Mount Washington** Kentucky, S USA
182 F8 **Mount Wedge** South Australia
30 L14 **Mount Zion** Illinois, N USA
181 Y9 **Moura** Queensland, NE Australia
58 F12 **Moura** Amazonas, NW Brazil
104 H12 **Moura** Beja, S Portugal
104 I12 **Mourão** Évora, S Portugal
76 L11 **Mourdiah** Koulikoro, W Mali
78 K7 **Mourdi, Dépression du** desert lowland Chad/Sudan
102 J16 **Mourenx** Pyrénées-Atlantiques, SW France
Mourgana see Mourgkána
115 C15 **Mourgkána** var. Mourgana. ▲ Albania/Greece
97 G16 **Mourne Mountains** Ir. Beanna Boirche. ▲ SE Northern Ireland, UK
115 I15 **Moúrtzeflos, Akrotírio** headland Límnos, E Greece
99 C19 **Mouscron** Dut. Moeskroen. Hainaut, W Belgium
Mouse River see Souris River
78 H10 **Moussoro** Kanem, W Chad
103 T11 **Moûtiers** Savoie, E France
172 J14 **Moutsamoudou** var. Mutsamudu. Anjouan, SE Comoros
74 K11 **Mouydir, Monts de** ▲ S Algeria
79 F20 **Mouyondzi** La Bouenza, S Congo
115 E16 **Mouzáki** prev. Mouzákion. Thessalía, C Greece
Mouzákion see Mouzáki
29 S13 **Moville** Iowa, C USA
82 E13 **Moxico** ◆ province E Angola
172 I14 **Moya** Anjouan, SE Comoros
40 L12 **Moyahua** Zacatecas, C Mexico
81 J16 **Moyalē** Oromo, C Ethiopia
76 I15 **Moyamba** W Sierra Leone
74 G7 **Moyen Atlas** Eng. Middle Atlas. ▲ N Morocco
78 H13 **Moyen-Chari** off. Préfecture du Moyen-Chari. ◆ prefecture S Chad
Moyen-Congo see Congo (Republic of)
83 J24 **Moyeni** var. Quthing. SW Lesotho
76 H13 **Moyenne-Guinée** ◆ state NW Guinea
79 D18 **Moyen-Ogooué** off. Province du Moyen-Ogooué, var. Le Moyen-Ogooué. ◆ province C Gabon
103 S4 **Moyeuvre-Grande** Moselle, NE France
33 N7 **Moyie Springs** Idaho, NW USA
146 G6 **Mo'ynoq** Rus. Muynak. Qoraqalpog'iston Respublikasi, NW Uzbekistan
81 F16 **Moyo** NW Uganda
56 D10 **Moyobamba** San Martín, NW Peru
78 H10 **Moyto** Chari-Baguirmi, W Chad
158 G9 **Moyu** var. Karakax. Xinjiang Uygur Zizhiqu, NW China
122 M9 **Moyyero** ∾ N Russian Federation
145 S15 **Moyynkum** var. Furmanovka, Kaz. Fürmanov. Zhambyl, S Kazakhstan
145 Q15 **Moyynkum, Peski** Kaz. Moyynqum. desert S Kazakhstan
Moyynqum see Moyynkum, Peski
145 S12 **Moyynty** Karaganda, C Kazakhstan
145 S12 **Moyynty** ∾ C Kazakhstan
Mozambika, Lakandranon' i see Mozambique Channel
83 M18 **Mozambique** off. Republic of Mozambique; prev. People's Republic of Mozambique, Portuguese East Africa. ◆ republic S Africa
Mozambique Basin see Natal Basin
Mozambique, Canal de see Mozambique Channel
83 P17 **Mozambique Channel** Fr. Canal de Mozambique, Mal. Lakandranon' i Mozambika. strait W Indian Ocean
172 L11 **Mozambique Escarpment** var. Mozambique Scarp. undersea feature SW Indian Ocean
172 L10 **Mozambique Plateau** var. Mozambique Rise. undersea feature SW Indian Ocean
Mozambique Rise see Mozambique Plateau
Mozambique Scarp see Mozambique Escarpment
127 O15 **Mozdok** Respublika Severnaya Osetiya, SW Russian Federation

◆ Country ● Country Capital ◇ Dependent Territory ○ Dependent Territory Capital ◆ Administrative Region ✕ International Airport ▲ Mountain ▲ Mountain Range ☗ Volcano ∾ River ◎ Lake ▣ Reservoir

MOZETENES, SERRANÍAS DE – MUSTAHĪL ••• 293

57 K17 **Mozetenes, Serranías de** ⛰ C Bolivia
126 J4 **Mozhaysk** Moskovskaya Oblast', W Russian Federation
127 T3 **Mozhga** Udmurtskaya Respublika, NW Russian Federation
Mozyr' *see* Mazyr
79 P22 **Mpala** Katanga, E Dem. Rep. Congo
79 G19 **Mpama** ≈ C Congo
81 E22 **Mpanda** Rukwa, W Tanzania
82 L11 **Mpande** Northern, NE Zambia
83 J18 **Mphoengs** Matabeleland South, SW Zimbabwe
81 F18 **Mpigi** S Uganda
82 L13 **Mpika** Northern, NE Zambia
83 J14 **Mpima** Central, C Zambia
82 J13 **Mpongwe** Copperbelt, C Zambia
82 K11 **Mporokoso** Northern, N Zambia
79 H20 **Mpouya** Plateaux, SE Congo
77 P16 **Mpraeso** C Ghana
82 L11 **Mpulungu** Northern, N Zambia
83 K21 **Mpumalanga** *prev.* Eastern Transvaal, *Afr.* Oos-Transvaal. ◈ *province* NE South Africa
83 D16 **Mpungu** Okavango, N Namibia
81 I22 **Mpwapwa** Dodoma, C Tanzania
Mqinvartsveri *see* Kazbek
110 M8 **Mrągowo** *Ger.* Sensburg. Warmińsko-Mazurskie, NE Poland
127 V6 **Mrakovo** Respublika Bashkortostan, W Russian Federation
172 I13 **Mramani** Anjouan, E Comoros
112 F12 **Mrkonjić Grad** Republika Srpska, W Bosnia and Herzegovina
110 H9 **Mrocza** Kujawsko-pomorskie, NW Poland
126 I14 **Msta** ≈ NW Russian Federation
Mtkvari *see* Kura
Mtoko *see* Mutoko
126 K6 **Mtsensk** Orlovskaya Oblast', W Russian Federation
81 K24 **Mtwara** Mtwara, SE Tanzania
81 J25 **Mtwara** ◈ *region* SE Tanzania
104 G14 **Mu** ▲ S Portugal
193 V15 **Mu'a** Tongatapu, S Tonga
Muai To *see* Mae Hong Son
83 P16 **Mualama** Zambézia, NE Mozambique
Mualo *see* Messalo, Rio
79 E22 **Muanda** Bas-Congo, SW Dem. Rep. Congo
Muang Chiang Rai *see* Chiang Rai
167 R6 **Muang Ham** Houaphan, N Laos
167 S8 **Muang Hinboun** Khammouan, C Laos
Muang Kalasin *see* Kalasin
Muang Khammouan *see* Thakhèk
167 S11 **Muang Không** Champasak, S Laos
167 S10 **Muang Khôngxédôn** *var.* Khong Sedone. Salavan, S Laos
Muang Khon Kaen *see* Khon Kaen
167 Q6 **Muang Khoua** Phôngsali, N Laos
Muang Krabi *see* Krabi
Muang Lampang *see* Lampang
Muang Lamphun *see* Lamphun
Muang Loei *see* Loei
Muang Lom Sak *see* Lom Sak
Muang Nakhon Sawan *see* Nakhon Sawan
167 Q6 **Muang Namo** Oudômxai, N Laos
Muang Nan *see* Nan
167 Q6 **Muang Ngoy** Louangphabang, N Laos
167 Q5 **Muang Ou Tai** Phôngsali, N Laos
Muang Pak Lay *see* Pak Lay
Muang Pakxan *see* Pakxan
167 T10 **Muang Pakxong** Champasak, S Laos
167 S9 **Muang Phalan** *var.* Muang Phalane. Savannakhét, S Laos
Muang Phalane *see* Muang Phalan
Muang Phan *see* Phan
Muang Phayao *see* Phayao
Muang Phichit *see* Phichit
167 T9 **Muang Phin** Savannakhét, S Laos
Muang Phitsanulok *see* Phitsanulok
Muang Phrae *see* Phrae
Muang Roi Et *see* Roi Et
Muang Sakon Nakhon *see* Sakon Nakhon
Muang Samut Prakan *see* Samut Prakan
167 P6 **Muang Sing** Louang Namtha, N Laos
Muang Ubon *see* Ubon Ratchathani
Muang Uthai Thani *see* Uthai Thani
167 P7 **Muang Vangviang** Viangchan, C Laos
Muang Xaignabouri *see* Xaignabouli
Muang Xay *see* Xai
167 S9 **Muang Xépôn** *var.* Sepone. Savannakhét, S Laos
168 K10 **Muar** *var.* Bandar Maharani. Johor, Peninsular Malaysia
168 I9 **Muara** Sumatera, W Indonesia
168 L13 **Muarabeliti** Sumatera, W Indonesia
168 K12 **Muarabungo** Sumatera, W Indonesia
168 L13 **Muaraenim** Sumatera, W Indonesia
169 T11 **Muarajuloi** Borneo, C Indonesia
169 U12 **Muarakaman** Borneo, C Indonesia
168 H12 **Muarasigep** Pulau Siberut, W Indonesia
168 L12 **Muaratembesi** Sumatera, W Indonesia
169 T12 **Muaratewe** *var.* Muarateweh; *prev.* Moearatewe. Borneo, C Indonesia
Muarateweh *see* Muaratewe
169 U10 **Muarawahau** Borneo, N Indonesia
138 G13 **Mubārak, Jabal** ▲ S Jordan
153 N13 **Mubārakpur** Uttar Pradesh, N India
Mubarek *see* Muborak
81 F18 **Mubende** SW Uganda
77 Y14 **Mubi** Adamawa, NE Nigeria
146 M12 **Muborak** *Rus.* Mubarek. Qashqadaryo Viloyati, S Uzbekistan
171 U12 **Mubrani** Papua, E Indonesia
127 N7 **Muchkapskiy** Tambovskaya Oblast', W Russian Federation
96 G10 **Muck** *island* W Scotland, UK
82 Q13 **Mucojo** Cabo Delgado, N Mozambique
82 F12 **Muconda** Lunda Sul, NE Angola
54 I10 **Muco, Río** ≈ E Colombia
83 O16 **Mucubela** Zambézia, NE Mozambique
42 J5 **Mucupina, Monte** ▲ N Honduras
136 J14 **Mucur** Kirşehir, C Turkey
143 U8 **Mūd** Khorāsān, E Iran
163 Y9 **Mudanjiang** *var.* Mu-tan-chiang. Heilongjiang, NE China
163 Y9 **Mudan Jiang** ≈ NE China
136 D11 **Mudanya** Bursa, NW Turkey
28 K8 **Mud Butte** South Dakota, N USA
155 G16 **Muddebihāl** Karnātaka, C India
27 P12 **Muddy Boggy Creek** ≈ Oklahoma, C USA
36 M6 **Muddy Creek** ≈ Utah, W USA
37 V7 **Muddy Creek Reservoir** ⊞ Colorado, C USA
33 W15 **Muddy Gap** Wyoming, C USA
35 Y11 **Muddy Peak** ▲ Nevada, W USA
183 R7 **Mudgee** New South Wales, SE Australia
29 S3 **Mud Lake** ⊚ Minnesota, N USA
29 P7 **Mud Lake Reservoir** ⊞ South Dakota, N USA
167 N9 **Mudon** Mon State, S Myanmar
81 O14 **Mudug** *off.* Gobolka Mudug. ◈ *region* NE Somalia
81 O14 **Mudug** *var.* Mudugh. *plain* N Somalia
Mudugh *see* Mudug
83 Q15 **Muecate** Nampula, NE Mozambique
82 Q13 **Mueda** Cabo Delgado, NE Mozambique
42 L10 **Muelle de los Bueyes** Región Autónoma Atlántico Sur, SE Nicaragua
Muenchen *see* München
83 M14 **Muende** Tete, NW Mozambique
25 T5 **Muenster** Texas, SW USA
Muenster *see* Münster
43 O6 **Muerto, Cayo** *reef* NE Nicaragua
41 T17 **Muerto, Mar** *lagoon* SE Mexico
64 F11 **Muertos Trough** *undersea feature* N Caribbean Sea
83 H14 **Mufaya Kuta** Western, NW Zambia
82 J13 **Mufulira** Copperbelt, C Zambia
161 O10 **Mufu Shan** ⛰ C China
Mugalzhar Taūlary *see* Mugodzhary, Gory
137 Y12 **Muğan Düzü** *Rus.* Muganskaya Ravnina, Muganskaya Step'. *physical region* S Azerbaijan
Muganskaya Ravnina/Muganskaya Step' *see* Muğan Düzü
106 K8 **Muggia** Friuli-Venezia Giulia, NE Italy
153 N14 **Mughal Sarāi** Uttar Pradesh, N India
Mughla *see* Muğla
141 W11 **Mughshin** *var.* Muqshin. S Oman
147 S12 **Mughsu** *Rus.* Muksu. ≈ C Tajikistan
164 H14 **Mugi** Tokushima, Shikoku, SW Japan
136 C16 **Muğla** *var.* Mughla. Muğla, SW Turkey
136 C16 **Muğla** *var.* Mughla. ◈ *province* SW Turkey
144 J11 **Mugodzhary, Gory** *Kaz.* Mugalzhar Taūlary. ⛰ W Kazakhstan
83 O15 **Mugulama** Zambézia, NE Mozambique
139 U9 **Muḩammad** E Iraq
139 R8 **Muḩammadīyah** C Iraq
80 I6 **Muhammad Qol** Red Sea, NE Sudan
75 Y9 **Muhammad, Râs** *headland* E Egypt
Muhammerah *see* Khorramshahr
140 M12 **Muhāyil** *var.* Mahāil. 'Asīr, SW Saudi Arabia
139 O7 **Muḩaywīr** W Iraq
101 H21 **Mühlacker** Baden-Württemberg, SW Germany
Mühlbach *see* Sebeş
Mühldorf *see* Mühldorf am Inn
101 N23 **Mühldorf am Inn** *var.* Mühldorf. Bayern, SE Germany
101 J15 **Mühlhausen** *var.* Mühlhausen in Thüringen. Thüringen, C Germany
Mühlhausen in Thüringen *see* Mühlhausen
195 Q2 **Mühlig-Hofmann Mountains** ⛰ Antarctica
93 L14 **Muhos** Oulu, C Finland
138 K6 **Muḩ, Sabkhat al** ⊚ C Syria
118 E5 **Muhu** *Ger.* Mohn, Moon. *island* W Estonia
81 F19 **Muhutwe** Kagera, NW Tanzania
Muhu Väin *see* Väinameri
98 J10 **Muiden** Noord-Holland, C Netherlands
193 W15 **Mui Hopohoponga** *headland* Tongatapu, S Tonga
Muikamachi *see* Muika
Muinchille *see* Cootehill
Muineachán *see* Monaghan
97 F19 **Muine Bheag** *Eng.* Bagenalstown. SE Ireland
56 B5 **Muisne** Esmeraldas, NW Ecuador
83 P14 **Muite** Nampula, NE Mozambique
41 Z11 **Mujeres, Isla** *island* E Mexico
116 G7 **Mukacheve** *Hung.* Munkács, *Rus.* Mukachevo. Zakarpats'ka Oblast', W Ukraine
Mukachevo *see* Mukacheve
169 R9 **Mukah** Sarawak, East Malaysia
Mukalla *see* Al Mukallā
Mukama *see* Mokāma
Mukāshafa/Mukashshafah *see* Mukayshīfah
139 S6 **Mukayshīfah** *var.* Mukāshafa, Mukashshafah. N Iraq
167 R9 **Mukdahan** Mukdahan, E Thailand
Mukden *see* Shenyang
165 Y15 **Mukojima-rettō** *Eng.* Parry group. *island group* SE Japan
146 M14 **Mukry** Lebap Welaýaty, E Turkmenistan
Muksu *see* Mughsu
153 U14 **Muktagacha** *var.* Muktagachha Dhaka, N Bangladesh
Muktagachha *see* Muktagacha
82 K13 **Mukuku** Central, C Zambia
82 K11 **Mukupa Kaoma** Northern, NE Zambia
81 I18 **Mukutan** Rift Valley, W Kenya
83 F16 **Mukwe** Caprivi, NE Namibia
105 R13 **Mula** Murcia, SE Spain
151 K20 **Mulaku Atoll** *var.* Meemu Atoll. *atoll* C Maldives
83 J15 **Mulalika** Lusaka, C Zambia
163 X8 **Mulan** Heilongjiang, NE China
83 N15 **Mulanje** *var.* Mlanje. Southern, S Malawi
40 H5 **Mulatos** Sonora, NW Mexico
23 P3 **Mulberry Fork** ≈ Alabama, S USA
39 P12 **Mulchatna River** ≈ Alaska, USA
125 W4 **Mul'da** Respublika Komi, NW Russian Federation
101 M14 **Mulde** ≈ E Germany
27 R10 **Muldrow** Oklahoma, C USA
40 E7 **Mulegé** Baja California Sur, W Mexico
108 I10 **Mulegns** Graubünden, S Switzerland
79 M21 **Mulenda** Kasai Oriental, C Dem. Rep. Congo
24 M4 **Muleshoe** Texas, SW USA
83 O15 **Mulevala** Zambézia, NE Mozambique
183 P5 **Mulgoa Creek** *seasonal river* New South Wales, SE Australia
105 O15 **Mulhacén** *var.* Cerro de Mulhacén. ▲ S Spain
Mulhacén, Cerro de *see* Mulhacén
Mülhausen *see* Mulhouse
101 E24 **Mülheim** Baden-Württemberg, SW Germany
101 E15 **Mülheim** *var.* Mulheim an der Ruhr. Nordrhein-Westfalen, W Germany
Mulheim an der Ruhr *see* Mülheim
103 U7 **Mulhouse** *Ger.* Mülhausen. Haut-Rhin, NE France
160 G11 **Muli** *var.* Qiaowa, Muli Zangzu Zizhixian. Sichuan, C China
171 X15 **Muli** *channel* Papua, E Indonesia
163 Y9 **Muling** Heilongjiang, NE China
Mullach Íde *see* Malahide
Mullaitivu *see* Mullaittivu
155 K23 **Mullaittivu** *var.* Mullaitivu. Northern Province, N Sri Lanka
33 N8 **Mullan** Idaho, NW USA
28 M13 **Mullen** Nebraska, C USA
183 Q6 **Mullengudgery** New South Wales, SE Australia
21 Q6 **Mullens** West Virginia, NE USA
Müller-gerbergte *see* Muller, Pegunungan
169 T10 **Muller, Pegunungan** *Dut.* Müller-gerbergte. ⛰ Borneo, C Indonesia
31 Q5 **Mullett Lake** ⊚ Michigan, N USA
18 J16 **Mullica River** ≈ New Jersey, NE USA
25 R8 **Mullin** Texas, SW USA
97 E17 **Mullingar** *Ir.* An Muileann gCearr. C Ireland
21 T12 **Mullins** South Carolina, SE USA
96 G11 **Mull, Isle of** *island* W Scotland, UK
127 R5 **Mullovka** Ul'yanovskaya Oblast', W Russian Federation
95 K19 **Mullsjö** Västra Götaland, S Sweden
183 V4 **Mullumbimby** New South Wales, SE Australia
83 H15 **Mulobezi** Western, SW Zambia
83 C15 **Mulondo** Huíla, SW Angola
83 G15 **Mulonga Plain** *plain* W Zambia
79 N23 **Mulongo** Katanga, SE Dem. Rep. Congo
149 T10 **Multān** Punjab, E Pakistan
93 L17 **Multia** Länsi-Suomi, W Finland
Mulucha *see* Moulouya
83 J14 **Mulungushi** Central, C Zambia
83 K14 **Mulungwe** Central, C Zambia
Muluya *see* Moulouya
27 N7 **Mulvane** Kansas, C USA
183 O10 **Mulwala** New South Wales, SE Australia
Mulwiya *see* Moulouya
182 K6 **Mulyungarie** South Australia
154 D13 **Mumbai** *prev.* Bombay Mahārāshtra, W India
154 D13 **Mumbai** × Mahārāshtra, W India
83 D14 **Mumbué** Bié, C Angola
186 E8 **Mumeng** Morobe, C PNG
171 V12 **Mumi** Papua, E Indonesia
Muminabad/Mŭ'minobod *see* Leningrad
127 Q13 **Mumra** Astrakhanskaya Oblast', SW Russian Federation
41 X12 **Muna** Yucatán, SE Mexico
123 O9 **Muna** ≈ NE Russian Federation
152 C12 **Munābāo** Rājasthān, NW India
Munamägi *see* Suur Munamägi
171 O14 **Muna, Pulau** *prev.* Moena. *island* C Indonesia
101 L18 **Münchberg** Bayern, E Germany
101 L23 **München** *var.* Muenchen, *Eng.* Munich, *It.* Monaco. Bayern, SE Germany
München-Gladbach *see* Mönchengladbach
108 E6 **Münchenstein** Basel-Land, NW Switzerland
10 L10 **Muncho Lake** British Columbia, W Canada
31 P13 **Muncie** Indiana, N USA
18 G13 **Muncy** Pennsylvania, NE USA
11 Q14 **Mundare** Alberta, SW Canada
25 Q5 **Munday** Texas, SW USA
31 N10 **Mundelein** Illinois, N USA
101 I15 **Münden** Niedersachsen, C Germany
105 Q12 **Mundo** ≈ S Spain
82 B12 **Munenga** Cuanza Sul, NW Angola
105 P11 **Munera** Castilla-La Mancha, C Spain
20 E9 **Munford** Tennessee, S USA
20 K7 **Munfordville** Kentucky, S USA
182 D5 **Mungala** South Australia
83 M16 **Mungári** Manica, C Mozambique
79 O16 **Mungbere** Orientale, NE Dem. Rep. Congo
153 Q13 **Munger** *prev.* Monghyr. Bihār, NE India
182 I2 **Mungeranie** South Australia
Mu Nggava *see* Rennell
169 O10 **Mungguresak, Tanjung** *headland* Borneo, N Indonesia
Mungiki *see* Bellona
183 R4 **Mungindi** New South Wales, SE Australia
Mungkawn *see* Maingkwan
153 T16 **Mungla** *var.* Mongla. Khulna, S Bangladesh
82 C13 **Mungo** Huambo, W Angola
188 F16 **Munguuy Bay** *bay* Yap, W Micronesia
82 E13 **Munhango** Bié, C Angola
Munich *see* München
105 S7 **Muniesa** Aragón, NE Spain
31 O4 **Munising** Michigan, N USA
Munkács *see* Mukacheve
95 I17 **Munkedal** Västra Götaland, S Sweden
95 K15 **Munkfors** Värmland, C Sweden
122 M14 **Munku-Sardyk, Gora** *var.* Mönh Sarĭdag. ▲ Mongolia/Russian Federation
99 E18 **Munkzwalm** Oost-Vlaanderen, NW Belgium
167 R10 **Mun, Mae Nam** ≈ E Thailand
153 U15 **Munshiganj** Dhaka, C Bangladesh
108 D8 **Münsingen** Bern, W Switzerland
103 U6 **Munster** Haut-Rhin, NE France
100 J11 **Munster** Niedersachsen, NW Germany
97 B20 **Munster** *Ir.* Cúige Mumhan. *cultural region* S Ireland
100 F13 **Münster** *var.* Muenster, Münster in Westfalen. Nordrhein-Westfalen, W Germany
108 F10 **Münster** Valais, S Switzerland
Münsterberg in Schlesien *see* Ziębice
Münster in Westfalen *see* Münster
100 E13 **Münsterland** *cultural region* NW Germany
100 F13 **Münster-Osnabruck** × Nordrhein-Westfalen, NW Germany
31 R4 **Munuscong Lake** ⊚ Michigan, N USA
83 K17 **Munyati** ≈ C Zimbabwe
109 R3 **Münzkirchen** Oberösterreich, N Austria
92 K11 **Muodoslompolo** Norrbotten, N Sweden
92 M13 **Muojärvi** ⊚ NE Finland
167 S6 **Muong Khên** Hoa Binh, N Vietnam
Muong Sai *see* Xai
167 Q7 **Muong Xiang Ngeun** *var.* Xieng Ngeun. Louangphabang, N Laos
92 K11 **Muonio** Lappi, N Finland
Muonioälv/Muoniojoki *see* Muonionjoki
92 K11 **Muonionjoki** *var.* Muoniojoki, *Swe.* Muonioälv. ≈ Finland/Sweden
83 N17 **Mupa** ≈ C Mozambique
83 E16 **Mupini** Okavango, NE Namibia
80 F8 **Muqaddam, Wadi** ≈ N Sudan
138 K9 **Muqāţ** Al Mafraq, E Jordan
141 X7 **Muqaz** N Oman
81 N17 **Muqdisho** *Eng.* Mogadishu, *It.* Mogadiscio. ● (Somalia) Banaadir, S Somalia
81 N17 **Muqdisho** × Banaadir, E Somalia
Muqshin *see* Mughshin
109 T8 **Mur** *SCr.* Mura. ≈ C Europe
Mura *see* Mur
137 T14 **Muradiye** Van, E Turkey
Muragarazi *see* Maragarazi
165 O10 **Murakami** Niigata, Honshū, C Japan
63 G22 **Murallón, Cerro** ▲ S Argentina
81 E20 **Muramvya** C Burundi
81 I19 **Murang'a** *prev.* Fort Hall. Central, SW Kenya
81 H16 **Murangering** Rift Valley, NW Kenya
Murapara *see* Murupara
140 M5 **Murār, Bi'r al** *well* NW Saudi Arabia
125 Q13 **Murashi** Kirovskaya Oblast', NW Russian Federation
103 O12 **Murat** Cantal, C France
114 N12 **Muratlı** Tekirdağ, NW Turkey
137 R14 **Murat Nehri** *var.* Eastern Euphrates; *anc.* Arsanias. ≈ NE Turkey
107 D20 **Muravera** Sardegna, Italy, C Mediterranean Sea
165 P10 **Murayama** Yamagata, Honshū, C Japan
121 R13 **Muraysah, Ra's al** *headland* N Libya
104 I6 **Murça** Vila Real, N Portugal
80 Q11 **Murcanyo** Bari, NE Somalia
143 N8 **Mūrcheh Khvort** *var.* Morcheh Khort. Eşfahān, C Iran
185 H15 **Murchison** Tasman, South Island, NZ
185 B22 **Murchison Mountains** ⛰ South Island, NZ
180 I10 **Murchison River** ≈ Western Australia
105 R13 **Murcia** Murcia, SE Spain
105 Q13 **Murcia** ◈ *autonomous community* SE Spain
103 O13 **Mur-de-Barrez** Aveyron, S France
182 G8 **Murdinga** South Australia
28 M10 **Murdo** South Dakota, N USA
15 X6 **Murdochville** Québec, SE Canada
109 W9 **Mureck** Steiermark, SE Austria
114 M13 **Mürefte** Tekirdağ, NW Turkey
116 I10 **Mureş** ◈ *county* N Romania
84 J11 **Mureş** *var.* Maros, Mureşul, *Ger.* Marosch, Mieresch. ≈ Hungary/Romania *see also* Maros
Mureşul *see* Maros/Mureş
102 M16 **Muret** Haute-Garonne, S France
27 T13 **Murfreesboro** Arkansas, C USA
21 W8 **Murfreesboro** North Carolina, SE USA
20 J9 **Murfreesboro** Tennessee, S USA
Murgab *see* Morghāb, Daryā-ye/Murgap/Murghob
146 I14 **Murgap** *Rus.* Murgap. Mary Welaýaty, S Turkmenistan
146 I16 **Murgap** *var.* Murgap Deryasy, Murghab, *Pash.* Daryā-ye Morghāb, *Rus.* Murgab. ≈ Afghanistan/Turkmenistan *see also* Morghāb, Daryā-ye
Murgap Deryasy *see* Morghāb, Daryā-ye/Murgap
114 H9 **Murgash** ▲ W Bulgaria
Murghab *see* Morghāb, Daryā-ye/Murgap
147 U13 **Murghob** *Rus.* Murgab. SE Tajikistan
147 U13 **Murghob** *Rus.* Murgab. ≈ SE Tajikistan
181 Z10 **Murgon** Queensland, E Australia
190 I16 **Muri** Rarotonga, S Cook Islands
108 F7 **Muri** Aargau, W Switzerland
108 D8 **Muri** *var.* Muri bei Bern. Bern, W Switzerland
104 K3 **Murias de Paredes** Castilla-León, N Spain
Muri bei Bern *see* Muri
82 F11 **Muriege** Lunda Sul, NE Angola
189 P14 **Murilo Atoll** *atoll* Hall Islands, C Micronesia
Mūrītānīyah *see* Mauritania
100 N10 **Müritz** *var.* Müritzee. ⊚ NE Germany
Müritzee *see* Müritz
100 L10 **Müritz-Elde-Kanal** *canal* N Germany
184 K6 **Muriwai Beach** Auckland, North Island, NZ
92 J13 **Murjek** Norrbotten, N Sweden
124 J3 **Murmansk** Murmanskaya Oblast', NW Russian Federation
124 I4 **Murmanskaya Oblast'** ◈ *province* NW Russian Federation
197 V14 **Murmansk Rise** *undersea feature* SW Barents Sea
124 J3 **Murmashi** Murmanskaya Oblast', NW Russian Federation
126 M5 **Murmino** Ryazanskaya Oblast', W Russian Federation
101 K24 **Murnau** Bayern, SE Germany
103 X16 **Muro, Capo di** *headland* Corse, France, C Mediterranean Sea
107 M18 **Muro Lucano** Basilicata, S Italy
127 N4 **Murom** Vladimirskaya Oblast', W Russian Federation
122 I11 **Muromtsevo** Omskaya Oblast', C Russian Federation
165 R5 **Muroran** Hokkaidō, NE Japan
104 G3 **Muros** Galicia, NW Spain
104 F3 **Muros e Noia, Ría de** *estuary* NW Spain
164 H15 **Muroto** Kōchi, Shikoku, SW Japan
164 H15 **Muroto-zaki** *headland* Shikoku, SW Japan
116 L7 **Murovani Kurylivtsi** Vinnyts'ka Oblast', C Ukraine
110 G11 **Murowana Goślina** Wielkolpolskie, C Poland
32 M14 **Murphy** Idaho, NW USA
21 N10 **Murphy** North Carolina, SE USA
35 P8 **Murphys** California, W USA
30 L17 **Murphysboro** Illinois, N USA
29 V15 **Murray** Iowa, C USA
20 H8 **Murray** Kentucky, S USA
182 J10 **Murray Bridge** South Australia
193 N4 **Murray Fracture Zone** *tectonic feature* NE Pacific Ocean
192 H11 **Murray, Lake** ⊚ SW PNG
21 P12 **Murray, Lake** ⊞ South Carolina, SE USA
10 K3 **Murray, Mount** ▲ Yukon Territory, NW Canada
Murray Range *see* Murray Ridge
173 O3 **Murray Ridge** *var.* Murray Range. *undersea feature* N Arabian Sea
183 N10 **Murray River** ≈ SE Australia
182 K10 **Murrayville** Victoria, SE Australia
149 U5 **Murree** Punjab, E Pakistan
101 I21 **Murrhardt** Baden-Württemberg, S Germany
183 O9 **Murrumbidgee River** ≈ New South Wales, SE Australia
83 P15 **Murrupula** Nampula, NE Mozambique
183 T7 **Murrurundi** New South Wales, SE Australia
109 X9 **Murska Sobota** *Ger.* Olsnitz. NE Slovenia
154 G12 **Murtajāpur** *prev.* Murtazapur. Mahārāshtra, C India
77 S16 **Murtala Muhammed** × (Lagos) Ogun, SW Nigeria
Murtazapur *see* Murtajāpur
108 C8 **Murten** Neuchâtel, W Switzerland
Murtensee *see* Morat, Lac de
182 L11 **Murtoa** Victoria, SE Australia
92 N13 **Murtovaara** Oulu, E Finland
Murua Island *see* Woodlark Island
155 D14 **Murud** Mahārāshtra, W India
184 O9 **Murupara** *var.* Murapara. Bay of Plenty, North Island, NZ
191 X12 **Mururoa** *var.* Moruroa. *atoll* Îles Tuamotu, SE French Polynesia
Murviedro *see* Sagunto
154 J9 **Murwāra** Madhya Pradesh, N India
183 V4 **Murwillumbah** New South Wales, SE Australia
146 H11 **Murzechirla** *prev.* Mirzachirla. Ahal Welaýaty, C Turkmenistan
Murzuk *see* Murzuq
75 O11 **Murzuq** *var.* Marzūq, Murzuk. SW Libya
Murzuq, Edeyin *see* Murzuq, Idhān
75 N11 **Murzuq, Ḩamādat** *plateau* W Libya
75 O11 **Murzuq, Idhān** *var.* Edeyin Murzuq. *desert* SW Libya
109 W6 **Mürzzuschlag** Steiermark, E Austria
137 Q14 **Muş** *var.* Mush. Muş, E Turkey
137 Q14 **Muş** *var.* Mush. ◈ *province* E Turkey
186 F9 **Musa** ≈ S PNG
118 G11 **Mūša** ≈ Latvia/Lithuania
75 X8 **Mûsa, Gebel** ▲ NE Egypt
Musaiyib *see* Al Musayyib
Musa Khel *see* Mūsā Khel Bazār
149 R9 **Mūsā Khel Bazār** *var.* Musa Khel. Baluchistān, SW Pakistan
114 H10 **Musala** ▲ W Bulgaria
168 H10 **Musala, Pulau** *island* W Indonesia
83 I15 **Musale** Southern, S Zambia
141 Y9 **Muşalla** NE Oman
141 W6 **Musandam Peninsula** *Ar.* Masandam Peninsula. *peninsula* N Oman
Musay'īd *see* Umm Sa'īd
Muscat *see* Masqaţ
Muscat and Oman *see* Oman
29 Y14 **Muscatine** Iowa, C USA
Muscat Sīb Airport *see* Seeb
31 O15 **Muscatuck River** ≈ Indiana, N USA
30 K8 **Muscoda** Wisconsin, N USA
185 F19 **Musgrave, Mount** ▲ South Island, NZ
181 P9 **Musgrave Ranges** ⛰ South Australia
Mush *see* Muş
138 H12 **Mushayyish, Qaşr al** *castle* Ma'ān, C Jordan
79 H20 **Mushie** Bandundu, W Dem. Rep. Congo
168 M13 **Musi, Air** *prev.* Moesi. ≈ Sumatera, W Indonesia
192 M4 **Musicians Seamounts** *undersea feature* N Pacific Ocean
54 D8 **Musinga, Alto** ▲ NW Colombia
29 T2 **Muskeg Bay** *lake bay* Minnesota, N USA
31 O8 **Muskegon** Michigan, N USA
31 O8 **Muskegon Heights** Michigan, N USA
31 P8 **Muskegon River** ≈ Michigan, N USA
31 T14 **Muskingum River** ≈ Ohio, N USA
95 P16 **Muskö** Stockholm, C Sweden
Muskogean *see* Tallahassee
27 Q10 **Muskogee** Oklahoma, C USA
14 H13 **Muskoka, Lake** ⊚ Ontario, S Canada
80 H8 **Musmar** Red Sea, NE Sudan
83 K14 **Musofu** Central, C Zambia
81 G19 **Musoma** Mara, N Tanzania
82 L13 **Musoro** Central, C Zambia
186 F4 **Mussau Island** *island* NE PNG
98 P7 **Musselkanaal** Groningen, NE Netherlands
33 V9 **Musselshell River** ≈ Montana, NW USA
82 C12 **Mussende** Cuanza Sul, NW Angola
102 L12 **Mussidan** Dordogne, SW France
83 K19 **Musina** *prev.* Messina. Limpopo, NE South Africa
99 L25 **Musson** Luxembourg, SE Belgium
152 J9 **Mussoorie** Uttaranchal, N India
Musta *see* Mosta
152 M13 **Mustafābād** Uttar Pradesh, N India
136 D12 **Mustafakemalpaşa** Bursa, NW Turkey
Mustafa-Pasha *see* Svilengrad
81 M15 **Mustahīl** Somali, E Ethiopia

◆ Country ◇ Dependent Territory ◈ Administrative Region ▲ Mountain ☒ Volcano ⊚ Lake
● Country Capital ○ Dependent Territory Capital × International Airport ⛰ Mountain Range ≈ River ⊞ Reservoir

294 ••• Mustang Draw – Nancy

24 M7 **Mustang Draw** *valley* Texas, SW USA
25 T14 **Mustang Island** *island* Texas, SW USA
Mustasaari *see* Korsholm
Mustér *see* Disentis
63 I19 **Musters, Lago** ◎ S Argentina
45 Y14 **Mustique** *island* C Saint Vincent and the Grenadines
118 I6 **Mustla** Viljandimaa, S Estonia
118 J4 **Mustvee** *Ger.* Tschorna. Jõgevamaa, E Estonia
42 L9 **Musún, Cerro** ▲ NE Nicaragua
183 T7 **Muswellbrook** New South Wales, SE Australia
111 M18 **Muszyna** Małopolskie, SE Poland
136 I17 **Mut** İçel, S Turkey
75 V10 **Mût** *var.* Mut. C Egypt
109 V9 **Muta** N Slovenia
190 B15 **Mutalau** N Niue
Mu-tan-chiang *see* Mudanjiang
82 I13 **Mutanda** North Western, NW Zambia
59 O17 **Mutá, Ponta do** *headland* E Brazil
83 L17 **Mutare** *var.* Mutari; *prev.* Umtali. Manicaland, E Zimbabwe
Mutari *see* Mutare
54 D8 **Mutatá** Antioquia, NW Colombia
Mutina *see* Modena
83 L16 **Mutoko** *prev.* Mtoko. Mashonaland East, NE Zimbabwe
81 J20 **Mutomo** Eastern, S Kenya
Mutrah *see* Maṭraḥ
79 M24 **Mutshatsha** Katanga, S Dem. Rep. Congo
165 R6 **Mutsu** *var.* Mutu. Aomori, Honshū, N Japan
165 R6 **Mutsu-wan** *bay* N Japan
108 E6 **Muttenz** Basel-Land, NW Switzerland
185 A26 **Muttonbird Islands** *island group* SW NZ
Mutu *see* Mutsu
83 O15 **Mutuáli** Nampula, N Mozambique
82 D13 **Mutumbo** Bié, C Angola
189 Y14 **Mutunte, Mount** *var.* Mount Buache. ▲ Kosrae, E Micronesia
155 K24 **Mutur** Eastern Province, E Sri Lanka
92 L13 **Muurola** Lappi, NW Finland
162 M14 **Mu Us Shadi** *var.* Ordos Desert, *prev.* Mu Us Shamo. *desert* N China
Mu Us Shamo *see* Mu Us Shadi
82 B11 **Muxima** Bengo, NW Angola
124 I8 **Muyezerskiy** Respublika Kareliya, NW Russian Federation
81 E20 **Muyinga** NE Burundi
42 K9 **Muy Muy** Matagalpa, C Nicaragua
Muynak *see* Mo'ynoq
79 N22 **Muyumba** Katanga, SE Dem. Rep. Congo
149 V5 **Muzaffarābād** Jammu and Kashmir, NE Pakistan
149 S10 **Muzaffargarh** Punjab, E Pakistan
152 J9 **Muzaffarnagar** Uttar Pradesh, N India
153 P13 **Muzaffarpur** Bihār, N India
158 H6 **Muzat He** ~ W China
83 L15 **Muze** Tete, NW Mozambique
122 H8 **Muzhi** Yamalo-Nenetskiy Avtonomnyy Okrug, N Russian Federation
102 H7 **Muzillac** Morbihan, NW France
Muzkol, Khrebet *see* Muzqŭl, Qatorkŭhi
112 L9 **Mužlja** *Hung.* Felsőmuzslya; *prev.* Gornja Mužlja. Serbia, N Serbia and Montenegro (Yugo.)
54 F9 **Muzo** Boyacá, C Colombia
83 J15 **Muzoka** Southern, S Zambia
39 Y15 **Muzon, Cape** *headland* Dall Island, Alaska, USA
40 M6 **Múzquiz** Coahuila de Zaragoza, NE Mexico
147 U13 **Muzqŭl, Qatorkŭhi** *Rus.* Khrebet Muzkol. ▲ SE Tajikistan
158 G10 **Muztag** ▲ NW China
158 K10 **Muz Tag** ▲ W China
158 D8 **Muztagata** ▲ NW China
83 K17 **Mvuma** *prev.* Umvuma. Midlands, C Zimbabwe
82 L13 **Mwanya** Eastern, E Zambia
81 G20 **Mwanza** Mwanza, NW Tanzania
79 N23 **Mwanza** Katanga, SE Dem. Rep. Congo
81 F20 **Mwanza** ⬖ *region* N Tanzania
82 M13 **Mwase Lundazi** Eastern, E Zambia
97 B17 **Mweelrea** *Ir.* Caoc Maol Réidh. ▲ W Ireland
79 K21 **Mweka** Kasai Occidental, C Dem. Rep. Congo
82 K12 **Mwenda** Luapula, N Zambia
79 L22 **Mwene-Ditu** Kasai Oriental, S Dem. Rep. Congo
83 L18 **Mwenezi** ~ S Zimbabwe
79 O20 **Mwenga** Sud Kivu, E Dem. Rep. Congo
82 K11 **Mweru, Lake** *var.* Lac Moero. ◎ Dem. Rep. Congo/Zambia
82 H13 **Mwinilunga** North Western, NW Zambia
189 V16 **Mwokil Atoll** *var.* Mokil Atoll. *atoll* Caroline Islands, E Micronesia
Myadel' *see* Myadzyel
118 J13 **Myadzyel** *Pol.* Miadzioł Nowy, *Rus.* Myadel'. Minskaya Voblasts', N Belarus
152 C12 **Myājlār** *var.* Miajlar. Rājasthān, NW India
123 T9 **Myakit** Magadanskaya Oblast', E Russian Federation
23 W13 **Myakka River** ~ Florida, SE USA
124 L14 **Myaksa** Vologodskaya Oblast', NW Russian Federation
183 U8 **Myall Lake** ◎ New South Wales, SE Australia
166 L7 **Myanaung** Irrawaddy, SW Myanmar
166 M4 **Myanmar** *off.* Union of Myanmar, *var.* Burma. ◆ *military dictatorship* SE Asia
166 K8 **Myaungmya** Irrawaddy, SW Myanmar
118 N11 **Myazha** *Rus.* Mezha. Vitsyebskaya Voblasts', NE Belarus
119 O18 **Myerkulavichy** *Rus.* Merkulovichi. Homyel'skaya Voblasts', SE Belarus
119 N14 **Myezhava** *Rus.* Mezhëvo. Vitsyebskaya Voblasts', NE Belarus
166 L5 **Myingyan** Mandalay, C Myanmar
167 N2 **Myitkyina** Kachin State, N Myanmar
166 M5 **Myittha** Mandalay, C Myanmar
111 H19 **Myjava** *Hung.* Miava. Trenčiansky Kraj, W Slovakia
Myjeldino *see* Myyëldino
117 U9 **Mykhaylivka** *Rus.* Mikhaylovka. Zaporiz'ka Oblast', SE Ukraine
95 A18 **Mykines** *Dan.* Myggenaes *Island* Faeroe Islands
116 I5 **Mykolayiv** L'vivs'ka Oblast', W Ukraine
117 Q10 **Mykolayiv** *Rus.* Nikolayev. Mykolayivs'ka Oblast', S Ukraine
117 Q10 **Mykolayiv** ✕ Mykolayivs'ka Oblast', S Ukraine
Mykolayiv *see* Mykolayivs'ka Oblast'
117 P9 **Mykolayivka** Odes'ka Oblast', SW Ukraine
117 S13 **Mykolayivka** Respublika Krym, S Ukraine
117 P9 **Mykolayivs'ka Oblast'** *var.* Mykolayiv, *Rus.* Nikolayevskaya Oblast'. ⬖ *province* S Ukraine
115 J20 **Mýkonos** Mýkonos, Kykládes, Greece, Aegean Sea
115 K20 **Mýkonos** *var.* Míkonos. *island* Kykládes, Greece, Aegean Sea
125 R7 **Myla** Respublika Komi, NW Russian Federation
Mylae *see* Milazzo
93 M19 **Myllykoski** Etelä-Suomi, S Finland
Mymensing *see* Mymensingh
153 U14 **Mymensingh** *var.* Maimansingh, Mymensing; *prev.* Nasirābād. Dhaka, N Bangladesh
93 K19 **Mynämäki** Länsi-Suomi, W Finland
145 S14 **Mynaral** *Kaz.* Myngaral. Zhambyl, S Kazakhstan
Mynbulak *see* Mingbuloq
Mynbulak, Vpadina *see* Mingbuloq Botighi
Myngaral *see* Mynaral
166 K5 **Myohaung** Arakan State, W Myanmar
163 W13 **Myohyang-sanmaek** ▲ C North Korea
164 M11 **Myōkō-san** ▲ Honshū, S Japan
83 J15 **Myooye** Central, C Zambia
118 K12 **Myory** *prev.* Miyory. Vitsyebskaya Voblasts', N Belarus
92 J4 **Mýrdalsjökull** *glacier* S Iceland
92 G10 **Myre** Nordland, C Norway
117 S5 **Myrhorod** *Rus.* Mirgorod. Poltavs'ka Oblast', NE Ukraine
115 J15 **Mýrina** *var.* Mírina. Límnos, SE Greece
117 P5 **Myronivka** *Rus.* Mironovka. Kyyivs'ka Oblast', N Ukraine
21 U13 **Myrtle Beach** South Carolina, SE USA
32 F14 **Myrtle Creek** Oregon, NW USA
183 P11 **Myrtleford** Victoria, SE Australia
32 E14 **Myrtle Point** Oregon, NW USA
115 K25 **Mýrtos** Kríti, Greece, E Mediterranean Sea
Myrtoum Mare *see* Mirtóo Pélagos
93 G17 **Myrviken** Jämtland, C Sweden
95 I15 **Mysen** Østfold, S Norway
124 L15 **Myshkin** Yaroslavskaya Oblast', NW Russian Federation
111 K17 **Myślenice** Małopolskie, S Poland
110 D10 **Myślibórz** Zachodnio-pomorskie, NW Poland
155 G20 **Mysore** *var.* Maisur. Karnātaka, W India
Mysore *see* Karnātaka
115 F21 **Mystrás** *var.* Mistras. Pelopónnisos, S Greece
125 T12 **Mysy** Komi-Permyatskiy Avtonomnyy Okrug, NW Russian Federation
111 K15 **Myszków** Śląskie, S Poland
167 T14 **My Tho** *var.* Mi Tho. Tiền Giang, S Vietnam
Mytilene *see* Mytilíni
115 L17 **Mytilíni** *var.* Mitilíni; *anc.* Mytilene. Lésvos, E Greece
126 K3 **Mytishchi** Moskovskaya Oblast', W Russian Federation
37 N3 **Myton** Utah, W USA
92 K2 **Mývatn** ◎ C Iceland
125 T11 **Myyëldino** *var.* Myjeldino. Respublika Komi, NW Russian Federation
82 M13 **Mzimba** Northern, NW Malawi
82 M12 **Mzuzu** Northern, N Malawi

N

101 M19 **Naab** ~ SE Germany
98 G12 **Naaldwijk** Zuid-Holland, W Netherlands
38 G12 **Nā'ālehu** *var.* Naalehu. Hawai'i, USA, C Pacific Ocean
93 K19 **Naantali** *Swe.* Nådendal. Länsi-Suomi, W Finland
98 J10 **Naarden** Noord-Holland, C Netherlands
109 U4 **Naarn** ~ N Austria
97 F18 **Naas** *Ir.* An Nás, Nás na Ríogh. C Ireland
92 M9 **Näätämöjoki** *Lapp.* Njávdám. ~ NE Finland
83 E23 **Nababeep** *var.* Nababiep. Northern Cape, W South Africa
Nababiep *see* Nababeep
Nabadwip *see* Navadwīp
164 J14 **Nabari** Mie, Honshū, SW Japan
Nabatié *see* Nabatīyé
138 G8 **Nabatīyé** *var.* An Nabatīyah at Taḥtā, Nabatié, Nabatiyet et Tahta. SW Lebanon
Nabatiyet et Tahta *see* Nabatīyé
187 X14 **Nabavatu** Vanua Levu, N Fiji
190 I2 **Nabeina** *island* Tungaru, W Kiribati
127 T4 **Naberezhnyye Chelny** *prev.* Brezhnev. Respublika Tatarstan, W Russian Federation
39 T10 **Nabesna** Alaska, USA
39 T10 **Nabesna River** ~ Alaska, USA
75 N5 **Nabeul** *var.* Nābul. NE Tunisia
152 I9 **Nābha** Punjab, NW India
171 W13 **Nabire** Papua, E Indonesia
141 O15 **Nabī Shu'ayb, Jabal an** ▲ W Yemen
138 F10 **Nablus** *var.* Nābulus, *Heb.* Shekhem; *anc.* Neapolis, *Bibl.* Shechem. N West Bank
187 X14 **Nabouwalu** Vanua Levu, N Fiji
Nābul *see* Nabeul
Nābulus *see* Nablus
187 Y13 **Nabuna** Vanua Levu, N Fiji
83 Q14 **Nacala** Nampula, NE Mozambique
42 H8 **Nacaome** Valle, S Honduras
Na Cealla Beaga *see* Killybegs
Na-ch'ii *see* Nagqu
164 J15 **Nachikatsuura** *var.* Nachi-Katsuura. Wakayama, Honshū, SE Japan
81 J24 **Nachingwea** Lindi, SE Tanzania
111 F16 **Náchod** Královéhradecký Kraj, N Czech Republic
Na Clocha Liatha *see* Greystones
40 G3 **Naco** Sonora, NW Mexico
25 X8 **Nacogdoches** Texas, SW USA
40 G4 **Nacozari de García** Sonora, NW Mexico
Nada *see* Danzhou
77 O14 **Nadawli** NW Ghana
104 I3 **Nadela** Galicia, NW Spain
Nådendal *see* Naantali
144 M7 **Nadezhdinka** *prev.* Nadezhdinskiy. Kostanay, N Kazakhstan
Nadezhdinskiy *see* Nadezhdinka
Nadgan *see* Nadqān, Qalamat
187 W14 **Nadi** *prev.* Nandi. Viti Levu, W Fiji
187 X14 **Nadi** *prev.* Nandi. ✕ Viti Levu, W Fiji
154 D10 **Nadiād** Gujarāt, W India
Nadikdik *see* Knox Atoll
116 E11 **Nădlac** *Ger.* Nadlak, *Hung.* Nagylak. Arad, W Romania
Nadlak *see* Nădlac
74 H6 **Nador** *prev.* Villa Nador. NE Morocco
141 S9 **Nadqān, Qalamat** *var.* Nadgan. *well* E Saudi Arabia
111 N22 **Nádudvar** Hajdú-Bihar, E Hungary
121 O15 **Nadur** Gozo, N Malta
187 X13 **Naduri** *prev.* Nanduri. Vanua Levu, N Fiji
116 I7 **Nadvirna** *Pol.* Nadwórna, *Rus.* Nadvornaya. Ivano-Frankivs'ka Oblast', W Ukraine
124 J8 **Nadvoitsy** Respublika Kareliya, NW Russian Federation
Nadvornaya/Nadwórna *see* Nadvirna
122 I9 **Nadym** Yamalo-Nenetskiy Avtonomnyy Okrug, N Russian Federation
122 I9 **Nadym** ~ C Russian Federation
186 E7 **Nadzab** Morobe, C PNG
77 X13 **Nafada** Gombe, E Nigeria
108 H8 **Näfels** Glarus, NE Switzerland
115 E18 **Náfpaktos** *var.* Návpaktos. Dytikí Ellás, C Greece
115 F20 **Náfplio** *prev.* Návplion. Pelopónnisos, S Greece
139 U6 **Naft Khāneh** E Iraq
149 N13 **Nāg** Baluchistān, SW Pakistan
171 P4 **Naga** *off.* Naga City; *prev.* Nueva Caceres. Luzon, N Philippines
Nagaarzê *see* Nagarzê
12 F11 **Nagagami** ~ Ontario, S Canada
164 F14 **Nagahama** Ehime, Shikoku, SW Japan
153 X12 **Nāga Hills** ▲ NE India
165 P10 **Nagai** Yamagata, Honshū, C Japan
Na Gaibhlte *see* Galty Mountains
39 N16 **Nagai Island** *island* Shumagin Islands, Alaska, USA
153 X12 **Nāgāland** ⬖ *state* NE India
164 M11 **Nagano** Nagano, Honshū, S Japan
164 M12 **Nagano** *off.* Nagano-ken. ⬖ *prefecture* Honshū, S Japan
165 N11 **Nagaoka** Niigata, Honshū, C Japan
153 W12 **Nagaon** *prev.* Nowgong. Assam, NE India
155 J21 **Nāgappattinam** *var.* Negapatam, Negapattinam. Tamil Nādu, SE India
Nagara Nayok *see* Nakhon Nayok
Nagara Panom *see* Nakhon Phanom
Nagara Pathom *see* Nakhon Pathom
Nagara Sridharmaraj *see* Nakhon Si Thammarat
Nagara Svarga *see* Nakhon Sawan
155 H16 **Nāgārjuna Sāgar** ⊟ E India
42 I10 **Nagarote** León, SW Nicaragua
158 M16 **Nagarzê** *var.* Nagaarzê. Xizang Zizhiqu, W China
164 C14 **Nagasaki** Nagasaki, Kyūshū, SW Japan
164 C14 **Nagasaki** *off.* Nagasaki-ken. ⬖ *prefecture* Kyūshū, SW Japan
Nagashima *see* Kii-Nagashima
164 E12 **Nagato** Yamaguchi, Honshū, SW Japan
152 F11 **Nāgaur** Rājasthān, NW India
154 F10 **Nāgda** Madhya Pradesh, C India
98 L8 **Nagele** Flevoland, N Netherlands
155 H24 **Nāgercoil** Tamil Nādu, SE India
153 X12 **Nāginimāra** Nāgāland, NE India
Na Gleannta *see* Glenties
165 T16 **Nago** Okinawa, Okinawa, SW Japan
154 K9 **Nāgod** Madhya Pradesh, C India
155 J26 **Nagoda** Southern Province, S Sri Lanka
101 G22 **Nagold** Baden-Württemberg, SW Germany
Nagorno-Karabakhskaya Avtonomnaya Oblast *see* Nagorno-Karabakh
123 Q12 **Nagornyy** Respublika Sakha (Yakutiya), NE Russian Federation
137 V12 **Nagorno-Karabakh** *var.* Nagorno-Karabakhskaya Avtonomnaya Oblast, *Arm.* Lerrnayin Gharabakh, *Az.* Dağliq Qarabağ, *Rus.* Nagornyy Karabakh. *former autonomous region* SW Azerbaijan
Nagornyy Karabakh *see* Nagorno-Karabakh
125 R13 **Nagorsk** Kirovskaya Oblast', NW Russian Federation
164 K13 **Nagoya** Aichi, Honshū, SW Japan
154 I12 **Nāgpur** Mahārāshtra, C India
156 K10 **Nagqu** *Chin.* Na-ch'ii; *prev.* Hei-ho. Xizang Zizhiqu, W China
152 J8 **Nāg Tibba Range** ▲ N India
45 O8 **Nagua** NE Dominican Republic
111 H25 **Nagyatád** Somogy, SW Hungary
Nagybánya *see* Baia Mare
Nagybecskerek *see* Zrenjanin
Nagydisznód *see* Cisnădie
Nagyenyed *see* Aiud
111 N21 **Nagykálló** Szabolcs-Szatmár-Bereg, E Hungary
111 G25 **Nagykanizsa** *Ger.* Grosskanizsa. Zala, SW Hungary
Nagykároly *see* Carei
111 K22 **Nagykáta** Pest, C Hungary
Nagykikinda *see* Kikinda
111 K23 **Nagykőrös** Pest, C Hungary
Nagy-Küküllő *see* Târnava Mare
Nagylak *see* Nădlac
Nagymihály *see* Michalovce
Nagyrőce *see* Revúca
Nagysomkút *see* Şomcuta Mare
Nagysurány *see* Šurany
Nagyszalonta *see* Salonta
Nagyszeben *see* Sibiu
Nagyszentmiklós *see* Sânnicolau Mare
Nagyszöllös *see* Vynohradiv
Nagyszombat *see* Trnava
Nagytapolcsány *see* Topoľčany
Nagyvárad *see* Oradea
165 S17 **Naha** Okinawa, Okinawa, SW Japan
152 J8 **Nāhan** Himāchal Pradesh, NW India
Nahang, Rūd-e *see* Nihing
Nahariya *see* Nahariyya
138 F8 **Nahariyya** *var.* Nahariya. Northern, N Israel
142 L6 **Nahāvand** *var.* Nehavend. Hamadān, W Iran
101 F19 **Nahe** ~ SW Germany
Na h-Iarmhidhe *see* Westmeath
189 O13 **Nahnalaud** ▲ Pohnpei, E Micronesia
Nahoi, Cape *see* Cumberland, Cape
Nahtavárr *see* Nattavaara
63 H16 **Nahuel Huapi, Lago** ◎ W Argentina
23 W7 **Nahunta** Georgia, SE USA
40 J6 **Naica** Chihuahua, N Mexico
11 U15 **Naicam** Saskatchewan, S Canada
Naiman Qi *see* Daqin Tal
158 M4 **Naimin Bulak** *spring* NW China
13 P6 **Nain** Newfoundland and Labrador, NE Canada
143 P8 **Nā'īn** Eşfahān, C Iran
152 K10 **Naini Tāl** Uttaranchal, N India
154 J11 **Nainpur** Madhya Pradesh, C India
96 J8 **Nairn** N Scotland, UK
96 J8 **Nairn** *cultural region* NE Scotland, UK
81 I19 **Nairobi** ● (Kenya) Nairobi Area, S Kenya
81 I19 **Nairobi** ✕ Nairobi Area, S Kenya
82 P13 **Nairoto** Cabo Delgado, NE Mozambique
118 G3 **Naissaar** *island* N Estonia
Naissus *see* Niš
187 Z14 **Naitaba** *var.* Naitauba; *prev.* Naitamba. *island* Lau Group, E Fiji
Naitamba/Naitauba *see* Naitaba
81 I19 **Naivasha** Rift Valley, SW Kenya
81 H19 **Naivasha, Lake** ◎ SW Kenya
Najaf *see* An Najaf
143 N8 **Najafābād** *var.* Nejafabad. Eşfahān, C Iran
141 N7 **Najd** *var.* Nejd. *cultural region* C Saudi Arabia
105 O4 **Nájera** La Rioja, N Spain
105 P4 **Najerilla** ~ N Spain
163 U7 **Naji** *var.* Arun Qi. Nei Mongol Zizhiqu, N China
152 J9 **Najībābād** Uttar Pradesh, N India
Najima *see* Fukuoka
163 Y11 **Najin** NE North Korea
139 T9 **Najm al Ḩassūn** C Iraq
141 O13 **Najrān** *var.* Abā as Su'ūd. Najrān, S Saudi Arabia
141 P12 **Najrān** *off.* Minţaqat al Najrān. ⬖ *province* S Saudi Arabia
165 T2 **Nakagawa** Hokkaidō, NE Japan
38 F9 **Nākālele Point** *var.* Nakalele Point *headland* Maui, Hawai'i, USA, C Pacific Ocean
164 D13 **Nakama** Fukuoka, Kyūshū, SW Japan
Nakambé *see* White Volta
Nakamti *see* Nek'emtē
164 F15 **Nakamura** Kōchi, Shikoku, SW Japan
186 H7 **Nakanai Mountains** ▲ New Britain, E PNG
164 H11 **Nakano-shima** *island* Oki-shotō, SW Japan
165 Q6 **Nakasato** Aomori, Honshū, C Japan
165 T5 **Nakasatsunai** Hokkaidō, NE Japan
165 W4 **Nakashibetsu** Hokkaidō, NE Japan
81 F18 **Nakasongola** C Uganda
165 T1 **Nakatonbetsu** Hokkaidō, NE Japan
164 L13 **Nakatsugawa** *var.* Nakatugawa. Gifu, Honshū, SW Japan
Nakatu *see* Nakatsu
Nakatugawa *see* Nakatsugawa
Naka-umi *see* Nakano-umi
Nakdong *see* Naktong-gang
Nakel *see* Nakło nad Notecią
80 J8 **Nakfa** N Eritrea
Nakhichevan' *see* Naxçıvan
123 S15 **Nakhodka** Primorskiy Kray, SE Russian Federation
122 J8 **Nakhodka** Yamalo-Nenetskiy Avtonomnyy Okrug, N Russian Federation
Nakhon Navok *see* Nakhon Nayok
167 P11 **Nakhon Nayok** *var.* Nagara Nayok, Nakhon Navok. Nakhon Nayok, C Thailand
167 O11 **Nakhon Pathom** *var.* Nagara Pathom, Nakorn Pathom. Nakhon Pathom, W Thailand
167 R8 **Nakhon Phanom** *var.* Nagara Panom. Nakhon Phanom, E Thailand
167 Q10 **Nakhon Ratchasima** *var.* Khorat, Korat. Nakhon Ratchasima, E Thailand
167 O9 **Nakhon Sawan** *var.* Muang Nakhon Sawan, Nagara Svarga. Nakhon Sawan, W Thailand
167 N15 **Nakhon Si Thammarat** *var.* Nagara Sridharmaraj, Nakhon Sithamnaraj. Nakhon Si Thammarat, SW Thailand
Nakhon Sithamnaraj *see* Nakhon Si Thammarat
139 Y11 **Nakhrash** SE Iraq
10 I9 **Nakina** British Columbia, W Canada
110 H9 **Nakło nad Notecią** *Ger.* Nakel. Kujawsko-pomorskie, C Poland
39 P13 **Naknek** Alaska, USA
152 H8 **Nakodar** Punjab, NW India
82 M11 **Nakonde** Northern, NE Zambia
Nakorn Pathom *see* Nakhon Pathom
95 H24 **Nakskov** Storstrøm, SE Denmark
163 Y15 **Naktong-gang** *var.* Nakdong, *Jap.* Rakutō-kō. ~ C South Korea
83 H18 **Nakuru** Rift Valley, SW Kenya
81 H19 **Nakuru, Lake** ◎ Rift Valley, C Kenya
11 O17 **Nakusp** British Columbia, SW Canada
149 N15 **Nāl** ~ W Pakistan
162 M7 **Nalayh** Töv, C Mongolia
153 V12 **Nalbāri** Assam, NE India
63 G19 **Nalcayec, Isla** *island* Archipiélago de los Chonos, S Chile
127 N15 **Nal'chik** Kabardino-Balkarskaya Respublika, SW Russian Federation
155 I16 **Nalgonda** Andhra Pradesh, C India
153 S14 **Nalhāti** West Bengal, NE India
153 U14 **Nalitabari** Dhaka, N Bangladesh
155 I17 **Nallamala Hills** ▲ E India
136 G12 **Nallıhan** Ankara, NW Turkey
104 K2 **Nalón** ~ NW Spain
167 N3 **Nalong** Kachin State, N Myanmar
75 N8 **Nālūt** NW Libya
171 T14 **Nama** Pulau Manawoka, E Indonesia
189 Q16 **Nama** *island* C Micronesia
83 O16 **Namacurra** Zambézia, NE Mozambique
188 F9 **Namai Bay** *bay* Babeldaob, N Palau
29 W2 **Namakan Lake** ◎ Canada/USA
143 O6 **Namak, Daryācheh-ye** *marsh* N Iran
143 T6 **Namak, Kavīr-e** *salt pan* NE Iran
167 O6 **Namaklwe** Shan State, E Myanmar
Namaksār, Kowl-e/Namakzār, Daryācheh-ye *see* Namakzar
148 I5 **Namakzar** *Pash.* Daryācheh-ye Namakzār, Kowl-e Namaksār. *marsh* Afghanistan/Iran
171 V15 **Namalau** Pulau Jursian, E Indonesia
81 I20 **Namanga** Rift Valley, S Kenya
147 S10 **Namangan** Namangan Viloyati, E Uzbekistan
Namanganskaya Oblast' *see* Namangan Viloyati
147 R10 **Namangan Viloyati** *Rus.* Namanganskaya Oblast'. ⬖ *province* E Uzbekistan
83 Q14 **Namapa** Nampula, NE Mozambique
83 C21 **Namaqualand** *physical region* S Namibia
81 G18 **Namasagali** C Uganda
186 H6 **Namatanai** New Ireland, NE PNG
83 I14 **Nambala** Central, C Zambia
81 J23 **Nambanje** Lindi, SE Tanzania
83 G16 **Nambiya** Ngamiland, N Botswana
183 V2 **Nambour** Queensland, E Australia
183 V6 **Nambucca Heads** New South Wales, SE Australia
159 N15 **Nam Co** ◎ W China
167 R5 **Nam Cum** Lai Châu, N Vietnam
Namdik *see* Namorik Atoll
167 T6 **Nam Định** Nam Ha, N Vietnam
99 I20 **Namêche** Namur, SE Belgium
30 J4 **Namekagon Lake** ◎ Wisconsin, N USA
188 F10 **Namekakl Passage** *passage* Babeldaob, N Palau
Namen *see* Namur
83 P15 **Nametil** Nampula, NE Mozambique
163 X14 **Nam-gang** ~ C North Korea
163 Y16 **Nam-gang** ~ S South Korea
163 Y17 **Namhae-do** *Jap.* Nankai-tō. *island* S South Korea
Namhoi *see* Foshan
83 C19 **Namib Desert** *desert* W Namibia
83 A15 **Namibe** *Port.* Moçâmedes, Mossâmedes. Namibe, SW Angola
83 A15 **Namibe** ⬖ *province* SE Angola
83 C18 **Namibia** *off.* Republic of Namibia, *var.* South West Africa, *Afr.* Suidwes-Afrika, *Ger.* Deutsch-Südwestafrika; *prev.* German Southwest Africa, South-West Africa. ◆ *republic* S Africa
65 O17 **Namibia Plain** *undersea feature* S Atlantic Ocean
165 Q11 **Namie** Fukushima, Honshū, C Japan
165 Q7 **Namioka** Aomori, Honshū, C Japan
40 I5 **Namiquipa** Chihuahua, N Mexico
159 P15 **Namjagbarwa Feng** ▲ W China
Namka *see* Doilungdêqên
171 R13 **Namlea** Pulau Buru, E Indonesia
158 L16 **Namling** Xizang Zizhiqu, W China
Namnetes *see* Nantes
167 R8 **Nam Ngum** ~ C Laos
Namo *see* Namu Atoll
183 R5 **Namoi River** ~ New South Wales, SE Australia
189 Q17 **Namoluk Atoll** *atoll* Mortlock Islands, C Micronesia
189 O15 **Namonuito Atoll** *atoll* Caroline Islands, C Micronesia
189 T9 **Namorik Atoll** *var.* Namdik. *atoll* Ralik Chain, S Marshall Islands
167 Q6 **Nam Ou** ~ N Laos
32 M14 **Nampa** Idaho, NW USA
76 M11 **Nampala** Ségou, W Mali
163 W14 **Namp'o** SW North Korea
83 P15 **Nampula** Nampula, NE Mozambique
83 P15 **Nampula** *off.* Província de Nampula. ⬖ *province* NE Mozambique
163 W13 **Namsan-ni** NW North Korea
Namslau *see* Namysłów
93 E15 **Namsos** Nord-Trøndelag, C Norway
93 F14 **Namsskogan** Nord-Trøndelag, C Norway
123 Q10 **Namsty** Respublika Sakha (Yakutiya), NE Russian Federation
167 O6 **Nam Teng** ~ E Myanmar
167 P6 **Nam Tha** ~ N Laos
167 N4 **Namtu** Shan State, E Myanmar
10 J15 **Namu** British Columbia, SW Canada
189 T7 **Namu Atoll** *var.* Namo. *atoll* Ralik Chain, C Marshall Is
187 Y15 **Namuka-i-lau** *island* Lau Group, E Fiji
83 O15 **Namuli, Mont** ▲ NE Mozambique
83 P14 **Namuno** Cabo Delgado, N Mozambique
99 I20 **Namur** *Dut.* Namen. Namur, SE Belgium
99 H21 **Namur** *Dut.* Namen. ⬖ *province* S Belgium
83 D17 **Namutoni** Kunene, N Namibia
163 Y16 **Namwŏn** *Jap.* Nangen. S South Korea
111 H14 **Namysłów** *Ger.* Namslau. Opolskie, S Poland
167 P7 **Nan** *var.* Muang Nan. Nan, NW Thailand
79 G15 **Nana** ~ W Central African Republic
165 R5 **Nanae** Hokkaidō, NE Japan
79 I14 **Nana-Grébizi** ⬖ *prefecture* N Central African Republic
10 L17 **Nanaimo** Vancouver Island, British Columbia, SW Canada
38 C9 **Nānākuli** *var.* Nanakuli. O'ahu, Hawai'i, USA, C Pacific Ocean
79 G15 **Nana-Mambéré** ⬖ *prefecture* W Central African Republic
161 R13 **Nan'an** Fujian, SE China
183 U2 **Nanango** Queensland, E Australia
164 L11 **Nanao** Ishikawa, Honshū, SW Japan
161 Q14 **Nan'ao Dao** *island* S China
164 L10 **Nanatsu-shima** *island* SW Japan
56 F8 **Nanay, Río** ~ NE Peru
160 J8 **Nanbu** Sichuan, C China
163 X7 **Nancha** Heilongjiang, NE China
161 P10 **Nanchang** *var.* Nan-ch'ang, Nanch'ang-hsien. Jiangxi, S China
Nanch'ang-hsien *see* Nanchang
161 P11 **Nancheng** *var.* Jianchang. Jiangxi, S China
Nan-ching *see* Nanjing
160 J9 **Nanchong** Sichuan, C China
160 J10 **Nanchuan** Chongqing Shi, C China
103 T5 **Nancy** Meurthe-et-Moselle, NE France

NANCY SOUND – NEGRO, RÍO ••• 295

185 A22 Nancy Sound sound South Island, NZ
152 L9 Nanda Devi ▲ NW India
42 J11 Nandaime Granada, SW Nicaragua
160 K13 Nandan Guangxi Zhuangzu Zizhiqu, S China
155 H14 Nānded Mahārāshtra, C India
183 S5 Nandewar Range ▲ New South Wales, SE Australia
Nandi see Nadi
160 E13 Nanding He ≈ China/Vietnam
Nándorhgy see Oțelu Roșu
154 E11 Nandurbār Mahārāshtra, W India
Nanduri see Naduri
155 I17 Nandyāl Andhra Pradesh, E India
161 P11 Nanfeng var. Qincheng. Jiangxi, S China
Nang see Nangxian
79 E15 Nanga Eboko Centre, C Cameroon
149 W4 Nanga Parbat ▲ India/Pakistan
169 R11 Nangapinoh Borneo, C Indonesia
149 R5 Nangarhār ◆ province E Afghanistan
169 S11 Nangaserawai var. Nangah Serawai. Borneo, C Indonesia
169 Q12 Nangatayap Borneo, C Indonesia
Nangen see Namwŏn
103 P5 Nangis Seine-et-Marne, N France
163 X13 Nangnim-sanmaek ▲ C North Korea
161 O4 Nangong Hebei, E China
159 Q14 Nangqên var. Xangda. Qinghai, C China
167 Q10 Nang Rong Buri Ram, E Thailand
159 O16 Nangxian var. Nang. Xizang Zizhiqu, W China
Nan Hai see South China Sea
160 L8 Nan He ≈ C China
160 F12 Nanhua var. Longchuan. Yunnan, SW China
Naniwa see Ōsaka
155 G20 Nanjangūd Karnātaka, W India
161 Q8 Nanjing var. Nan-ching, Nanking; prev. Chianning, Chian-ning, Kiang-ning. Jiangsu, E China
Nankai-tō see Namhae-do
161 O12 Nankang var. Rongjiang. Jiangxi, S China
Nanking see Nanjing
161 N13 Nan Ling ▲ S China
160 L15 Nanliu Jiang ≈ S China
189 P13 Nan Madol ruins Temwen Island, E Micronesia
160 K15 Nanning var. Nan-ning; prev. Yung-ning. Guangxi Zhuangzu Zizhiqu, S China
196 M15 Nanortalik Kitaa, S Greenland
Nanouki see Aranuka
160 H13 Nanpan Jiang ≈ S China
152 M11 Nānpāra Uttar Pradesh, N India
161 Q12 Nanping var. Nan-p'ing; prev. Yenping. Fujian, SE China
Nanping see Jiuzhaigou
Nanpu see Pucheng
161 R12 Nanri Dao island SE China
165 S16 Nansei-shotō Eng. Ryukyu Islands. island group SW Japan
Nansei Syotō Trench see Ryukyu Trench
197 T10 Nansen Basin undersea feature Arctic Ocean
197 T10 Nansen Cordillera var. Arctic-Mid Oceanic Ridge, Nansen Ridge. undersea feature Arctic Ocean
Nansen Ridge see Nansen Cordillera
Nansha Qundao see Spratly Islands
12 K3 Nantais, Lac ◎ Québec, NE Canada
103 N5 Nanterre Hauts-de-Seine, N France
102 I8 Nantes Bret. Naoned; anc. Condivincum, Namnetes. Loire-Atlantique, NW France
14 G17 Nanticoke Ontario, S Canada
18 H13 Nanticoke Pennsylvania, NE USA
21 Y4 Nanticoke River ≈ Delaware/Maryland, NE USA
11 Q17 Nanton Alberta, SW Canada
161 S8 Nantong Jiangsu, E China
161 S13 Nant'ou W Taiwan
103 S10 Nantua Ain, E France
19 Q13 Nantucket Nantucket Island, Massachusetts, NE USA
19 Q13 Nantucket Island island Massachusetts, NE USA
19 Q13 Nantucket Sound sound Massachusetts, NE USA
82 P13 Nantulo Cabo Delgado, N Mozambique
189 O12 Nanuh Pohnpei, E Micronesia
190 D6 Nanumaga var. Nanumanga. atoll NW Tuvalu
Nanumanga see Nanumaga
190 D5 Nanumea Atoll atoll NW Tuvalu
59 O19 Nanuque Minas Gerais, SE Brazil
171 R10 Nanusa, Kepulauan island group N Indonesia
163 U4 Nanweng He ≈ NE China
160 I10 Nanxi Sichuan, C China
161 N10 Nanxian var. Nan Xian Nanzhou. Hunan, S China
161 N7 Nanyang var. Nan-yang. Henan, C China
161 P6 Nanyang Hu ◎ E China
165 P10 Nan'yō Yamagata, Honshū, C Japan
81 I18 Nanyuki Central, C Kenya
160 M8 Nanzhang Hubei, C China
Nanzhou see Nanxian
105 T11 Nao, Cabo de La headland E Spain
12 M9 Naococane, Lac ◎ Québec, E Canada
153 S14 Naogaon Rajshahi, NW Bangladesh
Naokot see Naukot
187 R13 Naone Maewo, C Vanuatu
Naoned see Nantes
115 E14 Náousa Kentrikí Makedonía, N Greece
35 N8 Napa California, W USA
39 O11 Napaimiut Alaska, USA
39 N12 Napakiak Alaska, USA
122 J7 Napalkovo Yamalo-Nenetskiy Avtonomnyy Okrug, N Russian Federation
12 I16 Napanee Ontario, SE Canada
39 N12 Napaskiak Alaska, USA
167 S5 Na Phac Cao Bāng, N Vietnam
184 O11 Napier Hawke's Bay, North Island, NZ
195 X3 Napier Mountains ▲ Antarctica
15 O13 Napierville Québec, SE Canada
23 W15 Naples Florida, SE USA
25 W5 Naples Texas, SW USA
Naples see Napoli
160 I14 Napo Guangxi Zhuangzu Zizhiqu, S China
56 C6 Napo ◆ province NE Ecuador
29 O6 Napoleon North Dakota, N USA
31 R11 Napoleon Ohio, N USA
Napoléon-Vendée see la Roche-sur-Yon
22 J9 Napoleonville Louisiana, S USA
107 K17 Napoli Eng. Naples, Ger. Neapel; anc. Neapolis. Campania, S Italy
107 J18 Napoli, Golfo di gulf S Italy
57 F7 Napo, Río ≈ Ecuador/Peru
191 W9 Napuka island Îles Tuamotu, C French Polynesia
142 J3 Naqadeh Āžarbāyjān-e Bākhtarī, NW Iran
139 U6 Naqnah E Iraq
Nar see Nera
164 J14 Nara Nara, Honshū, SW Japan
76 L11 Nara Koulikoro, W Mali
164 J14 Nara off. Nara-ken. ◆ prefecture Honshū, SW Japan
149 R14 Nāra Canal irrigation canal S Pakistan
182 K11 Naracoorte South Australia
183 P8 Naradhan New South Wales, SE Australia
Naradhivas see Narathiwat
56 B8 Naranjal Guayas, W Ecuador
57 Q19 Naranjos Santa Cruz, E Bolivia
41 Q12 Naranjos Veracruz-Llave, E Mexico
159 Q6 Naran Sebstein Bulag spring NW China
143 X12 Narānū Sīstān va Balūchestān, SE Iran
164 B14 Narao Nagasaki, Nakadōri-jima, SW Japan
155 J16 Narasaraopet Andhra Pradesh, E India
158 J5 Narat Xinjiang Uygur Zizhiqu, W China
167 P17 Narathiwat var. Naradhivas. Narathiwat, SW Thailand
37 V10 Nara Visa New Mexico, SW USA
Nārāyāni see Gandak
Narbada see Narmada
Narbo Martius see Narbonne
103 P16 Narbonne anc. Narbo Martius. Aude, S France
Narborough Island see Fernandina, Isla
104 J2 Narcea ≈ NW Spain
152 J9 Narendranagar Uttaranchal, N India
Nares Abyssal Plain see Nares Plain
64 G11 Nares Plain var. Nares Abyssal Plain. undersea feature NW Atlantic Ocean
197 P10 Nares Strait Dan. Nares Stræde. strait Canada/Greenland
Nares Stræde see Nares Strait
110 O9 Narew ≈ E Poland
155 F17 Nargund Karnātaka, W India
83 D20 Narib Hardap, S Namibia
Narikrik see Knox Atoll
Narin Gol see Dong He
54 B13 Nariño off. Departamento de Nariño. ◆ province SW Colombia
165 P13 Narita Chiba, Honshū, S Japan
165 P13 Narita ✈ (Tōkyō) Chiba, Honshū, S Japan
Nariya see An Nu'ayrīyah
162 F5 Nariyn Gol ≈ Mongolia/Russian Federation
152 J8 Nārkanda Himāchal Pradesh, NW India
92 L13 Narkaus Lappi, NW Finland
154 E11 Narmada var. Narbada. ≈ C India
152 H11 Narnaul var. Nārnaul. Haryāna, N India
107 I14 Narni Umbria, C Italy
107 J24 Naro Sicilia, Italy, C Mediterranean Sea
Narodichi see Narodychi
127 V7 Narodnaya, Gora ▲ NW Russian Federation
117 N3 Narodychi Rus. Narodichi. Zhytomyrs'ka Oblast', N Ukraine
126 J4 Naro-Fominsk Moskovskaya Oblast', W Russian Federation
81 H19 Narok Rift Valley, SW Kenya
104 H2 Narón Galicia, NW Spain
183 S11 Narooma New South Wales, SE Australia
Narova see Narva
Narovlya see Narowlya
149 W8 Nārowāl Punjab, E Pakistan
119 N20 Narowlya Rus. Narovlya. Homyel'skaya Voblasts', SE Belarus
93 J17 Närpes Fin. Närpiö. Länsi-Suomi, W Finland
Närpiö see Närpes
183 S5 Narrabri New South Wales, SE Australia
183 P9 Narrandera New South Wales, SE Australia
183 Q4 Narran Lake ◎ New South Wales, SE Australia
183 Q4 Narran River ≈ New South Wales/Queensland, SE Australia
180 I13 Narrogin Western Australia
183 Q7 Narromine New South Wales, SE Australia
21 R6 Narrows Virginia, NE USA
196 M15 Narsarsuaq ✈ Kitaa, S Greenland
154 I10 Narsimhapur Madhya Pradesh, C India
Narsingdi see Narsinghdi
153 U15 Narsinghdi var. Narsingdi. Dhaka, C Bangladesh
154 H9 Narsinghgarh Madhya Pradesh, C India
163 Q11 Nart Nei Mongol Zizhiqu, N China
Nartës, Gjol i/Nartës, Laguna e see Nartës, Liqeni i
113 J22 Nartës, Liqeni i var. Gjol i Nartës, Laguna e Nartës. ◎ SW Albania
115 F17 Narthákï ▲ C Greece
127 O15 Nartkala Kabardino-Balkarskaya Respublika, SW Russian Federation
118 F3 Narva Ida-Virumaa, NE Estonia
118 K4 Narva prev. Narova. ≈ Estonia/Russian Federation
118 J3 Narva Bay Est. Narva Laht, Ger. Narwa-Bucht, Rus. Narvskiy Zaliv. bay Estonia/Russian Federation
Narva Laht see Narva Bay
126 F13 Narva Reservoir Est. Narva Veehoidla, Rus. Narvskoye Vodokhranilishche. ⊞ Estonia/Russian Federation
Narva Veehoidla see Narva Reservoir
92 H10 Narvik Nordland, C Norway
Narvskiy Zaliv see Narva Bay
Narvskoye Vodokhranilishche see Narva Reservoir
Narwa-Bucht see Narva Bay
152 I9 Narwāna Haryāna, NW India
125 R4 Nar'yan-Mar prev. Beloshchel'ye, Dzerzhinskiy. Nenetskiy Avtonomnyy Okrug, NW Russian Federation
122 J12 Narym Tomskaya Oblast', C Russian Federation
145 Y10 Narymskiy Khrebet Kaz. Naryn Zhotasy. ▲ E Kazakhstan
147 W9 Naryn Narynskaya Oblast', C Kyrgyzstan
147 U8 Naryn ≈ Kyrgyzstan/Uzbekistan
145 W16 Narynkol Kaz. Narynqol. Almaty, SE Kazakhstan
Naryn Oblasty see Narynskaya Oblast'
Narynqol see Narynkol
147 V9 Narynskaya Oblast' Kir. Naryn Oblasty. ◆ province C Kyrgyzstan
Naryn Zhotasy see Narymskiy Khrebet
126 J6 Naryshkino Orlovskaya Oblast', W Russian Federation
95 L14 Nås Dalarna, C Sweden
92 G13 Nasafjellet Lapp. Násávárre. ▲ C Norway
93 H16 Näsåker Västernorrland, C Sweden
187 Y14 Nasau Koro, C Fiji
116 I9 Năsăud Ger. Nussdorf, Hung. Naszód. Bistrița-Năsăud, N Romania
Násávárre see Nasafjellet
103 P13 Nasbinals Lozère, S France
Na Sceirí see Skerries
Nase see Naze
185 E22 Naseby Otago, South Island, NZ
143 R10 Nāşerīyeh Kermān, C Iran
25 X5 Nash Texas, SW USA
154 E13 Nāshik prev. Nāsik. Mahārāshtra, W India
56 E7 Nashiño, Río ≈ Ecuador/Peru
29 W12 Nashua Iowa, C USA
33 W7 Nashua Montana, NW USA
19 O10 Nashua New Hampshire, NE USA
27 S13 Nashville Arkansas, C USA
23 U7 Nashville Georgia, SE USA
30 L16 Nashville Illinois, N USA
31 O14 Nashville Indiana, N USA
21 V9 Nashville North Carolina, SE USA
20 J8 Nashville state capital Tennessee, S USA
20 J9 Nashville ✈ Tennessee, S USA
64 H10 Nashville Seamount undersea feature NW Atlantic Ocean
112 H9 Našice Osijek-Baranja, E Croatia
110 M11 Nasielsk Mazowieckie, C Poland
93 K18 Näsijärvi ◎ SW Finland
Näsik see Nāshik
80 G13 Nasir Upper Nile, SE Sudan
149 Q12 Nasīrābād Baluchistān, SW Pakistan
148 K15 Nasīrābād Baluchistān, SW Pakistan
Nasīrābād see Mymensingh
Nasir, Buhayrat/Nâşir, Buheiret see Nasser, Lake
Nāsiri see Ahvāz
Nasiriya see An Nāşirīyah
Nás na Ríogh see Naas
107 L23 Naso Sicilia, Italy, C Mediterranean Sea
Nasratabad see Zābol
10 J11 Nass ≈ British Columbia, SW Canada
77 V15 Nassarawa Nassarawa, C Nigeria
44 H2 Nassau ● (Bahamas) New Providence, N Bahamas
44 H2 Nassau ✈ New Providence, C Bahamas
190 J13 Nassau island N Cook Islands
23 W8 Nassau Sound sound Florida, SE USA
108 L7 Nassereith Tirol, W Austria
95 L19 Nässjö Jönköping, S Sweden
99 K22 Nassogne Luxembourg, SE Belgium
12 J6 Nastapoka Islands island group Nunavut, C Canada
93 M19 Nastola Etelä-Suomi, S Finland
171 O4 Nasugbu Luzon, N Philippines
94 N11 Näsviken Gävleborg, C Sweden
Naszód see Năsăud
83 I17 Nata Central, NE Botswana
54 E11 Natagaima Tolima, C Colombia
59 Q14 Natal Rio Grande do Norte, E Brazil
168 I11 Natal Sumatera, N Indonesia
Natal see KwaZulu/Natal
173 L10 Natal Basin var. Mozambique Basin. undersea feature W Indian Ocean
25 R12 Natalia Texas, SW USA
172 L10 Natal Valley undersea feature SW Indian Ocean
Natanya see Netanya
143 O7 Naţanz Eşfahān, C Iran
13 Q11 Natashquan Québec, E Canada
13 Q10 Natashquan ≈ Newfoundland and Labrador/Québec, E Canada
22 J7 Natchez Mississippi, S USA
22 G6 Natchitoches Louisiana, S USA
108 E10 Naters Valais, S Switzerland
Nathanya see Netanya
92 O3 Nathorst Land physical region W Svalbard
Natḥula see Nacula
186 E9 National Capital District ◆ province S PNG
35 U17 National City California, W USA
184 M10 National Park Manawatu-Wanganui, North Island, NZ
77 R14 Natitingou NW Benin
40 B5 Natividad, Isla island W Mexico
165 Q10 Natori Miyagi, Honshū, C Japan
18 C14 Natrona Heights Pennsylvania, NE USA
81 H20 Natron, Lake ◎ Kenya/Tanzania
Natsrat see Nazerat
166 L7 Nattalin Pegu, C Myanmar
92 J12 Nattavaara Lapp. Nahtavárr. Norrbotten, N Sweden
109 S3 Natternbach Oberösterreich, N Austria
95 M22 Nättraby Blekinge, S Sweden
169 P10 Natuna Besar, Pulau island Kepulauan Natuna, W Indonesia
Natuna Islands see Natuna, Kepulauan
169 O9 Natuna, Kepulauan var. Natuna Islands. island group W Indonesia
169 N9 Natuna, Laut sea W Indonesia
21 N6 Natural Bridge tourist site Kentucky, C USA
173 V11 Naturaliste Fracture Zone tectonic feature E Indian Ocean
173 V10 Naturaliste Plateau undersea feature E Indian Ocean
Nau see Nov
103 O14 Naucelle Aveyron, S France
83 D20 Nauchas Hardap, C Namibia
108 K9 Nauders Tirol, W Austria
Naugard see Nowogard
118 F12 Naujamiestis Panevėžys, C Lithuania
118 E10 Naujoji Akmenė Šiauliai, NW Lithuania
149 R16 Naukot var. Naokot. Sind, SE Pakistan
101 L16 Naumburg var. Naumburg an der Saale. Sachsen-Anhalt, C Germany
Naumburg am Queis see Nowogrodziec
Naumburg an der Saale see Naumburg
191 W15 Naunau ancient monument Easter Island, Chile, E Pacific Ocean
138 G10 Nā'ūr 'Al Āşimah, W Jordan
189 Q8 Nauru off. Republic of Nauru; prev. Pleasant Island. ◆ republic W Pacific Ocean
189 Q9 Nauru International ✈ S Nauru
Nausari see Navsāri
19 Q12 Nauset Beach beach Massachusetts, NE USA
Naushahra see Nowshera
149 P14 Naushahro Fīroz Sind, SE Pakistan
Naushara see Nowshera
187 X14 Nausori Viti Levu, W Fiji
56 F9 Nauta Loreto, N Peru
153 O12 Nautanwa Uttar Pradesh, N India
41 R13 Nautla Veracruz-Llave, E Mexico
Nauzad see Now Zād
41 N6 Nava Coahuila de Zaragoza, NE Mexico
Navabad see Navobod
104 L6 Nava del Rey Castilla-León, N Spain
153 S15 Navadwip prev. Nabadwip. West Bengal, NE India
104 M9 Navahermosa Castilla-La Mancha, C Spain
119 I16 Navahrudak Pol. Nowogródek, Rus. Novogrudok. Hrodzyenskaya Voblasts', W Belarus
119 I16 Navahrudskaye Wzvyshsha ▲ W Belarus
36 M8 Navajo Mount ▲ Utah, W USA
37 Q9 Navajo Reservoir ⊞ New Mexico, SW USA
104 K9 Navalmoral de la Mata Extremadura, W Spain
104 K10 Navalvillar de Pelea Extremadura, W Spain
97 F17 Navan Ir. An Uaimh. E Ireland
Navanagar see Jāmnagar
118 L12 Navapolatsk Rus. Novopolotsk. Vitsyebskaya Voblasts', N Belarus
149 P6 Nāvar, Dasht-e Pash. Dasht-i-Nawar. desert C Afghanistan
123 W6 Navarin, Mys headland NE Russian Federation
63 I25 Navarino, Isla island S Chile
105 Q4 Navarra Eng./Fr. Navarre. ◆ autonomous community N Spain
Navarre see Navarra
105 P4 Navarrete La Rioja, N Spain
61 C20 Navarro Buenos Aires, E Argentina
105 O12 Navas de San Juan Andalucía, S Spain
25 V10 Navasota Texas, SW USA
25 U9 Navasota River ≈ Texas, SW USA
44 I9 Navassa Island ◇ US unincorporated territory C West Indies
119 L19 Navasyolki Rus. Novosëlki. Homyel'skaya Voblasts', SE Belarus
119 H17 Navayel'nya Pol. Nowojelnia, Rus. Novoyel'nya. Hrodzyenskaya Voblasts', W Belarus
171 Y13 Naver Papua, E Indonesia
118 H5 Navesti ≈ C Estonia
104 J2 Navia Asturias, N Spain
104 J2 Navia ≈ NW Spain
59 I21 Naviraí Mato Grosso do Sul, SW Brazil
126 I6 Navlya Bryanskaya Oblast', W Russian Federation
187 X13 Navoalevu Vanua Levu, N Fiji
147 R12 Navobod Rus. Navabad, Novabad. C Tajikistan
147 P13 Navobod Rus. Navabad. W Tajikistan
Navoi see Navoiy
146 M11 Navoiy Rus. Navoi. Navoiy Viloyati, C Uzbekistan
Navoiyskaya Oblast' see Navoiy Viloyati
40 G7 Navojoa Sonora, NW Mexico
Navolat see Navolato
42 H9 Navolato var. Navolat. Sinaloa, C Mexico
187 Q13 Navonda Ambae, C Vanuatu
Návpaktos see Náfpaktos
Návplion see Náfplio
77 P14 Navrongo N Ghana
154 D12 Navsāri var. Nausari. Gujarāt, W India
187 X15 Navua Viti Levu, W Fiji
138 H8 Nawá Dar'ā, S Syria
Nawabashah see Nawābshāh
153 S14 Nawabganj Rajshahi, NW Bangladesh
153 S14 Nawābganj Uttar Pradesh, N India
149 Q15 Nawābshāh var. Nawabashah. Sind, S Pakistan
153 P14 Nawāda Bihār, N India
152 H11 Nawalgarh Rājasthān, N India
Nawāl, Sabkhat an see Noual, Sebkhet en
Nawar, Dasht-i- see Nāvar, Dasht-e
167 N4 Nawnghkio var. Nawngkio. Shan State, C Myanmar
Nawngkio see Nawnghkio
146 K8 Navoiy Viloyati Rus. Navoiyskaya Oblast'. ◆ province N Uzbekistan
137 U13 Naxçıvan Rus. Nakhichevan'. SW Azerbaijan
160 I10 Naxi Sichuan, C China
115 K21 Náxos var. Naxos. Náxos, Kykládes, Greece, Aegean Sea
115 K21 Náxos island Kykládes, Greece, Aegean Sea
40 J11 Nayarit ◆ state C Mexico
187 Y14 Nayau island Lau Group, E Fiji
143 S8 Nāy Band Yazd, E Iran
165 T2 Nayoro Hokkaidō, NE Japan
104 F9 Nazaré var. Nazare. Leiria, C Portugal
24 M4 Nazareth Texas, SW USA
Nazareth see Nazerat
173 O8 Nazareth Bank undersea feature W Indian Ocean
40 K9 Nazas Durango, C Mexico
57 F16 Nazca Ica, S Peru
193 U9 Nazca Ridge undersea feature E Pacific Ocean
165 V15 Naze var. Nase. Kagoshima, Amami-ōshima, SW Japan
138 G9 Nazerat var. Natsrat, Ar. En Nazira, Eng. Nazareth. Northern, N Israel
137 R14 Nazik Gölü ◎ E Turkey
136 C15 Nazilli Aydın, SW Turkey
137 P14 Nazimiye Tunceli, E Turkey
Nazinon see Red Volta
10 L15 Nazko British Columbia, SW Canada
127 O16 Nazran' Ingushskaya Respublika, SW Russian Federation
80 J13 Nazrēt var. Adama, Hadama. Oromo, C Ethiopia
Nazwāh see Nizwá
82 J13 Nchanga Copperbelt, C Zambia
82 J11 Nchelenge Luapula, N Zambia
Ncheu see Ntcheu
Ndaghamcha, Sebkra de see Te-n-Dghâmcha, Sebkhet
81 G21 Ndala Tabora, C Tanzania
82 B11 N'Dalatando Port. Salazar, Vila Salazar. Cuanza Norte, NW Angola
77 S14 Ndali C Benin
81 E18 Ndeke SW Uganda
78 J13 Ndélé Bamingui-Bangoran, N Central African Republic
79 E19 Ndendé Ngounié, S Gabon
79 E20 Ndindi Nyanga, S Gabon
78 G11 Ndjamena var. N'Djamena; prev. Fort-Lamy. ● (Chad) Chari-Baguirmi, W Chad
78 G11 Ndjamena ✈ Chari-Baguirmi, W Chad
79 D18 Ndjolé Moyen-Ogooué, W Gabon
82 J13 Ndola Copperbelt, C Zambia
Ndrhamcha, Sebkha de see Te-n-Dghâmcha, Sebkhet
79 L15 Ndu Orientale, N Dem. Rep. Congo
81 H21 Nduguti Singida, C Tanzania
186 M9 Nduindui Guadalcanal, C Solomon Islands
Nduke see Kolombangara
115 F16 Néa Anchiálos var. Nea Anhialos, Néa Ankhíalos. Thessalía, C Greece
Nea Anhialos/Néa Ankhíalos see Néa Anchiálos
115 H18 Néa Artáki Évvoia, C Greece
97 F15 Neagh, Lough ◎ E Northern Ireland, UK
32 F7 Neah Bay Washington, NW USA
115 J22 Nea Kaméni island Kykládes, Greece, Aegean Sea
181 O8 Neale, Lake ◎ Northern Territory, C Australia
182 G2 Neales River seasonal river South Australia
115 G14 Néa Moudanía var. Néa Moudhaniá. Kentrikí Makedonía, N Greece
Néa Moudhaniá see Néa Moudanía
116 K10 Neamț ◆ county NE Romania
Neapel see Napoli
115 D14 Neápoli prev. Neápolis. Dytikí Makedonía, N Greece
115 K25 Neápoli Kríti, Greece, E Mediterranean Sea
115 G22 Neápoli Pelopónnisos, S Greece
Neapolis see Napoli, Italy
Neapolis see Nablus, West Bank
Neápolis see Neápoli, Greece
38 D16 Near Islands island group Aleutian Islands, Alaska, USA
97 J21 Neath S Wales, UK
114 H13 Néa Zíchni var. Néa Zíkhni; prev. Néa Zíkhna. Kentrikí Makedonía, NE Greece
Néa Zíkhna/Néa Zíkhni see Néa Zíchni
42 C5 Nebaj Quiché, W Guatemala
77 P13 Nebbou S Burkina
Nebitdag see Balkanabat
54 M13 Neblina, Pico da ▲ NW Brazil
124 I13 Nebolchi Novgorodskaya Oblast', W Russian Federation
36 L4 Nebo, Mount ▲ Utah, W USA
28 L14 Nebraska off. State of Nebraska; also known as Blackwater State, Cornhusker State, Tree Planters State. ◆ state C USA
29 S16 Nebraska City Nebraska, C USA
107 K23 Nebrodi, Monti var. Monti Caronie. ▲ Sicilia, Italy, C Mediterranean Sea
10 L14 Nechako ≈ British Columbia, SW Canada
29 Q2 Neche North Dakota, N USA
25 V8 Neches Texas, SW USA
25 W8 Neches River ≈ Texas, SW USA
101 H20 Neckar ≈ SW Germany
101 H20 Neckarsulm Baden-Württemberg, SW Germany
192 L5 Necker Island island C British Virgin Islands
61 D23 Necochea Buenos Aires, E Argentina
104 H2 Neda Galicia, NW Spain
115 E20 Nédas ≈ S Greece
25 Y11 Nederland Texas, SW USA
Nederland see Netherlands
98 K12 Neder Rijn Eng. Lower Rhine. ≈ C Netherlands
99 L16 Nederweert Limburg, SE Netherlands
95 G16 Nedre Tokke ◎ S Norway
Nedrigaylov see Nedryhayliv
117 S3 Nedryhayliv Rus. Nedrigaylov. Sums'ka Oblast', NE Ukraine
98 O11 Neede Gelderland, E Netherlands
33 T13 Needle Mountain ▲ Wyoming, C USA
35 Y14 Needles California, W USA
97 M24 Needles, The rocks Isle of Wight, S England, UK
62 O7 Ñeembucú off. Departamento de Ñeembucú. ◆ department SW Paraguay
30 M7 Neenah Wisconsin, N USA
11 W16 Neepawa Manitoba, S Canada
99 K16 Neerpelt Limburg, NE Belgium
74 M6 Nefta ✈ W Tunisia
126 L15 Neftegorsk Krasnodarskiy Kray, SW Russian Federation
127 U3 Neftekamsk Respublika Bashkortostan, W Russian Federation
127 O14 Neftekumsk Stavropol'skiy Kray, SW Russian Federation
Neftezavodsk see Seýdi
82 C10 Negage var. N'Gage. Uíge, NW Angola
Negapatam/Negapattinam see Nāgappattinam
169 T17 Negara Bali, Indonesia
169 T13 Negara Borneo, C Indonesia
Negara Brunei Darussalam see Brunei
31 N4 Negaunee Michigan, N USA
81 J15 Negēlē var. Negelli, It. Neghelli. Oromo, C Ethiopia
Negelli see Negēlē
Negeri Pahang Darul Makmur see Pahang
Negeri Selangor Darul Ehsan see Selangor
168 K9 Negeri Sembilan var. Negri Sembilan. ◆ state Peninsular Malaysia
92 P3 Negerpynten headland S Svalbard
Negev see HaNegev
Neghelli see Negēlē
116 I12 Negoiu var. Negoiul. ▲ S Romania
Negoiul see Negoiu
82 P13 Negomane var. Negomano. Cabo Delgado, N Mozambique
Negomano see Negomane
155 J25 Negombo Western Province, SW Sri Lanka
Negoreloye see Nyegharelaye
112 P12 Negotin Serbia, E Serbia and Montenegro (Yugo.)
113 P19 Negotino C FYR Macedonia
56 A10 Negra, Punta headland NW Peru
104 G3 Negreira Galicia, NW Spain
116 L10 Negrești Vaslui, E Romania
Negrești see Negrești-Oaș
116 H8 Negrești-Oaș Hung. Avasfelsőfalu; prev. Negrești. Satu Mare, NE Romania
44 H12 Negril W Jamaica
Negri Sembilan see Negeri Sembilan
63 K15 Negro, Río ≈ E Argentina
62 N7 Negro, Río ≈ NE Argentina
57 N17 Negro, Río ≈ E Bolivia
62 O5 Negro, Río ≈ C Paraguay
58 D12 Negro, Río ≈ N South America

◆ COUNTRY ● COUNTRY CAPITAL ◇ DEPENDENT TERRITORY ○ DEPENDENT TERRITORY CAPITAL ◆ ADMINISTRATIVE REGION ✈ INTERNATIONAL AIRPORT ▲ MOUNTAIN ▲ MOUNTAIN RANGE ▲ VOLCANO ≈ RIVER ◎ LAKE ⊞ RESERVOIR

296 ••• NEGRO, RÍO – NGARDMAU BAY

61 E18 **Negro, Río** ≈ Brazil/Uruguay
Negro, Río *see* Sico Tinto, Río, Honduras
Negro, Río *see* Chixoy, Río, Guatemala/Mexico
171 P6 **Negros** *island* C Philippines
116 M15 **Negru Vodă** Constanța, SE Romania
13 P13 **Neguac** New Brunswick, SE Canada
14 B7 **Negwazu, Lake** ◎ Ontario, S Canada
Négyfalu *see* Săcele
32 F10 **Nehalem** Oregon, NW USA
32 F10 **Nehalem River** ≈ Oregon, NW USA
Nehavend *see* Nahāvand
143 V9 **Nehbandān** Khorāsān, E Iran
163 V6 **Nehe** Heilongjiang, NE China
193 Y14 **Neiafu** 'Uta Vava'u, N Tonga
45 N9 **Neiba** *var.* Neyba. SW Dominican Republic
Néid, Carn Uí *see* Mizen Head
92 M9 **Neiden** Finnmark, N Norway
Neidín *see* Kenmare
Néifinn *see* Nephin
103 S10 **Neige, Crêt de la** ▲ E France
173 O16 **Neiges, Piton des** ▲ C Réunion
15 R9 **Neiges, Rivière des** ≈ Québec, SE Canada
160 I10 **Neijiang** Sichuan, C China
30 K6 **Neillsville** Wisconsin, N USA
Nei Monggol Zizhiqu/Nei Mongol *see* Nei Mongol Zizhiqu
163 Q10 **Nei Mongol Gaoyuan** *plateau* NE China
163 O12 **Nei Mongol Zizhiqu** *var.* Nei Mongol, *Eng.* Inner Mongolia, Inner Mongolian Autonomous Region; *prev.* Nei Monggol Zizhiqu. ⧫ *autonomous region* N China
161 O4 **Neiqiu** Hebei, E China
Neiriz *see* Neyrīz
101 Q16 **Neisse** *Cz.* Lužická Nisa, *Ger.* Lausitzer Neisse, *Pol.* Nisa, Nysa Łużycka. ≈ C Europe
Neisse *see* Nysa
54 E11 **Neiva** Huila, S Colombia
160 M7 **Neixiang** Henan, C China
Nejafabad *see* Najafābād
11 V9 **Nejanilini Lake** ◎ Manitoba, C Canada
Nejd *see* Najd
80 I13 **Nek'emtē** *var.* Lakemti, Nakamti. Oromo, C Ethiopia
126 M9 **Nekhayevskiy** Volgogradskaya Oblast', SW Russian Federation
30 K7 **Nekoosa** Wisconsin, N USA
Neksø *see* Nexø
115 C16 **Nekyomanteío** *ancient monument* Ípeiros, W Greece
104 H7 **Nelas** Viseu, N Portugal
124 H16 **Nelidovo** Tverskaya Oblast', W Russian Federation
29 P13 **Neligh** Nebraska, C USA
123 R11 **Nel'kan** Khabarovskiy Kray, E Russian Federation
92 M10 **Nellim** *var.* Nellimö, *Lapp.* Njellim. Lappi, N Finland
Nellimö *see* Nellim
155 J18 **Nellore** Andhra Pradesh, E India
123 T14 **Nel'ma** Khabarovskiy Kray, SE Russian Federation
61 B17 **Nelson** Santa Fe, C Argentina
11 O17 **Nelson** British Columbia, SW Canada
185 I14 **Nelson** Nelson, South Island, NZ
97 L17 **Nelson** NW England, UK
29 P17 **Nelson** Nebraska, C USA
185 J14 **Nelson** ⧫ *unitary authority* South Island, NZ
11 X12 **Nelson** ≈ Manitoba, C Canada
183 U8 **Nelson Bay** New South Wales, SE Australia
182 K13 **Nelson, Cape** *headland* Victoria, SE Australia
63 G23 **Nelson, Estrecho** *strait* SE Pacific Ocean
11 W12 **Nelson House** Manitoba, C Canada
30 J4 **Nelson Lake** ◎ Wisconsin, N USA
31 T14 **Nelsonville** Ohio, N USA
27 S2 **Nelsoon River** ≈ Iowa/Missouri, C USA
83 K21 **Nelspruit** Mpumalanga, NE South Africa
76 L10 **Néma** Hodh ech Chargui, SE Mauritania
118 D13 **Neman** *Ger.* Ragnit. Kaliningradskaya Oblast', W Russian Federation
84 I9 **Neman** *Bel.* Nyoman, *Ger.* Memel, *Lith.* Nemunas, *Pol.* Niemen, *Rus.* Neman. ≈ NE Europe
Nemausus *see* Nîmes
115 F19 **Neméa** Pelopónnisos, S Greece
Německý Brod *see* Havlíčkův Brod
14 D7 **Nemegosenda** ≈ Ontario, S Canada
14 D8 **Nemegosenda Lake** ◎ Ontario, S Canada
119 H14 **Nemencinė** Vilnius, SE Lithuania
Nemetocenna *see* Arras
Nemirov *see* Nemyriv
103 O6 **Nemours** Seine-et-Marne, N France
Nemunas *see* Neman
165 W4 **Nemuro** Hokkaidō, NE Japan
165 W4 **Nemuro-hantō** *peninsula* Hokkaidō, NE Japan
165 W3 **Nemuro-kaikyō** *strait* Japan/Russian Federation
165 W4 **Nemuro-wan** *bay* N Japan
116 H5 **Nemyriv** *Rus.* Nemirov. L'vivs'ka Oblast', NW Ukraine
117 N7 **Nemyriv** *Rus.* Nemirov. Vinnyts'ka Oblast', C Ukraine
97 D19 **Nenagh** *Ir.* An tAonach. C Ireland
39 R9 **Nenana** Alaska, USA
39 R9 **Nenana River** ≈ Alaska, USA
187 P10 **Nendö** *var.* Swallow Island. *island* Santa Cruz Islands, E Solomon Islands
97 O19 **Nene** ≈ E England, UK
125 R4 **Nenetskiy Avtonomnyy Okrug** ⧫ *autonomous district* NW Russian Federation
191 W11 **Nengonengo** *atoll* Îles Tuamotu, C French Polynesia
163 U6 **Nen Jiang** *var.* Nonni. ≈ NE China
163 V6 **Nenjiang** Heilongjiang, NE China
189 P16 **Neoch** *atoll* Caroline Islands, C Micronesia
115 D18 **Neochóri** Dytikí Ellás, C Greece
27 Q7 **Neodesha** Kansas, C USA
29 S14 **Neola** Iowa, C USA
115 M19 **Néon Karlovási** *var.* Néon Karlovásion. Sámos, Dodekánisos, Greece, Aegean Sea
Néon Karlovásion *see* Néon Karlovási
115 E16 **Néon Monastíri** Thessalía, C Greece
27 R8 **Neosho** Missouri, C USA
27 Q7 **Neosho River** ≈ Kansas/Oklahoma, C USA
123 N12 **Nepa** ≈ C Russian Federation
153 N10 **Nepal** *off.* Kingdom of Nepal. ◆ *monarchy* S Asia
152 M11 **Nepalganj** Mid Western, SW Nepal
14 L13 **Nepean** Ontario, SE Canada
36 L4 **Nephi** Utah, W USA
97 B16 **Nephin** *Ir.* Néifinn. ▲ W Ireland
18 K15 **Neptune** New Jersey, NE USA
182 G10 **Neptune Islands** *island group* South Australia
107 I14 **Nera** *anc.* Nar. ≈ C Italy
102 L14 **Nérac** Lot-et-Garonne, SW France
111 D16 **Neratovice** *Ger.* Neratowitz. Středočeský Kraj, C Czech Republic
Neratowitz *see* Neratovice
123 O13 **Nercha** ≈ S Russian Federation
123 O13 **Nerchinsk** Chitinskaya Oblast', S Russian Federation
123 P14 **Nerchinskiy Zavod** Chitinskaya Oblast', S Russian Federation
124 M15 **Nerekhta** Kostromskaya Oblast', NW Russian Federation
118 H10 **Nereta** Aizkraukle, S Latvia
106 K13 **Nereto** Abruzzo, C Italy
113 H15 **Neretva** ≈ Bosnia and Herzegovina/Croatia
115 C17 **Nerikós** *ruins* Lefkáda, Iónioi Nísoi, Greece, C Mediterranean Sea
83 F15 **Neriquinha** Cuando Cubango, SE Angola
118 I13 **Neris** *Bel.* Viliya, *Pol.* Wilia; *prev. Pol.* Wilja. ≈ Belarus/Lithuania
Neris *see* Viliya
105 N15 **Nerja** Andalucía, S Spain
126 L16 **Nerl'** ≈ W Russian Federation
105 P12 **Nerpio** Castilla-La Mancha, C Spain
104 J13 **Nerva** Andalucía, S Spain
98 L4 **Nes** Friesland, N Netherlands
94 G13 **Nesbyen** Buskerud, S Norway
92 L2 **Neskaupstadhur** Austurland, E Iceland
92 F13 **Nesna** Nordland, C Norway
26 K5 **Ness City** Kansas, C USA
Nesselsdorf *see* Kopřivnice
108 H7 **Nesslau** Sankt Gallen, NE Switzerland
96 I9 **Ness, Loch** ◎ N Scotland, UK
Nesterov *see* Zhovkva
114 I12 **Néstos** *Bul.* Mesta, *Turk.* Kara Su. ≈ Bulgaria/Greece *see also* Mesta
95 C14 **Nesttun** Hordaland, S Norway
Nesvizh *see* Nyasvizh
138 F9 **Netanya** *var.* Natanya, Nathanya. Central, C Israel
98 I9 **Netherlands** *off.* Kingdom of the Netherlands, *var.* Holland, *Dut.* Koninkrijk der Nederlanden, Nederland. ◆ *monarchy* NW Europe
45 S9 **Netherlands Antilles** *prev.* Dutch West Indies. ◇ *Dutch autonomous region* S Caribbean Sea
Netherlands East Indies *see* Indonesia
Netherlands Guiana *see* Suriname
Netherlands New Guinea *see* Papua
116 L4 **Netishyn** Khmel'nyts'ka Oblast', W Ukraine
138 E11 **Netivot** Southern, S Israel
107 O21 **Neto** ≈ S Italy
9 Q6 **Nettilling Lake** ◎ Baffin Island, Nunavut, N Canada
29 V3 **Nett Lake** ◎ Minnesota, N USA
107 I16 **Nettuno** Lazio, C Italy
Netum *see* Noto
41 U16 **Netzahualcóyotl, Presa** ▣ SE Mexico
Netze *see* Noteć
Neu Amerika *see* Puławy
Neubetsche *see* Novi Bečej
Neubidschow *see* Nový Bydžov
Neubistritz *see* Nová Bystřice
100 N9 **Neubrandenburg** Mecklenburg-Vorpommern, NE Germany
101 K22 **Neuburg an der Donau** Bayern, S Germany
108 C8 **Neuchâtel** *Ger.* Neuenburg. Neuchâtel, W Switzerland
108 C8 **Neuchâtel** *Ger.* Neuenburg. ⧫ *canton* W Switzerland
108 C8 **Neuchâtel, Lac de** *Ger.* Neuenburger See. ◎ W Switzerland
Neudorf *see* Spišská Nová Ves
100 L10 **Neue Elde** *canal* N Germany
Neuenburg *see* Neuchâtel
Neuenburg an der Elbe *see* Nymburk
Neuenburger See *see* Neuchâtel, Lac de
108 F7 **Neuenhof** Aargau, N Switzerland
100 H11 **Neuenland** ✕ (Bremen) Bremen, NW Germany
Neuenstadt *see* La Neuveville
101 C18 **Neuerburg** Rheinland-Pfalz, W Germany
99 K24 **Neufchâteau** Luxembourg, SE Belgium
103 S6 **Neufchâteau** Vosges, NE France
102 M3 **Neufchâtel-en-Bray** Seine-Maritime, N France
109 S3 **Neufelden** Oberösterreich, N Austria
Neugradisk *see* Nova Gradiška
Neuhaus *see* Jindřichův Hradec
Neuhäusel *see* Nové Zámky
108 G6 **Neuhausen** *var.* Neuhausen am Rheinfall. Schaffhausen, N Switzerland
Neuhausen am Rheinfall *see* Neuhausen
101 I17 **Neuhof** Hessen, C Germany
Neuhof *see* Zgierz
Neukuhren *see* Pionerskiy
Neu-Langenburg *see* Tukuyu
109 W4 **Neulengbach** Niederösterreich, NE Austria
113 G15 **Neum** Federacija Bosna I Hercegovina, S Bosnia and Herzegovina
Neumark *see* Nowy Targ, Nowy Sącz, Poland
Neumark *see* Nowe Miasto Lubawskie, Toruń, Poland
Neumarkt *see* Neumarkt im Hausruckkreis, Oberösterreich, Austria
Neumarkt *see* Neumarkt am Wallersee, Salzburg, Austria
Neumarkt *see* Środa Śląska, Wrocław, Poland
Neumarkt *see* Târgu Secuiesc, Covasna, Romania
Neumarkt *see* Târgu Mureș, Mureș, Romania
109 Q5 **Neumarkt am Wallersee** *var.* Neumarkt. Salzburg, NW Austria
109 R4 **Neumarkt im Hausruckkreis** *var.* Neumarkt. Oberösterreich, N Austria
101 L20 **Neumarkt in der Oberpfalz** Bayern, SE Germany
Neumarktl *see* Tržič
Neumoldowa *see* Moldova Nouă
100 J8 **Neumünster** Schleswig-Holstein, N Germany
109 X5 **Neunkirchen** *var.* Neunkirchen am Steinfeld. Niederösterreich, E Austria
101 E20 **Neunkirchen** Saarland, SW Germany
Neunkirchen am Steinfeld *see* Neunkirchen
Neuoderberg *see* Bohumín
63 I15 **Neuquén** Neuquén, SE Argentina
63 H14 **Neuquén** *off.* Provincia de Neuquén. ⧫ *province* W Argentina
63 H14 **Neuquén, Río** ≈ W Argentina
Neurode *see* Nowa Ruda
100 N11 **Neuruppin** Brandenburg, NE Germany
Neusalz an der Oder *see* Nowa Sól
Neu Sandec/Neusandez *see* Małopolskie
101 K22 **Neusäss** Bayern, S Germany
Neusatz *see* Novi Sad
Neuschliss *see* Gherla
21 N8 **Neuse River** ≈ North Carolina, SE USA
109 Z5 **Neusiedl am See** Burgenland, E Austria
111 G22 **Neusiedler See** *Hung.* Fertő. ◎ Austria/Hungary
Neusohl *see* Banská Bystrica
101 D15 **Neuss** *anc.* Novaesium, Novesium. Nordrhein-Westfalen, W Germany
Neuss *see* Nyon
Neustadt *see* Neustadt an der Aisch, Bayern, Germany
Neustadt *see* Neustadt bei Coburg, Bayern, Germany
Neustadt *see* Prudnik, Opole, Poland
Neustadt *see* Baia Mare, Maramureș, Romania
100 I12 **Neustadt am Rübenberge** Niedersachsen, N Germany
101 J19 **Neustadt an der Aisch** *var.* Neustadt. Bayern, C Germany
Neustadt an der Haardt *see* Neustadt an der Weinstrasse
101 F20 **Neustadt an der Weinstrasse** *prev.* Neustadt an der Haardt, *hist.* Niewenstat, *anc.* Nova Civitas. Rheinland-Pfalz, SW Germany
101 K18 **Neustadt bei Coburg** *var.* Neustadt. Bayern, C Germany
Neustadt bei Pinne *see* Lwówek
Neustadt in Oberschlesien *see* Prudnik
Neustadtl *see* Novo mesto
Neustadtl in Mähren *see* Nové Město na Moravě
Neustettin *see* Szczecinek
108 M8 **Neustift im Stubaital** *var.* Stubaital. Tirol, W Austria
100 N10 **Neustrelitz** Mecklenburg-Vorpommern, NE Germany
Neutitschein *see* Nový Jičín
Neutra *see* Nitra
101 J22 **Neu-Ulm** Bayern, S Germany
Neuveville *see* La Neuveville
103 N12 **Neuvic** Corrèze, C France
Neuwarp *see* Nowe Warpno
100 G9 **Neuwerk** *island* NW Germany
101 E17 **Neuwied** Rheinland-Pfalz, W Germany
Neuzen *see* Terneuzen
126 H12 **Neva** ≈ NW Russian Federation
29 V14 **Nevada** Iowa, C USA
27 R6 **Nevada** Missouri, C USA
35 R5 **Nevada** *off.* State of Nevada; also known as Battle Born State, Sagebrush State, Silver State. ⧫ *state* W USA
35 P6 **Nevada City** California, W USA
124 G16 **Nevel'** Pskovskaya Oblast', W Russian Federation
123 T14 **Nevel'sk** Ostrov Sakhalin, Sakhalinskaya Oblast', SE Russian Federation
123 Q13 **Never** Amurskaya Oblast', SE Russian Federation
127 Q6 **Neverkino** Penzenskaya Oblast', W Russian Federation
103 P9 **Nevers** *anc.* Noviodunum. Nièvre, C France
18 J12 **Neversink River** ≈ New York, NE USA
183 Q6 **Nevertire** New South Wales, SE Australia
113 H15 **Nevesinje** Republika Srpska, S Bosnia and Herzegovina
118 G12 **Nevėžis** ≈ C Lithuania
126 M14 **Nevinnomyssk** Stavropol'skiy Kray, SW Russian Federation
45 W10 **Nevis** *island* Saint Kitts and Nevis
Nevoso, Monte *see* Veliki Snežnik
Nevrokop *see* Gotse Delchev
136 J14 **Nevşehir** *var.* Nevshehr. Nevşehir, C Turkey
136 J14 **Nevşehir** *var.* Nevshehr. ⧫ *province* C Turkey
Nevshehr *see* Nevşehir
122 G10 **Nev'yansk** Sverdlovskaya Oblast', C Russian Federation
81 J25 **Newala** Mtwara, SE Tanzania
31 P16 **New Albany** Indiana, N USA
22 M2 **New Albany** Mississippi, S USA
29 Y11 **New Albin** Iowa, C USA
55 U8 **New Amsterdam** E Guyana
183 Q4 **New Angledool** New South Wales, SE Australia
21 Y2 **Newark** Delaware, NE USA
18 K14 **Newark** New Jersey, NE USA
18 G10 **Newark** New York, NE USA
31 T13 **Newark** Ohio, N USA
Newark *see* Newark-on-Trent
35 W5 **Newark Lake** ◎ Nevada, W USA
97 N18 **Newark-on-Trent** *var.* Newark. C England, UK
22 M7 **New Augusta** Mississippi, S USA
19 P12 **New Bedford** Massachusetts, NE USA
32 G11 **Newberg** Oregon, NW USA
21 X10 **New Bern** North Carolina, SE USA
20 F8 **Newbern** Tennessee, S USA
31 P4 **Newberry** Michigan, N USA
21 Q12 **Newberry** South Carolina, SE USA
18 F15 **New Bloomfield** Pennsylvania, NE USA
25 X5 **New Boston** Texas, SW USA
25 S11 **New Braunfels** Texas, SW USA
31 Q13 **New Bremen** Ohio, N USA
97 F18 **Newbridge** *Ir.* An Droichead Nua. C Ireland
18 B14 **New Brighton** Pennsylvania, NE USA
18 M12 **New Britain** Connecticut, NE USA
186 G7 **New Britain** *island* E PNG
192 I8 **New Britain Trench** *undersea feature* W Pacific Ocean
18 J15 **New Brunswick** New Jersey, NE USA
15 V8 **New Brunswick** *Fr.* Nouveau-Brunswick. ⧫ *province* SE Canada
18 K13 **Newburgh** New York, NE USA
97 M22 **Newbury** S England, UK
19 P10 **Newburyport** Massachusetts, NE USA
77 T14 **New Bussa** Niger, W Nigeria
187 O17 **New Caledonia** *var.* Kanaky, *Fr.* Nouvelle-Calédonie. ◇ *French overseas territory* SW Pacific Ocean
187 O15 **New Caledonia** *island* SW Pacific Ocean
192 K10 **New Caledonia Basin** *undersea feature* W Pacific Ocean
183 T8 **Newcastle** New South Wales, SE Australia
13 O14 **Newcastle** New Brunswick, SE Canada
14 I15 **Newcastle** Ontario, SE Canada
97 C20 **Newcastle** *Ir.* An Caisleán Nua. SW Ireland
83 K22 **Newcastle** KwaZulu/Natal, E South Africa
97 G16 **Newcastle** *Ir.* An Caisleán Nua. SE Northern Ireland, UK
31 P13 **New Castle** Indiana, N USA
20 L5 **New Castle** Kentucky, S USA
27 N11 **Newcastle** Oklahoma, C USA
18 B13 **New Castle** Pennsylvania, NE USA
25 R6 **Newcastle** Texas, SW USA
36 J7 **Newcastle** Utah, W USA
21 S6 **New Castle** Virginia, NE USA
33 Z13 **Newcastle** Wyoming, C USA
45 W10 **Newcastle** ✕ Nevis, Saint Kitts and Nevis
97 L14 **Newcastle** ✕ NE England, UK
Newcastle *see* Newcastle upon Tyne
97 L18 **Newcastle-under-Lyme** C England, UK
97 M14 **Newcastle upon Tyne** *var.* Newcastle; *hist.* Monkchester, *Lat.* Pons Aelii. NE England, UK
181 Q4 **Newcastle Waters** Northern Territory, N Australia
Newchwang *see* Yingkou
18 K13 **New City** New York, NE USA
31 U13 **Newcomerstown** Ohio, N USA
18 G15 **New Cumberland** Pennsylvania, NE USA
21 R1 **New Cumberland** West Virginia, NE USA
152 I10 **New Delhi** ● (India) Delhi, N India
11 O17 **New Denver** British Columbia, SW Canada
28 J9 **Newell** South Dakota, N USA
21 Q13 **New Ellenton** South Carolina, SE USA
22 J6 **Newellton** Louisiana, S USA
28 K6 **New England** North Dakota, N USA
19 P8 **New England** *cultural region* NE USA
New England of the West *see* Minnesota
183 U5 **New England Range** ▲ New South Wales, SE Australia
64 G9 **New England Seamounts** *var.* Bermuda-New England Seamount Arc. *undersea feature* W Atlantic Ocean
38 M14 **Newenham, Cape** *headland* Alaska, USA
138 F11 **Newé Zohar** Southern, E Israel
18 D9 **Newfane** New York, NE USA
97 M23 **New Forest** *physical region* S England, UK
13 T12 **Newfoundland** *Fr.* Terre-Neuve. *island* Newfoundland and Labrador, SE Canada
13 R9 **Newfoundland and Labrador** *Fr.* Terre Neuve. ⧫ *province* E Canada
65 J8 **Newfoundland Basin** *undersea feature* NW Atlantic Ocean
64 I8 **Newfoundland Ridge** *undersea feature* NW Atlantic Ocean
64 J8 **Newfoundland Seamounts** *undersea feature* N Sargasso Sea
18 G16 **New Freedom** Pennsylvania, NE USA
186 K9 **New Georgia** *island* New Georgia Islands, NW Solomon Islands
186 K8 **New Georgia Islands** *island group* NW Solomon Islands
186 L8 **New Georgia Sound** *var.* The Slot. *sound* E Solomon Sea
30 L9 **New Glarus** Wisconsin, N USA
13 Q15 **New Glasgow** Nova Scotia, SE Canada
New Goa *see* Panaji
186 A6 **New Guinea** *Dut.* Nieuw Guinea, *Ind.* Irian. *island* Indonesia/PNG
192 H8 **New Guinea Trench** *undersea feature* SW Pacific Ocean
32 I6 **Newhalem** Washington, NW USA
39 P13 **Newhalen** Alaska, USA
29 X13 **Newhall** Iowa, C USA
14 F16 **New Hamburg** Ontario, S Canada
19 N9 **New Hampshire** *off.* State of New Hampshire; also known as The Granite State. ⧫ *state* NE USA
29 W12 **New Hampton** Iowa, C USA
186 G5 **New Hanover** *island* NE PNG
18 M13 **New Haven** Connecticut, NE USA
31 Q12 **New Haven** Indiana, N USA
27 W5 **New Haven** Missouri, C USA
97 P23 **Newhaven** SE England, UK
10 K13 **New Hazelton** British Columbia, SW Canada
New Hebrides *see* Vanuatu
192 K9 **New Hebrides Trench** *undersea feature* N Coral Sea
18 H15 **New Holland** Pennsylvania, NE USA
22 I9 **New Iberia** Louisiana, S USA
186 G5 **New Ireland** ⧫ *province* NE PNG
186 G5 **New Ireland** *island* NE PNG
65 A24 **New Island** *island* W Falkland Islands
18 J15 **New Jersey** *off.* State of New Jersey; also known as The Garden State. ⧫ *state* NE USA
18 C14 **New Kensington** Pennsylvania, NE USA
21 W6 **New Kent** Virginia, NE USA
27 O8 **Newkirk** Oklahoma, C USA
21 Q9 **Newland** North Carolina, SE USA
28 L6 **New Leipzig** North Dakota, N USA
14 H9 **New Liskeard** Ontario, S Canada
22 G7 **Newllano** Louisiana, S USA
19 N13 **New London** Connecticut, NE USA
29 Y15 **New London** Iowa, C USA
29 T8 **New London** Minnesota, N USA
27 V3 **New London** Missouri, C USA
30 M7 **New London** Wisconsin, N USA
27 Y8 **New Madrid** Missouri, C USA
180 J8 **Newman** Western Australia
194 M13 **Newman Island** *island* Antarctica
14 H15 **Newmarket** Ontario, S Canada
97 P20 **Newmarket** E England, UK
19 P10 **Newmarket** New Hampshire, NE USA
21 U4 **New Market** Virginia, NE USA
21 R2 **New Martinsville** West Virginia, NE USA
31 U14 **New Matamoras** Ohio, N USA
32 M12 **New Meadows** Idaho, NW USA
26 R12 **New Mexico** *off.* State of New Mexico; also known as Land of Enchantment, Sunshine State. ⧫ *state* SW USA
149 V6 **New Mirpur** *var.* Mīrpur. Sind, SE Pakistan
151 T17 **New Moore Island** *island* E India
23 S4 **Newnan** Georgia, SE USA
183 P17 **New Norfolk** Tasmania, SE Australia
22 K9 **New Orleans** Louisiana, S USA
22 K9 **New Orleans** ✕ Louisiana, S USA
18 K12 **New Paltz** New York, NE USA
31 U12 **New Philadelphia** Ohio, N USA
184 K10 **New Plymouth** Taranaki, North Island, NZ
97 M24 **Newport** S England, UK
97 K22 **Newport** SE Wales, UK
27 W10 **Newport** Arkansas, C USA
31 N13 **Newport** Indiana, N USA
21 M3 **Newport** Kentucky, S USA
31 W9 **Newport** Minnesota, N USA
34 F12 **Newport** Oregon, NW USA
21 O13 **Newport** Rhode Island, NE USA
23 O9 **Newport** Tennessee, S USA
21 N6 **Newport** Vermont, NE USA
34 M7 **Newport** Washington, NW USA
23 X7 **Newport News** Virginia, NE USA
99 N20 **Newport Pagnell** SE England, UK
25 U12 **New Port Richey** Florida, SE USA
31 V9 **New Prague** Minnesota, N USA
44 H3 **New Providence** *island* N Bahamas
99 H24 **Newquay** SW England, UK
99 I20 **New Quay** SW Wales, UK
31 V10 **New Richland** Minnesota, N USA
13 X7 **New-Richmond** Québec, SE Canada
31 R15 **New Richmond** Ohio, N USA
32 I5 **New Richmond** Wisconsin, N USA
44 G1 **New River** ≈ N Belize
57 T12 **New River** ≈ SE Guyana
23 R6 **New River** ≈ West Virginia, NE USA
44 G1 **New River Lagoon** ◎ N Belize
24 J8 **New Roads** Louisiana, S USA
20 L14 **New Rochelle** New York, NE USA
31 O4 **New Rockford** North Dakota, N USA
97 P23 **New Romney** SE England, UK
97 F20 **New Ross** *Ir.* Ros Mhic Thriúin. SE Ireland
97 F16 **Newry** *Ir.* An tIúr. SE Northern Ireland, UK
28 M5 **New Salem** North Dakota, N USA
New Sarum *see* Salisbury
29 W14 **New Sharon** Iowa, C USA
New Siberian Islands *see* Novosibirskiye Ostrova
23 X11 **New Smyrna Beach** Florida, SE USA
183 O7 **New South Wales** ⧫ *state* SE Australia
39 O13 **New Stuyahok** Alaska, USA
21 N8 **New Tazewell** Tennessee, S USA
38 M12 **Newtok** Alaska, USA
23 S7 **Newton** Georgia, SE USA
29 W14 **Newton** Iowa, C USA
27 N6 **Newton** Kansas, C USA
19 O11 **Newton** Massachusetts, NE USA
22 M5 **Newton** Mississippi, S USA
18 J14 **Newton** New Jersey, NE USA
21 R9 **Newton** North Carolina, SE USA
25 Y9 **Newton** Texas, SW USA
97 J24 **Newton Abbot** SW England, UK
96 K13 **Newton St Boswells** SE Scotland, UK
97 I14 **Newton Stewart** S Scotland, UK
92 O2 **Newtontoppen** ▲ C Svalbard
28 K3 **New Town** North Dakota, N USA
97 J20 **Newtown** E Wales, UK
97 G15 **Newtownabbey** *Ir.* Baile na Mainistreach. E Northern Ireland, UK
97 G15 **Newtownards** *Ir.* Baile Nua na hArda. SE Northern Ireland, UK
29 U10 **New Ulm** Minnesota, N USA
28 K10 **New Underwood** South Dakota, N USA
25 V10 **New Waverly** Texas, SW USA
18 K14 **New York** New York, NE USA
18 G10 **New York** ⧫ *state* NE USA
35 X13 **New York Mountains** ▲ California, W USA
184 K12 **New Zealand** *abbrev.* NZ. ◆ *commonwealth republic* SW Pacific Ocean
95 M24 **Nexø** *var.* Neksø. Bornholm, E Denmark
125 O15 **Neya** Kostromskaya Oblast', NW Russian Federation
Neyba *see* Neiba
143 Q12 **Neyrīz** *var.* Neiriz, Niriz. Fārs, S Iran
143 T4 **Neyshābūr** *var.* Nishapur. Khorāsān, NE Iran
155 J21 **Neyveli** Tamil Nādu, SE India
Nezhin *see* Nizhyn
33 N10 **Nezperce** Idaho, NW USA
22 H8 **Nezpique, Bayou** ≈ Louisiana, S USA
77 Y13 **Ngadda** ≈ NE Nigeria
N'Gage *see* Negage
185 G16 **Ngahere** West Coast, South Island, NZ
77 Z12 **Ngala** Borno, NE Nigeria
83 G17 **Ngamiland** ⧫ *district* N Botswana
158 K16 **Ngamring** Xizang Zizhiqu, W China
81 K19 **Ngangerabeli Plain** *plain* SE Kenya
158 I14 **Ngangla Ringco** ◎ W China
158 G13 **Nganglong Kangri** ▲ W China
158 K15 **Ngangzê Co** ◎ W China
79 F14 **Ngaoundéré** *var.* N'Gaoundéré. Adamaoua, N Cameroon
81 E20 **Ngara** Kagera, NW Tanzania
188 F8 **Ngardmau Bay** *bay* Babeldaob, N Palau

◆ Country ● Country Capital ◇ Dependent Territory ○ Dependent Territory Capital ⧫ Administrative Region ✕ International Airport ▲ Mountain ▲ Mountain Range Volcano ≈ River ◎ Lake ▣ Reservoir

NGAREGUR – NONOAVA ••• 297

188 F7 **Ngaregur** island Palau Islands, N Palau
Ngarrab see Gyaca
184 L7 **Ngaruawahia** Waikato, North Island, NZ
184 N11 **Ngaruroro** ≈ North Island, NZ
190 I16 **Ngatangiia** Rarotonga, S Cook Islands
184 M6 **Ngatea** Waikato, North Island, NZ
166 L8 **Ngathainggyaung** Irrawaddy, SW Myanmar
Ngatik see Ngetik Atoll
Ngau see Gau
188 C7 **Ngcheangel** var. Kayangel Islands. island Palau Islands, N Palau
188 E10 **Ngchemiangel** Babeldaob, N Palau
188 C8 **Ngeaur** var. Angaur. island Palau Islands, S Palau
188 E10 **Ngerkeai** Babeldaob, N Palau
188 F9 **Ngermechau** Babeldaob, N Palau
188 C8 **Ngeruktabel** prev. Urukthapel. island Palau Islands, S Palau
188 F8 **Ngetbong** Babeldaob, N Palau
189 T17 **Ngetik Atoll** var. Ngatik; prev. Los Jardines. atoll Caroline Islands, E Micronesia
188 E10 **Ngetkip** Babeldaob, N Palau
Nggamea see Qamea
83 C16 **N'Giva** var. Ondjiva, Port. Vila Pereira de Eça. Cunene, S Angola
79 G20 **Ngo** Plateaux, SE Congo
167 S7 **Ngoc Lac** Thanh Hoa, N Vietnam
79 G17 **Ngoko** ≈ Cameroon/Congo
81 H19 **Ngorengore** Rift Valley, SW Kenya
159 Q11 **Ngoring Hu** ◎ C China
Ngorolaka see Banifing
81 H20 **Ngorongoro Crater** crater N Tanzania
79 D19 **Ngounié** off. Province de la Ngounié, var. La Ngounié. ◆ province S Gabon
79 D19 **Ngounié** ≈ Congo/Gabon
78 H10 **Ngoura** var. NGoura. Chari-Baguirmi, W Chad
78 G10 **Ngouri** var. NGouri; prev. Fort-Millot. Lac, W Chad
77 Y10 **Ngourti** Diffa, E Niger
77 Y11 **Nguigmi** var. N'Guigmi. Diffa, SE Niger
Nguimbo see Lumbala N'Guimbo
188 F15 **Ngulu Atoll** atoll Caroline Islands, W Micronesia
187 R14 **Nguna** island C Vanuatu
N'Gunza see Sumbe
169 U17 **Ngurah Rai** ✕ (Bali) Bali, S Indonesia
77 W12 **Nguru** Yobe, NE Nigeria
Ngwaketze see Southern
83 I16 **Ngweze** ≈ S Zambia
83 M17 **Nhamatanda** Sofala, C Mozambique
58 G12 **Nhamundá, Rio** var. Jamundá, Yamundá. ≈ N Brazil
60 J7 **Nhandeara** São Paulo, S Brazil
N'Harea see Nharêa
82 D12 **Nharêa** var. N'Harea, Nhareia. Bié, W Angola
Nhareia see Nharêa
167 V12 **Nha Trang** Khanh Hoa, S Vietnam
182 L11 **Nhill** Victoria, SE Australia
83 L22 **Nhlangano** prev. Goedgegun. SW Swaziland
181 S1 **Nhulunbuy** Northern Territory, N Australia
77 N10 **Niafounké** Tombouctou, W Mali
31 N5 **Niagara** Wisconsin, N USA
14 H16 **Niagara** ≈ Ontario, S Canada
14 G15 **Niagara Escarpment** hill range Ontario, S Canada
14 H16 **Niagara Falls** Ontario, S Canada
18 D9 **Niagara Falls** New York, NE USA
17 S7 **Niagara Falls** waterfall Canada/USA
76 K12 **Niagassola** var. Nyagassola. Haute-Guinée, NE Guinea
77 R12 **Niamey** ● (Niger) Niamey, SW Niger
77 R12 **Niamey** ✕ Niamey, SW Niger
77 R14 **Niamtougou** N Togo
79 O16 **Niangara** Orientale, NE Dem. Rep. Congo
77 O10 **Niangay, Lac** ◎ E Mali
77 N14 **Niangoloko** SW Burkina
27 U6 **Niangua River** ≈ Missouri, C USA
79 O17 **Nia-Nia** Orientale, NE Dem. Rep. Congo
19 N13 **Niantic** Connecticut, NE USA
163 U7 **Nianzishan** Heilongjiang, NE China
168 H10 **Nias, Pulau** island W Indonesia
82 O13 **Niassa** off. Província do Niassa. ◆ province N Mozambique
191 U10 **Niau** island Îles Tuamotu, C French Polynesia
95 G20 **Nibe** Nordjylland, N Denmark
189 Q8 **Nibok** N Nauru
118 C10 **Nīca** Liepāja, W Latvia
Nicaea see Nice
42 J9 **Nicaragua** off. Republic of Nicaragua. ◆ republic Central America
42 K11 **Nicaragua, Lago de** var. Cocibolca, Gran Lago, Eng. Lake Nicaragua. ◎ S Nicaragua
Nicaragua, Lake see Nicaragua, Lago de
64 D11 **Nicaraguan Rise** undersea feature NW Caribbean Sea
Nicaria see Ikaría
107 N21 **Nicastro** Calabria, SW Italy
103 V15 **Nice** It. Nizza; anc. Nicaea. Alpes-Maritimes, SE France
Nice see Côte d'Azur
Nicephorium see Ar Raqqah
12 M9 **Nichicun, Lac** ◎ Québec, E Canada
164 D16 **Nichinan** var. Nitinan. Miyazaki, Kyūshū, SW Japan
44 E4 **Nicholas Channel** channel N Cuba
Nicholas II Land see Severnaya Zemlya
149 U2 **Nicholas Range** Pash. Selseleh-ye Kūh-e Vākhān, Taj. Qatorkŭhi Vakhon. ▲ Afghanistan/Tajikistan
20 M6 **Nicholasville** Kentucky, S USA
44 G2 **Nicholls Town** Andros Island, NW Bahamas
21 U12 **Nichols** South Carolina, SE USA
55 U9 **Nickerie** ◆ district NW Suriname
55 V9 **Nickerie Rivier** ≈ NW Suriname
151 P22 **Nicobar Islands** island group India, E Indian Ocean
116 L9 **Nicolae Bălcescu** Botoşani, NE Romania
15 P11 **Nicolet** Québec, SE Canada
15 Q12 **Nicolet** ≈ Québec, SE Canada
31 Q4 **Nicolet, Lake** ◎ Michigan, N USA
29 U10 **Nicollet** Minnesota, N USA
61 F19 **Nico Pérez** Florida, S Uruguay
Nicopolis see Nikopol, Bulgaria
Nicopolis see Nikópoli, Greece
121 P2 **Nicosia** Gk. Lefkosía, Turk. Lefkoşa. ● (Cyprus) C Cyprus
107 K24 **Nicosia** Sicilia, Italy, C Mediterranean Sea
107 N22 **Nicotera** Calabria, SW Italy
42 K13 **Nicoya** Guanacaste, W Costa Rica
42 L14 **Nicoya, Golfo de** gulf W Costa Rica
42 L14 **Nicoya, Península de** peninsula NW Costa Rica
Nictheroy see Niterói
118 B12 **Nida** Ger. Nidden. Klaipėda, SW Lithuania
111 L15 **Nida** ≈ S Poland
Nidaros see Trondheim
108 D8 **Nidau** Bern, W Switzerland
101 H17 **Nidda** ≈ W Germany
Nidden see Nida
95 F17 **Nidelva** ≈ S Norway
110 L9 **Nidzica** Ger. Niedenburg. Warmińsko-Mazurskie, NE Poland,
100 H6 **Niebüll** Schleswig-Holstein, N Germany
Niedenburg see Nidzica
99 N25 **Niederanven** Luxembourg, C Luxembourg
103 V4 **Niederbronn-les-Bains** Bas-Rhin, NE France
Niederdonau see Niederösterreich
109 S7 **Niedere Tauern** ▲ C Austria
101 P14 **Niederlausitz** Eng. Lower Lusatia, Lus. Donja Łužyca. physical region E Germany
109 U5 **Niederösterreich** off. Land Niederösterreich, Eng. Lower Austria, Ger. Niederdonau; prev. Lower Danube. ◆ state NE Austria
100 G12 **Niedersachsen** Eng. Lower Saxony, Fr. Basse-Saxe. ◆ state NW Germany
79 D17 **Niefang** var. Sevilla de Niefang. NW Equatorial Guinea
83 G23 **Niekerkshoop** Northern Cape, W South Africa
99 G17 **Niel** Antwerpen, N Belgium
Niélé see Niellé
76 M14 **Niellé** var. Niélé. N Ivory Coast
79 O22 **Niemba** Katanga, E Dem. Rep. Congo
111 G15 **Niemcza** Ger. Nimptsch. Dolnośląskie, SW Poland
Niemen see Neman
92 J13 **Niemisel** Norrbotten, N Sweden
111 H15 **Niemodlin** Ger. Falkenberg. Opolskie, S Poland
76 M13 **Niéna** Sikasso, SW Mali
100 H12 **Nienburg** Niedersachsen, N Germany
100 N13 **Nieplitz** ≈ NE Germany
111 L16 **Niepołomice** Małopolskie, S Poland
101 D14 **Niers** ≈ Germany/Netherlands
101 Q15 **Niesky** Lus. Niska. Sachsen, E Germany
Nieśwież see Nyasvizh
Nieuport see Nieuwpoort
98 O8 **Nieuw-Amsterdam** Drenthe, NE Netherlands
55 W9 **Nieuw Amsterdam** Commewijne, NE Suriname
99 M14 **Nieuw-Bergen** Limburg, SE Netherlands
98 O7 **Nieuw-Buinen** Drenthe, NE Netherlands
98 J12 **Nieuwegein** Utrecht, C Netherlands
98 P6 **Nieuwe Pekela** Groningen, NE Netherlands
98 P5 **Nieuweschans** Groningen, NE Netherlands
Nieuw Guinea see New Guinea
98 I11 **Nieuwkoop** Zuid-Holland, C Netherlands
98 M9 **Nieuwleusen** Overijssel, S Netherlands
98 J11 **Nieuw-Loosdrecht** Utrecht, C Netherlands
55 U9 **Nieuw Nickerie** Nickerie, NW Suriname
98 P5 **Nieuwolda** Groningen, NE Netherlands
99 B17 **Nieuwpoort** var. Nieuport. West-Vlaanderen, W Belgium
99 G14 **Nieuw-Vossemeer** Noord-Brabant, S Netherlands
98 P7 **Nieuw-Weerdinge** Drenthe, NE Netherlands
40 L10 **Nieves** Zacatecas, C Mexico
64 O11 **Nieves, Pico de las** ▲ Gran Canaria, Islas Canarias, Spain, NE Atlantic Ocean
103 P8 **Nièvre** ◆ department C France
Niewenstat see Neustadt an der Weinstrasse
136 J15 **Niğde** Niğde, C Turkey
136 J15 **Niğde** ◆ province C Turkey
83 J21 **Nigel** Gauteng, NE South Africa
77 V10 **Niger** off. Republic of Niger. ◆ republic W Africa
77 T14 **Niger** ◆ state C Nigeria
77 T13 **Niger** ≈ W Africa
Niger Cone see Niger Fan
64 P13 **Niger Fan** var. Niger Cone. undersea feature E Atlantic Ocean
77 T13 **Nigeria** off. Federal Republic of Nigeria. ◆ federal republic W Africa
77 T17 **Niger, Mouths of the** delta S Nigeria
185 C24 **Nightcaps** Southland, South Island, NZ
14 F7 **Night Hawk Lake** ◎ Ontario, S Canada
65 M19 **Nightingale Island** island S Tristan da Cunha, S Atlantic Ocean
38 M12 **Nightmute** Alaska, USA
114 G13 **Nigrita** Kentrikí Makedonía, NE Greece
148 J15 **Nihing** Per. Rūd-e Nahang. ≈ Iran/Pakistan
191 V10 **Nihiru** atoll Îles Tuamotu, C French Polynesia
Nihommatsu see Nihonmatsu
Nihon see Japan
165 P11 **Nihonmatsu** var. Nihommatsu, Nihonmatu. Fukushima, Honshū, C Japan
Nihonmatu see Nihonmatsu
62 I12 **Nihuil, Embalse del** ⊠ W Argentina
165 O10 **Niigata** Niigata, Honshū, C Japan
165 O11 **Niigata** off. Niigata-ken. ◆ prefecture Honshū, C Japan
165 G14 **Niihama** Ehime, Shikoku, SW Japan
38 A8 **Ni'ihau** var. Niihau. island Hawai'i, USA, C Pacific Ocean
165 X12 **Nii-jima** island E Japan
165 H12 **Niimi** Okayama, Honshū, SW Japan
165 O10 **Niitsu** var. Niitu. Niigata, Honshū, C Japan
Niitu see Niitsu
105 P15 **Níjar** Andalucía, S Spain
98 K11 **Nijkerk** Gelderland, C Netherlands
99 H16 **Nijlen** Antwerpen, N Belgium
98 L13 **Nijmegen** Ger. Nimwegen; anc. Noviomagus. Gelderland, SE Netherlands
98 N10 **Nijverdal** Overijssel, E Netherlands
190 G16 **Nikao** Rarotonga, S Cook Islands
Nikaria see Ikaría
124 I2 **Nikel'** Murmanskaya Oblast', NW Russian Federation
171 Q17 **Nikiniki** Timor, S Indonesia
77 S14 **Nikki** E Benin
Niklasmarkt see Gheorgheni
39 P10 **Nikolai** Alaska, USA
Nikolaiken see Mikołajki
Nikolainkaupunki see Länsi-Suomi
Nikolayev see Mykolayiv
Nikolayevka see Zhetigen
127 P9 **Nikolayevsk** Volgogradskaya Oblast', SW Russian Federation
Nikolayevskaya Oblast' see Mykolayivs'ka Oblast'
123 S12 **Nikolayevsk-na-Amure** Khabarovskiy Kray, SE Russian Federation
127 P6 **Nikol'sk** Penzenskaya Oblast', W Russian Federation
125 O13 **Nikol'sk** Vologodskaya Oblast', NW Russian Federation
Nikol'sk see Ussuriysk
38 K17 **Nikolski** Umnak Island, Alaska, USA
Nikol'skiy see Satpayev
127 V7 **Nikol'skoye** Orenburgskaya Oblast', W Russian Federation
Nikol'sk-Ussuriyskiy see Ussuriysk
114 J7 **Nikopol** anc. Nicopolis. Pleven, N Bulgaria
117 S9 **Nikopol'** Dnipropetrovs'ka Oblast', SE Ukraine
115 C17 **Nikópoli** anc. Nicopolis. site of ancient city Ípeiros, W Greece
136 M12 **Niksar** Tokat, N Turkey
143 V14 **Nīkshahr** Sīstān va Balūchestān, SE Iran
113 J16 **Nikšić** Montenegro, SW Serbia and Montenegro (Yugo.)
191 R4 **Nikumaroro** prev. Gardner Island, Kemins Island. atoll Phoenix Islands, C Kiribati
191 P3 **Nikunau** var. Nukunau; prev. Byron Island. atoll Tungaru, W Kiribati
155 G21 **Nilambūr** Kerala, SW India
35 X16 **Niland** California, W USA
75 X9 **Nile** Ar. Nahr an Nīl. ≈ N Africa
80 G8 **Nile** former province NW Uganda
75 W7 **Nile Delta** delta N Egypt
121 U13 **Nile Fan** undersea feature E Mediterranean Sea
31 O11 **Niles** Michigan, N USA
31 V11 **Niles** Ohio, N USA
155 F20 **Nīleswaram** Kerala, SW India
14 K10 **Nilgaut, Lac** ◎ Québec, SE Canada
158 I5 **Nilka** Xinjiang Uygur Zizhiqu, NW China
Nīl, Nahr an see Nile
93 N16 **Nilsiä** Itä-Suomi, C Finland
154 F9 **Nimach** Madhya Pradesh, C India
152 G14 **Nimbāhera** Rājasthān, N India
76 L15 **Nimba, Monts** var. Nimba Mountains. ▲ W Africa
Nimba Mountains see Nimba, Monts
Nimburg see Nymburk
103 Q15 **Nîmes** anc. Nemausus, Nismes. Gard, S France
152 H11 **Nīm ka Thāna** Rājasthān, N India
183 R11 **Nimmitabel** New South Wales, SE Australia
Nimptsch see Niemcza
195 R11 **Nimrod Glacier** glacier Antarctica
Nimroze see Nīmrūz
148 K8 **Nīmrūz** var. Nimroze; prev. Chakhānsūr. ◆ province SW Afghanistan
81 F16 **Nimule** Eastern Equatoria, S Sudan
Nimwegen see Nijmegen
155 C23 **Nine Degree Channel** channel India/Maldives
18 G9 **Ninemile Point** headland New York, NE USA
173 S8 **Ninetyeast Ridge** undersea feature E Indian Ocean
183 P13 **Ninety Mile Beach** beach Victoria, SE Australia
184 I2 **Ninety Mile Beach** beach North Island, NZ
21 P12 **Ninety Six** South Carolina, SE USA
163 Y9 **Ning'an** Heilongjiang, NE China
161 S9 **Ningbo** var. Ning-po, Yin-hsien; prev. Ninghsien. Zhejiang, SE China
161 U12 **Ningde** Fujian, SE China
161 P12 **Ningdu** var. Meijiang. Jiangxi, S China
Ning'er see Pu'er
186 A7 **Ningerum** Western, SW PNG
161 R9 **Ningguo** Anhui, E China
161 S9 **Ninghai** Zhejiang, SE China
Ning-hsia see Ningxia
Ninghsien see Ningbo
160 J15 **Ningming** var. Chengzhong. Guangxi Zhuangzu Zizhiqu, S China
160 H11 **Ningnan** var. Pisha. Sichuan, C China
Ning-po see Ningbo
Ningsia/Ningsia Hui/Ningsia Hui Autonomous Region see Ningxia
160 J5 **Ningxia** off. Ningxia Huizu Zizhiqu, var. Ning-hsia, Ningsia, Eng. Ningsia Hui, Ningsia Hui Autonomous Region. ◆ autonomous region N China
159 X10 **Ningxian** Gansu, N China
167 T7 **Ninh Binh** Ninh Binh, N Vietnam
167 V12 **Ninh Hoa** Khanh Hoa, S Vietnam
186 C4 **Ninigo Group** island group N PNG
39 Q12 **Ninilchik** Alaska, USA
27 N7 **Ninnescah River** ≈ Kansas, C USA
195 U16 **Ninnis Glacier** glacier Antarctica
165 R8 **Ninohe** Iwate, Honshū, C Japan
99 F18 **Ninove** Oost-Vlaanderen, C Belgium
171 O4 **Ninoy Aquino** ✕ (Manila) Luzon, N Philippines
Nio see Íos
29 P12 **Niobrara** Nebraska, C USA
28 M12 **Niobrara River** ≈ Nebraska/Wyoming, C USA
79 I20 **Nioki** Bandundu, W Dem. Rep. Congo
76 M11 **Niono** Ségou, C Mali
76 K11 **Nioro** var. Nioro du Sahel. Kayes, W Mali
76 G11 **Nioro du Rip** SW Senegal
Nioro du Sahel see Nioro
102 K10 **Niort** Deux-Sèvres, W France
172 H14 **Nioumachoua** Mohéli, S Comoros
186 C7 **Nipa** Southern Highlands, W PNG
11 U14 **Nipawin** Saskatchewan, S Canada
12 D12 **Nipigon** Ontario, S Canada
12 D11 **Nipigon, Lake** ◎ Ontario, S Canada
11 S13 **Nipin** ≈ Saskatchewan, C Canada
14 G11 **Nipissing, Lake** ◎ Ontario, S Canada
35 P13 **Nipomo** California, W USA
Nippon see Japan
138 K6 **Niqniqīyah, Jabal an** ▲ C Syria
62 I9 **Niquivil** San Juan, W Argentina
171 Y13 **Nirabotong** Papua, E Indonesia
Niriz see Neyrīz
163 U7 **Nirji** var. Morin Dawa Daurzu Zizhiqu. Nei Mongol Zizhiqu, N China
155 I14 **Nirmal** Andhra Pradesh, C India
153 Q13 **Nirmāli** Bihār, NE India
113 O14 **Niš** Eng. Nish, Ger. Nisch; anc. Naissus. Serbia, SE Serbia and Montenegro (Yugo.)
104 H9 **Nisa** Portalegre, C Portugal
Nisa see Neisse
141 P4 **Niṣāb** Al Ḥudūd ash Shamālīyah, N Saudi Arabia
141 Q15 **Niṣāb** var. Anṣāb. SW Yemen
113 P14 **Nišava** Bul. Nishava. ≈ Bulgaria/Serbia and Montenegro (Yugo.) see also Nishava
107 K25 **Niscemi** Sicilia, Italy, C Mediterranean Sea
Nisch/Nish see Niš
165 R4 **Niseko** Hokkaidō, NE Japan
Nishapur see Neyshābūr
114 G9 **Nishava** var. Nišava. ≈ Bulgaria/Serbia and Montenegro (Yugo.) see also Nišava
118 L11 **Nishcha** Rus. Nishcha. ≈ N Belarus
165 C17 **Nishinoomote** Kagoshima, Tanega-shima, SW Japan
165 X15 **Nishino-shima** Eng. Rosario. island Ogasawara-shotō, SE Japan
165 I13 **Nishiwaki** var. Nisiwaki. Hyōgo, Honshū, SW Japan
141 U14 **Nishtūn** SE Yemen
Nisiros see Nísyros
Nisiwaki see Nishiwaki
Niska see Niesky
113 O14 **Niška Banja** Serbia, SE Serbia and Montenegro (Yugo.)
12 D6 **Niskibi** ≈ Ontario, C Canada
111 O15 **Nisko** Podkarpackie, SE Poland
10 H7 **Nisling** ≈ Yukon Territory, W Canada
99 H22 **Nismes** Namur, S Belgium
Nismes see Nîmes
116 M10 **Nisporeni** Rus. Nisporeny. W Moldova
Nisporeny see Nisporeni
95 K20 **Nissan** ≈ S Sweden
Nissan Islands see Green Islands
95 F16 **Nisser** ◎ S Norway
95 E21 **Nissum Bredning** inlet NW Denmark
29 U6 **Nisswa** Minnesota, N USA
Nistru see Dniester
115 M22 **Nísyros** var. Nisiros. island Dodekánisos, Greece, Aegean Sea
118 H8 **Nītaure** Cēsis, C Latvia
60 P10 **Niterói** prev. Nictheroy. Rio de Janeiro, SE Brazil
14 F16 **Nith** ≈ Ontario, S Canada
96 J13 **Nith** ≈ S Scotland, UK
Nitinan see Nichinan
111 I21 **Nitra** Ger. Neutra, Hung. Nyitra. Nitriansky Kraj, SW Slovakia
111 I20 **Nitra** Ger. Neutra, Hung. Nyitra. ≈ W Slovakia
111 I21 **Nitriansky Kraj** ◆ region SW Slovakia
21 Q5 **Nitro** West Virginia, NE USA
95 H14 **Nittedal** Akershus, S Norway
Niuatobutabu see Niuatoputapu
193 X13 **Niuatoputapu** var. Niuatobutabu; prev. Keppel Island. island N Tonga
193 U15 **Niu'Aunofa** headland Tongatapu, S Tonga
Niuchwang see Yingkou
190 B16 **Niue** ◇ self-governing territory in free association with NZ S Pacific Ocean
190 F10 **Niulakita** var. Nurakita. atoll S Tuvalu
190 E6 **Niutao** atoll NW Tuvalu
93 L15 **Nivala** Oulu, C Finland
102 I15 **Nive** ≈ SW France
99 G19 **Nivelles** Wallon Brabant, C Belgium
103 P8 **Nivernais** cultural region C France
15 N8 **Niverville, Lac** ◎ Québec, SE Canada
27 T7 **Nixa** Missouri, C USA
35 R5 **Nixon** Nevada, W USA
25 S12 **Nixon** Texas, SW USA
Niya see Minfeng
Niyazov see Nyýazow
155 H14 **Nizāmābād** Andhra Pradesh, C India
155 H15 **Nizām Sāgar** ◎ C India
127 N16 **Nizhegorodskaya Oblast'** ◆ province W Russian Federation
Nizhnegorskiy see Nyzhn'ohirs'kyy
127 S4 **Nizhnekamsk** Respublika Tatarstan, W Russian Federation
127 U3 **Nizhnekamskoye Vodokhranilishche** ⊠ W Russian Federation
123 S14 **Nizhneleninskoye** Yevreyskaya Avtonomnaya Oblast', SE Russian Federation
122 L13 **Nizhneudinsk** Irkutskaya Oblast', S Russian Federation
122 I10 **Nizhnevartovsk** Khanty-Mansiyskiy Avtonomnyy Okrug, C Russian Federation
123 Q7 **Nizhneyansk** Respublika Sakha (Yakutiya), NE Russian Federation
127 Q11 **Nizhniy Baskunchak** Astrakhanskaya Oblast', SW Russian Federation
127 O6 **Nizhniy Lomov** Penzenskaya Oblast', W Russian Federation
127 P3 **Nizhniy Novgorod** prev. Gor'kiy. Nizhegorodskaya Oblast', W Russian Federation
125 T8 **Nizhniy Odes** Respublika Komi, NW Russian Federation
Nizhniy Pyandzh see Panji Poyon
122 G10 **Nizhniy Tagil** Sverdlovskaya Oblast', C Russian Federation
125 T9 **Nizhnyaya-Omra** Respublika Komi, NW Russian Federation
125 P5 **Nizhnyaya Pesha** Nenetskiy Avtonomnyy Okrug, NW Russian Federation
117 Q3 **Nizhyn** Rus. Nezhin. Chernihivs'ka Oblast', NE Ukraine
136 M17 **Nizip** Gaziantep, S Turkey
141 X8 **Nizwá** var. Nazwāh. NE Oman
Nizza see Nice
106 C9 **Nizza Monferrato** Piemonte, NE Italy
Njávdám see Näätämöjoki
Njellim see Nellim
81 H24 **Njombe** Iringa, S Tanzania
81 G23 **Njombe** ≈ C Tanzania
92 I10 **Njunis** ▲ N Norway
93 H17 **Njurunda** Västernorrland, C Sweden
94 N11 **Njutånger** Gävleborg, C Sweden
79 D14 **Nkambe** Nord-Ouest, NW Cameroon
Nkata Bay see Nkhata Bay
79 F21 **Nkayi** prev. Jacob. La Bouenza, S Congo
83 J17 **Nkayi** Matabeleland North, W Zimbabwe
82 N13 **Nkhata Bay** var. Nkata Bay. Northern, N Malawi
81 E22 **Nkonde** Kigoma, N Tanzania
79 D15 **Nkongsamba** var. N'Kongsamba. Littoral, W Cameroon
83 E16 **Nkurenkuru** Okavango, N Namibia
77 Q15 **Nkwanta** E Ghana
167 O2 **Nmai Hka** var. Me Hka. ≈ N Myanmar
Noardwâlde see Noordwolde
39 N7 **Noatak** Alaska, USA
39 N7 **Noatak River** ≈ Alaska, USA
Nobeji see Noheji
164 E15 **Nobeoka** Miyazaki, Kyūshū, SW Japan
27 N11 **Noble** Oklahoma, C USA
31 P13 **Noblesville** Indiana, N USA
165 R5 **Noboribetsu** var. Noboribetu. Hokkaidō, NE Japan
Noboribetu see Noboribetsu
59 H18 **Nobres** Mato Grosso, W Brazil
107 N21 **Nocera Terinese** Calabria, S Italy
41 Q16 **Nochixtlán** var. Asunción Nochixtlán. Oaxaca, SE Mexico
25 S5 **Nocona** Texas, SW USA
63 K21 **Nodales, Bahía de los** bay S Argentina
27 Q2 **Nodaway River** ≈ Iowa/Missouri, C USA
27 R8 **Noel** Missouri, C USA
95 C17 **Nærbø** Rogaland, S Norway
95 I24 **Næstved** Storstrøm, SE Denmark
40 H3 **Nogales** Chihuahua, NW Mexico
40 F3 **Nogales** Sonora, NW Mexico
36 M17 **Nogales** Arizona, SW USA
Nogal Valley see Dooxo Nugaaleed
102 K15 **Nogaro** Gers, S France
110 J7 **Nogat** ≈ N Poland
164 D12 **Nōgata** Fukuoka, Kyūshū, SW Japan
127 P15 **Nogayskaya Step'** steppe SW Russian Federation
102 M6 **Nogent-le-Rotrou** Eure-et-Loir, C France
103 O4 **Nogent-sur-Oise** Oise, N France
103 P6 **Nogent-sur-Seine** Aube, N France
122 L10 **Noginsk** Evenkiyskiy Avtonomnyy Okrug, N Russian Federation
126 L3 **Noginsk** Moskovskaya Oblast', W Russian Federation
123 T12 **Nogliki** Ostrov Sakhalin, Sakhalinskaya Oblast', SE Russian Federation
164 K12 **Nōgōhaku-san** ▲ Honshū, SW Japan
162 D5 **Nogoonnuur** Bayan-Ölgiy, NW Mongolia
61 C18 **Nogoyá** Entre Ríos, E Argentina
111 K21 **Nógrád** off. Nógrád Megye. ◆ county N Hungary
105 U5 **Noguera Pallaresa** ≈ NE Spain
105 U4 **Noguera Ribagorçana** ≈ NE Spain
101 E19 **Nohfelden** Saarland, SW Germany
38 A8 **Nohili Point** headland Kaua'i, Hawai'i, USA, C Pacific Ocean
104 G3 **Noia** Galicia, NW Spain
103 N16 **Noire, Montagne** ▲ S France
15 P12 **Noire, Rivière** ≈ Québec, SE Canada
14 J10 **Noire, Rivière** ≈ Québec, SE Canada
Noire, Rivière see Black River
102 G6 **Noires, Montagnes** ▲ NW France
102 H8 **Noirmoutier-en-l'Île** Vendée, NW France
102 H8 **Noirmoutier, Île de** island NW France
187 Q10 **Noka** Nendö, E Solomon Islands
83 G17 **Nokaneng** Ngamiland, NW Botswana
93 L18 **Nokia** Länsi-Suomi, W Finland
148 K11 **Nok Kundi** Baluchistān, SW Pakistan
30 L14 **Nokomis** Illinois, N USA
30 K5 **Nokomis, Lake** ⊠ Wisconsin, N USA
78 G9 **Nokou** Kanem, W Chad
187 Q12 **Nokuku** Espiritu Santo, W Vanuatu
95 J18 **Nol** Västra Götaland, S Sweden
79 H16 **Nola** Sangha-Mbaéré, SW Central African Republic
25 P7 **Nolan** Texas, SW USA
125 R15 **Nolinsk** Kirovskaya Oblast', NW Russian Federation
95 B19 **Nólsoy** Dan. Nolsø Island Faeroe Islands
186 B7 **Nomad** Western, SW Papau New Guinea
164 B16 **Noma-zaki** headland Kyūshū, SW Japan
40 K10 **Nombre de Dios** Durango, C Mexico
42 I5 **Nombre de Dios, Cordillera** ▲ N Honduras
38 M9 **Nome** Alaska, USA
29 Q6 **Nome** North Dakota, N USA
38 M9 **Nome, Cape** headland Alaska, USA
Nōmi-jima see Nishi-Nōmi-jima
14 M11 **Nominingue, Lac** ◎ Québec, SE Canada
Nomoi Islands see Mortlock Islands
164 B16 **Nomo-zaki** headland Kyūshū, SW Japan
193 X15 **Nomuka** island Nomuka Group, C Tonga
193 X15 **Nomuka Group** island group W Tonga
189 Q15 **Nomwin Atoll** atoll Hall Islands, C Micronesia
8 L10 **Nonacho Lake** ◎ Northwest Territories, NW Canada
Nondaburi see Nonthaburi
39 P12 **Nondalton** Alaska, USA
163 V10 **Nong'an** Jilin, NE China
167 P10 **Nong Bua Khok** Nakhon Ratchasima, C Thailand
167 Q9 **Nong Bua Lamphu** Udon Thani, E Thailand
167 R7 **Nông Hèt** Xiangkhoang, N Laos
Nongkaya see Nong Khai
167 Q8 **Nong Khai** var. Mi Chai, Nongkaya. Nong Khai, E Thailand
167 N14 **Nong Met** Surat Thani, SW Thailand
83 L22 **Nongoma** KwaZulu/Natal, E South Africa
167 P9 **Nong Phai** Phetchabun, C Thailand
153 U13 **Nongstoin** Meghālaya, NE India
83 C19 **Nonidas** Erongo, N Namibia
Nonni see Nen Jiang
40 I7 **Nonoava** Chihuahua, N Mexico

◆ Country ● Country Capital ◇ Dependent Territory ○ Dependent Territory Capital ◆ Administrative Region ✕ International Airport ▲ Mountain ▲ Mountain Range ▲ Volcano ≈ River ◎ Lake ⊠ Reservoir

191 O3 **Nonouti** prev. Sydenham Island. atoll Tungaru, W Kiribati

167 O11 **Nonthaburi** var. Nondaburi, Nontha Buri. Nonthaburi, C Thailand

102 L11 **Nontron** Dordogne, SW France

181 P1 **Noonamah** Northern Territory, N Australia

28 K2 **Noonan** North Dakota, N USA

99 E14 **Noord-Beveland** var. North Beveland. island SW Netherlands

99 J14 **Noord-Brabant** Eng. North Brabant. ◆ province S Netherlands

98 H7 **Noorder Haaks** spit NW Netherlands

98 H9 **Noord-Holland** Eng. North Holland. ◆ province NW Netherlands

Noordhollandsch Kanaal see Noordhollands Kanaal

98 H8 **Noordhollandsch Kanaal** var. Noordhollandsch Kanaal. canal NW Netherlands

Noord-Kaap see Northern Cape

98 L8 **Noordoostpolder** island N Netherlands

45 P16 **Noordpunt** headland Curaçao, C Netherlands Antilles

98 I8 **Noord-Scharwoude** Noord-Holland, NW Netherlands

98 G11 **Noordwijk aan Zee** Zuid-Holland, W Netherlands

98 H11 **Noordwijkerhout** Zuid-Holland, W Netherlands

98 M7 **Noordwolde** Fris. Noardwâlde. Friesland, N Netherlands

Noordzee see North Sea

98 H10 **Noordzee-Kanaal** canal NW Netherlands

93 K18 **Noormarkku** Swe. Norrmark. Länsi-Suomi, W Finland

39 N8 **Noorvik** Alaska, USA

10 J17 **Nootka Sound** inlet British Columbia, W Canada

82 A9 **Nóqui** Zaire, NW Angola

95 L15 **Nora** Örebro, C Sweden

147 Q13 **Norak** Rus. Nurek. W Tajikistan

13 I13 **Noranda** Quebec, SE Canada

29 W12 **Nora Springs** Iowa, C USA

95 M14 **Norberg** Västmanland, C Sweden

14 K13 **Norcan Lake** ◎ Ontario, SE Canada

197 R12 **Nord** Avannaarsua, N Greenland

78 F13 **Nord** Eng. North. ◆ province N Cameroon

103 P2 **Nord** ◆ department N France

92 P1 **Nordaustlandet** island NE Svalbard

95 G24 **Nordborg** Ger. Nordburg. Sønderjylland, SW Denmark

Nordburg see Nordborg

95 F23 **Nordby** Ribe, W Denmark

11 P15 **Nordegg** Alberta, SW Canada

100 E9 **Norden** Niedersachsen, NW Germany

100 G10 **Nordenham** Niedersachsen, NW Germany

122 M6 **Nordenshel'da, Arkhipelag** island group N Russian Federation

92 O3 **Nordenskiold Land** physical region W Svalbard

100 E9 **Norderney** island NW Germany

100 I9 **Norderstedt** Schleswig-Holstein, N Germany

94 C11 **Nordfjord** physical region S Norway

94 C10 **Nordfjord** fjord S Norway

94 D11 **Nordfjordeid** Sogn og Fjordane, S Norway

92 G11 **Nordfold** Nordland, C Norway

Nordfriesische Inseln see North Frisian Islands

100 H7 **Nordfriesland** cultural region N Germany

101 K15 **Nordhausen** Thüringen, C Germany

25 T13 **Nordheim** Texas, SW USA

94 C13 **Nordhordland** physical region S Norway

100 E12 **Nordhorn** Niedersachsen, NW Germany

92 J1 **Nordhurfjördhur** Vestfirdhir, NW Iceland

92 J1 **Nordhurland Eystra** ◆ region N Iceland

92 I2 **Nordhurland Vestra** ◆ region N Iceland

172 H16 **Nord, Île du** island Inner Islands, NE Seychelles

95 F20 **Nordjylland** off. Nordjyllands Amt. ◆ county N Denmark

92 K7 **Nordkapp** Eng. North Cape. headland N Norway

92 O1 **Nordkapp** headland N Svalbard

92 L7 **Nordkinn** headland N Norway

79 N19 **Nord Kivu** off. Région du Nord Kivu. ◆ region E Dem. Rep. Congo

92 G12 **Nordland** ◆ county C Norway

101 J21 **Nördlingen** Bayern, S Germany

93 I16 **Nordmaling** Västerbotten, N Sweden

95 K15 **Nordmark** Värmland, C Sweden

Nord, Mer du see North Sea

94 F8 **Nordmøre** physical region S Norway

100 I8 **Nord-Ostee-Kanal** canal N Germany

79 D14 **Nord-Ouest** Eng. North-West. ◆ province NW Cameroon

Nord-Ouest, Territoires du see Northwest Territories

103 N3 **Nord-Pas-de-Calais** ◆ region N France

101 F19 **Nordpfälzer Bergland** ▲ W Germany

Nord, Pointe see Fatua, Pointe

187 P16 **Nord, Province** ◆ province C New Caledonia

101 D14 **Nordrhein-Westfalen** Eng. North Rhine-Westphalia, Fr. Rhénanie du Nord-Westphalie. ◆ state W Germany

Nordsee/Nordsjøen/Nordsøen see North Sea

100 H7 **Nordstrand** island N Germany

93 E15 **Nord-Trøndelag** ◆ county C Norway

97 E19 **Nore** Ir. An Fheoir. ≈ S Ireland

29 Q14 **Norfolk** Nebraska, C USA

21 X7 **Norfolk** Virginia, NE USA

97 P19 **Norfolk** cultural region E England, UK

192 K10 **Norfolk Island** ◇ Australian external territory SW Pacific Ocean

192 K10 **Norfolk Ridge** undersea feature W Pacific Ocean

27 U8 **Norfork Lake** ◎ Arkansas/Missouri, C USA

98 N6 **Norg** Drenthe, NE Netherlands

Norge see Norway

95 D14 **Norheimsund** Hordaland, S Norway

25 S16 **Norias** Texas, SW USA

164 L12 **Norikura-dake** ▲ Honshū, S Japan

122 K8 **Noril'sk** Taymyrskiy (Dolgano-Nenetskiy) Avtonomnyy Okrug, N Russian Federation

14 I13 **Norland** Ontario, SE Canada

21 V8 **Norlina** North Carolina, SE USA

30 L13 **Normal** Illinois, N USA

27 N11 **Norman** Oklahoma, C USA

Norman see Tulita

186 G9 **Normanby Island** island SE PNG

Normandes, Îles see Channel Islands

58 G9 **Normandia** Roraima, N Brazil

102 L5 **Normandie** Eng. Normandy. cultural region N France

102 J5 **Normandie, Collines de** hill range NW France

Normandy see Normandie

25 V9 **Normangee** Texas, SW USA

21 Q10 **Norman, Lake** ◎ North Carolina, SE USA

44 K13 **Norman Manley** ✈ (Kingston) E Jamaica

181 U5 **Norman River** ≈ Queensland, NE Australia

181 U4 **Normanton** Queensland, NE Australia

8 I8 **Norman Wells** Northwest Territories, NW Canada

12 H12 **Normétal** Québec, S Canada

11 V15 **Norquay** Saskatchewan, S Canada

94 N11 **Norra Dellen** ◎ C Sweden

93 G15 **Norråker** Jämtland, C Sweden

94 N12 **Norrala** Gävleborg, C Sweden

Norra Ny see Stöllet

92 G13 **Norra Storfjället** ▲ N Sweden

92 I13 **Norrbotten** ◆ county N Sweden

95 G23 **Nørre Aaby** var. Nørre Åby. Fyn, C Denmark

Nørre Åby see Nørre Aaby

95 J24 **Nørre Alslev** Storstrøm, SE Denmark

95 E23 **Nørre Nebel** Ribe, W Denmark

95 G20 **Nørresundby** Nordjylland, N Denmark

21 N8 **Norris Lake** ◎ Tennessee, S USA

18 I15 **Norristown** Pennsylvania, NE USA

28 L4 **Norrköping** Östergötland, S Sweden

95 N17 **Norrköping** Östergötland, S Sweden

94 N13 **Norrsundet** Gävleborg, C Sweden

95 P15 **Norrtälje** Stockholm, C Sweden

180 L12 **Norseman** Western Australia

92 G16 **Norsjö** Västerbotten, N Sweden

95 G16 **Norsjø** ◎ S Norway

123 R13 **Norsk** Amurskaya Oblast', SE Russian Federation

Norske Havet see Norwegian Sea

187 Q13 **Norsup** Malekula, C Vanuatu

191 V15 **Norte, Cabo** headland Easter Island, Chile, E Pacific Ocean

54 F7 **Norte de Santander** off. Departamento de Norte de Santander. ◆ province N Colombia

61 E21 **Norte, Punta** headland E Argentina

21 R13 **North** South Carolina, SE USA

North see Nord

18 L10 **North Adams** Massachusetts, NE USA

113 L17 **North Albanian Alps** Alb. Bjeshkët e Namuna, SCr. Prokletije. ▲ Albania/Serbia and Montenegro (Yugo.)

7 M15 **Northallerton** N England, UK

180 J12 **Northam** Western Australia

83 J20 **Northam** Northern, N South Africa

2-7 **North America** continent

18 M11 **North Amherst** Massachusetts, NE USA

97 N20 **Northampton** C England, UK

97 M20 **Northamptonshire** cultural region C England, UK

151 P18 **North Andaman** island Andaman Islands, India, NE Indian Ocean

65 D25 **North Arm** East Falkland, Falkland Islands

21 Q13 **North Augusta** South Carolina, SE USA

173 W8 **North Australian Basin** Fr. Bassin Nord de l' Australie. undersea feature E Indian Ocean

31 R11 **North Baltimore** Ohio, N USA

11 T15 **North Battleford** Saskatchewan, S Canada

14 H11 **North Bay** Ontario, S Canada

12 H6 **North Belcher Islands** island group Belcher Islands, Nunavut, C Canada

29 R15 **North Bend** Nebraska, C USA

32 E14 **North Bend** Oregon, NW USA

96 K12 **North Berwick** SE Scotland, UK

North Beveland see Noord-Beveland

183 P5 **North Bourke** New South Wales, SE Australia

North Brabant see Noord-Brabant

182 F2 **North Branch Neales** seasonal river South Australia

44 M6 **North Caicos** island NW Turks and Caicos Islands

26 L10 **North Canadian River** ≈ Oklahoma, C USA

31 U12 **North Canton** Ohio, N USA

13 R13 **North, Cape** headland Cape Breton Island, Nova Scotia, SE Canada

184 I1 **North Cape** headland North Island, NZ

186 G5 **North Cape** headland New Ireland, NE PNG

North Cape see Nordkapp

18 J17 **North Cape May** New Jersey, NE USA

12 C9 **North Caribou Lake** ◎ Ontario, C Canada

21 U10 **North Carolina** off. State of North Carolina; also known as Old North State, Tar Heel State, Turpentine State. ◆ state SE USA

North Celebes see Sulawesi Utara

155 J24 **North Central Province** ◆ province N Sri Lanka

31 S4 **North Channel** lake channel Canada/USA

97 G14 **North Channel** strait Northern Ireland/Scotland, UK

21 S14 **North Charleston** South Carolina, SE USA

31 N10 **North Chicago** Illinois, N USA

31 Q14 **North College Hill** Ohio, N USA

21 O8 **North Concho River** ≈ Texas, SW USA

19 O8 **North Conway** New Hampshire, NE USA

27 V14 **North Crossett** Arkansas, C USA

28 L4 **North Dakota** off. State of North Dakota; also known as Flickertail State, Peace Garden State, Sioux State. ◆ state N USA

North Devon Island see Devon Island

97 O22 **North Downs** hill range SE England, UK

18 C11 **North East** Pennsylvania, NE USA

83 I18 **North East** ◆ district NE Botswana

65 G15 **North East Bay** bay Ascension Island, C Atlantic Ocean

38 L10 **Northeast Cape** headland Saint Lawrence Island, Alaska, USA

81 J17 **North Eastern** ◆ province Kenya

North East Frontier Agency/North East Frontier Agency of Assam see Arunāchal Pradesh

65 E25 **North East Island** island E Falkland Islands

189 V11 **Northeast Island** island Chuuk, C Micronesia

44 L12 **North East Point** headland E Jamaica

44 L6 **Northeast Point** headland Great Inagua, S Bahamas

44 K5 **Northeast Point** headland Acklins Island, SE Bahamas

191 Z2 **Northeast Point** headland Kiritimati, E Kiribati

44 H2 **Northeast Providence Channel** channel N Bahamas

101 J14 **Northeim** Niedersachsen, C Germany

29 X14 **North English** Iowa, C USA

138 G8 **Northern** ◆ district N Israel

82 M12 **Northern** ◆ region N Malawi

186 F8 **Northern** ◆ province S PNG

80 D7 **Northern** ◆ state N Sudan

82 K12 **Northern** ◆ province NE Zambia

80 B13 **Northern Bahr el Ghazal** ◆ state SW Sudan

Northern Border Region see Al Ḥudūd ash Shamālīyah

83 F24 **Northern Cape** off. Northern Cape Province, Afr. Noord-Kaap. ◆ province W South Africa

190 K14 **Northern Cook Islands** island group N Cook Islands

80 B8 **Northern Darfur** ◆ state NW Sudan

Northern Dvina see Severnaya Dvina

97 F14 **Northern Ireland** var. The Six Counties. political division UK

80 D9 **Northern Kordofan** ◆ state C Sudan

187 Z14 **Northern Lau Group** island group Lau Group, NE Fiji

188 K3 **Northern Mariana Islands** ◇ US commonwealth territory W Pacific Ocean

155 J23 **Northern Province** ◆ province N Sri Lanka

Northern Province see Limpopo

Northern Rhodesia see Zambia

Northern Sporades see Vóreioi Sporádes

182 D1 **Northern Territory** ◆ territory N Australia

Northern Transvaal see Limpopo

Northern Ural Hills see Severnyye Uvaly

84 I9 **North European Plain** plain N Europe

27 V2 **North Fabius River** ≈ Missouri, C USA

65 D24 **North Falkland Sound** sound N Falkland Islands

29 V9 **Northfield** Minnesota, N USA

19 O9 **Northfield** New Hampshire, NE USA

192 K9 **North Fiji Basin** undersea feature N Coral Sea

97 Q22 **North Foreland** headland SE England, UK

35 P6 **North Fork American River** ≈ California, W USA

39 R7 **North Fork Chandalar River** ≈ Alaska, USA

28 K7 **North Fork Grand River** ≈ North Dakota/South Dakota, N USA

21 O6 **North Fork Kentucky River** ≈ Kentucky, S USA

39 Q7 **North Fork Koyukuk River** ≈ Alaska, USA

39 Q10 **North Fork Kuskokwim River** ≈ Alaska, USA

26 K11 **North Fork Red River** ≈ Oklahoma/Texas, SW USA

26 K3 **North Fork Solomon River** ≈ Kansas, C USA

23 W14 **North Fort Myers** Florida, SE USA

31 P5 **North Fox Island** island Michigan, N USA

100 G6 **North Frisian Islands** var. Nordfriesische Inseln. island group N Germany

197 N9 **North Geomagnetic Pole** pole Arctic Ocean

18 M13 **North Haven** Connecticut, NE USA

184 J5 **North Head** headland North Island, NZ

18 L6 **North Hero** Vermont, NE USA

81 I16 **North Horr** Eastern, N Kenya

151 K21 **North Huvadhu Atoll** var. Gaafu Alifu Atoll. atoll S Maldives

65 A24 **North Island** island W Falkland Islands

184 N9 **North Island** island N NZ

21 U14 **North Island** island South Carolina, SE USA

14 D17 **North Sydenham** ≈ Ontario, S Canada

31 O11 **North Judson** Indiana, N USA

North Kazakhstan see Severnyy Kazakhstan

31 V10 **North Kingsville** Ohio, N USA

163 Y13 **North Korea** off. Democratic People's Republic of Korea, Kor. Chosŏn-minjujuŭi-inmin-kanghwaguk. ◆ republic E Asia

153 X11 **North Lakhimpur** Assam, NE India

184 J3 **Northland** off. Northland Region. ◆ region North Island, NZ

192 K11 **Northland Plateau** undersea feature S Pacific Ocean

35 X11 **North Las Vegas** Nevada, W USA

31 O11 **North Liberty** Indiana, N USA

29 X14 **North Liberty** Iowa, C USA

27 V12 **North Little Rock** Arkansas, C USA

28 M13 **North Loup River** ≈ Nebraska, C USA

151 K18 **North Maalhosmadulu Atoll** var. North Malosmadulu Atoll, Raa Atoll. atoll N Maldives

31 U10 **North Madison** Ohio, N USA

31 P12 **North Manchester** Indiana, N USA

31 P6 **North Manitou Island** island Michigan, N USA

29 U10 **North Mankato** Minnesota, N USA

23 Z15 **North Miami** Florida, SE USA

151 K18 **North Miladhunmadulu Atoll** var. North Miladummadulu Atoll. atoll N Maldives

North Minch see Minch, The

23 W15 **North Naples** Florida, SE USA

192 J9 **North New Hebrides Trench** undersea feature N Coral Sea

23 Y15 **North New River Canal** ≈ Florida, SE USA

151 K20 **North Nilandhe Atoll** var. Faafu Atoll. atoll C Maldives

36 L2 **North Ogden** Utah, W USA

North Ossetia see Severnaya Osetiya-Alaniya, Respublika

35 S10 **North Palisade** ▲ California, W USA

189 U11 **North Pass** passage Chuuk Islands, C Micronesia

28 M15 **North Platte** Nebraska, C USA

33 X17 **North Platte River** ≈ C USA

65 G14 **North Point** headland Ascension Island, C Atlantic Ocean

172 I16 **North Point** headland Mahé, NE Seychelles

31 S6 **North Point** headland Michigan, N USA

31 R5 **North Point** headland Michigan, N USA

39 S9 **North Pole** Alaska, USA

197 R9 **North Pole** pole Arctic Ocean

23 O4 **Northport** Alabama, S USA

23 W14 **Northport** Florida, SE USA

32 L6 **Northport** Washington, NW USA

32 L12 **North Powder** Oregon, NW USA

29 U13 **North Raccoon River** ≈ Iowa, C USA

North Rhine-Westphalia see Nordrhein-Westfalen

97 M16 **North Riding** cultural region N England, UK

96 G5 **North Rona** island NW Scotland, UK

96 K4 **North Ronaldsay** island NE Scotland, UK

36 L2 **North Salt Lake** Utah, W USA

11 P15 **North Saskatchewan** ≈ Alberta/Saskatchewan, C Canada

35 X5 **North Schell Peak** ▲ Nevada, W USA

North Scotia Ridge see South Georgia Ridge

96 M12 **North Sea** Dan. Nordsøen, Dut. Noordzee, Fr. Mer du Nord, Ger. Nordsee, Nor. Nordsjøen; prev. German Ocean, Lat. Mare Germanicum. sea NW Europe

35 T6 **North Shoshone Peak** ▲ Nevada, W USA

North Siberian Lowland/North Siberian Plain see Severo-Sibirskaya Nizmennost'

29 R13 **North Sioux City** South Dakota, N USA

96 K4 **North Sound, The** sound N Scotland, UK

183 T4 **North Star** New South Wales, SE Australia

North Star State see Minnesota

183 V3 **North Stradbroke Island** island Queensland, E Australia

North Sulawesi see Sulawesi Utara

North Sumatra see Sumatera Utara

18 H9 **North Syracuse** New York, NE USA

Nosop see Nossob

184 K9 **North Taranaki Bight** gulf North Island, NZ

12 H9 **North Twin Island** island Nunavut, C Canada

96 E8 **North Uist** island NW Scotland, UK

97 L14 **Northumberland** cultural region N England, UK

181 Y7 **Northumberland Isles** island group Queensland, NE Australia

13 Q14 **Northumberland Strait** strait SE Canada

32 G14 **North Umpqua River** ≈ Oregon, NW USA

45 Q13 **North Union** Saint Vincent, Saint Vincent and the Grenadines

10 L17 **North Vancouver** British Columbia, SW Canada

18 K9 **Northville** New York, NE USA

97 Q19 **North Walsham** E England, UK

39 T10 **Northway** Alaska, USA

83 G21 **North-West** off. North-West Province, Afr. Noordwes. ◆ province N South Africa

North-West see Nord-Ouest

64 I6 **Northwest Atlantic Mid-Ocean Canyon** undersea feature N Atlantic Ocean

180 G8 **North West Cape** headland Western Australia

38 J9 **North West Cape** headland Saint Lawrence Island, Alaska, USA

82 H13 **North Western** ◆ province W Zambia

155 J24 **North Western Province** ◆ province W Sri Lanka

149 U4 **North-West Frontier Province** ◆ province NW Pakistan

96 I6 **North West Highlands** ▲ N Scotland, UK

192 J4 **Northwest Pacific Basin** undersea feature NW Pacific Ocean

191 Y2 **Northwest Point** headland Kiritimati, E Kiribati

44 G3 **Northwest Providence Channel** channel N Bahamas

13 W8 **North West River** Newfoundland and Labrador, E Canada

8 J9 **Northwest Territories** Fr. Territoires du Nord-Ouest. ◆ territory NW Canada

97 K18 **Northwich** C England, UK

25 Q5 **North Wichita River** ≈ Texas, SW USA

18 J17 **North Wildwood** New Jersey, NE USA

21 R9 **North Wilkesboro** North Carolina, SE USA

19 P8 **North Windham** Maine, NE USA

197 Q6 **Northwind Plain** undersea feature Arctic Ocean

29 V11 **Northwood** Iowa, C USA

29 Q4 **Northwood** North Dakota, N USA

97 M15 **North York Moors** moorland N England, UK

25 W7 **North Zulch** Texas, SW USA

25 V9 **Norton** Kansas, C USA

31 S13 **Norton** Ohio, N USA

21 V7 **Norton** Virginia, NE USA

39 N9 **Norton Bay** bay Alaska, USA

Norton de Matos see Balombo

31 O9 **Norton Shores** Michigan, N USA

38 M10 **Norton Sound** inlet Alaska, USA

27 Q3 **Nortonville** Kansas, C USA

102 I8 **Nort-sur-Erdre** Loire-Atlantique, NW France

195 N2 **Norvegia, Cape** headland Antarctica

18 L13 **Norwalk** Connecticut, NE USA

29 V14 **Norwalk** Iowa, C USA

31 S11 **Norwalk** Ohio, N USA

19 P7 **Norway** Maine, NE USA

31 N5 **Norway** Michigan, N USA

93 E17 **Norway** off. Kingdom of Norway, Nor. Norge. ◆ monarchy N Europe

11 X13 **Norway House** Manitoba, C Canada

197 R16 **Norwegian Basin** undersea feature NW Norwegian Sea

84 D6 **Norwegian Sea** Nor. Norske Havet. sea NE Atlantic Ocean

197 S17 **Norwegian Trench** undersea feature N North Sea

14 F16 **Norwich** Ontario, S Canada

97 Q19 **Norwich** E England, UK

18 M11 **Norwich** Connecticut, NE USA

18 I11 **Norwich** New York, NE USA

19 U9 **Norwood** Minnesota, N USA

31 Q5 **Norwood** Ohio, N USA

14 H11 **Nosbonsing, Lake** ◎ Ontario, S Canada

165 T1 **Noshappu-misaki** headland Hokkaidō, NE Japan

165 P7 **Noshiro** var. Nosiro; prev. Noshirominato. Akita, Honshū, C Japan

Noshirominato/Nosiro see Noshiro

117 Q3 **Nosivka** Rus. Nosovka. Chernihivs'ka Oblast', NE Ukraine

125 S4 **Nosovaya** Nenetskiy Avtonomnyy Okrug, NW Russian Federation

Nosovka see Nosivka

143 V11 **Noṣratābād** Sīstān va Balūchestān, E Iran

95 J18 **Nossebro** Västra Götaland, S Sweden

96 K6 **Noss Head** headland N Scotland, UK

Nossi-Bé see Be, Nosy

83 E20 **Nossob** var. Nosop, Nossop. ≈ Botswana/Namibia

172 J2 **Nosy Be** ≈ Antsiranana, N Madagascar

172 J6 **Nosy Varika** Fianarantsoa, E Madagascar

14 L10 **Notawassi** ≈ Québec, SE Canada

14 M9 **Notawassi, Lac** ◎ Québec, SE Canada

36 J5 **Notch Peak** ▲ Utah, W USA

110 G10 **Noteć** Ger. Netze. ≈ NW Poland

Nóties Sporádes see Dodekánisos

115 J22 **Nótion Aigaíon** Eng. Aegean South. ◆ region E Greece

115 H18 **Nótios Evvoïkós Kólpos** gulf E Greece

115 B16 **Nótios Stenó Kérkyras** strait W Greece

107 L25 **Noto** anc. Netum. Sicilia, Italy, C Mediterranean Sea

164 M10 **Noto** Ishikawa, Honshū, SW Japan

95 G15 **Notodden** Telemark, S Norway

107 L25 **Noto, Golfo di** gulf Sicilia, Italy, C Mediterranean Sea

164 L10 **Noto-hantō** peninsula Honshū, SW Japan

164 L10 **Noto-jima** island SW Japan

13 T11 **Notre Dame Bay** bay Newfoundland and Labrador, E Canada

15 P6 **Notre-Dame-de-Lorette** Québec, SE Canada

14 L11 **Notre-Dame-de-Pontmain** Québec, SE Canada

15 T8 **Notre-Dame-du-Lac** Québec, SE Canada

15 Q6 **Notre-Dame-du-Rosaire** Québec, SE Canada

15 U8 **Notre-Dame, Monts** ▲ Québec, SE Canada

77 R16 **Notsé** S Togo

14 G14 **Nottawasaga** ≈ Ontario, S Canada

14 G14 **Nottawasaga Bay** lake bay Ontario, S Canada

12 I11 **Nottaway** ≈ Québec, SE Canada

23 S1 **Nottely Lake** ◎ Georgia, SE USA

95 H16 **Nøtterøy** island S Norway

97 M19 **Nottingham** C England, UK

9 E14 **Nottingham Island** island Nunavut, NE Canada

97 P8 **Nottinghamshire** cultural region C England, UK

21 V7 **Nottoway** Virginia, NE USA

21 V7 **Nottoway** ≈ Virginia, NE USA

76 G7 **Nouâdhibou** prev. Port-Étienne. Dakhlet Nouâdhibou, W Mauritania

76 G7 **Nouâdhibou** ✈ Dakhlet Nouâdhibou, W Mauritania

76 F7 **Nouâdhibou, Dakhlet** prev. Baie du Lévrier. bay W Mauritania

76 F7 **Nouâdhibou, Râs** prev. Cap Blanc. headland NW Mauritania

76 G9 **Nouakchott** ● (Mauritania) Nouakchott District, SW Mauritania

76 G9 **Nouakchott** ✈ Trarza, SW Mauritania

120 J11 **Noual, Sebkhet en** var. Sabkhat en Nawâl. salt flat C Tunisia

76 G8 **Nouâmghâr** var. Nouamrhar. Dakhlet Nouâdhibou, W Mauritania

Nouamrhar see Nouâmghâr

187 Q17 **Nouméa** ● (New Caledonia) Province Sud, S New Caledonia

79 E15 **Noun** ≈ C Cameroon

77 N12 **Nouna** W Burkina

83 H24 **Nouoort** Northern Cape, C South Africa

Nouveau-Brunswick see New Brunswick

Nouveau-Comptoir see Wemindji

15 T4 **Nouvel, Lacs** ◎ Québec, SE Canada

15 W7 **Nouvelle** ≈ Québec, SE Canada

Nouvelle-Calédonie see New Caledonia

Nouvelle Écosse see Nova Scotia

103 R3 **Nouzonville** Ardennes, N France

147 U11 **Nov** Rus. Nau. NW Tajikistan

59 I21 **Nova Alvorada** Mato Grosso do Sul, SW Brazil

Novabad see Navobod

111 D19 **Nová Bystřice** Ger. Neubistritz. Jihočeský Kraj, S Czech Republic

116 H13 **Novaci** Gorj, SW Romania

Nova Civitas see Neustadt an der Weinstrasse

● COUNTRY   ◇ DEPENDENT TERRITORY   ◆ ADMINISTRATIVE REGION   ▲ MOUNTAIN   ✕ VOLCANO   ◎ LAKE
○ COUNTRY CAPITAL   ○ DEPENDENT TERRITORY CAPITAL   ○ ADMINISTRATIVE REGION CAPITAL   ▲ MOUNTAIN RANGE   ≈ RIVER   ⊠ RESERVOIR   ✈ INTERNATIONAL AIRPORT

NOVAESIUM – NYUYA ••• 299

Novaesium *see* Neuss
60 *H10* **Nova Esperança** Paraná, S Brazil
106 *H11* **Novafeltria** Marche, C Italy
60 *Q9* **Nova Friburgo** Rio de Janeiro, SE Brazil
82 *D12* **Nova Gaia** *var.* Cambundi-Catembo. Malanje, NE Angola
109 *S12* **Nova Gorica** W Slovenia
112 *G10* **Nova Gradiška** *Ger.* Neugradisk, *Hung.* Újgradiska. Brod-Posavina, NE Croatia
60 *K7* **Nova Granada** São Paulo, S Brazil
60 *O10* **Nova Iguaçu** Rio de Janeiro, SE Brazil
117 *S10* **Nova Kakhovka** *Rus.* Novaya Kakhovka. Khersons'ka Oblast', SE Ukraine
Nová Karvinná *see* Karviná
Nova Lamego *see* Gabú
Nova Lisboa *see* Huambo
112 *C11* **Novalja** Lika-Senj, W Croatia
119 *M14* **Novalukoml'** *Rus.* Novolukoml'. Vitsyebskaya Voblasts', N Belarus
Nova Mambone *see* Mambone
83 *P16* **Nova Nabúri** Zambézia, NE Mozambique
117 *Q9* **Nova Odesa** *var.* Novaya Odessa. Mykolayivs'ka Oblast', S Ukraine
60 *H10* **Nova Olímpia** Paraná, S Brazil
61 *I15* **Nova Prata** Rio Grande do Sul, S Brazil
14 *H12* **Novar** Ontario, S Canada
106 *C7* **Novara** *anc.* Novaria. Piemonte, NW Italy
Novaria *see* Novara
117 *P7* **Novarkanels'k** Kirovohrads'ka Oblast', C Ukraine
13 *P15* **Nova Scotia** *Fr.* Nouvelle Écosse. ◈ *province* SE Canada
64 *G8* **Nova Scotia** *physical region* SE Canada
34 *M8* **Novato** California, W USA
192 *M7* **Nova Trough** *undersea feature* W Pacific Ocean
116 *L7* **Nova Ushtsya** Khmel'nyts'ka Oblast', W Ukraine
83 *M17* **Nova Vanduzi** Manica, C Mozambique
117 *U5* **Nova Vodolaha** *Rus.* Novaya Vodolaga. Kharkivs'ka Oblast', E Ukraine
123 *O12* **Novaya Chara** Chitinskaya Oblast', S Russian Federation
122 *M12* **Novaya Igirma** Irkutskaya Oblast', C Russian Federation
Novaya Kakhovka *see* Nova Kakhovka
144 *E10* **Novaya Kazanka** Zapadnyy Kazakhstan, W Kazakhstan
124 *I12* **Novaya Ladoga** Leningradskaya Oblast', NW Russian Federation
127 *R5* **Novaya Malykla** Ul'yanovskaya Oblast', W Russian Federation
Novaya Odessa *see* Nova Odesa
123 *Q5* **Novaya Sibir', Ostrov** *island* Novosibirskiye Ostrova, NE Russian Federation
Novaya Vodolaga *see* Nova Vodolaha
119 *P17* **Novaya Yel'nya** *Rus.* Novaya Yel'nya. Mahilyowskaya Voblasts', E Belarus
122 *I6* **Novaya Zemlya** *island group* N Russian Federation
Novaya Zemlya Trough *see* East Novaya Zemlya Trough
114 *K10* **Nova Zagora** Sliven, C Bulgaria
105 *S12* **Novelda** País Valenciano, E Spain
111 *H19* **Nové Mesto nad Váhom** *Ger.* Waagneustadtl, *Hung.* Vágújhely. Trenčiansky Kraj, W Slovakia
111 *F17* **Nové Město na Moravě** *Ger.* Neustadtl in Mähren. Vysočina, C Czech Republic
Novesium *see* Neuss
111 *I21* **Nové Zámky** *Ger.* Neuhäusel, *Hung.* Érsekújvár. Nitriansky Kraj, SW Slovakia
Novgorod *see* Velikiy Novgorod
Novgorod-Severskiy *see* Novhorod-Sivers'kyy
122 *C7* **Novgorodskaya Oblast'** ◈ *province* W Russian Federation
117 *R8* **Novhorodka** Kirovohrads'ka Oblast', C Ukraine
117 *R2* **Novhorod-Sivers'kyy** *Rus.* Novgorod-Severskiy. Chernihivs'ka Oblast', NE Ukraine
31 *R10* **Novi** Michigan, N USA
Novi *see* Novi Vinodolski
112 *L9* **Novi Bečej** *prev.* Új-Becse, Vološinovo, *Ger.* Neubetsche, *Hung.* Törökbecse. Serbia, N Serbia and Montenegro (Yugo.)
25 *Q8* **Novice** Texas, SW USA
112 *A9* **Novigrad** Istra, NW Croatia
Novi Grad *see* Bosanski Novi
114 *G9* **Novi Iskŭr** Sofiya-Grad W Bulgaria
106 *C9* **Novi Ligure** Piemonte, NW Italy
99 *L22* **Noville** Luxembourg, SE Belgium
194 *I10* **Noville Peninsula** *peninsula* Thurston Island, Antarctica
Noviodunum *see* Soissons, Aisne, France
Noviodunum *see* Nevers, Nièvre, France
Noviodunum *see* Nyon, Vaud, Switzerland
Noviomagus *see* Lisieux, France
Noviomagus *see* Nijmegen, Netherlands
114 *M8* **Novi Pazar** Shumen, NE Bulgaria
113 *M15* **Novi Pazar** *Turk.* Yenipazar. Serbia, S Serbia and Montenegro (Yugo.)
112 *K10* **Novi Sad** *Ger.* Neusatz, *Hung.* Újvidék. Serbia, N Serbia and Montenegro (Yugo.)
117 *T6* **Novi Sanzhary** Poltavs'ka Oblast', C Ukraine
112 *H12* **Novi Travnik** *prev.* Pučarevo. Federacija Bosna I Hercegovina, C Bosnia and Herzegovina
112 *B10* **Novi Vinodolski** *var.* Novi. Primorje-Gorski Kotar, NW Croatia
58 *F12* **Novo Airão** Amazonas, N Brazil
127 *N14* **Novoaleksandrovsk** Stavropol'skiy Kray, SW Russian Federation
Novoalekseyevka *see* Khobda
127 *N9* **Novoanninskiy** Volgogradskaya Oblast', SW Russian Federation
58 *F13* **Novo Aripuanã** Amazonas, N Brazil
117 *Y6* **Novoaydar** Luhans'ka Oblast', E Ukraine
117 *X9* **Novoazovs'k** *Rus.* Novoazovsk. Donets'ka Oblast', E Ukraine
123 *R14* **Novobureyskiy** Amurskaya Oblast', SE Russian Federation
127 *Q3* **Novocheboksarsk** Chuvashskaya Respublika, W Russian Federation
127 *R5* **Novocheremshansk** Ul'yanovskaya Oblast', W Russian Federation
126 *L12* **Novocherkassk** Rostovskaya Oblast', SW Russian Federation
127 *R6* **Novodevich'ye** Samarskaya Oblast', W Russian Federation
124 *M8* **Novodvinsk** Arkhangel'skaya Oblast', NW Russian Federation
Novograd-Volynskiy *see* Novohrad-Volyns'kyy
Novogrudok *see* Navahrudak
61 *I15* **Novo Hamburgo** Rio Grande do Sul, S Brazil
59 *H16* **Novo Horizonte** Mato Grosso, W Brazil
60 *K8* **Novo Horizonte** São Paulo, S Brazil
116 *M4* **Novohrad-Volyns'kyy** *Rus.* Novograd-Volynskiy. Zhytomyrs'ka Oblast', N Ukraine
145 *O7* **Novoishimskiy** *prev.* Kuybyshevskiy. Severnyy Kazakhstan, N Kazakhstan
144 *L14* **Novokazalinsk** *see* Ayteke Bi
126 *M8* **Novokhopersk** Voronezhskaya Oblast', W Russian Federation
127 *R6* **Novokuybyshevsk** Samarskaya Oblast', W Russian Federation
122 *J13* **Novokuznetsk** *prev.* Stalinsk. Kemerovskaya Oblast', S Russian Federation
195 *R1* **Novolazarevskaya** *Russian research station* Antarctica
Novolukoml' *see* Novalukoml'
109 *V12* **Novo mesto** *Ger.* Rudolfswert; *prev. Ger.* Neustadtl. SE Slovenia
126 *K15* **Novomikhaylovskiy** Krasnodarskiy Kray, SW Russian Federation
112 *L8* **Novo Miloševo** Serbia, N Serbia and Montenegro (Yugo.)
Novomirgorod *see* Novomyrhorod
126 *L5* **Novomoskovsk** Tul'skaya Oblast', W Russian Federation
117 *U7* **Novomoskovs'k** *Rus.* Novomoskovsk. Dnipropetrovs'ka Oblast', E Ukraine
117 *V8* **Novomykolayivka** Zaporiz'ka Oblast', SE Ukraine
117 *Q7* **Novomyrhorod** *Rus.* Novomirgorod. Kirovohrads'ka Oblast', S Ukraine
127 *N8* **Novonikolayevskiy** Volgogradskaya Oblast', SW Russian Federation
127 *P10* **Novonikol'skoye** Volgogradskaya Oblast', SW Russian Federation
127 *X7* **Novoorsk** Orenburgskaya Oblast', W Russian Federation
126 *M13* **Novopokrovskaya** Krasnodarskiy Kray, SW Russian Federation
Novopolotsk *see* Navapolatsk
117 *Y5* **Novopskov** Luhans'ka Oblast', E Ukraine
Novoradomsk *see* Radomsko
Novo Redondo *see* Sumbe
127 *R8* **Novorepnoye** Saratovskaya Oblast', W Russian Federation
126 *K14* **Novorossiysk** Krasnodarskiy Kray, SW Russian Federation
Novorossiyskiy/Novorossiyskoye *see* Akzhar
124 *F15* **Novorzhev** Pskovskaya Oblast', W Russian Federation
Novoselitsa *see* Novoselytsya
117 *S12* **Novoselivs'ke** Respublika Krym, S Ukraine
Novosëlki *see* Navasyolki
114 *G6* **Novo Selo** Vidin, NW Bulgaria
113 *M14* **Novo Selo** Serbia, C Serbia and Montenegro (Yugo.)
116 *K8* **Novoselytsya** *Rom.* Nouă Sulița, *Rus.* Novoselitsa. Chernivets'ka Oblast', W Ukraine
127 *U7* **Novosergiyevka** Orenburgskaya Oblast', W Russian Federation
126 *L11* **Novoshakhtinsk** Rostovskaya Oblast', SW Russian Federation
122 *J12* **Novosibirsk** Novosibirskaya Oblast', C Russian Federation
122 *J12* **Novosibirskaya Oblast'** ◈ *province* C Russian Federation
122 *M4* **Novosibirskiye Ostrova** *Eng.* New Siberian Islands. *island group* N Russian Federation
126 *K6* **Novosil'** Orlovskaya Oblast', W Russian Federation
124 *G16* **Novosokol'niki** Pskovskaya Oblast', W Russian Federation
127 *Q6* **Novospasskoye** Ul'yanovskaya Oblast', W Russian Federation
127 *X8* **Novotroitsk** Orenburgskaya Oblast', W Russian Federation
Novotroitskoye *see* Brlik, Kazakhstan
Novotroitskoye *see* Novotroyits'ke, Ukraine
117 *T11* **Novotroyits'ke** *Rus.* Novotroitskoye. Khersons'ka Oblast', S Ukraine
Novoukrainka *see* Novoukrayinka
117 *Q8* **Novoukrayinka** *Rus.* Novoukrainka. Kirovohrads'ka Oblast', C Ukraine
127 *Q5* **Novoul'yanovsk** Ul'yanovskaya Oblast', W Russian Federation
127 *W8* **Novouralets** Orenburgskaya Oblast', W Russian Federation
122 *G10* **Novoural'ske** Chelyabinskaya Oblast', S Russian Federation
Novo-Urgench *see* Urganch
116 *I4* **Novovolyns'k** *Rus.* Novovolynsk. Volyns'ka Oblast', NW Ukraine
117 *S9* **Novovorontsovka** Khersons'ka Oblast', S Ukraine
147 *Y7* **Novovoznesenovka** Issyk-Kul'skaya Oblast', E Kyrgyzstan
125 *R14* **Novovyatsk** Kirovskaya Oblast', NW Russian Federation
Novoyel'nya *see* Navayel'nya
124 *I7* **Novoye Yushozero** Respublika Kareliya, NW Russian Federation
117 *O6* **Novozhyvotiv** Vinnyts'ka Oblast', C Ukraine
126 *H6* **Novozybkov** Bryanskaya Oblast', W Russian Federation
112 *F9* **Novska** Sisak-Moslavina, NE Croatia
Nový Bohumín *see* Bohumín
111 *D15* **Nový Bor** *Ger.* Haida; *prev.* Bor u České Lípy, Hajda. Liberecký Kraj, N Czech Republic
111 *E16* **Nový Bydžov** *Ger.* Neubidschow. Královéhradecký Kraj, N Czech Republic
119 *G18* **Novy Dvor** *Rus.* Novyy Dvor. Hrodzyenskaya Voblasts', W Belarus
111 *I17* **Nový Jičín** *Ger.* Neutitschein. Moravskoslezský Kraj, E Czech Republic
118 *K12* **Novy Pahost** *Rus.* Novyy Pogost. Vitsyebskaya Voblasts', NW Belarus
Novyy Bug *see* Novyy Buh
117 *R9* **Novyy Buh** *Rus.* Novyy Bug. Mykolayivs'ka Oblast', S Ukraine
117 *Q4* **Novyy Bykiv** Chernihivs'ka Oblast', N Ukraine
Novyy Dvor *see* Novy Dvor
Novyye Aneny *see* Anenii Noi
127 *P7* **Novyye Burasy** Saratovskaya Oblast', W Russian Federation
Novyy Margilan *see* Farg'ona
126 *K8* **Novyy Oskol** Belgorodskaya Oblast', W Russian Federation
Novyy Pogost *see* Novy Pahost
127 *R2* **Novyy Tor"yal** Respublika Mariy El, W Russian Federation
123 *N12* **Novyy Uoyan** Respublika Buryatiya, S Russian Federation
122 *J9* **Novyy Urengoy** Yamalo-Nenetskiy Avtonomnyy Okrug, N Russian Federation
Novyy Uzen' *see* Zhanaozen
111 *N16* **Nowa Dęba** Podkarpackie, SE Poland
111 *G15* **Nowa Ruda** *Ger.* Neurode. Dolnośląskie, SW Poland
110 *F12* **Nowa Sól** *var.* Nowasól, *Ger.* Neusalz an der Oder. Lubuskie, W Poland
27 *Q8* **Nowata** Oklahoma, C USA
142 *M6* **Nowbarān** Markazī, W Iran
110 *J8* **Nowe** Kujawski-pomorskie, C Poland
110 *K9* **Nowe Miasto Lubawskie** *Ger.* Neumark. Warmińsko-Mazurskie, NE Poland
110 *L13* **Nowe Miasto nad Pilicą** Mazowieckie, C Poland
110 *D8* **Nowe Warpno** *Ger.* Neuwarp. Zachodnio-pomorskie, NW Poland
Nowgong *see* Nagaon
110 *E8* **Nowogard** *var.* Nowógard, *Ger.* Naugard. Zachodnio-pomorskie, NW Poland
110 *N9* **Nowogród** Podlaskie, NE Poland
Nowogródek *see* Navahrudak
111 *E14* **Nowogrodziec** *Ger.* Naumburg am Queis. Dolnośląskie, SW Poland
Nowojelnia *see* Navayel'nya
Nowo-Minsk *see* Mińsk Mazowiecki
33 *V13* **Nowood River** ≈ Wyoming, C USA
Nowo-Święciany *see* Švenčionėliai
183 *S10* **Nowra-Bomaderry** New South Wales, SE Australia
149 *T5* **Nowshera** *var.* Naushahra, Naushara. North-West Frontier Province, NE Pakistan
110 *J7* **Nowy Dwór Gdański** *Ger.* Tiegenhof. Pomorskie, N Poland
110 *L11* **Nowy Dwór Mazowiecki** Mazowieckie, C Poland
111 *M17* **Nowy Sącz** *Ger.* Neu Sandec. Małopolskie, S Poland
111 *L18* **Nowy Targ** *Ger.* Neumark. Małopolskie, S Poland
110 *F11* **Nowy Tomyśl** *var.* Nowy Tomysl. Wielkolpolskie, C Poland
148 *M7* **Now Zād** *var.* Nauzad. Helmand, S Afghanistan
23 *N4* **Noxubee River** ≈ Alabama/Mississippi, S USA
122 *I10* **Noyabr'sk** Yamalo-Nenetskiy Avtonomnyy Okrug, N Russian Federation
102 *L8* **Noyant** Maine-et-Loire, NW France
39 *X14* **Noyes Island** *island* Alexander Archipelago, Alaska, USA
103 *O3* **Noyon** Oise, N France
102 *I7* **Nozay** Loire-Atlantique, NW France
82 *L12* **Nsando** Northern, NE Zambia
83 *N15* **Nsanje** Southern, S Malawi
77 *Q17* **Nsawam** SE Ghana
79 *E16* **Nsimalen** × Centre, C Cameroon
82 *K12* **Nsombo** Northern, NE Zambia
82 *H13* **Ntambu** North Western, NW Zambia
83 *N14* **Ntcheu** *var.* Ncheu. Central, S Malawi
79 *D17* **Ntem** *prev.* Campo, Kampo. ≈ Cameroon/Equatorial Guinea
83 *I14* **Ntemwa** North Western, NW Zambia
Ntlenyana, Mount *see* Thabana Ntlenyana
79 *I19* **Ntomba, Lac** *var.* Lac Tumba. ◎ NW Dem. Rep. Congo
81 *E19* **Ntungamo** SW Uganda
81 *E18* **Ntusi** SW Uganda
83 *H18* **Ntwetwe Pan** *salt lake* NE Botswana
93 *M15* **Nuasjärvi** ◎ C Finland
80 *F11* **Nuba Mountains** ▲▲ C Sudan
80 *G6* **Nubian Desert** *desert* NE Sudan
116 *G10* **Nucet** *Hung.* Diófás. Bihor, W Romania
Nu Chiang *see* Salween
145 *U9* **Nuclear Testing Ground** *nuclear site* Pavlodar, E Kazakhstan
56 *E9* **Nucuray, Río** ≈ N Peru
25 *R14* **Nueces River** ≈ Texas, SW USA
11 *V9* **Nueltin Lake** ◎ Manitoba/Nunavut, C Canada
99 *K15* **Nuenen** Noord-Brabant, S Netherlands
62 *G6* **Nuestra Señora, Bahía** *bay* N Chile
61 *D14* **Nuestra Señora Rosario de Caa Catí** Corrientes, NE Argentina
54 *J9* **Nueva Antioquia** Vichada, E Colombia
Nueva Caceres *see* Naga
41 *O7* **Nueva Ciudad Guerrera** Tamaulipas, C Mexico
55 *N4* **Nueva Esparta** *off.* Estado Nueva Esparta. ◈ *state* NE Venezuela
44 *C5* **Nueva Gerona** Isla de la Juventud, S Cuba
42 *H8* **Nueva Guadalupe** San Miguel, E El Salvador
42 *M11* **Nueva Guinea** Región Autónoma Atlántico Sur, SE Nicaragua
61 *D19* **Nueva Helvecia** Colonia, SW Uruguay
63 *J25* **Nueva, Isla** *island* S Chile
40 *M14* **Nueva Italia** Michoacán de Ocampo, SW Mexico
56 *D6* **Nueva Loja** *var.* Lago Agrio. Sucumbíos, NE Ecuador
42 *F6* **Nueva Ocotepeque** *prev.* Ocotepeque. Ocotepeque, W Honduras
61 *D19* **Nueva Palmira** Colonia, SW Uruguay
41 *N6* **Nueva Rosita** Coahuila de Zaragoza, NE Mexico
42 *E7* **Nueva San Salvador** *prev.* Santa Tecla. La Libertad, SW El Salvador
42 *J8* **Nueva Segovia** ◈ *department* NW Nicaragua
Nueva Tabarca *see* Plana, Isla
Nueva Villa de Padilla *see* Nuevo Padilla
61 *B21* **Nueve de Julio** Buenos Aires, E Argentina
44 *H6* **Nuevitas** Camagüey, E Cuba
61 *D18* **Nuevo Berlin** Río Negro, W Uruguay
40 *I4* **Nuevo Casas Grandes** Chihuahua, N Mexico
43 *T14* **Nuevo Chagres** Colón, C Panama
41 *W15* **Nuevo Coahuila** Campeche, E Mexico
63 *K17* **Nuevo, Golfo** *gulf* S Argentina
41 *O7* **Nuevo Laredo** Tamaulipas, NE Mexico
41 *N8* **Nuevo León** ◈ *state* NE Mexico
41 *P10* **Nuevo Padilla** *var.* Nueva Villa de Padilla. Tamaulipas, C Mexico
56 *E6* **Nuevo Rocafuerte** Orellana, E Ecuador
162 *G6* **Nuga** Dzavhan, W Mongolia
80 *O13* **Nugaal** *off.* Gobolka Nugaal. ◈ *region* N Somalia
185 *E24* **Nugget Point** *headland* South Island, NZ
186 *J5* **Nuguria Islands** *island group* E PNG
184 *P10* **Nuhaka** Hawke's Bay, North Island, NZ
138 *M10* **Nuhaydayn, Wādī an** *dry watercourse* W Iraq
190 *E7* **Nui Atoll** *atoll* W Tuvalu
Nu Jiang *see* Salween
Nûk *see* Nuuk
182 *G7* **Nukey Bluff** *hill* South Australia
Nukha *see* Şäki
123 *T9* **Nukh Yablonevyy, Gora** ▲ E Russian Federation
186 *K7* **Nukiki** Choiseul Island, NW Solomon Islands
186 *B6* **Nuku** Sandaun, NW PNG
193 *W15* **Nuku** *island* Tongatapu Group, NE Tonga
193 *U15* **Nuku'alofa** Tongatapu, S Tonga
193 *Y16* **Nuku'alofa** ● (Tonga) Tongatapu, S Tonga
190 *G12* **Nukuatea** *island* N Wallis and Futuna
190 *F7* **Nukufetau Atoll** *atoll* C Tuvalu
190 *G12* **Nukuhifala** *island* E Wallis and Futuna
191 *W7* **Nuku Hiva** *island* Îles Marquises, NE French Polynesia
193 *O8* **Nuku Hiva Island** *island* Îles Marquises, N French Polynesia
190 *F9* **Nukulaelae Atoll** *var.* Nukulailai. *atoll* E Tuvalu
Nukulailai *see* Nukulaelae Atoll
190 *G11* **Nukuloa** *island* N Wallis and Futuna
186 *L6* **Nukumanu Islands** *prev.* Tasman Group. *island group* NE PNG
Nukunau *see* Nikunau
190 *J9* **Nukunonu Atoll** *island* C Tokelau
190 *J9* **Nukunonu Village** Nukunonu Atoll, C Tokelau
189 *S18* **Nukuoro Atoll** *atoll* Caroline Islands, S Micronesia
146 *H8* **Nukus** Qoraqalpog'iston Respublikasi, W Uzbekistan
190 *G11* **Nukutapu** *island* N Wallis and Futuna
39 *O9* **Nulato** Alaska, USA
39 *O10* **Nulato Hills** ▲▲ Alaska, USA
105 *T9* **Nules** País Valenciano, E Spain
Nuling *see* Sultan Kudarat
182 *C6* **Nullarbor** South Australia
180 *M11* **Nullarbor Plain** *plateau* South Australia/Western Australia
163 *S12* **Nulu'erhu Shan** ▲▲ N China
77 *X14* **Numan** Adamawa, E Nigeria
165 *S3* **Numata** Hokkaidō, NE Japan
81 *C15* **Numatinna** ≈ W Sudan
95 *F14* **Numedalen** *valley* S Norway
95 *G14* **Numedalslågen** *var.* Laagen. ≈ S Norway
93 *L19* **Nummela** Etelä-Suomi, S Finland
183 *O11* **Numurkah** Victoria, SE Australia
196 *L16* **Nunap Isua** *var.* Uummannarsuaq, *Dan.* Kap Farvel, *Eng.* Cape Farewell. *headland* S Greenland
9 *N8* **Nunavut** ◈ *Territory* N Canada
54 *H9* **Nunchia** Casanare, C Colombia
97 *M20* **Nuneaton** C England, UK
153 *W14* **Nungba** Manipur, NE India
38 *L12* **Nunivak Island** *island* Alaska, USA
152 *I5* **Nun Kun** ▲ NW India
98 *L10* **Nunspeet** Gelderland, E Netherlands
107 *C18* **Nuoro** Sardegna, Italy, C Mediterranean Sea
75 *R12* **Nuqayy, Jabal** *hill range* S Libya
54 *C9* **Nuquí** Chocó, W Colombia
143 *O4* **Nūr** Māzandarān, N Iran
145 *Q9* **Nura** ≈ N Kazakhstan
143 *N11* **Nūrābād** Fārs, C Iran
Nurakita *see* Niulakita
Nurata *see* Nurota
Nuratau, Khrebet *see* Nurota Tizmasi
136 *L17* **Nur Dağları** ▲▲ S Turkey
Nurek *see* Norak
Nuremberg *see* Nürnberg
136 *M15* **Nurhak** Kahramanmaraş, S Turkey
182 *J9* **Nuriootpa** South Australia
127 *S5* **Nurlat** Respublika Tatarstan, W Russian Federation
93 *N15* **Nurmes** Itä-Suomi, E Finland
101 *K20* **Nürnberg** *Eng.* Nuremberg. Bayern, S Germany
101 *K20* **Nürnberg** × Bayern, SE Germany
146 *M10* **Nurota** *Rus.* Nurata. Navoiy Viloyati, C Uzbekistan
147 *N10* **Nurota Tizmasi** *Rus.* Khrebet Nuratau. ▲▲ C Uzbekistan
149 *T8* **Nūrpur** Punjab, E Pakistan
183 *P6* **Nurri, Mount** *hill* New South Wales, SE Australia
25 *T13* **Nursery** Texas, SW USA
171 *O16* **Nusa Tenggara** *Eng.* Lesser Sunda Islands. *island group* East Timor/ Indonesia
169 *V17* **Nusa Tenggara Barat** *off.* Propinsi Nusa Tenggara Barat, *Eng.* West Nusa Tenggara. ◈ *province* S Indonesia
171 *O16* **Nusa Tenggara Timur** *off.* Propinsi Nusa Tenggara Timur, *Eng.* East Nusa Tenggara. ◈ *province* S Indonesia
171 *U14* **Nusawulan** Papua, E Indonesia
137 *Q16* **Nusaybin** *var.* Nisibin. Manisa, SE Turkey
39 *O14* **Nushagak Bay** *bay* Alaska, USA
39 *O13* **Nushagak Peninsula** *headland* Alaska, USA
39 *O13* **Nushagak River** ≈ Alaska, USA
160 *E11* **Nu Shan** ▲▲ SW China
149 *N11* **Nushki** Baluchistān, SW Pakistan
Nussdorf *see* Năsăud
112 *J9* **Nuštar** Vukovar-Srijem, E Croatia
99 *L18* **Nuth** Limburg, SE Netherlands
100 *N13* **Nuthe** ≈ NE Germany
Nutmeg State *see* Connecticut
39 *T10* **Nutzotin Mountains** ▲▲ Alaska, USA
64 *I5* **Nuuk** *var.* Nûk, *Dan.* Godthaab, Godthåb. ○ (Greenland). Kitaa, SW Greenland
92 *L13* **Nuupas** Lappi, NW Finland
191 *O7* **Nuupere, Pointe** *headland* Moorea, W French Polynesia
191 *O7* **Nuuroa, Pointe** *headland* Tahiti, W French Polynesia
Nüürst *see* Baga Nuur
Nuwara *see* Nuwara Eliya
155 *K25* **Nuwara Eliya** *var.* Nuwara. Central Province, S Sri Lanka
182 *E7* **Nuyts Archipelago** *island group* South Australia
83 *F17* **Nxaunxau** Ngamiland, NW Botswana
39 *N12* **Nyac** Alaska, USA
122 *H9* **Nyagan'** Khanty-Mansiyskiy Avtonomnyy Okrug, N Russian Federation
Nyagassola *see* Niagassola
Nyagquka *see* Yajiang
81 *I18* **Nyahururu** Central, W Kenya
182 *M10* **Nyah West** Victoria, SE Australia
158 *M15* **Nyainqêntanglha Feng** ▲ W China
159 *N15* **Nyainqêntanglha Shan** ▲▲ W China
80 *B11* **Nyala** Southern Darfur, W Sudan
83 *M16* **Nyamapanda** Mashonaland East, NE Zimbabwe
81 *H25* **Nyamtumbo** Ruvuma, S Tanzania
Nyanda *see* Masvingo
124 *M11* **Nyandoma** Arkhangel'skaya Oblast', NW Russian Federation
83 *M16* **Nyanga** *prev.* Inyanga. Manicaland, E Zimbabwe
79 *D20* **Nyanga** *off.* Province de la Nyanga, *var.* La Nyanga. ◈ *province* SW Gabon
79 *E20* **Nyanga** ≈ Congo/Gabon
81 *F20* **Nyantakara** Kagera, NW Tanzania
81 *G19* **Nyanza** ◈ *province* W Kenya
81 *E21* **Nyanza-Lac** S Burundi
82 *N13* **Nyasa, Lake** *var.* Lake Malawi; *prev.* Lago Nyassa. ◎ E Africa
Nyasaland/Nyasaland Protectorate *see* Malawi
Nyassa, Lago *see* Nyasa, Lake
119 *J17* **Nyasvizh** *Pol.* Nieśwież, *Rus.* Nesvizh. Minskaya Voblasts', C Belarus
166 *M8* **Nyaunglebin** Pegu, SW Myanmar
166 *M5* **Nyaung-u** Magwe, C Myanmar
95 *H24* **Nyborg** Fyn, C Denmark
95 *N21* **Nybro** Kalmar, S Sweden
119 *J16* **Nyeharelaye** *Rus.* Negoreloye. Minskaya Voblasts', C Belarus
195 *W3* **Nye Mountains** ▲▲ Antarctica
81 *I19* **Nyeri** Central, C Kenya
118 *M11* **Nyeshcharda, Vozyera** ◎ N Belarus
92 *O2* **Ny-Friesland** *physical region* N Svalbard
95 *L14* **Nyhammar** Dalarna, C Sweden
160 *F7* **Nyikog Qu** ≈ C China
158 *L14* **Nyima** Xizang Zizhiqu, W China
83 *L14* **Nyimba** Eastern, E Zambia
159 *P16* **Nyingchi** *var.* Pula. Xizang Zizhiqu, W China
Nyinma *see* Maqu
111 *O21* **Nyírbátor** Szabolcs-Szatmár-Bereg, E Hungary
111 *N21* **Nyíregyháza** Szabolcs-Szatmár-Bereg, NE Hungary
Nyiro *see* Ewaso Ng'iro
Nyitra *see* Nitra
Nyitrabánya *see* Handlová
93 *K16* **Nykarleby** *Fin.* Uusikaarlepyy. Länsi-Suomi, W Finland
95 *I25* **Nykøbing** Storstrøm, SE Denmark
95 *I22* **Nykøbing** Vestsjælland, C Denmark
95 *F21* **Nykøbing** Viborg, NW Denmark
95 *N17* **Nyköping** Södermanland, S Sweden
95 *L15* **Nykroppa** Värmland, C Sweden
Nylstroom *see* Modimolle
183 *P7* **Nymagee** New South Wales, SE Australia
183 *V5* **Nymboida** New South Wales, SE Australia
183 *U5* **Nymboida River** ≈ New South Wales, SE Australia
111 *D16* **Nymburk** *var.* Neuenburg an der Elbe, *Ger.* Nimburg. Středočeský Kraj, C Czech Republic
95 *O16* **Nynäshamn** Stockholm, C Sweden
183 *Q6* **Nyngan** New South Wales, SE Australia
Nyoman *see* Neman
108 *A10* **Nyon** *Ger.* Neuss; *anc.* Noviodunum. Vaud, SW Switzerland
79 *D16* **Nyong** ≈ SW Cameroon
103 *S14* **Nyons** Drôme, E France
79 *D14* **Nyos, Lac** *Eng.* Lake Nyos. ◎ NW Cameroon
Nyos, Lake *see* Nyos, Lac
125 *U11* **Nyrob** *var.* Nyrov. Permskaya Oblast', NW Russian Federation
Nyrov *see* Nyrob
111 *H15* **Nysa** *Ger.* Neisse. Opolskie, S Poland
Nysa Łużycka *see* Neisse
Nyslott *see* Savonlinna
32 *M13* **Nyssa** Oregon, NW USA
Nystad *see* Uusikaupunki
95 *I25* **Nysted** Storstrøm, SE Denmark
125 *U14* **Nytva** Permskaya Oblast', NW Russian Federation
165 *P8* **Nyūdō-zaki** *headland* Honshū, C Japan
125 *P9* **Nyukhcha** Arkhangel'skaya Oblast', NW Russian Federation
126 *H8* **Nyuk, Ozero** *var.* Ozero Njuk. ◎ NW Russian Federation
125 *O12* **Nyuksenitsa** *var.* Njuksenica. Vologodskaya Oblast', NW Russian Federation
79 *O22* **Nyunzu** Katanga, SE Dem. Rep. Congo
123 *O10* **Nyurba** Respublika Sakha (Yakutiya), NE Russian Federation
123 *O11* **Nyuya** Respublika Sakha (Yakutiya), NE Russian Federation

◆ Country
● Country Capital
◇ Dependent Territory
○ Dependent Territory Capital
◈ Administrative Region
× International Airport
▲ Mountain
▲▲ Mountain Range
Volcano
≈ River
◎ Lake
▣ Reservoir

◆ COUNTRY · COUNTRY CAPITAL
◇ DEPENDENT TERRITORY · ○ DEPENDENT TERRITORY CAPITAL
◆ ADMINISTRATIVE REGION · ✕ INTERNATIONAL AIRPORT
▲ MOUNTAIN · ▲ MOUNTAIN RANGE
✖ VOLCANO · ☞ RIVER
◎ LAKE · ◙ RESERVOIR

97 C22 **Old Head of Kinsale** *Ir.* An Seancheann. *headland* SW Ireland

20 J8 **Old Hickory Lake** ⊠ Tennessee, S USA

Old Line State *see* Maryland

Old North State *see* North Carolina

81 I17 **Ol Doinyo Lengeyo** ▲ C Kenya

11 Q16 **Olds** Alberta, SW Canada

19 Q7 **Old Speck Mountain** ▲ Maine, NE USA

19 S6 **Old Town** Maine, NE USA

11 T17 **Old Wives Lake** ⊠ Saskatchewan, S Canada

162 J7 **Öldziyt** Arhangay, C Mongolia

163 N10 **Öldziyt** Dornogovĭ, SE Mongolia

188 H6 **Oleai** *var.* San Jose. Saipan, S Northern Mariana Islands

18 E11 **Olean** New York, NE USA

110 O7 **Olecko** *Ger.* Treuburg. Warmińsko-Mazurskie, NE Poland

106 C7 **Oleggio** Piemonte, NE Italy

123 P11 **Olëkma** Amurskaya Oblast', SE Russian Federation

123 P12 **Olëkma** ☞ C Russian Federation

123 P11 **Olëkminsk** Respublika Sakha (Yakutiya), NE Russian Federation

117 W7 **Oleksandrivka** Donets'ka Oblast', E Ukraine

117 R7 **Oleksandrivka** *Rus.* Aleksandrovka. Kirovohrads'ka Oblast', C Ukraine

117 Q9 **Oleksandrivka** Mykolayivs'ka Oblast', S Ukraine

117 S7 **Oleksandriya** *Rus.* Aleksandriya. Kirovohrads'ka Oblast', C Ukraine

93 D20 **Ølen** Hordaland, S Norway

124 J4 **Olenegorsk** Murmanskaya Oblast', NW Russian Federation

123 N9 **Olenëk** Respublika Sakha (Yakutiya), NE Russian Federation

123 N9 **Olenëk** ☞ NE Russian Federation

123 O7 **Olenëkskiy Zaliv** *bay* N Russian Federation

124 K6 **Olenitsa** Murmanskaya Oblast', NW Russian Federation

102 I11 **Oléron, Île d'** *island* W France

111 H14 **Oleśnica** *Ger.* Oels, Oels in Schlesien. Dolnośląskie, SW Poland

111 I15 **Olesno** *Ger.* Rosenberg. Opolskie, S Poland

116 M3 **Olevs'k** *Rus.* Olevsk. Zhytomyrs'ka Oblast', N Ukraine

123 S15 **Ol'ga** Primorskiy Kray, SE Russian Federation

Olga, Mount *see* Kata Tjuta

92 P2 **Olgastretet** *strait* E Svalbard

162 D5 **Ölgiy** Bayan-Ölgiy, W Mongolia

95 F23 **Ølgod** Ribe, W Denmark

104 H14 **Olhão** Faro, S Portugal

93 L14 **Olhava** Oulu, C Finland

112 B12 **Olib** *It.* Ulbo. *island* W Croatia

83 B16 **Olifa** Kunene, NW Namibia

83 E20 **Olifants** *var.* Elephant River. ☞ E Namibia

83 E25 **Olifants** *var.* Elefantes. ☞ South Africa

83 G22 **Olifantshoek** Northern Cape, N South Africa

188 L15 **Olimarao Atoll** *atoll* Caroline Islands, C Micronesia

Ólimbos *see* Ólympos

Olimpo *see* Fuerte Olimpo

59 Q16 **Olinda** Pernambuco, E Brazil

Olinthos *see* Ólynthos

83 I20 **Oliphants Drift** Kgatleng, SE Botswana

Olisipo *see* Lisboa

Olita *see* Alytus

105 Q4 **Olite** Navarra, N Spain

62 K10 **Oliva** Córdoba, C Argentina

105 T11 **Oliva** País Valenciano, E Spain

104 I12 **Oliva de la Frontera** Extremadura, W Spain

Olivares *see* Olivares de Júcar

62 H9 **Olivares, Cerro de** ▲ N Chile

105 P9 **Olivares de Júcar** *var.* Olivares. Castilla-La Mancha, C Spain

22 L1 **Olive Branch** Mississippi, S USA

21 O5 **Olive Hill** Kentucky, S USA

35 O6 **Olivehurst** California, W USA

104 G7 **Oliveira de Azeméis** Aveiro, N Portugal

104 I11 **Olivenza** Extremadura, W Spain

11 N17 **Oliver** British Columbia, SW Canada

103 N7 **Olivet** Loiret, C France

29 Q12 **Olivet** South Dakota, N USA

73 Q12 **Olivia** Minnesota, N USA

185 C20 **Olivine Range** ▲ South Island, NZ

108 H10 **Olivone** Ticino, S Switzerland

Ölkeyek *see* Ul'kayak

127 O9 **Ol'khovka** Volgogradskaya Oblast', SW Russian Federation

111 K16 **Olkusz** Małopolskie, S Poland

22 I6 **Olla** Louisiana, S USA

62 I4 **Ollagüe, Volcán** *var.* Oyahue, Volcán Oyahue. ▲ N Chile

189 U13 **Ollan** *island* Chuuk, C Micronesia

188 F7 **Ollei** Babeldaob, N Palau

108 C10 **Ollon** Vaud, W Switzerland

147 Q10 **Olmaliq** *Rus.* Almalyk. Toshkent Viloyati, E Uzbekistan

104 M6 **Olmedo** Castilla-León, N Spain

56 B10 **Olmos** Lambayeque, W Peru

Olmütz *see* Olomouc

30 M15 **Olney** Illinois, N USA

25 R5 **Olney** Texas, SW USA

95 L22 **Olofström** Blekinge, S Sweden

187 N9 **Olomburi** Malaita, N Solomon Islands

111 H17 **Olomouc** *Ger.* Olmütz, *Pol.* Ołomuniec. Olomoucký Kraj, E Czech Republic

111 H18 **Olomoucký Kraj** ◆ *region* E Czech Republic

Ołomuniec *see* Olomouc

122 D7 **Olonets** Respublika Kareliya, NW Russian Federation

171 N3 **Olongapo** *off.* Olongapo City. Luzon, N Philippines

102 J16 **Oloron-Ste-Marie** Pyrénées-Atlantiques, SW France

192 L15 **Olosega** *island* Manua Islands, E American Samoa

105 W4 **Olot** Cataluña, NE Spain

145 K12 **Olot** *Rus.* Alat. Buxoro Viloyati, C Uzbekistan

112 I12 **Olovo** Federacija Bosna I Hercegovina, E Bosnia and Herzegovina

123 O14 **Olovyannaya** Chitinskaya Oblast', S Russian Federation

123 T7 **Oloy** ☞ NE Russian Federation

101 F16 **Olpe** Nordrhein-Westfalen, W Germany

109 N8 **Olperer** ▲ SW Austria

Olshanka *see* Vil'shanka

Ol'shany *see* Al'shany

Olsnitz *see* Murska Sobota

98 M10 **Oldeijssel, E Netherlands**

110 L8 **Olsztyn** *Ger.* Allenstein. Warmińsko-Mazurskie, NE Poland

110 L8 **Olsztynek** *Ger.* Hohenstein in Ostpreussen. Warmińsko-Mazurskie, NE Poland

116 I14 **Olt** ◆ *county* SW Romania

116 I14 **Olt** *var.* Oltul, *Ger.* Alt. ☞ S Romania

108 E7 **Olten** Solothurn, NW Switzerland

116 K14 **Oltenița** *prev. Eng.* Oltenitsa, *anc.* Constantiola. Călărași, SE Romania

116 I14 **Oltet** ☞ S Romania

24 M4 **Olten** Texas, SW USA

137 R12 **Oltu** Erzurum, NE Turkey

Oltul *see* Olt

146 O2 **Oltynko'l** Qoraqalpog'iston Respublikasi, NW Uzbekistan

161 S12 **Oluan Pi** *Eng.* Cape Olwanpi. *headland* S Taiwan

137 R11 **Olur** Erzurum, NE Turkey

104 L15 **Olvera** Andalucía, S Spain

Ol'viopol' *see* Pervomays'k

Olwany, Cape *see* Oluan Pi

32 G9 **Olympia** *state capital* Washington, NW USA

115 D20 **Olympía** Dytikí Ellás, S Greece

32 G9 **Olympic Dam** South Australia

32 G9 **Olympic Mountains** ▲ Washington, NW USA

121 O3 **Ólympos** *var.* Troodos, *Eng.* Mount Olympus. ▲ C Cyprus

115 F15 **Ólympos** *var.* Ólimbos, *Eng.* Mount Olympus. ▲ N Greece

115 L17 **Ólympos** ▲ Lésvos, E Greece

16 C5 **Olympus, Mount** ▲ Washington, NW USA

Olympus, Mount *see* Ólympos

115 G14 **Ólynthos** *var.* Olinthos; *anc.* Olynthus. *site of ancient city* Kentrikí Makedonía, N Greece

Olynthus *see* Ólynthos

117 Q3 **Olyshivka** Chernihivs'ka Oblast', N Ukraine

123 W8 **Olyutorskiy, Mys** *headland* E Russian Federation

123 V8 **Olyutorskiy Zaliv** *bay* E Russian Federation

186 M10 **Om** ☞ W PNG

158 I13 **Oma** Xizang Zizhiqu, W China

165 R6 **Oma** Aomori, Honshū, C Japan

127 P6 **Oma** ☞ NW Russian Federation

164 M12 **Ōmachi** *var.* Ōmati. Nagano, Honshū, S Japan

165 Q8 **Ōmagari** Akita, Honshū, C Japan

97 E15 **Omagh** *Ir.* an Ómaigh. W Northern Ireland, UK

29 S15 **Omaha** Nebraska, C USA

83 E19 **Omaheke** ◆ *district* W Namibia

141 W10 **Oman** *off.* Sultanate of Oman, *Ar.* Salṭanat 'Umān; *prev.* Muscat and Oman. ◆ *monarchy* SW Asia

141 Y7 **Oman, Gulf of** *Ar.* Khalīj ʿUmān. *gulf* N Arabian Sea

184 J3 **Omapere** Northland, North Island, NZ

185 E20 **Omarama** Canterbury, South Island, NZ

112 F11 **Omarska Republika** Sprska, NW Bosnia and Herzegovina

83 C18 **Omaruru** Erongo, NW Namibia

83 C19 **Omaruru** ☞ W Namibia

83 E17 **Omatako** ☞ NE Namibia

164 M12 **Ōmati** *see* Ōmachi

83 E18 **Omawewozonyanda** NE Namibia

165 R6 **Oma-zaki** *headland* Honshū, C Japan

Ombai *see* Alor, Pulau

83 C16 **Ombalantu** Omusati, N Namibia

79 I15 **Ombella-Mpoko** ◆ *prefecture* S Central African Republic

Ombetsu *see* Onbetsu

83 B17 **Ombombo** Kunene, NW Namibia

79 D16 **Omboué** Ogooué-Maritime, W Gabon

106 G13 **Ombrone** ☞ C Italy

80 F9 **Omdurman** *var.* Umm Durmān. Khartoum, C Sudan

165 N13 **Ome** Tōkyō, Honshū, S Japan

106 C6 **Omegna** Piemonte, NE Italy

183 P12 **Omeo** Victoria, SE Australia

138 F11 **'Omer** Southern, C Israel

41 P16 **Ometepec** Guerrero, S Mexico

42 K11 **Ometepe, Isla de** *island* S Nicaragua

Om Hager *see* Om Hajer

80 J10 **Om Hajer** *var.* Om Hager. SW Eritrea

165 J13 **Omi-Hachiman** *var.* Ōmihachiman. Shiga, Honshū, SW Japan

10 L12 **Omineca Mountains** ▲ British Columbia, W Canada

113 I17 **Omiš** *It.* Almissa. Split-Dalmacija, S Croatia

112 B10 **Omišalj** Primorje-Gorski Kotar, NW Croatia

83 D19 **Omitara** Khomas, C Namibia

40 I6 **Omitlán, Río** ☞ S Mexico

39 X14 **Ommaney, Cape** *headland* Baranof Island, Alaska, USA

98 N9 **Ommen** Overijssel, E Netherlands

162 K11 **Ömnögovĭ** ◆ *province* S Mongolia

191 X7 **Omoa** Fatu Hira, NE French Polynesia

Omo Botego *see* Omo Wenz

Ómoldova *see* Moldova Veche

123 S7 **Omolon** Chukotskiy Avtonomnyy Okrug, NE Russian Federation

123 T7 **Omolon** ☞ NE Russian Federation

123 Q8 **Omoloy** ☞ NE Russian Federation

165 P8 **Omono-gawa** ☞ Honshū, C Japan

81 J14 **Omo Wenz** *var.* Omo Botego. ☞ Ethiopia/Kenya

122 H11 **Omsk** Omskaya Oblast', C Russian Federation

122 H11 **Omskaya Oblast'** ◆ *province* C Russian Federation

165 O2 **Omu** Hokkaidō, NE Japan

164 C16 **On-take** ▲ Kyūshū, SW Japan

164 C14 **Ōmuta** Fukuoka, Kyūshū, SW Japan

125 S14 **Omutninsk** Kirovskaya Oblast', NW Russian Federation

Omu, Vîrful *see* Omul, Vârful

29 V7 **Onamia** Minnesota, N USA

21 Y5 **Onancock** Virginia, NE USA

14 E10 **Onaping Lake** ⊠ Ontario, S Canada

30 M12 **Onarga** Illinois, N USA

165 R6 **Onatchiway, Lac** ⊠ Québec, SE Canada

29 S14 **Onawa** Iowa, C USA

165 R6 **Onbetsu** *var.* Ombetsu. Hokkaidō, NE Japan

83 B16 **Oncócua** Cunene, SW Angola

27 Q8 **Oologah Lake** ⊠ Oklahoma, C USA

14 E6 **Oqqal'a** *var.* Akkala. *Rus.* Karakala. Qoraqalpog'iston Respublikasi, NW Uzbekistan

147 V13 **Oqsu** *Rus.* Oksu. SE Tajikistan

163 N8 **Öndörhaan** *var.* Undur Khan; *prev.* Tsetsen Khan. Hentiy, E Mongolia

83 D18 **Ondundazonganda** Otjozondjupe, N Namibia

99 B16 **Oostende** Eng. Ostend, *Fr.* Ostende. West-Vlaanderen, NW Belgium

151 K21 **One and Half Degree Channel** *channel* S Maldives

187 Z15 **Cneata** Island Lau Group, E Fiji

124 L5 **Onega** Arkhangel'skaya Oblast', NW Russian Federation

122 E7 **Onega** ☞ NW Russian Federation

Onega Bay *see* Onezhskaya Guba

Onega, Lake *see* Onezhskoye Ozero

18 I10 **Oneida** New York, NE USA

20 M8 **Oneida** Tennessee, S USA

18 H9 **Oneida Lake** ⊠ New York, NE USA

29 P13 **O'Neill** Nebraska, C USA

123 V12 **Onekotan, Ostrov** *island* Kuril'skiye Ostrova, SE Russian Federation

23 P2 **Oneonta** Alabama, S USA

18 J11 **Oneonta** New York, NE USA

190 I16 **Oneroa** *island* S Cook Islands

116 K11 **Oneşti** *Hung.* Onyest; *prev.* Gheorghe Gheorghiu-Dej. Bacău, E Romania

193 V15 **Onevai** *island* Tongatapu Group, S Tonga

108 A11 **Onex** Genève, SW Switzerland

126 K8 **Onezhskaya Guba** *Eng.* Onega Bay. *bay* NW Russian Federation

122 D7 **Onezhskoye Ozero** *Eng.* Lake Onega. ⊠ NW Russian Federation

83 C16 **Ongandjera** Omusati, N Namibia

184 N12 **Ongaonga** Hawke's Bay, North Island, NZ

162 K9 **Ongi** Dundgovĭ, C Mongolia

162 K8 **Ongi** Övörhangay, C Mongolia

163 W14 **Ongjin** SW North Korea

155 J17 **Ongole** Andhra Pradesh, E India

162 K8 **Ongon** Övörhangay, C Mongolia

Ongtüstik Qazaqstan Oblysy *see* Yuzhnyy Kazakhstan

99 I21 **Onhaye** Namur, S Belgium

166 M4 **Onhne** Pegu, SW Myanmar

137 S9 **Oni** N Georgia

29 N5 **Onida** South Dakota, N USA

164 F15 **Onigajō-yama** ▲ Shikoku, SW Japan

172 N7 **Onilahy** ☞ S Madagascar

77 U16 **Onitsha** Anambra, S Nigeria

164 I13 **Ono** Hyōgo, Honshū, SW Japan

187 K15 **Ono** *island* SW Fiji

164 K12 **Ōno** Fukui, Honshū, SW Japan

164 E13 **Onoda** Yamaguchi, Honshū, SW Japan

187 Z16 **Ono-i-lau** *island* SE Fiji

164 D13 **Ōnojō** *var.* Onozyō. Fukuoka, Kyūshū, SW Japan

Onomiti *see* Onomichi

163 O7 **Önön Gol** ☞ N Mongolia

55 N6 **Onoto** Anzoátegui, NE Venezuela

191 O3 **Onotoa** *prev.* Clerk Island. *atoll* Tungaru, W Kiribati

95 I19 **Onsala** Halland, S Sweden

83 E23 **Onseepkans** Northern Cape, N South Africa

98 F4 **Ons, Illa de** *island* NW Spain

180 H7 **Onslow** Western Australia

21 W11 **Onslow Bay** *bay* North Carolina, E USA

98 P6 **Onstwedde** Groningen, NE Netherlands

164 C16 **On-take** ▲ Kyūshū, SW Japan

35 T15 **Ontario** California, W USA

32 M13 **Ontario** Oregon, NW USA

12 D10 **Ontario** ◆ *province* S Canada

9 P14 **Ontario, Lake** ⊠ Canada/USA

105 S11 **Ontinyent** *var.* Onteniente. País Valenciano, E Spain

93 N15 **Ontojärvi** ⊠ E Finland

30 L3 **Ontonagon** Michigan, N USA

30 L3 **Ontonagon River** ☞ Michigan, N USA

186 M7 **Ontong Java Atoll** *prev.* Lord Howe Island. *atoll* N Solomon Islands

192 I7 **Ontong Java Rise** *undersea feature* W Pacific Ocean

Onuba *see* Huelva

55 W9 **Onverwacht** Para, N Surinam

17 O16 **Onyest** *see* Oneşti

182 F2 **Oodnadatta** South Australia

182 F2 **Oodnadatta** South Australia

190 H7 **Onslow** Western Australia

98 K9 **Oostburg** Zeeland, SW Netherlands

98 K9 **Oostelijk-Flevoland** *polder* C Netherlands

99 B16 **Oostende** *Eng.* Ostend, *Fr.* Ostende. West-Vlaanderen, NW Belgium

99 B16 **Oostende ✈** West-Vlaanderen, NW Belgium

98 L12 **Oosterbeek** Gelderland, SE Netherlands

99 I14 **Oosterhout** Noord-Brabant, S Netherlands

98 O6 **Oostermoers Vaart** *var.* Hunze. ☞ NE Netherlands

99 F14 **Oosterschelde** *Eng.* Eastern Scheldt. *inlet* SW Netherlands

99 E14 **Oosterscheldedam** *dam* SW Netherlands

98 M7 **Oosterwolde** *Fris.* Easterwâlde. Friesland, N Netherlands

98 I9 **Oosthuizen** Noord-Holland, NW Netherlands

99 H16 **Oostmalle** Antwerpen, N Belgium

Oos-Transvaal *see* Mpumalanga

98 E15 **Oost-Souburg** Zeeland, SW Netherlands

98 E17 **Oost-Vlaanderen** *Eng.* East Flanders. ◆ *province* NW Belgium

98 J5 **Oost-Vlieland** Friesland, N Netherlands

98 F12 **Oostvoorne** Zuid-Holland, SW Netherlands

Ootacamund *see* Udagamandalam

58 O10 **Ootmarsum** Overijssel, E Netherlands

10 K14 **Ootsa Lake** ☞ British Columbia, SW Canada

114 L8 **Opaka** Türgovishte, N Bulgaria

79 M18 **Opala** Orientale, C Dem. Rep. Congo

125 Q13 **Oparino** Kirovskaya Oblast', NW Russian Federation

14 H8 **Opasatica, Lac** ☞ Québec, SE Canada

112 B9 **Opatija** *It.* Abbazia. Primorje-Gorski Kotar, NW Croatia

111 N15 **Opatów** Świętokrzyskie, C Poland

111 I17 **Opava** *Ger.* Troppau. Moravskoslezský Kraj, E Czech Republic

111 H16 **Opava** *Ger.* Oppa. ☞ NE Czech Republic

83 E23 **Opazova** *see* Stara Pazova

Opécska *see* Pecica

14 E8 **Opeepeesway Lake** ⊠ Ontario, S Canada

23 R5 **Opelika** Alabama, S USA

22 I8 **Opelousas** Louisiana, S USA

186 G6 **Open Bay** *bay* New Britain, E PNG

14 I12 **Opeongo Lake** ⊠ Ontario, SE Canada

99 K17 **Opglabbeek** Limburg, NE Belgium

83 D23 **Opgimund** *var.* Orangemund; *prev.* Orange Mouth. Karas, SW Namibia

111 H15 **Opielska** ◆ *province* S Poland

Opornyy *see* Borankul

104 G4 **O Porriño** *var.* Porriño. Galicia, NW Spain

144 P8 **Opotiki** Bay of Plenty, North Island, NZ

23 P10 **Opp** Alabama, S USA

9 G7 **Oppdal** Sør-Trøndelag, S Norway

Oppeln *see* Opole

107 N23 **Oppido Mamertina** Calabria, SW Italy

94 F12 **Oppland** ◆ *county* S Norway

213 J12 **Oppurg** Spa. Vitsyebskaya Voblasts', NW Belarus

Optima, Lake *see* Oneşti

26 I8 **Optima Lake** ☞ Oklahoma, C USA

18 J11 **Opunake** Taranaki, North Island, NZ

191 N6 **Opunohu, Baie d'** *bay* Moorea, W French Polynesia

83 B17 **Opuwo** Kunene, NW Namibia

111 J18 **Orăştie** *Ger.* Broos, *Hung.* Szászváros. Hunedoara, W Romania

Oraşul Stalin *see* Braşov

111 K18 **Orava** *Hung.* Árva, *Pol.* Orawa. ☞ N Slovakia

112 I10 **Orašje** Federacija Bosna I Hercegovina, N Bosnia and Herzegovina

111 K18 **Oravicabánya** *see* Oraviţa

116 F13 **Oraviţa** *Ger.* Orawitza, *Hung.* Oravicabánya. Caraş-Severin, SW Romania

104 H4 **Orawa** *see* Oravita

185 B24 **Orawia** Southland, South Island, NZ

Orawitza *see* Oraviţa

147 P14 **Oqtogh, Qatorkŭhi** *Rus.* Khrebet Aktau. ▲ SW Tajikistan

146 M11 **Oqtosh** *Rus.* Aktash. Samarqand Viloyati, C Uzbekistan

147 N11 **Oqtov Tizmasi** *Rus.* Khrebet Aktau. ▲ C Uzbekistan

30 J12 **Oquawka** Illinois, N USA

144 J10 **Or'** *Kaz.* Or. ☞ Kazakhstan/Russian Federation

36 M15 **Oracle** Arizona, SW USA

147 N13 **O'radaryo** *Rus.* Uradar'ya. ☞ S Uzbekistan

116 F9 **Oradea** *prev.* Oradea Mare, *Ger.* Grosswardein, *Hung.* Nagyvárad. Bihor, NW Romania

Oradea Mare *see* Oradea

113 M17 **Orahovac** *Alb.* Rahovec. Serbia, S Serbia and Montenegro (Yugo.)

112 H5 **Orahovica** Virovitica-Podravina, NE Croatia

152 K13 **Orai** Uttar Pradesh, N India

92 K12 **Orajärvi** Lappi, NW Finland

Or Akiva *see* Or 'Aqiva

Oral *see* Ural'sk

74 I5 **Oran** *var.* Ouahran, Wahran. NW Algeria

183 R8 **Orange** New South Wales, SE Australia

103 R14 **Orange** *anc.* Arausio. Vaucluse, SE France

25 Y10 **Orange** Texas, SW USA

21 V5 **Orange** Virginia, NE USA

21 R13 **Orangeburg** South Carolina, SE USA

58 J9 **Orange, Cabo** *headland* NE Brazil

29 S12 **Orange City** Iowa, C USA

Orange Cone *see* Orange Fan

172 J10 **Orange Fan** *var.* Orange Cone. *undersea feature* SW Indian Ocean

Orange Free State *see* Free State

25 S14 **Orange Grove** Texas, SW USA

18 K13 **Orange Lake** New York, NE USA

23 V10 **Orange Lake** ⊠ Florida, SE USA

Orange Mouth/Orangemund *see* Oranjemund

23 W9 **Orange Park** Florida, SE USA

83 E23 **Orange River** *Afr.* Oranjerivier. ☞ S Africa

14 G15 **Orangeville** Ontario, S Canada

36 M5 **Orangeville** Utah, W USA

42 G1 **Orange Walk** Orange Walk, N Belize

42 F1 **Orange Walk** ◆ *district* NW Belize

100 N11 **Oranienburg** Brandenburg, NE Germany

98 O7 **Oranjekanaal** *canal* NE Netherlands

83 D23 **Oranjemund** *var.* Orangemund; *prev.* Orange Mouth. Karas, SW Namibia

Oranjerivier *see* Orange River

45 N16 **Oranjestad** ○ (Aruba) W Aruba

Oranje Vrystaat *see* Free State

Orany *see* Varėna

83 H18 **Orapa** Central, C Botswana

138 F9 **Or 'Aqiva** *var.* Or Akiva. Haifa, W Israel

112 I10 **Orašje** Federacija Bosna I Hercegovina, N Bosnia and Herzegovina

116 G11 **Orăştie** *Ger.* Broos, *Hung.* Szászváros. Hunedoara, W Romania

Oraşul Stalin *see* Braşov

184 L5 **Orewa** Auckland, North Island, NZ

185 B24 **Orawia** Southland, South Island, NZ

Orawitza *see* Oraviţa

144 P8 **OqQ** Alabama, S USA

186 G6 **Orcadas** *Argentinian research station* South Orkney Islands, Antarctica

10 K14 **Orcera** Andalucía, S Spain

33 P9 **Orchard Homes** Montana, NW USA

37 P5 **Orchard Mesa** Colorado, C USA

18 D11 **Orchard Park** New York, NE USA

83 B17 **Orchid Island** *see* Lan Yü

115 G18 **Orchómenos** *var.* Orhomenós, Orchómenos; *prev.* Skripón, *anc.* Orchomenus. Steréa Ellás, C Greece

106 B7 **Orco** ☞ NW Italy

103 R8 **Or, Côte d'** *physical region* C France

29 O14 **Ord** Nebraska, C USA

119 O15 **Ordats'** *Rus.* Ordat'. Mahilyowskaya Voblasts', E Belarus

36 K8 **Orderville** Utah, W USA

104 H2 **Ordes** Galicia, NW Spain

35 V14 **Ord Mountain** ▲ California, W USA

163 N14 **Ordos** *prev.* Dongsheng. Nei Mongol Zizhiqu, N China

Ordos Desert *see* Mu Us Shadi

188 B16 **Ordot** C Guam

137 N11 **Ordu** *anc.* Cotyora. Ordu, N Turkey

137 V14 **Ordubad** SW Azerbaijan

105 O3 **Orduña** País Vasco, N Spain

37 U6 **Ordway** Colorado, C USA

117 T9 **Ordzhonikidze** Dnipropetrovs'ka Oblast', E Ukraine

Ordzhonikidze *see* Denisovka, Kazakhstan

Ordzhonikidze *see* Vladikavkaz, Russian Federation

Ordzhonikidze *see* Yenakiyeve, Ukraine

Ordzhonikidzeabad *see* Kofarnihon

55 U9 **Orealla** E Guyana

113 G15 **Orebić** *It.* Sabbioncello. Dubrovnik-Neretva, S Croatia

95 M16 **Örebro** Örebro, C Sweden

95 L16 **Örebro** ◆ *county* C Sweden

30 L10 **Oregon** Illinois, N USA

27 Q2 **Oregon** Missouri, C USA

31 R11 **Oregon** Ohio, N USA

32 H13 **Oregon** *off.* State of Oregon; also known as Beaver State, Sunset State, Valentine State, Webfoot State. ◆ *state* NW USA

32 G11 **Oregon City** Oregon, NW USA

95 P14 **Öregrund** Uppsala, C Sweden

Orekhov *see* Orikhiv

126 L3 **Orekhovo-Zuyevo** Moskovskaya Oblast', W Russian Federation

Orekhovsk *see* Arekhawsk

Orel *see* Oril'

126 J6 **Orël** Orlovskaya Oblast', W Russian Federation

56 E6 **Orellana** ◆ *province* NE Ecuador

56 J11 **Orellana** Loreto, N Peru

104 L11 **Orellana, Embalse de** ☞ W Spain

36 L3 **Orem** Utah, W USA

127 V7 **Orenburg** *prev.* Chkalov. Orenburgskaya Oblast', W Russian Federation

127 V7 **Orenburg ✈** Orenburgskaya Oblast', W Russian Federation

127 T7 **Orenburgskaya Oblast'** ◆ *province* W Russian Federation

Orense *see* Ourense

188 B16 **Oreor** *var.* Koror. *island* N Palau

Oreor *see* Koror

185 B24 **Orepuki** Southland, South Island, NZ

114 L12 **Orestiáda** *prev.* Orestiás. Anatolikí Makedonía kai Thráki, NE Greece

Orestiás *see* Orestiáda

Oresund/Øresund *see* Øresund, The

185 G23 **Oreti** ☞ South Island, NZ

184 L5 **Orewa** Auckland, North Island, NZ

Orford, Cape *headland* West Falkland, Falkland Islands

44 B5 **Órganos, Sierra de los** ▲ W Cuba

37 R15 **Organ Peak** ▲ New Mexico, SW USA

105 N9 **Orgaz** Castilla-La Mancha, C Spain

Orgeyev *see* Orhei

162 I6 **Orgil** Hövsgöl, C Mongolia

Orgõn Bayanhongor, C Mongolia

105 O15 **Orgiva** *var.* Orjiva. Andalucía, S Spain

162 I9 **Örgön** Bayanhongor, C Mongolia

117 N9 **Orhei** *var.* Orheiu, *Rus.* Orgeyev. C Moldova

Orheiu *see* Orhei

105 R3 **Orhy, Pic d'/Orhy** *see also* Orhy ▲ France/Spain *see* Orhy

Orhomenós *see* Orchómenos

162 K6 **Orhon** ◆ *province* N Mongolia

162 L6 **Orhon Gol** ☞ N Mongolia

162 J16 **Orhy, Pic d'** var. Orhi, Pico de Orhy, Pic d'Orhy, *Fr.* Orhy. ▲ France/Spain *see also* Orhi **Orhy, Pic d'/Orhy, Pico de** *see* Orhi/Orhy

34 L2 **Orick** California, W USA

32 L6 **Orient** Washington, NW USA

57 I17 **Oriental, Cordillera** ▲ Bolivia/Peru

54 F10 **Oriental, Cordillera** ▲ C Colombia

63 M15 **Oriente** Buenos Aires, E Argentina

302 ••• ORIHUELA – OVADA

105 R12 **Orihuela** País Valenciano, E Spain
117 V9 **Orikhiv** *Rus.* Orekhov. Zaporiz'ka Oblast', SE Ukraine
113 K22 **Orikum** *var.* Orikumi. Vlorë, SW Albania
Orikumi *see* Orikum
117 V6 **Oril'** *Rus.* Orel. ≈ E Ukraine
14 H14 **Orillia** Ontario, S Canada
93 M19 **Orimattila** Etelä-Suomi, S Finland
33 Y15 **Orin** Wyoming, C USA
54 M7 **Orinoco, Río** ≈ Colombia/Venezuela
186 C9 **Oriomo** Western, SW PNG
30 K11 **Orion** Illinois, N USA
29 Q5 **Oriska** North Dakota, N USA
153 P17 **Orissa** ◈ *state* NE India
Orissaar *see* Orissaare
118 E5 **Orissaare** *Ger.* Orissaar. Saaremaa, W Estonia
107 B19 **Oristano** Sardegna, Italy, C Mediterranean Sea
107 A19 **Oristano, Golfo di** *gulf* Sardegna, Italy, C Mediterranean Sea
54 D13 **Orito** Putumayo, SW Colombia
93 L18 **Orivesi** Häme, SW Finland
93 N17 **Orivesi** ◎ Länsi-Suomi, SE Finland
58 H12 **Oriximiná** Pará, NE Brazil
41 Q14 **Orizaba** Veracruz-Llave, E Mexico
41 Q14 **Orizaba, Volcán Pico de** *var.* Citlaltépetl. ▲ S Mexico
95 I16 **Ørje** Østfold, S Norway
113 I16 **Orjen** ⛰ Bosnia and Herzegovina/Serbia and Montenegro (Yugo.)
Orjiva *see* Orgiva
94 G8 **Orkanger** Sør-Trøndelag, S Norway
94 G8 **Orkdalen** *valley* S Norway
95 K22 **Örkelljunga** Skåne, S Sweden
Orkhaniye *see* Botevgrad
Orkhómenos *see* Orchómenos
94 H9 **Orkla** ≈ S Norway
Orkney *see* Orkney Islands
65 J22 **Orkney Deep** *undersea feature* Scotia Sea/Weddell Sea
96 J4 **Orkney Islands** *var.* Orkney, Orkneys. *island group* N Scotland, UK
Orkneys *see* Orkney Islands
24 K8 **Orla** Texas, SW USA
35 N5 **Orland** California, W USA
23 X11 **Orlando** Florida, SE USA
23 X12 **Orlando** ✕ Florida, SE USA
107 K23 **Orlando, Capo d'** *headland* Sicilia, Italy, C Mediterranean Sea
Orlau *see* Orlová
103 N6 **Orléanais** *cultural region* C France
34 L2 **Orleans** California, W USA
19 Q12 **Orleans** Massachusetts, NE USA
103 N7 **Orléans** *anc.* Aurelianum. Loiret, C France
15 R10 **Orléans, Île d'** *island* Québec, SE Canada
Orléansville *see* Chlef
111 F16 **Orlice** *Ger.* Adler. ≈ NE Czech Republic
122 L13 **Orlik** Respublika Buryatiya, S Russian Federation
125 Q14 **Orlov** *prev.* Khalturin. Kirovskaya Oblast', NW Russian Federation
111 I17 **Orlová** *Ger.* Orlau, *Pol.* Orłowa. Moravskoslezský Kraj, E Czech Republic
Orlov, Mys *see* Orlovskiy, Mys
126 I6 **Orlovskaya Oblast'** ◈ *province* W Russian Federation
126 M5 **Orlovskiy, Mys** *var.* Mys Orlov. *headland* NW Russian Federation
Orłowa *see* Orlová
103 O5 **Orly** ✕ (Paris) Essonne, N France
119 G16 **Orlya** *Rus.* Orlya. Hrodzyenskaya Voblasts', W Belarus
114 M7 **Orlyak** *prev.* Makenzen, Trubchular, *Rom.* Trupcilar. Dobrich, NE Bulgaria
148 L16 **Ormāra** Baluchistān, SW Pakistan
171 P5 **Ormoc** *off.* Ormoc City, *var.* MacArthur. Leyte, C Philippines
23 X10 **Ormond Beach** Florida, SE USA
109 X10 **Ormož** *Ger.* Friedau. NE Slovenia
14 J13 **Ormsby** Ontario, SE Canada
97 K17 **Ormskirk** NW England, UK
Ormsö *see* Vormsi
15 N13 **Ormstown** Québec, SE Canada
Ormuz, Strait of *see* Hormuz, Strait of
103 T8 **Ornans** Doubs, E France
102 K5 **Orne** ◈ *department* N France
102 K5 **Orne** ≈ N France
92 G12 **Ørnes** Nordland, C Norway
110 L7 **Orneta** Warmińsko-Mazurskie, NE Poland
95 P16 **Ornö** Stockholm, C Sweden
37 Q3 **Orno Peak** ▲ Colorado, C USA
93 I16 **Örnsköldsvik** Västernorrland, C Sweden
163 X13 **Oro** E North Korea
45 T6 **Orocovis** C Puerto Rico
54 H10 **Orocué** Casanare, E Colombia
77 N13 **Orodara** SW Burkina
105 S4 **Oroel, Peña de** ▲ N Spain
33 N10 **Orofino** Idaho, NW USA
162 I9 **Orog Nuur** ◎ S Mongolia
35 U14 **Oro Grande** California, W USA
37 S15 **Orogrande** New Mexico, SW USA
191 Q7 **Orohena, Mont** 🌋 Tahiti, W French Polynesia
Orolaunum *see* Arlon
Orol Dengizi *see* Aral Sea
189 S15 **Oroluk Atoll** *atoll* Caroline Islands, C Micronesia
80 J13 **Oromo** ◈ *region* C Ethiopia
13 O15 **Oromocto** New Brunswick, SE Canada
191 S4 **Orona** *prev.* Hull Island. *atoll* Phoenix Islands, C Kiribati
191 V17 **Orongo** *ancient monument* Easter Island, Chile, E Pacific Ocean
138 I3 **Orontes** *var.* Ononte, *Ar.* Nahr el Aassi, Nahr al 'Aşī. ≈ SW Asia
104 L9 **Oropesa** Castilla-La Mancha, C Spain
105 T8 **Oropesa** País Valenciano, E Spain
Oropeza *see* Cochabamba
Oroqen Zizhiqi *see* Alihe
171 P7 **Oroquieta** *var.* Oroquieta City. Mindanao, S Philippines
40 J8 **Oro, Río del** ≈ C Mexico
59 O14 **Orós, Açude** ⊡ E Brazil
107 D18 **Orosei, Golfo di** *gulf* Tyrrhenian Sea, C Mediterranean Sea
111 M24 **Orosháza** Békés, SE Hungary
Orosirá Rodhópis *see* Rhodope Mountains
111 I22 **Oroszlány** Komárom-Esztergom, W Hungary
188 B16 **Orote Peninsula** *peninsula* W Guam
123 T9 **Orotukan** Magadanskaya Oblast', E Russian Federation
35 O5 **Oroville** California, W USA
32 K6 **Oroville** Washington, NW USA
35 O5 **Oroville, Lake** ⊡ California, W USA
64 I7 **Orphan Knoll** *undersea feature* NW Atlantic Ocean
29 V3 **Orr** Minnesota, N USA
95 M21 **Orrefors** Kalmar, S Sweden
182 I7 **Orroroo** South Australia
31 T12 **Orrville** Ohio, N USA
94 L12 **Orsa** Dalarna, C Sweden
Orschowa *see* Orşova
Orschütz *see* Orzyc
119 O14 **Orsha** *Rus.* Orsha. Vitsyebskaya Voblasts', NE Belarus
127 Q2 **Orshanka** Respublika Mariy El, W Russian Federation
108 C11 **Orsières** Valais, SW Switzerland
127 X8 **Orsk** Orenburgskaya Oblast', W Russian Federation
116 F13 **Orşova** *Ger.* Orschowa, *Hung.* Orsova. Mehedinţi, SW Romania
94 D10 **Ørsta** Møre og Romsdal, S Norway
95 O15 **Örsundsbro** Uppsala, C Sweden
136 D16 **Ortaca** Muğla, SW Turkey
107 M16 **Orta Nova** Puglia, SE Italy
136 I17 **Orta Toroslar** ⛰ S Turkey
54 E11 **Ortega** Tolima, W Colombia
104 H1 **Ortegal, Cabo** *headland* NW Spain
Ortelsburg *see* Szczytno
102 J15 **Orthez** Pyrénées-Atlantiques, SW France
57 K14 **Orthon, Río** ≈ N Bolivia
60 J10 **Ortigueira** Paraná, S Brazil
104 H1 **Ortigueira** Galicia, NW Spain
106 H5 **Ortisei** *Ger.* Sankt-Ulrich. Trentino-Alto Adige, N Italy
40 F6 **Ortiz** Sonora, NW Mexico
54 L5 **Ortiz** Guárico, N Venezuela
Ortler *see* Ortles
106 F5 **Ortles** *Ger.* Ortler. ▲ N Italy
107 K14 **Ortona** Abruzzo, C Italy
29 R8 **Ortonville** Minnesota, N USA
147 W8 **Orto-Tokoy** Issyk-Kul'skaya Oblast', NE Kyrgyzstan
93 I15 **Örträsk** Västerbotten, N Sweden
100 J12 **Örtze** ≈ NW Germany
Oruba *see* Aruba
142 I3 **Orūmīyeh** *var.* Rizaiyeh, Urmia, Urmiyeh; *prev.* Reẓā'īyeh. Āẕarbāyjān-e Bākhtarī, NW Iran
142 J3 **Orūmīyeh, Daryācheh-ye** *var.* Matianus, Sha Hi, Urumi Yeh, *Eng.* Lake Urmia; *prev.* Daryācheh-ye Reẓā'īyeh. ◎ NW Iran
57 K19 **Oruro** Oruro, W Bolivia
57 J19 **Oruro** ◈ *department* W Bolivia
95 I18 **Orust** *island* S Sweden
Oruzgān/Orūzgān *see* Ūrūzgān
106 H13 **Orvieto** *anc.* Velsuna. Umbria, C Italy
194 K7 **Orville Coast** *physical region* Antarctica
114 H7 **Oryakhovo** Vratsa, NW Bulgaria
Oryokko *see* Yalu
117 R5 **Orzhytsya** Poltavs'ka Oblast', C Ukraine
110 M9 **Orzyc** *Ger.* Orschütz. ≈ NE Poland
110 N8 **Orzysz** *Ger.* Arys. Warmińsko-Mazurskie, NE Poland
94 I10 **Os** Hedmark, S Norway
125 U15 **Osa** Permskaya Oblast', NW Russian Federation
29 W11 **Osage** Iowa, C USA
27 U5 **Osage Beach** Missouri, C USA
27 P5 **Osage City** Kansas, C USA
27 U7 **Osage Fork River** ≈ Missouri, C USA
27 U5 **Osage River** ≈ Missouri, C USA
164 J13 **Ōsaka** *hist.* Naniwa. Ōsaka, Honshū, SW Japan
164 I13 **Ōsaka** *off.* Ōsaka-fu, *var.* Ōsaka Hu. ◈ *urban prefecture* Honshū, SW Japan
Ōsaka-fu/Ōsaka Hu *see* Ōsaka
145 R10 **Osakarovka** Karaganda, C Kazakhstan
29 T7 **Osakis** Minnesota, N USA
43 N16 **Osa, Península de** *peninsula* S Costa Rica
60 M10 **Osasco** São Paulo, S Brazil
27 R5 **Osawatomie** Kansas, C USA
26 L3 **Osborne** Kansas, C USA
173 S8 **Osborn Plateau** *undersea feature* E Indian Ocean
95 L21 **Osby** Skåne, S Sweden
Osca *see* Huesca
92 N2 **Oscar II Land** *physical region* W Svalbard
27 Y10 **Osceola** Arkansas, C USA
29 V15 **Osceola** Iowa, C USA
27 S6 **Osceola** Missouri, C USA
29 Q15 **Osceola** Nebraska, C USA
101 N15 **Oschatz** Sachsen, E Germany
100 K13 **Oschersleben** Sachsen-Anhalt, C Germany
31 R7 **Oscoda** Michigan, N USA
Ösel *see* Saaremaa
94 H6 **Osen** Sør-Trøndelag, S Norway
94 I12 **Osensjøen** ◎ S Norway
164 A14 **Ōse-zaki** *headland* Fukue-jima, SW Japan
147 T10 **Osh** Oshskaya Oblast', SW Kyrgyzstan
83 C16 **Oshakati** Oshana, N Namibia
83 C16 **Oshana** ◈ *district* N Namibia
14 H15 **Oshawa** Ontario, SE Canada
165 R10 **Oshika-hantō** *peninsula* Honshū, C Japan
83 C16 **Oshikango** Ohangwena, N Namibia
Oshikoto *see* Otjikoto
165 P5 **Ō-shima** *island* NE Japan
165 N14 **Ō-shima** *island* S Japan
165 Q5 **Oshima-hantō** ⛰ Hokkaidō, NE Japan
83 D17 **Oshivelo** Otjikoto, N Namibia
28 K14 **Oshkosh** Nebraska, C USA
30 M7 **Oshkosh** Wisconsin, N USA
Oshmyany *see* Ashmyany
Osh Oblasty *see* Oshskaya Oblast'
77 T16 **Oshogbo** *var.* Osogbo. Osun, W Nigeria
147 T11 **Oshskaya Oblast'** *Kir.* Osh Oblasty. ◈ *province* SW Kyrgyzstan
Oshun *see* Osun
79 J20 **Oshwe** Bandundu, C Dem. Rep. Congo
Osiek *see* Osijek
112 I9 **Osijek** *prev.* Osiek, Osjek, *Ger.* Esseg, *Hung.* Eszék. Osijek-Baranja, E Croatia
112 I9 **Osijek-Baranja** *off.* Osječko-Baranjska Županija. ◈ *province* E Croatia
106 J12 **Osimo** Marche, C Italy
122 M12 **Osinovka** Irkutskaya Oblast', C Russian Federation
Osintorf *see* Asintorf
112 N11 **Osipaonica** Serbia, NE Serbia and Montenegro (Yugo.)
Osipenko *see* Berdyans'k
Osipovichi *see* Asipovichy
Osječko-Baranjska Županija *see* Osijek-Baranja
Osjek *see* Osijek
29 W15 **Oskaloosa** Iowa, C USA
27 Q4 **Oskaloosa** Kansas, C USA
95 N20 **Oskarshamn** Kalmar, S Sweden
95 J21 **Oskarström** Halland, S Sweden
14 M8 **Oskélanéo** Québec, SE Canada
Öskemen *see* Ust'-Kamenogorsk
Oskil *see* Oskol
117 W5 **Oskol** *Ukr.* Oskil. ≈ Russian Federation/Ukraine
93 D20 **Oslo** *prev.* Christiania, Kristiania. ● (Norway) Oslo, S Norway
93 D20 **Oslo** ◈ *county* S Norway
93 D21 **Oslofjorden** *fjord* S Norway
155 G15 **Osmānābād** Mahārāshtra, C India
136 J11 **Osmancık** Çorum, N Turkey
136 L16 **Osmaniye** Osmaniye, S Turkey
136 L16 **Osmaniye** ◈ *province* S Turkey
95 O16 **Ösmo** Stockholm, C Sweden
118 E3 **Osmussaar** *island* W Estonia
100 G13 **Osnabrück** Niedersachsen, NW Germany
110 D11 **Ośno Lubuskie** *Ger.* Drossen. Lubuskie, W Poland
Osogbo *see* Oshogbo
113 P19 **Osogov Mountains** *var.* Osogovske Planine, Osogovski Planina, *Mac.* Osogovski Planini. ⛰ Bulgaria/FYR Macedonia
Osogovske Planine/ Osogovski Planina/ Osogovski Planini *see* Osogov Mountains
165 R6 **Osore-yama** ▲ Honshū, C Japan
Oşorhei *see* Târgu Mureş
61 J16 **Osório** Rio Grande do Sul, S Brazil
63 G16 **Osorno** Los Lagos, C Chile
104 M4 **Osorno** Castilla-León, N Spain
11 N17 **Osoyoos** British Columbia, SW Canada
95 C14 **Osøyro** Hordaland, S Norway
54 J6 **Ospino** Portuguesa, N Venezuela
98 K13 **Oss** Noord-Brabant, S Netherlands
104 H11 **Ossa** ▲ S Portugal
115 F15 **Óssa** ⛰ C Greece
23 X6 **Ossabaw Island** *island* Georgia, SE USA
23 X6 **Ossabaw Sound** *sound* Georgia, SE USA
183 O16 **Ossa, Mount** ▲ Tasmania, SE Australia
104 H11 **Ossa, Serra d'** ⛰ SE Portugal
77 U16 **Osse** ≈ S Nigeria
30 J6 **Osseo** Wisconsin, N USA
109 S9 **Ossiacher See** ◎ S Austria
18 K13 **Ossining** New York, NE USA
123 V9 **Ossora** Koryakskiy Avtonomnyy Okrug, E Russian Federation
124 I15 **Ostashkov** Tverskaya Oblast', W Russian Federation
100 H9 **Oste** ≈ NW Germany
Ostee *see* Baltic Sea
Ostend/Ostende *see* Oostende
117 P3 **Oster** Chernihivs'ka Oblast', N Ukraine
95 O14 **Österbybruk** Uppsala, C Sweden
95 M19 **Österbymo** Östergötland, S Sweden
94 K12 **Österdalälven** ≈ C Sweden
94 I12 **Østerdalen** *valley* S Norway
95 L18 **Östergötland** ◈ *county* S Sweden
100 H10 **Osterholz-Scharmbeck** Niedersachsen, NW Germany
Östermark *see* Teuva
Östermyra *see* Seinäjoki
Osterode/Osterode in Ostpreussen *see* Ostróda
94 J11 **Østrehogna** *prev.* Härjåhågnen *Swe.* Härjahågnen, Härjehågna. ▲ Norway/Sweden
101 J14 **Osterode am Harz** Niedersachsen, C Germany
94 C13 **Osterøy** *island* S Norway
Österreich *see* Austria
93 G16 **Östersund** Jämtland, C Sweden
95 N14 **Östervåla** Västmanland, C Sweden
101 H22 **Ostfildern** Baden-Württemberg, SW Germany
95 H16 **Østfold** ◈ *county* S Norway
100 E9 **Ostfriesische Inseln** *Eng.* East Frisian Islands. *island group* NW Germany
100 F10 **Ostfriesland** *historical region* NW Germany
95 P14 **Östhammar** Uppsala, C Sweden
Ostia Aterni *see* Pescara
106 G8 **Ostiglia** Lombardia, N Italy
95 J14 **Östmark** Värmland, C Sweden
95 K22 **Östra Ringsjön** ◎ S Sweden
111 I17 **Ostrava** Moravskoslezský Kraj, E Czech Republic
Ostravský Kraj *see* Moravskoslezský Kraj
110 K8 **Ostróda** *Ger.* Osterode, Osterode in Ostpreussen. Warmińsko-Mazurskie, NE Poland
Ostrog/Ostróg *see* Ostroh
126 L8 **Ostrogozhsk** Voronezhskaya Oblast', W Russian Federation
116 L4 **Ostroh** *Pol.* Ostróg, *Rus.* Ostrog. Rivnens'ka Oblast', NW Ukraine
110 N9 **Ostrołęka** *Ger.* Wiesenhof, *Rus.* Ostrolenka. Mazowieckie, C Poland
111 A16 **Ostrov** *Ger.* Schlackenwerth. Karlovarský Kraj, W Czech Republic
124 F15 **Ostrov** *Latv.* Austrava. Pskovskaya Oblast', W Russian Federation
Ostrovets *see* Ostrowiec Świętokrzyski
113 M21 **Ostrovicës, Mali i** ▲ SE Albania
165 Z2 **Ostrov Iturup** *island* NE Russian Federation
124 M4 **Ostrovnoy** Murmanskaya Oblast', NW Russian Federation
114 L7 **Ostrovo** *prev.* Golema Ada. Razgrad, N Bulgaria
125 N15 **Ostrovskoye** Kostromskaya Oblast', NW Russian Federation
Ostrów *see* Ostrów Wielkopolski
Ostrowiec *see* Ostrowiec Świętokrzyski
111 M14 **Ostrowiec Świętokrzyski** *var.* Ostrowiec, *Rus.* Ostrovets. Świętokrzyskie, C Poland
110 P13 **Ostrów Lubelski** Lubelskie, E Poland
110 N10 **Ostrów Mazowiecka** *var.* Ostrów Mazowiecki. Mazowieckie, C Poland
Ostrów Mazowiecki *see* Ostrów Mazowiecka
Ostrowo *see* Ostrów Wielkopolski
110 H13 **Ostrów Wielkopolski** *var.* Ostrów, *Ger.* Ostrowo. Wielkopolskie, C Poland
Ostryna *see* Astryna
110 I13 **Ostrzeszów** Wielkopolskie, C Poland
107 P18 **Ostuni** Puglia, SE Italy
Ostyako-Voguls'k *see* Khanty-Mansiysk
Osum *see* Osumit, Lumi i
114 I9 **Osŭm** ≈ N Bulgaria
164 C17 **Ōsumi-hantō** ⛰ Kyūshū, SW Japan
164 C17 **Ōsumi-kaikyō** *strait* SW Japan
113 L22 **Osumit, Lumi i** *var.* Osum. ≈ SE Albania
77 T16 **Osun** *var.* Oshun. ◈ *state* SW Nigeria
104 L14 **Osuna** Andalucía, S Spain
60 J8 **Osvaldo Cruz** São Paulo, S Brazil
Osveya *see* Asvyeya
18 J7 **Oswegatchie River** ≈ New York, NE USA
27 Q7 **Oswego** Kansas, C USA
18 H9 **Oswego** New York, NE USA
97 K19 **Oswestry** W England, UK
111 J16 **Oświęcim** *Ger.* Auschwitz. Małopolskie, S Poland
185 E22 **Otago** *off.* Otago Region. ◈ *region* South Island, NZ
185 F23 **Otago Peninsula** *peninsula* South Island, NZ
165 F13 **Ōtake** Hiroshima, Honshū, SW Japan
184 L13 **Otaki** Wellington, North Island, NZ
93 M15 **Otanmäki** Oulu, C Finland
145 T15 **Otar** Zhambyl, SE Kazakhstan
165 R4 **Otaru** Hokkaidō, NE Japan
185 C24 **Otatara** Southland, South Island, NZ
185 C24 **Otautau** Southland, South Island, NZ
93 M18 **Otava** Isä-Suomi, E Finland
111 B18 **Otava** *Ger.* Wottawa. ≈ SW Czech Republic
56 C6 **Otavalo** Imbabura, N Ecuador
83 D17 **Otavi** Otjozondjupa, N Namibia
165 P12 **Ōtawara** Tochigi, Honshū, S Japan
83 B16 **Otchinjau** Cunene, SW Angola
116 F12 **Oţelu Roşu** *Ger.* Ferdinandsberg, *Hung.* Nándorhgy. Caras-Severin, SW Romania
185 E21 **Otematata** Canterbury, South Island, NZ
118 I6 **Otepää** *Ger.* Odenpäh. Valgamaa, SE Estonia
32 K9 **Othello** Washington, NW USA
115 A15 **Othonoí** *island* Iónioi Nísoi, Greece, C Mediterranean Sea
Othris *see* Óthrys
115 F17 **Óthrys** *var.* Othris. ⛰ C Greece
77 Q14 **Oti** ≈ N Togo
40 K10 **Otinapa** Durango, C Mexico
185 G17 **Otira** West Coast, South Island, NZ
37 V3 **Otis** Colorado, C USA
12 L10 **Otish, Monts** ⛰ Québec, E Canada
83 C17 **Otjikondo** Kunene, N Namibia
83 C17 **Otjikoto** *var.* Oshikoto. ◈ *district* N Namibia
83 E18 **Otjinene** Omaheke, NE Namibia
83 D18 **Otjiwarongo** Otjozondjupa, N Namibia
83 D18 **Otjosondu** *var.* Otjosundu. Otjozondjupa, C Namibia
Otjosundu *see* Otjosondu
83 D18 **Otjozondjupa** ◈ *district* C Namibia
112 C11 **Otočac** Lika-Senj, W Croatia
Otog Qi *see* Ulan
112 J10 **Otok** Vukovar-Srijem, E Croatia
116 K14 **Otopeni** ✕ (Bucureşti) Bucureşti, S Romania
184 L8 **Otorohanga** Waikato, North Island, NZ
12 D9 **Otoskwin** ≈ Ontario, C Canada
165 G14 **Ōtoyo** Kōchi, Shikoku, SW Japan
95 E16 **Otra** ≈ S Norway
107 R19 **Otranto** Puglia, SE Italy
Otranto, Canale d' *see* Otranto, Strait of
107 Q18 **Otranto, Strait of** *It.* Canale d'Otranto. *strait* Albania/Italy
111 H18 **Otrokovice** *Ger.* Otrokowitz. Zlínský Kraj, E Czech Republic
Otrokowitz *see* Otrokovice
31 P10 **Otsego** Michigan, N USA
31 Q6 **Otsego Lake** ◎ Michigan, N USA
18 I11 **Otselic River** ≈ New York, NE USA
164 J14 **Ōtsu** *var.* Ōtu. Shiga, Honshū, SW Japan
94 G11 **Otta** Oppland, S Norway
189 U13 **Otta** *island* Chuuk, C Micronesia
94 F11 **Otta** ≈ S Norway
189 U13 **Otta Pass** *passage* Chuuk Islands, C Micronesia
95 J22 **Ottarp** Skåne, S Sweden
14 L12 **Ottawa** ● (Canada) Ontario, SE Canada
30 L11 **Ottawa** Illinois, N USA
27 Q5 **Ottawa** Kansas, C USA
31 R12 **Ottawa** Ohio, N USA
14 L12 **Ottawa** *var.* Uplands. ✕ Ontario, SE Canada
14 M12 **Ottawa** *Fr.* Outaouais. ≈ Ontario/Québec, SE Canada
12 I4 **Ottawa Islands** *island group* Nunavut, C Canada
18 L8 **Otter Creek** ≈ Vermont, NE USA
36 L6 **Otter Creek Reservoir** ⊡ Utah, W USA
98 L11 **Otterlo** Gelderland, E Netherlands
94 D9 **Otterøya** *island* S Norway
29 S6 **Otter Tail Lake** ◎ Minnesota, N USA
29 R7 **Otter Tail River** ≈ Minnesota, C USA
95 H23 **Otterup** Fyn, C Denmark
99 H19 **Ottignies** Wallon Brabant, C Belgium
101 L23 **Ottobrunn** Bayern, SE Germany
29 X15 **Ottumwa** Iowa, C USA
Ōtu *see* Ōtsu
83 B16 **Otuazuma** Kunene, NW Namibia
Otuki *see* Ōtsuki
77 V16 **Oturkpo** Benue, S Nigeria
193 Y15 **Otu Tolu Group** *island group* SE Tonga
182 M13 **Otway, Cape** *headland* Victoria, SE Australia
63 H24 **Otway, Seno** *inlet* S Chile
Ötz *see* Oetz
108 L8 **Ötztaler Ache** ≈ W Austria
108 L9 **Ötztaler Alpen** *It.* Alpi Venoste. ⛰ SW Austria
27 T12 **Ouachita, Lake** ⊡ Arkansas, C USA
27 R11 **Ouachita Mountains** ⛰ Arkansas/Oklahoma, C USA
27 U13 **Ouachita River** ≈ Arkansas/Louisiana, C USA
Ouadaï *see* Ouaddaï
76 J7 **Ouadâne** *var.* Ouadane. Adrar, C Mauritania
78 K13 **Ouadda** Haute-Kotto, N Central African Republic
78 J10 **Ouaddaï** *off.* Préfecture du Ouaddaï, *var.* Ouadaï, Wadai. ◈ *prefecture* SE Chad
77 P13 **Ouagadougou** *var.* Wagadugu. ● (Burkina) C Burkina
77 P13 **Ouagadougou** ✕ C Burkina
77 O12 **Ouahigouya** NW Burkina
Ouahran *see* Oran
79 J14 **Ouaka** ◈ *prefecture* C Central African Republic
79 J15 **Ouaka** ≈ S Central African Republic
Oualam *see* Ouallam
76 M9 **Oualâta** *var.* Oualata. Hodh ech Chargui, SE Mauritania
77 R11 **Ouallam** *var.* Oualam. Tillabéri, W Niger
172 H14 **Ouanani** Mohéli, S Comoros
55 Z10 **Ouanary** E French Guiana
78 L13 **Ouanda Djallé** Vakaga, NE Central African Republic
79 N14 **Ouando** Haut-Mbomou, SE Central African Republic
79 L15 **Ouango** Mbomou, S Central African Republic
77 N14 **Ouangolodougou** *var.* Wangolodougou. N Ivory Coast
172 I13 **Ouani** Anjouan, SE Comoros
79 M15 **Ouara** ≈ E Central African Republic
76 K7 **Ouarâne** *desert* C Mauritania
15 O11 **Ouareau** ≈ Québec, SE Canada
74 K7 **Ouargla** *var.* Wargla. NE Algeria
74 F8 **Ouarzazate** S Morocco
77 Q11 **Ouatagouna** Gao, E Mali
74 G6 **Ouazzane** *var.* Ouezzane, *Ar.* Wazan, Wazzan. N Morocco
Oubangui *see* Ubangi
Oubangui-Chari *see* Central African Republic
Oubari, Edeyen d' *see* Awbāri, Idhān
98 G13 **Oud-Beijerland** Zuid-Holland, SW Netherlands
98 F13 **Ouddorp** Zuid-Holland, SW Netherlands
77 P9 **Oudeïka** *oasis* C Mali
98 G13 **Oude Maas** ≈ SW Netherlands
99 E18 **Oudenaarde** *Fr.* Audenarde. Oost-Vlaanderen, SW Belgium
99 H14 **Oudenbosch** Noord-Brabant, S Netherlands
98 P6 **Oude Pekela** Groningen, NE Netherlands
Ouderkerk *see* Ouderkerk aan den Amstel
98 I10 **Ouderkerk aan den Amstel** *var.* Ouderkerk. Noord-Holland, C Netherlands
98 I6 **Oudeschild** Noord-Holland, NW Netherlands
99 G14 **Oude-Tonge** Zuid-Holland, SW Netherlands
98 I12 **Oudewater** Utrecht, C Netherlands
Oudjda *see* Oujda
98 L5 **Oudkerk** Friesland, N Netherlands
102 J7 **Oudon** ≈ NW France
98 I9 **Oudorp** Noord-Holland, NW Netherlands
83 G25 **Oudtshoorn** Western Cape, SW South Africa
99 I16 **Oud-Turnhout** Antwerpen, N Belgium
74 F7 **Oued-Zem** C Morocco
187 P16 **Ouégoa** Province Nord, C New Caledonia
76 L13 **Ouéléssébougou** *var.* Ouolossébougou. Koulikoro, SW Mali
77 N16 **Ouellé** E Ivory Coast
77 R16 **Ouémé** ≈ C Benin
77 O13 **Ouessa** S Burkina
102 D5 **Ouessant, Île d'** *Eng.* Ushant. *island* NW France
79 H17 **Ouésso** La Sangha, NW Congo
79 D15 **Ouest** *Eng.* West. ◈ *province* W Cameroon
190 G11 **Ouest, Baie de l'** *bay* Îles Wallis, Wallis and Futuna
15 Y7 **Ouest, Pointe de l'** *headland* Québec, SE Canada
Ouezzane *see* Ouazzane
99 K20 **Ouffet** Liège, E Belgium
79 H14 **Ouham** ◈ *prefecture* NW Central African Republic
78 I13 **Ouham** ≈ Central African Republic/Chad
79 G14 **Ouham-Pendé** ◈ *prefecture* W Central African Republic
77 R16 **Ouidah** *Eng.* Whydah, Wida. S Benin
74 H6 **Oujda** *Ar.* Oudjda, Ujda. NE Morocco
76 I7 **Oujeft** Adrar, C Mauritania
93 L15 **Oulainen** Oulu, C Finland
Ould Yanja *see* Ould Yenjé
76 J10 **Ould Yenjé** *var.* Ould Yanja. Guidimaka, S Mauritania
93 L14 **Oulu** *Swe.* Uleåborg. Oulu, C Finland
93 M14 **Oulu** *Swe.* Uleåborg. ◈ *province* N Finland
93 L15 **Oulujärvi** *Swe.* Uleträsk. ◎ C Finland
93 M14 **Oulujoki** *Swe.* Uleälv. ≈ C Finland
93 L14 **Oulunsalo** Oulu, C Finland
106 A8 **Oulx** Piemonte, NE Italy
78 J9 **Oum-Chalouba** Borkou-Ennedi-Tibesti, NE Chad
76 M16 **Oumé** C Ivory Coast
74 F7 **Oum er Rbia** ≈ C Morocco
78 J10 **Oum-Hadjer** Batha, E Chad
92 K10 **Ounasjoki** ≈ N Finland
78 J7 **Ounianga Kébir** Borkou-Ennedi-Tibesti, N Chad
Ouolossébougou *see* Ouéléssébougou
Oup *see* Auob
99 K19 **Oupeye** Liège, E Belgium
99 N21 **Our** ≈ NW Europe
37 Q7 **Ouray** Colorado, C USA
103 R7 **Ource** ≈ C France
104 G9 **Ourém** Santarém, C Portugal
104 H4 **Ourense** *Cast.* Orense; *Lat.* Aurium. Galicia, NW Spain
104 I4 **Ourense** *Cast.* Orense ◈ *province* Galicia, NW Spain
59 O15 **Ouricuri** Pernambuco, E Brazil
60 J9 **Ourinhos** São Paulo, S Brazil
104 G13 **Ourique** Beja, S Portugal
59 M20 **Ouro Preto** Minas Gerais, NE Brazil
Ours, Grand Lac de l' *see* Great Bear Lake
99 K20 **Ourthe** ≈ E Belgium
165 Q9 **Ōu-sanmyaku** ⛰ Honshū, C Japan
97 M17 **Ouse** ≈ N England, UK
Ouse *see* Great Ouse
102 H7 **Oust** ≈ NW France
Outaouais *see* Ottawa
15 T4 **Outardes Quatre, Réservoir** ⊡ Québec, SE Canada
15 T5 **Outardes, Rivière aux** ≈ Québec, SE Canada
96 E8 **Outer Hebrides** *var.* Western Isles. *island group* NW Scotland, UK
30 K3 **Outer Island** *island* Apostle Islands, Wisconsin, N USA
35 S16 **Outer Santa Barbara Passage** *passage* California, SW USA
104 G3 **Outes** Galicia, NW Spain
83 C18 **Outjo** Kunene, N Namibia
11 T16 **Outlook** Saskatchewan, S Canada
93 N16 **Outokumpu** Itä-Suomi, E Finland
96 M2 **Out Skerries** *island group* NE Scotland, UK
187 Q16 **Ouvéa** *island* Îles Loyauté, NE New Caledonia
103 S14 **Ouvèze** ≈ SE France
182 L9 **Ouyen** Victoria, SE Australia
39 Q14 **Ouzinkie** Kodiak Island, Alaska, USA
137 O13 **Ovacık** Tunceli, E Turkey
106 C9 **Ovada** Piemonte, NE Italy

◆ COUNTRY ● COUNTRY CAPITAL ◇ DEPENDENT TERRITORY ○ DEPENDENT TERRITORY CAPITAL ◈ ADMINISTRATIVE REGION ✕ INTERNATIONAL AIRPORT ▲ MOUNTAIN ⛰ MOUNTAIN RANGE 🌋 VOLCANO ≈ RIVER ◎ LAKE ⊡ RESERVOIR

Ovalau – Panarea, Isola ••• 303

187 X14 **Ovalau** *island* C Fiji
62 G9 **Ovalle** Coquimbo, N Chile
83 C17 **Ovamboland** *physical region* N Namibia
54 L10 **Ovana, Cerro** ▲ S Venezuela
104 G7 **Ovar** Aveiro, N Portugal
114 L10 **Ovcharitsa, Yazovir** ⊠ SE Bulgaria
54 E6 **Ovejas** Sucre, NW Colombia
101 E16 **Overath** Nordrhein-Westfalen, W Germany
98 F13 **Overflakkee** *island* SW Netherlands
99 H19 **Overijse** Vlaams Brabant, C Belgium
98 N10 **Overijssel** ◈ *province* E Netherlands
98 M9 **Overijssels Kanaal** *canal* E Netherlands
92 K13 **Överkalix** Norrbotten, N Sweden
27 R4 **Overland Park** Kansas, C USA
99 L14 **Overloon** Noord-Brabant, SE Netherlands
99 K16 **Overpelt** Limburg, NE Belgium
35 Y10 **Overton** Nevada, W USA
25 W7 **Overton** Texas, SW USA
92 K13 **Övertorneå** Norrbotten, N Sweden
95 N18 **Överum** Kalmar, S Sweden
92 G13 **Överuman** ◎ N Sweden
117 P11 **Ovidiopol'** Odes'ka Oblast', SW Ukraine
116 M14 **Ovidiu** Constanţa, SE Romania
45 N10 **Oviedo** SW Dominican Republic
104 K2 **Oviedo** *anc.* Asturias. Asturias, NW Spain
104 K2 **Oviedo** ✕ Asturias, N Spain
Ovilava *see* Wels
118 D7 **Ovišši** Ventspils, W Latvia
146 K10 **Ovminzatov-Tog'lari** *Rus.* Gory Auminzatau. ▲ N Uzbekistan
162 H6 **Övögdiy** Dzavhan, C Mongolia
163 P10 **Ovoot** Sühbaatar, SE Mongolia
157 O4 **Övörhangay** ◈ *province* C Mongolia
94 E12 **Øvre Årdal** Sogn og Fjordane, S Norway
95 J14 **Övre Fryken** ◎ C Sweden
92 J11 **Övre Soppero** *Lapp.* Badje-Sohppar. Norrbotten, N Sweden
117 N3 **Ovruch** Zhytomyrs'ka Oblast', N Ukraine
162 J8 **Övt** Övörhangay, C Mongolia
185 E24 **Owaka** Otago, South Island, NZ
79 H18 **Owando** *prev.* Fort-Rousset. Cuvette, C Congo
164 J14 **Owase** Mie, Honshū, SW Japan
27 P9 **Owasso** Oklahoma, C USA
29 V10 **Owatonna** Minnesota, N USA
173 O4 **Owen Fracture Zone** *tectonic feature* W Arabian Sea
185 H15 **Owen, Mount** ▲ South Island, NZ
185 H15 **Owen River** Tasman, South Island, NZ
44 D8 **Owen Roberts** ✕ Grand Cayman, Cayman Islands
20 I6 **Owensboro** Kentucky, S USA
35 T11 **Owens Lake** *salt flat* California, W USA
14 F14 **Owen Sound** Ontario, S Canada
14 F13 **Owen Sound** ◎ Ontario, S Canada
35 T10 **Owens River** ∽ California, W USA
186 F9 **Owen Stanley Range** ▲ S PNG
27 V5 **Owensville** Missouri, C USA
20 M4 **Owenton** Kentucky, S USA
77 U17 **Owerri** Imo, S Nigeria
184 M10 **Owhango** Manawatu-Wanganui, North Island, NZ
21 N5 **Owingsville** Kentucky, S USA
77 T16 **Owo** Ondo, SW Nigeria
31 R9 **Owosso** Michigan, N USA
35 V1 **Owyhee** Nevada, W USA
32 L14 **Owyhee, Lake** ◎ Oregon, NW USA
32 L15 **Owyhee River** ∽ Idaho/Oregon, NW USA
92 K1 **Öxarfjördhur** *var.* Axarfjördhur. *fjord* N Iceland
94 K12 **Oxberg** Dalarna, C Sweden
11 V17 **Oxbow** Saskatchewan, S Canada
95 O17 **Oxelösund** Södermanland, S Sweden
185 H18 **Oxford** Canterbury, South Island, NZ
97 M21 **Oxford** *Lat.* Oxonia. S England, UK
23 Q3 **Oxford** Alabama, S USA
22 L2 **Oxford** Mississippi, S USA
29 N16 **Oxford** Nebraska, C USA
18 I11 **Oxford** New York, NE USA
21 U8 **Oxford** North Carolina, SE USA
31 Q14 **Oxford** Ohio, N USA
18 H16 **Oxford** Pennsylvania, NE USA
11 X12 **Oxford House** Manitoba, C Canada
29 Y13 **Oxford Junction** Iowa, C USA
11 X12 **Oxford Lake** ◎ Manitoba, C Canada
97 M21 **Oxfordshire** *cultural region* S England, UK
Oxia *see* Oxyá
41 X12 **Oxkutzcab** Yucatán, SE Mexico
35 R15 **Oxnard** California, W USA
Oxonia *see* Oxford
14 I12 **Oxtongue** ∽ Ontario, SE Canada
Oxus *see* Amu Darya
115 E15 **Oxyá** *var.* Oxia. ▲ C Greece
164 L11 **Oyabe** Toyama, Honshū, SW Japan
Oyahue/Oyahue, Volcán *see* Ollagüe, Volcán
165 O12 **Oyama** Tochigi, Honshū, S Japan
Oyapock *see* Oiapoque, Rio
55 Z10 **Oyapok, Baie de L'** *bay* Brazil/French Guiana
55 Z11 **Oyapok, Fleuve l'** *var.* Oyapock, Rio Oiapoque. ∽ Brazil/French Guiana *see also* Oiapoque, Rio
79 E17 **Oyem** Woleu-Ntem, N Gabon
11 R16 **Oyen** Alberta, SW Canada
95 I15 **Øyeren** ◎ S Norway
162 G6 **Oygon** Dzavhan, N Mongolia
96 I7 **Oykel** ∽ N Scotland, UK
123 R9 **Oymyakon** Respublika Sakha (Yakutiya), NE Russian Federation
79 H19 **Oyo** Cuvette, C Congo
77 S15 **Oyo** Oyo, W Nigeria
77 S15 **Oyo** ◈ *state* SW Nigeria
56 D13 **Oyón** Lima, C Peru
103 S10 **Oyonnax** Ain, E France
146 L10 **Oyoqig'itma** *Rus.* Ayakagytma. Buxoro Viloyati, C Uzbekistan
146 M9 **Oyoqquduq** *Rus.* Ayakkuduk. Navoiy Viloyati, N Uzbekistan
32 F9 **Oysterville** Washington, NW USA
95 D14 **Øystese** Hordaland, S Norway
147 U10 **Oy-Tal** Oshskaya Oblast', SW Kyrgyzstan
147 T10 **Oy-Tal** ∽ SW Kyrgyzstan
145 S16 **Oytal** Zhambyl, S Kazakhstan
Oyyl *see* Uil
Ozarichi *see* Azarychy
23 R7 **Ozark** Alabama, S USA
27 S10 **Ozark** Arkansas, C USA
27 T8 **Ozark** Missouri, C USA
27 T8 **Ozark Plateau** *plain* Arkansas/Missouri, C USA
27 T6 **Ozarks, Lake of the** ⊠ Missouri, C USA
192 L10 **Ozbourn Seamount** *undersea feature* W Pacific Ocean
111 L20 **Ózd** Borsod-Abaúj-Zemplén, NE Hungary
112 D11 **Ozeblin** ▲ C Croatia
123 V11 **Ozernovskiy** Kamchatskaya Oblast', E Russian Federation
144 M7 **Ozërnoye** *var.* Ozërnyy. Kostanay, N Kazakhstan
124 I15 **Ozërnyy** Tverskaya Oblast', W Russian Federation
Ozërnyy *see* Ozërnoye
115 D18 **Ozerós, Límni** ◎ W Greece
122 F11 **Ozërsk** Chelyabinskaya Oblast', C Russian Federation
119 D14 **Ozersk** *prev.* Darkehnen, *Ger.* Angerapp. Kaliningradskaya Oblast', W Russian Federation
126 L4 **Ozery** Moskovskaya Oblast', W Russian Federation
Özgön *see* Uzgen
107 C17 **Ozieri** Sardegna, Italy, C Mediterranean Sea
111 I15 **Ozimek** *Ger.* Malapane. Opolskie, S Poland
127 R8 **Ozinki** Saratovskaya Oblast', W Russian Federation
Oziya *see* Ojiya
25 O10 **Ozona** Texas, SW USA
Ozorkov *see* Ozorków
110 J12 **Ozorków** *Rus.* Ozorkov. Łódź, C Poland
164 F14 **Ōzu** Ehime, Shikoku, SW Japan
137 R10 **Ozurget'i** *prev.* Makharadze. W Georgia

P

99 J17 **Paal** Limburg, NE Belgium
196 M14 **Paamiut** *var.* Pâmiut, *Dan.* Frederikshåb. Kitaa, S Greenland
167 N8 **Pa-an** Karen State, S Myanmar
101 L22 **Paar** ∽ SE Germany
83 E26 **Paarl** Western Cape, SW South Africa
93 L15 **Paavola** Oulu, C Finland
96 E8 **Pabbay** *island* NW Scotland, UK
153 T15 **Pabna** Rajshahi, W Bangladesh
109 U4 **Pabneukirchen** Oberösterreich, N Austria
118 H13 **Pabradė** *Pol.* Podbrodzie. Vilnius, SE Lithuania
56 L13 **Pacahuaras, Río** ∽ N Bolivia
Pacaraima, Sierra/Pacaraim, Serra *see* Pakaraima Mountains
56 B11 **Pacasmayo** La Libertad, W Peru
42 D6 **Pacaya, Volcán de** ▲ S Guatemala
115 K23 **Pachía** *island* Kykládes, Greece, Aegean Sea
107 L26 **Pachino** Sicilia, Italy, C Mediterranean Sea
56 F12 **Pachitea, Río** ∽ C Peru
154 I11 **Pachmarhi** Madhya Pradesh, C India
121 P3 **Páchna** *var.* Pakhna. SW Cyprus
115 H25 **Páchnes** ▲ Kríti, Greece, E Mediterranean Sea
54 F9 **Pacho** Cundinamarca, C Colombia
154 F12 **Pāchora** Mahārāshtra, C India
41 P13 **Pachuca** *var.* Pachuca de Soto. Hidalgo, C Mexico
Pachuca de Soto *see* Pachuca
27 W5 **Pacific** Missouri, C USA
192 L14 **Pacific-Antarctic Ridge** *undersea feature* S Pacific Ocean
32 F8 **Pacific Beach** Washington, NW USA
35 N10 **Pacific Grove** California, W USA
29 S15 **Pacific Junction** Iowa, C USA
198-199 **Pacific Ocean** *ocean*
113 J15 **Pačir** ▲ SW Serbia and Montenegro (Yugo.)
182 L5 **Packsaddle** New South Wales, SE Australia
32 H9 **Packwood** Washington, NW USA
Padalung *see* Phatthalung
168 J12 **Padang** Sumatera, W Indonesia
168 L9 **Padang Endau** Pahang, Peninsular Malaysia
Padangpandjang *see* Padangpanjang
168 I11 **Padangpanjang** *prev.* Padangpandjang. Sumatera, W Indonesia
168 I10 **Padangsidempuan** *prev.* Padangsidimpoean. Sumatera, W Indonesia
Padangsidimpoean *see* Padangsidempuan
124 I9 **Padany** Respublika Kareliya, NW Russian Federation
93 M18 **Padasjoki** Etelä-Suomi, S Finland
57 M22 **Padcaya** Tarija, S Bolivia
101 H14 **Paderborn** Nordrhein-Westfalen, NW Germany
Padeşul/Padeş, Vîrful *see* Padeş, Vârful
116 F12 **Padeş, Vârful** *var.* Padeşul; *prev.* Vîrful Padeş. ▲ W Romania
112 L10 **Padinska Skela** Serbia, N Serbia and Montenegro (Yugo.)
Padma *see* Brahmaputra
153 S14 **Padma** *var.* Ganges. ∽ Bangladesh/India *see also* Ganges
106 H8 **Padova** *Eng.* Padua; *anc.* Patavium. Veneto, NE Italy
82 A10 **Padrão, Ponta do** *headland* NW Angola
25 T16 **Padre Island** *island* Texas, SW USA
104 G3 **Padrón** Galicia, NW Spain
118 K13 **Padsvillye** *Rus.* Podsvil'ye. Vitsyebskaya Voblasts', N Belarus
182 K11 **Padthaway** South Australia
Padua *see* Padova
20 G7 **Paducah** Kentucky, S USA
25 P4 **Paducah** Texas, SW USA
105 N15 **Padul** Andalucía, S Spain
191 P8 **Paea** Tahiti, W French Polynesia
185 L14 **Paekakariki** Wellington, North Island, NZ
163 X11 **Paektu-san** *var.* Baitou Shan. ▲ China/North Korea
163 V15 **Paengnyŏng-do** *island* NW South Korea
184 M7 **Paeroa** Waikato, North Island, NZ
54 D12 **Páez** Cauca, SW Colombia
121 O3 **Páfos** *var.* Paphos. W Cyprus
121 O3 **Páfos** ✕ SW Cyprus
83 L19 **Pafúri** Gaza, SW Mozambique
112 C12 **Pag** *It.* Pago. Lika-Senj, W Croatia
112 B11 **Pag** *It.* Pago. *island* Zadar, SW Croatia
171 P7 **Pagadian** Mindanao, S Philippines
168 J13 **Pagai Selatan, Pulau** *island* Kepulauan Mentawai, W Indonesia
168 J13 **Pagai Utara, Pulau** *island* Kepulauan Mentawai, W Indonesia
188 K4 **Pagan** *island* C Northern Mariana Islands
115 G16 **Pagasitikós Kólpos** *gulf* E Greece
36 L8 **Page** Arizona, SW USA
29 Q5 **Page** North Dakota, N USA
118 D13 **Pagėgiai** *Ger.* Pogegen. Tauragė, SW Lithuania
21 S11 **Pageland** South Carolina, SE USA
81 G16 **Pager** ∽ NE Uganda
149 Q5 **Paghmān** Kābul, E Afghanistan
Pago *see* Pag
188 C16 **Pago Bay** *bay* E Guam, W Pacific Ocean
115 M20 **Pagóndas** *var.* Pagóndhas. Sámos, Dodekánisos, Greece, Aegean Sea
Pagóndhas *see* Pagóndas
192 J16 **Pago Pago** ○ (American Samoa) Tutuila, W American Samoa
37 R8 **Pagosa Springs** Colorado, C USA
38 H12 **Pāhala** *var.* Pahala. Hawai'i, USA, C Pacific Ocean
168 K8 **Pahang** *off.* Negeri Pahang Darul Makmur. ◈ *state* Peninsular Malaysia
Pahang *see* Pahang, Sungai
168 L8 **Pahang, Sungai** *var.* Pahang, Sungei Pahang. ∽ Peninsular Malaysia
149 S8 **Pahārpur** North-West Frontier Province, NW Pakistan
185 B24 **Pahia Point** *headland* South Island, NZ
184 M13 **Pahiatua** Manawatu-Wanganui, North Island, NZ
38 H12 **Pāhoa** *var.* Pahoa. Hawai'i, USA, C Pacific Ocean
23 Y14 **Pahokee** Florida, SE USA
35 X9 **Pahranagat Range** ▲ Nevada, W USA
35 W11 **Pahrump** Nevada, W USA
Pahsien *see* Chongqing
35 V9 **Pahute Mesa** ▲ Nevada, W USA
167 N7 **Pai** Mae Hong Son, NW Thailand
38 F10 **Pā'ia** *var.* Paia. Maui, Hawai'i, USA, C Pacific Ocean
Pai-ch'eng *see* Baicheng
118 H4 **Paide** *Ger.* Weissenstein. Järvamaa, N Estonia
97 J24 **Paignton** SW England, UK
184 K3 **Paihia** Northland, North Island, NZ
93 M18 **Päijänne** ◎ S Finland
114 F13 **Páïko** ▲ N Greece
57 M17 **Paila, Río** ∽ C Bolivia
167 Q12 **Pailin** Bătdâmbâng, W Cambodia
54 F6 **Pailitas** Cesar, N Colombia
38 F9 **Pailolo Channel** *channel* Hawai'i, USA, C Pacific Ocean
93 K19 **Paimio** *Swe.* Pemar. Länsi-Suomi, W Finland
165 O16 **Paimi-saki** *var.* Yaeme-saki. *headland* Iriomote-jima, SW Japan
102 G5 **Paimpol** Côtes d'Armor, NW France
168 J12 **Painan** Sumatera, W Indonesia
63 G23 **Paine, Cerro** ▲ S Chile
31 U11 **Painesville** Ohio, N USA
31 S14 **Paint Creek** ∽ Ohio, N USA
36 L10 **Painted Desert** *desert* Arizona, SW USA
Paint Hills *see* Wemindji
30 M4 **Paint River** ∽ Michigan, N USA
25 P8 **Paint Rock** Texas, SW USA
21 O6 **Paintsville** Kentucky, S USA
Paisance *see* Piacenza
96 I12 **Paisley** W Scotland, UK
32 I15 **Paisley** Oregon, NW USA
105 R10 **País Valenciano** *var.* Valencia, *Cat.* València; *anc.* Valentia. ◈ *autonomous community* NE Spain
105 O3 **País Vasco** *Basq.* Euskadi, *Eng.* The Basque Country, *Sp.* Provincias Vascongadas. ◈ *autonomous community* N Spain
56 A9 **Paita** Piura, NW Peru
169 V6 **Paitan, Teluk** *bay* Sabah, East Malaysia
104 H7 **Paiva, Rio** ∽ N Portugal
92 K12 **Pajala** Norrbotten, N Sweden
104 K3 **Pajares, Puerto de** *pass* NW Spain
54 G9 **Pajarito** Boyacá, C Colombia
54 G4 **Pajaro** La Guajira, S Colombia
Pakanbaru *see* Pekanbaru
55 Q10 **Pakaraima Mountains** *var.* Serra Pacaraim, Sierra Pacaraima. ▲ N South America
167 P10 **Pak Chong** Nakhon Ratchasima, C Thailand
123 V8 **Pakhachi** Koryakskiy Avtonomnyy Okrug, E Russian Federation
Pakhna *see* Páchna
189 U16 **Pakin Atoll** *atoll* Caroline Islands, E Micronesia
149 Q12 **Pakistan** *off.* Islamic Republic of Pakistan, *var.* Islami Jamhuriya e Pakistan. ◆ *republic* S Asia
Pakistan, Islami Jamhuriya e *see* Pakistan
167 F8 **Pak Lay** *var.* Muang Pak Lay. Xaignabouli, C Laos
Paknam *see* Samut Prakan
166 L5 **Pakokku** Magwe, C Myanmar
110 I10 **Pakość** *Ger.* Pakosch. Kujawsko-pomorskie, C Poland
Pakosch *see* Pakość
149 V10 **Pākpattan** Punjab, E Pakistan
167 O15 **Pak Phanang** *var.* Ban Pak Phanang. Nakhon Si Thammarat, SW Thailand
112 G9 **Pakrac** *Hung.* Pakrácz. Požega-Slavonija, NE Croatia
Pakrácz *see* Pakrac
118 F11 **Pakruojis** Šiauliai, N Lithuania
111 J24 **Paks** Tolna, S Hungary
Pak Sane *see* Pakxan
Paksé *see* Pakxé
167 Q10 **Pak Thong Chai** Nakhon Ratchasima, C Thailand
149 R6 **Paktīā** ◈ *province* SE Afghanistan
149 Q7 **Paktīkā** ◈ *province* SE Afghanistan
171 N12 **Pakuli** Sulawesi, C Indonesia
81 F17 **Pakwach** NW Uganda
167 R8 **Pakxan** *var.* Muang Pakxan, Pak Sane. Bolikhamxai, C Laos
167 S10 **Pakxé** *var.* Paksé. Champasak, S Laos
78 G12 **Pala** Mayo-Kébbi, SW Chad
61 A17 **Palacios** Santa Fe, C Argentina
25 V13 **Palacios** Texas, SW USA
105 X5 **Palafrugell** Cataluña, NE Spain
107 L24 **Palagonia** Sicilia, Italy, C Mediterranean Sea
113 E17 **Palagruža** *It.* Pelagosa. *island* SW Croatia
115 G20 **Palaiá Epídavros** Pelopónnisos, S Greece
121 P3 **Palaichóri** *var.* Palekhori. C Cyprus
115 H25 **Palaiochóra** Kríti, Greece, E Mediterranean Sea
115 A15 **Palaiolastrítsa** *religious building* Kérkyra, Iónioi Nísoi, Greece, C Mediterranean Sea
115 J19 **Palaiópoli** Ándros, Kykládes, Greece, Aegean Sea
103 N5 **Palaiseau** Essonne, N France
Palakkad *see* Pālghāt
154 N11 **Pāla Laharha** Orissa, E India
83 G19 **Palamakoloi** Ghanzi, C Botswana
115 E16 **Palamás** Thessalía, C Greece
105 X5 **Palamós** Cataluña, NE Spain
118 J5 **Palamuse** *Ger.* Sankt-Bartholomäi. Jõgevamaa, E Estonia
183 Q14 **Palana** Tasmania, SE Australia
123 U9 **Palana** Koryakskiy Avtonomnyy Okrug, E Russian Federation
118 C11 **Palanga** *Ger.* Polangen. Klaipėda, NW Lithuania
143 V10 **Palangān, Kūh-e** ▲ E Iran
Palangkaraja *see* Palangkaraya
169 T12 **Palangkaraya** *prev.* Palangkaraja. Borneo, C Indonesia
155 H22 **Palani** Tamil Nādu, SE India
Palanka *see* Bačka Palanka
154 D9 **Pālanpur** Gujarāt, W India
Palantia *see* Palencia
83 I19 **Palapye** Central, SE Botswana
155 J19 **Pālār** ∽ SE India
104 H3 **Palas de Rei** Galicia, NW Spain
123 T9 **Palatka** Magadanskaya Oblast', E Russian Federation
23 W10 **Palatka** Florida, SE USA
188 B9 **Palau** *var.* Belau. ◆ *republic* W Pacific Ocean
192 G16 **Palauli Bay** *bay* Savai'i, Samoa, C Pacific Ocean
167 N11 **Palaw** Tanintharyi, S Myanmar
170 M6 **Palawan** *island* W Philippines
171 N6 **Palawan Passage** *passage* W Philippines
192 E7 **Palawan Trough** *undersea feature* S South China Sea
155 H23 **Pālayankottai** Tamil Nādu, SE India
107 L25 **Palazzolo Acreide** *anc.* Acrae. Sicilia, Italy, C Mediterranean Sea
118 G3 **Paldiski** *prev.* Baltiski, *Eng.* Baltic Port, *Ger.* Baltischport. Harjumaa, NW Estonia
112 I13 **Pale** Republika Srpska, E Bosnia and Herzegovina
Palekhori *see* Palaichóri
168 L13 **Palembang** Sumatera, W Indonesia
63 G18 **Palena** Los Lagos, S Chile
63 G18 **Palena, Río** ∽ S Chile
104 M5 **Palencia** *anc.* Palantia, Pallantia. Castilla-León, NW Spain
104 M3 **Palencia** ◈ *province* Castilla-León, N Spain
35 X15 **Palen Dry Lake** ◎ California, W USA
41 V15 **Palenque** Chiapas, SE Mexico
41 V15 **Palenque** *var.* Ruinas de Palenque. *ruins* Chiapas, SE Mexico
43 O9 **Palenque, Punta** *headland* S Dominican Republic
Palenque, Ruinas de *see* Palenque
Palerme *see* Palermo
107 I23 **Palermo** *Fr.* Palerme; *anc.* Panhormus, Panormus. Sicilia, Italy, C Mediterranean Sea
25 V8 **Palestine** Texas, SW USA
25 V7 **Palestine, Lake** ⊠ Texas, SW USA
107 I15 **Palestrina** Lazio, C Italy
166 K5 **Paletwa** Chin State, W Myanmar
155 G21 **Pālghāt** *var.* Palakkad; *prev.* Pulicat. Kerala, SW India
152 F13 **Pāli** Rājasthān, N India
167 N16 **Palian** Trang, SW Thailand
189 O12 **Palikir** ● (Micronesia) Pohnpei, E Micronesia
Palimé *see* Kpalimé
107 L19 **Palinuro, Capo** *headland* S Italy
115 H15 **Palioúri, Akrotírio** *var.* Akra Kanestron. *headland* N Greece
33 R14 **Palisades Reservoir** ⊠ Idaho, NW USA
99 J23 **Paliseul** Luxembourg, SE Belgium
154 C11 **Pālitāna** Gujarāt, W India
118 F4 **Palivere** Läänemaa, W Estonia
41 V14 **Palizada** Campeche, SE Mexico
93 L18 **Pälkäne** Länsi-Suomi, W Finland
155 J22 **Palk Strait** *strait* India/Sri Lanka
155 J23 **Pallai** Northern Province, NW Sri Lanka
Pallantia *see* Palencia
106 C6 **Pallanza** Piemonte, NE Italy
127 Q9 **Pallasovka** Volgogradskaya Oblast', SW Russian Federation
Pallene/Pallíni *see* Kassándra
185 L15 **Palliser Bay** *bay* North Island, NZ
185 L15 **Palliser, Cape** *headland* North Island, NZ
191 U9 **Palliser, Îles** *island group* Îles Tuamotu, C French Polynesia
105 X9 **Palma** *var.* Palma de Mallorca. Mallorca, Spain, W Mediterranean Sea
105 X9 **Palma** ✕ Mallorca, Spain, W Mediterranean Sea
82 Q12 **Palma** Cabo Delgado, N Mozambique
105 X10 **Palma, Badia de** *bay* Mallorca, Spain, W Mediterranean Sea
104 L13 **Palma del Río** Andalucía, S Spain
Palma de Mallorca *see* Palma
107 J25 **Palma di Montechiaro** Sicilia, Italy, C Mediterranean Sea
106 J7 **Palmanova** Friuli-Venezia Giulia, NE Italy
54 J7 **Palmarito** Apure, C Venezuela
43 N15 **Palmar Sur** Puntarenas, SE Costa Rica
60 I12 **Palmas** Paraná, S Brazil
59 K16 **Palmas** *var.* Palmas do Tocantins. Tocantins, C Brazil
76 L18 **Palmas, Cape** *Fr.* Cap des Palmès. *headland* SW Ivory Coast
Palmas do Tocantins *see* Palmas
54 D11 **Palmaseca** ✕ (Cali) Valle del Cauca, SW Colombia
107 B21 **Palmas, Golfo di** *gulf* Sardegna, Italy, C Mediterranean Sea
44 I7 **Palma Soriano** Santiago de Cuba, E Cuba
23 Y12 **Palm Bay** Florida, SE USA
35 T14 **Palmdale** California, W USA
61 H14 **Palmeira das Missões** Rio Grande do Sul, S Brazil
82 A11 **Palmeirinhas, Ponta das** *headland* NW Angola
39 R11 **Palmer** Alaska, USA
19 N11 **Palmer** Massachusetts, NE USA
25 U7 **Palmer** Texas, SW USA
194 H4 **Palmer** *US research station* Antarctica
15 R11 **Palmer** ∽ Québec, SE Canada
37 T5 **Palmer Lake** Colorado, C USA
194 J6 **Palmer Land** *physical region* Antarctica
14 F15 **Palmerston** Ontario, SE Canada
185 F22 **Palmerston** Otago, South Island, NZ
190 K15 **Palmerston** *island* S Cook Islands
Palmerston *see* Darwin
184 M12 **Palmerston North** Manawatu-Wanganui, North Island, NZ
Palmés, Cap des *see* Palmas, Cape
23 V13 **Palmetto** Florida, SE USA
Palmetto State *see* South Carolina
107 M22 **Palmi** Calabria, SW Italy
54 D11 **Palmira** Valle del Cauca, W Colombia
56 F8 **Palmira, Río** ∽ N Peru
61 D19 **Palmitas** Soriano, SW Uruguay
Palmnicken *see* Yantarnyy
35 V15 **Palm Springs** California, W USA
27 V2 **Palmyra** Missouri, C USA
18 G10 **Palmyra** New York, NE USA
18 G15 **Palmyra** Pennsylvania, NE USA
21 V5 **Palmyra** Virginia, NE USA
Palmyra *see* Tudmur
192 L7 **Palmyra Atoll** ◇ *US privately owned unincorporated territory* C Pacific Ocean
154 P12 **Palmyras Point** *headland* E India
35 N9 **Palo Alto** California, W USA
25 O1 **Palo Duro Creek** ∽ Texas, SW USA
Paloe *see* Palu
Paloe *see* Denpasar, Bali, C Indonesia
168 L9 **Paloh** Johor, Peninsular Malaysia
80 F12 **Paloich** Upper Nile, SE Sudan
40 I3 **Palomas** Chihuahua, N Mexico
107 I15 **Palombara Sabina** Lazio, C Italy
105 S13 **Palos, Cabo de** *headland* SE Spain
104 I14 **Palos de la Frontera** Andalucía, S Spain
60 G11 **Palotina** Paraná, S Brazil
32 M9 **Palouse** Washington, NW USA
32 L9 **Palouse River** ∽ Washington, NW USA
35 Y16 **Palo Verde** California, W USA
57 E16 **Palpa** Ica, W Peru
95 M16 **Pålsboda** Örebro, C Sweden
93 M15 **Paltamo** Oulu, C Finland
171 N12 **Palu** *prev.* Paloe. Sulawesi, C Indonesia
137 P14 **Palu** Elazığ, E Turkey
152 I11 **Palwal** Haryāna, N India
123 U6 **Palyavaam** ∽ NE Russian Federation
77 Q13 **Pama** SE Burkina
172 J14 **Pamandzi** ✕ (Mamoudzou) Petite-Terre, E Mayotte
Pamangkat *see* Pemangkat
143 R11 **Pā Mazār** Kermān, C Iran
83 N19 **Pambarra** Inhambane, SE Mozambique
171 X12 **Pamdai** Papua, E Indonesia
103 N16 **Pamiers** Ariège, S France
147 T14 **Pamir** *var.* Daryā-ye Pāmīr, *Taj.* Dar"yoi Pomir. ∽ Afghanistan/Tajikistan *see also* Pāmīr, Daryā-ye
Pamir/Pāmīr, Daryā-ye *see* Pamirs
149 U1 **Pāmīr, Daryā-ye** *var.* Pamir, *Taj.* Dar"yoi Pomir. ∽ Afghanistan/Tajikistan *see also* Pamir
Pāmīr-e Khord *see* Little Pamir
147 U13 **Pamirs** *Pash.* Daryā-ye Pāmīr, *Rus.* Pamir. ▲ C Asia
Pâmiut *see* Paamiut
21 X10 **Pamlico River** ∽ North Carolina, SE USA
21 Y10 **Pamlico Sound** *sound* North Carolina, SE USA
25 O2 **Pampa** Texas, SW USA
Pampa Aullagas, Lago *see* Poopó, Lago
61 B21 **Pampa Húmeda** *grassland* E Argentina
56 A10 **Pampa las Salinas** *salt lake* NW Peru
57 F15 **Pampas** Huancavelica, C Peru
62 K13 **Pampas** *plain* C Argentina
55 O4 **Pampatar** Nueva Esparta, NE Venezuela
Pampeluna *see* Pamplona
104 H8 **Pampilhosa da Serra** *var.* Pampilhosa de Serra. Coimbra, N Portugal
173 Y15 **Pamplemousses** N Mauritius
54 G7 **Pamplona** Norte de Santander, N Colombia
105 Q3 **Pamplona** *Basq.* Iruña; *prev.* Pampeluna, *anc.* Pompaelo. Navarra, N Spain
114 I11 **Pamporovo** *prev.* Vasil Kolarov. Smolyan, S Bulgaria
136 D15 **Pamukkale** Denizli, W Turkey
21 W5 **Pamunkey River** ∽ Virginia, NE USA
152 K5 **Pamzal** Jammu and Kashmir, NW India
30 L14 **Pana** Illinois, N USA
41 Y11 **Panabá** Yucatán, SE Mexico
35 Y8 **Panaca** Nevada, W USA
115 E19 **Panachaikó** ▲ S Greece
14 F11 **Panache Lake** ◎ Ontario, S Canada
114 I10 **Panagyurishte** Pazardzhik, C Bulgaria
168 M16 **Panaitan, Pulau** *island* S Indonesia
115 D18 **Panaitolikó** ▲ C Greece
155 E17 **Panaji** *var.* Pangim, Panjim, New Goa. Goa, W India
43 T14 **Panama** *off.* Republic of Panama. ◆ *republic* Central America
43 T15 **Panamá** *var.* Ciudad de Panamá, *Eng.* Panama City. ● (Panama) Panamá, C Panama
43 U14 **Panamá** *off.* Provincia de Panamá. ◈ *province* E Panama
43 U15 **Panamá, Bahía de** *bay* N Gulf of Panama
193 T7 **Panama Basin** *undersea feature* E Pacific Ocean
43 T15 **Panama Canal** *canal* E Panama
23 R9 **Panama City** Florida, SE USA
43 T14 **Panama City** ✕ Panamá, C Panama
Panama City *see* Panamá
23 Q9 **Panama City Beach** Florida, SE USA
43 T17 **Panamá, Golfo de** *var.* Gulf of Panama. *gulf* S Panama
Panama, Gulf of *see* Panamá, Golfo de
Panama, Isthmus of *see* Panamá, Istmo de
43 T15 **Panamá, Istmo de** *Eng.* Isthmus of Panama; *prev.* Isthmus of Darien. *isthmus* E Panama
35 U11 **Panamint Range** ▲ California, W USA
107 L22 **Panarea, Isola** *island* Isole Eolie, S Italy

◆ Country ● Country Capital ◇ Dependent Territory ○ Dependent Territory Capital ◈ Administrative Region ✕ International Airport ▲ Mountain ▲ Mountain Range ▲ Volcano ∽ River ◎ Lake ⊠ Reservoir

304 ••• PANARO – PAULAYÁ, RÍO

106 G9 **Panaro** ≈ N Italy
171 P6 **Panay Gulf** *gulf* C Philippines
171 P5 **Panay Island** *island* C Philippines
35 W7 **Pancake Range** ▲▲ Nevada, W USA
112 M11 **Pančevo** *Ger.* Pantschowa, *Hung.* Pancsova. Serbia, N Serbia and Montenegro (Yugo.)
113 M15 **Pančićev Vrh** ▲ SW Serbia and Montenegro (Yugo.)
116 L12 **Panciu** Vrancea, E Romania
116 F10 **Pâncota** *Hung.* Pankota; *prev.* Pîncota. Arad, W Romania
Pancsova *see* Pančevo
83 N20 **Panda** Inhambane, SE Mozambique
171 X12 **Pandaidori, Kepulauan** *island group* E Indonesia
25 N11 **Pandale** Texas, SW USA
169 P12 **Pandang Tikar, Pulau** *island* N Indonesia
61 F20 **Pan de Azúcar** Maldonado, S Uruguay
118 H11 **Pandėlys** Panevėžys, NE Lithuania
155 F15 **Pandharpur** Mahārāshtra, W India
182 J1 **Pandie Pandie** South Australia
171 O12 **Pandiri** Sulawesi, C Indonesia
61 F20 **Pando** Canelones, S Uruguay
57 J14 **Pando** ◈ *department* N Bolivia
192 K9 **Pandora Bank** *undersea feature* W Pacific Ocean
95 G20 **Pandrup** Nordjylland, N Denmark
153 V12 **Pandu** Assam, NE India
79 J15 **Pandu** Equateur, NW Dem. Rep. Congo
Paneas *see* Bāniyās
59 F15 **Panelas** Mato Grosso, W Brazil
118 G12 **Panevėžys** Panevėžys, C Lithuania
118 G11 **Panevėžys** ◈ *province* NE Lithuania
Panfilov *see* Zharkent
127 N9 **Panfilovo** Volgogradskaya Oblast', SW Russian Federation
79 N17 **Panga** Orientale, N Dem. Rep. Congo
193 Y15 **Pangai** Lifuka, C Tonga
114 H13 **Pangaío** ▲▲ N Greece
79 G20 **Pangala** Le Pool, S Congo
81 J22 **Pangani** Tanga, E Tanzania
81 J21 **Pangani** ≈ NE Tanzania
186 K8 **Panggoe** Choiseul Island, NW Solomon Islands
79 N20 **Pangi** Maniema, E Dem. Rep. Congo
Pangim *see* Panaji
168 H8 **Pangkalanbrandan** Sumatera, W Indonesia
Pangkalanbun *see* Pangkalanbuun
169 R13 **Pangkalanbuun** *var.* Pangkalanbun. Borneo, C Indonesia
169 N12 **Pangkalpinang** Pulau Bangka, W Indonesia
11 U17 **Pangman** Saskatchewan, S Canada
Pang-Nga *see* Phang-Nga
9 S6 **Pangnirtung** Baffin Island, Nunavut, NE Canada
152 K6 **Pangong Tso** *var.* Bangong Co. ◎ China/India *see also* Bangong Co
36 K7 **Panguitch** Utah, W USA
186 J7 **Panguna** Bougainville Island, NE PNG
171 N8 **Pangutaran Group** *island group* Sulu Archipelago, SW Philippines
25 N2 **Panhandle** Texas, SW USA
Panhormus *see* Palermo
171 W14 **Paniai, Danau** ◎ Papua, E Indonesia
79 L21 **Pania-Mutombo** Kasai Oriental, C Dem. Rep. Congo
Panicherevo *see* Dolno Panicherevo
187 P16 **Panié, Mont** ▲ C New Caledonia
152 I10 **Pānīpat** Haryāna, N India
147 Q14 **Panj** *Rus.* Pyandzh; *prev.* Kirovabad. SW Tajikistan
147 P15 **Panj** *Rus.* Pyandzh. ≈ Afghanistan/Tajikistan
149 O5 **Panjāb** Bāmīān, C Afghanistan
147 O12 **Panjakent** *Rus.* Pendzhikent. W Tajikistan
148 L14 **Panjgūr** Baluchistān, SW Pakistan
Panjim *see* Panaji
163 U12 **Panjin** Liaoning, NE China
147 P14 **Panji Poyon** *Rus.* Nizhniy Pyandzh. SW Tajikistan
149 Q4 **Panjshīr** ≈ E Afghanistan
Pankota *see* Pâncota
77 W14 **Pankshin** Plateau, C Nigeria
163 Y10 **Pan Ling** ▲▲ N China
Panlong Jiang *see* Lô, Sông
154 J9 **Panna** Madhya Pradesh, C India
99 M16 **Panningen** Limburg, SE Netherlands
149 R13 **Pāno Āqil** Sind, SE Pakistan
121 P3 **Páno Léfkara** S Cyprus
121 O3 **Páno Panagiá** *var.* Pano Panayia. W Cyprus
Pano Panayia *see* Páno Panagiá
Panopolis *see* Akhmīm
29 U14 **Panora** Iowa, C USA
60 I8 **Panorama** São Paulo, S Brazil
115 I24 **Pánormos** Kríti, Greece, E Mediterranean Sea
Panormus *see* Palermo
163 W11 **Panshi** Jilin, NE China
59 H19 **Pantanal** *var.* Pantanalmato-Grossense. *swamp* SW Brazil
Pantanalmato-Grossense *see* Pantanal
61 H16 **Pântano Grande** Rio Grande do Sul, S Brazil
171 Q16 **Pantar, Pulau** *island* Kepulauan Alor, S Indonesia
21 X9 **Pantego** North Carolina, SE USA
107 G25 **Pantelleria** *anc.* Cossyra, Cosyra. Sicilia, Italy, C Mediterranean Sea
107 G25 **Pantelleria, Isola di** *island* SW Italy
Pante Macassar/Pante Makassar *see* Pante Makasar
171 Q16 **Pante Makasar** *var.* Pante Macassar, Pante Makassar. W East Timor
152 K10 **Pantnagar** Uttaranchal, N India
115 A15 **Pantokrátoras** ▲ Kérkyra, Iónioi Nísoi, Greece, C Mediterranean Sea
Pantschowa *see* Pančevo
41 P11 **Pánuco** Veracruz-Llave, E Mexico
41 P11 **Pánuco, Río** ≈ C Mexico
160 I12 **Panxian** Guizhou, S China
168 I10 **Panyabungan** Sumatera, N Indonesia
77 W14 **Panyam** Plateau, C Nigeria
157 N13 **Panzhihua** *prev.* Dukou, Tu-k'ou. Sichuan, C China
79 I22 **Panzi** Bandundu, SW Dem. Rep. Congo
42 E5 **Panzós** Alta Verapaz, E Guatemala
Pao-chi/Paoki *see* Baoji
Pao-king *see* Shaoyang
107 N20 **Paola** Calabria, SW Italy
121 P16 **Paola** E Malta
27 R5 **Paola** Kansas, C USA
31 O15 **Paoli** Indiana, N USA
187 R14 **Paonangisu** Éfaté, C Vanuatu
171 S13 **Paoni** *var.* Pauni. Pulau Seram, E Indonesia
37 Q5 **Paonia** Colorado, C USA
191 O7 **Paopao** Moorea, W French Polynesia
Pao-shan *see* Baoshan
Pao-ting *see* Baoding
Pao-t'ou/Paotow *see* Baotou
79 H14 **Paoua** Ouham-Pendé, W Central African Republic
Pap *see* Pop
111 H23 **Pápa** Veszprém, W Hungary
42 J12 **Papagayo, Golfo de** *gulf* NW Costa Rica
38 H11 **Pāpa'ikou** *var.* Papaikou. Hawai'i, USA, C Pacific Ocean
41 R15 **Papaloapan, Río** ≈ S Mexico
184 L6 **Papakura** Auckland, North Island, NZ
41 Q13 **Papantla** *var.* Papantla de Olarte. Veracruz-Llave, E Mexico
Papantla de Olarte *see* Papantla
191 P8 **Papara** Tahiti, W French Polynesia
184 K4 **Paparoa** Northland, North Island, NZ
185 G16 **Paparoa Range** ▲▲ South Island, NZ
115 K20 **Pápas, Akrotírio** *headland* Ikaría, Dodekánisos, Greece, Aegean Sea
96 L2 **Papa Stour** *island* NE Scotland, UK
184 L6 **Papatoetoe** Auckland, North Island, NZ
185 E25 **Papatowai** Otago, South Island, NZ
96 K4 **Papa Westray** *island* NE Scotland, UK
191 T10 **Papeete** ○ (French Polynesia) Tahiti, W French Polynesia
100 F11 **Papenburg** Niedersachsen, NW Germany
98 H13 **Papendrecht** Zuid-Holland, SW Netherlands
191 Q7 **Papenoo** Tahiti, W French Polynesia
191 Q7 **Papenoo Rivière** ≈ Tahiti, W French Polynesia
191 N7 **Papetoai** Moorea, W French Polynesia
92 L3 **Papey** *island* E Iceland
Paphos *see* Páfos
40 H5 **Papigochic, Río** ≈ NW Mexico
118 E10 **Papilė** Šiauliai, NW Lithuania
29 S15 **Papillion** Nebraska, C USA
15 T5 **Papinachois** ≈ Québec, SE Canada
171 X13 **Papua** *var.* Irian Barat, West Irian, West New Guinea, West Papua; *prev.* Dutch New Guinea, Irian Jaya, Netherlands New Guinea. ◈ *province* E Indonesia
186 C9 **Papua, Gulf of** *gulf* S PNG
186 C8 **Papua New Guinea** *off.* Independent State of Papua New Guinea; *prev.* Territory of Papua and New Guinea, *abbrev.* PNG. ◆ *commonwealth republic* NW Melanesia
192 H8 **Papua Plateau** *undersea feature* N Coral Sea
112 G9 **Papuk** ▲▲ NE Croatia
167 N8 **Papun** Karen State, S Myanmar
42 L14 **Paquera** Puntarenas, W Costa Rica
55 V9 **Para** ◈ *district* N Suriname
58 I13 **Pará** *off.* Estado do Pará. ◈ *state* NE Brazil
Pará *see* Belém
180 I8 **Paraburdoo** Western Australia
57 E16 **Paracas, Península de** *peninsula* W Peru
59 L19 **Paracatu** Minas Gerais, NE Brazil
192 E6 **Paracel Islands** ◇ *disputed territory* SE Asia
182 I6 **Parachilna** South Australia
149 R6 **Pārachinār** North-West Frontier Province, NW Pakistan
112 N13 **Paraćin** Serbia, C Serbia and Montenegro (Yugo.)
14 K8 **Paradis** Québec, SE Canada
39 N11 **Paradise** *var.* Paradise Hill. Alaska, USA
35 O5 **Paradise** California, W USA
35 X11 **Paradise** Nevada, W USA
Paradise Hill *see* Paradise
37 R11 **Paradise Hills** New Mexico, SW USA
Paradise of the Pacific *see* Hawaii
36 L13 **Paradise Valley** Arizona, SW USA
35 T2 **Paradise Valley** Nevada, W USA
115 O22 **Paradisi** ✕ (Ródos) Ródos, Dodekánisos, Greece, Aegean Sea
154 P12 **Pārādwīp** Orissa, E India
Paraetonium *see* Maṭrūḥ
117 R4 **Parafiyivka** Chernihivs'ka Oblast', N Ukraine
36 K7 **Paragonah** Utah, W USA
27 X9 **Paragould** Arkansas, C USA
47 X8 **Paraguaçu** *var.* Paraguassú. ≈ E Brazil
60 J9 **Paraguaçu Paulista** São Paulo, S Brazil
54 H4 **Paraguaipoa** Zulia, NW Venezuela
62 O6 **Paraguarí** Paraguarí, S Paraguay
62 O7 **Paraguarí** *off.* Departamento de Paraguarí. ◈ *department* S Paraguay
55 O8 **Paragua, Río** ≈ SE Venezuela
57 O16 **Paraguá, Río** ≈ NE Bolivia
Paraguassú *see* Paraguaçu
62 N5 **Paraguay** ◆ *republic* C South America
47 U10 **Paraguay** *var.* Río Paraguay. ≈ C South America
Parahiba/Parahyba *see* Paraíba
59 P15 **Paraíba** *off.* Estado da Paraíba; *prev.* Parahiba, Parahyba. ◈ *state* E Brazil
Paraíba *see* João Pessoa
60 P9 **Paraíba do Sul, Rio** ≈ SE Brazil
Parainen *see* Pargas
43 N14 **Paraíso** Cartago, C Costa Rica
41 U14 **Paraíso** Tabasco, SE Mexico
57 O17 **Paraiso, Río** ≈ E Bolivia
Parajd *see* Praid
77 S14 **Parakou** C Benin
121 Q2 **Paralímni** E Cyprus
115 G18 **Paralímni, Límni** ◎ C Greece
55 W8 **Paramaribo** ● (Suriname) Paramaribo, N Suriname
55 W9 **Paramaribo** ◈ *district* N Suriname
55 W9 **Paramaribo** ✕ Paramaribo, N Suriname
Paramithiá *see* Paramythiá
56 C13 **Paramonga** Lima, W Peru
123 V12 **Paramushir, Ostrov** *island* SE Russian Federation
115 C16 **Paramythiá** *var.* Paramithiá. Ípeiros, W Greece
62 M10 **Paraná** Entre Ríos, E Argentina
60 H11 **Paraná** *off.* Estado do Paraná. ◈ *state* S Brazil
47 U11 **Paraná** *var.* Alto Paraná. ≈ C South America
60 K12 **Paranaguá** Paraná, S Brazil
59 J20 **Paranaíba, Rio** ≈ E Brazil
61 C19 **Paraná Ibicuy, Río** ≈ E Argentina
59 H15 **Paranaíta** Mato Grosso, W Brazil
60 H9 **Paranapanema, Rio** ≈ S Brazil
60 K11 **Paranapiacaba, Serra do** ▲▲ S Brazil
60 H9 **Paranavaí** Paraná, S Brazil
143 N5 **Parandak** Markazī, W Iran
114 I12 **Paranéstio** Anatolikí Makedonía kai Thráki, NE Greece
191 W11 **Paraoa** *atoll* Îles Tuamotu, C French Polynesia
184 L13 **Paraparaumu** Wellington, North Island, NZ
57 N20 **Parapeti, Río** ≈ SE Bolivia
10 L10 **Paraque, Cerro** ▲ W Venezuela
154 I11 **Parasiya** Madhya Pradesh, C India
115 M23 **Paraspóri, Akrotírio** *headland* Kárpathos, SE Greece
60 O10 **Parati** Rio de Janeiro, SE Brazil
59 K14 **Parauapebas** Pará, N Brazil
103 Q10 **Paray-le-Monial** Saône-et-Loire, C France
Parbatsar *see* Parvatsar
154 G13 **Parbhani** Mahārāshtra, C India
100 L10 **Parchim** Mecklenburg-Vorpommern, N Germany
Parchwitz *see* Prochowice
110 P13 **Parczew** Lubelskie, E Poland
60 L8 **Pardo, Rio** ≈ S Brazil
111 E16 **Pardubice** *Ger.* Pardubitz. Pardubický Kraj, C Czech Republic
111 E17 **Pardubický Kraj** ◈ region C Czech Republic
Pardubitz *see* Pardubice
119 F16 **Parechcha** *Pol.* Porzecze, *Rus.* Porech'ye. Hrodzyenskaya Voblasts', W Belarus
59 F17 **Parecis, Chapada dos** *var.* Serra dos Parecis. ▲▲ W Brazil
Parecis, Serra dos *see* Parecis, Chapada dos
104 M4 **Paredes de Nava** Castilla-León, N Spain
189 U12 **Parem** *island* Chuuk, C Micronesia
189 O12 **Parem Island** *island* E Micronesia
184 I1 **Parengarenga Harbour** *inlet* North Island, NZ
15 N8 **Parent** Québec, SE Canada
102 J14 **Parentis-en-Born** Landes, SW France
Parenzo *see* Poreč
185 G20 **Pareora** Canterbury, South Island, NZ
171 N14 **Parepare** Sulawesi, C Indonesia
115 B16 **Párga** Ípeiros, W Greece
93 K20 **Pargas** *Swe.* Parainen. Länsi-Suomi, W Finland
64 O5 **Pargo, Ponta do** *headland* Madeira, Portugal, NE Atlantic Ocean
Paria, Golfo de *see* Paria, Gulf of
55 N6 **Pariaguán** Anzoátegui, NE Venezuela
45 X17 **Paria, Gulf of** *var.* Golfo de Paria. *gulf* Trinidad and Tobago/Venezuela
57 I15 **Pariamanu, Río** ≈ E Peru
36 L8 **Paria River** ≈ Utah, W USA
Parichi *see* Parychy
40 M14 **Paricutín, Volcán** ※ C Mexico
43 P16 **Parida, Isla** *island* SW Panama
55 T8 **Parika** NE Guyana
93 O18 **Parikkala** Etelä-Suomi, S Finland
58 E10 **Parima, Serra** *var.* Sierra Parima. ▲▲ Brazil/Venezuela *see also* Parima, Sierra
55 N11 **Parima, Sierra** *var.* Serra Parima. ▲▲ Brazil/Venezuela *see also* Parima, Serra
57 F17 **Parinacochas, Laguna** ◎ SW Peru
56 A9 **Pariñas, Punta** *headland* NW Peru
58 H12 **Parintins** Amazonas, N Brazil
103 O5 **Paris** *anc.* Lutetia, Lutetia Parisiorum, Parisii. ● (France) Paris, N France
191 Y2 **Paris** Kiritimati, E Kiribati
27 S11 **Paris** Arkansas, C USA
33 S16 **Paris** Idaho, NW USA
30 N14 **Paris** Illinois, N USA
20 M5 **Paris** Kentucky, S USA
27 V3 **Paris** Missouri, C USA
20 H8 **Paris** Tennessee, S USA
25 V5 **Paris** Texas, SW USA
Parisii *see* Paris
43 S16 **Parita** Herrera, S Panama
43 S16 **Parita, Bahía de** *bay* S Panama
Parkan/Párkány *see* Štúrovo
93 K18 **Parkano** Länsi-Suomi, W Finland
27 N6 **Park City** Kansas, C USA
36 L3 **Park City** Utah, W USA
36 I12 **Parker** Arizona, SW USA
23 R9 **Parker** Florida, SE USA
29 R11 **Parker** South Dakota, N USA
35 Z14 **Parker Dam** California, W USA
29 W13 **Parkersburg** Iowa, C USA
21 Q3 **Parkersburg** West Virginia, NE USA
29 T7 **Parkers Prairie** Minnesota, N USA
171 P8 **Parker Volcano** ※ Mindanao, S Philippines
181 W13 **Parkes** New South Wales, SE Australia
30 K4 **Park Falls** Wisconsin, N USA
Parkhar *see* Farkhor
14 E16 **Parkhill** Ontario, S Canada
29 T5 **Park Rapids** Minnesota, N USA
29 Q3 **Park River** North Dakota, N USA
29 Q11 **Parkston** South Dakota, N USA
10 L17 **Parksville** Vancouver Island, British Columbia, SW Canada
37 S3 **Parkview Mountain** ▲ Colorado, C USA
105 N8 **Parla** Madrid, C Spain
29 S8 **Parle, Lac qui** ▣ Minnesota, N USA
115 F20 **Parlía Tyroú** Pelopónnisos, S Greece
155 G14 **Parli Vaijnāth** Mahārāshtra, C India
106 F9 **Parma** Emilia-Romagna, N Italy
31 T11 **Parma** Ohio, N USA
Parnahyba *see* Parnaíba
58 N13 **Parnaíba** *var.* Parnahyba. Piauí, E Brazil
65 J14 **Parnaíba Ridge** *undersea feature* C Atlantic Ocean
58 N13 **Parnaíba, Rio** ≈ NE Brazil
115 F18 **Parnassós** ▲▲ C Greece
185 J17 **Parnassus** Canterbury, South Island, NZ
182 H10 **Parndana** South Australia
115 H19 **Párnitha** ▲▲ C Greece
115 F21 **Párnon** ▲▲ S Greece
118 G5 **Pärnu** *Ger.* Pernau, *Latv.* Pērnava; *prev. Rus.* Pernov. Pärnumaa, SW Estonia
118 G6 **Pärnu** *var.* Parnu Jõgi, *Ger.* Pernau. ≈ SW Estonia
118 G5 **Pärnu-Jaagupi** *Ger.* Sankt-Jakobi. Pärnumaa, SW Estonia
Parnu Jõgi *see* Pärnu
118 G5 **Pärnu Laht** *Ger.* Pernauer Bucht. *bay* SW Estonia
118 F5 **Pärnumaa** *off.* Pärnu Maakond. ◈ *province* SW Estonia
153 T11 **Paro** W Bhutan
153 T11 **Paro** ✕ (Thimphu) W Bhutan
185 G17 **Paroa** West Coast, South Island, NZ
163 X14 **P'aro-ho** *var.* Hwach'ŏn-chŏsuji. ▣ N South Korea
183 N6 **Paroo River** *seasonal river* New South Wales/Queensland, SE Australia
Paropamisus Range *see* Sefīdkūh, Selseleh-ye
115 J21 **Páros** Páros, Kykládes, Greece, Aegean Sea
115 J21 **Páros** *island* Kykládes, Greece, Aegean Sea
36 K7 **Parowan** Utah, W USA
103 U13 **Parpaillon** ▲▲ SE France
108 I9 **Parpan** Graubünden, S Switzerland
62 G13 **Parral** Maule, C Chile
Parral *see* Hidalgo del Parral
183 T9 **Parramatta** New South Wales, SE Australia
21 Y6 **Parramore Island** *island* Virginia, NE USA
40 M8 **Parras** *var.* Parras de la Fuente. Coahuila de Zaragoza, NE Mexico
Parras de la Fuente *see* Parras
42 M14 **Parrita** Puntarenas, S Costa Rica
8 L5 **Parry Channel** *channel* N Canada
14 G13 **Parry Island** *island* Ontario, S Canada
8 M4 **Parry Islands** *island group* Nunavut, NW Canada
14 G12 **Parry Sound** Ontario, S Canada
110 F7 **Parsęta** *Ger.* Persante. ≈ NW Poland
28 L3 **Parshall** North Dakota, N USA
27 Q7 **Parsons** Kansas, C USA
20 H9 **Parsons** Tennessee, S USA
21 T3 **Parsons** West Virginia, NE USA
Parsonstown *see* Birr
100 P11 **Parsteiner See** ◎ NE Germany
107 I24 **Partanna** Sicilia, Italy, C Mediterranean Sea
108 J8 **Partenen** Graubünden, E Switzerland
102 K9 **Parthenay** Deux-Sèvres, W France
95 J19 **Partille** Västra Götaland, S Sweden
107 I23 **Partinico** Sicilia, Italy, C Mediterranean Sea
111 I20 **Partizánske** *prev.* Šimonovany; *Hung.* Simony. Trenčiansky Kraj, W Slovakia
58 H11 **Paru de Oeste, Rio** ≈ N Brazil
182 K9 **Paruna** South Australia
58 I11 **Paru, Rio** ≈ N Brazil
Parvān *see* Parwān
155 M14 **Pārvatipuram** Andhra Pradesh, E India
152 G12 **Parvatsar** *prev.* Parbatsar. Rājasthān, N India
149 Q5 **Parwān** *Per.* Parvān. ◈ *province* E Afghanistan
158 I15 **Paryang** Xizang Zizhiqu, W China
119 M18 **Parychy** *Rus.* Parichi. Homyel'skaya Voblasts', SE Belarus
83 J21 **Parys** Free State, C South Africa
35 T15 **Pasadena** California, W USA
25 W11 **Pasadena** Texas, SW USA
56 B8 **Pasaje** El Oro, SW Ecuador
137 T9 **P'asanauri** N Georgia
168 I13 **Pasapuat** Pulau Pagai Utara, W Indonesia
167 N7 **Pasawng** Kayah State, C Myanmar
114 L13 **Paşayiğit** Edirne, NW Turkey
23 N9 **Pascagoula** Mississippi, S USA
22 M8 **Pascagoula River** ≈ Mississippi, S USA
116 F12 **Paşcani** *Hung.* Páskán. Iaşi, NE Romania
109 T4 **Pasching** Oberösterreich, N Austria
32 K10 **Pasco** Washington, NW USA
56 E13 **Pasco** *off.* Departamento de Pasco. ◈ *department* C Peru
191 N11 **Pascua, Isla de** *var.* Rapa Nui, *Eng.* Easter Island. *island* E Pacific Ocean
63 G21 **Pascua, Río** ≈ S Chile
103 N1 **Pas-de-Calais** ◈ *department* N France
100 P10 **Pasewalk** Mecklenburg-Vorpommern, NE Germany
11 T10 **Pasfield Lake** ◎ Saskatchewan, C Canada
Pa-shih Hai-hsia *see* Bashi Channel
Pashkeni *see* Bolyarovo
Pashmakli *see* Smolyan
153 X10 **Pāsighāt** Arunāchal Pradesh, NE India
137 Q12 **Pasinler** Erzurum, NE Turkey
Pasi Oloy, Qatorkŭhi *see* Zaalayskiy Khrebet
42 E3 **Pasión, Río de la** ≈ N Guatemala
168 J12 **Pasirganting** Sumatera, W Indonesia
Pasirpangarayan *see* Bagansiapiapi
168 K6 **Pasir Puteh** *var.* Pasir Putih. Kelantan, Peninsular Malaysia
169 R9 **Pasir, Tanjung** *headland* East Malaysia
95 N20 **Påskallavik** Kalmar, S Sweden
Páskán *see* Paşcani
Paskevicha, Zaliv *see* Tushchybas, Zaliv
110 K7 **Pasłęk** *Ger.* Preußisch Holland. Warmińsko-Mazurskie, NE Poland
110 K7 **Pasłęka** *Ger.* Passarge. ≈ N Poland
148 K16 **Pasni** Baluchistān, SW Pakistan
63 I18 **Paso de Indios** Chubut, S Argentina
54 L7 **Paso del Caballo** Guárico, N Venezuela
61 E15 **Paso de los Libres** Corrientes, NE Argentina
61 E18 **Paso de los Toros** Tacuarembó, C Uruguay
35 P12 **Paso Robles** California, W USA
15 Y7 **Paspébiac** Québec, SE Canada
11 U14 **Pasquia Hills** ▲▲ Saskatchewan, S Canada
149 W7 **Pasrūr** Punjab, E Pakistan
30 M1 **Passage Island** *island* Michigan, N USA
65 B24 **Passage Islands** *island group* W Falkland Islands
8 K5 **Passage Point** *headland* Banks Island, Northwest Territories, NW Canada
Passarge *see* Pasłęka
115 C15 **Passarón** *ancient monument* Ípeiros, W Greece
Passarowitz *see* Požarevac
101 O22 **Passau** Bayern, SE Germany
22 M9 **Pass Christian** Mississippi, S USA
107 L26 **Passero, Capo** *headland* Sicilia, Italy, C Mediterranean Sea
171 P5 **Passi** Panay Island, C Philippines
61 H14 **Passo Fundo** Rio Grande do Sul, S Brazil
60 H13 **Passo Fundo, Barragem de** ▣ S Brazil
61 H15 **Passo Real, Barragem de** ▣ S Brazil
59 L20 **Passos** Minas Gerais, NE Brazil
167 X10 **Passu Keah** *island* S Paracel Islands
118 J13 **Pastavy** *Pol.* Postawy, *Rus.* Postavy. Vitsyebskaya Voblasts', NW Belarus
56 D7 **Pastaza** ◈ *province* E Ecuador
56 D9 **Pastaza, Río** ≈ Ecuador/Peru
61 A21 **Pasteur** Buenos Aires, E Argentina
15 V3 **Pasteur** ≈ Québec, SE Canada
147 Q12 **Pastigav** *Rus.* Pastigov. W Tajikistan
Pastigov *see* Pastigav
54 C13 **Pasto** Nariño, SW Colombia
38 M10 **Pastol Bay** *bay* Alaska, USA
37 O8 **Pastora Peak** ▲ Arizona, SW USA
105 O8 **Pastrana** Castilla-La Mancha, C Spain
169 S16 **Pasuruan** *prev.* Pasoeroean. Jawa, C Indonesia
118 F11 **Pasvalys** Panevėžys, N Lithuania
111 K21 **Pásztó** Nógrád, N Hungary
189 U12 **Pata** *var.* Patta. *atoll* Chuuk Islands, C Micronesia
36 M16 **Patagonia** Arizona, SW USA
63 H20 **Patagonia** *physical region* Argentina/Chile
Patalung *see* Phatthalung
154 D9 **Pātan** Gujarāt, W India
154 J10 **Pātan** Madhya Pradesh, C India
171 S11 **Patani** Pulau Halmahera, E Indonesia
Patani *see* Pattani
15 V7 **Patapédia Est** ≈ Québec, SE Canada
116 K13 **Pătârlagele** *prev.* Pătîriagele. Buzău, SE Romania
Patavium *see* Padova
182 I5 **Patawarta Hill** ▲ South Australia
182 L10 **Patchewollock** Victoria, SE Australia
184 K11 **Patea** Taranaki, North Island, NZ
184 K11 **Patea** ≈ North Island, NZ
77 U15 **Pategi** Kwara, C Nigeria
81 K20 **Pate Island** *var.* Patta Island. *island* SE Kenya
105 S10 **Paterna** País Valenciano, E Spain
109 R9 **Paternion** *Slvn.* Špatrjan. Kärnten, S Austria
107 L24 **Paternò** *anc.* Hybla, Hybla Major. Sicilia, Italy, C Mediterranean Sea
32 J7 **Pateros** Washington, NW USA
18 J14 **Paterson** New Jersey, NE USA
32 J10 **Paterson** Washington, NW USA
185 C25 **Paterson Inlet** *inlet* Stewart Island, NZ
98 N6 **Paterswolde** Drenthe, NE Netherlands
152 H7 **Pathānkot** Himāchal Pradesh, N India
Pathein *see* Bassein
33 W15 **Pathfinder Reservoir** ▣ Wyoming, C USA
167 O11 **Pathum Thani** *var.* Patumdhani, Prathum Thani. Pathum Thani, C Thailand
54 C12 **Patía** *var.* El Bordo. Cauca, SW Colombia
152 I9 **Patiāla** *var.* Puttiala. Punjab, NW India
54 B12 **Patía, Río** ≈ SW Colombia
188 D15 **Pati Point** *headland* NE Guam
Pătîriagele *see* Pătârlagele
56 C13 **Pativilca** Lima, W Peru
166 M1 **Pātkai Bum** *var.* Patkai Range. ▲▲ Myanmar/India
Patkai Range *see* Pātkai Bum
115 L20 **Pátmos** Pátmos, Dodekánisos, Greece, Aegean Sea
115 L20 **Pátmos** *island* Dodekánisos, Greece, Aegean Sea
153 P13 **Patna** *var.* Azimabad. Bihār, N India
154 M12 **Patnāgarh** Orissa, E India
171 O5 **Patnongon** Panay Island, C Philippines
137 S13 **Patnos** Ağrı, E Turkey
60 H12 **Pato Branco** Paraná, S Brazil
31 O16 **Patoka Lake** ◎ Indiana, N USA
92 L9 **Patoniva** *Lapp.* Buoddobohki. Lappi, N Finland
113 K21 **Patos** *var.* Patosi. Fier, SW Albania
Patos *see* Patos de Minas
59 K19 **Patos de Minas** *var.* Patos. Minas Gerais, NE Brazil
Patosi *see* Patos
61 I17 **Patos, Lagoa dos** *lagoon* S Brazil
62 J9 **Patquía** La Rioja, C Argentina
115 E19 **Pátra** *Eng.* Patras; *prev.* Pátrai. Dytikí Elláda, S Greece
Pátrai/Patras *see* Pátra
115 D18 **Patraïkós Kólpos** *gulf* S Greece
92 G2 **Patreksfjördhur** Vestfirdhir, W Iceland
24 M7 **Patricia** Texas, SW USA
63 F21 **Patricio Lynch, Isla** *island* S Chile
Patta *see* Pata
Patta Island *see* Pate Island
167 O16 **Pattani** *var.* Patani. Pattani, SW Thailand
167 P12 **Pattaya** Chon Buri, S Thailand
19 S4 **Patten** Maine, NE USA
35 O9 **Patterson** California, W USA
22 J10 **Patterson** Louisiana, S USA
35 R7 **Patterson, Mount** ▲ California, W USA
31 P4 **Patterson, Point** *headland* Michigan, N USA
107 L23 **Patti** Sicilia, Italy, C Mediterranean Sea
107 L23 **Patti, Golfo di** *gulf* Sicilia, Italy, C Mediterranean Sea
93 L14 **Pattijoki** Oulu, W Finland
193 Q4 **Patton Escarpment** *undersea feature* E Pacific Ocean
27 S2 **Pattonsburg** Missouri, C USA
193 N2 **Patton Seamount** *undersea feature* NE Pacific Ocean
10 J12 **Pattullo, Mount** ▲ British Columbia, W Canada
Patuakhali *see* Patukhali
42 M5 **Patuca, Río** ≈ E Honduras
153 U16 **Patuakhali** *var.* Patukhali. Khulna, S Bangladesh
Patumdhani *see* Pathum Thani
40 M14 **Pátzcuaro** Michoacán de Ocampo, SW Mexico
42 C6 **Patzicía** Chimaltenango, S Guatemala
102 K16 **Pau** Pyrénées-Atlantiques, SW France
102 J12 **Pauillac** Gironde, SW France
166 L5 **Pauk** Magwe, W Myanmar
8 I6 **Paulatuk** Northwest Territories, NW Canada
42 K5 **Paulayá, Río** ≈ NE Honduras

◆ Country ● Country Capital ◇ Dependent Territory ○ Dependent Territory Capital ◈ Administrative Region ✕ International Airport ▲ Mountain ▲▲ Mountain Range ※ Volcano ≈ River ◎ Lake ▣ Reservoir

PAULDING – PERTH ••• 305

22 M6 **Paulding** Mississippi, S USA
31 Q12 **Paulding** Ohio, N USA
29 S12 **Paullina** Iowa, C USA
59 P15 **Paulo Afonso** Bahia, E Brazil
38 M16 **Pauloff Harbor** *var.* Pavlor Harbour. Sanak Island, Alaska, USA
27 N12 **Pauls Valley** Oklahoma, C USA
166 L7 **Paungde** Pegu, C Myanmar
Pauni *see* Paoni
152 K9 **Pauri** Uttaranchal, N India
Pautalia *see* Kyustendil
142 J5 **Pāveh** Kermānshāh, NW Iran
126 L5 **Pavelets** Ryazanskaya Oblast', W Russian Federation
106 D8 **Pavia** *anc.* Ticinum. Lombardia, N Italy
118 C9 **Pāvilosta** Liepāja, W Latvia
125 P14 **Pavino** Kostromskaya Oblast', NW Russian Federation
114 J8 **Pavlikeni** Veliko Tŭrnovo, N Bulgaria
145 T8 **Pavlodar** Pavlodar, NE Kazakhstan
145 S9 **Pavlodar** *off.* Pavlodarskaya Oblast', *Kaz.* Pavlodar Oblysy. ◆ *province* NE Kazakhstan
Pavlodar Oblysy/Pavlodarskaya Oblast' *see* Pavlodar
Pavlograd *see* Pavlohrad
117 U7 **Pavlohrad** *Rus.* Pavlograd. Dnipropetrovs'ka Oblast', E Ukraine
Pavlor Harbour *see* Pauloff Harbour
145 R9 **Pavlovka** Akmola, C Kazakhstan
127 V4 **Pavlovka** Respublika Bashkortostan, W Russian Federation
127 Q7 **Pavlovka** Ul'yanovskaya Oblast', W Russian Federation
127 N3 **Pavlovo** Nizhegorodskaya Oblast', W Russian Federation
126 L9 **Pavlovsk** Voronezhskaya Oblast', W Russian Federation
126 L13 **Pavlovskaya** Krasnodarskiy Kray, SW Russian Federation
117 S7 **Pavlysh** Kirovohrads'ka Oblast', C Ukraine
106 F10 **Pavullo nel Frignano** Emilia-Romagna, C Italy
27 P8 **Pawhuska** Oklahoma, C USA
21 U13 **Pawleys Island** South Carolina, SE USA
167 N6 **Pawn** ≈ C Myanmar
30 K14 **Pawnee** Illinois, N USA
27 O9 **Pawnee** Oklahoma, C USA
37 U2 **Pawnee Buttes** ▲ Colorado, C USA
29 S17 **Pawnee City** Nebraska, C USA
26 K5 **Pawnee River** ≈ Kansas, C USA
31 O10 **Paw Paw** Michigan, N USA
31 O10 **Paw Paw Lake** Michigan, N USA
19 O12 **Pawtucket** Rhode Island, NE USA
Pax Augusta *see* Badajoz
115 I25 **Paximádia** *island* SE Greece
Pax Julia *see* Beja
115 B16 **Paxoí** *island* Iónioi Nísoi, Greece, C Mediterranean Sea
39 S10 **Paxson** Alaska, USA
147 O11 **Paxtakor** Jizzax Viloyati, C Uzbekistan
30 M13 **Paxton** Illinois, N USA
124 J11 **Pay** Respublika Kareliya, NW Russian Federation
166 M8 **Payagyi** Pegu, SW Myanmar
108 C9 **Payerne** *Ger.* Peterlingen. Vaud, W Switzerland
32 M13 **Payette** Idaho, NW USA
32 M13 **Payette River** ≈ Idaho, NW USA
127 V2 **Pay-Khoy, Khrebet** ⛰ NW Russian Federation
Payne *see* Kangirsuk
12 K4 **Payne, Lac** ◎ Québec, NE Canada
29 T8 **Paynesville** Minnesota, N USA
169 S8 **Payong, Tanjung** *headland* East Malaysia
Payo Obispo *see* Chetumal
61 D18 **Paysandú** Paysandú, W Uruguay
61 D17 **Paysandú** ◆ *department* W Uruguay
102 I7 **Pays de la Loire** ◆ *region* NW France
36 L12 **Payson** Arizona, SW USA
36 L4 **Payson** Utah, W USA
127 W4 **Payyer, Gora** ▲ NW Russian Federation
Payzawat *see* Jiashi
137 Q11 **Pazar** Rize, NE Turkey
136 F10 **Pazarbaşı Burnu** *headland* NW Turkey
136 M16 **Pazarcık** Kahramanmaraş, S Turkey
114 I10 **Pazardzhik** *prev.* Tatar Pazardzhik. Pazardzhik, C Bulgaria
114 H11 **Pazardzhik** ◆ *province* C Bulgaria
54 H9 **Paz de Ariporo** Casanare, E Colombia
112 A10 **Pazin** *Ger.* Mitterburg, *It.* Pisino. Istra, NW Croatia
42 D7 **Paz, Río** ≈ El Salvador/Guatemala
113 O18 **Pčinja** ≈ N FYR Macedonia
193 V15 **Pea** Tongatapu, S Tonga
27 O6 **Peabody** Kansas, C USA
11 O12 **Peace** ≈ Alberta/British Columbia, W Canada
Peace Garden State *see* North Dakota
11 Q10 **Peace Point** Alberta, C Canada
11 O12 **Peace River** Alberta, W Canada
23 W13 **Peace River** ≈ Florida, SE USA
11 N17 **Peachland** British Columbia, SW Canada
36 J10 **Peach Springs** Arizona, SW USA
Peach State *see* Georgia
23 S4 **Peachtree City** Georgia, SE USA
189 Y13 **Peacock Point** *point* SE Wake Island
97 M18 **Peak District** *physical region* C England, UK
183 Q7 **Peak Hill** New South Wales, SE Australia
65 G15 **Peak, The** ▲ C Ascension Island
105 O13 **Peal de Becerro** Andalucía, S Spain
189 X11 **Peale Island** *island* N Wake Island
37 O6 **Peale, Mount** ▲ Utah, W USA
39 O4 **Peard Bay** *bay* Alaska, USA
23 Q7 **Pea River** ≈ Alabama/Florida, S USA
25 W11 **Pearland** Texas, SW USA
38 D9 **Pearl City** O'ahu, Hawai'i, USA, C Pacific Ocean
38 D9 **Pearl Harbor** *inlet* O'ahu, Hawai'i, USA, C Pacific Ocean
Pearl Islands *see* Perlas, Archipiélago de las
Pearl Lagoon *see* Perlas, Laguna de
22 M5 **Pearl River** ≈ Louisiana/Mississippi, S USA
25 Q13 **Pearsall** Texas, SW USA
23 U7 **Pearson** Georgia, SE USA
25 P4 **Pease River** ≈ Texas, SW USA
12 F7 **Peawanuk** Ontario, C Canada
83 P16 **Pebane** Zambézia, NE Mozambique
65 C23 **Pebble Island** *island* N Falkland Islands
65 C23 **Pebble Island Settlement** Pebble Island, N Falkland Islands
113 L16 **Peć** *Alb.* Pejë, *Turk.* Ipek. Serbia, S Serbia and Montenegro (Yugo.)
25 R8 **Pecan Bayou** ≈ Texas, SW USA
22 H10 **Pecan Island** Louisiana, S USA
60 L12 **Peças, Ilha das** *island* S Brazil
30 L10 **Pecatonica River** ≈ Illinois/Wisconsin, N USA
108 G10 **Peccia** Ticino, S Switzerland
Pechenegi *see* Pechenihy
Pechenezhskoye Vodokhranilishche *see* Pechenizʼke Vodoskhovyshche
124 I2 **Pechenga** *Fin.* Petsamo. Murmanskaya Oblast', NW Russian Federation
117 V5 **Pechenihy** *Rus.* Pechenegi. Kharkivs'ka Oblast', E Ukraine
117 V5 **Pechenizʼke Vodoskhovyshche** *Rus.* Pechenezhskoye Vodokhranilishche. ▣ E Ukraine
125 U7 **Pechora** Respublika Komi, NW Russian Federation
127 R6 **Pechora** ≈ NW Russian Federation
Pechora Bay *see* Pechorskaya Guba
Pechora Sea *see* Pechorskoye More
127 S3 **Pechorskaya Guba** *Eng.* Pechora Bay. *bay* NW Russian Federation
122 H7 **Pechorskoye More** *Eng.* Pechora Sea. *sea* NW Russian Federation
116 E11 **Pecica** *Ger.* Petschka, *Hung.* Ópécska. Arad, W Romania
24 K8 **Pecos** Texas, SW USA
25 N11 **Pecos River** ≈ New Mexico/Texas, SW USA
111 I25 **Pécs** *Ger.* Fünfkirchen; *Lat.* Sopianae. Baranya, SW Hungary
43 T17 **Pedasí** Los Santos, S Panama
Pedde *see* Pedja
183 O17 **Pedder, Lake** ◎ Tasmania, SE Australia
44 M10 **Pedernales** SW Dominican Republic
55 Q5 **Pedernales** Delta Amacuro, NE Venezuela
25 R10 **Pedernales River** ≈ Texas, SW USA
62 H6 **Pedernales, Salar de** *salt lake* N Chile
Pedhoulas *see* Pedoulás
55 X11 **Pédima** *var.* Malavate. SW French Guiana
182 F1 **Pedirka** South Australia
171 S11 **Pediwang** Pulau Halmahera, E Indonesia
118 I5 **Pedja** *var.* Pedja Jõgi, *Ger.* Pedde. ≈ E Estonia
Pedja Jõgi *see* Pedja
121 O3 **Pedoulás** *var.* Pedhoulas. W Cyprus
59 N18 **Pedra Azul** Minas Gerais, NE Brazil
104 I3 **Pedrafita, Porto de** *var.* Puerto de Piedrafita. *pass* NW Spain
76 E9 **Pedra Lume** Sal, NE Cape Verde
43 P16 **Pedregal** Chiriquí, W Panama
54 J4 **Pedregal** Falcón, N Venezuela
40 L9 **Pedriceña** Durango, C Mexico
60 L11 **Pedro Barros** São Paulo, S Brazil
39 Q13 **Pedro Bay** Alaska, USA
62 H4 **Pedro de Valdivia** *var.* Oficina Pedro de Valdivia. Antofagasta, N Chile
62 P4 **Pedro Juan Caballero** Amambay, E Paraguay
63 L15 **Pedro Luro** Buenos Aires, E Argentina
105 O10 **Pedro Muñoz** Castilla-La Mancha, C Spain
155 J22 **Pedro, Point** *headland* NW Sri Lanka
182 K9 **Peebinga** South Australia
96 J13 **Peebles** SE Scotland, UK
31 S15 **Peebles** Ohio, N USA
96 J12 **Peebles** *cultural region* SE Scotland, UK
18 K13 **Peekskill** New York, NE USA
97 I16 **Peel** W Isle of Man
8 G7 **Peel** ≈ Northwest Territories/Yukon Territory, NW Canada
8 K5 **Peel Point** *headland* Victoria Island, Northwest Territories, NW Canada
8 M5 **Peel Sound** *passage* Nunavut, N Canada
100 N9 **Peene** ≈ NE Germany
99 K17 **Peer** Limburg, NE Belgium
14 H14 **Pefferlaw** Ontario, S Canada
185 I18 **Pegasus Bay** *bay* South Island, NZ
121 O3 **Pégeia** *var.* Peyia. SW Cyprus
109 V7 **Peggau** Steiermark, SE Austria
101 L19 **Pegnitz** Bayern, SE Germany
101 L19 **Pegnitz** ≈ SE Germany
105 T11 **Pego** País Valenciano, E Spain
166 L8 **Pegu** *var.* Bago. Pegu, SW Myanmar
166 L7 **Pegu** ◆ *division* S Myanmar
189 N13 **Pehleng** Pohnpei, E Micronesia
114 M12 **Pehlivanköy** Kırklareli, NW Turkey
77 R14 **Péhonko** C Benin
61 B21 **Pehuajó** Buenos Aires, E Argentina
Pei-ching *see* Beijing/Beijing Shi
100 J13 **Peine** Niedersachsen, C Germany
Pei-p'ing *see* Beijing/Beijing Shi
Peipsi Järv/Peipus-See *see* Peipus, Lake
118 J5 **Peipus, Lake** *Est.* Peipsi Järv, *Ger.* Peipus-See, *Rus.* Chudskoye Ozero. ◎ Estonia/Russian Federation
115 H19 **Peiraías** *prev.* Piraiévs, *Eng.* Piraeus. Attikí, C Greece
Peisern *see* Pyzdry
60 I8 **Peixe, Rio do** ≈ S Brazil
59 I16 **Peixoto de Azevedo** Mato Grosso, W Brazil
168 O11 **Pejantan, Pulau** *island* W Indonesia
Pejë *see* Peć
112 N11 **Pek** ≈ E Serbia and Montenegro (Yugo.)
167 R7 **Pèk** *var.* Xieng Khouang; *prev.* Xiangkhoang. Xiangkhoang, N Laos
169 Q16 **Pekalongan** Jawa, C Indonesia
168 K11 **Pekanbaru** *var.* Pakanbaru. Sumatera, W Indonesia
30 L12 **Pekin** Illinois, N USA
Peking *see* Beijing/Beijing Shi
Pelabohan Kelang/Pelabuhan Kelang *see* Pelabuhan Klang
168 J9 **Pelabuhan Klang** *var.* Kuala Pelabohan Kelang, Pelabohan Kelang, Pelabuhan Kelang, Port Klang, Port Swettenham. Selangor, Peninsular Malaysia
120 L11 **Pelagie, Isole** *island group* SW Italy
Pelagosa *see* Palagruža
22 L5 **Pelahatchie** Mississippi, S USA
169 T14 **Pelaihari** *var.* Pleihari. Borneo, C Indonesia
103 U14 **Pelat, Mont** ▲ SE France
116 F12 **Peleaga, Vârful** *prev.* Vîrful Peleaga. ▲ W Romania
Peleaga, Vîrful *see* Peleaga, Vârful
123 O11 **Peleduy** Respublika Sakha (Yakutiya), NE Russian Federation
14 C18 **Pelee Island** *island* Ontario, S Canada
45 Q11 **Pelée, Montagne** ※ N Martinique
14 D18 **Pelee, Point** *headland* Ontario, S Canada
171 P12 **Pelei** Pulau Peleng, N Indonesia
Peleliu *see* Beliliou
171 P12 **Peleng, Pulau** *island* Kepulauan Banggai, N Indonesia
23 T7 **Pelham** Georgia, SE USA
111 E18 **Pelhřimov** *Ger.* Pilgram. Vysočina, C Czech Republic
39 W13 **Pelican** Chichagof Island, Alaska, USA
191 Z3 **Pelican Lagoon** ◎ Kiritimati, E Kiribati
29 U6 **Pelican Lake** ◎ Minnesota, N USA
29 V3 **Pelican Lake** ◎ Minnesota, N USA
30 L5 **Pelican Lake** ◎ Wisconsin, N USA
44 G1 **Pelican Point** Grand Bahama Island, N Bahamas
83 B19 **Pelican Point** *headland* W Namibia
29 S6 **Pelican Rapids** Minnesota, N USA
Pelican State *see* Louisiana
11 U13 **Pelikan Narrows** Saskatchewan, C Canada
115 L18 **Pelinaío** ▲ Chíos, E Greece
Pelinnaeum *see* Pelinnaío
115 E16 **Pelinnaío** *anc.* Pelinnaeum. *ruins* Thessalía, C Greece
113 N20 **Pelister** ▲ SW FYR Macedonia
113 G15 **Pelješac** *peninsula* S Croatia
92 M12 **Pelkosenniemi** Lappi, NE Finland
29 W15 **Pella** Iowa, C USA
114 F13 **Pélla** *site of ancient city* Kentrikí Makedonía, N Greece
23 Q3 **Pell City** Alabama, S USA
61 A22 **Pellegrini** Buenos Aires, E Argentina
92 K12 **Pello** Lappi, NW Finland
100 G7 **Pellworm** *island* N Germany
10 H6 **Pelly** ≈ Yukon Territory, NW Canada
9 N7 **Pelly Bay** Nunavut, N Canada
10 I8 **Pelly Mountains** ⛰ Yukon Territory, W Canada
Pélmonostor *see* Beli Manastir
37 P13 **Pelona Mountain** ▲ New Mexico, SW USA
Peloponnese/Peloponnesus *see* Pelopónnisos
115 E20 **Pelopónnisos** *Eng.* Peloponnese. ◆ *region* S Greece
115 E20 **Pelopónnisos** *var.* Morea, *Eng.* Peloponnese; *anc.* Peloponnesus. *peninsula* S Greece
107 L23 **Peloritani, Monti** *anc.* Pelorus and Neptunius. ⛰ Sicilia, Italy, C Mediterranean Sea
107 M22 **Peloro, Capo** *var.* Punta del Faro. *headland* S Italy
Pelorus and Neptunius *see* Peloritani, Monti
61 H17 **Pelotas** Rio Grande do Sul, S Brazil
61 I14 **Pelotas, Rio** ≈ S Brazil
92 K10 **Peltovuoma** *Lapp.* Bealdovuopmi. Lappi, N Finland
19 R4 **Pemadumcook Lake** ◎ Maine, NE USA
169 Q16 **Pemalang** Jawa, C Indonesia
169 P10 **Pemangkat** *var.* Pamangkat. Borneo, C Indonesia
Pemar *see* Paimio
163 I9 **Pematangsiantar** Sumatera, W Indonesia
83 Q14 **Pemba** *prev.* Port Amelia, Porto Amélia. Cabo Delgado, NE Mozambique
81 J22 **Pemba** ◆ *region* E Tanzania
81 K21 **Pemba** *island* E Tanzania
83 Q14 **Pemba, Baia de** *inlet* NE Mozambique
81 J21 **Pemba Channel** *channel* E Tanzania
180 J14 **Pemberton** Western Australia
10 M16 **Pemberton** British Columbia, SW Canada
29 Q2 **Pembina** North Dakota, N USA
29 Q2 **Pembina** ≈ Canada/USA
11 P15 **Pembina** ≈ Alberta, SW Canada
171 X16 **Pembre** Papua, E Indonesia
14 K12 **Pembroke** Ontario, SE Canada
97 H21 **Pembroke** SW Wales, UK
23 W6 **Pembroke** Georgia, SE USA
21 U11 **Pembroke** North Carolina, SE USA
21 R7 **Pembroke** Virginia, NE USA
97 H21 **Pembroke** *cultural region* SW Wales, UK
Pembuang, Sungai *see* Seruyan, Sungai
43 S15 **Peña Blanca, Cerro** ▲ C Panama
104 K8 **Peña de Francia, Sierra de la** ⛰ W Spain
104 G6 **Penafiel** *var.* Peñafiel. Porto, N Portugal
105 N6 **Peñafiel** Castilla-León, N Spain
105 S8 **Peñagolosa** ▲ E Spain
105 N7 **Peñalara, Pico de** ▲ C Spain
171 X16 **Penambo, Banjaran** *var.* Banjaran Tama Abu, Penambo Range. ⛰ Indonesia/Malaysia
Penambo Range *see* Penambo, Banjaran
41 O10 **Peña Nevada, Cerro** ▲ C Mexico
Penang *see* Pinang, Pulau, Peninsular Malaysia
Penang *see* Pinang
Penang *see* George Town
60 J8 **Penápolis** São Paulo, S Brazil
104 L7 **Peñaranda de Bracamonte** Castilla-León, N Spain
105 S8 **Peñarroya** ▲ E Spain
104 L12 **Peñarroya-Pueblonuevo** Andalucía, S Spain
97 K22 **Penarth** S Wales, UK
104 K1 **Peñas, Cabo de** *headland* N Spain
63 F20 **Penas, Golfo de** *gulf* S Chile
Pen-ch'i *see* Benxi
79 H14 **Pendé** *var.* Logone Oriental. ≈ Central African Republic/Chad
76 I14 **Pendembu** E Sierra Leone
29 R13 **Pender** Nebraska, C USA
Penderma *see* Bandırma
32 K11 **Pendleton** Oregon, NW USA
32 M7 **Pend Oreille, Lake** ◎ Idaho, NW USA
32 M7 **Pend Oreille River** ≈ Idaho/Washington, NW USA
Pendzhikent *see* Panjakent
Peneius *see* Pineiós
104 G8 **Penela** Coimbra, N Portugal
14 G13 **Penetanguishene** Ontario, S Canada
151 H15 **Penganga** ≈ C India
161 T12 **P'engchia Yu** *island* N Taiwan
79 M21 **Penge** Kasai Oriental, C Dem. Rep. Congo
Penghu Archipelago/P'enghu Ch'üntao/Penghu Islands *see* P'enghu Liehtao
161 R14 **P'enghu Liehtao** *var.* P'enghu Ch'üntao, Penghu Islands, *Eng.* Penghu Archipelago, Pescadores, *Jap.* Hoko-guntō, Hoko-shotō. *island group* W Taiwan
Penghu Shuidao/P'enghu Shuitao *see* Pescadores Channel
161 R4 **Penglai** *var.* Dengzhou. Shandong, E China
Peng-pu *see* Bengbu
Penhsihu *see* Benxi
Penibético, Sistema *see* Béticos, Sistemas
104 F10 **Peniche** Leiria, W Portugal
169 U17 **Penida, Nusa** *island* S Indonesia
Peninsular State *see* Florida
105 T8 **Peñíscola** País Valenciano, E Spain
40 M13 **Pénjamo** Guanajuato, C Mexico
Penki *see* Benxi
102 F7 **Penmarch, Pointe de** *headland* NW France
107 L15 **Penna, Punta della** *headland* C Italy
107 K14 **Penne** Abruzzo, C Italy
Penner *see* Penneru
155 J18 **Penneru** *var.* Penner. ≈ C India
182 I10 **Penneshaw** South Australia
18 C14 **Penn Hills** Pennsylvania, NE USA
Penninae, Alpes/Pennine, Alpi *see* Pennine Alps
108 D11 **Pennine Alps** *Fr.* Alpes Pennines, *It.* Alpi Pennine; *Lat.* Alpes Penninae. ⛰ Italy/Switzerland
Pennine Chain *see* Pennines
97 L15 **Pennines** *var.* Pennine Chain. ⛰ N England, UK
Pennines, Alpes *see* Pennine Alps
21 O8 **Pennington Gap** Virginia, NE USA
18 I16 **Penns Grove** New Jersey, NE USA
18 I16 **Pennsville** New Jersey, NE USA
18 E14 **Pennsylvania** *off.* Commonwealth of Pennsylvania; also known as The Keystone State. ◆ *state* NE USA
18 G10 **Penn Yan** New York, NE USA
124 H16 **Peno** Tverskaya Oblast', W Russian Federation
19 R7 **Penobscot Bay** *bay* Maine, NE USA
19 S5 **Penobscot River** ≈ Maine, NE USA
182 K12 **Penola** South Australia
40 K9 **Peñón Blanco** Durango, C Mexico
182 E7 **Penong** South Australia
43 S16 **Penonomé** Coclé, C Panama
190 L13 **Penrhyn** *atoll* N Cook Islands
192 M9 **Penrhyn Basin** *undersea feature* C Pacific Ocean
183 S9 **Penrith** New South Wales, SE Australia
97 K15 **Penrith** NW England, UK
23 O9 **Pensacola** Florida, SE USA
23 O9 **Pensacola Bay** *bay* Florida, SE USA
195 N7 **Pensacola Mountains** ⛰ Antarctica
182 L12 **Penshurst** Victoria, SE Australia
187 R13 **Pentecost** *Fr.* Pentecôte. *island* C Vanuatu
15 V4 **Pentecôte** ≈ Québec, SE Canada
Pentecôte *see* Pentecost
15 V4 **Pentecôte, Lac** ◎ Québec, SE Canada
8 H15 **Penticton** British Columbia, SW Canada
96 J6 **Pentland Firth** *strait* N Scotland, UK
96 J12 **Pentland Hills** *hill range* S Scotland, UK
171 Q12 **Penu** Pulau Taliabu, E Indonesia
155 H18 **Penukonda** Andhra Pradesh, E India
166 L7 **Penwegon** Pegu, C Myanmar
24 M8 **Penwell** Texas, SW USA
97 J21 **Pen y Fan** ▲ SE Wales, UK
97 L16 **Pen-y-ghent** ▲ N England, UK
127 O6 **Penza** Penzenskaya Oblast', W Russian Federation
97 G25 **Penzance** SW England, UK
127 N6 **Penzenskaya Oblast'** ◆ *province* W Russian Federation
123 U7 **Penzhina** ≈ E Russian Federation
123 U9 **Penzhinskaya Guba** *bay* E Russian Federation
Penzig *see* Pieńsk
36 K13 **Peoria** Arizona, SW USA
30 L12 **Peoria** Illinois, N USA
30 L12 **Peoria Heights** Illinois, N USA
31 N11 **Peotone** Illinois, N USA
18 I11 **Pepacton Reservoir** ▣ New York, NE USA
76 I15 **Pepel** W Sierra Leone
30 I6 **Pepin, Lake** ◎ Minnesota/Wisconsin, N USA
99 L20 **Pepinster** Liège, E Belgium
113 L20 **Peqin** *var.* Peqini. Elbasan, C Albania
Peqini *see* Peqin
40 D7 **Pequeña, Punta** *headland* W Mexico
168 J8 **Perak** ◆ *state* Peninsular Malaysia
105 R7 **Perales del Alfambra** Aragón, NE Spain
115 C15 **Pérama** *var.* Perama. Ípeiros, W Greece
92 M13 **Perä-Posio** Lappi, NE Finland
15 Z6 **Percé** Québec, SE Canada
15 Z6 **Percé, Rocher** *island* Québec, S Canada
102 L5 **Perche, Collines de** ⛰ N France
109 X4 **Perchtoldsdorf** Niederösterreich, NE Austria
180 L6 **Percival Lakes** *lakes* Western Australia
105 T3 **Perdido, Monte** ▲ NE Spain
23 O8 **Perdido River** ≈ Alabama/Florida, S USA
Perece Vela Basin *see* West Mariana Basin
116 G7 **Perechyn** Zakarpats'ka Oblast', W Ukraine
54 E10 **Pereira** Risaralda, W Colombia
60 I7 **Pereira Barreto** São Paulo, S Brazil
59 G15 **Pereirinha** Pará, N Brazil
127 N10 **Perelazovskiy** Volgogradskaya Oblast', SW Russian Federation
127 S7 **Perelyub** Saratovskaya Oblast', W Russian Federation
31 P7 **Pere Marquette River** ≈ Michigan, N USA
Peremyshl *see* Podkarpackie
116 I5 **Peremyshlyany** L'vivs'ka Oblast', W Ukraine
Pereshchepino *see* Pereshchepyne
116 L9 **Pereshchepyne** *Rus.* Pereshchepino. Dnipropetrovs'ka Oblast', E Ukraine
126 L16 **Pereslavl'-Zalesskiy** Yaroslavskaya Oblast', W Russian Federation
117 Y7 **Pereval's'k** Luhans'ka Oblast', E Ukraine
127 U7 **Perevolotskiy** Orenburgskaya Oblast', W Russian Federation
Pereyaslav-Khmel'nitskiy *see* Pereyaslav-Khmel'nyts'kyy
117 Q5 **Pereyaslav-Khmel'nyts'kyy** *Rus.* Pereyaslav-Khmel'nitskiy. Kyyivs'ka Oblast', N Ukraine
109 U4 **Perg** Oberösterreich, N Austria
61 B19 **Pergamino** Buenos Aires, E Argentina
106 G6 **Pergine Valsugana** *Ger.* Persen. Trentino-Alto Adige, N Italy
29 S6 **Perham** Minnesota, N USA
93 L16 **Perho** Länsi-Suomi, W Finland
116 E11 **Periam** *Ger.* Perjamosch, *Hung.* Perjámos. Timiş, W Romania
15 Q6 **Péribonca** ≈ Québec, SE Canada
12 L11 **Péribonca, Lac** ◎ Québec, SE Canada
15 Q6 **Péribonca, Petite Rivière** ≈ Québec, SE Canada
15 Q7 **Péribonka** Québec, SE Canada
40 I9 **Pericos** Sinaloa, C Mexico
169 Q10 **Perigi** Borneo, C Indonesia
102 L12 **Périgueux** *anc.* Vesuna. Dordogne, SW France
54 G5 **Perijá, Serranía de** ⛰ Columbia/Venezuela
115 H17 **Peristéra** *island* Vóreioi Sporádes, Greece, Aegean Sea
63 H20 **Perito Moreno** Santa Cruz, S Argentina
155 G22 **Periyāl** *var.* Periyār. ≈ SW India
Periyār *see* Periyāl
155 G23 **Periyār Lake** ◎ S India
Perjámos/Perjamosch *see* Periam
27 O9 **Perkins** Oklahoma, C USA
116 L7 **Perkivtsi** Chernivets'ka Oblast', W Ukraine
43 U15 **Perlas, Archipiélago de las** *Eng.* Pearl Islands. *island group* SE Panama
43 O10 **Perlas, Cayos de** *reef* SE Nicaragua
43 N9 **Perlas, Laguna de** *Eng.* Pearl Lagoon. *lagoon* E Nicaragua
43 N10 **Perlas, Punta de** *headland* E Nicaragua
100 L11 **Perleberg** Brandenburg, N Germany
Perlepe *see* Prilep
168 I6 **Perlis** ◆ *state* Peninsular Malaysia
125 U14 **Perm'** *prev.* Molotov. Permskaya Oblast', NW Russian Federation
113 M22 **Përmet** *var.* Përmeti, Prëmet. Gjirokastër, S Albania
Përmeti *see* Përmet
125 U15 **Permskaya Oblast'** ◆ *province* NW Russian Federation
59 P15 **Pernambuco** *off.* Estado de Pernambuco. ◆ *state* E Brazil
Pernambuco *see* Recife
Pernambuco Abyssal Plain *see* Pernambuco Plain
47 Y6 **Pernambuco Plain** *var.* Pernambuco Abyssal Plain. *undersea feature* E Atlantic Ocean
65 K15 **Pernambuco Seamounts** *undersea feature* C Atlantic Ocean
182 H6 **Pernatty Lagoon** *salt lake* South Australia
Pernau *see* Pärnu
Pernauer Bucht *see* Pärnu Laht
Pērnava *see* Pärnu
114 G9 **Pernik** *prev.* Dimitrovo. Pernik, W Bulgaria
114 G10 **Pernik** ◆ *province* W Bulgaria
93 K20 **Perniö** *Swe.* Bjärnå. Länsi-Suomi, W Finland
109 X5 **Pernitz** Niederösterreich, E Austria
Pernov *see* Pärnu
103 O3 **Péronne** Somme, N France
14 L8 **Péronne, Lac** ◎ Québec, SE Canada
106 A8 **Perosa Argentina** Piemonte, NE Italy
41 Q14 **Perote** Veracruz-Llave, E Mexico
Pérouse *see* Perugia
191 W15 **Pérouse, Bahía de la** *bay* Easter Island, Chile, E Pacific Ocean
Perovsk *see* Kyzylorda
103 O17 **Perpignan** Pyrénées-Orientales, S France
113 M20 **Përrenjas** *var.* Përrenjasi, Prenjas, Prenjasi. Elbasan, E Albania
Përrenjasi *see* Përrenjas
92 O2 **Perriertoppen** ▲ C Svalbard
25 S6 **Perrin** Texas, SW USA
23 Y16 **Perrine** Florida, SE USA
37 S12 **Perro, Laguna del** ◎ New Mexico, SW USA
102 G5 **Perros-Guirec** Côtes d'Armor, NW France
23 T9 **Perry** Florida, SE USA
23 T5 **Perry** Georgia, SE USA
29 U14 **Perry** Iowa, C USA
18 E10 **Perry** New York, NE USA
27 N9 **Perry** Oklahoma, C USA
27 Q3 **Perry Lake** ▣ Kansas, C USA
31 R11 **Perrysburg** Ohio, N USA
25 O1 **Perryton** Texas, SW USA
39 O15 **Perryville** Alaska, USA
27 U11 **Perryville** Arkansas, C USA
27 Y6 **Perryville** Missouri, C USA
Persante *see* Parsęta
Persen *see* Pergine Valsugana
Pershay *see* Pyarshai
117 V7 **Pershotravens'k** Dnipropetrovs'ka Oblast', E Ukraine
117 W9 **Pershotravneve** Donets'ka Oblast', E Ukraine
Persia *see* Iran
141 T5 **Persian Gulf** *var.* The Gulf, *Ar.* Khalīj al 'Arabī, *Per.* Khalīj-e Fars. *gulf* SW Asia
Persis *see* Fārs
95 K22 **Perstorp** Skåne, S Sweden
137 O14 **Pertek** Tunceli, C Turkey
183 P16 **Perth** Tasmania, SE Australia

◆ COUNTRY ● COUNTRY CAPITAL ◇ DEPENDENT TERRITORY ○ DEPENDENT TERRITORY CAPITAL ◆ ADMINISTRATIVE REGION × INTERNATIONAL AIRPORT ▲ MOUNTAIN ⛰ MOUNTAIN RANGE ※ VOLCANO ≈ RIVER ◎ LAKE ▣ RESERVOIR

306 ••• Perth – Pine Hill

180 I13 Perth state capital Western Australia
14 L13 Perth Ontario, SE Canada
96 J11 Perth C Scotland, UK
180 I12 Perth ✕ Western Australia
96 J10 Perth cultural region C Scotland, UK
173 V10 Perth Basin undersea feature SE Indian Ocean
103 S15 Pertuis Vaucluse, SE France
103 Y16 Pertusato, Capo headland Corse, France, C Mediterranean Sea
30 L11 Peru Illinois, N USA
31 P12 Peru Indiana, N USA
57 E13 Peru off. Republic of Peru. ◆ republic W South America
Peru see Beru
193 T9 Peru Basin undersea feature E Pacific Ocean
193 U8 Peru-Chile Trench undersea feature E Pacific Ocean
112 F13 Perućko Jezero ◎ S Croatia
106 H13 Perugia Fr. Pérouse; anc. Perusia. Umbria, C Italy
Perugia, Lake of see Trasimeno, Lago
61 D15 Perugorría Corrientes, NE Argentina
60 M11 Peruíbe São Paulo, S Brazil
155 B21 Perumalpār reef India, N Indian Ocean
Perusia see Perugia
99 D20 Péruwelz Hainaut, SW Belgium
137 R15 Pervari Siirt, SE Turkey
127 O4 Pervomaysk Nizhegorodskaya Oblast', W Russian Federation
117 X7 Pervomays'k Luhans'ka Oblast', E Ukraine
117 P8 Pervomays'k prev. Ol'viopol'. Mykolayivs'ka Oblast', S Ukraine
117 S12 Pervomays'ke Respublika Krym, S Ukraine
125 R14 Pervomayskiy Kirovskaya Oblast', NW Russian Federation
127 V7 Pervomayskiy Orenburgskaya Oblast', W Russian Federation
126 M6 Pervomayskiy Tambovskaya Oblast', W Russian Federation
117 V6 Pervomays'kyy Kharkivs'ka Oblast', E Ukraine
122 F10 Pervoural'sk Sverdlovskaya Oblast', C Russian Federation
123 V11 Pervyy Kuril'skiy Proliv strait E Russian Federation
99 I19 Perwez Wallon Brabant, C Belgium
106 I11 Pesaro anc. Pisaurum. Marche, C Italy
35 N9 Pescadero California, W USA
Pescadores see P'enghu Liehtao
161 S14 Pescadores Channel var. Penghu Shuidao, P'enghu Shuitao. channel W Taiwan
107 K14 Pescara anc. Aternum, Ostia Aterni. Abruzzo, C Italy
107 K15 Pescara ≈ C Italy
106 F11 Pescia Toscana, C Italy
108 C8 Peseux Neuchâtel, W Switzerland
127 P6 Pesha ≈ NW Russian Federation
149 T5 Peshāwar North-West Frontier Province, N Pakistan
149 T6 Peshāwar ✕ North-West Frontier Province, N Pakistan
113 M19 Peshkopi var. Peshkopia, Peshkopija. Dibër, NE Albania
Peshkopia/Peshkopija see Peshkopi
114 I11 Peshtera Pazardzhik, C Bulgaria
31 N6 Peshtigo Wisconsin, N USA
31 N6 Peshtigo River ≈ Wisconsin, N USA
Peski see Pyeski
Peski Taskuduk see Tosquduq Qumlari
125 S13 Peskovka Kirovskaya Oblast', NW Russian Federation
103 S8 Pesmes Haute-Saône, E France
104 H6 Peso da Régua var. Pêso da Regua. Vila Real, N Portugal
40 F5 Pesqueira Sonora, NW Mexico
102 J13 Pessac Gironde, SW France
111 J23 Pest off. Pest Megye. ◈ county C Hungary
124 J14 Pestovo Novgorodskaya Oblast', W Russian Federation
40 M15 Petacalco, Bahía bay W Mexico
Petach-Tikva/Petah Tiqva see Petaḥ Tiqwa
138 F10 Petaḥ Tiqwa var. Petach-Tikva, Petah Tiqva, Petakh Tikva. Tel Aviv, C Israel
Petakh Tikva see Petaḥ Tiqwa
93 L17 Petäjävesi Länsi-Suomi, W Finland
22 M7 Petal Mississippi, S USA
115 I19 Petalioí island C Greece
115 H19 Petalión, Kólpos gulf E Greece
115 J19 Pétalo ▲ Ándros, Kykládes, Greece, Aegean Sea
34 M8 Petaluma California, W USA
99 L25 Pétange Luxembourg, SW Luxembourg
54 M5 Petare Miranda, N Venezuela
41 N16 Petatlán Guerrero, S Mexico
83 L14 Petauke Eastern, E Zambia
14 J12 Petawawa Ontario, SE Canada
14 J11 Petawawa ≈ Ontario, SE Canada
Petchaburi see Phetchaburi
42 D2 Petén off. Departamento del Petén. ◈ department N Guatemala
42 D2 Petén Itzá, Lago var. Lago de Flores. ◎ N Guatemala
30 K7 Petenwell Lake ⊡ Wisconsin, N USA
14 D6 Peterbell Ontario, S Canada
182 I7 Peterborough South Australia
14 I14 Peterborough Ontario, SE Canada
97 N20 Peterborough prev. Medeshamstede. E England, UK
19 N10 Peterborough New Hampshire, NE USA
96 L8 Peterhead NE Scotland, UK
Peterhof see Luboń
193 Q14 Peter I Island ◇ Norwegian dependency Antarctica
194 H9 Peter I Island var. Peter I øy. island Antarctica
Peter I øy see Peter I Island
97 M14 Peterlee N England, UK
Peterlingen see Payerne
197 P14 Petermann Bjerg ▲ C Greenland
11 S12 Peter Pond Lake ◎ Saskatchewan, C Canada
39 X13 Petersburg Mytkof Island, Alaska, USA
30 K13 Petersburg Illinois, N USA
31 N16 Petersburg Indiana, N USA
29 Q3 Petersburg North Dakota, N USA
25 N5 Petersburg Texas, SW USA
21 V7 Petersburg Virginia, NE USA
21 T4 Petersburg West Virginia, NE USA
100 H12 Petershagen Nordrhein-Westfalen, NW Germany
55 S9 Peters Mine var. Peter's Mine. N Guyana
107 O21 Petilia Policastro Calabria, SW Italy
44 M9 Pétionville S Haiti
45 X6 Petit-Bourg Basse Terre, C Guadeloupe
15 Y5 Petit-Cap Québec, SE Canada
45 Y6 Petit Cul-de-Sac Marin bay C Guadeloupe
44 M9 Petite-Rivière-de-l'Artibonite C Haiti
173 X16 Petite Rivière Noire, Piton de la ▲ C Mauritius
15 R9 Petite-Rivière-St-François Québec, SE Canada
44 L9 Petit-Goâve S Haiti
Petitjean see Sidi-Kacem
13 N10 Petit Lac Manicouagan ◎ Québec, E Canada
19 T7 Petit Manan Point headland Maine, NE USA
Petit Mécatina, Rivière du see Little Mecatina
11 N10 Petitot ≈ Alberta/British Columbia, W Canada
45 S12 Petit Piton ▲ SW Saint Lucia
Petit-Popo see Aného
Petit St-Bernard, Col du see Little Saint Bernard Pass
13 O8 Petitsikapau Lake ◎ Newfoundland and Labrador, E Canada
92 L11 Petkula Lappi, N Finland
41 X12 Peto Yucatán, SE Mexico
62 G10 Petorca Valparaíso, C Chile
31 Q5 Petoskey Michigan, N USA
138 G14 Petra archaeological site Ma'ān, W Jordan
Petra see Wādī Mūsā
115 F14 Pétras, Sténa pass N Greece
123 S16 Petra Velikogo, Zaliv bay SE Russian Federation
Petrel see Petrer
14 K15 Petre, Point headland Ontario, SE Canada
105 S12 Petrer var. Petrel. País Valenciano, E Spain
125 U11 Petretsovo Permskaya Oblast', NW Russian Federation
114 G12 Petrich Blagoevgrad, SW Bulgaria
187 P15 Petrie, Récif reef N New Caledonia
37 N11 Petrified Forest prehistoric site Arizona, SW USA
Petrikau see Piotrków Trybunalski
Petrikov see Pyetrykaw
116 H12 Petrila Hung. Petrilla. Hunedoara, W Romania
Petrilla see Petrila
112 E9 Petrinja Sisak-Moslavina, C Croatia
Petroaleksandrovsk see Türtkül
Petrőcz see Bački Petrovac
124 G12 Petrodvorets Fin. Pietarhovi. Leningradskaya Oblast', NW Russian Federation
Petrograd see Sankt-Peterburg
Petrokov see Piotrków Trybunalski
54 G6 Petrólea Norte de Santander, NE Colombia
14 D16 Petrolia Ontario, S Canada
25 S4 Petrolia Texas, SW USA
59 O15 Petrolina Pernambuco, E Brazil
45 T6 Petrona, Punta headland C Puerto Rico
Petropavl see Petropavlovsk
117 V7 Petropavlivka Dnipropetrovs'ka Oblast', E Ukraine
145 P6 Petropavlovsk Kaz. Petropavl. Severnyy Kazakhstan, N Kazakhstan
123 V11 Petropavlovsk-Kamchatskiy Kamchatskaya Oblast', E Russian Federation
60 P9 Petrópolis Rio de Janeiro, SE Brazil
116 H12 Petroşani var. Petroşeni, Ger. Petroschen, Hung. Petrozsény. Hunedoara, W Romania
Petroschen/Petroşeni see Petroşani
Petroskoi see Petrozavodsk
Petrovac/Petrovácz see Bački Petrovac
113 J17 Petrovac na Moru Montenegro, SW Serbia and Montenegro (Yugo.)
117 S8 Petrove Kirovohrads'ka Oblast', C Ukraine
113 O18 Petrovec C FYR Macedonia
Petrovgrad see Zrenjanin
127 P7 Petrovsk Saratovskaya Oblast', W Russian Federation
124 J9 Petrovskiy Yam Respublika Kareliya, NW Russian Federation
Petrovsk-Port see Makhachkala
127 P9 Petrov Val Volgogradskaya Oblast', SW Russian Federation
124 J11 Petrozavodsk Fin. Petroskoi. Respublika Kareliya, NW Russian Federation
Petrozsény see Petroşani
83 D20 Petrusdal Hardap, C Namibia
117 T7 Petrykivka Dnipropetrovs'ka Oblast', E Ukraine
Petsamo see Pechenga
Petschka see Pecica
Pettau see Ptuj
109 S5 Pettenbach Oberösterreich, C Austria
25 S13 Pettus Texas, SW USA
122 G12 Petukhovo Kurganskaya Oblast', C Russian Federation
Petuna see Songyuan
109 R4 Peuerbach Oberösterreich, N Austria
62 G12 Peumo Libertador, C Chile
123 T6 Pevek Chukotskiy Avtonomnyy Okrug, NE Russian Federation
27 X5 Pevely Missouri, C USA
Peyia see Pégeia
102 J15 Peyrehorade Landes, SW France
126 J14 Peza ≈ NW Russian Federation
103 P16 Pézenas Hérault, S France
111 H20 Pezinok Ger. Bösing, Hung. Bazin. Bratislavský Kraj, W Slovakia
101 L22 Pfaffenhofen an der Ilm Bayern, SE Germany
108 G7 Pfäffikon Schwyz, C Switzerland
101 F20 Pfälzer Wald hill range W Germany
101 N22 Pfarrkirchen Bayern, SE Germany
101 G21 Pforzheim Baden-Württemberg, SW Germany
101 H24 Pfullendorf Baden-Württemberg, S Germany
108 K8 Pfunds Tirol, W Austria
101 G19 Pfungstadt Hessen, W Germany
83 L20 Phalaborwa Limpopo, NE South Africa
152 E11 Phalodi Rājasthān, NW India
152 E12 Phalsund Rājasthān, NW India
155 E15 Phaltan Mahārāshtra, W India
167 O7 Phan var. Muang Phan. Chiang Rai, NW Thailand
167 O14 Phangan, Ko island SW Thailand
166 M15 Phang-Nga var. Pang-Nga, Phangnga. Phangnga, SW Thailand
Phan Rang/Phanrang see Phan Rang-Thap Cham
167 V13 Phan Rang-Thap Cham var. Phanrang, Phan Rang, Phan Rang Thap Cham. Ninh Thuân, S Vietnam
167 U13 Phan Ri Binh Thuân, S Vietnam
167 u13 Phan Thiêt Binh Thuân, S Vietnam
Pharnacia see Giresun
25 S17 Pharr Texas, SW USA
Pharus see Hvar
167 N16 Phatthalung var. Padalung, Patalung. Phatthalung, SW Thailand
167 O7 Phayao var. Muang Phayao. Phayao, NW Thailand
11 U10 Phelps Lake ◎ Saskatchewan, C Canada
21 X9 Phelps Lake ◎ North Carolina, SE USA
23 R5 Phenix City Alabama, S USA
167 T8 Pheo Quang Binh, C Vietnam
Phet Buri see Phetchaburi
167 O11 Phetchaburi var. Bejraburi, Petchaburi, Phet Buri. Phetchaburi, SW Thailand
167 O9 Phichit var. Bichitra, Muang Phichit, Pichit. Phichit, C Thailand
22 M5 Philadelphia Mississippi, S USA
18 I7 Philadelphia New York, NE USA
18 I16 Philadelphia Pennsylvania, NE USA
18 I16 Philadelphia ✕ Pennsylvania, NE USA
Philadelphia see 'Ammān
28 L10 Philip South Dakota, N USA
99 H22 Philippeville Namur, S Belgium
Philippeville see Skikda
21 S3 Philippi West Virginia, NE USA
Philippi see Fílippoi
195 Y9 Philippi Glacier glacier Antarctica
192 G6 Philippine Basin undersea feature W Pacific Ocean
171 O5 Philippines off. Republic of the Philippines. ◆ republic SE Asia
171 P3 Philippine Sea sea W Pacific Ocean
192 F6 Philippine Trench undersea feature W Philippine Sea
83 H23 Philippolis Free State, C South Africa
Philippopolis see Plovdiv, Bulgaria
Philippopolis see Shahbā', Syria
45 V9 Philipsburg Sint Maarten, N Netherlands Antilles
33 P10 Philipsburg Montana, NW USA
39 R6 Philip Smith Mountains ⛰ Alaska, USA
152 H8 Phillaur Punjab, N India
183 N13 Phillip Island island Victoria, SE Australia
25 N2 Phillips Texas, SW USA
30 K5 Phillips Wisconsin, N USA
26 K3 Phillipsburg Kansas, C USA
18 I14 Phillipsburg New Jersey, NE USA
21 S7 Philpott Lake ⊡ Virginia, NE USA
Phintias see Licata
167 P9 Phitsanulok var. Bisnulok, Muang Phitsanulok, Pitsanulok. Phitsanulok, C Thailand
Phlórina see Flórina
Phnom Penh see Phnum Penh
167 S13 Phnum Penh var. Phnom Penh. ● (Cambodia) Phnum Penh, S Cambodia
167 S11 Phnum Tbêng Meanchey Preăh Vihéar, N Cambodia
36 K13 Phoenix state capital Arizona, SW USA
Phoenix Island see Rawaki
191 R3 Phoenix Islands island group C Kiribati
18 I15 Phoenixville Pennsylvania, NE USA
83 K22 Phofung var. Mont-aux-Sources. ▲ N Lesotho
167 Q10 Phon Khon Kaen, E Thailand
167 Q5 Phôngsali var. Phong Saly. Phôngsali, N Laos
Phong Saly see Phôngsali
167 Q8 Phônhông C Laos
167 R5 Phô Rang Lao Cai, N Vietnam
Phort Láirge, Cuan see Waterford Harbour
167 N10 Phra Chedi Sam Ong Kanchanaburi, W Thailand
167 O8 Phrae var. Muang Phrae, Prae. Phrae, NW Thailand
Phra Nakhon Si Ayutthaya see Ayutthaya
167 M14 Phra Thong, Ko island SW Thailand
Phu Cương see Thu Dâu Môt
166 M15 Phuket var. Bhuket, Puket, Mal. Ujung Salang; prev. Junkseylon, Salang. Phuket, SW Thailand
166 M15 Phuket ✕ Phuket, SW Thailand
166 M15 Phuket, Ko island SW Thailand
154 N12 Phulabāni prev. Phulbani. Orissa, E India
Phulbani see Phulabāni
167 U9 Phu Lôc Th,a Thiên-Huê, C Vietnam
167 S13 Phumĭ Banam Prey Vêng, S Cambodia
167 R13 Phumĭ Chŏâm Kâmpóng Spœ, SW Cambodia
167 T11 Phumĭ Kalêng Stœng Trêng, NE Cambodia
167 S12 Phumĭ Kâmpóng Trâbêk prev. Phum Kompong Trabek. Kâmpóng Thum, C Cambodia
167 Q11 Phumĭ Koŭk Kduŏch Bătdâmbâng, NW Cambodia
167 T11 Phumĭ Labăng Rôtânôkiri, NE Cambodia
167 S11 Phumĭ Mlu Prey Preăh Vihéar, N Cambodia
167 R11 Phumĭ Moŭng Siĕmréab, NW Cambodia
167 Q12 Phumĭ Prâmaôy Poŭthĭsăt, W Cambodia
167 Q13 Phumĭ Samĭt Kaôh Kông, SW Cambodia
167 R11 Phumĭ Sâmraông prev. Phum Samrong. Siĕmréab, NW Cambodia
167 S12 Phumĭ Siĕmbok Stœng Trêng, N Cambodia
167 S11 Phumĭ Thalabârĭvăt Stœng Trêng, N Cambodia
167 R13 Phumĭ Veal Renh Kâmpôt, SW Cambodia
167 P13 Phumĭ Yeay Sên Kaôh Kông, SW Cambodia
Phum Kompong Trabek see Phumĭ Kâmpóng Trâbêk
Phum Samrong see Phumĭ Sâmraông
167 V11 Phu My Binh Đinh, C Vietnam
167 S14 Phung Hiêp Cân Thơ, S Vietnam
153 T12 Phuntsholing SW Bhutan
167 R15 Phươc Long Minh Hai, S Vietnam
167 R14 Phu Quôc, Đao var. Phu Quoc Island. island S Vietnam
Phu Quoc Island see Phu Quôc, Đao
167 S6 Phu Tho Vinh Phu, N Vietnam
Phu Vinh see Tra Vinh
189 T13 Piaanu Pass passage Chuuk Islands, C Micronesia
106 E8 Piacenza Fr. Paisance; anc. Placentia. Emilia-Romagna, N Italy
107 K14 Pianella Abruzzo, C Italy
107 M15 Pianosa, Isola island Archipelago Toscano, C Italy
171 U13 Piar Papua, E Indonesia
45 U14 Piarco var. Port of Spain. ✕ (Port-of-Spain) Trinidad, Trinidad and Tobago
110 M12 Piaseczno Mazowieckie, C Poland
116 I15 Piatra Teleorman, S Romania
116 L10 Piatra-Neamţ Hung. Karácsonkő. Neamţ, NE Romania
Piauhy see Piauí
59 N15 Piauí off. Estado do Piauí; prev. Piauhy. ◈ state E Brazil
106 I7 Piave ≈ NE Italy
107 K24 Piazza Armerina var. Chiazza. Sicilia, Italy, C Mediterranean Sea
81 G14 Pibor Amh. Pībor Wenz. ≈ Ethiopia/Sudan
81 G14 Pibor Post Jonglei, SE Sudan
Pībor Wenz see Pibor
Pibrans see Příbram
36 K11 Picacho Butte ▲ Arizona, SW USA
40 D4 Picachos, Cerro ▲ NW Mexico
103 O4 Picardie Eng. Picardy. ◈ region N France
Picardy see Picardie
22 L8 Picayune Mississippi, S USA
Piccolo San Bernardo, Colle di see Little Saint Bernard Pass
62 K5 Pichanal Salta, N Argentina
147 P12 Pichandar W Tajikistan
27 R8 Picher Oklahoma, C USA
62 G12 Pichilemu Libertador, C Chile
40 F9 Pichilingue Baja California Sur, W Mexico
56 B6 Pichincha ◈ province N Ecuador
56 C6 Pichincha ▲ N Ecuador
Pichit see Phichit
41 U15 Pichucalco Chiapas, SE Mexico
22 L5 Pickens Mississippi, S USA
21 O11 Pickens South Carolina, SE USA
14 G11 Pickerel ≈ Ontario, S Canada
14 H15 Pickering Ontario, S Canada
97 N16 Pickering N England, UK
31 S13 Pickerington Ohio, N USA
12 C10 Pickle Lake Ontario, C Canada
29 P12 Pickstown South Dakota, N USA
25 V6 Pickton Texas, SW USA
23 N1 Pickwick Lake ⊡ S USA
64 N2 Pico var. Ilha do Pico. island Azores, Portugal, NE Atlantic Ocean
63 J19 Pico de Salamanca Chubut, SE Argentina
Pico, Ilha do see Pico
59 O14 Picos Piauí, E Brazil
63 I20 Pico Truncado Santa Cruz, SE Argentina
183 S9 Picton New South Wales, SE Australia
14 K15 Picton Ontario, SE Canada
185 K14 Picton Marlborough, South Island, NZ
63 H15 Picún Leufú, Arroyo ≈ SW Argentina
Pidálion see Gkréko, Akrotíri
155 K25 Pidurutalagala ▲ S Sri Lanka
116 K6 Pidvolochys'k Ternopil's'ka Oblast', W Ukraine
107 K16 Piedimonte Matese Campania, S Italy
27 X7 Piedmont Missouri, C USA
21 P11 Piedmont South Carolina, SE USA
17 S12 Piedmont escarpment E USA
Piedmont see Piemonte
31 U13 Piedmont Lake ⊡ Ohio, N USA
104 M11 Piedrabuena Castilla-La Mancha, C Spain
Piedrafita, Puerto de see Pedrafita, Porto de
104 L8 Piedrahita Castilla-León, N Spain
41 N6 Piedras Negras var. Ciudad Porfirio Díaz. Coahuila de Zaragoza, NE Mexico
61 E21 Piedras, Punta headland E Argentina
57 I14 Piedras, Río de las ≈ E Peru
111 J16 Piekary Śląskie Śląskie, S Poland
93 M17 Pieksämäki Isä-Suomi, E Finland
109 V5 Pielach ≈ NE Austria
93 M16 Pielavesi Itä-Suomi, C Finland
93 M16 Pielavesi ◎ C Finland
93 N16 Pielinen var. Pielisjärvi. ◎ E Finland
Pielisjärvi see Pielinen
106 A8 Piemonte Eng. Piedmont. ◈ region NW Italy
111 L18 Pieniny ⛰ Poland/Slovakia
111 E14 Pieńsk Ger. Penzig. Dolnośląskie, SW Poland
29 Q13 Pierce Nebraska, C USA
11 R14 Pierceland Saskatchewan, C Canada
115 E14 Piéria ⛰ N Greece
29 N10 Pierre state capital South Dakota, N USA
102 K16 Pierrefitte-Nestalas Hautes-Pyrénées, S France
103 R14 Pierrelatte Drôme, E France
15 P11 Pierreville Québec, SE Canada
15 O7 Pierriche ≈ Québec, SE Canada
111 H20 Piešt'any Ger. Pistyan, Hung. Pöstyén. Trnavský, W Slovakia
109 X5 Piesting ≈ E Austria
Pietarhovi see Petrodvorets
Pietari see Sankt-Peterburg
Pietarsaari see Jakobstad
83 K23 Pietermaritzburg var. Maritzburg. KwaZulu/Natal, E South Africa
Pietersburg see Polokwane
107 K24 Pietraperzia Sicilia, Italy, C Mediterranean Sea
107 N22 Pietra Spada, Passo della pass SW Italy
83 K22 Piet Retief Mpumalanga, E South Africa
116 I9 Pietrosul, Vârful prev. Vîrful Pietrosu. ▲ N Romania
116 J10 Pietrosul, Vârful prev. Vîrful Pietrosu. ▲ N Romania
Pietrosu, Vîrful see Pietrosul, Vârful
106 I6 Pieve di Cadore Veneto, NE Italy
14 C18 Pigeon Bay lake bay Ontario, S Canada
27 X8 Piggott Arkansas, C USA
83 L21 Piggs Peak NW Swaziland
Pigs, Bay of see Cochinos, Bahía de
61 A23 Pigüé Buenos Aires, E Argentina
41 O12 Piguícas ▲ C Mexico
193 W15 Piha Passage passage S Tonga
Pihkva Järv see Pskov, Lake
93 N18 Pihlajavesi ◎ SE Finland
93 J18 Pihlava Länsi-Suomi, W Finland
93 L16 Pihtipudas Länsi-Suomi, W Finland
40 L14 Pihuamo Jalisco, SW Mexico
189 U11 Piis Moen var. Pis. atoll Chuuk Islands, C Micronesia
41 U17 Pijijiapan Chiapas, SE Mexico
98 G12 Pijnacker Zuid-Holland, W Netherlands
42 H5 Pijol, Pico ▲ NW Honduras
Pikaar see Bikar Atoll
124 I13 Pikalevo Leningradskaya Oblast', NW Russian Federation
188 M15 Pikelot island Caroline Islands, C Micronesia
30 M5 Pike River ≈ Wisconsin, N USA
37 T5 Pikes Peak ▲ Colorado, C USA
21 P6 Pikeville Kentucky, S USA
20 L9 Pikeville Tennessee, S USA
Pikinni see Bikini Atoll
79 H18 Pikounda La Sangha, C Congo
110 G9 Piła Ger. Schneidemühl. Wielkopolskie, C Poland
62 N6 Pilagá, Riacho ≈ NE Argentina
61 D20 Pilar Buenos Aires, E Argentina
62 N7 Pilar var. Villa del Pilar. Ñeembucú, S Paraguay
62 N6 Pilcomayo, Río ≈ C South America
147 R12 Pildon Rus. Pil'don. C Tajikistan
Piles see Pylés
Pilgram see Pelhřimov
152 L10 Pīlībhīt Uttar Pradesh, N India
110 M13 Pilica ≈ C Poland
115 G16 Pílio ⛰ C Greece
111 J22 Pilisvörösvár Pest, N Hungary
65 G15 Pillar Bay bay Ascension Island, C Atlantic Ocean
183 P17 Pillar, Cape headland Tasmania, SE Australia
Pillau see Baltiysk
183 R5 Pilliga New South Wales, SE Australia
44 H8 Pilón Granma, E Cuba
Pilos see Pýlos
11 W17 Pilot Mound Manitoba, S Canada
21 S8 Pilot Mountain North Carolina, SE USA
39 O14 Pilot Point Alaska, USA
25 T5 Pilot Point Texas, SW USA
32 K11 Pilot Rock Oregon, NW USA
38 M11 Pilot Station Alaska, USA
Pilsen see Plzeň
111 K18 Pilsko ▲ N Slovakia
Pilten see Piltene
118 D8 Piltene Ger. Pilten. Ventspils, W Latvia
111 M16 Pilzno Podkarpackie, SE Poland
Pilzno see Plzeň
37 N14 Pima Arizona, SW USA
58 H13 Pimenta Pará, N Brazil
59 F16 Pimenta Bueno Rondônia, W Brazil
56 B11 Pimentel Lambayeque, W Peru
105 S6 Pina Aragón, NE Spain
119 I20 Pina Rus. Pina. ≈ SW Belarus
40 E2 Pinacate, Sierra del ▲ NW Mexico
63 H22 Pináculo, Cerro ▲ S Argentina
191 X11 Pinaki atoll Îles Tuamotu, E French Polynesia
37 N15 Pinaleno Mountains ⛰ Arizona, SW USA
171 P4 Pinamalayan Mindoro, N Philippines
169 Q10 Pinang Borneo, C Indonesia
168 J7 Pinang var. Penang. ◈ state Peninsular Malaysia
Pinang see Pinang, Pulau, Peninsular Malaysia
Pinang see George Town
168 J7 Pinang, Pulau var. Penang, Pinang; prev. Prince of Wales Island. island Peninsular Malaysia
44 B5 Pinar del Río Pinar del Río, W Cuba
114 N11 Pınarhisar Kırklareli, NW Turkey
171 O3 Pinatubo, Mount Ѫ Luzon, N Philippines
11 Y16 Pinawa Manitoba, S Canada
11 Q17 Pincher Creek Alberta, SW Canada
30 L16 Pinckneyville Illinois, N USA
Pincota see Pâncota
111 L15 Pińczów Świętokrzyskie, C Poland
149 U7 Pind Dādan Khān Punjab, E Pakistan
Píndhos/Píndhos Óros see Píndos
149 V8 Pindi Bhattiān Punjab, E Pakistan
149 U6 Pindi Gheb Punjab, E Pakistan
115 D15 Píndos var. Píndhos Óros, Eng. Pindus Mountains; prev. Píndhos. ⛰ C Greece
Pindus Mountains see Píndos
18 J16 Pine Barrens physical region New Jersey, NE USA
27 V12 Pine Bluff Arkansas, C USA
23 X11 Pine Castle Florida, SE USA
29 V7 Pine City Minnesota, N USA
181 P2 Pine Creek Northern Territory, N Australia
35 V4 Pine Creek ≈ Nevada, W USA
18 F13 Pine Creek ≈ Pennsylvania, NE USA
27 Q13 Pine Creek Lake ⊡ Oklahoma, C USA
33 T15 Pinedale Wyoming, C USA
11 X15 Pine Dock Manitoba, S Canada
11 Y16 Pine Falls Manitoba, S Canada
35 R10 Pine Flat Lake ⊡ California, W USA
125 N8 Pinega Arkhangel'skaya Oblast', NW Russian Federation
127 N8 Pinega ≈ NW Russian Federation
15 N12 Pine Hill Québec, SE Canada

◆ Country ● Country Capital ◇ Dependent Territory ○ Dependent Territory Capital ◈ Administrative Region ✕ International Airport ▲ Mountain ⛰ Mountain Range Ѫ Volcano ≈ River ◎ Lake ⊡ Reservoir

PINEHOUSE LAKE – POKHARA ••• 307

11 T12 Pinehouse Lake ⊚ Saskatchewan, C Canada
21 T10 Pinehurst North Carolina, SE USA
115 D19 Pineiós ≈ S Greece
115 E16 Pineiós var. Piniós; anc. Peneius. ≈ C Greece
29 W10 Pine Island Minnesota, N USA
23 V15 Pine Island island Florida, SE USA
194 K10 Pine Island Glacier glacier Antarctica
25 X9 Pineland Texas, SW USA
23 V13 Pinellas Park Florida, SE USA
10 M13 Pine Pass pass British Columbia, W Canada
8 J10 Pine Point Northwest Territories, W Canada
28 K12 Pine Ridge South Dakota, N USA
29 U6 Pine River Minnesota, N USA
31 Q8 Pine River ≈ Michigan, N USA
30 M4 Pine River ≈ Wisconsin, N USA
106 A8 Pinerolo Piemonte, NE Italy
25 W6 Pines, Lake O' the ⊠ Texas, SW USA
Pines, The Isle of the see Juventud, Isla de la
Pine Tree State see Maine
21 N7 Pineville Kentucky, S USA
22 H7 Pineville Louisiana, S USA
27 R8 Pineville Missouri, C USA
21 R10 Pineville North Carolina, SE USA
21 Q6 Pineville West Virginia, NE USA
33 V8 Piney Buttes physical region Montana, NW USA
160 H14 Pingbian var. Pingbian Miaozu Zizhixian, Yuping. Yunnan, SW China
Pingbian Miaozu Zizhixian see Pingbian
157 S9 Pingdingshan Henan, C China
161 R4 Pingdu Shandong, E China
189 W16 Pingelap Atoll atoll Caroline Islands, E Micronesia
160 K14 Pingguo var. Matou. Guangxi Zhuangzu Zizhiqu, S China
161 Q13 Pinghe var. Xiaoxi. Fujian, SE China
P'ing-hsiang see Pingxiang
161 N10 Pingjiang Hunan, S China
Pingkiang see Harbin
160 L8 Pingli Shaanxi, C China
159 W10 Pingliang var. Kongtong, P'ing-liang. Gansu, C China
159 W8 Pingluo Ningxia, N China
Pingma see Tiandong
167 O7 Ping, Mae Nam ≈ W Thailand
161 Q1 Pingquan Hebei, E China
29 P5 Pingree North Dakota, N USA
163 W9 Pingshan Jilin, NE China
Pingsiang see Pingxiang
161 S14 P'ingtung Jap. Heitō. S Taiwan
160 I8 Pingwu var. Long'an. Sichuan, C China
160 J15 Pingxiang Guangxi Zhuangzu Zizhiqu, S China
161 O11 Pingxiang var. P'ing-hsiang; prev. Pingsiang. Jiangxi, S China
161 S11 Pingyang var. Kunyang. Zhejiang, SE China
161 P5 Pingyi Shandong, E China
161 P5 Pingyin Shandong, E China
60 H13 Pinhalzinho Santa Catarina, S Brazil
60 I12 Pinhão Paraná, S Brazil
61 H17 Pinheiro Machado Rio Grande do Sul, S Brazil
104 I7 Pinhel Guarda, N Portugal
Piniós see Pineiós
168 I11 Pini, Pulau island Kepulauan Batu, W Indonesia
109 Y7 Pinka ≈ SE Austria
109 X7 Pinkafeld Burgenland, SE Austria
Pinkiang see Harbin
10 M12 Pink Mountain British Columbia, W Canada
166 M3 Pinlebu Sagaing, N Myanmar
38 J12 Pinnacle Island island Alaska, USA
180 I12 Pinnacles, The tourist site Western Australia
182 K10 Pinnaroo South Australia
Pinne see Pniewy
100 I9 Pinneberg Schleswig-Holstein, N Germany
115 I15 Pínnes, Akrotírio headland N Greece
Pinos, Isla de see Juventud, Isla de la
35 R14 Pinos, Mount ▲ California, W USA
105 R12 Pinoso País Valenciano, E Spain
105 N14 Pinos-Puente Andalucía, S Spain
41 Q17 Pinotepa Nacional var. Santiago Pinotepa Nacional. Oaxaca, SE Mexico
114 F13 Pínovo ▲ N Greece
187 R17 Pins, Île des var. Kunyé. island E New Caledonia
119 I20 Pinsk Pol. Pińsk. Brestskaya Voblasts', SW Belarus
14 D18 Pins, Pointe aux headland Ontario, S Canada
57 B16 Pinta, Isla var. Abingdon. island Galapagos Islands, Ecuador, E Pacific Ocean
125 Q12 Pinyug Kirovskaya Oblast', NW Russian Federation
57 B17 Pinzón, Isla var. Duncan Island. island Galapagos Islands, Ecuador, E Pacific Ocean
35 Y8 Pioche Nevada, W USA
106 F13 Piombino Toscana, C Italy
122 L5 Pioner, Ostrov island Severnaya Zemlya, N Russian Federation
118 A13 Pionerskiy Ger. Neukuhren. Kaliningradskaya Oblast', W Russian Federation
110 N13 Pionki Mazowieckie, C Poland
184 L9 Piopio Waikato, North Island, NZ
110 K13 Piotrków Trybunalski Ger. Petrikau, Rus. Petrokov. Łodzkie, C Poland
152 F12 Pīpār Road Rājasthān, N India
115 I16 Pipéri island Vóreioi Sporádes, Greece, Aegean Sea
29 S10 Pipestone Minnesota, N USA
12 C9 Pipestone ≈ Ontario, C Canada
61 E21 Pipinas Buenos Aires, E Argentina
149 T7 Piplān prev. Liaqatabad. Punjab, E Pakistan
15 R5 Pipmuacan, Réservoir ⊠ Québec, SE Canada
Piqan see Shanshan
31 R13 Piqua Ohio, N USA
105 P5 Piqueras, Puerto de pass N Spain
60 H11 Piquiri, Rio ≈ S Brazil
60 L9 Piracicaba São Paulo, S Brazil
Piraeus/Piraiévs see Peiraías
60 K10 Piraju São Paulo, S Brazil
60 K9 Pirajuí São Paulo, S Brazil
63 G21 Pirámide, Cerro ▲ S Chile
Piramiva see Pyramíva
109 R13 Piran It. Pirano. SW Slovenia
62 N6 Piranè Formosa, N Argentina
59 J18 Piranhas Goiás, S Brazil
Pirano see Piran
142 I4 Pīrānshahr Āžarbāyjān-e Bākhtarī, NW Iran
59 M19 Pirapora Minas Gerais, NE Brazil
60 I9 Pirapòzinho São Paulo, S Brazil
61 G19 Piraraja Lavalleja, S Uruguay
60 L9 Pirassununga São Paulo, S Brazil
45 V6 Pirata, Monte ▲ E Puerto Rico
60 I13 Piratuba Santa Catarina, S Brazil
114 I9 Pirdop prev. Srednogorie. Sofiya, W Bulgaria
191 P7 Pirea Tahiti, W French Polynesia
59 K18 Pirenópolis Goiás, S Brazil
153 S13 Pirganj Rajshahi, NW Bangladesh
Pirgi see Pyrgí
Pírgos see Pýrgos
61 F20 Piriápolis Maldonado, S Uruguay
114 G11 Pirin ▲ SW Bulgaria
Pirineos see Pyrenees
58 N13 Piripiri Piauí, E Brazil
118 H4 Pirita var. Pirita Jõgi. ≈ NW Estonia
Pirita Jõgi see Pirita
54 J6 Píritu Portuguesa, N Venezuela
93 L18 Pirkkala Länsi-Suomi, W Finland
101 F20 Pirmasens Rheinland-Pfalz, SW Germany
101 P16 Pirna Sachsen, E Germany
Piroe see Piru
113 Q15 Pirot Serbia, SE Serbia and Montenegro (Yugo.)
152 H6 Pīr Panjāl Range ▲ NE India
43 W16 Pirre, Cerro ▲ SE Panama
137 Y11 Pirsaat Rus. Pirsagat. ≈ E Azerbaijan
Pirsagat see Pirsaat
143 V11 Pīr Shūrān, Selseleh-ye ▲ SE Iran
92 M12 Pirttikoski Lappi, N Finland
Pirttikylä see Pörtom
171 R13 Piru prev. Piroe. Pulau Seram, E Indonesia
Piryatin see Pyryatyn
Pis see Piis Moen
106 F11 Pisa var. Pisae. Toscana, C Italy
Pisae see Pisa
189 V12 Pisar atoll Chuuk Islands, C Micronesia
Pisaurum see Pesaro
14 M10 Piscatosine, Lac ⊚ Québec, SE Canada
109 W7 Pischeldorf Steiermark, SE Austria
Pischk see Simeria
107 L19 Pisciotta Campania, S Italy
57 E16 Pisco Ica, SW Peru
116 G9 Pișcolt Hung. Piskolt. Satu Mare, NW Romania
57 E16 Pisco, Río ≈ E Peru
111 C18 Písek Budějovický Kraj, S Czech Republic
31 R14 Pisgah Ohio, N USA
Pisha see Ningnan
158 F9 Pishan var. Guma. Xinjiang Uygur Zizhiqu, NW China
117 N8 Pishchanka Vinnyts'ka Oblast', C Ukraine
113 K21 Pishë Fier, SW Albania
143 X14 Pīshīn Sīstān va Balūchestān, SE Iran
149 O9 Pishin North-West Frontier Province, NW Pakistan
149 N11 Pishin Lora var. Psein Lora, Pash. Pseyn Bowr. ≈ SW Pakistan
Pishma see Pizhma
Pishpek see Bishkek
171 O14 Pising Pulau Kabaena, C Indonesia
Pisino see Pazin
Piski see Simeria
Piskolt see Pișcolt
147 Q9 Piskom Rus. Pskem. ≈ E Uzbekistan
Piskom Tizmasi see Pskemskiy Khrebet
35 P13 Pismo Beach California, W USA
77 P12 Pissila C Burkina
62 H8 Pissis, Monte ▲ N Argentina
41 X12 Piste Yucatán, E Mexico
107 O18 Pisticci Basilicata, S Italy
106 F11 Pistoia anc. Pistoria, Pistoriæ. Toscana, C Italy
32 E15 Pistol River Oregon, NW USA
Pistoria/Pistoriæ see Pistoia
15 U5 Pistuacanis ≈ Québec, SE Canada
Pistyan see Piešťany
104 M5 Pisuerga ≈ N Spain
110 N8 Pisz Ger. Johannisburg. Warmińsko-Mazurskie, NE Poland
76 I13 Pita Moyenne-Guinée, NW Guinea
54 D12 Pitalito Huila, S Colombia
60 I11 Pitanga Paraná, S Brazil
182 M9 Pitarpunga Lake salt lake New South Wales, SE Australia
193 P10 Pitcairn Island island S Pitcairn Islands
193 P10 Pitcairn Islands ◇ UK dependent territory C Pacific Ocean
93 J14 Piteå Norrbotten, N Sweden
92 I13 Piteälven ≈ N Sweden
116 I13 Pitești Argeș, S Romania
Pithagorio see Pythagóreio
180 I12 Pithara Western Australia
103 N6 Pithiviers Loiret, C France
152 L9 Pithorāgarh Uttaranchal, N India
188 B16 Piti W Guam
106 G13 Pitigliano Toscana, C Italy
40 F3 Pitiquito Sonora, NW Mexico
Pitkäranta see Pitkyaranta
38 M11 Pitkas Point Alaska, USA
124 H11 Pitkyaranta Fin. Pitkäranta. Respublika Kareliya, NW Russian Federation
96 J10 Pitlochry C Scotland, UK
18 I16 Pitman New Jersey, NE USA
146 I9 Pitnak Rus. Druzhba. Xorazm Viloyati, W Uzbekistan
112 G8 Pitomača Virovitica-Podravina, NE Croatia
35 O2 Pit River ≈ California, W USA
63 G15 Pitrufquén Araucanía, S Chile
Pitsanulok see Phitsanulok
Pitschen see Byczyna
Pitsunda see Bichvint'a
109 X6 Pitten ≈ E Austria
10 J14 Pitt Island island British Columbia, W Canada
Pitt Island see Makin
22 M3 Pittsboro Mississippi, S USA
21 T9 Pittsboro North Carolina, SE USA
27 R7 Pittsburg Kansas, C USA
25 W6 Pittsburg Texas, SW USA
18 B14 Pittsburgh Pennsylvania, NE USA
30 J14 Pittsfield Illinois, N USA
19 R6 Pittsfield Maine, NE USA
18 L11 Pittsfield Massachusetts, NE USA
183 U3 Pittsworth Queensland, E Australia
62 I8 Pituil La Rioja, NW Argentina
56 A10 Piura Piura, NW Peru
56 A9 Piura off. Departamento de Piura. ◆ department NW Peru
35 S13 Piute Peak ▲ California, W USA
113 J15 Piva ≈ SW Serbia and Montenegro (Yugo.)
117 V5 Pivdenne Kharkivs'ka Oblast', E Ukraine
117 P8 Pivdennyy Buh Rus. Yuzhnyy Bug. ≈ S Ukraine
54 F5 Pivijay Magdalena, N Colombia
109 T13 Pivka prev. Šent Peter, Ger. Sankt Peter, It. San Pietro del Carso. SW Slovenia
117 U13 Pivnichno-Kryms'kyy Kanal canal S Ukraine
113 J15 Pivsko Jezero ⊚ SW Serbia and Montenegro (Yugo.)
111 M18 Piwniczna Małopolskie, S Poland
35 R12 Pixley California, W USA
127 Q15 Pizhma var. Pishma. ≈ NW Russian Federation
13 U13 Placentia Newfoundland and Labrador, SE Canada
Placentia see Piacenza
13 U13 Placentia Bay inlet Newfoundland and Labrador, SE Canada
171 P5 Placer Masbate, N Philippines
35 P7 Placerville California, W USA
44 F5 Placetas Villa Clara, C Cuba
113 Q18 Plačkovica ▲ E FYR Macedonia
36 L2 Plain City Utah, W USA
22 G4 Plain Dealing Louisiana, S USA
31 O14 Plainfield Indiana, N USA
18 K14 Plainfield New Jersey, NE USA
33 O8 Plains Montana, NW USA
24 L6 Plains Texas, SW USA
29 X10 Plainview Minnesota, N USA
29 Q13 Plainview Nebraska, C USA
25 N4 Plainview Texas, SW USA
26 K4 Plainville Kansas, C USA
115 L25 Pláka, Akrotírio headland Kríti, Greece, E Mediterranean Sea
115 J15 Pláka, Akrotírio headland Límnos, E Greece
113 N19 Plakenska Planina ▲ SW FYR Macedonia
44 K5 Plana Cays islets SE Bahamas
105 S12 Plana, Isla var. Nueva Tabarca. island E Spain
59 L18 Planaltina Goiás, S Brazil
83 O14 Planalto Moçambicano plateau N Mozambique
112 N10 Plandište Serbia, NE Serbia and Montenegro (Yugo.)
100 N13 Plane ≈ NE Germany
54 E6 Planeta Rica Córdoba, NW Colombia
29 P11 Plankinton South Dakota, N USA
30 M11 Plano Illinois, N USA
25 U6 Plano Texas, SW USA
23 W12 Plant City Florida, SE USA
22 J9 Plaquemine Louisiana, S USA
104 K9 Plasencia Extremadura, W Spain
112 P7 Płaska Podlaskie, NE Poland
112 C10 Plaški Karlovac, C Croatia
113 N19 Plasnica SW FYR Macedonia
13 N14 Plaster Rock New Brunswick, SE Canada
107 J24 Platani anc. Halycus. ≈ Sicilia, Italy, C Mediterranean Sea
115 G17 Platanía Thessalía, C Greece
115 G24 Plátanos Kríti, Greece, E Mediterranean Sea
65 H18 Plata, Río de la var. River Plate. estuary Argentina/Uruguay
77 V15 Plateau ◆ state C Nigeria
79 G19 Plateaux var. Région des Plateaux. ◆ province C Congo
92 P1 Platen, Kapp headland NE Svalbard
Plate, River see Plata, Río de la
99 G22 Plate Taille, Lac de la var. L'Eau d'Heure. ⊚ SE Belgium
Plathe see Płoty
39 N13 Platinum Alaska, USA
54 F5 Plato Magdalena, N Colombia
29 O11 Platte South Dakota, N USA
27 R3 Platte City Missouri, C USA
Plattensee see Balaton
27 R3 Platte River ≈ Iowa/Missouri, USA
29 Q15 Platte River ≈ Nebraska, C USA
37 T3 Platteville Colorado, C USA
30 K9 Platteville Wisconsin, N USA
101 N21 Plattling Bayern, SE Germany
27 R3 Plattsburg Missouri, C USA
18 L6 Plattsburgh New York, NE USA
29 S15 Plattsmouth Nebraska, C USA
101 M17 Plauen var. Plauen im Vogtland. Sachsen, E Germany
Plauen im Vogtland see Plauen
100 M10 Plauer See ⊚ NE Germany
113 L16 Plav Montenegro, SW Serbia and Montenegro (Yugo.)
118 I10 Pļaviņas Ger. Stockmannshof. Aizkraukle, S Latvia
126 K5 Plavsk Tul'skaya Oblast', W Russian Federation
41 Z12 Playa del Carmen Quintana Roo, E Mexico
40 J12 Playa Los Corchos Nayarit, SW Mexico
37 P16 Playas Lake ⊚ New Mexico, SW USA
41 S15 Playa Vicente Veracruz-Llave, SE Mexico
167 U11 Plây Cu var. Pleiku. Gia Lai, C Vietnam
28 L3 Plaza North Dakota, N USA
63 I15 Plaza Huincul Neuquén, C Argentina
36 L3 Pleasant Grove Utah, W USA
29 V14 Pleasant Hill Iowa, C USA
27 R4 Pleasant Hill Missouri, C USA
Pleasant Island see Nauru
36 K13 Pleasant, Lake ⊠ Arizona, SW USA
19 P8 Pleasant Mountain ▲ Maine, NE USA
27 R5 Pleasanton Kansas, C USA
25 R12 Pleasanton Texas, SW USA
185 G20 Pleasant Point Canterbury, South Island, NZ
19 R5 Pleasant River ≈ Maine, NE USA
18 J17 Pleasantville New Jersey, NE USA
103 N12 Pleaux Cantal, C France
111 B19 Plechý Ger. Plöckenstein. ▲ Austria/Czech Republic
Pleebo see Plibo
Pleihari see Pelaihari
Pleiku see Plây Cu
101 M16 Pleisse ≈ E Germany
Plencia see Plentzia
184 O7 Plenty, Bay of bay North Island, NZ
33 Y6 Plentywood Montana, NW USA
105 O2 Plentzia var. Plencia. País Vasco, N Spain
102 H5 Plérin Côtes d'Armor, NW France
124 M10 Plesetsk Arkhangel'skaya Oblast', NW Russian Federation
Pleshchenitsy see Plyeshchanitsy
Pleskau see Pskov
Pleskauer See see Pskov, Lake
Pleskava see Pskov
112 E8 Pleso International ✕ (Zagreb) Zagreb, NW Croatia
Pless see Pszczyna
15 Q11 Plessisville Québec, SE Canada
110 H12 Pleszew Wielkopolskie, C Poland
12 L10 Plétipi, Lac ⊚ Québec, SE Canada
101 F15 Plettenberg Nordrhein-Westfalen, W Germany
114 I8 Pleven prev. Plevna. Pleven, N Bulgaria
114 I8 Pleven ◆ province N Bulgaria
Plevlja/Plevlje see Pljevlja
Plevna see Pleven
Plezzo see Bovec
Pliberk see Bleiburg
76 L17 Plibo var. Pleebo. SE Liberia
121 R11 Pliny Trench undersea feature C Mediterranean Sea
118 K13 Plisa Rus. Plissa. Vitsyebskaya Voblasts', N Belarus
Plissa see Plisa
112 D11 Plitvica Selo Lika-Senj, W Croatia
112 D11 Plješevica ▲ C Croatia
113 K14 Pljevlja prev. Plevlja, Plevlje. Montenegro, N Serbia and Montenegro (Yugo.)
Ploça see Ploçë
Ploce see Ploče
113 G15 Ploče It. Plocce; prev. Kardeljevo. Dubrovnik-Neretva, SE Croatia
113 K22 Ploçë var. Ploça. Vlorë, SW Albania
110 K11 Płock Ger. Plozk. Mazowieckie, C Poland
109 Q10 Plöcken Pass Ger. Plöckenpass, It. Passo di Monte Croce Carnico. pass SW Austria
Plöckenstein see Plechý
99 B19 Ploegsteert Hainaut, W Belgium
102 H6 Ploërmel Morbihan, NW France
Ploești see Ploiești
116 K13 Ploiești prev. Ploești. Prahova, SE Romania
115 L17 Plomári prev. Plomárion. Lésvos, E Greece
Plomarion see Plomári
103 O12 Plomb du Cantal ▲ C France
183 V6 Plomer, Point headland New South Wales, SE Australia
100 J8 Plön Schleswig-Holstein, N Germany
110 L11 Płońsk Mazowieckie, C Poland
119 J20 Plotnitsa Rus. Plotnitsa. Brestskaya Voblasts', SW Belarus
110 E8 Płoty Ger. Plathe. Zachodnio-pomorskie, NW Poland
102 G7 Plouay Morbihan, NW France
111 D15 Ploučnice Ger. Polzen. ≈ NE Czech Republic
114 I10 Plovdiv prev. Eumolpias, anc. Evmolpia, Philippopolis, Lat. Trimontium. Plovdiv, C Bulgaria 24.47
114 J11 Plovdiv ◆ province C Bulgaria
30 L6 Plover Wisconsin, N USA
Plozk see Płock
27 U11 Plumerville Arkansas, C USA
19 P10 Plum Island island Massachusetts, NE USA
32 M9 Plummer Idaho, NW USA
83 J18 Plumtree Matabeleland South, SW Zimbabwe
118 D11 Plungė Telšiai, W Lithuania
113 J15 Plužine Montenegro, SW Serbia and Montenegro (Yugo.)
119 K14 Plyeshchanitsy Rus. Pleshchenitsy. Minskaya Voblasts', N Belarus
45 V10 Plymouth ○ (Montserrat) SW Montserrat
97 I24 Plymouth SW England, UK
31 O11 Plymouth Indiana, N USA
19 P12 Plymouth Massachusetts, NE USA
19 N8 Plymouth New Hampshire, NE USA
21 X9 Plymouth North Carolina, SE USA
30 M8 Plymouth Wisconsin, N USA
97 J20 Plynlimon ▲ C Wales, UK
124 G14 Plyussa Pskovskaya Oblast', W Russian Federation
111 B17 Plzeň Ger. Pilsen, Pol. Pilzno. Plzeňský Kraj, W Czech Republic
111 B17 Plzeňský Kraj ◆ region W Czech Republic
110 F11 Pniewy Ger. Pinne. Wielkopolskie, C Poland
106 D8 Po ≈ N Italy
77 P13 Pô S Burkina
42 M13 Poás, Volcán ⁂ NW Costa Rica
77 S16 Pobè S Benin
123 S8 Pobeda, Gora ▲ NE Russian Federation
Pobeda Peak see Pobedy, Pik/Tomür Feng
147 Z7 Pobedy, Pik var. Pobeda Peak, Chin. Tomür Feng. ▲ China/Kyrgyzstan see also Tomür Feng
110 H11 Pobiedziska Ger. Pudewitz. Wielkolpolskie, C Poland
Po, Bocche del see Po, Foci del
27 W9 Pocahontas Arkansas, C USA
29 U12 Pocahontas Iowa, C USA
33 Q15 Pocatello Idaho, NW USA
167 S13 Pochentong ✕ (Phnum Penh) Phnum Penh, S Cambodia
126 I6 Pochep Bryanskaya Oblast', W Russian Federation
126 H4 Pochinok Smolenskaya Oblast', W Russian Federation
41 R17 Pochutla var. San Pedro Pochutla. Oaxaca, SE Mexico
62 I6 Pocitos, Salar var. Salar Quiróm. salt lake NW Argentina
101 O22 Pocking Bayern, SE Germany
186 I10 Pocklington Reef reef SE PNG
59 P15 Poço da Cruz, Açude ⊠ E Brazil
27 R11 Pocola Oklahoma, C USA
21 Y5 Pocomoke City Maryland, NE USA
59 L21 Poços de Caldas Minas Gerais, NE Brazil
124 H14 Podberez'ye Novgorodskaya Oblast', NW Russian Federation
Podbrodzie see Pabradė
125 U8 Podcher'ye Respublika Komi, NW Russian Federation
111 E16 Poděbrady Ger. Podiebrad. Středočeský Kraj, C Czech Republic
126 L9 Podgorenskiy Voronezhskaya Oblast', W Russian Federation
113 J17 Podgorica prev. Titograd. Montenegro, SW Serbia and Montenegro (Yugo.)
113 K17 Podgorica ✕ Montenegro, SW Serbia and Montenegro (Yugo.)
122 L12 Podgornyy Krasnoyarskiy Kray, C Russian Federation
109 T13 Podgrad SW Slovenia
Podiebrad see Poděbrady
116 M5 Podil's'ka Vysochina plateau W Ukraine
Podium Anicensis see le Puy
122 L11 Podkamennaya Tunguska Eng. Stony Tunguska. ≈ C Russian Federation
113 N17 Podkarpackie ◆ province SE Poland
Pod Klošter see Arnoldstein
110 O9 Podlaskie ◆ province NE Poland
127 Q8 Podlesnoye Saratovskaya Oblast', W Russian Federation
126 K4 Podol'sk Moskovskaya Oblast', W Russian Federation
76 H10 Podor N Senegal
125 P12 Podosinovets Kirovskaya Oblast', NW Russian Federation
124 I12 Podporozh'ye Leningradskaya Oblast', NW Russian Federation
Podravska Slatina see Slatina, Croatia
112 J13 Podromanlja Republika Srpska, SE Bosnia & Herzegovina
Podsvil'ye see Padsvillye
116 L9 Podu Iloaiei prev. Podul Iloaiei. Iași, NE Romania
113 N15 Podujevo Serbia, S Serbia and Montenegro (Yugo.)
Podul Iloaiei see Podu Iloaiei
Podunajská Rovina see Little Alföld
124 M12 Podyuga Arkhangel'skaya Oblast', NW Russian Federation
56 A9 Poechos, Embalse ⊚ NW Peru
55 W10 Poeketi Sipaliwini, E Suriname
100 L8 Poel island N Germany
83 M20 Poelela, Lagoa ⊚ S Mozambique
Poerwodadi see Purwodadi
Poetovio see Ptuj
83 E23 Pofadder Northern Cape, W South Africa
106 I9 Po, Foci del var. Bocche del Po. ≈ NE Italy
116 E12 Pogăniș ≈ W Romania
Pogegen see Pagėgiai
106 G12 Poggibonsi Toscana, C Italy
107 I14 Poggio Mirteto Lazio, C Italy
109 V4 Pöggstall Niederösterreich, N Austria
116 L13 Pogoanele Buzău, SE Romania
Pogónion see Delvinákí
113 M21 Pogradec var. Pogradeci. Korçë, SE Albania
Pogradeci see Pogradec
123 S15 Pogranichnyy Primorskiy Kray, SE Russian Federation
38 M16 Pogromni Volcano ▲ Unimak Island, Alaska, USA
163 Z15 P'ohang Jap. Hokō. E South Korea
15 T9 Pohénégamook, Lac ⊚ Québec, SE Canada
93 L20 Pohja Swe. Pojo. Etelä-Suomi, SW Finland
Pohjanlahti see Bothnia, Gulf of
189 U16 Pohnpei ◆ state E Micronesia
189 O12 Pohnpei ✕ Pohnpei, E Micronesia
189 O12 Pohnpei prev. Ponape Ascension Island. island E Micronesia
111 F19 Pohořelice Ger. Pohrlitz. Jihomoravský Kraj, SE Czech Republic
109 V10 Pohorje Ger. Bacher. ▲ N Slovenia
117 N6 Pohrebyshche Vinnyts'ka Oblast', C Ukraine
Pohrlitz see Pohořelice
161 P9 Po Hu ⊠ E China
116 G15 Poiana Mare Dolj, S Romania
Poictiers see Poitiers
127 N6 Poim Penzenskaya Oblast', W Russian Federation
159 N15 Poindo Xizang Zizhiqu, W China
195 Y13 Poinsett, Cape headland Antarctica
29 R9 Poinsett, Lake ⊚ South Dakota, N USA
22 I10 Point Au Fer Island island Louisiana, S USA
39 X14 Point Baker Prince of Wales Island, Alaska, USA
25 U13 Point Comfort Texas, SW USA
Point de Galle see Galle
44 K10 Pointe à Gravois headland SW Haiti
22 L10 Pointe a la Hache Louisiana, S USA
45 Y6 Pointe-à-Pitre Grande Terre, C Guadeloupe
15 U7 Pointe-au-Père Québec, SE Canada
15 V5 Pointe-aux-Anglais Québec, SE Canada
45 T10 Pointe du Cap headland N Saint Lucia
79 E21 Pointe-Noire Le Kouilou, S Congo
45 X6 Pointe Noire Basse Terre, W Guadeloupe
79 E21 Pointe-Noire ✕ Le Kouilou, S Congo
45 U15 Point Fortin Trinidad, Trinidad and Tobago
38 M6 Point Hope Alaska, USA
39 N5 Point Lay Alaska, USA
18 B16 Point Marion Pennsylvania, NE USA
18 K16 Point Pleasant New Jersey, NE USA
21 P4 Point Pleasant West Virginia, NE USA
45 R14 Point Salines ✕ (St.George's) SW Grenada
102 L9 Poitiers prev. Poictiers, anc. Limonum. Vienne, W France
102 K9 Poitou cultural region W France
102 K10 Poitou-Charentes ◆ region W France
103 N3 Poix-de-Picardie Somme, N France
Pojo see Pohja
37 S10 Pojoaque New Mexico, SW USA
152 E11 Pokaran Rājasthān, NW India
183 R4 Pokataroo New South Wales, SE Australia
119 P18 Pokats' Rus. Pokot'. ≈ SE Belarus
29 V5 Pokegama Lake ⊚ Minnesota, N USA
184 L6 Pokeno Waikato, North Island, NZ
153 O11 Pokhara Western, C Nepal

◆ Country ● Country Capital ◇ Dependent Territory ○ Dependent Territory Capital ◆ Administrative Region ✕ International Airport ▲ Mountain ▲ Mountain Range ⁂ Volcano ≈ River ⊚ Lake ⊠ Reservoir

308 ••• Pokhvistnevo – Port Pegasus

127 *T6* **Pokhvistnevo** Samarskaya Oblast', W Russian Federation
55 *W10* **Pokigron** Sipaliwini, C Suriname
92 *L10* **Pokka** ***Lapp.*** Bohkká. Lappi, N Finland
79 *N16* **Poko** Orientale, NE Dem. Rep. Congo
Pokot' *see* Pokats'
Po-ko-to Shan *see* Bogda Shan
147 *S7* **Pokrovka** Talasskaya Oblast', NW Kyrgyzstan
Pokrovka *see* Kyzyl-Suu
117 *V8* **Pokrovs'ke** ***Rus.*** Pokrovskoye. Dnipropetrovs'ka Oblast', E Ukraine
Pokrovskoye *see* Pokrovs'ke
Pola *see* Pula
37 *N10* **Polacca** Arizona, SW USA
104 *L2* **Pola de Laviana** Asturias, N Spain
104 *K2* **Pola de Lena** Asturias, N Spain
104 *L2* **Pola de Siero** Asturias, N Spain
191 *Y3* **Poland** Kiritimati, E Kiribati
110 *H12* **Poland** ***off.*** Republic of Poland, ***var.*** Polish Republic, ***Pol.*** Polska, Rzeczpospolita Polska; ***prev. Pol.*** Polska Rzeczpospolita Ludowa, Polish People's Republic. ◆ *republic* C Europe
Polangen *see* Palanga
110 *G7* **Polanów** ***Ger.*** Pollnow. Zachodnio-pomorskie, NW Poland
136 *H13* **Polatlı** Ankara, C Turkey
118 *L12* **Polatsk** ***Rus.*** Polotsk. Vitsyebskaya Voblasts', N Belarus
110 *F8* **Połczyn-Zdrój** ***Ger.*** Bad Polzin. Zachodnio-pomorskie, NW Poland
Polekhatum *see* Pulhatyn
149 *Q3* **Pol-e Khomrī** ***var.*** Pul-i-Khumri. Baghlān, NE Afghanistan
197 *S10* **Pole Plain** *undersea feature* Arctic Ocean
143 *P5* **Pol-e Safīd** ***var.*** Pol-e-Sefid, Pul-i-Sefid. Māzandarān, N Iran
Pol-e-Sefid *see* Pol-e Safīd
118 *B13* **Polessk** ***Ger.*** Labiau. Kaliningradskaya Oblast', W Russian Federation
Polesskoye *see* Polis'ke
171 *N13* **Polewali** Sulawesi, C Indonesia
114 *G11* **Polezhan** ▲ SW Bulgaria
78 *F13* **Poli** Nord, N Cameroon
Poli *see* Pólis
107 *M19* **Policastro, Golfo di** *gulf* S Italy
110 *D8* **Police** ***Ger.*** Politz. Zachodniopomorskie, NW Poland
172 *I17* **Police, Pointe** *headland* Mahé, NE Seychelles
115 *L17* **Polichnitos** ***var.*** Polihnitos, Políkhnitos. Lésvos, E Greece
Poligiros *see* Polýgyros
107 *P17* **Polignano a Mare** Puglia, SE Italy
103 *S9* **Poligny** Jura, E France
Polihnitos *see* Polichnitos
Polikastro/Políkastron *see* Polýkastro
Políkhnitos *see* Polichnitos
114 *K8* **Polikrayshte** Veliko Tŭrnovo, N Bulgaria
171 *O3* **Polillo Islands** *island group* N Philippines
109 *Q9* **Polinik** ▲ SW Austria
121 *O2* **Pólis** ***var.*** Poli. W Cyprus
Polish People's Republic *see* Poland
Polish Republic *see* Poland
117 *O3* **Polis'ke** ***Rus.*** Polesskoye. Kyyivs'ka Oblast', N Ukraine
107 *N22* **Polistena** Calabria, SW Italy
Politz *see* Police
Polýiros *see* Polýgyros
29 *V14* **Polk City** Iowa, C USA
110 *F13* **Polkowice** ***Ger.*** Heerwegen. Dolnośląskie, SW Poland
155 *G22* **Pollāchi** Tamil Nādu, SE India
109 *W7* **Pöllau** Steiermark, SE Austria
189 *T13* **Polle** *atoll* Chuuk Islands, C Micronesia
Pollnow *see* Polanów
29 *N7* **Pollock** South Dakota, N USA
92 *L8* **Polmak** Finnmark, N Norway
30 *L10* **Polo** Illinois, N USA
193 *V15* **Poloa** *island* Tongatapu Group, N Tonga
42 *E5* **Polochic, Río** ⟿ C Guatemala
Pologi *see* Polohy
117 *V9* **Polohy** ***Rus.*** Pologi. Zaporiz'ka Oblast', SE Ukraine
83 *K20* **Polokwane** ***prev.*** Pietersburg. Limpopo, NE South Africa
14 *M10* **Polonais, Lac des** ◎ Québec, SE Canada
61 *G20* **Polonio, Cabo** *headland* E Uruguay
155 *K24* **Polonnaruwa** North Central Province, C Sri Lanka
116 *L5* **Polonne** ***Rus.*** Polonnoye. Khmel'nyts'ka Oblast', NW Ukraine
Polonnoye *see* Polonne
Polotsk *see* Polatsk
109 *T7* **Pöls** ***var.*** Pölsbach. ⟿ E Austria
Pölsbach *see* Pöls
Polska/Polska, Rzeczpospolita/Polska Rzeczpospolita Ludowa *see* Poland
114 *L10* **Polski Gradets** Stara Zagora, C Bulgaria
114 *K8* **Polsko Kosovo** Ruse, N Bulgaria
33 *P8* **Polson** Montana, NW USA
117 *T6* **Poltava** Poltavs'ka Oblast', NE Ukraine
Poltava *see* Poltavs'ka Oblast'
117 *R5* **Poltavs'ka Oblast'** ***var.*** Poltava, ***Rus.*** Poltavskaya Oblast'. ◆ *province* NE Ukraine
Poltavskaya Oblast' *see* Poltavs'ka Oblast'
Poltoratsk *see* Aşgabat
118 *I5* **Põltsamaa** ***Ger.*** Oberpahlen. Jõgevamaa, E Estonia
118 *I4* **Põltsamaa** ***var.*** Põltsamaa Jõgi. ⟿ C Estonia
Põltsamaa Jõgi *see* Põltsamaa
122 *I8* **Poluy** ⟿ N Russian Federation
118 *J6* **Põlva** ***Ger.*** Põlwe. Põlvamaa, SE Estonia
93 *N16* **Polvijärvi** Itä-Suomi, E Finland
Põlwe *see* Põlva
115 *I22* **Polýaigos** *island* Kykládes, Greece, Aegean Sea
115 *I22* **Polyaígou Folégandrou, Stenó** *strait* Kykládes, Greece, Aegean Sea
124 *J3* **Polyarnyy** Murmanskaya Oblast', NW Russian Federation
127 *W5* **Polyarnyy Ural** ▲ NW Russian Federation
115 *G14* **Polýgyros** ***var.*** Poligiros, Políyiros. Kentrikí Makedonía, N Greece
114 *F13* **Polýkastro** ***var.*** Polikastro; ***prev.*** Políkastron. Kentrikí Makedonía, N Greece
193 *O9* **Polynesia** *island group* C Pacific Ocean
115 *J15* **Polýochni** *site of ancient city* Límnos, E Greece
41 *Y13* **Polyuc** Quintana Roo, E Mexico
109 *V10* **Polzela** C Slovenia
Polzen *see* Ploučnice
56 *D12* **Pomabamba** Ancash, C Peru
185 *D23* **Pomahaka** ⟿ South Island, NZ
106 *F12* **Pomarance** Toscana, C Italy
104 *G9* **Pombal** Leiria, C Portugal
76 *D9* **Pombas** Santo Antão, NW Cape Verde
83 *N19* **Pomene** Inhambane, SE Mozambique
110 *G8* **Pomerania** *cultural region* Germany/Poland
110 *D7* **Pomeranian Bay** ***Ger.*** Pommersche Bucht, ***Pol.*** Zatoka Pomorska. *bay* Germany/Poland
31 *T15* **Pomeroy** Ohio, N USA
32 *L10* **Pomeroy** Washington, NW USA
117 *Q8* **Pomichna** Kirovohrads'ka Oblast', C Ukraine
186 *H7* **Pomio** New Britain, E PNG
Pomir, Dar"yoi *see* Pamir/Pāmīr, Daryā-ye
27 *T6* **Pomme de Terre Lake** ▣ Missouri, C USA
29 *S8* **Pomme de Terre River** ⟿ Minnesota, N USA
Pommersche Bucht *see* Pomeranian Bay
35 *T15* **Pomona** California, W USA
114 *N9* **Pomorie** Burgas, E Bulgaria
Pomorska, Zatoka *see* Pomeranian Bay
110 *H8* **Pomorskie** ◆ *province* N Poland
127 *Q4* **Pomorskiy Proliv** *strait* NW Russian Federation
125 *T10* **Pomozdino** Respublika Komi, NW Russian Federation
Pompaelo *see* Pamplona
23 *Z15* **Pompano Beach** Florida, SE USA
107 *K18* **Pompei** Campania, S Italy
33 *V10* **Pompeys Pillar** Montana, NW USA
Ponape Ascension Island *see* Pohnpei
29 *R13* **Ponca** Nebraska, C USA
27 *O8* **Ponca City** Oklahoma, C USA
45 *T6* **Ponce** C Puerto Rico
23 *X10* **Ponce de Leon Inlet** *inlet* Florida, SE USA
22 *K8* **Ponchatoula** Louisiana, S USA
26 *M8* **Pond Creek** Oklahoma, C USA
155 *J20* **Pondicherry** ***var.*** Puduchcheri, ***Fr.*** Pondichéry. Pondicherry, SE India
151 *I20* **Pondicherry** ***var.*** Puduchcheri, ***Fr.*** Pondichéry. ◆ *union territory* India
Pondichéry *see* Pondicherry
197 *N11* **Pond Inlet** Baffin Island, Nunavut, NE Canada
187 *P16* **Ponérihouen** Province Nord, C New Caledonia
104 *J4* **Ponferrada** Castilla-León, NW Spain
184 *N13* **Pongaroa** Manawatu-Wanganui, North Island, NZ
167 *Q12* **Pong Nam Ron** Chantaburi, S Thailand
81 *C14* **Pongo** ⟿ S Sudan
152 *I7* **Pong Reservoir** ▣ N India
111 *N14* **Poniatowa** Lubelskie, E Poland
167 *R12* **Pônley** Kâmpóng Chhnăng, C Cambodia
155 *I20* **Ponnaiyār** ⟿ S India
11 *Q15* **Ponoka** Alberta, SW Canada
127 *U6* **Ponomarevka** Orenburgskaya Oblast', W Russian Federation
169 *Q17* **Ponorogo** Jawa, C Indonesia
124 *M5* **Ponoy** Murmanskaya Oblast', NW Russian Federation
122 *F6* **Ponoy** ⟿ NW Russian Federation
102 *K11* **Pons** Charente-Maritime, W France
Pons *see* Ponts
Pons Aelii *see* Newcastle upon Tyne
Pons Vetus *see* Pontevedra
99 *G20* **Pont-à-Celles** Hainaut, S Belgium
102 *K16* **Pontacq** Pyrénées-Atlantiques, SW France
64 *P3* **Ponta Delgada** São Miguel, Azores, Portugal, NE Atlantic Ocean
64 *P3* **Ponta Delgado** ✕ São Miguel, Azores, Portugal, NE Atlantic Ocean
64 *N2* **Ponta do Pico** ▲ Pico, Azores, Portugal, NE Atlantic Ocean
60 *J11* **Ponta Grossa** Paraná, S Brazil
103 *S5* **Pont-à-Mousson** Meurthe-et-Moselle, NE France
103 *T9* **Pontarlier** Doubs, E France
106 *G11* **Pontassieve** Toscana, C Italy
102 *L4* **Pont-Audemer** Eure, N France
22 *K9* **Pontchartrain, Lake** ◎ Louisiana, S USA
102 *I8* **Pontchâteau** Loire-Atlantique, NW France
103 *R10* **Pont-de-Vaux** Ain, E France
104 *G4* **Ponteareas** Galicia, NW Spain
106 *J6* **Pontebba** Friuli-Venezia Giulia, NE Italy
104 *G4* **Ponte Caldelas** Galicia, NW Spain
107 *J16* **Pontecorvo** Lazio, C Italy
104 *G5* **Ponte da Barca** Viana do Castelo, N Portugal
104 *G5* **Ponte de Lima** Viana do Castelo, N Portugal
106 *F11* **Pontedera** Toscana, C Italy
104 *H10* **Ponte de Sor** Portalegre, C Portugal
104 *H2* **Pontedeume** Galicia, NW Spain
106 *F6* **Ponte di Legno** Lombardia, N Italy
11 *T17* **Ponteix** Saskatchewan, S Canada
59 *N20* **Ponte Nova** Minas Gerais, NE Brazil
59 *G18* **Pontes e Lacerda** Mato Grosso, W Brazil
104 *G4* **Pontevedra** ***anc.*** Pons Vetus. Galicia, NW Spain
104 *G3* **Pontevedra** ◆ *province* Galicia, NW Spain
104 *G4* **Pontevedra, Ría de** *estuary* NW Spain
30 *M12* **Pontiac** Illinois, N USA
31 *R9* **Pontiac** Michigan, N USA
169 *P11* **Pontianak** Borneo, C Indonesia
107 *I16* **Pontino, Agro** *plain* C Italy
Pontisarae *see* Pontoise
102 *H6* **Pontivy** Morbihan, NW France
102 *F6* **Pont-l'Abbé** Finistère, NW France
103 *N4* **Pontoise** ***anc.*** Briva Isarae, Cergy-Pontoise, Pontisarae. Val-d'Oise, N France
11 *W13* **Ponton** Manitoba, C Canada
102 *J5* **Pontorson** Manche, N France
22 *M2* **Pontotoc** Mississippi, S USA
25 *R9* **Pontotoc** Texas, SW USA
106 *E10* **Pontremoli** Toscana, C Italy
108 *J10* **Pontresina** Graubünden, S Switzerland
105 *U5* **Ponts** ***var.*** Pons. Cataluña, NE Spain
103 *R14* **Pont-St-Esprit** Gard, S France
97 *K21* **Pontypool** ***Wel.*** Pontypŵl. SE Wales, UK
97 *J22* **Pontypridd** S Wales, UK
Pontypŵl *see* Pontypool
43 *R17* **Ponuga** Veraguas, SE Panama
184 *L6* **Ponui Island** *island* N NZ
119 *K14* **Ponya** ***Rus.*** Ponya. ⟿ N Belarus
107 *I17* **Ponziane, Isole** *island* C Italy
182 *F7* **Poochera** South Australia
97 *L24* **Poole** S England, UK
25 *S6* **Poolville** Texas, SW USA
Poona *see* Pune
182 *M8* **Pooncarie** New South Wales, SE Australia
183 *N6* **Poopelloe Lake** *seasonal lake* New South Wales, SE Australia
57 *K19* **Poopó** Oruro, C Bolivia
57 *K19* **Poopó, Lago** ***var.*** Lago Pampa Aullagas. ◎ W Bolivia
184 *L3* **Poor Knights Islands** *island* N NZ
39 *P10* **Poorman** Alaska, USA
182 *E3* **Pootnoura** South Australia
147 *R10* **Pop** ***Rus.*** Pap. Namangan Viloyati, E Uzbekistan
117 *X7* **Popasna** ***Rus.*** Popasnaya. Luhans'ka Oblast', E Ukraine
Popasnaya *see* Popasna
54 *D12* **Popayán** Cauca, SW Colombia
99 *B18* **Poperinge** West-Vlaanderen, W Belgium
123 *N7* **Popigay** Taymyrskiy (Dolgano-Nenetskiy) Avtonomnyy Okrug, N Russian Federation
123 *N7* **Popigay** ⟿ N Russian Federation
117 *O5* **Popil'nya** Zhytomyrs'ka Oblast', N Ukraine
182 *K8* **Popiltah Lake** *seasonal lake* New South Wales, SE Australia
33 *X7* **Poplar** Montana, NW USA
11 *Y14* **Poplar** ⟿ Manitoba, C Canada
27 *X8* **Poplar Bluff** Missouri, C USA
33 *X6* **Poplar River** ⟿ Montana, NW USA
41 *P14* **Popocatépetl** ⩕ S Mexico
79 *H21* **Popokabaka** Bandundu, SW Dem. Rep. Congo
107 *J15* **Popoli** Abruzzo, C Italy
186 *F9* **Popondetta** Northern, S PNG
112 *F9* **Popovača** Sisak-Moslavina, NE Croatia
114 *J10* **Popovitsa** Tŭrgovishte, C Bulgaria
114 *L8* **Popovo** Tŭrgovishte, N Bulgaria
Popovo *see* Iskra
Popper *see* Poprad
30 *M5* **Popple River** ⟿ Wisconsin, N USA
111 *L19* **Poprad** ***Ger.*** Deutschendorf, ***Hung.*** Poprád. Prešovský Kraj, E Slovakia
111 *L18* **Poprad** ***Ger.*** Popper, ***Hung.*** Poprád. ⟿ Poland/Slovakia
111 *L19* **Poprad-Tatry** ✕ (Poprad) Prešovský Kraj, E Slovakia
21 *X7* **Poquoson** Virginia, NE USA
149 *O15* **Porāli** ⟿ SW Pakistan
184 *N12* **Porangahau** Hawke's Bay, North Island, NZ
59 *K17* **Porangatu** Goiás, C Brazil
119 *G18* **Porazava** ***Pol.*** Porozow, ***Rus.*** Porozovo. Hrodzyenskaya Voblasts', W Belarus
154 *A11* **Porbandar** Gujarāt, W India
10 *I13* **Porcher Island** *island* British Columbia, SW Canada
104 *M13* **Porcuna** Andalucía, S Spain
14 *F7* **Porcupine** Ontario, S Canada
64 *M6* **Porcupine Bank** *undersea feature* N Atlantic Ocean
11 *V15* **Porcupine Hills** ▲ Manitoba/Saskatchewan, S Canada
30 *L3* **Porcupine Mountains** *hill range* Michigan, N USA
64 *M7* **Porcupine Plain** *undersea feature* E Atlantic Ocean
8 *G7* **Porcupine River** ⟿ Canada/USA
106 *I7* **Pordenone** ***anc.*** Portenau. Friuli-Venezia Giulia, NE Italy
54 *H9* **Pore** Casanare, E Colombia
112 *A9* **Poreč** ***It.*** Parenzo. Istra, NW Croatia
60 *I9* **Porecatu** Paraná, S Brazil
Porech'ye *see* Parechcha
127 *P4* **Poretskoye** Chuvashskaya Respublika, W Russian Federation
77 *Q13* **Porga** N Benin
186 *B7* **Porgera** Enga, W PNG
93 *K18* **Pori** ***Swe.*** Björneborg. Länsi-Suomi, W Finland
185 *L14* **Porirua** Wellington, North Island, NZ
92 *I12* **Porjus** ***Lapp.*** Bårjås. Norrbotten, N Sweden
124 *G14* **Porkhov** Pskovskaya Oblast', W Russian Federation
55 *O4* **Porlamar** Nueva Esparta, NE Venezuela
102 *I8* **Pornic** Loire-Atlantique, NW France
186 *B7* **Poroma** Southern Highlands, W PNG
123 *T13* **Poronaysk** Ostrov Sakhalin, Sakhalinskaya Oblast', SE Russian Federation
115 *G20* **Póros** Póros, S Greece
115 *C19* **Póros** Kefallinía, Iónioi Nísoi, Greece, C Mediterranean Sea
115 *G20* **Póros** *island* S Greece
81 *G24* **Poroto Mountains** ▲ SW Tanzania
112 *B10* **Porozina** Primorje-Gorski Kotar, NW Croatia
Porozovo/Porozow *see* Porazava
195 *X15* **Porpoise Bay** *bay* Antarctica
65 *G15* **Porpoise Point** *headland* NE Ascension Island
65 *C25* **Porpoise Point** *headland* East Falkland, Falkland Islands
108 *C6* **Porrentruy** Jura, NW Switzerland
106 *F10* **Porretta Terme** Emilia-Romagna, C Italy
Porriño *see* O Porriño
92 *L7* **Porsangerfjorden** ***Lapp.*** Porsángguvuotna. *fjord* N Norway
92 *K8* **Porsangerhalvøya** *peninsula* N Norway
Porsángguvuotna *see* Porsangerfjorden
95 *G16* **Porsgrunn** Telemark, S Norway
136 *E13* **Porsuk Çayı** ⟿ C Turkey
Porsy *see* Boldumsaz
57 *N18* **Portachuelo** Santa Cruz, C Bolivia
182 *I9* **Port Adelaide** South Australia
97 *F15* **Portadown** ***Ir.*** Port An Dúnáin. S Northern Ireland, UK
31 *P10* **Portage** Michigan, N USA
18 *D15* **Portage** Pennsylvania, NE USA
30 *K8* **Portage** Wisconsin, N USA
30 *M3* **Portage Lake** ◎ Michigan, N USA
11 *X16* **Portage la Prairie** Manitoba, S Canada
31 *R11* **Portage River** ⟿ Ohio, N USA
27 *Y8* **Portageville** Missouri, C USA
28 *L2* **Portal** North Dakota, N USA
10 *L17* **Port Alberni** Vancouver Island, British Columbia, SW Canada
14 *E15* **Port Albert** Ontario, S Canada
104 *I10* **Portalegre** ***anc.*** Ammaia, Amoea. Portalegre, E Portugal
104 *H10* **Portalegre** ◆ *district* C Portugal
37 *V12* **Portales** New Mexico, SW USA
39 *X14* **Port Alexander** Baranof Island, Alaska, USA
83 *I25* **Port Alfred** Eastern Cape, S South Africa
10 *J16* **Port Alice** Vancouver Island, British Columbia, SW Canada
22 *J8* **Port Allen** Louisiana, S USA
Port Amelia *see* Pemba
Port An Dúnáin *see* Portadown
32 *G7* **Port Angeles** Washington, NW USA
44 *L12* **Port Antonio** NE Jamaica
115 *D16* **Pórta Panagiá** *religious building* Thessalía, C Greece
25 *T14* **Port Aransas** Texas, SW USA
97 *E18* **Portarlington** ***Ir.*** Cúil an tSúdaire. C Ireland
183 *P17* **Port Arthur** Tasmania, SE Australia
25 *Y11* **Port Arthur** Texas, SW USA
96 *G12* **Port Askaig** W Scotland, UK
182 *I7* **Port Augusta** South Australia
44 *M9* **Port-au-Prince** ● (Haiti) C Haiti
44 *M9* **Port-au-Prince** ✕ E Haiti
22 *I8* **Port Barre** Louisiana, S USA
151 *Q19* **Port Blair** Andaman and Nicobar Islands, SE India
25 *X12* **Port Bolivar** Texas, SW USA
105 *X4* **Portbou** Cataluña, NE Spain
77 *N17* **Port Bouet** ✕ (Abidjan) SE Ivory Coast
182 *I8* **Port Broughton** South Australia
14 *F17* **Port Burwell** Ontario, S Canada
12 *G17* **Port Burwell** Québec, NE Canada
182 *M13* **Port Campbell** Victoria, SE Australia
15 *V4* **Port-Cartier** Québec, SE Canada
185 *F23* **Port Chalmers** Otago, South Island, NZ
23 *W14* **Port Charlotte** Florida, SE USA
38 *L9* **Port Clarence** Alaska, USA
10 *I13* **Port Clements** Graham Island, British Columbia, SW Canada
31 *S11* **Port Clinton** Ohio, N USA
14 *H17* **Port Colborne** Ontario, S Canada
15 *Y7* **Port-Daniel** Québec, SE Canada
Port Darwin *see* Darwin
183 *O17* **Port Davey** *headland* Tasmania, SE Australia
44 *K8* **Port-de-Paix** NW Haiti
181 *W4* **Port Douglas** Queensland, NE Australia
10 *J13* **Port Edward** British Columbia, SW Canada
83 *K24* **Port Edward** KwaZulu/Natal, SE South Africa
58 *J12* **Portel** Pará, NE Brazil
104 *H12* **Portel** Évora, S Portugal
14 *E14* **Port Elgin** Ontario, S Canada
45 *Y14* **Port Elizabeth** Bequia, Saint Vincent and the Grenadines
83 *I26* **Port Elizabeth** Eastern Cape, S South Africa
96 *G13* **Port Ellen** W Scotland, UK
Portenau *see* Pordenone
97 *H16* **Port Erin** SW Isle of Man
45 *Q13* **Porter Point** *headland* Saint Vincent, Saint Vincent and the Grenadines
185 *G18* **Porters Pass** *pass* South Island, NZ
83 *E25* **Porterville** Western Cape, SW South Africa
35 *R12* **Porterville** California, W USA
Port-Étienne *see* Nouâdhibou
182 *L13* **Port Fairy** Victoria, SE Australia
184 *M4* **Port Fitzroy** Great Barrier Island, Auckland, NE NZ
Port Florence *see* Kisumu
Port-Francqui *see* Ilebo
79 *C18* **Port-Gentil** Ogooué-Maritime, W Gabon
182 *I7* **Port Germein** South Australia
22 *J6* **Port Gibson** Mississippi, S USA
39 *Q13* **Port Graham** Alaska, USA
77 *U17* **Port Harcourt** Rivers, S Nigeria
10 *J16* **Port Hardy** Vancouver Island, British Columbia, SW Canada
Port Harrison *see* Inukjuak
13 *R14* **Port Hawkesbury** Cape Breton Island, Nova Scotia, SE Canada
180 *I6* **Port Hedland** Western Australia
39 *O15* **Port Heiden** Alaska, USA
97 *I19* **Porthmadog** ***var.*** Portmadoc. NW Wales, UK
14 *I15* **Port Hope** Ontario, SE Canada
13 *S9* **Port Hope Simpson** Newfoundland and Labrador, E Canada
65 *C24* **Port Howard Settlement** West Falkland, Falkland Islands
31 *T9* **Port Huron** Michigan, N USA
107 *K17* **Portici** Campania, S Italy
137 *Y13* **Port-İliç** ***Rus.*** Port Il'ich. SE Azerbaijan
Port Il'ich *see* Port-İliç
104 *G14* **Portimão** ***var.*** Vila Nova de Portimão. Faro, S Portugal
25 *T17* **Port Isabel** Texas, SW USA
18 *J13* **Port Jervis** New York, NE USA
55 *S7* **Port Kaituma** NW Guyana
126 *K12* **Port-Katon** Rostovskaya Oblast', SW Russian Federation
183 *S9* **Port Kembla** New South Wales, SE Australia
182 *F8* **Port Kenny** South Australia
Port Klang *see* Pelabuhan Klang
Port Láirge *see* Waterford
183 *S8* **Portland** New South Wales, SE Australia
182 *L13* **Portland** Victoria, SE Australia
184 *K4* **Portland** Northland, North Island, NZ
31 *Q13* **Portland** Indiana, N USA
19 *P8* **Portland** Maine, NE USA
31 *Q9* **Portland** Michigan, N USA
29 *Q4* **Portland** North Dakota, N USA
32 *G11* **Portland** Oregon, NW USA
20 *J8* **Portland** Tennessee, S USA
25 *T14* **Portland** Texas, SW USA
32 *G11* **Portland** ✕ Oregon, NW USA
182 *L13* **Portland Bay** *bay* Victoria, SE Australia
44 *K13* **Portland Bight** *bay* S Jamaica
97 *L24* **Portland Bill** ***var.*** Bill of Portland. *headland* S England, UK
Portland, Bill of *see* Portland Bill
183 *P15* **Portland, Cape** *headland* Tasmania, SE Australia
10 *J12* **Portland Inlet** *inlet* British Columbia, W Canada
184 *P11* **Portland Island** *island* E NZ
65 *F15* **Portland Point** *headland* SW Ascension Island
44 *J13* **Portland Point** *headland* C Jamaica
103 *P16* **Port-la-Nouvelle** Aude, S France
Portlaoighise *see* Port Laoise
97 *E18* **Port Laoise** ***var.*** Portlaoise, ***Ir.*** Portlaoighise; ***prev.*** Maryborough. C Ireland
25 *U13* **Port Lavaca** Texas, SW USA
182 *G9* **Port Lincoln** South Australia
39 *Q14* **Port Lions** Kodiak Island, Alaska, USA
76 *I15* **Port Loko** W Sierra Leone
65 *E24* **Port Louis** East Falkland, Falkland Islands
45 *Y5* **Port-Louis** Grande Terre, N Guadeloupe
173 *X16* **Port Louis** ● (Mauritius) NW Mauritius
Port Louis *see* Scarborough
Port-Lyautey *see* Kénitra
182 *K12* **Port MacDonnell** South Australia
183 *U7* **Port Macquarie** New South Wales, SE Australia
Portmadoc *see* Porthmadog
Port Mahon *see* Mahón
44 *K12* **Port Maria** C Jamaica
10 *K16* **Port McNeill** Vancouver Island, British Columbia, SW Canada
13 *P11* **Port-Menier** Île d'Anticosti, Québec, E Canada
39 *N15* **Port Moller** Alaska, USA
44 *L13* **Port Morant** E Jamaica
44 *K13* **Portmore** C Jamaica
186 *D9* **Port Moresby** ● (PNG) Central/National Capital District, SW PNG
Port Natal *see* Durban
25 *Y11* **Port Neches** Texas, SW USA
182 *G9* **Port Neill** South Australia
15 *S6* **Portneuf** ⟿ Québec, SE Canada
15 *R6* **Portneuf, Lac** ◎ Québec, SE Canada
83 *D23* **Port Nolloth** Northern Cape, W South Africa
18 *J17* **Port Norris** New Jersey, NE USA
Port-Nouveau-Québec *see* Kangiqsualujjuaq
104 *G6* **Porto** ***Eng.*** Oporto; ***anc.*** Portus Cale. Porto, NW Portugal
104 *G6* **Porto** ***var.*** Pôrto. ◆ *district* N Portugal
104 *G6* **Porto** ✕ Porto, W Portugal
61 *I16* **Porto Alegre** ***var.*** Pôrto Alegre. *state capital* Rio Grande do Sul, S Brazil
Porto Alexandre *see* Tombua
82 *B12* **Porto Amboim** Cuanza Sul, NW Angola
Porto Amélia *see* Pemba
Porto Bello *see* Portobelo
43 *T14* **Portobelo** ***var.*** Porto Bello, Puerto Bello. Colón, N Panama
60 *G10* **Pôrto Camargo** Paraná, S Brazil
25 *U13* **Port O'Connor** Texas, SW USA
Pôrto de Mós *see* Porto de Moz
58 *J12* **Porto de Moz** ***var.*** Pôrto de Mós. Pará, NE Brazil
64 *O5* **Porto do Moniz** Madeira, Portugal, NE Atlantic Ocean
59 *H16* **Porto dos Gaúchos** Mato Grosso, W Brazil
Porto Edda *see* Sarandë
107 *J24* **Porto Empedocle** Sicilia, Italy, C Mediterranean Sea
59 *H20* **Porto Esperança** Mato Grosso do Sul, SW Brazil
106 *E13* **Portoferraio** Toscana, C Italy
96 *G6* **Port of Ness** NW Scotland, UK
45 *U14* **Port-of-Spain** ● (Trinidad and Tobago) Trinidad, Trinidad and Tobago
Port of Spain *see* Piarco
103 *X15* **Porto, Golfe de** *gulf* Corse, France, C Mediterranean Sea
Porto Grande *see* Mindelo
106 *I7* **Portogruaro** Veneto, NE Italy
35 *P5* **Portola** California, W USA
187 *Q13* **Port-Olry** Espiritu Santo, C Vanuatu
93 *J17* **Pörtom** ***Fin.*** Pirttikylä. Länsi-Suomi, W Finland
Port Omna *see* Portumna
59 *G21* **Porto Murtinho** Mato Grosso do Sul, SW Brazil
59 *K16* **Porto Nacional** Tocantins, C Brazil
77 *S16* **Porto-Novo** ● (Benin) S Benin
23 *X10* **Port Orange** Florida, SE USA
32 *G8* **Port Orchard** Washington, NW USA
Porto Re *see* Kraljevica
32 *E15* **Port Orford** Oregon, NW USA
Porto Rico *see* Puerto Rico
106 *J13* **Porto San Giorgio** Marche, C Italy
107 *F14* **Porto San Stefano** Toscana, C Italy
64 *P5* **Porto Santo** ***var.*** Vila Baleira. Porto Santo, Madeira, Portugal, NE Atlantic Ocean
64 *Q5* **Porto Santo** ✕ Porto Santo, Madeira, Portugal NE Atlantic Ocean
64 *P5* **Porto Santo** ***var.*** Ilha do Porto Santo. *island* Madeira, Portugal, NE Atlantic Ocean
60 *H9* **Porto São José** Paraná, S Brazil
59 *O19* **Porto Seguro** Bahia, E Brazil
107 *B17* **Porto Torres** Sardegna, Italy, C Mediterranean Sea
59 *J23* **Porto União** Santa Catarina, S Brazil
103 *Y16* **Porto-Vecchio** Corse, France, C Mediterranean Sea
59 *E15* **Porto Velho** ***var.*** Velho. *state capital* Rondônia, W Brazil
56 *A6* **Portoviejo** ***var.*** Puertoviejo. Manabí, W Ecuador
185 *B26* **Port Pegasus** *bay* Stewart Island, NZ

◆ Country
● Country Capital
◇ Dependent Territory
○ Dependent Territory Capital
◆ Administrative Region
✕ International Airport
▲ Mountain
▲ Mountain Range
⩕ Volcano
⟿ River
◎ Lake
▣ Reservoir

Port Perry – Prudnik ••• 309

14 H15 **Port Perry** Ontario, SE Canada
183 N12 **Port Phillip Bay** *harbour* Victoria, SE Australia
182 I8 **Port Pirie** South Australia
96 G9 **Portree** N Scotland, UK
Port Rex *see* East London
Port Rois *see* Portrush
44 K13 **Port Royal** E Jamaica
21 R15 **Port Royal** South Carolina, SE USA
21 R15 **Port Royal Sound** *inlet* South Carolina, SE USA
97 F14 **Portrush** *Ir.* Port Rois. N Northern Ireland, UK
75 W7 **Port Said** *Ar.* Būr Sa'īd. N Egypt
23 R9 **Port Saint Joe** Florida, SE USA
23 Y11 **Port Saint John** Florida, SE USA
83 K24 **Port St.Johns** Eastern Cape, SE South Africa
103 R16 **Port-St-Louis-du-Rhône** Bouches-du-Rhône, SE France
44 K10 **Port Salut** SW Haiti
65 E24 **Port Salvador** *inlet* East Falkland, Falkland Islands
65 D24 **Port San Carlos** East Falkland, Falkland Islands
13 S10 **Port Saunders** Newfoundland and Labrador, SE Canada
83 K24 **Port Shepstone** KwaZulu/Natal, E South Africa
45 O11 **Portsmouth** *var.* Grand-Anse. NW Dominica
97 N24 **Portsmouth** S England, UK
19 P10 **Portsmouth** New Hampshire, NE USA
31 S15 **Portsmouth** Ohio, N USA
21 X7 **Portsmouth** Virginia, NE USA
14 E17 **Port Stanley** Ontario, S Canada
65 B25 **Port Stephens** *inlet* West Falkland, Falkland Islands
65 B25 **Port Stephens Settlement** West Falkland, Falkland Islands
97 F14 **Portstewart** *Ir.* Port Stíobhaird. N Northern Ireland, UK
Port Stíobhaird *see* Portstewart
80 I7 **Port Sudan** Red Sea, NE Sudan
22 L10 **Port Sulphur** Louisiana, S USA
Port Swettenham *see* Klang/Pelabuhan Klang
97 J22 **Port Talbot** S Wales, UK
92 L11 **Porttipahdan Tekojärvi** ◎ N Finland
32 G7 **Port Townsend** Washington, NW USA
104 H9 **Portugal** *off.* Republic of Portugal. ◆ *republic* SW Europe
105 O2 **Portugalete** País Vasco, N Spain
54 J6 **Portuguesa** *off.* Estado Portuguesa. ◈ *state* N Venezuela
Portuguese East Africa *see* Mozambique
Portuguese Guinea *see* Guinea-Bissau
Portuguese Timor *see* East Timor
Portuguese West Africa *see* Angola
97 D18 **Portumna** *Ir.* Port Omna. W Ireland
Portus Cale *see* Porto
Portus Magnus *see* Almería
Portus Magonis *see* Mahón
103 P17 **Port-Vendres** *var.* Port Vendres. Pyrénées-Orientales, S France
182 H9 **Port Victoria** South Australia
187 Q14 **Port-Vila** *var.* Vila. ● (Vanuatu) Éfaté, C Vanuatu
182 I9 **Port Wakefield** South Australia
31 N8 **Port Washington** Wisconsin, N USA
57 J14 **Porvenir** Pando, NW Bolivia
63 I24 **Porvenir** Magallanes, S Chile
61 D18 **Porvenir** Paysandú, W Uruguay
93 M19 **Porvoo** *Swe.* Borgå. Etelä-Suomi, S Finland
Porzecze *see* Parechcha
104 M10 **Porzuna** Castilla-La Mancha, C Spain
61 E14 **Posadas** Misiones, NE Argentina
104 L13 **Posadas** Andalucía, S Spain
Poschega *see* Požega
108 J11 **Poschiavino** ≈ Italy/Switzerland
108 J10 **Poschiavo** *Ger.* Puschlav. Graubünden, S Switzerland
112 D12 **Posedarje** Zadar, SW Croatia
Posen *see* Poznań
126 L14 **Poshekhon'ye** Yaroslavskaya Oblast', W Russian Federation
92 M13 **Posio** Lappi, NE Finland
Poskam *see* Zepu
Posnania *see* Poznań
171 O12 **Poso** Sulawesi, C Indonesia
171 O12 **Poso, Danau** ◎ Sulawesi, C Indonesia
137 R10 **Posof** Ardahan, NE Turkey
25 R6 **Possum Kingdom Lake** ⊡ Texas, SW USA
25 N6 **Post** Texas, SW USA
Postavy/Postawy *see* Pastavy
12 I7 **Poste-de-la-Baleine** Québec, NE Canada
99 M17 **Posterholt** Limburg, SE Netherlands
83 G22 **Postmasburg** Northern Cape, N South Africa
Pôsto Diuarum *see* Campo de Diauarum
59 I16 **Pôsto Jacaré** Mato Grosso, W Brazil
109 T12 **Postojna** *Ger.* Adelsberg, *It.* Postumia. SW Slovenia
Postumia *see* Postojna
29 X12 **Postville** Iowa, C USA
Pöstyén *see* Piešťany
113 G14 **Posušje** Federacija Bosna I Hercegovina, SE Bosnia & Herzegovina
171 O16 **Pota** Flores, C Indonesia
115 G23 **Potamós** Antikýthira, S Greece
55 S9 **Potaru River** ≈ C Guyana
83 I21 **Potchefstroom** North-West, N South Africa
27 R11 **Poteau** Oklahoma, C USA
25 R12 **Poteet** Texas, SW USA
115 G14 **Poteídaia** *site of ancient city* Kentrikí Makedonía, N Greece
Potentia *see* Potenza
107 M18 **Potenza** *anc.* Potentia. Basilicata, S Italy
185 A24 **Poteriteri, Lake** ◎ South Island, NZ
104 M2 **Potes** Cantabria, N Spain
Potgietersrus *see* Mokopane
25 S12 **Poth** Texas, SW USA
32 J9 **Potholes Reservoir** ⊡ Washington, NW USA
137 Q9 **P'ot'i** W Georgia
77 X13 **Potiskum** Yobe, NE Nigeria
Potkozarje *see* Ivanjska
32 M9 **Potlatch** Idaho, NW USA
33 N9 **Pot Mountain** ▲ Idaho, NW USA
113 H14 **Potoci** Federacija Bosna I Hercegovina, SE Bosnia & Herzegovina
21 V3 **Potomac River** ≈ NE USA
27 W6 **Potosi** Missouri, C USA
57 L20 **Potosí** Potosí, S Bolivia
42 H9 **Potosí** Chinandega, NW Nicaragua
57 K21 **Potosí** ◈ *department* SW Bolivia
62 H7 **Potrerillos** Atacama, N Chile
42 H5 **Potrerillos** Cortés, NW Honduras
62 H8 **Potro, Cerro del** ▲ N Chile
100 N12 **Potsdam** Brandenburg, NE Germany
18 J7 **Potsdam** New York, NE USA
109 X5 **Pottendorf** Niederösterreich, E Austria
109 X5 **Pottenstein** Niederösterreich, E Austria
18 I15 **Pottstown** Pennsylvania, NE USA
18 H14 **Pottsville** Pennsylvania, NE USA
155 L25 **Pottuvil** Eastern Province, SE Sri Lanka
149 U6 **Potwar Plateau** *plateau* NE Pakistan
102 J7 **Pouancé** Maine-et-Loire, W France
15 R6 **Poulin de Courval, Lac** ◎ Québec, SE Canada
18 L9 **Poultney** Vermont, NE USA
187 O16 **Poum** Province Nord, W New Caledonia
59 L21 **Pouso Alegre** Minas Gerais, NE Brazil
192 I16 **Poutasi** Upolu, SE Samoa
167 R12 **Poŭthĭsăt** *prev.* Pursat. Poŭthĭsăt, W Cambodia
167 R12 **Poŭthĭsăt, Stœng** *prev.* Pursat. ≈ W Cambodia
102 J9 **Pouzauges** Vendée, NW France
Po, Valle del *see* Po Valley
106 F8 **Po Valley** *It.* Valle del Po. *valley* N Italy
111 I19 **Považská Bystrica** *Ger.* Waagbistritz, *Hung.* Vágbeszterce. Trenčiansky Kraj, W Slovakia
124 J10 **Povenets** Respublika Kareliya, NW Russian Federation
184 Q9 **Poverty Bay** *inlet* North Island, NZ
112 L12 **Povlen** ▲ W Serbia and Montenegro (Yugo.)
104 G6 **Póvoa de Varzim** Porto, NW Portugal
127 N8 **Povorino** Voronezhskaya Oblast', W Russian Federation
Povungnituk *see* Puvirnituq
12 J3 **Povungnituk, Rivière de** ≈ Québec, NE Canada
14 H11 **Powassan** Ontario, S Canada
35 U17 **Poway** California, W USA
33 W14 **Powder River** Wyoming, C USA
33 Y10 **Powder River** ≈ Montana/Wyoming, NW USA
32 L12 **Powder River** ≈ Oregon, NW USA
33 W13 **Powder River Pass** *pass* Wyoming, C USA
33 U12 **Powell** Wyoming, C USA
65 I22 **Powell Basin** *undersea feature* NW Weddell Sea
36 M8 **Powell, Lake** ◎ Utah, W USA
37 R4 **Powell, Mount** ▲ Colorado, C USA
10 L17 **Powell River** British Columbia, SW Canada
31 N5 **Powers** Michigan, N USA
28 K2 **Powers Lake** North Dakota, N USA
21 V6 **Powhatan** Virginia, NE USA
31 V13 **Powhatan Point** Ohio, N USA
97 J20 **Powys** *cultural region* E Wales, UK
187 P17 **Poya** Province Nord, C New Caledonia
161 P10 **Poyang Hu** ◎ S China
30 L7 **Poygan, Lake** ◎ Wisconsin, N USA
109 Y2 **Poysdorf** Niederösterreich, NE Austria
112 N11 **Požarevac** *Ger.* Passarowitz. Serbia, NE Serbia and Montenegro (Yugo.)
41 Q13 **Poza Rica** *var.* Poza Rica de Hidalgo. Veracruz-Llave, E Mexico
Poza Rica de Hidalgo *see* Poza Rica
112 L13 **Požega** *Prev.* Slavonska Požega; *Ger.* Poschega, *Hung.* Pozsega. Požega-Slavonija, NE Croatia
112 H9 **Požega-Slavonija** *off.* Požeško-Slavonska Županija. ◈ *province* NE Croatia
125 U13 **Pozhva** Komi-Permyatskiy Avtonomnyy Okrug, NW Russian Federation
110 G11 **Poznań** *Ger.* Posen, Posnania. Wielkolpolskie, C Poland
105 O13 **Pozo Alcón** Andalucía, S Spain
62 H3 **Pozo Almonte** Tarapacá, N Chile
104 L12 **Pozoblanco** Andalucía, S Spain
105 Q11 **Pozo Cañada** Castilla-La Mancha, C Spain
62 N5 **Pozo Colorado** Presidente Hayes, C Paraguay
63 J20 **Pozos, Punta** *headland* S Argentina
Pozsega *see* Požega
Pozsony *see* Bratislava
55 N5 **Pozuelos** Anzoátegui, NE Venezuela
107 L26 **Pozzallo** Sicilia, Italy, C Mediterranean Sea
107 K17 **Pozzuoli** *anc.* Puteoli. Campania, S Italy
77 P17 **Pra** ≈ S Ghana
111 C19 **Prachatice** *Ger.* Prachatitz. Jihočeský Kraj, S Czech Republic
Prachatitz *see* Prachatice
167 P11 **Prachin Buri** *var.* Prachinburi. Prachin Buri, C Thailand
Prachuab Girikhand *see* Prachuap Khiri Khan
167 O12 **Prachuap Khiri Khan** *var.* Prachuab Girikhand. Prachuap Khiri Khan, SW Thailand
111 H16 **Praděd** *Ger.* Altvater. ▲ NE Czech Republic
54 D11 **Pradera** Valle del Cauca, SW Colombia
103 O17 **Prades** Pyrénées-Orientales, S France
59 O19 **Prado** Bahia, SE Brazil
54 E11 **Prado** Tolima, C Colombia
Prado del Ganso *see* Goose Green
Prae *see* Phrae
Prag/Praga/Prague *see* Praha
27 O10 **Prague** Oklahoma, C USA
111 D16 **Praha** *Eng.* Prague, *Ger.* Prag, *Pol.* Praga. ● (Czech Republic) Středočeský Kraj, NW Czech Republic
116 J13 **Prahova** ◈ *county* SE Romania
116 J13 **Prahova** ≈ S Romania
76 E10 **Praia** ● (Cape Verde) Santiago, S Cape Verde
83 M21 **Praia do Bilene** Gaza, S Mozambique
83 M20 **Praia do Xai-Xai** Gaza, S Mozambique
116 J10 **Praid** *Hung.* Parajd. Harghita, C Romania
26 J3 **Prairie Dog Creek** ≈ Kansas/Nebraska, C USA
30 J9 **Prairie du Chien** Wisconsin, N USA
27 S9 **Prairie Grove** Arkansas, C USA
31 P10 **Prairie River** ≈ Michigan, N USA
Prairie State *see* Illinois
25 V11 **Prairie View** Texas, SW USA
167 O10 **Prakhon Chai** Buri Ram, E Thailand
109 R4 **Pram** ≈ N Austria
109 S4 **Prambachkirchen** Oberösterreich, N Austria
118 H2 **Prangli** *island* N Estonia
154 J13 **Prānhita** ≈ C India
172 I15 **Praslin** *island* Inner Islands, NE Seychelles
115 O23 **Prasonísi, Akrotírio** *headland* Ródos, Dodekánisos, Greece, Aegean Sea
111 I14 **Praszka** Opolskie, S Poland
119 M18 **Pratasy** *Rus.* Protasy. Homyel'skaya Voblasts', SE Belarus
167 Q10 **Prathai** Nakhon Ratchasima, E Thailand
Prathet Thai *see* Thailand
Prathum Thani *see* Pathum Thani
63 F21 **Prat, Isla** *island* S Chile
106 G11 **Prato** Toscana, C Italy
103 O17 **Prats-de-Mollo-la-Preste** Pyrénées-Orientales, S France
26 L6 **Pratt** Kansas, C USA
108 E6 **Pratteln** Basel-Land, NW Switzerland
193 O2 **Pratt Seamount** *undersea feature* N Pacific Ocean
23 P5 **Prattville** Alabama, S USA
Praust *see* Pruszcz Gdański
114 M7 **Pravda** *prev.* Dogrular. Silistra, NE Bulgaria
119 B14 **Pravdinsk** *Ger.* Friedland. Kaliningradskaya Oblast', W Russian Federation
104 K2 **Pravia** Asturias, N Spain
118 L12 **Prazaroki** *Rus.* Prozoroki. Vitsyebskaya Voblasts', N Belarus
Prázsmár *see* Prejmer
167 S11 **Preăh Vihear** Preăh Vihéar, N Cambodia
116 J12 **Predeal** *Hung.* Predeál. Brașov, C Romania
109 S8 **Predlitz** Steiermark, SE Austria
11 V15 **Preeceville** Saskatchewan, S Canada
Preenkuln *see* Priekule
102 K6 **Pré-en-Pail** Mayenne, NW France
109 T4 **Pregarten** Oberösterreich, N Austria
54 H7 **Pregonero** Táchira, NW Venezuela
118 J10 **Preiļi** *Ger.* Preli. Preiļi, SE Latvia
116 J12 **Prejmer** *Ger.* Tartlau, *Hung.* Prázsmár. Brașov, S Romania
113 J16 **Prekornica** ▲ SW Serbia and Montenegro (Yugo.)
Preli *see* Preiļi
Prëmet *see* Përmet
100 M12 **Premnitz** Brandenburg, NE Germany
25 S15 **Premont** Texas, SW USA
113 H14 **Prenj** ▲ S Bosnia and Herzegovina
Prenjas/Prenjasi *see* Përrenjas
22 L7 **Prentiss** Mississippi, S USA
Preny *see* Prienai
100 O10 **Prenzlau** Brandenburg, NE Germany
123 N11 **Preobrazhenka** Irkutskaya Oblast', C Russian Federation
165 J9 **Preparis Island** *island* SW Myanmar
Prerau *see* Přerov
111 H18 **Přerov** *Ger.* Prerau. Olomoucký Kraj, E Czech Republic
Preschau *see* Prešov
14 M14 **Prescott** Ontario, SE Canada
36 K12 **Prescott** Arizona, SW USA
27 T13 **Prescott** Arkansas, C USA
32 L10 **Prescott** Washington, NW USA
30 H6 **Prescott** Wisconsin, N USA
185 A24 **Preservation Inlet** *inlet* South Island, NZ
112 O7 **Preševo** Serbia, SE Serbia and Montenegro (Yugo.)
29 N10 **Presho** South Dakota, N USA
58 M13 **Presidente Dutra** Maranhão, E Brazil
60 I8 **Presidente Epitácio** São Paulo, S Brazil
62 N5 **Presidente Hayes** *off.* Departamento de Presidente Hayes. ◈ *department* C Paraguay
60 I9 **Presidente Prudente** São Paulo, S Brazil
Presidente Stroessner *see* Ciudad del Este
Presidente Vargas *see* Itabira
60 I8 **Presidente Venceslau** São Paulo, S Brazil
193 O10 **President Thiers Seamount** *undersea feature* C Pacific Ocean
24 J11 **Presidio** Texas, SW USA
Preslav *see* Veliki Preslav
111 M19 **Prešov** *var.* Preschau, *Ger.* Eperies, *Hung.* Eperjes. Prešovský Kraj, E Slovakia
111 M19 **Prešovský Kraj** ◈ *region* E Slovakia
113 N20 **Prespa, Lake** *Alb.* Liqen i Prespës, *Gk.* Límni Megáli Préspa, Limni Prespa, *Mac.* Prespansko Ezero, *Serb.* Prespansko Jezero. ◎ SE Europe
Prespa, Limni/Prespansko Ezero/Prespansko Jezero/Prespës, Liqen i *see* Prespa, Lake
19 S2 **Presque Isle** Maine, NE USA
18 B11 **Presque Isle** *headland* Pennsylvania, NE USA
Pressburg *see* Bratislava
77 P17 **Prestea** SW Ghana
111 B17 **Přeštice** *Ger.* Pschestitz. Plzeňský Kraj, W Czech Republic
97 K17 **Preston** NW England, UK
23 S6 **Preston** Georgia, SE USA
33 R16 **Preston** Idaho, NW USA
29 Z13 **Preston** Iowa, C USA
29 X11 **Preston** Minnesota, N USA
21 O6 **Prestonsburg** Kentucky, S USA
96 I13 **Prestwick** W Scotland, UK
83 J21 **Pretoria** *var.* Epitoli, Tshwane. ● (South Africa-administrative capital) Gauteng, NE South Africa
Pretoria-Witwatersrand-Vereeniging *see* Gauteng
Pretusha *see* Pretushë
113 M21 **Pretushë** *var.* Pretusha. Korçë, SE Albania
Preussisch Eylau *see* Bagrationovsk
Preussisch-Stargard *see* Starogard Gdański
Preußisch Holland *see* Pasłęk
115 C17 **Préveza** Ípeiros, W Greece
37 V3 **Prewitt Reservoir** ⊡ Colorado, C USA
167 S13 **Prey Vêng** Prey Vêng, S Cambodia
144 M12 **Priaral'skiye Karakumy, Peski** *desert* SW Kazakhstan
123 P14 **Priargunsk** Chitinskaya Oblast', S Russian Federation
38 K14 **Pribilof Islands** *island group* Alaska, USA
113 K14 **Priboj** Serbia, W Serbia and Montenegro (Yugo.)
111 C17 **Příbram** *Ger.* Pibrans. Středočeský Kraj, W Czech Republic
36 M4 **Price** Utah, W USA
37 N5 **Price River** ≈ Utah, W USA
23 N8 **Prichard** Alabama, S USA
25 R8 **Priddy** Texas, SW USA
105 P8 **Priego** Castilla-La Mancha, C Spain
104 M14 **Priego de Córdoba** Andalucía, S Spain
118 C10 **Priekule** *Ger.* Preenkuln. Liepāja, SW Latvia
118 C12 **Priekulė** *Ger.* Prökuls. Klaipėda, W Lithuania
119 F14 **Prienai** *Pol.* Preny. Kaunas, S Lithuania
83 G23 **Prieska** Northern Cape, C South Africa
32 M7 **Priest Lake** ◎ Idaho, NW USA
32 M7 **Priest River** Idaho, NW USA
104 M3 **Prieta, Peña** ▲ N Spain
40 J10 **Prieto, Cerro** ▲ C Mexico
111 J19 **Prievidza** *var.* Priewitz, *Ger.* Priwitz, *Hung.* Privigye. Trenčiansky Kraj, C Slovakia
Priewitz *see* Prievidza
112 F10 **Prijedor** Republika Srpska, NW Bosnia & Herzegovina
113 K14 **Prijepolje** Serbia, W Serbia and Montenegro (Yugo.)
Prikaspiyskaya Nizmennost' *see* Caspian Depression
113 O19 **Prilep** *Turk.* Perlepe. S FYR Macedonia
108 B9 **Prilly** Vaud, SW Switzerland
Priluki *see* Pryluky
62 L10 **Primero, Río** ≈ C Argentina
29 S12 **Primghar** Iowa, C USA
112 B9 **Primorje-Gorski Kotar** *off.* Primorsko-Goranska Županija. ◈ *province* NW Croatia
118 A13 **Primorsk** *Ger.* Fischhausen. Kaliningradskaya Oblast', W Russian Federation
124 G12 **Primorsk** *Fin.* Koivisto. Leningradskaya Oblast', NW Russian Federation
Primorsk/Primorskoye *see* Prymors'k
123 S14 **Primorskiy Kray** *prev. Eng.* Maritime Territory. ◈ *territory* SE Russian Federation
114 N10 **Primorsko** *prev.* Keupriya. Burgas, E Bulgaria
126 K13 **Primorsko-Akhtarsk** Krasnodarskiy Kray, SW Russian Federation
117 U13 **Primors'kyy** Respublika Krym, S Ukraine
113 D14 **Primošten** Šibenik-Knin, S Croatia
11 R13 **Primrose Lake** ◎ Saskatchewan, C Canada
11 T14 **Prince Albert** Saskatchewan, S Canada
83 G25 **Prince Albert** Western Cape, SW South Africa
8 J5 **Prince Albert Peninsula** *peninsula* Victoria Island, Northwest Territories, NW Canada
8 J6 **Prince Albert Sound** *inlet* Northwest Territories, N Canada
8 J5 **Prince Alfred, Cape** *headland* Northwest Territories, NW Canada
9 P6 **Prince Charles Island** *island* Nunavut, NE Canada
195 W6 **Prince Charles Mountains** ▲ Antarctica
Prince-Édouard, Île-du *see* Prince Edward Island
172 M13 **Prince Edward Fracture Zone** *tectonic feature* SW Indian Ocean
13 P14 **Prince Edward Island** *Fr.* Île-du Prince-Édouard. ◈ *province* SE Canada
13 Q14 **Prince Edward Island** *Fr.* Île-du Prince-Édouard. *island* SE Canada
173 M12 **Prince Edward Islands** *island group* S South Africa
21 X4 **Prince Frederick** Maryland, NE USA
10 M14 **Prince George** British Columbia, SW Canada
21 W6 **Prince George** Virginia, NE USA
8 L3 **Prince Gustaf Adolf Sea** *sea* Nunavut, N Canada
197 Q3 **Prince of Wales, Cape** *headland* Alaska, USA
9 N3 **Prince of Wales Icefield** *ice feature* Nunavut, N Canada
181 V1 **Prince of Wales Island** *island* Queensland, E Australia
8 L5 **Prince of Wales Island** *island* Queen Elizabeth Islands, Nunavut, NW Canada
39 Y14 **Prince of Wales Island** *island* Alexander Archipelago, Alaska, USA
Prince of Wales Island *see* Pinang, Pulau
8 J5 **Prince of Wales Strait** *strait* Northwest Territories, N Canada
8 K4 **Prince Patrick Island** *island* Parry Islands, Northwest Territories, NW Canada
9 N5 **Prince Regent Inlet** *channel* Nunavut, N Canada
10 J13 **Prince Rupert** British Columbia, SW Canada
Prince's Island *see* Príncipe
21 Y5 **Princess Anne** Maryland, NE USA
195 R1 **Princess Astrid Kyst** *physical region* Antarctica
181 W2 **Princess Charlotte Bay** *bay* Queensland, NE Australia
195 W7 **Princess Elizabeth Land** *physical region* Antarctica
10 J14 **Princess Royal Island** *island* British Columbia, SW Canada
45 U15 **Princes Town** Trinidad, Trinidad and Tobago
11 N17 **Princeton** British Columbia, SW Canada
30 L11 **Princeton** Illinois, N USA
31 N16 **Princeton** Indiana, N USA
29 Z14 **Princeton** Iowa, C USA
20 H7 **Princeton** Kentucky, S USA
29 V8 **Princeton** Minnesota, N USA
27 S1 **Princeton** Missouri, C USA
18 J15 **Princeton** New Jersey, NE USA
21 R6 **Princeton** West Virginia, NE USA
39 S12 **Prince William Sound** *inlet* Alaska, USA
79 C17 **Príncipe** *var.* Príncipe Island, *Eng.* Prince's Island. *island* N Sao Tome and Principe
Príncipe Island *see* Príncipe
32 I13 **Prineville** Oregon, NW USA
28 J11 **Pringle** South Dakota, N USA
25 N1 **Pringle** Texas, SW USA
99 H14 **Prinsenbeek** Noord-Brabant, S Netherlands
98 L5 **Prinses Margriet Kanaal** *canal* N Netherlands
195 T2 **Prinsesse Ragnhild Kyst** *physical region* Antarctica
195 U2 **Prins Harald Kyst** *physical region* Antarctica
92 N2 **Prins Karls Forland** *island* W Svalbard
43 N8 **Prinzapolka** Región Autónoma Atlántico Norte, NE Nicaragua
42 L8 **Prinzapolka, Río** ≈ NE Nicaragua
122 H9 **Priob'ye** Khanty-Mansiyskiy Avtonomnyy Okrug, N Russian Federation
104 H1 **Prior, Cabo** *headland* NW Spain
29 V9 **Prior Lake** Minnesota, N USA
124 H11 **Priozersk** *Fin.* Käkisalmi. Leningradskaya Oblast', NW Russian Federation
119 J20 **Pripet** *Bel.* Prypyats', *Ukr.* Pryp"yat'. ≈ Belarus/Ukraine
119 J20 **Pripet Marshes** *wetland* Belarus/Ukraine
Prishtinë *see* Priština
126 J8 **Pristen'** Kurskaya Oblast', W Russian Federation
113 N16 **Priština** *Alb.* Prishtinë. Serbia, S Serbia and Montenegro (Yugo.)
100 M10 **Pritzwalk** Brandenburg, NE Germany
103 R13 **Privas** Ardèche, E France
107 I16 **Priverno** Lazio, C Italy
Privigye *see* Prievidza
112 C12 **Privlaka** Zadar, SW Croatia
124 M15 **Privolzhsk** Ivanovskaya Oblast', NW Russian Federation
127 P7 **Privolzhskaya Vozvyshennost'** *var.* Volga Uplands. ▲ W Russian Federation
127 P8 **Privolzhskoye** Saratovskaya Oblast', W Russian Federation
Priwitz *see* Prievidza
127 N13 **Priyutnoye** Respublika Kalmykiya, SW Russian Federation
113 M17 **Prizren** *Alb.* Prizreni. Serbia, S Serbia and Montenegro (Yugo.)
Prizreni *see* Prizren
107 I24 **Prizzi** Sicilia, Italy, C Mediterranean Sea
113 P18 **Probištip** NE FYR Macedonia
169 S16 **Probolinggo** Jawa, C Indonesia
Probstberg *see* Wyszków
111 F14 **Prochowice** *Ger.* Parchwitz. Dolnośląskie, SW Poland
29 W5 **Proctor** Minnesota, N USA
25 R8 **Proctor** Texas, SW USA
25 R8 **Proctor Lake** ⊡ Texas, SW USA
155 I18 **Proddatūr** Andhra Pradesh, E India
104 H9 **Proença-a-Nova** Castelo Branco, C Portugal
95 I24 **Præstø** Storstrøm, SE Denmark
99 I21 **Profondeville** Namur, SE Belgium
41 W11 **Progreso** Yucatán, SE Mexico
123 R14 **Progress** Amurskaya Oblast', SE Russian Federation
127 O15 **Prokhladnyy** Kabardino-Balkarskaya Respublika, SW Russian Federation
Prokletije *see* North Albanian Alps
Prökuls *see* Priekulė
113 O15 **Prokuplje** Serbia, SE Serbia and Montenegro (Yugo.)
124 H14 **Proletariy** Novgorodskaya Oblast', W Russian Federation
126 M12 **Proletarsk** Rostovskaya Oblast', SW Russian Federation
126 J8 **Proletarskiy** Belgorodskaya Oblast', W Russian Federation
166 L7 **Prome** *var.* Pyè. Pegu, C Myanmar
60 J8 **Promissão** São Paulo, S Brazil
60 J8 **Promissão, Represa de** ⊡ S Brazil
125 V4 **Promyshlennyy** Respublika Komi, NW Russian Federation
119 O16 **Pronya** *Rus.* Pronya. ≈ E Belarus
10 M11 **Prophet River** British Columbia, W Canada
30 K11 **Prophetstown** Illinois, N USA
59 P16 **Propriá** Sergipe, E Brazil
103 X16 **Propriano** Corse, France, C Mediterranean Sea
Prościejów *see* Prostějov
Proskurov *see* Khmel 'nyts'kyy
114 H12 **Prosotsáni** Anatolikí Makedonía kai Thráki, NE Greece
171 Q7 **Prosperidad** Mindanao, S Philippines
32 J10 **Prosser** Washington, NW USA
Prossnitz *see* Prostějov
111 G18 **Prostějov** *Ger.* Prossnitz, *Pol.* Prościejów. Olomoucký Kraj, E Czech Republic
117 V8 **Prosyana** Dnipropetrovs'ka Oblast', E Ukraine
111 L16 **Proszowice** Małopolskie, S Poland
Protasy *see* Pratasy
172 J11 **Protea Seamount** *undersea feature* SW Indian Ocean
115 D21 **Próti** *island* S Greece
114 N8 **Provadiya** Varna, E Bulgaria
103 S15 **Provence** *prev.* Marseille-Marignane. ✈ (Marseille) Bouches-du-Rhône, SE France
103 T14 **Provence** *cultural region* SE France
103 T14 **Provence-Alpes-Côte d'Azur** ◈ *region* SE France
20 H6 **Providence** Kentucky, S USA
19 N12 **Providence** *state capital* Rhode Island, NE USA
36 L1 **Providence** Utah, W USA
Providence *see* Fort Providence
14 D12 **Providence Bay** Manitoulin Island, Ontario, S Canada
23 R6 **Providence Canyon** *valley* Alabama/Georgia, S USA
22 I5 **Providence, Lake** ◎ Louisiana, S USA
35 X13 **Providence Mountains** ▲ California, W USA
44 L6 **Providenciales** *island* W Turks and Caicos Islands
19 Q12 **Provincetown** Massachusetts, NE USA
103 P5 **Provins** Seine-et-Marne, N France
36 L3 **Provo** Utah, W USA
11 R15 **Provost** Alberta, SW Canada
112 G13 **Prozor** Federacija Bosna I Hercegovina, SW Bosnia & Herzegovina
Prozoroki *see* Prazaroki
60 I11 **Prudentópolis** Paraná, S Brazil
39 R5 **Prudhoe Bay** Alaska, USA
39 R4 **Prudhoe Bay** *bay* Alaska, USA
111 H16 **Prudnik** *Ger.* Neustadt, Neustadt in Oberschlesien. Opolskie, S Poland

◆ Country ● Country Capital ◇ Dependent Territory ○ Dependent Territory Capital ◈ Administrative Region ✈ International Airport ▲ Mountain ▲ Mountain Range Volcano ≈ River ◎ Lake ⊡ Reservoir

310 ••• PRUDY – QAGAN US

119 J16 **Prudy** *Rus.* Prudy. Minskaya Voblasts', C Belarus
101 D18 **Prüm** Rheinland-Pfalz, W Germany
101 D18 **Prüm** ≈ W Germany
Prusa *see* Bursa
110 J7 **Pruszcz Gdański** *Ger.* Praust. Pomorskie, N Poland
110 M12 **Pruszków** *Ger.* Kaltdorf. Mazowieckie, C Poland
116 K8 **Prut** *Ger.* Pruth. ≈ E Europe
Pruth *see* Prut
108 L8 **Prutz** Tirol, W Austria
Pružana *see* Pruzhany
119 G19 **Pruzhany** *Pol.* Prużana. Brestskaya Voblasts', SW Belarus
124 I11 **Pryazha** Respublika Kareliya, NW Russian Federation
117 U10 **Pryazovs'ke** Zaporiz'ka Oblast', SE Ukraine
Prychornomors'ka Nyzovyna *see* Black Sea Lowland
Prydniprovs'ka Nyzovyna/Prydnyaprows kaya Nizina *see* Dnieper Lowland
195 Y7 **Prydz Bay** *bay* Antarctica
117 R4 **Pryluky** *Rus.* Priluki. Chernihivs'ka Oblast', NE Ukraine
117 V10 **Prymors'k** *Rus.* Primorsk; *prev.* Primorskoye. Zaporiz'ka Oblast', SE Ukraine
27 Q9 **Pryor** Oklahoma, C USA
33 U11 **Pryor Creek** ≈ Montana, NW USA
Pryp"yat'/Prypyats' *see* Pripet
110 M10 **Przasnysz** Mazowieckie, C Poland
111 K14 **Przedbórz** Łodzkie, S Poland
111 P17 **Przemyśl** *Rus.* Peremyshl. Podkarpackie, SE Poland
111 O16 **Przeworsk** Podkarpackie, SE Poland
Przheval'sk *see* Karakol
110 L13 **Przysucha** Mazowieckie, SE Poland
115 H18 **Psachná** *var.* Psahna, Psakhná. Évvoia, C Greece
Psahna/Psakhná *see* Psachná
115 K18 **Psará** *island* E Greece
115 I16 **Psathoúra** *island* Vóreioi Sporádes, Greece, Aegean Sea
Pschestitz *see* Přeštice
Psein Lora *see* Pishin Lora
117 S5 **Psël** ≈ Russian Federation/Ukraine
115 M21 **Psérimos** *island* Dodekánisos, Greece, Aegean Sea
Pseyn Bowr *see* Pishin Lora
Pskem *see* Piskom
147 R8 **Pskemskiy Khrebet** *Uzb.* Piskom Tizmasi. ⛰ Kyrgyzstan/Uzbekistan
124 F14 **Pskov** *Ger.* Pleskau, *Latv.* Pleskava. Pskovskaya Oblast', W Russian Federation
118 K6 **Pskov, Lake** *Est.* Pihkva Järv, *Ger.* Pleskauer See, *Rus.* Pskovskoye Ozero. ◎ Estonia/Russian Federation
124 F15 **Pskovskaya Oblast'** ◈ *province* W Russian Federation
Pskovskoye Ozero *see* Pskov, Lake
112 G9 **Psunj** ⛰ NE Croatia
111 J17 **Pszczyna** *Ger.* Pless. Śląskie, S Poland
Ptačnik/Ptacsnik *see* Vtáčnik
115 D17 **Ptéri** ▲ C Greece
Ptich' *see* Ptsich
115 E14 **Ptolemaïda** *prev.* Ptolemaïs. Dytikí Makedonía, N Greece
Ptolemaïs *see* Ptolemaïda, Greece
Ptolemaïs *see* 'Akko, Israel
119 M19 **Ptsich** *Rus.* Ptich'. Homyel'skaya Voblasts', SE Belarus
119 M18 **Ptsich** *Rus.* Ptich'. ≈ SE Belarus
109 X10 **Ptuj** *Ger.* Pettau; *anc.* Poetovio. NE Slovenia
61 A23 **Puán** Buenos Aires, E Argentina
192 H15 **Pu'apu'a** Savai'i, C Samoa
192 G15 **Puava, Cape** *headland* Savai'i, NW Samoa
56 F12 **Pucallpa** Ucayali, C Peru
57 J17 **Pucarani** La Paz, NW Bolivia
Pučarevo *see* Novi Travnik
157 U12 **Pucheng** *var.* Nanpu. Fujian, SE China
160 L6 **Pucheng** Shaanxi, C China
125 N16 **Puchezh** Ivanovskaya Oblast', W Russian Federation
111 I19 **Púchov** *Hung.* Puhó. Trenčiansky Kraj, W Slovakia
116 J13 **Pucioasa** Dâmbovița, S Romania
110 I6 **Puck** Pomorskie, N Poland
30 L8 **Puckaway Lake** ◎ Wisconsin, N USA
63 G15 **Pucón** Araucanía, S Chile
93 M14 **Pudasjärvi** Oulu, C Finland
148 L8 **Pūdeh Tal, Shelleh-ye** ≈ SW Afghanistan
127 S1 **Pudem** Udmurtskaya Respublika, NW Russian Federation
Pudewitz *see* Pobiedziska
124 K11 **Pudozh** Respublika Kareliya, NW Russian Federation
97 M17 **Pudsey** N England, UK
Puduchcheri *see* Pondicherry
151 H21 **Pudukkottai** Tamil Nādu, SE India
171 Z13 **Pue** Papua, E Indonesia
41 P14 **Puebla** *var.* Puebla de Zaragoza. Puebla, S Mexico
41 P15 **Puebla** ◈ *state* S Mexico
104 L11 **Puebla de Alcocer** Extremadura, W Spain
Puebla de Don Fabrique *see* Puebla de Don Fadrique
105 P13 **Puebla de Don Fadrique** *var.* Puebla de Don Fabrique. Andalucía, S Spain
104 J11 **Puebla de la Calzada** Extremadura, W Spain
104 J5 **Puebla de Sanabria** Castilla-León, N Spain
104 I4 **Puebla de Trives** *see* A Pobla de Trives
Puebla de Zaragoza *see* Puebla
37 T6 **Pueblo** Colorado, C USA
37 N10 **Pueblo Colorado Wash** *valley* Arizona, SW USA
61 C16 **Pueblo Libertador** Corrientes, NE Argentina
40 J10 **Pueblo Nuevo** Durango, C Mexico
42 J8 **Pueblo Nuevo** Estelí, NW Nicaragua
54 J3 **Pueblo Nuevo** Falcón, N Venezuela
42 B6 **Pueblo Nuevo Tiquisate** *var.* Tiquisate. Escuintla, SW Guatemala
41 Q11 **Pueblo Viejo, Laguna de** *lagoon* E Mexico
63 J14 **Puelches** La Pampa, C Argentina
104 L14 **Puente-Genil** Andalucía, S Spain
105 Q3 **Puente la Reina** *Bas.* Gares. Navarra, N Spain
104 L12 **Puente Nuevo, Embalse de** ▣ S Spain
57 D14 **Puente Piedra** Lima, W Peru
160 F14 **Pu'er** *var.* Ning'er. Yunnan, SW China
45 V6 **Puerca, Punta** *headland* E Puerto Rico
37 R12 **Puerco, Rio** ≈ New Mexico, SW USA
57 J17 **Puerto Acosta** La Paz, W Bolivia
63 G19 **Puerto Aisén** Aisén, S Chile
41 R17 **Puerto Ángel** Oaxaca, SE Mexico
Puerto Argentino *see* Stanley
41 T17 **Puerto Arista** Chiapas, SE Mexico
43 O16 **Puerto Armuelles** Chiriquí, SW Panama
Puerto Arrecife *see* Arrecife
54 D14 **Puerto Asís** Putumayo, SW Colombia
54 L9 **Puerto Ayacucho** Amazonas, SW Venezuela
57 C18 **Puerto Ayora** Galapagos Islands, Ecuador, E Pacific Ocean
57 C18 **Puerto Baquerizo Moreno** *var.* Baquerizo Moreno. Galapagos Islands, Ecuador, E Pacific Ocean
42 G4 **Puerto Barrios** Izabal, E Guatemala
Puerto Bello *see* Portobelo
54 F8 **Puerto Berrío** Antioquia, C Colombia
54 F9 **Puerto Boyaca** Boyacá, C Colombia
54 K4 **Puerto Cabello** Carabobo, N Venezuela
43 N7 **Puerto Cabezas** *var.* Bilwi. Región Autónoma Atlántico Norte, NE Nicaragua
54 L9 **Puerto Carreño** Vichada, E Colombia
54 E4 **Puerto Colombia** Atlántico, N Colombia
42 H4 **Puerto Cortés** Cortés, NW Honduras
54 J4 **Puerto Cumarebo** Falcón, N Venezuela
Puerto de Cabras *see* Puerto del Rosario
55 Q5 **Puerto de Hierro** Sucre, NE Venezuela
64 O11 **Puerto de la Cruz** Tenerife, Islas Canarias, Spain, NE Atlantic Ocean
64 Q11 **Puerto del Rosario** *var.* Puerto de Cabras. Fuerteventura, Islas Canarias, Spain, NE Atlantic Ocean
63 J20 **Puerto Deseado** Santa Cruz, SE Argentina
40 F8 **Puerto Escondido** Baja California Sur, W Mexico
41 R17 **Puerto Escondido** Oaxaca, SE Mexico
60 G12 **Puerto Esperanza** Misiones, NE Argentina
56 D6 **Puerto Francisco de Orellana** *var.* Coca. Orellana, N Ecuador
54 H10 **Puerto Gaitán** Meta, C Colombia
Puerto Gallegos *see* Río Gallegos
60 G12 **Puerto Iguazú** Misiones, NE Argentina
56 F12 **Puerto Inca** Huánuco, N Peru
54 L11 **Puerto Inírida** *var.* Obando. Guainía, E Colombia
42 K13 **Puerto Jesús** Guanacaste, NW Costa Rica
41 Z11 **Puerto Juárez** Quintana Roo, SE Mexico
55 N5 **Puerto La Cruz** Anzoátegui, NE Venezuela
54 E14 **Puerto Leguízamo** Putumayo, S Colombia
43 N5 **Puerto Lempira** Gracias a Dios, E Honduras
Puerto Libertad *see* La Libertad
54 I11 **Puerto Limón** Meta, E Colombia
54 D13 **Puerto Limón** Putumayo, SW Colombia
Puerto Limón *see* Limón
105 N11 **Puertollano** Castilla-La Mancha, C Spain
63 K17 **Puerto Lobos** Chubut, SE Argentina
54 I3 **Puerto López** La Guajira, N Colombia
105 Q14 **Puerto Lumbreras** Murcia, SE Spain
41 V17 **Puerto Madero** Chiapas, SE Mexico
63 K17 **Puerto Madryn** Chubut, S Argentina
Puerto Magdalena *see* Bahía Magdalena
57 J15 **Puerto Maldonado** Madre de Dios, E Peru
Puerto Masachapa *see* Masachapa
Puerto México *see* Coatzacoalcos
63 G17 **Puerto Montt** Los Lagos, C Chile
41 Z12 **Puerto Morelos** Quintana Roo, SE Mexico
54 L10 **Puerto Nariño** Vichada, E Colombia
63 H23 **Puerto Natales** Magallanes, S Chile
43 X15 **Puerto Obaldía** San Blas, NE Panama
44 H6 **Puerto Padre** Las Tunas, E Cuba
54 L9 **Puerto Páez** Apure, C Venezuela
40 E3 **Puerto Peñasco** Sonora, NW Mexico
55 N5 **Puerto Píritu** Anzoátegui, NE Venezuela
45 N8 **Puerto Plata** *var.* San Felipe de Puerto Plata. N Dominican Republic
45 N8 **Puerto Plata** ✕ N Dominican Republic
Puerto Presidente Stroessner *see* Ciudad del Este
171 N6 **Puerto Princesa** *off.* Puerto Princesa City. Palawan, W Philippines
Puerto Princesa City *see* Puerto Princesa
Puerto Príncipe *see* Camagüey
Puerto Quellón *see* Quellón
60 F13 **Puerto Rico** Misiones, NE Argentina
57 K14 **Puerto Rico** Pando, N Bolivia
54 E12 **Puerto Rico** Caquetá, S Colombia
45 U5 **Puerto Rico** *off.* Commonwealth of Puerto Rico; *prev.* Porto Rico. ◇ *US commonwealth territory* C West Indies
64 F11 **Puerto Rico** *island* C West Indies
64 G11 **Puerto Rico Trench** *undersea feature* NE Caribbean Sea
54 I8 **Puerto Rondón** Arauca, E Colombia
Puerto San José *see* San José
63 J21 **Puerto San Julián** *var.* San Julián. Santa Cruz, SE Argentina
63 I22 **Puerto Santa Cruz** *var.* Santa Cruz. Santa Cruz, SE Argentina
Puerto Sauce *see* Juan L.Lacaze
57 Q20 **Puerto Suárez** Santa Cruz, E Bolivia
54 D13 **Puerto Umbría** Putumayo, SW Colombia
40 J13 **Puerto Vallarta** Jalisco, SW Mexico
63 G16 **Puerto Varas** Los Lagos, C Chile
42 M13 **Puerto Viejo** Heredia, NE Costa Rica
Puertoviejo *see* Portoviejo
57 B18 **Puerto Villamil** *var.* Villamil. Galapagos Islands, Ecuador, E Pacific Ocean
54 F8 **Puerto Wilches** Santander, N Colombia
63 H20 **Pueyrredón, Lago** *var.* Lago Cochrane. ◎ S Argentina
127 R7 **Pugachëv** Saratovskaya Oblast', W Russian Federation
127 T3 **Pugachëvo** Udmurtskaya Respublika, NW Russian Federation
32 H8 **Puget Sound** *sound* Washington, NW USA
107 O17 **Puglia** *var.* Le Puglie, *Eng.* Apulia. ◈ *region* SE Italy
107 N17 **Puglia, Canosa di** *anc.* Canusium. Puglia, SE Italy
118 I6 **Puhja** *Ger.* Kawelecht. Tartumaa, SE Estonia
Puhó *see* Púchov
105 V4 **Puigcerdà** Cataluña, NE Spain
Puigmal *see* Puigmal d'Err
103 N17 **Puigmal d'Err** *var.* Puigmal. ▲ S France
76 I16 **Pujehun** S Sierra Leone
Puka *see* Pukë
185 E20 **Pukaki, Lake** ◎ South Island, NZ
38 F10 **Pukalani** Maui, Hawai'i, USA, C Pacific Ocean
190 J13 **Pukapuka** *atoll* N Cook Islands
191 X9 **Pukapuka** *atoll* Îles Tuamotu, E French Polynesia
Pukari Neem *see* Purekkari Neem
191 X11 **Pukarua** *var.* Pukaruha. *atoll* Îles Tuamotu, E French Polynesia
Pukaruha *see* Pukarua
14 A7 **Pukaskwa** ≈ Ontario, S Canada
11 V12 **Pukatawagan** Manitoba, C Canada
191 X16 **Pukatikei, Maunga** Ѫ Easter Island, Chile, E Pacific Ocean
182 C1 **Pukatja** *var.* Ernabella. South Australia
163 Y12 **Pukch'ŏng** E North Korea
113 L18 **Pukë** *var.* Puka. Shkodër, N Albania
184 L6 **Pukekohe** Auckland, North Island, NZ
184 L7 **Pukemiro** Waikato, North Island, NZ
190 D12 **Puke, Mont** ▲ Île Futuna, W Wallis and Futuna
Puket *see* Phuket
185 C20 **Puketeraki Range** ⛰ South Island, NZ
184 N13 **Puketoi Range** ⛰ North Island, NZ
185 F21 **Pukeuri Junction** Otago, South Island, NZ
119 L16 **Pukhavichy** *Rus.* Pukhovichi. Minskaya Voblasts', C Belarus
Pukhovichi *see* Pukhavichy
124 M10 **Puksoozero** Arkhangel'skaya Oblast', NW Russian Federation
112 A10 **Pula** *It.* Pola; *prev.* Pulj. Istra, NW Croatia
Pula *see* Nyingchi
163 U14 **Pulandian** *var.* Xinjin. Liaoning, NE China
163 T14 **Pulandian Wan** *bay* NE China
189 O15 **Pulap Atoll** *atoll* Caroline Islands, C Micronesia
18 H9 **Pulaski** New York, NE USA
20 I10 **Pulaski** Tennessee, S USA
21 R7 **Pulaski** Virginia, NE USA
171 Y14 **Pulau, Sungai** ≈ Papua, E Indonesia
110 N13 **Puławy** *Ger.* Neu Amerika. Lubelskie, E Poland
146 I16 **Pulhatyn** *Rus.* Polekhatum; *prev.* Pul'-I-Khatum. Ahal Welaýaty, S Turkmenistan
101 E16 **Pulheim** Nordrhein-Westfalen, W Germany
Pulicat *see* Pālghāt
155 J19 **Pulicat Lake** *lagoon* SE India
Pul'-I-Khatum *see* Pulhatyn
Pul-i-Khumri *see* Pol-e Khomrī
Pul-i-Sefid *see* Pol-e Safīd
Pulj *see* Pula
109 W2 **Pulkau** ≈ NE Austria
93 L15 **Pulkkila** Oulu, C Finland
122 C7 **Pul'kovo** ✕ (Sankt-Peterburg) Leningradskaya Oblast', NW Russian Federation
32 M9 **Pullman** Washington, NW USA
108 B10 **Pully** Vaud, SW Switzerland
40 F7 **Púlpita, Punta** *headland* W Mexico
110 M10 **Pułtusk** Mazowieckie, C Poland
158 H10 **Pulu** Xinjiang Uygur Zizhiqu, W China
137 P13 **Pülümür** Tunceli, E Turkey
189 N16 **Pulusuk** *island* Caroline Islands, C Micronesia
189 N16 **Puluwat Atoll** *atoll* Caroline Islands, C Micronesia
25 N11 **Pumpville** Texas, SW USA
191 P7 **Punaauia** *var.* Hakapehi. Tahiti, W French Polynesia
56 B8 **Puná, Isla** *island* SW Ecuador
185 G16 **Punakaiki** West Coast, South Island, NZ
153 T11 **Punakha** C Bhutan
57 L18 **Punata** Cochabamba, C Bolivia
155 E14 **Pune** *prev.* Poona. Mahārāshtra, W India
83 M17 **Pungoè, Rio** *var.* Púnguè, Pungwe. ≈ C Mozambique
21 X10 **Pungo River** ≈ North Carolina, SE USA
Púnguè/Pungwe *see* Pungoè, Rio
79 N19 **Punia** Maniema, E Dem. Rep. Congo
62 H8 **Punilla, Sierra de la** ⛰ W Argentina
161 P14 **Puning** Guangdong, S China
62 G10 **Punitaqui** Coquimbo, C Chile
152 H8 **Punjab** ◈ *state* NW India
149 T9 **Punjab** *prev.* West Punjab, Western Punjab. ◈ *province* E Pakistan
93 O17 **Punkaharju** *var.* Punkasalmi. Isä-Suomi, E Finland
Punkasalmi *see* Punkaharju
57 I17 **Puno** Puno, SE Peru
57 H17 **Puno** *off.* Departamento de Puno. ◈ *department* S Peru
61 B24 **Punta Alta** Buenos Aires, E Argentina
63 H24 **Punta Arenas** *prev.* Magallanes. Magallanes, S Chile
45 T6 **Punta, Cerro de** ▲ C Puerto Rico
43 T15 **Punta Chame** Panamá, C Panama
57 G17 **Punta Colorada** Arequipa, SW Peru
40 F9 **Punta Coyote** Baja California Sur, W Mexico
62 G8 **Punta de Díaz** Atacama, N Chile
61 G20 **Punta del Este** Maldonado, S Uruguay
63 K17 **Punta Delgada** Chubut, SE Argentina
55 O5 **Punta de Mata** Monagas, NE Venezuela
55 O4 **Punta de Piedras** Nueva Esparta, NE Venezuela
42 F4 **Punta Gorda** Toledo, SE Belize
43 N11 **Punta Gorda** Región Autónoma Atlántico Sur, SE Nicaragua
23 W14 **Punta Gorda** Florida, SE USA
42 M11 **Punta Gorda, Río** ≈ SE Nicaragua
62 H6 **Punta Negra, Salar de** *salt lake* N Chile
40 D5 **Punta Prieta** Baja California, NW Mexico
42 L13 **Puntarenas** Puntarenas, W Costa Rica
42 L13 **Puntarenas** *off.* Provincia de Puntarenas. ◈ *province* W Costa Rica
54 J4 **Punto Fijo** Falcón, N Venezuela
105 S4 **Puntón de Guara** ▲ N Spain
18 D14 **Punxsutawney** Pennsylvania, NE USA
93 M14 **Puolanka** Oulu, C Finland
57 J17 **Pupuya, Nevado** ▲ W Bolivia
Puqi *see* Chibi
57 F16 **Puquio** Ayacucho, S Peru
122 J9 **Pur** ≈ N Russian Federation
186 D7 **Purari** ≈ S PNG
27 N11 **Purcell** Oklahoma, C USA
11 O16 **Purcell Mountains** ⛰ British Columbia, S Canada
105 P14 **Purchena** Andalucía, S Spain
27 S8 **Purdy** Missouri, C USA
118 I2 **Purekkari Neem** *prev.* Pukari Neem. *headland* N Estonia
37 U7 **Purgatoire River** ≈ Colorado, C USA
Purgstall *see* Purgstall an der Erlauf
109 V5 **Purgstall an der Erlauf** *var.* Purgstall. Niederösterreich, NE Austria
154 O13 **Puri** *var.* Jagannath. Orissa, E India
Puriramya *see* Buriram
109 X4 **Purkersdorf** Niederösterreich, NE Austria
98 I9 **Purmerend** Noord-Holland, C Netherlands
151 G16 **Pūrna** ≈ C India
Purnea *see* Pūrnia
153 R13 **Pūrnia** *prev.* Purnea. Bihār, NE India
Pursat *see* Poŭthĭsăt, Poŭthĭsăt, W Cambodia
Pursat *see* Poŭthĭsăt, Stœng, W Cambodia
Purulia *see* Puruliya
150 L13 **Puruliya** *prev.* Purulia. West Bengal, NE India
47 G7 **Purus, Rio** *Sp.* Río Purús. ≈ Brazil/Peru
186 C9 **Purutu Island** *island* SW PNG
93 N17 **Puruvesi** ◎ SE Finland
22 L7 **Purvis** Mississippi, S USA
114 J11 **Pŭrvomay** *prev.* Borisovgrad. Plovdiv, C Bulgaria
169 R16 **Purwodadi** *prev.* Poerwodadi. Jawa, C Indonesia
169 P16 **Purwokerto** *prev.* Poerwokerto. Jawa, C Indonesia
169 P16 **Purworejo** *prev.* Poerworedjo. Jawa, C Indonesia
20 H8 **Puryear** Tennessee, S USA
154 H13 **Pusad** Mahārāshtra, C India
163 Z16 **Pusan** *off.* Pusan-gwangyŏksi, *var.* Busan, *Jap.* Fusan. SE South Korea
168 H7 **Pusatgajo, Pegunungan** ⛰ Sumatera, NW Indonesia
Puschlav *see* Poschiavo
Pushkin *see* Tsarskoye Selo
127 Q8 **Pushkino** Saratovskaya Oblast', W Russian Federation
Pushkino *see* Biläsuvar
111 M22 **Püspökladány** Hajdú-Bihar, E Hungary
118 J3 **Püssi** *Ger.* Isenhof. Ida-Virumaa, NE Estonia
116 I5 **Pustomyty** L'vivs'ka Oblast', W Ukraine
124 F16 **Pustoshka** Pskovskaya Oblast', W Russian Federation
Pusztakalán *see* Călan
167 N1 **Putao** *prev.* Fort Hertz. Kachin State, N Myanmar
184 M8 **Putaruru** Waikato, North Island, NZ
Puteoli *see* Pozzuoli
161 R12 **Putian** Fujian, SE China
107 O17 **Putignano** Puglia, SE Italy
Puting *see* De'an
Putivl' *see* Putyvl'
41 Q16 **Putla** *var.* Putla de Guerrero. Oaxaca, SE Mexico
Putla de Guerrero *see* Putla
19 N12 **Putnam** Connecticut, NE USA
25 Q7 **Putnam** Texas, SW USA
18 M10 **Putney** Vermont, NE USA
111 L20 **Putnok** Borsod-Abaúj-Zemplén, NE Hungary
Putorana, Gory/Putorana Mountains *see* Putorana, Plato
122 L8 **Putorana, Plato** *var.* Gory Putorana, *Eng.* Putorana Mountains. ⛰ N Russian Federation
168 K9 **Putrajaya** ● (Malaysia), Kuala Lumpur, Peninsular Malaysia
62 H2 **Putre** Tarapacá, N Chile
155 J24 **Puttalam** North Western Province, W Sri Lanka
155 J24 **Puttalam Lagoon** *lagoon* W Sri Lanka
99 H17 **Putte** Antwerpen, C Belgium
94 E10 **Puttegga** ▲ S Norway
98 K11 **Putten** Gelderland, C Netherlands
100 K7 **Puttgarden** Schleswig-Holstein, N Germany
Puttiala *see* Patiāla
101 D20 **Püttlingen** Saarland, SW Germany
54 D14 **Putumayo** *off.* Intendencia del Putumayo. ◈ *province* S Colombia
56 H8 **Putumayo, Río** *var.* Rio Içá. ≈ NW South America *see also* Içá, Rio
169 P11 **Putus, Tanjung** *headland* Borneo, N Indonesia
116 J8 **Putyla** Chernivets'ka Oblast', W Ukraine
117 S3 **Putyvl'** *Rus.* Putivl'. Sums'ka Oblast', NE Ukraine
93 M18 **Puula** ◎ SE Finland
93 N18 **Puumala** Isä-Suomi, E Finland
118 I5 **Puurmani** *Ger.* Talkhof. Jõgevamaa, E Estonia
99 G17 **Puurs** Antwerpen, N Belgium
38 P10 **Pu'u 'Ula'ula** *var.* Red Hill. ▲ Maui, Hawai'i, USA, C Pacific Ocean
38 A8 **Pu'uwai** *var.* Puuwai. Ni'ihau, Hawai'i, USA, C Pacific Ocean
12 J4 **Puvirnituq** *prev.* Povungnituk. Québec, NE Canada
32 H8 **Puyallup** Washington, NW USA
161 O5 **Puyang** Henan, C China
161 R9 **Puyang Jiang** *var.* Tsien Tang. ≈ SE China
103 O11 **Puy-de-Dôme** ◈ *department* C France
103 N15 **Puylaurens** Tarn, S France
102 M13 **Puy-l'Evêque** Lot, S France
103 N17 **Puymorens, Col de** *pass* S France
56 C7 **Puyo** Pastaza, C Ecuador
185 A24 **Puysegur Point** *headland* South Island, NZ
148 J8 **Pūzak, Hāmūn-e** *Pash.* Hāmūn-i-Puzak. ◎ SW Afghanistan
Puzak, Hāmūn-i- *see* Pūzak, Hāmūn-e
81 J23 **Pwani** *Eng.* Coast. ◈ *region* E Tanzania
79 O23 **Pweto** Katanga, SE Dem. Rep. Congo
97 I19 **Pwllheli** NW Wales, UK
189 O14 **Pwok** Pohnpei, E Micronesia
122 I9 **Pyakupur** ≈ N Russian Federation
124 M6 **Pyalitsa** Murmanskaya Oblast', NW Russian Federation
124 K10 **Pyal'ma** Respublika Kareliya, NW Russian Federation
Pyandzh *see* Panj
126 I6 **Pyaozero, Ozero** ◎ NW Russian Federation
166 L9 **Pyapon** Irrawaddy, SW Myanmar
119 J15 **Pyarshai** *Rus.* Pershay. Minskaya Voblasts', C Belarus
122 K8 **Pyasina** ≈ N Russian Federation
114 I10 **Pyasŭchnik, Yazovir** ▣ C Bulgaria
Pyatikhatki *see* P"yatykhatky
117 S7 **P"yatykhatky** *Rus.* Pyatikhatki. Dnipropetrovs'ka Oblast', E Ukraine
166 M6 **Pyawbwe** Mandalay, C Myanmar
127 T3 **Pychas** Udmurtskaya Respublika, NW Russian Federation
Pyè *see* Prome
166 K6 **Pyechin** Chin State, W Myanmar
119 G17 **Pyeski** *Rus.* Peski. Hrodzyenskaya Voblasts', W Belarus
119 L19 **Pyetrykaw** *Rus.* Petrikov. Homyel'skaya Voblasts', SE Belarus
93 M16 **Pyhäjärvi** ◎ C Finland
93 O17 **Pyhäjärvi** ◎ SE Finland
93 L15 **Pyhäjoki** Oulu, W Finland
93 L15 **Pyhäjoki** ≈ W Finland
93 M15 **Pyhäntä** Oulu, C Finland
93 M16 **Pyhäsalmi** Oulu, C Finland
93 O17 **Pyhäselkä** ◎ SE Finland
93 M19 **Pyhtää** *Swe.* Pyttis. Etelä-Suomi, S Finland
166 M6 **Pyinmana** Mandalay, C Myanmar
115 N24 **Pylés** *var.* Piles. Kárpathos, SE Greece
115 D21 **Pýlos** *var.* Pilos. Pelopónnisos, S Greece
18 B12 **Pymatuning Reservoir** ▣ Ohio/Pennsylvania, NE USA
163 X15 **P'yŏngt'aek** NW South Korea
163 V14 **P'yŏngyang** *var.* P'yŏngyang-si, *Eng.* Pyongyang. ● (North Korea) SW North Korea
P'yŏngyang-si *see* P'yŏngyang
35 Q4 **Pyramid Lake** ◎ Nevada, W USA
37 P15 **Pyramid Mountains** ⛰ New Mexico, SW USA
37 R5 **Pyramid Peak** ▲ Colorado, C USA
115 D17 **Pyramíva** *var.* Piramiva. ▲ C Greece
Pyrenaei Montes *see* Pyrenees
102 L17 **Pyrenees** *Fr.* Pyrénées, *Sp.* Pirineos; *anc.* Pyrenaei Montes. ⛰ SW Europe
102 J16 **Pyrénées-Atlantiques** ◈ *department* SW France
103 N17 **Pyrénées-Orientales** ◈ *department* S France
115 L19 **Pyrgí** *var.* Pirgi. Chíos, E Greece
115 D20 **Pýrgos** *var.* Pírgos. Dytikí Ellás, S Greece
Pyritz *see* Pyrzyce
115 E19 **Pýrros** ≈ S Greece
117 R4 **Pyryatyn** *Rus.* Piryatin. Poltavs'ka Oblast', NE Ukraine
110 D9 **Pyrzyce** *Ger.* Pyritz. Zachodnio-pomorskie, NW Poland
124 F15 **Pytalovo** *Latv.* Abrene; *prev.* Jaunlatgale. Pskovskaya Oblast', W Russian Federation
115 M20 **Pythagóreio** *var.* Pithagorio. Sámos, Dodekánisos, Greece, Aegean Sea
14 L11 **Pythonga, Lac** ◎ Québec, SE Canada
Pyttis *see* Pyhtää
166 M7 **Pyu** Pegu, C Myanmar
166 M8 **Pyuntaza** Pegu, SW Myanmar
153 N11 **Pyuthan** Mid Western, W Nepal
110 H12 **Pyzdry** *Ger.* Peisern. Wielkopolskie, C Poland

Q

138 H13 **Qā' al Jafr** ◎ S Jordan
197 O11 **Qaanaaq** *var.* Qânâq, *Dan.* Thule. Avannaarsua, N Greenland
138 G7 **Qabb Eliâs** E Lebanon
Qabil *see* Al Qābil
Qabırrı *see* Iori
Qābis *see* Gabès
Qābis, Khalīj *see* Gabès, Golfe de
Qabqa *see* Gonghe
141 S14 **Qabr Hūd** C Yemen
Qacentina *see* Constantine
148 L4 **Qādes** Bādghīs, NW Afghanistan
139 T11 **Qādisīyah** S Iraq
143 O4 **Qā'emshahr** *prev.* 'Alīābad, Shāhī. Māzandarān, N Iran
143 U7 **Qā'en** *var.* Qain, Qāyen. Khorāsān, E Iran
141 U13 **Qafa** *spring/well* SW Oman
Qafşah *see* Gafsa
163 Q12 **Qagan Nur** *var.* Xulun Hobot Qagan, Zhengxiangbai Qi. Nei Mongol Zizhiqu, N China
163 V9 **Qagan Nur** ◎ NE China
163 Q11 **Qagan Nur** ◎ N China
Qagan Us *see* Dulan

◆ COUNTRY ● COUNTRY CAPITAL ◇ DEPENDENT TERRITORY ○ DEPENDENT TERRITORY CAPITAL ◈ ADMINISTRATIVE REGION ✕ INTERNATIONAL AIRPORT ▲ MOUNTAIN ⛰ MOUNTAIN RANGE Ѫ VOLCANO ≈ RIVER ◎ LAKE ▣ RESERVOIR

Qagcaka – Rachid ••• 311

158 H13 **Qagcaka** Xizang Zizhiqu, W China
Qagcheng see Xiangcheng
Qahremānshahr see Kermānshāh
159 Q10 **Qaidam He** ~ C China
156 L8 **Qaidam Pendi** *basin* C China
Qain see Qā'en
Qala Āhangarān see Chaghcharān
139 U3 **Qalā Diza** *var.* Qal 'at Dīzah. NE Iraq
Qal'ah Sālih see Qal'at Şāliḩ
147 R13 **Qal'aikhum** *Rus.* Kalaikhum. S Tajikistan
Qala Nau see Qal'eh-ye Now
141 V17 **Qalansīyah** Suquṭrā, W Yemen
Qala Panja see Qal'eh-ye Panjeh
Qala Shāhar see Qal'eh Shahr
Qalāt see Kalāt
139 W9 **Qal'at Aḩmad** E Iraq
141 N11 **Qal'at Bīshah** 'Asīr, SW Saudi Arabia
138 H4 **Qal'at Burzay** Ḩamāh, W Syria
Qal 'at Dīzah see Qalā Diza
139 W9 **Qal'at Ḩusayh** E Iraq
139 V10 **Qal'at Majnūnah** S Iraq
139 X11 **Qal'at Şāliḩ** *var.* Qal'ah Sālih. E Iraq
139 V10 **Qal'at Sukkar** SE Iraq
Qalba Zhotasy see Kalbinskiy Khrebet
143 Q12 **Qal'eh Biābān** Fārs, S Iran
149 N4 **Qal'eh Shahr** *Pash.* Qala Shāhar. Sar-e Pol, N Afghanistan
148 L4 **Qal'eh-ye Now** *var.* Qala Nau. Bādghīs, NW Afghanistan
149 T2 **Qal'eh-ye Panjeh** *var.* Qala Panja. Badakhshān, NE Afghanistan
Qamar Bay see Qamar, Ghubbat al
141 U14 **Qamar, Ghubbat al** *Eng.* Qamar Bay. *bay* Oman/Yemen
141 V13 **Qamar, Jabal al** ▲ SW Oman
147 N12 **Qamashi** Qashqadaryo Viloyati, S Uzbekistan
Qambar see Kambar
159 R14 **Qamdo** Xizang Zizhiqu, W China
75 R7 **Qaminis** NE Libya
Qamishly see Al Qāmishlī
Qânâq see Qaanaaq
Qandahār see Kandahār
80 Q11 **Qandala** Bari, NE Somalia
Qandyaghash see Kandyagash
138 L2 **Qanṭarī** Ar Raqqah, N Syria
Qapiciğ Dağı see Qazangödağ
158 H5 **Qapqal** *var.* Qapqal Xibe Zizhixian. Xinjiang Uygur Zizhiqu, NW China
Qapqal Xibe Zizhixian see Qapqal
Qapshagay Böyeni see Kapchagayskoye Vodokhranilishche
Qapugtang see Zadoi
196 M15 **Qaqortoq** *Dan.* Julianehåb. Kitaa, S Greenland
75 U8 **Qâra** *var.* Qārah. NW Egypt
139 T4 **Qara Anjīr** N Iraq
Qarabāgh see Qarah Bāgh
Qaraböget see Karaboget
Qarabulaq see Karabulak
Qarabutaq see Karabutak
Qaraghandy/Qaraghandy Oblysy see Karaganda
Qaraghayly see Karagayly
139 U4 **Qara Gol** NE Iraq
Qārah see Qâra
148 J4 **Qarah Bāgh** *var.* Qarabāgh. Herāt, NW Afghanistan
138 G7 **Qaraoun, Lac de** *var.* Buḩayrat al Qir'awn. ◎ S Lebanon
Qaraoy see Karaoy
Qaraqoyyn see Karakoyyn, Ozero
Qara Qum see Garagum
Qarasū see Karasu
Qaratal see Karatal
Qarataū see Karatau, Khrebet, Kazakhstan
Qarataū see Karatau, Zhambyl, Kazakhstan
Qaraton see Karaton
80 P13 **Qardho** *var.* Kardh, *It.* Gardo. Bari, N Somalia
142 M6 **Qareh Chāy** ~ N Iran
142 K2 **Qareh Sū** ~ NW Iran
Qariateïne see Al Qaryatayn
Qarkilik see Ruoqiang
147 O13 **Qarluq** *Rus.* Karluk. Surxondaryo Viloyati, S Uzbekistan
147 U12 **Qarokŭl** *Rus.* Karakul'. E Tajikistan
147 T12 **Qarokŭl** *Rus.* Ozero Karakul'. ◎ E Tajikistan
Qarqan see Qiemo
158 K9 **Qarqan He** ~ NW China
Qarqannah, Juzur see Kerkenah, Îles de
Qarqaraly see Karkaralinsk
149 O1 **Qarqīn** Jowzjān, N Afghanistan
Qars see Kars
Qarsaqbay see Karsakpay
146 M12 **Qarshi** *Rus.* Karshi; *prev.* Bek-Budi. Qashqadaryo Viloyati, S Uzbekistan
146 L12 **Qarshi Cho'li** *Rus.* Karshinskaya Step. *grassland* S Uzbekistan
146 M13 **Qarshi Kanali** *Rus.* Karshinskiy Kanal. *canal* Turkmenistan/Uzbekistan
Qaryatayn see Al Qaryatayn
146 M12 **Qashqadaryo Viloyati** *Rus.* Kashkadar'inskaya Oblast'. ◈ *province* S Uzbekistan
Qasigianguit see Qasigiannguit
197 N13 **Qasigiannguit** *var.* Qasigianguit, *Dan.* Christianshåb. Kitaa, C Greenland
Qaşīm, Minṭaqat see Al Qaşīm
139 P8 **Qaşr 'Amij** C Iraq
139 R9 **Qaşr Darwīshāh** C Iraq
142 J6 **Qaşr-e Shīrīn** Kermānshāh, W Iran
75 V10 **Qasr Farâfra** W Egypt
Qassim see Al Qaşīm
141 O16 **Qa'ṭabah** SW Yemen
138 H7 **Qaṭanā** *var.* Katana. Dimashq, S Syria
143 N15 **Qatar** *off.* State of Qatar, *Ar.* Dawlat Qaṭar. ◆ *monarchy* SW Asia
Qatrana see Al Qaṭrānah
143 Q12 **Qaṭrūyeh** Fārs, S Iran
Qattara Depression/Qaṭṭārah, Munkhafaḍ al see Qaṭṭâra, Monkhafad el
75 U8 **Qaṭṭâra, Monkhafad el** *var.* Munkhafaḍ al Qaṭṭārah, *Eng.* Qattara Depression. *desert* NW Egypt
Qaṭṭīnah, Buḩayrat see Ḩimş, Buḩayrat
Qaydār see Qeydār
Qāyen see Qā'en
147 Q11 **Qayroqqum** *Rus.* Kayrakkum. NW Tajikistan
147 Q10 **Qayroqqum, Obanbori** *Rus.* Kayrakkumskoye Vodokhranilishche. ▣ NW Tajikistan
137 V13 **Qazangödağ** *Rus.* Gora Kapydzhik, *Turk.* Qapiciğ Dağı. ▲ SW Azerbaijan
139 U7 **Qazānīyah** *var.* Dhū Shaykh. E Iraq
Qazaqstan/Qazaqstan Respublikasy see Kazakhstan
137 T9 **Qazbegi** *Rus.* Kazbegi. NE Georgia
149 P15 **Qāzi Ahmad** *var.* Kazi Ahmad. Sind, SE Pakistan
137 Y12 **Qazimämmäd** *Rus.* Kazi Magomed. SE Azerbaijan
Qazris see Cáceres
142 M4 **Qazvīn** *var.* Kazvin. Qazvīn, N Iran
142 M5 **Qazvīn** ◈ *province* N Iran
187 Z13 **Qelelevu Lagoon** *lagoon* NE Fiji
75 X10 **Qena** *var.* Qinā; *anc.* Caene, Caenepolis. E Egypt
113 L23 **Qeparo** Vlorë, S Albania
Qeqertarssuaq see Qeqertarsuaq
197 N13 **Qeqertarsuaq** *var.* Qeqertarssuaq, *Dan.* Godhavn. Kitaa, Greenland
196 M13 **Qeqertarsuaq** *island* W Greenland
197 N13 **Qeqertarsuup Tunua** *Dan.* Disko Bugt. *inlet* W Greenland
Qerveh see Qorveh
143 S14 **Qeshm** Hormozgān, S Iran
143 R14 **Qeshm** *var.* Jazīreh-ye Qeshm, Qeshm Island. *island* S Iran
Qeshm Island/Qeshm, Jazīreh-ye see Qeshm
142 L4 **Qeydār** *var.* Qaydār. Zanjān, NW Iran
142 K5 **Qezel Owzan, Rūd-e** *var.* Ki Zil Uzen, Qi Zil Uzun. ~ NW Iran
Qian see Guizhou
161 Q2 **Qian'an** Hebei, E China
Qian Gorlo/Qian Gorlos/Qian Gorlos Mongolzu Zizhixian/Qianguozhen see Qianguo
165 V9 **Qianguo** *var.* Qian Gorlo, Qian Gorlos, Qian Gorlos Mongolzu Zizhixian, Qianguozhen. Jilin, NE China
161 N9 **Qianjiang** Hubei, C China
160 K10 **Qianjiang** Sichuan, C China
160 L14 **Qian Jiang** ~ S China
160 G9 **Qianning** *var.* Gartar. Sichuan, C China
163 U13 **Qian Shan** ▲▲ NE China
160 H10 **Qianwei** *var.* Yujin. Sichuan, C China
160 J11 **Qianxi** Guizhou, S China
Qiaotou see Datong
Qiaowa see Muli
159 Q7 **Qiaowan** Gansu, N China
Qibili see Kebili
158 K9 **Qiemo** *var.* Qarqan. Xinjiang Uygur Zizhiqu, NW China
160 J10 **Qijiang** *var.* Gunan. Chongqing Shi, C China
159 N5 **Qijiaojing** Xinjiang Uygur Zizhiqu, NW China
Qike see Xunke
149 P9 **Qila Saifullāh** Baluchistān, SW Pakistan
159 S9 **Qilian** *var.* Babao. Qinghai, C China
159 N8 **Qilian Shan** *var.* Kilien Mountains. ▲▲ N China
197 O11 **Qimusseriarsuaq** *Dan.* Melville Bugt, *Eng.* Melville Bay. *bay* NW Greenland
Qinā see Qena
159 W11 **Qin'an** Gansu, C China
Qincheng see Nanfeng
Qing see Qinghai
163 W7 **Qing'an** Heilongjiang, NE China
161 R5 **Qingdao** *var.* Ching-Tao, Ch'ing-tao, Tsingtao, Tsintao, *Ger.* Tsingtau. Shandong, E China
163 V8 **Qinggang** Heilongjiang, NE China
Qinggil see Qinghe
159 P11 **Qinghai** *var.* Chinghai, Koko Nor, Qing, Qinghai Sheng, Tsinghai. ◈ *province* C China
159 S10 **Qinghai Hu** *var.* Ch'ing Hai, Tsing Hai, *Mong.* Koko Nor. ◎ C China
Qinghai Sheng see Qinghai
158 M3 **Qinghe** *var.* Qinggil. Xinjiang Uygur Zizhiqu, NW China
160 L4 **Qingjian** Shaanxi, C China
160 L9 **Qing Jiang** ~ C China
Qingjiang see Huai'an
Qingkou see Ganyu
160 I12 **Qinglong** *var.* Liancheng. Guizhou, S China
161 Q2 **Qinglong** Hebei, E China
Qingshan see Wudalianchi
159 R12 **Qingshuihe** Qinghai, C China
159 X10 **Qingyang** *var.* Xifeng. Gansu, C China
Qingyang see Jinjiang
161 N14 **Qingyuan** Guangdong, S China
163 V11 **Qingyuan** *var.* Qingyuan Manzu Zizhixian. Liaoning, NE China
Qingyuan Manzu Zizhixian see Qingyuan
158 L13 **Qingzang Gaoyuan** *var.* Xizang Gaoyuan, *Eng.* Plateau of Tibet. *plateau* W China
161 Q4 **Qingzhou** *prev.* Yidu. Shandong, E China
157 R9 **Qin He** ~ C China
161 Q2 **Qinhuangdao** Hebei, E China
160 K7 **Qin Ling** ▲▲ C China
Qin Xian see Qinxian
161 N5 **Qinxian** *var.* Qin Xian. Shanxi, C China
161 N6 **Qinyang** Henan, C China
160 K15 **Qinzhou** Guangxi Zhuangzu Zizhiqu, S China
Qiong see Hainan
160 L17 **Qionghai** *prev.* Jiaji. Hainan, S China
160 H9 **Qionglai** Sichuan, C China
160 H8 **Qionglai Shan** ▲ C China
Qiongxi see Hongyuan
160 L17 **Qiongzhou Haixia** *var.* Hainan Strait. *strait* S China
163 U7 **Qiqihar** *var.* Ch'i-ch'i-ha-erh, Tsitsihar; *prev.* Lungkiang. Heilongjiang, NE China
143 P12 **Qīr** Fārs, S Iran
158 H10 **Qira** Xinjiang Uygur Zizhiqu, NW China
Qir'awn, Buḩayrat al see Qaraoun, Lac de
138 F11 **Qiryat Gat** *var.* Kiryat Gat. Southern, C Israel
138 G8 **Qiryat Shemona** Northern, N Israel
Qishlaq see Garmsār
141 U14 **Qishn** SE Yemen
138 G9 **Qishon, Nahal** ~ N Israel
Qita Ghazzah see Gaza Strip
156 K5 **Qitai** Xinjiang Uygur Zizhiqu, NW China
163 Y8 **Qitaihe** Heilongjiang, NE China
141 W12 **Qitbīt, Wādī** *dry watercourse* S Oman
161 O5 **Qixian** *var.* Qi Xian, Zhaoge. Henan, C China
Qizān see Jīzān
Qizil Orda see Kyzylorda
Qizil Qum/Qizilqum see Kyzyl Kum
147 V14 **Qizilrabot** *Rus.* Kyzylrabot. SE Tajikistan
146 J10 **Qizilravot** *Rus.* Kyzylrabat. Buxoro Viloyati, C Uzbekistan
Qi Zil Uzun see Qezel Owzan, Rūd-e
139 S4 **Qizil Yār** N Iraq
Qoghaly see Kugaly
Qogir Feng see K2
143 N6 **Qom** *var.* Kum, Qum. Qom, N Iran
143 N6 **Qom** ◈ *province* N Iran
Qomisheh see Shahreẑā
Qomolangma Feng see Everest, Mount
142 M7 **Qom, Rūd-e** ~ C Iran
Qomsheh see Shahreẑā
Qomul see Hami
Qondūz see Kunduz
146 G7 **Qo'ng'irot** *Rus.* Kungrad. Qoraqalpog'iston Respublikasi, NW Uzbekistan
Qongyrat see Konyrat
Qoqek see Tacheng
147 R10 **Qo'qon** *var.* Khokand, *Rus.* Kokand. Farg'ona Viloyati, E Uzbekistan
Qorabowur Kirlari see Karabaur', Uval
Qoradaryo see Karadar'ya
146 G6 **Qorajar** *Rus.* Karadzhar. Qoraqalpog'iston Respublikasi, NW Uzbekistan
146 K12 **Qorako'l** *Rus.* Karakul'. Buxoro Viloyati, C Uzbekistan
146 H7 **Qorao'zak** *Rus.* Karauzyak. Qoraqalpog'iston Respublikasi, NW Uzbekistan
146 E5 **Qoraqalpog'iston** *Rus.* Karakalpakya. Qoraqalpog'iston Respublikasi, NW Uzbekistan
146 G7 **Qoraqalpog'iston Respublikasi** *Rus.* Respublika Karakalpakstan. ◈ *autonomous republic* NW Uzbekistan
Qorgazhyn see Kurgal'dzhino
138 H6 **Qornet es Saouda** ▲ NE Lebanon
146 L12 **Qorovulbozor** *Rus.* Karaulbazar. Buxoro Viloyati, C Uzbekistan
142 K5 **Qorveh** *var.* Qerveh, Qurveh. Kordestān, W Iran
147 N11 **Qo'shrabot** *Rus.* Kushrabat. Samarqand Viloyati, C Uzbekistan
Qosshaghyl see Koschagyl
Qostanay/Qostanay Oblysy see Kostanay
143 P12 **Qoṭbābād** Fārs, S Iran
143 R13 **Qoṭbābād** Hormozgān, S Iran
138 H6 **Qoubaïyât** *var.* Al Qubayyāt. N Lebanon
Qoussantîna see Constantine
158 K16 **Qowowuyag** see Cho Oyu
147 O11 **Qo'ytosh** *Rus.* Koytash. Jizzax Viloyati, C Uzbekistan
146 G7 **Qozonketkan** *Rus.* Kazanketken. Qoraqalpog'iston Respublikasi, W Uzbekistan
146 H6 **Qozoqdaryo** *Rus.* Kazakdar'ya. Qoraqalpog'iston Respublikasi, NW Uzbekistan
19 N11 **Quabbin Reservoir** ▣ Massachusetts, NE USA
100 F12 **Quakenbrück** Niedersachsen, NW Germany
18 I15 **Quakertown** Pennsylvania, NE USA
182 M10 **Quambatook** Victoria, SE Australia
25 Q4 **Quanah** Texas, SW USA
167 V10 **Quang Ngai** *var.* Quangngai, Quang Nghia. Quang Ngai, C Vietnam
Quang Nghia see Quang Ngai
167 T9 **Quang Tri** Quang Tri, C Vietnam
Quanjiang see Suichuan
Quan Long see Ca Mau
152 L4 **Quanshuigou** China/India
161 R13 **Quanzhou** *var.* Ch'uan-chou, Tsinkiang; *prev.* Chin-chiang. Fujian, SE China
160 M12 **Quanzhou** Guangxi Zhuangzu Zizhiqu, S China
11 V16 **Qu'Appelle** ~ Saskatchewan, S Canada
12 M3 **Quaqtaq** *prev.* Koartac. Québec, NE Canada
61 E16 **Quaraí** Rio Grande do Sul, S Brazil
59 H24 **Quaraí, Rio** *Sp.* Río Cuareim. ~ Brazil/Uruguay **see also** Cuareim, Río
171 N13 **Quarles, Pegunungan** ▲▲ Sulawesi, C Indonesia
Quarnero see Kvarner
107 C20 **Quartu Sant' Elena** Sardegna, Italy, C Mediterranean Sea
29 X13 **Quasqueton** Iowa, C USA
173 X16 **Quatre Bornes** W Mauritius
172 I17 **Quatre Bornes** Mahé, NE Seychelles
137 X10 **Quba** *Rus.* Kuba. N Azerbaijan
Qubba see Ba'qūbah
143 T3 **Qūchān** *var.* Kuchan. Khorāsān, NE Iran
183 R10 **Queanbeyan** New South Wales, SE Australia
15 Q10 **Québec** *var.* Quebec. Québec, SE Canada
14 K10 **Québec** *var.* Quebec. ◈ *province* SE Canada
61 D17 **Quebracho** Paysandú, W Uruguay
101 K14 **Quedlinburg** Sachsen-Anhalt, C Germany
138 H10 **Queen Alia** ✕ ('Ammān) 'Al 'Ammān, C Jordan
10 L16 **Queen Bess, Mount** ▲ British Columbia, SW Canada
10 I14 **Queen Charlotte** British Columbia, SW Canada
65 B24 **Queen Charlotte Bay** *bay* West Falkland, Falkland Islands
10 H14 **Queen Charlotte Islands** *Fr.* Îles de la Reine-Charlotte. *island group* British Columbia, SW Canada
10 I15 **Queen Charlotte Sound** *sea area* British Columbia, W Canada
10 J16 **Queen Charlotte Strait** *strait* British Columbia, W Canada
27 U1 **Queen City** Missouri, C USA
25 X5 **Queen City** Texas, SW USA
8 L3 **Queen Elizabeth Islands** *Fr.* Îles de la Reine-Élisabeth. *island group* Nunavut, N Canada
195 Y10 **Queen Mary Coast** *physical region* Antarctica
65 N24 **Queen Mary's Peak** ▲ C Tristan da Cunha
196 M8 **Queen Maud Gulf** *gulf* Arctic Ocean
195 P11 **Queen Maud Mountains** ▲▲ Antarctica
Queen's County see Laois
181 U7 **Queensland** ◈ *state* N Australia
192 I9 **Queensland Plateau** *undersea feature* N Coral Sea
183 O16 **Queenstown** Tasmania, SE Australia
185 C22 **Queenstown** Otago, South Island, NZ
83 I24 **Queenstown** Eastern Cape, S South Africa
Queenstown see Cobh
32 F8 **Queets** Washington, NW USA
61 D18 **Queguay Grande, Río** ~ W Uruguay
59 O16 **Queimadas** Bahia, E Brazil
82 D11 **Quela** Malanje, NW Angola
83 O16 **Quelimane** *var.* Kilimane, Kilmain, Quilimane. Zambézia, NE Mozambique
63 G18 **Quellón** *var.* Puerto Quellón. Los Lagos, S Chile
Quelpart see Cheju-do
37 P12 **Quemado** New Mexico, SW USA
25 O12 **Quemado** Texas, SW USA
44 K7 **Quemado, Punta de** *headland* E Cuba
Quemoy see Chinmen Tao
62 K13 **Quemú Quemú** La Pampa, E Argentina
155 E17 **Quepem** Goa, W India
42 M14 **Quepos** Puntarenas, S Costa Rica
Que Que see Kwekwe
61 D23 **Quequén** Buenos Aires, E Argentina
61 D23 **Quequén Grande, Río** ~ E Argentina
61 C23 **Quequén Salado, Río** ~ E Argentina
Quera see Chur
41 N13 **Querétaro** Querétaro de Arteaga, C Mexico
40 F4 **Querobabi** Sonora, NW Mexico
42 M13 **Quesada** *var.* Ciudad Quesada, San Carlos. Alajuela, N Costa Rica
105 O13 **Quesada** Andalucía, S Spain
161 O7 **Queshan** Henan, C China
10 M15 **Quesnel** British Columbia, SW Canada
37 S9 **Questa** New Mexico, SW USA
102 H7 **Questembert** Morbihan, NW France
57 K22 **Quetena, Río** ~ SW Bolivia
149 O10 **Quetta** Baluchistān, SW Pakistan
Quetzalcoalco see Coatzacoalcos
Quetzaltenango see Quezaltenango
56 B6 **Quevedo** Los Ríos, C Ecuador
42 B6 **Quezaltenango** *var.* Quetzaltenango. Quezaltenango, W Guatemala
42 A2 **Quezaltenango** *off.* Departamento de Quezaltenango, *var.* Quetzaltenango. ◈ *department* SW Guatemala
42 E6 **Quezaltepeque** Chiquimula, SE Guatemala
170 M6 **Quezon** Palawan, W Philippines
161 P5 **Qufu** Shandong, E China
82 B12 **Quibala** Cuanza Sul, NW Angola
82 B11 **Quibaxe** *var.* Quibaxi. Cuanza Norte, NW Angola
Quibaxi see Quibaxe
54 D9 **Quibdó** Chocó, W Colombia
102 G7 **Quiberon** Morbihan, NW France
102 G7 **Quiberon, Baie de** *bay* NW France
54 J5 **Quíbor** Lara, N Venezuela
42 C4 **Quiché** *off.* Departamento del Quiché. ◈ *department* W Guatemala
99 E21 **Quiévrain** Hainaut, S Belgium
40 I9 **Quila** Sinaloa, C Mexico
83 B14 **Quilengues** Huíla, SW Angola
Quilimane see Quelimane
57 G15 **Quillabamba** Cusco, C Peru
57 L18 **Quillacollo** Cochabamba, C Bolivia
62 H4 **Quillagua** Antofagasta, N Chile
103 N17 **Quillan** Aude, S France
11 U15 **Quill Lakes** ◎ Saskatchewan, S Canada
62 G11 **Quillota** Valparaíso, C Chile
155 G23 **Quilon** *var.* Kolam, Kollam. Kerala, SW India
181 V9 **Quilpie** Queensland, C Australia
149 O4 **Quil-Qala** Bāmīān, N Afghanistan
62 L7 **Quimilí** Santiago del Estero, C Argentina
57 O19 **Quimome** Santa Cruz, E Bolivia
102 F6 **Quimper** *anc.* Quimper Corentin. Finistère, NW France
Quimper Corentin see Quimper
102 G7 **Quimperlé** Finistère, NW France
32 F8 **Quinault** Washington, NW USA
32 F8 **Quinault River** ~ Washington, NW USA
35 P5 **Quincy** California, W USA
23 S8 **Quincy** Florida, SE USA
30 I13 **Quincy** Illinois, N USA
19 O11 **Quincy** Massachusetts, NE USA
32 J9 **Quincy** Washington, NW USA
54 E10 **Quindío** *off.* Departamento del Quindío. ◈ *province* C Colombia
54 E10 **Quindío, Nevado del** ▲ C Colombia
62 J11 **Quines** San Luis, C Argentina
39 N13 **Quinhagak** Alaska, USA
76 G13 **Quinhámel** W Guinea-Bissau
Qui Nhon/Quinhon see Quy Nhơn
Quinindé see Rosa Zárate
25 U6 **Quinlan** Texas, SW USA
61 H17 **Quinta** Rio Grande do Sul, S Brazil
105 O10 **Quintanar de la Orden** Castilla-La Mancha, C Spain
41 X13 **Quintana Roo** ◈ *state* SE Mexico
105 S6 **Quinto** Aragón, NE Spain
108 G10 **Quinto** Ticino, S Switzerland
27 Q11 **Quinton** Oklahoma, C USA
62 K12 **Quinto, Río** ~ C Argentina
82 A10 **Quinzau** Zaire, NW Angola
14 H8 **Quinze, Lac des** ◎ Québec, SE Canada
83 B15 **Quipungo** Huíla, C Angola
62 G13 **Quirihue** Bío Bío, C Chile
82 D12 **Quirima** Malanje, NW Angola
183 T6 **Quirindi** New South Wales, SE Australia
55 P5 **Quiriquire** Monagas, NE Venezuela
14 D10 **Quirke Lake** ◎ Ontario, S Canada
61 B21 **Quiroga** Buenos Aires, E Argentina
104 I4 **Quiroga** Galicia, NW Spain
Quirón, Salar see Pocitos, Salar
56 B9 **Quiroz, Río** ~ NW Peru
82 Q13 **Quissanga** Cabo Delgado, NE Mozambique
83 M20 **Quissico** Inhambane, S Mozambique
25 O6 **Quitaque** Texas, SW USA
82 Q13 **Quiterajo** Cabo Delgado, NE Mozambique
23 T6 **Quitman** Georgia, SE USA
22 M6 **Quitman** Mississippi, S USA
25 V6 **Quitman** Texas, SW USA
56 C6 **Quito** ● (Ecuador) Pichincha, N Ecuador
Quito see Mariscal Sucre
58 P13 **Quixadá** Ceará, E Brazil
83 Q15 **Quixaxe** Nampula, NE Mozambique
160 J9 **Qu Jiang** ~ C China
161 R10 **Qu Jiang** ~ SE China
161 N13 **Qujiang** *var.* Maba. Guangdong, S China
160 H12 **Qujing** Yunnan, SW China
Qulan see Kulan
163 T8 **Qulin Gol** *prev.* Chaor He. ~ N China
146 L10 **Quljuqtov-Togʻlari** *Rus.* Gory Kul'dzhuktau. ▲ C Uzbekistan
Qulsary see Kul'sary
Qulyndy Zhazyghy see Kulunda Steppe
Qum see Qom
Qumälisch see Lubartów
159 P11 **Qumar He** ~ C China
159 Q12 **Qumarlêb** *var.* Yuegaitan. Qinghai, C China
Qumisheh see Shahreẑā
147 O14 **Qumqoʻrgʻon** *Rus.* Kumkurgan. Surxondaryo Viloyati, S Uzbekistan
Qunaytirah/Qunayṭirah, Muḩāfaẓat al/Qunaytra see Al Qunayṭirah
189 V12 **Quoi** *island* Chuuk, C Micronesia
9 N8 **Quoich** ~ Nunavut, NE Canada
83 E26 **Quoin Point** *headland* SW South Africa
182 I7 **Quorn** South Australia
Qurein see Al Kuwayt
147 P14 **Qŭrghonteppa** *Rus.* Kurgan-Tyube. SW Tajikistan
Qurlurtuuq see Kugluktuk
Qurveh see Qorveh
Qusair see Quseir
137 X10 **Qusar** *Rus.* Kusary. NE Azerbaijan
Quşayr see Al Quşayr
75 Y10 **Quseir** *var.* Al Quşayr, Qusair. E Egypt
142 I2 **Qūshchī** Āžarbāyjān-e Bākhtarī, N Iran
Qusmuryn see Kushmurun, Kostanay, Kazakhstan
Qusmuryn see Kushmurun, Ozero, Kazakhstan
Quṭayfah/Qutayfe/Quteife see Al Quṭayfah
Quthing see Moyeni
147 S10 **Quvasoy** *Rus.* Kuvasay. Farg'ona Viloyati, E Uzbekistan
Quwair see Guwēr
Quxar see Lhazê
Qu Xian see Quzhou
159 N16 **Qūxü** *var.* Xoi. Xizang Zizhiqu, W China
Quyang see Jingzhou, Hunan
167 V13 **Quy Chanh** Ninh Thuân, S Vietnam
167 V11 **Quy Nhơn** *var.* Quinhon, Qui Nhon. Binh Đinh, C Vietnam
161 R10 **Quzhou** *var.* Qu Xian. Zhejiang, SE China
Qyteti Stalin see Kuçovë
Qyzylorda/Qyzylorda Oblysy see Kyzylorda
Qyzyltū see Kishkenekol'
Qyzylzhar see Kyzylzhar

R

109 R4 **Raab** Oberösterreich, N Austria
109 X8 **Raab** *Hung.* Rába. ~ Austria/Hungary **see also** Rába
Raab see Győr
109 V2 **Raabs an der Thaya** Niederösterreich, E Austria
93 L14 **Raahe** *Swe.* Brahestad. Oulu, W Finland
98 M10 **Raalte** Overijssel, E Netherlands
99 I14 **Raamsdonksveer** Noord-Brabant, S Netherlands
92 L12 **Raanujärvi** Lappi, NW Finland
96 G9 **Raasay** *island* NW Scotland, UK
118 H3 **Raasiku** *Ger.* Rasik. Harjumaa, NW Estonia
112 B11 **Rab** *It.* Arbe. Primorje-Gorski Kotar, NW Croatia
112 B11 **Rab** *It.* Arbe. *island* NW Croatia
171 N16 **Raba** Sumbawa, S Indonesia
111 G22 **Rába** *Ger.* Raab. ~ Austria/Hungary **see also** Raab
112 A10 **Rabac** Istra, NW Croatia
104 I2 **Rábade** Galicia, NW Spain
80 F10 **Rabak** White Nile, C Sudan
186 G9 **Rabaraba** Milne Bay, SE PNG
102 K16 **Rabastens-de-Bigorre** Hautes-Pyrénées, S France
121 O16 **Rabat** W Malta
74 F6 **Rabat** *var.* al Dar al Baida. ● (Morocco) NW Morocco
Rabat see Victoria
186 H6 **Rabaul** New Britain, E PNG
Rabbah Ammon/Rabbath Ammon see 'Ammān
28 K8 **Rabbit Creek** ~ South Dakota, N USA
14 H10 **Rabbit Lake** ◎ Ontario, S Canada
187 Y14 **Rabi** *prev.* Rambi. *island* N Fiji
140 K9 **Rābigh** Makkah, W Saudi Arabia
42 D5 **Rabinal** Baja Verapaz, C Guatemala
168 G9 **Rabi, Pulau** *island* NW Indonesia, East Indies
111 L17 **Rabka** Małopolskie, S Poland
155 F16 **Rabkavi** Karnātaka, W India
Râbniţa see Rîbniţa
109 Y6 **Rabnitz** ~ E Austria
124 J7 **Rabocheostrovsk** Respublika Kareliya, NW Russian Federation
23 U1 **Rabun Bald** ▲ Georgia, SE USA
75 S11 **Rabyānah** SE Libya
75 S11 **Rabyānah, Ramlat** *var.* Rebiana Sand Sea, Şaḩrā' Rabyānah. *desert* SE Libya
Rabyānah, Şaḩrā' see Rabyānah, Ramlat
116 L11 **Răcăciuni** Bacău, E Romania
Racaka see Riwoqê
107 J24 **Racalmuto** Sicilia, Italy, C Mediterranean Sea
116 J14 **Răcari** Dâmboviţa, SE Romania
Răcari see Durankulak
116 F13 **Răcăşdia** *Hung.* Rakasd. Caraş-Severin, SW Romania
106 B9 **Racconigi** Piemonte, NE Italy
31 T15 **Raccoon Creek** ~ Ohio, N USA
13 V13 **Race, Cape** *headland* Newfoundland and Labrador, E Canada
22 K10 **Raceland** Louisiana, S USA
19 Q12 **Race Point** *headland* Massachusetts, NE USA
167 S14 **Rach Gia** Kiên Giang, S Vietnam
167 S14 **Rach Gia, Vinh** *bay* S Vietnam
76 J8 **Rachid** Tagant, C Mauritania

◆ Country ● Country Capital ◇ Dependent Territory ○ Dependent Territory Capital ◈ Administrative Region ✕ International Airport ▲ Mountain ▲▲ Mountain Range Volcano ~ River ◎ Lake ▣ Reservoir

312 ••• Raciąż – Redange

110 L10 **Raciąż** Mazowieckie, C Poland
111 I16 **Racibórz** *Ger.* Ratibor. Śląskie, S Poland
31 N9 **Racine** Wisconsin, N USA
14 D7 **Racine Lake** ◎ Ontario, S Canada
111 J23 **Ráckeve** Pest, C Hungary
Rácz-Becse *see* Bečej
141 O15 **Radā'** *var.* Ridā'. W Yemen
113 O15 **Radan** ▲ SE Serbia and Montenegro (Yugo.)
63 J19 **Rada Tilly** Chubut, SE Argentina
116 K8 **Rădăuţi** *Ger.* Radautz, *Hung.* Rádóc. Suceava, N Romania
116 L8 **Rădăuţi-Prut** Botoşani, NE Romania
Radautz *see* Rădăuţi
Radbusa *see* Radbuza
111 A17 **Radbuza** *Ger.* Radbusa. ≈ SE Czech Republic
20 K6 **Radcliff** Kentucky, S USA
139 O2 **Radd, Wādī ar** *dry watercourse* N Syria
95 H16 **Råde** Østfold, S Norway
109 V11 **Radeče** *Ger.* Ratschach. C Slovenia
Radein *see* Radenci
116 J4 **Radekhiv** *Pol.* Radziechów, *Rus.* Radekhov. L'vivs'ka Oblast', W Ukraine
Radekhov *see* Radekhiv
109 X9 **Radenci** *Ger.* Radein; *prev.* Radinci. NE Slovenia
109 S9 **Radenthein** Kärnten, S Austria
21 R7 **Radford** Virginia, NE USA
154 C9 **Rādhanpur** Gujarāt, W India
Radinci *see* Radenci
127 Q6 **Radishchevo** Ul'yanovskaya Oblast', W Russian Federation
12 I9 **Radisson** Québec, E Canada
11 P16 **Radium Hot Springs** British Columbia, SW Canada
116 F11 **Radna** *Hung.* Máriaradna. Arad, W Romania
114 K10 **Radnevo** Stara Zagora, C Bulgaria
97 J20 **Radnor** *cultural region* E Wales, UK
Radnót *see* Iernut
Rádóc *see* Rădăuţi
101 H24 **Radolfzell am Bodensee** Baden-Württemberg, S Germany
110 M13 **Radom** Mazowieckie, C Poland
116 I14 **Radomireşti** Olt, S Romania
111 K14 **Radomsko** *Rus.* Novoradomsk. Łodzkie, C Poland
117 N4 **Radomyshl'** Zhytomyrs'ka Oblast', N Ukraine
113 P19 **Radoviš** *prev.* Radovište. E FYR Macedonia
Radovište *see* Radoviš
94 B13 **Radøy** *island* S Norway
109 R7 **Radstadt** Salzburg, NW Austria
182 E8 **Radstock, Cape** *headland* South Australia
119 G15 **Radun'** *Rus.* Radun'. Hrodzyenskaya Voblasts', W Belarus
126 M3 **Raduzhnyy** Vladimirskaya Oblast', W Russian Federation
118 F11 **Radviliškis** Šiauliai, N Lithuania
11 U17 **Radville** Saskatchewan, S Canada
140 K7 **Raḍwá, Jabal** ▲ W Saudi Arabia
111 P16 **Radymno** Podkarpackie, SE Poland
116 J5 **Radyvyliv** Rivnens'ka Oblast', NW Ukraine
Radziechów *see* Radekhiv
110 I11 **Radziejów** Kujawsko-pomorskie, C Poland
110 O12 **Radzyń Podlaski** Lubelskie, E Poland
8 J7 **Rae** ≈ Nunavut, NW Canada
152 M13 **Rāe Bareli** Uttar Pradesh, N India
Rae-Edzo *see* Edzo
21 T11 **Raeford** North Carolina, SE USA
99 M19 **Raeren** Liège, E Belgium
9 N7 **Rae Strait** *strait* Nunavut, N Canada
184 L11 **Raetihi** Manawatu-Wanganui, North Island, NZ
191 U13 **Raevavae** *var.* Raivavae. *island* Îles Australes, SW French Polynesia
Rafa *see* Rafah
62 M10 **Rafaela** Santa Fe, E Argentina
138 E11 **Rafah** *var.* Rafa, Rafaḥ, *Heb.* Rafiaḥ, Raphiah. SW Gaza Strip
79 L15 **Rafaï** Mbomou, SE Central African Republic
141 O4 **Rafḥah** Al Ḥudūd ash Shamālīyah, N Saudi Arabia
Rafiaḥ *see* Rafah
143 R10 **Rafsanjān** Kermān, C Iran
80 B13 **Raga** Western Bahr el Ghazal, SW Sudan
19 S8 **Ragged Island** *island* Maine, NE USA
44 I5 **Ragged Island Range** *island group* S Bahamas
184 L7 **Raglan** Waikato, North Island, NZ
22 G8 **Ragley** Louisiana, S USA
Ragnit *see* Neman
107 K25 **Ragusa** Sicilia, Italy, C Mediterranean Sea
Ragusa *see* Dubrovnik
Ragusavecchia *see* Cavtat
171 P14 **Raha** Pulau Muna, C Indonesia
119 N17 **Rahachow** *Rus.* Rogachëv. Homyel'skaya Voblasts', SE Belarus
Rahaeng *see* Tak
138 F11 **Rahat** Southern, C Israel
140 L8 **Rahaṭ, Ḥarrat** *lavaflow* W Saudi Arabia
149 S12 **Rahīmyār Khān** Punjab, SE Pakistan
95 I14 **Råholt** Akershus, S Norway
Rahovec *see* Orahovac
191 S10 **Raiatea** *island* Îles Sous le Vent, W French Polynesia
155 H16 **Rāichūr** Karnātaka, C India
Raidestos *see* Tekirdağ
153 S13 **Rāiganj** West Bengal, NE India
154 M11 **Raigarh** Chhattīsgarh, C India
183 O16 **Railton** Tasmania, SE Australia
36 L8 **Rainbow Bridge** *natural arch* Utah, W USA
23 Q3 **Rainbow City** Alabama, S USA
11 N11 **Rainbow Lake** Alberta, W Canada
21 R5 **Rainelle** West Virginia, NE USA
32 G10 **Rainier** Oregon, NW USA
32 H9 **Rainier, Mount** ⛰ Washington, NW USA
23 Q2 **Rainsville** Alabama, S USA
12 B11 **Rainy Lake** ◎ Canada/USA
12 A11 **Rainy River** Ontario, C Canada
Raippaluoto *see* Replot
154 K12 **Raipur** Chhattīsgarh, C India
154 H10 **Raisen** Madhya Pradesh, C India
15 N13 **Raisin** ≈ Ontario, SE Canada
31 R11 **Raisin, River** ≈ Michigan, N USA
Raivavae *see* Raevavae
149 W9 **Raiwind** Punjab, E Pakistan
171 T12 **Raja Ampat, Kepulauan** *island group* E Indonesia
155 L16 **Rājahmundry** Andhra Pradesh, E India
155 I18 **Rājampet** Andhra Pradesh, E India
Rajang *see* Rajang, Batang
169 S9 **Rajang, Batang** *var.* Rajang. ≈ East Malaysia
149 S11 **Rājanpur** Punjab, E Pakistan
155 H23 **Rājapālaiyam** Tamil Nādu, SE India
152 E12 **Rājasthān** ⬖ *state* NW India
153 T15 **Rajbari** Dhaka, C Bangladesh
153 R12 **Rajbiraj** Eastern, E Nepal
154 G9 **Rājgarh** Madhya Pradesh, C India
152 H10 **Rājgarh** Rājasthān, NW India
153 P14 **Rājgīr** Bihār, N India
110 O8 **Rajgród** Podlaskie, NE Poland
154 L12 **Rājim** Chhattīsgarh, C India
112 C11 **Rajinac, Mali** ▲ W Croatia
154 B10 **Rājkot** Gujarāt, W India
153 R14 **Rājmahal** Jhārkhand, NE India
153 Q14 **Rājmahāl Hills** *hill range* N India
154 K12 **Rāj Nāndgaon** Chhattīsgarh, C India
152 I8 **Rājpura** Punjab, NW India
153 S14 **Rajshahi** *prev.* Rampur Boalia. Rajshahi, W Bangladesh
153 S13 **Rajshahi** ⬖ *division* NW Bangladesh
190 K13 **Rakahanga** *atoll* N Cook Islands
185 H19 **Rakaia** Canterbury, South Island, NZ
185 G19 **Rakaia** ≈ South Island, NZ
152 H3 **Rakaposhi** ▲ N India
Rakasd *see* Răcăşdia
169 N15 **Rakata, Pulau** *var.* Pulau Krakatau. *island* S Indonesia
141 U10 **Rakbah, Qalamat ar** *well* SE Saudi Arabia
Rakhine State *see* Arakan State
116 I8 **Rakhiv** Zakarpats'ka Oblast', W Ukraine
141 V13 **Rakhyūt** SW Oman
192 K9 **Rakiraki** Viti Levu, W Fiji
Rakka *see* Ar Raqqah
118 I4 **Rakke** Lääne-Virumaa, NE Estonia
95 I16 **Rakkestad** Østfold, S Norway
110 F12 **Rakoniewice** *Ger.* Rakwitz. Wielkolpolskie, C Poland
Rakonitz *see* Rakovník
83 H18 **Rakops** Central, C Botswana
111 C16 **Rakovník** *Ger.* Rakonitz. Středočeský Kraj, W Czech Republic
114 J10 **Rakovski** Plovdiv, C Bulgaria
Rakutō-kō *see* Naktong-gang
118 I3 **Rakvere** *Ger.* Wesenberg. Lääne-Virumaa, N Estonia
Rakwitz *see* Rakoniewice
22 L6 **Raleigh** Mississippi, S USA
21 U9 **Raleigh** *state capital* North Carolina, SE USA
21 Y11 **Raleigh Bay** *bay* North Carolina, SE USA
21 U9 **Raleigh-Durham** ✈ North Carolina, SE USA
189 S6 **Ralik Chain** *island group* Ralik Chain, W Marshall Islands
25 N5 **Ralls** Texas, SW USA
18 G13 **Ralston** Pennsylvania, NE USA
141 O16 **Ramādah** W Yemen
Ramadi *see* Ar Ramādī
105 N2 **Ramales de la Victoria** Cantabria, N Spain
138 F10 **Ramallah** C West Bank
61 C19 **Ramallo** Buenos Aires, E Argentina
155 H20 **Rāmanagaram** Karnātaka, E India
155 I23 **Rāmanāthapuram** Tamil Nādu, SE India
154 N12 **Rāmapur** Orissa, E India
155 I14 **Rāmāreddi** *var.* Kāmāreddi, Kamareddy. Andhra Pradesh, C India
138 F10 **Ramat Gan** Tel Aviv, W Israel
103 T6 **Rambervillers** Vosges, NE France
Rambi *see* Rabi
103 N5 **Rambouillet** Yvelines, N France
186 E5 **Rambutyo Island** *island* N PNG
153 Q12 **Ramechhap** Central, C Nepal
183 R12 **Rame Head** *headland* Victoria, SE Australia
126 L4 **Ramenskoye** Moskovskaya Oblast', W Russian Federation
124 J15 **Rameshki** Tverskaya Oblast', W Russian Federation
153 P14 **Rāmgarh** Jhārkhand, N India
152 D11 **Rāmgarh** Rājasthān, NW India
142 M9 **Rāmhormoz** *var.* Ram Hormuz, Ramuz. Khūzestān, SW Iran
Ram Hormuz *see* Rāmhormoz
Ram, Jebel *see* Ramm, Jabal
138 F10 **Ramla** *var.* Ramle, Ramleh, *Ar.* Er Ramle. Central, C Israel
Ramle/Ramleh *see* Ramla
138 F14 **Ramm, Jabal** *var.* Jebel Ram. ▲ SW Jordan
152 K10 **Rāmnagar** Uttaranchal, N India
95 N15 **Ramnäs** Västmanland, C Sweden
Râmnicul-Sărat *see* Râmnicu Sărat
116 L12 **Râmnicu Sărat** *prev.* Râmnicul-Sărat, Rîmnicu-Sărat. Buzău, E Romania
116 I13 **Râmnicu Vâlcea** *prev.* Rîmnicu Vîlcea. Vâlcea, C Romania
Ramokgwebana *see* Ramokgwebane
83 J18 **Ramokgwebane** *var.* Ramokgwebana. Central, NE Botswana
126 L7 **Ramon'** Voronezhskaya Oblast', W Russian Federation
35 V17 **Ramona** California, W USA
56 A10 **Ramón, Laguna** ◎ NW Peru
14 G7 **Ramore** Ontario, S Canada
40 M11 **Ramos** San Luis Potosí, C Mexico
41 N8 **Ramos Arizpe** Coahuila de Zaragoza, NE Mexico
40 J9 **Ramos, Río de** ≈ C Mexico
83 I21 **Ramotswa** South East, S Botswana
39 R8 **Rampart** Alaska, USA
8 H8 **Ramparts** ≈ Northwest Territories, NW Canada
152 K10 **Rāmpur** Uttar Pradesh, N India
154 F9 **Rāmpura** Madhya Pradesh, C India
Rampur Boalia *see* Rajshahi
166 K6 **Ramree Island** *island* W Myanmar
141 W6 **Rams** *var.* Ar Rams. Ra's al Khaymah, NE UAE
143 N4 **Rāmsar** *prev.* Sakhtsar. Māzandarān, N Iran
93 H16 **Ramsele** Västernorrland, N Sweden
21 T9 **Ramseur** North Carolina, SE USA
97 I16 **Ramsey** NE Isle of Man
97 I16 **Ramsey Bay** *bay* NE Isle of Man
14 E9 **Ramsey Lake** ◎ Ontario, S Canada
97 Q22 **Ramsgate** SE England, UK
94 M10 **Ramsjö** Gävleborg, C Sweden
154 I12 **Rāmtek** Mahārāshtra, C India
Ramtha *see* Ar Ramthā
Ramuz *see* Rāmhormoz
118 G12 **Ramygala** Panevėžys, C Lithuania
152 H14 **Rāna Pratāp Sāgar** ◎ N India
169 V7 **Ranau** Sabah, East Malaysia
168 L14 **Ranau, Danau** ◎ Sumatera, W Indonesia
62 H12 **Rancagua** Libertador, C Chile
99 G22 **Rance** Hainaut, S Belgium
102 H6 **Rance** ≈ NW France
60 J9 **Rancharia** São Paulo, S Brazil
153 P15 **Rānchi** Jhārkhand, N India
61 D21 **Ranchos** Buenos Aires, E Argentina
37 S9 **Ranchos De Taos** New Mexico, SW USA
63 G16 **Ranco, Lago** ◎ C Chile
95 C16 **Randaberg** Rogaland, S Norway
29 U7 **Randall** Minnesota, N USA
107 L23 **Randazzo** Sicilia, Italy, C Mediterranean Sea
95 G21 **Randers** Århus, C Denmark
92 I12 **Randijaure** ◎ N Sweden
21 T9 **Randleman** North Carolina, SE USA
19 O11 **Randolph** Massachusetts, NE USA
29 Q13 **Randolph** Nebraska, C USA
36 M1 **Randolph** Utah, W USA
100 P9 **Randow** ≈ NE Germany
95 H14 **Randsfjorden** ◎ S Norway
92 K13 **Råneå** Norrbotten, N Sweden
92 G12 **Ranelva** ≈ C Norway
93 F15 **Ranemsletta** Nord-Trøndelag, C Norway
76 H10 **Ranérou** C Senegal
Ráneš *see* Ringvassøya
185 E22 **Ranfurly** Otago, South Island, NZ
167 P17 **Rangae** Narathiwat, SW Thailand
153 V16 **Rangamati** Chittagong, SE Bangladesh
184 I2 **Rangaunu Bay** *bay* North Island, NZ
19 P6 **Rangeley** Maine, NE USA
37 O4 **Rangely** Colorado, C USA
25 R7 **Ranger** Texas, SW USA
14 C9 **Ranger Lake** Ontario, S Canada
14 C9 **Ranger Lake** ◎ Ontario, S Canada
153 V12 **Rangia** Assam, NE India
185 I18 **Rangiora** Canterbury, South Island, NZ
191 T9 **Rangiroa** *atoll* Îles Tuamotu, W French Polynesia
184 N9 **Rangitaiki** ≈ North Island, NZ
185 F19 **Rangitata** ≈ South Island, NZ
184 M12 **Rangitikei** ≈ North Island, NZ
184 L6 **Rangitoto Island** *island* N NZ
Rangkasbitoeng *see* Rangkasbitung
169 N16 **Rangkasbitung** *prev.* Rangkasbitoeng. Jawa, SW Indonesia
167 P9 **Rang, Khao** ▲ C Thailand
147 V13 **Rangkŭl** *Rus.* Rangkul'. SE Tajikistan
Rangkul' *see* Rangkŭl
Rangoon *see* Yangon
153 T13 **Rangpur** Rajshahi, N Bangladesh
155 F18 **Rānibennur** Karnātaka, W India
153 R15 **Rāniganj** West Bengal, NE India
149 Q13 **Rānīpur** Sind, SE Pakistan
Rāniyah *see* Ŗānya
25 N9 **Rankin** Texas, SW USA
9 O9 **Rankin Inlet** Nunavut, C Canada
183 P8 **Rankins Springs** New South Wales, SE Australia
Rankovićevo *see* Kraljevo
108 I7 **Rankweil** Vorarlberg, W Austria
Rann *see* Brežice
127 T8 **Ranneye** Orenburgskaya Oblast', W Russian Federation
96 I10 **Rannoch, Loch** ◎ C Scotland, UK
191 U17 **Rano Kau** *var.* Rano Kao. *crater* Easter Island, Chile, E Pacific Ocean
167 N14 **Ranong** Ranong, SW Thailand
186 J8 **Ranongga** *var.* Ghanongga. *island* NW Solomon Islands
191 W16 **Rano Raraku** *ancient monument* Easter Island, Chile, E Pacific Ocean
171 V12 **Ransiki** Papua, E Indonesia
92 K12 **Rantajärvi** Norrbotten, N Sweden
93 N17 **Rantasalmi** Isä-Suomi, SE Finland
169 U13 **Rantau** Borneo, C Indonesia
168 L10 **Rantau, Pulau** *var.* Pulau Tebingtinggi. *island* W Indonesia
171 N13 **Rantepao** Sulawesi, C Indonesia
30 M13 **Rantoul** Illinois, N USA
93 L15 **Rantsila** Oulu, C Finland
92 L13 **Ranua** Lappi, NW Finland
139 T3 **Ŗānya** *var.* Rāniyah. NE Iraq
157 X3 **Raohe** Heilongjiang, NE China
74 H9 **Raoui, Erg er** *desert* W Algeria
193 O10 **Rapa** *island* Îles Australes, S French Polynesia
191 V14 **Rapa Iti** *island* Îles Australes, SW French Polynesia
106 D10 **Rapallo** Liguria, NW Italy
Rapa Nui *see* Pascua, Isla de
Raphiah *see* Rafah
21 V5 **Rapidan River** ≈ Virginia, NE USA
28 J10 **Rapid City** South Dakota, N USA
15 P8 **Rapide-Blanc** Québec, SE Canada
14 I8 **Rapide-Deux** Québec, SE Canada
118 K6 **Räpina** *Ger.* Rappin. Põlvamaa, SE Estonia
118 G4 **Rapla** *Ger.* Rappel. Raplamaa, NW Estonia
118 G4 **Raplamaa** *off.* Rapla Maakond. ⬖ *province* NW Estonia
21 X6 **Rappahannock River** ≈ Virginia, NE USA
Rappel *see* Rapla
108 G7 **Rapperswil** Sankt Gallen, NE Switzerland
Rappin *see* Räpina
153 N12 **Rāpti** ≈ N India
57 K16 **Rapulo, Río** ≈ E Bolivia
Raqqah/Raqqah, Muḥāfaẓat al *see* Ar Raqqah
18 J8 **Raquette Lake** ◎ New York, NE USA
18 J6 **Raquette River** ≈ New York, NE USA
191 V10 **Raraka** *atoll* Îles Tuamotu, C French Polynesia
191 V10 **Raroia** *atoll* Îles Tuamotu, C French Polynesia
190 H15 **Rarotonga** ✈ Rarotonga, S Cook Islands, C Pacific Ocean
190 H16 **Rarotonga** *island* S Cook Islands, C Pacific Ocean
147 P12 **Rarz** W Tajikistan
Ras al 'Ain *see* Ra's al 'Ayn
139 N2 **Ra's al 'Ayn** *var.* Ras al 'Ain. Al Ḥasakah, N Syria
138 H3 **Ra's al Basīṭ** Al Lādhiqīyah, W Syria
Ra's al-Hafgī *see* Ra's al Khafjī
141 R5 **Ra's al Khafjī** *var.* Ra's al-Hafgī. Ash Sharqīyah, NE Saudi Arabia
Ras al-Khaimah/Ras al Khaimah *see* Ra's al Khaymah
143 R15 **Ra's al Khaymah** *var.* Ras al Khaimah. Ra's al Khaymah, NE UAE
143 R15 **Ra's al Khaymah** *var.* Ras al-Khaimah. ✈ Ra's al Khaymah, NE UAE
138 G13 **Ra's an Naqb** Ma'ān, S Jordan
61 B26 **Rasa, Punta** *headland* E Argentina
171 V12 **Rasawi** Papua, E Indonesia
Râşcani *see* Rîşcani
80 J10 **Ras Dashen Terara** ▲ N Ethiopia
151 K19 **Rasdu Atoll** *atoll* C Maldives
118 E12 **Raseiniai** Kaunas, C Lithuania
75 X8 **Râs Ghârib** E Egypt
162 D6 **Rashaant** Bayan-Ölgiy, W Mongolia
162 L10 **Rashaant** Dundgovĭ, C Mongolia
162 J6 **Rashaant** Hövsgöl, N Mongolia
139 Y11 **Rashid** E Iraq
75 V7 **Rashîd** *Eng.* Rosetta. N Egypt
142 M3 **Rasht** *var.* Resht. Gīlān, NW Iran
139 S2 **Rashwān** N Iraq
Rasik *see* Raasiku
113 M15 **Raška** Serbia, C Serbia and Montenegro (Yugo.)
119 P15 **Rasna** *Rus.* Ryasna. Mahilyowskaya Voblasts', E Belarus
116 J12 **Râşnov** *prev.* Rîşno, Rozsnyó, *Hung.* Barcarozsnyó. Braşov, C Romania
118 L11 **Rasony** *Rus.* Rossony. Vitsyebskaya Voblasts', N Belarus
Ra's Shamrah *see* Ugarit
127 N7 **Rasskazovo** Tambovskaya Oblast', W Russian Federation
119 O16 **Rasta** ≈ E Belarus
Rastadt *see* Rastatt
Rastâne *see* Ar Rastān
141 S6 **Ra's Tannūrah** *Eng.* Ras Tanura. Ash Sharqīyah, NE Saudi Arabia
Ras Tanura *see* Ra's Tannūrah
101 G21 **Rastatt** *var.* Rastadt. Baden-Württemberg, SW Germany
Rastenburg *see* Kętrzyn
149 V7 **Rasūlnagar** Punjab, E Pakistan
189 U6 **Ratak Chain** *island group* Ratak Chain, E Marshall Islands
119 K15 **Ratamka** *Rus.* Ratomka. Minskaya Voblasts', C Belarus
93 G17 **Rätan** Jämtland, C Sweden
152 G11 **Ratangarh** Rājasthān, NW India
Rat Buri *see* Ratchaburi
167 O11 **Ratchaburi** *var.* Rat Buri. Ratchaburi, W Thailand
29 W15 **Rathbun Lake** ⊠ Iowa, C USA
Ráth Caola *see* Rathkeale
166 K5 **Rathedaung** Arakan State, W Myanmar
100 M12 **Rathenow** Brandenburg, NE Germany
97 C19 **Rathkeale** *Ir.* Ráth Caola. SW Ireland
96 F13 **Rathlin Island** *Ir.* Reachlainn. *island* N Northern Ireland, UK
97 C20 **Ráthluirc** *Ir.* An Ráth. SW Ireland
Ratibor *see* Racibórz
Ratisbon/Ratisbona/Ratisbonne *see* Regensburg
Rätische Alpen *see* Rhaetian Alps
38 E17 **Rat Island** *island* Aleutian Islands, Alaska, USA
38 E17 **Rat Islands** *island group* Aleutian Islands, Alaska, USA
154 F10 **Ratlām** *prev.* Rutlam. Madhya Pradesh, C India
155 D15 **Ratnāgiri** Mahārāshtra, W India
155 K26 **Ratnapura** Sabaragamuwa Province, S Sri Lanka
116 J2 **Ratne** *Rus.* Ratno. Volyns'ka Oblast', NW Ukraine
Ratno *see* Ratne
Ratomka *see* Ratamka
37 U8 **Raton** New Mexico, SW USA
139 O7 **Ratqah, Wādī ar** *dry watercourse* W Iraq
Ratschach *see* Radeče
167 O16 **Rattaphum** Songkhla, SW Thailand
26 L6 **Rattlesnake Creek** ≈ Kansas, C USA
94 L13 **Rättvik** Dalarna, C Sweden
100 K9 **Ratzeburg** Mecklenburg-Vorpommern, N Germany
100 K9 **Ratzeburger See** ◎ N Germany
10 J10 **Ratz, Mount** ▲ British Columbia, SW Canada
61 D22 **Rauch** Buenos Aires, E Argentina
41 U16 **Raudales** Chiapas, SE Mexico
Raudhatain *see* Ar Rawdatayn
Raudnitz an der Elbe *see* Roudnice nad Labem
92 K1 **Raufarhöfn** Nordhurland Eystra, NE Iceland
94 H13 **Raufoss** Oppland, S Norway
Raukawa *see* Cook Strait
184 Q8 **Raukumara** ▲ North Island, NZ
192 K11 **Raukumara Plain** *undersea feature* N Coral Sea
184 P8 **Raukumara Range** ▲▲ North Island, NZ
154 N11 **Rāulakela** *var.* Raurkela; *prev.* Rourkela. Orissa, E. India
95 F15 **Rauland** Telemark, S Norway
93 J19 **Rauma** *Swe.* Raumo. Länsi-Suomi, W Finland
94 F10 **Rauma** ≈ S Norway
Raumo *see* Rauma
118 H8 **Rauna** Cēsis, C Latvia
169 T17 **Raung, Gunung** ▲ Jawa, S Indonesia
Raurkela *see* Rāulakela
95 J22 **Raus** Skåne, S Sweden
165 W3 **Rausu** Hokkaidō, NE Japan
165 W3 **Rausu-dake** ▲ Hokkaidō, NE Japan
93 M17 **Rautalampi** Itä-Suomi, C Finland
93 N16 **Rautavaara** Itä-Suomi, C Finland
116 M9 **Răutel** ≈ C Moldova
93 O18 **Rautjärvi** Etelä-Suomi, S Finland
Rautu *see* Sosnovo
191 V11 **Ravahere** *atoll* Îles Tuamotu, C French Polynesia
107 J25 **Ravanusa** Sicilia, Italy, C Mediterranean Sea
143 S9 **Rāvar** Kermān, C Iran
147 Q11 **Ravat** Batkenskaya Oblast', SW Kyrgyzstan
18 K11 **Ravena** New York, NE USA
106 H10 **Ravenna** Emilia-Romagna, N Italy
29 O15 **Ravenna** Nebraska, C USA
31 U11 **Ravenna** Ohio, N USA
101 I24 **Ravensburg** Baden-Württemberg, S Germany
181 W4 **Ravenshoe** Queensland, NE Australia
180 K13 **Ravensthorpe** Western Australia
21 Q4 **Ravenswood** West Virginia, NE USA
149 U9 **Rāvi** ≈ India/Pakistan
112 C9 **Ravna Gora** Primorje-Gorski Kotar, NW Croatia
109 U10 **Ravne na Koroškem** *Ger.* Gutenstein. N Slovenia
139 P6 **Rāwah** W Iraq
191 T4 **Rawaki** *prev.* Phoenix Island. *atoll* Phoenix Islands, C Kiribati
149 U6 **Rāwalpindi** Punjab, NE Pakistan
110 L13 **Rawa Mazowiecka** Łódzkie, C Poland
139 T2 **Rawāndiz** *var.* Rawandoz, Rawāndūz. N Iraq
Rawandoz/Rawāndūz *see* Rawāndiz
171 U12 **Rawas** Papua, E Indonesia
139 O4 **Rawḑah** ◎ E Syria
110 G13 **Rawicz** *Ger.* Rawitsch. Wielkopolskie, C Poland
Rawitsch *see* Rawicz
180 M11 **Rawlinna** Western Australia
33 W16 **Rawlins** Wyoming, C USA
63 K17 **Rawson** Chubut, SE Argentina
159 R16 **Rawu** Xizang Zizhiqu, W China
153 P12 **Raxaul** Bihār, N India
28 K3 **Ray** North Dakota, N USA
169 S11 **Raya, Bukit** ▲ Borneo, C Indonesia
155 I18 **Rāyachoti** Andhra Pradesh, E India
Rāyadrug *see* Rāyagarha
155 M14 **Rāyagarha** *prev.* Rāyadrug. Orissa, E India
138 H7 **Rayak** *var.* Rayaq, Riyāq. E Lebanon
Rayaq *see* Rayak
139 T2 **Ŗāyat** E Iraq
169 N12 **Raya, Tanjung** *headland* Pulau Bangka, W Indonesia
13 R13 **Ray, Cape** *headland* Newfoundland and Labrador, E Canada
123 Q13 **Raychikhinsk** Amurskaya Oblast', SE Russian Federation
127 U5 **Rayevskiy** Respublika Bashkortostan, W Russian Federation
11 Q17 **Raymond** Alberta, SW Canada
22 K6 **Raymond** Mississippi, S USA
32 F9 **Raymond** Washington, NW USA
183 T8 **Raymond Terrace** New South Wales, SE Australia
25 T17 **Raymondville** Texas, SW USA
11 U16 **Raymore** Saskatchewan, S Canada
39 Q8 **Ray Mountains** ▲▲ Alaska, USA
22 H9 **Rayne** Louisiana, S USA
41 O12 **Rayón** San Luis Potosí, C Mexico
40 G4 **Rayón** Sonora, NW Mexico
167 P12 **Rayong** Rayong, S Thailand
25 T5 **Ray Roberts, Lake** ◎ Texas, SW USA
18 E15 **Raystown Lake** ⊠ Pennsylvania, NE USA
141 Y10 **Raysūt** SW Oman
27 R4 **Raytown** Missouri, C USA
22 I5 **Rayville** Louisiana, S USA
142 L5 **Razan** Hamadān, W Iran
139 S9 **Razāzah, Buḩayrat ar** *var.* Baḩr al Milḩ. ◎ C Iraq
114 L9 **Razboyna** ▲ E Bulgaria
Razdan *see* Hrazdan
Razdolnoye *see* Rozdol'ne
Razelm, Lacul *see* Razim, Lacul
139 U2 **Razga** E Iraq
114 L8 **Razgrad** Razgrad, N Bulgaria
114 L8 **Razgrad** ⬖ *province* N Bulgaria
117 N13 **Razim, Lacul** *prev.* Lacul Razelm. *lagoon* NW Black Sea
114 G11 **Razlog** Blagoevgrad, SW Bulgaria
118 K10 **Rāznas Ezers** ◎ SE Latvia
102 E6 **Raz, Pointe du** *headland* NW France
Reachlainn *see* Rathlin Island
Reachrainn *see* Lambay Island
97 N22 **Reading** S England, UK
18 H15 **Reading** Pennsylvania, NE USA
62 K12 **Realicó** La Pampa, C Argentina
25 R15 **Realitos** Texas, SW USA
108 G9 **Realp** Uri, C Switzerland
167 Q12 **Reăng Kesei** Bătdâmbâng, W Cambodia
191 Y11 **Reao** *atoll* Îles Tuamotu, E French Polynesia
Reate *see* Rieti
180 L11 **Rebecca, Lake** ◎ Western Australia
Rebiana Sand Sea *see* Rabyānah, Ramlat
124 H8 **Reboly** Respublika Kareliya, NW Russian Federation
165 S1 **Rebun** Rebun-tō, NE Japan
165 S1 **Rebun-tō** *island* NE Japan
106 J12 **Recanati** Marche, C Italy
Rechitsa *see* Rechytsa
109 Y7 **Rechnitz** Burgenland, SE Austria
119 J20 **Rechytsa** *Rus.* Rechitsa. Brestskaya Voblasts', SW Belarus
119 O19 **Rechytsa** *Rus.* Rechitsa. Homyel'skaya Voblasts', SE Belarus
59 Q15 **Recife** *prev.* Pernambuco. *state capital* Pernambuco, E Brazil
83 I26 **Recife, Cape** *Afr.* Kaap Recife. *headland* S South Africa
Recife, Kaap *see* Recife, Cape
172 I16 **Récifs, Îles aux** *island* Inner Islands, NE Seychelles
101 E14 **Recklinghausen** Nordrhein-Westfalen, W Germany
100 M8 **Recknitz** ≈ NE Germany
99 K23 **Recogne** Luxembourg, SE Belgium
61 C15 **Reconquista** Santa Fe, C Argentina
195 O6 **Recovery Glacier** *glacier* Antarctica
59 G15 **Recreio** Mato Grosso, W Brazil
27 X9 **Rector** Arkansas, C USA
110 E9 **Recz** *Ger.* Reetz Neumark. Zachodnio-pomorskie, NW Poland
99 L24 **Redange** *var.* Redange-sur-Attert. Diekirch, W Luxembourg

◆ Country ● Country Capital ◇ Dependent Territory ○ Dependent Territory Capital ⬖ Administrative Region ✈ International Airport ▲ Mountain ▲▲ Mountain Range ⛰ Volcano ≈ River ◎ Lake ⊠ Reservoir

REDANGE-SUR-ATTERT – RIMASZOMBAT ••• 313

Redange-sur-Attert see Redange
18 C13 **Redbank Creek** ∼ Pennsylvania, NE USA
13 S9 **Red Bay** Québec, E Canada
23 N2 **Red Bay** Alabama, S USA
35 N4 **Red Bluff** California, W USA
24 J8 **Red Bluff Reservoir** ⊠ New Mexico/Texas, SW USA
30 K16 **Red Bud** Illinois, N USA
30 J5 **Red Cedar River** ∼ Wisconsin, N USA
11 R17 **Redcliff** Alberta, SW Canada
83 K17 **Redcliff** Midlands, C Zimbabwe
182 L9 **Red Cliffs** Victoria, SE Australia
29 P17 **Red Cloud** Nebraska, C USA
22 L8 **Red Creek** ∼ Mississippi, S USA
11 P15 **Red Deer** Alberta, SW Canada
11 Q16 **Red Deer** ∼ Alberta, SW Canada
39 O11 **Red Devil** Alaska, USA
35 N3 **Redding** California, W USA
97 L20 **Redditch** W England, UK
29 P9 **Redfield** South Dakota, N USA
24 J12 **Redford** Texas, SW USA
45 V13 **Redhead** Trinidad, Trinidad and Tobago
182 I8 **Red Hill** South Australia
Red Hill see Pu'u 'Ula'ula
26 K7 **Red Hills** hill range Kansas, C USA
13 T12 **Red Indian Lake** ◎ Newfoundland and Labrador, E Canada
124 J16 **Redkino** Tverskaya Oblast', W Russian Federation
12 A10 **Red Lake** Ontario, C Canada
36 I10 **Red Lake** salt flat Arizona, SW USA
29 S4 **Red Lake Falls** Minnesota, N USA
29 R4 **Red Lake River** ∼ Minnesota, N USA
35 U15 **Redlands** California, W USA
18 G16 **Red Lion** Pennsylvania, NE USA
33 U11 **Red Lodge** Montana, NW USA
32 H13 **Redmond** Oregon, NW USA
36 L5 **Redmond** Utah, W USA
32 H8 **Redmond** Washington, NW USA
Rednitz see Regnitz
29 T15 **Red Oak** Iowa, C USA
18 K12 **Red Oaks Mill** New York, NE USA
102 I7 **Redon** Ille-et-Vilaine, NW France
45 W10 **Redonda** island SW Antigua and Barbuda
104 G4 **Redondela** Galicia, NW Spain
104 H11 **Redondo** Évora, S Portugal
39 Q12 **Redoubt Volcano** ⋇ Alaska, USA
11 Y16 **Red River** ∼ Canada/USA
167 S5 **Red River** var. Yuan, Chin. Yuan Jiang, Vtn. Sông Hông Hà. ∼ China/Vietnam
25 W4 **Red River** ∼ S USA
22 H7 **Red River** ∼ Louisiana, S USA
30 M6 **Red River** ∼ Wisconsin, N USA
Red Rock, Lake see Red Rock Reservoir
29 W14 **Red Rock Reservoir** var. Lake Red Rock. ⊠ Iowa, C USA
80 H7 **Red Sea** ◈ state NE Sudan
75 Y9 **Red Sea** anc. Sinus Arabicus. sea Africa/Asia
21 T11 **Red Springs** North Carolina, SE USA
8 I9 **Redstone** ∼ Northwest Territories, NW Canada
11 V17 **Redvers** Saskatchewan, S Canada
77 P13 **Red Volta** var. Nazinon, Fr. Volta Rouge. ∼ Burkina/Ghana
11 Q14 **Redwater** Alberta, SW Canada
28 M16 **Red Willow Creek** ∼ Nebraska, C USA
29 W9 **Red Wing** Minnesota, N USA
35 N9 **Redwood City** California, W USA
29 T9 **Redwood Falls** Minnesota, N USA
31 P7 **Reed City** Michigan, N USA
28 K6 **Reeder** North Dakota, N USA
35 R11 **Reedley** California, W USA
33 T11 **Reedpoint** Montana, NW USA
30 K8 **Reedsburg** Wisconsin, N USA
32 E13 **Reedsport** Oregon, NW USA
187 Q9 **Reef Islands** island group Santa Cruz Islands, E Solomon Islands
185 H16 **Reefton** West Coast, South Island, NZ
20 F8 **Reelfoot Lake** ◎ Tennessee, S USA
97 D17 **Ree, Lough** Ir. Loch Rí. ◎ C Ireland
Reengus see Ringas
35 U4 **Reese River** ∼ Nevada, W USA
98 M8 **Reest** ∼ E Netherlands
Reetz Neumark see Recz
Reevhtse see Rossvatnet
137 N13 **Refahiye** Erzincan, C Turkey
23 N4 **Reform** Alabama, S USA
95 K20 **Reftele** Jönköping, S Sweden
25 T14 **Refugio** Texas, SW USA
110 E8 **Rega** ∼ NW Poland
Regar see Tursunzoda
101 O21 **Regen** Bayern, SE Germany
101 M20 **Regen** ∼ SE Germany
101 M21 **Regensburg** Eng. Ratisbon, Fr. Ratisbonne; hist. Ratisbona, anc. Castra Regina, Reginum. Bayern, SE Germany
101 M21 **Regenstauf** Bayern, SE Germany
74 I10 **Reggane** C Algeria
98 N9 **Regge** ∼ E Netherlands
Reggio see Reggio nell' Emilia
Reggio Calabria see Reggio di Calabria
107 M23 **Reggio di Calabria** var. Reggio Calabria, Gk. Rhegion; anc. Regium, Rhegium. Calabria, SW Italy
Reggio Emilia see Reggio nell' Emilia
106 F9 **Reggio nell' Emilia** var. Reggio Emilia, abbrev. Reggio; anc. Regium Lepidum. Emilia-Romagna, N Italy
116 I10 **Reghin** Ger. Sächsisch-Reen, Hung. Szászrégen; prev. Reghinul Săsesc, Ger. Sächsisch-Regen. Mureș, C Romania
Reghinul Săsesc see Reghin
11 U16 **Regina** Saskatchewan, S Canada
11 U16 **Regina** ✕ Saskatchewan, S Canada
55 Z10 **Régina** E French Guiana
11 U16 **Regina Beach** Saskatchewan, S Canada
Reginum see Regensburg
Registan see Rīgestān
60 L11 **Registro** São Paulo, S Brazil
Regium see Reggio di Calabria
Regium Lepidum see Reggio nell' Emilia
101 K19 **Regnitz** var. Rednitz. ∼ SE Germany
40 K10 **Regocijo** Durango, W Mexico
104 H12 **Reguengos de Monsaraz** Évora, S Portugal
101 M18 **Rehau** Bayern, E Germany
83 D19 **Rehoboth** Hardap, C Namibia
Rehoboth/Rehovoth see Rehovot
21 Z4 **Rehoboth Beach** Delaware, NE USA
138 F10 **Rehovot** var. Rehoboth, Rekhovot, Rehovoth. Central, C Israel
81 J20 **Rei** spring/well S Kenya
Reichenau see Rychnov nad Kněžnou, Czech Republic
Reichenau see Bogatynia, Poland
101 M17 **Reichenbach** var. Reichenbach im Vogtland. Sachsen, E Germany
Reichenbach see Dzierżoniów
Reichenbach im Vogtland see Reichenbach
Reichenberg see Liberec
181 O11 **Reid** Western Australia
23 V6 **Reidsville** Georgia, SE USA
21 T8 **Reidsville** North Carolina, SE USA
Reifnitz see Ribnica
97 O22 **Reigate** SE England, UK
Reikjavik see Reykjavík
102 I10 **Ré, Île de** island W France
37 N15 **Reiley Peak** ▲ Arizona, SW USA
103 Q4 **Reims** Eng. Rheims; anc. Durocortorum, Remi. Marne, N France
63 G23 **Reina Adelaida, Archipiélago** island group S Chile
45 O16 **Reina Beatrix** ✕ (Oranjestad) C Aruba
108 F7 **Reinach** Aargau, W Switzerland
108 E6 **Reinach** Basel-Land, NW Switzerland
64 O11 **Reina Sofía** ✕ (Tenerife) Tenerife, Islas Canarias, Spain, NE Atlantic Ocean
29 W13 **Reinbeck** Iowa, C USA
100 J10 **Reinbek** Schleswig-Holstein, N Germany
11 U12 **Reindeer** ∼ Saskatchewan, C Canada
11 U11 **Reindeer Lake** ◎ Manitoba/Saskatchewan, C Canada
Reine-Charlotte, Îles de la see Queen Charlotte Islands
Reine-Élisabeth, Îles de la see Queen Elizabeth Islands
94 F13 **Reineskarvet** ▲ S Norway
184 H1 **Reinga, Cape** headland North Island, NZ
105 N3 **Reinosa** Cantabria, N Spain
109 R8 **Reisseck** ▲ S Austria
21 W3 **Reisterstown** Maryland, NE USA
Reisui see Yŏsu
98 N5 **Reitdiep** ∼ NE Netherlands
191 V10 **Reitoru** atoll Îles Tuamotu, C French Polynesia
95 M17 **Rejmyre** Östergötland, S Sweden
Reka see Rijeka
Reka Ili see Ile/Ili He
95 N16 **Rekarne** Västmanland, C Sweden 16.04
Rekhovot see Rehovot
8 K9 **Reliance** Northwest Territories, C Canada
33 U16 **Reliance** Wyoming, C USA
74 I5 **Relizane** var. Ghelîzâne, Ghilizane. NW Algeria
182 I7 **Remarkable, Mount** ▲ South Australia
54 E8 **Remedios** Antioquia, N Colombia
43 Q16 **Remedios** Veraguas, W Panama
42 D8 **Remedios, Punta** headland SW El Salvador
Remi see Reims
99 N25 **Remich** Grevenmacher, SE Luxembourg
99 J19 **Remicourt** Liège, E Belgium
14 H8 **Rémigny, Lac** ◎ Québec, SE Canada
55 Z10 **Rémire** NE French Guiana
127 N13 **Remontnoye** Rostovskaya Oblast', SW Russian Federation
171 U14 **Remoon** Pulau Kur, E Indonesia
99 L20 **Remouchamps** Liège, E Belgium
103 R15 **Remoulins** Gard, S France
173 X16 **Rempart, Mont du** var. Mount Rempart. hill W Mauritius
101 E15 **Remscheid** Nordrhein-Westfalen, W Germany
29 S12 **Remsen** Iowa, C USA
94 I12 **Rena** Hedmark, S Norway
94 I11 **Renåa** ∼ S Norway
Renaix see Ronse
118 H7 **Renceni** Valmiera, N Latvia
118 D9 **Renda** Kuldīga, W Latvia
107 N20 **Rende** Calabria, SW Italy
99 K21 **Rendeux** Luxembourg, SE Belgium
Rendina see Rentína
30 L16 **Rend Lake** ◎ Illinois, N USA
186 K9 **Rendova** island New Georgia Islands, NW Solomon Islands
100 I8 **Rendsburg** Schleswig-Holstein, N Germany
108 B9 **Renens** Vaud, SW Switzerland
14 K12 **Renfrew** Ontario, SE Canada
96 I12 **Renfrew** cultural region SW Scotland, UK
168 L11 **Rengat** Sumatera, W Indonesia
153 W12 **Rengma Hills** ▲ NE India
62 H12 **Rengo** Libertador, C Chile
116 M12 **Reni** Odes'ka Oblast', SW Ukraine
80 F11 **Renk** Upper Nile, E Sudan
93 L19 **Renko** Etelä-Suomi, S Finland
98 L12 **Renkum** Gelderland, SE Netherlands
182 K9 **Renmark** South Australia
186 L10 **Rennell** var. Mu Nggava. island S Solomon Islands
181 Q4 **Renner Springs Roadhouse** Northern Territory, N Australia
102 I6 **Rennes** Bret. Roazon; anc. Condate. Ille-et-Vilaine, NW France
195 S16 **Rennick Glacier** glacier Antarctica
11 Y16 **Rennie** Manitoba, S Canada
35 Q5 **Reno** Nevada, W USA
106 H10 **Reno** ∼ N Italy
35 Q5 **Reno-Cannon** ✕ Nevada, W USA
83 F24 **Renoster** ∼ SW South Africa
15 T5 **Renouard, Lac** ◎ Québec, SE Canada
18 F13 **Renovo** Pennsylvania, NE USA
161 O3 **Renqiu** Hebei, E China
160 I9 **Renshou** Sichuan, C China
31 N12 **Rensselaer** Indiana, N USA
18 L11 **Rensselaer** New York, NE USA
105 Q2 **Rentería** Basq. Errenteria. País Vasco, N Spain
115 E17 **Rentína** var. Rendina. Thessalía, C Greece
29 T9 **Renville** Minnesota, N USA
77 O13 **Réo** W Burkina
15 O12 **Repentigny** Québec, SE Canada
146 K13 **Repetek** Lebap Welaýaty, E Turkmenistan
93 J16 **Replot** Fin. Raippaluoto. island W Finland
Reppen see Rzepin
Reps see Rupea
27 T7 **Republic** Missouri, C USA
32 K7 **Republic** Washington, NW USA
27 N3 **Republican River** ∼ Kansas/Nebraska, C USA
9 O7 **Repulse Bay** Northwest Territories, N Canada
56 F9 **Requena** Loreto, NE Peru
105 R10 **Requena** País Valenciano, E Spain
103 O14 **Réquista** Aveyron, S France
136 M12 **Reşadiye** Tokat, N Turkey
Reschenpass see Resia, Passo di
Reschitza see Reşiţa
113 N20 **Resen** Turk. Resne. SW FYR Macedonia
60 J11 **Reserva** Paraná, S Brazil
11 V15 **Reserve** Saskatchewan, S Canada
37 P13 **Reserve** New Mexico, SW USA
Reshetilovka see Reshetylivka
117 S6 **Reshetylivka** Rus. Reshetilovka. Poltavs'ka Oblast', NE Ukraine
Resht see Rasht
106 F5 **Resia, Passo di** Ger. Reschenpass. pass Austria/Italy
Resicabánya see Reşiţa
62 N7 **Resistencia** Chaco, NE Argentina
116 F12 **Reşiţa** Ger. Reschitza, Hung. Resicabánya. Caraş-Severin, W Romania
Resne see Resen
8 K4 **Resolute** var. Qausuittuq. Nunavut, N Canada
Resolution see Fort Resolution
9 T7 **Resolution Island** island Nunavut, NE Canada
185 A23 **Resolution Island** island SW NZ
15 W7 **Restigouche** Québec, SE Canada
11 W17 **Reston** Manitoba, S Canada
14 H11 **Restoule Lake** ◎ Ontario, S Canada
54 F10 **Restrepo** Meta, C Colombia
42 B6 **Retalhuleu** Retalhuleu, SW Guatemala
42 A1 **Retalhuleu** off. Departamento de Retalhuleu. ◈ department SW Guatemala
97 N18 **Retford** C England, UK
103 Q3 **Rethel** Ardennes, N France
Rethimno/Réthimnon see Réthymno
115 I25 **Réthymno** var. Rethimno; prev. Réthimnon. Kríti, Greece, E Mediterranean Sea
Retiche, Alpi see Rhaetian Alps
99 J16 **Retie** Antwerpen, N Belgium
111 J21 **Rétság** Nógrád, N Hungary
109 W2 **Retz** Niederösterreich, NE Austria
173 N15 **Réunion** off. La Réunion. ◇ French overseas department W Indian Ocean
105 U6 **Reus** Cataluña, E Spain
99 J15 **Reusel** Noord-Brabant, S Netherlands
108 F7 **Reuss** ∼ NW Switzerland
Reutel see Ciuhuru
101 H22 **Reutlingen** Baden-Württemberg, S Germany
108 L7 **Reutte** Tirol, W Austria
99 M16 **Reuver** Limburg, SE Netherlands
28 K7 **Reva** South Dakota, N USA
Reval/Revel' see Tallinn
124 J4 **Revda** Murmanskaya Oblast', NW Russian Federation
122 F6 **Revda** Sverdlovskaya Oblast', C Russian Federation
103 N16 **Revel** Haute-Garonne, S France
11 O16 **Revelstoke** British Columbia, SW Canada
43 N13 **Reventazón, Río** ∼ E Costa Rica
106 G9 **Revere** Lombardia, N Italy
39 Y14 **Revillagigedo Island** island Alexander Archipelago, Alaska, USA
103 R3 **Revin** Ardennes, N France
92 O3 **Revnosa** headland C Svalbard
Revolyutsii, Pik see Revolyutsiya, Qullai
147 T13 **Revolyutsiya, Qullai** Rus. Pik Revolyutsii. ▲ SE Tajikistan
111 L19 **Revúca** Ger. Grossrauschenbach, Hung. Nagyrőce. Banskobystrický Kraj, C Slovakia
154 K9 **Rewa** Madhya Pradesh, C India
152 I11 **Rewāri** Haryāna, N India
33 R14 **Rexburg** Idaho, NW USA
78 G13 **Rey Bouba** Nord, NE Cameroon
92 L3 **Reydharfjördhur** Austurland, E Iceland
57 K16 **Reyes** Beni, NW Bolivia
34 L8 **Reyes, Point** headland California, W USA
54 B12 **Reyes, Punta** headland SW Colombia
136 L17 **Reyhanlı** Hatay, S Turkey
43 U16 **Rey, Isla del** island Archipiélago de las Perlas, SE Panama
92 H2 **Reykhólar** Vestfirdhir, W Iceland
92 K2 **Reykjahlídh** Nordhurland Eystra, NE Iceland
92 I4 **Reykjanes** ◈ region SW Iceland
197 O16 **Reykjanes Basin** var. Irminger Basin. undersea feature N Atlantic Ocean
197 N17 **Reykjanes Ridge** undersea feature N Atlantic Ocean
92 H4 **Reykjavík** var. Reikjavik. ● (Iceland) Höfudhborgarsvaedhi, W Iceland
18 D13 **Reynoldsville** Pennsylvania, NE USA
41 P8 **Reynosa** Tamaulipas, C Mexico
Reẕā'īyeh see Orūmīyeh
Reẕā'īyeh, Daryācheh-ye see Orūmīyeh, Daryācheh-ye
102 I8 **Rezé** Loire-Atlantique, NW France
118 K10 **Rēzekne** Ger. Rositten; prev. Rus. Rezhitsa. Rēzekne, SE Latvia
Rezhitsa see Rēzekne
117 N9 **Rezina** NE Moldova
114 N11 **Rezovo** Turk. Rezve. Burgas, E Bulgaria
114 N11 **Rezovska Reka** Turk. Rezve Deresi. ∼ Bulgaria/Turkey see also Rezve Deresi
Rezve see Rezovo
114 N11 **Rezve Deresi** Bul. Rezovska Reka. ∼ Bulgaria/Turkey see also Rezovska Reka
Rhadames see Ghadāmis
Rhaedestus see Tekirdağ
108 J10 **Rhaetian Alps** Fr. Alpes Rhétiques, Ger. Rätische Alpen, It. Alpi Retiche. ▲ C Europe
108 I8 **Rhätikon** ▲ C Europe
101 G14 **Rheda-Wiedenbrück** Nordrhein-Westfalen, W Germany
98 M12 **Rheden** Gelderland, E Netherlands
Rhegion/Rhegium see Reggio di Calabria
Rheims see Reims
Rhein see Rhine
101 E17 **Rheinbach** Nordrhein-Westfalen, W Germany
100 F13 **Rheine** var. Rheine in Westfalen. Nordrhein-Westfalen, NW Germany
Rheine in Westfalen see Rheine
Rheinfeld see Rheinfelden
101 F24 **Rheinfelden** Baden-Württemberg, S Germany
108 E6 **Rheinfelden** var. Rheinfeld. Aargau, N Switzerland
101 E17 **Rheinisches Schiefergebirge** var. Rhine State Uplands, Eng. Rhenish Slate Mountains. ▲ W Germany
101 D18 **Rheinland-Pfalz** Eng. Rhineland-Palatinate, Fr. Rhénanie-Palatinat. ◈ state W Germany
101 G18 **Rhein/Main** ✕ (Frankfurt am Main) Hessen, W Germany
Rhénanie du Nord-Westphalie see Nordrhein-Westfalen
Rhénanie-Palatinat see Rheinland-Pfalz
98 K12 **Rhenen** Utrecht, C Netherlands
Rhenish Slate Mountains see Rheinisches Schiefergebirge
Rhétiques, Alpes see Rhaetian Alps
100 N10 **Rhin** ∼ NE Germany
Rhin see Rhine
101 E17 **Rhine** Dut. Rijn, Fr. Rhin, Ger. Rhein. ∼ W Europe
30 L5 **Rhinelander** Wisconsin, N USA
Rhineland-Palatinate see Rheinland-Pfalz
Rhine State Uplands see Rheinisches Schiefergebirge
100 N11 **Rhinkanal** canal NE Germany
81 F17 **Rhino Camp** NW Uganda
74 D7 **Rhir, Cap** headland W Morocco
106 D7 **Rho** Lombardia, N Italy
19 N12 **Rhode Island** off. State of Rhode Island and Providence Plantations; also known as Little Rhody, Ocean State. ◈ state NE USA
19 O13 **Rhode Island** island Rhode Island, NE USA
19 O13 **Rhode Island Sound** sound Maine/Rhode Island, NE USA
Rhodes see Ródos
Rhode-Saint-Genèse see Sint-Genesius-Rode
84 L14 **Rhodes Basin** undersea feature E Mediterranean Sea
Rhodesia see Zimbabwe
114 I12 **Rhodope Mountains** var. Rodhópi Óri, Bul. Rhodope Planina, Rodopi, Gk. Orosirá Rodhópis, Turk. Dospad Dagh. ▲ Bulgaria/Greece
Rhodope Planina see Rhodope Mountains
Rhodos see Ródos
101 I18 **Rhön** ▲ C Germany
103 Q10 **Rhône** ◈ department E France
103 R13 **Rhône** ∼ France/Switzerland
103 R12 **Rhône-Alpes** ◈ region E France
98 G13 **Rhoon** Zuid-Holland, SW Netherlands
96 G9 **Rhum** var. Rum. island W Scotland, UK
Rhuthun see Ruthin
97 J18 **Rhyl** NE Wales, UK
59 K18 **Rialma** Goiás, S Brazil
104 L3 **Riaño** Castilla-León, N Spain
105 O9 **Riansáres** ∼ C Spain
152 H6 **Riāsi** Jammu and Kashmir, NW India
168 K10 **Riau** off. Propinsi Riau. ◈ province W Indonesia
Riau Archipelago see Riau, Kepulauan
168 M11 **Riau, Kepulauan** var. Riau Archipelago, Dut. Riouw-Archipel. island group W Indonesia
105 O6 **Riaza** Castilla-León, N Spain
105 N6 **Riaza** ∼ N Spain
81 K17 **Riba** spring/well NE Kenya
104 H4 **Ribadavia** Galicia, NW Spain
104 J2 **Ribadeo** Galicia, NW Spain
104 L2 **Ribadesella** Asturias, N Spain
104 G10 **Ribatejo** former province C Portugal
83 P15 **Ribáuè** Nampula, N Mozambique
97 K17 **Ribble** ∼ NW England, UK
95 F23 **Ribe** Ribe, W Denmark
95 F23 **Ribe** off. Ribe Amt, var. Ripen. ◈ county W Denmark
104 G3 **Ribeira** Galicia, NW Spain
64 O5 **Ribeira Brava** Madeira, Portugal, NE Atlantic Ocean
64 P3 **Ribeira Grande** São Miguel, Azores, Portugal, NE Atlantic Ocean
60 L8 **Ribeirão Preto** São Paulo, S Brazil
60 L11 **Ribeira, Rio** ∼ S Brazil
107 I24 **Ribera** Sicilia, Italy, C Mediterranean Sea
57 L14 **Riberalta** Beni, N Bolivia
105 W4 **Ribes de Freser** Cataluña, NE Spain
30 L6 **Rib Mountain** ▲ Wisconsin, N USA
109 U12 **Ribnica** Ger. Reifnitz. S Slovenia
117 N9 **Ribnița** var. Râbnița, Rus. Rybnitsa. NE Moldova
100 M8 **Ribnitz-Damgarten** Mecklenburg-Vorpommern, NE Germany
111 D16 **Říčany** Ger. Ritschan. Středočeský Kraj, W Czech Republic
29 U7 **Rice** Minnesota, N USA
30 J5 **Rice Lake** Wisconsin, N USA
14 I15 **Rice Lake** ◎ Ontario, SE Canada
14 E8 **Rice Lake** ◎ Ontario, S Canada
23 V3 **Richard B.Russell Lake** ⊠ Georgia, SE USA
25 U6 **Richardson** Texas, SW USA
11 R11 **Richardson** ∼ Alberta, C Canada
10 I3 **Richardson Mountains** ▲ Yukon Territory, NW Canada
185 C21 **Richardson Mountains** ▲ South Island, NZ
42 F3 **Richardson Peak** ▲ SE Belize
76 G10 **Richard Toll** N Senegal
28 L5 **Richardton** North Dakota, N USA
14 F13 **Rich, Cape** headland Ontario, S Canada
102 L8 **Richelieu** Indre-et-Loire, C France
33 P15 **Richfield** Idaho, NW USA
36 K5 **Richfield** Utah, W USA
18 J10 **Richfield Springs** New York, NE USA
18 M6 **Richford** Vermont, NE USA
27 R6 **Rich Hill** Missouri, C USA
13 P14 **Richibucto** New Brunswick, SE Canada
108 G8 **Richisau** Glarus, NE Switzerland
23 S6 **Richland** Georgia, SE USA
27 U6 **Richland** Missouri, C USA
25 U8 **Richland** Texas, SW USA
32 K10 **Richland** Washington, NW USA
30 K8 **Richland Center** Wisconsin, N USA
21 W11 **Richlands** North Carolina, SE USA
21 Q7 **Richlands** Virginia, NE USA
25 R9 **Richland Springs** Texas, SW USA
183 S8 **Richmond** New South Wales, SE Australia
10 L17 **Richmond** British Columbia, SW Canada
14 L13 **Richmond** Ontario, SE Canada
15 Q12 **Richmond** Québec, SE Canada
185 I14 **Richmond** Tasman, South Island, NZ
35 N8 **Richmond** California, W USA
31 Q14 **Richmond** Indiana, N USA
20 M6 **Richmond** Kentucky, S USA
27 S4 **Richmond** Missouri, C USA
25 V11 **Richmond** Texas, SW USA
36 L1 **Richmond** Utah, W USA
21 W6 **Richmond** state capital Virginia, NE USA
14 H15 **Richmond Hill** Ontario, S Canada
185 J15 **Richmond Range** ▲ South Island, NZ
27 S12 **Rich Mountain** ▲ Arkansas, C USA
31 S13 **Richwood** Ohio, N USA
21 R5 **Richwood** West Virginia, NE USA
104 K5 **Ricobayo, Embalse de** ⊠ NW Spain
Ricomagus see Riom
Ridā' see Radā'
98 H13 **Ridderkerk** Zuid-Holland, SW Netherlands
33 N16 **Riddle** Idaho, NW USA
32 F14 **Riddle** Oregon, NW USA
14 L13 **Rideau** ∼ Ontario, SE Canada
35 T12 **Ridgecrest** California, W USA
18 L13 **Ridgefield** Connecticut, NE USA
22 K5 **Ridgeland** Mississippi, S USA
21 R15 **Ridgeland** South Carolina, SE USA
20 F8 **Ridgely** Tennessee, S USA
14 D17 **Ridgetown** Ontario, S Canada
Ridgeway see Ridgway
21 R12 **Ridgeway** South Carolina, SE USA
18 D13 **Ridgway** var. Ridgeway. Pennsylvania, NE USA
11 W16 **Riding Mountain** ▲ Manitoba, S Canada
Ried see Ried im Innkreis
109 R4 **Ried im Innkreis** var. Ried. Oberösterreich, NW Austria
109 X8 **Riegersburg** Steiermark, SE Austria
108 E6 **Riehen** Basel-Stadt, NW Switzerland
92 J9 **Riehppegáisá** var. Rieppe. ▲ N Norway
99 K18 **Riemst** Limburg, NE Belgium
Rieppe see Riehppegáisá
101 O15 **Riesa** Sachsen, E Germany
63 H24 **Riesco, Isla** island S Chile
107 K25 **Riesi** Sicilia, Italy, C Mediterranean Sea
83 F25 **Riet** ∼ SW South Africa
83 I23 **Riet** ∼ SW South Africa
118 D11 **Rietavas** Telšiai, W Lithuania
83 F19 **Rietfontein** Omaheke, E Namibia
107 I14 **Rieti** anc. Reate. Lazio, C Italy
84 D14 **Rif** var. Er Rif, Er Riff, Riff. ▲ N Morocco
Riff see Rif
37 Q4 **Rifle** Colorado, C USA
31 R7 **Rifle River** ∼ Michigan, N USA
81 H18 **Rift Valley** ◈ province Kenya
Rift Valley see Great Rift Valley
118 F9 **Rīga** Eng. Riga. ● (Latvia) Rīga, C Latvia
Rigaer Bucht see Riga, Gulf of
118 F6 **Riga, Gulf of** Est. Liivi Laht, Ger. Rigaer Bucht, Latv. Rīgas Jūras Līcis, Rus. Rizhskiy Zaliv; prev. Est. Riia Laht. gulf Estonia/Latvia
143 U12 **Rīgān** Kermān, SE Iran
Rīgas Jūras Līcis see Riga, Gulf of
15 N12 **Rigaud** ∼ Ontario/Québec, SE Canada
33 R14 **Rigby** Idaho, NW USA
148 M10 **Rīgestān** var. Registan. desert region S Afghanistan
32 M11 **Riggins** Idaho, NW USA
13 R8 **Rigolet** Newfoundland and Labrador, NE Canada
78 G9 **Rig-Rig** Kanem, W Chad
118 F4 **Riguldi** Läänemaa, W Estonia
Riia Laht see Riga, Gulf of
93 L19 **Riihimäki** Etelä-Suomi, S Finland
195 O2 **Riiser-Larsen Ice Shelf** ice shelf Antarctica
195 U2 **Riiser-Larsen Peninsula** peninsula Antarctica
65 P22 **Riiser-Larsen Sea** sea Antarctica
40 D2 **Riíto** Sonora, NW Mexico
112 B9 **Rijeka** Ger. Sankt Veit am Flaum, It. Fiume, Slvn. Reka; anc. Tarsatica. Primorje-Gorski Kotar, NW Croatia
99 I14 **Rijen** Noord-Brabant, S Netherlands
99 H15 **Rijkevorsel** Antwerpen, N Belgium
Rijn see Rhine
98 G11 **Rijnsburg** Zuid-Holland, W Netherlands
Rijssel see Lille
98 N10 **Rijssen** Overijssel, E Netherlands
98 G12 **Rijswijk** Eng. Ryswick. Zuid-Holland, W Netherlands
92 I10 **Riksgränsen** Norrbotten, N Sweden
165 U4 **Rikubetsu** Hokkaidō, NE Japan
165 R9 **Rikuzen-Takata** Iwate, Honshū, C Japan
27 O4 **Riley** Kansas, C USA
99 I17 **Rillaar** Vlaams Brabant, C Belgium
Rí, Loch see Ree, Lough
114 G11 **Rilska Reka** ∼ W Bulgaria
77 T12 **Rima** ∼ N Nigeria
141 N7 **Rimah, Wādī ar** var. Wādī ar Rummah. dry watercourse C Saudi Arabia
Rimaszombat see Rimavská Sobota

◆ Country ● Country Capital ◇ Dependent Territory ○ Dependent Territory Capital ◈ Administrative Region ✕ International Airport ▲ Mountain ▲ Mountain Range ⋇ Volcano ∼ River ◎ Lake ⊠ Reservoir

191 R12 **Rimatara** island Îles Australes, SW French Polynesia
111 L20 **Rimavská Sobota** Ger. Gross-Steffelsdorf, Hung. Rimaszombat. Banskobystrický Kraj, C Slovakia
11 Q15 **Rimbey** Alberta, SW Canada
95 P15 **Rimbo** Stockholm, C Sweden
95 M18 **Rimforsa** Östergötland, S Sweden
106 I11 **Rimini** anc. Ariminum. Emilia-Romagna, N Italy
Rîmnicu-Sărat see Râmnicu Sărat
Rîmnicu Vîlcea see Râmnicu Vâlcea
149 Y3 **Rimo Muztāgh** ▲ India/Pakistan
15 U7 **Rimouski** Québec, SE Canada
158 M16 **Rinbung** Xizang Zizhiqu, W China
162 I5 **Rinchinlhümbe** Hövsgöl, N Mongolia
62 I5 **Rincón, Cerro** ▲ N Chile
104 M15 **Rincón de la Victoria** Andalucía, S Spain
Rincón del Bonete, Lago Artificial de see Río Negro, Embalse del
105 Q4 **Rincón de Soto** La Rioja, N Spain
94 G8 **Rindal** Møre og Romsdal, S Norway
115 J20 **Ríneia** island Kykládes, Greece, Aegean Sea
152 H11 **Ringas** prev. Reengus, Ringus. Rājasthān, N India
95 H24 **Ringe** Fyn, C Denmark
94 H11 **Ringebu** Oppland, S Norway
Ringen see Rõngu
186 K8 **Ringgi** Kolombangara, NW Solomon Islands
23 R1 **Ringgold** Georgia, SE USA
22 G5 **Ringgold** Louisiana, S USA
25 S5 **Ringgold** Texas, SW USA
95 E22 **Ringkøbing** Ringkøbing, W Denmark
95 E21 **Ringkøbing** off. Ringkøbing Amt. ◇ county W Denmark
95 E22 **Ringkøbing Fjord** fjord W Denmark
33 S10 **Ringling** Montana, NW USA
27 N13 **Ringling** Oklahoma, C USA
94 H13 **Ringsaker** Hedmark, S Norway
95 I23 **Ringsted** Vestsjælland, E Denmark
Ringus see Ringas
92 I9 **Ringvassøya** Lapp. Ráneš. island N Norway
18 K13 **Ringwood** New Jersey, NE USA
Rinn Dúin see Hook Head
100 H13 **Rinteln** Niedersachsen, NW Germany
Rio see Rio de Janeiro
115 E18 **Río** Dytikí Ellás, S Greece
56 C7 **Riobamba** Chimborazo, C Ecuador
60 P9 **Rio Bonito** Rio de Janeiro, SE Brazil
59 C16 **Rio Branco** state capital Acre, W Brazil
61 D18 **Río Branco** Cerro Largo, NE Uruguay
Rio Branco, Território de see Roraima
41 P8 **Río Bravo** Tamaulipas, C Mexico
63 G16 **Río Bueno** Los Lagos, C Chile
55 P5 **Río Caribe** Sucre, NE Venezuela
54 M5 **Río Chico** Miranda, N Venezuela
63 H18 **Río Cisnes** Aisén, S Chile
60 L9 **Rio Claro** São Paulo, S Brazil
45 V14 **Rio Claro** Trinidad, Trinidad and Tobago
54 L9 **Río Claro** Lara, N Venezuela
63 K15 **Río Colorado** Río Negro, E Argentina
62 K11 **Río Cuarto** Córdoba, C Argentina
60 P10 **Rio de Janeiro** var. Rio. state capital Rio de Janeiro, SE Brazil
60 P9 **Rio de Janeiro** off. Estado do Rio de Janeiro. ◇ state SE Brazil
43 R17 **Río de Jesús** Veraguas, S Panama
34 R3 **Rio Dell** California, W USA
60 K13 **Rio do Sul** Santa Catarina, S Brazil
63 J23 **Río Gallegos** var. Gallegos, Puerto Gallegos. Santa Cruz, S Argentina
61 G15 **Rio Grande** var. São Pedro do Rio Grande do Sul. Rio Grande do Sul, S Brazil
24 I9 **Rio Grande** ◆ Texas, SW USA
63 J24 **Río Grande** Tierra del Fuego, S Argentina
40 L10 **Río Grande** Zacatecas, C Mexico
42 J9 **Río Grande** León, NW Nicaragua
45 V5 **Río Grande** E Puerto Rico
25 R17 **Rio Grande City** Texas, SW USA

59 P14 **Rio Grande do Norte** off. Estado do Rio Grande do Norte. ◇ state E Brazil
61 G15 **Rio Grande do Sul** off. Estado do Rio Grande do Sul. ◇ state S Brazil
65 M17 **Rio Grande Fracture Zone** tectonic feature C Atlantic Ocean
65 J18 **Rio Grande Gap** undersea feature S Atlantic Ocean
Rio Grande Plateau see Rio Grande Rise
65 J18 **Rio Grande Plateau** var. Rio Grande Plateau. undersea feature SW Atlantic Ocean
54 G4 **Ríohacha** La Guajira, N Colombia
43 S16 **Río Hato** Coclé, C Panama
25 T17 **Rio Hondo** Texas, SW USA
56 D10 **Rioja** San Martín, N Peru
41 Y11 **Río Lagartos** Yucatán, SE Mexico
103 P11 **Riom** anc. Ricomagus. Puy-de-Dôme, C France
104 F10 **Rio Maior** Santarém, C Portugal
103 O12 **Riom-ès-Montagnes** Cantal, C France
60 J12 **Rio Negro** Paraná, S Brazil
63 I15 **Río Negro** off. Provincia de Río Negro. ◆ province C Argentina
61 D18 **Río Negro** ◆ department W Uruguay
47 V12 **Río Negro, Embalse del** var. Lago Artificial de Rincón del Bonete. ☺ C Uruguay
107 M17 **Rionero in Vulture** Basilicata, S Italy
137 S9 **Rioni** ⚡ W Georgia
105 P12 **Riópar** Castilla-La Mancha, C Spain
61 H16 **Rio Pardo** Rio Grande do Sul, S Brazil
37 R11 **Rio Rancho Estates** New Mexico, SW USA
42 L11 **Río San Juan** ◆ department S Nicaragua
54 E9 **Ríosucio** Caldas, W Colombia
54 C7 **Ríosucio** Chocó, NW Colombia
62 K10 **Río Tercero** Córdoba, C Argentina
54 J5 **Río Tocuyo** Lara, N Venezuela
Riouw-Archipel see Riau, Kepulauan
59 J19 **Rio Verde** Goiás, C Brazil
41 O12 **Río Verde** var. Rioverde. San Luis Potosí, C Mexico
35 U8 **Rio Vista** California, W USA
112 M11 **Ripanj** Serbia, N Serbia and Montenegro (Yugo.)
106 J13 **Ripatransone** Marche, C Italy
Ripen see Ribe
22 M2 **Ripley** Mississippi, S USA
31 R15 **Ripley** Ohio, N USA
20 F9 **Ripley** Tennessee, S USA
21 Q4 **Ripley** West Virginia, NE USA
105 W4 **Ripoll** Cataluña, NE Spain
97 M16 **Ripon** E England, UK
30 M7 **Ripon** Wisconsin, N USA
107 L24 **Riposto** Sicilia, Italy, C Mediterranean Sea
99 L14 **Rips** Noord-Brabant, SE Netherlands
54 D9 **Risaralda** off. Departamento de Risaralda. ◆ province C Colombia
116 L13 **Rișcani** var. Râșcani, Rus. Ryshkany. NW Moldova
152 J9 **Rishikesh** Uttaranchal, N India
165 S1 **Rishiri-tō** var. Risiri Tô. island NE Japan
165 S1 **Rishiri-yama** ▲ Rishiri-tō, NE Japan
25 R7 **Rising Star** Texas, SW USA
31 Q15 **Rising Sun** Indiana, N USA
Risiri Tô see Rishiri-tō
102 I4 **Risle** ⚡ N France
Rişno see Râșnov
27 V13 **Rison** Arkansas, C USA
95 G17 **Risør** Aust-Agder, S Norway
92 H10 **Risøyhamn** Nordland, C Norway
101 I23 **Riss** ⚡ S Germany
118 G4 **Risti** Ger. Kreuz. Läänemaa, W Estonia
15 V8 **Ristigouche** ⚡ Québec, SE Canada
93 N18 **Ristiina** Isä-Suomi, E Finland
93 N14 **Ristijärvi** Oulu, C Finland
188 C14 **Ritidian Point** headland N Guam
35 R9 **Ritter, Mount** ▲ California, W USA
31 T12 **Rittman** Ohio, N USA
32 L9 **Ritzville** Washington, NW USA
Riva see Riva del Garda
61 A21 **Rivadavia** Buenos Aires, E Argentina
108 F7 **Riva del Garda** var. Riva. Trentino-Alto Adige, N Italy
106 B8 **Rivarolo Canavese** Piemonte, W Italy
42 K11 **Rivas** Rivas, SW Nicaragua
42 J11 **Rivas** ◆ department SW Nicaragua
103 R11 **Rive-de-Gier** Loire, E France
61 A22 **Rivera** Buenos Aires, E Argentina
61 F16 **Rivera** Rivera, NE Uruguay

61 F17 **Rivera** ◆ department NE Uruguay
35 P9 **Riverbank** California, W USA
76 K17 **River Cess** SW Liberia
28 M4 **Riverdale** North Dakota, N USA
30 I6 **River Falls** Wisconsin, N USA
1 T16 **Riverhurst** Saskatchewan, S Canada
183 O10 **Riverina** physical region New South Wales, SE Australia
80 G8 **River Nile** ◆ state NE Sudan
63 F19 **Rivero, Isla** island Archipiélago de los Chonos, S Chile
1 W16 **Rivers** Manitoba, S Canada
77 U17 **Rivers** ◆ state S Nigeria
185 D23 **Riversdale** Southland, South Island, NZ
83 F26 **Riversdale** Western Cape, SW South Africa
35 W9 **Riverside** California, W USA
37 U3 **Riverside Reservoir** ☺ Colorado, C USA
10 K15 **Rivers Inlet** British Columbia, SW Canada
10 K15 **Rivers Inlet** inlet British Columbia, SW Canada
1 X15 **Riverton** Manitoba, S Canada
185 C24 **Riverton** Southland, South Island, NZ
30 L13 **Riverton** Illinois, N USA
36 L3 **Riverton** Utah, W USA
33 V19 **Riverton** Wyoming, C USA
14 G10 **River Valley** Ontario, S Canada
13 P14 **Riverview** New Brunswick, SE Canada
103 O17 **Rivesaltes** Pyrénées-Orientales, S France
36 H11 **Riviera** Arizona, SW USA
25 S15 **Riviera** Texas, SW USA
23 Z14 **Riviera Beach** Florida, SE USA
15 Q10 **Rivière-à-Pierre** Québec, SE Canada
11 V15 **Rivière-Bleue** Québec, SE Canada
15 T8 **Rivière-du-Loup** Québec, SE Canada
173 Y15 **Rivière du Rempart** NE Mauritius
45 R12 **Rivière-Pilote** S Martinique
173 O17 **Rivière St-Etienne, Point de la** headland SW Réunion
13 S10 **Rivière-St-Paul** Québec, E Canada
Rivière Sèche see Bel Air
116 K4 **Rivne** Pol. Równe, Rus. Rovno. Rivnens'ka Oblast', NW Ukraine
116 K3 **Rivnens'ka Oblast'** var. Rivne, Rus. Rovenskaya Oblast'. ◆ province NW Ukraine
106 B8 **Rivoli** Piemonte, NW Italy
159 Q14 **Riwoqê** var. Racaka. Xizang Zizhiqu, W China
99 H19 **Rixensart** Wallon Brabant, C Belgium
Riyadh/Riyāḍ, Minţaqat ar see Ar Riyāḍ
Riyāq see Rayak
102 J11 **Rize** Rize, NE Turkey
137 P11 **Rize** prev. Çoruh. ◆ province NE Turkey
161 R5 **Rizhao** Shandong, E China
Rizhskiy Zaliv see Riga, Gulf of
Rizokarpaso/Rizokárpason see Dipkarpaz
107 O21 **Rizzuto, Capo** headland S Italy
95 F15 **Rjukan** Telemark, S Norway
95 D16 **Rjuven** ▲ S Norway
76 H9 **Rkîz** Trarza, W Mauritania
95 H14 **Roa** Oppland, S Norway
105 N5 **Roa** Castilla-León, N Spain
45 T9 **Road Town** ○ (British Virgin Islands) Tortola, C British Virgin Islands
96 F6 **Roag, Loch** inlet NW Scotland, UK
37 O5 **Roan Cliffs** cliff Colorado/Utah, W USA
21 P9 **Roan High Knob** var. Roan Mountain. ▲ North Carolina/Tennessee, SE USA
Roan Mountain see Roan High Knob
103 Q10 **Roanne** anc. Rodunna. Loire, E France
21 S7 **Roanoke** Alabama, S USA
21 S7 **Roanoke** Virginia, NE USA
21 Z9 **Roanoke Island** island North Carolina, SE USA
21 W8 **Roanoke Rapids** North Carolina, SE USA
21 X9 **Roanoke River** ⚡ North Carolina/Virginia, SE USA
37 O4 **Roan Plateau** plain Utah, W USA
37 R5 **Roaring Fork River** ⚡ Colorado, C USA
25 O5 **Roaring Springs** Texas, SW USA
42 J4 **Roatán** var. Coxen Hole, Coxin Hole. Islas de la Bahía, N Honduras
42 I4 **Roatán, Isla de** island Islas de la Bahía, N Honduras
Roat Kampuchea see Cambodia
Roazon see Rennes
143 T7 **Robāṭ-e Chāh Gonbad** Yazd, E Iran

143 R7 **Robāṭ-e Khān** Yazd, C Iran
143 T7 **Robāṭ-e Khvosh Āb** Yazd, E Iran
143 R8 **Robāṭ-e Posht-e Bādām** Yazd, NE Iran
143 Q8 **Robāṭ-e Rizāb** Yazd, C Iran
192 L8 **Robbie Ridge** undersea feature W Pacific Ocean
21 T10 **Robbins** North Carolina, SE USA
183 N15 **Robbins Island** island Tasmania, SE Australia
21 N10 **Robbinsville** North Carolina, SE USA
182 J12 **Robe** South Australia
21 W9 **Robersonville** North Carolina, SE USA
25 P8 **Robert Lee** Texas, SW USA
23 R3 **Robertsdale** Alabama, S USA
35 V5 **Roberts Creek Mountain** ▲ Nevada, W USA
93 J15 **Robertsfors** Västerbotten, N Sweden
27 R11 **Robert S.Kerr Reservoir** ▨ Oklahoma, C USA
38 L12 **Roberts Mountain** ▲ Nunivak Island, Alaska, USA
83 F26 **Robertson** Western Cape, SW South Africa
194 H4 **Robertson Island** island Antarctica
76 J16 **Robertsport** W Liberia
182 J8 **Robertstown** South Australia
Robert Williams see Caála
15 P7 **Roberval** Québec, SE Canada
31 N15 **Robinson** Illinois, N USA
193 U11 **Róbinson Crusoe, Isla** island Islas Juan Fernández, Chile, E Pacific Ocean
180 J9 **Robinson Range** ▲ Western Austral
182 M9 **Robinvale** Victoria, SE Australia
105 F12 **Robledo** Castilla-La Mancha, C Spain
54 G5 **Robles** var. La Paz, Robles La Paz. Cesar, N Colombia
Robles La Paz see Robles
11 V15 **Roblin** Manitoba, S Canada
11 S17 **Robsart** Saskatchewan, S Canada
11 N15 **Robson, Mount** ▲ British Columbia, SW Canada
25 T14 **Robstown** Texas, SW USA
25 P6 **Roby** Texas, SW USA
104 E11 **Roca, Cabo da** headland C Portugal
Rocadas see Xangongo
41 S14 **Roca Partida, Punta** headland C Mexico
47 X6 **Rocas, Atol das** island E Brazil
107 L18 **Roccadaspide** var. Rocca d'Aspide. Campania, S Italy
107 K15 **Roccaraso** Abruzzo, C Italy
106 H10 **Rocca San Casciano** Emilia-Romagna, C Italy
106 G13 **Roccastrada** Toscana, C Italy
61 G20 **Rocha** Rocha, E Uruguay
61 G19 **Rocha** ◆ department E Uruguay
97 L17 **Rochdale** NW England, UK
102 L11 **Rochechouart** Haute-Vienne, C France
99 J22 **Rochefort** Namur, SE Belgium
102 J11 **Rochefort** var. Rochefort sur Mer. Charente-Maritime, W France
Rochefort sur Mer see Rochefort
125 N10 **Rochegda** Arkhangel'skaya Oblast', NW Russian Federation
30 L10 **Rochelle** Illinois, N USA
25 Q9 **Rochelle** Texas, C USA
15 V3 **Rochers Ouest, Rivière aux** ⚡ Québec, SE Canada
97 O22 **Rochester** anc. Durobrivae. SE England, UK
31 O12 **Rochester** Indiana, N USA
29 W10 **Rochester** Minnesota, N USA
19 O9 **Rochester** New Hampshire, NE USA
18 F9 **Rochester** New York, NE USA
25 P5 **Rochester** Texas, SW USA
31 S9 **Rochester Hills** Michigan, N USA
Rocheuses, Montagnes/Rockies see Rocky Mountains
64 M6 **Rockall** island UK, N Atlantic Ocean
64 L6 **Rockall Bank** undersea feature N Atlantic Ocean
84 B8 **Rockall Rise** undersea feature N Atlantic Ocean
84 C9 **Rockall Trough** undersea feature N Atlantic Ocean
35 U2 **Rock Creek** ⚡ Nevada, W USA
25 T10 **Rockdale** Texas, SW USA
195 N12 **Rockefeller Plateau** plateau Antarctica
30 L7 **Rock Falls** Illinois, N USA
23 Q5 **Rockford** Alabama, S USA
30 L7 **Rockford** Illinois, N USA
15 Q12 **Rock Forest** Québec, SE Canada
11 T17 **Rockglen** Saskatchewan, S Canada
181 Y8 **Rockhampton** Queensland, E Australia
21 R11 **Rock Hill** South Carolina, SE USA
180 I3 **Rockingham** Western Australia

21 T11 **Rockingham** North Carolina, SE USA
30 J11 **Rock Island** Illinois, N USA
25 U12 **Rock Island** Texas, SW USA
14 C10 **Rock Lake** Ontario, S Canada
29 O2 **Rock Lake** North Dakota, N USA
14 I12 **Rock Lake** ☺ Ontario, SE Canada
14 M12 **Rockland** Ontario, SE Canada
19 R7 **Rockland** Maine, NE USA
182 L11 **Rocklands Reservoir** ▨ Victoria, SE Australia
35 O7 **Rocklin** California, W USA
31 N16 **Rockport** Indiana, N USA
27 X7 **Rock Port** Missouri, C USA
25 T14 **Rockport** Texas, SW USA
32 I7 **Rockport** Washington, NW USA
29 S11 **Rock Rapids** Iowa, C USA
30 K11 **Rock River** ⚡ Illinois/Wisconsin, N USA
44 I3 **Rock Sound** Eleuthera Island, C Bahamas
33 U17 **Rock Springs** Wyoming, C USA
25 P11 **Rocksprings** Texas, SW USA
55 T9 **Rockstone** C Guyana
29 S12 **Rock Valley** Iowa, C USA
25 U6 **Rockville** Indiana, N USA
21 W3 **Rockville** Maryland, C USA
25 U6 **Rockwall** Texas, SW USA
29 U13 **Rockwell City** Iowa, C USA
31 S10 **Rockwood** Michigan, N USA
20 M9 **Rockwood** Tennessee, S USA
25 Q8 **Rockwood** Texas, SW USA
37 U6 **Rocky Ford** Colorado, C USA
14 D9 **Rocky Island Lake** ☺ Ontario, S Canada
21 V9 **Rocky Mount** North Carolina, SE USA
21 S7 **Rocky Mount** Virginia, NE USA
33 Q8 **Rocky Mountain** ▲ Montana, NW USA
11 P15 **Rocky Mountain House** Alberta, SW Canada
37 T3 **Rocky Mountain National Park** national park Colorado, C USA
16 I9 **Rocky Mountains** var. Rockies, Fr. Montagnes Rocheuses. ▲ Canada/USA
42 H1 **Rocky Point** headland NE Belize
83 A17 **Rocky Point** headland NW Namibia
95 F14 **Rødberg** Buskerud, S Norway
95 I25 **Rødby** Storstrøm, SE Denmark
95 I25 **Rødbyhavn** Storstrøm, SE Denmark
13 T10 **Roddickton** Newfoundland and Labrador, SE Canada
95 F23 **Rødding** Sønderjylland, SW Denmark
95 M22 **Rødeby** Blekinge, S Sweden
98 N6 **Roden** Drenthe, NE Netherlands
62 H9 **Rodeo** San Juan, W Argentina
103 O14 **Rodez** anc. Segodunum. Aveyron, S France
Rodholívos see Rodolívos
Rodhópi/Ródhopi see Rhodope Mountains
Ródhos/Rodi see Ródos
107 N15 **Rodi Garganico** Puglia, SE Italy
101 N20 **Roding** Bayern, SE Germany
113 P13 **Rodinit, Kepi i** headland W Albania
116 I9 **Rodnei, Munţii** ▲ N Romania
184 L4 **Rodney, Cape** headland North Island, NZ
38 L17 **Rodney, Cape** headland Alaska, USA
124 M16 **Rodniki** Ivanovskaya Oblast', W Russian Federation
119 Q16 **Rodnya** Rus. Rodnya. Mahilyowskaya Voblasts', E Belarus
Rodó see José Enrique Rodó
115 O22 **Ródos** var. Ródhos, Eng. Rhodes, It. Rodi. Ródos, Dodekánisos, Greece, Aegean Sea
115 O22 **Ródos** var. Ródhos, Eng. Rhodes, It. Rodi; anc. Rhodos. island Dodekánisos, Greece, Aegean Sea
Rodosto see Tekirdağ
59 A14 **Rodrigues** Amazonas, W Brazil
173 P8 **Rodrigues** var. Rodriguez. island E Mauritius
Rodriguez see Rodrigues
Rodunna see Roanne
180 I7 **Roebourne** Western Australia
83 J20 **Roedtan** Limpopo, NE South Africa

98 H11 **Roelofarendsveen** Zuid-Holland, W Netherlands
99 M16 **Roermond** Limburg, SE Netherlands
Roer see Rur
99 C18 **Roeselare** Fr. Roulers; prev. Rousselaere. West-Vlaanderen, W Belgium
9 P8 **Roes Welcome Sound** strait Nunavut, N Canada
Roeteng see Ruteng
Rofreit see Rovereto
Rogachëv see Rahachow
57 L15 **Rogagua, Laguna** ☺ NW Bolivia
95 C16 **Rogaland** ◆ county S Norway
25 Y9 **Roganville** Texas, S USA
109 W11 **Rogaška Slatina** Ger. Rohitsch-Sauerbrunn; prev. Rogatec-Slatina. E Slovenia
Rogatec-Slatina see Rogaška Slatina
112 J13 **Rogatica** Republika Srpska, SE Bosnia & Herzegovina
Rogatin see Rohatyn
93 F17 **Rogen** ☺ C Sweden
27 S9 **Rogers** Arkansas, C USA
29 P5 **Rogers** North Dakota, N USA
25 T9 **Rogers** Texas, SW USA
31 R5 **Rogers City** Michigan, N USA
Roger Simpson Island see Abemama
35 T14 **Rogers Lake** salt flat California, W USA
21 Q8 **Rogers, Mount** ▲ Virginia, NE USA
33 O16 **Rogerson** Idaho, NW USA
11 O16 **Rogers Pass** pass British Columbia, SW Canada
21 O8 **Rogersville** Tennessee, S USA
95 L16 **Roggel** Limburg, SE Netherlands
Roggeveen see Roggewein, Cabo
193 R10 **Roggeveen Basin** undersea feature E Pacific Ocean
191 X16 **Roggewein, Cabo** var. Roggeveen. headland Easter Island, Chile, E Pacific Ocean
103 Y13 **Rogliano** Corse, France, C Mediterranean Sea
107 N21 **Rogliano** Calabria, SW Italy
92 G12 **Rognan** Nordland, C Norway
100 K10 **Rögnitz** ⚡ N Germany
Rogozhina/Rogozhinë see Rrogozhinë
110 G10 **Rogoźno** Wielkopolskie, C Poland
32 E15 **Rogue River** ⚡ Oregon, NW USA
116 I6 **Rohatyn** Rus. Rogatin. Ivano-Frankivs'ka Oblast', W Ukraine
Rokha see Rokhah
149 R4 **Rohri** Sind, SE Pakistan
152 I10 **Rohtak** Haryāna, N India
167 R9 **Roi Et** var. Muang Roi Et, Roi Ed. Roi Et, E Thailand
191 U9 **Roi Georges, Îles du** island group Îles Tuamotu, C French Polynesia
153 Y10 **Roing** Arunāchal Pradesh, NE India
118 E7 **Roja** Talsi, NW Latvia
61 B20 **Rojas** Buenos Aires, E Argentina
149 R12 **Rojhān** Punjab, E Pakistan
41 Q12 **Rojo, Cabo** headland C Mexico
45 Q10 **Rojo, Cabo** headland W Puerto Rico
168 K10 **Rokan Kiri, Sungai** ⚡ Sumatera, W Indonesia
149 R4 **Rokhah** var. Rokha. Kāpīsā, E Afghanistan
118 I11 **Rokiškis** Panevėžys, NE Lithuania
165 R7 **Rokkasho** Aomori, Honshū, C Japan
111 B17 **Rokycany** Ger. Rokytzan. Plzeňský Kraj, W Czech Republic
117 P6 **Rokytne** Kyyivs'ka Oblast', N Ukraine
116 L3 **Rokytne** Rivnens'ka Oblast', NW Ukraine
Rokytzan see Rokycany
158 L11 **Rola Co** ☺ W China
29 L7 **Roland** C USA
95 D15 **Roldal** Hordaland, S Norway
98 O7 **Rolde** Drenthe, NE Netherlands
29 Q2 **Rolette** North Dakota, N USA
27 V6 **Rolla** Missouri, C USA
29 O2 **Rolla** North Dakota, N USA
108 M4 **Rolle** Vaud, W Switzerland
181 X8 **Rolleston** Queensland, E Australia
185 H19 **Rolleston** Canterbury, South Island, NZ
185 G18 **Rolleston Range** ▲ South Island, NZ
14 H13 **Rollet** Québec, SE Canada
22 J4 **Rolling Fork** Mississippi, S USA
20 L6 **Rolling Fork** ⚡ Kentucky, S USA
14 J11 **Rolphton** Ontario, SE Canada
Röm see Rømø

181 X10 **Roma** Queensland, E Australia
107 I15 **Roma** Eng. Rome. ● (Italy)
95 P20 **Roma** Gotland, SE Sweden
21 ... **Roma** Texas, SW USA
171 R16 **Roma, Pulau** island Nusa Tenggara, S Indonesia
116 J11 **Romania** var. Rumania, Ger. Rumänien, Hung. Románia, SCr. Rumunjska, Ukr. Rumuniya; prev. Republica Socialistă România, Roumania, Socialist Republic of Romania, Rom. România. ◆ republic SE Europe
117 T14 **Roman-Kash** ▲ S Ukraine
23 W16 **Romano, Cape** headland Florida, SE USA
44 G5 **Romano, Cayo** island C Cuba
123 O13 **Romanovka** Respublika Buryatiya, S Russian Federation
127 N8 **Romanovka** Saratovskaya Oblast', W Russian Federation
108 I6 **Romanshorn** Thurgau, NE Switzerland
103 R12 **Romans-sur-Isère** Drôme, E France
189 U12 **Romanum** island Chuuk, C Micronesia
Románövásár see Roman
39 S5 **Romanzof Mountains** ▲ Alaska, USA
Roma, Pulau see Romang, Pulau
103 S4 **Rombas** Moselle, NE France
23 R2 **Rome** Georgia, SE USA
18 I9 **Rome** New York, NE USA
Rome see Roma
31 S9 **Romeo** Michigan, N USA
Römerstadt see Rýmařov
103 P5 **Romilly-sur-Seine** Aube, N France
Rominia see Romania
Romiton see Romitan
146 L11 **Romitan** Rus. Romiton. Buxoro Viloyati, C Uzbekistan
21 U3 **Romney** West Virginia, NE USA
117 S4 **Romny** Sums'ka Oblast', NE Ukraine
95 E24 **Rømø** Ger. Rom. island SW Denmark
117 S5 **Romodan** Poltavs'ka Oblast', NE Ukraine
127 P5 **Romodanovo** Respublika Mordoviya, W Russian Federation
Romorantin see Romorantin-Lanthenay
103 N8 **Romorantin-Lanthenay** var. Romorantin. Loir-et-Cher, C France
94 F9 **Romsdal** physical region S Norway
94 F10 **Romsdalen** valley S Norway
94 E9 **Romsdalsfjorden** fjord S Norway
59 U14 **Ronan** Montana, NW USA
59 M14 **Roncador** Maranhão, E Brazil
186 M7 **Roncador Reef** reef N Solomon Islands
59 J17 **Roncador, Serra do** ▲ C Brazil
21 S6 **Ronceverte** West Virginia, NE USA
107 H14 **Ronciglione** Lazio, C Italy
104 L15 **Ronda** Andalucía, S Spain
94 G11 **Rondane** ▲ S Norway
104 L15 **Ronda, Serranía de** ▲ S Spain
95 H22 **Rønde** Århus, C Denmark
Röndik see Rongrik Atoll
60 E16 **Rondônia** off. Estado de Rondônia; prev. Território de Rondônia. ◆ state W Brazil
59 I18 **Rondonópolis** Mato Grosso, W Brazil
94 G11 **Rondslottet** ▲ S Norway
95 P20 **Ronehamn** Gotland, SE Sweden
160 L13 **Rong'an** var. Chang'an, Rongan. Guangxi Zhuangzu Zizhiqu, S China
Rongan see Jianli
189 R4 **Rongelap Atoll** var. Rönlap. atoll Ralik Chain, NW Marshall Islands
160 K12 **Rong Jiang** ⚡ S China
160 L13 **Rong Jiang** var. Rongjiang see Nankang
Rong, Kas see Rŏng, Kaôh
167 P8 **Rong Kwang** Phrae, NW Thailand
189 T4 **Rongrik Atoll** var. Röndik, Rongrik. atoll Ralik Chain, N Marshall Islands

◆ COUNTRY	◇ DEPENDENT TERRITORY	◆ ADMINISTRATIVE REGION	▲ MOUNTAIN	✹ VOLCANO	☺ LAKE
● COUNTRY CAPITAL	○ DEPENDENT TERRITORY CAPITAL	✈ INTERNATIONAL AIRPORT	▲ MOUNTAIN RANGE	⚡ RIVER	▨ RESERVOIR

Rongrong – Rutland ••• 315

189 X2 Rongrong island SE Marshall Islands
160 L13 Rongshui var. Rongshui Miaozu Zizhixian. Guangxi Zhuangzu Zizhiqu, S China
Rongshui Miaozu Zizhixian see Rongshui
118 I6 Rõngu Ger. Ringen. Tartumaa, SE Estonia
Rongwo see Tongren
160 L15 Rongxian var. Rong Xian. Guangxi Zhuangzu Zizhiqu, S China
Rongzhag see Danba
Roniu see Ronui, Mont
189 N13 Ronkiti Pohnpei, E Micronesia
Rōnlap see Rongelap Atoll
95 L24 Rønne Bornholm, E Denmark
95 M22 Ronneby Blekinge, S Sweden
194 J7 Ronne Entrance inlet Antarctica
194 L6 Ronne Ice Shelf ice shelf Antarctica
99 E19 Ronse Fr. Renaix. Oost-Vlaanderen, SW Belgium
191 R8 Ronui, Mont var. Roniu. ⛰ Tahiti, W French Polynesia
30 K14 Roodhouse Illinois, N USA
83 C19 Rooibank Erongo, W Namibia
65 N24 Rookery Point headland NE Tristan da Cunha
171 V13 Roon, Pulau island E Indonesia
173 V7 Roo Rise undersea feature E Indian Ocean
152 J9 Roorkee Uttaranchal, N India
99 H15 Roosendaal Noord-Brabant, S Netherlands
25 P10 Roosevelt Texas, SW USA
37 N3 Roosevelt Utah, W USA
47 T8 Roosevelt ≈ W Brazil
195 O13 Roosevelt Island island Antarctica
10 L10 Roosevelt, Mount ▲ British Columbia, W Canada
11 P17 Roosville British Columbia, SW Canada
29 X10 Root River ≈ Minnesota, N USA
111 N16 Ropczyce Podkarpackie, SE Poland
181 Q3 Roper Bar Northern Territory, N Australia
24 M5 Ropesville Texas, SW USA
102 K14 Roquefort Landes, SW France
61 C21 Roque Pérez Buenos Aires, E Argentina
58 E10 Roraima off. Estado de Roraima; prev. Território de Rio Branco, Território de Roraima. ◈ state N Brazil
58 F9 Roraima, Mount ▲ N South America
Ro Ro Reef see Malolo Barrier Reef
94 I9 Røros Sør-Trøndelag, S Norway
108 I7 Rorschach Sankt Gallen, NE Switzerland
93 E14 Rørvik Nord-Trøndelag, C Norway
119 G17 Ros' Rus. Ross'. Hrodzyenskaya Voblasts', W Belarus
119 G17 Ros' Rus. Ross'. ≈ W Belarus
117 O6 Ros' ≈ N Ukraine
44 K7 Rosa, Lake ◎ Great Inagua, S Bahamas
32 M9 Rosalia Washington, NW USA
191 W15 Rosalia, Punta headland Easter Island, Chile, E Pacific Ocean
45 P12 Rosalie E Dominica
35 T14 Rosamond California, W USA
35 S14 Rosamond Lake salt flat California, W USA
61 B18 Rosario Santa Fe, C Argentina
40 I11 Rosario Sinaloa, C Mexico
40 G6 Rosario Sonora, NW Mexico
62 O6 Rosario San Pedro, C Paraguay
61 E20 Rosario Colonia, SW Uruguay
54 H5 Rosario Zulia, NW Venezuela
Rosario see Rosarito
40 B4 Rosario, Bahía del bay NW Mexico
62 K6 Rosario de la Frontera Salta, N Argentina
61 C18 Rosario del Tala Entre Ríos, E Argentina
61 F16 Rosário do Sul Rio Grande do Sul, S Brazil
59 H18 Rosário Oeste Mato Grosso, W Brazil
40 E7 Rosarito Baja California, NW Mexico
40 B1 Rosarito var. Rosario. Baja California, NW Mexico
40 E7 Rosarito Baja California Sur, W Mexico
104 L9 Rosarito, Embalse del ▣ W Spain
107 N22 Rosarno Calabria, SW Italy
56 B5 Rosa Zárate var. Quinindé. Esmeraldas, SW Ecuador
Roscianum see Rossano
29 O8 Roscoe South Dakota, N USA
25 P7 Roscoe Texas, SW USA
102 F5 Roscoff Finistère, NW France
Ros Comáin see Roscommon
97 C17 Roscommon Ir. Ros Comáin. C Ireland
31 Q7 Roscommon Michigan, N USA
97 C17 Roscommon Ir. Ros Comáin. cultural region C Ireland
Ros. Cré see Roscrea
97 D19 Roscrea Ir. Ros. Cré. C Ireland
45 X12 Roseau prev. Charlotte Town. ● (Dominica) SW Dominica
29 S2 Roseau Minnesota, N USA
173 Y16 Rose Belle SE Mauritius
183 O16 Rosebery Tasmania, SE Australia
21 U11 Roseboro North Carolina, SE USA
25 T9 Rosebud Texas, SW USA
33 W10 Rosebud Creek ≈ Montana, NW USA
32 F14 Roseburg Oregon, NW USA
22 J3 Rosedale Mississippi, S USA
99 H21 Rosée Namur, S Belgium
55 U8 Rose Hall E Guyana
173 X16 Rose Hill W Mauritius
80 H12 Roseires, Reservoir var. Lake Rusayris. ▣ E Sudan
Rosenau see Rožnov pod Radhoštěm, Czech Republic
Rosenau see Rožňava, Slovakia
25 V11 Rosenberg Texas, SW USA
Rosenberg see Olesno, Poland
Rosenberg see Ružomberok, Slovakia
100 I10 Rosengarten Niedersachsen, N Germany
101 M24 Rosenheim Bayern, S Germany
Rosenhof see Zilupe
105 X4 Roses Cataluña, NE Spain
105 X4 Roses, Golf de gulf NE Spain
107 K14 Roseto degli Abruzzi Abruzzo, C Italy
11 S16 Rosetown Saskatchewan, S Canada
Rosetta see Rashīd
35 O7 Roseville California, W USA
30 J12 Roseville Illinois, N USA
29 V8 Roseville Minnesota, N USA
29 R7 Rosholt South Dakota, N USA
106 F12 Rosignano Marittimo Toscana, C Italy
116 I14 Roşiori de Vede Teleorman, S Romania
114 K8 Rositsa ≈ N Bulgaria
Rositten see Rēzekne
95 J23 Roskilde Roskilde, E Denmark
95 I23 Roskilde off. Roskilde Amt. ◈ county E Denmark
Ros Láir see Rosslare
126 H5 Roslavl' Smolenskaya Oblast', W Russian Federation
32 I8 Roslyn Washington, NW USA
99 K14 Rosmalen Noord-Brabant, S Netherlands
Ros Mhic Thriúin see New Ross
113 P19 Rosoman C FYR Macedonia
102 F6 Rosporden Finistère, NW France
185 F17 Ross West Coast, South Island, NZ
10 J7 Ross ≈ Yukon Territory, W Canada
Ross' see Ros'
96 H8 Ross and Cromarty cultural region N Scotland, UK
107 O20 Rossano anc. Roscianum. Calabria, SW Italy
22 L5 Ross Barnett Reservoir ▣ Mississippi, S USA
11 W16 Rossburn Manitoba, S Canada
14 H13 Rosseau Ontario, S Canada
14 H13 Rosseau, Lake ◎ Ontario, S Canada
186 I10 Rossel Island prev. Yela Island. island SE PNG
195 P12 Ross Ice Shelf ice shelf Antarctica
13 P16 Rossignol, Lake ◎ Nova Scotia, SE Canada
83 C19 Rössing Erongo, W Namibia
195 Q14 Ross Island island Antarctica
Rossitten see Rybachiy
Rossiyskaya Federatsiya see Russian Federation
11 N17 Rossland British Columbia, SW Canada
97 F20 Rosslare Ir. Ros Láir. SE Ireland
97 F20 Rosslare Harbour Wexford, SE Ireland
101 M14 Rosslau Sachsen-Anhalt, E Germany
76 G10 Rosso Trarza, SW Mauritania
103 X14 Rosso, Cap headland Corse, France, C Mediterranean Sea
93 H16 Rossön Jämtland, C Sweden
97 K21 Ross-on-Wye W England, UK
Rossony see Rasony
126 L9 Rossosh' Voronezhskaya Oblast', W Russian Federation
181 Q7 Ross River Northern Territory, N Australia
10 J7 Ross River Yukon Territory, W Canada
205 O15 Ross Sea sea Antarctica
92 G13 Røssvatnet Lapp. Reevhtse. ◎ C Norway
23 R1 Rossville Georgia, SE USA
Rostak see Ar Rustāq
143 P14 Rostāq Hormozgān, S Iran
117 N5 Rostavytsya ≈ N Ukraine
11 T15 Rosthern Saskatchewan, S Canada
100 M8 Rostock Mecklenburg-Vorpommern, NE Germany
126 L16 Rostov Yaroslavskaya Oblast', W Russian Federation
Rostov see Rostov-na-Donu
126 L12 Rostov-na-Donu var. Rostov, Eng. Rostov-on-Don. Rostovskaya Oblast', SW Russian Federation
Rostov-on-Don see Rostov-na-Donu
126 L10 Rostovskaya Oblast' ◈ province SW Russian Federation
93 J14 Rosvik Norrbotten, N Sweden
23 S3 Roswell Georgia, SE USA
37 U14 Roswell New Mexico, SW USA
94 K12 Rot Dalarna, C Sweden
101 I23 Rot ≈ S Germany
104 J15 Rota Andalucía, S Spain
188 K9 Rota island S Northern Mariana Islands
25 P6 Rotan Texas, SW USA
Rotcher Island see Tamana
100 I11 Rotenburg Niedersachsen, NW Germany
Rotenburg see Rotenburg an der Fulda
101 I16 Rotenburg an der Fulda var. Rotenburg. Thüringen, C Germany
101 L18 Roter Main ≈ E Germany
101 K20 Roth Bayern, SE Germany
101 G16 Rothaargebirge ▲ W Germany
Rothenburg see Rothenburg ob der Tauber
101 J20 Rothenburg ob der Tauber var. Rothenburg. Bayern, S Germany
194 H6 Rothera UK research station Antarctica
185 I17 Rotherham Canterbury, South Island, NZ
97 M17 Rotherham N England, UK
96 H12 Rothesay W Scotland, UK
108 E7 Rothrist Aargau, N Switzerland
194 H6 Rothschild Island island Antarctica
171 P17 Roti, Pulau island S Indonesia
183 O8 Roto New South Wales, SE Australia
184 N8 Rotoiti, Lake ◎ North Island, NZ
Rotomagus see Rouen
107 N19 Rotondella Basilicata, S Italy
103 X15 Rotondo, Monte ▲ Corse, France, C Mediterranean Sea
185 I15 Rotoroa, Lake ◎ South Island, NZ
184 N8 Rotorua Bay of Plenty, North Island, NZ
184 N8 Rotorua, Lake ◎ North Island, NZ
101 N22 Rott ≈ SE Germany
108 F10 Rotten ≈ S Switzerland
109 T6 Rottenmann Steiermark, E Austria
98 H12 Rotterdam Zuid-Holland, SW Netherlands
18 K10 Rotterdam New York, NE USA
95 M21 Rottnen ◎ S Sweden
98 N4 Rottumeroog island Waddeneilanden, NE Netherlands
98 N4 Rottumerplaat island Waddeneilanden, NE Netherlands
101 G23 Rottweil Baden-Württemberg, S Germany
191 O7 Rotui, Mont ⛰ Moorea, W French Polynesia
103 P1 Roubaix Nord, N France
111 C15 Roudnice nad Labem Ger. Raudnitz an der Elbe. Ústecký Kraj, NW Czech Republic
102 M4 Rouen anc. Rotomagus. Seine-Maritime, N France
171 X13 Rouffaer Reserves reserve Papua, E Indonesia
15 N10 Rouge, Rivière ≈ Québec, SE Canada
20 J6 Rough River ≈ Kentucky, S USA
20 J6 Rough River Lake ▣ Kentucky, S USA
Rouhaïbé see Ar Ruḩaybah
102 K11 Rouillac Charente, W France
Roulers see Roeselare
Roumania see Romania
173 Y15 Round Island var. Île Ronde. island NE Mauritius
14 J12 Round Lake ◎ Ontario, SE Canada
35 U7 Round Mountain Nevada, W USA
25 R10 Round Mountain Texas, SW USA
183 U5 Round Mountain ▲ New South Wales, SE Australia
25 S10 Round Rock Texas, SW USA
33 U10 Roundup Montana, NW USA
55 Y10 Roura NE French Guiana
Rourkela see Rāulakela
96 J4 Rousay island N Scotland, UK
Rousselaere see Roeselare
103 O17 Roussillon cultural region S France
15 V7 Routhierville Québec, SE Canada
99 K25 Rouvroy Luxembourg, SE Belgium
14 I7 Rouyn-Noranda Québec, SE Canada
Rouyuanchengzi see Huachi
92 L12 Rovaniemi Lappi, N Finland
106 E7 Rovato Lombardia, N Italy
125 N11 Rovdino Arkhangel'skaya Oblast', NW Russian Federation
Roven'ki see Roven'ky
117 Y8 Roven'ky var. Roven'ki. Luhans'ka Oblast', E Ukraine
Rovenskaya Oblast' see Rivnens'ka Oblast'
Rovenskaya Sloboda see Rovyenskaya Slabada
106 G7 Rovereto Ger. Rofreit. Trentino-Alto Adige, N Italy
167 S12 Rôviĕng Tbong Preăh Vihéar, N Cambodia
Rovigno see Rovinj
106 H8 Rovigo Veneto, NE Italy
112 A10 Rovinj It. Rovigno. Istra, NW Croatia
54 E10 Rovira Tolima, C Colombia
Rovno see Rivne
127 P9 Rovnoye Saratovskaya Oblast', W Russian Federation
82 Q12 Rovuma, Rio var. Ruvuma. ≈ Mozambique/Tanzania see also Ruvuma
119 O19 Rovyenskaya Slabada Rus. Rovenskaya Sloboda. Homyel'skaya Voblasts', SE Belarus
183 R5 Rowena New South Wales, SE Australia
21 T11 Rowland North Carolina, SE USA
9 P5 Rowley ≈ Baffin Island, Nunavut, NE Canada
9 P6 Rowley Island island Nunavut, NE Canada
173 W8 Rowley Shoals reef NW Australia
171 O4 Roxas Mindoro, N Philippines
171 P5 Roxas City Panay Island, C Philippines
21 U8 Roxboro North Carolina, SE USA
185 D23 Roxburgh Otago, South Island, NZ
96 K13 Roxburgh cultural region SE Scotland, UK
182 H5 Roxby Downs South Australia
95 M17 Roxen ◎ S Sweden
25 V5 Roxton Texas, SW USA
15 P12 Roxton-Sud Québec, SE Canada
33 U8 Roy Montana, NW USA
37 U10 Roy New Mexico, SW USA
97 E17 Royal Canal Ir. An Chanáil Ríoga. canal C Ireland
30 L1 Royale, Isle island Michigan, N USA
37 S6 Royal Gorge valley Colorado, C USA
97 M20 Royal Leamington Spa var. Leamington, Leamington Spa. C England UK
97 O23 Royal Tunbridge Wells var. Tunbridge Wells. SE England, UK
24 L9 Royalty Texas, SW USA
102 J11 Royan Charente-Maritime, W France
65 B24 Roy Cove Settlement West Falkland, Falkland Islands
103 O3 Roye Somme, N France
93 H15 Røyken Buskerud, S Norway
93 F14 Røyrvik Nord-Trøndelag, C Norway
25 U6 Royse City Texas, SW USA
97 O21 Royston E England, UK
23 U2 Royston Georgia, SE USA
114 L10 Roza prev. Gyulovo. Yambol, E Bulgaria
113 L16 Rožaje Montenegro, SW Serbia and Montenegro (Yugo.)
110 M10 Różan Mazowieckie, C Poland
117 O10 Rozdil'na Odes'ka Oblast', SW Ukraine
117 S12 Rozdol'ne Rus. Razdolnoye. Respublika Krym, S Ukraine
145 Q9 Rozhdestvenka Akmola, C Kazakhstan
116 I6 Rozhnyativ Ivano-Frankivs'ka Oblast', W Ukraine
116 J3 Rozhyshche Volyns'ka Oblast', NW Ukraine
Roznau am Radhost see Rožnov pod Radhoštěm
111 L19 Rožňava Ger. Rosenau, Hung. Rozsnyó. Košický Kraj, E Slovakia
116 K10 Roznov Neamţ, NE Romania
111 I18 Rožnov pod Radhoštěm Ger. Rosenau, Roznau am Radhost. Zlínský Kraj, E Czech Republic
Rózsahegy see Ružomberok
Rozsnyó see Râşnov, Romania
Rozsnyó see Rožňava, Slovakia
113 K18 Rranxë Shkodër, NW Albania
113 L18 Rrëshen var. Rresheni, Rrshen. Lezhë, C Albania
Rresheni see Rrëshen
Rrogozhina see Rrogozhinë
113 K20 Rrogozhinë var. Rogozhina, Rogozhinë, Rrogozhina. Tiranë, W Albania
Rrshen see Rrëshen
112 O13 Rtanj ▲ E Serbia and Montenegro (Yugo.)
127 O7 Rtishchevo Saratovskaya Oblast', W Russian Federation
184 N12 Ruahine Range var. Ruarine. ▲▲ North Island, NZ
185 L14 Ruamahanga ≈ North Island, NZ
Ruanda see Rwanda
184 M10 Ruapehu, Mount ▲ North Island, NZ
185 C25 Ruapuke Island island SW NZ
Ruarine see Ruahine Range
184 O9 Ruatahuna Bay of Plenty, North Island, NZ
184 Q8 Ruatoria Gisborne, North Island, NZ
184 K4 Ruawai Northland, North Island, NZ
15 N8 Ruban ≈ Québec, SE Canada
81 I22 Rubeho Mountains ▲▲ C Tanzania
165 U3 Rubeshibe Hokkaidō, NE Japan
Rubezhnoye see Rubizhne
113 L18 Rubik Lezhë, C Albania
54 H7 Rubio Táchira, W Venezuela
117 X6 Rubizhne Rus. Rubezhnoye. Luhans'ka Oblast', E Ukraine
81 F20 Rubondo Island island N Tanzania
122 I13 Rubtsovsk Altayskiy Kray, S Russian Federation
39 P9 Ruby Alaska, USA
35 W3 Ruby Dome ▲ Nevada, W USA
35 W4 Ruby Lake ◎ Nevada, W USA
35 W4 Ruby Mountains ▲▲ Nevada, W USA
33 Q12 Ruby Range ▲▲ Montana, NW USA
118 C10 Rucava Liepāja, SW Latvia
Rūdān see Dehbārez
Rudelstadt see Ciechanowiec
Rudensk see Rudzyensk
119 G14 Rūdiškės Vilnius, S Lithuania
95 H24 Rudkøbing Fyn, C Denmark
145 V14 Rudnichnyy Kaz. Rūdnīchnyy. Almaty, SE Kazakhstan
125 S13 Rudnichnyy Kirovskaya Oblast', NW Russian Federation
114 N9 Rudnik Varna, E Bulgaria
Rudny see Rudnyy
126 H4 Rudnya Smolenskaya Oblast', W Russian Federation
127 O8 Rudnya Volgogradskaya Oblast', SW Russian Federation
144 M7 Rudnyy var. Rudny. Kostanay, N Kazakhstan
122 K3 Rudol'fa, Ostrov island Zemlya Frantsa-Iosifa, NW Russian Federation
Rudolf, Lake see Turkana, Lake
Rudolfswert see Novo mesto
101 L17 Rudolstadt Thüringen, C Germany
31 Q4 Rudyard Michigan, N USA
33 S7 Rudyard Montana, NW USA
119 K16 Rudzyensk Rus. Rudensk. Minskaya Voblasts', C Belarus
104 L6 Rueda Castilla-León, N Spain
114 F10 Ruen ▲ Bulgaria/FYR Macedonia
80 G10 Rufa'a Gezira, C Sudan
102 L10 Ruffec Charente, W France
21 R14 Ruffin South Carolina, SE USA
81 J23 Rufiji ≈ E Tanzania
61 A20 Rufino Santa Fe, C Argentina
76 F11 Rufisque W Senegal
83 K14 Rufunsa Lusaka, C Zambia
118 J9 Rugāji Balvi, E Latvia
161 R7 Rugao Jiangsu, E China
97 M20 Rugby C England, UK
29 N3 Rugby North Dakota, N USA
100 N7 Rügen headland NE Germany
Ruhaybeh see Ar Ruḩaybah
81 E19 Ruhengeri NW Rwanda
Ruhja see Rūjiena
100 M10 Ruhner Berg hill N Germany
118 F7 Ruhnu var. Ruhnu Saar, Swe. Runö. island SW Estonia
Ruhnu Saar see Ruhnu
101 G15 Ruhr ≈ W Germany
161 S11 Rui'an var. Rui an. Zhejiang, SE China
161 P10 Ruichang Jiangxi, S China
24 J11 Ruidosa Texas, SW USA
37 S14 Ruidoso New Mexico, SW USA
161 P12 Ruijin Jiangxi, S China
160 D13 Ruili Yunnan, SW China
98 N8 Ruinen Drenthe, NE Netherlands
99 D17 Ruiselede West-Vlaanderen, W Belgium
64 P5 Ruivo de Santana, Pico ▲ Madeira, Portugal, NE Atlantic Ocean
40 J12 Ruiz Nayarit, SW Mexico
54 E10 Ruiz, Nevado del ⛰ W Colombia
138 J9 Rujaylah, Ḩarrat ar salt lake N Jordan
Rujen see Rūjiena
118 H7 Rūjiena Est. Ruhja, Ger. Rujen. Valmiera, N Latvia
79 I18 Ruki ≈ W Dem. Rep. Congo
81 E22 Rukwa ◈ region SW Tanzania
81 F23 Rukwa, Lake ◎ SE Tanzania
25 P6 Rule Texas, SW USA
22 K3 Ruleville Mississippi, S USA
Rum see Rhum
112 K10 Ruma Srbija, N Serbia and Montenegro (Yugo.)
Rumadiya see Ar Ramādī
141 Q7 Rumāḩ Ar Riyāḑ, C Saudi Arabia
Rumaitha see Ar Rumaythah
Rumania/Rumänien see Romania
Rumänisch-Sankt-Georgen see Sângeorz-Băi
139 Y13 Rumaylah SE Iraq
139 P2 Rumaylah, Wādī dry watercourse NE Syria
171 U13 Rumbati Papua, E Indonesia
81 E14 Rumbek El Buhayrat, S Sudan
Rumburg see Rumburk
111 D14 Rumburk Ger. Rumburg. Ústecký Kraj, NW Czech Republic
44 J4 Rum Cay island C Bahamas
99 M26 Rumelange Luxembourg, S Luxembourg
99 D20 Rumes Hainaut, SW Belgium
19 P7 Rumford Maine, NE USA
110 I6 Rumia Pomorskie, N Poland
113 J17 Rumija ▲ SW Serbia and Montenegro (Yugo.)
103 T11 Rumilly Haute-Savoie, E France
139 O6 Rūmiyah W Iraq
Rummah, Wādī ar see Rimah, Wādī ar
Rummelsburg in Pommern see Miastko
165 S3 Rumoi Hokkaidō, NE Japan
82 M12 Rumphi var. Rumpi. Northern, N Malawi
Rumpi see Rumphi
29 V7 Rum River ≈ Minnesota, N USA
188 F16 Rumung island Caroline Islands, W Micronesia
Rumuniya/Rumŭniya/Rumunjska see Romania
185 G16 Runanga West Coast, South Island, NZ
184 P7 Runaway, Cape headland North Island, NZ
97 K18 Runcorn C England, UK
118 K10 Rundāni Ludza, E Latvia
83 L18 Runde var. Lundi. ≈ SE Zimbabwe
83 E16 Rundu var. Runtu. Okavango, NE Namibia
93 I16 Rundvik Västerbotten, N Sweden
81 G20 Runere Mwanza, N Tanzania
25 S13 Runge Texas, SW USA
167 Q13 Rŭng, Kaôh prev. Kas Rong. island SW Cambodia
79 O16 Rungu Orientale, NE Dem. Rep. Congo
81 F23 Rungwa Rukwa, W Tanzania
81 G22 Rungwa Singida, C Tanzania
94 M13 Runn ◎ C Sweden
24 M4 Running Water Draw valley New Mexico/Texas, SW USA
Runö see Ruhnu
Runtu see Rundu
189 V12 Ruo island Caroline Islands, C Micronesia
158 L9 Ruoqiang var. Jo-ch'iang, Uigh. Charkhlik, Charkhliq, Qarkilik. Xinjiang Uygur Zizhiqu, NW China
159 S7 Ruo Shui ≈ N China
92 L8 Ruostekfielbmá var. Rustefjelbma Finnmark, N Norway
93 L18 Ruovesi Länsi-Suomi, W Finland
112 B9 Rupa Primorje-Gorski Kotar, NW Croatia
182 M11 Rupanyup Victoria, SE Australia
168 K9 Rupat, Pulau prev. Roepat. island W Indonesia
168 K10 Rupat, Selat strait Sumatera, W Indonesia
116 J11 Rupea Ger. Reps, Hung. Kőhalom; prev. Cohalm. Braşov, C Romania
99 G17 Rupel ≈ N Belgium
Rupella see la Rochelle
33 P15 Rupert Idaho, NW USA
21 R5 Rupert West Virginia, NE USA
Rupert House see Fort Rupert
12 J10 Rupert, Rivière de ≈ Québec, C Canada
194 M13 Ruppert Coast physical region Antarctica
100 N11 Ruppiner Kanal canal NE Germany
55 S11 Rupununi River ≈ S Guyana
101 D16 Rur Dut. Roer. ≈ Germany/Netherlands
58 H13 Rurópolis Presidente Medici Pará, N Brazil
191 S12 Rurutu island Îles Australes, SW French Polynesia
Rusaddir see Melilla
83 L17 Rusape Manicaland, E Zimbabwe
Rusayris, Lake see Roseires, Reservoir
Ruschuk/Rusçuk see Ruse
114 K7 Ruse var. Ruschuk, Rustchuk, Turk. Rusçuk. Ruse, N Bulgaria
114 L7 Ruse ◈ province N Bulgaria
109 W10 Ruše NE Slovenia
114 K7 Rusenski Lom ≈ N Bulgaria
97 G17 Rush Ir. An Ros. E Ireland
161 S4 Rushan var. Xiacun. Shandong, E China
Rushan see Rŭshon
Rushanskiy Khrebet see Rushon, Qatorkŭhi
29 V7 Rush City Minnesota, N USA
37 V5 Rush Creek ≈ Colorado, C USA
29 X10 Rushford Minnesota, N USA
154 N13 Rushikulya ≈ E India
14 D8 Rush Lake ◎ Ontario, S Canada
30 M7 Rush Lake ◎ Wisconsin, N USA
28 J10 Rushmore, Mount ▲ South Dakota, N USA
147 S13 Rŭshon Rus. Rushan. S Tajikistan
147 S14 Rushon, Qatorkŭhi Rus. Rushanskiy Khrebet. ▲▲ SE Tajikistan
26 M12 Rush Springs Oklahoma, C USA
45 V15 Rushville Trinidad, Trinidad and Tobago
30 J13 Rushville Illinois, N USA
28 K12 Rushville Nebraska, C USA
183 O11 Rushworth Victoria, SE Australia
25 W8 Rusk Texas, SW USA
93 I14 Rusksele Västerbotten, N Sweden
118 C12 Rusnė Klaipėda, W Lithuania
114 M10 Rusokastrenska Reka ≈ E Bulgaria
Russadir see Melilla
109 X3 Russbach ≈ NE Austria
11 V16 Russell Manitoba, S Canada
184 K2 Russell Northland, North Island, NZ
26 L4 Russell Kansas, C USA
21 O4 Russell Kentucky, S USA
20 L7 Russell Springs Kentucky, S USA
23 O2 Russellville Alabama, S USA
27 T11 Russellville Arkansas, C USA
20 J7 Russellville Kentucky, S USA
101 G18 Rüsselsheim Hessen, W Germany
Russenes see Olderfjord
Russia see Russian Federation
Russian America see Alaska
122 J11 Russian Federation off. Russian Federation, var. Russia, Latv. Krievija, Rus. Rossiyskaya Federatsiya. ◆ republic Asia/Europe
39 N11 Russian Mission Alaska, USA
34 M7 Russian River ≈ California, W USA
194 L13 Russkaya Russian research station Antarctica
122 J5 Russkaya Gavan' Novaya Zemlya, Arkhangel'skaya Oblast', N Russian Federation
122 J5 Russkiy, Ostrov island N Russian Federation
109 Y5 Rust Burgenland, E Austria
Rustaq see Ar Rustāq
137 U10 Rust'avi SE Georgia
21 T7 Rustburg Virginia, NE USA
Rustchuk see Ruse
Rustefjelbma see Ruostekfielbmá
83 I21 Rustenburg North-West, N South Africa
22 H5 Ruston Louisiana, S USA
81 E21 Rutana SE Burundi
62 I4 Rutana, Volcán ⛰ N Chile
Rutanzige, Lake see Edward, Lake
Rutba see Ar Ruṭbah
104 M14 Rute Andalucía, S Spain
171 N16 Ruteng prev. Roeteng. Flores, C Indonesia
194 L8 Rutford Ice Stream ice feature Antarctica
35 X6 Ruth Nevada, W USA
101 G15 Rüthen Nordrhein-Westfalen, W Germany
14 D17 Rutherford Ontario, S Canada
21 Q10 Rutherfordton North Carolina, SE USA
97 J18 Ruthin Wel. Rhuthun. NE Wales, UK
108 G7 Rüti Zürich, N Switzerland
Rutlam see Ratlām
18 M9 Rutland Vermont, NE USA

◆ Country ● Country Capital ◇ Dependent Territory ○ Dependent Territory Capital ◈ Administrative Region ✕ International Airport ▲ Mountain ▲▲ Mountain Range ⛰ Volcano ≈ River ◎ Lake ▣ Reservoir

316 ••• Rutland – Saint Helena Sound

97 N19 Rutland cultural region C England, UK
21 N8 Rutledge Tennessee, S USA
158 G12 Rutög var. Rutog, Rutok. Xizang Zizhiqu, W China
Rutok see Rutög
79 P19 Rutshuru Nord Kivu, E Dem. Rep. Congo
98 L8 Rutten Flevoland, N Netherlands
127 Q17 Rutul Respublika Dagestan, SW Russian Federation
93 L14 Ruukki Oulu, C Finland
98 N11 Ruurlo Gelderland, E Netherlands
143 S15 Ru'us al Jibāl headland Oman/UAE
138 I7 Ru'ūs aṭ Ṭiwāl, Jabal ▲ W Syria
81 H23 Ruvuma ◈ region SE Tanzania
81 I25 Ruvuma var. Rio Rovuma. ≈ Mozambique/Tanzania see also Rovuma, Rio
Ruwais see Ar Ruways
138 L9 Ruwayshid, Wadi ar dry watercourse NE Jordan
141 Z10 Ruways, Ra's ar headland E Oman
79 P18 Ruwenzori ▲ Uganda/Dem. Rep. Congo
141 Y8 Ruwī NE Oman
114 F9 Ruy ▲ Bulgaria/Serbia and Montenegro (Yugo.)
Ruya see Luia, Rio
81 E20 Ruyigi E Burundi
127 P5 Ruzayevka Respublika Mordoviya, W Russian Federation
119 G18 Ruzhany Rus. Ruzhany. Brestskaya Voblasts', SW Belarus
114 I10 Rŭzhevo Konare var. Rŭzhevo Konare. Plovdiv, C Bulgaria
Ruzhin see Ruzhyn
114 G7 Ruzhintsi Vidin, NW Bulgaria
161 N6 Ruzhou Henan, C China
117 N5 Ruzhyn Rus. Ruzhin. Zhytomyrs'ka Oblast', N Ukraine
111 K19 Ružomberok Ger. Rosenberg, Hung. Rózsahegy. Žilinský Kraj, N Slovakia
111 C16 Ruzyně ✕ (Praha) Praha, C Czech Republic
81 D19 Rwanda off. Rwandese Republic; prev. Ruanda. ◆ republic C Africa
Rwandese Republic see Rwanda
95 G22 Ry Århus, C Denmark
Ryasna see Rasna
126 L5 Ryazan' Ryazanskaya Oblast', W Russian Federation
126 L5 Ryazanskaya Oblast' ◈ province W Russian Federation
126 M6 Ryazhsk Ryazanskaya Oblast', W Russian Federation
118 B13 Rybachiy Ger. Rossitten. Kaliningradskaya Oblast', W Russian Federation
126 J2 Rybachiy, Poluostrov peninsula NW Russian Federation
Rybach'ye see Balykchy
126 L15 Rybinsk prev. Andropov. Yaroslavskaya Oblast', W Russian Federation
126 K14 Rybinskoye Vodokhranilishche Eng. Rybinsk Reservoir, Rybinsk Sea. ⊞ W Russian Federation
Rybinsk Reservoir/Rybinsk Sea see Rybinskoye Vodokhranilishche
111 I16 Rybnik Śląskie, S Poland
Rybnitsa see Rîbniţa
111 F16 Rychnov nad Kněžnou Ger. Reichenau. Královéhradecký Kraj, N Czech Republic
110 I12 Rychwał Wielkolpolskie, C Poland
11 O13 Rycroft Alberta, W Canada
95 L21 Ryd Kronoberg, S Sweden
95 L20 Rydaholm Jönköping, S Sweden
194 I8 Rydberg Peninsula peninsula Antarctica
97 P23 Rye SE England, UK
33 T10 Ryegate Montana, NW USA
35 S3 Rye Patch Reservoir ⊞ Nevada, W USA
95 D15 Ryfylke physical region S Norway
95 H16 Rygge Østfold, S Norway
110 N13 Ryki Lubelskie, E Poland
Rykovo see Yenakiyeve
126 I7 Ryl'sk Kurskaya Oblast', W Russian Federation
183 S8 Rylstone New South Wales, SE Australia
111 H17 Rýmařov Ger. Römerstadt. Moravskoslezský Kraj, E Czech Republic
144 E11 Ryn-Peski desert W Kazakhstan
165 N10 Ryōtsu var. Ryôtu. Niigata, Sado, C Japan
Ryôtu see Ryōtsu
110 K10 Rypin Kujawsko-pomorskie, C Poland
Ryshkany see Rîşcani
Ryssel see Lille
Ryswick see Rijswijk
95 M24 Rytterknægten hill E Denmark
192 G5 Ryukyu Trench var. Nansei Syotō Trench. undersea feature S East China Sea
110 D11 Rzepin Ger. Reppen. Lubuskie, W Poland
111 N16 Rzeszów Podkarpackie, SE Poland
124 I16 Rzhev Tverskaya Oblast', W Russian Federation
Rzhishchev see Rzhyshchiv
117 P5 Rzhyshchiv Rus. Rzhishchev. Kyyivs'ka Oblast', N Ukraine

S

138 E11 Sa'ad Southern, W Israel
109 P7 Saalach ≈ W Austria
101 L14 Saale ≈ C Germany
101 L17 Saalfeld var. Saalfeld an der Saale. Thüringen, C Germany
Saalfeld see Zalewo
Saalfeld an der Saale see Saalfeld
108 C8 Saane ≈ W Switzerland
101 D19 Saar Fr. Sarre. ≈ France/Germany
101 E20 Saarbrücken Fr. Sarrebruck. Saarland, SW Germany
Saarburg see Sarrebourg
Saare see Saaremaa
118 D6 Sääre var. Sjar. Saaremaa, W Estonia
118 D5 Saaremaa off. Saare Maakond. ◈ province W Estonia
118 E6 Saaremaa Ger. Oesel, Ösel; prev. Saare. island W Estonia
92 L12 Saarenkylä Lappi, N Finland
Saargemund see Sarreguemines
93 L17 Saarijärvi Länsi-Suomi, W Finland
Saar in Mähren see Žďár nad Sázavou
92 M10 Saariselkä Lapp. Suoločielgi. Lappi, N Finland
92 L10 Saariselkä hill range NE Finland
101 D20 Saarland Fr. Sarre. ◈ state SW Germany
Saarlautern see Saarlouis
101 D20 Saarlouis prev. Saarlautern. Saarland, SW Germany
108 E11 Saaser Vispa ≈ S Switzerland
137 X12 Saatlı Rus. Saatly. C Azerbaijan
Saatly see Saatlı
Saaz see Žatec
45 V9 Saba island N Netherlands Antilles
138 J7 Sab' Ābār var. Sab'a Biyar, Sa'b Bi'ār. Ḥimṣ, C Syria
Sab'a Biyar see Sab' Ābār
112 K11 Šabac Serbia, W Serbia and Montenegro (Yugo.)
105 W5 Sabadell Cataluña, E Spain
164 K12 Sabae Fukui, Honshū, SW Japan
169 V7 Sabah prev. British North Borneo, North Borneo. ◈ state East Malaysia
168 J8 Sabak var. Sabak Bernam. Selangor, Peninsular Malaysia
Sabak Bernam see Sabak
38 D16 Sabak, Cape headland Agattu Island, Alaska, USA
81 J20 Sabaki ≈ S Kenya
142 L2 Sabalān, Kuhhā-ye ▲ NW Iran
154 H7 Sabalgarh Madhya Pradesh, C India
44 E4 Sabana, Archipiélago de island group C Cuba
42 H7 Sabanagrande var. Sabana Grande. Francisco Morazán, S Honduras
54 E5 Sabanalarga Atlántico, N Colombia
41 W14 Sabancuy Campeche, SE Mexico
45 N8 Sabaneta NW Dominican Republic
54 J4 Sabaneta Falcón, N Venezuela
188 H4 Sabaneta, Puntan prev. Ushi Point. headland Saipan, S Northern Mariana Islands
171 X14 Sabang Papua, E Indonesia
116 L10 Săbăoani Neamţ, NE Romania
155 J26 Sabaragamuwa Province ◈ province C Sri Lanka
Sabaria see Szombathely
154 D10 Sābarmati ≈ NW India
171 S10 Sabatai Pulau Morotai, E Indonesia
141 Q15 Sab'atayn, Ramlat as desert C Yemen
107 I16 Sabaudia Lazio, C Italy
57 J19 Sabaya Oruro, S Bolivia
Sa'b Bi'ār see Sab' Ābār
Sabbioncello see Orebić
148 I8 Şāberī, Hāmūn-e var. Daryācheh-ye Hāmūn, Daryācheh-ye Sīstān. ⊚ Afghanistan/Iran see also Sīstān, Daryācheh-ye
27 P2 Sabetha Kansas, C USA
75 P10 Sabhā C Libya
Sabi see Save, Rio
118 E8 Sabile Ger. Zabeln. Talsi, NW Latvia
31 R14 Sabina Ohio, N USA
40 I3 Sabinal Chihuahua, N Mexico
25 Q12 Sabinal Texas, SW USA
25 Q11 Sabinal River ≈ Texas, SW USA
105 S4 Sabiñánigo Aragón, NE Spain
41 N6 Sabinas Coahuila de Zaragoza, NE Mexico
41 O8 Sabinas Hidalgo Nuevo León, NE Mexico
41 N6 Sabinas, Río ≈ NE Mexico
22 F9 Sabine Lake ⊚ Louisiana/Texas, S USA
92 O3 Sabine Land physical region C Svalbard
25 W7 Sabine River ≈ Louisiana/Texas, SW USA
137 X12 Sabirabad C Azerbaijan
Sabkha see As Sabkhah
171 O4 Sablayan Mindoro, N Philippines
13 P16 Sable, Cape headland Newfoundland and Labrador, SE Canada
23 X17 Sable, Cape headland Florida, SE USA
13 R16 Sable Island island Nova Scotia, SE Canada
14 L11 Sables, Lac des ⊚ Québec, SE Canada
14 E10 Sables, Rivière aux ≈ Ontario, S Canada
102 K7 Sable-sur-Sarthe Sarthe, NW France
127 U7 Sablya, Gora ▲ NW Russian Federation
77 U14 Sabon Birnin Gwari Kaduna, C Nigeria
77 V11 Sabon Kafi Zinder, C Niger
104 I6 Sabor, Rio ≈ N Portugal
14 J8 Sabourin, Lac ⊚ Québec, SE Canada
102 J14 Sabres Landes, SW France
195 X13 Sabrina Coast physical region Antarctica
140 M11 Sabt al Ulayā 'Asīr, SW Saudi Arabia
104 I8 Sabugal Guarda, N Portugal
29 Z13 Sabula Iowa, C USA
141 N13 Şabyā Jīzān, SW Saudi Arabia
Sabzawar see Sabzevār
Sabzawaran see Sabzvārān
143 S4 Sabzevār var. Sabzawar. Khorāsān, NE Iran
143 T12 Sabzvārān var. Sabzawaran; prev. Jiroft. Kermān, SE Iran
Sacajawea Peak see Matterhorn
82 C9 Sacandica Uíge, NW Angola
42 A2 Sacatepéquez off. Departamento de Sacatepéquez. ◈ department S Guatemala
104 F11 Sacavém Lisboa, W Portugal
29 T13 Sac City Iowa, C USA
105 P8 Sacedón Castilla-La Mancha, C Spain
116 J12 Săcele Ger. Vierdörfer, Hung. Négyfalu; prev. Ger. Sieben Dörfer, Hung. Hétfalu. Braşov, C Romania
12 C8 Sachigo Ontario, C Canada
12 C7 Sachigo ≈ Ontario, C Canada
12 C8 Sachigo Lake ⊚ Ontario, C Canada
163 Y16 Sach'ŏn Jap. Sansenhō; prev. Samch'ŏnpŏ. S South Korea
101 O15 Sachsen Eng. Saxony, Fr. Saxe. ◈ state E Germany
101 K14 Sachsen-Anhalt Eng. Saxony-Anhalt. ◈ state C Germany
109 R9 Sachsenburg Salzburg, S Austria
Sachsenfeld see Žalec
8 I5 Sachs Harbour Banks Island, Northwest Territories, N Canada
Sächsisch-Reen/Sächsisch-Regen see Reghin
18 H8 Sackets Harbor New York, NE USA
13 P14 Sackville New Brunswick, SE Canada
19 P9 Saco Maine, NE USA
19 P8 Saco River ≈ Maine/New Hampshire, NE USA
35 O7 Sacramento state capital California, W USA
37 T14 Sacramento Mountains ▲ New Mexico, SW USA
35 N6 Sacramento River ≈ California, W USA
35 N5 Sacramento Valley valley California, W USA
36 I10 Sacramento Wash valley Arizona, SW USA
105 N15 Sacratif, Cabo headland S Spain
116 F9 Săcueni prev. Săcuieni, Hung. Székelyhíd. Bihor, W Romania
Săcuieni see Săcueni
105 R4 Sádaba Aragón, NE Spain
Sá da Bandeira see Lubango
138 I6 Şadad Ḥimṣ, W Syria
141 O13 Şa'dah NW Yemen
167 O16 Sadao Songkhla, SW Thailand
142 L8 Sadd-e Dez, Daryācheh-ye ⊚ W Iran
19 S3 Saddleback Mountain hill Maine, NE USA
19 P6 Saddleback Mountain ▲ Maine, NE USA
167 S14 Sa Đec Đông Thap, S Vietnam
141 W13 Sadh S Oman
76 J11 Sadiola Kayes, W Mali
149 R12 Sādiqābād Punjab, E Pakistan
153 Y10 Sadiya Assam, NE India
139 W9 Sa'dīyah, Hawr as ⊚ E Iraq
165 N9 Sado var. Sadoga-shima. island C Japan
Sadoga-shima see Sado
104 F12 Sado, Rio ≈ S Portugal
114 I8 Sadovets Pleven, N Bulgaria
127 O11 Sadovoye Respublika Kalmykiya, SW Russian Federation
105 W9 Sa Dragonera var. Isla Dragonera. island Islas Baleares, Spain, W Mediterranean Sea
95 H20 Sæby Nordjylland, N Denmark
105 P9 Saelices Castilla-La Mancha, C Spain
Saena Julia see Siena
Saetabicula see Alzira
114 O12 Safaalan Tekirdağ, NW Turkey
Safad see Ẕefat
Şafāqis see Sfax
192 I16 Safata Bay bay Upolu, Samoa, C Pacific Ocean
Safed see Ẕefat
Safed, Āb-i- see Sefīd, Darya-ye
139 X11 Şaffāf, Hawr aş wetland S Iraq
95 J16 Säffle Värmland, C Sweden
37 N15 Safford Arizona, SW USA
74 E7 Safi W Morocco
143 V9 Safīdābeh Khorāsān, E Iran
142 M4 Safīd, Rūd-e ≈ NW Iran
126 I4 Safonovo Smolenskaya Oblast', W Russian Federation
136 H11 Safranbolu Karabük, N Turkey
139 Y13 Safwān SE Iraq
158 J16 Saga var. Gya'gya. Xizang Zizhiqu, W China
164 C14 Saga Saga, Kyūshū, SW Japan
164 C13 Saga off. Saga-ken. ◈ prefecture Kyūshū, SW Japan
165 P10 Sagae Yamagata, Honshū, C Japan
166 L3 Sagaing Sagaing, C Myanmar
166 L5 Sagaing ◈ division N Myanmar
165 N13 Sagamihara Kanagawa, Honshū, S Japan
165 N14 Sagami-nada inlet SW Japan
Sagan see Żagań
29 Y3 Saganaga Lake ⊚ Minnesota, N USA
155 F18 Sāgar Karnātaka, W India
154 I9 Sāgar prev. Saugor. Madhya Pradesh, C India
15 S8 Sagard Québec, SE Canada
Sagarmatha see Everest, Mount
Sagebrush State see Nevada
143 V11 Sāghand Yazd, C Iran
19 N14 Sag Harbor Long Island, New York, NE USA
Saghez see Saqqez
31 R8 Saginaw Michigan, N USA
31 R8 Saginaw Bay lake bay Michigan, N USA
144 H11 Sagiz Atyrau, W Kazakhstan
64 H6 Saglek Bank undersea feature W Labrador Sea
13 P5 Saglek Bay bay SW Labrador Sea
Saglouc/Sagluk see Salluit
103 X15 Sagonne, Golfe de gulf Corse, France, C Mediterranean Sea
105 P13 Sagra ▲ S Spain
104 F14 Sagres Faro, S Portugal
37 S7 Saguache Colorado, C USA
44 J7 Sagua de Tánamo Holguín, E Cuba
44 E5 Sagua la Grande Villa Clara, C Cuba
15 R7 Saguenay ≈ Québec, SE Canada
74 C9 Saguia al Hamra var. As Saqia al Hamra. ≈ N Western Sahara
Sagunt/Saguntum see Sagunto
105 S9 Sagunto Cat. Sagunt, Ar. Murviedro; anc. Saguntum. País Valenciano, E Spain
138 H10 Saḥāb 'Al 'Ammān, NW Jordan
54 E6 Sahagún Córdoba, NW Colombia
104 L4 Sahagún Castilla-León, N Spain
141 X8 Saḥam N Oman
74 M11 Sahara desert Libya/Algeria
75 U9 Sahara el Gharbîya var. Aş Şaḥrā' al Gharbīyah, Eng. Western Desert. desert C Egypt
75 X9 Sahara el Sharqîya var. Aş Şaḥrā' ash Sharqīyah, Eng. Arabian Desert, Eastern Desert. desert E Egypt
Saharan Atlas see Atlas Saharien
152 J9 Sahāranpur Uttar Pradesh, N India
64 L10 Saharan Seamounts var. Saharian Seamounts. undersea feature E Atlantic Ocean
153 Q13 Saharsa Bihār, NE India
77 P11 Sahel physical region C Africa
153 R14 Sāhibganj Jhārkhand, NE India
139 Q7 Sahīliyah C Iraq
138 H4 Sāḥilīyah, Jibāl as ▲ NW Syria
114 M13 Şahin Tekirdağ, NW Turkey
149 U8 Sāhīwāl Punjab, E Pakistan
149 U9 Sāhīwāl prev. Montgomery. Punjab, E Pakistan
141 W11 Saḥmah, Ramlat as desert C Oman
139 T13 Şaḥrā' al Ḥijārah desert S Iraq
40 H5 Sahuaripa Sonora, NW Mexico
36 M16 Sahuarita Arizona, SW USA
40 L13 Sahuayo var. Sahuayo de José Mariá Morelos; prev. Sahuayo de Díaz, Sahuayo de Porfirio Díaz. Michoacán de Ocampo, SW Mexico
Sahuayo de Díaz/Sahuayo de José Mariá Morelos/Sahuayo de Porfirio Díaz see Sahuayo
173 W8 Sahul Shelf undersea feature N Timor Sea
167 P17 Sai Buri Pattani, SW Thailand
74 I6 Saïda NW Algeria
138 G7 Saïda var. Şaydā, Sayida; anc. Sidon. W Lebanon
Sa'īdābād see Sīrjān
80 B13 Sa'id Bundas Western Bahr el Ghazal, SW Sudan
186 E7 Saidor Madang, N PNG
153 S13 Saidpur var. Syedpur. Rajshahi, NW Bangladesh
108 C7 Saignelégier Jura, NW Switzerland
164 H11 Saigō Shimane, Dōgo, SW Japan
Saigon see Hô Chi Minh
163 P11 Saihan Tal var. Sonid Youqi. Nei Mongol Zizhiqu, N China
162 I12 Saihan Toroi Nei Mongol Zizhiqu, N China
Sai Hun see Syr Darya
92 M11 Saija Lappi, NE Finland
164 G14 Saijō Ehime, Shikoku, SW Japan
164 E15 Saiki Ōita, Kyūshū, S Japan
93 N18 Saimaa ⊚ SE Finland
93 N18 Saimaa Canal Fin. Saimaan Kanava, Rus. Saymenskiy Kanal. canal Finland/Russian Federation
Saimaan Kanava see Saimaa Canal
40 L10 Saín Alto Zacatecas, C Mexico
96 L12 St Abb's Head headland SE Scotland, UK
11 Y16 St.Adolphe Manitoba, S Canada
103 O15 St-Affrique Aveyron, S France
15 Q10 St-Agapit Québec, SE Canada
97 O21 St Albans anc. Verulamium. E England, UK
18 L6 Saint Albans Vermont, NE USA
21 Q5 Saint Albans West Virginia, NE USA
St Alban's Head see St.Aldhelm's Head
11 Q14 St.Albert Alberta, SW Canada
99 M24 St. Aldhelm's Head var. St.Alban's Head. headland S England, UK
15 S8 St-Alexandre Québec, SE Canada
15 O11 St-Alexis-des-Monts Québec, SE Canada
103 P2 St-Amand-les-Eaux Nord, N France
103 O9 St-Amand-Montrond var. St-Amand-Mont-Rond. Cher, C France
15 Q7 St-Ambroise Québec, SE Canada
173 P16 St-André NE Réunion
14 M12 St-André-Avellin Québec, SE Canada
102 K12 St-André-de-Cubzac Gironde, SW France
96 K11 St Andrews E Scotland, UK
23 Q9 Saint Andrews Bay bay Florida, SE USA
23 W7 Saint Andrew Sound sound Georgia, SE USA
Saint Anna Trough see Svyataya Anna Trough
44 J11 St.Ann's Bay C Jamaica
13 T10 St.Anthony Newfoundland and Labrador, SE Canada
33 R13 Saint Anthony Idaho, NW USA
182 M11 Saint Arnaud Victoria, SE Australia
185 I15 St.Arnaud Range ▲ South Island, NZ
15 T8 St-Arsène Québec, SE Canada
13 R10 St-Augustin Québec, E Canada
23 X9 Saint Augustine Florida, SE USA
97 H24 St Austell SW England, UK
103 T4 St-Avold Moselle, NE France
103 N17 St-Barthélemy ▲ S France
102 L17 St-Béat Haute-Garonne, S France
97 I15 St Bees Head headland NW England, UK
173 P16 St-Benoit E Réunion
103 T13 St-Bonnet Hautes-Alpes, SE France
St.Botolph's Town see Boston
97 G21 St Brides Bay inlet SW Wales, UK
102 H5 St-Brieuc Côtes d'Armor, NW France
102 H5 St-Brieuc, Baie de bay NW France
102 L7 St-Calais Sarthe, NW France
15 Q10 St-Casimir Québec, SE Canada
14 H16 St.Catharines Ontario, S Canada
45 S14 St.Catherine, Mount ▲ N Grenada
64 C11 St Catherine Point headland E Bermuda
23 X6 Saint Catherines Island island Georgia, SE USA
97 M24 St Catherine's Point headland S England, UK
103 N13 St-Céré Lot, S France
108 A10 St.Cergue Vaud, W Switzerland
103 R11 St-Chamond Loire, E France
33 S16 Saint Charles Idaho, NW USA
27 X4 Saint Charles Missouri, C USA
103 P13 St-Chély-d'Apcher Lozère, S France
Saint Christopher-Nevis see Saint Kitts and Nevis
31 S9 Saint Clair Michigan, N USA
14 D17 St.Clair ≈ Canada/USA
183 O17 St.Clair, Lake ⊚ Tasmania, SE Australia
14 C17 St.Clair, Lake var. Lac à L'eau Claire. ⊚ Canada/USA
31 S10 Saint Clair Shores Michigan, N USA
103 S10 St-Claude anc. Condate. Jura, E France
45 X6 St-Claude Basse Terre, SW Guadeloupe
23 X12 Saint Cloud Florida, SE USA
29 U8 Saint Cloud Minnesota, N USA
45 T9 Saint Croix island S Virgin Islands (US)
30 J4 Saint Croix Flowage ⊞ Wisconsin, N USA
19 T5 Saint Croix River ≈ Canada/USA
29 W7 Saint Croix River ≈ Minnesota/Wisconsin, N USA
45 S14 St.David's SE Grenada
97 H21 St David's SW Wales, UK
97 G21 St David's Head headland SW Wales, UK
64 C12 St David's Island island E Bermuda
173 O16 St-Denis ○ (Réunion) NW Réunion
103 U6 St-Dié Vosges, NE France
103 R5 St-Dizier anc. Desiderii Fanum. Haute-Marne, N France
15 N11 St-Donat Québec, SE Canada
15 N11 Ste-Adèle Québec, SE Canada
15 N11 Ste-Agathe-des-Monts Québec, SE Canada
172 I16 Sainte Anne island Inner Islands, NE Seychelles
11 Y16 Ste.Anne Manitoba, S Canada
45 R12 Ste-Anne Grande Terre, E Guadeloupe
45 Y6 Ste-Anne SE Martinique
15 Q10 Ste-Anne ≈ Québec, SE Canada
15 W6 Ste-Anne-des-Monts Québec, SE Canada
14 M10 Ste-Anne-du-Lac Québec, SE Canada
15 U4 Ste-Anne, Lac ⊚ Québec, SE Canada
15 S10 Ste-Apolline Québec, SE Canada
15 U7 Ste-Blandine Québec, SE Canada
15 R10 Ste-Claire Québec, SE Canada
15 Q10 Ste-Croix Québec, SE Canada
108 B8 Ste.Croix Vaud, SW Switzerland
103 P14 Ste-Énimie Lozère, S France
27 Y6 Sainte Genevieve Missouri, C USA
103 S12 St-Egrève Isère, E France
39 T12 Saint Elias, Cape headland Kayak Island, Alaska, USA
39 U11 Saint Elias, Mount ▲ Alaska, USA
10 G8 Saint Elias Mountains ▲ Canada/USA
55 Y10 St-Élie N French Guiana
103 O10 St-Eloy-les-Mines Puy-de-Dôme, C France
15 R7 Ste-Marguerite ≈ Québec, SE Canada
15 S7 Ste-Marguerite-Nord-Est ≈ Québec, SE Canada
15 V4 Ste-Marguerite, Pointe headland Québec, SE Canada
15 R10 Ste-Marie Québec, SE Canada
45 Q11 Ste-Marie NE Martinique
173 P16 Ste-Marie NE Réunion
103 U6 Ste-Marie-aux-Mines Haut-Rhin, NE France
12 J14 Ste-Marie, Lac ⊞ Quebec, S Canada
172 K4 Sainte Marie, Nosy island E Madagascar
102 L8 Ste-Maure-de-Touraine Indre-et-Loire, C France
103 R4 Ste-Menehould Marne, NE France
Ste-Perpétue see Ste-Perpétue-de-l'Islet
15 S9 Ste-Perpétue-de-l'Islet var. Ste-Perpétue. Québec, SE Canada
45 X11 Ste-Rose Basse Terre, N Guadeloupe
173 P16 Ste-Rose E Réunion
11 W15 Ste.Rose du Lac Manitoba, S Canada
102 J11 Saintes anc. Mediolanum. Charente-Maritime, W France
45 X7 Saintes, Canal des channel SW Guadeloupe
Saintes, Îles des see les Saintes
173 P16 Ste-Suzanne N Réunion
15 P10 Ste-Thècle Québec, SE Canada
103 Q12 St-Étienne Loire, E France
102 M4 St-Étienne-du-Rouvray Seine-Maritime, N France
Saint Eustatius see Sint Eustatius
14 M11 Ste-Véronique Québec, SE Canada
15 T7 St-Fabien Québec, SE Canada
15 P7 St-Félicien Québec, SE Canada
15 O11 St-Félix-de-Valois Québec, SE Canada
103 Y14 St-Florent Corse, France, C Mediterranean Sea
103 Y14 St-Florent, Golfe de gulf Corse, France, C Mediterranean Sea
103 P6 St-Florentin Yonne, C France
103 N9 St-Florent-sur-Cher Cher, C France
103 P12 St-Flour Cantal, C France
26 H2 Saint Francis Kansas, C USA
83 H26 St.Francis, Cape headland S South Africa
27 X10 Saint Francis River ≈ Arkansas/Missouri, C USA
22 J8 Saint Francisville Louisiana, S USA
15 Q12 St-François ≈ Québec, SE Canada
45 Y6 St-François Grande Terre, E Guadeloupe
15 R11 St-François, Lac ⊚ Québec, SE Canada
27 X7 Saint Francois Mountains ▲ Missouri, C USA
St-Gall/Saint Gall/St.Gallen see Sankt Gallen
102 L16 St-Gaudens Haute-Garonne, S France
15 R12 St-Gédéon Québec, SE Canada
181 X10 Saint George Queensland, E Australia
64 B12 St George N Bermuda
38 K15 Saint George Saint George Island, Alaska, USA
21 S14 Saint George South Carolina, SE USA
36 J8 Saint George Utah, W USA
13 R12 St.George, Cape headland Newfoundland and Labrador, E Canada
186 I6 St.George, Cape headland New Ireland, NE PNG
38 J15 Saint George Island island Pribilof Islands, Alaska, USA
23 S10 Saint George Island island Florida, SE USA
99 J19 Saint-Georges Liège, E Belgium
15 R11 St-Georges Québec, SE Canada
55 Z11 St-Georges E French Guiana
45 R14 St.George's ● (Grenada) SW Grenada
13 R12 St.George's Bay inlet Newfoundland and Labrador, E Canada
97 G21 Saint George's Channel channel Ireland/Wales, UK
186 H6 St.George's Channel channel NE PNG
64 B11 St George's Island island E Bermuda
99 I21 Saint-Gérard Namur, S Belgium
Saint-Germain see St-Germain-en-Laye
15 P12 St-Germain-de-Grantham Québec, SE Canada
103 N5 St-Germain-en-Laye var. St-Germain. Yvelines, N France
102 H8 St-Gildas, Pointe du headland NW France
103 R15 St-Gilles Gard, S France
102 I9 St-Gilles-Croix-de-Vie Vendée, NW France
173 O16 St-Gilles-les-Bains W Réunion
102 M16 St-Girons Ariège, S France
Saint Gotthard see Szentgotthárd
108 G9 St.Gotthard Tunnel tunnel Ticino, S Switzerland
97 H22 St Govan's Head headland SW Wales, UK
34 M7 Saint Helena California, W USA
65 F24 Saint Helena ◇ UK dependent territory C Atlantic Ocean
83 E25 St.Helena Bay bay SW South Africa
65 M16 Saint Helena Fracture Zone tectonic feature C Atlantic Ocean
34 M7 Saint Helena, Mount ▲ California, W USA
21 S15 Saint Helena Sound inlet South Carolina, SE USA

◆ Country ● Country Capital ◇ Dependent Territory ○ Dependent Territory Capital ◈ Administrative Region ✕ International Airport ▲ Mountain ▲ Mountain Range ⩓ Volcano ≈ River ⊚ Lake ⊞ Reservoir

SAINT HELEN, LAKE – SALUMPAGA ••• 317

31 Q7 Saint Helen, Lake ⊚ Michigan, N USA
183 Q16 Saint Helens Tasmania, SE Australia
97 K18 St Helens NW England, UK
32 G10 Saint Helens Oregon, NW USA
32 H10 Saint Helens, Mount ☓ Washington, NW USA
97 L26 St Helier ○ (Jersey) S Jersey, Channel Islands
15 S9 St-Hilarion Québec, SE Canada
99 K22 Saint-Hubert Luxembourg, SE Belgium
15 T8 St-Hubert Québec, SE Canada
15 P12 St-Hyacinthe Québec, SE Canada
St.Iago de la Vega see Spanish Town
31 Q4 Saint Ignace Michigan, N USA
15 O10 St-Ignace-du-Lac Québec, SE Canada
12 D12 St.Ignace Island island Ontario, S Canada
108 C7 St.Imier Bern, W Switzerland
97 G25 St Ives SW England, UK
29 U10 Saint James Minnesota, N USA
10 I15 St.James, Cape headland Graham Island, British Columbia, SW Canada
15 O13 St-Jean var. St-Jean-sur-Richelieu. Québec, SE Canada
55 X9 St-Jean NW French Guiana
15 R8 St-Jean ≈ Québec, SE Canada
Saint-Jean-d'Acre see 'Akko
102 K11 St-Jean-d'Angély Charente-Maritime, W France
103 N7 St-Jean-de-Braye Loiret, C France
102 I16 St-Jean-de-Luz Pyrénées-Atlantiques, SW France
103 T12 St-Jean-de-Maurienne Savoie, E France
102 I9 St-Jean-de-Monts Vendée, NW France
103 Q14 St-Jean-du-Gard Gard, S France
15 Q7 St-Jean, Lac ⊚ Québec, SE Canada
102 I16 St-Jean-Pied-de-Port Pyrénées-Atlantiques, SW France
15 S9 St-Jean-Port-Joli Québec, SE Canada
St-Jean-sur-Richelieu see St-Jean
15 N12 St-Jérôme Québec, SE Canada
25 T5 Saint Jo Texas, SW USA
13 O15 St.John New Brunswick, SE Canada
26 L6 Saint John Kansas, C USA
76 K16 Saint John ≈ C Liberia
45 T9 Saint John island C Virgin Islands (US)
22 I6 Saint John, Lake ⊚ Louisiana, S USA
19 Q2 Saint John Fr. Saint-John. ≈ Canada/USA
45 W10 St John's ● (Antigua and Barbuda) Antigua, Antigua and Barbuda
13 V12 St.John's Newfoundland and Labrador, E Canada
37 O12 Saint Johns Arizona, SW USA
31 Q9 Saint Johns Michigan, N USA
13 V12 St.John's ✕ Newfoundland and Labrador, E Canada
23 X11 Saint Johns River ≈ Florida, SE USA
45 N12 St.Joseph W Dominica
173 P17 St-Joseph S Réunion
22 J6 Saint Joseph Louisiana, S USA
31 O10 Saint Joseph Michigan, N USA
27 R3 Saint Joseph Missouri, C USA
20 I10 Saint Joseph Tennessee, S USA
22 R9 Saint Joseph Bay bay Florida, SE USA
15 R11 St-Joseph-de-Beauce Québec, SE Canada
12 C10 St.Joseph, Lake ⊚ Ontario, C Canada
31 Q11 Saint Joseph River ≈ N USA
14 C11 Saint Joseph's Island island Ontario, S Canada
15 N11 St-Jovite Québec, SE Canada
121 P16 St Julian's N Malta
St-Julien see St-Julien-en-Genevois
103 T10 St-Julien-en-Genevois var. St-Julien. Haute-Savoie, E France
102 M11 St-Junien Haute-Vienne, C France
103 Q11 St-Just-St-Rambert Loire, E France
96 D8 St Kilda island NW Scotland, UK
45 V10 Saint Kitts island Saint Kitts and Nevis
45 U10 Saint Kitts and Nevis off. Federation of Saint Christopher and Nevis, var. Saint Christopher-Nevis. ◆ commonwealth republic E West Indies
11 X16 St.Laurent Manitoba, S Canada
St-Laurent see St-Laurent-du-Maroni
55 X9 St-Laurent-du-Maroni var. St-Laurent. NW French Guiana
St-Laurent, Fleuve see St.Lawrence
102 J12 St-Laurent-Médoc Gironde, SW France
13 N12 St.Lawrence Fr. Fleuve St-Laurent. ≈ Canada/USA
13 Q12 St.Lawrence, Gulf of gulf NW Atlantic Ocean
38 K10 Saint Lawrence Island island Alaska, USA
14 M14 Saint Lawrence River ≈ Canada/USA
99 L25 Saint-Léger Luxembourg, SE Belgium
13 N14 St.Léonard New Brunswick, SE Canada
15 P11 St-Léonard Québec, SE Canada
173 O17 St-Leu W Réunion
102 J4 St-Lô anc. Briovera, Laudus. Manche, N France
11 T15 St.Louis Saskatchewan, S Canada
103 V7 St-Louis Haut-Rhin, NE France
173 O17 St-Louis S Réunion
76 G10 Saint Louis NW Senegal
27 X4 Saint Louis Missouri, C USA
29 W5 Saint Louis River ≈ Minnesota, N USA
103 T7 St-Loup-sur-Semouse Haute-Saône, E France
15 O12 St-Luc Québec, SE Canada
83 L22 St.Lucia KwaZulu/Natal, E South Africa
45 X13 Saint Lucia ◆ commonwealth republic SE West Indies
47 S3 Saint Lucia island SE West Indies
83 L22 St.Lucia, Cape headland E South Africa
45 Y13 Saint Lucia Channel channel Martinique/Saint Lucia
23 Y14 Saint Lucie Canal canal Florida, SE USA
23 Z13 Saint Lucie Inlet inlet Florida, SE USA
96 L2 St Magnus Bay bay N Scotland, UK
102 K10 St-Maixent-l'École Deux-Sèvres, W France
11 Y16 St.Malo Manitoba, S Canada
102 I5 St-Malo Ille-et-Vilaine, NW France
102 H4 St-Malo, Golfe de gulf NW France
44 L9 St-Marc C Haiti
44 L9 St-Marc, Canal de channel W Haiti
55 Y12 Saint-Marcel, Mont ▲ S French Guiana
103 S12 St-Marcellin-le-Mollard Isère, E France
96 K5 St Margaret's Hope NE Scotland, UK
32 M9 Saint Maries Idaho, NW USA
23 T9 Saint Marks Florida, SE USA
108 D11 St.Martin Valais, SW Switzerland
Saint Martin see Sint Maarten
31 O5 Saint Martin Island island Michigan, N USA
22 I9 Saint Martinville Louisiana, S USA
185 E20 St.Mary, Mount ▲ South Island, NZ
186 E8 St.Mary, Mount ▲ S PNG
182 I6 Saint Mary Peak ▲ South Australia
183 Q16 Saint Marys Tasmania, SE Australia
14 E16 St.Marys Ontario, S Canada
38 M11 Saint Marys Alaska, USA
23 W8 Saint Marys Georgia, SE USA
27 P4 Saint Marys Kansas, C USA
31 Q4 Saint Marys Ohio, N USA
21 R3 Saint Marys West Virginia, NE USA
23 W8 Saint Marys River ≈ Florida/Georgia, SE USA
31 Q4 Saint Marys River ≈ Michigan, N USA
102 D6 St-Mathieu, Pointe headland NW France
38 J12 Saint Matthew Island island Alaska, USA
21 R13 Saint Matthews South Carolina, SE USA
St.Matthew's Island see Zadetkyi Kyun
186 G4 St.Matthias Group island group NE PNG
108 C11 St.Maurice Valais, SW Switzerland
15 P9 St-Maurice ≈ Québec, SE Canada
102 J13 St-Médard-en-Jalles Gironde, SW France
39 N10 Saint Michael Alaska, USA
St.Michel see Mikkeli
15 N10 St-Michel-des-Saints Québec, SE Canada
103 S5 St-Mihiel Meuse, NE France
108 J10 St.Moritz Ger. Sankt Moritz, Rmsch. San Murezzan. Graubünden, SE Switzerland
102 H8 St-Nazaire Loire-Atlantique, NW France
Saint Nicholas see São Nicolau
Saint-Nicolas see Sint-Niklaas
103 N1 St-Omer Pas-de-Calais, N France
102 J11 Saintonge cultural region W France
15 S9 St-Pacôme Québec, SE Canada
15 S10 St-Pamphile Québec, SE Canada
15 S9 St-Pascal Québec, SE Canada
14 J11 St-Patrice, Lac ⊚ Québec, SE Canada
11 R14 St.Paul Alberta, SW Canada
173 O16 St-Paul NW Réunion
38 K14 Saint Paul Saint Paul Island, Alaska, USA
29 V8 Saint Paul state capital Minnesota, N USA
29 P15 Saint Paul Nebraska, C USA
21 P7 Saint Paul Virginia, NE USA
77 Q17 Saint Paul, Cape headland S Ghana
103 O17 St-Paul-de-Fenouillet Pyrénées-Orientales, S France
65 K14 Saint Paul Fracture Zone tectonic feature E Atlantic Ocean
38 J14 Saint Paul Island island Pribilof Islands, Alaska, USA
102 J15 St-Paul-les-Dax Landes, SW France
21 U11 Saint Pauls North Carolina, SE USA
Saint Paul's Bay see San Pawl il-Bahar
191 R16 St Paul's Point headland Pitcairn Island, Pitcairn Islands
29 U10 Saint Peter Minnesota, N USA
97 L26 St Peter Port ○ (Guernsey) C Guernsey, Channel Islands
23 V13 Saint Petersburg Florida, SE USA
Saint Petersburg see Sankt-Peterburg
23 V13 Saint Petersburg Beach Florida, SE USA
173 P17 St-Philippe SE Réunion
45 Q11 St-Pierre NW Martinique
173 O17 St-Pierre SW Réunion
13 S13 St-Pierre and Miquelon Fr. Iles St-Pierre et Miquelon. ◇ French territorial collectivity NE North America
15 P11 St-Pierre, Lac ⊚ Québec, SE Canada
102 F5 St-Pol-de-Léon Finistère, NW France
103 O2 St-Pol-sur-Ternoise Pas-de-Calais, N France
St. Pons see St-Pons-de-Thomières
103 O16 St-Pons-de-Thomières var. St.Pons. Hérault, S France
103 P10 St-Pourçain-sur-Sioule Allier, C France
15 S11 St-Prosper Québec, SE Canada
103 P3 St-Quentin Aisne, N France
15 R10 St-Raphaël Québec, SE Canada
103 U15 St-Raphaël Var, SE France
15 Q10 St-Raymond Québec, SE Canada
33 O9 Saint Regis Montana, NW USA
18 J7 Saint Regis River ≈ New York, NE USA
103 R15 St-Rémy-de-Provence Bouches-du-Rhône, SE France
15 V6 St-René-de-Matane Québec, SE Canada
102 M9 St-Savin Vienne, W France
15 S8 St-Siméon Québec, SE Canada
23 X7 Saint Simons Island island Georgia, SE USA
191 Y2 Saint Stanislas Bay bay Kiritimati, E Kiribati
13 O15 St.Stephen New Brunswick, SE Canada
39 X12 Saint Terese Alaska, USA
14 E17 St.Thomas Ontario, S Canada
29 Q2 Saint Thomas North Dakota, N USA
45 T9 Saint Thomas island W Virgin Islands (US)
Saint Thomas see São Tomé, Sao Tome and Principe
Saint Thomas see Charlotte Amalie, Virgin Islands (US)
15 P10 St-Tite Québec, SE Canada
Saint-Trond see Sint-Truiden
103 U16 St-Tropez Var, SE France
Saint Ubes see Setúbal
102 L3 St-Valéry-en-Caux Seine-Maritime, N France
103 Q9 St-Vallier Saône-et-Loire, C France
106 B7 St-Vincent Valle d'Aosta, NW Italy
45 Q14 Saint Vincent island N Saint Vincent and the Grenadines
Saint Vincent see São Vicente
45 W14 Saint Vincent and the Grenadines ◆ commonwealth republic SE West Indies
Saint Vincent, Cape see São Vicente, Cabo de
102 I15 St-Vincent-de-Tyrosse Landes, SW France
182 I9 Saint Vincent, Gulf gulf South Australia
23 R10 Saint Vincent Island island Florida, SE USA
45 T12 Saint Vincent Passage passage Saint Lucia/Saint Vincent and the Grenadines
183 N18 Saint Vincent, Point headland Tasmania, SE Australia
Saint-Vith see Sankt-Vith
11 S14 St.Walburg Saskatchewan, S Canada
St Wolfgangsee see Wolfgangsee
102 M11 St-Yrieix-la-Perche Haute-Vienne, C France
Saint Yves see Setúbal
15 Y5 St-Yvon Québec, SE Canada
188 H5 Saipan island ● Northern Mariana Islands S Northern Mariana Islands
188 H6 Saipan Channel channel S Northern Mariana Islands
188 H6 Saipan International Airport ✕ Saipan, S Northern Mariana Islands
74 G6 Saïs ✕ (Fès) C Morocco
Saishū see Cheju
Saishū see Cheju-do
102 J16 Saison ≈ SW France
169 R10 Sai, Sungai ≈ Borneo, N Indonesia
165 N13 Saitama off. Saitama-ken. ◈ prefecture Honshū, S Japan
Saiyid Abid see Sayyid 'Abīd
57 J19 Sajama, Nevado ▲ W Bolivia
141 V13 Sājir, Ras headland S Oman
111 M20 Sajószentpéter Borsod-Abaúj-Zemplén, NE Hungary
83 F24 Sak ≈ SW South Africa
81 J18 Saka Coast, E Kenya
167 P11 Sa Kaeo Prachin Buri, C Thailand
164 J14 Sakai Ōsaka, Honshū, SW Japan
164 H14 Sakaide Kagawa, Shikoku, SW Japan
164 H12 Sakaiminato Tottori, Honshū, SW Japan
140 M3 Sakākah Al Jawf, NW Saudi Arabia
28 L4 Sakakawea, Lake ⊡ North Dakota, N USA
12 J9 Sakami, Lac ⊚ Québec, C Canada
79 O26 Sakania Katanga, SE Dem. Rep. Congo
146 K12 Sakar Lebap Welaýaty, E Turkmenistan
172 H7 Sakaraha Toliara, SW Madagascar
146 I14 Sakarçäge var. Sakarchäge, Rus. Sakar-Chaga. Mary Welaýaty, C Turkmenistan
Sakar-Chaga/Sakarchäge see Sakarçäge
Sak'art'velo see Georgia
136 F11 Sakarya ◈ province NW Turkey
136 F12 Sakarya Nehri ≈ NW Turkey
150 K13 Sakasaul'skiy var. Saksaul'skoye Kaz. Sekseūil. Kyzylorda, S Kazakhstan
Sakasaul'skoye see Sakasaul'skiy
165 P9 Sakata Yamagata, Honshū, C Japan
123 P9 Sakha (Yakutiya), Respublika var. Respublika Yakutiya, Yakutiya, Eng. Yakutia. ◈ autonomous republic NE Russian Federation
Sakhalin see Sakhalin, Ostrov
192 I3 Sakhalin, Ostrov var. Sakhalin. island SE Russian Federation
123 U12 Sakhalinskaya Oblast' ◈ province SE Russian Federation
123 T12 Sakhalinskiy Zaliv gulf E Russian Federation
Sakhnovshchina see Sakhnovshchyna
117 U6 Sakhnovshchyna Rus. Sakhnovshchina. Kharkivs'ka Oblast', E Ukraine
Sakhon Nakhon see Sakon Nakhon
Sakhtsar see Rāmsar
Saki see Saky
137 W10 Şäki Rus. Sheki; prev. Nukha. NW Azerbaijan
118 E13 Šakiai Ger. Schaken. Marijampolė, S Lithuania
165 O16 Sakishima-shotō var. Sakisima Syotô. island group SW Japan
Sakiz see Saqqez
Sakiz-Adasi see Chíos
155 F19 Sakleshpur Karnātaka, E India
167 S9 Sakon Nakhon var. Muang Sakon Nakhon, Sakhon Nakhon. Sakon Nakhon, E Thailand
149 P15 Sakrand Sind, SE Pakistan
83 F24 Sak River Afr. Sakrivier. Northern Cape, W South Africa
Sakrivier see Sak River
Saksaul'skiy see Saksaul'skoye
144 K13 Saksaul'skoye prev. Saksaul'skiy, Kaz. Sekseūil. Kzylorda, S Kazakhstan
95 I25 Sakskøbing Storstrøm, SE Denmark
165 N12 Saku Nagano, Honshū, S Japan
117 S13 Saky Rus. Saki. Respublika Krym, S Ukraine
76 E9 Sal island Ilhas de Barlavento, NE Cape Verde
127 N12 Sal ≈ SW Russian Federation
111 I21 Sal'a Hung. Sellye, Vágsellye. Nitriansky Kraj, SW Slovakia
95 N15 Sala Västmanland, C Sweden
15 N13 Salaberry-de-Valleyfield var. Valleyfield. Québec, SE Canada
118 G7 Salacgrīva Est. Salatsi. Limbaži, N Latvia
107 M18 Sala Consilina Campania, S Italy
40 C2 Salada, Laguna ⊚ NW Mexico
61 D14 Saladas Corrientes, NE Argentina
61 C21 Saladillo Buenos Aires, E Argentina
61 B16 Saladillo, Río ≈ C Argentina
25 T9 Salado Texas, SW USA
63 J16 Salado, Arroyo ≈ SE Argentina
37 Q12 Salado, Río ≈ New Mexico, SW USA
61 D21 Salado, Río ≈ E Argentina
62 J12 Salado, Río ≈ C Argentina
41 N7 Salado, Río ≈ NE Mexico
143 N6 Salafchegān var. Sarafjagān. Qom, N Iran
77 Q15 Salaga C Ghana
192 G5 Sala'ilua Savai'i, W Samoa
116 G9 Sălaj ◈ county NW Romania
83 H20 Salajwe Kweneng, SE Botswana
78 H9 Salal Kanem, W Chad
80 I6 Salala Red Sea, NE Sudan
141 V13 Şalālah SW Oman
42 D5 Salamá Baja Verapaz, C Guatemala
42 J6 Salamá Olancho, C Honduras
62 G10 Salamanca Coquimbo, C Chile
41 N13 Salamanca Guanajuato, C Mexico
104 K7 Salamanca anc. Helmantica, Salmantica. Castilla-León, NW Spain
18 D11 Salamanca New York, NE USA
104 J7 Salamanca ◈ province Castilla-León, W Spain
63 J19 Salamanca, Pampa de plain S Argentina
78 J12 Salamat off. Préfecture du Salamat. ◈ prefecture SE Chad
78 I12 Salamat, Bahr ≈ S Chad
54 F5 Salamina Magdalena, N Colombia
115 G19 Salamína var. Salamís. Salamína, C Greece
115 G19 Salamína island C Greece
Salamis see Salamína
138 I5 Salamīyah var. As Salamīyah. Ḥamāh, W Syria
31 P12 Salamonie Lake ⊡ Indiana, N USA
31 P12 Salamonie River ≈ Indiana, N USA
Salang see Phuket
192 I16 Salani Upolu, SE Samoa
118 C11 Salantai Klaipėda, NW Lithuania
104 K2 Salas Asturias, N Spain
105 O5 Salas de los Infantes Castilla-León, N Spain
102 M16 Salat ≈ S France
189 V13 Salat island Chuuk, C Micronesia
169 Q16 Salatiga Jawa, C Indonesia
189 V13 Salat Pass passage W Pacific Ocean
Salatsi see Salacgrīva
167 T10 Salavan var. Saravan, Saravane. Salavan, S Laos
127 V6 Salavat Respublika Bashkortostan, W Russian Federation
56 C12 Salaverry La Libertad, N Peru
171 T12 Salawati, Pulau island E Indonesia
193 R10 Sala y Gomez island Chile, E Pacific Ocean
Sala y Gomez Fracture Zone see Sala y Gomez Ridge
193 S10 Sala y Gomez Ridge var. Sala y Gomez Fracture Zone. tectonic feature SE Pacific Ocean
61 A22 Salazar Buenos Aires, E Argentina
54 G7 Salazar Norte de Santander, N Colombia
Salazar see N'Dalatando
173 P16 Salazie C Réunion
103 N8 Salbris Loir-et-Cher, C France
57 G15 Salcantay, Nevado ▲ C Peru
45 O8 Salcedo N Dominican Republic
39 S9 Salcha River ≈ Alaska, USA
119 H15 Šalčininkai Vilnius, SE Lithuania
Saldae see Béjaïa
54 E11 Saldaña Tolima, C Colombia
104 M4 Saldaña Castilla-León, N Spain
83 E25 Saldanha Western Cape, SW South Africa
Salduba see Zaragoza
61 B23 Saldungaray Buenos Aires, E Argentina
118 D9 Saldus Ger. Frauenburg. Saldus, W Latvia
183 P13 Sale Victoria, SE Australia
74 F6 Salé NW Morocco
74 F6 Salé ✕ (Rabat) W Morocco
Salehābād see Andīmeshk
170 M16 Saleh, Teluk bay Nusa Tenggara, S Indonesia
122 H8 Salekhard prev. Obdorsk. Yamalo-Nenetskiy Avtonomnyy Okrug, N Russian Federation
192 H16 Sālelologa Savai'i, C Samoa
155 H21 Salem Tamil Nādu, SE India
27 V9 Salem Arkansas, C USA
30 L15 Salem Illinois, N USA
31 P15 Salem Indiana, N USA
19 P11 Salem Massachusetts, NE USA
27 V6 Salem Missouri, C USA
18 I16 Salem New Jersey, NE USA
31 U12 Salem Ohio, N USA
32 G12 Salem state capital Oregon, NW USA
29 Q11 Salem South Dakota, N USA
36 L4 Salem Utah, W USA
21 S7 Salem Virginia, NE USA
21 R3 Salem West Virginia, NE USA
107 H23 Salemi Sicilia, Italy, C Mediterranean Sea
Salemy see As Sālimī
94 K12 Sälen Dalarna, C Sweden
107 Q18 Salentina, Campi Puglia, SE Italy
107 Q18 Salentina, Penisola peninsula SE Italy
107 L18 Salerno anc. Salernum. Campania, S Italy
107 L18 Salerno, Golfo di Eng. Gulf of Salerno. gulf S Italy
Salerno, Gulf of see Salerno, Golfo di
Salernum see Salerno
97 K17 Salford NW England, UK
Salgir see Salhyr
111 K21 Salgótarján Nógrád, N Hungary
59 O15 Salgueiro Pernambuco, E Brazil
94 C13 Salhus Hordaland, S Norway
117 T12 Salhyr Rus. Salgir. ≈ S Ukraine
171 Q9 Salibabu, Pulau island N Indonesia
37 S6 Salida Colorado, C USA
102 J15 Salies-de-Béarn Pyrénées-Atlantiques, SW France
136 C14 Salihli Manisa, W Turkey
119 K18 Salihorsk Rus. Soligorsk. Minskaya Voblasts', S Belarus
119 K18 Salihorskaye Vodaskhovishcha ⊡ C Belarus
83 N14 Salima Central, C Malawi
166 L5 Salin Magwe, W Myanmar
27 N4 Salina Kansas, C USA
36 L5 Salina Utah, W USA
41 S17 Salina Cruz Oaxaca, SE Mexico
107 L22 Salina, Isola island Isole Eolie, S Italy
44 J5 Salina Point headland Acklins Island, SE Bahamas
56 A7 Salinas Guayas, W Ecuador
40 M11 Salinas var. Salinas de Hidalgo. San Luis Potosí, C Mexico
45 T6 Salinas C Puerto Rico
35 O10 Salinas California, W USA
Salinas, Cabo de see Salines, Cap de ses
Salinas de Hidalgo see Salinas
82 A13 Salinas, Ponta das headland W Angola
45 O10 Salinas, Punta headland S Dominican Republic
Salinas, Río see Chixoy, Río
35 O11 Salinas River ≈ California, W USA
22 H6 Saline Lake ⊚ Louisiana, S USA
25 R17 Salineno Texas, SW USA
27 V14 Saline River ≈ Arkansas, C USA
30 M17 Saline River ≈ Illinois, N USA
105 X10 Salines, Cap de ses var. Cabo de Salinas. headland Mallorca, Spain, W Mediterranean Sea
Salisburg see Mazsalaca
45 O12 Salisbury var. Baroui. W Dominica
97 M23 Salisbury var. New Sarum. S England, UK
21 Y4 Salisbury Maryland, NE USA
27 T3 Salisbury Missouri, C USA
21 S9 Salisbury North Carolina, SE USA
Salisbury see Harare
9 Q7 Salisbury Island island Nunavut, NE Canada
Salisbury, Lake see Bisina, Lake
97 L23 Salisbury Plain plain S England, UK
21 R14 Salkehatchie River ≈ South Carolina, SE USA
138 I9 Şalkhad As Suwaydā', SW Syria
92 M12 Salla Lappi, NE Finland
Sállan see Sørøya
103 U11 Sallanches Haute-Savoie, E France
105 V5 Sallent Cataluña, NE Spain
61 A22 Salliqueló Buenos Aires, E Argentina
27 R10 Sallisaw Oklahoma, C USA
80 I7 Sallom Red Sea, NE Sudan
12 J2 Salluit prev. Saglouc, Sagluk. Québec, NE Canada
Sallūm, Khalīj as see Salûm, Gulf of
13 S11 Sally's Cove Newfoundland and Labrador, E Canada
139 W9 Salmān Bin 'Ārāzah E Iraq
Salmantica see Salamanca
142 I2 Salmās prev. Dilman, Shāpūr. Āžarbāyjān-e Bākhtarī, NW Iran
124 I11 Salmi Respublika Kareliya, NW Russian Federation
33 P12 Salmon Idaho, NW USA
11 N16 Salmon Arm British Columbia, SW Canada
192 L5 Salmon Bank undersea feature N Pacific Ocean
Salmon Leap see Leixlip
34 L2 Salmon Mountains ▲ California, W USA
14 J15 Salmon Point headland Ontario, SE Canada
33 N11 Salmon River ≈ Idaho, NW USA
18 K6 Salmon River ≈ New York, NE USA
33 N12 Salmon River Mountains ▲ Idaho, NW USA
18 I9 Salmon River Reservoir ⊡ New York, NE USA
93 K19 Salo Länsi-Suomi, W Finland
106 F7 Salò Lombardia, N Italy
Salona/Salonae see Solin
103 S15 Salon-de-Provence Bouches-du-Rhône, SE France
Salonica/Salonika see Thessaloníki
115 I14 Salonikós, Akrotírio headland Thásos, E Greece
116 F10 Salonta Hung. Nagyszalonta. Bihor, W Romania
104 I9 Salor ≈ W Spain
105 U6 Salou Cataluña, NE Spain
76 H11 Saloum ≈ C Senegal
42 H4 Sal, Punta headland NW Honduras
92 N3 Salpynten headland W Svalbard
138 I3 Salqīn Idlib, W Syria
93 F14 Salsbruket Nord-Trøndelag, C Norway
126 M13 Sal'sk Rostovskaya Oblast', SW Russian Federation
107 K25 Salso ≈ Sicilia, Italy, C Mediterranean Sea
107 J25 Salso ≈ Sicilia, Italy, C Mediterranean Sea
106 E9 Salsomaggiore Terme Emilia-Romagna, N Italy
Salt see As Salṭ
62 J6 Salta Salta, NW Argentina
62 K6 Salta off. Provincia de Salta ◈ province N Argentina
97 I24 Saltash SW England, UK
24 J8 Salt Basin basin Texas, SW USA
11 V16 Saltcoats Saskatchewan, S Canada
30 L13 Salt Creek ≈ Illinois, N USA
24 J9 Salt Draw ≈ Texas, SW USA
97 F21 Saltee Islands island group SE Ireland
92 G12 Saltfjorden inlet C Norway
24 I8 Salt Flat Texas, SW USA
27 N8 Salt Fork Arkansas River ≈ Oklahoma, C USA
31 T13 Salt Fork Lake ⊡ Ohio, N USA
26 J11 Salt Fork Red River ≈ Oklahoma/Texas, C USA
95 J23 Saltholm island E Denmark
41 N8 Saltillo Coahuila de Zaragoza, NE Mexico
182 L5 Salt Lake salt lake New South Wales, SE Australia
37 V15 Salt Lake ⊚ New Mexico, SW USA
36 K2 Salt Lake City state capital Utah, W USA
61 C20 Salto Buenos Aires, E Argentina
61 D17 Salto Salto, N Uruguay
61 E17 Salto ◈ department N Uruguay
107 I14 Salto ≈ C Italy
62 Q6 Salto del Guairá Canindeyú, E Paraguay
61 D17 Salto Grande, Embalse de var. Lago de Salto Grande. ⊡ Argentina/Uruguay
Salto Grande, Lago de see Salto Grande, Embalse de
35 W16 Salton Sea ⊚ California, W USA
60 I12 Salto Santiago, Represa de ⊡ S Brazil
149 U7 Salt Range ▲ E Pakistan
36 M13 Salt River ≈ Arizona, SW USA
20 L5 Salt River ≈ Kentucky, S USA
27 V3 Salt River ≈ Missouri, C USA
95 F17 Saltrød Aust-Agder, S Norway
95 P16 Saltsjöbaden Stockholm, C Sweden
92 G12 Saltstraumen Nordland, C Norway
21 Q7 Saltville Virginia, NE USA
Saluces/Saluciae see Saluzzo
21 Q12 Saluda South Carolina, SE USA
21 X6 Saluda Virginia, NE USA
21 Q12 Saluda River ≈ South Carolina, SE USA
75 T7 Sallûm var. As Sallūm. NW Egypt
152 F14 Sālūmbar Rājasthān, N India
75 T7 Salûm, Gulf of Ar. Khalīj as Sallūm. gulf Egypt/Libya
171 O11 Salumpaga Sulawesi, N Indonesia

◆ Country ● Country Capital ◇ Dependent Territory ○ Dependent Territory Capital ◈ Administrative Region ✕ International Airport ▲ Mountain ▲ Mountain Range ☓ Volcano ≈ River ⊚ Lake ⊡ Reservoir

318 ••• Sālūr – San Jorge

155 M14 **Sālūr** Andhra Pradesh, E India
55 Y9 **Salut, Îles du** *island group* N French Guiana
106 A9 **Saluzzo** *Fr.* Saluces; *anc.* Saluciae. Piemonte, NW Italy
63 F23 **Salvación, Bahía** *bay* S Chile
59 P17 **Salvador** *prev.* São Salvador. Bahia, E Brazil
65 E24 **Salvador** East Falkland, Falkland Islands
22 K10 **Salvador, Lake** ◎ Louisiana, S USA
Salvaleón de Higüey *see* Higüey
104 F10 **Salvaterra de Magos** Santarém, C Portugal
41 N13 **Salvatierra** Guanajuato, C Mexico
105 P3 **Salvatierra** *Basq.* Agurain. País Vasco, N Spain
Salwa/Salwah *see* As Salwā
166 M7 **Salween** *Bur.* Thanlwin, *Chin.* Nu Chiang, Nu Jiang. ≈ SE Asia
137 Y12 **Salyan** *Rus.* Sal'yany. SE Azerbaijan
153 N11 **Salyan** *var.* Sallyana. Mid Western, W Nepal
Sal'yany *see* Salyan
21 O6 **Salyersville** Kentucky, S USA
109 V6 **Salza** ≈ E Austria
109 Q7 **Salzach** ≈ Austria/Germany
109 Q6 **Salzburg** *anc.* Juvavum. Salzburg, N Austria
109 O8 **Salzburg** *off.* Land Salzburg. ◈ *state* C Austria
Salzburg *see* Ocna Sibiului
Salzburg Alps *see* Salzburger Kalkalpen
109 Q7 **Salzburger Kalkalpen** *Eng.* Salzburg Alps. ▲ C Austria
100 J13 **Salzgitter** *prev.* Watenstedt-Salzgitter. Niedersachsen, C Germany
101 G14 **Salzkotten** Nordrhein-Westfalen, W Germany
100 K11 **Salzwedel** Sachsen-Anhalt, N Germany
152 D11 **Sām** Rājasthān, NW India
Šamac *see* Bosanski Šamac
54 G9 **Samacá** Boyacá, C Colombia
40 I7 **Samachique** Chihuahua, N Mexico
141 Y8 **Şamad** NE Oman
Sama de Langreo *see* Sama
Samaden *see* Samedan
57 M19 **Samaipata** Santa Cruz, C Bolivia
167 T10 **Samakhixai** *var.* Attapu, Attopeu. Attapu, S Laos
Samakov *see* Samokov
42 B6 **Samalá, Río** ≈ SW Guatemala
40 J3 **Samalayuca** Chihuahua, N Mexico
155 L16 **Sāmalkot** Andhra Pradesh, E India
45 P8 **Samaná** *var.* Santa Bárbara de Samaná. E Dominican Republic
45 P8 **Samaná, Bahía de** *bay* E Dominican Republic
44 K4 **Samana Cay** *island* SE Bahamas
136 K17 **Samandağı** Hatay, S Turkey
149 P3 **Samangān** ◈ *province* N Afghanistan
Samangān *see* Āybak
165 T5 **Samani** Hokkaidō, NE Japan
54 C13 **Samaniego** Nariño, SW Colombia
171 Q5 **Samar** *island* C Philippines
127 S6 **Samara** *prev.* Kuybyshev. Samarskaya Oblast', W Russian Federation
127 S6 **Samara** ✕ Samarskaya Oblast', W Russian Federation
127 T7 **Samara** ≈ W Russian Federation
117 V7 **Samara** ≈ E Ukraine
186 G10 **Samarai** Milne Bay, SE PNG
Samarang *see* Semarang
138 G9 **Samarian Hills** *hill range* N Israel
54 L9 **Samariapo** Amazonas, C Venezuela
169 V11 **Samarinda** Borneo, C Indonesia
Samarkand *see* Samarqand
Samarkandskaya Oblast' *see* Samarqand Viloyati
Samarkandski/Samarkandskoye *see* Temirtau
Samarobriva *see* Amiens
147 N11 **Samarqand** *Rus.* Samarkand. Samarqand Viloyati, C Uzbekistan
146 M11 **Samarqand Viloyati** *Rus.* Samarkandskaya Oblast'. ◈ *province* C Uzbekistan
139 S6 **Sāmarrā'** C Iraq
127 R7 **Samarskaya Oblast'** *prev.* Kuybyshevskaya Oblast'. ◈ *province* W Russian Federation
153 Q13 **Samastīpur** Bihār, N India
76 L14 **Samatiguila** NW Ivory Coast
119 Q17 **Samatsevichy** *Rus.* Samotevichi. Mahilyowskaya Voblasts', E Belarus
Samawa *see* As Samāwah
137 Y11 **Şamaxı** *Rus.* Shemakha. E Azerbaijan
152 H6 **Samba** Jammu and Kashmir, NW India
79 K18 **Samba** Equateur, NW Dem. Rep. Congo
79 N21 **Samba** Maniema, E Dem. Rep. Congo
169 W10 **Sambaliung, Pegunungan** ▲ Borneo, N Indonesia
154 M11 **Sambalpur** Orissa, E India
169 Q10 **Sambas, Sungai** ≈ Borneo, N Indonesia
172 K2 **Sambava** Antsirañana, NE Madagascar
152 J10 **Sambhal** Uttar Pradesh, N India
152 H12 **Sāmbhar Salt Lake** ◎ N India
107 N21 **Sambiase** Calabria, SW Italy
116 H5 **Sambir** *Rus.* Sambor. L'vivs'ka Oblast', NW Ukraine
82 C13 **Sambo** Huambo, C Angola
Sambor *see* Sambir
61 E21 **Samborombón, Bahía** *bay* NE Argentina
99 H20 **Sambre** ≈ Belgium/France
43 V16 **Sambú, Río** ≈ SE Panama
163 Z14 **Samch'ŏk** *Jap.* Sanchoku. NE South Korea
Samch'ŏnpŏ *see* Sach'ŏn
81 I21 **Same** Kilimanjaro, NE Tanzania
108 J10 **Samedan** *Ger.* Samaden. Graubünden, S Switzerland
82 K12 **Samfya** Luapula, N Zambia
141 W13 **Samḥān, Jabal** ▲ SW Oman
115 C18 **Sámi** Kefallinía, Iónioi Nísoi, Greece, C Mediterranean Sea
56 F10 **Samiria, Río** ≈ N Peru
Samirum *see* Semīrom
137 V11 **Şämkir** *Rus.* Shamkhor. NW Azerbaijan
167 S7 **Sam, Nam** *Vtn.* Sông Chu. ≈ Laos/Vietnam
Samnān *see* Semnān
Sam Neua *see* Xam Nua
75 P10 **Samnū** C Libya
192 H15 **Samoa** *off.* Independent State of Samoa, *var.* Sāmoa; *prev.* Western Samoa ◆ *monarchy* W Polynesia
192 L9 **Sāmoa** *island group* American /Samoa
192 M9 **Samoa Basin** *undersea feature* W Pacific Ocean
Sāmoa-i-Sisifo *see* Samoa
112 D8 **Samobor** Zagreb, N Croatia
114 H10 **Samokov** *var.* Samakov. Sofiya, W Bulgaria
111 H21 **Šamorín** *Ger.* Sommerein, *Hung.* Somorja. Trnavský Kraj, W Slovakia
115 M19 **Sámos** *prev.* Limín Vathéos. Sámos, Dodekánisos, Greece, Aegean Sea
115 M20 **Sámos** *island* Dodekánisos, Greece, Aegean Sea
Samosch *see* Szamos
168 I9 **Samosir, Pulau** *island* W Indonesia
Samotevichi *see* Samatsevichy
Samothrace *see* Samothráki
115 K14 **Samothráki** Samothráki, NE Greece
115 J14 **Samothráki** *anc.* Samothrace. *island* NE Greece
115 A15 **Samothráki** *island* Iónioi Nísoi, Greece, C Mediterranean Sea
Samotschin *see* Szamocin
Sampê *see* Xiangcheng
169 S13 **Sampit** Borneo, C Indonesia
169 S12 **Sampit, Sungai** ≈ Borneo, N Indonesia
Sampoku *see* Sanpoku
186 H7 **Sampun** New Britain, E PNG
79 N24 **Sampwe** Katanga, SE Dem. Rep. Congo
25 X8 **Sam Rayburn Reservoir** ⊠ Texas, SW USA
167 Q6 **Sam Sao, Phou** ▲ Laos/Thailand
95 H22 **Samsø** *island* E Denmark
95 H23 **Samsø Bælt** *channel* E Denmark
167 T7 **Sâm Sơn** Thanh Hoa, N Vietnam
136 L11 **Samsun** *anc.* Amisus. Samsun, N Turkey
136 K11 **Samsun** ◈ *province* N Turkey
137 R9 **Samtredia** W Georgia
59 E15 **Samuel, Represa de** ⊠ W Brazil
167 O14 **Samui, Ko** *island* SW Thailand
Samundari *see* Samundri
149 U9 **Samundri** *var.* Samundari. Punjab, E Pakistan
137 X10 **Samur** ≈ Azerbaijan/Russian Federation
137 Y11 **Samur-Abşeron Kanalı** *Rus.* Samur-Apsheronskiy Kanal. *canal* E Azerbaijan
Samur-Apsheronskiy Kanal *see* Samur-Abşeron Kanalı
167 O11 **Samut Prakan** *var.* Muang Samut Prakan, Paknam. Samut Prakan, C Thailand
167 O11 **Samut Sakhon** *var.* Maha Chai, Samut Sakorn, Tha *Chin.* Samut Sakhon, C Thailand
Samut Sakorn *see* Samut Sakhon
167 O11 **Samut Songhram** *prev.* Meklong. Samut Songkhram, SW Thailand
77 N12 **San** Ségou, C Mali
111 O15 **San** ≈ SE Poland
141 O15 **Şan'ā'** *Eng.* Sana. ● (Yemen) W Yemen
112 F11 **Sana** ≈ NW Bosnia and Herzegovina
80 O12 **Sanaag** *off.* Gobolka Sanaag. ◈ *region* N Somalia
114 J8 **Sanadinovo** Pleven, N Bulgaria
195 P1 **Sanae** *South African research station* Antarctica
139 Y10 **Sanāf, Hawr as** ◎ S Iraq
79 E15 **Sanaga** ≈ C Cameroon
54 D12 **San Agustín** Huila, SW Colombia
171 R8 **San Agustin, Cape** *headland* Mindanao, S Philippines
37 Q13 **San Agustin, Plains of** *plain* New Mexico, SW USA
38 M16 **Sanak Islands** *island group* Aleutian Islands, Alaska, USA
193 U10 **San Ambrosio, Isla** *Eng.* San Ambrosio Island. *island* W Chile
San Ambrosio Island *see* San Ambrosio, Isla
171 Q12 **Sanana** Pulau Sanana, E Indonesia
171 Q12 **Sanana, Pulau** *island* Maluku, E Indonesia
142 K5 **Sanandaj** *prev.* Sinneh. Kordestān, W Iran
35 P8 **San Andreas** California, W USA
54 G8 **San Andrés** Santander, C Colombia
61 C20 **San Andrés de Giles** Buenos Aires, E Argentina
37 R14 **San Andres Mountains** ▲ New Mexico, SW USA
41 S15 **San Andrés Tuxtla** *var.* Tuxtla. Veracruz-Llave, E Mexico
25 P8 **San Angelo** Texas, SW USA
107 A20 **San Antioco, Isola di** *island* W Italy
42 F4 **San Antonio** Toledo, S Belize
62 G11 **San Antonio** Valparaíso, C Chile
188 H6 **San Antonio** Saipan, S Northern Mariana Islands
37 R13 **San Antonio** New Mexico, SW USA
25 R12 **San Antonio** Texas, SW USA
54 M11 **San Antonio** Amazonas, S Venezuela
54 I7 **San Antonio** Barinas, C Venezuela
55 O5 **San Antonio** Monagas, NE Venezuela
25 S12 **San Antonio** ✕ Texas, SW USA
San Antonio *see* San Antonio del Táchira
San Antonio Abad *see* Sant Antoni de Portmany
25 U13 **San Antonio Bay** *inlet* Texas, SW USA
61 E22 **San Antonio, Cabo** *headland* E Argentina
44 A5 **San Antonio, Cabo de** *headland* W Cuba
105 T11 **San Antonio, Cabo de** *headland* E Spain
54 H7 **San Antonio de Caparo** Táchira, W Venezuela
62 J5 **San Antonio de los Cobres** Salta, NE Argentina
54 H7 **San Antonio del Táchira** *var.* San Antonio. Táchira, W Venezuela
35 T15 **San Antonio, Mount** ▲ California, W USA
63 K16 **San Antonio Oeste** Río Negro, E Argentina
25 T13 **San Antonio River** ≈ Texas, SW USA
54 J5 **Sanare** Lara, N Venezuela
103 T16 **Sanary-sur-Mer** Var, SE France
25 X8 **San Augustine** Texas, SW USA
141 T13 **Sanāw** *var.* Sanaw. NE Yemen
41 O11 **San Bartolo** San Luis Potosí, C Mexico
107 L16 **San Bartolomeo in Galdo** Campania, S Italy
106 K13 **San Benedetto del Tronto** Marche, C Italy
42 E3 **San Benito** Petén, N Guatemala
25 T17 **San Benito** Texas, SW USA
54 E6 **San Benito Abad** Sucre, N Colombia
35 P11 **San Benito Mountain** ▲ California, W USA
35 O10 **San Benito River** ≈ California, W USA
108 H10 **San Bernardino** Graubünden, S Switzerland
35 U15 **San Bernardino** California, W USA
62 H11 **San Bernardo** Santiago, C Chile
40 J8 **San Bernardo** Durango, C Mexico
164 G12 **Sanbe-san** ▲ Kyūshū, SW Japan
40 J12 **San Blas** Nayarit, C Mexico
40 H8 **San Blas** Sinaloa, C Mexico
43 V14 **San Blas** *off.* Comarca de San Blas. ◈ *special territory* NE Panama
43 U14 **San Blas, Archipiélago de** *island group* NE Panama
23 Q10 **San Blas, Cape** *headland* Florida, SE USA
43 V14 **San Blas, Cordillera de** ▲ NE Panama
62 J8 **San Blas de los Sauces** Catamarca, NW Argentina
106 G8 **San Bonifacio** Veneto, NE Italy
29 S12 **Sanborn** Iowa, C USA
40 M7 **San Buenaventura** Coahuila de Zaragoza, NE Mexico
105 S5 **San Caprasio** ▲ N Spain
62 G13 **San Carlos** Bío Bío, C Chile
40 E9 **San Carlos** Baja California Sur, W Mexico
41 N5 **San Carlos** Coahuila de Zaragoza, NE Mexico
San Carlos, Estrecho de *see* Falkland Sound
41 P9 **San Carlos** Tamaulipas, C Mexico
42 L12 **San Carlos** Río San Juan, S Nicaragua
43 T16 **San Carlos** Panamá, C Panama
171 N3 **San Carlos** *off.* San Carlos City. Luzon, N Philippines
36 M14 **San Carlos** Arizona, SW USA
61 G20 **San Carlos** Maldonado, S Uruguay
54 K5 **San Carlos** Cojedes, N Venezuela
San Carlos *see* Quesada, Costa Rica
San Carlos *see* Luba, Equatorial Guinea
61 B17 **San Carlos Centro** Santa Fe, C Argentina
171 P6 **San Carlos City** Negros, C Philippines
San Carlos de Ancud *see* Ancud
63 H16 **San Carlos de Bariloche** Río Negro, SW Argentina
61 B21 **San Carlos de Bolívar** Buenos Aires, E Argentina
54 H6 **San Carlos del Zulia** Zulia, W Venezuela
54 L12 **San Carlos de Río Negro** Amazonas, S Venezuela
San Carlos, Estrecho de *see* Falkland Sound
36 M14 **San Carlos Reservoir** ⊠ Arizona, SW USA
42 M12 **San Carlos, Río** ≈ N Costa Rica
65 D24 **San Carlos Settlement** East Falkland, Falkland Islands
61 C23 **San Cayetano** Buenos Aires, E Argentina
103 O8 **Sancerre** Cher, C France
158 G7 **Sanchakou** Xinjiang Uygur Zizhiqu, NW China
Sanchoku *see* Samch'ŏk
41 O12 **San Ciro** San Luis Potosí, C Mexico
105 P10 **San Clemente** Castilla-La Mancha, C Spain
35 T16 **San Clemente** California, W USA
61 E21 **San Clemente del Tuyú** Buenos Aires, E Argentina
35 S17 **San Clemente Island** *island* Channel Islands, California, W USA
103 O9 **Sancoins** Cher, C France
187 N10 **San Cristobal** *var.* Makira. *island* SE Solomon Islands
61 B16 **San Cristóbal** Santa Fe, C Argentina
44 B4 **San Cristóbal** Pinar del Río, W Cuba
45 O9 **San Cristóbal** *var.* Benemérita de San Cristóbal. S Dominican Republic
54 H7 **San Cristóbal** Táchira, W Venezuela
San Cristóbal *see* San Cristóbal de Las Casas
41 U16 **San Cristóbal de Las Casas** *var.* San Cristóbal. Chiapas, SE Mexico
187 N10 **San Cristóbal, Isla** *var.* Chatham Island. *island* Galapagos Islands, Ecuador, E Pacific Ocean
42 D5 **San Cristóbal Verapaz** Alta Verapaz, C Guatemala
44 F6 **Sancti Spíritus** Sancti Spíritus, C Cuba
103 O11 **Sancy, Puy de** ▲ C France
95 D15 **Sand** Rogaland, S Norway
169 W7 **Sandakan** Sabah, East Malaysia
182 K9 **Sandalwood** South Australia
Sandalwood Island *see* Sumba, Pulau
94 D11 **Sandane** Sogn og Fjordane, S Norway
114 G12 **Sandanski** *prev.* Sveti Vrach. Blagoevgrad, SW Bulgaria
76 J11 **Sandaré** Kayes, W Mali
95 J19 **Sandared** Västra Götaland, S Sweden
94 N12 **Sandarne** Gävleborg, C Sweden
186 B5 **Sandaun** *prev.* West Sepik. ◈ *province* NW PNG
96 K4 **Sanday** *island* NE Scotland, UK
31 P15 **Sand Creek** ≈ Indiana, N USA
95 H15 **Sande** Vestfold, S Norway
95 H16 **Sandefjord** Vestfold, S Norway
77 O15 **Sandégué** E Ivory Coast
77 P14 **Sandema** N Ghana
37 O11 **Sanders** Arizona, SW USA
24 M11 **Sanderson** Texas, SW USA
23 U4 **Sandersville** Georgia, SE USA
92 H4 **Sandgerdhi** Sudhurland, SW Iceland
28 K14 **Sand Hills** ▲ Nebraska, C USA
25 S14 **Sandia** Texas, SW USA
35 T17 **San Diego** California, W USA
25 S14 **San Diego** Texas, SW USA
136 F14 **Sandıklı** Afyon, W Turkey
152 L12 **Sandīla** Uttar Pradesh, N India
121 N15 **San Dimitri, Ras** *var.* San Dimitri Point. *headland* Gozo, NW Malta
168 J13 **Sanding, Selat** *strait* W Indonesia
30 J3 **Sand Island** *island* Apostle Islands, Wisconsin, N USA
95 C16 **Sandnes** Rogaland, S Norway
92 F13 **Sandnessjøen** Nordland, C Norway
79 L24 **Sandoa** Katanga, S Dem. Rep. Congo
111 N15 **Sandomierz** *Rus.* Sandomir. Świętokrzyskie, C Poland
Sandomir *see* Sandomierz
54 C13 **Sandoná** Nariño, SW Colombia
106 I7 **San Donà di Piave** Veneto, NE Italy
124 K14 **Sandovo** Tverskaya Oblast', W Russian Federation
166 K7 **Sandoway** Arakan State, W Myanmar
97 M24 **Sandown** S England, UK
95 B19 **Sandoy** *Dan.* Sandø *Island* Faeroe Islands
39 N16 **Sand Point** Popof Island, Alaska, USA
65 N24 **Sand Point** *headland* E Tristan da Cunha
31 R7 **Sand Point** *headland* Michigan, N USA
32 M7 **Sandpoint** Idaho, NW USA
93 H14 **Sandsele** Västerbotten, N Sweden
10 I14 **Sandspit** Moresby Island, British Columbia, SW Canada
27 P9 **Sand Springs** Oklahoma, C USA
29 W7 **Sandstone** Minnesota, N USA
36 K15 **Sand Tank Mountains** ▲ Arizona, SW USA
31 S8 **Sandusky** Michigan, N USA
31 S11 **Sandusky** Ohio, N USA
31 S12 **Sandusky River** ≈ Ohio, N USA
83 D22 **Sandverhaar** Karas, S Namibia
95 L24 **Sandvig** Bornholm, E Denmark
95 H15 **Sandvika** Akershus, S Norway
94 N13 **Sandviken** Gävleborg, C Sweden
30 M11 **Sandwich** Illinois, N USA
Sandwich Island *see* Éfaté
Sandwich Islands *see* Hawaiian Islands
153 V16 **Sandwip Island** *island* SE Bangladesh
11 U12 **Sandy Bay** Saskatchewan, C Canada
183 N16 **Sandy Cape** *headland* Tasmania, SE Australia
36 L3 **Sandy City** Utah, W USA
31 U12 **Sandy Creek** ≈ Ohio, N USA
21 O5 **Sandy Hook** Kentucky, S USA
18 K15 **Sandy Hook** *headland* New Jersey, NE USA
Sandykachi/Sandykgaçy *see* Sandykgaçy
146 J15 **Sandykgaçy** *var.* Sandykgachy, *Rus.* Sandykachi. Mary Welaýaty, S Turkmenistan
146 L13 **Sandykly Gumy** *Rus.* Peski Sandykly. *desert* E Turkmenistan
Sandykly, Peski *see* Sandykly Gumy
11 Q13 **Sandy Lake** Alberta, W Canada
12 B8 **Sandy Lake** Ontario, C Canada
12 B8 **Sandy Lake** ◎ Ontario, C Canada
23 S3 **Sandy Springs** Georgia, SE USA
24 H8 **San Elizario** Texas, SW USA
99 L25 **Sanem** Luxembourg, SW Luxembourg
42 K5 **San Esteban** Olancho, C Honduras
105 O6 **San Esteban de Gormaz** Castilla-León, N Spain
40 E5 **San Esteban, Isla** *island* NW Mexico
San Eugenio/San Eugenio del Cuareim *see* Artigas
62 H11 **San Felipe** *var.* San Felipe de Aconcagua. Valparaíso, C Chile
40 D3 **San Felipe** Baja California, NW Mexico
40 N12 **San Felipe** Guanajuato, C Mexico
54 K5 **San Felipe** Yaracuy, NW Venezuela
44 B5 **San Felipe, Cayos de** *island group* W Cuba
San Felipe de Aconcagua *see* San Felipe
San Felipe de Puerto Plata *see* Puerto Plata
37 R11 **San Felipe Pueblo** New Mexico, SW USA
San Feliú de Guixols *see* Sant Feliu de Guíxols
193 T10 **San Félix, Isla** *Eng.* San Felix Island. *island* W Chile
San Felix Island *see* San Félix, Isla
54 L11 **San Fernando de Atabapo** Amazonas, S Venezuela
40 C4 **San Fernando** *var.* Misión San Fernando. Baja California, NW Mexico
41 P9 **San Fernando** Tamaulipas, C Mexico
171 N2 **San Fernando** Luzon, N Philippines
171 O3 **San Fernando** Luzon, N Philippines
104 J16 **San Fernando** *prev.* Isla de León. Andalucía, S Spain
45 U14 **San Fernando** Trinidad, Trinidad and Tobago
35 S15 **San Fernando** California, W USA
54 L7 **San Fernando** *var.* San Fernando de Apure. Apure, C Venezuela
San Fernando de Apure *see* San Fernando
62 L8 **San Fernando del Valle de Catamarca** *var.* Catamarca. Catamarca, NW Argentina
San Fernando de Monte Cristi *see* Monte Cristi
41 P9 **San Fernando, Río** ≈ C Mexico
23 X11 **Sanford** Florida, SE USA
19 P9 **Sanford** Maine, NE USA
21 T10 **Sanford** North Carolina, SE USA
25 N2 **Sanford** Texas, SW USA
39 T10 **Sanford, Mount** ▲ Alaska, USA
42 G8 **San Francisco** *var.* Gotera, San Francisco Gotera. Morazán, E El Salvador
43 R16 **San Francisco** Veraguas, C Panama
171 N2 **San Francisco** *var.* Aurora. Luzon, N Philippines
35 L8 **San Francisco** California, W USA
54 H5 **San Francisco** Zulia, NW Venezuela
34 M8 **San Francisco** ✕ California, W USA
35 N9 **San Francisco Bay** *bay* California, W USA
61 C24 **San Francisco de Bellocq** Buenos Aires, E Argentina
40 I6 **San Francisco de Borja** Chihuahua, N Mexico
42 J6 **San Francisco de la Paz** Olancho, C Honduras
40 J7 **San Francisco del Oro** Chihuahua, N Mexico
40 M12 **San Francisco del Rincón** Jalisco, SW Mexico
45 O8 **San Francisco de Macorís** C Dominican Republic
San Francisco de Satipo *see* Satipo
San Francisco Gotera *see* San Francisco
San Francisco Telixtlahuaca *see* Telixtlahuaca
107 K23 **San Fratello** Sicilia, Italy, C Mediterranean Sea
San Fructuoso *see* Tacuarembó
82 C12 **Sanga** Cuanza Sul, NW Angola
56 C5 **San Gabriel** Carchi, N Ecuador
159 S15 **Sa'ngain** Xizang Zizhiqu, W China
154 E13 **Sangamner** Mahārāshtra, W India
152 H12 **Sāngāner** Rājasthān, N India
Sangan, Koh-i- *see* Sangān, Kūh-e
149 N6 **Sangān, Kūh-e** *Pash.* Koh-i-Sangan. ▲ C Afghanistan
123 P10 **Sangar** Respublika Sakha (Yakutiya), NE Russian Federation
169 V11 **Sangasanga** Borneo, C Indonesia
103 N1 **Sangatte** Pas-de-Calais, N France
107 B19 **San Gavino Monreale** Sardegna, Italy, C Mediterranean Sea
57 D16 **Sangayan, Isla** *island* W Peru
30 L14 **Sangchris Lake** ⊠ Illinois, N USA
171 N16 **Sangeang, Pulau** *island* S Indonesia
116 I10 **Sângeorgiu de Pădure** *prev.* Erdăt-Sângeorz, Sîngeorgiu de Pădure, *Hung.* Erdőszentgyörgy. Mureş, C Romania
116 I9 **Sângeorz-Băi** *var.* Singeroz Băi, *Ger.* Rumänisch-Sankt-Georgen, *Hung.* Oláhszentgyőrgy; *prev.* Sîngeorz-Băi. Bistriţa-Năsăud, N Romania
35 R10 **Sanger** California, W USA
25 T5 **Sanger** Texas, SW USA
Sângerei *see* Sîngerei
101 L15 **Sangerhausen** Sachsen-Anhalt, C Germany
45 S6 **San Germán** W Puerto Rico
San Germano *see* Cassino
161 N2 **Sanggan He** ≈ E China
169 Q11 **Sanggau** Borneo, C Indonesia
79 H16 **Sangha** ≈ Central African Republic/Congo
79 G16 **Sangha-Mbaéré** ◈ *prefecture* SW Central African Republic
149 Q15 **Sānghar** Sind, SE Pakistan
115 F22 **Sangiás** ▲ S Greece
Sangihe, Kepulauan *see* Sangir, Kepulauan
171 Q9 **Sangihe, Pulau** *var.* Sangir. *island* N Indonesia
54 G8 **San Gil** Santander, C Colombia
106 F12 **San Gimignano** Toscana, C Italy
148 M8 **Sangīn** *var.* Sangin. Helmand, S Afghanistan
107 O21 **San Giovanni in Fiore** Calabria, SW Italy
107 M16 **San Giovanni Rotondo** Puglia, SE Italy
106 G12 **San Giovanni Valdarno** Toscana, C Italy
Sangir *see* Sangihe, Pulau
171 Q10 **Sangir, Kepulauan** *var.* Kepulauan Sangihe. *island group* N Indonesia
162 K9 **Sangiyn Dalay** Dundgovĭ, C Mongolia
162 H9 **Sangiyn Dalay** Govĭ-Altay, C Mongolia
162 K11 **Sangiyn Dalay** Ömnögovĭ, S Mongolia
162 K8 **Sangiyn Dalay** Övörhangay, C Mongolia
163 Y15 **Sangju** *Jap.* Shōshū. C South Korea
167 R11 **Sangkha** Surin, E Thailand
169 W10 **Sangkulirang** Borneo, N Indonesia
169 W10 **Sangkulirang, Teluk** *bay* Borneo, N Indonesia
155 E16 **Sāngli** Mahārāshtra, W India
79 E16 **Sangmélima** Sud, S Cameroon
35 V15 **San Gorgonio Mountain** ▲ California, W USA
37 T8 **Sangre de Cristo Mountains** ▲ Colorado /New Mexico, C USA
61 A20 **San Gregorio** Santa Fe, C Argentina
61 F18 **San Gregorio de Polanco** Tacuarembó, C Uruguay
45 V14 **Sangre Grande** Trinidad, Trinidad and Tobago
159 N16 **Sangri** Xizang Zizhiqu, W China
152 H9 **Sangrūr** Punjab, NW India
44 I11 **Sangster** *off.* Sir Donald Sangster International Airport, *var.* Montego Bay. ✕ (Montego Bay) W Jamaica
59 G17 **Sangue, Rio do** ≈ W Brazil
105 R4 **Sangüesa** Navarra, N Spain
61 C16 **San Gustavo** Entre Ríos, E Argentina
Sangyuan *see* Wuqiao
40 C6 **San Hipólito, Punta** *headland* W Mexico
23 W15 **Sanibel** Sanibel Island, Florida, SE USA
23 V15 **Sanibel Island** *island* Florida, SE USA
60 F13 **San Ignacio** Misiones, NE Argentina
42 F2 **San Ignacio** *prev.* Cayo, El Cayo. Cayo, W Belize
57 L16 **San Ignacio** Beni, N Bolivia
57 O18 **San Ignacio** Santa Cruz, E Bolivia
42 M14 **San Ignacio** *var.* San Ignacio de Acosta. San José, W Costa Rica
40 E6 **San Ignacio** Baja California Sur, W Mexico
40 J10 **San Ignacio** Sinaloa, W Mexico
56 B9 **San Ignacio** Cajamarca, N Peru
San Ignacio de Acosta *see* San Ignacio
40 D7 **San Ignacio, Laguna** *lagoon* W Mexico
12 I6 **Sanikiluaq** Belcher Islands, Nunavut, C Canada
171 O3 **San Ildefonso Peninsula** *peninsula* Luzon, N Philippines
Saniquillie *see* Sanniquellie
61 D20 **San Isidro** Buenos Aires, E Argentina
43 N14 **San Isidro** *var.* San Isidro de El General. San José, SE Costa Rica
San Isidro de El General *see* San Isidro
54 E5 **San Jacinto** Bolívar, N Colombia
35 U16 **San Jacinto** California, W USA
35 V15 **San Jacinto Peak** ▲ California, W USA
61 F14 **San Javier** Misiones, NE Argentina
61 C16 **San Javier** Santa Fe, C Argentina
105 S13 **San Javier** Murcia, SE Spain
61 D18 **San Javier** Río Negro, W Uruguay
61 C16 **San Javier, Río** ≈ C Argentina
160 L12 **Sanjiang** *var.* Guyi, Sanjiang Dongzu Zizhixian. Guangxi Zhuangzu Zizhiqu, S China
Sanjiang *see* Jinping, Guizhou
Sanjiang Dongzu Zizhixian *see* Sanjiang
Sanjiaocheng *see* Haiyan
165 N11 **Sanjō** *var.* Sanzyô. Niigata, Honshū, C Japan
57 M15 **San Joaquín** Beni, N Bolivia
55 O6 **San Joaquín** Anzoátegui, NE Venezuela
35 O9 **San Joaquin River** ≈ California, W USA
35 P10 **San Joaquin Valley** *valley* California, W USA
61 A18 **San Jorge** Santa Fe, C Argentina

◆ Country ● Country Capital ◇ Dependent Territory ○ Dependent Territory Capital ◈ Administrative Region ✕ International Airport ▲ Mountain ▲ Mountain Range ▲ Volcano ≈ River ◎ Lake ⊠ Reservoir

SAN JORGE, BAHÍA DE – SANTA MARIA DA VITÓRIA ••• 329

40 D3 **San Jorge, Bahía de** *bay* NW Mexico
San Jorge, Isla de *see* Weddell Island
63 J19 **San Jorge, Golfo** *var.* Gulf of San Jorge. *gulf* S Argentina
San Jorge, Gulf of *see* San Jorge, Golfo
188 K8 **San Jose** Tinian, S Northern Mariana Islands
35 N9 **San Jose** California, W USA
61 F14 **San José** Misiones, NE Argentina
57 P19 **San José** *var.* San José de Chiquitos. Santa Cruz, E Bolivia
42 M14 **San José** ● (Costa Rica) San José, C Costa Rica
42 C7 **San José** *var.* Puerto San José. Escuintla, S Guatemala
40 G6 **San José** Sonora, NW Mexico
105 U11 **San José** Eivissa, Spain, W Mediterranean Sea
54 H5 **San José** Zulia, NW Venezuela
42 M14 **San José** *off.* Provincia de San José. ◆ *province* W Costa Rica
61 E19 **San José** ◆ *department* S Uruguay
42 M13 **San José** ✕ Alajuela, C Costa Rica
San José *see* San José del Guaviare, Colombia
San José *see* San José de Mayo, S Uruguay
171 O3 **San Jose City** Luzon, N Philippines
San José de Cúcuta *see* Cúcuta
61 D16 **San José de Feliciano** Entre Ríos, E Argentina
55 O6 **San José de Guanipa** *var.* El Tigrito. Anzoátegui, NE Venezuela
62 I9 **San José de Jáchal** San Juan, W Argentina
40 G10 **San José del Cabo** Baja California Sur, W Mexico
54 G12 **San José del Guaviare** *var.* San José. Guaviare, S Colombia
61 E20 **San José de Mayo** *var.* San José. San José, S Uruguay
54 I10 **San José de Ocuné** Vichada, E Colombia
41 O9 **San José de Raíces** Nuevo León, NE Mexico
63 K17 **San José, Golfo** *gulf* E Argentina
40 F9 **San José, Isla** *island* W Mexico
43 U16 **San José, Isla** *island* SE Panama
25 U14 **San Jose Island** *island* Texas, SW USA
62 I10 **San Juan** San Juan, W Argentina
45 N9 **San Juan** *var.* San Juan de la Maguana. C Dominican Republic
57 E17 **San Juan** Ica, S Peru
45 U5 **San Juan** ○ (Puerto Rico) NE Puerto Rico
62 H10 **San Juan** *off.* Provincia de San Juan. ◆ *province* W Argentina
45 U5 **San Juan** *var.* Luis Muñoz Marín. ✕ NE Puerto Rico
San Juan *see* San Juan de los Morros
62 O7 **San Juan Bautista** Misiones, S Paraguay
35 O10 **San Juan Bautista** California, W USA
San Juan Bautista *see* Villahermosa
San Juan Bautista Cuicatlán *see* Cuicatlán
San Juan Bautista Tuxtepec *see* Tuxtepec
79 C17 **San Juan, Cabo** *headland* S Equatorial Guinea
105 S12 **San Juan de Alicante** País Valenciano, E Spain
54 H7 **San Juan de Colón** Táchira, NW Venezuela
40 L9 **San Juan de Guadalupe** Durango, C Mexico
San Juan de la Maguana *see* San Juan
54 G4 **San Juan del Cesar** La Guajira, N Colombia
40 L15 **San Juan de Lima, Punta** *headland* SW Mexico
42 I8 **San Juan de Limay** Estelí, NW Nicaragua
43 N12 **San Juan del Norte** *var.* Greytown. Río San Juan, SE Nicaragua
54 K4 **San Juan de los Cayos** Falcón, N Venezuela
40 M12 **San Juan de los Lagos** Jalisco, C Mexico
54 L5 **San Juan de los Morros** *var.* San Juan. Guárico, N Venezuela
40 K9 **San Juan del Río** Durango, C Mexico
41 O13 **San Juan del Río** Querétaro de Arteaga, C Mexico
42 J11 **San Juan del Sur** Rivas, SW Nicaragua
54 M9 **San Juan de Manapiare** Amazonas, S Venezuela
40 E7 **San Juanico** Baja California Sur, W Mexico
40 D7 **San Juanico, Punta** *headland* W Mexico
32 G6 **San Juan Islands** *island group* Washington, NW USA
40 I6 **San Juanito** Chihuahua, N Mexico
40 I12 **San Juanito, Isla** *island* C Mexico
37 R8 **San Juan Mountains** ▲ Colorado, C USA
54 E5 **San Juan Nepomuceno** Bolívar, NW Colombia
44 E5 **San Juan, Pico** ▲ C Cuba
191 W15 **San Juan, Punta** *headland* Easter Island, Chile, E Pacific Ocean
42 M12 **San Juan, Río** ≈ Costa Rica/Nicaragua
41 S15 **San Juan, Río** ≈ SE Mexico
37 O8 **San Juan River** ≈ Colorado/Utah, W USA
San Julián *see* Puerto San Julián
61 B17 **San Justo** Santa Fe, C Argentina
109 W5 **Sankt Aegyd-am-Neuwalde** Niederösterreich, E Austria
109 U9 **Sankt Andrä** *Slvn.* Šent Andraž. Kärnten, S Austria
Sankt Andrä *see* Szentendre
Sankt Anna *see* Sântana
108 K8 **Sankt Anton-am-Arlberg** Vorarlberg, W Austria
101 E16 **Sankt Augustin** Nordrhein-Westfalen, W Germany
Sankt-Bartholomäi *see* Palamuse
101 F24 **Sankt Blasien** Baden-Württemberg, SW Germany
109 R3 **Sankt Florian am Inn** Oberösterreich, N Austria
108 I7 **Sankt Gallen** *var.* St.Gallen, *Eng.* Saint Gall, *Fr.* St-Gall. Sankt Gallen, NE Switzerland
108 H8 **Sankt Gallen** *var.* St.Gallen, Eng, Saint Gall, *Fr.* St-Gall. ◆ *canton* NE Switzerland
108 J8 **Sankt Gallenkirch** Vorarlberg, W Austria
109 Q5 **Sankt Georgen** Salzburg, N Austria
Sankt Georgen *see* Đurđevac, Croatia
Sankt-Georgen *see* Sfântu Gheorghe, Romania
109 R6 **Sankt Gilgen** Salzburg, NW Austria
Sankt Gotthard *see* Szentgotthárd
101 E20 **Sankt Ingbert** Saarland, SW Germany
Sankt-Jakobi *see* Viru-Jaagupi, Lääne-Virumaa, Estonia
Sankt-Jakobi *see* Pärnu-Jaagupi, Pärnumaa, Estonia
Sankt Johann *see* Sankt Johann in Tirol
109 T7 **Sankt Johann am Tauern** Steiermark, E Austria
109 Q7 **Sankt Johann im Pongau** Salzburg, NW Austria
109 P6 **Sankt Johann in Tirol** *var.* Sankt Johann. Tirol, W Austria
Sankt-Johannis *see* Järva-Jaani
108 L8 **Sankt Leonhard** Tirol, W Austria
Sankt Margarethen *see* Sankt Margarethen im Burgenland
109 Y5 **Sankt Margarethen im Burgenland** *var.* Sankt Margarethen. Burgenland, E Austria
Sankt Martin *see* Martin
109 X8 **Sankt Martin an der Raab** Burgenland, SE Austria
109 U7 **Sankt Michael in Obersteiermark** Steiermark, SE Austria
Sankt Michel *see* Mikkeli
Sankt Moritz *see* St.Moritz
108 E11 **Sankt Niklaus** Valais, S Switzerland
109 S7 **Sankt Nikolai** *var.* Sankt Nikolai im Sölktal. Steiermark, SE Austria
Sankt Nikolai im Sölktal *see* Sankt Nikolai
109 U9 **Sankt Paul** *var.* Sankt Paul im Lavanttal. Kärnten, S Austria
Sankt Paul im Lavanttal *see* Sankt Paul
Sankt Peter *see* Pivka
109 W9 **Sankt Peter am Ottersbach** Steiermark, SE Austria
124 J13 **Sankt-Peterburg** *prev.* Leningrad, Petrograd, *Eng.* Saint Petersburg, *Fin.* Pietari. Leningradskaya Oblast', NW Russian Federation
100 H8 **Sankt Peter-Ording** Schleswig-Holstein, N Germany
109 V4 **Sankt Pölten** Niederösterreich, N Austria
109 W7 **Sankt Ruprecht** *var.* Sankt Ruprecht an der Raab. Steiermark, SE Austria
Sankt Ruprecht an der Raab *see* Sankt Ruprecht
Sankt-Ulrich *see* Ortisei
109 T4 **Sankt Valentin** Niederösterreich, C Austria
Sankt Veit am Flaum *see* Rijeka
109 T9 **Sankt Veit an der Glan** *Slvn.* Šent Vid. Kärnten, S Austria
99 M21 **Sankt-Vith** *var.* Saint-Vith. Liège, E Belgium
101 E20 **Sankt Wendel** Saarland, SW Germany
109 R6 **Sankt Wolfgang** Salzburg, NW Austria
79 K21 **Sankuru** ≈ C Dem. Rep. Congo
40 D8 **San Lázaro, Cabo** *headland* W Mexico
137 C16 **Şanlıurfa** *prev.* Sanli Urfa, Urfa, *anc.* Edessa. Şanlıurfa, S Turkey
137 C16 **Şanlıurfa** *prev.* Urfa. ◆ *province* SE Turkey
137 C16 **Şanlıurfa Yaylası** *plateau* SE Turkey
61 B18 **San Lorenzo** Santa Fe, C Argentina
57 M21 **San Lorenzo** Tarija, S Bolivia
56 C5 **San Lorenzo** Esmeraldas, N Ecuador
42 H8 **San Lorenzo** Valle, S Honduras
56 A6 **San Lorenzo, Cabo** *headland* W Ecuador
105 N8 **San Lorenzo de El Escorial** *var.* El Escorial. Madrid, C Spain
40 E5 **San Lorenzo, Isla** *island* NW Mexico
57 C14 **San Lorenzo, Isla** *island* W Peru
63 G20 **San Lorenzo, Monte** ▲ S Argentina
40 I9 **San Lorenzo, Río** ≈ C Mexico
104 J15 **Sanlúcar de Barrameda** Andalucía, S Spain
104 J14 **Sanlúcar la Mayor** Andalucía, S Spain
40 F11 **San Lucas** Baja California Sur, NW Mexico
40 E6 **San Lucas** *var.* Cabo San Lucas. Baja California Sur, W Mexico
40 G11 **San Lucas, Cabo** *var.* San Lucas Cape. *headland* W Mexico
San Lucas Cape *see* San Lucas, Cabo
62 J11 **San Luis** San Luis, C Argentina
42 E4 **San Luis** Petén, NE Guatemala
40 D2 **San Luis** *var.* San Luis Río Colorado. Sonora, NW Mexico
42 M7 **San Luis** Región Autónoma Atlántico Norte, NE Nicaragua
36 H15 **San Luis** Arizona, SW USA
37 T8 **San Luis** Colorado, C USA
54 J4 **San Luis** Falcón, N Venezuela
62 J11 **San Luis** *off.* Provincia de San Luis. ◆ *province* C Argentina
41 N12 **San Luis de la Paz** Guanajuato, C Mexico
40 K3 **San Luis del Cordero** Durango, C Mexico
40 D4 **San Luis, Isla** *island* NW Mexico
42 E6 **San Luis Jilotepeque** Jalapa, SE Guatemala
57 M16 **San Luis, Laguna de** ◎ NW Bolivia
35 P13 **San Luis Obispo** California, W USA
37 R7 **San Luis Peak** ▲ Colorado, C USA
41 N11 **San Luis Potosí** San Luis Potosí, C Mexico
41 N11 **San Luis Potosí** ◆ *state* C Mexico
35 O10 **San Luis Reservoir** ▣ California, W USA
San Luis Río Colorado *see* San Luis
37 S8 **San Luis Valley** *basin* Colorado, C USA
107 C19 **Sanluri** Sardegna, Italy, C Mediterranean Sea
61 D23 **San Manuel** Buenos Aires, E Argentina
36 M15 **San Manuel** Arizona, SW USA
106 F11 **San Marcello Pistoiese** Toscana, C Italy
107 N20 **San Marco Argentano** Calabria, SW Italy
54 E6 **San Marcos** Sucre, N Colombia
42 M14 **San Marcos** San José, C Costa Rica
42 B5 **San Marcos** San Marcos, W Guatemala
42 F6 **San Marcos** Ocotepeque, SW Honduras
41 O16 **San Marcos** Guerrero, S Mexico
25 S11 **San Marcos** Texas, SW USA
42 A5 **San Marcos** *off.* Departamento de San Marcos. ◆ *department* W Guatemala
San Marcos de Arica *see* Arica
40 E6 **San Marcos, Isla** *island* W Mexico
106 H11 **San Marino** ● (San Marino) C San Marino
106 I11 **San Marino** *off.* Republic of San Marino. ◆ *republic* S Europe
62 I11 **San Martín** Mendoza, C Argentina
54 F11 **San Martín** Meta, C Colombia
56 D11 **San Martín** *off.* Departamento de San Martín. ◆ *department* C Peru
194 I5 **San Martín** *Argentinian research station* Antarctica
63 H16 **San Martín de los Andes** Neuquén, W Argentina
104 M8 **San Martín de Valdeiglesias** Madrid, C Spain
63 G21 **San Martín, Lago** *var.* Lago O'Higgins. ◎ S Argentina
106 H6 **San Martino di Castrozza** Trentino-Alto Adige, N Italy
57 N16 **San Martín, Río** ≈ N Bolivia
San Martín Texmelucan *see* Texmelucan
35 N9 **San Mateo** California, W USA
55 O6 **San Mateo** Anzoátegui, NE Venezuela
42 B4 **San Mateo Ixtatán** Huehuetenango, W Guatemala
57 Q18 **San Matías** Santa Cruz, E Bolivia
63 K16 **San Matías, Golfo** *var.* Gulf of San Matías. *gulf* E Argentina
San Matías, Gulf of *see* San Matías, Golfo
15 O8 **Sanmaur** Québec, SE Canada
161 T10 **Sanmen Wan** *bay* E China
160 M6 **Sanmenxia** *var.* Shan Xian. Henan, C China
Sânmiclăuş Mare *see* Sânnicolau Mare
61 D14 **San Miguel** Corrientes, NE Argentina
57 L16 **San Miguel** Beni, N Bolivia
42 G8 **San Miguel** San Miguel, SE El Salvador
40 L6 **San Miguel** Coahuila de Zaragoza, N Mexico
40 J9 **San Miguel** *var.* San Miguel de Cruces. Durango, C Mexico
43 U16 **San Miguel** Panamá, SE Panama
35 P12 **San Miguel** California, W USA
42 B9 **San Miguel** ◆ *department* E El Salvador
41 N13 **San Miguel de Allende** Guanajuato, C Mexico
San Miguel de Cruces *see* San Miguel
San Miguel de Ibarra *see* Ibarra
61 D21 **San Miguel del Monte** Buenos Aires, E Argentina
62 J7 **San Miguel de Tucumán** *var.* Tucumán. Tucumán, N Argentina
43 V16 **San Miguel, Golfo de** *gulf* S Panama
35 P15 **San Miguel Island** *island* California, W USA
42 L11 **San Miguelito** Río San Juan, S Nicaragua
43 T15 **San Miguelito** Panamá, C Panama
57 N18 **San Miguel, Río** ≈ E Bolivia
56 D6 **San Miguel, Río** ≈ Colombia/Ecuador
40 I7 **San Miguel, Río** ≈ N Mexico
42 G8 **San Miguel, Volcán de** Ж SE El Salvador
161 Q12 **Sanming** Fujian, SE China
106 F11 **San Miniato** Toscana, C Italy
San Murezzan *see* St.Moritz
Sannär *see* Sennar
107 M15 **Sannicandro Garganico** Puglia, SE Italy
40 H6 **San Nicolás** Sonora, NW Mexico
61 C19 **San Nicolás de los Arroyos** Buenos Aires, E Argentina
35 R16 **San Nicolas Island** *island* Channel Islands, California, W USA
Sânnicolaul-Mare *see* Sânnicolau Mare
116 E11 **Sânnicolau Mare** *var.* Sânnicolaul-Mare, *Hung.* Nagyszentmiklós; *prev.* Sânmiclăuş Mare, Sînnicolau Mare. Timiş, W Romania
123 Q6 **Sannikova, Proliv** *strait* NE Russian Federation
76 K16 **Sanniquellie** *var.* Sanniquillie. NE Liberia
165 R7 **Sannohe** Aomori, Honshū, C Japan
Sanntaler Alpen *see* Kamniško-Savinjske Alpe
111 O17 **Sanok** Podkarpackie, SE Poland
54 E5 **San Onofre** Sucre, NW Colombia
57 F21 **San Pablo** Potosí, S Bolivia
171 O4 **San Pablo** *off.* San Pablo City. Luzon, N Philippines
San Pablo Balleza *see* Balleza
35 N8 **San Pablo Bay** *bay* California, W USA
40 C6 **San Pablo, Punta** *headland* W Mexico
43 F16 **San Pablo, Río** ≈ C Panama
171 F4 **San Pascual** Burias Island, C Philippines
121 Q16 **San Pawl il-Baħar** *Eng.* Saint Paul's Bay. E Malta
61 C19 **San Pedro** Buenos Aires, E Argentina
62 K5 **San Pedro** Jujuy, N Argentina
60 G13 **San Pedro** Misiones, NE Argentina
42 H1 **San Pedro** Corozal, NE Belize
40 L8 **San Pedro** *var.* San Pedro de las Colonias. Coahuila de Zaragoza, NE Mexico
52 O5 **San Pedro** San Pedro, SE Paraguay
52 O6 **San Pedro** *off.* Departamento de San Pedro. ◆ *department* C Paraguay
77 N16 **San Pedro** ✕ (Yamoussoukro) C Ivory Coast
44 G6 **San Pedro** ≈ C Cuba
San Pedro *see* San Pedro del Pinatar
76 M17 **San-Pédro** S Ivory Coast
42 D5 **San Pedro Carchá** Alta Verapaz, C Guatemala
35 S16 **San Pedro Channel** *channel* California, W USA
62 I5 **San Pedro de Atacama** Antofagasta, N Chile
San Pedro de Durazno *see* Durazno
40 G5 **San Pedro de la Cueva** Sonora, NW Mexico
San Pedro de las Colonias *see* San Pedro
56 B11 **San Pedro de Lloc** La Libertad, NW Peru
105 S13 **San Pedro del Pinatar** *var.* San Pedro. Murcia, SE Spain
45 P9 **San Pedro de Macorís** SE Dominican Republic
40 C3 **San Pedro Mártir, Sierra** ▲ NW Mexico
San Pedro Pochutla *see* Pochutla
42 D2 **San Pedro, Río** ≈ Guatemala/Mexico
40 K10 **San Pedro, Río** ≈ C Mexico
104 J10 **San Pedro, Sierra de** ▲ W Spain
42 G5 **San Pedro Sula** Cortés, NW Honduras
San Pedro Tapanatepec *see* Tapanatepec
62 I4 **San Pedro, Volcán** ▲ N Chile
106 E7 **San Pellegrino Terme** Lombardia, N Italy
25 T16 **San Perlita** Texas, SW USA
San Pietro *see* Supetar
San Pietro del Carso *see* Pivka
107 A20 **San Pietro, Isola di** *island* W Italy
32 K7 **Sanpoil River** ≈ Washington, NW USA
165 O9 **Sanpoku** *var.* Sampoku. Niigata, Honshū, C Japan
40 C3 **San Quintín** Baja California, NW Mexico
40 B3 **San Quintín, Bahía de** *bay* NW Mexico
40 B3 **San Quintín, Cabo** *headland* NW Mexico
62 I12 **San Rafael** Mendoza, W Argentina
41 N9 **San Rafael** Nuevo León, NE Mexico
34 M8 **San Rafael** California, W USA
37 Q11 **San Rafael** New Mexico, SW USA
54 H4 **San Rafael** *var.* El Moján. Zulia, NW Venezuela
42 J8 **San Rafael del Norte** Jinotega, NW Nicaragua
42 J10 **San Rafael del Sur** Managua, SW Nicaragua
36 M5 **San Rafael Knob** ▲ Utah, W USA
35 Q14 **San Rafael Mountains** ▲ California, W USA
42 M13 **San Ramón** Alajuela, C Costa Rica
57 E14 **San Ramón** Junín, C Peru
61 F19 **San Ramón** Canelones, S Uruguay
62 K5 **San Ramón de la Nueva Orán** Salta, N Argentina
57 O16 **San Ramón, Río** ≈ E Bolivia
106 B11 **San Remo** Liguria, NW Italy
54 J3 **San Román, Cabo** *headland* NW Venezuela
61 C15 **San Roque** Corrientes, NE Argentina
188 I4 **San Roque** Saipan, S Northern Mariana Islands
104 K16 **San Roque** Andalucía, S Spain
25 R9 **San Saba** Texas, SW USA
25 Q9 **San Saba River** ≈ Texas, SW USA
61 D17 **San Salvador** Entre Ríos, E Argentina
42 F7 **San Salvador** ● (El Salvador) San Salvador, SW El Salvador
42 A10 **San Salvador** ◆ *department* C El Salvador
42 F8 **San Salvador** ✕ La Paz, S El Salvador
44 K4 **San Salvador** *prev.* Watlings Island. *island* E Bahamas
62 J5 **San Salvador de Jujuy** *var.* Jujuy. Jujuy, N Argentina
42 F7 **San Salvador, Volcán de** Ж C El Salvador
77 Q14 **Sansanné-Mango** *var.* Mango. N Togo
45 S5 **San Sebastián** W Puerto Rico
63 J24 **San Sebastián, Bahía** *bay* S Argentina
Sansenho *see* Sach'ŏn
106 H12 **Sansepolcro** Toscana, C Italy
107 M16 **San Severo** Puglia, SE Italy
112 F11 **Sanski Most** Federacija Bosna I Hercegovina, NW Bosnia & Herzegovina
171 W12 **Sansundi** Papua, E Indonesia
104 K11 **Santa Amalia** Extremadura, W Spain
60 F13 **Santa Ana** Misiones, NE Argentina
57 L16 **Santa Ana** Beni, N Bolivia
42 E7 **Santa Ana** Santa Ana, NW El Salvador
40 F4 **Santa Ana** Sonora, NW Mexico
35 T16 **Santa Ana** California, W USA
55 N6 **Santa Ana** Nueva Esparta, NE Venezuela
42 A9 **Santa Ana** ◆ *department* NW El Salvador
Santa Ana de Coro *see* Coro
42 E7 **Santa Ana, Volcán de** *var.* La Matepec. Ж W El Salvador
40 J7 **Santa Barbara** Chihuahua, N Mexico
35 Q14 **Santa Barbara** California, W USA
42 G6 **Santa Bárbara** Santa Bárbara, W Honduras
54 L11 **Santa Bárbara** Amazonas, S Venezuela
54 I7 **Santa Bárbara** Barinas, W Venezuela
42 F5 **Santa Bárbara** ◆ *department* NW Honduras
Santa Bárbara *see* Iscuandé
35 Q15 **Santa Barbara Channel** *channel* California, W USA
Santa Bárbara de Samaná *see* Samaná
35 R16 **Santa Barbara Island** *island* Channel Islands, California, W USA
54 E5 **Santa Catalina** Bolívar, N Colombia
43 R15 **Santa Catalina** Bocas del Toro, W Panama
35 T17 **Santa Catalina, Gulf of** *gulf* California, W USA
40 F8 **Santa Catalina, Isla** *island* W Mexico
35 S16 **Santa Catalina Island** *island* Channel Islands, California, W USA
41 N8 **Santa Catarina** Nuevo León, NE Mexico
60 H13 **Santa Catarina** *off.* Estado de Santa Catarina. ◆ *state* S Brazil
Santa Catarina de Tepehuanes *see* Tepehuanes
60 L13 **Santa Catarina, Ilha de** *island* S Brazil
45 Q16 **Santa Catherina** Curaçao, C Netherlands Antilles
44 E5 **Santa Clara** Villa Clara, C Cuba
35 N9 **Santa Clara** California, W USA
36 J8 **Santa Clara** Utah, W USA
Santa Clara *see* Santa Clara de Olimar
61 F18 **Santa Clara de Olimar** *var.* Santa Clara. Cerro Largo, NE Uruguay
61 A17 **Santa Clara de Saguier** Santa Fe, C Argentina
Santa Coloma *see* Santa Coloma de Gramenet
105 X5 **Santa Coloma de Farners** *var.* Santa Coloma de Farnés. Cataluña, NE Spain
Santa Coloma de Farnés *see* Santa Coloma de Farners
105 W6 **Santa Coloma de Gramanet** *var.* Santa Coloma. Cataluña, NE Spain
104 G2 **Santa Comba** Galicia, NW Spain
Santa Comba *see* Uaco Cungo
104 H8 **Santa Comba Dão** Viseu, N Portugal
82 C10 **Santa Cruz** Uíge, NW Angola
57 N19 **Santa Cruz** *var.* Santa Cruz de la Sierra. Santa Cruz, C Bolivia
62 G12 **Santa Cruz** Libertador, C Chile
42 K13 **Santa Cruz** Guanacaste, W Costa Rica
44 I12 **Santa Cruz** W Jamaica
64 P6 **Santa Cruz** Madeira, Portugal, NE Atlantic Ocean
35 N10 **Santa Cruz** California, W USA
63 H20 **Santa Cruz** *off.* Provincia de Santa Cruz. ◆ *province* S Argentina
57 O18 **Santa Cruz** ◆ *department* E Bolivia
Santa Cruz *see* Viru-Viru
Santa Cruz *see* Puerto Santa Cruz
Santa Cruz Barillas *see* Barillas
59 O18 **Santa Cruz Cabrália** Bahia, E Brazil
Santa Cruz de El Seibo *see* El Seibo
64 N11 **Santa Cruz de la Palma** La Palma, Islas Canarias, Spain, NE Atlantic Ocean
Santa Cruz de la Sierra *see* Santa Cruz
105 O9 **Santa Cruz de la Zarza** Castilla-La Mancha, C Spain
42 C5 **Santa Cruz del Quiché** Quiché, W Guatemala
105 N8 **Santa Cruz del Retamar** Castilla-La Mancha, C Spain
Santa Cruz del Seibo *see* El Seibo
44 G7 **Santa Cruz del Sur** Camagüey, C Cuba
105 O11 **Santa Cruz de Mudela** Castilla-La Mancha, C Spain
64 Q11 **Santa Cruz de Tenerife** Tenerife, Islas Canarias, Spain, NE Atlantic Ocean
64 P11 **Santa Cruz de Tenerife** ◆ *province* Islas Canarias, Spain, NE Atlantic Ocean
60 K9 **Santa Cruz do Rio Pardo** São Paulo, S Brazil
61 H15 **Santa Cruz do Sul** Rio Grande do Sul, S Brazil
57 C17 **Santa Cruz, Isla** *var.* Indefatigable Island, Isla Chávez. *island* Galapagos Islands, Ecuador, E Pacific Ocean
40 F8 **Santa Cruz, Isla** *island* W Mexico
35 Q15 **Santa Cruz Island** *island* California, W USA
187 Q10 **Santa Cruz Islands** *island group* E Solomon Islands
63 I22 **Santa Cruz, Río** ≈ S Argentina
36 L15 **Santa Cruz River** ≈ Arizona, SW USA
61 C17 **Santa Elena** Entre Ríos, E Argentina
42 F2 **Santa Elena** Cayo, W Belize
25 R16 **Santa Elena** Texas, SW USA
56 A7 **Santa Elena, Bahía de** *bay* W Ecuador
55 R10 **Santa Elena de Uairén** Bolívar, E Venezuela
42 K12 **Santa Elena, Península** *peninsula* NW Costa Rica
56 A7 **Santa Elena, Punta** *headland* W Ecuador
104 L11 **Santa Eufemia** Andalucía, S Spain
107 N21 **Santa Eufemia, Golfo di** *gulf* S Italy
105 S4 **Santa Eulalia de Gállego** Aragón, NE Spain
105 V11 **Santa Eulalia del Río** Eivissa, Spain, W Mediterranean Sea
61 B17 **Santa Fe** Santa Fe, C Argentina
105 N14 **Santa Fe** Andalucía, S Spain
37 S10 **Santa Fe** *state capital* New Mexico, SW USA
61 B15 **Santa Fe** *off.* Provincia de Santa Fe. ◆ *province* C Argentina
Santa Fe *see* Bogotá
44 C6 **Santa Fé** *var.* La Fe. Isla de la Juventud, W Cuba
43 R16 **Santa Fé** Veraguas, C Panama
Santa Fe de Bogotá *see* Bogotá
60 J7 **Santa Fé do Sul** São Paulo, S Brazil
57 B18 **Santa Fe, Isla** *var.* Barrington Island. *island* Galapagos Islands, Ecuador, E Pacific Ocean
23 V9 **Santa Fe River** ≈ Florida, SE USA
59 M15 **Santa Filomena** Piauí, E Brazil
40 G10 **Santa Genoveva** ▲ W Mexico
153 S14 **Santahar** Rajshahi, NW Bangladesh
60 G11 **Santa Helena** Paraná, S Brazil
54 J5 **Santa Inés** Lara, N Venezuela
63 G24 **Santa Inés, Isla** *island* S Chile
62 J13 **Santa Isabel** La Pampa, C Argentina
43 U14 **Santa Isabel** Colón, N Panama
186 L8 **Santa Isabel** *var.* Bughotu. *island* N Solomon Islands
Santa Isabel *see* Malabo
58 D11 **Santa Isabel do Rio Negro** Amazonas, NW Brazil
61 C15 **Santa Lucia** Corrientes, NE Argentina
57 I17 **Santa Lucía** Puno, S Peru
61 F20 **Santa Lucía** *var.* Santa Lucia. Canelones, S Uruguay
42 B6 **Santa Lucía Cotzumalguapa** Escuintla, SW Guatemala
107 L23 **Santa Lucia del Mela** Sicilia, Italy, C Mediterranean Sea
35 O11 **Santa Lucia Range** ▲ California, W USA
40 D9 **Santa Margarita, Isla** *island* W Mexico
61 G15 **Santa Maria** Rio Grande do Sul, S Brazil
35 P13 **Santa Maria** California, W USA
64 Q4 **Santa Maria** ✕ Santa Maria, Azores, Portugal, NE Atlantic Ocean
64 P3 **Santa Maria** *island* Azores, Portugal, NE Atlantic Ocean
Santa Maria *see* Gaua.
62 J7 **Santa María** Catamarca, N Argentina
Santa María Asunción Tlaxiaco *see* Tlaxiaco
40 G9 **Santa María, Bahía** *bay* W Mexico
83 L21 **Santa Maria, Cabo de** *headland* S Mozambique
104 G15 **Santa Maria, Cabo de** *headland* S Portugal
44 J4 **Santa Maria, Cape** *headland* Long Island, C Bahamas
107 J17 **Santa Maria Capua Vetere** Campania, S Italy
59 M17 **Santa Maria da Vitória** Bahia, E Brazil

◆ Country ● Country Capital ◇ Dependent Territory ○ Dependent Territory Capital ◆ Administrative Region ✕ International Airport ▲ Mountain ▲ Mountain Range Ж Volcano ≈ River ◎ Lake ▣ Reservoir

SASEBO – SEEB ••• 321

164 C13 **Sasebo** Nagasaki, Kyūshū, SW Japan
14 I5 **Saseginaga, Lac** ⊚ Québec, SE Canada
Saseno *see* Sazan
11 R13 **Saskatchewan** ◆ *province* SW Canada
11 U14 **Saskatchewan** ≈ Manitoba/Saskatchewan, C Canada
11 T15 **Saskatoon** Saskatchewan, S Canada
11 T15 **Saskatoon** × Saskatchewan, S Canada
123 N7 **Saskylakh** Respublika Sakha (Yakutiya), NE Russian Federation
42 L7 **Saslaya, Cerro** ▲ N Nicaragua
38 G17 **Sasmik, Cape** *headland* Tanaga Island, Alaska, USA
119 N19 **Sasnovy Bor** *Rus.* Sosnovyy Bor. Homyel'skaya Voblasts', SE Belarus
127 N5 **Sasovo** Ryazanskaya Oblast', W Russian Federation
25 S12 **Saspamco** Texas, SW USA
109 W9 **Sass** *var.* Sassbach. ≈ SE Austria
76 M17 **Sassandra** S Ivory Coast
76 M17 **Sassandra** *var.* Ibo, Sassandra Fleuve. ≈ S Ivory Coast
Sassandra Fleuve *see* Sassandra
107 B17 **Sassari** Sardegna, Italy, C Mediterranean Sea
Sassbach *see* Sass
98 H11 **Sassenheim** Zuid-Holland, W Netherlands
Sassmacken *see* Valdemārpils
100 O7 **Sassnitz** Mecklenburg-Vorpommern, NE Germany
99 E16 **Sas van Gent** Zeeland, SW Netherlands
145 W12 **Sasykkol', Ozero** ⊚ E Kazakhstan
117 O12 **Sasyk Kunduk, Ozero** ⊚ SW Ukraine
76 J12 **Satadougou** Kayes, SW Mali
105 V11 **Sa Talaiassa** ▲ Eivissa, Spain, W Mediterranean Sea
164 C17 **Sata-misaki** *headland* Kyūshū, SW Japan
26 I7 **Satanta** Kansas, C USA
155 E15 **Sātāra** Mahārāshtra, W India
192 G15 **Sātaua** Savai'i, NW Samoa
188 M16 **Satawal** *island* Caroline Islands, C Micronesia
189 R17 **Satawan Atoll** *atoll* Mortlock Islands, C Micronesia
23 Y12 **Satellite Beach** Florida, SE USA
95 M14 **Säter** Dalarna, C Sweden
Sathmar *see* Satu Mare
23 V7 **Satilla River** ≈ Georgia, SE USA
57 F14 **Satipo** *var.* San Francisco de Satipo. Junín, C Peru
122 F11 **Satka** Chelyabinskaya Oblast', C Russian Federation
153 T15 **Satkhira** Khulna, SW Bangladesh
146 J13 **Şatlyk** *Rus.* Shatlyk. Mary Welaýaty, C Turkmenistan
154 K9 **Satna** *prev.* Sutna. Madhya Pradesh, C India
103 R11 **Satolas** × (Lyon) Rhône, E France
111 N20 **Sátoraljaújhely** Borsod-Abaúj-Zemplén, NE Hungary
145 O12 **Satpayev** *prev.* Nikol'skiy. Karaganda, C Kazakhstan
154 G11 **Sātpura Range** ▲ C India
167 P12 **Sattahip** *var.* Ban Sattahip, Ban Sattahipp. Chon Buri, S Thailand
92 L11 **Sattanen** Lappi, NE Finland
Satul *see* Satun
116 H9 **Satulung** *Hung.* Kővárhosszúfalu. Maramureş, N Romania
Satul-Vechi *see* Staro Selo
116 G8 **Satu Mare** *Ger.* Sathmar, *Hung.* Szatmárrnémeti. Satu Mare, NW Romania
116 G8 **Satu Mare** ◆ *county* NW Romania
167 N16 **Satun** *var.* Satul, Setul. Satun, SW Thailand
192 G16 **Satupaiteau** Savai'i, W Samoa
Sau *see* Sava
14 F14 **Sauble** ≈ Ontario, S Canada
14 F13 **Sauble Beach** Ontario, S Canada
61 C16 **Sauce** Corrientes, NE Argentina
Sauce *see* Juan L.Lacaze
36 K15 **Sauceda Mountains** ▲ Arizona, SW USA
61 C17 **Sauce de Luna** Entre Ríos, E Argentina
63 L15 **Sauce Grande, Río** ≈ E Argentina
40 K6 **Saucillo** Chihuahua, N Mexico
95 D15 **Sauda** Rogaland, S Norway
145 Q16 **Saudakent** *Kaz.* Saūdakent; *prev.* Baykadam *Kaz.* Bayqadam. Zhambyl, S Kazakhstan
92 J2 **Saudhárkrókur** Nordhurland Vestra, N Iceland
141 P9 **Saudi Arabia** *off.* Kingdom of Saudi Arabia, *Ar.* Al 'Arabīyah as Su'ūdīyah, Al Mamlakah al 'Arabīyah as Su'ūdīyah. ◆ *monarchy* SW Asia
101 D19 **Sauer** *var.* Sûre. ≈ NW Europe *see also* Sûre
101 F15 **Sauerland** *forest* W Germany
14 F14 **Saugeen** ≈ Ontario, S Canada
18 K12 **Saugerties** New York, NE USA
Saugor *see* Sāgar
10 K15 **Saugstad, Mount** ▲ British Columbia, SW Canada
Sāūjbulāgh *see* Mahābād
102 J11 **Saujon** Charente-Maritime, W France
29 T7 **Sauk Centre** Minnesota, N USA
30 L8 **Sauk City** Wisconsin, N USA
29 U7 **Sauk Rapids** Minnesota, N USA
55 Y11 **Saül** C French Guiana
103 O7 **Sauldre** ≈ C France
101 I23 **Saulgau** Baden-Württemberg, SW Germany
103 Q8 **Saulieu** Côte d'Or, C France
118 G8 **Saulkrasti** Rīga, C Latvia
15 S6 **Sault-aux-Cochons, Rivière du** ≈ Québec, SE Canada
31 Q4 **Sault Sainte Marie** Michigan, N USA
12 F14 **Sault Ste.Marie** Ontario, S Canada
145 P7 **Saumalkol'** *prev.* Volodarskoye. Severnyy Kazakhstan, N Kazakhstan
190 E13 **Sauma, Pointe** *headland* Île Alofi, W Wallis and Futuna
171 T16 **Saumlaki** *var.* Saumlakki. Pulau Yamdena, E Indonesia
Saumlakki *see* Saumlaki
15 R12 **Saumon, Rivière au** ≈ Québec, SE Canada
102 K8 **Saumur** Maine-et-Loire, NW France
185 F23 **Saunders, Cape** *headland* South Island, NZ
195 N13 **Saunders Coast** *physical region* Antarctica
65 B23 **Saunders Island** *island* NW Falkland Islands
65 C24 **Saunders Island Settlement** Saunders Island, NW Falkland Islands
82 F11 **Saurimo** *Port.* Henrique de Carvalho, Vila Henrique de Carvalho. Lunda Sul, NE Angola
55 S11 **Sauriwaunawa** S Guyana
82 D12 **Sautar** Malanje, NW Angola
45 S13 **Sauteurs** N Grenada
102 K13 **Sauveterre-de-Guyenne** Gironde, SW France
119 O14 **Sava** *Rus.* Sava. Mahilyowskaya Voblasts', E Belarus
84 H11 **Sava** *Eng.* Save, *Ger.* Sau, *Hung.* Száva. ≈ SE Europe
42 J5 **Savá** Colón, N Honduras
33 Y8 **Savage** Montana, NW USA
183 N16 **Savage River** Tasmania, SE Australia
77 R15 **Savalou** S Benin
30 K10 **Savanna** Illinois, N USA
23 X6 **Savannah** Georgia, SE USA
27 R2 **Savannah** Missouri, C USA
20 H10 **Savannah** Tennessee, S USA
21 O12 **Savannah River** ≈ Georgia/South Carolina, SE USA
Savannakhét *see* Khanthabouli
44 H12 **Savanna-La-Mar** W Jamaica
12 B10 **Savant Lake** ⊚ Ontario, S Canada
155 F17 **Savanūr** Karnātaka, W India
93 J16 **Sävar** Västerbotten, N Sweden
Savaria *see* Szombathely
154 C11 **Sāvarkundla** *var.* Kundla. Gujarāt, W India
116 F11 **Săvârşin** *Hung.* Soborsin; *prev.* Săvîrşin. Arad, W Romania
136 C13 **Savaştepe** Balıkesir, W Turkey
147 P11 **Savat** *Rus.* Sawot. Sirdaryo Viloyati, E Uzbekistan
Sávdijári *see* Skaulo
83 N18 **Save** Inhambane, E Mozambique
102 L16 **Save** ≈ S France
83 L17 **Save** *var.* Sabi. ≈ Mozambique/Zimbabwe
Save *see* Sava
77 R15 **Savè** SE Benin
142 M6 **Sāveh** Markazī, W Iran
116 L8 **Săveni** Botoşani, NE Romania
103 N16 **Saverdun** Ariège, S France
103 U5 **Saverne** *var.* Zabern; *anc.* Tres Tabernae. Bas-Rhin, NE France
Savichi *see* Savichy
119 O21 **Savichy** *Rus.* Savichi. Homyel'skaya Voblasts', SE Belarus
106 B9 **Savigliano** Piemonte, NW Italy
Savigsivik *see* Savissivik
Savinichi *see* Savinichy
119 O16 **Savinichy** *Rus.* Savinichi. Mahilyowskaya Voblasts', E Belarus
109 U10 **Savinja** ≈ C Slovenia
Savinski *see* Savinskiy
106 H11 **Savio** ≈ C Italy
Săvîrşin *see* Săvârşin
197 O11 **Savissivik** *var.* Savigsivik. Avannaarsua, S Greenland
93 N18 **Savitaipale** Etelä-Suomi, S Finland
113 J15 **Šavnik** Montenegro, SW Serbia and Montenegro (Yugo.)
108 I9 **Savognin** Graubünden, S Switzerland
103 T12 **Savoie** ◆ *department* E France
106 C10 **Savona** Liguria, NW Italy
93 N17 **Savonlinna** *Swe.* Nyslott. Itä-Suomi, SE Finland
93 N17 **Savonranta** Itä-Suomi, SE Finland
38 K10 **Savoonga** Saint Lawrence Island, Alaska, USA
30 M13 **Savoy** Illinois, N USA
117 O8 **Savran'** Odes'ka Oblast', SW Ukraine
137 R11 **Şavşat** Artvin, NE Turkey
95 L19 **Sävsjö** Jönköping, S Sweden
Savu, Kepulauan *see* Sawu, Kepulauan
92 M11 **Savukoski** Lappi, NE Finland
Savu, Pulau *see* Sawu, Pulau
187 Y14 **Savusavu** Vanua Levu, N Fiji
171 O17 **Savu Sea** *Ind.* Laut Sawu. *sea* S Indonesia
83 H17 **Savute** Chobe, N Botswana
139 N7 **Şawāb 'Uqlat** *well* W Iraq
138 M7 **Şawāb, Wādī aş** *dry watercourse* W Iraq
152 H13 **Sawāi Mādhopur** Rājasthān, N India
Sawakin *see* Suakin
167 R8 **Sawang Daen Din** Sakon Nakhon, E Thailand
167 C8 **Sawankhalok** *var.* Swankalok. Sukhothai, NW Thailand
165 P13 **Sawara** Chiba, Honshū, S Japan
37 R5 **Sawatch Range** ▲ Colorado, C USA
141 N12 **Sawdā', Jabal** ▲ SW Saudi Arabia
75 P9 **Sawdā', Jabal as** ▲ C Libya
Sawdiri *see* Sodiri
97 F14 **Sawel Mountain** ▲ C Northern Ireland, UK
Sawhāj *see* Sohāg
77 O15 **Sawla** N Ghana
Sawot *see* Savat
141 X12 **Şawqirah** *var.* Suqrah. S Oman
141 X12 **Şawqirah, Dawḩat** *var.* Ghubbat Sawqirah, Sukra Bay, Suqrah Bay. *bay* S Oman
Sawqirah, Ghubbat *see* Şawqirah, Dawḩat
183 V5 **Sawtell** New South Wales, SE Australia
138 K7 **Şawt, Wādī aş** *dry watercourse* S Syria
171 O17 **Sawu, Kepulauan** *var.* Kepulauan Savu. *island group* S Indonesia
Sawu, Laut *see* Savu Sea
171 O17 **Sawu, Pulau** *var.* Pulau Savu. *island* Kepulauan Sawu, S Indonesia
105 S12 **Sax** País Valenciano, E Spain
Saxe *see* Sachsen
108 C11 **Saxon** Valais, SW Switzerland
Saxony *see* Sachsen
Saxony-Anhalt *see* Sachsen-Anhalt
77 R12 **Say** Niamey, SW Niger
15 V7 **Sayabec** Québec, SE Canada
Sayaboury *see* Xaignabouli
145 U12 **Sayak** *Kaz.* Sayaq. Karaganda, E Kazakhstan
57 D14 **Sayán** Lima, W Peru
Sayaq *see* Sayak
146 K13 **Saýat** *Rus.* Sayat. Lebap Welaýaty, E Turkmenistan
42 D3 **Sayaxché** Petén, N Guatemala
Şaydā/Sayida *see* Saïda
141 T15 **Sayḩūt** E Yemen
29 U14 **Saylorville Lake** ⊞ Iowa, C USA
Saymenskiy Kanal *see* Saimaa Canal
163 N10 **Saynshand** Dornogovĭ, SE Mongolia
162 J11 **Saynshand** Ömnögovĭ, S Mongolia
162 F7 **Sayn-Ust** Govĭ-Altay, W Mongolia
Say-Ötesh *see* Say-Utës
138 J7 **Şayqal, Bahr** ⊚ S Syria
Sayrab *see* Sayrob
158 H4 **Sayram Hu** ⊚ NW China
26 K11 **Sayre** Oklahoma, C USA
18 H12 **Sayre** Pennsylvania, NE USA
18 K15 **Sayreville** New Jersey, NE USA
147 N13 **Sayrob** *Rus.* Sayrab. Surxondaryo Viloyati, S Uzbekistan
40 L13 **Sayula** Jalisco, SW Mexico
141 R14 **Say 'ūn** *var.* Saywūn. C Yemen
144 G14 **Say-Utës** *Kaz.* Say-Ötesh. Mangistau, SW Kazakhstan
10 K16 **Sayward** Vancouver Island, British Columbia, SW Canada
Saywūn *see* Say 'ūn
Sayyāl *see* As Sayyāl
139 U8 **Sayyid 'Abīd** *var.* Saiyid Abid. E Iraq
113 J22 **Sazan** *var.* Ishulli i Sazanit, *It.* Saseno. *island* SW Albania
Sazanit, Ishulli i *see* Sazan
Sazau/Sazawa *see* Sázava
111 E17 **Sázava** *var.* Sazau, *Ger.* Sazawa. ≈ C Czech Republic
124 J14 **Sazonovo** Vologodskaya Oblast', NW Russian Federation
102 G6 **Scaër** Finistère, NW France
97 J15 **Scafell Pike** ▲ NW England, UK
Scalabis *see* Santarém
96 M2 **Scalloway** N Scotland, UK
38 M11 **Scammon Bay** Alaska, USA
Scammon Lagoon/Scammon, Laguna *see* Ojo de Liebre, Laguna
84 F7 **Scandinavia** *geophysical region* NW Europe
Scania *see* Skåne
96 K5 **Scapa Flow** *sea basin* N Scotland, UK
107 K26 **Scaramia, Capo** *headland* Sicilia, Italy, C Mediterranean Sea
14 H15 **Scarborough** Ontario, SE Canada
45 Z16 **Scarborough** *prev.* Port Louis. Tobago, Trinidad and Tobago
97 N16 **Scarborough** N England, UK
185 I17 **Scargill** Canterbury, South Island, NZ
96 E7 **Scarp** *island* NW Scotland, UK
Scarpanto *see* Kárpathos
Scarpanto Strait *see* Karpathou, Stenó
107 G25 **Scauri** Sicilia, Italy, C Mediterranean Sea
Scealg, Bá na *see* Ballinskelligs Bay
Scebeli *see* Shebeli
100 K10 **Schaale** ≈ N Germany
100 K9 **Schaalsee** ⊚ N Germany
99 G18 **Schaerbeek** Brussels, C Belgium
108 G6 **Schaffhausen** *Fr.* Schaffhouse. Schaffhausen, N Switzerland
108 G6 **Schaffhausen** *Fr.* Schaffhouse. ◆ *canton* N Switzerland
Schaffhouse *see* Schaffhausen
98 I8 **Schagen** Noord-Holland, NW Netherlands
Schaken *see* Šakiai
98 M10 **Schalkhaar** Overijssel, E Netherlands
109 R3 **Schärding** Oberösterreich, N Austria
100 G9 **Scharhörn** *island* NW Germany
Schässburg *see* Sighişoara
Schaulen *see* Šiauliai
30 M10 **Schaumburg** Illinois, N USA
Schebschi Mountains *see* Shebshi Mountains
98 P6 **Scheemda** Groningen, NE Netherlands
100 I10 **Scheessel** Niedersachsen, NW Germany
13 N8 **Schefferville** Québec, E Canada
Schelde *see* Scheldt
99 D18 **Scheldt** *Dut.* Schelde, *Fr.* Escaut. ≈ W Europe
35 X5 **Schell Creek Range** ▲ Nevada, W USA
18 K10 **Schenectady** New York, NE USA
99 I17 **Scherpenheuvel** *Fr.* Montaigu. Vlaams Brabant, C Belgium
98 K11 **Scherpenzeel** Gelderland, C Netherlands
25 S12 **Schertz** Texas, SW USA
98 G11 **Scheveningen** Zuid-Holland, W Netherlands
98 G12 **Schiedam** Zuid-Holland, SW Netherlands
99 M24 **Schieren** Diekirch, NE Luxembourg
98 M4 **Schiermonnikoog** *Fris.* Skiermûntseach. Friesland, N Netherlands
98 M4 **Schiermonnikoog** *Fris.* Skiermûntseach. *island* Waddeneilanden, N Netherlands
99 K14 **Schijndel** Noord-Brabant, S Netherlands
Schil *see* Jiu
99 H16 **Schilde** Antwerpen, N Belgium
Schillen *see* Zhilino
103 V5 **Schiltigheim** Bas-Rhin, NE France
106 G7 **Schio** Veneto, NE Italy
98 H10 **Schiphol** × (Amsterdam) Noord-Holland, C Netherlands
Schippenbeil *see* Sępopol
Schiria *see* Şiria
Schivelbein *see* Świdwin
115 D22 **Schiza** *island* S Greece
Schlackenwerth *see* Ostrov
109 R7 **Schladming** Steiermark, SE Austria
Schlan *see* Slaný
Schlanders *see* Silandro
100 I7 **Schlei** *inlet* N Germany
101 D17 **Schleiden** Nordrhein-Westfalen, W Germany
Schlelau *see* Szydłowiec
100 I7 **Schleswig** Schleswig-Holstein, N Germany
29 T13 **Schleswig** Iowa, C USA
100 H8 **Schleswig-Holstein** ◆ *state* N Germany
Schlettstadt *see* Sélestat
108 F7 **Schlieren** Zürich, N Switzerland
Schlochau *see* Człuchów
Schloppe *see* Człopa
101 I18 **Schlüchtern** Hessen, C Germany
101 J17 **Schmalkalden** Thüringen, C Germany
109 W2 **Schmida** ≈ NE Austria
65 P19 **Schmidt-Ott Seamount** *var.* Schmitt-Ott Seamount, Schmitt-Ott Tablemount. *undersea feature* SW Indian Ocean
Schmiegel *see* Śmigiel
Schmitt-Ott Seamount/Schmitt-Ott Tablemount *see* Schmidt-Ott Seamount
15 V3 **Schmon** ≈ Québec, SE Canada
101 M18 **Schneeberg** ▲ W Germany
Schneeberg *see* Veliki Snežnik
Schnee-Eifel *see* Schneifel
Schneekoppe *see* Sněžka
Schneidemühl *see* Piła
101 D18 **Schneifel** *var.* Schnee-Eifel. *plateau* W Germany
Schnelle Körös/Schnelle Kreisch *see* Crişul Repede
100 I11 **Schneverdingen** *var.* Schneverdingen (Wümme). Niedersachsen, NW Germany
Schneverdingen (Wümme) *see* Schneverdingen
Schoden *see* Skuodas
18 K10 **Schoharie** New York, NE USA
18 K11 **Schoharie Creek** ≈ New York, NE USA
115 J21 **Schoinoússa** *island* Kykládes, Greece, Aegean Sea
100 L13 **Schönebeck** Sachsen-Anhalt, C Germany
Schöneck *see* Skarszewy
100 O12 **Schönefeld** × (Berlin) Berlin, NE Germany
101 K24 **Schongau** Bayern, S Germany
100 K13 **Schöningen** Niedersachsen, C Germany
Schönlanke *see* Trzcianka
Schönsee *see* Kowalewo Pomorskie
31 P10 **Schoolcraft** Michigan, N USA
98 O8 **Schoonebeek** Drenthe, NE Netherlands
98 I12 **Schoonhoven** Zuid-Holland, C Netherlands
98 H8 **Schoorl** Noord-Holland, NW Netherlands
Schooten *see* Schoten
101 F24 **Schopfheim** Baden-Württemberg, SW Germany
101 I21 **Schorndorf** Baden-Württemberg, S Germany
100 F10 **Schortens** Niedersachsen, NW Germany
99 H16 **Schoten** *var.* Schooten. Antwerpen, N Belgium
183 Q17 **Schouten Island** *island* Tasmania, SE Australia
186 C5 **Schouten Islands** *island group* NW PNG
98 E13 **Schouwen** *island* SW Netherlands
45 Q12 **Schœlcher** W Martinique
Schreiberhau *see* Szklarska Poręba
109 U2 **Schrems** Niederösterreich, E Austria
101 L22 **Schrobenhausen** Bayern, SE Germany
18 L8 **Schroon Lake** ⊚ New York, NE USA
108 J8 **Schruns** Vorarlberg, W Austria
Schubin *see* Szubin
25 U11 **Schulenburg** Texas, SW USA
Schuls *see* Scuol
108 E8 **Schüpfheim** Luzern, C Switzerland
35 S6 **Schurz** Nevada, W USA
101 I24 **Schussen** ≈ S Germany
Schüttenhofen *see* Sušice
29 R15 **Schuyler** Nebraska, C USA
18 L10 **Schuylerville** New York, NE USA
101 K20 **Schwabach** Bayern, SE Germany
Schwabenalb *see* Schwäbische Alb
101 I23 **Schwäbische Alb** *var.* Schwabenalb, *Eng.* Swabian Jura. ▲ S Germany
101 I22 **Schwäbisch Gmünd** *var.* Gmünd. Baden-Württemberg, SW Germany
101 I21 **Schwäbisch Hall** *var.* Hall. Baden-Württemberg, SW Germany
101 H16 **Schwalm** ≈ C Germany
109 V9 **Schwanberg** Steiermark, SE Austria
108 H8 **Schwanden** Glarus, E Switzerland
101 M20 **Schwandorf** Bayern, SE Germany
109 S5 **Schwanenstadt** Oberösterreich, NW Austria
169 S11 **Schwaner, Pegunungan** ▲ Borneo, N Indonesia
109 W5 **Schwarza** ≈ E Austria
109 P9 **Schwarzach** ≈ S Austria
101 M20 **Schwarzach** *Cz.* Černice. ≈ Czech Republic/Germany
Schwarzach *see* Schwarzach im Pongau, Austria
Schwarzach *see* Svratka, Czech Republic
109 Q7 **Schwarzach im Pongau** *var.* Schwarzach. Salzburg, NW Austria
Schwarzawa *see* Svratka
101 N14 **Schwarze Elster** ≈ E Germany
Schwarze Körös *see* Crişul Negru
108 D9 **Schwarzenburg** Bern, W Switzerland
83 D21 **Schwarzrand** ▲ S Namibia
101 G23 **Schwarzwald** *Eng.* Black Forest. ▲ SW Germany
Schwarzwasser *see* Wda
39 P7 **Schwatka Mountains** ▲ Alaska, USA
109 N7 **Schwaz** Tirol, W Austria
109 Y4 **Schwechat** Niederösterreich, NE Austria
109 Y4 **Schwechat** × (Wien) Wien, E Austria
100 P11 **Schwedt** Brandenburg, NE Germany
101 D19 **Schweich** Rheinland-Pfalz, SW Germany
Schweidnitz *see* Świdnica
101 J18 **Schweinfurt** Bayern, SE Germany
Schweiz *see* Switzerland
100 L9 **Schwerin** Mecklenburg-Vorpommern, N Germany
Schwerin *see* Skwierzyna
100 L9 **Schweriner See** ⊚ N Germany
Schwertberg *see* Świecie
101 F15 **Schwerte** Nordrhein-Westfalen, W Germany
Schwiebus *see* Świebodzin
100 P13 **Schwielochsee** ⊚ NE Germany
Schwihau *see* Švihov
Schwiz *see* Schwyz
108 G8 **Schwyz** *var.* Schwiz. Schwyz, C Switzerland
108 G8 **Schwyz** *var.* Schwiz. ◆ *canton* C Switzerland
14 J11 **Schyan** ≈ Québec, SE Canada
Schyl *see* Jiu
107 I24 **Sciacca** Sicilia, Italy, C Mediterranean Sea
Sciasciamana *see* Shashemenē
107 L26 **Scicli** Sicilia, Italy, C Mediterranean Sea
97 F25 **Scilly, Isles of** *island group* SW England, UK
111 H17 **Ścinawa** *Ger.* Steinau an der Elbe. Dolnośląskie, SW Poland
Scio *see* Chíos
31 S14 **Scioto River** ≈ Ohio, N USA
36 L5 **Scipio** Utah, W USA
33 X6 **Scobey** Montana, NW USA
183 T7 **Scone** New South Wales, SE Australia
Scoresby Sound/Scoresbysund *see* Ittoqqortoormiit
Scoresby Sund *see* Kangertittivaq
Scorno, Punta dello *see* Caprara, Punta
34 K3 **Scotia** California, W USA
47 Y14 **Scotia Plate** *tectonic feature*
47 V15 **Scotia Ridge** *undersea feature* S Atlantic Ocean
194 H2 **Scotia Sea** *sea* SW Atlantic Ocean
29 Q12 **Scotland** South Dakota, N USA
25 R5 **Scotland** Texas, SW USA
96 H11 **Scotland** *national region* UK
21 W8 **Scotland Neck** North Carolina, SE USA
195 R13 **Scott Base** *NZ research station* Antarctica
10 J16 **Scott, Cape** *headland* Vancouver Island, British Columbia, SW Canada
26 I5 **Scott City** Kansas, C USA
27 Y7 **Scott City** Missouri, C USA
195 R14 **Scott Coast** *physical region* Antarctica
18 C15 **Scottdale** Pennsylvania, NE USA
195 Y11 **Scott Glacier** *glacier* Antarctica
195 Q17 **Scott Island** *island* Antarctica
26 L11 **Scott, Mount** ▲ Oklahoma, USA
32 G15 **Scott, Mount** ▲ Oregon, NW USA
34 M1 **Scott River** ≈ California, W USA
28 I13 **Scottsbluff** Nebraska, C USA
23 Q2 **Scottsboro** Alabama, S USA
31 P15 **Scottsburg** Indiana, N USA
183 P16 **Scottsdale** Tasmania, SE Australia
36 L13 **Scottsdale** Arizona, SW USA
45 O12 **Scotts Head Village** *var.* Cachacrou. S Dominica
192 L14 **Scott Shoal** *undersea feature* S Pacific Ocean
20 K7 **Scottsville** Kentucky, S USA
29 U14 **Scranton** Iowa, C USA
18 I13 **Scranton** Pennsylvania, NE USA
186 B6 **Screw** ≈ NW PNG
29 R14 **Scribner** Nebraska, C USA
Scrobesbyrig' *see* Shrewsbury
14 I14 **Scugog** ≈ Ontario, SE Canada
14 I14 **Scugog, Lake** ⊚ Ontario, SE Canada
97 N17 **Scunthorpe** E England, UK
108 K9 **Scuol** *Ger.* Schuls. Graubünden, E Switzerland
Scupi *see* Skopje
Scutari *see* Shkodër
113 K17 **Scutari, Lake** *Alb.* Liqeni i Shkodrës, *SCr.* Skadarsko Jezero. ⊚ Albania/Serbia and Montenegro (Yugo.)
Scyros *see* Skýros
Scythopolis *see* Bet She'an
25 U13 **Seadrift** Texas, SW USA
21 Y4 **Seaford** *var.* Seaford City. Delaware, NE USA
Seaford City *see* Seaford
14 E15 **Seaforth** Ontario, S Canada
24 M6 **Seagraves** Texas, SW USA
11 X9 **Seal** ≈ Manitoba, C Canada
182 M10 **Sea Lake** Victoria, SE Australia
83 G26 **Seal, Cape** *headland* S South Africa
65 D26 **Sea Lion Islands** *island group* SE Falkland Islands
19 S8 **Seal Island** *island* Maine, NE USA
25 V11 **Sealy** Texas, SW USA
35 X12 **Searchlight** Nevada, W USA
27 V11 **Searcy** Arkansas, C USA
19 R7 **Searsport** Maine, NE USA
35 N10 **Seaside** California, W USA
32 F10 **Seaside** Oregon, NW USA
18 K16 **Seaside Heights** New Jersey, NE USA
32 H8 **Seattle** Washington, NW USA
32 H9 **Seattle-Tacoma** × Washington, NW USA
185 J16 **Seaward Kaikoura Range** ▲ South Island, NZ
42 J9 **Sébaco** Matagalpa, W Nicaragua
19 P8 **Sebago Lake** ⊚ Maine, NE USA
169 S13 **Sebangan, Teluk** *bay* Borneo, C Indonesia
169 S13 **Sebanganu, Teluk** *bay* Borneo, C Indonesia
Sebaste/Sebastia *see* Sivas
23 Y12 **Sebastian** Florida, SE USA
40 C5 **Sebastián Vizcaíno, Bahía** *bay* NW Mexico
19 R6 **Sebasticook Lake** ⊚ Maine, NE USA
34 M7 **Sebastopol** California, W USA
Sebastopol *see* Sevastopol'
169 W8 **Sebatik, Pulau** *island* N Indonesia
19 R5 **Sebec Lake** ⊚ Maine, NE USA
76 K12 **Sébékoro** Kayes, W Mali
Sebenico *see* Šibenik
40 G6 **Seberi, Cerro** ▲ NW Mexico
116 H11 **Sebeş** *Ger.* Mühlbach, *Hung.* Szászsebes; *prev.* Sebeşu Săsesc. Alba, W Romania
Sebes-Körös *see* Crişul Repede
Sebeşu Săsesc *see* Sebeş
31 R8 **Sebewaing** Michigan, N USA
124 F16 **Sebezh** Pskovskaya Oblast', W Russian Federation
137 N12 **Şebinkarahisar** Giresun, N Turkey
116 F11 **Sebiş** *Hung.* Borossebes. Arad, W Romania
Sebkra Azz el Matti *see* Azzel Matti, Sebkha
19 Q4 **Seboomook Lake** ⊚ Maine, NE USA
74 G6 **Sebou** *var.* Sebu. ≈ N Morocco
20 I6 **Sebree** Kentucky, S USA
23 X13 **Sebring** Florida, SE USA
Sebta *see* Ceuta
Sebu *see* Sebou
169 U13 **Sebuku, Pulau** *island* N Indonesia
169 W8 **Sebuku, Teluk** *bay* Borneo, N Indonesia
106 F10 **Secchia** ≈ N Italy
10 L17 **Sechelt** British Columbia, SW Canada
56 C12 **Sechin, Río** ≈ W Peru
56 A10 **Sechura, Bahía de** *bay* NW Peru
185 A22 **Secretary Island** *island* SW NZ
155 I15 **Secunderābād** *var.* Sikandarabad. Andhra Pradesh, C India
57 L17 **Sécure, Río** ≈ C Bolivia
118 D10 **Seda** Telšiai, NW Lithuania
27 T5 **Sedalia** Missouri, C USA
103 R3 **Sedan** Ardennes, N France
27 P7 **Sedan** Kansas, C USA
105 N3 **Sedano** Castilla-León, N Spain
104 H10 **Seda, Ribeira de** *stream* C Portugal
185 K15 **Seddon** Marlborough, South Island, NZ
185 H15 **Seddonville** West Coast, South Island, NZ
143 U7 **Sedeh** Khorāsān, E Iran
122 I11 **Sedel'nikovo** Omskaya Oblast', C Russian Federation0
138 E11 **Sederot** Southern, S Israel
65 B23 **Sedge Island** *island* NW Falkland Islands
76 G12 **Sédhiou** SW Senegal
11 U16 **Sedley** Saskatchewan, S Canada
Sedlez *see* Siedlce
117 Q2 **Sedniv** Chernihivs'ka Oblast', N Ukraine
36 L11 **Sedona** Arizona, SW USA
Sedunum *see* Sion
118 F12 **Šeduva** Šiauliai, N Lithuania
141 Y8 **Seeb** *var.* Muscat Sīb Airport. × (Masqaṭ) NE Oman
Seeb *see* As Sīb

◆ Country ● Country Capital ◇ Dependent Territory ○ Dependent Territory Capital ◆ Administrative Region × International Airport ▲ Mountain ▲ Mountain Range ж Volcano ≈ River ⊚ Lake ⊞ Reservoir

322 ••• Seefeld-in-Tirol – Shaan/Shaanxi Sheng

108 M7 **Seefeld-in-Tirol** Tirol, W Austria
83 E22 **Seeheim Noord** Karas, S Namibia
Seeland see Sjælland
195 N9 **Seelig, Mount** ▲ Antarctica
Seeonee see Seoni
162 E6 **Seer** Hovd, W Mongolia
102 L5 **Sées** Orne, N France
101 J14 **Seesen** Niedersachsen, C Germany
Seesker Höhe see Szeska Góra
100 J10 **Seevetal** Niedersachsen, N Germany
109 V6 **Seewiesen** Steiermark, E Austria
136 J13 **Şefaatli** var. Kızılkoca. Yozgat, C Turkey
149 N3 **Sefīd, Darya-ye** Pash. Āb-i-Safed. ≈ N Afghanistan
148 K5 **Sefīd Kūh, Selseleh-ye** Eng. Paropamisus Range. ▲▲ W Afghanistan
74 G6 **Sefrou** N Morocco
185 E19 **Sefton, Mount** ▲ South Island, NZ
171 S13 **Segaf, Kepulauan** island group E Indonesia
169 W7 **Segama, Sungai** ≈ East Malaysia
168 L9 **Segamat** Johor, Peninsular Malaysia
77 S13 **Ségbana** NE Benin
Segestica see Sisak
Segesvár see Sighişoara
171 T12 **Seget** Papua, E Indonesia
Segewold see Sigulda
124 J9 **Segezha** Respublika Kareliya, NW Russian Federation
Seghedin see Szeged
Segna see Senj
107 I16 **Segni** Lazio, C Italy
Segodunum see Rodez
105 S9 **Segorbe** País Valenciano, E Spain
76 M12 **Ségou** var. Segu. Ségou, C Mali
76 M12 **Ségou** ◈ region SW Mali
54 E8 **Segovia** Antioquia, N Colombia
105 N7 **Segovia** Castilla-León, C Spain
104 M6 **Segovia** ◈ province Castilla-León, N Spain
Segoviao Wangkí see Coco, Río
126 J9 **Segozero, Ozero** ⊚ NW Russian Federation
105 U5 **Segre** ≈ NE Spain
102 J7 **Segré** Maine-et-Loire, NW France
Segu see Ségou
38 I17 **Seguam Island** island Aleutian Islands, Alaska, USA
38 I17 **Seguam Pass** strait Aleutian Islands, Alaska, USA
77 Y7 **Séguédine** Agadez, NE Niger
76 M15 **Séguéla** W Ivory Coast
25 S11 **Seguin** Texas, SW USA
38 E17 **Segula Island** island Aleutian Islands, Alaska, USA
62 K10 **Segundo, Río** ≈ C Argentina
105 Q12 **Segura** ≈ S Spain
105 P13 **Sierra de Segura** ▲▲ S Spain
83 G18 **Sehithwa** Ngamiland, N Botswana
154 H10 **Sehore** Madhya Pradesh, C India
186 G9 **Sehulea** Normanby Island, S PNG
149 P15 **Sehwān** Sind, SE Pakistan
109 V8 **Seiersberg** Steiermark, SE Austria
26 L9 **Seiling** Oklahoma, C USA
103 S9 **Seille** ≈ E France
99 J20 **Seilles** Namur, SE Belgium
93 K17 **Seinäjoki** Swe. Östermyra. Länsi-Suomi, W Finland
12 B12 **Seine** ≈ Ontario, S Canada
102 M4 **Seine** ≈ N France
102 K4 **Seine, Baie de la** bay N France
Seine, Banc de la see Seine Seamount
103 O5 **Seine-et-Marne** ◈ department N France
102 L3 **Seine-Maritime** ◈ department N France
84 B14 **Seine Plain** undersea feature E Atlantic Ocean
84 B15 **Seine Seamount** var. Banc de la Seine. undersea feature E Atlantic Ocean
102 E6 **Sein, Île de** island NW France
171 Y14 **Seinma** Papua, E Indonesia
Seisbierrum see Sexbierum
109 U5 **Seitenstetten Markt** Niederösterreich, C Austria
Seiyu see Chŏnju
95 H22 **Sejerø** island E Denmark
110 P7 **Sejny** Podlaskie, NE Poland
81 G20 **Seke** Shinyanga, N Tanzania
164 L13 **Seki** Gifu, Honshū, SW Japan
161 U12 **Sekibi-sho** island China/Japan/Taiwan
165 U3 **Sekihoku-tōge** pass Hokkaidō, NE Japan
Sekondi see Sekondi-Takoradi
77 P17 **Sekondi-Takoradi** var. Sekondi. S Ghana
80 J11 **Sek'ot'a** Amhara, N Ethiopia
Sekseŭil see Saksaul'skiy
32 I9 **Selah** Washington, NW USA
168 J8 **Selangor** var. Negeri Selangor Darul Ehsan. ◈ state Peninsular Malaysia
Selânik see Thessaloníki
168 K10 **Selapanjang** Pulau Rantau, W Indonesia
167 R10 **Selaphum** Roi Et, E Thailand
171 T16 **Selaru, Pulau** island Kepulauan Tanimbar, E Indonesia
171 U13 **Selassi** Papua, E Indonesia
168 J7 **Selatan, Selat** strait Peninsular Malaysia
39 N8 **Selawik** Alaska, USA
39 N8 **Selawik Lake** ⊚ Alaska, USA
171 N14 **Selayar, Selat** strait Sulawesi, C Indonesia
95 C14 **Selbjørnsfjorden** fjord S Norway
94 H8 **Selbusjøen** ⊚ S Norway
97 M17 **Selby** N England, UK
29 N8 **Selby** South Dakota, N USA
21 Z4 **Selbyville** Delaware, NE USA
136 B15 **Selçuk** var. Akıncılar. İzmir, SW Turkey
39 Q13 **Seldovia** Alaska, USA
107 M18 **Sele** anc. Silarius. ≈ S Italy
83 J19 **Selebi-Phikwe** Central, E Botswana
42 B5 **Selegua, Río** ≈ W Guatemala
123 R13 **Selemdzha** ≈ SE Russian Federation
131 U7 **Selenga** Mong. Selenge Mörön. ≈ Mongolia/Russian Federation
162 K6 **Selenge** Bulgan, N Mongolia
162 J6 **Selenge** Hövsgöl, N Mongolia
79 I19 **Selenge** Bandundu, W Dem. Rep. Congo
162 L6 **Selenge** ◈ province N Mongolia
Selenge Mörön see Selenga
123 N14 **Selenginsk** Respublika Buryatiya, S Russian Federation
Selenica see Selenicë
113 K22 **Selenicë** var. Selenica. Vlorë, SW Albania
123 Q8 **Selennyakh** ≈ NE Russian Federation
100 J8 **Selenter See** ⊚ N Germany
Sele Sound see Soela Väin
103 U6 **Sélestat** Ger. Schlettstadt. Bas-Rhin, NE France
Selety see Sileti
Seleucia see Silifke
92 I4 **Selfoss** Sudhurland, SW Iceland
28 M7 **Selfridge** North Dakota, N USA
76 I15 **Seli** ≈ N Sierra Leone
76 I11 **Sélibabi** var. Sélibaby. Guidimaka, S Mauritania
Sélibaby see Sélibabi
Selidovka/Selidovo see Selydove
126 I15 **Seliger, Ozero** ⊚ W Russian Federation
36 J11 **Seligman** Arizona, SW USA
27 S8 **Seligman** Missouri, C USA
80 E6 **Selima Oasis** oasis N Sudan
76 L13 **Sélingué, Lac de** ⊡ S Mali
Selinoús see Kréstena
18 G14 **Selinsgrove** Pennsylvania, NE USA
Selishche see Syelishcha
124 I16 **Selizharovo** Tverskaya Oblast', W Russian Federation
94 C10 **Selje** Sogn og Fjordane, S Norway
11 X16 **Selkirk** Manitoba, S Canada
96 K13 **Selkirk** SE Scotland, UK
96 K13 **Selkirk** cultural region SE Scotland, UK
11 O16 **Selkirk Mountains** ▲▲ British Columbia, SW Canada
193 T11 **Selkirk Rise** undersea feature SE Pacific Ocean
115 F21 **Sellasía** Pelopónnisos, S Greece
44 M9 **Selle, Pic de la** var. La Selle. ▲ SE Haiti
102 M8 **Selles-sur-Cher** Loir-et-Cher, C France
36 K16 **Sells** Arizona, SW USA
Sellye see Sal'a
23 P5 **Selma** Alabama, S USA
35 Q11 **Selma** California, W USA
20 G10 **Selmer** Tennessee, S USA
173 N17 **Sel, Pointe au** headland W Réunion
Selseleh-ye Kūh-e Vākhān see Nicholas Range
127 S2 **Selty** Udmurtskaya Respublika, NW Russian Federation
Selukwe see Shurugwi
62 L9 **Selva** Santiago del Estero, N Argentina
11 T9 **Selwyn Lake** ⊚ Northwest Territories/Saskatchewan, C Canada
10 K6 **Selwyn Mountains** ▲▲ Yukon Territory, NW Canada
181 T6 **Selwyn Range** ▲▲ Queensland, C Australia
117 W8 **Selydove** var. Selidovka, Rus. Selidovo. Donets'ka Oblast', SE Ukraine
Selzaete see Zelzate
Seman see Semanit, Lumi i
168 M15 **Semangka, Teluk** bay Sumatera, SW Indonesia
113 D22 **Semanit, Lumi i** var. Seman. ≈ W Albania
169 Q16 **Semarang** var. Samarang. Jawa, C Indonesia
169 Q10 **Sematan** Sarawak, East Malaysia
171 P17 **Semau, Pulau** island S Indonesia
169 V8 **Sembakung, Sungai** ≈ Borneo, N Indonesia
79 G17 **Sembé** La Sangha, NW Congo
169 S13 **Sembulu, Danau** ⊚ Borneo, N Indonesia
Semendria see Smederevo
117 R1 **Semenivka** Chernihivs'ka Oblast', N Ukraine
117 S6 **Semenivka** Rus. Semenovka. Poltavs'ka Oblast', NE Ukraine
127 O3 **Semenov** Nizhegorodskaya Oblast', W Russian Federation
Semenovka see Semenivka
169 S17 **Semeru, Gunung** var. Mahameru. ▲ Jawa, S Indonesia
Semey see Semipalatinsk
Semezhevo see Syemyezhava
126 L7 **Semiluki** Voronezhskaya Oblast', W Russian Federation
33 W16 **Seminoe Reservoir** ⊡ Wyoming, C USA
27 O11 **Seminole** Oklahoma, C USA
24 M6 **Seminole** Texas, SW USA
23 S8 **Seminole, Lake** ⊡ Florida/Georgia, SE USA
Semiozernoye see Auliyekol'
145 V9 **Semipalatinsk** Kaz. Semey. Vostochnyy Kazakhstan, E Kazakhstan
143 O9 **Semīrom** var. Samirum. Eşfahān, C Iran
38 F17 **Semisopochnoi Island** island Aleutian Islands, Alaska, USA
169 R11 **Semitau** Borneo, C Indonesia
81 E18 **Semliki** ≈ Uganda/Dem. Rep. Congo
143 P5 **Semnān** var. Samnān. Semnān, N Iran
143 Q5 **Semnān** off. Ostān-e Semnān. ◈ province N Iran
99 K24 **Semois** ≈ SE Belgium
108 E8 **Sempacher See** ⊚ C Switzerland
Sena see Vila de Sena
30 L12 **Senachwine Lake** ⊚ Illinois, N USA
59 O14 **Senador Pompeu** Ceará, E Brazil
Sena Gallica see Senigallia
59 C15 **Sena Madureira** Acre, W Brazil
155 L25 **Senanayake Samudra** ⊚ E Sri Lanka
83 G15 **Senanga** Western, SW Zambia
27 Y9 **Senath** Missouri, C USA
22 L2 **Senatobia** Mississippi, S USA
164 C16 **Sendai** Kagoshima, Kyūshū, SW Japan
165 Q10 **Sendai** Miyagi, Honshū, C Japan
165 Q11 **Sendai-wan** bay E Japan
101 J23 **Senden** Bayern, S Germany
154 F11 **Sendhwa** Madhya Pradesh, C India
111 H21 **Senec** Ger. Wartberg, Hung. Szenc; prev. Szempcz. Bratislavský Kraj, W Slovakia
27 P3 **Seneca** Kansas, C USA
27 R8 **Seneca** Missouri, C USA
32 K13 **Seneca** Oregon, NW USA
21 O11 **Seneca** South Carolina, SE USA
18 G11 **Seneca Lake** ⊚ New York, NE USA
31 U13 **Senecaville Lake** ⊡ Ohio, N USA
76 G11 **Senegal** off. Republic of Senegal, Fr. Sénégal. ◆ republic W Africa
76 H9 **Senegal** Fr. Sénégal. ≈ W Africa
31 O4 **Seney Marsh** wetland Michigan, N USA
101 P14 **Senftenberg** Brandenburg, E Germany
82 L11 **Senga Hill** Northern, NE Zambia
158 G13 **Sênggê Zangbo** ≈ W China
171 Z13 **Senggi** Papua, E Indonesia
127 R5 **Sengiley** Ul'yanovskaya Oblast', W Russian Federation
63 I19 **Senguerr, Río** ≈ S Argentina
83 J16 **Sengwa** ≈ C Zimbabwe
Senia see Senj
111 H19 **Senica** Ger. Senitz, Hung. Szenice. Trnavský Kraj, W Slovakia
Seniça see Sjenica
106 J11 **Senigallia** anc. Sena Gallica. Marche, C Italy
136 F15 **Senirkent** Isparta, SW Turkey
Senitz see Senica
112 C10 **Senj** Ger. Zengg, It. Segna; anc. Senia. Lika-Senj, NW Croatia
163 O10 **Senj** Dornogovĭ, SE Mongolia
92 H9 **Senja** prev. Senjen. island N Norway
Senjen see Senja
161 U12 **Senkaku-shotō** island group SW Japan
137 R12 **Şenkaya** Erzurum, NE Turkey
83 I16 **Senkobo** Southern, S Zambia
103 O4 **Senlis** Oise, N France
167 T12 **Senmonorom** Môndól Kiri, E Cambodia
80 G10 **Sennar** var. Sannār. Sinnar, C Sudan
Senno see Syanno
Senones see Sens
109 W11 **Senovo** E Slovenia
103 P6 **Sens** anc. Agendicum, Senones. Yonne, C France
Sensburg see Mrągowo
167 S11 **Sên, Stœng** ≈ C Cambodia
42 F7 **Sensuntepeque** Cabañas, NE El Salvador
112 L8 **Senta** Hung. Zenta. Serbia, N Serbia and Montenegro (Yugo.)
Šent Andraž see Sankt Andrä
171 Y13 **Sentani, Danau** ⊚ Papua, E Indonesia
28 J5 **Sentinel Butte** ▲ North Dakota, N USA
10 M13 **Sentinel Peak** ▲ British Columbia, W Canada
59 N16 **Sento Sé** Bahia, E Brazil
Šent Peter see Pivka
Šent Vid see Sankt Veit an der Glan
Seo de Urgel see La Seo d'Urgel
154 I7 **Seondha** Madhya Pradesh, C India
154 J11 **Seoni** prev. Seeonee. Madhya Pradesh, C India
Seoul see Sŏul
184 I13 **Separation Point** headland South Island, NZ
169 V10 **Sepasu** Borneo, N Indonesia
186 B6 **Sepik** ≈ Indonesia/PNG
Sepone see Muang Xépôn
110 M7 **Sępopol** Ger. Schippenbeil. Warmińsko-Mazurskie, NE Poland,
116 F10 **Şepreuş** Hung. Seprős. Arad, W Romania
Seprős see Şepreuş
Şepşi-Sângeorz/Sepsiszentgyőrgy see Sfântu Gheorghe
15 W4 **Sept-Îles** Québec, SE Canada
105 N6 **Sepúlveda** Castilla-León, N Spain
104 K8 **Sequeros** Castilla-León, N Spain
104 L5 **Sequillo** ≈ NW Spain
32 G7 **Sequim** Washington, NW USA
35 S11 **Sequoia National Park** national park California, W USA
137 Q14 **Şerafettin Dağları** ▲▲ E Turkey
127 N10 **Serafimovich** Volgogradskaya Oblast', SW Russian Federation
171 Q10 **Serai** Sulawesi, N Indonesia
99 K19 **Seraing** Liège, E Belgium
Serāitang see Baima
Serajgonj see Shirajganj Ghat
Serakhs see Sarahs
171 W13 **Serami** Papua, E Indonesia
Seram, Laut see Ceram Sea
Serampore/Serampur see Shrīrāmpur
171 S13 **Seram, Pulau** var. Serang, Eng. Ceram. island Maluku, E Indonesia
169 N15 **Serang** Jawa, C Indonesia
Serang see Seram, Pulau
169 P9 **Serasan, Pulau** island Kepulauan Natuna, W Indonesia
169 P9 **Serasan, Selat** strait Indonesia/Malaysia
112 M12 **Serbia** Ger. Serbien, Serb. Srbija. ◈ republic Serbia and Montenegro (Yugo.)
112 M13 **Serbia and Montenegro (Yugo.)** off. Federal Republic of Serbia and Montenegro (Yugo.), SCr. Jugoslavija, Savezna Republika Jugoslavija. ◆ federal republic SE Europe
Serbien see Serbia
Sercq see Sark
146 D12 **Serdar** prev. Rus. Gyzylarbat, Kizyl-Arvat. Balkan Welaýaty, W Turkmenistan
Serdica see Sofiya
127 O7 **Serdobsk** Penzenskaya Oblast', W Russian Federation
145 X9 **Serebryansk** Vostochnyy Kazakhstan, E Kazakhstan
123 Q12 **Serebryanyy Bor** Respublika Sakha (Yakutiya), NE Russian Federation
111 H20 **Sered'** Hung. Szered. Trnavský Kraj, SW Slovakia
117 S1 **Seredyna-Buda** Sums'ka Oblast', NE Ukraine
118 E13 **Seredžius** Tauragė, C Lithuania
136 I14 **Şereflikoçhisar** Ankara, C Turkey
106 D7 **Seregno** Lombardia, N Italy
103 P7 **Serein** ≈ C France
168 K9 **Seremban** Negeri Sembilan, Peninsular Malaysia
81 H20 **Serengeti Plain** plain N Tanzania
82 K13 **Serenje** Central, E Zambia
Seres see Sérres
116 J5 **Seret** ≈ W Ukraine
Seret/Sereth see Siret
115 I21 **Serfopoúla** island Kykládes, Greece, Aegean Sea
127 P4 **Sergach** Nizhegorodskaya Oblast', W Russian Federation
29 S13 **Sergeant Bluff** Iowa, C USA
163 P7 **Sergelen** Dornod, NE Mongolia
163 O9 **Sergelen** Sühbaatar, E Mongolia
168 H8 **Sergeulangit, Pegunungan** ▲▲ Sumatera, NW Indonesia
122 L5 **Sergeya Kirova, Ostrova** island N Russian Federation
Sergeyevichi see Syarhyeyevichy
145 O7 **Sergeyevka** Severnyy Kazakhstan, N Kazakhstan
Sergiopol see Ayagoz
59 P16 **Sergipe** off. Estado de Sergipe. ◈ state E Brazil
126 L3 **Sergiyev Posad** Moskovskaya Oblast', W Russian Federation
126 K5 **Sergozero, Ozero** ⊚ NW Russian Federation
146 J17 **Serhetabat** prev. Rus. Gushgy, Kushka. Mary Welaýaty, S Turkmenistan
169 Q10 **Serian** Sarawak, East Malaysia
169 O15 **Seribu, Kepulauan** island group S Indonesia
115 I21 **Sérifos** anc. Seriphos. island Kykládes, Greece, Aegean Sea
115 I21 **Sérifou, Stenó** strait SE Greece
136 F16 **Serik** Antalya, SW Turkey
106 E7 **Serio** ≈ N Italy
Seriphos see Sérifos
Serir Tibesti see Sarīr Tībistī
Sêrkog see Sêrtar
127 S5 **Sernovodsk** Samarskaya Oblast', W Russian Federation
127 R2 **Sernur** Respublika Mariy El, W Russian Federation
110 M11 **Serock** Mazowieckie, C Poland
61 B18 **Serodino** Santa Fe, C Argentina
Seroei see Serui
105 P14 **Serón** Andalucía, S Spain
99 E14 **Serooskerke** Zeeland, SW Netherlands
105 T6 **Seròs** Cataluña, NE Spain
122 G10 **Serov** Sverdlovskaya Oblast', C Russian Federation
83 I19 **Serowe** Central, SE Botswana
104 H13 **Serpa** Beja, S Portugal
Serpa Pinto see Menongue
182 A4 **Serpentine Lakes** salt lake South Australia
45 T15 **Serpent's Mouth, The** Sp. Boca de la Serpiente. strait Trinidad and Tobago/Venezuela
Serpiente, Boca de la see Serpent's Mouth, The
126 K4 **Serpukhov** Moskovskaya Oblast', W Russian Federation
60 K13 **Serra do Mar** ▲▲ S Brazil
Sérrai see Sérres
107 N22 **Serra San Bruno** Calabria, SW Italy
103 S14 **Serres** Hautes-Alpes, SE France
114 H13 **Sérres** var. Seres; prev. Sérrai. Kentrikí Makedonía, NE Greece
62 J9 **Serrezuela** Córdoba, C Argentina
59 O16 **Serrinha** Bahia, E Brazil
59 M19 **Serro** var. Sêrro. Minas Gerais, NE Brazil
Sêrro see Serro
Sert see Siirt
Sertá see Sertã
104 H9 **Sertã** var. Sertá. Castelo Branco, C Portugal
60 L8 **Sertãozinho** São Paulo, S Brazil
160 F7 **Sêrtar** var. Sêrkog. Sichuan, C China
171 W13 **Serui** prev. Seroei. Papua, E Indonesia
83 J19 **Serule** Central, E Botswana
169 S12 **Seruyan, Sungai** var. Sungai Pembuang. ≈ Borneo, N Indonesia
115 E14 **Sérvia** Dytikí Makedonía, N Greece
160 E7 **Sêrxü** var. Jugar. Sichuan, C China
123 R13 **Seryshevo** Amurskaya Oblast', SE Russian Federation
Sesana see Sežana
169 V8 **Sesayap, Sungai** ≈ Borneo, N Indonesia
Sesdlets see Siedlce
79 N17 **Sese** Orientale, N Dem. Rep. Congo
81 F18 **Sese Islands** island group S Uganda
83 H16 **Sesheke** var. Sesheko. Western, SE Zambia
Sesheko see Sesheke
106 C8 **Sesia** anc. Sessites. ≈ NW Italy
104 F11 **Sesimbra** Setúbal, S Portugal
115 N22 **Seskliō** island Dodekánisos, Greece, Aegean Sea
30 L16 **Sesser** Illinois, N USA
Sessites see Sesia
106 G11 **Sesto Fiorentino** Toscana, C Italy
106 E7 **Sesto San Giovanni** Lombardia, N Italy
106 A8 **Sestriere** Piemonte, NE Italy
106 D10 **Sestri Levante** Liguria, NW Italy
107 C20 **Sestu** Sardegna, Italy, C Mediterranean Sea
112 E8 **Sesvete** Zagreb, N Croatia
118 G12 **Šeta** Kaunas, C Lithuania
Setabis see Xátiva
165 Q4 **Setana** Hokkaidō, NE Japan
103 Q16 **Sète** prev. Cette. Hérault, S France
58 J11 **Sete Ilhas** Amapá, NE Brazil
59 L20 **Sete Lagoas** Minas Gerais, NE Brazil
60 G10 **Sete Quedas, Ilha das** island S Brazil
92 I10 **Setermoen** Troms, N Norway
95 E17 **Setesdal** valley S Norway
43 W16 **Setetule, Cerro** ▲ SE Panama
21 Q5 **Seth** West Virginia, NE USA
Setia see Sezze
74 K5 **Sétif** var. Stif. N Algeria
164 L13 **Seto** Aichi, Honshū, SW Japan
164 G13 **Seto-naikai** Eng. Inland Sea. sea S Japan
165 V16 **Setouchi** var. Setoushi. Kagoshima, Amami-Ō-shima, SW Japan
74 F6 **Settat** W Morocco
79 D20 **Setté Cama** Ogooué-Maritime, SW Gabon
11 W13 **Setting Lake** ⊚ Manitoba, C Canada
97 L16 **Settle** N England, UK
189 Y12 **Settlement** E Wake Island
104 F11 **Setúbal** Eng. Saint Ubes, Saint Yves. Setúbal, W Portugal
104 F11 **Setúbal** ◈ district S Portugal
104 F12 **Setúbal, Baía de** bay W Portugal
Setul see Satun
12 B10 **Seul, Lac** ⊚ Ontario, S Canada
103 R8 **Seurre** Côte d'Or, C France
137 U11 **Sevan** C Armenia
137 V12 **Sevana Lich** Eng. Lake Sevan, Rus. Ozero Sevan. ⊚ E Armenia
Sevan, Lake/Sevan, Ozero see Sevana Lich
77 N11 **Sévaré** Mopti, C Mali
117 S14 **Sevastopol'** Eng. Sebastopol. Respublika Krym, S Ukraine
25 R14 **Seven Sisters** Texas, SW USA
10 K13 **Seven Sisters Peaks** ▲ British Columbia, SW Canada
99 M15 **Sevenum** Limburg, SE Netherlands
103 P14 **Séverac-le-Château** Aveyron, S France
14 H13 **Severn** ≈ Ontario, S Canada
97 L21 **Severn** Wel. Hafren. ≈ England/Wales, UK
127 O11 **Severnaya Dvina** var. Northern Dvina. ≈ NW Russian Federation
127 N16 **Severnaya Osetiya-Alaniya, Respublika** Eng. North Ossetia; prev. Respublika Severnaya Osetiya, Severo-Osetinskaya SSR. ◈ autonomous republic SW Russian Federation
Severnaya Osetiya, Respublika see Severnaya Osetiya-Alaniya Respublika
122 M5 **Severnaya Zemlya** var. Nicholas II Land. island group N Russian Federation
127 T5 **Severnoye** Orenburgskaya Oblast', W Russian Federation
35 S3 **Severn Troughs Range** ▲▲ Nevada, W USA
125 W3 **Severnyy** Respublika Komi, NW Russian Federation
144 I13 **Severnyy Chink Ustyurta** ▲ W Kazakhstan
127 Q13 **Severnyye Uvaly** var. Northern Ural Hills. hill range NW Russian Federation
145 O6 **Severnyy Kazakhstan** off. Severo-Kazakhstanskaya Oblast', var. North Kazakhstan, Kaz. Soltüstik Qazaqstan Oblysy. ◈ province N Kazakhstan
127 V9 **Severnyy Ural** ▲▲ NW Russian Federation
Severo-Alichurskiy Khrebet see Alichuri Shimolí, Qatorkŭhi
123 N12 **Severobaykal'sk** Respublika Buryatiya, S Russian Federation
Severodonetsk see Syeverodonets'k
124 M8 **Severodvinsk** prev. Molotov, Sudostroy. Arkhangel'skaya Oblast', NW Russian Federation
Severo-Kazakhstanskaya Oblast' see Severnyy Kazakhstan
123 U11 **Severo-Kuril'sk** Sakhalinskaya Oblast', SE Russian Federation
124 J3 **Severomorsk** Murmanskaya Oblast', NW Russian Federation
Severo-Osetinskaya SSR see Severnaya Osetiya-Alaniya, Respublika
122 M7 **Severo-Sibirskaya Nizmennost'** var. North Siberian Plain, Eng. North Siberian Lowland. lowlands N Russian Federation
122 G10 **Severoural'sk** Sverdlovskaya Oblast', C Russian Federation
122 L11 **Severo-Yeniseyskiy** Krasnoyarskiy Kray, C Russian Federation
122 J12 **Seversk** Tomskaya Oblast', C Russian Federation
126 M11 **Severskiy Donets** Ukr. Sivers'kyy Donets'. ≈ Russian Federation/Ukraine see also Sivers'kyy Donets'
92 M9 **Sevettijärvi** Lappi, N Finland
36 M5 **Sevier Bridge Reservoir** ⊡ Utah, W USA
36 J4 **Sevier Desert** plain Utah, W USA
36 J5 **Sevier Lake** ⊚ Utah, W USA
21 N9 **Sevierville** Tennessee, S USA
104 J14 **Sevilla** Eng. Seville; anc. Hispalis. Andalucía, SW Spain
104 J13 **Sevilla** ◈ province Andalucía, SW Spain
Sevilla de Niefang see Niefang
43 O16 **Sevilla, Isla** island SW Panama
Seville see Sevilla
114 J9 **Sevlievo** Gabrovo, N Bulgaria
Sevluš/Sevlyush see Vynohradiv
109 V11 **Sevnica** Ger. Lichtenwald. E Slovenia
126 I7 **Sevsk** Bryanskaya Oblast', W Russian Federation
76 J15 **Sewa** ≈ E Sierra Leone
39 R12 **Seward** Alaska, USA
29 R15 **Seward** Nebraska, C USA
10 G8 **Seward Glacier** glacier Yukon Territory, W Canada
197 Q3 **Seward Peninsula** peninsula Alaska, USA
Seward's Folly see Alaska
62 H12 **Sewell** Libertador, C Chile
98 K5 **Sexbierum** Fris. Seisbierrum. Friesland, N Netherlands
11 O13 **Sexsmith** Alberta, W Canada
41 W13 **Seybaplaya** Campeche, SE Mexico
173 N6 **Seychelles** off. Republic of Seychelles. ◆ republic W Indian Ocean
173 N6 **Seychelles Bank** var. Le Banc des Seychelles. undersea feature W Indian Ocean
Seychelles, Le Banc des see Seychelles Bank
172 H17 **Seychellois, Morne** ▲ Mahé, NE Seychelles
92 L2 **Seydhisfjördhur** Austurland, E Iceland
146 J12 **Seýdi** Rus. Seydi; prev. Neftezavodsk. Lebap Welaýaty, E Turkmenistan
136 G16 **Seydişehir** Konya, SW Turkey
136 J13 **Seyfe Gölü** ⊚ C Turkey
Seyhan see Adana
136 K16 **Seyhan Barajı** ⊡ S Turkey
136 K17 **Seyhan Nehri** ≈ S Turkey
136 F13 **Seyitgazi** Eskişehir, W Turkey
126 J7 **Seym** ≈ W Russian Federation
117 S3 **Seym** ≈ N Ukraine
123 T9 **Seymchan** Magadanskaya Oblast', E Russian Federation
114 N12 **Seymen** Tekirdağ, NW Turkey
183 O11 **Seymour** Victoria, SE Australia
83 I25 **Seymour** Eastern Cape, S South Africa
29 W16 **Seymour** Iowa, C USA
27 U7 **Seymour** Missouri, C USA
25 Q5 **Seymour** Texas, SW USA
114 M12 **Şeytan Deresi** ≈ NW Turkey
109 S12 **Sežana** It. Sesana. SW Slovenia
103 P5 **Sézanne** Marne, N France
107 I16 **Sezze** anc. Setia. Lazio, C Italy
115 H25 **Sfákia** Kríti, Greece, E Mediterranean Sea
115 D21 **Sfaktiría** island S Greece
116 J11 **Sfântu Gheorghe** Ger. Sankt-Georgen, Hung. Sepsiszentgyőrgy; prev. Şepşi-Sângeorz, Sfintu Gheorghe. Covasna, C Romania
117 N13 **Sfântu Gheorghe, Braţul** var. Gheorghe Braţul. ≈ E Romania
75 N6 **Sfax** Ar. Şafāqis. E Tunisia
75 N6 **Sfax** ✕ E Tunisia
Sfintu Gheorghe see Sfântu Gheorghe
98 H13 **'s-Gravendeel** Zuid-Holland, SW Netherlands
98 F11 **'s-Gravenhage** var. Den Haag, Eng. The Hague, Fr. La Haye. ● (Netherlands-seat of government) Zuid-Holland, W Netherlands
98 G12 **'s-Gravenzande** Zuid-Holland, W Netherlands
Shaan/Shaanxi Sheng see Shaanxi

◆ Country ◇ Dependent Territory ◈ Administrative Region ▲ Mountain ⩙ Volcano ⊚ Lake
● Country Capital ○ Dependent Territory Capital ✕ International Airport ▲▲ Mountain Range ≈ River ⊡ Reservoir

Shaanxi – Shiree ••• 323

159 X11 **Shaanxi** var. Shaan, Shaanxi Sheng, Shan-hsi, Shenshi, Shensi. ◈ province C China
Shaartuz see Shahrtuz
Shabani see Zvishavane
81 N17 **Shabeellaha Dhexe** off. Gobolka Shabeellaha Dhexe. ◈ region E Somalia
81 L17 **Shabeellaha Hoose** off. Gobolka Shabeellaha Hoose. ◈ region S Somalia
Shabeelle, Webi see Shebeli
114 O7 **Shabla** Dobrich, NE Bulgaria
114 O7 **Shabla, Nos** headland NE Bulgaria
13 N9 **Shabogama Lake** ◎ Newfoundland and Labrador, E Canada
79 N20 **Shabunda** Sud Kivu, E Dem. Rep. Congo
141 Q15 **Shabwah** C Yemen
158 F8 **Shache** var. Yarkant. Xinjiang Uygur Zizhiqu, NW China
Shacheng see Huailai
195 R12 **Shackleton Coast** physical region Antarctica
195 Z10 **Shackleton Ice Shelf** ice shelf Antarctica
Shaddādī see Ash Shadādah
28 K7 **Shadehill Reservoir** ⊞ South Dakota, N USA
122 G11 **Shadrinsk** Kurganskaya Oblast', C Russian Federation
31 O12 **Shafer, Lake** ⊞ Indiana, N USA
35 R13 **Shafter** California, W USA
24 J11 **Shafter** Texas, SW USA
97 L23 **Shaftesbury** S England, UK
185 F22 **Shag** ∽ South Island, NZ
145 V9 **Shagan** ∽ E Kazakhstan
39 O11 **Shageluk** Alaska, USA
122 K14 **Shagonar** Respublika Tyva, S Russian Federation
185 F22 **Shag Point** headland South Island, NZ
144 J12 **Shagyray, Plato** plain SW Kazakhstan
Shāhābād see Eslāmābād
168 K9 **Shah Alam** Selangor, Peninsular Malaysia
117 O12 **Shahany, Ozero** ◎ SW Ukraine
138 H9 **Shahbā'** anc. Philippopolis. As Suwaydā', S Syria
Shahbān see Ad Dayr
149 P17 **Shāhbandar** Sind, SE Pakistan
149 P13 **Shāhdād Kot** Sind, SW Pakistan
143 T10 **Shahdād, Namakzār-e** salt pan E Iran
149 Q15 **Shāhdādpur** Sind, SE Pakistan
154 K10 **Shahdol** Madhya Pradesh, C India
161 N7 **Sha He** ∽ C China
Shahepu see Linze
153 N13 **Shāhganj** Uttar Pradesh, N India
152 C11 **Shāhgarh** Rājasthān, NW India
Sha Hi see Orūmīyeh, Daryācheh-ye, Iran
Shāhī see Qā'emshahr, Māzandarān, Iran
139 Q6 **Shāhimah** var. Shahma. C Iraq
Shahjahanabad see Delhi
152 L11 **Shāhjahānpur** Uttar Pradesh, N India
Shahma see Shāhimah
149 U7 **Shāhpur** Punjab, E Pakistan
Shāhpur see Shāhpur Chākar
152 G13 **Shāhpura** Rājasthān, N India
149 Q15 **Shāhpur Chākar** var. Shāhpur. Sind, SE Pakistan
148 M5 **Shahrak** Ghowr, C Afghanistan
143 Q11 **Shahr-e Bābak** Kermān, C Iran
143 N8 **Shahr-e Kord** var. Shahr Kord. Chahār Maḩall va Bakhtīārī, C Iran
143 O9 **Shahreẓā** var. Qomisheh, Qumisheh, Shahriza; prev. Qomsheh. Eşfahān, C Iran
147 N12 **Shahrisabz** Rus. Shakhrisabz. Qashqadaryo Viloyati, S Uzbekistan
147 P11 **Shahriston** Rus. Shakhristan. NW Tajikistan
Shahriza see Shahreẓā
Shahr-i-Zabul see Zābol
Shahr Kord see Shahr-e Kord
147 P14 **Shahrtuz** Rus. Shaartuz. SW Tajikistan
143 Q4 **Shāhrūd** prev. Emāmrūd, Emāmshahr. Semnān, N Iran
Shahsavār/Shahsawar see Tonekābon
Shaidara see Step' Nardara
Shaikh Ābid see Shaykh 'Ābid
Shaikh Fāris see Shaykh Fāris
Shaikh Najm see Shaykh Najm
138 K5 **Shā'ir, Jabal** ▲ C Syria
154 G10 **Shājāpur** Madhya Pradesh, C India
80 J8 **Shakal, Ras** headland NE Sudan
83 G17 **Shakawe** Ngamiland, N Botswana
Shakhdarinskiy Khrebet see Shokhdara, Qatorkŭhi
Shakhrikhan see Sharixon
Shakhrisabz see Shahrisabz
Shakhristan see Shahriston
117 X8 **Shakhtars'k** Rus. Shakhtërsk. Donets'ka Oblast', SE Ukraine
Shakhtërsk see Shakhtars'k
145 R10 **Shakhtinsk** Karaganda, C Kazakhstan
126 L11 **Shakhty** Rostovskaya Oblast', SW Russian Federation
127 P2 **Shakhun'ya** Nizhegorodskaya Oblast', W Russian Federation
77 S15 **Shaki** Oyo, W Nigeria
81 J15 **Shakīso** Oromo, C Ethiopia
117 X8 **Shakmars'k** Donets'ka Oblast', E Ukraine
29 V9 **Shakopee** Minnesota, N USA
165 R3 **Shakotan-misaki** headland Hokkaidō, NE Japan
39 N9 **Shaktoolik** Alaska, USA
81 J14 **Shala Hāyk'** ◎ C Ethiopia
124 M10 **Shalakusha** Arkhangel'skaya Oblast', NW Russian Federation
145 U8 **Shalday** Pavlodar, NE Kazakhstan
127 P16 **Shali** Chechenskaya Respublika, SW Russian Federation
141 W12 **Shalīm** var. Shelim. S Oman
Shaliuhe see Gangca
144 K12 **Shalkar** var. Chelkar. Aktyubinsk, W Kazakhstan
144 F9 **Shalkar, Ozero** prev. Chelkar, Ozero. ◎ W Kazakhstan
21 V12 **Shallotte** North Carolina, SE USA
25 N5 **Shallowater** Texas, SW USA
124 K11 **Shal'skiy** Respublika Kareliya, NW Russian Federation
160 F9 **Shaluli Shan** ⛰ C China
81 F22 **Shama** ∽ C Tanzania
11 Z11 **Shamattawa** Manitoba, C Canada
12 F8 **Shamattawa** ∽ Ontario, C Canada
Shām, Bādiyat ash see Syrian Desert
Shamiya see Ash Shāmīyah
141 X8 **Shām, Jabal ash** var. Jebel Sham. ▲ NW Oman
Sham, Jebel see Shām, Jabal ash
Shamkhor see Şämkir
18 G14 **Shamokin** Pennsylvania, NE USA
25 P2 **Shamrock** Texas, SW USA
Sha'nabi, Jabal ash see Chambi, Jebel
139 Y12 **Shanāwah** E Iraq
Shancheng see Taining
159 T8 **Shandan** Gansu, N China
Shandī see Shendi
161 Q5 **Shandong** var. Lu, Shandong Sheng, Shantung. ◈ province E China
161 R4 **Shandong Bandao** var. Shantung Peninsula. peninsula E China
Shandong Peninsula see Shandong Bandao
Shandong Sheng see Shandong
139 U8 **Shandrūkh** E Iraq
83 J17 **Shangani** ∽ W Zimbabwe
161 O15 **Shangchuan Dao** island S China
Shangchuankou see Minhe
163 P12 **Shangdu** Nei Mongol Zizhiqu, N China
161 O11 **Shanggao** var. Aoyang. Jiangxi, S China
161 S8 **Shanghai** var. Shang-hai. Shanghai Shi, E China
Shanghai see Shanghai Shi
161 S8 **Shanghai Shi** var. Hu, Shanghai. ◈ municipality E China
161 P13 **Shanghang** Fujian, SE China
160 K14 **Shanglin** var. Dafeng. Guangxi Zhuangzu Zizhiqu, S China
83 G15 **Shangombo** Western, W Zambia
Shangpai see Feixi
161 O6 **Shangqiu** var. Zhuji. Henan, C China
161 Q10 **Shangrao** Jiangxi, S China
161 S9 **Shangyu** var. Baiguan. Zhejiang, SE China
163 X9 **Shangzhi** Heilongjiang, NE China
160 L7 **Shangzhou** var. Shang Xian. Shaanxi, C China
163 W9 **Shanhetun** Heilongjiang, NE China
Shan-hsi see Shaanxi, China
Shan-hsi see Shanxi, China
159 O6 **Shankou** Xinjiang Uygur Zizhiqu, W China
184 M13 **Shannon** Manawatu-Wanganui, North Island, NZ
97 B19 **Shannon** ✈ W Ireland
97 C17 **Shannon** Ir. An tSionainn. ∽ W Ireland
167 N6 **Shan Plateau** plateau E Myanmar
158 M6 **Shanshan** var. Piqan. Xinjiang Uygur Zizhiqu, NW China
Shansi see Shanxi
167 N5 **Shan State** ◈ state E Myanmar
Shantar Islands see Shantarskiye Ostrova
123 S12 **Shantarskiye Ostrova** Eng. Shantar Islands. island group E Russian Federation
161 Q14 **Shantou** var. Shan-t'ou, Swatow. Guangdong, S China
Shantung see Shandong
Shantung Peninsula see Shandong Bandao
163 O14 **Shanxi** var. Jin, Shan-hsi, Shansi, Shanxi Sheng. ◈ province C China
Shan Xian see Sanmenxia
161 P6 **Shanxian** var. Shan Xian. Shandong, E China
Shanxi Sheng see Shanxi
160 L7 **Shanyang** Shaanxi, C China
161 N13 **Shanyin** var. Daiyue. Shanxi, China
161 O13 **Shaoguan** var. Shao-kuan, Cant. Kukong; prev. Ch'u-chiang. Guangdong, S China
Shao-kuan see Shaoguan
161 Q11 **Shaowu** Fujian, SE China
161 S9 **Shaoxing** Zhejiang, SE China
160 M12 **Shaoyang** var. Tangdukou. Hunan, S China
160 M11 **Shaoyang** var. Baoqing, Shao-yang; prev. Pao-king. Hunan, S China
96 K5 **Shapinsay** island NE Scotland, UK
127 S4 **Shapkina** ∽ NW Russian Federation
Shāpūr see Salmās
158 M4 **Shaqiuhe** Xinjiang Uygur Zizhiqu, W China
139 T2 **Shaqlāwa** var. Shaqlāwah. E Iraq
Shaqlāwah see Shaqlāwa
138 I8 **Shaqqā** As Suwaydā', S Syria
141 P7 **Shaqrā'** Ar Riyāḑ, C Saudi Arabia
Shaqrā see Shuqrah
145 W10 **Shar** var. Charsk. Vostochnyy Kazakhstan, E Kazakhstan
149 O5 **Sharan** Urūzgān, SE Afghanistan
Sharaqpur see Sharqpur
Sharbaqty see Shcherbakty
141 X12 **Sharbatāt** S Oman
141 X12 **Sharbithāt, Ras** var. Ra's Sharbatāt. headland S Oman
14 K14 **Sharbot Lake** Ontario, SE Canada
145 P17 **Shardara** var. Chardara. Yuzhnyy Kazakhstan, S Kazakhstan
Shardara Dalasy see Step' Nardara
162 F8 **Sharga** Govĭ-Altay, W Mongolia
162 H6 **Sharga** Hövsgöl, N Mongolia
116 M7 **Sharhorod** Vinnyts'ka Oblast', C Ukraine
162 K10 **Sharhulsan** Ömnögovĭ, S Mongolia
165 V3 **Shari** Hokkaidō, NE Japan
Shari see Chari
139 T6 **Shārī, Buḩayrat** ◎ C Iraq
147 S10 **Sharixon** Rus. Shakhrikhan. Andijon Viloyati, E Uzbekistan
Sharjah see Ash Shāriqah
118 K12 **Sharkawshchyna** var. Sharkowshchyna, Pol. Szarkowszczyzna, Rus. Sharkovshchina. Vitsyebskaya Voblasts', NW Belarus
180 G9 **Shark Bay** bay Western Australia
141 Y9 **Sharkh** E Oman
Sharkovshchina/Sharkowshchyna see Sharkawshchyna
127 U6 **Sharlyk** Orenburgskaya Oblast', W Russian Federation
Sharm ash Shaykh see Sharm el Sheikh
75 Y9 **Sharm el Sheikh** var. Ofiral, Sharm ash Shaykh. E Egypt
18 B13 **Sharon** Pennsylvania, NE USA
26 H4 **Sharon Springs** Kansas, C USA
31 Q14 **Sharonville** Ohio, N USA
Sharourah see Sharūrah
29 O10 **Sharpe, Lake** ⊞ South Dakota, N USA
Sharqī, Al Jabal ash/Sharqi, Jebel esh see Anti-Lebanon
Sharqiyah, Al Minṭaqah ash see Ash Sharqīyah
138 I6 **Sharqīyat an Nabk, Jabal** ▲ W Syria
149 W8 **Sharqpur** var. Sharaqpur. Punjab, E Pakistan
141 Q13 **Sharūrah** var. Sharourah. Najrān, S Saudi Arabia
125 O14 **Shar'ya** Kostromskaya Oblast', NW Russian Federation
145 V15 **Sharyn** var. Charyn. ∽ SE Kazakhstan
Sharyn see Charyn
83 J18 **Shashe** Central, NE Botswana
83 J18 **Shashe** var. Shashi. ∽ Botswana/Zimbabwe
81 J14 **Shashemenē** var. Shashemenne, Shashhamana, It. Sciasciamana. Oromo, C Ethiopia
Shashemenne/Shashhamana see Shashemenē
Shashi see Shashe
Shashi/Sha-shih/Shasi see Jingzhou, Hubei
35 N3 **Shasta Lake** ⊞ California, W USA
35 N2 **Shasta, Mount** ▲ California, W USA
127 O4 **Shatki** Nizhegorodskaya Oblast', W Russian Federation
Shatlyk see Şatlyk
Shatra see Ash Shaṭrah
119 K17 **Shatsk** Rus. Shatsk. Minskaya Voblasts', C Belarus
127 N5 **Shatsk** Ryazanskaya Oblast', W Russian Federation
26 J9 **Shattuck** Oklahoma, C USA
145 P16 **Shaul'der** Yuzhnyy Kazakhstan, S Kazakhstan
11 S17 **Shaunavon** Saskatchewan, S Canada
Shavat see Shovot
158 K4 **Shawan** Xinjiang Uygur Zizhiqu, NW China
14 G12 **Shawanaga** Ontario, S Canada
30 M6 **Shawano** Wisconsin, N USA
30 M6 **Shawano Lake** ◎ Wisconsin, N USA
15 P10 **Shawinigan** prev. Shawinigan Falls. Québec, SE Canada
Shawinigan Falls see Shawinigan
15 P10 **Shawinigan-Sud** Québec, SE Canada
138 J5 **Shawmarīyah, Jabal ash** ▲ C Syria
27 O11 **Shawnee** Oklahoma, C USA
14 K12 **Shawville** Québec, SE Canada
145 Q16 **Shayan** var. Chayan. Yuzhnyy Kazakhstan, S Kazakhstan
Shaykh see Ash Shakk
139 W9 **Shaykh 'Ābid** var. Shaikh Ābid. E Iraq
139 Y10 **Shaykh Fāris** var. Shaikh Fāris. E Iraq
139 T7 **Shaykh Ḩātim** E Iraq
Shaykh, Jabal ash see Hermon, Mount
139 X10 **Shaykh Najm** var. Shaikh Najm. E Iraq
139 W9 **Shaykh Sa'd** E Iraq
147 T14 **Shazud** SE Tajikistan
119 N18 **Shchadryn** Rus. Shchedrin. Homyel'skaya Voblasts', SE Belarus
119 H18 **Shchara** ∽ SW Belarus
Shchedrin see Shchadryn
Shcheglovsk see Kemerovo
126 K5 **Shchëkino** Tul'skaya Oblast', W Russian Federation
125 S7 **Shchel'yayur** Respublika Komi, NW Russian Federation
145 U8 **Shcherbakty** Kaz. Sharbaqty. Pavlodar, E Kazakhstan
126 K7 **Shchigry** Kurskaya Oblast', W Russian Federation
Shchitkovichi see Shchytkavichy
117 Q2 **Shchors** Chernihivs'ka Oblast', N Ukraine
117 T8 **Shchors'k** Dnipropetrovs'ka Oblast', E Ukraine
Shchuchin see Shchuchyn
145 Q7 **Shchuchinsk** prev. Shchuchye. Akmola, N Kazakhstan
Shchuchye see Shchuchinsk
119 G16 **Shchuchyn** Pol. Szczuczyn Nowogródzki, Rus. Shchuchin. Hrodzyenskaya Voblasts', W Belarus
119 K17 **Shchytkavichy** Rus. Shchitkovichi. Minskaya Voblasts', C Belarus
122 J13 **Shebalino** Respublika Altay, S Russian Federation
126 J9 **Shebekino** Belgorodskaya Oblast', W Russian Federation
Shebelē Wenz, Wabē see Shebeli
81 L14 **Shebeli** Amh. Wabē Shebelē Wenz, It. Scebeli, Som. Webi Shabeelle. ∽ Ethiopia/Somalia
113 M20 **Shebenikut, Maja e** ▲ E Albania
149 N2 **Sheberghān** var. Shibarghān, Shiberghan, Shiberghān. Jowzjān, N Afghanistan
144 F14 **Shebir** Mangistau, SW Kazakhstan
31 N8 **Sheboygan** Wisconsin, N USA
77 X15 **Shebshi Mountains** var. Schebschi Mountains. ⛰ E Nigeria
Shechem see Nablus
Shedadi see Ash Shadādah
13 P14 **Shediac** New Brunswick, SE Canada
126 L15 **Shedok** Krasnodarskiy Kray, SW Russian Federation
80 N12 **Sheekh** Woqooyi Galbeed, N Somalia
38 M11 **Sheenjek River** ∽ Alaska, USA
96 D13 **Sheep Haven** Ir. Cuan na gCaorach. inlet N Ireland
35 X10 **Sheep Range** ⛰ Nevada, W USA
98 M13 **'s-Heerenberg** Gelderland, E Netherlands
97 P22 **Sheerness** SE England, UK
13 Q15 **Sheet Harbour** Nova Scotia, SE Canada
185 H18 **Sheffield** Canterbury, South Island, NZ
97 M18 **Sheffield** N England, UK
23 O2 **Sheffield** Alabama, S USA
29 V12 **Sheffield** Iowa, C USA
25 N10 **Sheffield** Texas, SW USA
63 H22 **Shehuen, Río** ∽ S Argentina
Shekhem see Nablus
149 V8 **Shekhūpura** Punjab, NE Pakistan
Sheki see Şäki
124 L14 **Sheksna** Vologodskaya Oblast', NW Russian Federation
123 T5 **Shelagskiy, Mys** headland NE Russian Federation
27 V3 **Shelbina** Missouri, C USA
13 P16 **Shelburne** Nova Scotia, SE Canada
14 G14 **Shelburne** Ontario, S Canada
33 R7 **Shelby** Montana, NW USA
21 Q10 **Shelby** North Carolina, SE USA
31 S12 **Shelby** Ohio, N USA
30 L14 **Shelbyville** Illinois, N USA
31 P14 **Shelbyville** Indiana, N USA
20 L5 **Shelbyville** Kentucky, S USA
27 V2 **Shelbyville** Missouri, C USA
20 J10 **Shelbyville** Tennessee, S USA
25 X8 **Shelbyville** Texas, SW USA
30 L14 **Shelbyville, Lake** ⊞ Illinois, N USA
29 S12 **Sheldon** Iowa, C USA
38 M11 **Sheldons Point** Alaska, USA
Shelekhov Gulf see Shelikhova, Zaliv
123 U9 **Shelikhova, Zaliv** Eng. Shelekhov Gulf. gulf E Russian Federation
39 P14 **Shelikof Strait** strait Alaska, USA
Shelim see Shalīm
11 T14 **Shellbrook** Saskatchewan, S Canada
28 L3 **Shell Creek** ∽ North Dakota, N USA
Shellif see Chelif, Oued
22 I10 **Shell Keys** island group Louisiana, S USA
30 I4 **Shell Lake** Wisconsin, N USA
29 W12 **Shell Rock** Iowa, C USA
185 C26 **Shelter Point** headland Stewart Island, NZ
18 L13 **Shelton** Connecticut, NE USA
32 G8 **Shelton** Washington, NW USA
Shemakha see Şamaxı
145 W9 **Shemonaikha** Vostochnyy Kazakhstan, E Kazakhstan
127 Q4 **Shemursha** Chuvashskaya Respublika, W Russian Federation
38 D16 **Shemya Island** island Aleutian Islands, Alaska, USA
29 T16 **Shenandoah** Iowa, C USA
21 U4 **Shenandoah** Virginia, NE USA
21 U4 **Shenandoah Mountains** ridge West Virginia, NE USA
21 V3 **Shenandoah River** ∽ West Virginia, NE USA
77 W15 **Shendam** Plateau, C Nigeria
80 G8 **Shendi** var. Shandī. River Nile, NE Sudan
76 I15 **Shenge** SW Sierra Leone
146 L10 **Shengeldi** Rus. Chingildi. Navoiy Viloyati, N Uzbekistan
145 U15 **Shengel'dy** Almaty, SE Kazakhstan
113 K18 **Shëngjin** var. Shëngjini. Lezhë, NW Albania
Shëngjini see Shëngjin
Shengking see Liaoning
Sheng Xian/Shengxian see Shengzhou
161 S9 **Shengzhou** var. Shengxian, Sheng Xian. Zhejiang, SE China
Shenking see Liaoning
125 N11 **Shenkursk** Arkhangel'skaya Oblast', NW Russian Federation
160 L3 **Shenmu** Shaanxi, C China
113 L19 **Shën Noj i Madh** ▲ C Albania
160 L8 **Shennong Ding** var. Dashennongjia. ▲ C China
Shenshi/Shensi see Shaanxi
163 V12 **Shenyang** Chin. Shen-yang, Eng. Moukden, Mukden; prev. Fengtien. Liaoning, NE China
161 O15 **Shenzhen** Guangdong, S China
154 G8 **Sheopur** Madhya Pradesh, C India
116 L5 **Shepetivka** Rus. Shepetovka. Khmel'nyts'ka Oblast', NW Ukraine
Shepetovka see Shepetivka
25 W10 **Shepherd** Texas, SW USA
187 R14 **Shepherd Islands** island group C Vanuatu
20 K5 **Shepherdsville** Kentucky, S USA
183 O11 **Shepparton** Victoria, SE Australia
97 P22 **Sheppey, Isle of** island SE England, UK
Sherabad see Sherobod
9 O4 **Sherard, Cape** headland Nunavut, N Canada
97 L23 **Sherborne** S England, UK
76 H16 **Sherbro Island** island SW Sierra Leone
15 Q12 **Sherbrooke** Québec, SE Canada
29 T11 **Sherburn** Minnesota, N USA
78 H6 **Sherda** Borkou-Ennedi-Tibesti, N Chad
80 G7 **Shereik** River Nile, N Sudan
126 K3 **Sheremet'yevo** ✈ (Moskva) Moskovskaya Oblast', W Russian Federation
153 P14 **Shergāti** Bihār, N India
27 U12 **Sheridan** Arkansas, C USA
33 W12 **Sheridan** Wyoming, C USA
182 G8 **Sheringa** South Australia
25 U5 **Sherman** Texas, SW USA
194 J10 **Sherman Island** island Antarctica
19 S4 **Sherman Mills** Maine, NE USA
29 O15 **Sherman Reservoir** ⊞ Nebraska, C USA
147 N14 **Sherobod** Rus. Sherabad. Surxondaryo Viloyati, S Uzbekistan
147 O13 **Sherobod** Rus. Sherabad. ∽ S Uzbekistan
153 T14 **Sherpur** Dhaka, N Bangladesh
37 T4 **Sherrelwood** Colorado, C USA
99 J14 **'s-Hertogenbosch** Fr. Bois-le-Duc, Ger. Herzogenbusch. Noord-Brabant, S Netherlands
28 M2 **Sherwood** North Dakota, N USA
11 Q14 **Sherwood Park** Alberta, SW Canada
56 F13 **Sheshea, Río** ∽ E Peru
143 T5 **Sheshtamad** Khorāsān, NE Iran
29 S10 **Shetek, Lake** ◎ Minnesota, N USA
96 M2 **Shetland Islands** island group NE Scotland, UK
144 F14 **Shetpe** Mangistau, SW Kazakhstan
154 C11 **Shetrunji** ∽ W India
Shevchenko see Aktau
117 W5 **Shevchenkove** Kharkivs'ka Oblast', E Ukraine
81 H14 **Shewa Gīmīra** Southern, S Ethiopia
161 Q9 **Shexian** var. Huicheng, She Xian. Anhui, E China
161 R6 **Sheyang** prev. Hede. Jiangsu, E China
29 O4 **Sheyenne** North Dakota, N USA
29 P4 **Sheyenne River** ∽ North Dakota, N USA
96 G7 **Shiant Islands** island group NW Scotland, UK
123 U12 **Shiashkotan, Ostrov** island Kuril'skiye Ostrova, SE Russian Federation
31 R9 **Shiawassee River** ∽ Michigan, N USA
141 R14 **Shibām** C Yemen
Shibarghān see Sheberghān
165 O10 **Shibata** var. Sibata. Niigata, Honshū, C Japan
Shiberghan/Shiberghān see Sheberghān
Shibh Jazīrat Sīnā' see Sinai
Shibīn al Kawm see Shibîn el Kôm
75 W8 **Shibîn el Kôm** var. Shibīn al Kawm. N Egypt
143 O13 **Shīb, Kūh-e** ▲ S Iran
12 D8 **Shibogama Lake** ◎ Ontario, C Canada
Shibotsu-jima see Zelënyy, Ostrov
164 B16 **Shibushi** Kagoshima, Kyūshū, SW Japan
189 U13 **Shichiyo Islands** island group Chuuk, C Micronesia
Shickshock Mountains see Chic-Chocs, Monts
145 S8 **Shiderti** var. Shiderty. Pavlodar, NE Kazakhstan
145 S9 **Shiderti** ∽ N Kazakhstan
Shiderty see Shiderti
96 G10 **Shiel, Loch** ◎ N Scotland, UK
164 J13 **Shiga** off. Shiga-ken, var. Siga. ◈ prefecture Honshū, SW Japan
Shigatse see Xigazê
141 U13 **Shiḩan** oasis NE Yemen
Shih-chia-chuang/Shihmen see Shijiazhuang
158 K4 **Shihezi** Xinjiang Uygur Zizhiqu, NW China
Shiichi see Shyichy
113 K19 **Shijak** var. Shijaku. Durrës, W Albania
Shijaku see Shijak
161 O4 **Shijiazhuang** var. Shih-chia-chuang; prev. Shihmen. Hebei, E China
165 R5 **Shikabe** Hokkaidō, NE Japan
149 Q13 **Shikārpur** Sind, S Pakistan
127 Q7 **Shikhany** Saratovskaya Oblast', SW Russian Federation
189 V12 **Shiki Islands** island group Chuuk, C Micronesia
164 G14 **Shikoku** var. Sikoku. island SW Japan
192 H5 **Shikoku Basin** var. Sikoku Basin. undersea feature N Philippine Sea
164 G14 **Shikoku-sanchi** ⛰ Shikoku, SW Japan
165 X4 **Shikotan, Ostrov** Jap. Shikotan-tō. island NE Russian Federation
Shikotan-tō see Shikotan, Ostrov
165 R4 **Shikotsu-ko** var. Sikotu Ko. ◎ Hokkaidō, NE Japan
81 N15 **Shilabo** Somali, E Ethiopia
127 X7 **Shil'da** Orenburgskaya Oblast', W Russian Federation
139 V3 **Shilēr, Āw-e** ∽ E Iraq
153 S12 **Shiliguri** prev. Siliguri. West Bengal, NE India
Shiliu see Changjiang
131 V7 **Shilka** ∽ S Russian Federation
18 H15 **Shillington** Pennsylvania, NE USA
153 V13 **Shillong** Meghālaya, NE India
126 M5 **Shilovo** Ryazanskaya Oblast', W Russian Federation
164 C14 **Shimabara** var. Simabara. Nagasaki, Kyūshū, SW Japan
164 C14 **Shimabara-wan** bay SW Japan
164 F12 **Shimane** off. Shimane-ken, var. Simane. ◈ prefecture Honshū, SW Japan
164 G11 **Shimane-hantō** peninsula Honshū, SW Japan
123 Q13 **Shimanovsk** Amurskaya Oblast', SE Russian Federation
Shimbir Berris see Shimbiris
80 O12 **Shimbiris** var. Shimbir Berris. ▲ N Somalia
165 T4 **Shimizu** Hokkaidō, NE Japan
164 M14 **Shimizu** var. Simizu. Shizuoka, Honshū, S Japan
152 I8 **Shimla** prev. Simla. Himāchal Pradesh, N India
Shimminato see Shinminato
165 N14 **Shimoda** var. Simoda. Shizuoka, Honshū, S Japan
165 O13 **Shimodate** var. Simodate. Ibaraki, Honshū, S Japan
155 F18 **Shimoga** Karnātaka, W India
164 C15 **Shimo-jima** island SW Japan
164 B15 **Shimo-Koshiki-jima** island SW Japan
81 J21 **Shimoni** Coast, S Kenya
164 D13 **Shimonoseki** var. Simonoseki; hist. Akamagaseki, Bakan. Yamaguchi, Honshū, SW Japan
124 G14 **Shimsk** Novgorodskaya Oblast', NW Russian Federation
141 W7 **Shināş** N Oman
148 J6 **Shīndand** Farāh, W Afghanistan
Shinei see Hsinying
25 T12 **Shiner** Texas, SW USA
167 N1 **Shingbwiyang** Kachin State, N Myanmar
145 W11 **Shingozha** Vostochnyy Kazakhstan, E Kazakhstan
164 J15 **Shingū** var. Singû. Wakayama, Honshū, SW Japan
14 F8 **Shining Tree** Ontario, S Canada
165 P9 **Shinjō** var. Sinzyô. Yamagata, Honshū, C Japan
96 I7 **Shin, Loch** ◎ N Scotland, UK
21 S3 **Shinnston** West Virginia, NE USA
138 I6 **Shinshār** Fr. Chinnchâr. Ḩimş, W Syria
Shinshū see Chinju
165 T4 **Shintoku** Hokkaidō, NE Japan
81 G20 **Shinyanga** Shinyanga, NW Tanzania
81 G20 **Shinyanga** ◈ region N Tanzania
165 Q10 **Shiogama** var. Siogama. Miyagi, Honshū, C Japan
164 M12 **Shiojiri** var. Sioziri. Nagano, Honshū, S Japan
164 I15 **Shiono-misaki** headland Honshū, SW Japan
165 Q12 **Shioya-zaki** headland Honshū, C Japan
114 J9 **Shipchenski Prokhod** pass C Bulgaria
160 G14 **Shiping** Yunnan, SW China
13 P13 **Shippagan** var. Shippegan. New Brunswick, SE Canada
Shippegan see Shippagan
18 F15 **Shippensburg** Pennsylvania, NE USA
37 O9 **Ship Rock** ▲ New Mexico, SW USA
37 P9 **Shiprock** New Mexico, SW USA
15 R6 **Shipshaw** ∽ Québec, SE Canada
123 V10 **Shipunskiy, Mys** headland E Russian Federation
160 K7 **Shiquan** Shaanxi, C China
122 K13 **Shira** Respublika Khakasiya, S Russian Federation
153 T14 **Shirajganj Ghat** var. Serajgonj, Sirajganj. Rajshahi, C Bangladesh
165 P12 **Shirakawa** var. Sirakawa. Fukushima, Honshū, C Japan
164 M13 **Shirane-san** ▲ Honshū, S Japan
165 U14 **Shiranuka** Hokkaidō, NE Japan
195 N12 **Shirase Coast** physical region Antarctica
165 U3 **Shirataki** Hokkaidō, NE Japan
143 O11 **Shīrāz** var. Shīrāz. Fārs, S Iran
83 N15 **Shire** var. Chire. ∽ Malawi/Mozambique
162 G7 **Shiree** Dzavhan, W Mongolia

324 ••• SHIREET – SINDI

163 O9 **Shireet** Sühbaatar, SE Mongolia
165 W3 **Shiretoko-hantō** *headland* Hokkaidō, NE Japan
165 W3 **Shiretoko-misaki** *headland* Hokkaidō, NE Japan
127 N5 **Shiringushi** Respublika Mordoviya, W Russian Federation
148 M3 **Shīrīn Tagāb** Fāryāb, N Afghanistan
149 N2 **Shīrīn Tagāb** ≈ N Afghanistan
165 R6 **Shiriya-zaki** *headland* Honshū, C Japan
144 I12 **Shirkala, Gryada** *plain* W Kazakhstan
165 P10 **Shiroishi** *var.* Siroisi. Miyagi, Honshū, C Japan
Shirokoye *see* Shyroke
165 O10 **Shirone** *var.* Sirone. Niigata, Honshū, C Japan
164 L12 **Shirotori** Gifu, Honshū, SW Japan
197 T1 **Shirshov Ridge** *undersea feature* W Bering Sea
Shirshütür/ Shirshyutyur, Peski *see* Şirşütür Gumy
143 T3 **Shīrvān** *var.* Shirwān. Khorāsān, NE Iran
Shirwa, Lake *see* Chilwa, Lake
Shirwān *see* Shīrvān
159 N5 **Shisanjianfang** Xinjiang Uygur Zizhiqu, W China
38 M16 **Shishaldin Volcano** ▲ Unimak Island, Alaska, USA
Shishchitsy *see* Shyshchytsy
38 M8 **Shishmaref** Alaska, USA
Shisur *see* Ash Shişar
164 L13 **Shitara** Aichi, Honshū, SW Japan
152 D12 **Shiv** Rājasthān, NW India
151 E15 **Shivāji Sāgar** *prev.* Konya Reservoir ⊡ W India
154 H8 **Shivpuri** Madhya Pradesh, C India
36 J9 **Shivwits Plateau** *plain* Arizona, SW USA
Shiwālik Range *see* Siwalik Range
160 M8 **Shiyan** Hubei, C China
Shizilu *see* Junan
160 H13 **Shizong** *var.* Danfeng. Yunnan, SW China
165 R10 **Shizugawa** Miyagi, Honshū, NE Japan
159 W8 **Shizuishan** *var.* Dawukou. Ningxia, N China
165 T5 **Shizunai** Hokkaidō, NE Japan
165 M14 **Shizuoka** *var.* Sizuoka. Shizuoka, Honshū, S Japan
164 M13 **Shizuoka** *off.* Shizuoka-ken, *var.* Sizuoka. ◈ *prefecture* Honshū, S Japan
Shklov *see* Shklow
119 N15 **Shklow** *Rus.* Shklov. Mahilyowskaya Voblasts', E Belarus
113 K18 **Shkodër** *var.* Shkodra, *It.* Scutari, *SCr.* Skadar. Shkodër, NW Albania
113 K17 **Shkodër** ◈ *district* NW Albania
Shkodra *see* Shkodër
Shkodrës, Liqeni i *see* Scutari, Lake
Shkumbî/Shkumbin *see* Shkumbinit, Lumi i
113 L20 **Shkumbinit, Lumi i** *var.* Shkumbî, Shkumbin. ≈ C Albania
Shligigh, Cuan *see* Sligo Bay
122 L4 **Shmidta, Ostrov** *island* Severnaya Zemlya, N Russian Federation
183 S10 **Shoalhaven River** ≈ New South Wales, SE Australia
11 W16 **Shoal Lake** Manitoba, S Canada
31 O15 **Shoals** Indiana, N USA
164 I13 **Shōdo-shima** *island* SW Japan
Shōka *see* Changhua
122 M5 **Shokal'skogo, Proliv** *strait* N Russian Federation
147 T14 **Shokhdara, Qatorkŭhi** *Rus.* Shakhdarinskiy Khrebet. ▲ SE Tajikistan
145 P17 **Sholakkorgan** *var.* Chulakkurgan. Yuzhnyy Kazakhstan, S Kazakhstan
145 N9 **Sholaksay** Kostanay, N Kazakhstan
Sholāpur *see* Solāpur
Sholdaneshty *see* Şoldăneşti
Shoqpar *see* Chokpar
155 G21 **Shoranūr** Kerala, SW India
155 G16 **Shorāpur** Karnātaka, C India
30 M11 **Shorewood** Illinois, N USA
Shorkazakhly, Solonchak *see* Kazakhlyshor, Solonchak
145 Q9 **Shortandy** Akmola, C Kazakhstan
Shortepa/Shor Tepe *see* Shūr Tappeh
186 J7 **Shortland Island** *var.* Alu. *island* NW Solomon Islands
Shosambetsu *see* Shosanbetsu
165 S2 **Shosanbetsu** *var.* Shosambetsu. Hokkaidō, NE Japan
33 O15 **Shoshone** Idaho, NW USA
35 T6 **Shoshone Mountains** ▲ Nevada, W USA
33 U12 **Shoshone River** ≈ Wyoming, C USA
83 I19 **Shoshong** Central, SE Botswana
33 V14 **Shoshoni** Wyoming, C USA
Shōshū *see* Sangju
117 S2 **Shostka** Sums'ka Oblast', NE Ukraine
185 C21 **Shotover** ≈ South Island, NZ
146 H9 **Shovot** *Rus.* Shavat. Xorazm Viloyati, W Uzbekistan
37 N12 **Show Low** Arizona, SW USA
Show Me State *see* Missouri
125 O4 **Shoyna** Nenetskiy Avtonomnyy Okrug, NW Russian Federation
124 M11 **Shozhma** Arkhangel'skaya Oblast', NW Russian Federation
117 Q7 **Shpola** Cherkas'ka Oblast', N Ukraine
Shqipëria/Shqipërisë, Republika e *see* Albania
22 G5 **Shreveport** Louisiana, S USA
97 K19 **Shrewsbury** *hist.* Scrobesbyrig'. W England, UK
152 D11 **Shri Mohangarh** *prev.* Sri Mohangorh. Rājasthān, NW India
153 S16 **Shrīrāmpur** *prev.* Serampore, Serampur. West Bengal, NE India
97 K19 **Shropshire** *cultural region* W England, UK
145 S16 **Shu** *Kaz.* Shū. Zhambyl, SE Kazakhstan
Shū *see* Chu
160 G13 **Shuangbai** *var.* Tuodian. Yunnan, SW China
163 W9 **Shuangcheng** Heilongjiang, NE China
Shuangcheng *see* Zherong
160 E14 **Shuangjiang** *var.* Weiyuan. Yunnan, SW China
Shuangjiang *see* Jiangkou
163 U10 **Shuangliao** *var.* Zhengjiatun. Jilin, NE China
Shuang-liao *see* Liaoyuan
163 Y7 **Shuangyashan** *var.* Shuang-ya-shan. Heilongjiang, NE China
Shu'aymiah *see* Shu'aymīyah
141 W12 **Shu'aymīyah** *var.* Shu'aymiah. S Oman
144 I10 **Shubarkuduk** *Kaz.* Shubarqudyq. Aktyubinsk, W Kazakhstan
Shubarqudyq *see* Shubarkuduk
145 N12 **Shubar-Tengiz, Ozero** ⊚ C Kazakhstan
39 S5 **Shublik Mountains** ▲ Alaska, USA
Shubrā al Khaymah *see* Shubrâ el Kheima
121 U13 **Shubrâ el Kheima** *var.* Shubrā al Khaymah. N Egypt
158 E8 **Shufu** Xinjiang Uygur Zizhiqu, NW China
147 S14 **Shughnon, Qatorkŭhi** *Rus.* Shugnanskiy Khrebet. ▲ SE Tajikistan
Shugnanskiy Khrebet *see* Shughnon, Qatorkŭhi
161 Q6 **Shu He** ≈ E China
Shuiding *see* Huocheng
Shuidong *see* Dianbai
Shuiji *see* Laixi
Shū-Ile Taūlary *see* Chu-Iliyskiye Gory
Shuiluocheng *see* Zhuanglang
149 T10 **Shujāābād** Punjab, E Pakistan
163 W9 **Shulan** Jilin, NE China
158 E8 **Shule** Xinjiang Uygur Zizhiqu, NW China
Shule *see* Shule He
159 Q8 **Shule He** *var.* Shuleh, Sulo. ≈ C China
30 K9 **Shullsburg** Wisconsin, N USA
39 N16 **Shumagin Islands** *island group* Alaska, USA
146 G7 **Shumanay** Qoraqalpog'iston Respublikasi, W Uzbekistan
114 M8 **Shumen** Shumen, NE Bulgaria
114 M8 **Shumen** ◈ *province* NE Bulgaria
127 P4 **Shumerlya** Chuvashskaya Respublika, W Russian Federation
122 G11 **Shumikha** Kurganskaya Oblast', C Russian Federation
118 M12 **Shumilina** *Rus.* Shumilino. Vitsyebskaya Voblasts', NE Belarus
Shumilino *see* Shumilina
123 V11 **Shumshu, Ostrov** *island* SE Russian Federation
116 K5 **Shums'k** Ternopil's'ka Oblast', W Ukraine
39 O7 **Shungnak** Alaska, USA
Shunsen *see* Ch'unch'ŏn
Shuoxian *see* Shuozhou
161 N3 **Shuozhou** *var.* Shuoxian. Shanxi, C China
141 P16 **Shuqrah** *var.* Shaqrā. SW Yemen
Shurab *see* Shŭrob
147 O14 **Sho'rchi** *Rus.* Shurchi. Surxondaryo Viloyati, S Uzbekistan
147 R11 **Shŭrob** *Rus.* Shurab. NW Tajikistan
143 T10 **Shūr, Rūd-e** ≈ E Iran
149 O2 **Shūr Tappeh** *var.* Shortepa, Shor Tepe. Balkh, N Afghanistan
83 K17 **Shurugwi** *prev.* Selukwe. Midlands, C Zimbabwe
142 L8 **Shūsh** *anc.* Susa, *Bibl.* Shushan. Khūzestān, SW Iran
Shushan *see* Shūsh
142 L9 **Shūshtar** *var.* Shustar, Shushter. Khūzestān, SW Iran
Shushter/Shustar *see* Shūshtar
141 T9 **Shuṭfah, Qalamat** *well* E Saudi Arabia
139 V9 **Shuwayjah, Hawr ash** *var.* Hawr as Suwayqiyah. ⊚ E Iraq
124 M16 **Shuya** Ivanovskaya Oblast', W Russian Federation
39 Q14 **Shuyak Island** *island* Alaska, USA
166 M4 **Shwebo** Sagaing, C Myanmar
166 L7 **Shwedaung** Pegu, W Myanmar
166 M7 **Shwegyin** Pegu, SW Myanmar
167 N4 **Shweli** *Chin.* Longchuan Jiang. ≈ Myanmar/China
166 M6 **Shwemyo** Mandalay, C Myanmar
Shyghys Qazagastan Oblysy *see* Vostochnyy Kazakhstan
Shyghys Qongyrat *see* Shygys Konyrat
145 T12 **Shygys Konyrat** *var.* Vostochno-Kounradskiy, *Kaz.* Shyghys Qongyrat. Karaganda, C Kazakhstan
119 M19 **Shyichy** *Rus.* Shiichi. Homyel'skaya Voblasts', SE Belarus
145 Q17 **Shymkent** *prev.* Chimkent. Yuzhnyy Kazakhstan, S Kazakhstan
Shyngghyrlaū *see* Chingirlau
152 J5 **Shyok** Jammu and Kashmir, NW India
117 S9 **Shyroke** *Rus.* Shirokoye. Dnipropetrovs'ka Oblast', E Ukraine
117 O9 **Shyryayeve** Odes'ka Oblast', SW Ukraine
117 S5 **Shyshaky** Poltavs'ka Oblast', C Ukraine
119 K17 **Shyshchytsy** *Rus.* Shishchitsy. Minskaya Voblasts', C Belarus
149 Y3 **Siachen Muztāgh** ▲ NE Pakistan
Siadehan *see* Tākestān
148 M13 **Siāhān Range** ▲ W Pakistan
142 I1 **Siāh Chashmeh** Āžarbāyjān-e Bākhtarī, N Iran
149 W7 **Siālkot** Punjab, NE Pakistan
186 E7 **Sialum** Morobe, C PNG
Siam *see* Thailand
Siam, Gulf of *see* Thailand, Gulf of
Sian *see* Xi'an
Siang *see* Brahmaputra
Siangtan *see* Xiangtan
169 N8 **Siantan, Pulau** *island* Kepulauan Anambas, W Indonesia
54 H11 **Siare, Río** ≈ C Colombia
171 R6 **Siargao Island** *island* S Philippines
186 F72 **Siassi** Umboi Island, C PNG
115 D14 **Siátista** Dytikí Makedonía, N Greece
166 K4 **Siatlai** Chin State, W Myanmar
171 P6 **Siaton** Negros, C Philippines
171 P6 **Siaton Point** *headland* Negros, C Philippines
118 F11 **Šiauliai** *Ger.* Schaulen. Šiauliai, N Lithuania
118 E11 **Šiauliai** ◈ *province* N Lithuania
171 Q10 **Siau, Pulau** *island* N Indonesia
83 J15 **Siavonga** Southern, SE Zambia
Siazan' *see* Siyäzän
Sibah *see* As Sībah
107 N20 **Sibari** Calabria, S Italy
Sibata *see* Shibata
127 X6 **Sibay** Respublika Bashkortostan, W Russian Federation
93 M19 **Sibbo** *Fin.* Sipoo. Etelä-Suomi, S Finland
112 D13 **Šibenik** *It.* Sebenico. Šibenik-Knin, S Croatia
Šibenik *see* Šibenik-Knin
112 E13 **Šibenik-Knin** *off.* Šibenska Županija. *var.* Šibenik. ◈ *province* S Croatia
Šibenska Županija *see* Šibenik-Knin
Siberia *see* Sibir'
Siberoet *see* Siberut, Pulau
168 H12 **Siberut, Pulau** *prev.* Siberoet. *island* Kepulauan Mentawai, W Indonesia
168 I12 **Siberut, Selat** *strait* W Indonesia
Sibetu *see* Shibetsu
149 P11 **Sibi** Baluchistān, SW Pakistan
186 B9 **Sibidiri** Western, SW PNG
123 N10 **Sibir'** *var.* Siberia. *physical region* NE Russian Federation
122 J13 **Sibirskiy** Altayskiy Kray, S Russian Federation
79 F20 **Sibiti** La Lékoumou, S Congo
81 G21 **Sibiti** ≈ C Tanzania
116 I12 **Sibiu** *Ger.* Hermannstadt, *Hung.* Nagyszeben. Sibiu, C Romania
116 I11 **Sibiu** ◈ *county* C Romania
29 S11 **Sibley** Iowa, C USA
169 R9 **Sibu** Sarawak, East Malaysia
Sibukawa *see* Shibukawa
42 G2 **Sibun** ≈ E Belize
79 I15 **Sibut** *prev.* Fort-Sibut. Kémo, S Central African Republic
171 P4 **Sibuyan Island** *island* C Philippines
171 P4 **Sibuyan Sea** *sea* C Philippines
189 U1 **Sibylla Island** *island* N Marshall Islands
11 N16 **Sicamous** British Columbia, SW Canada
Sichelburger Gebirge *see* Gorjanci/Žumberačko Gorje
167 N14 **Sichon** *var.* Ban Sichon, Si Chon. Nakhon Si Thammarat, SW Thailand
160 H9 **Sichuan** *var.* Chuan, Sichuan Sheng, Ssu-ch'uan, Szechuan, Szechwan. ◈ *province* C China
160 I9 **Sichuan Pendi** *basin* C China
Sichuan Sheng *see* Sichuan
103 S16 **Sicie, Cap** *headland* SE France
107 J24 **Sicilia** *Eng.* Sicily; *anc.* Trinacria. ◈ *region* Italy, C Mediterranean Sea
107 M24 **Sicilia** *Eng.* Sicily; *anc.* Trinacria. *island* Italy, C Mediterranean Sea
Sicilian Channel *see* Sicily, Strait of
Sicily *see* Sicilia
107 H24 **Sicily, Strait of** *var.* Sicilian Channel. *strait* C Mediterranean Sea
42 K5 **Sico Tinto, Río** *var.* Río Negro. ≈ NE Honduras
57 H16 **Sicuani** Cusco, S Peru
112 J10 **Šid** Serbia, NW Serbia and Montenegro (Yugo.)
115 A15 **Sidári** Kérkyra, Iónioi Nísoi, Greece, C Mediterranean Sea
169 Q11 **Sidas** Borneo, C Indonesia
98 O5 **Siddeburen** Groningen, NE Netherlands
154 D9 **Siddhapur** *prev.* Siddhpur, Sidhpur. Gujarāt, W India
Siddhpur *see* Siddhapur
155 I15 **Siddipet** Andhra Pradesh, C India
77 N14 **Sidéradougou** SW Burkina
107 N23 **Siderno** Calabria, SW Italy
Siders *see* Sierre
154 L9 **Sidhi** Madhya Pradesh, C India
Sidhirókastron *see* Sidirókastro
Sidhpur *see* Siddhapur
Sīdī al Hānī', Sabkhat *see* Sidi el Hani, Sebkhet de
75 U7 **Sīdī Barrānī** NW Egypt
74 I6 **Sidi Bel Abbès** *var.* Sidi bel Abbès, Sidi-Bel-Abbès. NW Algeria
74 E7 **Sidi-Bennour** W Morocco
74 M6 **Sidi Bouzid** *var.* Gammouda, Sīdī Bu Zayd. C Tunisia
74 D8 **Sidi-Ifni** SW Morocco
74 G6 **Sidi-Kacem** *prev.* Petitjean. N Morocco
114 G12 **Sidirókastro** *prev.* Sidhirókastron. Kentrikí Makedonía, NE Greece
194 L12 **Sidley, Mount** ▲ Antarctica
29 S16 **Sidney** Iowa, C USA
33 Y7 **Sidney** Montana, NW USA
28 J15 **Sidney** Nebraska, C USA
18 I11 **Sidney** New York, NE USA
31 R13 **Sidney** Ohio, N USA
23 T2 **Sidney Lanier, Lake** ⊡ Georgia, SE USA
Sidon *see* Saïda
122 J9 **Sidorovsk** Yamalo-Nenetskiy Avtonomnyy Okrug, N Russian Federation
Sidra/Sidra, Gulf of *see* Surt, Khalīj, N Libya
Sidra *see* Surt, N Libya
Sīdī Bu Zayd *see* Sidi Bouzid
Siebenbürgen *see* Transylvania
Sieben Dörfer *see* Săcele
110 O12 **Siedlce** *Ger.* Sedlez, *Rus.* Sesdlets. Mazowieckie, C Poland
101 E16 **Sieg** ≈ W Germany
101 F16 **Siegen** Nordrhein-Westfalen, W Germany
109 X4 **Sieghartskirchen** Niederösterreich, E Austria
110 O11 **Siemiatycze** Podlaskie, NE Poland
167 T11 **Siěmpang** Stœ̆ng Trêng, NE Cambodia
167 R11 **Siěmréab** *prev.* Siemreap. Siěmréab, NW Cambodia
Siemreap *see* Siěmréab
106 G12 **Siena** *Fr.* Sienne; *anc.* Saena Julia. Toscana, C Italy
Sienne *see* Siena
92 K12 **Sieppijärvi** Lappi, NW Finland
110 J13 **Sieradz** Sieradz, C Poland
110 K10 **Sierpc** Mazowieckie, C Poland
24 I9 **Sierra Blanca** Texas, SW USA
37 S14 **Sierra Blanca Peak** ▲ New Mexico, SW USA
35 P5 **Sierra City** California, W USA
63 I16 **Sierra Colorada** Río Negro, S Argentina
62 I13 **Sierra del Nevado** ▲ W Argentina
63 J16 **Sierra Grande** Río Negro, E Argentina
76 G15 **Sierra Leone** *off.* Republic of Sierra Leone. ◆ *republic* W Africa
64 M13 **Sierra Leone Basin** *undersea feature* E Atlantic Ocean
Sierra Leone Ridge *see* Sierra Leone Rise
64 L13 **Sierra Leone Rise** *var.* Sierra Leone Ridge, Sierra Leone Schwelle. *undersea feature* E Atlantic Ocean
Sierra Leone Schwelle *see* Sierra Leone Rise
41 U17 **Sierra Madre** *var.* Sierra de Soconusco. ▲ Guatemala/Mexico
37 R2 **Sierra Madre** ▲ Colorado/Wyoming, C USA
41 P16 **Sierra Madre del Sur** ▲ S Mexico
40 J8 **Sierra Madre Occidental** *var.* Western Sierra Madre. ▲ C Mexico
41 O10 **Sierra Madre Oriental** *var.* Eastern Sierra Madre. ▲ C Mexico
44 H8 **Sierra Maestra** ▲ E Cuba
40 L7 **Sierra Mojada** Coahuila de Zaragoza, NE Mexico
105 O14 **Sierra Nevada** ▲ S Spain
35 P6 **Sierra Nevada** ▲ W USA
54 F4 **Sierra Nevada de Santa Marta** ▲ NE Colombia
42 K5 **Sierra Río Tinto** ▲ NE Honduras
24 J10 **Sierra Vieja** ▲ Texas, SW USA
37 N16 **Sierra Vista** Arizona, SW USA
108 D10 **Sierre** *Ger.* Siders. Valais, SW Switzerland
36 L16 **Sierrita Mountains** ▲ Arizona, SW USA
Siete Moai *see* Ahu Akivi
76 M15 **Sifié** W Ivory Coast
115 I21 **Sífnos** *anc.* Siphnos. *island* Kykládes, Greece, Aegean Sea
115 I21 **Sífnou, Stenó** *strait* SE Greece
Siga *see* Shiga
103 P16 **Sigean** Aude, S France
Sighet *see* Sighetu Marmației
Sighetul Marmației *see* Sighetu Marmației
116 I8 **Sighetu Marmației** *var.* Sighet, Sighetul Marmației, *Hung.* Máramarossziget. Maramureș, N Romania
116 I11 **Sighișoara** *Ger.* Schässburg, *Hung.* Segesvár. Mureș, C Romania
168 G7 **Sigli** Sumatera, W Indonesia
92 J1 **Siglufjördhur** Nordhurland Vestra, N Iceland
101 H23 **Sigmaringen** Baden-Württemberg, S Germany
101 N20 **Signalberg** ▲ SE Germany
36 I13 **Signal Peak** ▲ Arizona, SW USA
Signan *see* Xi'an
194 H1 **Signy** *UK research station* South Orkney Islands, Antarctica
29 X15 **Sigourney** Iowa, C USA
115 K17 **Sígri, Akrotírio** *headland* Lésvos, E Greece
47 N2 **Sigsbee Escarpment** *undersea feature* N Gulf of Mexico
56 C8 **Sigsig** Azuay, S Ecuador
95 O15 **Sigtuna** Stockholm, C Sweden
42 H6 **Siguatepeque** Comayagua, W Honduras
105 P7 **Sigüenza** Castilla-La Mancha, C Spain
105 R4 **Sigües** Aragón, NE Spain
76 K13 **Siguiri** Haute-Guinée, NE Guinea
118 G8 **Sigulda** *Ger.* Segewold. Rīga, C Latvia
Sihanoukville *see* Kâmpóng Saôm
108 G8 **Sihlsee** ⊚ NW Switzerland
93 K18 **Siikainen** Länsi-Suomi, W Finland
93 M16 **Siilinjärvi** Itä-Suomi, C Finland
137 R15 **Siirt** *var.* Sert; *anc.* Tigranocerta. Siirt, SE Turkey
137 R15 **Siirt** *var.* Sert. ◈ *province* SE Turkey
187 N8 **Sikaiana** *var.* Stewert Islands. *island group* W Solomon Islands
Sikandarabad *see* Secunderābād
152 J11 **Sikandra Rao** Uttar Pradesh, N India
10 M11 **Sikanni Chief** British Columbia, W Canada
10 M11 **Sikanni Chief** ≈ British Columbia, W Canada
152 H11 **Sīkar** Rājasthān, N India
76 M13 **Sikasso** Sikasso, S Mali
76 L13 **Sikasso** ◈ *region* SW Mali
167 N3 **Sikaw** Kachin State, C Myanmar
83 H14 **Sikelenge** Western, W Zambia
27 Y7 **Sikeston** Missouri, C USA
93 J14 **Sikfors** Norrbotten, N Sweden
123 T14 **Sikhote-Alin', Khrebet** ▲ SE Russian Federation
Siking *see* Xi'an
115 J22 **Síkinos** *island* Kykládes, Greece, Aegean Sea
153 S11 **Sikkim** *Tib.* Denjong. ◈ *state* N India
111 I26 **Siklós** Baranya, SW Hungary
Sikoku *see* Shikoku
Sikoku Basin *see* Shikoku Basin
83 G14 **Sikongo** Western, W Zambia
Sikotu Ko *see* Shikotsu-ko
Sikouri/Sikoúrion *see* Sykoúri
123 P8 **Siktyakh** Respublika Sakha (Yakutiya), NE Russian Federation
118 D12 **Šilalė** Tauragė, W Lithuania
106 G5 **Silandro** *Ger.* Schlanders. Trentino-Alto Adige, N Italy
41 N12 **Silao** Guanajuato, C Mexico
Silarius *see* Sele
153 W14 **Silchar** Assam, NE India
108 G9 **Silenen** Uri, C Switzerland
21 T9 **Siler City** North Carolina, SE USA
33 U11 **Silesia** Montana, NW USA
110 F13 **Silesia** *physical region* SW Poland
74 K12 **Silet** S Algeria
145 R8 **Sileti** *var.* Selety. ≈ N Kazakhstan
Siletitengiz *see* Siletiteniz, Ozero
145 R7 **Siletiteniz, Ozero** *Kaz.* Siletitengiz. ⊚ N Kazakhstan
172 H16 **Silhouette** *island* Inner Islands, SE Seychelles
136 I17 **Silifke** *anc.* Seleucia. İçel, S Turkey
Siliguri *see* Shiliguri
156 J10 **Siling Co** ⊚ W China
Silinhot *see* Xilinhot
192 G15 **Silisili** ▲ Savai'i, C Samoa
114 M6 **Silistra** *var.* Silistria; *anc.* Durostorum. Silistra, NE Bulgaria
116 M7 **Silistra** ◈ *province* NE Bulgaria
Silistria *see* Silistra
136 D10 **Silivri** İstanbul, NW Turkey
94 L13 **Siljan** ⊚ C Sweden
95 G22 **Silkeborg** Århus, C Denmark
108 M8 **Sill** ≈ W Austria
105 S10 **Silla** País Valenciano, E Spain
62 H3 **Sillajguay, Cordillera** ▲ N Chile
118 K3 **Sillamäe** *Ger.* Sillamäggi. Ida-Virumaa, NE Estonia
Sillamäggi *see* Sillamäe
Sillein *see* Žilina
109 P9 **Sillian** Tirol, W Austria
112 B10 **Šilo** Primorje-Gorski Kotar, NW Croatia
27 R9 **Siloam Springs** Arkansas, C USA
25 X10 **Silsbee** Texas, SW USA
143 W15 **Sīlūp, Rūd-e** ≈ SE Iran
118 C12 **Šilutė** *Ger.* Heydekrug. Klaipėda, W Lithuania
137 Q15 **Silvan** Dıyarbakır, SE Turkey
108 J10 **Silvaplana** Graubünden, S Switzerland
Silva Porto *see* Kuito
58 M12 **Silva, Recife do** *reef* E Brazil
154 D12 **Silvassa** Dādra and Nagar Haveli, W India
29 X4 **Silver Bay** Minnesota, N USA
37 P15 **Silver City** New Mexico, SW USA
18 D10 **Silver Creek** New York, NE USA
37 N12 **Silver Creek** ≈ Arizona, SW USA
27 P4 **Silver Lake** Kansas, C USA
32 I14 **Silver Lake** Oregon, NW USA
35 T9 **Silver Peak Range** ▲ Nevada, W USA
21 W3 **Silver Spring** Maryland, NE USA
Silver State *see* Nevada
Silver State *see* Colorado
37 Q7 **Silverton** Colorado, C USA
18 K16 **Silverton** New Jersey, NE USA
32 G11 **Silverton** Oregon, NW USA
25 N4 **Silverton** Texas, SW USA
104 G14 **Silves** Faro, S Portugal
54 D12 **Silvia** Cauca, SW Colombia
108 J9 **Silvrettagruppe** ▲ Austria/Switzerland
Sily-Vajdej *see* Vulcan
108 L7 **Silz** Tirol, W Austria
172 I13 **Sima** Anjouan, SE Comoros
Simabara *see* Shimabara
Simada *see* Shimada
83 H15 **Simakando** Western, W Zambia
Simane *see* Shimane
119 L20 **Simanichy** *Rus.* Simonichi. Homyel'skaya Voblasts', SE Belarus
160 F14 **Simao** Yunnan, SW China
153 P12 **Simara** Central, C Nepal
14 I8 **Simard, Lac** ⊚ Québec, SE Canada
136 D13 **Simav** Kütahya, W Turkey
136 D13 **Simav Çayı** ≈ NW Turkey
79 L18 **Simba** Orientale, N Dem. Rep. Congo
186 C7 **Simbai** Madang, N PNG
Simbirsk *see* Ul'yanovsk
14 F17 **Simcoe** Ontario, S Canada
14 H14 **Simcoe, Lake** ⊚ Ontario, S Canada
80 J11 **Simēn** ▲ N Ethiopia
114 K11 **Simeonovgrad** *prev.* Maritsa. Khaskovo, S Bulgaria
116 G11 **Simeria** *Ger.* Pischk, *Hung.* Piski. Hunedoara, W Romania
107 L24 **Simeto** ≈ Sicilia, Italy, C Mediterranean Sea
168 G9 **Simeulue, Pulau** *island* NW Indonesia
117 T13 **Simferopol'** Respublika Krym, S Ukraine
117 T13 **Simferopol'** ✕ Respublika Krym, S Ukraine
Simi *see* Sými
152 M9 **Simikot** Far Western, NW Nepal
54 F7 **Simití** Bolívar, N Colombia
114 G11 **Simitla** Blagoevgrad, SW Bulgaria
35 S15 **Simi Valley** California, W USA
Simizu *see* Shimizu
Simla *see* Shimla
Şimlăul Silvaniei/Şimleul Silvaniei *see* Şimleu Silvaniei
116 G9 **Şimleu Silvaniei** *Hung.* Szilágysomlyó; *prev.* Şimlăul Silvaniei, Şimleul Silvaniei. Sălaj, NW Romania
Simmer *see* Simmerbach
101 E19 **Simmerbach** *var.* Simmer. ≈ W Germany
101 F18 **Simmern** Rheinland-Pfalz, W Germany
22 I7 **Simmesport** Louisiana, S USA
119 F14 **Simnas** Alytus, S Lithuania
92 L13 **Simo** Lappi, NW Finland
Simoda *see* Shimoda
Simodate *see* Shimodate
92 M13 **Simojärvi** ⊚ N Finland
92 L13 **Simojoki** ≈ NW Finland
41 U15 **Simojovel** *var.* Simojovel de Allende. Chiapas, SE Mexico
Simojovel de Allende *see* Simojovel
56 B7 **Simon Bolivar** *var.* Guayaquil. ✕ (Quayaquil) Guayas, W Ecuador
54 L5 **Simon Bolívar** ✕ (Caracas) Distrito Federal, N Venezuela
Simonichi *see* Simanichy
14 M12 **Simon, Lac** ⊚ Québec, SE Canada
Simonoseki *see* Shimonoseki
Šimonovany *see* Partizánske
Simonstad *see* Simon's Town
83 E26 **Simon's Town** *var.* Simonstad. Western Cape, SW South Africa
Simony *see* Partizánske
Simotuma *see* Shimotsuma
Simpeln *see* Simplon
99 M18 **Simpelveld** Limburg, SE Netherlands
108 E11 **Simplon** *var.* Simpeln. Valais, SW Switzerland
108 E11 **Simplon Pass** *pass* S Switzerland
106 C6 **Simplon Tunnel** *tunnel* Italy/Switzerland
Simpson *see* Fort Simpson
182 G1 **Simpson Desert** *desert* Northern Territory/South Australia
10 J9 **Simpson Peak** ▲ British Columbia, W Canada
9 N7 **Simpson Peninsula** *peninsula* Nunavut, NE Canada
21 P11 **Simpsonville** South Carolina, SE USA
95 L23 **Simrishamn** Skåne, S Sweden
123 U13 **Simushir, Ostrov** *island* Kuril'skiye Ostrova, SE Russian Federation
Sīnā'/Sinai Peninsula *see* Sinai
168 G9 **Sinabang** Sumatera, W Indonesia
81 N15 **Sina Dhaqa** Galguduud, C Somalia
75 X8 **Sinai** *var.* Sinai Peninsula, *Ar.* Shibh Jazīrat Sīnā', Sīnā'. *physical region* NE Egypt
116 J12 **Sinaia** Prahova, SE Romania
188 B16 **Sinajana** C Guam
40 H8 **Sinaloa** ◈ *state* C Mexico
54 H4 **Sinamaica** Zulia, NW Venezuela
163 X14 **Sinan-ni** SE North Korea
Sinano Gawa *see* Shinano-gawa
Sīnāwan *see* Sīnāwin
75 N8 **Sīnāwin** *var.* Sīnāwan. NW Libya
83 J16 **Sinazongwe** Southern, S Zambia
166 L6 **Sinbaungwe** Magwe, W Myanmar
166 L5 **Sinbyugyun** Magwe, W Myanmar
54 E6 **Since** Sucre, NW Colombia
54 E6 **Sincelejo** Sucre, NW Colombia
166 J5 **Sinchaingbyin** *var.* Zullapara. Arakan State, W Myanmar
23 U4 **Sinclair, Lake** ⊡ Georgia, SE USA
10 M14 **Sinclair Mills** British Columbia, SW Canada
149 Q14 **Sind** *var.* Sindh. ◈ *province* SE Pakistan
154 I8 **Sind** ≈ N India
95 H19 **Sindal** Nordjylland, N Denmark
171 P7 **Sindañgan** Mindanao, S Philippines
79 D19 **Sindara** Ngounié, W Gabon
152 E13 **Sindari** *prev.* Sindri. Rājasthān, N India
114 N8 **Sindel** Varna, E Bulgaria
101 H22 **Sindelfingen** Baden-Württemberg, SW Germany
155 G16 **Sindgi** Karnātaka, C India
Sindh *see* Sind
118 G5 **Sindi** *Ger.* Zintenhof. Pärnumaa, SW Estonia

◆ Country ◇ Dependent Territory ◈ Administrative Region ▲ Mountain ▲ Volcano ⊚ Lake
● Country Capital ○ Dependent Territory Capital ✕ International Airport ▲ Mountain Range ≈ River ⊡ Reservoir

Sındırgı – Smeralda, Costa ••• 325

136 C13 Sındırgı Balıkesir, W Turkey
77 N14 Sindou SW Burkina
Sindri see Sindari
149 T9 Sind Sāgar Doāb desert E Pakistan
126 M11 Sinegorskiy Rostovskaya Oblast', SW Russian Federation
123 S9 Sinegor'ye Magadanskaya Oblast', E Russian Federation
114 O12 Sinekli İstanbul, NW Turkey
104 F12 Sines Setúbal, S Portugal
104 F12 Sines, Cabo de headland S Portugal
92 L12 Sinettä Lappi, NW Finland
186 H6 Sinewit, Mount ▲ New Britain, C PNG
80 G11 Singa var. Sinja, Sinjah. Sinnar, E Sudan
78 J12 Singako Moyen-Chari, S Chad
Singan see Xi'an
168 K10 Singapore ● (Singapore) S Singapore
168 L10 Singapore off. Republic of Singapore. ◆ republic SE Asia
168 L10 Singapore Strait var. Strait of Singapore, Mal. Selat Singapura. strait Indonesia/Singapore
Singapore, Strait of/Singapura, Selat see Singapore Strait
169 U17 Singaraja Bali, C Indonesia
Singatoka see Sigatoka
167 O10 Sing Buri var. Singhaburi. Sing Buri, C Thailand
101 H24 Singen Baden-Württemberg, S Germany
Singeorgiu de Pădure see Sângeorgiu de Pădure
Sîngeorz-Băi/Singeroz Băi see Sângeorz-Băi
116 M9 Sîngerei var. Sângerei; prev. Lazovsk. N Moldova
Singhaburi see Sing Buri
81 H21 Singida Singida, C Tanzania
81 G22 Singida ◈ region C Tanzania
Singidunum see Beograd
166 M2 Singkaling Hkamti Sagaing, N Myanmar
171 N14 Singkang Sulawesi, C Indonesia
168 J11 Singkarak, Danau ◎ Sumatera, W Indonesia
169 N10 Singkawang Borneo, C Indonesia
168 M11 Singkep, Pulau island Kepulauan Lingga, W Indonesia
168 H9 Singkilbaru Sumatera, W Indonesia
183 T7 Singleton New South Wales, SE Australia
Singora see Songkhla
Singû see Shingū
Sining see Xining
107 D17 Siniscola Sardegna, Italy, C Mediterranean Sea
113 F14 Sinj Split-Dalmacija, SE Croatia
Sinja/Sinjah see Singa
Sinjajevina see Sinjavina
139 P3 Sinjār NW Iraq
139 P2 Sinjār, Jabal ▲ N Iraq
113 K15 Sinjavina var. Sinjajevina. ▲▲ SW Serbia and Montenegro (Yugo.)
80 I7 Sinkat Red Sea, NE Sudan
Sinkiang/Sinkiang Uighur Autonomous Region see Xinjiang Uygur Zizhiqu
Sînmartin see Târnăveni
163 V13 Sinmi-do island NW North Korea
Sinminato see Shinminato
101 I18 Sinn ~ C Germany
Sinnamarie see Sinnamary
55 Y9 Sinnamary var. Sinnamarie. N French Guiana
Sinn'anyō see Shinnanyō
80 G11 Sinnar ◈ state E Sudan
Sinneh see Sanandaj
18 E13 Sinnemahoning Creek ~ Pennsylvania, NE USA
Sînnicolau Mare see Sânnicolau Mare
Sino/Sinoe see Greenville
Sinoe, Lacul see Sinoie, Lacul
Sinoia see Chinhoyi
117 N14 Sinoie, Lacul prev. Lacul Sinoe. lagoon SE Romania
59 H16 Sinop Mato Grosso, W Brazil
136 K10 Sinop anc. Sinope. Sinop, N Turkey
136 J10 Sinop ◈ province N Turkey
136 K10 Sinop Burnu headland N Turkey
Sinope see Sinop
163 Y12 Sinp'o E North Korea
101 H20 Sinsheim Baden-Württemberg, SW Germany
Sinsiro see Shinshiro
Sîntana see Sântana
169 R11 Sintang Borneo, C Indonesia
99 F14 Sint Annaland Zeeland, SW Netherlands
98 L5 Sint Annaparochie Friesland, N Netherlands
45 V9 Sint Eustatius Eng. Saint Eustatius. island N Netherlands Antilles
99 G19 Sint-Genesius-Rode Fr. Rhode-Saint-Genèse. Vlaams Brabant, C Belgium
99 F16 Sint-Gillis-Waas Oost-Vlaanderen, N Belgium
99 H17 Sint-Katelijne-Waver Antwerpen, C Belgium
99 E18 Sint-Lievens-Houtem Oost-Vlaanderen, NW Belgium
45 V9 Sint Maarten Eng. Saint Martin. island N Netherlands Antilles
99 F14 Sint Maartensdijk Zeeland, SW Netherlands
99 L19 Sint-Martens-Voeren Fr. Fouron-Saint-Martin. Limburg, NE Belgium
99 J14 Sint-Michielsgestel Noord-Brabant, S Netherlands
Sînt-Miclăuş see Gheorgheni
45 O16 Sint Nicholaas S Aruba
99 F16 Sint-Niklaas Fr. Saint-Nicolas. Oost-Vlaanderen, N Belgium
99 K14 Sint-Oedenrode Noord-Brabant, S Netherlands
25 T14 Sinton Texas, SW USA
99 G14 Sint Philipsland Zeeland, SW Netherlands
99 G19 Sint-Pieters-Leeuw Vlaams Brabant, C Belgium
104 E11 Sintra prev. Cintra. Lisboa, W Portugal
99 J18 Sint-Truiden Fr. Saint-Trond. Limburg, NE Belgium
99 H14 Sint Willebrord Noord-Brabant, S Netherlands
163 V13 Sinŭiju W North Korea
80 P13 Sinujiif Nugaal, NE Somalia
Sinus Aelaniticus see Aqaba, Gulf of
Sinus Gallicus see Lion, Golfe du
Sinyang see Xinyang
Sinyavka see Sinyawka
119 I18 Sinyawka Rus. Sinyavka. Minskaya Voblasts', SW Belarus
Sinying see Hsinying
Sinyukha see Synyukha
Sinzi-ko see Shinji-ko
Sinzyô see Shinjō
111 I24 Sió ~ W Hungary
171 Q7 Siocon Mindanao, S Philippines
111 I24 Siófok Somogy, C Hungary
Siogama see Shiogama
83 G15 Sioma Western, SW Zambia
108 D11 Sion Ger. Sitten; anc. Sedunum. Valais, SW Switzerland
103 O11 Sioule ~ C France
29 S12 Sioux Center Iowa, C USA
29 S13 Sioux City Iowa, C USA
29 R11 Sioux Falls South Dakota, N USA
12 B11 Sioux Lookout Ontario, S Canada
29 T12 Sioux Rapids Iowa, C USA
Sioux State see North Dakota
Sioziri see Shiojiri
171 P6 Sipalay Negros, C Philippines
55 V11 Sipaliwini ◈ district S Suriname
45 U15 Siparia Trinidad, Trinidad and Tobago
Siphnos see Sífnos
163 V11 Siping var. Ssu-p'ing, Szeping; prev. Ssu-p'ing-chieh. Jilin, NE China
11 X12 Sipiwesk Manitoba, C Canada
11 W13 Sipiwesk Lake ◎ Manitoba, C Canada
195 O11 Siple Coast physical region Antarctica
194 K12 Siple Island island Antarctica
194 K13 Siple, Mount ▲ Siple Island, Antarctica
Sipoo see Sibbo
112 G12 Šipovo Republika Srpska, W Bosnia and Herzegovina
23 O4 Sipsey River ~ Alabama, S USA
168 I13 Sipura, Pulau island W Indonesia
42 L10 Siquia, Río ~ SE Nicaragua
43 N13 Siquirres Limón, E Costa Rica
54 J5 Siquisique Lara, N Venezuela
155 G19 Sira Karnātaka, W India
95 D16 Sira ~ S Norway
167 P12 Si Racha var. Ban Si Racha, Si Racha. Chon Buri, S Thailand
107 L25 Siracusa Eng. Syracuse. Sicilia, Italy, C Mediterranean Sea
Sirajganj see Shirajganj Ghat
Sirakawa see Shirakawa
11 N14 Sir Alexander, Mount ▲ British Columbia, W Canada
137 O12 Şiran Gümüşhane, NE Turkey
77 Q12 Sirba ~ E Burkina
143 O17 Şīr Banī Yās island W UAE
95 D17 Sirdalsvannet ◎ S Norway
Sir Darya/Sirdaryo see Syr Darya
147 P10 Sirdaryo Sirdaryo Viloyati, E Uzbekistan
147 O11 Sirdaryo Viloyati Rus. Syrdar'inskaya Oblast'. ◈ province E Uzbekistan
Sir Donald Sangster International Airport see Sangster
181 S3 Sir Edward Pellew Group island group Northern Territory, NE Australia
116 K8 Siret Ger. Sereth, Hung. Szeret. Suceava, N Romania
116 K8 Siret var. Siretul, Ger. Sereth, Rus. Seret, Ukr. Siret. ~ Romania/Ukraine
Siretul see Siret
140 K3 Sirḥān, Wādī as dry watercourse Jordan/Saudi Arabia
152 I8 Sirhind Punjab, N India
116 F11 Şiria Ger. Schiria. Arad, W Romania
Siria see Syria
143 S14 Sīrīk Hormozgān, SE Iran
167 P8 Sirikit Reservoir ⊡ N Thailand
58 K12 Sirituba, Ilha island NE Brazil
143 R11 Sīrjān prev. Sa'īdābād. Kermān, S Iran
182 H9 Sir Joseph Banks Group island group South Australia
92 K11 Sirkka Lappi, N Finland
Sirna see Sýrna
137 R16 Şırnak Şırnak, SE Turkey
137 S16 Şırnak ◈ province SE Turkey
Siroisi see Shiroishi
155 J14 Sironcha Mahārāshtra, C India
Sirone see Shirone
Síros see Sýros
Sirotino see Sirotsina
118 M12 Sirotsina Rus. Sirotino. Vitsyebskaya Voblasts', N Belarus
152 H9 Sirsa Haryāna, NW India
173 Y17 Sir Seewoosagur Ramgoolam ✕ (Port Louis) SE Mauritius
155 E18 Sirsi Karnātaka, W India
146 F12 Şirşütür Gumy var. Shirshütür, Rus. Peski Shirshyutyur. desert E Turkmenistan
Sirte see Surt
182 A2 Sir Thomas, Mount ▲ South Australia
Sirti, Gulf of see Surt, Khalīj
142 J5 Sīrvān, Rūdkhāneh-ye var. Nahr Diyālá, Sirwan. ~ Iran/Iraq see also Diyālá, Nahr
118 F13 Širvintos Vilnius, SE Lithuania
Sirwan see Diyālá, Nahr/Sīrvān, Rūdkhāneh-ye
11 N15 Sir Wilfrid Laurier, Mount ▲ British Columbia, SW Canada
14 M10 Sir-Wilfrid, Mont ▲ Québec, SE Canada
Sisačko-Moslavačka Županija see Sisak-Moslavina
112 E9 Sisak var. Siscia, Ger. Sissek, Hung. Sziszek; anc. Segestica. Sisak-Moslavina, C Croatia
167 R10 Si Sa Ket var. Sisaket, Sri Saket. Si Sa Ket, E Thailand
112 E9 Sisak-Moslavina off. Sisačko-Moslavačka Županija. ◈ province C Croatia
167 O8 Si Satchanala Sukhothai, NW Thailand
Siscia see Sisak
83 G22 Sishen Northern Cape, NW South Africa
137 V13 Sisian SE Armenia
197 N13 Sisimiut var. Holsteinborg, Holsteinsborg, Holstenborg, Holstensborg. Kitaa, S Greenland
30 M1 Siskiwit Bay lake bay Michigan, N USA
34 L1 Siskiyou Mountains ▲▲ California/Oregon, W USA
167 Q11 Sisŏphŏn Bătdâmbâng, NW Cambodia
108 E7 Sissach Basel-Land, NW Switzerland
186 B5 Sissano Sandaun, NW PNG
Sissek see Sisak
29 R7 Sisseton South Dakota, N USA
143 W9 Sīstān, Daryācheh-ye var. Daryācheh-ye Hāmūn, Hāmūn-e Ṣāberī. ◎ Afghanistan/Iran see also Ṣāberī, Hāmūn-e
143 V12 Sīstān va Balūchestān off. Ostān-e Sīstān va Balūchestān, var. Balūchestān va Sīstān. ◈ province SE Iran
103 T14 Sisteron Alpes-de-Haute-Provence, SE France
32 H13 Sisters Oregon, NW USA
65 G15 Sisters Peak ▲ N Ascension Island
21 R3 Sistersville West Virginia, NE USA
Sistova see Svishtov
Sitakund see Sitakunda
153 V16 Sitakunda var. Sitakund. Chittagong, SE Bangladesh
153 P12 Sītāmarhi Bihār, N India
152 L11 Sītāpur Uttar Pradesh, N India
Sitaş Cristuru see Cristuru Secuiesc
115 L25 Siteía var. Sitía. Kríti, Greece, E Mediterranean Sea
105 V6 Sitges Cataluña, NE Spain
115 H15 Sithoniá peninsula NE Greece
Sitía see Siteía
54 F4 Sitionuevo Magdalena, N Colombia
39 X13 Sitka Baranof Island, Alaska, USA
39 Q15 Sitkinak Island island Trinity Islands, Alaska, USA
166 M7 Sittang var. Sittoung. ~ S Myanmar
99 L17 Sittard Limburg, SE Netherlands
Sitten see Sion
108 H7 Sitter ~ NW Switzerland
109 U10 Sittersdorf Kärnten, S Austria
Sittoung see Sittang
166 K6 Sittwe var. Akyab. Arakan State, W Myanmar
42 L8 Siuna Región Autónoma Atlántico Norte, NE Nicaragua
153 R15 Siuri West Bengal, NE India
Siut see Asyūt
123 Q13 Sivaki Amurskaya Oblast', SE Russian Federation
136 M13 Sivas anc. Sebastia, Sebaste. Sivas, C Turkey
136 M13 Sivas ◈ province C Turkey
137 O15 Siverek Şanlıurfa, S Turkey
117 X6 Sivers'k Donets'ka Oblast', E Ukraine
124 G13 Siverskiy Leningradskaya Oblast', NW Russian Federation
117 X6 Sivers'kyy Donets' Rus. Severskiy Donets. ~ Russian Federation/Ukraine see also Severskiy Donets
125 W5 Sivomaskinskiy Respublika Komi, NW Russian Federation
136 G13 Sivrihisar Eskişehir, W Turkey
99 F22 Sivry Hainaut, S Belgium
123 V9 Sivuchiy, Mys headland E Russian Federation
75 U9 Siwa var. Sīwah. NW Egypt
Sīwah see Siwa
152 J9 Siwalik Range var. Shiwālik Range. ▲▲ India/Nepal
153 O13 Siwān Bihār, N India
43 O14 Sixaola, Río ~ Costa Rica/Panama
Six Counties, The see Northern Ireland
103 T16 Six-Fours-les-Plages Var, SE France
161 Q7 Sixian var. Si Xian. Anhui, E China
22 I9 Six Mile Lake ◎ Louisiana, S USA
139 V3 Siyāh Gūz E Iraq
155 L25 Siyambalanduwa Uva Province, SE Sri Lanka
137 Y10 Siyäzän Rus. Siazan'. NE Azerbaijan
Sizebolu see Sozopol
Sizuoka see Shizuoka
Sjar see Sääre
113 L15 Sjenica Turk. Seniça. Serbia, SW Serbia and Montenegro (Yugo.)
94 G11 Sjoa ~ S Norway
95 K23 Sjöbo Skåne, S Sweden
95 I24 Sjælland Eng. Zealand, Ger. Seeland. island E Denmark
94 E9 Sjøholt Møre og Romsdal, S Norway
92 O1 Sjuøyane island group N Svalbard
Skadar see Shkodër
Skadarsko Jezero see Scutari, Lake
117 R11 Skadovs'k Khersons'ka Oblast', S Ukraine
92 I2 Skagaströnd prev. Höfdhakaupstadhur. Nordhurland Vestra, N Iceland
95 H19 Skagen Nordjylland, N Denmark
Skagerak see Skagerrak
95 L16 Skagern ◎ C Sweden
197 T17 Skagerrak var. Skagerak. channel N Europe
94 G12 Skaget ▲ S Norway
32 H7 Skagit River ~ Washington, NW USA
39 W12 Skagway Alaska, USA
92 K8 Skáidi Finnmark, N Norway
115 F21 Skála Pelopónnisos, S Greece
116 K6 Skalat Pol. Skałat. Ternopil's'ka Oblast', W Ukraine
95 J22 Skälderviken inlet Denmark/Sweden
124 J3 Skalistyy Murmanskaya Oblast', NW Russian Federation
92 I12 Skalka ◎ N Sweden
114 I12 Skalotí Anatolikí Makedonía kai Thráki, NE Greece
95 G22 Skanderborg Århus, C Denmark
95 K22 Skåne Eng. Scania. ◈ county S Sweden
75 N6 Skanès ✕ (Sousse) E Tunisia
95 C15 Skånevik Hordaland, S Norway
95 M18 Skänninge Östergötland, S Sweden
95 J23 Skanör med Falsterbo Skåne, S Sweden
115 H17 Skantzoúra island Vóreioi Sporádes, Greece, Aegean Sea
95 K18 Skara Västra Götaland, S Sweden
95 M17 Skärblacka Östergötland, S Sweden
95 I18 Skärhamn Västra Götaland, S Sweden
95 I14 Skarnes Hedmark, S Norway
119 M21 Skarodnaye Rus. Skorodnoye. Homyel'skaya Voblasts', SE Belarus
110 I8 Skarszewy Ger. Schöneck. Pomorskie, NW Poland
111 M14 Skarżysko-Kamienna Świętokrzyskie, C Poland
95 K16 Skattkärr Värmland, C Sweden
118 D12 Skaudvilė Tauragė, SW Lithuania
92 J12 Skaulo Lapp. Sávdijári. Norrbotten, N Sweden
111 K17 Skawina Małopolskie, S Poland
10 K12 Skeena ~ British Columbia, SW Canada
10 J11 Skeena Mountains ▲▲ British Columbia, W Canada
97 O18 Skegness E England, UK
92 J4 Skeidharársandur coast S Iceland
93 J15 Skellefteå Västerbotten, N Sweden
93 I14 Skellefteälven ~ N Sweden
93 J15 Skelleftehamn Västerbotten, N Sweden
25 O2 Skellytown Texas, SW USA
95 J19 Skene Västra Götaland, S Sweden
97 G17 Skerries Ir. Na Sceirí. E Ireland
95 H15 Ski Akershus, S Norway
115 G17 Skiathos Skíathos, Vóreioi Sporádes, Greece, Aegean Sea
115 G17 Skiathos island Vóreioi Sporádes, Greece, Aegean Sea
27 P9 Skiatook Oklahoma, C USA
27 P9 Skiatook Lake ⊡ Oklahoma, C USA
97 B22 Skibbereen Ir. An Sciobairín. SW Ireland
92 I9 Skibotn Troms, N Norway
119 F16 Skidal' Rus. Skidel'. Hrodzyenskaya Voblasts', W Belarus
97 K15 Skiddaw ▲ NW England, UK
Skidel' see Skidal'
25 T14 Skidmore Texas, SW USA
95 G16 Skien Telemark, S Norway
Skiermûntseach see Schiermonnikoog
110 L12 Skierniewice Łódzkie, C Poland
74 L5 Skikda prev. Philippeville. NE Algeria
30 M16 Skillet Fork ~ Illinois, N USA
95 L19 Skillingaryd Jönköping, S Sweden
115 B19 Skinári, Akrotírio headland Zákynthos, Iónioi Nísoi, Greece, C Mediterranean Sea
95 M15 Skinnskatteberg Västmanland, C Sweden
182 M12 Skipton Victoria, SE Australia
97 L16 Skipton N England, UK
Skiropoula see Skyropoúla
Skíros see Skýros
95 F21 Skive Viborg, NW Denmark
94 F11 Skjåk Oppland, S Norway
92 K2 Skjálfandafljót ~ C Iceland
95 F22 Skjern Ringkøbing, W Denmark
95 F22 Skjern Å var. Skjern Aa. ~ W Denmark
Skjern Aa see Skjern Å
92 G12 Skjerstad Nordland, C Norway
92 J8 Skjervøy Troms, N Norway
92 I10 Skjold Troms, N Norway
111 I17 Skoczów Śląskie, S Poland
95 I24 Skælskør Vestsjælland, E Denmark
109 T11 Škofja Loka Ger. Bischoflack. NW Slovenia
94 N12 Skog Gävleborg, C Sweden
95 K16 Skoghall Värmland, C Sweden
31 N10 Skokie Illinois, N USA
116 H6 Skole L'vivs'ka Oblast', W Ukraine
115 D19 Skóllis ▲ S Greece
157 S13 Skon Kâmpóng Cham, C Cambodia
115 H17 Skópelos Skópelos, Vóreioi Sporádes, Greece, Aegean Sea
115 H17 Skópelos island Vóreioi Sporádes, Greece, Aegean Sea
126 L5 Skopin Ryazanskaya Oblast', W Russian Federation
113 N18 Skopje var. Üsküb, Turk. Üsküp; prev. Skoplje, anc. Scupi. ● (FYR Macedonia) N FYR Macedonia
113 O18 Skopje ✕ N FYR Macedonia
Skoplje see Skopje
110 I8 Skórcz Ger. Skurz. Pomorskie, N Poland
Skorodnoye see Skarodnaye
93 H16 Skorped Västernorrland, C Sweden
95 G21 Skørping Nordjylland, N Denmark
95 K18 Skövde Västra Götaland, S Sweden
123 Q13 Skovorodino Amurskaya Oblast', SE Russian Federation
19 Q6 Skowhegan Maine, NE USA
11 W15 Skownan Manitoba, S Canada
94 H13 Skreia Oppland, S Norway
Skripón see Orchómenos
118 H9 Skriveri Aizkraukle, S Latvia
118 J11 Skrudaliena Daugvapils, SE Latvia
118 D9 Skrunda Kuldīga, W Latvia
95 C16 Skudeneshavn Rogaland, S Norway
83 L20 Skukuza Mpumalanga, NE South Africa
97 B22 Skull Ir. An Scoil. SW Ireland
22 L3 Skuna River ~ Mississippi, S USA
29 X15 Skunk River ~ Iowa, C USA
118 C10 Skuodas Ger. Schoden, Pol. Szkudy. Klaipėda, NW Lithuania
95 K23 Skurup Skåne, S Sweden
Skurz see Skórcz
114 H3 Skŭt ~ NW Bulgaria
94 O13 Skutskär Uppsala, C Sweden
95 B19 Skúvoy Dan. Skuø Island Faeroe Islands
Skvira see Skvyra
117 O5 Skvyra Rus. Skvira. Kyyivs'ka Oblast', N Ukraine
39 Q11 Skwentna Alaska, USA
110 E11 Skwierzyna Ger. Schwerin. Lubuskie, W Poland
36 K13 Sky Harbour ✕ (Phoenix) Arizona, SW USA
96 G9 Skye, Isle of island NW Scotland, UK
32 I8 Skykomish Washington, NW USA
Skylge see Terschelling
63 F19 Skyring, Peninsula peninsula S Chile
63 H24 Skyring, Seno inlet S Chile
115 H17 Skyropoúla var. Skiropoula. island Vóreioi Sporádes, Greece, Aegean Sea
115 I17 Skýros var. Skíros. Skýros, Vóreioi Sporádes, Greece, Aegean Sea
115 I17 Skýros var. Skíros; anc. Scyros. island Vóreioi Sporádes, Greece, Aegean Sea
118 J12 Slabodka Rus. Slobodka. Vitsyebskaya Voblasts', NW Belarus
95 I23 Slagelse Vestsjælland, E Denmark
93 I14 Slagnäs Norrbotten, N Sweden
39 T10 Slana Alaska, USA
97 F20 Slaney Ir. An tSláine. ~ SE Ireland
116 J13 Slănic Prahova, SE Romania
116 K11 Slănic Moldova Bacău, E Romania
113 H16 Slano Dubrovnik-Neretva, SE Croatia
124 F13 Slantsy Leningradskaya Oblast', NW Russian Federation
111 C16 Slaný Ger. Schlan. Střední Čechy, NW Czech Republic
111 I16 Śląskie ◈ province S Poland
12 C10 Slate Falls Ontario, S Canada
27 T4 Slater Missouri, C USA
112 H9 Slatina Hung. Szlatina; prev. Podravska Slatina. Virovitica-Podravina, NE Croatia
116 I14 Slatina Olt, S Romania
25 N5 Slaton Texas, SW USA
95 H14 Slattum Akershus, S Norway
11 R10 Slave ~ Alberta/Northwest Territories, C Canada
11 P13 Slave Lake Alberta, SW Canada
122 I13 Slavgorod Altayskiy Kray, S Russian Federation
Slavgorod see Slawharad
Slavonia see Slavonija
112 G9 Slavonija Eng. Slavonia, Ger. Slawonien, Hung. Szlavonia, Szlavonország. cultural region NE Croatia
Slavonska Požega see Požega
112 H10 Slavonski Brod Ger. Brod, Hung. Bród; prev. Brod, Brod na Savi. Brod-Posavina, NE Croatia
116 L4 Slavuta Khmel'nyts'ka Oblast', NW Ukraine
117 P2 Slavutych Chernihivs'ka Oblast', N Ukraine
123 R15 Slavyanka Primorskiy Kray, SE Russian Federation
114 J8 Slavyanovo Pleven, N Bulgaria
Slavyansk see Slov"yans'k
126 K14 Slavyansk-na-Kubani Krasnodarskiy Kray, SW Russian Federation
119 N20 Slavyechna Rus. Slovechna. ~ Belarus/Ukraine
119 O16 Slawharad Rus. Slavgorod. Mahilyowskaya Voblasts', E Belarus
110 G7 Sławno Zachodnio-pomorskie, NW Poland
Slawonien see Slavonija
29 S10 Slayton Minnesota, N USA
97 N18 Sleaford E England, UK
97 A20 Slea Head Ir. Ceann Sléibhe. headland SW Ireland
96 G9 Sleat, Sound of strait NW Scotland, UK
Sledyuki see Slyedzyuki
12 I5 Sleeper Islands island group Nunavut, C Canada
31 O6 Sleeping Bear Point headland Michigan, N USA
29 T10 Sleepy Eye Minnesota, N USA
39 O11 Sleetmute Alaska, USA
Sléibhe, Ceann see Slea Head
Slēmānī see As Sulaymānīyah
195 O5 Slessor Glacier glacier Antarctica
22 L9 Slidell Louisiana, S USA
18 K12 Slide Mountain ▲ New York, NE USA
98 I13 Sliedrecht Zuid-Holland, C Netherlands
121 P16 Sliema N Malta
97 G16 Slieve Donard ▲ SE Northern Ireland, UK
Sligeach see Sligo
97 D16 Sligo Ir. Sligeach. NW Ireland
97 C16 Sligo Ir. Sligeach. cultural region NW Ireland
97 C15 Sligo Bay Ir. Cuan Shligigh. inlet NW Ireland
18 B13 Slippery Rock Pennsylvania, NE USA
95 P19 Slite Gotland, SE Sweden
114 L9 Sliven var. Slivno. Sliven, C Bulgaria
114 L10 Sliven ◈ province C Bulgaria
114 G9 Slivnitsa Sofiya, W Bulgaria
Slivno see Sliven
114 L7 Slivo Pole Ruse, N Bulgaria
29 S13 Sloan Iowa, C USA
35 X12 Sloan Nevada, W USA
Slobodka see Slabodka
125 R14 Slobodskoy Kirovskaya Oblast', NW Russian Federation
Slobodzeya see Slobozia
117 O10 Slobozia Rus. Slobodzeya. E Moldova
116 L14 Slobozia Ialomiţa, SE Romania
98 O5 Slochteren Groningen, NE Netherlands
119 H17 Slonim Pol. Słonim, Rus. Slonim. Hrodzyenskaya Voblasts', W Belarus
98 K7 Sloter Meer ◎ N Netherlands
Slot, The see New Georgia Sound
97 N22 Slough S England, UK
111 J20 Slovakia off. Slovenská Republika, Ger. Slowakei, Hung. Szlovákia, Slvk. Slovensko. ◆ republic C Europe
Slovak Ore Mountains see Slovenské rudohorie
Slovechna see Slavyechna
109 S12 Slovenia off. Republic of Slovenia, Ger. Slowenien, Slvn. Slovenija. ◆ republic SE Europe
Slovenija see Slovenia
109 V10 Slovenj Gradec Ger. Windischgraz. N Slovenia
109 W10 Slovenska Bistrica Ger. Windischfeistritz. NE Slovenia
Slovenská Republika see Slovakia
109 W10 Slovenske Konjice E Slovenia
111 K20 Slovenské rudohorie Eng. Slovak Ore Mountains, Ger. Slowakisches Erzgebirge, Ungarisches Erzgebirge. ▲▲ C Slovakia
Slovensko see Slovakia
117 Y7 Slov"yanoserbs'k Luhans'ka Oblast', E Ukraine
117 W6 Slov"yans'k Rus. Slavyansk. Donets'ka Oblast', E Ukraine
Slowakei see Slovakia
Slowakisches Erzgebirge see Slovenské rudohorie
Slowenien see Slovenia
110 D11 Słubice Ger. Frankfurt. Lubuskie, W Poland
119 K19 Sluch Rus. Sluch'. ~ C Belarus
116 L4 Sluch ~ NW Ukraine
99 D16 Sluis Zeeland, SW Netherlands
112 D10 Slunj Hung. Szluin. Karlovac, C Croatia
110 I11 Słupca Wielkopolskie, C Poland
110 G6 Słupia Ger. Stolpe. ~ NW Poland
110 G6 Słupsk Ger. Stolp. Pomorskie, N Poland
119 K18 Slutsk Rus. Slutsk. Minskaya Voblasts', S Belarus
119 O16 Slyedzyuki Rus. Sledyuki. Mahilyowskaya Voblasts', E Belarus
97 A17 Slyne Head Ir. Ceann Léime. headland W Ireland
27 U14 Smackover Arkansas, C USA
95 L20 Småland cultural region S Sweden
95 K20 Smålandsstenar Jönköping, S Sweden
Small Malaita see Maramasike
13 O8 Smallwood Reservoir ⊡ Newfoundland and Labrador, S Canada
119 N14 Smalyany Rus. Smolyany. Vitsyebskaya Voblasts', NE Belarus
119 L15 Smalyavichy Rus. Smolevichi. Minskaya Voblasts', C Belarus
74 C9 Smara var. Es Semara. N Western Sahara
119 I14 Smarhon' Pol. Smorgonie, Rus. Smorgon'. Hrodzyenskaya Voblasts', W Belarus
112 M11 Smederevo Ger. Semendria. Serbia, N Serbia and Montenegro (Yugo.)
112 M12 Smederevska Palanka Serbia, C Serbia and Montenegro (Yugo.)
95 M14 Smedjebacken Dalarna, C Sweden
116 L13 Smeeni Buzău, SE Romania
Smela see Smila
107 D16 Smeralda, Costa cultural region Sardegna, Italy, C Mediterranean Sea

◆ Country ● Country Capital ◇ Dependent Territory ○ Dependent Territory Capital ◈ Administrative Region ✕ International Airport ▲ Mountain ▲▲ Mountain Range ✱ Volcano ~ River ◎ Lake ⊡ Reservoir

326 ••• Śmigiel – Sosnovka

111 J22 Śmigiel Ger. Schmiegel. Wielkolpolskie, C Poland
117 Q6 Smila Rus. Smela. Cherkas'ka Oblast', C Ukraine
98 N7 Smilde Drenthe, NE Netherlands
11 S16 Smiley Saskatchewan, S Canada
25 T12 Smiley Texas, SW USA
Smilten see Smiltene
118 I8 Smiltene Ger. Smilten. Valka, N Latvia
123 T13 Smirnykh Ostrov Sakhalin, Sakhalinskaya Oblast', SE Russian Federation
11 Q13 Smith Alberta, W Canada
39 P4 Smith Bay bay Alaska, USA
12 I3 Smith, Cape headland Québec, NE Canada
26 L3 Smith Center Kansas, C USA
10 K13 Smithers British Columbia, SW Canada
21 V10 Smithfield North Carolina, SE USA
36 L1 Smithfield Utah, W USA
21 X7 Smithfield Virginia, NE USA
12 I3 Smith Island island Nunavut, C Canada
Smith Island see Sumisu-jima
20 H7 Smithland Kentucky, S USA
21 T7 Smith Mountain Lake var. Leesville Lake. ⊠ Virginia, NE USA
34 L1 Smith River California, W USA
33 R9 Smith River ~ Montana, NW USA
14 L13 Smiths Falls Ontario, SE Canada
33 N13 Smiths Ferry Idaho, NW USA
20 K7 Smiths Grove Kentucky, S USA
183 N15 Smithton Tasmania, SE Australia
18 L14 Smithtown Long Island, New York, NE USA
20 K9 Smithville Tennessee, S USA
25 T11 Smithville Texas, SW USA
Smohor see Hermagor
35 Q4 Smoke Creek Desert desert Nevada, W USA
11 O14 Smoky ~ Alberta, W Canada
182 E7 Smoky Bay South Australia
183 V6 Smoky Cape headland New South Wales, SE Australia
26 L4 Smoky Hill River ~ Kansas, C USA
26 L4 Smoky Hills hill range Kansas, C USA
11 Q14 Smoky Lake Alberta, SW Canada
94 E8 Smøla island W Norway
126 H4 Smolensk Smolenskaya Oblast', W Russian Federation
126 H4 Smolenskaya Oblast' ◆ province W Russian Federation
Smolensk-Moscow Upland see Smolensko-Moskovskaya Vozvyshennost'
126 J3 Smolensko-Moskovskaya Vozvyshennost' var. Smolensk-Moscow Upland. ▲ W Russian Federation
Smolevichi see Smalyavichy
115 C15 Smolikás ▲ W Greece
114 I12 Smolyan prev. Pashmakli. Smolyan, S Bulgaria
114 I12 Smolyan ◆ province S Bulgaria
Smolyany see Smalyany
33 S15 Smoot Wyoming, C USA
12 G12 Smooth Rock Falls Ontario, S Canada
Smorgon'/Smorgonie see Smarhon'
95 K23 Smygehamn Skåne, S Sweden
194 I7 Smyley Island island Antarctica
21 Y3 Smyrna Delaware, NE USA
23 S3 Smyrna Georgia, SE USA
20 J9 Smyrna Tennessee, S USA
Smyrna see İzmir
97 I16 Snaefell ▲ C Isle of Man
92 H3 Snæfellsjökull ▲ W Iceland
10 J4 Snake ~ Yukon Territory, NW Canada
29 O8 Snake Creek ~ South Dakota, N USA
183 P13 Snake Island island Victoria, SE Australia
35 Y6 Snake Range ▲ Nevada, W USA
32 K10 Snake River ~ NW USA
29 V6 Snake River ~ Minnesota, N USA
28 L12 Snake River ~ Nebraska, C USA
33 Q14 Snake River Plain plain Idaho, NW USA
93 F15 Snåsa Nord-Trøndelag, C Norway
21 O8 Sneedville Tennessee, S USA
98 K6 Sneek Friesland, N Netherlands
Sneeuw-gebergte see Maoke, Pegunungan
95 F22 Snejbjerg Ringkøbing, C Denmark
122 G11 Snezhinsk Chelyabinskaya Oblast', W Russian Federation
124 J3 Snezhnogorsk Murmanskaya Oblast', NW Russian Federation
122 K9 Snezhnogorsk Taymyrskiy (Dolgano-Nenetskiy) Avtonomnyy Okrug, N Russian Federation
Snezhnoye see Snizhne
111 G15 Sněžka Ger. Schneekoppe, Pol. Śnieżka. ▲ Czech Republic/Poland
110 N8 Śniardwy, Jezioro Ger. Spirdingsee. ◎ NE Poland
Sniečkus see Visaginas
Śnieżka see Sněžka
117 R10 Snihurivka Mykolayivs'ka Oblast', S Ukraine
116 I5 Snilov ✕ (L'viv) L'vivs'ka Oblast', W Ukraine
111 O19 Snina Hung. Szinna. Prešovský Kraj, E Slovakia
117 Y8 Snizhne Rus. Snezhnoye. Donets'ka Oblast', SE Ukraine
92 J3 Snækollur ▲ C Iceland
94 G10 Snøhetta var. Snohetta. ▲ S Norway
92 G12 Snøtinden ▲ C Norway
97 I18 Snowdon ▲ NW Wales, UK
97 I18 Snowdonia ▲ NW Wales, UK
8 K10 Snowdrift ~ Northwest Territories, NW Canada
Snowdrift see Łutselk'e
37 N12 Snowflake Arizona, SW USA
21 Y5 Snow Hill Maryland, NE USA
21 W10 Snow Hill North Carolina, SE USA
194 H3 Snowhill Island island Antarctica
11 V13 Snow Lake Manitoba, C Canada
37 R5 Snowmass Mountain ▲ Colorado, C USA
18 M10 Snow, Mount ▲ Vermont, NE USA
34 M5 Snow Mountain ▲ California, W USA
Snow Mountains see Maoke, Pegunungan
33 N7 Snowshoe Peak ▲ Montana, NW USA
182 I8 Snowtown South Australia
36 K1 Snowville Utah, W USA
35 X3 Snow Water Lake ◎ Nevada, W USA
183 Q11 Snowy Mountains ▲ New South Wales/Victoria, SE Australia
183 Q12 Snowy River ~ New South Wales/Victoria, SE Australia
44 K5 Snug Corner Acklins Island, SE Bahamas
167 T13 Snuŏl Krâchéh, E Cambodia
116 J7 Snyatyn Rus. Snyatyn. Ivano-Frankivs'ka Oblast', W Ukraine
26 L12 Snyder Oklahoma, C USA
25 O6 Snyder Texas, SW USA
172 H3 Soalala Mahajanga, W Madagascar
172 J4 Soanierana-Ivongo Toamasina, E Madagascar
171 R11 Soasiu var. Tidore. Pulau Tidore, E Indonesia
54 G8 Soatá Boyacá, C Colombia
172 I5 Soavinandriana Antananarivo, C Madagascar
77 V13 Soba Kaduna, C Nigeria
163 Y16 Sobaek-sanmaek ▲ S South Korea
80 F13 Sobat ~ E Sudan
171 Z14 Sobger, Sungai ~ Papua, E Indonesia
171 V13 Sobiei Papua, E Indonesia
126 M3 Sobinka Vladimirskaya Oblast', W Russian Federation
127 S7 Sobolevo Orenburgskaya Oblast', W Russian Federation
Soborsin see Săvârşin
164 D15 Sobo-san ▲ Kyūshū, SW Japan
111 G14 Sobótka Dolnośląskie, SW Poland
59 O15 Sobradinho Bahia, E Brazil
Sobradinho, Barragem de see Sobradinho, Represa de
59 O16 Sobradinho, Represa de var. Barragem de Sobradinho. ⊠ E Brazil
58 O13 Sobral Ceará, E Brazil
105 T4 Sobrarbe physical region NE Spain
109 R10 Soča It. Isonzo. ~ Italy/Slovenia
110 L11 Sochaczew Mazowieckie, C Poland
126 L15 Sochi Krasnodarskiy Kray, SW Russian Federation
114 G13 Sochós var. Sohos, Sokhós. Kentrikí Makedonía, N Greece
191 R11 Société, Archipel de la var. Archipel de Tahiti, Îles de la Société, Eng. Society Islands. island group W French Polynesia
Société, Îles de la/Society Islands see Société, Archipel de la
21 T11 Society Hill South Carolina, SE USA
62 I5 Socompa, Volcán ▲ N Chile
Soconusco, Sierra de see Sierra Madre
54 G8 Socorro Santander, C Colombia
37 R13 Socorro New Mexico, SW USA
Socotra see Suquṭrā
167 S14 Soc Trăng var. Khanh Hung. Soc Trăng, S Vietnam
105 P10 Socuéllamos Castilla-La Mancha, C Spain
35 W13 Soda Lake salt flat California, W USA
92 L11 Sodankylä Lappi, N Finland
Sodari see Sodiri
33 R15 Soda Springs Idaho, NW USA
Soddo/Soddu see Sodo
20 L10 Soddy Daisy Tennessee, S USA
95 N14 Söderfors Uppsala, C Sweden
94 N12 Söderhamn Gävleborg, C Sweden
95 N17 Söderköping Östergötland, S Sweden
95 N17 Södermanland ◆ county C Sweden
95 O16 Södertälje Stockholm, C Sweden
80 D10 Sodiri var. Sawdirī, Sodari. Northern Kordofan, C Sudan
81 I14 Sodo var. Soddo, Soddu. Southern, S Ethiopia
94 N11 Södra Dellen ◎ C Sweden
95 M19 Södra Vi Kalmar, S Sweden
18 G9 Sodus Point headland New York, NE USA
171 Q17 Soe prev. Soë. Timor, C Indonesia
169 N15 Soekarno-Hatta ✕ (Jakarta) Jawa, S Indonesia
Soëla-Sund see Soela Väin
118 E5 Soela Väin prev. Eng. Sele Sound, Ger. Dagden-Sund, Soëla-Sund. strait W Estonia
Soemba see Sumba, Pulau
Soembawa see Sumbawa
Soemenep see Sumenep
Soengaipenoeh see Sungaipenuh
Soerabaja see Surabaya
101 G14 Soest Nordrhein-Westfalen, W Germany
98 J11 Soest Utrecht, C Netherlands
100 F11 Soeste ~ NW Germany
98 J11 Soesterberg Utrecht, C Netherlands
115 E16 Sofádes var. Sofádhes. Thessalía, C Greece
Sofádhes see Sofádes
83 N18 Sofala Sofala, C Mozambique
83 N17 Sofala ◆ province C Mozambique
83 N18 Sofala, Baia de bay E Mozambique
172 J3 Sofia seasonal river NW Madagascar
Sofia see Sofiya
115 G19 Sofikó Pelopónnisos, S Greece
Sofi-Kurgan see Sopu-Korgon
114 G10 Sofiya var. Sophia, Eng. Sofia; Lat. Serdica. ● (Bulgaria) Sofiya-Grad, W Bulgaria
114 G9 Sofiya ✕ Sofiya-Grad, W Bulgaria
114 H9 Sofiya ◆ province W Bulgaria
114 G9 Sofiya-Grad ◆ municipality W Bulgaria
Sofiyevka see Sofiyivka
117 S8 Sofiyivka Rus. Sofiyevka. Dnipropetrovs'ka Oblast', E Ukraine
123 R13 Sofiysk Khabarovskiy Kray, SE Russian Federation
123 S12 Sofiysk Khabarovskiy Kray, SE Russian Federation
124 I6 Sofporog Respublika Kareliya, NW Russian Federation
165 Y14 Sōfu-gan island Izu-shotō, SE Japan
156 K10 Sog Xizang Zizhiqu, W China
54 G9 Sogamoso Boyacá, C Colombia
136 I11 Soğanlı Çayı ~ N Turkey
94 E12 Sogn physical region S Norway
94 E12 Sogndal see Sogndalsfjøra.
94 E12 Sogndalsfjøra var. Sogndal. Sogn og Fjordane, S Norway
95 E18 Søgne Vest-Agder, S Norway
94 D12 Sognefjorden fjord NE North Sea
94 C12 Sogn Og Fjordane ◆ county S Norway
162 I11 Sogo Nur ◎ N China
159 T12 Sogruma Qinghai, W China
163 X17 Sŏgwip'o S South Korea
75 X10 Sohâg var. Sawhāj, Suliag. C Egypt
Sohar see Ṣuḥār
64 H9 Sohm Plain undersea feature NW Atlantic Ocean
100 H7 Soholmer Au ~ N Germany
Sohos see Sochós
Sohrau see Żory
99 F20 Soignies Hainaut, SW Belgium
159 R15 Soila Xizang Zizhiqu, W China
103 P4 Soissons anc. Augusta Suessionum, Noviodunum. Aisne, N France
164 H13 Sōja Okayama, Honshū, SW Japan
152 F13 Sojat Rājasthān, N India
163 W13 Sŏjosŏn-man inlet W North Korea
116 I4 Sokal' Rus. Sokal. L'vivs'ka Oblast', NW Ukraine
163 Y14 Sokch'o N South Korea
136 B15 Söke Aydın, SW Turkey
189 N12 Sokehs Island island E Micronesia
79 M24 Sokele Katanga, SE Dem. Rep. Congo
147 R11 Sokh Uzb. Sŭkh. ~ Kyrgyzstan/Uzbekistan
Sokh see So'x
Sokhós see Sochós
137 Q8 Sokhumi Rus. Sukhumi. NW Georgia
113 O14 Sokobanja Serbia, E Serbia and Montenegro (Yugo.)
77 R15 Sokodé C Togo
123 T10 Sokol Magadanskaya Oblast', E Russian Federation
124 M13 Sokol Vologodskaya Oblast', NW Russian Federation
110 P9 Sokółka Podlaskie, NE Poland
76 M11 Sokolo Ségou, W Mali
111 A16 Sokolov Ger. Falkenau an der Eger; prev. Falknov nad Ohří. Karlovarský Kraj, W Czech Republic
111 O16 Sokołów Małopolski Podkarpackie, SE Poland
110 O11 Sokołów Podlaski Mazowieckie, E Poland
76 G11 Sokone W Senegal
77 T12 Sokoto Sokoto, NW Nigeria
77 T12 Sokoto ◆ state NW Nigeria
77 S12 Sokoto ~ NW Nigeria
Sokotra see Suquṭrā
147 U7 Sokuluk Chuyskaya Oblast', N Kyrgyzstan
116 L7 Sokyryany Chernivets'ka Oblast', W Ukraine
95 C16 Sola Rogaland, S Norway
187 R12 Sola Vanua Lava, N Vanuatu
95 C17 Sola ✕ (Stavanger) Rogaland, S Norway
81 H18 Solai Rift Valley, W Kenya
152 I8 Solan Himāchal Pradesh, N India
185 A25 Solander Island island SW NZ
Solano see Bahía Solano
155 F15 Solāpur var. Sholāpur. Mahārāshtra, W India
93 H16 Solberg Västernorrland, C Sweden
116 K9 Solca Ger. Solka. Suceava, N Romania
105 O16 Sol, Costa del coastal region S Spain
106 F5 Solda Ger. Sulden. Trentino-Alto Adige, N Italy
117 N9 Şoldăneşti Rus. Sholdaneshty. N Moldova
Soldau see Wkra
108 L8 Sölden Tirol, W Austria
27 P3 Soldier Creek ~ Kansas, C USA
39 R12 Soldotna Alaska, USA
110 I10 Solec Kujawski Kujawsko-pomorskie, C Poland
61 B16 Soledad Santa Fe, C Argentina
55 E4 Soledad Atlántico, N Colombia
35 O11 Soledad California, W USA
55 O7 Soledad Anzoátegui, NE Venezuela
Soledad see East Falkland
Soledad, Isla see East Falkland
61 H15 Soledade Rio Grande do Sul, S Brazil
103 Y15 Solenzara Corse, France, C Mediterranean Sea
Soleure see Solothurn
94 C12 Solheim Hordaland, S Norway
127 N14 Soligalich Kostromskaya Oblast', NW Russian Federation
Soligorsk see Salihorsk
97 L20 Solihull C England, UK
125 U13 Solikamsk Permskaya Oblast', NW Russian Federation
127 V8 Sol'-Iletsk Orenburgskaya Oblast', W Russian Federation
57 G17 Solimana, Nevado ▲ S Peru
58 E13 Solimões, Rio ~ C Brazil
113 E14 Solin It. Salona; anc. Salonae. Split-Dalmacija, S Croatia
101 E15 Solingen Nordrhein-Westfalen, W Germany
Solka see Solca
93 H16 Sollefteå Västernorrland, C Sweden
95 O15 Sollentuna Stockholm, C Sweden
94 L13 Sollerön Dalarna, C Sweden
101 I14 Solling hill range C Germany
95 O16 Solna Stockholm, C Sweden
126 K3 Solnechnogorsk Moskovskaya Oblast', W Russian Federation
123 R10 Solnechnyy Khabarovskiy Kray, SE Russian Federation
122 K13 Solnechnyy Krasnoyarskiy Kray, C Russian Federation
123 S13 Solnechnyy Respublika Sakha (Yakutiya), NE Russian Federation
107 L17 Solofra Campania, S Italy
168 J11 Solok Sumatera, W Indonesia
42 C6 Sololá Sololá, W Guatemala
42 A2 Sololá off. Departamento de Sololá. ◆ department SW Guatemala
81 J16 Sololo Eastern, N Kenya
42 C4 Soloma Huehuetenango, W Guatemala
38 M9 Solomon Alaska, USA
27 N4 Solomon Kansas, C USA
187 N9 Solomon Islands prev. British Solomon Islands Protectorate. ◆ commonwealth republic W Pacific Ocean
186 L7 Solomon Islands island group PNG/Solomon Islands
26 M3 Solomon River ~ Kansas, C USA
186 H8 Solomon Sea sea W Pacific Ocean
31 U11 Solon Ohio, N USA
117 T8 Solone Dnipropetrovs'ka Oblast', E Ukraine
171 P16 Solor, Kepulauan island group S Indonesia
126 M4 Solotcha Ryazanskaya Oblast', W Russian Federation
108 D7 Solothurn Fr. Soleure. Solothurn, NW Switzerland
108 D7 Solothurn Fr. Soleure. ◆ canton NW Switzerland
126 J7 Solovetskiye Ostrova island group NW Russian Federation
105 V5 Solsona Cataluña, NE Spain
113 E14 Šolta It. Solta. island S Croatia
Solṭānābād see Kāshmar
142 L4 Solṭānīyeh Zanjān, NW Iran
100 I11 Soltau Niedersachsen, NW Germany
124 G14 Sol'tsy Novgorodskaya Oblast', W Russian Federation
Soltüstik Qazaqstan Oblysy see Severnyy Kazakhstan
Solun see Thessaloníki
113 O19 Solunska Glava ▲ C FYR Macedonia
95 L22 Sölvesborg Blekinge, S Sweden
97 J15 Solway Firth inlet England/Scotland, UK
82 I13 Solwezi North Western, NW Zambia
165 Q11 Sōma Fukushima, Honshū, C Japan
136 C13 Soma Manisa, W Turkey
81 M14 Somali ◆ region E Ethiopia
81 O15 Somalia off. Somali Democratic Republic, Som. Jamuuriyada Demuqraadiga Soomaaliyeed, Soomaaliya; prev. Italian Somaliland, Somaliland Protectorate. ◆ republic E Africa
173 N6 Somali Basin undersea feature W Indian Ocean
112 J8 Sombor Hung. Zombor. Serbia, NW Serbia and Montenegro (Yugo.)
99 H20 Sombreffe Namur, S Belgium
40 L10 Sombrerete Zacatecas, C Mexico
45 V8 Sombrero island N Anguilla
151 Q21 Sombrero Channel channel Nicobar Islands, India
116 H9 Şomcuta Mare Hung. Nagysomkút; prev. Somcuţa Mare. Maramureş, N Romania
167 R9 Somdet Kalasin, E Thailand
99 L15 Someren Noord-Brabant, SE Netherlands
93 L19 Somero Länsi-Suomi, W Finland
33 P7 Somers Montana, NW USA
64 A12 Somerset var. Somerset Village. W Bermuda
37 Q5 Somerset Colorado, C USA
20 M7 Somerset Kentucky, S USA
19 O12 Somerset Massachusetts, NE USA
97 K23 Somerset cultural region SW England, UK
Somerset East see Somerset-Oos
64 A12 Somerset Island island W Bermuda
197 N9 Somerset Island island Queen Elizabeth Islands, Nunavut, NW Canada
Somerset Nile see Victoria Nile
83 I25 Somerset-Oos Eng. Somerset East. Eastern Cape, S South Africa
83 E26 Somerset-Wes Eng. Somerset West. Western Cape, SW South Africa
Somerset West see Somerset-Wes
Somers Islands see Bermuda
18 J17 Somers Point New Jersey, NE USA
19 P9 Somersworth New Hampshire, NE USA
36 H15 Somerton Arizona, SW USA
18 J14 Somerville New Jersey, NE USA
20 F10 Somerville Tennessee, S USA
25 U10 Somerville Texas, SW USA
25 T10 Somerville Lake ⊠ Texas, SW USA
Someş/Somesch/Someşul see Szamos
103 N2 Somme ◆ department N France
103 N2 Somme ~ N France
95 L18 Sommen Jönköping, S Sweden
95 M18 Sommen ◎ S Sweden
101 K16 Sömmerda Thüringen, C Germany
Sommerein see Šamorín
Sommerfeld see Lubsko
55 Y11 Sommet Tabulaire var. Mont Itoupé. ▲ S French Guiana
111 H25 Somogy off. Somogy Megye. ◆ county SW Hungary
Somorja see Šamorín
105 N7 Somosierra, Puerto de pass N Spain
187 Y14 Somosomo Taveuni, N Fiji
42 I9 Somotillo Chinandega, NW Nicaragua
42 I8 Somoto Madriz, NW Nicaragua
110 I11 Sompolno Wielkolpolskie, C Poland
105 S3 Somport var. Puerto de Somport, Fr. Col du Somport; anc. Summus Portus. pass France/Spain see also Somport, Col du
102 J17 Somport, Col du var. Puerto de Somport, Sp. Somport; anc. Summus Portus. pass France/Spain see also Somport
Somport, Puerto de see Somport/Somport, Col du
99 K15 Son Noord-Brabant, S Netherlands
95 H15 Son Akershus, S Norway
154 L9 Son var. Sone. ~ C India
43 R16 Soná Veraguas, W Panama
Sonag see Zêkog
154 M12 Sonapur prev. Sonepur. Orissa, E India
95 G24 Sønderborg Ger. Sonderburg. Sønderjylland, SW Denmark
Sonderburg see Sønderborg
95 F24 Sønderjylland off. Sønderjyllands Amt. ◆ county SW Denmark
101 K15 Sondershausen Thüringen, C Germany
Søndre Strømfjord see Kangerlussuaq
106 E6 Sondrio Lombardia, N Italy
Sone see Son
Sonepur see Sonapur
57 K22 Sonequera ▲ S Bolivia
167 V12 Sông Câu Phu Yên, C Vietnam
167 R15 Sông Đôc Minh Hai, S Vietnam
81 H25 Songea Ruvuma, S Tanzania
163 X10 Songhua Hu ◎ NE China
163 Y7 Songhua Jiang var. Sungari. ~ NE China
161 S8 Songjiang Shanghai Shi, E China
Sŏngjin see Kimch'aek
167 O16 Songkhla var. Songkla, Mal. Singora. Songkhla, SW Thailand
Songkla see Songkhla
163 T13 Song Ling ▲ NE China
163 W14 Songnim SW North Korea
82 B10 Songo Uíge, NW Angola
83 M15 Songo Tete, NW Mozambique
79 F21 Songololo Bas-Congo, SW Dem. Rep. Congo
160 H7 Songpan var. Jin'an, Tib. Sungpu. Sichuan, C China
163 Y17 Sŏngsan S South Korea
161 R11 Songxi Fujian, SE China
160 M6 Songxian var. Song Xian. Henan, C China
161 R10 Songyang var. Xiping. Zhejiang, SE China
163 V9 Songyuan var. Fu-yü, Petuna; prev. Fuyu. Jilin, NE China
Sonid Youqi see Saihan Tal
Sonid Zuoqi see Mandalt
152 I10 Sonīpat Haryāna, N India
93 M15 Sonkajärvi Itä-Suomi, C Finland
167 R6 Sơn La Sơn La, N Vietnam
149 O16 Sonmiāni Balūchistān, S Pakistan
149 O16 Sonmiāni Bay bay S Pakistan
101 K18 Sonneberg Thüringen, C Germany
101 N24 Sonntagshorn ▲ Austria/Germany
Sonoita see Sonoyta
40 E3 Sonoita, Rio var. Río Sonoyta. ~ Mexico/USA
35 N7 Sonoma California, W USA
35 T3 Sonoma Peak ▲ Nevada, W USA
35 P8 Sonora California, W USA
25 O10 Sonora Texas, SW USA
40 F5 Sonora ◆ state NW Mexico
35 X17 Sonoran Desert var. Desierto de Altar. desert Mexico/USA see also Altar, Desierto de
40 G5 Sonora, Río ~ NW Mexico
40 E2 Sonoyta var. Sonoita. Sonora, NW Mexico
Sonoyta, Río see Sonoita, Rio
142 K6 Sonqor var. Sunqur. Kermānshāh, W Iran
105 N9 Sonseca var. Sonseca con Casalgordo. Castilla-La Mancha, C Spain
Sonseca con Casalgordo see Sonseca
54 E9 Sonsón Antioquia, W Colombia
42 E7 Sonsonate Sonsonate, W El Salvador
42 A9 Sonsonate ◆ department SW El Salvador
188 A10 Sonsorol Islands island group S Palau
112 J9 Sonta Hung. Szond; prev. Szonta. Serbia, NW Serbia and Montenegro (Yugo.)
167 S6 Sơn Tây var. Sontay. Ha Tây, N Vietnam
101 J25 Sonthofen Bayern, S Germany
Soochow see Suzhou
Soomaaliya/Soomaaliyeed, Jamuuriyada Demuqraadiga see Somalia
Soome Laht see Finland, Gulf of
Sooner State see Oklahoma
23 V5 Soperton Georgia, SE USA
167 S6 Sop Hao Houaphan, N Laos
Sophia see Sofiya
171 S10 Sopi Pulau Morotai, E Indonesia
Sopianae see Pécs
171 U13 Sopinusa Papua, E Indonesia
81 B14 Sopo ~ W Sudan
Sopockinie/Sopotskin see Sapotskino
114 I9 Sopot Plovdiv, C Bulgaria
110 I7 Sopot Ger. Zoppot. Pomorskie, N Poland
167 O8 Sop Prap var. Ban Sop Prap. Lampang, NW Thailand
111 G22 Sopron Ger. Ödenburg. Győr-Moson-Sopron, NW Hungary
147 U11 Sopu-Korgon var. Sofi-Kurgan. Oshskaya Oblast', SW Kyrgyzstan
152 H5 Sopur Jammu and Kashmir, NW India
107 J15 Sora Lazio, C Italy
154 N13 Sorada Orissa, E India
93 H17 Söråker Västernorrland, C Sweden
57 J17 Sorata La Paz, W Bolivia
Sorau/Sorau in der Niederlausitz see Żary
105 Q14 Sorbas Andalucía, S Spain
Sord/Sórd Choluim Chille see Swords
15 O11 Sorel Québec, SE Canada
183 P17 Sorell Tasmania, SE Australia
183 O17 Sorell, Lake ◎ Tasmania, SE Australia
106 E8 Soresina Lombardia, N Italy
95 D14 Sørfjorden fjord S Norway
94 N11 Sörforsa Gävleborg, C Sweden
103 R14 Sorgues Vaucluse, SE France
136 K13 Sorgun Yozgat, C Turkey
105 P5 Soria Castilla-León, N Spain
105 P6 Soria ◆ province Castilla-León, N Spain
61 D19 Soriano Soriano, SW Uruguay
61 D19 Soriano ◆ department SW Uruguay
92 O4 Sørkapp headland SW Svalbard
143 T5 Sorkh, Kūh-e ▲ NE Iran
95 I23 Sorø Vestsjælland, E Denmark
116 M8 Soroca Rus. Soroki. N Moldova
60 L10 Sorocaba São Paulo, S Brazil
Sorochino see Sarochyna
127 T7 Sorochinsk Orenburgskaya Oblast', W Russian Federation
Soroki see Soroca
188 H15 Sorol atoll Caroline Islands, W Micronesia
171 T12 Sorong Papua, E Indonesia
81 G17 Soroti C Uganda
Sørøy see Sørøya
92 J8 Sørøya var. Sørøy, Lapp. Sállan. island N Norway
104 G11 Sorraia, Rio ~ C Portugal
92 I10 Sørreisa Troms, N Norway
107 K18 Sorrento anc. Surrentum. Campania, S Italy
104 H10 Sor, Ribeira de stream C Portugal
195 T3 Sør Rondane Mountains ▲ Antarctica
93 H14 Sorsele Västerbotten, N Sweden
107 B17 Sorso Sardegna, Italy, C Mediterranean Sea
171 P4 Sorsogon Luzon, N Philippines
105 U4 Sort Cataluña, NE Spain
124 H11 Sortavala Respublika Kareliya, NW Russian Federation
107 L25 Sortino Sicilia, Italy, C Mediterranean Sea
92 G10 Sortland Nordland, C Norway
94 G9 Sør-Trøndelag ◆ county S Norway
95 I15 Sørumsand Akershus, S Norway
118 D6 Sõrve Säär headland SW Estonia
95 K22 Sösdala Skåne, S Sweden
105 R4 Sos del Rey Católico Aragón, NE Spain
93 F15 Sösjöfjällen ▲ C Sweden
126 K7 Sosna ~ W Russian Federation
62 H12 Sosneado, Cerro ▲ W Argentina
125 S9 Sosnogorsk Respublika Komi, NW Russian Federation
124 J8 Sosnovets Respublika Kareliya, NW Russian Federation
Sosnovets see Sosnowiec
127 Q3 Sosnovka Chuvashskaya Respublika, W Russian Federation
125 S16 Sosnovka Kirovskaya Oblast', NW Russian Federation
126 M6 Sosnovka Murmanskaya Oblast', NW Russian Federation
126 M6 Sosnovka Tambovskaya Oblast', W Russian Federation

◆ Country ● Country Capital ◇ Dependent Territory ○ Dependent Territory Capital ◆ Administrative Region ✕ International Airport ▲ Mountain ▲ Mountain Range ⛰ Volcano ~ River ◎ Lake ⊠ Reservoir

SOSNOVO – STADE ••• 327

124 H12 **Sosnovo** *Fin.* Rautu. Leningradskaya Oblast', NW Russian Federation
Sosnovyy Bor *see* Sasnovy Bor
111 J16 **Sosnowiec** *Ger.* Sosnowitz, *Rus.* Sosnovets. Śląskie, S Poland
Sosnowitz *see* Sosnowiec
117 R2 **Sosnytsya** Chernihivs'ka Oblast', N Ukraine
109 V10 **Šoštanj** N Slovenia
122 G10 **Sos'va** Sverdlovskaya Oblast', C Russian Federation
54 D12 **Sotará, Volcán** ☒ S Colombia
76 D10 **Sotavento, Ilhas de** *var.* Leeward Islands. *island group* S Cape Verde
93 N15 **Sotkamo** Oulu, C Finland
109 W11 **Sotla** ☍ E Slovenia
41 P10 **Soto la Marina** Tamaulipas, C Mexico
41 P10 **Soto la Marina, Río** ☍ C Mexico
95 B14 **Sotra** *island* S Norway
41 X12 **Sotuta** Yucatán, SE Mexico
79 F17 **Souanké** La Sangha, NW Congo
76 M17 **Soubré** S Ivory Coast
115 H24 **Soúda** *var.* Soúdha, *Eng.* Suda. Kríti, Greece, E Mediterranean Sea
Soúdha *see* Soúda
Soueida *see* As Suwaydā'
114 L12 **Souflí** *prev.* Souflíon. Anatolikí Makedonía kai Thráki, NE Greece
Souflíon *see* Souflí
45 S11 **Soufrière** W Saint Lucia
45 X6 **Soufrière** ☒ Basse Terre, S Guadeloupe
102 M13 **Souillac** Lot, S France
173 Y17 **Souillac** S Mauritius
74 M5 **Souk Ahras** NE Algeria
74 E6 **Souk-el-Arba-Rharb** *var.* Souk el Arba du Rharb, Souk-el-Arba-du-Rharb, Souk-el-Arba-el-Rhab. NW Morocco
Soukhné *see* As Sukhnah
163 X14 **Sŏul** *off.* Sŏul-t'ŭkpyŏlsi, *Eng.* Seoul, *Jap.* Keijō; *prev.* Kyŏngsŏng. ● (South Korea) NW South Korea
102 J11 **Soulac-sur-Mer** Gironde, SW France
99 L19 **Soumagne** Liège, E Belgium
18 M14 **Sound Beach** Long Island, New York, NE USA
95 J22 **Sound, The** *Dan.* Øresund, *Swe.* Öresund. *strait* Denmark/Sweden
115 H20 **Soúnio, Akrotírio** *headland* C Greece
138 F8 **Soûr** *var.* Şūr; *anc.* Tyre. SW Lebanon
Sources, Mont-aux- *see* Phofung
104 G8 **Soure** Coimbra, N Portugal
11 W17 **Souris** Manitoba, S Canada
13 Q14 **Souris** Prince Edward Island, SE Canada
28 L2 **Souris River** *var.* Mouse River. ☍ Canada/USA
25 X10 **Sour Lake** Texas, SW USA
115 F17 **Sourpi** Thessalía, C Greece
104 H11 **Sousel** Portalegre, C Portugal
75 N6 **Sousse** *var.* Sūsah. NE Tunisia
14 H11 **South** ☍ Ontario, S Canada
South *see* Sud
83 G23 **South Africa** *off.* Republic of South Africa, *Afr.* Suid-Afrika. ◆ *republic* S Africa
48-53 **South America** *continent*
97 M23 **Southampton** *hist.* Hamwih, *Lat.* Clausentum. S England, UK
19 N14 **Southampton** Long Island, New York, NE USA
9 P8 **Southampton Island** *island* Nunavut, NE Canada
151 P20 **South Andaman** *island* Andaman Islands, India, NE Indian Ocean
13 Q6 **South Aulatsivik Island** *island* Newfoundland and Labrador, E Canada
182 E4 **South Australia** ◆ *state* S Australia
South Australian Abyssal Plain *see* South Australian Plain
192 G11 **South Australian Basin** *undersea feature* SW Indian Ocean
173 X12 **South Australian Plain** *var.* South Australian Abyssal Plain. *undersea feature* SE Indian Ocean
37 R13 **South Baldy** ▲ New Mexico, SW USA
23 Y14 **South Bay** Florida, SE USA
14 E12 **South Baymouth** Manitoulin Island, Ontario, S Canada
30 L10 **South Beloit** Illinois, N USA
31 O11 **South Bend** Indiana, N USA
25 R6 **South Bend** Texas, SW USA
32 F9 **South Bend** Washington, NW USA
South Beveland *see* Zuid-Beveland
South Borneo *see* Kalimantan Selatan
21 U7 **South Boston** Virginia, NE USA
182 F2 **South Branch Neales** *seasonal river* South Australia
21 U3 **South Branch Potomac River** ☍ West Virginia, NE USA
185 H19 **Southbridge** Canterbury, South Island, NZ
19 N12 **Southbridge** Massachusetts, NE USA
183 P17 **South Bruny Island** *island* Tasmania, SE Australia
18 L7 **South Burlington** Vermont, NE USA
44 M6 **South Caicos** *island* S Turks and Caicos Islands
South Cape *see* Ka Lae
23 V3 **South Carolina** *off.* State of South Carolina; *also known as* The Palmetto State. ◆ *state* SE USA
South Carpathians *see* Carpaţii Meridionali
South Celebes *see* Sulawesi Selatan
21 Q5 **South Charleston** West Virginia, NE USA
192 D7 **South China Basin** *undersea feature* SE South China Sea
169 R8 **South China Sea** *Chin.* Nan Hai, *Ind.* Laut Cina Selatan, *Vtn.* Biên Đông. *sea* SE Asia
33 Z10 **South Dakota** *off.* State of South Dakota; *also known as* The Coyote State, Sunshine State. ◆ *state* N USA
23 X10 **South Daytona** Florida, SE USA
37 R10 **South Domingo Pueblo** New Mexico, SW USA
97 N23 **South Downs** *hill range* SE England, UK
83 I21 **South East** ◆ *district* SE Botswana
65 H15 **South East Bay** *bay* Ascension Island, C Atlantic Ocean
183 O17 **South East Cape** *headland* Tasmania, SE Australia
38 K10 **Southeast Cape** *headland* Saint Lawrence Island, Alaska, USA
South-East Celebes *see* Sulawesi Tenggara
192 G12 **Southeast Indian Ridge** *undersea feature* Indian Ocean/Pacific Ocean
Southeast Island *see* Tagula Island
193 P13 **Southeast Pacific Basin** *var.* Belling Hausen Mulde. *undersea feature* SE Pacific Ocean
65 H15 **South East Point** *headland* SE Ascension Island
183 O14 **South East Point** *headland* Victoria, S Australia
191 Z3 **South East Point** *headland* Kiritimati, NE Kiribati
44 L5 **Southeast Point** *headland* Mayaguana, SE Bahamas
South-East Sulawesi *see* Sulawesi Tenggara
11 U12 **Southend** Saskatchewan, C Canada
97 P22 **Southend-on-Sea** E England, UK
83 H20 **Southern** *var.* Bangwaketse, Ngwaketze. ◆ *district* SE Botswana
81 I15 **Southern** ◆ *region* S Ethiopia
138 E13 **Southern** ◆ *district* S Israel
83 N15 **Southern** ◆ *region* S Malawi
83 I15 **Southern** ◆ *province* S Zambia
185 E19 **Southern Alps** ▲ South Island, NZ
190 K15 **Southern Cook Islands** *island group* S Cook Islands
180 K12 **Southern Cross** Western Australia
80 A12 **Southern Darfur** ◆ *state* W Sudan
186 B7 **Southern Highlands** ◆ *province* W PNG
11 V11 **Southern Indian Lake** ◎ Manitoba, C Canada
80 E11 **Southern Kordofan** ◆ *state* C Sudan
187 Z15 **Southern Lau Group** *island group* Lau Group, SE Fiji
173 S13 **Southern Ocean** *ocean*
21 T10 **Southern Pines** North Carolina, SE USA
155 J26 **Southern Province** ◆ *province* S Sri Lanka
96 I13 **Southern Uplands** ▲ S Scotland, UK
Southern Urals *see* Yuzhnyy Ural
183 P16 **South Esk River** ☍ Tasmania, SE Australia
11 U16 **Southey** Saskatchewan, S Canada
27 V2 **South Fabius River** ☍ Missouri, C USA
31 S10 **Southfield** Michigan, N USA
192 K10 **South Fiji Basin** *undersea feature* S Pacific Ocean
97 Q22 **South Foreland** *headland* SE England, UK
35 P7 **South Fork American River** ☍ California, W USA
28 K7 **South Fork Grand River** ☍ South Dakota, N USA
35 T12 **South Fork Kern River** ☍ California, W USA
39 Q7 **South Fork Koyukuk River** ☍ Alaska, USA
39 Q11 **South Fork Kuskokwim River** ☍ Alaska, USA
26 H2 **South Fork Republican River** ☍ C USA
26 L3 **South Fork Solomon River** ☍ Kansas, C USA
31 P5 **South Fox Island** *island* Michigan, N USA
20 G8 **South Fulton** Tennessee, S USA
195 U10 **South Geomagnetic Pole** *pole* Antarctica
65 J20 **South Georgia** *island* South Georgia and the South Sandwich Islands, SW Atlantic Ocean
65 K21 **South Georgia and the South Sandwich Islands** ◇ *UK dependent territory* SW Atlantic Ocean
181 Q1 **South Goulburn Island** *island* Northern Territory, N Australia
153 U16 **South Hatia Island** *island* SE Bangladesh
31 O10 **South Haven** Michigan, N USA
21 V7 **South Hill** Virginia, NE USA
South Holland *see* Zuid-Holland
21 P8 **South Holston Lake** ▣ Tennessee/Virginia, S USA
26 M6 **South Hutchinson** Kansas, C USA
151 K21 **South Huvadhu Atoll** *var.* Gaafu Dhaalu Atoll. *atoll* S Maldives
173 U14 **South Indian Basin** *undersea feature* Indian Ocean/Pacific Ocean
11 W11 **South Indian Lake** Manitoba, C Canada
81 I17 **South Island** *island* NW Kenya
185 C20 **South Island** *island* S NZ
65 B23 **South Jason** *island* Jason Islands, NW Falkland Islands
South Kalimantan *see* Kalimantan Selatan
South Kazakhstan *see* Yuzhnyy Kazakhstan
163 X15 **South Korea** *off.* Republic of Korea, *Kor.* Taehan Min'guk. ◆ *republic* E Asia
35 Q6 **South Lake Tahoe** California, W USA
25 N6 **Southland** Texas, SW USA
185 B23 **Southland** *off.* Southland Region. ◆ *region* South Island, NZ
29 N15 **South Loup River** ☍ Nebraska, C USA
151 K19 **South Maalhosmadulu Atoll** *var.* Baa Atoll. *atoll* N Maldives
14 E15 **South Maitland** ☍ Ontario, S Canada
192 E8 **South Makassar Basin** *undersea feature* E Java Sea
31 O6 **South Manitou Island** *island* Michigan, N USA
151 K18 **South Miladummadulu Atoll** *atoll* N Maldives
21 X8 **South Mills** North Carolina, SE USA
8 H9 **South Nahanni** ☍ Northwest Territories, NW Canada
39 P13 **South Naknek** Alaska, USA
14 M13 **South Nation** ☍ Ontario, SE Canada
44 F9 **South Negril Point** *headland* W Jamaica
151 K20 **South Nilandhe Atoll** *var.* Dhaalu Atoll. *atoll* C Maldives
36 L2 **South Ogden** Utah, W USA
18 M14 **Southold** Long Island, New York, NE USA
194 H1 **South Orkney Islands** *island group* Antarctica
137 S9 **South Ossetia** *former autonomous region* SW Georgia
South Pacific Basin *see* Southwest Pacific Basin
19 P7 **South Paris** Maine, NE USA
33 U15 **South Pass** *pass* Wyoming, C USA
189 U13 **South Pass** *passage* Chuuk Islands, C Micronesia
20 K10 **South Pittsburg** Tennessee, S USA
28 K15 **South Platte River** ☍ Colorado/Nebraska, C USA
31 T16 **South Point** Ohio, N USA
65 G15 **South Point** *headland* S Ascension Island
31 R6 **South Point** *headland* Michigan, N USA
South Point *see* Ka Lae
195 P9 **South Pole** *pole* Antarctica
183 P17 **Southport** Tasmania, SE Australia
97 K17 **Southport** NW England, UK
21 V12 **Southport** North Carolina, SE USA
19 P8 **South Portland** Maine, NE USA
14 H12 **South River** Ontario, S Canada
21 U11 **South River** ☍ North Carolina, SE USA
96 K5 **South Ronaldsay** *island* NE Scotland, UK
36 L2 **South Salt Lake** Utah, W USA
65 L21 **South Sandwich Islands** *island group* SE South Georgia and South Sandwich Islands
65 K21 **South Sandwich Trench** *undersea feature* SW Atlantic Ocean
11 S16 **South Saskatchewan** ☍ Alberta/Saskatchewan, S Canada
65 I21 **South Scotia Ridge** *undersea feature* S Scotia Sea
11 V10 **South Seal** ☍ Manitoba, C Canada
194 G4 **South Shetland Islands** *island group* Antarctica
65 H22 **South Shetland Trough** *undersea feature* Atlantic Ocean/Pacific Ocean
97 M14 **South Shields** NE England, UK
29 R13 **South Sioux City** Nebraska, C USA
192 J9 **South Solomon Trench** *undersea feature* W Pacific Ocean
133 V3 **South Stradbroke Island** *island* Queensland, E Australia
South Sulawesi *see* Sulawesi Selatan
South Sumatra *see* Sumatera Selatan
184 K11 **South Taranaki Bight** *bight* SE Tasman Sea
South Tasmania Plateau *see* Tasman Plateau
36 M15 **South Tucson** Arizona, SW USA
12 H9 **South Twin Island** *island* Nunavut, C Canada
96 E9 **South Uist** *island* NW Scotland, UK
South-West *see* Sud-Ouest
South-West Africa/South West Africa *see* Namibia
65 F15 **South West Bay** *bay* Ascension Island, C Atlantic Ocean
183 N18 **South West Cape** *headland* Tasmania, SE Australia
185 B26 **South West Cape** *headland* Stewart Island, NZ
38 J10 **Southwest Cape** *headland* Saint Lawrence Island, Alaska, USA
Southwest Indian Ocean Ridge *see* Southwest Indian Ridge
173 N11 **Southwest Indian Ridge** *var.* Southwest Indian Ocean Ridge. *undersea feature* SW Indian Ocean
192 L10 **Southwest Pacific Basin** *var.* South Pacific Basin. *undersea feature* SE Pacific Ocean
44 H2 **Southwest Point** *headland* Great Abaco, N Bahamas
191 X3 **South West Point** *headland* Kiritimati, NE Kiribati
65 G25 **South West Point** *headland* SW Saint Helena
25 P5 **South Wichita River** ☍ Texas, SW USA
97 Q20 **Southwold** E England, UK
19 Q12 **South Yarmouth** Massachusetts, NE USA
116 J10 **Sovata** *Hung.* Szováta. Mureş, C Romania
107 N22 **Soverato** Calabria, SW Italy
Sovetabad *see* Ghafurov
126 C2 **Sovetsk** *Ger.* Tilsit. Kaliningradskaya Oblast', W Russian Federation
125 Q15 **Sovetsk** Kirovskaya Oblast', NW Russian Federation
127 N10 **Sovetskaya** Rostovskaya Oblast', SW Russian Federation
Sovetskoye *see* Ketchenery
146 I15 **Sovet"yab** *prev.* Sovet"yap. Ahal Welaýaty, S Turkmenistan
Sovet"yap *see* Sovet"yab
117 U12 **Sovyets'kyy** Respublika Krym, S Ukraine
83 I18 **Sowa** *var.* Sua. Central, NE Botswana
Sowa Pan *see* Sua Pan
83 J21 **Soweto** Gauteng, NE South Africa
147 R11 **So'x** *Rus.* Sokh. Farg'ona Viloyati, E Uzbekistan
Sōya-kaikyō *see* La Perouse Strait
165 T1 **Sōya-misaki** *headland* Hokkaidō, NE Japan
127 N7 **Soyana** ☍ NW Russian Federation
146 A8 **Soye, Mys** *var.* Mys Suz. *headland* NW Turkmenistan
82 A10 **Soyo** Zaire, NW Angola
80 J10 **Soyra** ▲ C Eritrea
Sozaq *see* Suzak
119 P16 **Sozh** *Rus.* Sozh. ☍ NE Europe
114 N10 **Sozopol** *prev.* Sizebolu *anc.* Apollonia. Burgas, E Bulgaria
172 I15 **Sœurs, Les** *island group* Inner Islands, W Seychelles
99 L20 **Spa** Liège, E Belgium
194 I7 **Spaatz Island** *island* Antarctica
144 M14 **Space Launching Centre** *space station* Kzylorda, S Kazakhstan
105 O7 **Spain** *off.* Kingdom of Spain, *Sp.* España; *anc.* Hispania, Iberia, *Lat.* Hispana. ◆ *monarchy* SW Europe
Spalato *see* Split
97 O19 **Spalding** E England, UK
14 D11 **Spanish** Ontario, S Canada
36 L3 **Spanish Fork** Utah, W USA
64 B12 **Spanish Point** *headland* C Bermuda
14 E9 **Spanish River** ☍ Ontario, S Canada
44 K13 **Spanish Town** *hist.* St.Iago de la Vega. C Jamaica
115 H24 **Spánta, Akrotírio** *headland* Kríti, Greece, E Mediterranean Sea
35 Q5 **Sparks** Nevada, W USA
Sparnacum *see* Épernay
95 N16 **Sparreholm** Södermanland, C Sweden
23 U4 **Sparta** Georgia, SE USA
30 K16 **Sparta** Illinois, N USA
31 P9 **Sparta** Michigan, N USA
21 R8 **Sparta** North Carolina, SE USA
20 L9 **Sparta** Tennessee, S USA
30 J7 **Sparta** Wisconsin, N USA
Sparta *see* Spárti
21 Q11 **Spartanburg** South Carolina, SE USA
115 F21 **Spárti** *Eng.* Sparta. Pelopónnisos, S Greece
107 B21 **Spartivento, Capo** *headland* Sardegna, Italy, C Mediterranean Sea
11 P17 **Sparwood** British Columbia, SW Canada
126 I4 **Spas-Demensk** Kaluzhskaya Oblast', W Russian Federation
126 M4 **Spas-Klepiki** Ryazanskaya Oblast', W Russian Federation
Spasovo *see* Kulen Vakuf
123 R15 **Spassk-Dal'niy** Primorskiy Kray, SE Russian Federation
126 M5 **Spassk-Ryazanskiy** Ryazanskaya Oblast', W Russian Federation
115 H19 **Spáta** Attikí, C Greece
121 Q11 **Spátha, Akrotírio** *headland* Kríti, Greece, E Mediterranean Sea
Spatrjan *see* Paternion
28 I9 **Spearfish** South Dakota, N USA
25 O1 **Spearman** Texas, SW USA
65 C25 **Speedwell Island** *island* S Falkland Islands
65 C25 **Speedwell Island Settlement** S Falkland Islands
65 G25 **Speery Island** *island* S Saint Helena
45 N14 **Speightstown** NW Barbados
106 I13 **Spello** Umbria, C Italy
39 R12 **Spenard** Alaska, USA
Spence Bay *see* Taloyoak
31 O14 **Spencer** Indiana, N USA
29 T12 **Spencer** Iowa, C USA
29 P12 **Spencer** Nebraska, C USA
21 S9 **Spencer** North Carolina, SE USA
20 L9 **Spencer** Tennessee, S USA
21 Q4 **Spencer** West Virginia, NE USA
30 K6 **Spencer** Wisconsin, N USA
182 G10 **Spencer, Cape** *headland* South Australia
39 V13 **Spencer, Cape** *headland* Alaska, USA
182 H9 **Spencer Gulf** *gulf* South Australia
18 F9 **Spencerport** New York, NE USA
31 Q12 **Spencerville** Ohio, N USA
115 E17 **Spercheiáda** *var.* Sperhiada, Sperkhiás. Stereá Ellás, C Greece
115 E17 **Spercheiós** ☍ C Greece
Sperhiada *see* Spercheiáda
95 G14 **Sperillen** ◎ S Norway
Sperkhiás *see* Spercheiáda
101 I18 **Spessart** *hill range* C Germany
Spétsai *see* Spétses
115 G21 **Spétses** *prev.* Spétsai. Spétses, S Greece
115 G21 **Spétses** *island* S Greece
96 J8 **Spey** ☍ NE Scotland, UK
101 G20 **Speyer** *Eng.* Spires; *anc.* Civitas Nemetum, Spira. Rheinland-Pfalz, SW Germany
101 G20 **Speyerbach** ☍ W Germany
107 N20 **Spezzano Albanese** Calabria, SW Italy
Spice Islands *see* Maluku
100 F9 **Spiekeroog** *island* NW Germany
109 W9 **Spielfeld** Steiermark, SE Austria
65 N21 **Spiess Seamount** *undersea feature* S Atlantic Ocean
138 E9 **Spiez** Bern, W Switzerland
98 G13 **Spijkenisse** Zuid-Holland, SW Netherlands
39 T6 **Spike Mountain** ▲ Alaska, USA
115 I25 **Spíli** Kríti, Greece, E Mediterranean Sea
108 D10 **Spillgerten** ▲ W Switzerland
118 F9 **Spilve** ✕ (Rīga) Rīga, C Latvia
107 N17 **Spinazzola** Puglia, SE Italy
149 O9 **Spīn Būldak** Kandahār, S Afghanistan
Spira *see* Speyer
Spirdingsee *see* Śniardwy, Jezioro
Spires *see* Speyer
29 T11 **Spirit Lake** Iowa, C USA
29 T11 **Spirit Lake** ◎ Iowa, C USA
11 N13 **Spirit River** Alberta, W Canada
11 S14 **Spiritwood** Saskatchewan, S Canada
27 R11 **Spiro** Oklahoma, C USA
111 L19 **Spišská Nová Ves** *Ger.* Neudorf, Zipser Neudorf, *Hung.* Igló. Košický Kraj, E Slovakia
137 T11 **Spitak** NW Armenia
92 O2 **Spitsbergen** *island* NW Svalbard
Spittal *see* Spittal an der Drau
109 R9 **Spittal an der Drau** *var.* Spittal. Kärnten, S Austria
109 V3 **Spitz** Niederösterreich, NE Austria
94 D9 **Spjelkavik** Møre og Romsdal, S Norway
25 W10 **Splendora** Texas, SW USA
113 E14 **Split** *It.* Spalato. Split-Dalmacija, S Croatia
113 E14 **Split** ✕ Split-Dalmacija, S Croatia
113 E14 **Split-Dalmacija** *off.* Splitsko-Dalmatinska Županija. ◆ *province* S Croatia
11 X12 **Split Lake** ◎ Manitoba, C Canada
Splitsko-Dalmatinska Županija *see* Split-Dalmacija
108 H10 **Splügen** Graubünden, S Switzerland
Spodnji Dravograd *see* Dravograd
25 P12 **Spofford** Texas, SW USA
118 J11 **Špoģi** Daugvapils, SE Latvia
32 L8 **Spokane** Washington, NW USA
32 L8 **Spokane River** ☍ Washington, NW USA
106 I13 **Spoleto** Umbria, C Italy
30 I4 **Spooner** Wisconsin, N USA
30 K12 **Spoon River** ☍ Illinois, N USA
21 W5 **Spotsylvania** Virginia, NE USA
32 L8 **Sprague** Washington, NW USA
170 J5 **Spratly Island** *island* SW Spratly Islands
192 E6 **Spratly Islands** *Chin.* Nansha Qundao. ◇ *disputed territory* SE Asia
32 J12 **Spray** Oregon, NW USA
112 I11 **Spreča** ☍ N Bosnia and Herzegovina
100 P13 **Spree** ☍ E Germany
100 P13 **Spreewald** *wetland* NE Germany
101 P14 **Spremberg** Brandenburg, E Germany
25 W11 **Spring** Texas, SW USA
31 Q10 **Spring Arbor** Michigan, N USA
83 E23 **Springbok** Northern Cape, W South Africa
18 I15 **Spring City** Pennsylvania, NE USA
20 L9 **Spring City** Tennessee, S USA
36 L4 **Spring City** Utah, W USA
35 W3 **Spring Creek** Nevada, W USA
27 S9 **Springdale** Arkansas, C USA
31 Q14 **Springdale** Ohio, N USA
100 I13 **Springe** Niedersachsen, N Germany
37 U9 **Springer** New Mexico, SW USA
37 W7 **Springfield** Colorado, C USA
23 W5 **Springfield** Georgia, SE USA
30 K14 **Springfield** *state capital* Illinois, N USA
20 L6 **Springfield** Kentucky, S USA
18 M12 **Springfield** Massachusetts, NE USA
29 T10 **Springfield** Minnesota, N USA
27 T7 **Springfield** Missouri, C USA
31 R13 **Springfield** Ohio, N USA
32 G13 **Springfield** Oregon, NW USA
29 Q12 **Springfield** South Dakota, N USA
20 J8 **Springfield** Tennessee, S USA
18 M9 **Springfield** Vermont, NE USA
30 K14 **Springfield, Lake** ▣ Illinois, N USA
55 T8 **Spring Garden** NE Guyana
30 K8 **Spring Green** Wisconsin, N USA
29 X11 **Spring Grove** Minnesota, N USA
22 G4 **Springhill** Louisiana, S USA
23 V12 **Spring Hill** Florida, SE USA
27 R4 **Spring Hill** Kansas, C USA
13 P15 **Springhill** Nova Scotia, SE Canada
20 I9 **Spring Hill** Tennessee, S USA
21 U10 **Spring Lake** North Carolina, SE USA
24 M4 **Springlake** Texas, SW USA
35 W11 **Spring Mountains** ▲ Nevada, W USA
65 B24 **Spring Point** West Falkland, Falkland Islands
27 W9 **Spring River** ☍ Arkansas/Missouri, C USA
27 S7 **Spring River** ☍ Missouri/Oklahoma, C USA
83 J21 **Springs** Gauteng, NE South Africa
185 H16 **Springs Junction** West Coast, South Island, NZ
181 X8 **Springsure** Queensland, E Australia
29 W11 **Spring Valley** Minnesota, N USA
18 K13 **Spring Valley** New York, NE USA
29 N12 **Springview** Nebraska, C USA
18 D11 **Springville** New York, NE USA
36 L3 **Springville** Utah, W USA
Sprottau *see* Szprotawa
15 V4 **Sproule, Pointe** *headland* Québec, SE Canada
11 Q14 **Spruce Grove** Alberta, SW Canada
21 T4 **Spruce Knob** ▲ West Virginia, NE USA
35 X3 **Spruce Mountain** ▲ Nevada, W USA
21 P9 **Spruce Pine** North Carolina, SE USA
98 G13 **Spui** ☍ SW Netherlands
107 O19 **Spulico, Capo** *headland* S Italy
25 O5 **Spur** Texas, SW USA
97 O17 **Spurn Head** *headland* E England, UK
99 H20 **Spy** Namur, S Belgium
95 I15 **Spydeberg** Østfold, S Norway
185 J17 **Spy Glass Point** *headland* South Island, NZ
10 L17 **Squamish** British Columbia, SW Canada
19 O8 **Squam Lake** ◎ New Hampshire, NE USA
19 S2 **Squa Pan Mountain** ▲ Maine, NE USA
39 N16 **Squaw Harbor** Unga Island, Alaska, USA
14 E11 **Squaw Island** *island* Ontario, S Canada
107 O22 **Squillace, Golfo di** *gulf* S Italy
107 Q18 **Squinzano** Puglia, SE Italy
Sráid na Cathrach *see* Milltown Malbay
167 S11 **Srâlau** Stœng Trêng, N Cambodia
Srath an Urláir *see* Stranorlar
112 G10 **Srbac** Republika Srpska, N Bosnia & Herzegovina
Srbinje *see* Foča
Srbija *see* Serbia
Srbobran *see* Donji Vakuf
112 K9 **Srbobran** *var.* Bácsszenttamás, *Hung.* Szenttamás. Serbia, N Serbia and Montenegro (Yugo.)
167 R13 **Srê Âmběl** Kaôh Kŏng, SW Cambodia
112 K13 **Srebrenica** Republika Srpska, E Bosnia & Herzegovina
112 I11 **Srebrenik** Federacija Bosna I Hercegovina, E Bosnia & Herzegovina
114 M10 **Sredets** *prev.* Grudovo. Burgas, E Bulgaria
114 K10 **Sredets** *prev.* Syulemeshlii. Stara Zagora, C Bulgaria
114 M10 **Sredetska Reka** ☍ SE Bulgaria
123 U9 **Sredinnyy Khrebet** ▲ E Russian Federation
114 N7 **Sredishte** *Rom.* Beibunar; *prev.* Knyazhevo. Dobrich, NE Bulgaria
114 I10 **Sredna Gora** ▲ C Bulgaria
123 R7 **Srednekolymsk** Respublika Sakha (Yakutiya), NE Russian Federation
126 K7 **Srednerusskaya Vozvyshennost'** *Eng.* Central Russian Upland. ▲ W Russian Federation
122 L9 **Srednesibirskoye Ploskogor'ye** *var.* Central Siberian Uplands, *Eng.* Central Siberian Plateau. ▲ N Russian Federation
127 V13 **Sredniy Ural** ▲ NW Russian Federation
167 T12 **Srê Khtŭm** Môndól Kiri, E Cambodia
111 G12 **Śrem** Wielkopolskie, C Poland
112 K10 **Sremska Mitrovica** *prev.* Mitrovica, *Ger.* Mitrowitz. Serbia, NW Serbia and Montenegro (Yugo.)
167 R11 **Srêng, Stœng** ☍ NW Cambodia
167 R11 **Srê Noy** Siĕmréab, NW Cambodia
Srepok, Sông *see* Srêpôk, Tônle
167 T12 **Srêpôk, Tônle** *var.* Sông Srepok. ☍ Cambodia/Vietnam
123 P13 **Sretensk** Chitinskaya Oblast', S Russian Federation
169 R10 **Sri Aman** Sarawak, East Malaysia
117 R4 **Sribne** Chernihivs'ka Oblast', N Ukraine
155 I25 **Sri Jayawardanapura** *var.* Sri Jayawardenepura; *prev.* Kotte. Western Province, W Sri Lanka
155 M14 **Srīkākulam** Andhra Pradesh, E India
155 I25 **Sri Lanka** *off.* Democratic Socialist Republic of Sri Lanka; *prev.* Ceylon. ◆ *republic* S Asia
173 R5 **Sri Lanka** *island* S Asia
153 V14 **Srimangal** Chittagong, E Bangladesh
Sri Mohangorh *see* Shri Mohangarh
152 H5 **Srīnagar** Jammu and Kashmir, N India
167 N10 **Srinagarind Reservoir** ◎ W Thailand
155 F19 **Sringeri** Karnātaka, W India
155 K25 **Sri Pada** *Eng.* Adam's Peak. ▲ S Sri Lanka
Sri Saket *see* Si Sa Ket
111 G14 **Środa Śląska** *Ger.* Neumarkt. Dolnośląskie, SW Poland
110 H12 **Środa Wielkopolska** Wielkopolskie, C Poland
Srpska Kostajnica *see* Bosanska Kostajnica
113 G14 **Srpska, Republika** ◆ *republic* Bosnia & Herzegovina
Srpski Brod *see* Bosanski Brod
Ssu-ch'uan *see* Sichuan
Ssu-p'ing/Ssu-p'ing-chieh *see* Siping
Stablo *see* Stavelot
99 G15 **Stabroek** Antwerpen, N Belgium
Stackeln *see* Strenči
96 I5 **Stack Skerry** *island* N Scotland, UK
100 I9 **Stade** Niedersachsen, NW Germany

◆ Country ● Country Capital ◇ Dependent Territory ○ Dependent Territory Capital ◆ Administrative Region ✕ International Airport ▲ Mountain ▲ Mountain Range ☒ Volcano ☍ River ◎ Lake ▣ Reservoir

◆ COUNTRY   ◇ DEPENDENT TERRITORY   ◆ ADMINISTRATIVE REGION   ▲ MOUNTAIN   ⟁ VOLCANO   ◎ LAKE
● COUNTRY CAPITAL   ○ DEPENDENT TERRITORY CAPITAL   ✕ INTERNATIONAL AIRPORT   ▲ MOUNTAIN RANGE   ☒ RIVER   ☒ RESERVOIR

Strumyani – Suspiro del Moro, Puerto del ••• 329

114 G11 **Strumyani** Blagoevgrad, SW Bulgaria
31 V12 **Struthers** Ohio, N USA
114 I10 **Stryama** ≈ C Bulgaria
114 G13 **Strymónas** *Bul.* Struma. ≈ Bulgaria/Greece *see also* Struma
115 H14 **Strymonikós Kólpos** *gulf* N Greece
116 I6 **Stryy** L'vivs'ka Oblast', NW Ukraine
116 H6 **Stryy** ≈ W Ukraine
111 F14 **Strzegom** *Ger.* Striegau. Wałbrzych, SW Poland
110 E10 **Strzelce Krajeńskie** *Ger.* Friedeberg Neumark. Lubuskie, W Poland
111 I15 **Strzelce Opolskie** *Ger.* Gross Strehlitz. Opolskie, S Poland
182 K3 **Strzelecki Creek** *seasonal river* South Australia
182 J3 **Strzelecki Desert** *desert* South Australia
111 G15 **Strzelin** *Ger.* Strehlen. Dolnośląskie, SW Poland
110 I11 **Strzelno** Kujawsko-pomorskie, C Poland
111 N17 **Strzyżów** Podkarpackie, SE Poland
Stua Laighean *see* Leinster, Mount
23 Y13 **Stuart** Florida, SE USA
29 U14 **Stuart** Iowa, C USA
29 O13 **Stuart** Nebraska, C USA
21 S8 **Stuart** Virginia, NE USA
10 L13 **Stuart** ≈ British Columbia, SW Canada
39 N10 **Stuart Island** *island* Alaska, USA
10 L13 **Stuart Lake** ◎ British Columbia, SW Canada
185 E22 **Stuart Mountains** ▲ South Island, NZ
182 F3 **Stuart Range** *hill range* South Australia
Stubaital *see* Neustift im Stubaital
95 I24 **Stubbekøbing** Storstrøm, SE Denmark
45 P14 **Stubbs** Saint Vincent, Saint Vincent and the Grenadines
109 V6 **Stübming** ≈ E Austria
114 J11 **Studen Kladenets, Yazovir** ⊠ S Bulgaria
185 G21 **Studholme** Canterbury, South Island, NZ
Stuhlweissenberg *see* Székesfehérvár
Stuhm *see* Sztum
12 C7 **Stull Lake** ◎ Ontario, C Canada
Stung Treng *see* Stœ̆ng Trêng
126 L4 **Stupino** Moskovskaya Oblast', W Russian Federation
27 U4 **Sturgeon** Missouri, C USA
14 G10 **Sturgeon** ≈ Ontario, S Canada
31 N6 **Sturgeon Bay** Wisconsin, N USA
14 G11 **Sturgeon Falls** Ontario, S Canada
12 C11 **Sturgeon Lake** ◎ Ontario, S Canada
30 M3 **Sturgeon River** ≈ Michigan, N USA
20 H6 **Sturgis** Kentucky, S USA
31 P11 **Sturgis** Michigan, N USA
28 J9 **Sturgis** South Dakota, N USA
112 D10 **Šturlić** Federacija Bosna I Hercegovina, NW Bosnia and Herzegovina
111 J22 **Štúrovo** *Hung.* Párkány; *prev.* Parkan. Nitriansky Kraj, W Slovakia
182 L4 **Sturt, Mount** *hill* New South Wales, SE Australia
181 P4 **Sturt Plain** *plain* Northern Territory, N Australia
181 T9 **Sturt Stony Desert** *desert* South Australia
83 J25 **Stutterheim** Eastern Cape, S South Africa
101 H21 **Stuttgart** Baden-Württemberg, SW Germany
27 W12 **Stuttgart** Arkansas, C USA
92 H2 **Stykkishólmur** Vesturland, W Iceland
115 F17 **Stylída** *var.* Stilida, Stilís. Stereá Ellás, C Greece
116 K2 **Styr** *Rus.* Styr'. ≈ Belarus/Ukraine
115 I19 **Stýra** *var.* Stira. Évvoia, C Greece
Styria *see* Steiermark
Su *see* Jiangsu
Sua *see* Sowa
171 Q17 **Suai** W East Timor
54 G9 **Suaita** Santander, C Colombia
80 I7 **Suakin** *var.* Sawakin. Red Sea, NE Sudan
161 T13 **Suao** *Jap.* Suō. N Taiwan
Suao *see* Suau
83 I18 **Sua Pan** *var.* Sowa Pan. *salt lake* NE Botswana
40 G6 **Suaqui Grande** Sonora, NW Mexico
61 A16 **Suardi** Santa Fe, C Argentina
54 D11 **Suárez** Cauca, SW Colombia
186 G10 **Suau** *var.* Suao. Suaul Island, SE PNG
118 G12 **Subačius** Panevėžys, NE Lithuania
168 K9 **Subang** *prev.* Soebang. Jawa, C Indonesia
169 O16 **Subang** ✕ (Kuala Lumpur) Pahang, Peninsular Malaysia
118 I11 **Subate** Daugvapils, SE Latvia
139 N5 **Subaykhān** Dayr az Zawr, E Syria
Subei/Subei Mongolzu Zizhixian *see* Dangchengwan
169 P9 **Subi Besar, Pulau** *island* Kepulauan Natuna, W Indonesia
Subiyah *see* Aş Şubayhīyah
26 I7 **Sublette** Kansas, C USA
112 K8 **Subotica** *Ger.* Maria-Theresiopel, *Hung.* Szabadka. Serbia, N Serbia and Montenegro (Yugo.)
116 K9 **Suceava** *Ger.* Suczawa, *Hung.* Szucsava. Suceava, NE Romania
116 J9 **Suceava** ◆ *county* NE Romania
116 K9 **Suceava** *Ger.* Suczawa. ≈ N Romania
112 E12 **Sućevići** Zadar, SW Croatia
111 K17 **Sucha Beskidzka** Małopolskie, S Poland
111 M14 **Suchedniów** Świętokrzyskie, C Poland
42 A2 **Suchitepéquez** *off.* Departamento de Suchitepéquez. ◆ *department* SW Guatemala
Su-chou *see* Suzhou
Suchow *see* Suzhou, Jiangsu, China
Suchow *see* Xuzhou, Jiangsu, China
97 D17 **Suck** ≈ C Ireland
Sucker State *see* Illinois
186 F9 **Suckling, Mount** ▲ S PNG
57 L19 **Sucre** *hist.* Chuquisaca, La Plata. ● (Bolivia-legal capital) Chuquisaca, S Bolivia
54 E6 **Sucre** Santander, N Colombia
56 A7 **Sucre** Manabí, W Ecuador
54 E6 **Sucre** *off.* Departamento de Sucre. ◆ *province* N Colombia
55 O5 **Sucre** *off.* Estado Sucre. ◆ *state* NE Venezuela
56 D6 **Sucumbíos** ◆ *province* NE Ecuador
113 G15 **Sućuraj** Split-Dalmacija, S Croatia
58 K10 **Sucuriju** Amapá, NE Brazil
Suczawa *see* Suceava
79 E16 **Sud** *Eng.* South. ◆ *province* S Cameroon
126 K13 **Suda** ≈ NW Russian Federation
Suda *see* Soúda
117 U13 **Sudak** Respublika Krym, S Ukraine
24 M4 **Sudan** Texas, SW USA
80 C10 **Sudan** *off.* Republic of Sudan, *Ar.* Jumhuriyat as-Sudan; *prev.* Anglo-Egyptian Sudan. ♦ *republic* N Africa
Sudanese Republic *see* Mali
Sudan, Jumhuriyat as- *see* Sudan
14 F10 **Sudbury** Ontario, S Canada
97 P20 **Sudbury** E England, UK
Sud, Canal de *see* Gonâve, Canal de la
80 E13 **Sudd** *swamp region* S Sudan
100 K10 **Sude** ≈ N Germany
Sudest Island *see* Tagula Island
111 E15 **Sudeten** *var.* Sudetes, Sudetic Mountains, *Cz./Pol.* Sudety. ▲ Czech Republic/Poland
Sudetes/Sudetic Mountains/Sudety *see* Sudeten
92 G1 **Sudhureyri** Vestfirdhir, NW Iceland
92 J4 **Sudhurland** ◆ *region* S Iceland
95 B19 **Sudhuroy** *Dan.* Suderø *Island* Faeroe Islands
124 M15 **Sudislavl'** Kostromskaya Oblast', NW Russian Federation
Südkarpaten *see* Carpații Meridionali
79 N20 **Sud Kivu** *off.* Région Sud Kivu. ◆ *region* E Dem. Rep. Congo
Südliche Morava *see* Južna Morava
100 E12 **Süd-Nord-Kanal** *canal* NW Germany
126 M3 **Sudogda** Vladimirskaya Oblast', W Russian Federation
Sudostroy *see* Severodvinsk
79 C15 **Sud-Ouest** *Eng.* South-West. ◆ *province* W Cameroon
173 X17 **Sud Ouest, Pointe** *headland* SW Mauritius
187 P17 **Sud, Province** ◆ *province* S New Caledonia
126 J8 **Sudzha** Kurskaya Oblast', W Russian Federation
81 D15 **Sue** ≈ S Sudan
105 S10 **Sueca** País Valenciano, E Spain
114 I10 **Süedinenie** Plovdiv, C Bulgaria
Suero *see* Alzira
75 X8 **Suez** *Ar.* As Suways, El Suweis. NE Egypt
75 W7 **Suez Canal** *Ar.* Qanāt as Suways. *canal* NE Egypt
75 X8 **Suez, Gulf of** *Ar.* Khalīj as Suways. *gulf* NE Egypt
11 R17 **Suffield** Alberta, SW Canada
21 X7 **Suffolk** Virginia, NE USA
97 P20 **Suffolk** *cultural region* E England, UK
142 J2 **Şūfīān** Āžarbāyjān-e Khāvarī, N Iran
31 N12 **Sugar Creek** ≈ Illinois, N USA
30 L13 **Sugar Creek** ≈ Illinois, N USA
31 R3 **Sugar Island** *island* Michigan, N USA
25 V11 **Sugar Land** Texas, SW USA
19 P6 **Sugarloaf Mountain** ▲ Maine, NE USA
65 G24 **Sugar Loaf Point** *headland* N Saint Helena
136 G16 **Suğla Gölü** ◎ SW Turkey
123 T8 **Sugoy** ≈ E Russian Federation
158 F7 **Sugun** Xinjiang Uygur Zizhiqu, W China
147 U11 **Sugut, Gora** ▲ SW Kyrgyzstan
169 V6 **Sugut, Sungai** ≈ East Malaysia
159 O9 **Suhai Hu** ◎ C China
162 K14 **Suhait** Nei Mongol Zizhiqu, N China
141 X7 **Şuḩār** *var.* Sohar. N Oman
162 L6 **Sühbaatar** Selenge, N Mongolia
163 P9 **Sühbaatar** ◆ *province* E Mongolia
101 K17 **Suhl** Thüringen, C Germany
108 F7 **Suhr** Aargau, N Switzerland
Sui'an *see* Zhangpu
161 O12 **Suichuan** *var.* Quanjiang. Jiangxi, S China
Suid-Afrika *see* South Africa
160 L4 **Suide** Shaanxi, C China
Suidwes-Afrika *see* Namibia
163 Y9 **Suifenhe** Heilongjiang, NE China
Suigen *see* Suwŏn
163 W8 **Suihua** Heilongjiang, NE China
Súilí, Loch *see* Swilly, Lough
161 Q6 **Suining** Jiangsu, E China
160 I9 **Suining** Sichuan, C China
103 Q4 **Suippes** Marne, N France
97 E20 **Suir** *Ir.* An tSiúir. ≈ S Ireland
165 L13 **Suita** Ōsaka, Honshū, SW Japan
160 L16 **Suixi** Guangdong, S China
Sui Xian *see* Suizhou
163 T13 **Suizhong** Liaoning, NE China
161 N8 **Suizhou** *prev.* Sui Xian. Hubei, C China
149 P17 **Sujāwal** Sind, SE Pakistan
169 O16 **Sukabumi** *prev.* Soekaboemi. Jawa, C Indonesia
169 Q12 **Sukadana, Teluk** *bay* Borneo, W Indonesia
165 P11 **Sukagawa** Fukushima, Honshū, C Japan
Sukarnapura *see* Jayapura
Sukarno, Puntjak *see* Jaya, Puncak
Sūkh *see* Sokh
114 N8 **Sukha Reka** ≈ NE Bulgaria
126 J5 **Sukhinichi** Kaluzhskaya Oblast', W Russian Federation
Sukhne *see* As Sukhnah
125 N12 **Sukhona** *var.* Tot'ma. ≈ NW Russian Federation
167 O8 **Sukhothai** *var.* Sukotai. Sukhothai, W Thailand
Sukhumi *see* Sokhumi
Sukkertoppen *see* Maniitsoq
149 Q13 **Sukkur** Sind, SE Pakistan
Sukotai *see* Sukhothai
Sukra Bay *see* Şawqirah, Dawḩat
125 V15 **Suksun** Permskaya Oblast', NW Russian Federation
165 F15 **Sukumo** Kōchi, Shikoku, SW Japan
94 B12 **Sula** *island* S Norway
127 Q5 **Sula** ≈ NW Russian Federation
117 R5 **Sula** ≈ N Ukraine
42 H6 **Sulaco, Río** ≈ NW Honduras
Sulaimaniya *see* As Sulaymānīyah
149 S10 **Sulaimān Range** ▲ C Pakistan
127 Q16 **Sulak** Respublika Dagestan, SW Russian Federation
127 Q16 **Sulak** ≈ SW Russian Federation
171 Q13 **Sula, Kepulauan** *island group* C Indonesia
136 I12 **Sulakyurt** *var.* Konur. Kırıkkale, N Turkey
171 P17 **Sulamu** Timor, S Indonesia
96 F5 **Sula Sgeir** *island* NW Scotland, UK
171 N13 **Sulawesi** *Eng.* Celebes. *island* C Indonesia
Sulawesi, Laut *see* Celebes Sea
171 N14 **Sulawesi Selatan** *off.* Propinsi Sulawesi Selatan, *Eng.* South Celebes, South Sulawesi. ◆ *province* C Indonesia
171 P12 **Sulawesi Tengah** *off.* Propinsi Sulawesi Tengah, *Eng.* Central Celebes, Central Sulawesi. ◆ *province* N Indonesia
171 O14 **Sulawesi Tenggara** *off.* Propinsi Sulawesi Tenggara, *Eng.* South-East Celebes, South-East Sulawesi. ◆ *province* C Indonesia
171 P11 **Sulawesi Utara** *off.* Propinsi Sulawesi Utara, *Eng.* North Celebes, North Sulawesi. ◆ *province* N Indonesia
139 T5 **Sulaymān Beg** N Iraq
95 D15 **Suldalsvatnet** ◎ S Norway
Sulden *see* Solda
110 E12 **Sulechów** *Ger.* Züllichau. Lubuskie, W Poland
110 E11 **Sulęcin** Lubuskie, W Poland
77 U14 **Suleja** Niger, C Nigeria
111 K14 **Sulejów** Łodzkie, S Poland
96 I5 **Sule Skerry** *island* N Scotland, UK
Suliag *see* Sohâg
76 J16 **Sulima** S Sierra Leone
117 O13 **Sulina** Tulcea, SE Romania
117 N13 **Sulina Bratul** ≈ SE Romania
100 H12 **Sulingen** Niedersachsen, NW Germany
Sulisjielmmá *see* Sulitjelma
92 H12 **Suliskongen** ▲ C Norway
92 H12 **Sulitjelma** *Lapp.* Sulisjielmmá. Nordland, C Norway
56 A9 **Sullana** Piura, NW Peru
23 N3 **Sulligent** Alabama, S USA
30 M14 **Sullivan** Illinois, N USA
31 N15 **Sullivan** Indiana, N USA
27 W5 **Sullivan** Missouri, C USA
Sullivan Island *see* Lanbi Kyun
96 M1 **Sullom Voe** NE Scotland, UK
103 O7 **Sully-sur-Loire** Loiret, C France
Sulmo *see* Sulmona
107 K15 **Sulmona** *anc.* Sulmo. Abruzzo, C Italy
Sulo *see* Shule He
114 M11 **Süloğlu** Edirne, NW Turkey
22 G9 **Sulphur** Louisiana, S USA
27 O12 **Sulphur** Oklahoma, C USA
28 K9 **Sulphur Creek** ≈ South Dakota, N USA
24 M5 **Sulphur Draw** ≈ Texas, SW USA
25 W5 **Sulphur River** ≈ Arkansas/Texas, SW USA
25 V6 **Sulphur Springs** Texas, SW USA
24 M6 **Sulphur Springs Draw** ≈ Texas, SW USA
14 D8 **Sultan** Ontario, S Canada
Sultānābād *see* Arāk
Sultan Alonto, Lake *see* Lanao, Lake
136 G15 **Sultan Dağları** ▲ C Turkey
114 N13 **Sultanköy** Tekirdağ, NW Turkey
171 Q7 **Sultan Kudarat** *var.* Nuling. Mindanao, S Philippines
152 M13 **Sultānpur** Uttar Pradesh, N India
171 O9 **Sulu Archipelago** *island group* SW Philippines
192 F7 **Sulu Basin** *undersea feature* SE South China Sea
Sülüktü *see* Sulyukta
Sulu, Laut *see* Sulu Sea
169 X6 **Sulu Sea** *Ind.* Laut Sulu. *sea* SW Philippines
145 O15 **Sulutobe** *Kaz.* Sulūtöbe. Kzylorda, S Kazakhstan
147 Q11 **Sulyukta** *Kir.* Sülüktü. Batkenskaya Oblast', SW Kyrgyzstan
Sulz *see* Sulz am Neckar
101 G22 **Sulz am Neckar** *var.* Sulz. Baden-Württemberg, SW Germany
101 L20 **Sulzbach-Rosenberg** Bayern, SE Germany
195 N13 **Sulzberger Bay** *bay* Antarctica
Sumail *see* Summēl
113 F15 **Sumartin** Split-Dalmacija, S Croatia
32 H6 **Sumas** Washington, NW USA
168 J10 **Sumatera** *Eng.* Sumatra. *island* W Indonesia
168 J12 **Sumatera Barat** *off.* Propinsi Sumatera Barat, *Eng.* West Sumatra. ◆ *province* W Indonesia
168 L13 **Sumatera Selatan** *off.* Propinsi Sumatera Selatan, *Eng.* South Sumatra. ◆ *province* W Indonesia
168 H10 **Sumatera Utara** *off.* Propinsi Sumatera Utara, *Eng.* North Sumatra. ◆ *province* W Indonesia
Sumatra *see* Sumatera
Šumava *see* Bohemian Forest
Sumayl *see* Summēl
139 U7 **Sumayr al Muḩammad** E Iraq
171 N17 **Sumba, Pulau** *Eng.* Sandalwood Island; *prev.* Soemba. *island* Nusa Tenggara, C Indonesia
146 D12 **Sumbar** ≈ W Turkmenistan
192 E9 **Sumbawa** *prev.* Soembawa. *island* Nusa Tenggara, C Indonesia
170 L15 **Sumbawabesar** Sumbawa, S Indonesia
81 F23 **Sumbawanga** Rukwa, W Tanzania
82 B12 **Sumbe** *prev.* N'Gunza, *Port.* Novo Redondo. Cuanza Sul, W Angola
96 M3 **Sumburgh Head** *headland* NE Scotland, UK
111 H23 **Sümeg** Veszprém, W Hungary
80 C12 **Sumeih** Southern Darfur, S Sudan
169 T16 **Sumenep** *prev.* Soemenep. Pulau Madura, C Indonesia
Sumgait *see* Sumqayıt, Azerbaijan
Sumgait *see* Sumqayıtçay, Azerbaijan
165 Y14 **Sumisu-jima** *Eng.* Smith Island. *island* SE Japan
139 Q2 **Summēl** *var.* Sumail, Sumayl. N Iraq
31 O5 **Summer Island** *island* Michigan, N USA
32 H15 **Summer Lake** ◎ Oregon, NW USA
11 N17 **Summerland** British Columbia, SW Canada
13 P14 **Summerside** Prince Edward Island, SE Canada
21 R5 **Summersville** West Virginia, NE USA
21 R5 **Summersville Lake** ⊠ West Virginia, NE USA
21 S13 **Summerton** South Carolina, SE USA
23 R2 **Summerville** Georgia, SE USA
21 S14 **Summerville** South Carolina, SE USA
39 R10 **Summit** Alaska, USA
35 V6 **Summit Mountain** ▲ Nevada, W USA
37 R8 **Summit Peak** ▲ Colorado, C USA
Summus Portus *see* Somport, Col du
29 X12 **Sumner** Iowa, C USA
22 K3 **Sumner** Mississippi, S USA
185 H17 **Sumner, Lake** ◎ South Island, NZ
37 U12 **Sumner, Lake** ⊠ New Mexico, SW USA
111 G17 **Šumperk** *Ger.* Mährisch-Schönberg. Olomoucký Kraj, E Czech Republic
42 F7 **Sumpul, Río** ≈ El Salvador/Honduras
137 Z11 **Sumqayıt** *Rus.* Sumgait. E Azerbaijan
137 Y11 **Sumqayıtçay** *Rus.* Sumgait. ≈ E Azerbaijan
147 R9 **Sumsar** Dzhalal-Abadskaya Oblast', W Kyrgyzstan
117 S3 **Sums'ka Oblast'** *var.* Sumy, *Rus.* Sumskaya Oblast'. ◆ *province* NE Ukraine
Sumskaya Oblast' *see* Sums'ka Oblast'
124 J8 **Sumskiy Posad** Respublika Kareliya, NW Russian Federation
21 S12 **Sumter** South Carolina, SE USA
117 T3 **Sumy** Sums'ka Oblast', NE Ukraine
Sumy *see* Sums'ka Oblast'
159 Q15 **Sumzom** Xizang Zizhiqu, W China
125 R15 **Suna** Kirovskaya Oblast', NW Russian Federation
126 I10 **Suna** ≈ NW Russian Federation
165 S3 **Sunagawa** Hokkaidō, NE Japan
153 V13 **Sunamganj** Chittagong, NE Bangladesh
163 W14 **Sunan** ✕ (P'yŏngyang) SW North Korea
Sunan/Sunan Yugurzu Zizhixian *see* Hongwansi
19 N9 **Sunapee Lake** ◎ New Hampshire, NE USA
139 P4 **Sunaysilah** *salt marsh* N Iraq
20 M8 **Sunbright** Tennessee, S USA
33 R6 **Sunburst** Montana, NW USA
183 N12 **Sunbury** Victoria, SE Australia
21 X8 **Sunbury** North Carolina, SE USA
18 G14 **Sunbury** Pennsylvania, NE USA
61 A17 **Sunchales** Santa Fe, C Argentina
163 W13 **Sunch'ŏn** SW North Korea
163 Y16 **Sunch'ŏn** *Jap.* Junten. S South Korea
36 K13 **Sun City** Arizona, SW USA
19 O9 **Suncook** New Hampshire, NE USA
161 P5 **Suncun** *prev.* Xinwen. Shandong, E China
Sunda Islands *see* Greater Sunda Islands
33 Z12 **Sundance** Wyoming, C USA
153 T17 **Sundarbans** *wetland* Bangladesh/India
154 M11 **Sundargarh** Orissa, E India
Sunda Trench *see* Java Trench
95 O16 **Sundbyberg** Stockholm, C Sweden
97 M14 **Sunderland** *var.* Wearmouth. NE England, UK
101 F15 **Sundern** Nordrhein-Westfalen, W Germany
136 F12 **Sündiken Dağları** ▲ C Turkey
24 M5 **Sundown** Texas, SW USA
11 P16 **Sundre** Alberta, SW Canada
14 H12 **Sundridge** Ontario, S Canada
93 H17 **Sundsvall** Västernorrland, C Sweden
26 H4 **Sunflower, Mount** ▲ Kansas, C USA
Sunflower State *see* Kansas
169 N14 **Sungaibuntu** Sumatera, SW Indonesia
168 K12 **Sungaidareh** Sumatera, W Indonesia
167 P17 **Sungai Kolok** *var.* Sungai Ko-Lok. Narathiwat, SW Thailand
168 K12 **Sungaipenuh** *prev.* Soengaipenoeh. Sumatera, W Indonesia
169 P11 **Sungaipinyuh** Borneo, C Indonesia
Sungari *see* Songhua Jiang
Sungei Pahang *see* Pahang, Sungai
167 O8 **Sung Men** Phrae, NW Thailand
83 M15 **Sungo** Tete, NW Mozambique
Sungpu *see* Songpan
168 M13 **Sungsang** Sumatera, W Indonesia
114 M9 **Sungurlare** Burgas, E Bulgaria
136 J12 **Sungurlu** Çorum, N Turkey
112 F9 **Sunja** Sisak-Moslavina, C Croatia
153 Q12 **Sun Koshi** ≈ E Nepal
94 F9 **Sunndalen** *valley* S Norway
94 F9 **Sunndalsøra** Møre og Romsdal, S Norway
95 K15 **Sunne** Värmland, C Sweden
95 O15 **Sunnersta** Uppsala, C Sweden
94 C11 **Sunnfjord** *physical region* S Norway
95 C15 **Sunnhordland** *physical region* S Norway
94 D10 **Sunnmøre** *physical region* S Norway
37 N4 **Sunnyside** Utah, W USA
32 J10 **Sunnyside** Washington, NW USA
35 N9 **Sunnyvale** California, W USA
30 L8 **Sun Prairie** Wisconsin, N USA
Sunqur *see* Sonqor
25 N1 **Sunray** Texas, SW USA
22 I8 **Sunset** Louisiana, S USA
25 S5 **Sunset** Texas, SW USA
Sunset State *see* Oregon
181 Z10 **Sunshine Coast** *cultural region* Queensland, E Australia
Sunshine State *see* Florida, USA
Sunshine State *see* New Mexico, USA
Sunshine State *see* South Dakota, USA
123 O10 **Suntar** Respublika Sakha (Yakutiya), NE Russian Federation
39 R10 **Suntrana** Alaska, USA
148 J15 **Suntsar** Baluchistān, SW Pakistan
163 W15 **Sunwi-do** *island* SW North Korea
163 W6 **Sunwu** Heilongjiang, NE China
77 O16 **Sunyani** W Ghana
Suō *see* Suao
93 M17 **Suolahti** Länsi-Suomi, W Finland
Suoločielgi *see* Saariselkä
Suomenlahti *see* Finland, Gulf of
Suomen Tasavalta/Suomi *see* Finland
93 N14 **Suomussalmi** Oulu, E Finland
165 E13 **Suō-nada** *sea* SW Japan
93 M17 **Suonenjoki** Itä-Suomi, C Finland
167 S13 **Suŏng** Kâmpóng Cham, C Cambodia
124 I10 **Suoyarvi** Respublika Kareliya, NW Russian Federation
Supanburi *see* Suphan Buri
57 D14 **Supe** Lima, W Peru
15 V7 **Supérieur, Lac** ◎ Québec, SE Canada
Supérieur, Lac *see* Superior, Lake
36 M14 **Superior** Arizona, SW USA
33 O9 **Superior** Montana, NW USA
29 P17 **Superior** Nebraska, C USA
30 I3 **Superior** Wisconsin, N USA
41 S17 **Superior, Laguna** *lagoon* S Mexico
31 N2 **Superior, Lake** *Fr.* Lac Supérieur. ◎ Canada/USA
36 L13 **Superstition Mountains** ▲ Arizona, SW USA
113 F14 **Supetar** *It.* San Pietro. Split-Dalmacija, S Croatia
167 O10 **Suphan Buri** *var.* Supanburi. Suphan Buri, W Thailand
171 V12 **Supiori, Pulau** *island* E Indonesia
188 K2 **Supply Reef** *reef* N Northern Mariana Islands
195 O7 **Support Force Glacier** *glacier* Antarctica
137 R10 **Sup'sa** *var.* Supsa. ≈ W Georgia
Sūq 'Abs *see* 'Abs
139 W12 **Sūq ash Shuyūkh** SE Iraq
138 H4 **Şuqaylibīyah** Ḩamāh, W Syria
161 Q5 **Suqian** Jiangsu, E China
Suqrah *see* Şawqirah
Suqrah Bay *see* Şawqirah, Dawḩat
141 V16 **Suquṭrā** *var.* Sokotra, *Eng.* Socotra. *island* SE Yemen
141 Z8 **Şūr** NE Oman
Şūr *see* Soûr
127 P5 **Sura** Penzenskaya Oblast', W Russian Federation
127 P4 **Sura** ≈ W Russian Federation
149 N12 **Sūrāb** Baluchistān, SW Pakistan
Surabaja *see* Surabaya
192 E8 **Surabaya** *prev.* Soerabaja, Surabaja. Jawa, C Indonesia
95 N15 **Surahammar** Västmanland, C Sweden
169 Q16 **Surakarta** *Eng.* Solo; *prev.* Soerakarta. Jawa, S Indonesia
Surakhany *see* Suraxanı
137 S10 **Surami** C Georgia
143 X13 **Sūrān** Sīstān va Balūchestān, SE Iran
111 I21 **Šurany** *Hung.* Nagysurány. Nitriansky Kraj, SW Slovakia
154 D12 **Sūrat** Gujarāt, W India
Suratdhani *see* Surat Thani
152 G9 **Sūratgarh** Rājasthān, NW India
167 N14 **Surat Thani** *var.* Suratdhani. Surat Thani, SW Thailand
119 Q16 **Suraw** *Rus.* Surov. ≈ E Belarus
137 Z11 **Suraxanı** *Rus.* Surakhany. E Azerbaijan
141 Y11 **Surayr** E Oman
138 K2 **Suraysāt** Ḩalab, N Syria
118 O12 **Surazh** *Rus.* Surazh. Vitsyebskaya Voblasts', NE Belarus
126 H6 **Surazh** Bryanskaya Oblast', W Russian Federation
191 V17 **Sur, Cabo** *headland* Easter Island, Chile, E Pacific Ocean
112 L11 **Surčin** Serbia, N Serbia and Montenegro (Yugo.)
116 H9 **Surduc** *Hung.* Szurduk. Sălaj, NW Romania
113 P16 **Surdulica** Serbia, SE Serbia and Montenegro (Yugo.)
99 L24 **Sûre** *var.* Sauer. ≈ W Europe *see also* Sauer
154 C10 **Surendranagar** Gujarāt, W India
18 K16 **Surf City** New Jersey, NE USA
183 V3 **Surfers Paradise** Queensland, E Australia
21 U13 **Surfside Beach** South Carolina, SE USA
102 J10 **Surgères** Charente-Maritime, W France
122 H10 **Surgut** Khanty-Mansiyskiy Avtonomnyy Okrug, C Russian Federation
122 K10 **Surgutikha** Krasnoyarskiy Kray, N Russian Federation
98 M6 **Surhuisterveen** Friesland, N Netherlands
105 V5 **Súria** Cataluña, NE Spain
143 P10 **Sūrīān** Fārs, S Iran
155 J15 **Suriāpet** Andhra Pradesh, C India
171 Q6 **Surigao** Mindanao, S Philippines
167 R10 **Surin** Surin, E Thailand
55 U11 **Suriname** *off.* Republic of Suriname, *var.* Surinam; *prev.* Dutch Guiana, Netherlands Guiana. ♦ *republic* N South America
Sūrīya/Sūrīyah, Al-Jumhūrīyah al-'Arabīyah as- *see* Syria
Surkhab, Darya-i- *see* Kahmard, Daryā-ye
Surkhandar'inskaya Oblast' *see* Surxondaryo Viloyati
Surkhandar'ya *see* Surxondaryo
Surkhet *see* Birendranagar
147 R12 **Surkhob** ≈ C Tajikistan
137 P11 **Sürmene** Trabzon, NE Turkey
Surov *see* Suraw
127 N11 **Surovikino** Volgogradskaya Oblast', SW Russian Federation
35 N11 **Sur, Point** *headland* California, W USA
187 N15 **Surprise, Île** *island* N New Caledonia
61 E22 **Sur, Punta** *headland* E Argentina
Surrentum *see* Sorrento
28 M3 **Surrey** North Dakota, N USA
97 O22 **Surrey** *cultural region* SE England, UK
21 X7 **Surry** Virginia, NE USA
108 F8 **Sursee** Luzern, W Switzerland
127 P6 **Sursk** Penzenskaya Oblast', W Russian Federation
127 P5 **Surskoye** Ul'yanovskaya Oblast', W Russian Federation
75 P8 **Surt** *var.* Sidra, Sirte. N Libya
95 I19 **Surte** Västra Götaland, S Sweden
75 Q8 **Surt, Khalīj** *Eng.* Gulf of Sidra, Gulf of Sirti, Sidra. *gulf* N Libya
92 I5 **Surtsey** *island* S Iceland
137 N17 **Suruç** Şanlıurfa, S Turkey
168 L13 **Surulangun** Sumatera, W Indonesia
147 P13 **Surxondaryo** *Rus.* Surkhandar'ya. ≈ Tajikistan/Uzbekistan
147 N13 **Surxondaryo Viloyati** *Rus.* Surkhandar'inskaya Oblast'. ◆ *province* S Uzbekistan
Süs *see* Susch
106 A8 **Susa** Piemonte, NE Italy
165 E12 **Susa** Yamaguchi, Honshū, SW Japan
Susa *see* Shūsh
113 E16 **Sušac** *It.* Cazza. *island* SW Croatia
Sūsah *see* Sousse
165 G14 **Susaki** Kōchi, Shikoku, SW Japan
165 I15 **Susami** Wakayama, Honshū, SW Japan
142 K9 **Süsangerd** *var.* Susangird. Khūzestān, SW Iran
Susangird *see* Süsangerd
35 P4 **Susanville** California, W USA
108 J9 **Susch** *var.* Süs. Graubünden, SE Switzerland
137 N12 **Suşehri** Sivas, N Turkey
Susiana *see* Khūzestān
111 B18 **Sušice** *Ger.* Schüttenhofen. Plzeňský Kraj, W Czech Republic
39 R11 **Susitna** Alaska, USA
39 R11 **Susitna River** ≈ Alaska, USA
127 Q3 **Suslonger** Respublika Mariy El, W Russian Federation
105 N14 **Suspiro del Moro, Puerto del** *pass* S Spain

◆ Country ● Country Capital ◇ Dependent Territory ○ Dependent Territory Capital ◆ Administrative Region ✕ International Airport ▲ Mountain ▲ Mountain Range ⚲ Volcano ≈ River ◎ Lake ⊠ Reservoir

330 ••• Susquehanna River – Taibad

18 *H16* **Susquehanna River** ≈ New York/Pennsylvania, NE USA
13 *O15* **Sussex** New Brunswick, SE Canada
18 *J13* **Sussex** New Jersey, NE USA
21 *W7* **Sussex** Virginia, NE USA
97 *O23* **Sussex** *cultural region* S England, UK
183 *S10* **Sussex Inlet** New South Wales, SE Australia
99 *L17* **Susteren** Limburg, SE Netherlands
10 *K12* **Sustut Peak** ▲ British Columbia, W Canada
123 *S9* **Susuman** Magadanskaya Oblast', E Russian Federation
188 *H6* **Susupe** Saipan, S Northern Mariana Islands
136 *D12* **Susurluk** Balıkesir, NW Turkey
114 *M13* **Susuzmüsellim** Tekirdağ, NW Turkey
136 *F15* **Sütçüler** İsparta, SW Turkey
116 *L13* **Şuţeşti** Brăila, SE Romania
83 *F25* **Sutherland** Western Cape, SW South Africa
28 *L15* **Sutherland** Nebraska, C USA
96 *I7* **Sutherland** *cultural region* N Scotland, UK
185 *B21* **Sutherland Falls** *waterfall* South Island, NZ
32 *F14* **Sutherlin** Oregon, NW USA
149 *V10* **Sutlej** ≈ India/Pakistan
Sutna *see* Satna
35 *P7* **Sutter Creek** California, W USA
39 *R11* **Sutton** Alaska, USA
29 *Q16* **Sutton** Nebraska, C USA
21 *R4* **Sutton** West Virginia, NE USA
12 *F8* **Sutton** ≈ Ontario, C Canada
97 *M19* **Sutton Coldfield** C England, UK
21 *R4* **Sutton Lake** ⊠ West Virginia, NE USA
15 *P13* **Sutton, Monts** *hill range* Québec, SE Canada
12 *F8* **Sutton Ridges** ▲ Ontario, C Canada
165 *Q4* **Suttsu** Hokkaidō, NE Japan
39 *P15* **Sutwik Island** *island* Alaska, USA
162 *K7* **Süüj** Bulgan, C Mongolia
118 *H5* **Suure-Jaani** *Ger.* Gross-Sankt-Johannis. Viljandimaa, S Estonia
118 *J7* **Suur Munamägi** *var.* Munamägi, *Ger.* Eier-Berg. ▲ SE Estonia
118 *F5* **Suur Väin** *Ger.* Grosser Sund. *strait* W Estonia
147 *U8* **Suusamyr** Chuyskaya Oblast', C Kyrgyzstan
187 *X14* **Suva** ● (Fiji) Viti Levu, W Fiji
187 *X15* **Suva** ✕ Viti Levu, C Fiji
113 *N18* **Suva Gora** ▲ W FYR Macedonia
118 *H11* **Suvainiškis** Panevėžys, NE Lithuania
Suvalkai/Suvalki *see* Suwałki
113 *P15* **Suva Planina** ▲ SE Serbia and Montenegro (Yugo.)
113 *M17* **Suva Reka** Serbia, S Serbia and Montenegro (Yugo.)
126 *K5* **Suvorov** Tul'skaya Oblast', W Russian Federation
117 *N12* **Suvorove** Odes'ka Oblast', SW Ukraine
Suvorovo *see* Ştefan Vodă
Suwaik *see* As Suwayq
Suwaira *see* Aş Şuwayrah
110 *O7* **Suwałki** *Lith.* Suvalkai, *Rus.* Suvalki. Podlaskie, NE Poland
167 *R10* **Suwannaphum** Roi Et, E Thailand
23 *V8* **Suwannee River** ≈ Florida/Georgia, SE USA
Şuwār *see* Aş Şuwār
190 *K14* **Suwarrow** *atoll* N Cook Islands
Suwaydá/Suwaydā', Muḩāfaẓat as *see* As Suwaydā'
143 *R16* **Suwaydān** *var.* Sweiham. Abū Ẓaby, E UAE
Suwayqiyah, Hawr as *see* Shuwayjah, Hawr ash
Suways, Khalīj as *see* Suez, Gulf of
Suways, Qanāt as *see* Suez Canal
Suweida *see* As Suwaydā'
Suweon *see* Suwŏn
163 *X15* **Suwŏn** *var.* Suweon, *Jap.* Suigen. NW South Korea
Su Xian *see* Suzhou
143 *R14* **Sūzā** Hormozgān, S Iran
145 *P15* **Suzak** *Kaz.* Sozaq. Yuzhnyy Kazakhstan, S Kazakhstan
Suzaka *see* Suzuka
126 *M3* **Suzdal'** Vladimirskaya Oblast', W Russian Federation
161 *P7* **Suzhou** *var.* Su Xian. Anhui, E China
161 *R8* **Suzhou** *var.* Soochow, Su-chou, Suchow; *prev.* Wuhsien. Jiangsu, E China
Suzhou *see* Jiuquan
163 *V12* **Suzi He** ≈ NE China
Suz, Mys *see* Soye, Mys
165 *M10* **Suzu** Ishikawa, Honshū, SW Japan
165 *K14* **Suzuka** Mie, Honshū, SW Japan
165 *N12* **Suzuka** *var.* Suzaka. Nagano, Honshū, S Japan
165 *M10* **Suzu-misaki** *headland* Honshū, SW Japan
Svågälv *see* Svågan
94 *M10* **Svågan** *var.* Svågälv. ≈ C Sweden
Svalava/Svaljava *see* Svalyava
92 *O2* **Svalbard** ◇ *Norwegian dependency* Arctic Ocean
92 *J2* **Svalbardhseyri** Nordhurland Eystra, N Iceland
95 *K22* **Svalöv** Skåne, S Sweden
116 *H7* **Svalyava** *Cz.* Svalava, Svaljava, *Hung.* Szolyva. Zakarpats'ka Oblast', W Ukraine
92 *O2* **Svanbergfjellet** ▲ C Svalbard
95 *M24* **Svaneke** Bornholm, E Denmark
95 *L22* **Svängsta** Blekinge, S Sweden
95 *J16* **Svanskog** Värmland, C Sweden
95 *L16* **Svartå** Örebro, C Sweden
95 *L15* **Svartälven** ≈ C Sweden
92 *G12* **Svartisen** *glacier* C Norway
117 *X6* **Svatove** *Rus.* Svatovo. Luhans'ka Oblast', E Ukraine
Svatovo *see* Svatove
Sväty Kríž nad Hronom *see* Žiar nad Hronom
167 *Q11* **Svay Chék, Stœng** ≈ Cambodia/Thailand
167 *S13* **Svay Riĕng** Svay Riĕng, S Cambodia
92 *O3* **Sveagruva** Spitsbergen, W Svalbard
95 *K23* **Svedala** Skåne, S Sweden
118 *H12* **Svėdesai** Utena, NE Lithuania
93 *G18* **Sveg** Jämtland, C Sweden
118 *C12* **Švėkšna** Klaipėda, W Lithuania
94 *C11* **Svelgen** Sogn og Fjordane, S Norway
95 *H15* **Svelvik** Vestfold, S Norway
118 *I13* **Švenčionėliai** *Pol.* Nowo-Święciany. Vilnius, SE Lithuania
118 *I13* **Švenčionys** *Pol.* Święciany. Vilnius, SE Lithuania
95 *H24* **Svendborg** Fyn, C Denmark
95 *K19* **Svenljunga** Västra Götaland, S Sweden
92 *P2* **Svenskøya** *island* E Svalbard
93 *G17* **Svenstavik** Jämtland, C Sweden
95 *G20* **Svenstrup** Nordjylland, N Denmark
118 *H12* **Šventoji** ≈ C Lithuania
117 *Z8* **Sverdlovs'k** *Rus.* Sverdlovsk; *prev.* Imeni Sverdlova Rudnik. Luhans'ka Oblast', E Ukraine
Sverdlovsk *see* Yekaterinburg
127 *W2* **Sverdlovskaya Oblast'** ◆ *province* C Russian Federation
8 *M3* **Sverdrup Islands** *island group* Nunavut, N Canada
122 *K6* **Sverdrup, Ostrov** *island* N Russian Federation
Sverige *see* Sweden
113 *D15* **Svetac** *prev.* Sveti Andrea, *It.* Sant'Andrea. *island* SW Croatia
Sveti Andrea *see* Svetac
Sveti Nikola *see* Sveti Nikole
113 *O18* **Sveti Nikole** *prev.* Sveti Nikola. C FYR Macedonia
Sveti Vrach *see* Sandanski
123 *T14* **Svetlaya** Primorskiy Kray, SE Russian Federation
126 *B2* **Svetlogorsk** Kaliningradskaya Oblast', W Russian Federation
122 *K9* **Svetlogorsk** Krasnoyarskiy Kray, N Russian Federation
Svetlogorsk *see* Svyetlahorsk
127 *N14* **Svetlograd** Stavropol'skiy Kray, SW Russian Federation
Svetlovodsk *see* Svitlovods'k
119 *A14* **Svetlyy** *Ger.* Zimmerbude. Kaliningradskaya Oblast', W Russian Federation
127 *Y8* **Svetlyy** Orenburgskaya Oblast', W Russian Federation
127 *P8* **Svetlyy** Saratovskaya Oblast', SW Russian Federation
124 *G11* **Svetogorsk** *Fin.* Enso. Leningradskaya Oblast', NW Russian Federation
Svetozarevo *see* Jagodina
111 *B18* **Švihov** *Ger.* Schwihau. Plzeňský Kraj, W Czech Republic
112 *E13* **Svilaja** ▲ SE Croatia
112 *N12* **Svilajnac** Serbia, C Serbia and Montenegro (Yugo.)
114 *L11* **Svilengrad** *prev.* Mustafa-Pasha. Khaskovo, S Bulgaria
Svinecea Mare, Munte *see* Svinecea Mare, Vârful
116 *F13* **Svinecea Mare, Vârful** *var.* Munte Svinecea Mare. ▲ SW Romania
95 *B18* **Svínoy** *Dan.* Svinø *Island* Faeroe Islands
147 *N14* **Svintsovyy Rudnik** *Turkm.* Swintsowyy Rudnik. Lebap Welaýaty, E Turkmenistan
118 *I13* **Svir** *Rus.* Svir'. Minskaya Voblasts', NW Belarus
126 *I12* **Svir'** *canal* NW Russian Federation
Svir', Ozero *see* Svir, Vozyera
119 *I14* **Svir, Vozyera** *Rus.* Ozero Svir'. ◎ C Belarus
114 *J7* **Svishtov** *prev.* Sistova. Veliko Tŭrnovo, N Bulgaria
119 *F18* **Svislach** *Pol.* Świsłocz, *Rus.* Svisloch'. Hrodzyenskaya Voblasts', W Belarus
119 *M17* **Svislach** *Rus.* Svisloch'. Mahilyowskaya Voblasts', E Belarus
119 *L17* **Svislach** *Rus.* Svisloch'. ≈ E Belarus
Svisloch' *see* Svislach
111 *F17* **Svitavy** *Ger.* Zwittau. Pardubický Kraj, C Czech Republic
117 *S6* **Svitlovods'k** *Rus.* Svetlovodsk. Kirovohrads'ka Oblast', C Ukraine
Svizzera *see* Switzerland
123 *Q13* **Svobodnyy** Amurskaya Oblast', SE Russian Federation
114 *G9* **Svoge** Sofiya, W Bulgaria
92 *G11* **Svolvær** Nordland, C Norway
111 *F18* **Svratka** *Ger.* Schwarzach, Schwarzawa. ≈ SE Czech Republic
113 *P14* **Svrljig** Serbia, E Serbia and Montenegro (Yugo.)
197 *U10* **Svyataya Anna Trough** *var.* Saint Anna Trough. *undersea feature* N Kara Sea
126 *M4* **Svyatoy Nos, Mys** *headland* NW Russian Federation
119 *N18* **Svyetlahorsk** *Rus.* Svetlogorsk. Homyel'skaya Voblasts', SE Belarus
Swabian Jura *see* Schwäbische Alb
97 *P19* **Swaffham** E England, UK
23 *V5* **Swainsboro** Georgia, SE USA
83 *C19* **Swakop** ≈ W Namibia
83 *C19* **Swakopmund** Erongo, W Namibia
97 *M15* **Swale** ≈ N England, UK
Swallow Island *see* Nendö
99 *M16* **Swalmen** Limburg, SE Netherlands
12 *G8* **Swan** ≈ Ontario, C Canada
97 *L24* **Swanage** S England, UK
182 *M10* **Swan Hill** Victoria, SE Australia
11 *P13* **Swan Hills** Alberta, W Canada
65 *D24* **Swan Island** *island* C Falkland Islands
Swankalok *see* Sawankhalok
29 *U10* **Swan Lake** ◎ Minnesota, N USA
21 *Y10* **Swanquarter** North Carolina, SE USA
182 *J9* **Swan Reach** South Australia
11 *V15* **Swan River** Manitoba, S Canada
183 *P17* **Swansea** Tasmania, SE Australia
97 *J22* **Swansea** *Wel.* Abertawe. S Wales, UK
21 *R13* **Swansea** South Carolina, SE USA
19 *S7* **Swans Island** *island* Maine, NE USA
28 *L17* **Swanson Lake** ⊠ Nebraska, C USA
31 *R11* **Swanton** Ohio, N USA
110 *G11* **Swarzędz** Poznań, C Poland
Swatow *see* Shantou
83 *L22* **Swaziland** *off.* Kingdom of Swaziland. ◆ *monarchy* S Africa
93 *G18* **Sweden** *off.* Kingdom of Sweden, *Swe.* Sverige. ◆ *monarchy* N Europe
Swedru *see* Agona Swedru
25 *V12* **Sweeny** Texas, SW USA
33 *R6* **Sweetgrass** Montana, NW USA
32 *G12* **Sweet Home** Oregon, NW USA
25 *T12* **Sweet Home** Texas, SW USA
27 *T4* **Sweet Springs** Missouri, C USA
20 *M10* **Sweetwater** Tennessee, S USA
25 *P7* **Sweetwater** Texas, SW USA
33 *V15* **Sweetwater River** ≈ Wyoming, C USA
Sweiham *see* Suwaydān
83 *F26* **Swellendam** Western Cape, SW South Africa
111 *G15* **Świdnica** *Ger.* Schweidnitz. Wałbrzych, SW Poland
111 *O14* **Świdnik** *Ger.* Streckenbach. Lubelskie, E Poland
110 *F8* **Świdwin** *Ger.* Schivelbein. Zachodnio-pomorskie, NW Poland
111 *F15* **Świebodzice** *Ger.* Freiburg in Schlesien, Swiebodzice. Wałbrzych, SW Poland
110 *E11* **Świebodzin** *Ger.* Schwiebus. Lubuskie, W Poland
Święciany *see* Švenčionys
110 *I9* **Świecie** *Ger.* Schwertberg. Kujawsko-pomorskie, N Poland
111 *L15* **Świętokrzyskie** ◆ *province* C Poland
11 *T16* **Swift Current** Saskatchewan, S Canada
98 *K9* **Swifterbant** Flevoland, C Netherlands
183 *Q12* **Swifts Creek** Victoria, SE Australia
96 *E13* **Swilly, Lough** *Ir.* Loch Súilí. *inlet* N Ireland
97 *M22* **Swindon** S England, UK
Swinemünde *see* Świnoujście
110 *D8* **Świnoujście** *Ger.* Swinemünde. Zachodnio-pomorskie, NW Poland
Swintsowyy Rudnik *see* Svintsovyy Rudnik
Świsłocz *see* Svislach
Swiss Confederation *see* Switzerland
108 *E9* **Switzerland** *off.* Swiss Confederation, *Fr.* La Suisse, *Ger.* Schweiz, *It.* Svizzera; *anc.* Helvetia. ◆ *federal republic* C Europe
97 *F17* **Swords** *Ir.* Sord, Sórd Choluim Chille. E Ireland
18 *H13* **Swoyersville** Pennsylvania, NE USA
126 *I10* **Syamozero, Ozero** ◎ NW Russian Federation
124 *M13* **Syamzha** Vologodskaya Oblast', NW Russian Federation
118 *N13* **Syanno** *Rus.* Senno. Vitsyebskaya Voblasts', NE Belarus
119 *K16* **Syarhyeyevichy** *Rus.* Sergeyevichi. Minskaya Voblasts', C Belarus
124 *I12* **Syas'stroy** Leningradskaya Oblast', NW Russian Federation
Sycaminum *see* Ḩefa
30 *M10* **Sycamore** Illinois, N USA
126 *J3* **Sychëvka** Smolenskaya Oblast', W Russian Federation
111 *H14* **Syców** *Ger.* Gross Wartenberg. Dolnośląskie, SW Poland
14 *E17* **Sydenham** ≈ Ontario, S Canada
Sydenham Island *see* Nonouti
183 *T9* **Sydney** *state capital* New South Wales, SE Australia
13 *R14* **Sydney** Cape Breton Island, Nova Scotia, SE Canada
Sydney Island *see* Manra
13 *R14* **Sydney Mines** Cape Breton Island, Nova Scotia, SE Canada
Syedpur *see* Saidpur
119 *K18* **Syelishcha** *Rus.* Selishche. Minskaya Voblasts', C Belarus
119 *J18* **Syemyezhava** *Rus.* Semezhevo. Minskaya Voblasts', C Belarus
Syene *see* Aswân
117 *X6* **Syeverodonets'k** *Rus.* Severodonetsk. Luhans'ka Oblast', E Ukraine
161 *T6* **Sÿiao Shan** *island* SE China
100 *H11* **Syke** Niedersachsen, NW Germany
94 *D10* **Sykkylven** Møre og Romsdal, S Norway
115 *F15* **Sykoúri** *var.* Sikouri; *prev.* Sikoúrion. Thessalía, C Greece
125 *R11* **Syktyvkar** *prev.* Ust'-Sysol'sk. Respublika Komi, NW Russian Federation
23 *Q4* **Sylacauga** Alabama, S USA
Sylarna *see* Storsylen
153 *V14* **Sylhet** Chittagong, NE Bangladesh
100 *G6* **Sylt** *island* NW Germany
21 *O10* **Sylva** North Carolina, SE USA
127 *V15* **Sylva** ≈ NW Russian Federation
23 *W5* **Sylvania** Georgia, SE USA
31 *R11* **Sylvania** Ohio, N USA
11 *Q15* **Sylvan Lake** Alberta, SW Canada
33 *T13* **Sylvan Pass** *pass* Wyoming, C USA
23 *T7* **Sylvester** Georgia, SE USA
25 *P6* **Sylvester** Texas, SW USA
10 *L11* **Sylvia, Mount** ▲ British Columbia, W Canada
122 *K11* **Sym** ≈ C Russian Federation
115 *N22* **Sými** *var.* Simi. *island* Dodekánisos, Greece, Aegean Sea
117 *U8* **Synel'nykove** Dnipropetrovs'ka Oblast', E Ukraine
125 *U6* **Synya** Respublika Komi, NW Russian Federation
117 *P7* **Synyukha** *Rus.* Sinyukha. ≈ S Ukraine
Syōbara *see* Shōbara
195 *V2* **Syowa** *Japanese research station* Antarctica
26 *H6* **Syracuse** Kansas, C USA
29 *S16* **Syracuse** Nebraska, C USA
18 *H10* **Syracuse** New York, NE USA
Syracuse *see* Siracusa
Syrdar'inskaya Oblast' *see* Sirdaryo Viloyati
Syrdariya *see* Syr Darya
144 *L14* **Syr Darya** *var.* Sai Hun, Sir Darya, Syrdarya, *Kaz.* Syrdariya, *Rus.* Syrdar'ya, *Uzb.* Sirdaryo; *anc.* Jaxartes. ≈ C Asia
138 *J6* **Syria** *off.* Syrian Arab Republic, *var.* Siria, Syrie, *Ar.* Al-Jumhūrīyah al-'Arabīyah as-Sūrīyah, Sūrīya. ◆ *republic* SW Asia
138 *L9* **Syrian Desert** *Ar.* Al Hamad, Bādiyat ash Shām. *desert* SW Asia
Syrie *see* Syria
115 *L22* **Sýrna** *var.* Sirna. *island* Kykládes, Greece, Aegean Sea
115 *I20* **Sýros** *var.* Síros. *island* Kykládes, Greece, Aegean Sea
93 *M18* **Sysmä** Etelä-Suomi, S Finland
127 *R12* **Sysola** ≈ NW Russian Federation
Syulemeshlii *see* Sredets
127 *S2* **Syumsi** Udmurtskaya Respublika, NW Russian Federation
114 *K10* **Syuyutliyka** ≈ C Bulgaria
Syvash, Zaliv *see* Syvash, Zatoka
117 *U12* **Syvash, Zatoka** *Rus.* Zaliv Syvash. *inlet* S Ukraine
127 *Q6* **Syzran'** Samarskaya Oblast', W Russian Federation
Szabadka *see* Subotica
111 *N21* **Szabolcs-Szatmár-Bereg** *off.* Szabolcs-Szatmár-Bereg Megye. ◆ *county* E Hungary
110 *G10* **Szamocin** *Ger.* Samotschin. Wielkolpolskie, C Poland
116 *H8* **Szamos** *var.* Someş, Someşul, *Ger.* Samosch, Somesch. ≈ Hungary/Romania
Szamosújvár *see* Gherla
110 *G11* **Szamotuły** Poznań, C Poland
Szarkowszczyzna *see* Sharkawshchyna
111 *M24* **Szarvas** Békés, SE Hungary
Szászmagyarós *see* Măieruş
Szászrégen *see* Reghin
Szászsebes *see* Sebeş
Szászváros *see* Orăştie
Szatmárnémeti *see* Satu Mare
Száva *see* Sava
111 *P15* **Szczebrzeszyn** Lubelskie, E Poland
110 *D9* **Szczecin** *Eng./Ger.* Stettin. Zachodnio-pomorskie, NW Poland
110 *G8* **Szczecinek** *Ger.* Neustettin. Zachodnio-pomorskie, NW Poland
110 *D8* **Szczeciński, Zalew** *var.* Stettiner Haff, *Ger.* Oderhaff. *bay* Germany/Poland
111 *K15* **Szczekociny** Śląskie, S Poland
110 *N8* **Szczuczyn** Podlaskie, NE Poland
Szczuczyn Nowogródzki *see* Shchuchyn
110 *M8* **Szczytno** *Ger.* Ortelsburg. Warmińsko-Mazurskie, NE Poland
Szechuan/Szechwan *see* Sichuan
111 *K21* **Szécsény** Nógrád, N Hungary
111 *L25* **Szeged** *Ger.* Szegedin, *Rom.* Seghedin. Csongrád, SE Hungary
Szegedin *see* Szeged
111 *N23* **Szeghalom** Békés, SE Hungary
Székelyhid *see* Săcueni
Székelykeresztúr *see* Cristuru Secuiesc
111 *I23* **Székesfehérvár** *Ger.* Stuhlweissenberg; *anc.* Alba Regia. Fejér, W Hungary
Szeklerburg *see* Miercurea-Ciuc
Szekler Neumarkt *see* Târgu Secuiesc
111 *J25* **Szekszárd** Tolna, S Hungary
Szempcz/Szenc *see* Senec
Szenice *see* Senica
Szentágota *see* Agnita
111 *J22* **Szentendre** *Ger.* Sankt Andrä. Pest, N Hungary
111 *L24* **Szentes** Csongrád, SE Hungary
111 *F23* **Szentgotthárd** *Eng.* Saint Gotthard, *Ger.* Sankt Gotthard. Vas, W Hungary
Szentgyörgy *see* Đurđevac
Szenttamás *see* Srbobran
Széphely *see* Jebel
Szeping *see* Siping
Szered *see* Sereď
111 *N21* **Szerencs** Borsod-Abaúj-Zemplén, NE Hungary
Szeret *see* Siret
Szeretfalva *see* Sărăţel
110 *N7* **Szeska Góra** *var.* Szeskie Wygórza, *Ger.* Seesker Höhe. *hill* NE Poland
Szeskie Wygórza *see* Szeska Góra
111 *H25* **Szigetvár** Baranya, SW Hungary
Szilágysomlyó *see* Şimleu Silvaniei
Szinna *see* Snina
Sziszek *see* Sisak
Szitás-Keresztúr *see* Cristuru Secuiesc
111 *E15* **Szklarska Poręba** *Ger.* Schreiberhau. Dolnośląskie, SW Poland
Szkudy *see* Skuodas
Szlatina *see* Slatina, Croatia
Szlavonia/Szlavonország *see* Slavonija
Szlovákia *see* Slovakia
Szluin *see* Slunj
111 *L23* **Szolnok** Jász-Nagykun-Szolnok, C Hungary
Szolyva *see* Svalyava
111 *G23* **Szombathely** *Ger.* Steinamanger; *anc.* Sabaria, Savaria. Vas, W Hungary
Szond/Szonta *see* Sonta
Szováta *see* Sovata
110 *F13* **Szprotawa** *Ger.* Sprottau. Lubuskie, W Poland
Sztálinváros *see* Dunaújváros
Sztrazsó *see* Strážov
110 *J8* **Sztum** *Ger.* Stuhm. Pomorskie, N Poland
110 *H10* **Szubin** *Ger.* Schubin. Kujawsko-pomorskie, W Poland
Szucsava *see* Suceava
Szurduk *see* Surduc
111 *M14* **Szydłowiec** *Ger.* Schlelau. Mazowieckie, C Poland

T

Taalintehdas *see* Dalsbruk
171 *O4* **Taal, Lake** ◎ Luzon, NW Philippines
95 *J23* **Taastrup** *var.* Tåstrup. København, E Denmark
111 *I24* **Tab** Somogy, W Hungary
171 *P4* **Tabaco** Luzon, N Philippines
186 *G4* **Tabalo** Mussau Island, NE PNG
104 *K5* **Tábara** Castilla-León, N Spain
186 *H5* **Tabar Islands** *island group* NE PNG
Tabariya, Bahrat *see* Tiberias, Lake
143 *S7* **Ţabas** *var.* Golshan. Yazd, C Iran
43 *P15* **Tabasará, Serranía de** ▲ W Panama
41 *U15* **Tabasco** ◆ *state* SE Mexico
Tabasco *see* Grijalva, Río
127 *Q2* **Tabashino** Respublika Mariy El, W Russian Federation
58 *B13* **Tabatinga** Amazonas, N Brazil
74 *G9* **Tabelbala** W Algeria
11 *Q17* **Taber** Alberta, SW Canada
171 *V15* **Taberfane** Pulau Trangan, E Indonesia
95 *L19* **Taberg** Jönköping, S Sweden
191 *O3* **Tabiteuea** *prev.* Drummond Island. *atoll* Tungaru, W Kiribati
171 *O5* **Tablas Island** *island* C Philippines
184 *Q10* **Table Cape** *headland* North Island, NZ
13 *S13* **Table Mountain** ▲ Newfoundland and Labrador, E Canada
173 *P17* **Table, Pointe de la** *headland* SE Réunion
27 *S8* **Table Rock Lake** ⊠ Arkansas/Missouri, C USA
36 *K14* **Table Top** ▲ Arizona, SW USA
186 *D8* **Tabletop, Mount** ▲ C PNG
123 *R7* **Tabor** Respublika Sakha (Yakutiya), NE Russian Federation
29 *S15* **Tabor** Iowa, C USA
111 *D18* **Tábor** Jihočeský Kraj, S Czech Republic
81 *F21* **Tabora** Tabora, W Tanzania
81 *F21* **Tabora** ◆ *region* C Tanzania
21 *U12* **Tabor City** North Carolina, SE USA
147 *Q10* **Taboshar** NW Tajikistan
76 *L18* **Tabou** *var.* Tabu. S Ivory Coast
142 *J2* **Tabrīz** *var.* Tebriz; *anc.* Tauris. Āzarbāyjān-e Khāvarī, NW Iran
Tabu *see* Tabou
191 *W1* **Tabuaeran** *prev.* Fanning Island. *atoll* Line Islands, E Kiribati
171 *O2* **Tabuk** Luzon, N Philippines
140 *J4* **Tabūk** Tabūk, NW Saudi Arabia
140 *J5* **Tabūk** *off.* Minţaqat Tabūk. ◆ *province* NW Saudi Arabia
187 *Q13* **Tabwemasana, Mount** ▲ Espiritu Santo, W Vanuatu
95 *O15* **Täby** Stockholm, C Sweden
41 *N14* **Tacámbaro** Michoacán de Ocampo, SW Mexico
42 *A5* **Tacaná, Volcán** ⛰ Guatemala/Mexico
43 *X16* **Tacarcuna, Cerro** ▲ SE Panama
Tachau *see* Tachov
158 *J3* **Tacheng** *var.* Qoqek. Xinjiang Uygur Zizhiqu, NW China
54 *H7* **Táchira** *off.* Estado Táchira. ◆ *state* W Venezuela
161 *T13* **Tachoshui** N Taiwan
111 *A17* **Tachov** *Ger.* Tachau. Plzeňský Kraj, W Czech Republic
171 *Q5* **Tacloban** *off.* Tacloban City. Leyte, C Philippines
57 *I19* **Tacna** Tacna, SE Peru
57 *H18* **Tacna** *off.* Departamento de Tacna. ◆ *department* S Peru
32 *H8* **Tacoma** Washington, NW USA
18 *L11* **Taconic Range** ▲ NE USA
62 *L6* **Taco Pozo** Formosa, N Argentina
57 *M20* **Tacsara, Cordillera de** ▲ S Bolivia
61 *F17* **Tacuarembó** *prev.* San Fructuoso. Tacuarembó, C Uruguay
61 *E18* **Tacuarembó** ◆ *department* C Uruguay
61 *F17* **Tacuarembó, Río** ≈ C Uruguay
83 *I14* **Taculi** North Western, NW Zambia
171 *Q8* **Tacurong** Mindanao, S Philippines
77 *V8* **Tadek** ≈ NW Niger
74 *J9* **Tademaït, Plateau du** *plateau* C Algeria
187 *R17* **Tadine** Province des Îles Loyauté, E New Caledonia
80 *L11* **Tadjoura** E Djibouti
80 *M11* **Tadjoura, Golfe de** *Eng.* Gulf of Tajura. *inlet* E Djibouti
Tadmor/Tadmur *see* Tudmur
11 *W10* **Tadoule Lake** ◎ Manitoba, C Canada
15 *S8* **Tadoussac** Québec, SE Canada
155 *H18* **Tādpatri** Andhra Pradesh, E India
Tadzhikabad *see* Tojikobod
Tadzhikistan *see* Tajikistan
163 *Y14* **T'aebaek-sanmaek** ▲ E South Korea
163 *V15* **Taechŏng-do** *island* NW South Korea
163 *X13* **Taedong-gang** ≈ C North Korea
163 *Y16* **Taegu** *off.* Taegu-gwangyŏksi, *var.* Daegu, *Jap.* Taikyū. SE South Korea
Taehan-haehyŏp *see* Korea Strait
Taehan Min'guk *see* South Korea
163 *Y15* **Taejŏn** *off.* Taejŏn-gwangyŏksi, *Jap.* Taiden. C South Korea
193 *Z13* **Tafahi** *island* N Tonga
105 *Q4* **Tafalla** Navarra, N Spain
75 *M12* **Tafassâsset, Oued** ≈ SE Algeria
77 *W7* **Tafassâsset, Ténéré du** *desert* N Niger
55 *U11* **Tafelberg** ▲ S Suriname
97 *J21* **Taff** ≈ SE Wales, UK
Tafila/Ţafilah, Muḩāfaẓat aţ *see* Aţ Ţafilah
77 *N15* **Tafiré** N Ivory Coast
142 *M6* **Tafresh** Markazī, W Iran
143 *Q9* **Taft** Yazd, C Iran
35 *R13* **Taft** California, W USA
25 *T14* **Taft** Texas, SW USA
143 *W12* **Taftān, Kūh-e** ▲ SE Iran
35 *R13* **Taft Heights** California, W USA
189 *Y14* **Tafunsak** Kosrae, E Micronesia
192 *G16* **Tāga** Savai'i, SW Samoa
149 *O6* **Tagāb** Kāpīsā, E Afghanistan
39 *O8* **Tagagawik River** ≈ Alaska, USA
165 *Q10* **Tagajō** *var.* Tagazyô. Miyagi, Honshū, C Japan
126 *K12* **Taganrog** Rostovskaya Oblast', SW Russian Federation
126 *K12* **Taganrog, Gulf of** *Rus.* Taganrogskiy Zaliv, *Ukr.* Tahanroz'ka Zatoka. *gulf* Russian Federation/Ukraine
Taganrogskiy Zaliv *see* Taganrog, Gulf of
76 *J8* **Tagant** ◆ *region* C Mauritania
148 *M14* **Tagas** Baluchistān, SW Pakistan
171 *O4* **Tagaytay** Luzon, N Philippines
Tagazyô *see* Tagajō
171 *P6* **Tagbilaran** *var.* Tagbilaran City. Bohol, C Philippines
106 *B10* **Taggia** Liguria, NW Italy
77 *V9* **Taghouaji, Massif de** ▲ C Niger
107 *J15* **Tagliacozzo** Lazio, C Italy
106 *J7* **Tagliamento** ≈ NE Italy
149 *N3* **Tagow Bāy** *var.* Bai. Sar-e Pol, N Afghanistan
146 *H9* **Tagta** *var.* Tahta, *Rus.* Takhta. Daşoguz Welaýaty, N Turkmenistan
146 *J16* **Tagtabazar** *Rus.* Takhtabazar. Mary Welaýaty, S Turkmenistan
59 *L17* **Taguatinga** Tocantins, C Brazil
186 *I10* **Tagula** Tagula Island, SE PNG
186 *I11* **Tagula Island** *prev.* Southeast Island, Sudest Island. *island* SE PNG
171 *Q7* **Tagum** Mindanao, S Philippines
54 *C7* **Tagún, Cerro** *elevation* Colombia/Panama
105 *P7* **Tagus** *Port.* Rio Tejo, *Sp.* Río Tajo. ≈ Portugal/Spain
64 *M9* **Tagus Plain** *undersea feature* E Atlantic Ocean
191 *S10* **Tahaa** *island* Îles Sous le Vent, W French Polynesia
191 *U10* **Tahanea** *atoll* Îles Tuamotu, C French Polynesia
Tahanroz'ka Zatoka *see* Taganrog, Gulf of
74 *K12* **Tahat** ▲ SE Algeria
163 *U4* **Tahe** Heilongjiang, NE China
162 *G9* **Tahilt** Govĭ-Altay, W Mongolia
191 *T10* **Tahiti** *island* Îles du Vent, W French Polynesia
Tahiti, Archipel de *see* Société, Archipel de la
118 *E4* **Tahkuna nina** *headland* W Estonia
148 *K12* **Tāhlāb** ≈ W Pakistan
148 *K12* **Tāhlāb, Dasht-i** *desert* SW Pakistan
27 *R10* **Tahlequah** Oklahoma, C USA
35 *Q6* **Tahoe City** California, W USA
35 *P6* **Tahoe, Lake** ◎ California/Nevada, W USA
Tahoena *see* Tahuna
25 *N6* **Tahoka** Texas, SW USA
32 *F8* **Taholah** Washington, NW USA
77 *T11* **Tahoua** Tahoua, W Niger
77 *T11* **Tahoua** ◆ *department* W Niger
31 *P3* **Tahquamenon Falls** *waterfall* Michigan, N USA
31 *P4* **Tahquamenon River** ≈ Michigan, N USA
139 *V10* **Ṭahrīr** S Iraq
10 *K17* **Tahsis** Vancouver Island, British Columbia, SW Canada
Tahta *see* Tagta
75 *W9* **Ṭahta** C Egypt
136 *L15* **Tahtalı Dağları** ▲ C Turkey
57 *I14* **Tahuamanu, Río** ≈ Bolivia/Peru
56 *F13* **Tahuanía, Río** ≈ E Peru
191 *X7* **Tahuata** *island* Îles Marquises, NE French Polynesia
171 *Q10* **Tahuna** *prev.* Tahoena. Pulau Sangihe, N Indonesia
76 *L17* **Taï** SW Ivory Coast
161 *P5* **Tai'an** Shandong, E China
191 *R8* **Taiarapu, Presqu'île de** *peninsula* Tahiti, W French Polynesia
Taibad *see* Tāybād

◆ Country ● Country Capital ◇ Dependent Territory ○ Dependent Territory Capital ◆ Administrative Region ✕ International Airport ▲ Mountain ▲ Mountain Range ⛰ Volcano ≈ River ◎ Lake ⊠ Reservoir

Taibai Shan – Tarayuela ••• 331

160 K7 **Taibai Shan** ▲ C China
105 Q12 **Taibilla, Sierra de** ▲ S Spain
Taibus Qi see Baochang
Taichū see T'aichung
161 S13 **T'aichung** Jap. Taichū; prev. Taiwan. C Taiwan
Taiden see Taejŏn
185 E23 **Taieri** ≈ South Island, NZ
115 E21 **Taïgetos** ▲ S Greece
161 N4 **Taihang Shan** ▲ C China
184 M11 **Taihape** Manawatu-Wanganui, North Island, NZ
161 O7 **Taihe** Anhui, E China
161 O12 **Taihe** var. Chengjiang. Jiangxi, S China
Taihoku see T'aipei
161 R8 **Tai Hu** ⊚ E China
161 P9 **Taihu** Anhui, E China
159 O9 **Taikang** var. Dorbod, Dorbod Mongolzu Zizhixian. Heilongjiang, NE China
161 O5 **Taikang** Henan, C China
165 T5 **Taiki** Hokkaidō, NE Japan
166 L8 **Taikkyi** Yangon, SW Myanmar
Taikyū see Taegu
163 U8 **Tailai** Heilongjiang, NE China
168 I12 **Taileleo** Pulau Siberut, W Indonesia
182 J10 **Tailem Bend** South Australia
96 I8 **Tain** N Scotland, UK
161 S14 **T'ainan** Jap. Tainan; prev. Dainan. S Taiwan
115 E22 **Taínaro, Akrotírio** headland S Greece
161 Q11 **Taining** var. Shancheng. Fujian, SE China
191 W7 **Taiohae** prev. Madisonville. Nuku Hiva, NE French Polynesia
161 T13 **T'aipei** Jap. Taihoku; prev. Daihoku. ● (Taiwan) N Taiwan
168 J7 **Taiping** Perak, Peninsular Malaysia
163 S8 **Taiping Ling** ▲ NE China
165 Q4 **Taisei** Hokkaidō, NE Japan
165 G12 **Taisha** Shimane, Honshū, SW Japan
109 R4 **Taiskirchen** Oberösterreich, NW Austria
63 F20 **Taitao, Peninsula de** peninsula S Chile
Taitō see T'aitung
161 T14 **T'aitung** Jap. Taitō. S Taiwan
92 M13 **Taivalkoski** Oulu, E Finland
93 K19 **Taivassalo** Länsi-Suomi, W Finland
161 T14 **Taiwan** off. Republic of China, var. Formosa, Formo'sa. ◆ republic E Asia
192 F5 **Taiwan** var. Formosa. island E Asia
Taiwan see T'aichung
T'aiwan Haihsia/Taiwan Haixia see Taiwan Strait
Taiwan Shan see Chungyang Shanmo
161 R13 **Taiwan Strait** var. Formosa Strait, Chin. T'aiwan Haihsia, Taiwan Haixia. strait China/Taiwan
161 N4 **Taiyuan** prev. T'ai-yuan, T'ai-yüan, Yangku. Shanxi, C China
161 R7 **Taizhou** Jiangsu, E China
161 S10 **Taizhou** var. Jiaojiang; prev. Haimen. Zhejiang, SE China
Taizhou see Linhai
141 O15 **Ta'izz** SW Yemen
141 O15 **Ta'izz** ✕ SW Yemen
75 P12 **Tajarhī** SW Libya
147 P13 **Tajikistan** off. Republic of Tajikistan, Rus. Tadzhikistan, Taj. Jumhurii Tojikiston; prev. Tajik S.S.R. ◆ republic C Asia
Tajik S.S.R see Tajikistan
165 O11 **Tajima** Fukushima, Honshū, C Japan
Tajoe see Tayu
Tajo, Río see Tagus
42 B5 **Tajumulco, Volcán** ▲ W Guatemala
105 P7 **Tajuña** ≈ C Spain
Tajura, Gulf of see Tadjoura, Golfe de
167 O9 **Tak** var. Rahaeng. Tak, W Thailand
189 U4 **Taka Atoll** var. Tōke. atoll Ratak Chain, N Marshall Islands
165 P12 **Takahagi** Ibaraki, Honshū, S Japan
165 H13 **Takahashi** var. Takahasi. Okayama, Honshū, SW Japan
Takahasi see Takahashi
189 P12 **Takaieu Island** island E Micronesia
184 I13 **Takaka** Tasman, South Island, NZ
170 M14 **Takalar** Sulawesi, C Indonesia
165 H13 **Takamatsu** var. Takamatu. Kagawa, Shikoku, SW Japan
Takamatu see Takamatsu
165 D14 **Takamori** Kumamoto, Kyūshū, SW Japan
165 D16 **Takanabe** Miyazaki, Kyūshū, SW Japan
170 M16 **Takan, Gunung** ▲ Pulau Sumba, S Indonesia
165 Q7 **Takanosu** Akita, Honshū, C Japan
Takao see Kaohsiung
165 L11 **Takaoka** Toyama, Honshū, SW Japan
184 N12 **Takapau** Hawke's Bay, North Island, NZ
191 U9 **Takapoto** atoll Îles Tuamotu, C French Polynesia
184 L5 **Takapuna** Auckland, North Island, NZ
165 J3 **Takarazuka** Hyōgo, Honshū, SW Japan
191 U9 **Takaroa** atoll Îles Tuamotu, C French Polynesia
165 N12 **Takasaki** Gunma, Honshū, S Japan
164 L12 **Takayama** Gifu, Honshū, SW Japan
164 K12 **Takefu** var. Takehu. Fukui, Honshū, SW Japan
Takehu see Takefu
164 C14 **Takeo** Saga, Kyūshū, SW Japan
Takeo see Takêv
164 C17 **Take-shima** island Nansei-shotō, SW Japan
142 M5 **Takestān** var. Takistan; prev. Siadehan. Qazvin, N Iran
164 D14 **Taketa** Ōita, Kyūshū, SW Japan
167 R13 **Takêv** prev. Takeo. Takêv, S Cambodia
167 O10 **Tak Fah** Nakhon Sawan, C Thailand
139 T13 **Takhādīd** well S Iraq
149 R3 **Takhār** ◐ province NE Afghanistan
Takhiatash see Taxiatosh
157 S13 **Ta Khmau** Kândal, S Cambodia
Takhta see Tagta
Takhtabazar see Tagtabazar
145 O8 **Takhtabrod** Severnyy Kazakhstan, N Kazakhstan
Takhtakupyr see Taxtako'pir
142 M8 **Takht-e Shāh, Kūh-e** ▲ C Iran
77 V12 **Takiéta** Zinder, S Niger
8 J8 **Takijuq Lake** ⊚ Nunavut, NW Canada
165 S3 **Takikawa** Hokkaidō, NE Japan
165 U3 **Takinoue** Hokkaidō, NE Japan
Takistan see Tākestān
185 B23 **Takitimu Mountains** ▲ South Island, NZ
Takkaze see Tekezē
165 R7 **Takko** Aomori, Honshū, C Japan
10 L13 **Takla Lake** ⊚ British Columbia, SW Canada
Takla Makan Desert see Taklimakan Shamo
158 H9 **Taklimakan Shamo** Eng. Takla Makan Desert. desert NW China
167 T12 **Takôk** Môndól Kiri, E Cambodia
39 P10 **Takotna** Alaska, USA
Takow see Kaohsiung
123 O12 **Taksimo** Respublika Buryatiya, S Russian Federation
164 C13 **Taku** Saga, Kyūshū, SW Japan
10 I10 **Taku** ≈ British Columbia, W Canada
166 M15 **Takua Pa** var. Ban Takua Pa. Phangnga, SW Thailand
77 W16 **Takum** Taraba, E Nigeria
191 V10 **Takume** atoll Îles Tuamotu, C French Polynesia
190 L16 **Takutea** island S Cook Islands
186 K6 **Takuu Islands** prev. Mortlock Group. island group NE PNG
119 L18 **Tal'** Rus. Tal'. Minskaya Voblasts', S Belarus
40 L13 **Tala** Jalisco, C Mexico
61 F19 **Tala** Canelones, S Uruguay
Talabriga see Aveiro, Portugal
Talabriga see Talavera de la Reina, Spain
119 N14 **Talachyn** Rus. Tolochin. Vitsyebskaya Voblasts', NE Belarus
149 U7 **Talagang** Punjab, E Pakistan
155 J23 **Talaimannar** Northern Province, NW Sri Lanka
117 R3 **Talalayivka** Chernihivs'ka Oblast', N Ukraine
43 O15 **Talamanca, Cordillera de** ▲ S Costa Rica
56 A9 **Talara** Piura, NW Peru
104 L11 **Talarrubias** Extremadura, W Spain
147 S8 **Talas** Talasskaya Oblast', NW Kyrgyzstan
147 S8 **Talas** ≈ NW Kyrgyzstan
186 G7 **Talasea** New Britain, E PNG
Talas Oblasty see Talasskaya Oblast'
147 S8 **Talasskaya Oblast'** Kir. Talas Oblasty. ◐ province NW Kyrgyzstan
147 S8 **Talasskiy Alatau, Khrebet** ▲ Kazakhstan/Kyrgyzstan
77 U12 **Talata Mafara** Zamfara, NW Nigeria
171 R9 **Talaud, Kepulauan** island group E Indonesia
104 M9 **Talavera de la Reina** anc. Caesarobriga, Talabriga. Castilla-La Mancha, C Spain
104 J11 **Talavera la Real** Extremadura, W Spain
186 F7 **Talawe, Mount** ▲ New Britain, C PNG
23 S5 **Talbotton** Georgia, SE USA
183 R7 **Talbragar River** ≈ New South Wales, SE Australia
62 G13 **Talca** Maule, C Chile
62 F13 **Talcahuano** Bío Bío, C Chile
154 N12 **Tālcher** Orissa, E India
25 W5 **Talco** Texas, SW USA
145 V14 **Taldykorgan** Kaz. Taldyqorghan; prev. Taldy-Kurgan. Almaty, SE Kazakhstan
Taldy-Kurgan/Taldyqorghan see Taldykorgan
147 Y7 **Taldy-Suu** Issyk-Kul'skaya Oblast', E Kyrgyzstan
147 U10 **Taldy-Suu** Oshskaya Oblast', SW Kyrgyzstan
Tal-e Khosravī see Yāsūj
193 Y15 **Taleki Tonga** island Otu Tolu Group, C Tonga
193 Y15 **Taleki Vavu'u** island Otu Tolu Group, C Tonga
102 J13 **Talence** Gironde, SW France
145 U16 **Talgar** Kaz. Talghar. Almaty, SE Kazakhstan
Talghar see Talgar
171 Q12 **Taliabu, Pulau** island Kepulauan Sula, C Indonesia
115 L22 **Taliarós, Akrotírio** headland Astypálaia, Kykládes, Greece, Aegean Sea
Ta-lien see Dalian
27 Q12 **Talihina** Oklahoma, C USA
Talimardzhan see Tollimarjon
Talin see T'alin
137 T12 **T'alin** Rus. Talin; prev. Verin T'alin. W Armenia
81 E15 **Tali Post** Bahr el Gabel, S Sudan
Taliq-an see Tāloqān
Talış Dağları see Talish Mountains
142 L2 **Talish Mountains** Az. Talış Dağları, Per. Kūhhā-ye Ţavālesh, Rus. Talyshskiye Gory. ▲ Azerbaijan/Iran
170 M16 **Taliwang** Sumbawa, C Indonesia
119 L17 **Tal'ka** Rus. Tal'ka. Minskaya Voblasts', C Belarus
39 R11 **Talkeetna** Alaska, USA
39 R11 **Talkeetna Mountains** ▲ Alaska, USA
Talkhof see Puurmani
92 H2 **Tálknafjörður** Vestfirdhir, W Iceland
139 Q3 **Tall 'Abţah** N Iraq
138 M2 **Tall Abyaḍ** var. Tell Abiad. Ar Raqqah, N Syria
23 Q4 **Talladega** Alabama, S USA
139 Q2 **Tall 'Afar** N Iraq
23 S8 **Tallahassee** prev. Muskogean. state capital Florida, SE USA
22 L2 **Tallahatchie River** ≈ Mississippi, S USA
Tall al Abyaḍ see At Tall al Abyaḍ
139 W12 **Tall al Laḥm** S Iraq
183 P11 **Tallangatta** Victoria, SE Australia
23 R4 **Tallapoosa River** ≈ Alabama/Georgia, S USA
103 T13 **Tallard** Hautes-Alpes, SE France
139 Q3 **Tall ash Sha'īr** N Iraq
23 Q5 **Tallassee** Alabama, S USA
139 R4 **Tall 'Azbah** NW Iraq
138 I5 **Tall Bīsah** Ḥimṣ, W Syria
139 R3 **Tall Ḥassūnah** N Iraq
139 Q2 **Tall Ḥuqnah** var. Tell Huqnah. N Iraq
Tallin see Tallinn
118 G3 **Tallinn** Ger. Reval, Rus. Tallin; prev. Revel. ● (Estonia) Harjumaa, NW Estonia
118 H3 **Tallinn** ✕ Harjumaa, NW Estonia
138 H5 **Tall Kalakh** var. Tell Kalakh. Ḥimṣ, C Syria
139 R2 **Tall Kayf** NW Iraq
Tall Kūchak see Tall Kūshik
139 P2 **Tall Kūshik** var. Tall Kūchak. Al Ḥasakah, E Syria
31 U12 **Tallmadge** Ohio, N USA
22 J5 **Tallulah** Louisiana, S USA
139 Q2 **Tall 'Uwaynāt** NW Iraq
139 Q2 **Tall Ẓāhir** N Iraq
122 J13 **Tal'menka** Altayskiy Kray, S Russian Federation
122 K8 **Talnakh** Taymyrskiy (Dolgano-Nenetskiy) Avtonomnyy Okrug, N Russian Federation
117 P7 **Tal'ne** Rus. Tal'noye. Cherkas'ka Oblast', C Ukraine
Tal'noye see Tal'ne
80 E12 **Talodi** Southern Kordofan, C Sudan
188 B16 **Talofofo** SE Guam
188 B16 **Talofofo Bay** bay SE Guam
26 L9 **Taloga** Oklahoma, C USA
123 T10 **Talon** Magadanskaya Oblast', E Russian Federation
14 H11 **Talon, Lake** ⊚ Ontario, S Canada
149 R2 **Tāloqān** var. Taliq-an. Takhār, NE Afghanistan
126 M8 **Talovaya** Voronezhskaya Oblast', W Russian Federation
9 N6 **Taloyoak** prev. Spence Bay. Nunavut, N Canada
25 Q8 **Talpa** Texas, SW USA
40 K13 **Talpa de Allende** Jalisco, C Mexico
23 S9 **Talquin, Lake** ▣ Florida, SE USA
Talsen see Talsi
162 H9 **Talshand** Govĭ-Altay, C Mongolia
118 E8 **Talsi** Ger. Talsen. Talsi, NW Latvia
143 V11 **Tal Sīāh** Sīstān va Balūchestān, SE Iran
62 G6 **Taltal** Antofagasta, N Chile
8 K10 **Taltson** ≈ Northwest Territories, NW Canada
168 K11 **Taluk** Sumatera, W Indonesia
92 J8 **Talvik** Finnmark, N Norway
182 M7 **Talyawalka Creek** ≈ New South Wales, SE Australia
Talyshskiye Gory see Talish Mountains
29 W14 **Tama** Iowa, C USA
Tama Abu, Banjaran see Penambo, Banjaran
169 U9 **Tamabo, Banjaran** ▲ East Malaysia
190 B16 **Tamakautoga** SW Niue
127 N7 **Tamala** Penzenskaya Oblast', W Russian Federation
77 P15 **Tamale** C Ghana
191 P3 **Tamana** prev. Rotcher Island. atoll Tungaru, W Kiribati
74 K12 **Tamanrasset** var. Tamenghest. S Algeria
74 J13 **Tamanrasset** wadi Algeria/Mali
166 M2 **Tamanthi** Sagaing, N Myanmar
97 I24 **Tamar** ≈ SW England, UK
Tamar see Tudmur
54 H9 **Támara** Casanare, C Colombia
54 F7 **Tamar, Alto de** ▲ C Colombia
173 X16 **Tamarin** E Mauritius
105 T5 **Tamarite de Litera** var. Tararite de Llitera. Aragón, NE Spain
111 I24 **Tamási** Tolna, S Hungary
Tamatave see Toamasina
41 O9 **Tamaulipas** ◐ state C Mexico
41 P10 **Tamaulipas, Sierra de** ▲ C Mexico
56 F12 **Tamaya, Río** ≈ E Peru
40 I9 **Tamazula** Durango, C Mexico
40 L14 **Tamazula** Jalisco, C Mexico
Tamazulápam see Tamazulapán
41 Q15 **Tamazulapán** var. Tamazulápam. Oaxaca, SE Mexico
41 P12 **Tamazunchale** San Luis Potosí, C Mexico
76 H11 **Tambacounda** SE Senegal
83 M16 **Tambara** Manica, C Mozambique
77 T13 **Tambawel** Sokoto, NW Nigeria
186 M9 **Tambea** Guadalcanal, C Solomon Islands
169 N10 **Tambelan, Kepulauan** island group W Indonesia
57 E15 **Tambo de Mora** Ica, W Peru
170 L16 **Tambora, Gunung** ⚠ Sumbawa, S Indonesia
61 E17 **Tambores** Paysandú, W Uruguay
57 F14 **Tambo, Río** ≈ C Peru
56 F7 **Tamboryacu, Río** ≈ N Peru
126 M7 **Tambov** Tambovskaya Oblast', W Russian Federation
126 L6 **Tambovskaya Oblast'** ◐ province W Russian Federation
104 H3 **Tambre** ≈ NW Spain
169 V7 **Tambunan** Sabah, East Malaysia
81 C15 **Tambura** Western Equatoria, SW Sudan
Tâmchaket see Tâmchekkeţ
76 J9 **Tâmchekkeţ** var. Tâmchaket. Hodh el Gharbi, S Mauritania
167 T7 **Tam Điệp** Ninh Binh, N Vietnam
Tamdybulak see Tomdibuloq
54 G9 **Tame** Arauca, C Colombia
104 H6 **Tâmega, Rio** Sp. Río Támega. ≈ Portugal/Spain
115 H20 **Tamélos, Akrotírio** headland Kéa, Kykládes, Greece, Aegean Sea
Tamenghest see Tamanrasset
77 V8 **Tamgak, Adrar** ▲ C Niger
76 I13 **Tamgue** ▲ NW Guinea
41 Q12 **Tamiahua** Veracruz-Llave, E Mexico
41 Q12 **Tamiahua, Laguna de** lagoon E Mexico
23 Y16 **Tamiami Canal** canal Florida, SE USA
188 F17 **Tamil Harbor** harbour Yap, W Micronesia
155 H21 **Tamil Nādu** prev. Madras. ◐ state SE India
99 H20 **Tamines** Namur, S Belgium
116 E12 **Tamiš** Ger. Temesch, Hung. Temes, SCr. Tamiš. ≈ Romania/Serbia and Montenegro (Yugo.)
167 U10 **Tam Kỳ** Quang Nam-Đa Nẵng, C Vietnam
Tammerfors see Tampere
Tammisaari see Ekenäs
95 N14 **Tämnaren** ⊚ C Sweden
191 Q7 **Tamotoe, Passe** passage Tahiti, W French Polynesia
23 V12 **Tampa** Florida, SE USA
23 V12 **Tampa** ✕ Florida, SE USA
23 V13 **Tampa Bay** bay Florida, SE USA
93 L18 **Tampere** Swe. Tammerfors. Länsi-Suomi, W Finland
41 Q11 **Tampico** Tamaulipas, C Mexico
171 P14 **Tampo** Pulau Muna, C Indonesia
167 V11 **Tam Quan** Binh Đinh, C Vietnam
162 J13 **Tamsag Muchang** Nei Mongol Zizhiqu, N China
Tamsal see Tamsalu
118 I4 **Tamsalu** Ger. Tamsal. Lääne-Virumaa, NE Estonia
109 S8 **Tamsweg** Salzburg, SW Austria
166 L3 **Tamu** Sagaing, N Myanmar
41 P12 **Tamuín** San Luis Potosí, C Mexico
188 C15 **Tamuning** NW Guam
183 T6 **Tamworth** New South Wales, SE Australia
97 M19 **Tamworth** C England, UK
81 K19 **Tana** ≈ SE Kenya
Tana see Deatnu/Tenojoki
164 I15 **Tanabe** Wakayama, Honshū, SW Japan
92 L8 **Tana Bru** Finnmark, N Norway
39 T10 **Tanacross** Alaska, USA
92 L7 **Tanafjorden** Lapp. Deanuvuotna. fjord N Norway
38 G17 **Tanaga Island** island Aleutian Islands, Alaska, USA
38 G17 **Tanaga Volcano** ▲ Tanaga Island, Alaska, USA
107 M18 **Tanagro** ≈ S Italy
80 H11 **T'ana Hāyk'** Eng. Lake Tana. ⊚ NW Ethiopia
168 H11 **Tanahbela, Pulau** island Kepulauan Batu, W Indonesia
171 H15 **Tanahjampea, Pulau** island W Indonesia
168 H11 **Tanahmasa, Pulau** island Kepulauan Batu, W Indonesia
Tanais see Don
152 L10 **Tanakpur** Uttaranchal, N India
Tana, Lake see T'ana Hāyk'
181 P5 **Tanami Desert** desert Northern Territory, N Australia
167 T14 **Tân An** Long An, S Vietnam
39 Q9 **Tanana** Alaska, USA
Tananarive see Antananarivo
39 Q9 **Tanana River** ≈ Alaska, USA
95 C16 **Tananger** Rogaland, S Norway
188 H5 **Tanapag** Saipan, S Northern Mariana Islands
188 H5 **Tanapag, Puetton** bay Saipan, S Northern Mariana Islands
106 C9 **Tanaro** ≈ N Italy
163 Y12 **Tanch'ŏn** E North Korea
40 M14 **Tancitaro, Cerro** ⚠ C Mexico
153 N12 **Tānda** Uttar Pradesh, N India
77 O15 **Tanda** E Ivory Coast
116 L14 **Ţăndărei** Ialomiţa, SE Romania
63 N14 **Tandil** Buenos Aires, E Argentina
78 H12 **Tandjilé** off. Préfecture du Tandjilé. ◐ prefecture SW Chad
Tandjoeng see Tanjung
Tandjoengpandan see Tanjungpandan
Tandjoengpinang see Tanjungpinang
Tandjoengredeb see Tanjungredeb
149 Q16 **Tando Allāhyār** Sind, SE Pakistan
149 Q17 **Tando Bāgo** Sind, SE Pakistan
149 Q16 **Tando Muhammad Khān** Sind, SE Pakistan
182 L7 **Tandou Lake** seasonal lake New South Wales, SE Australia
94 L11 **Tandsjöborg** Gävleborg, C Sweden
155 H15 **Tāndūr** Andhra Pradesh, C India
164 C17 **Tanega-shima** island Nansei-shotō, SW Japan
165 R7 **Taneichi** Iwate, Honshū, C Japan
Tanen Taunggyi see Tane Range
157 N8 **Tane Range** Bur. Tanen Taunggyi. ▲ W Thailand
111 P15 **Tanew** ≈ SE Poland
21 W2 **Taneytown** Maryland, NE USA
74 H12 **Tanezrouft** desert Algeria/Mali
138 L7 **Ţanf, Jabal aţ** ▲ SE Syria
81 J21 **Tanga** Tanga, E Tanzania
81 I22 **Tanga** ◐ region E Tanzania
153 T14 **Tangail** Dhaka, C Bangladesh
186 I5 **Tanga Islands** island group NE PNG
155 K26 **Tangalla** Southern Province, S Sri Lanka
Tanganyika and Zanzibar see Tanzania
81 D3 **Tanganyika, Lake** ⊚ E Africa
56 E7 **Tangarana, Río** ≈ N Peru
191 V16 **Tangaroa, Maunga** ⚠ Easter Island, Chile, E Pacific Ocean
74 G5 **Tanger** var. Tangiers, Tangier, Fr./Ger. Tangerk, Sp. Tánger; anc. Tingis. NW Morocco
169 N15 **Tangerang** Jawa, C Indonesia
Tangerk see Tanger
100 M12 **Tangermünde** Sachsen-Anhalt, C Germany
159 O12 **Tanggulashan** var. Togton Heyan, var. Tuotuoheyan. Qinghai, C China
156 K10 **Tanggula Shan** var. Dangla, Tangla Range. ▲ W China
159 N13 **Tanggula Shan** ▲ W China
156 K10 **Tanggula Shankou** Tib. Dang La. pass W China
161 N7 **Tanghe** Henan, C China
149 T5 **Tāngi** North-West Frontier Province, NW Pakistan
Tangier see Tanger
21 Y5 **Tangier Island** island Virginia, NE USA
Tangiers see Tanger
22 K8 **Tangipahoa River** ≈ Louisiana, S USA
Tangla Range see Tanggula Shan
164 J12 **Tango-hantō** peninsula Honshū, SW Japan
156 I10 **Tangra Yumco** var. Tangro Tso. ⊚ W China
Tangro Tso see Tangra Yumco
157 T7 **Tangshan** var. T'ang-shan. Hebei, E China
77 R14 **Tanguiéta** NW Benin
163 X7 **Tangwang He** ≈ NE China
163 X7 **Tangyuan** Heilongjiang, NE China
92 M11 **Tanhua** Lappi, N Finland
171 U15 **Tanimbar, Kepulauan** island group Maluku, E Indonesia
Tanintharyi see Tenasserim
139 U4 **Tānjarō** ≈ E Iraq
Tanjore see Thanjāvūr
169 U12 **Tanjung** prev. Tandjoeng. Borneo, C Indonesia
169 W5 **Tanjungbatu** Borneo, N Indonesia
Tanjungkarang see Bandarlampung
169 N13 **Tanjungpandan** prev. Tandjoengpandan. Pulau Belitung, W Indonesia
168 M10 **Tanjungpinang** prev. Tandjoengpinang. Pulau Bintan, W Indonesia
169 V9 **Tanjungredeb** var. Tanjungredep; prev. Tandjoengredeb. Borneo, C Indonesia
Tanjungredep see Tanjungredeb
149 S8 **Tānk** North-West Frontier Province, NW Pakistan
187 S15 **Tanna** island S Vanuatu
93 F17 **Tännäs** Jämtland, C Sweden
Tannenhof see Krynica
108 K7 **Tannheim** Tirol, W Austria
Tannu-Tuva see Tyva, Respublika
171 Q12 **Tano** Pulau Taliabu, E Indonesia
77 O17 **Tano** ≈ S Ghana
152 D10 **Tanot** Rājasthān, NW India
77 V11 **Tanout** Zinder, C Niger
41 P12 **Tanquián** San Luis Potosí, C Mexico
77 R13 **Tansarga** E Burkina
167 T13 **Tan Son Nhat** ✕ (Hô Chi Minh) Tây Ninh, S Vietnam
75 V8 **Tanta** var. Tantā, Tantâ. N Egypt
74 D9 **Tan-Tan** SW Morocco
41 P12 **Tantoyuca** Veracruz-Llave, E Mexico
152 J12 **Tāntpur** Uttar Pradesh, N India
Tan-tung see Dandong
38 M12 **Tanunak** Alaska, USA
166 L5 **Ta-nyaung** Magwe, W Myanmar
167 S5 **Tân Yên** Tuyên Quang, N Vietnam
81 F22 **Tanzania** off. United Republic of Tanzania, Swa. Jamhuri ya Muungano wa Tanzania; prev. German East Africa, Tanganyika and Zanzibar. ◆ republic E Africa
Tanzania, Jamhuri ya Muungano wa see Tanzania
Taoan/Tao'an see Taonan
163 T8 **Tao'er He** ≈ NE China
159 U11 **Tao He** ≈ C China
163 U9 **Taonan** var. Taoan, Tao'an. Jilin, NE China
T'ao-an see Baicheng
Taongi see Bokaak Atoll
107 M23 **Taormina** anc. Tauromenium. Sicilia, Italy, C Mediterranean Sea
37 S9 **Taos** New Mexico, SW USA
Taoudenit see Taoudenni
77 O6 **Taoudenni** var. Taoudenit. Tombouctou, N Mali
74 G6 **Taounate** N Morocco
151 S13 **T'aoyüan** Jap. Tōen. N Taiwan
118 I3 **Tapa** Ger. Taps. Lääne-Virumaa, NE Estonia
41 V17 **Tapachula** Chiapas, SE Mexico
Tapaiu see Gvardeysk
59 H14 **Tapajós, Rio** var. Tapajóz. ≈ NW Brazil
Tapajóz see Tapajós, Rio
61 C21 **Tapalqué** var. Tapalquén. Buenos Aires, E Argentina
Tapalquén see Tapalqué
Tapanahoni see Tapanahony Rivier
55 W11 **Tapanahony Rivier** var. Tapanahoni. ≈ E Suriname
41 T16 **Tapanatepec** var. San Pedro Tapanatepec. Oaxaca, SE Mexico
185 D23 **Tapanui** Otago, South Island, NZ
59 E14 **Tapauá** Amazonas, N Brazil
59 D15 **Tapauá, Rio** ≈ W Brazil
185 I14 **Tapawera** Tasman, South Island, NZ
61 I16 **Tapes** Rio Grande do Sul, S Brazil
76 K16 **Tapeta** C Liberia
154 H11 **Tāpi** prev. Tāpti. ≈ W India
104 J2 **Tapia de Casariego** Asturias, N Spain
56 F10 **Tapiche, Río** ≈ N Peru
167 N15 **Tapi, Mae Nam** var. Luang. ≈ SW Thailand
186 E8 **Tapini** Central, S PNG
Tapirapecó, Serra see Tapirapecó, Sierra
55 N13 **Tapirapecó, Sierra** Port. Serra Tapirapecó. ▲ Brazil/Venezuela
77 R13 **Tapoa** ≈ Benin/Niger
188 H5 **Tapochau, Mount** ▲ Saipan, S Northern Mariana Islands
111 H24 **Tapolca** Veszprém, W Hungary
21 X5 **Tappahannock** Virginia, NE USA
31 U13 **Tappan Lake** ▣ Ohio, N USA
165 Q6 **Tappi-zaki** headland Honshū, C Japan
Taps see Tapa
Tāpti see Tāpi
185 J16 **Tapuaenuku** ▲ South Island, NZ
171 N8 **Tapul Group** island group Sulu Archipelago, SW Philippines
58 E11 **Tapurucuará** var. Tapuruquara. Amazonas, NW Brazil
Tapuruquara see Tapurucuará
192 J17 **Taputapu, Cape** headland Tutuila, W American Samoa
141 W13 **Ţāqah** S Oman
139 T3 **Taqtaq** N Iraq
61 J15 **Taquara** Rio Grande do Sul, S Brazil
59 H19 **Taquari, Rio** ≈ C Brazil
60 L8 **Taquaritinga** São Paulo, S Brazil
122 I11 **Tara** Omskaya Oblast', C Russian Federation
83 I16 **Tara** Southern, S Zambia
113 J15 **Tara** ≈ SW Serbia and Montenegro (Yugo.)
112 K13 **Tara** ▲ W Serbia and Montenegro (Yugo.)
77 W15 **Taraba** ◐ state E Nigeria
77 X15 **Taraba** ≈ E Nigeria
75 O7 **Tarābulus** var. Ţarābulus al Gharb, Eng. Tripoli. ● (Libya) NW Libya
75 O7 **Tarābulus** ✕ NW Libya
Tarābulus/Ţarābulus ash Shām see Tripoli
Ţarābulus al Gharb see Ţarābulus
105 O7 **Taracena** Castilla-La Mancha, C Spain
117 N12 **Taraclia** Rus. Tarakilya. S Moldova
139 V10 **Tarād al Kahf** SE Iraq
183 R10 **Tarago** New South Wales, SE Australia
169 V8 **Tarakan** Borneo, C Indonesia
169 V9 **Tarakan, Pulau** island N Indonesia
Tarakilya see Taraclia
165 P16 **Tarama-jima** island Sakishima-shotō, SW Japan
184 K10 **Taranaki** off. Taranaki Region. ◐ region North Island, NZ
184 K10 **Taranaki, Mount** var. Egmont. ▲ North Island, NZ
105 O9 **Tarancón** Castilla-La Mancha, C Spain
188 M15 **Tarang Reef** reef C Micronesia
96 E7 **Taransay** island NW Scotland, UK
107 P18 **Taranto** var. Tarentum. Puglia, SE Italy
107 O19 **Taranto, Golfo di** Eng. Gulf of Taranto. gulf S Italy
Taranto, Gulf of see Taranto, Golfo di
62 G3 **Tarapacá** off. Región de Tarapacá. ◐ region N Chile
187 N9 **Tarapaina** Maramasike Island, N Solomon Islands
56 D10 **Tarapoto** San Martín, N Peru
138 M6 **Ţaraq an Na'jah** hill range E Syria
138 M6 **Ţaraq Sidāwī** hill range E Syria
103 Q11 **Tarare** Rhône, E France
Tararite de Llitera see Tamarite de Litera
184 M13 **Tararua Range** ▲ North Island, NZ
151 Q22 **Tarāsa Dwīp** island Nicobar Islands, India, NE Indian Ocean
103 Q15 **Tarascon** Bouches-du-Rhône, SE France
102 M17 **Tarascon-sur-Ariège** Ariège, S France
117 P6 **Tarashcha** Kyyivs'ka Oblast', N Ukraine
57 L18 **Tarata** Cochabamba, C Bolivia
57 I18 **Tarata** Tacna, SW Peru
190 H2 **Taratai** atoll Tungaru, W Kiribati
59 B15 **Tarauacá** Acre, W Brazil
59 B15 **Tarauacá, Rio** ≈ NW Brazil
191 Q8 **Taravao** Tahiti, W French Polynesia
191 R8 **Taravao, Baie de** bay Tahiti, W French Polynesia
191 Q8 **Taravao, Isthme de** isthmus Tahiti, W French Polynesia
103 X16 **Taravo** ≈ Corse, France, C Mediterranean Sea
190 I3 **Tarawa** ✕ Tarawa, W Kiribati
190 H2 **Tarawa** atoll Tungaru, W Kiribati
184 N10 **Tarawera** Hawke's Bay, North Island, NZ
184 N8 **Tarawera, Lake** ⊚ North Island, NZ
184 N8 **Tarawera, Mount** ▲ North Island, NZ
105 S8 **Tarayuela** ▲ N Spain

◆ Country ● Country Capital ◇ Dependent Territory ○ Dependent Territory Capital ◐ Administrative Region ✕ International Airport ▲ Mountain ▲ Mountain Range ⚠ Volcano ≈ River ⊚ Lake ▣ Reservoir

332 ••• Taraz – Temagami, Lake

151 R16 **Taraz** *prev.* Aulie Ata, Auliye-Ata, Dzhambul, Zhambyl. Zhambyl, S Kazakhstan.
105 Q5 **Tarazona** Aragón, NE Spain
105 Q10 **Tarazona de la Mancha** Castilla-La Mancha, C Spain
145 X12 **Tarbagatay, Khrebet** ▲ China/Kazakhstan
96 J8 **Tarbat Ness** *headland* N Scotland, UK
149 U5 **Tarbela Reservoir** ⊠ N Pakistan
96 H12 **Tarbert** W Scotland, UK
96 F7 **Tarbert** Western Isles, NW Scotland, UK
102 K16 **Tarbes** *anc.* Bigorra. Hautes-Pyrénées, S France
21 W9 **Tarboro** North Carolina, SE USA
Tarca *see* Torysa
106 J6 **Tarcento** Friuli-Venezia Giulia, NE Italy
182 F5 **Tarcoola** South Australia
105 S5 **Tardienta** Aragón, NE Spain
102 L11 **Tardoire** ↝ W France
183 U7 **Taree** New South Wales, SE Australia
92 K12 **Tärendö** *Lapp.* Deargget. Norrbotten, N Sweden
Tarentum *see* Taranto
74 C9 **Tarfaya** SW Morocco
116 J13 **Târgoviște** *prev.* Tîrgoviște. Dâmbovița, S Romania
116 M12 **Târgu Bujor** *prev.* Tîrgu Bujor. Galați, E Romania
116 H13 **Târgu Cărbunești** *prev.* Tîrgu. Gorj, SW Romania
116 L9 **Târgu Frumos** *prev.* Tîrgu Frumos. Iași, NE Romania
116 H13 **Târgu Jiu** *prev.* Tîrgu Jiu. Gorj, W Romania
116 H9 **Târgu Lăpuș** *prev.* Tîrgu Lăpuș. Maramureș, N Romania
Târgul-Neamț *see* Târgu-Neamț
Târgul-Săcuiesc *see* Târgu Secuiesc
116 I10 **Târgu Mureș** *prev.* Oșorhei, Tîrgu Mures, *Ger.* Neumarkt, *Hung.* Marosvásárhely. Mureș, C Romania
116 K9 **Târgu-Neamț** *var.* Târgul-Neamț; *prev.* Tîrgu-Neamț. Neamț, NE Romania
116 K11 **Târgu Ocna** *Hung.* Aknavásár; *prev.* Tîrgu Ocna. Bacău, E Romania
116 K11 **Târgu Secuiesc** *Ger.* Neumarkt, Szekler Neumarkt, *Hung.* Kezdivásárhely; *prev.* Chezdi-Oșorheiu, Târgul-Săcuiesc, Tîrgu Secuiesc. Covasna, E Romania
145 X10 **Targyn** Vostochnyy Kazakhstan, E Kazakhstan
Tar Heel State *see* North Carolina
186 C7 **Tari** Southern Highlands, W PNG
143 P17 **Țarīf** Abū Ẓaby, C UAE
104 K16 **Tarifa** Andalucía, S Spain
57 M21 **Tarija** Tarija, S Bolivia
57 M21 **Tarija** ◈ *department* S Bolivia
141 R14 **Tarīm** C Yemen
Tarim Basin *see* Tarim Pendi
81 G19 **Tarime** Mara, N Tanzania
158 J7 **Tarim He** ↝ NW China
159 H8 **Tarim Pendi** *Eng.* Tarim Basin. *basin* NW China
149 N7 **Tarīn Kowt** *var.* Terinkot. Urūzgān, C Afghanistan
171 O12 **Taripa** Sulawesi, C Indonesia
117 Q12 **Tarkhankut, Mys** *headland* S Ukraine
27 Q1 **Tarkio** Missouri, C USA
122 J9 **Tarko-Sale** Yamalo-Nenetskiy Avtonomnyy Okrug, N Russian Federation
77 P17 **Tarkwa** S Ghana
171 O3 **Tarlac** Luzon, N Philippines
95 F22 **Tarm** Ringkøbing, W Denmark
57 E14 **Tarma** Junín, C Peru
103 N15 **Tarn** ◈ *department* S France
102 M15 **Tarn** ↝ S France
111 L22 **Tarna** ↝ C Hungary
92 G13 **Tärnaby** Västerbotten, N Sweden
149 P8 **Tarnak Rūd** ↝ SE Afghanistan
116 J11 **Târnava Mare** *Ger.* Grosse Kokel, *Hung.* Nagy-Küküllő; *prev.* Tîrnava Mare. ↝ S Romania
116 I11 **Târnava Mică** *Ger.* Kleine Kokel, *Hung.* Kis-Küküllo; *prev.* Tîrnava Mică. ↝ C Romania
116 I11 **Târnăveni** *Ger.* Marteskirch, Martinskirch, *Hung.* Dicsőszentmárton; *prev.* Sînmartin, Tîrnăveni. Mureș, C Romania
102 L14 **Tarn-et-Garonne** ◈ *department* S France
111 F18 **Tarnica** ▲ SE Poland
111 N15 **Tarnobrzeg** Podkarpackie, SE Poland
125 N12 **Tarnogskiy Gorodok** Vologodskaya Oblast', NW Russian Federation
Tarnopol *see* Ternopil'
111 M16 **Tarnów** Małopolskie, SE Poland
Tarnowice/Tarnowitz *see* Tarnowskie Góry
111 J16 **Tarnowskie Góry** *var.* Tarnowice, Tarnowskie Gory, *Ger.* Tarnowitz. Śląskie, S Poland
95 N14 **Tärnsjö** Västmanland, C Sweden
106 E9 **Taro** ↝ NW Italy
186 I6 **Taron** New Ireland, NE PNG
74 E8 **Taroudannt** *var.* Taroudant. SW Morocco
Taroudant *see* Taroudannt
23 V12 **Tarpon, Lake** ◎ Florida, SE USA
23 V12 **Tarpon Springs** Florida, SE USA
107 G14 **Tarquinia** *anc.* Tarquinii; *hist.* Corneto. Lazio, C Italy
Tarquinii *see* Tarquinia
Tarraco *see* Tarragona
76 D10 **Tarrafal** Santiago, S Cape Verde
105 V6 **Tarragona** *anc.* Tarraco. Cataluña, E Spain
105 T7 **Tarragona** ◈ *province* Cataluña, NE Spain
183 O17 **Tarraleah** Tasmania, SE Australia
23 P3 **Tarrant City** Alabama, S USA
185 D21 **Tarras** Otago, South Island, NZ
Tarrasa *see* Terrassa
105 U5 **Tàrrega** *var.* Tarrega. Cataluña, NE Spain
21 W9 **Tar River** ↝ North Carolina, SE USA
Tarsatica *see* Rijeka
136 J17 **Tarsus** İçel, S Turkey
62 K4 **Tartagal** Salta, N Argentina
137 V12 **Tärtär** *Rus.* Terter. ↝ SW Azerbaijan
102 J15 **Tartas** Landes, SW France
139 Q6 **Țarțasah** C Iraq
Tartlau *see* Prejmer
Tartous/Tartouss *see* Țarțūs
118 J5 **Tartu** *Ger.* Dorpat; *prev. Rus.* Yurev, Yur'yev. Tartumaa, SE Estonia
118 I5 **Tartumaa** *off.* Tartu Maakond. ◈ *province* E Estonia
138 H5 **Țarțūs** *Fr.* Tartouss; *anc.* Tortosa. Țarțūs, W Syria
138 H5 **Țarțūs** *off.* Muḥāfaẓat Țarțūs, *var.* Tartous, Tartus. ◈ *governorate* W Syria
164 C16 **Tarumizu** Kagoshima, Kyūshū, SW Japan
126 K4 **Tarusa** Kaluzhskaya Oblast', W Russian Federation
117 N11 **Tarutyne** Odes'ka Oblast', SW Ukraine
162 I7 **Tarvagatyn Nuruu** ▲ N Mongolia
106 J6 **Tarvisio** Friuli-Venezia Giulia, NE Italy
Tarvisium *see* Treviso
57 O16 **Tarvo, Río** ↝ E Bolivia
14 G8 **Tarzwell** Ontario, S Canada
40 K5 **Tasajera, Sierra de la** ▲ N Mexico
145 S13 **Tasaral** Karaganda, C Kazakhstan
Tasböget *see* Tasbuget
145 N15 **Tasbuget** *Kaz.* Tasböget. Kzylorda, S Kazakhstan
108 E11 **Tasch** Valais, SW Switzerland
Tasek Kenyir *see* Kenyir, Tasik
122 J14 **Tashanta** Respublika Altay, S Russian Federation
Tashauz *see* Daşoguz
Tashi Chho Dzong *see* Thimphu
153 U11 **Tashigang** E Bhutan
137 T11 **Tashir** *prev.* Kalinino. N Armenia
143 Q11 **Țashk, Daryācheh-ye** ◎ C Iran
Tashkent *see* Toshkent
Tashkentskaya Oblast' *see* Toshkent Viloyati
Tashkepri *see* Daşköpri
Tash-Kömür *see* Tash-Kumyr
147 S9 **Tash-Kumyr** *Kir.* Tash-Kömür. Dzhalal-Abadskaya Oblast', W Kyrgyzstan
127 T7 **Tashla** Orenburgskaya Oblast', W Russian Federation
Tashqurghan *see* Kholm
122 J13 **Tashtagol** Kemerovskaya Oblast', S Russian Federation
95 H24 **Tåsinge** *island* C Denmark
12 M5 **Tasiujaq** Québec, E Canada
77 W11 **Tasker** Zinder, C Niger
145 W12 **Taskesken** Vostochnyy Kazakhstan, E Kazakhstan
136 J10 **Taşköprü** Kastamonu, N Turkey
Taskuduk, Peski *see* Goshquduq Qum
186 G5 **Taskul** New Ireland, NE PNG
137 S13 **Taşlıçay** Ağrı, E Turkey
185 H14 **Tasman** *off.* Tasman District. ◈ *unitary authority* South Island, NZ
192 J12 **Tasman Basin** *var.* East Australian Basin. *undersea feature* S Tasman Sea
185 I14 **Tasman Bay** *inlet* South Island, NZ
192 I13 **Tasman Fracture Zone** *tectonic feature* S Indian Ocean
185 E19 **Tasman Glacier** *glacier* South Island, NZ
Tasman Group *see* Nukumanu Islands
183 N15 **Tasmania** *prev.* Van Diemen's Land. ◈ *state* SE Australia
183 Q16 **Tasmania** *island* SE Australia
185 H14 **Tasman Mountains** ▲ South Island, NZ
183 P17 **Tasman Peninsula** *peninsula* Tasmania, SE Australia
192 I11 **Tasman Plain** *undersea feature* W Tasman Sea
192 I12 **Tasman Plateau** *var.* South Tasmania Plateau. *undersea feature* SW Tasman Sea
192 I11 **Tasman Sea** *sea* SW Pacific Ocean
116 G9 **Tășnad** *Ger.* Trestenberg, Trestendorf, *Hung.* Tasnád. Satu Mare, NW Romania
136 L11 **Taşova** Amasya, N Turkey
77 T10 **Tassara** Tahoua, W Niger
12 K4 **Tassialouc, Lac** ◎ Québec, C Canada
Tassili du Hoggar *see* Tassili ta-n-Ahaggar
74 L11 **Tassili-n-Ajjer** *plateau* E Algeria
74 K14 **Tassili ta-n-Ahaggar** *var.* Tassili du Hoggar. *plateau* S Algeria
59 M15 **Tasso Fragoso** Maranhão, E Brazil
Tåstrup *see* Taastrup
145 O9 **Tasty-Taldy** Akmola, C Kazakhstan
143 W10 **Tāsūkī** Sīstān va Balūchestān, SE Iran
111 I22 **Tata** *Ger.* Totis. Komárom-Esztergom, NW Hungary
74 E8 **Tata** SW Morocco
Tataaihoa, Pointe *see* Vénus, Pointe
111 I22 **Tatabánya** Komárom-Esztergom, NW Hungary
191 X10 **Tatakoto** *atoll* Îles Tuamotu, E French Polynesia
75 N7 **Tataouine** *var.* Taṭāwīn. SE Tunisia
55 O5 **Tataracual, Cerro** ▲ NE Venezuela
117 O12 **Tatarbunary** Odes'ka Oblast', SW Ukraine
119 M17 **Tatarka** *Rus.* Tatarka. Mahilyowskaya Voblasts', E Belarus
Tatar Pazardzhik *see* Pazardzhik
122 I12 **Tatarsk** Novosibirskaya Oblast', C Russian Federation
Tatarskaya ASSR *see* Tatarstan, Respublika
123 T13 **Tatarskiy Proliv** *Eng.* Tatar Strait. *strait* SE Russian Federation
127 R4 **Tatarstan, Respublika** *prev.* Tatarskaya ASSR. ◈ *autonomous republic* W Russian Federation
Tatar Strait *see* Tatarskiy Proliv
Taṭāwīn *see* Tataouine
171 N12 **Tate** Sulawesi, N Indonesia
141 N11 **Tathlīth** 'Asīr, S Saudi Arabia
141 O11 **Tathlīth, Wādī** *dry watercourse* S Saudi Arabia
183 R11 **Tathra** New South Wales, SE Australia
127 P8 **Tatishchevo** Saratovskaya Oblast', W Russian Federation
39 S11 **Tatitlek** Alaska, USA
10 L15 **Tatla Lake** British Columbia, SW Canada
121 Q2 **Tatlısu** *Gk.* Akanthoú. N Cyprus
11 Z10 **Tatnam, Cape** *headland* Manitoba, C Canada
Tatra/Tátra *see* Tatra Mountains
111 K18 **Tatra Mountains** *Ger.* Tatra, *Hung.* Tátra, *Pol./Slvk.* Tatry. ▲ Poland/Slovakia
Tatry *see* Tatra Mountains
164 I13 **Tatsuno** *var.* Tatuno. Hyōgo, Honshū, SW Japan
145 S16 **Tatti** *var.* Tatty. Zhambyl, S Kazakhstan
Tatty *see* Tatti
60 L10 **Tatuí** São Paulo, S Brazil
37 V14 **Tatum** New Mexico, SW USA
25 X7 **Tatum** Texas, SW USA
Ta-t'ung/Tatung *see* Datong
Tatuno *see* Tatsuno
137 R14 **Tatvan** Bitlis, SE Turkey
95 C16 **Tau** Rogaland, S Norway
192 L17 **Ta'ū** *var.* Tau. *island* Manua Islands, E American Samoa
193 W15 **Tau** *island* Tongatapu Group, N Tonga
59 O14 **Tauá** Ceará, E Brazil
60 N10 **Taubaté** São Paulo, S Brazil
101 I19 **Tauber** ↝ SW Germany
101 I19 **Tauberbischofsheim** Baden-Württemberg, C Germany
144 E14 **Tauchik** *Kaz.* Taŭshyq. Mangistau, SW Kazakhstan
191 W10 **Tauere** *atoll* Îles Tuamotu, C French Polynesia
101 H17 **Taufstein** ▲ C Germany
190 I17 **Taukoka** *island* SE Cook Islands
145 T15 **Taukum, Peski** *desert* SE Kazakhstan
184 L10 **Taumarunui** Manawatu-Wanganui, North Island, NZ
59 A15 **Taumaturgo** Acre, W Brazil
27 X6 **Taum Sauk Mountain** ▲ Missouri, C USA
83 H22 **Taung** North-West, N South Africa
166 L6 **Taungdwingyi** Magwe, C Myanmar
166 M6 **Taunggyi** Shan State, C Myanmar
166 L5 **Taungtha** Mandalay, C Myanmar
166 K7 **Taungup** Arakan State, W Myanmar
149 S9 **Taunsa** Punjab, E Pakistan
97 K23 **Taunton** SW England, UK
19 O12 **Taunton** Massachusetts, NE USA
101 F18 **Taunus** ▲ W Germany
101 G18 **Taunusstein** Hessen, W Germany
184 N9 **Taupo** Waikato, North Island, NZ
184 M9 **Taupo, Lake** ◎ North Island, NZ
109 R8 **Taurach** *var.* Taurachbach. ↝ E Austria
Taurachbach *see* Taurach
118 D12 **Tauragė** *Ger.* Tauroggen. Tauragė, SW Lithuania
118 D13 **Tauragė** ◈ *province* SW Lithuania
54 G10 **Tauramena** Casanare, C Colombia
184 N7 **Tauranga** Bay of Plenty, North Island, NZ
15 O10 **Taureau, Réservoir** ⊠ Québec, SE Canada
107 N22 **Taurianova** Calabria, SW Italy
Tauris *see* Tabrīz
184 I2 **Tauroa Point** *headland* North Island, NZ
Tauroggen *see* Tauragė
Tauromenium *see* Taormina
Taurus Mountains *see* Toros Dağları
Taus *see* Domažlice
Taŭshyq *see* Tauchik
105 R5 **Tauste** Aragón, NE Spain
191 V16 **Tautara, Motu** *island* Easter Island, Chile, E Pacific Ocean
191 R8 **Tautira** Tahiti, W French Polynesia
Tauz *see* Tovuz
Țavālesh, Kūhhā-ye *see* Talish Mountains
136 D15 **Tavas** Denizli, SW Turkey
Tavastehus *see* Hämeenlinna
Tavau *see* Davos
122 G10 **Tavda** Sverdlovskaya Oblast', C Russian Federation
122 G10 **Tavda** ↝ C Russian Federation
105 T11 **Tavernes de la Valldigna** País Valenciano, E Spain
81 I20 **Taveta** Coast, S Kenya
187 Y14 **Taveuni** *island* N Fiji
147 R13 **Tavildara** *Rus.* Tavil'dara, Tovil'-Dora. C Tajikistan
162 L8 **Tavin** Dundgovĭ, C Mongolia
104 H14 **Tavira** Faro, S Portugal
97 I24 **Tavistock** SW England, UK
167 N10 **Tavoy** *var.* Dawei. Tenasserim, S Myanmar
Tavoy Island *see* Mali Kyun
115 E16 **Tavropoú, Techníti Límni** ⊠ C Greece
136 E13 **Tavşanlı** Kütahya, NW Turkey
187 X14 **Tavua** Viti Levu, W Fiji
97 J23 **Taw** ↝ SW England, UK
185 L14 **Tawa** Wellington, North Island, NZ
25 V6 **Tawakoni, Lake** ⊠ Texas, SW USA
153 V11 **Tawang** Arunāchal Pradesh, NE India
169 R17 **Tawang, Teluk** *bay* Jawa, S Indonesia
31 R7 **Tawas Bay** ◎ Michigan, N USA
31 R7 **Tawas City** Michigan, N USA
169 V8 **Tawau** Sabah, East Malaysia
141 U10 **Țawīl, Qalamat aț** *well* SE Saudi Arabia
171 N9 **Tawitawi** *island* SW Philippines
Țawkar *see* Tokar
Tāwūq *see* Dāqūq
Tawzar *see* Tozeur
41 O15 **Taxco** *var.* Taxco de Alarcón. Guerrero, S Mexico
Taxco de Alarcón *see* Taxco
146 H8 **Taxiatosh** *Rus.* Takhiatash. Qoraqalpog'iston Respublikasi, W Uzbekistan
158 D9 **Taxkorgan** *var.* Taxkorgan Tajik Zizhixian. Xinjiang Uygur Zizhiqu, NW China
Taxkorgan Tajik *see* Taxkorgan
146 H7 **Taxtako'pir** *Rus.* Takhtakupyr. Qoraqalpog'iston Respublikasi, NW Uzbekistan
96 J10 **Tay** ↝ C Scotland, UK
143 V6 **Tāybād** *var.* Taibad, Tāyybād, Tayyebāt. Khorāsān, NE Iran
Taybert at Turkz *see* Țayyibat at Turkī
124 J3 **Taybola** Murmanskaya Oblast', NW Russian Federation
81 M16 **Tayeeglow** Bakool, C Somalia
96 K11 **Tay, Firth of** *inlet* E Scotland, UK
122 J12 **Tayga** Kemerovskaya Oblast', S Russian Federation
162 G8 **Taygan** Govĭ-Altay, C Mongolia
123 T9 **Taygonos, Mys** *headland* E Russian Federation
96 I11 **Tay, Loch** ◎ C Scotland, UK
11 N12 **Taylor** British Columbia, W Canada
29 O14 **Taylor** Nebraska, C USA
18 I13 **Taylor** Pennsylvania, NE USA
25 T10 **Taylor** Texas, SW USA
37 Q11 **Taylor, Mount** ▲ New Mexico, SW USA
37 R5 **Taylor Park Reservoir** ⊠ Colorado, C USA
37 R6 **Taylor River** ↝ Colorado, C USA
21 P11 **Taylors** South Carolina, SE USA
20 L5 **Taylorsville** Kentucky, S USA
21 R6 **Taylorsville** North Carolina, SE USA
30 L14 **Taylorville** Illinois, N USA
140 K5 **Taymā'** Tabūk, NW Saudi Arabia
122 M10 **Taymura** ↝ C Russian Federation
123 O7 **Taymylyr** Respublika Sakha (Yakutiya), NE Russian Federation
122 L7 **Taymyr, Ozero** ◎ N Russian Federation
122 M6 **Taymyr, Poluostrov** *peninsula* N Russian Federation
122 L8 **Taymyrskiy (Dolgano-Nenetskiy) Avtonomnyy Okrug** *var.* Taymyrskiy Avtonomnyy Okrug. ◈ *autonomous district* N Russian Federation
167 S13 **Tây Ninh** Tây Ninh, S Vietnam
122 L12 **Tayshet** Irkutskaya Oblast', S Russian Federation
171 N5 **Taytay** Palawan, W Philippines
169 Q16 **Tayu** *prev.* Tajoe. Jawa, C Indonesia
Tāyybād/Tayyebāt *see* Tāybād
138 L5 **Țayyibah** *var.* At Taybé. Ḥimș, C Syria
138 I4 **Țayyibat at Turkī** *var.* Taybert at Turkz. Ḥamāh, W Syria
145 P7 **Tayynsha** *prev.* Krasnoarmeysk. Severnyy Kazakhstan, N Kazakhstan
122 J10 **Taz** ↝ N Russian Federation
74 G6 **Taza** NE Morocco
139 T4 **Tāza Khurmātū** E Iraq
165 Q8 **Tazawa-ko** ◎ Honshū, C Japan
Taz, Bay of *see* Tazovskaya Guba
21 N8 **Tazewell** Tennessee, S USA
21 Q7 **Tazewell** Virginia, NE USA
75 S11 **Tāzirbū** SE Libya
39 S11 **Tazlina Lake** ◎ Alaska, USA
122 J8 **Tazovskiy** Yamalo-Nenetskiy Avtonomnyy Okrug, N Russian Federation
137 U10 **T'bilisi** *Eng.* Tiflis. ● (Georgia) SE Georgia
137 T10 **T'bilisi** ✕ S Georgia
79 E14 **Tchabal Mbabo** ▲ NW Cameroon
Tchad *see* Chad
Tchad, Lac *see* Chad, Lake
77 S15 **Tchaourou** E Benin
79 E20 **Tchibanga** Nyanga, S Gabon
Tchien *see* Zwedru
77 Z6 **Tchigaï, Plateau du** ▲ NE Niger
77 V9 **Tchighozérine** Agadez, C Niger
77 T10 **Tchin-Tabaradene** Tahoua, W Niger
78 G13 **Tcholliré** Nord, NE Cameroon
Tchongking *see* Chongqing
22 K4 **Tchula** Mississippi, S USA
110 I7 **Tczew** *Ger.* Dirschau. Pomorskie, N Poland
116 I10 **Teaca** *Ger.* Tekendorf, *Hung.* Teke; *prev. Ger.* Teckendorf. Bistrița-Năsăud, N Romania
40 J11 **Teacapán** Sinaloa, C Mexico
190 A10 **Teafuafou** *island* Funafuti Atoll, C Tuvalu
25 U8 **Teague** Texas, SW USA
191 R9 **Teahupoo** Tahiti, W French Polynesia
190 H15 **Te Aiti Point** *headland* Rarotonga, S Cook Islands
65 D24 **Teal Inlet** East Falkland, Falkland Islands
185 B22 **Te Anau** Southland, South Island, NZ
185 B22 **Te Anau, Lake** ◎ South Island, NZ
41 U15 **Teapa** Tabasco, SE Mexico
184 Q7 **Te Araroa** Gisborne, North Island, NZ
184 M7 **Te Aroha** Waikato, North Island, NZ
Teate *see* Chieti
190 A9 **Te Ava Fuagea** *channel* Funafuti Atoll, SE Tuvalu
190 B8 **Te Ava I Te Lape** *channel* Funafuti Atoll, SE Tuvalu
190 B9 **Te Ava Pua Pua** *channel* Funafuti Atoll, SE Tuvalu
184 M8 **Te Awamutu** Waikato, North Island, NZ
171 X12 **Teba** Papua, E Indonesia
104 L15 **Teba** Andalucía, S Spain
126 M15 **Teberda** Karachayevo-Cherkesskaya Respublika, SW Russian Federation
74 M6 **Tébessa** NE Algeria
62 O7 **Tebicuary, Río** ↝ S Paraguay
168 L13 **Tebingtinggi** Sumatera, W Indonesia
168 I8 **Tebingtinggi** Sumatera, N Indonesia
Tebingtinggi, Pulau *see* Rantau, Pulau
Tebriz *see* Tabrīz
137 U9 **Tebulos Mt'a** *Rus.* Gora Tebulosmta. ▲ Georgia/Russian Federation
Tebulosmta, Gora *see* Tebulos Mt'a
41 Q14 **Tecamachalco** Puebla, S Mexico
40 B1 **Tecate** Baja California, NW Mexico
136 M13 **Tecer Dağları** ▲ C Turkey
103 O17 **Tech** ↝ S France
77 P16 **Techiman** W Ghana
117 N15 **Techirghiol** Constanța, SE Romania
74 A12 **Techla** *var.* Techlé. SW Western Sahara
Techlé *see* Techla
63 H18 **Tecka, Sierra de** ▲ SW Argentina
Teckendorf *see* Teaca
40 K13 **Tecolotlán** Jalisco, SW Mexico
40 K14 **Tecomán** Colima, SW Mexico
35 V12 **Tecopa** California, W USA
40 G5 **Tecoripa** Sonora, NW Mexico
41 N16 **Tecpan** *var.* Tecpan de Galeana. Guerrero, S Mexico
Tecpan de Galeana *see* Tecpan
40 J11 **Tecuala** Nayarit, C Mexico
116 L12 **Tecuci** Galați, E Romania
31 R10 **Tecumseh** Michigan, N USA
29 S16 **Tecumseh** Nebraska, C USA
27 O11 **Tecumseh** Oklahoma, C USA
Tedzhen *see* Harīrūd/Tejen
146 H15 **Tedzhenstroy** *Turkm.* Tejenstroy. Ahal Welaýaty, S Turkmenistan
162 I7 **Teel** Arhangay, C Mongolia
97 L15 **Tees** ↝ N England, UK
14 E15 **Teeswater** Ontario, S Canada
190 A10 **Tefala** *island* Funafuti Atoll, C Tuvalu
58 D13 **Tefé** Amazonas, N Brazil
74 K11 **Tefedest** ▲ S Algeria
136 E16 **Tefenni** Burdur, SW Turkey
58 D13 **Tefé, Rio** ↝ NW Brazil
169 P16 **Tegal** Jawa, C Indonesia
100 O12 **Tegel** ✕ (Berlin) Berlin, NE Germany
99 M15 **Tegelen** Limburg, SE Netherlands
101 L24 **Tegernsee** ◎ SE Germany
107 M18 **Teggiano** Campania, S Italy
77 U14 **Tegina** Niger, C Nigeria
42 I7 **Tegucigalpa** ● (Honduras) Francisco Morazán, SW Honduras
42 H7 **Tegucigalpa** ✕ Central District, C Honduras
Tegucigalpa *see* Central District, Honduras
Tegucigalpa *see* Francisco Morazán, Honduras
77 U9 **Teguidda-n-Tessoumt** Agadez, C Niger
64 Q11 **Teguise** Lanzarote, Islas Canarias, Spain, NE Atlantic Ocean
122 K12 **Tegul'det** Tomskaya Oblast', C Russian Federation
35 S13 **Tehachapi** California, W USA
35 S13 **Tehachapi Mountains** ▲ California, W USA
Tehama *see* Tihāmah
Teheran *see* Tehrān
77 O14 **Téhini** NE Ivory Coast
143 N5 **Tehrān** *var.* Teheran. ● (Iran) Tehrān, N Iran
143 N6 **Tehrān** *off.* Ostān-e Tehrān, *var.* Tehran. ◈ *province* N Iran
152 K9 **Tehri** Uttaranchal, N India
Tehri *see* Tikamgarh
41 Q15 **Tehuacán** Puebla, S Mexico
41 S17 **Tehuantepec** *var.* Santo Domingo Tehuantepec. Oaxaca, SE Mexico
41 S17 **Tehuantepec, Golfo de** *var.* Gulf of Tehuantepec. *gulf* S Mexico
Tehuantepec, Gulf of *see* Tehuantepec, Golfo de
Tehuantepec, Isthmus of *see* Tehuantepec, Istmo de
41 T16 **Tehuantepec, Istmo de** *var.* Isthmus of Tehuantepec. *isthmus* SE Mexico
41 S16 **Tehuantepec, Río** ↝ SE Mexico
191 W10 **Tehuata** *atoll* Îles Tuamotu, C French Polynesia
64 O11 **Teide, Pico de** ▲ Gran Canaria, Islas Canarias, Spain, NE Atlantic Ocean
97 I21 **Teifi** ↝ SW Wales, UK
80 B9 **Teiga Plateau** *plateau* W Sudan
97 J24 **Teignmouth** SW England, UK
Teisen *see* Chech'ŏn
116 H11 **Teiuș** *Ger.* Dreikirchen, *Hung.* Tövis. Alba, C Romania
169 U17 **Tejakula** Bali, C Indonesia
146 H14 **Tejen** *Rus.* Tedzhen. Ahal Welaýaty, S Turkmenistan
146 I15 **Tejen** *Per.* Harīrūd, *Rus.* Tedzhen. ↝ Afghanistan/Iran *see also* Harīrūd
Tejenstroy *see* Tedzhenstroy
35 S14 **Tejon Pass** *pass* California, W USA
Tejo, Rio *see* Tagus
41 O14 **Tejupilco** *var.* Tejupilco de Hidalgo. México, S Mexico
Tejupilco de Hidalgo *see* Tejupilco
184 P7 **Te Kaha** Bay of Plenty, North Island, NZ
29 S14 **Tekamah** Nebraska, C USA
184 I1 **Te Kao** Northland, North Island, NZ
185 F20 **Tekapo** ↝ South Island, NZ
185 F19 **Tekapo, Lake** ◎ South Island, NZ
184 P9 **Te Karaka** Gisborne, North Island, NZ
184 L7 **Te Kauwhata** Waikato, North Island, NZ
41 X12 **Tekax** *var.* Tekax de Álvaro Obregón. Yucatán, SE Mexico
Tekax de Álvaro Obregón *see* Tekax
Teke/Tekendorf *see* Teaca
136 A14 **Teke Burnu** *headland* W Turkey
114 M12 **Teke Deresi** ↝ NW Turkey
146 D10 **Tekedzhik, Gory** *hill range* NW Turkmenistan
145 V14 **Tekeli** Almaty, SE Kazakhstan
145 R7 **Teke, Ozero** ◎ N Kazakhstan
158 I5 **Tekes** Xinjiang Uygur Zizhiqu, NW China
145 W16 **Tekes** Almaty, SE Kazakhstan
Tekes *see* Tekes He
158 H5 **Tekes He** *Rus.* Tekes. ↝ China/Kazakhstan
80 I10 **Tekezē** *var.* Takkaze. ↝ Eritrea/Ethiopia
Tekhtin *see* Tsyakhtsin
136 C10 **Tekirdağ** *It.* Rodosto; *anc.* Bisanthe, Raidestos, Rhaedestus. Tekirdağ, NW Turkey
136 C10 **Tekirdağ** ◈ *province* NW Turkey
155 N14 **Tekkali** Andhra Pradesh, E India
115 K15 **Tekke Burnu** *Turk.* İlyasbaba Burnu. *headland* NW Turkey
137 Q13 **Tekman** Erzurum, NE Turkey
32 M9 **Tekoa** Washington, NW USA
190 H16 **Te Kou** ▲ Rarotonga, S Cook Islands
Tekrit *see* Tikrīt
171 P12 **Teku** Sulawesi, N Indonesia
184 L9 **Te Kuiti** Waikato, North Island, NZ
42 H4 **Tela** Atlántida, NW Honduras
138 F12 **Telalim** Southern, S Israel
Telanaipura *see* Jambi
137 U10 **T'elavi** E Georgia
138 F10 **Tel Aviv** ◈ *district* W Israel
Tel Aviv-Jaffa *see* Tel Aviv-Yafo
138 F10 **Tel Aviv-Yafo** *var.* Tel Aviv-Jaffa. Tel Aviv, C Israel
138 F10 **Tel Aviv-Yafo** ✕ Tel Aviv, C Israel
111 E18 **Telč** *Ger.* Teltsch. Vysočina, C Czech Republic
186 B6 **Telefomin** Sandaun, NW PNG
10 J10 **Telegraph Creek** British Columbia, W Canada
190 B10 **Telele** *island* Funafuti Atoll, C Tuvalu
60 J11 **Telêmaco Borba** Paraná, S Brazil
95 E15 **Telemark** ◈ *county* S Norway
62 J13 **Telén** La Pampa, C Argentina
Teleneshty *see* Telenești
116 M9 **Telenești** *Rus.* Teleneshty. C Moldova
104 J4 **Teleno, El** ▲ NW Spain
116 I15 **Teleorman** ◈ *county* S Romania
116 I14 **Teleorman** ↝ S Romania
25 V5 **Telephone** Texas, SW USA
35 U11 **Telescope Peak** ▲ California, W USA
Teles Pirés *see* São Manuel, Rio
97 L19 **Telford** C England, UK
108 L7 **Telfs** Tirol, W Austria
42 I9 **Telica** León, NW Nicaragua
42 J6 **Telica, Río** ↝ C Honduras
76 I13 **Télimélé** Guinée-Maritime, W Guinea
43 O14 **Telire, Río** ↝ Costa Rica/Panama
114 I8 **Telish** *prev.* Azizie. Pleven, N Bulgaria
41 R16 **Telixtlahuaca** *var.* San Francisco Telixtlahuaca. Oaxaca, SE Mexico
10 K13 **Telkwa** British Columbia, SW Canada
25 P4 **Tell** Texas, SW USA
Tell Abiad *see* Tall Abyaḍ
Tell Abiad/Tell Abyad *see* At Tall al Abyaḍ
31 O16 **Tell City** Indiana, N USA
38 M9 **Teller** Alaska, USA
Tell Huqnah *see* Tall Ḥuqnah
155 F20 **Tellicherry** *var.* Thalassery. Kerala, SW India
20 M10 **Tellico Plains** Tennessee, S USA
Tell Kalakh *see* Tall Kalakh
Tell Mardīkh *see* Ebla
54 E11 **Tello** Huila, C Colombia
Tell Shedadi *see* Ash Shadādah
37 Q7 **Telluride** Colorado, C USA
Tel'man/Tel'mansk *see* Gubadag
117 X9 **Tel'manove** Donets'ka Oblast', E Ukraine
162 H6 **Telmen Nuur** ◎ NW Mongolia
Teloekbetoeng *see* Bandarlampung
41 O15 **Teloloapán** Guerrero, S Mexico
Telo Martius *see* Toulon
125 V8 **Telposiz, Gora** ▲ NW Russian Federation
Telschen *see* Telšiai
63 J17 **Telsen** Chubut, S Argentina
118 D11 **Telšiai** *Ger.* Telschen. Telšiai, NW Lithuania
118 D11 **Telšiai** ◈ *province* NW Lithuania
Teltsch *see* Telč
Telukbetung *see* Bandarlampung
168 H10 **Telukdalam** Pulau Nias, W Indonesia
14 H9 **Temagami** Ontario, S Canada
14 G9 **Temagami, Lake** ◎ Ontario, S Canada

◆ Country ● Country Capital ◇ Dependent Territory ○ Dependent Territory Capital ◈ Administrative Region ✕ International Airport ▲ Mountain ▲ Mountain Range ☗ Volcano ↝ River ◎ Lake ⊠ Reservoir

TE MANGA – THREE FORKS ••• 333

190 H16 **Te Manga** ▲ Rarotonga, S Cook Islands
191 W12 **Tematangi** atoll Îles Tuamotu, S French Polynesia
41 X11 **Temax** Yucatán, SE Mexico
171 E14 **Tembagapura** Papua, E Indonesia
122 L9 **Tembenchi** ⁓ N Russian Federation
55 P6 **Tembladar** Monagas, NE Venezuela
105 N9 **Tembleque** Castilla-La Mancha, C Spain
Temboni see Mitemele, Río
35 U16 **Temecula** California, W USA
168 K7 **Temengor, Tasik** ◎ Peninsular Malaysia
112 L9 **Temerin** Serbia, N Serbia and Montenegro (Yugo.)
Temes/Temesch see Tamiš
Temeschburg/Temeschwar see Timişoara
Temes-Kubin see Kovin
Temesvár/Temeswar see Timişoara
Teminaboean see Teminabuan
171 U12 **Teminabuan** prev. Teminaboean. Papua, E Indonesia
145 P17 **Temirlanovka** Yuzhnyy Kazakhstan, S Kazakhstan
145 R10 **Temirtau** prev. Samarkandski, Samarkandskoye. Karaganda, C Kazakhstan
14 H10 **Témiscaming** Québec, SE Canada
Témiscamingue, Lac see Timiskaming, Lake
15 T8 **Témiscouata, Lac** ◎ Québec, SE Canada
127 N5 **Temnikov** Respublika Mordoviya, W Russian Federation
191 Y13 **Temoe** island Îles Gambier, E French Polynesia
183 Q9 **Temora** New South Wales, SE Australia
40 H7 **Témoris** Chihuahua, W Mexico
40 I5 **Témosachic** Chihuahua, N Mexico
187 Q10 **Temotu** off. Temotu Province. ◆ province E Solomon Islands
36 L14 **Tempe** Arizona, SW USA
Tempelburg see Czaplinek
107 C17 **Tempio Pausania** Sardegna, Italy, C Mediterranean Sea
42 K12 **Tempisque, Río** ⁓ NW Costa Rica
25 T9 **Temple** Texas, SW USA
100 O12 **Templehof** ✕ (Berlin) Berlin, NE Germany
97 D19 **Templemore** Ir. An Teampall Mór. C Ireland
100 O11 **Templin** Brandenburg, NE Germany
41 P12 **Tempoal** var. Tempoal de Sánchez. Veracruz-Llave, E Mexico
Tempoal de Sánchez see Tempoal
41 P13 **Tempoal, Río** ⁓ C Mexico
83 E14 **Tempué** Moxico, C Angola
126 J14 **Temryuk** Krasnodarskiy Kray, SW Russian Federation
99 G17 **Temse** Oost-Vlaanderen, N Belgium
63 F15 **Temuco** Araucanía, C Chile
185 G20 **Temuka** Canterbury, South Island, NZ
189 P13 **Temwen Island** island E Micronesia
56 C6 **Tena** Napo, C Ecuador
41 W13 **Tenabo** Campeche, E Mexico
Tenaghau see Aola
25 X7 **Tenaha** Texas, SW USA
39 X13 **Tenake** Chichagof Island, Alaska, USA
155 K16 **Tenāli** Andhra Pradesh, E India
Tenan see Ch'ŏnan
41 O14 **Tenancingo** var. Tenencingo de Degollado. México, S Mexico
191 X12 **Tenararo** island Groupe Actéon, SE French Polynesia
167 N12 **Tenasserim** Tenasserim, S Myanmar
167 N11 **Tenasserim** var. Tanintharyi. ◆ division S Myanmar
98 O5 **Ten Boer** Groningen, NE Netherlands
97 I21 **Tenby** SW Wales, UK
80 K11 **Tendaho** Afar, NE Ethiopia
103 V14 **Tende** Alpes Maritimes, SE France
151 Q20 **Ten Degree Channel** strait Andaman and Nicobar Islands, India, E Indian Ocean
80 F11 **Tendelti** White Nile, E Sudan
76 G8 **Te-n-Dghâmcha, Sebkhet** var. Sebkha de Ndrhamcha, Sebkra de Ndaghamcha. salt lake W Mauritania
165 P10 **Tendō** Yamagata, Honshū, C Japan
74 H7 **Tendrara** NE Morocco
117 Q11 **Tendrivs'ka Kosa** spit S Ukraine
117 Q11 **Tendrivs'ka Zatoka** gulf S Ukraine
Tenencingo de Degollado see Tenancingo
77 N11 **Ténenkou** Mopti, C Mali
77 W9 **Ténéré** physical region C Niger
77 W9 **Ténére, Erg du** desert C Niger
64 O11 **Tenerife** island Islas Canarias, Spain, NE Atlantic Ocean
74 J5 **Ténès** NW Algeria
170 M15 **Tengah, Kepulauan** island group C Indonesia
159 V11 **Tenggarong** Borneo, C Indonesia
152 J15 **Tengger Shamo** desert N China
158 L8 **Tenggul, Pulau** island Peninsular Malaysia
Tengiz Köl see Tengiz, Ozero
145 P9 **Tengiz, Ozero** Kaz. Tengiz Köl. salt lake C Kazakhstan
75 M14 **Tengréla** var. Tingréla. N Ivory Coast
160 M14 **Tengxian** var. Teng Xian. Guangxi Zhuangzu Zizhiqu S China
194 H2 **Teniente Rodolfo Marsh** Chilean research station South Shetland Islands, Antarctica
32 G9 **Tenino** Washington, NW USA
112 I9 **Tenja** Osijek-Baranja, E Croatia
188 B16 **Tenjo, Mount** ▲ W Guam
155 H23 **Tenkāsi** Tamil Nādu, SE India
79 N24 **Tenke** Katanga, SE Dem. Rep. Congo
Tenke see Tinca
123 Q7 **Tenkeli** Respublika Sakha (Yakutiya), NE Russian Federation
27 R10 **Tenkiller Ferry Lake** ▣ Oklahoma, C USA
77 Q13 **Tenkodogo** S Burkina
181 Q5 **Tennant Creek** Northern Territory, C Australia
20 G9 **Tennessee** off. State of Tennessee; also known as The Volunteer State. ◆ state SE USA
37 R5 **Tennessee Pass** pass Colorado, C USA
20 H10 **Tennessee River** ⁓ S USA
23 N2 **Tennessee Tombigbee Waterway** canal Alabama/Mississippi, S USA
99 K22 **Tenneville** Luxembourg, SE Belgium
92 M11 **Tenniöjoki** ⁓ NE Finland
92 L9 **Tenojoki** Lapp. Deatnu, Nor. Tana. ⁓ Finland/Norway see also Deatnu
169 U7 **Tenom** Sabah, East Malaysia
Tenos see Tínos
41 V15 **Tenosique** var. Tenosique de Pino Suárez. Tabasco, SE Mexico
Tenosique de Pino Suárez see Tenosique
22 I6 **Tensas River** ⁓ Louisiana, S USA
23 O8 **Tensaw River** ⁓ Alabama, S USA
74 E7 **Tensift** seasonal river W Morocco
171 O12 **Tentena** var. Tenteno. Sulawesi, C Indonesia
Tenteno see Tentena
183 U4 **Tenterfield** New South Wales, SE Australia
23 X16 **Ten Thousand Islands** island group Florida, SE USA
60 H9 **Teodoro Sampaio** São Paulo, S Brazil
59 N19 **Teófilo Otoni** var. Theophilo Ottoni. Minas Gerais, NE Brazil
115 K5 **Teofipol'** Khmel'nyts'ka Oblast', W Ukraine
191 Q8 **Teohatu** Tahiti, W French Polynesia
41 P14 **Teotihuacán** ruins México, S Mexico
Teotilán see Teotitlán del Camino
41 Q15 **Teotitlán del Camino** var. Teotilán. Oaxaca, S Mexico
190 G12 **Tepa** Île Uvea, E Wallis and Futuna
191 P8 **Tepaee, Récif** reef Tahiti, W French Polynesia
40 L14 **Tepalcatepec** Michoacán de Ocampo, SW Mexico
190 A16 **Tepa Point** headland SW Niue
40 L13 **Tepatitlán** var. Tepatitlán de Morelos. Jalisco, SW Mexico
Tepatitlán de Morelos see Tepatitlán
40 J9 **Tepehuanes** var. Santa Catarina de Tepehuanes. Durango, C Mexico
Tepelena see Tepelenë
113 L22 **Tepelenë** var. Tepelena, It. Tepeleni. Gjirokastër, S Albania
Tepeleni see Tepelenë
40 K12 **Tepic** Nayarit, C Mexico
111 C15 **Teplice** Ger. Teplitz; prev. Teplice-Šanov, Teplitz-Schönau. Ústecký Kraj, NW Czech Republic
Teplice-Šanov/Teplitz/Teplitz-Schönau see Teplice
117 O7 **Teplyk** Vinnyts'ka Oblast', C Ukraine
123 R10 **Teplyy Klyuch** Respublika Sakha (Yakutiya), NE Russian Federation
40 E5 **Tepoca, Cabo** headland NW Mexico
191 W9 **Tepoto** island Îles du Désappointement, C French Polynesia
92 L11 **Tepsa** Lappi, N Finland
190 B8 **Tepuka** atoll Funafuti Atoll, C Tuvalu
184 N7 **Te Puke** Bay of Plenty, North Island, NZ
40 L13 **Tequila** Jalisco, SW Mexico
41 O13 **Tequisquiapan** Querétaro de Arteaga, C Mexico
104 J5 **Tera** ⁓ NW Spain
77 Q12 **Téra** Tillabéri, W Niger
191 V1 **Teraina** prev. Washington Island. atoll Line Islands, E Kiribati
81 F15 **Terakeka** Bahr el Gabel, S Sudan
107 J14 **Teramo** anc. Interamna. Abruzzo, C Italy
98 P7 **Ter Apel** Groningen, NE Netherlands
104 H11 **Tera, Ribeira de** ⁓ S Portugal
185 K14 **Terawhiti, Cape** headland North Island, NZ
98 N12 **Terborg** Gelderland, E Netherlands
137 P13 **Tercan** Erzincan, NE Turkey
64 C2 **Terceira** ✕ Terceira, Azores, Portugal, NE Atlantic Ocean
64 C2 **Terceira** var. Ilha Terceira. island Azores, Portugal, NE Atlantic Ocean
Terceira, Ilha see Terceira
116 K6 **Terebovlya** Ternopil's'ka Oblast', W Ukraine
127 O15 **Terek** ⁓ SW Russian Federation
Terekhovka see Tsyerakhowka
147 R9 **Terek-Say** Dzhalal-Abadskaya Oblast', W Kyrgyzstan
145 Z10 **Terekty** prev. Alekseevka, Alekseyevka. Vostochnyy Kazakhstan, E Kazakhstan
168 L7 **Terengganu** var. Trengganu. ◆ state Peninsular Malaysia
127 X7 **Terensay** Orenburgskaya Oblast', W Russian Federation
58 N13 **Teresina** var. Therezina. state capital Piauí, NE Brazil
60 P9 **Teresópolis** Rio de Janeiro, SE Brazil
110 P12 **Terespol** Lubelskie, E Poland
191 V16 **Terevaka, Maunga** ☢ Easter Island, Chile, E Pacific Ocean
103 P3 **Tergnier** Aisne, N France
43 O14 **Teribe, Río** ⁓ NW Panama
124 K3 **Teriberka** Murmanskaya Oblast', NW Russian Federation
Terijoki see Zelenogorsk
Terinkot see Tarīn Kowt
145 O10 **Terisakkan** Kaz. Terisaqqan. ⁓ C Kazakhstan
Terisaqqan see Terisakkan
24 K12 **Terlingua** Texas, SW USA
24 K11 **Terlingua Creek** ⁓ Texas, SW USA
62 K7 **Termas de Río Hondo** Santiago del Estero, N Argentina
136 M11 **Terme** Samsun, N Turkey
Termez see Termiz
Termia see Kýthnos
107 J23 **Termini Imerese** anc. Thermae Himerenses. Sicilia, Italy, C Mediterranean Sea
41 V14 **Términos, Laguna de** lagoon SE Mexico
77 X10 **Termit-Kaoboul** Zinder, C Niger
147 O14 **Termiz** Rus. Termez. Surxondaryo Viloyati, S Uzbekistan
107 L15 **Termoli** Molise, C Italy
Termonde see Dendermonde
98 P5 **Termunten** Groningen, NE Netherlands
171 R11 **Ternate** Pulau Ternate, E Indonesia
109 T5 **Ternberg** Oberösterreich, N Austria
99 E15 **Terneuzen** var. Neuzen. Zeeland, SW Netherlands
123 T14 **Terney** Primorskiy Kray, SE Russian Federation
107 I14 **Terni** anc. Interamna Nahars. Umbria, C Italy
109 X6 **Ternitz** Niederösterreich, E Austria
117 V7 **Ternivka** Dnipropetrovs'ka Oblast', E Ukraine
116 K6 **Ternopil'** Pol. Tarnopol, Rus. Ternopol'. Ternopil's'ka Oblast', W Ukraine
Ternopil' see Ternopil's'ka Oblast'
116 I6 **Ternopil's'ka Oblast'** var. Ternopil', Rus. Ternopol'skaya Oblast'. ◆ province NW Ukraine
Ternopol' see Ternopil'
Ternopol'skaya Oblast' see Ternopil's'ka Oblast'
123 U13 **Terpeniya, Mys** headland Ostrov Sakhalin, SE Russian Federation
Térraba, Río see Grande de Térraba, Río
10 J13 **Terrace** British Columbia, W Canada
12 D12 **Terrace Bay** Ontario, S Canada
107 I16 **Terracina** Lazio, C Italy
93 F14 **Terråk** Troms, N Norway
26 M13 **Terral** Oklahoma, C USA
107 B19 **Terralba** Sardegna, Italy, C Mediterranean Sea
Terranova di Sicilia see Gela
Terranova Pausania see Olbia
105 W5 **Terrassa** Cast. Tarrasa. Cataluña, E Spain
15 O12 **Terrebonne** Québec, SE Canada
22 J11 **Terrebonne Bay** bay Louisiana, SE USA
31 N14 **Terre Haute** Indiana, N USA
25 U6 **Terrell** Texas, SW USA
Terre Neuve see Newfoundland and Labrador
33 Q14 **Terreton** Idaho, NW USA
103 T7 **Territoire-de-Belfort** ◆ department E France
33 X9 **Terry** Montana, NW USA
28 I9 **Terry Peak** ▲ South Dakota, N USA
136 H14 **Tersakan Gölü** ◎ C Turkey
98 J4 **Terschelling** Fris. Skylge. island Waddeneilanden, N Netherlands
78 H10 **Tersef** Chari-Baguirmi, C Chad
147 X8 **Terskey Ala-Too, Khrebet** ▲ Kazakhstan/Kyrgyzstan
Terter see Tärtär
105 R8 **Teruel** anc. Turba. Aragón, E Spain
105 R7 **Teruel** ◆ province Aragón, E Spain
114 M7 **Tervel** prev. Kurtbunar, Rom. Curtbunar. Dobrich NE Bulgaria
93 M16 **Tervo** Itä-Suomi, C Finland
92 L13 **Tervola** Lappi, NW Finland
Tervueren see Tervuren
99 H18 **Tervuren** var. Tervueren. Vlaams Brabant, C Belgium
112 H11 **Tešanj** Federacija Bosna I Hercegovina, N Bosnia and Herzegovina
Teschen see Cieszyn
83 M19 **Tesenane** Inhambane, S Mozambique
80 I9 **Teseney** var. Tessenei. W Eritrea
39 P5 **Teshekpuk Lake** ◎ Alaska, USA
162 K6 **Teshig** Bulgan, N Mongolia
165 T2 **Teshio** Hokkaidō, NE Japan
165 T2 **Teshio-sanchi** ▲ Hokkaidō, NE Japan
Těšín see Cieszyn
Tesio Gawa see Teshio-gawa
112 H11 **Teslić** Republika Srpska, N Bosnia and Herzegovina
10 I9 **Teslin** Yukon Territory, W Canada
10 I8 **Teslin** ⁓ British Columbia/Yukon Territory W Canada
77 Q8 **Tessalit** Kidal, NE Mali
77 V12 **Tessaoua** Maradi, S Niger
99 J17 **Tessenderlo** Limburg, NE Belgium
Tessenei see Teseney
14 L7 **Tessier, Lac** ◎ Québec, SE Canada
Tessin see Ticino
97 M23 **Test** ⁓ S England, UK
Testama see Tõstamaa
55 P4 **Testigos, Islas los** island group N Venezuela
37 S10 **Tesuque** New Mexico, SW USA
103 O17 **Têt** var. Tet. ⁓ S France
54 G5 **Tetas, Cerro de las** ▲ NW Venezuela
83 M15 **Tete** Tete, NW Mozambique
83 M15 **Tete** off. Província de Tete. ◆ province NW Mozambique
11 N15 **Tête Jaune Cache** British Columbia, SW Canada
184 O8 **Te Teko** Bay of Plenty, North Island, NZ
186 K9 **Tetepare** island New Georgia Islands, NW Solomon Islands
Teterev see Teteriv
116 M5 **Teteriv** Rus. Teterev. ⁓ N Ukraine
100 M9 **Teterow** Mecklenburg-Vorpommern, NE Germany
114 I9 **Teteven** Lovech, N Bulgaria
191 T10 **Tetiaroa** atoll Îles du Vent, W French Polynesia
105 P14 **Tetica de Bacares** ▲ S Spain
Tetiyev see Tetiyiv
117 O6 **Tetiyiv** Rus. Tetiyev. Kyyivs'ka Oblast', N Ukraine
39 T10 **Tetlin** Alaska, USA
33 R8 **Teton River** ⁓ Montana, NW USA
74 G5 **Tétouan** var. Tetouan, Tetuán. N Morocco
Tetova/Tetovë see Tetovo
114 L7 **Tetovo** Razgrad, N Bulgaria
113 N18 **Tetovo** Alb. Tetova, Tetovë, Turk. Kalkandelen. NW FYR Macedonia
115 E20 **Tetrázio** ▲ S Greece
Tetschen see Děčín
Tetuán see Tétouan
191 Q8 **Tetufera, Mont** ▲ Tahiti, W French Polynesia
127 R4 **Tetyushi** Respublika Tatarstan, W Russian Federation
108 I7 **Teufen** Sankt Gallen, NE Switzerland
40 L12 **Teul** var. Teul de Gonzáles Ortega. Zacatecas, C Mexico
107 B21 **Teulada** Sardegna, Italy, C Mediterranean Sea
Teul de Gonzáles Ortega see Teul
11 X16 **Teulon** Manitoba, S Canada
42 I7 **Teupasenti** El Paraíso, S Honduras
165 S2 **Teuri-tō** island NE Japan
100 G13 **Teutoburger Wald** Eng. Teutoburg Forest. hill range NW Germany
Teutoburg Forest see Teutoburger Wald
93 K17 **Teuva** Swe. Östermark. Länsi-Suomi, W Finland
107 H15 **Tevere** Eng. Tiber. ⁓ C Italy
138 G9 **Teverya** var. Tiberias, Tverya. Northern, N Israel
96 K13 **Teviot** ⁓ SE Scotland, UK
Tevli see Tewli
122 H11 **Tevriz** Omskaya Oblast', C Russian Federation
185 B24 **Te Waewae Bay** bay South Island, NZ
97 L21 **Tewkesbury** C England, UK
119 F19 **Tewli** Rus. Tevli. Brestskaya Voblasts', SW Belarus
159 U12 **Têwo** var. Dêngkagoin. Gansu, C China
25 U12 **Texana, Lake** ◎ Texas, SW USA
27 S14 **Texarkana** Arkansas, C USA
25 X5 **Texarkana** Texas, SW USA
25 N9 **Texas** off. State of Texas; also known as The Lone Star State. ◆ state S USA
25 W12 **Texas City** Texas, SW USA
41 P14 **Texcoco** México, C Mexico
98 I6 **Texel** island Waddeneilanden, NW Netherlands
26 H8 **Texhoma** Oklahoma, C USA
25 N1 **Texhoma** Texas, SW USA
37 W12 **Texico** New Mexico, SW USA
24 L1 **Texline** Texas, SW USA
41 P14 **Texmelucan** var. San Martín Texmelucan. Puebla, S Mexico
27 O13 **Texoma, Lake** ▣ Oklahoma/Texas, C USA
25 N9 **Texon** Texas, SW USA
83 J23 **Teyateyaneng** NW Lesotho
124 M16 **Teykovo** Ivanovskaya Oblast' W Russian Federation
126 M16 **Teza** ⁓ W Russian Federation
41 Q13 **Teziutlán** Puebla, S Mexico
153 W12 **Tezpur** Assam, NE India
9 N10 **Tha-Anne** ⁓ Nunavut, NE Canada
83 K23 **Thabana Ntlenyana** var. Thabantshonyana, Mount Ntlenyana. ▲ E Lesotho
Thabantshonyana see Thabana Ntlenyana
83 J23 **Thaba Putsoa** ▲ C Lesotho
167 Q8 **Tha Bo** Nong Khai, E Thailand
103 T12 **Thabor, Pic du** ▲ E France
Tha Chin see Samut Sakhon
166 M7 **Thagaya** Pegu, C Myanmar
Thai, Ao see Thailand, Gulf of
167 T6 **Thai Binh** Thai Binh, N Vietnam
167 S7 **Thai Hoa** Nghê An, N Vietnam
167 P9 **Thailand** off. Kingdom of Thailand, Th. Prathet Thai; prev. Siam. ◆ monarchy SE Asia
167 P13 **Thailand, Gulf of** var. Gulf of Siam, Th. Ao Thai, Vtn. Vinh Thai Lan. gulf SE Asia
Thai Lan, Vinh see Thailand, Gulf of
167 T6 **Thai Nguyên** Bắc Thai, N Vietnam
167 S8 **Thakhek** prev. Muang Khammouan. Khammouan, C Laos
153 S13 **Thakurgaon** Rajshahi, NW Bangladesh
149 S6 **Thal** North-West Frontier Province, NW Pakistan
156 M15 **Thalang** Phuket, SW Thailand
Thalassery see Tellicherry
157 Q10 **Thalat Khae** Nakhon Ratchasima, C Thailand
109 Q5 **Thalgau** Salzburg, NW Austria
108 G7 **Thalwil** Zürich, NW Switzerland
83 I20 **Thamaga** Kweneng, SE Botswana
Thamarid see Thamarīt
141 V13 **Thamarīt** var. Thamarid, Thumrayt. SW Oman
141 P16 **Thamar, Jabal** ▲ SW Yemen
184 M6 **Thames** Waikato, North Island, NZ
14 D17 **Thames** ⁓ Ontario, S Canada
97 O22 **Thames** ⁓ S England, UK
184 M6 **Thames, Firth of** gulf North Island, NZ
14 D17 **Thamesville** Ontario, S Canada
141 S13 **Thamūd** N Yemen
167 N9 **Thanbyuzayat** Mon State, S Myanmar
152 I9 **Thānesar** Haryāna, NW India
167 T7 **Thanh Hoa** Thanh Hoa, N Vietnam
Thanintari Taungdan see Bilauktaung Range
155 I21 **Thanjāvūr** prev. Tanjore. Tamil Nādu, SE India
Thanlwin see Salween
103 U7 **Thann** Haut-Rhin, NE France
167 O16 **Tha Nong Phrom** Phatthalung, SW Thailand
167 N13 **Thap Sakae** var. Thap Sakau. Prachuap Khiri Khan, SW Thailand
Thap Sakau see Thap Sakae
98 L10 **'t Harde** Gelderland, E Netherlands
152 D11 **Thar Desert** var. Great Indian Desert, Indian Desert. desert India/Pakistan
181 V10 **Thargomindah** Queensland, C Australia
150 D11 **Thar Pārkar** desert SE Pakistan
139 S7 **Tharthar al Furāt, Qanāt ath** canal C Iraq
139 R7 **Tharthar, Buhayrat ath** ◎ C Iraq
139 R5 **Tharthar, Wādī ath** dry watercourse N Iraq
167 N13 **Tha Sae** Chumphon, SW Thailand
167 N15 **Tha Sala** Nakhon Si Thammarat, SW Thailand
114 I13 **Thásos** Thásos, E Greece
115 I14 **Thásos** island E Greece
37 N14 **Thatcher** Arizona, SW USA
167 T5 **Thât Khê** var. Tràng Dinh. Lang Sơn, N Vietnam
166 M8 **Thaton** Mon State, S Myanmar
167 S9 **That Phanom** Nakhon Phanom, E Thailand
167 R10 **Tha Tum** Surin, E Thailand
103 P16 **Thau, Bassin de** var. Étang de Thau. ◎ S France
Thau, Étang de see Thau, Bassin de
166 L3 **Thaungdut** Sagaing, N Myanmar
167 O8 **Thaungyin** Th. Mae Nam Moei. ⁓ Myanmar/Thailand
167 R8 **Tha Uthen** Nakhon Phanom, E Thailand
109 W2 **Thaya** var. Dyje. ⁓ Austria/Czech Republic see also Dyje
27 V8 **Thayer** Missouri, C USA
166 L6 **Thayetmyo** Magwe, C Myanmar
33 S15 **Thayne** Wyoming, C USA
166 M5 **Thazi** Mandalay, C Myanmar
Thebes see Thíva
44 L5 **The Carlton** var. Abraham Bay. Mayaguana, SE Bahamas
45 O14 **The Crane** var. Crane. S Barbados
32 I11 **The Dalles** Oregon, NW USA
28 M14 **Thedford** Nebraska, C USA
The Hague see 's-Gravenhage
Theiss see Tisa/Tisza
8 M9 **Thelon** ⁓ Northwest Territories/Nunavut, N Canada
11 V15 **Theodore** Saskatchewan, S Canada
23 N8 **Theodore** Alabama, S USA
36 L13 **Theodore Roosevelt Lake** ▣ Arizona, SW USA
Theodosia see Feodosiya
Theophilo Ottoni see Teófilo Otoni
11 V13 **The Pas** Manitoba, C Canada
31 T14 **The Plains** Ohio, N USA
Thera see Thíra
172 H17 **Thérèse, Île** island Inner Islands, NE Seychelles
Therezina see Teresina
115 L20 **Thérma** Ikaría, Dodekánisos, Greece, Aegean Sea
Thermae Himerenses see Termini Imerese
Thermae Pannonicae see Baden
Thermaic Gulf/Thermaicus Sinus see Thermaïkós Kólpos
121 Q8 **Thermaïkós Kólpos** Eng. Thermaic Gulf; anc. Thermaicus Sinus. gulf N Greece
Thermiá see Kýthnos
115 L17 **Thermís** Lésvos, E Greece
115 E18 **Thérmo** Dytikí Ellás, C Greece
33 V14 **Thermopolis** Wyoming, C USA
183 P10 **The Rock** New South Wales, SE Australia
195 O5 **Theron Mountains** ▲ Antarctica
115 G18 **Thespiés** Stereá Ellás, C Greece
115 E16 **Thessalía** Eng. Thessaly. ◆ region C Greece
14 C10 **Thessalon** Ontario, S Canada
115 G14 **Thessaloníki** Eng. Salonica, Salonika, SCr. Solun, Turk. Selânik. Kentrikí Makedonía, N Greece
115 G14 **Thessaloníki** ✕ Kentrikí Makedonía, N Greece
Thessaly see Thessalía
97 P20 **Thetford** E England, UK
15 R11 **Thetford-Mines** Québec, SE Canada
113 K17 **Theth** var. Thethi. Shkodër, N Albania
Thethi see Theth
99 L20 **Theux** Liège, E Belgium
45 V9 **The Valley** ○ (Anguilla) E Anguilla
27 N10 **The Village** Oklahoma, C USA
25 W10 **The Woodlands** Texas, SW USA
Thiamis see Thýamis
Thian Shan see Tien Shan
22 J9 **Thibodaux** Louisiana, S USA
29 S3 **Thief Lake** ◎ Minnesota, N USA
29 S3 **Thief River** ⁓ Minnesota, C USA
29 S3 **Thief River Falls** Minnesota, N USA
Thièle see La Thielle
32 G14 **Thielsen, Mount** ▲ Oregon, NW USA
Thielt see Tielt
106 G7 **Thiene** Veneto, NE Italy
Thienen see Tienen
103 P11 **Thiers** Puy-de-Dôme, C France
76 F11 **Thiès** W Senegal
81 I19 **Thika** Central, S Kenya
Thikombia see Cikobia
151 K18 **Thiladhunmathi Atoll** var. Tiladummati Atoll. atoll N Maldives
Thimbu see Thimphu
153 T11 **Thimphu** var. Thimbu; prev. Tashi Chho Dzong. ● (Bhutan) W Bhutan
92 H2 **Thingeyri** Vestfirdhir, NW Iceland
92 I3 **Thingvellir** Sudhurland, SW Iceland
187 Q17 **Thio** Province Sud, C New Caledonia
103 T4 **Thionville** Ger. Diedenhofen. Moselle, NE France
115 K22 **Thíra** Thíra, Kykládes, Greece, Aegean Sea
115 K22 **Thíra** prev. Santorin, Santoríni, anc. Thera. island Kykládes, Greece, Aegean Sea
115 J22 **Thirasía** island Kykládes, Greece, Aegean Sea
97 M16 **Thirsk** N England, UK
14 F12 **Thirty Thousand Islands** island group Ontario, S Canada
Thiruvanathapuram see Trivandrum
95 F20 **Thisted** Viborg, NW Denmark
Thistil Fjord see Thistilfjördhur
92 L1 **Thistilfjördhur** var. Thistil Fjord. fjord NE Iceland
182 G9 **Thistle Island** island South Australia
Thithia see Cicia
Thiukhaoluang Phrahang see Luang Prabang Range
115 G18 **Thíva** Eng. Thebes; prev. Thívai. Stereá Ellás, C Greece
Thívai see Thíva
102 M12 **Thiviers** Dordogne, SW France
92 J4 **Thjórsá** ⁓ C Iceland
9 N10 **Thlewiaza** ⁓ Nunavut, NE Canada
8 L10 **Thoa** ⁓ Northwest Territories, NW Canada
99 G14 **Tholen** Zeeland, SW Netherlands
99 F14 **Tholen** island SW Netherlands
26 L10 **Thomas** Oklahoma, C USA
21 T3 **Thomas** West Virginia, NE USA
27 U3 **Thomas Hill Reservoir** ▣ Missouri, C USA
23 S5 **Thomaston** Georgia, SE USA
19 R7 **Thomaston** Maine, NE USA
25 T12 **Thomaston** Texas, SW USA
23 O6 **Thomasville** Alabama, S USA
23 T8 **Thomasville** Georgia, SE USA
21 S9 **Thomasville** North Carolina, SE USA
35 N5 **Thomes Creek** ⁓ California, W USA
11 W12 **Thompson** Manitoba, C Canada
29 R4 **Thompson** North Dakota, N USA
33 O8 **Thompson Falls** Montana, NW USA
29 Q10 **Thompson, Lake** ◎ South Dakota, N USA
34 M3 **Thompson Peak** ▲ California, W USA
27 S2 **Thompson River** ⁓ Missouri, C USA
185 A22 **Thompson Sound** sound South Island, NZ
8 J5 **Thomsen** ⁓ Banks Island, Northwest Territories, NW Canada
23 V4 **Thomson** Georgia, SE USA
103 T10 **Thonon-les-Bains** Haute-Savoie, E France
103 O15 **Thoré** var. Thore. ⁓ S France
37 P11 **Thoreau** New Mexico, SW USA
Thorenburg see Turda
92 J3 **Thórisvatn** ◎ C Iceland
92 P4 **Thor, Kapp** headland S Svalbard
92 I4 **Thorlákshöfn** Sudhurland, SW Iceland
Thorn see Toruń
25 T10 **Thorndale** Texas, SW USA
14 H10 **Thorne** Ontario, S Canada
97 J14 **Thornhill** S Scotland, UK
25 U8 **Thornton** Texas, SW USA
Thornton Island see Millennium Island
14 H16 **Thorold** Ontario, S Canada
32 I9 **Thorp** Washington, NW USA
195 S3 **Thorshavnheiane** physical region Antarctica
92 L1 **Thórshöfn** Nordhurland Eystra, NE Iceland
Thospitis see Van Gölü
167 S14 **Thôt Nôt** Cân Thơ, S Vietnam
102 K8 **Thouars** Deux-Sèvres, W France
153 X14 **Thoubal** Manipur, NE India
102 K9 **Thouet** ⁓ W France
Thoune see Thun
18 H7 **Thousand Islands** island Canada/USA
35 S15 **Thousand Oaks** California, W USA
114 L12 **Thrace** cultural region SE Europe
114 J13 **Thracian Sea** Gk. Thrakikó Pélagos; anc. Thracium Mare. sea Greece/Turkey
Thracium Mare/Thrakikó Pélagos see Thracian Sea
Thrá Lí, Bá see Tralee Bay
33 R11 **Three Forks** Montana, NW USA

◆ Country ● Country Capital ◇ Dependent Territory ○ Dependent Territory Capital ◈ Administrative Region ✕ International Airport ▲ Mountain ▲ Mountain Range ☢ Volcano ⁓ River ◎ Lake ▣ Reservoir

334 ••• THREE GORGES DAM – TOIJALA

160 M8 **Three Gorges Dam** *dam* Hubei, C China
11 Q16 **Three Hills** Alberta, SW Canada
183 N15 **Three Hummock Island** *island* Tasmania, SE Australia
184 H1 **Three Kings Islands** *island group* N NZ
192 K10 **Three Kings Rise** *undersea feature* W Pacific Ocean
77 O18 **Three Points, Cape** *headland* S Ghana
31 P10 **Three Rivers** Michigan, N USA
25 S13 **Three Rivers** Texas, SW USA
83 G24 **Three Sisters** Northern Cape, SW South Africa
32 H13 **Three Sisters** ▲ Oregon, NW USA
187 N10 **Three Sisters Islands** *island group* SE Solomon Islands
Thrissur *see* Trichūr
25 Q6 **Throckmorton** Texas, SW USA
180 M10 **Throssell, Lake** *salt lake* Western Australia
115 K25 **Thrýptis** ▲ Kríti, Greece, E Mediterranean Sea
167 T13 **Thu Dầu Một** *var.* Phu Cương. Sông Be, S Vietnam
167 S6 **Thu Do** × (Ha Nôi) Ha Nôi, N Vietnam
99 G21 **Thuin** Hainaut, S Belgium
149 Q12 **Thul** Sind, SE Pakistan
Thule *see* Qaanaaq
83 J18 **Thuli** *var.* Tuli. ≈ S Zimbabwe
Thumrayt *see* Thamarīt
108 D9 **Thun** *Fr.* Thoune. Bern, W Switzerland
12 C12 **Thunder Bay** Ontario, S Canada
30 M1 **Thunder Bay** *lake bay* S Canada
31 R6 **Thunder Bay** *lake bay* Michigan, N USA
31 R6 **Thunder Bay River** ≈ Michigan, N USA
27 N11 **Thunderbird, Lake** ⊠ Oklahoma, C USA
28 L8 **Thunder Butte Creek** ≈ South Dakota, N USA
108 E9 **Thuner See** ◎ C Switzerland
167 N15 **Thung Song** *var.* Cha Mai. Nakhon Si Thammarat, SW Thailand
108 H7 **Thur** ≈ N Switzerland
108 G6 **Thurgau** *Fr.* Thurgovie. ◈ *canton* NE Switzerland
Thurgovie *see* Thurgau
Thuringe *see* Thüringen
108 J7 **Thüringen** Vorarlberg, W Austria
101 J17 **Thüringen** *Eng.* Thuringia, *Fr.* Thuringe. ◈ *state* C Germany
101 J17 **Thüringer Wald** *Eng.* Thuringian Forest. ▲ C Germany
Thuringia *see* Thüringen
Thuringian Forest *see* Thüringer Wald
97 D19 **Thurles** *Ir.* Durlas. S Ireland
21 W2 **Thurmont** Maryland, NE USA
Thurø *see* Thurø By
95 H24 **Thurø By** *var.* Thurø. Fyn, C Denmark
14 M12 **Thurso** Québec, SE Canada
96 J6 **Thurso** N Scotland, UK
194 I10 **Thurston Island** *island* Antarctica
108 I9 **Thusis** Graubünden, S Switzerland
115 C15 **Thýamis** *var.* Thiamis. ≈ W Greece
95 E21 **Thyborøn** *var.* Tyborøn. Ringkøbing, W Denmark
195 U3 **Thyer Glacier** *glacier* Antarctica
115 L20 **Thýmaina** *island* Dodekánisos, Greece, Aegean Sea
83 N15 **Thyolo** *var.* Cholo. Southern, S Malawi
183 U6 **Tia** New South Wales, SE Australia
54 H5 **Tía Juana** Zulia, NW Venezuela
Tiancheng *see* Chongyang
160 J14 **Tiandong** *var.* Pingma. Guangxi Zhuangzu Zizhiqu, S China
161 O3 **Tianjin** *var.* Tientsin. Tianjin Shi, E China
Tianjin *see* Tianjin Shi
161 P3 **Tianjin Shi** *var.* Jin, Tianjin, T'ien-ching, Tientsin. ◈ *municipality* E China
159 S10 **Tianjun** *var.* Xinyuan. Qinghai, C China
160 J13 **Tianlin** *var.* Leli. Guangxi Zhuangzu Zizhiqu, S China
Tian Shan *see* Tien Shan
159 W11 **Tianshui** Gansu, C China
150 I7 **Tianshuihai** Xinjiang Uygur Zizhiqu, W China
161 S10 **Tiantai** Zhejiang, SE China
160 J14 **Tianyang** *var.* Tianzhou. Guangxi Zhuangzu Zizhiqu, S China
Tianzhou *see* Tianyang
159 U9 **Tianzhu** *var.* Huazangsi, Tianzhu Zangzu Zizhixian. Gansu, C China
Tianzhu Zangzu Zizhixian *see* Tianzhu
191 Q7 **Tiarei** Tahiti, W French Polynesia
74 J6 **Tiaret** *var.* Tihert. NW Algeria
77 N17 **Tiassalé** S Ivory Coast
192 I16 **Ti'avea** Upolu, SE Samoa
Tiba *see* Chiba
60 J11 **Tibagi** *var.* Tibaji. Paraná, S Brazil
60 J10 **Tibagi, Rio** *var.* Rio Tibají. ≈ S Brazil
Tibaji *see* Tibagi
Tibají, Rio *see* Tibagi, Rio
139 Q9 **Tibal, Wādī** *dry watercourse* S Iraq
54 G9 **Tibaná** Boyacá, C Colombia
79 F14 **Tibati** Adamaoua, N Cameroon
76 K15 **Tibé, Pic de** ▲ SE Guinea
Tiber *see* Tivoli, Italy
Tiber *see* Tevere, Italy
Tiberias *see* Teverya
138 G8 **Tiberias, Lake** *var.* Chinnereth, Sea of Bahr Tabariya, Sea of Galilee, *Ar.* Bahrat Tabariya, *Heb.* Yam Kinneret. ◎ N Israel
75 R12 **Tibesti** *var.* Tibesti Massif, *Ar.* Tibistī. ▲ N Africa
Tibesti Massif *see* Tibesti
Tibetan Autonomous Region *see* Xizang Zizhiqu
Tibet, Plateau of *see* Qingzang Gaoyuan
Tibistī *see* Tibesti
14 K7 **Tiblemont, Lac** ◎ Québec, SE Canada
139 X9 **Ţīb, Nahr aţ** ≈ S Iraq
Tibnī *see* At Tibnī
182 L4 **Tibooburra** New South Wales, SE Australia
95 L18 **Tibro** Västra Götaland, S Sweden
40 E5 **Tiburón, Isla** *var.* Isla del Tiburón. *island* NW Mexico
Tiburón, Isla del *see* Tiburón, Isla
23 W14 **Tice** Florida, SE USA
Tichau *see* Tychy
114 L8 **Ticha, Yazovir** ◎ NE Bulgaria
76 K9 **Tîchît** *var.* Tichitt. Tagant, C Mauritania
Tichitt *see* Tîchît
108 G11 **Ticino** *Fr./Ger.* Tessin. ◈ *canton* S Switzerland
106 D8 **Ticino** ≈ Italy/Switzerland
108 H11 **Ticino** *Ger.* Tessin. ≈ SW Switzerland
Ticinum *see* Pavia
41 X12 **Ticul** Yucatán, SE Mexico
95 K18 **Tidaholm** Västra Götaland, S Sweden
Tidjikdja *see* Tidjikja
76 J8 **Tidjikja** *var.* Tidjikdja; *prev.* Fort-Cappolani. Tagant, C Mauritania
Tidore *see* Soasiu
171 R11 **Tidore, Pulau** *island* E Indonesia
Tîdra, Ile *see* Et Tîdra
77 N16 **Tiébissou** *var.* Tiebissou. C Ivory Coast
Tiefa *see* Diaobingshan
108 I9 **Tiefencastel** Graubünden, S Switzerland
Tiegenhof *see* Nowy Dwór Gdański
T'ieh-ling *see* Tieling
98 K13 **Tiel** Gelderland, C Netherlands
163 W7 **Tieli** Heilongjiang, NE China
163 V11 **Tieling** *var.* T'ieh-ling. Liaoning, NE China
152 L4 **Tielongtan** China/India
99 D17 **Tielt** *var.* Thielt. West-Vlaanderen, W Belgium
T'ien-ching *see* Tianjin Shi
99 I18 **Tienen** *var.* Thienen, *Fr.* Tirlemont. Vlaams Brabant, C Belgium
Tiên Giang, Sông *see* Mekong
147 X9 **Tien Shan** *Chin.* Thian Shan, Tian Shan, T'ien Shan, *Rus.* Tyan'-Shan'. ▲ C Asia
Tientsin *see* Tianjin
Tientsin *see* Tianjin Shi
167 U6 **Tiên Yên** Quang Ninh, N Vietnam
95 O14 **Tierp** Uppsala, C Sweden
62 H7 **Tierra Amarilla** Atacama, N Chile
37 R9 **Tierra Amarilla** New Mexico, SW USA
41 R15 **Tierra Blanca** Veracruz-Llave, E Mexico
41 O16 **Tierra Colorada** Guerrero, S Mexico
63 J17 **Tierra Colorada, Bajo de la** *basin* SE Argentina
63 I25 **Tierra del Fuego** *off.* Provincia de la Tierra del Fuego. ◈ *province* S Argentina
63 J24 **Tierra del Fuego** *island* Argentina/Chile
54 D7 **Tierralta** Córdoba, NW Colombia
104 K9 **Tiétar** ≈ W Spain
60 L10 **Tietê** São Paulo, S Brazil
60 J8 **Tietê, Rio** ≈ S Brazil
32 I9 **Tieton** Washington, NW USA
32 J6 **Tiffany Mountain** ▲ Washington, NW USA
31 S12 **Tiffin** Ohio, N USA
31 Q11 **Tiffin River** ≈ Ohio, N USA
Tiflis *see* T'bilisi
23 U7 **Tifton** Georgia, SE USA
171 R13 **Tifu** Pulau Buru, E Indonesia
38 L17 **Tigalda Island** *island* Aleutian Islands, Alaska, USA
115 I15 **Tigáni, Akrotírio** *headland* Límnos, E Greece
169 V6 **Tiga Tarok** Sabah, East Malaysia
117 O10 **Tighina** *Rus.* Bendery; *prev.* Bender. E Moldova
145 X9 **Tigiretskiy Khrebet** ▲ E Kazakhstan
79 F14 **Tignère** Adamaoua, N Cameroon
13 P14 **Tignish** Prince Edward Island, SE Canada
Tigranocerta *see* Siirt
80 I11 **Tigray** ◈ *province* N Ethiopia
41 O11 **Tigre, Cerro del** ▲ C Mexico
56 F8 **Tigre, Río** ≈ N Peru
139 X10 **Tigris** *Ar.* Dijlah, *Turk.* Dicle. ≈ Iraq/Turkey
76 G9 **Tiguent** Trarza, SW Mauritania
74 M10 **Tiguentourine** E Algeria
77 V10 **Tiguidit, Falaise de** *ridge* C Niger
141 N13 **Tihāmah** *var.* Tehama. *plain* Saudi Arabia/Yemen
Tihert *see* Tiaret
Ti-hua/Tihwa *see* Ürümqi
41 Q13 **Tihuatlán** Veracruz-Llave, E Mexico
40 B1 **Tijuana** Baja California, NW Mexico
42 E2 **Tikal** Petén, N Guatemala
154 I9 **Tikamgarh** *prev.* Tehri. Madhya Pradesh, C India
158 L7 **Tikanlik** Xinjiang Uygur Zizhiqu, NW China
77 P12 **Tikaré** N Burkina
39 O12 **Tikchik Lakes** *lakes* Alaska, USA
191 T9 **Tikehau** *atoll* Îles Tuamotu, C French Polynesia
191 V9 **Tikei** *island* Îles Tuamotu, C French Polynesia
126 L13 **Tikhoretsk** Krasnodarskiy Kray, SW Russian Federation
124 I13 **Tikhvin** Leningradskaya Oblast', NW Russian Federation
193 P9 **Tiki Basin** *undersea feature* S Pacific Ocean
76 K13 **Tikinsso** ≈ NE Guinea
184 Q8 **Tikitiki** Gisborne, North Island, NZ
79 D16 **Tiko** Sud-Ouest, SW Cameroon
187 R11 **Tikopia** *island*, E Solomon Islands
139 S6 **Tikrīt** *var.* Tekrit. N Iraq
124 I8 **Tiksha** Respublika Kareliya, NW Russian Federation
126 I6 **Tikshozero, Ozero** ◎ NW Russian Federation
123 P7 **Tiksi** Respublika Sakha (Yakutiya), NE Russian Federation
42 A6 **Tilapa** San Marcos, SW Guatemala
42 L13 **Tilarán** Guanacaste, NW Costa Rica
99 J14 **Tilburg** Noord-Brabant, S Netherlands
14 D17 **Tilbury** Ontario, S Canada
182 K4 **Tilcha** South Australia
Tilcha Creek *see* Callabonna Creek
29 Q14 **Tilden** Nebraska, C USA
25 R13 **Tilden** Texas, SW USA
14 H10 **Tilden Lake** Ontario, S Canada
116 G9 **Tileagd** *Hung.* Mezőtelegd. Bihor, W Romania
77 Q8 **Tilemsi, Vallée de** ≈ C Mali
123 V8 **Tilichiki** Koryakskiy Avtonomnyy Okrug, E Russian Federation
Tiligul *see* Tilihul
Tiligul'skiy Liman *see* Tilihul's'kyy Lyman
117 P9 **Tilihul** *Rus.* Tiligul. ≈ SW Ukraine
117 P10 **Tilihul's'kyy Lyman** *Rus.* Tiligul'skiy Liman. ◎ S Ukraine
Tilimsen *see* Tlemcen
Tilio Martius *see* Toulon
77 R11 **Tillabéri** *var.* Tillabéry. Tillabéri, W Niger
77 R11 **Tillabéri** ◈ *department* SW Niger
Tillabéry *see* Tillabéri
32 F11 **Tillamook** Oregon, NW USA
32 E11 **Tillamook Bay** *inlet* Oregon, NW USA
151 Q22 **Tillanchāng Dwip** *island* Nicobar Islands, India, NE Indian Ocean
95 N15 **Tillberga** Västmanland, C Sweden
Tillenberg *see* Dyleň
21 S10 **Tillery, Lake** ⊠ North Carolina, SE USA
77 T10 **Tillia** Tahoua, W Niger
23 N8 **Tillmans Corner** Alabama, S USA
14 F17 **Tillsonburg** Ontario, S Canada
115 N22 **Tílos** *island* Dodekánisos, Greece, Aegean Sea
183 N5 **Tilpa** New South Wales, SE Australia
Tilsit *see* Sovetsk
31 N13 **Tilton** Illinois, N USA
126 K7 **Tim** Kurskaya Oblast', W Russian Federation
54 D12 **Timaná** Huila, S Colombia
Timan Ridge *see* Timanskiy Kryazh
127 Q6 **Timanskiy Kryazh** *Eng.* Timan Ridge. *ridge* NW Russian Federation
185 G20 **Timaru** Canterbury, South Island, NZ
127 S6 **Timashevo** Samarskaya Oblast', W Russian Federation
126 K13 **Timashevsk** Krasnodarskiy Kray, SW Russian Federation
Timbaki/Timbákion *see* Tympáki
22 K10 **Timbalier Bay** *bay* Louisiana, S USA
22 K11 **Timbalier Island** *island* Louisiana, S USA
76 L10 **Timbedgha** *var.* Timbédra. Hodh ech Chargui, SE Mauritania
Timbédra *see* Timbedgha
32 G10 **Timber** Oregon, NW USA
181 O3 **Timber Creek** Northern Territory, N Australia
28 M8 **Timber Lake** South Dakota, N USA
54 D12 **Timbío** Cauca, SW Colombia
54 C12 **Timbiquí** Cauca, SW Colombia
83 O17 **Timbue, Ponta** *headland* C Mozambique
Timbuktu *see* Tombouctou
169 W8 **Timbun Mata, Pulau** *island* E Malaysia
77 P8 **Timétrine** *var.* Ti-n-Kâr. *oasis* C Mali
Timfi *see* Týmfi
Timfristos *see* Tymfristós
77 V9 **Timia** Agadez, C Niger
171 X14 **Timika** Papua, E Indonesia
74 I9 **Timimoun** C Algeria
Timiris, Cap *see* Timirist, Râs
76 F8 **Timirist, Râs** *var.* Cap Timiris. *headland* NW Mauritania
145 O7 **Timiryazevo** Severnyy Kazakhstan, N Kazakhstan
116 E11 **Timiş** ◈ *county* SW Romania
14 H9 **Timiskaming, Lake** *Fr.* Lac Témiscamingue. ◎ Ontario/Québec, SE Canada
116 E11 **Timişoara** *Ger.* Temeschwar, Temeswar, *Hung.* Temesvár; *prev.* Temeschburg. Timiş, W Romania
116 E11 **Timişoara** × Timiş, W Romania
Timkovichi *see* Tsimkavichy
77 U8 **Ti-m-Meghsoï** ≈ NW Niger
100 K8 **Timmendorfer Strand** Schleswig-Holstein, N Germany
14 F7 **Timmins** Ontario, S Canada
21 S12 **Timmonsville** South Carolina, SE USA
30 K5 **Timms Hill** ▲ Wisconsin, N USA
112 P12 **Timok** ≈ E Serbia and Montenegro (Yugo.)
58 N13 **Timon** Maranhão, E Brazil
171 Q16 **Timor** *island* East Timor/Indonesia
171 Q17 **Timor Sea** *sea* E Indian Ocean
Timor Timur *see* East Timor
Timor Trench *see* Timor Trough
192 G8 **Timor Trough** *var.* Timor Trench. *undersea feature* NE Timor Sea
61 A21 **Timote** Buenos Aires, E Argentina
54 I6 **Timotes** Mérida, NW Venezuela
25 X8 **Timpson** Texas, SW USA
123 Q11 **Timpton** ≈ NE Russian Federation
93 H17 **Timrå** Västernorrland, C Sweden
20 J10 **Tims Ford Lake** ⊠ Tennessee, S USA
168 L7 **Timur, Banjaran** ▲ Peninsular Malaysia
171 Q8 **Tinaca Point** *headland* Mindanao, S Philippines
54 K5 **Tinaco** Cojedes, N Venezuela
64 Q11 **Tinajo** Lanzarote, Islas Canarias, Spain, NE Atlantic Ocean
187 P10 **Tinakula** *island* Santa Cruz Islands, E Solomon Islands
54 K5 **Tinaquillo** Cojedes, N Venezuela
116 F10 **Tinca** *Hung.* Tenke. Bihor, W Romania
155 J20 **Tindivanam** Tamil Nādu, SE India
74 E9 **Tindouf** W Algeria
74 E9 **Tindouf, Sebkha de** *salt lake* W Algeria
104 J2 **Tineo** Asturias, N Spain
77 R9 **Ti-n-Essako** Kidal, E Mali
183 T5 **Tingha** New South Wales, SE Australia
Tingis *see* Tanger
Tinglett *see* Tinglev
95 F24 **Tinglev** *Ger.* Tinglett. Sønderjylland, SW Denmark
56 E12 **Tingo María** Huánuco, C Peru
Tingréla *see* Tengréla
158 K16 **Tingri** *var.* Xêgar. Xizang Zizhiqu, W China
95 M21 **Tingsryd** Kronoberg, S Sweden
95 P19 **Tingstäde** Gotland, SE Sweden
62 H12 **Tinguiririca, Volcán** ▲ C Chile
94 F9 **Tingvoll** Møre og Romsdal, S Norway
188 K8 **Tinian** *island* S Northern Mariana Islands
Ti-n-Kâr *see* Timétrine
Tinnevelly *see* Tirunelveli
95 G15 **Tinnoset** Telemark, S Norway
95 F15 **Tinnsjø** ◎ S Norway
Tino *see* Chino
115 J20 **Tínos** Tínos, Kykládes, Greece, Aegean Sea
115 J20 **Tínos** *anc.* Tenos. *island* Kykládes, Greece, Aegean Sea
153 R14 **Tinpahar** Jhārkhand, NE India
153 X11 **Tinsukia** Assam, NE India
76 K10 **Tîntâne** Hodh el Gharbi, S Mauritania
62 L7 **Tintina** Santiago del Estero, N Argentina
182 K10 **Tintinara** South Australia
104 I14 **Tinto** ≈ SW Spain
77 S8 **Ti-n-Zaouâtene** Kidal, NE Mali
Tiobraid Árann *see* Tipperary
28 K3 **Tioga** North Dakota, N USA
18 G12 **Tioga** Pennsylvania, NE USA
25 T5 **Tioga** Texas, SW USA
35 Q8 **Tioga Pass** *pass* California, W USA
18 G12 **Tioga River** ≈ New York/Pennsylvania, NE USA
Tioman Island *see* Tioman, Pulau
168 M9 **Tioman, Pulau** *var.* Tioman Island. *island* Peninsular Malaysia
18 C12 **Tionesta** Pennsylvania, NE USA
18 D12 **Tionesta Creek** ≈ Pennsylvania, NE USA
168 J13 **Tiop** Pulau Pagai Selatan, W Indonesia
77 O12 **Tiou** NW Burkina
18 H11 **Tioughnioga River** ≈ New York, NE USA
74 J5 **Tipasa** *var.* Tipaza. N Algeria
Tipaza *see* Tipasa
42 J10 **Tipitapa** Managua, W Nicaragua
31 R13 **Tipp City** Ohio, N USA
31 O12 **Tippecanoe River** ≈ Indiana, N USA
97 D20 **Tipperary** *Ir.* Tiobraid Árann. S Ireland
97 D19 **Tipperary** *Ir.* Tiobraid Árann. *cultural region* S Ireland
35 R12 **Tipton** California, W USA
31 P13 **Tipton** Indiana, N USA
29 Y14 **Tipton** Iowa, C USA
27 U5 **Tipton** Missouri, C USA
36 I10 **Tipton, Mount** ▲ Arizona, SW USA
20 F8 **Tiptonville** Tennessee, S USA
12 E12 **Tip Top Mountain** ▲ Ontario, S Canada
155 G19 **Tiptūr** Karnātaka, W India
Tiquisate *see* Pueblo Nuevo Tiquisate
58 L13 **Tiracambu, Serra do** ▲ E Brazil
Tirana *see* Tiranë
113 K19 **Tirana Rinas** × Durrës, W Albania
113 L20 **Tiranë** *var.* Tirana. ● (Albania) Tiranë, C Albania
113 K20 **Tiranë** ◈ *district* W Albania
140 I5 **Tirān, Jazīrat** *island* Egypt/Saudi Arabia
106 F6 **Tirano** Lombardia, N Italy
182 I2 **Tirari Desert** *desert* South Australia
117 O10 **Tiraspol** *Rus.* Tiraspol'. E Moldova
184 M8 **Tirau** Waikato, North Island, NZ
136 C14 **Tire** İzmir, SW Turkey
137 O11 **Tirebolu** Giresun, N Turkey
96 F11 **Tiree** *island* W Scotland, UK
Tîrgovişte *see* Târgovişte
Tîrgu *see* Târgu Cărbuneşti
Tîrgu Bujor *see* Târgu Bujor
Tîrgu Frumos *see* Târgu Frumos
Tîrgu Jiu *see* Targu Jui
Tîrgu Lăpuş *see* Târgu Lăpuş
Tîrgu Mures *see* Târgu Mureş
Tîrgu-Neamţ *see* Târgu-Neamţ
Tîrgu Ocna *see* Târgu Ocna
Tîrgu Secuiesc *see* Târgu Secuiesc
149 T3 **Tirich Mīr** ▲ NW Pakistan
76 J5 **Tiris Zemmour** ◈ *region* N Mauritania
Tirlemont *see* Tienen
127 W5 **Tirlyanskiy** Respublika Bashkortostan, W Russian Federation
Tîrnava Mare *see* Târnava Mare
Tîrnava Mică *see* Târnava Mică
Tîrnăveni *see* Târnăveni
Tírnavos *see* Týrnavos
Tirnovo *see* Veliko Tŭrnovo
154 J11 **Tirodi** Madhya Pradesh, C India
108 K8 **Tirol** *off.* Land Tirol, *var.* Tyrol, *It.* Tirolo. ◈ *state* W Austria
Tirolo *see* Tirol
Tirreno, Mare *see* Tyrrhenian Sea
107 B19 **Tirso** ≈ Sardegna, Italy, C Mediterranean Sea
95 H22 **Tirstrup** × (Århus) Århus, C Denmark
155 I21 **Tiruchchirāppalli** *prev.* Trichinopoly. Tamil Nādu, SE India
155 H23 **Tirunelveli** *var.* Tinnevelly. Tamil Nādu, SE India
155 J19 **Tirupati** Andhra Pradesh, E India
155 I20 **Tiruppattūr** Tamil Nādu, SE India
155 H21 **Tiruppūr** Tamil Nādu, SW India
155 I20 **Tiruvannāmalai** Tamil Nādu, SE India
112 L10 **Tisa** *Ger.* Theiss, *Hung.* Tisza, *Rus.* Tissa, *Ukr.* Tysa. ≈ SE Europe *see also* Tisza
Tischnowitz *see* Tišnov
11 U14 **Tisdale** Saskatchewan, S Canada
27 O13 **Tishomingo** Oklahoma, C USA
95 M17 **Tisnaren** ◎ S Sweden
111 F18 **Tišnov** *Ger.* Tischnowitz. Jihomoravský Kraj, SE Czech Republic
Tissa *see* Tisa/Tisza
74 J6 **Tissemsilt** N Algeria
153 S12 **Tista** ≈ NE India
112 L8 **Tisza** *Ger.* Theiss, *Rom./Slvn./SCr.* Tisa, *Rus.* Tissa, *Ukr.* Tysa. ≈ SE Europe *see also* Tisa
111 L23 **Tiszaföldvár** Jász-Nagykun-Szolnok, E Hungary
111 M22 **Tiszafüred** Jász-Nagykun-Szolnok, E Hungary
111 L23 **Tiszakécske** Bács-Kiskun, C Hungary
111 M21 **Tiszaújváros** *prev.* Leninváros. Borsod-Abaúj-Zemplén, NE Hungary
111 N21 **Tiszavasvári** Szabolcs-Szatmár-Bereg, NE Hungary
Titibu *see* Chichibu
57 I17 **Titicaca, Lake** ◎ Bolivia/Peru
190 H17 **Titikaveka** Rarotonga, S Cook Islands
154 M13 **Titilāgarh** Orissa, E India
168 K8 **Titiwangsa, Banjaran** ▲ Peninsular Malaysia
Titograd *see* Podgorica
Titose *see* Chitose
Titova Mitrovica *see* Kosovska Mitrovica
Titovo Užice *see* Užice
113 M18 **Titov Vrv** ▲ NW FYR Macedonia
94 F7 **Titran** Sør-Trøndelag, S Norway
31 Q8 **Tittabawassee River** ≈ Michigan, N USA
116 J13 **Titu** Dâmboviţa, S Romania
79 M16 **Titule** Orientale, N Dem. Rep. Congo
23 X11 **Titusville** Florida, SE USA
18 C12 **Titusville** Pennsylvania, NE USA
76 G11 **Tivaouane** W Senegal
113 I17 **Tivat** Montenegro, SW Serbia and Montenegro (Yugo.)
14 E14 **Tiverton** Ontario, S Canada
97 J23 **Tiverton** SW England, UK
19 O12 **Tiverton** Rhode Island, NE USA
107 I15 **Tivoli** *anc.* Tiber. Lazio, C Italy
25 U13 **Tivoli** Texas, SW USA
141 Z8 **Ţīwī** NE Oman
Tiworo *see* Tioro, Selat
41 Y11 **Tizimín** Yucatán, SE Mexico
74 K5 **Tizi Ouzou** *var.* Tizi-Ouzou. N Algeria
74 D8 **Tiznit** SW Morocco
113 I14 **Tjentište** Republika Srpska, SE Bosnia and Herzegovina
Tjepoe/Tjepu *see* Cepu
98 L7 **Tjeukemeer** ◎ N Netherlands
Tjiamis *see* Ciamis
Tjiandjoer *see* Cianjur
Tjilatjap *see* Cilacap
Tjiledoeg *see* Ciledug
95 F23 **Tjæreborg** Ribe, W Denmark
95 I18 **Tjörn** *island* S Sweden
92 O3 **Tjuvfjorden** *fjord* S Svalbard
Tkvarcheli *see* Tqvarch'eli
40 L8 **Tlahualilo** Durango, N Mexico
41 P14 **Tlalnepantla** México, C Mexico
41 Q13 **Tlapacoyán** Veracruz-Llave, E Mexico
41 P16 **Tlapa de Comonfort** Guerrero, S Mexico
40 L13 **Tlaquepaque** Jalisco, C Mexico
Tlascala *see* Tlaxcala
41 P14 **Tlaxcala** *var.* Tlascala, Tlaxcala de Xicohténcatl. Tlaxcala, C Mexico
41 P14 **Tlaxcala** ◈ *state* S Mexico
Tlaxcala de Xicohténcatl *see* Tlaxcala
41 P14 **Tlaxco** *var.* Tlaxco de Morelos. Tlaxcala, S Mexico
Tlaxco de Morelos *see* Tlaxco
41 Q16 **Tlaxiaco** *var.* Santa María Asunción Tlaxiaco. Oaxaca, S Mexico
74 I6 **Tlemcen** *var.* Tilimsen, Tlemsen. NW Algeria
Tlemsen *see* Tlemcen
138 L4 **Tlété Ouâte Rharbi, Jebel** ▲ N Syria
116 J7 **Tlumach** Ivano-Frankivs'ka Oblast', W Ukraine
127 P17 **Tlyarata** Respublika Dagestan, SW Russian Federation
116 K10 **Toaca, Vârful** *prev.* Vîrful Toaca. ▲ NE Romania
Toaca, Vîrful *see* Toaca, Vârful
187 R13 **Toak** Ambrym, C Vanuatu
172 J4 **Toamasina** *var.* Tamatave. Toamasina, E Madagascar
172 J4 **Toamasina** ◈ *province* E Madagascar
172 J4 **Toamasina** × Toamasina, E Madagascar
21 X6 **Toano** Virginia, NE USA
191 U10 **Toau** *atoll* Îles Tuamotu, C French Polynesia
45 T6 **Toa Vaca, Embalse** ⊠ C Puerto Rico
62 K13 **Toay** La Pampa, C Argentina
159 R14 **Toba** Xizang Zizhiqu, W China
164 K14 **Toba** Mie, Honshū, SW Japan
168 I9 **Toba, Danau** ◎ Sumatera, W Indonesia
45 Y16 **Tobago** *island* NE Trinidad and Tobago
149 Q9 **Toba Kākar Range** ▲ NW Pakistan
105 Q12 **Tobarra** Castilla-La Mancha, C Spain
149 U9 **Toba Tek Singh** Punjab, E Pakistan
171 R11 **Tobelo** Pulau Halmahera, E Indonesia
14 E12 **Tobermory** Ontario, S Canada
96 G10 **Tobermory** W Scotland, UK
165 S4 **Tōbetsu** Hokkaidō, NE Japan
180 M6 **Tobin Lake** ◎ Western Australia
11 U14 **Tobin Lake** ◎ Saskatchewan, C Canada
35 T4 **Tobin, Mount** ▲ Nevada, W USA
165 O9 **Tobi-shima** *island* C Japan
169 N13 **Toboali** Pulau Bangka, W Indonesia
144 M8 **Tobol** *Kaz.* Tobyl. Kostanay, N Kazakhstan
144 L8 **Tobol** *Kaz.* Tobyl. ≈ Kazakhstan/Russian Federation
122 H11 **Tobol'sk** Tyumenskaya Oblast', C Russian Federation
Tobruch/Tobruk *see* Ţubruq
125 R3 **Tobseda** Nenetskiy Avtonomnyy Okrug, NW Russian Federation
Tobyl *see* Tobol
127 Q6 **Tobysh** ≈ NW Russian Federation
54 F10 **Tocaima** Cundinamarca, C Colombia
59 K16 **Tocantins** *off.* Estado do Tocantins. ◈ *state* C Brazil
59 K15 **Tocantins, Rio** ≈ N Brazil
23 T2 **Toccoa** Georgia, SE USA
165 O12 **Tochigi** *off.* Tochigi-ken, *var.* Totigi. ◈ *prefecture* Honshū, S Japan
165 O11 **Tochio** *var.* Totio. Niigata, Honshū, C Japan
95 I15 **Töcksfors** Värmland, C Sweden
42 J5 **Tocoa** Colón, N Honduras
62 H4 **Tocopilla** Antofagasta, N Chile
62 I4 **Tocorpuri, Cerro de** ▲ Bolivia/Chile
183 O10 **Tocumwal** New South Wales, SE Australia
54 K4 **Tocuyo de La Costa** Falcón, NW Venezuela
152 H13 **Toda Rāisingh** Rājasthān, N India
106 H13 **Todi** Umbria, C Italy
108 G9 **Tödi** ▲ NE Switzerland
171 T12 **Todlo** Papua, E Indonesia
165 S9 **Todoga-saki** *headland* Honshū, C Japan
59 P17 **Todos os Santos, Baía de** *bay* E Brazil
40 F10 **Todos Santos** Baja California Sur, W Mexico
40 B2 **Todos Santos, Bahía de** *bay* NW Mexico
Toeban *see* Tuban
Toekang Besi Eilanden *see* Tukangbesi, Kepulauan
Tōen *see* T'aoyüan
185 D25 **Toetoes Bay** *bay* South Island, NZ
11 Q14 **Tofield** Alberta, SW Canada
10 K17 **Tofino** Vancouver Island, British Columbia, SW Canada
189 X17 **Tofol** Kosrae, E Micronesia
95 J20 **Tofta** Halland, S Sweden
95 H15 **Tofte** Buskerud, S Norway
95 F24 **Toftlund** Sønderjylland, SW Denmark
193 X15 **Tofua** *island* Ha'apai Group, C Tonga
187 Q12 **Toga** *island* Torres Islands, N Vanuatu
80 N13 **Togdheer** *off.* Gobolka Togdheer. ◈ *region* NW Somalia
Toghyzaq *see* Toguzak
164 L11 **Togi** Ishikawa, Honshū, SW Japan
39 N13 **Togiak** Alaska, USA
171 O11 **Togian, Kepulauan** *island group* C Indonesia
77 Q15 **Togo** *off.* Togolese Republic; *prev.* French Togoland. ◆ *republic* W Africa
162 F8 **Tögrög** Govĭ-Altay, SW Mongolia
162 E7 **Tögrög** Hovd, W Mongolia
159 N12 **Togton He** *var.* Tuotuo He. ≈ C China
Togton Heyan *see* Tanggulashan
144 L7 **Toguzak** *Kaz.* Toghyzaq. ≈ Kazakhstan/Russian Federation
37 P10 **Tohatchi** New Mexico, SW USA
191 O7 **Tohiea, Mont** ▲ Moorea, W French Polynesia
93 O17 **Tohmajärvi** Itä-Suomi, E Finland
137 N14 **Tohma Çayı** ≈ C Turkey
93 L16 **Toholampi** Länsi-Suomi, W Finland
162 M10 **Töhöm** Dornogovĭ, SE Mongolia
23 X12 **Tohopekaliga, Lake** ◎ Florida, SE USA
164 M14 **Toi** Shizuoka, Honshū, S Japan
190 B15 **Toi** N Niue
93 L19 **Toijala** Länsi-Suomi, W Finland

◆ COUNTRY ● COUNTRY CAPITAL ◇ DEPENDENT TERRITORY ○ DEPENDENT TERRITORY CAPITAL ◈ ADMINISTRATIVE REGION × INTERNATIONAL AIRPORT ▲ MOUNTAIN ▲ MOUNTAIN RANGE ▲ VOLCANO ≈ RIVER ◎ LAKE ⊠ RESERVOIR

TOIMA – TRANÅS ••• 335

171 P12 **Toima** Sulawesi, N Indonesia
164 D17 **Toi-misaki** *headland* Kyūshū, SW Japan
171 Q17 **Toineke** Timor, S Indonesia
Toirc, Inis *see* Inishturk
35 U6 **Toiyabe Range** ▲ Nevada, W USA
Tojikiston, Jumhurii *see* Tajikistan
147 R12 **Tojikobod** *Rus.* Tadzhikabad. C Tajikistan
164 G12 **Tōjō** Hiroshima, Honshū, SW Japan
39 T10 **Tok** Alaska, USA
164 K13 **Tōkai** Aichi, Honshū, SW Japan
111 N21 **Tokaj** Borsod-Abaúj-Zemplén, NE Hungary
165 N11 **Tōkamachi** Niigata, Honshū, C Japan
185 D25 **Tokanui** Southland, South Island, NZ
80 I7 **Tokar** *var.* Ṭawkar. Red Sea, NE Sudan
136 L12 **Tokat** Tokat, N Turkey
136 L12 **Tokat** ◆ *province* N Turkey
Tokati Gawa *see* Tokachi-gawa
163 X15 **Tŏkchŏk-gundo** *island group* NW South Korea
Tōke *see* Taka Atoll
190 J9 **Tokelau** ◇ *NZ overseas territory* W Polynesia
Tőketerebes *see* Trebišov
Tokhtamyshbek *see* Tŭkhtamish
24 M6 **Tokio** Texas, SW USA
Tokio *see* Tōkyō
189 W11 **Toki Point** *point* NW Wake Island
Tokkuztara *see* Gongliu
147 V7 **Tokmak** *Kir.* Tokmok. Chuyskaya Oblast', N Kyrgyzstan
117 V9 **Tokmak** *var.* Velykyy Tokmak. Zaporiz'ka Oblast', SE Ukraine
Tokmok *see* Tokmak
184 Q8 **Tokomaru Bay** Gisborne, North Island, NZ
165 V3 **Tokoro** Hokkaidō, NE Japan
184 M8 **Tokoroa** Waikato, North Island, NZ
76 K14 **Tokounou** Haute-Guinée, C Guinea
38 M12 **Toksook Bay** Alaska, USA
Toksu *see* Xinhe
Toksum *see* Toksun
158 L6 **Toksun** *var.* Toksum. Xinjiang Uygur Zizhiqu, NW China
147 T8 **Toktogul** Talasskaya Oblast', NW Kyrgyzstan
147 T9 **Toktogul'skoye Vodokhranilishche** ⊠ W Kyrgyzstan
Toktomush *see* Tŭkhtamish
193 Y14 **Toku** *island* Vava'u Group, N Tonga
165 U16 **Tokunoshima** Kagoshima, Tokuno-shima, SW Japan
165 U16 **Tokuno-shima** *island* Nansei-shotō, SW Japan
164 I14 **Tokushima** *var.* Tokusima. Tokushima, Shikoku, SW Japan
164 H14 **Tokushima** *off.* Tokushima-ken, *var.* Tokusima. ◆ *prefecture* Shikoku, SW Japan
Tokusima *see* Tokushima
164 E13 **Tokuyama** Yamaguchi, Honshū, SW Japan
165 N13 **Tōkyō** *var.* Tokio. ● (Japan) Tōkyō, Honshū, S Japan
165 O13 **Tōkyō** *off.* Tōkyō-to. ◆ *capital district* Honshū, S Japan
145 T12 **Tokyrau** ⤳ C Kazakhstan
149 O3 **Tokzār** *Pash.* Tukzār. Sar-e Pol, N Afghanistan
145 X13 **Tokzhaylau** *prev.* Dzerzhinskoye. Almaty, E Kazakhstan
189 U12 **Tol** *atoll* Chuuk Islands, C Micronesia
184 Q9 **Tolaga Bay** Gisborne, North Island, NZ
172 I7 **Tôlañaro** *prev.* Faradofay, Fort-Dauphin. Toliara, SE Madagascar
162 D6 **Tolbo** Bayan-Ölgiy, W Mongolia
Tolbukhin *see* Dobrich
60 G11 **Toledo** Paraná, S Brazil
54 G8 **Toledo** Norte de Santander, N Colombia
105 N9 **Toledo** *anc.* Toletum. Castilla-La Mancha, C Spain
30 M14 **Toledo** Illinois, N USA
29 W13 **Toledo** Iowa, C USA
31 R11 **Toledo** Ohio, N USA
32 F12 **Toledo** Oregon, NW USA
32 G9 **Toledo** Washington, NW USA
42 F3 **Toledo** ◆ *district* S Belize
104 M9 **Toledo** ◆ *province* Castilla-La Mancha, C Spain
25 Y7 **Toledo Bend Reservoir** ⊠ Louisiana/Texas, SW USA
104 M10 **Toledo, Montes de** ▲ C Spain
106 J12 **Tolentino** Marche, C Italy
Toletum *see* Toledo
94 H10 **Tolga** Hedmark, S Norway
158 J3 **Toli** Xinjiang Uygur Zizhiqu, NW China
172 H7 **Toliara** *var.* Toliary; *prev.* Tuléar. Toliara, SW Madagascar
172 H7 **Toliara** ◆ *province* SW Madagascar
Toliary *see* Toliara
54 D11 **Tolima** *off.* Departamento del Tolima. ◆ *province* C Colombia
171 N11 **Tolitoli** Sulawesi, C Indonesia
95 K22 **Tollarp** Skåne, S Sweden
100 N9 **Tollense** ⤳ NE Germany
100 N10 **Tollensesee** ◎ NE Germany
36 K13 **Tolleson** Arizona, SW USA
146 M13 **Tollimarjon** *Rus.* Talimardzhan. Qashqadaryo Viloyati, S Uzbekistan
Tolmein *see* Tolmin
106 J6 **Tolmezzo** Friuli-Venezia Giulia, NE Italy
109 S11 **Tolmin** *Ger.* Tolmein, *It.* Tolmino. W Slovenia
Tolmino *see* Tolmin
111 J25 **Tolna** *Ger.* Tolnau. Tolna, S Hungary
111 I24 **Tolna** *off.* Tolna Megye. ◆ *county* SW Hungary
Tolnau *see* Tolna
79 I20 **Tolo** Bandundu, W Dem. Rep. Congo
Tolochin *see* Talachyn
193 D12 **Toloke** Île Futuna, W Wallis and Futuna
30 M13 **Tolono** Illinois, N USA
105 Q3 **Tolosa** País Vasco, N Spain
Tolosa *see* Toulouse
171 O13 **Tolo, Teluk** *bay* Sulawesi, C Indonesia
39 R9 **Tolovana River** ⤳ Alaska, USA
123 U10 **Tolstoy, Mys** *headland* E Russian Federation
63 G15 **Toltén** Araucanía, C Chile
63 G15 **Toltén, Río** ⤳ S Chile
54 E6 **Tolú** Sucre, NW Colombia
41 O14 **Toluca** *var.* Toluca de Lerdo. México, S Mexico
Toluca de Lerdo *see* Toluca
41 O14 **Toluca, Nevado de** ▲ C Mexico
127 R6 **Tol'yatti** *prev.* Stavropol'. Samarskaya Oblast', W Russian Federation
77 O12 **Toma** NW Burkina
30 K7 **Tomah** Wisconsin, N USA
30 L5 **Tomahawk** Wisconsin, N USA
117 T8 **Tomakivka** Dnipropetrovs'ka Oblast', E Ukraine
165 S4 **Tomakomai** Hokkaidō, NE Japan
165 S2 **Tomamae** Hokkaidō, NE Japan
104 G9 **Tomar** Santarém, W Portugal
123 T13 **Tomari** Ostrov Sakhalin, Sakhalinskaya Oblast', SE Russian Federation
115 C16 **Tómaros** ▲ W Greece
Tomaschow *see* Tomaszów Lubelski, Poland
Tomaschow *see* Tomaszów Mazowiecki, Poland
61 E16 **Tomás Gomensoro** Artigas, N Uruguay
117 N7 **Tomashpil'** Vinnyts'ka Oblast', C Ukraine
Tomaszów *see* Tomaszów Mazowiecki
111 P15 **Tomaszów Lubelski** *Ger.* Tomaschow. Lubelskie, E Poland
Tomaszów Mazowiecka *see* Tomaszów Mazowiecki
110 L13 **Tomaszów Mazowiecki** *var.* Tomaszów Mazowiecka; *prev.* Tomaszów, *Ger.* Tomaschow. Łodzkie, C Poland
40 J13 **Tomatlán** Jalisco, C Mexico
81 F15 **Tombe** Jonglei, S Sudan
23 N4 **Tombigbee River** ⤳ Alabama/Mississippi, S USA
82 A10 **Tomboco** Zaire, NW Angola
77 O10 **Tombouctou** *Eng.* Timbuktu. Tombouctou, N Mali
77 N9 **Tombouctou** ◆ *region* W Mali
37 N16 **Tombstone** Arizona, SW USA
83 A15 **Tombua** *Port.* Porto Alexandre. Namibe, SW Angola
83 J19 **Tom Burke** Limpopo, NE South Africa
146 L9 **Tomdibuloq** *Rus.* Tamdybulak. Navoiy Viloyati, N Uzbekistan
146 L9 **Tomditov-Togʻlari** ▲ N Uzbekistan
62 G13 **Tomé** Bío Bío, C Chile
58 I12 **Tomé-Açu** Pará, NE Brazil
95 L23 **Tomelilla** Skåne, S Sweden
105 O10 **Tomelloso** Castilla-La Mancha, C Spain
14 H10 **Tomiko Lake** ◎ Ontario, S Canada
77 N12 **Tominian** Ségou, C Mali
171 N12 **Tomini, Gulf of** *var.* Teluk Tomini; *prev.* Teluk Gorontalo. *bay* Sulawesi, C Indonesia
Tomini, Teluk *see* Tomini, Gulf of
165 Q11 **Tomioka** Fukushima, Honshū, C Japan
113 G14 **Tomislavgrad** Federacija Bosna I Hercegovina, SW Bosnia and Herzegovina
181 O9 **Tomkinson Ranges** ▲ South Australia/Western Australia
123 Q11 **Tommot** Respublika Sakha (Yakutiya), NE Russian Federation
171 Q11 **Tomohon** Sulawesi, N Indonesia
54 K9 **Tomo, Río** ⤳ E Colombia
113 L21 **Tomorrit, Mali i** ▲ S Albania
11 S17 **Tompkins** Saskatchewan, S Canada
20 K8 **Tompkinsville** Kentucky, S USA
171 N11 **Tompo** Sulawesi, N Indonesia
180 I8 **Tom Price** Western Australia
122 J12 **Tomsk** Tomskaya Oblast', C Russian Federation
122 I11 **Tomskaya Oblast'** ◆ *province* C Russian Federation
18 K16 **Toms River** New Jersey, NE USA
Tom Steed Lake *see* Tom Steed Reservoir
26 L12 **Tom Steed Reservoir** *var.* Tom Steed Lake. ⊠ Oklahoma, C USA
171 U13 **Tomu** Papua, E Indonesia
158 H6 **Tomür Feng** *var.* Pobeda Peak, *Rus.* Pik Pobedy. ▲ China/Kyrgyzstan *see also* Pobedy, Pik
189 N13 **Tomworoahlang** Pohnpei, E Micronesia
41 U17 **Tonalá** Chiapas, SE Mexico
106 F6 **Tonale, Passo del** *pass* N Italy
164 I11 **Tonami** Toyama, Honshū, SW Japan
58 C12 **Tonantins** Amazonas, W Brazil
32 K6 **Tonasket** Washington, NW USA
55 Y9 **Tonate** *var.* Macouria. N French Guiana
18 D10 **Tonawanda** New York, NE USA
171 Q11 **Tondano** Sulawesi, C Indonesia
104 H7 **Tondela** Viseu, N Portugal
95 F24 **Tønder** *Ger.* Tondern. Sønderjylland, SW Denmark
Tondern *see* Tønder
143 N4 **Tonekābon** *var.* Shahsawar, Tonkābon; *prev.* Shahsavār. Māzandarān, N Iran
Tonezh *see* Tonyezh
193 Y14 **Tonga** *off.* Kingdom of Tonga, *var.* Friendly Islands. ◆ *monarchy* SW Pacific Ocean
83 K23 **Tongaat** KwaZulu/Natal, E South Africa
161 Q13 **Tong'an** *var.* Datong, Tong an. Fujian, SE China
27 Q4 **Tonganoxie** Kansas, C USA
39 Y13 **Tongass National Forest** *reserve* Alaska, USA
193 Y16 **Tongatapu** ✕ Tongatapu, S Tonga
193 Y16 **Tongatapu** *island* Tongatapu Group, S Tonga
193 Y16 **Tongatapu Group** *island group* S Tonga
192 L9 **Tonga Trench** *undersea feature* S Pacific Ocean
161 N8 **Tongbai Shan** ▲ C China
161 P8 **Tongcheng** Anhui, E China
160 L6 **Tongchuan** Shaanxi, C China
160 L12 **Tongdao** *var.* Tongdao Dongzu Zizhixian; *prev.* Shuangjiang. Hunan, S China
159 T11 **Tongde** *var.* Gabasumdo. Qinghai, C China
99 K19 **Tongeren** *Fr.* Tongres. Limburg, NE Belgium
163 Y14 **Tonghae** NE South Korea
160 G13 **Tonghai** *var.* Xiushan. Yunnan, SW China
163 X8 **Tonghe** Heilongjiang, NE China
163 W11 **Tonghua** Jilin, NE China
163 Z6 **Tongjiang** Heilongjiang, NE China
163 Y13 **Tongjosŏn-man** *prev.* Broughton Bay. *bay* E North Korea
163 V7 **Tongken He** ⤳ NE China
167 T7 **Tongking, Gulf of** *Chin.* Beibu Wan, *Vtn.* Vinh Bắc Bộ. *gulf* China/Vietnam
163 U10 **Tongliao** Nei Mongol Zizhiqu, N China
161 Q9 **Tongling** Anhui, E China
161 R9 **Tonglu** Zhejiang, SE China
187 R14 **Tongoa** *island* Shepherd Islands, S Vanuatu
62 G9 **Tongoy** Coquimbo, C Chile
160 L11 **Tongren** Guizhou, S China
159 T11 **Tongren** *var.* Rongwo. Qinghai, C China
Tongres *see* Tongeren
153 U11 **Tongsa** *var.* Tongsa Dzong. C Bhutan
Tongsa Dzong *see* Tongsa
Tongshan *see* Xuzhou
Tongshi *see* Wuzhishan
159 P12 **Tongtian He** ⤳ C China
96 I6 **Tongue** N Scotland, UK
44 H3 **Tongue of the Ocean** *strait* C Bahamas
33 X10 **Tongue River** ⤳ Montana, NW USA
33 W11 **Tongue River Reservoir** ⊠ Montana, NW USA
159 V11 **Tongwei** Gansu, C China
159 W9 **Tongxin** Ningxia, N China
163 U9 **Tongyu** *var.* Kaitong. Jilin, NE China
160 J11 **Tongzi** Guizhou, S China
40 G5 **Tónichi** Sonora, NW Mexico
81 D14 **Tonj** Warab, SW Sudan
152 H13 **Tonk** Rājasthān, N India
Tonkābon *see* Tonekābon
27 N8 **Tonkawa** Oklahoma, C USA
167 Q12 **Tônlé Sap** *Eng.* Great Lake. ◎ W Cambodia
102 L14 **Tonneins** Lot-et-Garonne, SW France
103 Q7 **Tonnerre** Yonne, C France
Tonoas *see* Dublon
35 U8 **Tonopah** Nevada, W USA
164 H13 **Tonoshō** Okayama, Shōdo-shima, SW Japan
43 S17 **Tonosí** Los Santos, S Panama
95 H16 **Tønsberg** Vestfold, S Norway
39 T11 **Tonsina** Alaska, USA
95 D17 **Tonstad** Vest-Agder, S Norway
193 X15 **Tonumea** *island* Nomuka Group, W Tonga
137 O11 **Tonya** Trabzon, NE Turkey
119 K20 **Tonyezh** *Rus.* Tonezh. Homyel'skaya Voblasts', SE Belarus
36 L3 **Tooele** Utah, W USA
122 L13 **Toora-Khem** Respublika Tyva, S Russian Federation
183 O5 **Toorale East** New South Wales, SE Australia
83 H25 **Toorberg** ▲ S South Africa
118 G5 **Tootsi** Pärnumaa, SW Estonia
183 U3 **Toowoomba** Queensland, E Australia
27 Q4 **Topeka** *state capital* Kansas, C USA
111 M18 **Topla** *Hung.* Toplya. ⤳ NE Slovakia
122 J12 **Topki** Kemerovskaya Oblast', S Russian Federation
Toplicza *see* Toplița
116 J10 **Toplița** *Ger.* Töplitz, *Hung.* Marosheviz; *prev.* Toplița Română, *Hung.* Oláh-Toplicza, Toplicza. Harghita, C Romania
Toplița Română/Töplitz *see* Toplița
Toplya *see* Topla
111 I20 **Topoľčany** *Hung.* Nagytapolcsány. Nitriansky Kraj, SW Slovakia
40 G8 **Topolobampo** Sinaloa, C Mexico
116 I13 **Topoloveni** Argeș, S Romania
114 L11 **Topolovgrad** *prev.* Kavakli. Khaskovo, S Bulgaria
Topolya *see* Bačka Topola
126 I6 **Topozero, Ozero** ◎ NW Russian Federation
32 J10 **Toppenish** Washington, NW USA
181 P4 **Top Springs Roadhouse** Northern Territory, N Australia
189 U11 **Tora** *island* Chuuk, C Micronesia
Toraigh *see* Tory Island
189 U11 **Tora Island Pass** *passage* Chuuk Islands, C Micronesia
143 U5 **Torbat-e Ḩeydarīyeh** *var.* Turbat-i-Haidari. Khorāsān, NE Iran
143 V5 **Torbat-e Jām** *var.* Turbat-i-Jam. Khorāsān, NE Iran
39 Q11 **Torbert, Mount** ▲ Alaska, USA
31 P6 **Torch Lake** ◎ Michigan, N USA
Törcsvár *see* Bran
Torda *see* Turda
104 L6 **Tordesillas** Castilla-León, N Spain
92 K13 **Töre** Norrbotten, N Sweden
95 L17 **Töreboda** Västra Götaland, S Sweden
95 J21 **Torekov** Skåne, S Sweden
92 O3 **Torell Land** *physical region* SW Svalbard
117 Y8 **Torez** Donets'ka Oblast', SE Ukraine
101 N14 **Torgau** Sachsen, E Germany
Torgay Üstirti *see* Turgayskaya Stolovaya Strana
Torghay *see* Turgay
95 N22 **Torhamn** Blekinge, S Sweden
99 C17 **Torhout** West-Vlaanderen, W Belgium
106 B8 **Torino** *Eng.* Turin. Piemonte, NW Italy
165 U15 **Tori-shima** *island* Izu-shotō, SE Japan
81 F16 **Torit** Eastern Equatoria, S Sudan
186 H6 **Toriu** New Britain, E PNG
148 M4 **Torkestān, Selseleh-ye Band-e** *var.* Bandi-i Turkistan. ▲ NW Afghanistan
104 L7 **Tormes** ⤳ W Spain
Tornacum *see* Tournai
Torneå *see* Tornio
92 K12 **Torneälven** *var.*Tornionjoki, *Fin.* Tornionjoki. ⤳ Finland/Sweden
92 I11 **Torneträsk** ◎ N Sweden
13 O4 **Torngat Mountains** ▲ Newfoundland and Labrador, NE Canada
24 H8 **Tornillo** Texas, SW USA
92 K13 **Tornio** *Swe.* Torneå. Lappi, NW Finland
Torniojoki/Tornionjoki *see* Torneälven
61 B23 **Tornquist** Buenos Aires, E Argentina
104 L6 **Toro** Castilla-León, N Spain
62 H9 **Toro, Cerro del** ▲ N Chile
77 R12 **Torodi** Tillabéri, SW Niger
Törökbecse *see* Novi Bečej
186 J7 **Torokina** Bougainville Island, NE PNG
111 L23 **Törökszentmiklós** Jász-Nagykun-Szolnok, E Hungary
42 G7 **Torola, Río** ⤳ El Salvador/Honduras
Toronaíos, Kólpos *see* Kassándras, Kólpos
14 H15 **Toronto** Ontario, S Canada
31 V12 **Toronto** Ohio, N USA
Toronto *see* Lester B.Pearson
27 P6 **Toronto Lake** ⊠ Kansas, C USA
35 V16 **Toro Peak** ▲ California, W USA
124 H16 **Toropets** Tverskaya Oblast', W Russian Federation
81 G18 **Tororo** E Uganda
136 H16 **Toros Dağları** *Eng.* Taurus Mountains. ▲ S Turkey
183 N13 **Torquay** Victoria, SE Australia
97 J24 **Torquay** SW England, UK
104 M5 **Torquemada** Castilla-León, N Spain
35 S16 **Torrance** California, W USA
104 G12 **Torrão** Setúbal, S Portugal
104 H8 **Torre, Alto da** ▲ C Portugal
107 K18 **Torre Annunziata** Campania, S Italy
105 T8 **Torreblanca** País Valenciano, E Spain
104 L15 **Torrecilla** ▲ S Spain
105 P4 **Torrecilla en Cameros** La Rioja, N Spain
105 N13 **Torredelcampo** Andalucía, S Spain
107 K17 **Torre del Greco** Campania, S Italy
104 I6 **Torre de Moncorvo** *var.* Moncorvo, Tôrre de Moncorvo. Bragança, N Portugal
104 J9 **Torrejoncillo** Extremadura, W Spain
105 O8 **Torrejón de Ardoz** Madrid, C Spain
105 N7 **Torrelaguna** Madrid, C Spain
105 N2 **Torrelavega** Cantabria, N Spain
107 M16 **Torremaggiore** Puglia, SE Italy
104 M15 **Torremolinos** Andalucía, S Spain
182 I6 **Torrens, Lake** *salt lake* South Australia
105 S10 **Torrent** *Cas.* Torrente *var.* Torrent de l'Horta. País Valenciano, E Spain
Torrent de l'Horta/Torrente *see* Torrent
40 L8 **Torreón** Coahuila de Zaragoza, NE Mexico
105 R13 **Torre Pacheco** Murcia, SE Spain
106 A8 **Torre Pellice** Piemonte, NE Italy
105 O13 **Torreperogil** Andalucía, S Spain
61 J15 **Torres** Rio Grande do Sul, S Brazil
Torrès, Îles *see* Torres Islands
187 Q11 **Torres Islands** *Fr.* Îles Torrès. *island group* N Vanuatu
104 G9 **Torres Novas** Santarém, C Portugal
181 V1 **Torres Strait** *strait* Australia/PNG
104 F10 **Torres Vedras** Lisboa, C Portugal
105 S13 **Torrevieja** País Valenciano, E Spain
186 B6 **Torricelli Mountains** ▲ NW PNG
96 G8 **Torridon, Loch** *inlet* NW Scotland, UK
106 D9 **Torriglia** Liguria, NW Italy
104 M9 **Torrijos** Castilla-La Mancha, C Spain
18 L12 **Torrington** Connecticut, NE USA
33 Z15 **Torrington** Wyoming, C USA
94 P16 **Torröjen** *see* Torrön
Torrön *prev.* Torröjen. ◎ C Sweden
105 N15 **Torrox** Andalucía, S Spain
94 N13 **Torsåker** Gävleborg, C Sweden
95 N21 **Torsås** Kalmar, S Sweden
95 J14 **Torsby** Värmland, C Sweden
95 N16 **Torshälla** Södermanland, C Sweden
95 B19 **Tórshavn** *Dan.* Thorshavn *Dependent territory capital* Faeroe Islands
Torshiz *see* Kāshmar
146 I9 **To'rtko'l** *Rus.* Turtkul'; *prev.* Petroaleksandrovsk. Qoraqalpog'iston Respublikasi, W Uzbekistan
45 T9 **Tortola** *island* C British Virgin Islands
106 D9 **Tortona** *anc.* Dertona. Piemonte, NW Italy
107 L23 **Tortorici** Sicilia, Italy, C Mediterranean Sea
105 U7 **Tortosa** *anc.* Dertosa. Cataluña, E Spain
Tortosa *see* Ţarţūs
105 U7 **Tortosa, Cap** *headland* E Spain
44 L8 **Tortue, Île de la** *var.* Tortuga Island. *island* N Haiti
55 Y10 **Tortue, Montagne** ▲ C French Guiana
Tortuga, Isla *see* La Tortuga, Isla
Tortuga Island *see* Tortue, Île de la
54 C11 **Tortugas Golfo** *gulf* W Colombia
45 T5 **Tortuguero, Laguna** *lagoon* N Puerto Rico
137 Q12 **Tortum** Erzurum, NE Turkey
Torugart, Pereval *see* Turugart Shankou
137 O12 **Torul** Gümüşhane, NE Turkey
110 J10 **Toruń** *Ger.* Thorn. Toruń, Kujawsko-pomorskie, C Poland
95 K20 **Torup** Halland, S Sweden
118 I6 **Tõrva** *Ger.* Törwa. Valgamaa, S Estonia
Törwa *see* Tõrva
96 D13 **Tory Island** *Ir.* Toraigh. *island* NW Ireland
111 N19 **Torysa** *Hung.* Tarca. ⤳ NE Slovakia
Törzburg *see* Bran
124 J16 **Torzhok** Tverskaya Oblast', W Russian Federation
164 F15 **Tosa-Shimizu** *var.* Tosasimizu. Kōchi, Shikoku, SW Japan
Tosasimizu *see* Tosa-Shimizu
164 G15 **Tosa-wan** *bay* SW Japan
83 H21 **Tosca** North-West, N South Africa
106 F12 **Toscana** *Eng.* Tuscany. ◆ *region* C Italy
107 E14 **Toscano, Archipelago** *Eng.* Tuscan Archipelago. *island group* C Italy
106 G10 **Tosco-Emiliano, Appennino** *Eng.* Tuscan-Emilian Mountains. ▲ C Italy
Tosen *see* Tungsih
165 N15 **To-shima** *island* Izu-shotō, SE Japan
147 Q9 **Toshkent** *Eng./Rus.* Tashkent. ● (Uzbekistan) Toshkent Viloyati, E Uzbekistan
147 Q9 **Toshkent** ✕ Toshkent Viloyati, E Uzbekistan
147 P9 **Toshkent Viloyati** *Rus.* Tashkentskaya Oblast'. ◆ *province* E Uzbekistan
124 H13 **Tosno** Leningradskaya Oblast', NW Russian Federation
159 Q10 **Toson Hu** ◎ C China
162 H6 **Tosontsengel** Dzavhan, NW Mongolia
146 I8 **Tosquduq Qumlari** *Rus.* Peski Taskuduk. *desert* W Uzbekistan
105 U4 **Tossal de l'Orri** *var.* Llorri. ▲ NE Spain
61 A15 **Tostado** Santa Fe, C Argentina
118 F6 **Tõstamaa** *Ger.* Testama. Pärnumaa, SW Estonia
100 I10 **Tostedt** Niedersachsen, NW Germany
136 J11 **Tosya** Kastamonu, N Turkey
95 F15 **Totak** ◎ S Norway
105 R13 **Totana** Murcia, SE Spain
94 H13 **Toten** *physical region* S Norway
83 G18 **Toteng** Ngamiland, C Botswana
102 M3 **Tôtes** Seine-Maritime, N France
Totigi *see* Tochigi
Totio *see* Tochio
Totis *see* Tata
189 U13 **Totiw** *island* Chuuk, C Micronesia
125 N13 **Tot'ma** *var.* Totma. Vologodskaya Oblast', NW Russian Federation
Tot'ma *see* Sukhona
55 V9 **Totness** Coronie, N Suriname
42 C5 **Totonicapán** Totonicapán, W Guatemala
42 A2 **Totonicapán** *off.* Departamento de Totonicapán. ◆ *department* W Guatemala
61 B18 **Totoras** Santa Fe, C Argentina
187 Y15 **Totoya** *island* S Fiji
183 Q7 **Tottenham** New South Wales, SE Australia
164 I12 **Tottori** Tottori, Honshū, SW Japan
164 H12 **Tottori** *off.* Tottori-ken. ◆ *prefecture* Honshū, SW Japan
76 I6 **Touâjil** Tiris Zemmour, N Mauritania
76 L15 **Touba** W Ivory Coast
76 G11 **Touba** W Senegal
74 E7 **Toubkal, Jbel** ▲ W Morocco
32 K10 **Touchet** Washington, NW USA
103 P7 **Toucy** Yonne, C France
77 O12 **Tougan** W Burkina
74 L7 **Touggourt** NE Algeria
77 Q12 **Tougouri** N Burkina
76 J13 **Tougué** Moyenne-Guinée, NW Guinea
76 K12 **Toukoto** Kayes, W Mali
103 S5 **Toul** Meurthe-et-Moselle, NE France
76 L16 **Toulépleu** *var.* Toulobli. W Ivory Coast
161 S14 **Touliu** C Taiwan
15 U3 **Toulnustouc** ⤳ Québec, SE Canada
Toulobli *see* Toulépleu
103 T16 **Toulon** *anc.* Telo Martius, Tilio Martius. Var, SE France
30 K12 **Toulon** Illinois, N USA
102 M15 **Toulouse** *anc.* Tolosa. Haute-Garonne, S France
102 M15 **Toulouse** ✕ Haute-Garonne, S France
77 N16 **Toumodi** C Ivory Coast
74 G9 **Tounassine, Hamada** *hill range* W Algeria
166 M7 **Toungoo** Pegu, C Myanmar
102 L8 **Touraine** *cultural region* C France
Tourane *see* Đa Nâng
103 P1 **Tourcoing** Nord, N France
104 F2 **Touriñán, Cabo** *headland* NW Spain
76 J6 **Tourine** Tiris Zemmour, N Mauritania
102 J3 **Tourlaville** Manche, N France
99 D19 **Tournai** *var.* Tournay, *Dut.* Doornik; *anc.* Tornacum. Hainaut, SW Belgium
102 L16 **Tournay** Hautes-Pyrénées, S France
Tournay *see* Tournai
103 R12 **Tournon** Ardèche, E France
103 R9 **Tournus** Saône-et-Loire, C France
59 Q14 **Touros** Rio Grande do Norte, E Brazil
102 L8 **Tours** *anc.* Caesarodunum, Turoni. Indre-et-Loire, C France
183 Q17 **Tourville, Cape** *headland* Tasmania, SE Australia
162 L8 **Töv** ◆ *province* C Mongolia
54 H7 **Tovar** Mérida, NW Venezuela
126 L5 **Tovarkovskiy** Tul'skaya Oblast', W Russian Federation
Tovil'-Dora *see* Tavildara
Tövis *see* Teiuș
137 V11 **Tovuz** *Rus.* Tauz. W Azerbaijan
165 R7 **Towada** Aomori, Honshū, C Japan
184 K3 **Towai** Northland, North Island, NZ
18 H12 **Towanda** Pennsylvania, NE USA
29 W4 **Tower** Minnesota, N USA
171 N12 **Towera** Sulawesi, N Indonesia
Tower Island *see* Genovesa, Isla
180 M13 **Tower Peak** ▲ Western Australia
35 U11 **Towne Pass** *pass* California, W USA
29 N3 **Towner** North Dakota, N USA
33 R10 **Townsend** Montana, NW USA
181 X6 **Townsville** Queensland, NE Australia
Towoeti Meer *see* Towuti, Danau
148 K4 **Towraghoudī** Herāt, NW Afghanistan
21 X3 **Towson** Maryland, NE USA
171 O13 **Towuti, Danau** *Dut.* Towoeti Meer. ◎ Sulawesi, C Indonesia
Toxkan He *see* Ak-say
24 K9 **Toyah** Texas, SW USA
165 R4 **Tōya-ko** ◎ Hokkaidō, NE Japan
164 L11 **Toyama** Toyama, Honshū, SW Japan
164 L11 **Toyama** *off.* Toyama-ken. ◆ *prefecture* Honshū, SW Japan
164 L11 **Toyama-wan** *bay* W Japan
164 H15 **Tōyo** Kōchi, Shikoku, SW Japan
Toyohara *see* Yuzhno-Sakhalinsk
164 L14 **Toyohashi** *var.* Toyohasi. Aichi, Honshū, SW Japan
Toyohasi *see* Toyohashi
164 L14 **Toyokawa** Aichi, Honshū, SW Japan
164 I14 **Toyooka** Hyōgo, Honshū, SW Japan
164 L13 **Toyota** Aichi, Honshū, SW Japan
165 T1 **Toyotomi** Hokkaidō, NE Japan
Toytepa *see* To'ytepa
147 Q10 **To'ytepa** *Rus.* Toytepa. Toshkent Viloyati, E Uzbekistan
74 M6 **Tozeur** *var.* Tawzar. W Tunisia
39 Q8 **Tozi, Mount** ▲ Alaska, USA
137 Q9 **Tqvarch'eli** *Rus.* Tkvarcheli. NW Georgia
Trâblous *see* Tripoli
137 O11 **Trabzon** *Eng.* Trebizond; *anc.* Trapezus. Trabzon, NE Turkey
137 O11 **Trabzon** *Eng.* Trebizond. ◆ *province* NE Turkey
13 P13 **Tracadie** New Brunswick, SE Canada
Trachenberg *see* Żmigród
15 O11 **Tracy** Québec, SE Canada
35 O8 **Tracy** California, W USA
29 S10 **Tracy** Minnesota, N USA
20 K10 **Tracy City** Tennessee, S USA
106 D7 **Tradate** Lombardia, N Italy
29 W13 **Traer** Iowa, C USA
104 J16 **Trafalgar, Cabo de** *headland* SW Spain
Traiectum ad Mosam/Traiectum Tungorum *see* Maastricht
Tráigh Mhór *see* Tramore
11 O17 **Trail** British Columbia, SW Canada
58 B11 **Traíra, Serra do** ▲ NW Brazil
109 V5 **Traisen** Niederösterreich, NE Austria
109 W4 **Traisen** ⤳ NE Austria
109 X4 **Traiskirchen** Niederösterreich, NE Austria
Trajani Portus *see* Civitavecchia
Trajectum ad Rhenum *see* Utrecht
119 H14 **Trakai** *Ger.* Traken, *Pol.* Troki. Vilnius, SE Lithuania
Traken *see* Trakai
97 B20 **Tralee** *Ir.* Trá Lí. SW Ireland
97 A20 **Tralee Bay** *Ir.* Bá Thrá Lí. *bay* SW Ireland
Trá Lí *see* Tralee
Trälleborg *see* Trelleborg
Tralles *see* Aydın
61 J16 **Tramandaí** Rio Grande do Sul, S Brazil
108 C7 **Tramelan** Bern, W Switzerland
Trá Mhór *see* Tramore
97 E20 **Tramore** *Ir.* Tráigh Mhór, Trá Mhór. SE Ireland
95 L18 **Tranås** Jönköping, S Sweden

◆ Country
● Country Capital
◇ Dependent Territory
○ Dependent Territory Capital
◆ Administrative Region
✕ International Airport
▲ Mountain
▲ Mountain Range
▲ Volcano
⤳ River
◎ Lake
⊠ Reservoir

336 ••• Trancas – Tucupita

62 J7 **Trancas** Tucumán, N Argentina
104 I7 **Trancoso** Guarda, N Portugal
95 H22 **Tranebjerg** Århus, C Denmark
95 K19 **Tranemo** Västra Götaland, S Sweden
167 N16 **Trang** Trang, S Thailand
171 V15 **Trangan, Pulau** *island* Kepulauan Aru, E Indonesia
Trâng Dinh *see* Thât Khê
183 Q7 **Trangie** New South Wales, SE Australia
94 K12 **Trängslet** Dalarna, C Sweden
107 N16 **Trani** Puglia, SE Italy
61 F17 **Tranqueras** Rivera, NE Uruguay
63 G17 **Tranqui, Isla** *island* S Chile
39 V6 **Trans-Alaska pipeline** *oil pipeline* Alaska, USA
195 Q10 **Transantarctic Mountains** ▲ Antarctica
Transcarpathian Oblast *see* Zakarpats'ka Oblast'
Transilvania *see* Transylvania
Transilvaniei, Alpi *see* Carpaţii Meridionali
Transjordan *see* Jordan
172 L11 **Transkei Basin** *undersea feature* SW Indian Ocean
117 O10 **Transnistria** *cultural region* E Moldova
122 E9 **Trans-Siberian Railway** *Railroad* Russian Federation
Transsylvanische Alpen/Transylvanian Alps *see* Carpaţii Meridionali
94 K12 **Transtrand** Dalarna, C Sweden
116 G10 **Transylvania** *Eng.* Ardeal, Transilvania, *Ger.* Siebenbürgen, *Hung.* Erdély. *cultural region* NW Romania
167 S14 **Tra Ôn** Vinh Long, S Vietnam
107 H23 **Trapani** *anc.* Drepanum. Sicilia, Italy, C Mediterranean Sea
167 S12 **Trâpeăng Vêng** Kâmpóng Thum, C Cambodia
Trapezus *see* Trabzon
114 L9 **Trapoklovo** Sliven, C Bulgaria
183 P13 **Traralgon** Victoria, SE Australia
76 H9 **Trarza** ◆ *region* SW Mauritania
Trasimenischersee *see* Trasimeno, Lago
106 H12 **Trasimeno, Lago** *Eng.* Lake of Perugia, *Ger.* Trasimenischersee. ◎ C Italy
95 J20 **Träslövsläge** Halland, S Sweden
Trás-os-Montes *see* Cucumbi
104 I6 **Trás-os-Montes e Alto Douro** *former province* N Portugal
167 Q12 **Trat** *var.* Bang Phra. Trat, S Thailand
Trá Tholl, Inis *see* Inishtrahull
Traù *see* Trogir
109 T4 **Traun** Oberösterreich, N Austria
109 S5 **Traun** ↝ N Austria
Traun, Lake *see* Traunsee
101 N23 **Traunreut** Bayern, SE Germany
109 S5 **Traunsee** *var.* Gmundner See, *Eng.* Lake Traun. ◎ N Austria
Trautenau *see* Trutnov
21 P11 **Travelers Rest** South Carolina, SE USA
182 L8 **Travellers Lake** *seasonal lake* New South Wales, SE Australia
31 P6 **Traverse City** Michigan, N USA
29 R7 **Traverse, Lake** ◎ Minnesota/South Dakota, N USA
185 I16 **Travers, Mount** ▲ South Island, NZ
11 P17 **Travers Reservoir** ⊠ Alberta, SW Canada
167 T14 **Tra Vinh** *var.* Phu Vinh. Tra Vinh, S Vietnam
25 S10 **Travis, Lake** ⊠ Texas, SW USA
112 H12 **Travnik** Federacija Bosna I Hercegovina, C Bosnia and Herzegovina
109 V11 **Trbovlje** *Ger.* Trifail. C Slovenia
23 V13 **Treasure Island** Florida, SE USA
Treasure State *see* Montana
186 I8 **Treasury Islands** *island group* NW Solomon Islands
106 D9 **Trebbia** *anc.* Trebia. ↝ NW Italy
100 N8 **Trebel** ↝ NE Germany
103 O16 **Trèbes** Aude, S France
Trebia *see* Trebbia
111 F18 **Třebíč** *Ger.* Trebitsch. Vysočina, S Czech Republic
113 I16 **Trebinje** Republika Srpska, S Bosnia and Herzegovina
111 N20 **Trebišov** *Hung.* Tőketerebes. Košický Kraj, E Slovakia
Trebitsch *see* Třebíč
Trebizond *see* Trabzon
ZaporizhzhyaŚląskie, S Poland
Trebišnica *see* Trebišnjica
113 H16 **Trebišnjica** *var.* Trebišnica. ↝ S Bosnia and Herzegovina
111 N20 **Trebišov** *Hung.* Tőketerebes. Košický Kraj, E Slovakia
Trebitsch *see* Třebíč
Trebizond *see* Trabzon
Trebnitz *see* Trzebnica
109 V12 **Trebnje** SE Slovenia
111 D19 **Třeboň** *Ger.* Wittingau. Jihočeský Kraj, S Czech Republic
104 J15 **Trebujena** Andalucía, S Spain
100 I7 **Treene** ↝ N Germany
Tree Planters State *see* Nebraska
109 S9 **Treffen** Kärnten, S Austria
Trefynwy *see* Monmouth
102 G5 **Tréguier** Côtes d'Armor, NW France
61 G18 **Treinta y Tres** Treinta y Tres, E Uruguay
61 F18 **Treinta y Tres** ◆ *department* E Uruguay
122 F11 **Trëkhgornyy** Chelyabinskaya, C Russian Federation
114 F9 **Treklyanska Reka** ↝ W Bulgaria
102 K8 **Trélazé** Maine-et-Loire, NW France
63 K17 **Trelew** Chubut, SE Argentina
95 K23 **Trelleborg** *var.* Trälleborg. Skåne, S Sweden
113 P15 **Trem** ▲ SE Serbia and Montenegro (Yugo.)
15 N11 **Tremblant, Mont** ▲ Québec, SE Canada
99 H17 **Tremelo** Vlaams Brabant, C Belgium
107 M15 **Tremiti, Isole** *island group* SE Italy
30 K12 **Tremont** Illinois, N USA
36 L1 **Tremonton** Utah, W USA
105 U4 **Tremp** Cataluña, NE Spain
30 J7 **Trempealeau** Wisconsin, N USA
15 P8 **Trenche** ↝ Québec, SE Canada
15 O7 **Trenche, Lac** ◎ Québec, SE Canada
111 I20 **Trenčiansky Kraj** ◆ *region* W Slovakia
111 I19 **Trenčín** *Ger.* Trentschin, *Hung.* Trencsén. Trenčiansky Kraj, W Slovakia
Trencsén *see* Trenčín
Trengganu *see* Terengganu
61 A21 **Trenque Lauquen** Buenos Aires, E Argentina
14 J14 **Trent** ↝ Ontario, SE Canada
97 N18 **Trent** ↝ C England, UK
Trent *see* Trento
106 F5 **Trentino-Alto Adige** *prev.* Venezia Tridentina. ◆ *region* N Italy
106 G6 **Trento** *Eng.* Trent, *Ger.* Trient; *anc.* Tridentum. Trentino-Alto Adige, N Italy
14 J15 **Trenton** Ontario, SE Canada
23 V10 **Trenton** Florida, SE USA
23 R1 **Trenton** Georgia, SE USA
31 S10 **Trenton** Michigan, N USA
27 S2 **Trenton** Missouri, C USA
28 M17 **Trenton** Nebraska, C USA
18 J15 **Trenton** *state capital* New Jersey, NE USA
21 W10 **Trenton** North Carolina, SE USA
20 G9 **Trenton** Tennessee, S USA
36 L1 **Trenton** Utah, W USA
Trentschin *see* Trenčín
Treptow an der Rega *see* Trzebiatów
61 C23 **Tres Arroyos** Buenos Aires, E Argentina
61 J15 **Três Cachoeiras** Rio Grande do Sul, S Brazil
106 E7 **Trescore Balneario** Lombardia, N Italy
41 V17 **Tres Cruces, Cerro** ▲ SE Mexico
57 K18 **Tres Cruces, Cordillera** ▲ W Bolivia
113 N18 **Treska** ↝ NW FYR Macedonia
113 I14 **Treskavica** ▲ SE Bosnia and Herzegovina
59 J20 **Três Lagoas** Mato Grosso do Sul, SW Brazil
40 H12 **Tres Marías, Islas** *island group* C Mexico
59 M19 **Três Marias, Represa** ⊠ SE Brazil
63 F20 **Tres Montes, Península** *headland* S Chile
105 O3 **Trespaderne** Castilla-León, N Spain
60 G13 **Três Passos** Rio Grande do Sul, S Brazil
61 A23 **Tres Picos, Cerro** ▲ E Argentina
63 G17 **Tres Picos, Cerro** ▲ SW Argentina
60 I12 **Três Pinheiros** Paraná, S Brazil
59 M21 **Três Pontas** Minas Gerais, SE Brazil
Tres Puntas, Cabo *see* Manabique, Punta
60 P9 **Três Rios** Rio de Janeiro, SE Brazil
Tres Tabernae *see* Saverne
Trestenberg/Trestendorf *see* Tăşnad
41 R15 **Tres Valles** Veracruz-Llave, SE Mexico
94 H12 **Tretten** Oppland, S Norway
Treuburg *see* Olecko
101 K21 **Treuchtlingen** Bayern, S Germany
100 N13 **Treuenbrietzen** Brandenburg, E Germany
95 F16 **Treungen** Telemark, S Norway
63 H17 **Trevelín** Chubut, SW Argentina
Treves/Trèves *see* Trier
106 I13 **Trevi** Umbria, C Italy
106 E7 **Treviglio** Lombardia, N Italy
104 J4 **Trevinca, Peña** ▲ NW Spain
105 P3 **Treviño** Castilla-León, N Spain
106 I7 **Treviso** *anc.* Tarvisium. Veneto, NE Italy
97 G24 **Trevose Head** *headland* SW England, UK
Trg *see* Feldkirchen in Kärnten
183 P17 **Triabunna** Tasmania, SE Australia
21 W4 **Triangle** Virginia, NE USA
83 L18 **Triangle** Masvingo, SE Zimbabwe
115 L23 **Tría Nisía** *island* Kykládes, Greece, Aegean Sea
Triberg *see* Triberg im Schwarzwald
101 G23 **Triberg im Schwarzwald** *var.* Triberg. Baden-Württemberg, SW Germany
153 P11 **Tribhuvan** ✕ (Kathmandu) Central, C Nepal
54 C9 **Tribugá, Golfo de** *gulf* W Colombia
181 W4 **Tribulation, Cape** *headland* Queensland, NE Australia
108 M8 **Tribulaun** ▲ SW Austria
11 U17 **Tribune** Saskatchewan, S Canada
26 H5 **Tribune** Kansas, C USA
107 N18 **Tricarico** Basilicata, S Italy
107 Q19 **Tricase** Puglia, SE Italy
Trichinopoly *see* Tiruchchirāppalli
115 D18 **Trichonída, Límni** ◎ C Greece
155 G22 **Trichūr** *var.* Thrissur. Kerala, SW India
Tricorno *see* Triglav
183 O8 **Trida** New South Wales, SE Australia
35 S1 **Trident Peak** ▲ Nevada, W USA
Tridentum/Trient *see* Trento
109 T6 **Trieben** Steiermark, SE Austria
101 D19 **Trier** *Eng.* Treves, *Fr.* Trèves; *anc.* Augusta Treverorum. Rheinland-Pfalz, SW Germany
106 K7 **Trieste** *Slvn.* Trst. Friuli-Venezia Giulia, NE Italy
Trieste, Golfo di/Triest, Golf von *see* Trieste, Gulf of
106 J8 **Trieste, Gulf of** *Cro.* Tršćanski Zaljev, *Ger.* Golf von Triest, *It.* Golfo di Trieste, *Slvn.* Tržaški Zaliv. *gulf* S Europe
109 W4 **Triesting** ↝ W Austria
Trifail *see* Trbovlje
116 L9 **Trifeşti** Iaşi, NE Romania
109 S10 **Triglav** *It.* Tricorno. ▲ NW Slovenia
104 I14 **Trigueros** Andalucía, S Spain
115 E16 **Tríkala** *prev.* Trikkala. Thessalía, C Greece
115 E17 **Trikeriótis** ↝ C Greece
Trikkala *see* Tríkala
Trikomo/Tríkomon *see* İskele
97 F17 **Trim** *Ir.* Baile Átha Troim. E Ireland
108 E7 **Trimbach** Solothurn, NW Switzerland
109 Q5 **Trimmelkam** Oberösterreich, N Austria
29 U11 **Trimont** Minnesota, N USA
Trimontium *see* Plovdiv
Trinacria *see* Sicilia
155 K24 **Trincomalee** *var.* Trinkomali. Eastern Province, NE Sri Lanka
65 K16 **Trindade, Ilha da** *island* Brazil, W Atlantic Ocean
111 J17 **Třinec** *Ger.* Trzynietz. Moravskoslezský Kraj, E Czech Republic
57 M16 **Trinidad** Beni, N Bolivia
54 H9 **Trinidad** Casanare, E Colombia
44 E6 **Trinidad** Sancti Spíritus, C Cuba
37 U8 **Trinidad** Colorado, C USA
61 E19 **Trinidad** Flores, S Uruguay
45 Y17 **Trinidad** *island* C Trinidad and Tobago
Trinidad *see* Jose Abad Santos
45 Y16 **Trinidad and Tobago** *off.* Republic of Trinidad and Tobago. ◆ *republic* SE West Indies
63 F22 **Trinidad, Golfo** *gulf* S Chile
61 B24 **Trinidad, Isla** *island* E Argentina
107 N16 **Trinitapoli** Puglia, SE Italy
55 X10 **Trinité, Montagnes de la** ▲ C French Guiana
25 W9 **Trinity** Texas, SW USA
13 U12 **Trinity Bay** *inlet* Newfoundland and Labrador, E Canada
39 P15 **Trinity Islands** *island group* Alaska, USA
35 N2 **Trinity Mountains** ▲ California, W USA
35 S4 **Trinity Peak** ▲ Nevada, W USA
35 S5 **Trinity Range** ▲ Nevada, W USA
35 N2 **Trinity River** ↝ California, W USA
25 V8 **Trinity River** ↝ Texas, SW USA
Trinkomali *see* Trincomalee
173 Y15 **Triolet** NW Mauritius
107 O20 **Trionto, Capo** *headland* S Italy
115 J16 **Tripití, Akrotírio** *headland* Ágios Efstrátios, E Greece
138 G6 **Tripoli** *var.* Tarābulus, Ţarābulus ash Shām, Trâblous; *anc.* Tripolis. N Lebanon
29 X12 **Tripoli** Iowa, C USA
Tripoli *see* Ţarābulus
115 F20 **Trípoli** *prev.* Trípolis. Pelopónnisos, S Greece
Tripolis *see* Tripoli, Lebanon
Trípolis *see* Trípoli, Greece
29 Q12 **Tripp** South Dakota, N USA
153 V15 **Tripura** *var.* Hill Tippera. ◆ *state* NE India
108 K8 **Trisanna** ↝ W Austria
100 H8 **Trischen** *island* NW Germany
65 M24 **Tristan da Cunha** ◇ *dependency of Saint Helena* SE Atlantic Ocean
65 L18 **Tristan da Cunha Fracture Zone** *tectonic feature* S Atlantic Ocean
167 S14 **Tri Tôn** An Giang, S Vietnam
167 W10 **Triton Island** *island* S Paracel Islands
155 G24 **Trivandrum** *var.* Thiruvanathapuram. Kerala, SW India
111 H20 **Trnava** *Ger.* Tyrnau, *Hung.* Nagyszombat. Trnavský Kraj, W Slovakia
111 H20 **Trnavský Kraj** ◆ *region* W Slovakia
Trnovo *see* Veliko Tŭrnovo
Trobriand Island *see* Kiriwina Island
Trobriand Islands *see* Kiriwina Islands
11 Q16 **Trochu** Alberta, SW Canada
109 U7 **Trofaiach** Steiermark, SE Austria
93 F14 **Trofors** Troms, N Norway
113 E14 **Trogir** *It.* Traù. Split-Dalmacija, S Croatia
112 F13 **Troglav** ▲ Bosnia and Herzegovina/Croatia
107 M16 **Troia** Puglia, SE Italy
107 K24 **Troina** Sicilia, Italy, C Mediterranean Sea
173 O16 **Trois-Bassins** W Réunion
101 E17 **Troisdorf** Nordrhein-Westfalen, W Germany
74 H5 **Trois Fourches, Cap des** *headland* NE Morocco
15 T8 **Trois-Pistoles** Québec, SE Canada
99 L21 **Trois-Ponts** Liège, E Belgium
15 P11 **Trois-Rivières** Québec, SE Canada
55 Y12 **Trois Sauts** S French Guiana
99 M22 **Troisvierges** Diekirch, N Luxembourg
122 F11 **Troitsk** Chelyabinskaya Oblast', S Russian Federation
125 T9 **Troitsko-Pechorsk** Respublika Komi, NW Russian Federation
127 V7 **Troitskoye** Orenburgskaya Oblast', W Russian Federation
Troki *see* Trakai
94 F9 **Trolla** ▲ S Norway
95 J18 **Trollhättan** Västra Götaland, S Sweden
94 G9 **Trollheimen** ▲ S Norway
94 E9 **Trolltindan** ▲ S Norway
58 H11 **Trombetas, Rio** ↝ NE Brazil
92 I9 **Troms** ◆ *county* N Norway
92 I9 **Tromsø** *Fin.* Tromssa. Troms, N Norway
Tromssa *see* Tromsø
94 H10 **Tron** ▲ S Norway
35 U12 **Trona** California, W USA
63 G16 **Tronador, Cerro** ▲ S Chile
94 H8 **Trondheim** *Ger.* Drontheim; *prev.* Nidaros, Trondhjem. Sør-Trøndelag, S Norway
94 H7 **Trondheimsfjorden** *fjord* S Norway
Trondhjem *see* Trondheim
107 J14 **Tronto** ↝ C Italy
Troodos *see* Ólympos
121 P3 **Troódos** *var.* Troodos Mountains. ▲ C Cyprus
Troodos Mountains *see* Troódos
96 I13 **Troon** W Scotland, UK
107 M22 **Tropea** Calabria, SW Italy
36 L7 **Tropic** Utah, W USA
64 L10 **Tropic Seamount** *var.* Banc du Tropique. *undersea feature* E Atlantic Ocean
Tropique, Banc du *see* Tropic Seamount
Tropoja *see* Tropojë
113 L17 **Tropojë** *var.* Tropoja. Kukës, N Albania
Troppau *see* Opava
95 O16 **Trosa** Södermanland, C Sweden
118 H12 **Troškūnai** Utena, E Lithuania
101 G23 **Trossingen** Baden-Württemberg, SW Germany
117 T4 **Trostyanets'** *Rus.* Trostyanets. Sums'ka Oblast', NE Ukraine
117 N7 **Trostyanets'** *Rus.* Trostyanets. Vinnyts'ka Oblast', C Ukraine
116 L11 **Trotuş** ↝ E Romania
44 M8 **Trou-du-Nord** N Haiti
25 W7 **Troup** Texas, SW USA
8 I10 **Trout** ↝ Northwest Territories, NW Canada
33 N8 **Trout Creek** Montana, NW USA
32 H10 **Trout Lake** Washington, NW USA
12 B9 **Trout Lake** ◎ Ontario, S Canada
33 T12 **Trout Peak** ▲ Wyoming, C USA
102 L4 **Trouville** Calvados, N France
97 L22 **Trowbridge** S England, UK
23 Q6 **Troy** Alabama, S USA
27 Q3 **Troy** Kansas, C USA
27 W4 **Troy** Missouri, C USA
18 L10 **Troy** New York, NE USA
21 S10 **Troy** North Carolina, SE USA
31 R13 **Troy** Ohio, N USA
25 T9 **Troy** Texas, SW USA
114 I9 **Troyan** Lovech, N Bulgaria
114 I9 **Troyanski Prokhod** *pass* N Bulgaria
145 N6 **Troyebratskiy** Severnyy Kazakhstan, N Kazakhstan
103 Q6 **Troyes** *anc.* Augustobona Tricassium. Aube, N France
117 X5 **Troyits'ke** Luhans'ka Oblast', E Ukraine
35 W7 **Troy Peak** ▲ Nevada, W USA
113 G15 **Trpanj** Dubrovnik-Neretva, S Croatia
Tršćanski Zaljev *see* Trieste, Gulf of
Trst *see* Trieste
113 N14 **Trstenik** Serbia, C Serbia and Montenegro (Yugo.)
126 I6 **Trubchevsk** Bryanskaya Oblast', W Russian Federation
Trubchular *see* Orlyak
37 S10 **Truchas Peak** ▲ New Mexico, SW USA
143 P16 **Trucial Coast** *physical region* C UAE
Trucial States *see* United Arab Emirates
35 Q6 **Truckee** California, W USA
35 R5 **Truckee River** ↝ Nevada, W USA
127 Q13 **Trudfront** Astrakhanskaya Oblast', SW Russian Federation
14 I9 **Truite, Lac à la** ◎ Québec, SE Canada
42 K4 **Trujillo** Colón, NE Honduras
56 C12 **Trujillo** La Libertad, NW Peru
104 K10 **Trujillo** Extremadura, W Spain
54 I6 **Trujillo** Trujillo, NW Venezuela
54 I6 **Trujillo** *off.* Estado Trujillo. ◆ *state* W Venezuela
Truk *see* Chuuk
Truk Islands *see* Chuuk Islands
29 U10 **Truman** Minnesota, N USA
27 X10 **Trumann** Arkansas, C USA
36 J9 **Trumbull, Mount** ▲ Arizona, SW USA
114 F9 **Trŭn** Pernik, W Bulgaria
183 Q8 **Trundle** New South Wales, SE Australia
Trupcilar *see* Orlyak
13 Q15 **Truro** Nova Scotia, SE Canada
97 H25 **Truro** SW England, UK
25 P5 **Truscott** Texas, SW USA
116 K9 **Truşeşti** Botoşani, NE Romania
116 H6 **Truskavets'** L'vivs'ka Oblast', W Ukraine
95 H22 **Trustrup** Århus, C Denmark
10 M11 **Trutch** British Columbia, W Canada
37 Q14 **Truth Or Consequences** New Mexico, SW USA
111 F15 **Trutnov** *Ger.* Trautenau. Královéhradecký Kraj, NE Czech Republic
103 P13 **Truyère** ↝ C France
114 K9 **Tryavna** Lovech, N Bulgaria
28 M14 **Tryon** Nebraska, C USA
94 I11 **Trysilelva** ↝ S Norway
112 D10 **Tržac** Federacija Bosna I Hercegovina, NW Bosnia and Herzegovina
Tržaški Zaliv *see* Trieste, Gulf of
110 G10 **Trzcianka** *Ger.* Schönlanke. Piła, Wielkopolskie, C Poland
110 E7 **Trzebiatów** *Ger.* Treptow an der Rega. Zachodnio-pomorskie, NW Poland
111 G14 **Trzebnica** *Ger.* Trebnitz. Dolnośląskie, SW Poland
109 T10 **Tržič** *Ger.* Neumarktl. NW Slovenia
Trzynietz *see* Třinec
Tsabong *see* Tshabong
162 G7 **Tsagaanchuluut** Dzavhan, C Mongolia
163 P7 **Tsagaanders** Dornod, NE Mongolia
163 S8 **Tsagaannuur** Dornod, E Mongolia
162 G8 **Tsagaan-Olom** Govĭ-Altay, C Mongolia
162 J8 **Tsagaan-Ovoo** Övörhangay, C Mongolia
162 D5 **Tsagaantüngi** Bayan-Ölgiy, NW Mongolia
127 P12 **Tsagan Aman** Respublika Kalmykiya, SW Russian Federation
23 V11 **Tsala Apopka Lake** ◎ Florida, SE USA
Tsamkong *see* Zhanjiang
Tsangpo *see* Brahmaputra
162 L9 **Tsant** Dundgovĭ, C Mongolia
83 G17 **Tsao** Ngamiland, NW Botswana
172 I4 **Tsaratanana** Mahajanga, C Madagascar
114 N10 **Tsarevo** *prev.* Michurin. Burgas, E Bulgaria
Tsarigrad *see* İstanbul
Tsaritsyn *see* Volgograd
124 G13 **Tsarskoye Selo** *prev.* Pushkin. Leningradskaya Oblast', NW Russian Federation
117 T7 **Tsarychanka** Dnipropetrovs'ka Oblast', E Ukraine
83 H21 **Tsatsu** Southern, S Botswana
81 J20 **Tsavo** Coast, S Kenya
83 E21 **Tsawisis** Karas, S Namibia
Tschakathurn *see* Čakovec
Tschaslau *see* Čáslav
Tschenstochau *see* Częstochowa
Tschernembl *see* Črnomelj
28 K6 **Tschida, Lake** ⊠ North Dakota, N USA
Tschorna *see* Mustvee
83 I17 **Tsebanana** Central, NE Botswana
Tsefat *see* Ẕefat
162 G8 **Tseel** Govĭ-Altay, SW Mongolia
126 M13 **Tselina** Rostovskaya Oblast', SW Russian Federation
Tselinograd *see* Astana
Tselinogradskaya Oblast' *see* Akmola
162 J6 **Tsengel** Hövsgöl, N Mongolia
162 E7 **Tsenher** Hovd, W Mongolia
Tsentral'nyye Nizmennyye Garagumy *see* Merkezi Garagumy
83 E21 **Tses** Karas, S Namibia
Tseshevlya *see* Tsyeshawlya
162 E7 **Tsetsegnuur** Hovd, W Mongolia
Tsetsen Khan *see* Öndörhaan
162 J7 **Tsetserleg** Arhangay, C Mongolia
77 R16 **Tsévié** S Togo
83 G21 **Tshabong** *var.* Tsabong. Kgalagadi, SW Botswana
83 G20 **Tshane** Kgalagadi, SW Botswana
Tshangalele, Lac *see* Lufira, Lac de Retenue de la
83 H17 **Tshauxaba** Central, C Botswana
79 F21 **Tshela** Bas-Congo, W Dem. Rep. Congo
79 K22 **Tshibala** Kasai Occidental, S Dem. Rep. Congo
79 J22 **Tshikapa** Kasai Occidental, SW Dem. Rep. Congo
79 L22 **Tshilenge** Kasai Oriental, S Dem. Rep. Congo
79 L24 **Tshimbalanga** Katanga, S Dem. Rep. Congo
79 L22 **Tshimbulu** Kasai Occidental, S Dem. Rep. Congo
Tshiumbe *see* Chiumbe
79 M21 **Tshofa** Kasai Oriental, C Dem. Rep. Congo
79 K18 **Tshuapa** ↝ C Dem. Rep. Congo
Tshwane *see* Pretoria
114 G7 **Tsibritsa** ↝ NW Bulgaria
Tsien Tang *see* Puyang Jiang
114 I12 **Tsiganško Gradishte** ▲ Bulgaria/Greece
8 H7 **Tsiigehtchic** *prev.* Arctic Red River. Northwest Territories, NW Canada
127 Q7 **Tsil'ma** ↝ NW Russian Federation
119 J17 **Tsimkavichy** *Rus.* Timkovichi. Minskaya Voblasts', C Belarus
126 M11 **Tsimlyansk** Rostovskaya Oblast', SW Russian Federation
127 N11 **Tsimlyanskoye Vodokhranilishche** *var.* Tsimlyansk Vodoskhovshche, *Eng.* Tsimlyansk Reservoir ⊠ SW Russian Federation
Tsimlyansk Reservoir *see* Tsimlyanskoye Vodokhranilishche
Tsimlyansk Vodoskhovshche *see* Tsimlyanskoye Vodokhranilishche
Tsinan *see* Jinan
Tsing Hai *see* Qinghai Hu, China
Tsinghai *see* Qinghai, China
Tsingtao/Tsingtau *see* Qingdao
Tsingyuan *see* Baoding
Tsinkiang *see* Quanzhou
Tsintao *see* Qingdao
83 D17 **Tsintsabis** Otjikoto, N Namibia
172 H8 **Tsiombe** *var.* Tsihombe. Toliara, S Madagascar
123 O13 **Tsipa** ↝ S Russian Federation
172 H5 **Tsiribihina** ↝ W Madagascar
172 I5 **Tsiroanomandidy** Antananarivo, C Madagascar
189 U13 **Tsis** *island* Chuuk, C Micronesia
Tsitsihar *see* Qiqihar
127 Q3 **Tsivil'sk** Chuvashskaya Respublika, W Russian Federation
137 T9 **Ts'khinvali** *prev.* Staliniri. C Georgia
119 J16 **Tsna** ↝ SW Belarus
126 I15 **Tsna** *var.* Zna. ↝ W Russian Federation
162 K11 **Tsoohor** Ömnögovĭ, S Mongolia
164 K14 **Tsu** *var.* Tu. Mie, Honshū, SW Japan
165 O10 **Tsubame** *var.* Tubame. Niigata, Honshū, C Japan
165 V3 **Tsubetsu** Hokkaidō, NE Japan
165 O13 **Tsuchiura** *var.* Tutiura. Ibaraki, Honshū, S Japan
165 Q6 **Tsugaru-kaikyō** *strait* N Japan
164 E14 **Tsukumi** *var.* Tukumi. Ōita, Kyūshū, SW Japan
162 E5 **Tsul-Ulaan** Bayan-Ölgiy, W Mongolia
83 D17 **Tsumeb** Otjikoto, N Namibia
83 F17 **Tsumkwe** Otjozondjupa, NE Namibia
164 D15 **Tsuno** Miyazaki, Kyūshū, SW Japan
164 D12 **Tsuno-shima** *island* SW Japan
164 K12 **Tsuruga** *var.* Turuga. Fukui, Honshū, SW Japan
164 H12 **Tsurugi-san** ▲ Shikoku, SW Japan
165 P9 **Tsuruoka** *var.* Turuoka. Yamagata, Honshū, C Japan
164 C12 **Tsushima** *var.* Tsushima-tō, Tusima. *island group* SW Japan
Tsushima-tō *see* Tsushima
164 H12 **Tsuyama** *var.* Tuyama. Okayama, Honshū, SW Japan
83 G19 **Tswaane** Ghanzi, W Botswana
119 N16 **Tsyakhtsin** *Rus.* Tekhtin. Mahilyowskaya Voblasts', E Belarus
119 P19 **Tsyerakhowka** *Rus.* Terekhovka. Homyel'skaya Voblasts', SE Belarus
119 I17 **Tsyeshawlya** *Rus.* Cheshevlya, Tseshevlya. Brestskaya Voblasts', SW Belarus
Tsyurupinsk *see* Tsyurupyns'k
117 R10 **Tsyurupyns'k** *Rus.* Tsyurupinsk. Khersons'ka Oblast', S Ukraine
Tu *see* Tsu
186 C7 **Tua** ↝ C PNG
Tuaim *see* Tuam
184 L6 **Tuakau** Waikato, North Island, NZ
97 C17 **Tuam** *Ir.* Tuaim. W Ireland
185 K14 **Tuamarina** Marlborough, South Island, NZ
Tuamotu, Archipel des *see* Tuamotu, Îles
193 Q9 **Tuamotu Fracture Zone** *tectonic feature* E Pacific Ocean
191 W9 **Tuamotu, Îles** *var.* Archipel des Tuamotu, Dangerous Archipelago, Tuamotu Islands. *island group* N French Polynesia
Tuamotu Islands *see* Tuamotu, Îles
167 R5 **Tuân Giao** Lai Châu, N Vietnam
171 O2 **Tuao** Luzon, N Philippines
190 B15 **Tuapa** NW Niue
43 N7 **Tuapi** Región Autónoma Atlántico Norte, NE Nicaragua
126 K15 **Tuapse** Krasnodarskiy Kray, SW Russian Federation
169 U6 **Tuaran** Sabah, East Malaysia
104 I6 **Tua, Rio** ↝ N Portugal
192 H15 **Tuasivi** Savai'i, C Samoa
185 B24 **Tuatapere** Southland, South Island, NZ
36 M9 **Tuba City** Arizona, SW USA
138 H11 **Ţūbah, Qaşr aţ** *castle* Ma'ān, C Jordan
Tubame *see* Tsubame
169 R16 **Tuban** *prev.* Toeban. Jawa, C Indonesia
141 O16 **Tuban, Wādī** *dry watercourse* SW Yemen
61 K14 **Tubarão** Santa Catarina, S Brazil
98 O10 **Tubbergen** Overijssel, E Netherlands
Tubeke *see* Tubize
101 H22 **Tübingen** *var.* Tuebingen. Baden-Württemberg, SW Germany
127 W6 **Tubinskiy** Respublika Bashkortostan, W Russian Federation
99 G19 **Tubize** *Dut.* Tubeke. Walloon Brabant, C Belgium
76 J16 **Tubmanburg** NW Liberia
75 T7 **Ţubruq** *Eng.* Tobruk, *It.* Tobruch. NE Libya
191 T13 **Tubuai** *island* Îles Australes, SW French Polynesia
Tubuai, Îles/Tubuai Islands *see* Australes, Îles
40 F3 **Tubutama** Sonora, NW Mexico
54 K4 **Tucacas** Falcón, N Venezuela
59 P16 **Tucano** Bahia, E Brazil
57 P19 **Tucavaca, Río** ↝ E Bolivia
110 H8 **Tuchola** Kujawsko-pomorskie, C Poland
111 M17 **Tuchów** Małopolskie, SE Poland
23 S3 **Tucker** Georgia, SE USA
27 W10 **Tuckerman** Arkansas, C USA
64 B12 **Tucker's Town** E Bermuda
Tuckum *see* Tukums
36 M15 **Tucson** Arizona, SW USA
62 J7 **Tucumán** *off.* Provincia de Tucumán. ◆ *province* N Argentina
Tucumán *see* San Miguel de Tucumán
37 V11 **Tucumcari** New Mexico, SW USA
58 H13 **Tucunaré** Pará, N Brazil
55 Q6 **Tucupita** Delta Amacuro, NE Venezuela

◆ Country ● Country Capital ◇ Dependent Territory ○ Dependent Territory Capital ◆ Administrative Region ✕ International Airport ▲ Mountain ▲ Mountain Range Volcano ↝ River ◎ Lake ⊠ Reservoir

338 ••• Ubon Ratchathani – Uruno Point

167 S10 **Ubon Ratchathani** var. Muang Ubon, Ubol Rajadhani, Ubol Ratchathani, Udon Ratchathani. Ubon Ratchathani, E Thailand
119 L20 **Ubort'** Bel. Ubarts'. ≈ Belarus/Ukraine see also Ubarts'
104 K15 **Ubrique** Andalucía, S Spain
Ubsu-Nur, Ozero see Uvs Nuur
79 M18 **Ubundu** Orientale, C Dem. Rep. Congo
146 J13 **Uçajy** var. Üchajy, Rus. Uch-Adzhi. Mary Welaýaty, C Turkmenistan
137 X11 **Ucar** Rus. Udzhary. C Azerbaijan
56 G13 **Ucayali** off. Departamento de Ucayali. ◈ department E Peru
56 F10 **Ucayali, Río** ≈ C Peru
Uccle see Ukkel
Uch-Adzhi/Üchajy see Uçajy
127 X4 **Uchaly** Respublika Bashkortostan, W Russian Federation
145 W13 **Ucharal** Kaz. Üsharal. Almaty, E Kazakhstan
164 C17 **Uchinoura** Kagoshima, Kyūshū, SW Japan
165 R5 **Uchiura-wan** bay NW Pacific Ocean
Uchkuduk see Uchquduq
Uchkurghan see Uchqo'rg'on
146 K8 **Uchquduq** Rus. Uchkuduk. Navoiy Viloyati, N Uzbekistan
147 S9 **Uchqo'rg'on** Rus. Uchkurghan. Namangan Viloyati, E Uzbekistan
Uchsay see Uchsoy
146 G6 **Uchsoy** Rus. Uchsay. Qoraqalpog'iston Respublikasi, NW Uzbekistan
Uchtagan Gumy/ Uchtagan, Peski see Uçtagan Gumy
123 R11 **Uchur** ≈ E Russian Federation
100 O10 **Uckermark** cultural region E Germany
10 K17 **Ucluelet** Vancouver Island, British Columbia, SW Canada
146 D10 **Uçtagan Gumy** var. Uchtagan Gumy, Rus. Peski Uchtagan. desert NW Turkmenistan
122 M13 **Uda** ≈ S Russian Federation
123 R12 **Uda** ≈ E Russian Federation
123 N6 **Udachnyy** Respublika Sakha (Yakutiya), NE Russian Federation
155 G21 **Udagamandalam** var. Udhagamandalam; prev. Ootacamund. Tamil Nādu, SW India
152 F14 **Udaipur** prev. Oodeypore. Rājasthān, N India
Udayadhani see Uthai Thani
143 N16 **'Udayd, Khawr al** var. Khor al Udeid. inlet Qatar/Saudi Arabia
112 D11 **Udbina** Lika-Senj, W Croatia
95 I18 **Uddevalla** Västra Götaland, S Sweden
Uddjaur see Uddjaure
92 H13 **Uddjaure** var. Uddjaur. ◎ N Sweden
Udeid, Khor al see 'Udayd, Khawr al
99 K14 **Uden** Noord-Brabant, SE Netherlands
Uden see Udenhout
99 J14 **Udenhout** var. Uden. Noord-Brabant, S Netherlands
155 H14 **Udgīr** Mahārāshtra, C India
Udhagamandalam see Udagamandalam
152 H6 **Udhampur** Jammu and Kashmir, NW India
139 X14 **'Udhaybah, 'Uqlat al** well S Iraq
106 J7 **Udine** anc. Utina. Friuli-Venezia Giulia, NE Italy
193 O13 **Udintsev Fracture Zone** tectonic feature S Pacific Ocean
Udipi see Udupi
Udmurtia see Udmurtskaya Respublika
127 S2 **Udmurtskaya Respublika** Eng. Udmurtia. ◈ autonomous republic NW Russian Federation
124 J15 **Udomlya** Tverskaya Oblast', W Russian Federation
Udon Ratchathani see Ubon Ratchathani
167 Q8 **Udon Thani** var. Ban Mak Khaeng, Udorndhani. Udon Thani, N Thailand
Udorndhani see Udon Thani
189 U12 **Udot** atoll Chuuk Islands, C Micronesia
123 S12 **Udskaya Guba** bay E Russian Federation
155 E19 **Udupi** var. Udipi. Karnātaka, SW India
Udzhary see Ucar
100 O9 **Uecker** ≈ NE Germany
100 P9 **Ueckermünde** Mecklenburg-Vorpommern, NE Germany
164 M12 **Ueda** var. Uyeda. Nagano, Honshū, S Japan
79 L16 **Uele** var. Welle. ≈ NE Dem. Rep. Congo
Uele (upper course) see Uolo, Río, Equatorial Guinea/Gabon
Uele (upper course) see Kibali, Dem. Rep. Congo
123 W5 **Uelen** Chukotskiy Avtonomnyy Okrug, NE Russian Federation
100 J11 **Uelzen** Niedersachsen, N Germany
164 J14 **Ueno** Mie, Honshū, SW Japan
127 V4 **Ufa** Respublika Bashkortostan, W Russian Federation
127 V4 **Ufa** ≈ W Russian Federation
83 C18 **Ugab** ≈ C Namibia
118 D8 **Ugāle** Ventspils, NW Latvia
81 F17 **Uganda** off. Republic of Uganda. ◆ republic E Africa
138 G4 **Ugarit** Ar. Ra's Shamrah. site of ancient city Al Lādhiqīyah, NW Syria
39 O14 **Ugashik** Alaska, USA
107 Q19 **Ugento** Puglia, SE Italy
105 O15 **Ugíjar** Andalucía, S Spain
103 T11 **Ugine** Savoie, E France
123 R13 **Uglegorsk** Amurskaya Oblast', SE Russian Federation
125 V13 **Ugleural'sk** Permskaya Oblast', S Russian Federation
124 L15 **Uglich** Yaroslavskaya Oblast', W Russian Federation
124 I14 **Uglovka** var. Okulovka. Novgorodskaya Oblast', W Russian Federation
126 I4 **Ugra** ≈ W Russian Federation
147 V9 **Ugyut** Narynskaya Oblast', C Kyrgyzstan
111 H19 **Uherské Hradiště** Ger. Ungarisch-Hradisch. Zilinský kraj, E Czech Republic
111 H19 **Uherský Brod** Ger. Ungarisch-Brod. Zilinský kraj, E Czech Republic
111 B17 **Úhlava** Ger. Angel. ≈ W Czech Republic
Uhorshchyna see Hungary
31 T13 **Uhrichsville** Ohio, N USA
Uhuru Peak see Kilimanjaro
96 G8 **Uig** N Scotland, UK
82 B10 **Uíge** Port. Carmona, Vila Marechal Carmona. Uíge, NW Angola
82 B10 **Uíge** ◈ province N Angola
193 Y15 **Uiha** island Ha'apai Group, C Tonga
189 U13 **Uijec** island Chuuk, C Micronesia
163 X14 **Uijŏngbu** Jap. Giseifu. NW South Korea
144 H10 **Uil** Kaz. Oyyl. Aktyubinsk, W Kazakhstan
144 H10 **Uil** Kaz. Oyyl. ≈ W Kazakhstan
36 M3 **Uinta Mountains** ▲ Utah, W USA
83 C18 **Uis** Erongo, NW Namibia
83 I25 **Uitenhage** Eastern Cape, S South Africa
98 H9 **Uitgeest** Noord-Holland, W Netherlands
98 I11 **Uithoorn** Noord-Holland, C Netherlands
98 O4 **Uithuizen** Groningen, NE Netherlands
98 O4 **Uithuizermeeden** Groningen, NE Netherlands
189 R6 **Ujae Atoll** var. Wūjae. atoll Ralik Chain, W Marshall Islands
Ujain see Ujjain
111 I16 **Ujazd** Opolskie, S Poland
Új-Becse see Novi Bečej
Ujda see Oujda
189 N5 **Ujelang Atoll** var. Wujlān. atoll Ralik Chain, W Marshall Islands
111 N21 **Újfehértó** Szabolcs-Szatmár-Bereg, E Hungary
Újgradiska see Nova Gradiška
164 J13 **Uji** var. Uzi. Kyōto, Honshū, SW Japan
81 E21 **Ujiji** Kigoma, W Tanzania
154 G10 **Ujjain** prev. Ujain. Madhya Pradesh, C India
Újlak see Ilok
'Ujmān see 'Ajmān
Ujmoldova see Moldova Nouă
Újszentanna see Sântana
Ujungpandang see Makassar
Ujung Salang see Phuket
Újvidék see Novi Sad
154 E11 **Ukāi Reservoir** ⊡ W India
81 G19 **Ukara Island** island N Tanzania
'Ukash, Wādī see 'Akāsh, Wādī
81 F19 **Ukerewe Island** island N Tanzania
139 S9 **Ukhaydhir** C Iraq
153 X13 **Ukhrul** Manipur, NE India
125 S9 **Ukhta** Respublika Komi, NW Russian Federation
34 L6 **Ukiah** California, W USA
32 K12 **Ukiah** Oregon, NW USA
99 G18 **Ukkel** Fr. Uccle. Brussels, C Belgium
118 G13 **Ukmergė** Pol. Wiłkomierz. Vilnius, C Lithuania
Ukraina see Ukraine
116 L6 **Ukraine** off. Ukraine, Rus. Ukraina, Ukr. Ukrayina; prev. Ukrainian Soviet Socialist Republic, Ukrainskaya S.S.R. ◆ republic SE Europe
Ukrainskay S.S.R/ Ukrayina see Ukraine
82 B13 **Uku** Cuanza Sul, NW Angola
164 B13 **Uku-jima** island Gotō-rettō, SW Japan
83 F20 **Ukwi** Kgalagadi, SW Botswana
118 M13 **Ula** Rus. Ulla. Vitsyebskaya Voblasts', N Belarus
136 C16 **Ula** Muğla, SW Turkey
118 M13 **Ula** Rus. Ulla. ≈ N Belarus
162 L7 **Ulaanbaatar** Eng. Ulan Bator; prev. Urga. ● (Mongolia) Töv, C Mongolia
163 N8 **Ulaan-Ereg** Hentiy, E Mongolia
162 E5 **Ulaangom** Uvs, NW Mongolia
162 E7 **Ulaantolgoy** Hovd, W Mongolia
162 I8 **Ulaan-Uul** Bayanhongor, C Mongolia
163 O10 **Ulaan-Uul** Dornogovĭ, SE Mongolia
162 M14 **Ulan** var. Otog Qi. Nei Mongol Zizhiqu, N China
159 R10 **Ulan** var. Xireg; prev. Xiligou. Qinghai, C China
Ulan Bator see Ulaanbaatar
162 L13 **Ulan Buh Shamo** desert N China
Ulanhad see Chifeng
163 T8 **Ulanhot** Nei Mongol Zizhiqu, N China
127 Q14 **Ulan Khol** Respublika Kalmykiya, SW Russian Federation
162 M13 **Ulansuhai Nur** ◎ N China
123 N14 **Ulan-Ude** prev. Verkhneudinsk. Respublika Buryatiya, S Russian Federation
159 N12 **Ulan Ul Hu** ◎ C China
187 N9 **Ulawa Island** island SE Solomon Islands
138 J7 **'Ulayyānīyah, Bi'r al** var. Al Hilbeh. well S Syria
123 S12 **Ul'banskiy Zaliv** strait E Russian Federation
Ulbo see Olib
113 J18 **Ulcinj** Montenegro, SW Serbia and Montenegro (Yugo.)
163 O7 **Uldz** Hentiy, NE Mongolia
Uleåborg see Oulu
Uleälv see Oulujoki
95 G16 **Ulefoss** Telemark, S Norway
Uleträsk see Oulujärvi
113 L19 **Ulëz** var. Ulëza. Dibër, C Albania
Ulëza see Ulëz
95 F22 **Ulfborg** Ringkøbing, W Denmark
98 N13 **Ulft** Gelderland, E Netherlands
162 G7 **Uliastay** prev. Jibhalanta. Dzavhan, W Mongolia
188 F8 **Ulimang** Babeldaob, N Palau
188 H14 **Ulithi Atoll** atoll Caroline Islands, W Micronesia
112 N10 **Uljma** Serbia, NE Serbia and Montenegro (Yugo.)
144 L11 **Ul'kayak** Kaz. Ölkeyek. ≈ C Kazakhstan
145 Q7 **Ul'ken-Karoy, Ozero** ◎ N Kazakhstan
Ülkenözen see Bol'shoy Uzen'
Ülkenqobda see Bol'shaya Khobda
104 G3 **Ulla** ≈ NW Spain
Ulla see Ula
183 S10 **Ulladulla** New South Wales, SE Australia
153 T14 **Ullapara** Rajshahi, W Bangladesh
96 H7 **Ullapool** N Scotland, UK
95 J20 **Ullared** Halland, S Sweden
105 T7 **Ulldecona** Cataluña, NE Spain
92 I9 **Ullsfjorden** fjord N Norway
97 K15 **Ullswater** ◎ NW England, UK
101 I22 **Ulm** Baden-Württemberg, S Germany
33 R8 **Ulm** Montana, NW USA
183 V5 **Ulmarra** New South Wales, SE Australia
116 K13 **Ulmeni** Buzău, C Romania
116 K14 **Ulmeni** Călăraşi, S Romania
42 L7 **Ulmukhuás** Región Autónoma Atlántico Norte, NE Nicaragua
188 C8 **Ulong** var. Aulong. island Palau Islands, N Palau
83 N14 **Ulonguè** var. Ulongwé. Tete, NW Mozambique
Ulongwé see Ulonguè
95 K19 **Ulricehamn** Västra Götaland, S Sweden
98 N5 **Ulrum** Groningen, NE Netherlands
163 Z16 **Ulsan** Jap. Urusan. SE South Korea
94 D10 **Ulsteinvik** Møre og Romsdal, S Norway
97 D15 **Ulster** ◈ province Northern Ireland, UK/Ireland
171 Q10 **Ulu** Pulau Siau, N Indonesia
123 Q11 **Ulu** Respublika Sakha (Yakutiya), NE Russian Federation
42 H5 **Ulúa, Río** ≈ NW Honduras
136 D12 **Ulubat Gölü** ◎ NW Turkey
136 E12 **Uludağ** ▲ NW Turkey
158 D7 **Ulugqat** Xinjiang Uygur Zizhiqu, W China
136 J16 **Ulukışla** Niğde, S Turkey
189 O15 **Ulul** island Caroline Islands, C Micronesia
83 L22 **Ulundi** KwaZulu/Natal, E South Africa
158 M3 **Ulungur He** ≈ NW China
158 K2 **Ulungur Hu** ◎ NW China
181 P8 **Uluru** var. Ayers Rock. rocky outcrop Northern Territory, C Australia
97 K16 **Ulverston** NW England, UK
183 O16 **Ulverstone** Tasmania, SE Australia
94 D13 **Ulvik** Hordaland, S Norway
93 J18 **Ulvila** Länsi-Suomi, W Finland
117 O8 **Ulyanivka** Rus. Ul'yanovka. Kirovohrads'ka Oblast', C Ukraine
Ul'yanovka see Ulyanivka
127 Q5 **Ul'yanovsk** prev. Simbirsk. Ul'yanovskaya Oblast', W Russian Federation
127 Q5 **Ul'yanovskaya Oblast'** ◈ province W Russian Federation
145 S10 **Ul'yanovskiy** Karaganda, C Kazakhstan
Ul'yanovskiy Kanal see Ul'yanow Kanali
146 M13 **Ul'yanow Kanali** Rus. Ul'yanovskiy Kanal. canal Turkmenistan/Uzbekistan
Ulyshylanshyq see Uly-Zhylanshyk
26 H6 **Ulysses** Kansas, C USA
145 O12 **Ulytau, Gory** ▲ C Kazakhstan
145 N11 **Uly-Zhylanshyk** Kaz. Ulyshylanshyq. ≈ C Kazakhstan
112 A9 **Umag** It. Umago. Istra, NW Croatia
Umago see Umag
189 V13 **Uman** atoll Chuuk Islands, C Micronesia
117 O7 **Uman'** Rus. Uman. Cherkas'ka Oblast', C Ukraine
41 W12 **Umán** Yucatán, SE Mexico
Umanak/Umanaq see Uummannaq
'Umān, Khalīj see Oman, Gulf of
'Umān, Salṭanat see Oman
154 K10 **Umaria** Madhya Pradesh, C India
149 R16 **Umar Kot** Sind, SE Pakistan
188 B17 **Umatac** SW Guam
188 A17 **Umatac Bay** bay SW Guam
139 S6 **Umayqah** C Iraq
124 J5 **Umba** Murmanskaya Oblast', NW Russian Federation
138 I8 **Umbāshī, Khirbat al** ruins As Suwaydā', S Syria
80 A12 **Umbelasha** ≈ W Sudan
106 H12 **Umbertide** Umbria, C Italy
61 B17 **Umberto** var. Humberto. Santa Fe, C Argentina
186 E7 **Umboi Island** var. Rooke Island. island C PNG
126 J4 **Umbozero, Ozero** ◎ NW Russian Federation
106 H13 **Umbria** ◈ region C Italy
Umbrian-Machigian Mountains see Umbro-Marchigiano, Appennino
106 I12 **Umbro-Marchigiano, Appennino** Eng. Umbrian-Machigian Mountains. ▲ C Italy
93 J16 **Umeå** Västerbotten, N Sweden
93 H14 **Umeälven** ≈ N Sweden
39 Q5 **Umiat** Alaska, USA
83 K23 **Umlazi** KwaZulu/Natal, E South Africa
139 X10 **Umm al Baqar, Hawr** var. Birkat ad Dawaymah. spring S Iraq
141 U12 **Umm al Ḥayt, Wādī** var. Wādī Amilḥayt. seasonal river SW Oman
Umm al Qaiwain see Umm al Qaywayn
143 R15 **Umm al Qaywayn** var. Umm al Qaiwain. Umm al Qaywayn, NE UAE
139 Q5 **Umm al Ṭūz** C Iraq
138 J3 **Umm 'Āmūd** Ḥalab, N Syria
141 Y10 **Umm ar Ruṣāş** var. Umm Ruşayş. W Oman
141 X9 **Ummas Samīn** salt flat C Oman
141 V9 **Umm az Zumūl** oasis E Saudi Arabia
80 A9 **Umm Buru** Western Darfur, W Sudan
80 A12 **Umm Dafag** Southern Darfur, W Sudan
Umm Durmān see Omdurman
138 F9 **Umm el Fahm** Haifa, N Israel
80 F9 **Umm Inderab** Northern Kordofan, C Sudan
80 C10 **Umm Keddada** Northern Darfur, W Sudan
140 J7 **Umm Lajj** Tabūk, W Saudi Arabia
138 L10 **Umm Maḥfur** ≈ N Jordan
139 Y13 **Umm Qaṣr** SE Iraq
Umm Ruşayş see Umm ar Ruṣāş
80 F11 **Umm Ruwaba** var. Umm Ruwābah, Um Ruwāba. Northern Kordofan, C Sudan
Umm Ruwābah see Umm Ruwaba
143 N16 **Umm Sa'īd** var. Musay'īd. S Qatar
138 K10 **Umm Ṭuways, Wādī** dry watercourse N Jordan
38 J17 **Umnak Island** island Aleutian Islands, Alaska, USA
32 F13 **Umpqua River** ≈ Oregon, NW USA
82 D13 **Umpulo** Bié, C Angola
154 I12 **Umred** Mahārāshtra, C India
139 Y10 **Umr Sawān, Hawr** ◎ S Iraq
Um Ruwāba see Umm Ruwaba
Umtali see Mutare
83 J24 **Umtata** Eastern Cape, SE South Africa
77 V17 **Umuahia** Abia, SW Nigeria
60 H10 **Umuarama** Paraná, S Brazil
Umvuma see Mvuma
83 K18 **Umzingwani** ≈ S Zimbabwe
112 D11 **Una** ≈ Bosnia and Herzegovina/Croatia
112 E12 **Unac** ≈ W Bosnia and Herzegovina
23 T6 **Unadilla** Georgia, SE USA
18 I10 **Unadilla River** ≈ New York, NE USA
59 L18 **Unaí** Minas Gerais, SE Brazil
39 N10 **Unalakleet** Alaska, USA
38 K17 **Unalaska Island** island Aleutian Islands, Alaska, USA
185 I16 **Una, Mount** ▲ South Island, NZ
82 N13 **Unango** Niassa, N Mozambique
Unao see Unnāo
92 L12 **Unari** Lappi, N Finland
141 O6 **'Unayzah** var. Anaiza. Al Qaşīm, C Saudi Arabia
138 L10 **'Unayzah, Jabal** ▲ Jordan/Saudi Arabia
Unci see Almería
57 K19 **Uncía** Potosí, C Bolivia
37 Q7 **Uncompahgre Peak** ▲ Colorado, C USA
37 P6 **Uncompahgre Plateau** plain Colorado, C USA
95 L17 **Unden** ◎ S Sweden
28 M4 **Underwood** North Dakota, N USA
171 T13 **Undur** Pulau Seram, E Indonesia
Undur Khan see Öndörhaan
126 H6 **Unecha** Bryanskaya Oblast', W Russian Federation
39 N16 **Unga** Unga Island, Alaska, USA
Ungaria see Hungary
183 P8 **Ungarie** New South Wales, SE Australia
Ungarisch-Brod see Uherský Brod
Ungarisches Erzgebirge see Slovenské rudohorie
Ungarisch-Hradisch see Uherské Hradiště
Ungarn see Hungary
12 M4 **Ungava Bay** bay Québec, E Canada
12 J2 **Ungava, Péninsule d'** peninsula Québec, SE Canada
Ungeny see Ungheni
116 M9 **Ungheni** Rus. Ungeny. W Moldova
Unguja see Zanzibar
146 G10 **Üngüz Angyrsyndaky Garagum** Rus. Zaunguzskiye Garagumy. desert N Turkmenistan
146 H11 **Unguz, Solonchakovyye Vpadiny** salt marsh C Turkmenistan
Ungvár see Uzhhorod
60 I12 **União da Vitória** Paraná, S Brazil
111 G17 **Uničov** Ger. Mährisch-Neustadt. Olomoucký Kraj, E Czech Republic
110 J12 **Uniejów** Łódzkie, C Poland
112 A11 **Unije** island W Croatia
38 L16 **Unimak Island** island Aleutian Islands, Alaska, USA
38 L16 **Unimak Pass** strait Aleutian Islands, Alaska, USA
27 W5 **Union** Missouri, C USA
32 L12 **Union** Oregon, NW USA
21 Q11 **Union** South Carolina, SE USA
21 R6 **Union** West Virginia, NE USA
62 J12 **Unión** San Luis, C Argentina
61 B25 **Unión, Bahía** bay E Argentina
31 Q13 **Union City** Indiana, N USA
31 Q10 **Union City** Michigan, N USA
18 C12 **Union City** Pennsylvania, NE USA
20 G8 **Union City** Tennessee, S USA
32 G14 **Union Creek** Oregon, NW USA
83 G25 **Uniondale** Western Cape, SW South Africa
40 K13 **Unión de Tula** Jalisco, SW Mexico
30 M9 **Union Grove** Wisconsin, N USA
45 Y15 **Union Island** island S Saint Vincent and the Grenadines
23 Q6 **Union Springs** Alabama, S USA
20 H6 **Uniontown** Kentucky, S USA
18 C16 **Uniontown** Pennsylvania, NE USA
27 T1 **Unionville** Missouri, C USA
141 V8 **United Arab Emirates** Ar. Al Imārāt al 'Arabīyah al Muttaḥidah, abbrev. UAE; prev. Trucial States. ◆ federation SW Asia
United Arab Republic see Egypt
97 H14 **United Kingdom** off. UK of Great Britain and Northern Ireland, abbrev. UK. ◆ monarchy NW Europe
United Mexican States see Mexico
United Provinces see Uttar Pradesh
16 L10 **United States of America** off. United States of America, var. America, The States, abbrev. U.S., USA. ◆ federal republic
124 J10 **Unitsa** Respublika Kareliya, NW Russian Federation
11 S15 **Unity** Saskatchewan, S Canada
Unity State see Wahda
105 Q8 **Universales, Montes** ▲ C Spain
27 X4 **University City** Missouri, C USA
187 Q13 **Unmet** Malekula, C Vanuatu
101 F15 **Unna** Nordrhein-Westfalen, W Germany
152 L12 **Unnão** prev. Unao. Uttar Pradesh, N India
187 R15 **Unpongkor** Erromango, S Vauautu
Unruhstadt see Kargowa
96 M1 **Unst** island NE Scotland, UK
101 K16 **Unstrut** ≈ C Germany
Unterdrauburg see Dravograd
Unterlimbach see Lendava
101 L23 **Unterschleissheim** Bayern, SE Germany
101 H24 **Untersee** ◎ Germany/Switzerland
100 O10 **Unterueckersee** ◎ NE Germany
108 F9 **Unterwalden** ◈ canton C Switzerland
55 N12 **Unturán, Sierra de** ▲ Brazil/Venezuela
159 N11 **Unuli Horog** Qinghai, W China
136 M11 **Ünye** Ordu, W Turkey
Unza see Unzha
127 O14 **Unzha** var. Unza. ≈ NW Russian Federation
79 E17 **Uolo, Río** var. Eyo (lower course), Mbini, Uele (upper course), Woleu; prev. Benito. ≈ Equatorial Guinea/Gabon
55 Q10 **Uonán** Bolívar, SE Venezuela
161 T12 **Uotsuri-shima** island China/Japan/Taiwan
165 M11 **Uozu** Toyama, Honshū, SW Japan
42 L12 **Upala** Alajuela, NW Costa Rica
55 P7 **Upata** Bolívar, E Venezuela
79 M23 **Upemba, Lac** ◎ SE Dem. Rep. Congo
197 O12 **Upernavik** var. Upernivik. Kitaa, C Greenland
Upernivik see Upernavik
83 F22 **Upington** Northern Cape, W South Africa
Uplands see Ottawa
192 I16 **Upolu** island SE Samoa
38 G11 **'Upolu Point** var. Upolu Point headland Hawai'i, USA, C Pacific Ocean
Upper Austria see Oberösterreich
Upper Bann see Bann
14 M13 **Upper Canada Village** tourist site Ontario, SE Canada
18 I16 **Upper Darby** Pennsylvania, NE USA
28 L2 **Upper Des Lacs Lake** ⊡ North Dakota, N USA
185 L14 **Upper Hutt** Wellington, North Island, NZ
29 X11 **Upper Iowa River** ≈ Iowa, C USA
32 H15 **Upper Klamath Lake** ◎ Oregon, NW USA
34 M6 **Upper Lake** California, W USA
35 Q1 **Upper Lake** ◎ California, W USA
10 K9 **Upper Liard** Yukon Territory, W Canada
97 E16 **Upper Lough Erne** ◎ SW Northern Ireland, UK
80 F12 **Upper Nile** ◈ state E Sudan
29 T3 **Upper Red Lake** ◎ Minnesota, N USA
31 S12 **Upper Sandusky** Ohio, N USA
Upper Volta see Burkina
95 O15 **Upplandsväsby** var. Upplands Väsby. Stockholm, C Sweden
95 O15 **Uppsala** Uppsala, C Sweden
95 O14 **Uppsala** ◈ county C Sweden
38 J12 **Upright Cape** headland Saint Matthew Island, Alaska, USA
20 K6 **Upton** Kentucky, S USA
33 Y13 **Upton** Wyoming, C USA
141 N7 **'Uqlat aş Şuqūr** Al Qaşīm, W Saudi Arabia
Uqturpan see Wushi
54 C7 **Urabá, Golfo de** gulf NW Colombia
Uracas see Farallon de Pajaros
Uradar'ya see O'radaryo
Urad Qianqi see Xishanzui
165 U5 **Urahoro** Hokkaidō, NE Japan
165 T5 **Urakawa** Hokkaidō, NE Japan
127 X6 **Ural** Kaz. Zayyq. ≈ Kazakhstan/Russian Federation
183 T6 **Uralla** New South Wales, SE Australia
Ural Mountains see Ural'skiye Gory
144 F8 **Ural'sk** Kaz. Oral. Zapadnyy Kazakhstan, NW Kazakhstan
Ural'skaya Oblast' see Zapadnyy Kazakhstan
127 W5 **Ural'skiye Gory** var. Ural'skiy Khrebet, Eng. Ural Mountains. ▲ Kazakhstan/ Russian Federation
Ural'skiy Khrebet see Ural'skiye Gory
138 I3 **Urām aş Şughrā** Ḥalab, N Syria
183 P10 **Urana** New South Wales, SE Australia
11 S10 **Uranium City** Saskatchewan, C Canada
58 F10 **Uraricoera** Roraima, N Brazil
Ura-Tyube see Ŭroteppa
165 O13 **Urawa** Saitama, Honshū, S Japan
122 H10 **Uray** Khanty-Mansiyskiy Avtonomnyy Okrug, C Russian Federation
141 R7 **'Uray'irah** Ash Sharqīyah, E Saudi Arabia
30 M13 **Urbana** Illinois, N USA
31 R13 **Urbana** Ohio, N USA
29 V14 **Urbandale** Iowa, C USA
106 I11 **Urbania** Marche, C Italy
106 I11 **Urbino** Marche, C Italy
57 H16 **Urcos** Cusco, S Peru
144 D10 **Urda** Zapadnyy Kazakhstan, W Kazakhstan
105 N10 **Urda** Castilla-La Mancha, C Spain
162 E7 **Urdgol** Hovd, W Mongolia
Urdunn see Jordan
145 X12 **Urdzhar** Kaz. Ürzhar. Vostochnyy Kazakhstan, E Kazakhstan
97 L16 **Ure** ≈ N England, UK
119 K18 **Urechcha** Rus. Urech'ye. Minskaya Voblasts', S Belarus
Urech'ye see Urechcha
127 P2 **Uren'** Nizhegorodskaya Oblast', W Russian Federation
122 J9 **Urengoy** Yamalo-Nenetskiy Avtonomnyy Okrug, N Russian Federation
184 K10 **Urenui** Taranaki, North Island, NZ
187 Q12 **Ureparapara** island Banks Islands, N Vanuatu
40 G5 **Ures** Sonora, NW Mexico
Urfa see Şanlıurfa
Urga see Ulaanbaatar
146 H9 **Urganch** Rus. Urgench; prev. Novo-Urgench. Xorazm Viloyati, W Uzbekistan
Urgench see Urganch
136 J14 **Ürgüp** Nevşehir, C Turkey
147 O12 **Urgut** Samarqand Viloyati, C Uzbekistan
158 K3 **Urho** Xinjiang Uygur Zizhiqu, W China
152 G5 **Uri** Jammu and Kashmir, NW India
108 G9 **Uri** ◈ canton C Switzerland
54 F11 **Uribe** Meta, C Colombia
54 H4 **Uribia** La Guajira, N Colombia
116 G12 **Uricani** Hung. Hobicaurikány. Hunedoara, SW Romania
57 M21 **Uriondo** Tarija, S Bolivia
40 I7 **Urique** Chihuahua, N Mexico
40 I7 **Urique, Río** ≈ N Mexico
56 E9 **Uritiyacu, Río** ≈ N Peru
Uritskiy see Sarykol'
98 K8 **Urk** Flevoland, N Netherlands
136 B14 **Urla** İzmir, W Turkey
116 K13 **Urlaţi** Prahova, SE Romania
127 V4 **Urman** Respublika Bashkortostan, W Russian Federation
147 P12 **Urmetan** W Tajikistan
Urmia see Orūmīyeh
Urmia, Lake see Orūmīyeh, Daryācheh-ye
Urmiyeh see Orūmīyeh
113 N17 **Uroševac** Alb. Ferizaj. Serbia, S Serbia and Montenegro (Yugo.)
147 P11 **Ŭroteppa** Rus. Ura-Tyube. NW Tajikistan
54 D8 **Urrao** Antioquia, W Colombia
Ursat'yevskaya see Xovos
162 I11 **Urt** Ömnögovĭ, S Mongolia
127 X7 **Urtazym** Orenburgskaya Oblast', W Russian Federation
59 K18 **Uruaçu** Goiás, C Brazil
40 M14 **Uruapan** var. Uruapan del Progreso. Michoacán de Ocampo, SW Mexico
Uruapan del Progreso see Uruapan
57 G15 **Urubamba, Cordillera** ▲ C Peru
57 G14 **Urubamba, Río** ≈ C Peru
58 G12 **Urucará** Amazonas, N Brazil
61 E16 **Uruguaiana** Rio Grande do Sul, S Brazil
Uruguai, Rio see Uruguay
61 E18 **Uruguay** off. Oriental Republic of Uruguay; prev. La Banda Oriental. ◆ republic E South America
61 E15 **Uruguay** var. Rio Uruguai, Río Uruguay. ≈ E South America
Uruguay, Río see Uruguay
Urumchi see Ürümqi
158 L5 **Ürümqi** var. Tihwa, Urumchi, Urumqi, Urumtsi, Wu-lu-k'o-mu-shi, Wu-lu-mu-ch'i; prev. Ti-hua. autonomous region capital Xinjiang Uygur Zizhiqu, NW China
Urumtsi see Ürümqi
Urundi see Burundi
183 V6 **Urunga** New South Wales, SE Australia
188 C15 **Uruno Point** headland NW Guam

◆ Country
● Country Capital
◇ Dependent Territory
○ Dependent Territory Capital
◈ Administrative Region
✈ International Airport
▲ Mountain
▲ Mountain Range
⛰ Volcano
≈ River
◎ Lake
⊡ Reservoir

URUP, OSTROV – VANTAA ••• 339

123 U13 **Urup, Ostrov** *island* Kuril'skiye Ostrova, SE Russian Federation
141 P11 **'Urūq al Mawārid** *desert* S Saudi Arabia
Urusan *see* Ulsan
127 T5 **Urussu** Respublika Tatarstan, W Russian Federation
184 K10 **Uruti** Taranaki, North Island, NZ
57 K19 **Uru Uru, Lago** ◎ W Bolivia
55 P9 **Uruyén** Bolívar, SE Venezuela
149 O7 **Urūzgān** *var.* Oruzgān. Orūzgān. Urūzgān, C Afghanistan
149 N6 **Urūzgān** *Per.* Orūzgān. ◆ *province* C Afghanistan
165 T3 **Uryū-gawa** ↝ Hokkaidō, NE Japan
165 T2 **Uryū-ko** ◎ Hokkaidō, NE Japan
127 N8 **Uryupinsk** Volgogradskaya Oblast', SW Russian Federation
Ürzhar *see* Urdzhar
125 R16 **Urzhum** Kirovskaya Oblast', NW Russian Federation
116 K13 **Urziceni** Ialomiţa, SE Romania
U.S./USA *see* United States of America
164 E14 **Usa** Ōita, Kyūshū, SW Japan
119 L16 **Usa** *Rus.* Usa. ↝ C Belarus
127 T6 **Usa** ↝ NW Russian Federation
136 E14 **Uşak** *prev.* Ushak. Uşak, W Turkey
136 D14 **Uşak** *var.* Ushak. ◆ *province* W Turkey
83 C19 **Usakos** Erongo, W Namibia
81 J21 **Usambara Mountains** ▲ NE Tanzania
81 G23 **Usangu Flats** *wetland* SW Tanzania
65 D24 **Usborne, Mount** ▲ East Falkland, Falkland Islands
100 O8 **Usedom** *island* NE Germany
99 M24 **Useldange** Diekirch, C Luxembourg
118 L12 **Ushacha** *Rus.* Ushacha. Vitsyebskaya Voblasts', N Belarus
Ushachi *see* Ushachy
118 L13 **Ushachy** *Rus.* Ushachi. Vitsyebskaya Voblasts', N Belarus
Ushak *see* Uşak
122 L4 **Ushakova, Ostrov** *island* Severnaya Zemlya, N Russian Federation
Ushant *see* Ouessant, Île d'
Usharal *see* Ucharal
164 B15 **Ushibuka** *var.* Usibuka. Kumamoto, Shimo-jima, SW Japan
Ushi Point *see* Sabaneta, Puntan
145 V14 **Ushtobe** *Kaz.* Üshtöbe. Almaty, SE Kazakhstan
63 I25 **Ushuaia** Tierra del Fuego, S Argentina
39 R10 **Usibelli** Alaska, USA
Usibuka *see* Ushibuka
186 D7 **Usino** Madang, N PNG
125 U6 **Usinsk** Respublika Komi, NW Russian Federation
97 K22 **Usk** *Wel.* Wysg. ↝ SE Wales, UK
Uskočke Planine/ Uskokengebirge *see* Gorjanci/Žumberačko Gorje
Uskoplje *see* Gornji Vakuf
Üsküb *see* Skopje
114 M11 **Üsküpdere** Kırklareli, NW Turkey
126 L7 **Usman'** Lipetskaya Oblast', W Russian Federation
118 D8 **Usmas Ezers** ◎ NW Latvia
125 U13 **Usol'ye** Permskaya Oblast', NW Russian Federation
41 T16 **Uspanapa, Río** ↝ SE Mexico
145 R11 **Uspenskiy** Karaganda, C Kazakhstan
103 O11 **Ussel** Corrèze, C France
163 Z6 **Ussuri** *var.* Usuri, Wusuri, *Chin.* Wusuli Jiang. ↝ China/Russian Federation
123 S15 **Ussuriysk** *prev.* Nikol'sk, Nikol'sk-Ussuriyskiy, Voroshilov. Primorskiy Kray, SE Russian Federation
136 J10 **Usta Burnu** *headland* N Turkey
149 P13 **Usta Muhammad** Baluchistān, SW Pakistan
123 V11 **Ust'-Bol'sheretsk** Kamchatskaya Oblast', E Russian Federation
127 N9 **Ust'-Buzulukskaya** Volgogradskaya Oblast', SW Russian Federation
111 C16 **Ústecký Kraj** ◆ *region* NW Czech Republic
108 G7 **Uster** Zürich, NE Switzerland
107 I22 **Ustica, Isola d'** *island* S Italy
122 M11 **Ust'-Ilimsk** Irkutskaya Oblast', C Russian Federation
111 C15 **Ústí nad Labem** *Ger.* Aussig. Ústecký Kraj, NW Czech Republic
111 F17 **Ústí nad Orlicí** *Ger.* Wildenschwert. Pardubický Kraj, E Czech Republic
Ustinov *see* Izhevsk
113 J14 **Ustiprača** Republika Srpska, SE Bosnia and Herzegovina
122 H11 **Ust'-Ishim** Omskaya Oblast', C Russian Federation
110 G6 **Ustka** *Ger.* Stolpmünde. Pomorskie, N Poland
123 V9 **Ust'-Kamchatsk** Kamchatskaya Oblast', E Russian Federation
145 X9 **Ust'-Kamenogorsk** *Kaz.* Öskemen. Vostochnyy Kazakhstan, E Kazakhstan
123 T10 **Ust'-Khayryuzovo** Koryakskiy Avtonomnyy Okrug, E Russian Federation
122 I14 **Ust'-Koksa** Respublika Altay, S Russian Federation
125 S11 **Ust'-Kulom** Respublika Komi, NW Russian Federation
123 Q8 **Ust'-Kuyga** Respublika Sakha (Yakutiya), NE Russian Federation
126 L14 **Ust'-Labinsk** Krasnodarskiy Kray, SW Russian Federation
123 R10 **Ust'-Maya** Respublika Sakha (Yakutiya), NE Russian Federation
123 R9 **Ust'-Nera** Respublika Sakha (Yakutiya), NE Russian Federation
123 P12 **Ust'-Nyukzha** Amurskaya Oblast', S Russian Federation
123 O7 **Ust'-Olenëk** Respublika Sakha (Yakutiya), NE Russian Federation
123 T9 **Ust'-Omchug** Magadanskaya Oblast', E Russian Federation
122 M13 **Ust'-Ordynskiy** Ust'-Ordynskiy Buryatskiy Avtonomnyy Okrug, S Russian Federation
122 M13 **Ust'-Ordynskiy Buryatskiy Avtonomnyy Okrug** ◆ *autonomous district* S Russian Federation
125 N8 **Ust'-Pinega** Arkhangel'skaya Oblast', NW Russian Federation
122 K8 **Ust'-Port** Taymyrskiy (Dolgano-Nenetskiy) Avtonomnyy Okrug, N Russian Federation
114 L11 **Ustrem** *prev.* Vakav. Yambol, E Bulgaria
111 O18 **Ustrzyki Dolne** Podkarpackie, SE Poland
Ust'-Sysol'sk *see* Syktyvkar
125 R7 **Ust'-Tsil'ma** Respublika Komi, NW Russian Federation
Ust Urt *see* Ustyurt Plateau
127 O11 **Ust'ya** ↝ NW Russian Federation
123 V10 **Ust'yevoye** *prev.* Kirovskiy. Kamchatskaya Oblast', E Russian Federation
117 R8 **Ustynivka** Kirovohrads'ka Oblast', C Ukraine
144 H15 **Ustyurt Plateau** *var.* Ust Urt, *Uzb.* Ustyurt Platosi. *plateau* Kazakhstan/Uzbekistan
Ustyurt Platosi *see* Ustyurt Plateau
124 K14 **Ustyuzhna** Vologodskaya Oblast', NW Russian Federation
158 J4 **Usu** Xinjiang Uygur Zizhiqu, NW China
171 O13 **Usu** Sulawesi, C Indonesia
164 E14 **Usuki** Ōita, Kyūshū, SW Japan
42 G8 **Usulután** Usulután, SE El Salvador
42 B9 **Usulután** ◆ *department* SE El Salvador
41 W16 **Usumacinta, Río** ↝ Guatemala/Mexico
Usumbura *see* Bujumbura
Usuri *see* Ussuri
171 W14 **Uta** Papua, E Indonesia
36 K5 **Utah** *off.* State of Utah; also known as Beehive State, Mormon State. ◆ *state* W USA
36 L3 **Utah Lake** ◎ Utah, W USA
Utaidhani *see* Uthai Thani
93 M14 **Utajärvi** Oulu, C Finland
Utamboni *see* Mitemele, Río
Utaradit *see* Uttaradit
165 T3 **Utashinai** *var.* Utasinai. Hokkaidō, NE Japan
Utasinai *see* Utashinai
193 Y14 **'Uta Vava'u** *island* Vava'u Group, N Tonga
37 V9 **Ute Creek** ↝ New Mexico, SW USA
118 H12 **Utena** Utena, E Lithuania
118 H12 **Utena** ◆ *province* E Lithuania
37 V10 **Ute Reservoir** ⊠ New Mexico, SW USA
167 O10 **Uthai Thani** *var.* Muang Uthai Thani, Udayadhani, Utaidhani. Uthai Thani, W Thailand
149 O15 **Uthal** Baluchistān, SW Pakistan
18 I10 **Utica** New York, NE USA
105 R10 **Utiel** País Valenciano, E Spain
11 O13 **Utikuma Lake** ◎ Alberta, W Canada
42 I4 **Utila, Isla de** *island* Islas de la Bahía, N Honduras
Utina *see* Udine
59 O17 **Utinga** Bahia, E Brazil
Utirik *see* Utrik Atoll
95 M22 **Utlängan** *island* S Sweden
117 U11 **Utlyuts'kyy Lyman** *bay* S Ukraine
95 P16 **Utö** Stockholm, C Sweden
25 Q12 **Utopia** Texas, SW USA
98 J11 **Utrecht** *Lat.* Trajectum ad Rhenum. Utrecht, C Netherlands
83 K22 **Utrecht** KwaZulu/Natal, E South Africa
98 I11 **Utrecht** ◆ *province* C Netherlands
104 K14 **Utrera** Andalucía, S Spain
189 V4 **Utrik Atoll** *var.* Utirik, Utrōk, Utrōnk. *atoll* Ratak Chain, N Marshall Islands
Utrōk/Utrōnk *see* Utrik Atoll
95 B16 **Utsira** *island* SW Norway
92 L8 **Utsjoki** *var.* Ohcejohka. Lappi, N Finland
165 O12 **Utsunomiya** *var.* Utunomiya. Tochigi, Honshū, S Japan
127 P13 **Utta** Respublika Kalmykiya, SW Russian Federation
167 O8 **Uttaradit** *var.* Utaradit. Uttaradit, N Thailand
152 J8 **Uttaranchal** ◆ *state* N India
152 J9 **Uttarkāshi** Uttaranchal, N India
152 K11 **Uttar Pradesh** *prev.* United Provinces, United Provinces of Agra and Oudh. ◆ *state* N India
45 T5 **Utuado** C Puerto Rico
158 K3 **Utubulak** Xinjiang Uygur Zizhiqu, W China
39 N5 **Utukok River** ↝ Alaska, USA
Utunomiya *see* Utsunomiya
187 P10 **Utupua** *island* Santa Cruz Islands, E Solomon Islands
144 G9 **Utva** ↝ NW Kazakhstan
189 Y15 **Utwe** Kosrae, E Micronesia
189 X15 **Utwe Harbor** *harbour* Kosrae, E Micronesia
162 J7 **Uubulan** Arhangay, C Mongolia
118 G6 **Uulu** Pärnumaa, SW Estonia
197 N13 **Uummannaq** *var.* Umanak, Umanaq. Kitaa, C Greenland
Uummannarsuaq *see* Nunap Isua
162 E4 **Üüreg Nuur** ◎ NW Mongolia
Uusikaarlepyy *see* Nykarleby
93 J19 **Uusikaupunki** *Swe.* Nystad. Länsi-Suomi, W Finland
127 S2 **Uva** Udmurtskaya Respublika, NW Russian Federation
113 L14 **Uvac** ↝ W Serbia and Montenegro (Yugo.)
25 Q12 **Uvalde** Texas, SW USA
155 K25 **Uva Province** ◆ *province* SE Sri Lanka
119 O18 **Uvaravichy** *Rus.* Uvarovichi. Homyel'skaya Voblasts', SE Belarus
54 J11 **Uvá, Río** ↝ E Colombia
Uvarovichi *see* Uvaravichy
127 N7 **Uvarovo** Tambovskaya Oblast', W Russian Federation
122 H10 **Uvat** Tyumenskaya Oblast', C Russian Federation
190 G12 **Uvea, Île** *island* N Wallis and Futuna
81 E21 **Uvinza** Kigoma, W Tanzania
79 O20 **Uvira** Sud Kivu, E Dem. Rep. Congo
162 E5 **Uvs** ◆ *province* NW Mongolia
162 F5 **Uvs Nuur** *var.* Ozero Ubsu-Nur. ◎ Mongolia/Russian Federation
164 F14 **Uwa** Ehime, Shikoku, SW Japan
164 F14 **Uwajima** *var.* Uwazima. Ehime, Shikoku, SW Japan
80 B5 **'Uwaynāt, Jabal al** *var.* Jebel Uweinat. ▲ Libya/Sudan
Uwazima *see* Uwajima
Uweinat, Jebel *see* 'Uwaynāt, Jabal al
14 H14 **Uxbridge** Ontario, S Canada
Uxellodunum *see* Issoudun
Uxin Qi *see* Dabqig
41 X12 **Uxmal, Ruinas** *ruins* Yucatán, SE Mexico
144 K15 **Uyaly** Kzylorda, S Kazakhstan
123 R8 **Uyandina** ↝ NE Russian Federation
122 L12 **Uyar** Krasnoyarskiy Kray, S Russian Federation
162 L10 **Üydzen** Ömnögovĭ, S Mongolia
Uyeda *see* Ueda
122 K5 **Uyedineniya, Ostrov** *island* N Russian Federation
77 V17 **Uyo** Akwa Ibom, S Nigeria
162 D8 **Üyönch** Hovd, W Mongolia
145 Q15 **Uyuk** Zhambyl, S Kazakhstan
141 V13 **'Uyūn** SW Oman
57 K20 **Uyuni** Potosí, W Bolivia
57 J20 **Uyuni, Salar de** *wetland* SW Bolivia
146 I9 **Uzbekistan** *off.* Republic of Uzbekistan. ◆ *republic* C Asia
158 D8 **Uzbel Shankou** *Rus.* Pereval Kyzyl-Dzhiik. *pass* China/Tajikistan
146 B11 **Uzboý** *prev. Rus.* Imeni 26 Bakinskikh Komissarov, *Turkm.* 26 Baku Komissarlary Adyndaky. Balkan Welaýaty, W Turkmenistan
119 J17 **Uzda** *Rus.* Uzda. Minskaya Voblasts', C Belarus
103 N12 **Uzerche** Corrèze, C France
103 R14 **Uzès** Gard, S France
147 T10 **Uzgen** *Kir.* Özgön. Oshskaya Oblast', SW Kyrgyzstan
117 O3 **Uzh** ↝ N Ukraine
Uzhgorod *see* Uzhhorod
116 G7 **Uzhhorod** *Rus.* Uzhgorod; *prev.* Ungvár. Zakarpats'ka Oblast', W Ukraine
Uzi *see* Uji
112 K13 **Užice** *prev.* Titovo Užice. Serbia, W Serbia and Montenegro (Yugo.)
Uzin *see* Uzyn
126 L5 **Uzlovaya** Tul'skaya Oblast', W Russian Federation
108 H7 **Uznach** Sankt Gallen, NE Switzerland
145 U16 **Uzunagach** Almaty, SE Kazakhstan
136 B10 **Uzunköprü** Edirne, NW Turkey
118 D11 **Užventis** Šiauliai, C Lithuania
117 P5 **Uzyn** *Rus.* Uzin. Kyyivs'ka Oblast', N Ukraine
145 N7 **Uzynkol'** *prev.* Lenin, Leninskoye. Kostanay, N Kazakhstan

V

Vääksy *see* Asikkala
83 H23 **Vaal** ↝ C South Africa
93 M14 **Vaala** Oulu, C Finland
93 N19 **Vaalimaa** Etelä-Suomi, SE Finland
99 M19 **Vaals** Limburg, SE Netherlands
93 J16 **Vaasa** *Swe.* Vasa; *prev.* Nikolainkaupunki. Vaasa, W Finland
98 L10 **Vaassen** Gelderland, E Netherlands
118 G11 **Vabalninkas** Panevėžys, NE Lithuania
Vabkent *see* Vobkent
111 J22 **Vác** *Ger.* Waitzen. Pest, N Hungary
61 I14 **Vacaria** Rio Grande do Sul, S Brazil
35 N7 **Vacaville** California, W USA
103 R15 **Vaccarès, Étang de** ◎ SE France
44 L10 **Vache, Île à** *island* SW Haiti
173 Y16 **Vacoas** W Mauritius
32 G10 **Vader** Washington, NW USA
94 D12 **Vadheim** Sogn og Fjordane, S Norway
154 D11 **Vadodara** *prev.* Baroda. Gujarāt, W India
92 M8 **Vadsø** *Fin.* Vesisaari. Finnmark, N Norway
95 L17 **Vadstena** Östergötland, S Sweden
108 I8 **Vaduz** ● (Liechtenstein) W Liechtenstein
Vág *see* Váh
127 N12 **Vaga** ↝ NW Russian Federation
94 G11 **Vågåmo** Oppland, S Norway
112 D12 **Vaganski Vrh** ▲ W Croatia
95 A19 **Vágar** *Dan.* Vågø. *Island* Faeroe Islands
Vágbeszterce *see* Považská Bystrica
95 L19 **Vaggeryd** Jönköping, S Sweden
95 C16 **Vagnhärad** Södermanland, C Sweden
104 G7 **Vagos** Aveiro, N Portugal
Vágsellye *see* Šal'a
92 H10 **Vågsfjorden** *fjord* N Norway
94 C10 **Vågsøy** *island* S Norway
Vágújhely *see* Nové Mesto nad Váhom
111 I21 **Váh** *Ger.* Waag, *Hung.* Vág. ↝ W Slovakia
93 K16 **Vähäkyrö** Länsi-Suomi, W Finland
191 X11 **Vahitahi** *atoll* Îles Tuamotu, E French Polynesia
Váhtjer *see* Gällivare
Vaidei *see* Vulcan
22 L4 **Vaiden** Mississippi, S USA
155 I23 **Vaigai** ↝ SE India
191 V16 **Vaihu** Easter Island, Chile, E Pacific Ocean
118 I6 **Väike Emajõgi** ↝ S Estonia
118 I4 **Väike-Maarja** *Ger.* Klein-Marien. Lääne-Virumaa, NE Estonia
Väike-Salatsi *see* Mazsalaca
37 R4 **Vail** Colorado, C USA
193 V15 **Vaina** Tongatapu, S Tonga
118 E5 **Väinameri** *prev.* Muhu Väin, *Ger.* Moon-Sund. *sea* E Baltic Sea
93 N18 **Vainikkala** Etelä-Suomi, SE Finland
118 D10 **Vaiņode** Liepāja, SW Latvia
155 H23 **Vaippār** ↝ SE India
191 W11 **Vairaatea** *atoll* Îles Tuamotu, C French Polynesia
191 R8 **Vairao** Tahiti, W French Polynesia
103 R14 **Vaison-la-Romaine** Vaucluse, SE France
190 G11 **Vaitupu** Île Uvea, E Wallis and Futuna
190 F7 **Vaitupu** *atoll* C Tuvalu
Vajdahunyad *see* Hunedoara
Vajdej *see* Vulcan
78 K12 **Vakaga** ◆ *prefecture* NE Central African Republic
114 H10 **Vakarel** Sofiya, W Bulgaria
Vakav *see* Ustrem
137 O11 **Vakfıkebir** Trabzon, NE Turkey
122 J10 **Vakh** ↝ C Russian Federation
Vakhon, Qatorkŭhi *see* Nicholas Range
147 P14 **Vakhsh** SW Tajikistan
147 Q12 **Vakhsh** ↝ SW Tajikistan
127 P1 **Vakhtan** Nizhegorodskaya Oblast', W Russian Federation
94 C13 **Vaksdal** Hordaland, S Norway
127 O8 **Vashka** ↝ NW Russian Federation
Valachia *see* Wallachia
108 D11 **Valais** *Ger.* Wallis. ◆ *canton* SW Switzerland
113 M21 **Valamarès, Mali i** ▲ SE Albania
127 S2 **Valamaz** Udmurtskaya Respublika, NW Russian Federation
113 Q19 **Valandovo** SE FYR Macedonia
111 I18 **Valašské Meziříčí** *Ger.* Wallachisch-Meseritsch, *Pol.* Wałeckie Międzyrzecze. Zlínský Kraj, E Czech Republic
115 I17 **Valáxa** *island* Vóreioi Sporádes, Greece, Aegean Sea
95 K16 **Välberg** Värmland, C Sweden
116 H12 **Vâlcea** *prev.* Vîlcea. ◆ *county* SW Romania
63 J16 **Valcheta** Río Negro, E Argentina
15 P12 **Valcourt** Québec, SE Canada
Valdai Hills *see* Valdayskaya Vozvyshennost'
104 M3 **Valdavia** ↝ N Spain
124 I15 **Valday** Novgorodskaya Oblast', W Russian Federation
126 I15 **Valdayskaya Vozvyshennost'** *var.* Valdai Hills. *hill range* W Russian Federation
104 L9 **Valdecañas, Embalse de** ⊠ W Spain
118 E8 **Valdemārpils** *Ger.* Sassmacken. Talsi, NW Latvia
95 N18 **Valdemarsvik** Östergötland, S Sweden
105 N8 **Valdemoro** Madrid, C Spain
105 O11 **Valdepeñas** Castilla-La Mancha, C Spain
104 L5 **Valderaduey** ↝ NE Spain
104 L5 **Valderas** Castilla-León, N Spain
105 T7 **Valderrobres** *var.* Vall-de-roures. Aragón, NE Spain
63 K17 **Valdés, Península** *peninsula* SE Argentina
39 S11 **Valdez** Alaska, USA
56 C5 **Valdéz** *var.* Limones. Esmeraldas, NW Ecuador
Valdia *see* Weldiya
103 U11 **Val d'Isère** Savoie, E France
63 G15 **Valdivia** Los Lagos, C Chile
Valdivia Bank *see* Valdivia Seamount
65 P17 **Valdivia Seamount** *var.* Valdivia Bank. *undersea feature* E Atlantic Ocean
103 N4 **Val-d'Oise** ◆ *department* N France
14 J8 **Val-d'Or** Québec, SE Canada
23 U8 **Valdosta** Georgia, SE USA
93 G13 **Valdres** *physical region* S Norway
32 L13 **Vale** Oregon, NW USA
116 F9 **Valea lui Mihai** *Hung.* Érmihályfalva. Bihor, NW Romania
11 N15 **Valemount** British Columbia, SW Canada
59 O17 **Valença** Bahia, E Brazil
104 F4 **Valença do Minho** Viana do Castelo, N Portugal
59 N14 **Valença do Piauí** Piauí, E Brazil
103 N8 **Valençay** Indre, C France
103 R13 **Valence** *anc.* Valentia, Valentia Julia, Ventia. Drôme, E France
105 S10 **Valencia** País Valenciano, E Spain
54 K5 **Valencia** Carabobo, N Venezuela
105 R10 **Valencia** *Cat.* València. ◆ *province* País Valenciano, E Spain
105 S10 **Valencia** ✕ Valencia, E Spain
València/Valencia *see* País Valenciano
104 I10 **Valencia de Alcántara** Extremadura, W Spain
104 L4 **Valencia de Don Juan** Castilla-León, N Spain
105 U9 **Valencia, Golfo de** *var.* Gulf of Valencia. *gulf* E Spain
Valencia, Gulf of *see* Valencia, Golfo de
97 A21 **Valencia Island** *Ir.* Dairbhre. *island* SW Ireland
103 P2 **Valenciennes** Nord, N France
116 K13 **Vălenii de Munte** Prahova, SE Romania
Valentia *see* Valence, France
Valentia *see* País Valenciano
Valentia Julia *see* Valence
103 T8 **Valentigney** Doubs, E France
28 M12 **Valentine** Nebraska, C USA
24 J10 **Valentine** Texas, SW USA
Valentine State *see* Oregon
106 C8 **Valenza** Piemonte, NW Italy
94 I13 **Våler** Hedmark, S Norway
54 I6 **Valera** Trujillo, NW Venezuela
192 M11 **Valerie Guyot** *undersea feature* S Pacific Ocean
Valetta *see* Valletta
118 I7 **Valga** *Ger.* Walk, *Latv.* Valka. Valgamaa, S Estonia
118 I7 **Valgamaa** *off.* Valga Maakond. ◆ *province* S Estonia
43 Q15 **Valiente, Península** *peninsula* NW Panama
103 X16 **Valinco, Golfe de** *gulf* Corse, France, C Mediterranean Sea
112 L12 **Valjevo** Serbia, W Serbia and Montenegro (Yugo.)
Valjok *see* Válljohka
118 I7 **Valka** *Ger.* Walk. Valka, N Latvia
Valka *see* Valga
93 L18 **Valkeakoski** Länsi-Suomi, W Finland
93 M19 **Valkeala** Etelä-Suomi, S Finland
99 L18 **Valkenburg** Limburg, SE Netherlands
99 K15 **Valkenswaard** Noord-Brabant, S Netherlands
119 G15 **Valkininkai** Alytus, S Lithuania
117 U5 **Valky** Kharkivs'ka Oblast', E Ukraine
41 Y12 **Valladolid** Yucatán, SE Mexico
104 M5 **Valladolid** Castilla-León, NW Spain
104 L5 **Valladolid** ◆ *province* Castilla-León, N Spain
103 U15 **Vallauris** Alpes-Maritimes, SE France
Vall-de-roures *see* Valderrobres
105 S9 **Vall d'Uxó** País Valenciano, E Spain
95 E16 **Valle** Aust-Agder, S Norway
105 N2 **Valle** Cantabria, N Spain
42 H8 **Valle** ◆ *department* S Honduras
105 N8 **Vallecas** Madrid, C Spain
37 Q8 **Vallecito Reservoir** ⊠ Colorado, C USA
106 A7 **Valle d'Aosta** ◆ *region* NW Italy
41 O14 **Valle de Bravo** México, S Mexico
55 N5 **Valle de Guanape** Anzoátegui, N Venezuela
54 M6 **Valle de La Pascua** Guárico, N Venezuela
54 B11 **Valle del Cauca** *off.* Departamento del Valle del Cauca. ◆ *province* W Colombia
41 N13 **Valle de Santiago** Guanajuato, C Mexico
40 J7 **Valle de Zaragoza** Chihuahua, N Mexico
54 G5 **Valledupar** Cesar, N Colombia
76 G10 **Vallée de Ferlo** ↝ NW Senegal
57 M15 **Vallegrande** Santa Cruz, C Bolivia
41 P8 **Valle Hermoso** Tamaulipas, C Mexico
35 N8 **Vallejo** California, W USA
62 G8 **Vallenar** Atacama, N Chile
95 O15 **Vallentuna** Stockholm, C Sweden
121 P16 **Valletta** *prev.* Valetta. ● (Malta) E Malta
27 N6 **Valley Center** Kansas, C USA
29 Q5 **Valley City** North Dakota, N USA
32 I15 **Valley Falls** Oregon, NW USA
Valleyfield *see* Salaberry-de-Valleyfield
21 S4 **Valley Head** West Virginia, NE USA
25 T8 **Valley Mills** Texas, SW USA
75 W10 **Valley of the Kings** *ancient monument* E Egypt
29 R11 **Valley Springs** South Dakota, N USA
20 K5 **Valley Station** Kentucky, S USA
11 O13 **Valleyview** Alberta, W Canada
25 T5 **Valley View** Texas, SW USA
61 C21 **Vallimanca, Arroyo** ↝ E Argentina
92 L9 **Válljohka** *var.* Valjok. Finnmark, N Norway
107 M19 **Vallo della Lucania** Campania, S Italy
108 B9 **Vallorbe** Vaud, W Switzerland
105 V6 **Valls** Cataluña, NE Spain
94 N11 **Vallsta** Gävleborg, C Sweden
94 N12 **Vallvik** Gävleborg, C Sweden
11 T17 **Val Marie** Saskatchewan, S Canada
118 H7 **Valmiera** *Est.* Volmari, *Ger.* Wolmar. Valmiera, N Latvia
105 N3 **Valnera** ▲ N Spain
102 J3 **Valognes** Manche, N France
Valona *see* Vlorë
Valona Bay *see* Vlorës, Gjiri i
104 G6 **Valongo** *var.* Valongo de Gaia. Porto, N Portugal
Valongo de Gaia *see* Valongo
104 M5 **Valoria la Buena** Castilla-León, N Spain
119 J15 **Valozhyn** *Pol.* Wołożyn, *Rus.* Volozhin. Minskaya Voblasts', C Belarus
104 I5 **Valpaços** Vila Real, N Portugal
23 P8 **Valparaiso** Florida, SE USA
31 N11 **Valparaiso** Indiana, N USA
62 G11 **Valparaíso** Valparaíso, C Chile
40 L11 **Valparaíso** Zacatecas, C Mexico
62 G11 **Valparaíso** *off.* Región de Valparaíso. ◆ *region* C Chile
Valpo *see* Valpovo
112 I9 **Valpovo** *Hung.* Valpó. Osijek-Baranja, E Croatia
103 R14 **Valréas** Vaucluse, SE France
Vals *see* Vals-Platz
154 D12 **Valsād** *prev.* Bulsar. Gujarāt, W India
Valsbaai *see* False Bay
171 T12 **Valse Pisang, Kepulauan** *island group* E Indonesia
108 H9 **Vals-Platz** *var.* Vals. Graubünden, S Switzerland
171 X16 **Vals, Tanjung** *headland* Papua, SE Indonesia
93 N15 **Valtimo** Itä-Suomi, E Finland
115 D17 **Váltou** ▲ C Greece
127 O12 **Valuyevka** Rostovskaya Oblast', SW Russian Federation
126 K9 **Valuyki** Belgorodskaya Oblast', W Russian Federation
36 L2 **Val Verda** Utah, W USA
64 N12 **Valverde** Hierro, Islas Canarias, Spain, NE Atlantic Ocean
104 I13 **Valverde del Camino** Andalucía, S Spain
95 G23 **Vamdrup** Vejle, C Denmark
94 L12 **Våmhus** Dalarna, C Sweden
93 K18 **Vammala** Länsi-Suomi, W Finland
Vámosudvarhely *see* Odorheiu Secuiesc
137 S14 **Van** Van, E Turkey
25 V7 **Van** Texas, SW USA
137 T14 **Van** ◆ *province* E Turkey
137 T11 **Vanadzor** *prev.* Kirovakan. N Armenia
25 U5 **Van Alstyne** Texas, SW USA
33 W10 **Vananda** Montana, NW USA
116 I11 **Vânători** *Hung.* Héjjasfalva; *prev.* Vînători. Mureş, C Romania
191 W12 **Vanavana** *atoll* Îles Tuamotu, SE French Polynesia
Vana-Vändra *see* Vändra
122 M11 **Vanavara** Evenkiyskiy Avtonomnyy Okrug, C Russian Federation
15 Q8 **Van Bruyssel** Québec, SE Canada
27 R10 **Van Buren** Arkansas, C USA
19 S1 **Van Buren** Maine, NE USA
27 W7 **Van Buren** Missouri, C USA
19 T5 **Vanceboro** Maine, NE USA
21 W10 **Vanceboro** North Carolina, SE USA
21 O4 **Vanceburg** Kentucky, S USA
Vanch *see* Vanj
10 L17 **Vancouver** British Columbia, SW Canada
32 G11 **Vancouver** Washington, NW USA
10 L17 **Vancouver** ✕ British Columbia, SW Canada
10 K16 **Vancouver Island** *island* British Columbia, SW Canada
Vanda *see* Vantaa
171 X13 **Van Daalen** ↝ Papua, E Indonesia
30 L15 **Vandalia** Illinois, N USA
27 V3 **Vandalia** Missouri, C USA
31 R13 **Vandalia** Ohio, N USA
25 U13 **Vanderbilt** Texas, SW USA
31 Q10 **Vandercook Lake** Michigan, N USA
10 L14 **Vanderhoof** British Columbia, SW Canada
18 K8 **Vanderwhacker Mountain** ▲ New York, NE USA
181 P1 **Van Diemen Gulf** *gulf* Northern Territory, N Australia
Van Diemen's Land *see* Tasmania
118 H5 **Vändra** *Ger.* Fennern; *prev.* Vana-Vändra. Pärnumaa, SW Estonia
Vandsburg *see* Więcbork
34 L4 **Van Duzen River** ↝ California, W USA
118 F13 **Vandžiogala** Kaunas, C Lithuania
41 N10 **Vanegas** San Luis Potosí, C Mexico
Vaner, Lake *see* Vänern
95 K17 **Vänern** *Eng.* Lake Vaner; *prev.* Lake Vener. ◎ S Sweden
95 J18 **Vänersborg** Västra Götaland, S Sweden
94 F12 **Vang** Oppland, S Norway
172 I7 **Vangaindrano** Fianarantsoa, SE Madagascar
137 S14 **Van Gölü** *Eng.* Lake Van; *anc.* Thospitis. *salt lake* E Turkey
186 L9 **Vangunu** *island* New Georgia Islands, NW Solomon Islands
24 J9 **Van Horn** Texas, SW USA
187 Q11 **Vanikolo** *var.* Vanikoro. *island* Santa Cruz Islands, E Solomon Islands
Vanikoro *see* Vanikolo
186 A5 **Vanimo** Sandaun, NW PNG
123 T13 **Vanino** Khabarovskiy Kray, SE Russian Federation
155 G19 **Vānīvilāsa Sāgara** ◎ SW India
147 S13 **Vanj** *Rus.* Vanch. S Tajikistan
116 G14 **Vânju Mare** *prev.* Vînju Mare. Mehedinţi, SW Romania
15 N12 **Vankleek Hill** Ontario, SE Canada
Van, Lake *see* Van Gölü
93 I16 **Vännäs** Västerbotten, N Sweden
93 I15 **Vännäsby** Västerbotten, N Sweden
102 H7 **Vannes** *anc.* Dariorigum. Morbihan, NW France
92 I8 **Vannøya** *island* N Norway
103 T12 **Vanoise, Massif de la** ▲ E France
83 E24 **Vanrhynsdorp** Western Cape, SW South Africa
21 P7 **Vansant** Virginia, NE USA
94 L13 **Vansbro** Dalarna, C Sweden
95 D18 **Vanse** Vest-Agder, S Norway
9 P7 **Vansittart Island** *island* Nunavut, NE Canada
93 M20 **Vantaa** *Swe.* Vanda. Etelä-Suomi, S Finland

● Country ● Country Capital ◇ Dependent Territory ○ Dependent Territory Capital ◆ Administrative Region ✕ International Airport ▲ Mountain ▲ Mountain Range Volcano ↝ River ◎ Lake ⊠ Reservoir

340 ••• VANTAA – VETTER, LAKE

93 *L19* **Vantaa** ✕ (Helsinki) Etelä-Suomi, S Finland
32 *J9* **Vantage** Washington, NW USA
187 *Z14* **Vanua Balavu** ***prev.*** Vanua Mbalavu. *island* Lau Group, E Fiji
187 *R12* **Vanua Lava** *island* Banks Islands, N Vanuatu
187 *Y13* **Vanua Levu** *island* N Fiji
Vanua Mbalavu *see* Vanua Balavu
187 *R12* **Vanuatu** ***off.*** Republic of Vanuatu; ***prev.*** New Hebrides. ◆ *republic* SW Pacific Ocean
31 *Q12* **Van Wert** Ohio, N USA
187 *Q17* **Vao** Province Sud, S New Caledonia
Vapincum *see* Gap
117 *N7* **Vapnyarka** Vinnyts'ka Oblast', C Ukraine
103 *T15* **Var** ◈ *department* SE France
103 *U14* **Var** ≈ SE France
95 *J18* **Vara** Västra Götaland, S Sweden
Varadinska Županija *see* Varaždin
118 *J10* **Varakļani** Madona, C Latvia
106 *C7* **Varallo** Piemonte, NE Italy
143 *O5* **Varāmīn** ***var.*** Veramin. Tehrān, N Iran
153 *N14* **Vārānasi** ***prev.*** Banaras, Benares, ***hist.*** Kasi. Uttar Pradesh, N India
125 *T3* **Varandey** Nenetskiy Avtonomnyy Okrug, NW Russian Federation
92 *M8* **Varangerbotn** Finnmark, N Norway
92 *M8* **Varangerfjorden** ***Lapp.*** Várjjatvuotna. *fjord* N Norway
92 *M8* **Varangerhalvøya** ***Lapp.*** Várnjárga. *peninsula* N Norway
Varannó *see* Vranov nad Topl'ou
107 *M15* **Varano, Lago di** ◎ SE Italy
118 *J13* **Varapayeva** ***Rus.*** Voropayevo. Vitsyebskaya Voblasts', NW Belarus
Varasd *see* Varaždin
112 *E7* **Varaždin** ***Ger.*** Warasdin, ***Hung.*** Varasd. Varaždin, N Croatia
112 *E7* **Varaždin** ***off.*** Varadinska Županija. ◈ *province* N Croatia
106 *C10* **Varazze** Liguria, NW Italy
95 *J20* **Varberg** Halland, S Sweden
Vardak *see* Wardag
113 *Q19* **Vardar** ***Gk.*** Axiós. ≈ FYR Macedonia/Greece ***see also*** Axiós
95 *F23* **Varde** Ribe, W Denmark
137 *V12* **Vardenis** E Armenia
92 *N8* **Vardø** ***Fin.*** Vuoreija. Finnmark, N Norway
115 *E18* **Vardoúsia** ▲▲ C Greece
Vareia *see* Logroño
100 *G10* **Varel** Niedersachsen, NW Germany
119 *G15* **Varėna** ***Pol.*** Orany. Alytus, S Lithuania
15 *O12* **Varennes** Québec, SE Canada
103 *P10* **Varennes-sur-Allier** Allier, C France
112 *I12* **Vareš** Federacija Bosna I Hercegovina, E Bosnia and Herzegovina
106 *D7* **Varese** Lombardia, N Italy
116 *J12* **Vârful Moldoveanu** ***var.*** Moldoveanul; ***prev.*** Vîrful Moldoveanu. ▲ C Romania
Varganzi *see* Warganza
95 *J18* **Vårgårda** Västra Götaland, S Sweden
95 *J18* **Vargön** Västra Götaland, S Sweden
95 *C17* **Varhaug** Rogaland, S Norway
Várjjatvuotna *see* Varangerfjorden
93 *N17* **Varkaus** Itä-Suomi, C Finland
92 *J2* **Varmahlidh** Nordhurland Vestra, N Iceland
95 *J15* **Värmland** ◈ *county* C Sweden
95 *K16* **Värmlandsnäs** *peninsula* S Sweden
114 *N8* **Varna** ***prev.*** Stalin, ***anc.*** Odessus. Varna, E Bulgaria
114 *N8* **Varna** ✕ Varna, E Bulgaria
114 *N8* **Varna** ◈ *province* E Bulgaria
95 *L20* **Värnamo** Jönköping, S Sweden
114 *N8* **Varnenski Zaliv** ***prev.*** Stalinski Zaliv. *bay* E Bulgaria
114 *N8* **Varnensko Ezero** *estuary* E Bulgaria
118 *D11* **Varniai** Telšiai, W Lithuania
Várnjárga *see* Varangerhalvøya
Varnoús *see* Baba
111 *D14* **Varnsdorf** ***Ger.*** Warnsdorf. Ústecký Kraj, N Czech Republic
111 *I23* **Várpalota** Veszprém, W Hungary
Varshava *see* Warszawa
118 *K6* **Värska** Põlvamaa, SE Estonia
98 *N12* **Varsseveld** Gelderland, E Netherlands
115 *D19* **Vartholomió** ***prev.*** Vartholomión. Dytikí Ellás, S Greece
Vartholomión *see* Vartholomió
137 *Q14* **Varto** Muş, E Turkey
95 *K18* **Vartofta** Västra Götaland, S Sweden
93 *O17* **Värtsilä** Itä-Suomi, E Finland
Värtsilä *see* Vyartsilya
117 *R4* **Varva** Chernihivs'ka Oblast', NE Ukraine
59 *H18* **Várzea Grande** Mato Grosso, SW Brazil
106 *D9* **Varzi** Lombardia, N Italy
Varzimanor Ayni *see* Ayní
126 *K5* **Varzuga** ≈ NW Russian Federation
103 *P8* **Varzy** Nièvre, C France
111 *G23* **Vas** ***off.*** Vas Megye. ◈ *county* W Hungary
Vasa *see* Vaasa
190 *A9* **Vasafua** *island* Funafuti Atoll, C Tuvalu
111 *O21* **Vásárosnamény** Szabolcs-Szatmár-Bereg, E Hungary
104 *H13* **Vascão, Ribeira de** ≈ S Portugal
116 *G10* **Vaşcău** ***Hung.*** Vaskoh. Bihor, NE Romania
Vascongadas, Provincias *see* País Vasco
Vashess Bay *see* Vaskess Bay
Vāsht *see* Khāsh
Vasilevichi *see* Vasilyevichy
115 *G14* **Vasiliká** Kentrikí Makedonía, NE Greece
115 *C18* **Vasilikí** Lefkáda, Iónioi Nísoi, Greece, C Mediterranean Sea
115 *K25* **Vasilikí** Kríti, Greece, E Mediterranean Sea
119 *G16* **Vasilishki** ***Pol.*** Wasiliszki, ***Rus.*** Vasilishki. Hrodzyenskaya Voblasts', W Belarus
Vasil Kolarov *see* Pamporovo
Vasil'kov *see* Vasyl'kiv
119 *N19* **Vasilyevichy** ***Rus.*** Vasilevichi. Homyel'skaya Voblasts', SE Belarus
191 *Y3* **Vaskess Bay** ***var.*** Vashess Bay. *bay* Kiritimati, E Kiribati
Vaskoh *see* Vaşcău
Vaskohsziklás *see* Ştei
116 *M10* **Vaslui** Vaslui, C Romania
116 *L11* **Vaslui** ◈ *county* NE Romania
31 *R8* **Vassar** Michigan, N USA
95 *E15* **Vassdalsegga** ▲ S Norway
60 *P9* **Vassouras** Rio de Janeiro, SE Brazil
95 *N15* **Västerås** Västmanland, C Sweden
93 *G15* **Västerbotten** ◈ *county* N Sweden
94 *K12* **Västerdalälven** ≈ C Sweden
95 *O16* **Västerhaninge** Stockholm, C Sweden
94 *M10* **Västernorrland** ◈ *county* C Sweden
95 *N19* **Västervik** Kalmar, S Sweden
95 *M15* **Västmanand** ◈ *county* C Sweden
107 *L15* **Vasto** ***anc.*** Histonium. Abruzzo, C Italy
95 *J19* **Västra Götaland** ◈ *county* S Sweden
95 *J16* **Västra Silen** ◎ S Sweden
111 *G23* **Vasvár** ***Ger.*** Eisenburg. Vas, W Hungary
117 *U9* **Vasylivka** Zaporiz'ka Oblast', SE Ukraine
117 *O5* **Vasyl'kiv** ***Rus.*** Vasil'kov. Kyyivs'ka Oblast', N Ukraine
122 *I11* **Vasyugan** ≈ C Russian Federation
103 *N8* **Vatan** Indre, C France
Vaté *see* Efate
107 *G15* **Vatican City** ***off.*** Vatican City State. ◆ *papal state* S Europe
107 *M22* **Vaticano, Capo** *headland* S Italy
92 *K3* **Vatnajökull** *glacier* SE Iceland
95 *P15* **Vätö** Stockholm, C Sweden
187 *Z16* **Vatoa** *island* Lau Group, SE Fiji
172 *J5* **Vatomandry** Toamasina, E Madagascar
116 *J9* **Vatra Dornei** ***Ger.*** Dorna Watra. Suceava, NE Romania
116 *J9* **Vatra Moldoviţei** Suceava, NE Romania
Vatter, Lake *see* Vättern
95 *L18* **Vättern** ***Eng.*** Lake Vatter; ***prev.*** Lake Vetter. ◎ S Sweden
187 *X5* **Vatulele** *island* SW Fiji
117 *P7* **Vatutine** Cherkas'ka Oblast', C Ukraine
187 *W15* **Vatu Vara** *island* Lau Group, E Fiji
103 *R14* **Vaucluse** ◈ *department* SE France
103 *S5* **Vaucouleurs** Meuse, NE France
108 *B9* **Vaud** ***Ger.*** Waadt. ◈ *canton* SW Switzerland
15 *N12* **Vaudreuil** Québec, SE Canada
37 *T12* **Vaughn** New Mexico, SW USA
54 *I14* **Vaupés** ***off.*** Comisaría del Vaupés. ◈ *province* SE Colombia
54 *J13* **Vaupés, Río** ***var.*** Rio Uaupés. ≈ Brazil/Colombia ***see also*** Uaupés, Rio
103 *Q15* **Vauvert** Gard, S France
11 *R17* **Vauxhall** Alberta, SW Canada
99 *K23* **Vaux-sur-Sûre** Luxembourg, SE Belgium
172 *J4* **Vavatenina** Toamasina, E Madagascar
193 *Y14* **Vava'u Group** *island group* N Tonga
76 *M16* **Vavoua** W Ivory Coast
127 *S2* **Vavozh** Udmurtskaya Respublika, NW Russian Federation
155 *K23* **Vavuniya** Northern Province, N Sri Lanka
119 *G17* **Vawkavysk** ***Pol.*** Wołkowysk, ***Rus.*** Volkovysk. Hrodzyenskaya Voblasts', W Belarus
119 *F17* **Vawkavyskaye Wzvyshsha** ***Rus.*** Volkovyskiye Vysoty. *hill range* W Belarus
95 *P15* **Vaxholm** Stockholm, C Sweden
95 *L21* **Växjö** ***var.*** Vexiö. Kronoberg, S Sweden
127 *T1* **Vaygach, Ostrov** *island* NW Russian Federation
137 *V13* **Vayk'** ***prev.*** Azizbekov. SE Armenia
Vazáš *see* Vittangi
125 *P8* **Vazhgort** ***prev.*** Chasovo. Respublika Komi, NW Russian Federation
45 *V10* **V.C.Bird** ✕ (St John's) Antigua, Antigua and Barbuda
95 *C16* **Veavågen** Rogaland, S Norway
29 *Q7* **Veblen** South Dakota, N USA
98 *N9* **Vecht** ***Ger.*** Vechte. ≈ Germany/Netherlands ***see also*** Vechte
100 *G12* **Vechta** Niedersachsen, NW Germany
100 *E12* **Vechte** ***Dut.*** Vecht. ≈ Germany/Netherlands ***see also*** Vecht
118 *I8* **Vecpiebalga** Cēsis, C Latvia
118 *G9* **Vecumnieki** Bauska, C Latvia
Vedāvati *see* Hagari
95 *J20* **Veddige** Halland, S Sweden
116 *J15* **Vedea** ≈ S Romania
127 *P16* **Vedeno** Chechenskaya Respublika, SW Russian Federation
98 *O6* **Veendam** Groningen, NE Netherlands
98 *K12* **Veenendaal** Utrecht, C Netherlands
99 *E14* **Veere** Zeeland, SW Netherlands
24 *M2* **Vega** Texas, SW USA
92 *E13* **Vega** *island* C Norway
45 *T5* **Vega Baja** C Puerto Rico
38 *D17* **Vega Point** *headland* Kiska Island, Alaska, USA
95 *F17* **Vegår** ◎ S Norway
99 *K14* **Veghel** Noord-Brabant, S Netherlands
Veglia *see* Krk
114 *E13* **Vegorítis, Límni** ◎ N Greece
11 *Q14* **Vegreville** Alberta, SW Canada
95 *K21* **Veinge** Halland, S Sweden
61 *B21* **Veinticinco de Mayo** ***var.*** 25 de Mayo. Buenos Aires, E Argentina
63 *I14* **Veinticinco de Mayo** La Pampa, C Argentina
119 *F15* **Veisiejai** Alytus, S Lithuania
95 *F23* **Vejen** Ribe, W Denmark
104 *K16* **Vejer de la Frontera** Andalucía, S Spain
95 *G23* **Vejle** Vejle, C Denmark
95 *F23* **Vejle** ***off.*** Vejle Amt. ◈ *county* C Denmark
114 *M7* **Vekilski** Shumen, NE Bulgaria
54 *G3* **Vela, Cabo de la** *headland* NE Colombia
Vela Goa *see* Goa
113 *F15* **Vela Luka** Dubrovnik-Neretva, S Croatia
61 *G19* **Velázquez** Rocha, E Uruguay
101 *E15* **Velbert** Nordrhein-Westfalen, W Germany
109 *S9* **Velden** Kärnten, S Austria
Veldes *see* Bled
99 *K15* **Veldhoven** Noord-Brabant, S Netherlands
112 *C11* **Velebit** ▲▲ C Croatia
114 *N11* **Veleka** ≈ SE Bulgaria
109 *V10* **Velenje** ***Ger.*** Wöllan. N Slovenia
190 *E12* **Vele, Pointe** *headland* Île Futuna, S Wallis and Futuna
113 *O18* **Veles** ***Turk.*** Köprülü. C FYR Macedonia
113 *M20* **Velešta** SW FYR Macedonia
115 *F16* **Velestíno** ***prev.*** Velestínon. Thessalía, C Greece
Velestínon *see* Velestíno
Velevshchina *see* Vyelyewshchyna
54 *F9* **Vélez** Santander, C Colombia
105 *Q13* **Vélez Blanco** Andalucía, S Spain
104 *M17* **Vélez de la Gomera, Peñon de** *island group* S Spain
105 *N15* **Vélez-Málaga** Andalucía, S Spain
105 *Q13* **Vélez Rubio** Andalucía, S Spain
Velha Goa *see* Goa
Velho *see* Porto Velho
112 *E8* **Velika Gorica** Zagreb, N Croatia
112 *C9* **Velika Kapela** ▲▲ NW Croatia
Velika Kikinda *see* Kikinda
112 *D10* **Velika Kladuša** Federacija Bosna I Hercegovina, NW Bosnia and Herzegovina
112 *N11* **Velika Morava** ***var.*** Glavn'a Morava, Morava, ***Ger.*** Grosse Morava. ≈ C Serbia and Montenegro (Yugo.)
112 *N12* **Velika Plana** Serbia, C Serbia and Montenegro (Yugo.)
109 *U10* **Velika Raduha** ▲ N Slovenia
123 *V7* **Velikaya** ≈ NE Russian Federation
126 *F15* **Velikaya** ≈ W Russian Federation
Velikaya Berestovitsa *see* Vyalikaya Byerastavitsa
Velikaya Lepetikha *see* Velyka Lepetykha
Veliki Bečkerek *see* Zrenjanin
112 *P12* **Veliki Krš** ***var.*** Stol. ▲ E Serbia and Montenegro (Yugo.)
114 *L8* **Veliki Preslav** ***prev.*** Preslav. Shumen, NE Bulgaria
112 *B9* **Veliki Risnjak** ▲ NW Croatia
109 *T13* **Veliki Snežnik** ***Ger.*** Schneeberg, ***It.*** Monte Nevoso. ▲ SW Slovenia
112 *J13* **Veliki Stolac** ▲ E Bosnia and Herzegovina
Velikiy Bor *see* Vyaliki Bor
124 *G16* **Velikiye Luki** Pskovskaya Oblast', W Russian Federation
124 *H14* **Velikiy Novgorod** ***prev.*** Novgorod. Novgorodskaya Oblast', W Russian Federation
125 *P12* **Velikiy Ustyug** Vologodskaya Oblast', NW Russian Federation
112 *N11* **Veliko Gradište** Serbia, NE Serbia and Montenegro (Yugo.)
155 *I18* **Velikonda Range** ▲▲ SE India
114 *K9* **Veliko Tŭrnovo** ***prev.*** Tirnovo, Trnovo, Tŭrnovo. Veliko Tŭrnovo, N Bulgaria
114 *K8* **Veliko Tŭrnovo** ◈ *province* N Bulgaria
Velikovec *see* Völkermarkt
125 *R5* **Velikovisochnoye** Nenetskiy Avtonomnyy Okrug, NW Russian Federation
76 *H12* **Vélingara** C Senegal
76 *H11* **Vélingara** S Senegal
114 *H11* **Velingrad** Pazardzhik, C Bulgaria
126 *H3* **Velizh** Smolenskaya Oblast', W Russian Federation
111 *F16* **Velká Deštná** ***var.*** Deštná, Grosskoppe, ***Ger.*** Deschnaer Koppe. ▲ NE Czech Republic
111 *F18* **Velké Meziříčí** ***Ger.*** Grossmeseritsch. Vysočina, C Czech Republic
92 *N1* **Velkomstpynten** *headland* NW Svalbard
111 *K21* **Vel'ký Krtíš** Banskobystrický Kraj, C Slovakia
186 *J8* **Vella Lavella** ***var.*** Mbilua. *island* New Georgia Islands, NW Solomon Islands
107 *I15* **Velletri** Lazio, C Italy
95 *K23* **Vellinge** Skåne, S Sweden
155 *I19* **Vellore** Tamil Nādu, SE India
Velobriga *see* Viana do Castelo
115 *G21* **Velopoúla** *island* S Greece
98 *M12* **Velp** Gelderland, SE Netherlands
Velsen *see* Velsen-Noord
98 *H9* **Velsen-Noord** ***var.*** Velsen. Noord-Holland, W Netherlands
125 *N12* **Vel'sk** ***var.*** Velsk. Arkhangel'skaya Oblast', NW Russian Federation
Velsuna *see* Orvieto
98 *K10* **Veluwemeer** *lake channel* C Netherlands
28 *M3* **Velva** North Dakota, N USA
115 *E14* **Velvendós** ***var.*** Velvendos. Dytikí Makedonía, N Greece
117 *S5* **Velyka Bahachka** Poltavs'ka Oblast', C Ukraine
117 *S9* **Velyka Lepetykha** ***Rus.*** Velikaya Lepetikha. Khersons'ka Oblast', S Ukraine
117 *O10* **Velyka Mykhaylivka** Odes'ka Oblast', SW Ukraine
117 *W8* **Velyka Novosilka** Donets'ka Oblast', E Ukraine
117 *S9* **Velyka Oleksandrivka** Khersons'ka Oblast', S Ukraine
117 *T4* **Velyka Pysanivka** Sums'ka Oblast', NE Ukraine
116 *G6* **Velykyy Bereznyy** Zakarpats'ka Oblast', W Ukraine
117 *W4* **Velykyy Burluk** Kharkivs'ka Oblast', E Ukraine
Velykyy Tokmak *see* Tokmak
173 *P7* **Vema Fracture Zone** *tectonic feature* W Indian Ocean
65 *P18* **Vema Seamount** *undersea feature* SW Indian Ocean
93 *F17* **Vemdalen** Jämtland, C Sweden
95 *N19* **Vena** Kalmar, S Sweden
41 *N11* **Venado** San Luis Potosí, C Mexico
62 *L11* **Venado Tuerto** Entre Ríos, E Argentina
61 *A19* **Venado Tuerto** Santa Fe, C Argentina
107 *K16* **Venafro** Molise, C Italy
55 *Q9* **Venamo, Cerro** ▲ E Venezuela
106 *B8* **Venaria** Piemonte, NW Italy
103 *U15* **Vence** Alpes-Maritimes, SE France
104 *H5* **Venda Nova** Vila Real, N Portugal
104 *G11* **Vendas Novas** Évora, S Portugal
102 *J9* **Vendée** ◈ *department* NW France
103 *Q6* **Vendeuvre-sur-Barse** Aube, NE France
102 *M7* **Vendôme** Loir-et-Cher, C France
Venedig *see* Venezia
Vener, Lake *see* Vänern
106 *I8* **Veneta, Laguna** *lagoon* NE Italy
Venetia *see* Venezia
39 *S7* **Venetie** Alaska, USA
106 *H8* **Veneto** ***var.*** Venezia Euganea. ◈ *region* NE Italy
114 *M7* **Venets** Shumen, NE Bulgaria
126 *L5* **Venev** Tul'skaya Oblast', W Russian Federation
106 *I8* **Venezia** ***Eng.*** Venice, ***Fr.*** Venise, ***Ger.*** Venedig; anc.Venetia. Veneto, NE Italy
Venezia Euganea *see* Veneto
Venezia, Golfo di *see* Venice, Gulf of
Venezia Tridentina *see* Trentino-Alto Adige
54 *K8* **Venezuela** ***off.*** Republic of Venezuela; ***prev.*** Estados Unidos de Venezuela, United States of Venezuela. ◆ *republic* N South America
54 *I4* **Venezuela, Golfo de** ***Eng.*** Gulf of Maracaibo, Gulf of Venezuela. *gulf* NW Venezuela
Venezuela, Gulf of *see* Venezuela, Golfo de
64 *F11* **Venezuelan Basin** *undersea feature* E Caribbean Sea
155 *D16* **Vengurla** Mahārāshtra, W India
39 *O15* **Veniaminof, Mount** ▲ Alaska, USA
23 *V14* **Venice** Florida, SE USA
22 *L10* **Venice** Louisiana, S USA
Venice *see* Venezia
106 *J8* **Venice, Gulf of** ***It.*** Golfo di Venezia, ***Slvn.*** Beneški Zaliv. *gulf* N Adriatic Sea
Venise *see* Venezia
94 *K13* **Venjan** Dalarna, C Sweden
94 *K13* **Venjansjön** ◎ C Sweden
155 *J18* **Venkatagiri** Andhra Pradesh, E India
99 *M15* **Venlo** ***prev.*** Venloo. Limburg, SE Netherlands
Venloo *see* Venlo
95 *E18* **Vennesla** Vest-Agder, S Norway
107 *M17* **Venosa** ***anc.*** Venusia. Basilicata, S Italy
Venoste, Alpi *see* Ötztaler Alpen
Venraij *see* Venray
99 *M14* **Venray** ***var.*** Venraij. Limburg, SE Netherlands
118 *C8* **Venta** ***Ger.*** Windau. ≈ Latvia/Lithuania
Venta Belgarum *see* Winchester
40 *G9* **Ventana, Punta Arena de la** ***var.*** Punta de la Ventana. *headland* W Mexico
Ventana, Punta de la *see* Ventana, Punta Arena de la
61 *B23* **Ventana, Sierra de la** *hill range* E Argentina
Ventia *see* Valence
191 *S11* **Vent, Îles du** ***var.*** Windward Islands. *island group* Archipel de la Société, W French Polynesia
191 *R10* **Vent, Îles Sous le** ***var.*** Leeward Islands. *island group* Archipel de la Société, W French Polynesia
106 *B11* **Ventimiglia** Liguria, NW Italy
97 *M24* **Ventnor** S England, UK
18 *J17* **Ventnor City** New Jersey, NE USA
103 *S14* **Ventoux, Mont** ▲ SE France
118 *C8* **Ventspils** ***Ger.*** Windau. Ventspils, NW Latvia
54 *M10* **Ventuari, Río** ≈ S Venezuela
35 *R15* **Ventura** California, W USA
182 *F8* **Venus Bay** South Australia
Venusia *see* Venosa
191 *P7* **Vénus, Pointe** ***var.*** Pointe Tataaihoa. *headland* Tahiti, W French Polynesia
41 *V16* **Venustiano Carranza** Chiapas, SE Mexico
41 *N7* **Venustiano Carranza, Presa** ▣ NE Mexico
61 *B15* **Vera** Santa Fe, C Argentina
105 *Q14* **Vera** Andalucía, S Spain
63 *K18* **Vera, Bahía** *bay* E Argentina
41 *R14* **Veracruz** ***var.*** Veracruz Llave. Veracruz-Llave, E Mexico
41 *Q13* **Veracruz-Llave** ***var.*** Veracruz. ◈ *state* E Mexico
43 *Q16* **Veraguas** ***off.*** Provincia de Veraguas. ◈ *province* W Panama
Veramin *see* Varāmīn
154 *B12* **Verāval** Gujarāt, W India
106 *C6* **Verbania** Piemonte, NW Italy
107 *N20* **Verbicaro** Calabria, SW Italy
108 *D11* **Verbier** Valais, SW Switzerland
Vercellae *see* Vercelli
106 *C8* **Vercelli** ***anc.*** Vercellae. Piemonte, NW Italy
103 *S13* **Vercors** *physical region* E France
Verdal *see* Verdalsøra
93 *E16* **Verdalsøra** ***var.*** Verdal. Nord-Trøndelag, C Norway
Verde, Cabo *see* Cape Verde
44 *J5* **Verde, Cape** *headland* Long Island, C Bahamas
104 *M2* **Verde, Costa** *coastal region* N Spain
Verde Grande, Río/Verde Grande y de Belem, Río *see* Verde, Río
100 *H11* **Verden** Niedersachsen, NW Germany
59 *J19* **Verde, Rio** ≈ SE Brazil
57 *P16* **Verde, Río** ≈ Bolivia/Brazil
40 *M12* **Verde, Río** ***var.*** Río Verde Grande, Río Verde Grande y de Belem. ≈ C Mexico
41 *Q16* **Verde, Río** ≈ SE Mexico
36 *L13* **Verde River** ≈ Arizona, SW USA
Verdhikoúsa/Verdhikoússa *see* Verdikoússa
27 *Q8* **Verdigris River** ≈ Kansas/Oklahoma, C USA
115 *E15* **Verdikoússa** ***var.*** Verdhikoúsa, Verdhikoússa. Thessalía, C Greece
103 *S15* **Verdon** ≈ SE France
15 *O12* **Verdun** Québec, SE Canada
103 *S4* **Verdun** ***var.*** Verdun-sur-Meuse; ***anc.*** Verodunum. Meuse, NE France
Verdun-sur-Meuse *see* Verdun
83 *J21* **Vereeniging** Gauteng, NE South Africa
Veremeyki *see* Vyeramyeyki
125 *T14* **Vereshchagino** Permskaya Oblast', NW Russian Federation
76 *G14* **Verga, Cap** *headland* W Guinea
61 *G18* **Vergara** Treinta y Tres, E Uruguay
108 *G11* **Vergeletto** Ticino, S Switzerland
18 *L8* **Vergennes** Vermont, NE USA
Veria *see* Véroia
104 *I5* **Verín** Galicia, NW Spain
Verin T'alin *see* T'alin
118 *K6* **Veriora** Põlvamaa, SE Estonia
117 *T7* **Verkhivtseve** Dnipropetrovs'ka Oblast', E Ukraine
127 *W3* **Verkhniye Kigi** Respublika Bashkortostan, W Russian Federation
Verkhnedvinsk *see* Vyerkhnyadzvinsk
122 *K10* **Verkhneimbatsk** Krasnoyarskiy Kray, N Russian Federation
124 *I3* **Verkhnetulomskiy** Murmanskaya Oblast', NW Russian Federation
126 *I3* **Verkhnetulomskoye Vodokhranilishche** ▣ NW Russian Federation
Verkhneudinsk *see* Ulan-Ude
123 *P10* **Verkhnevilyuysk** Respublika Sakha (Yakutiya), NE Russian Federation
127 *W5* **Verkhniy Avzyan** Respublika Bashkortostan, W Russian Federation
127 *Q11* **Verkhniy Baskunchak** Astrakhanskaya Oblast', SW Russian Federation
117 *T9* **Verkhniy Rohachyk** Khersons'ka Oblast', S Ukraine
123 *Q11* **Verkhnyaya Amga** Respublika Sakha (Yakutiya), NE Russian Federation
125 *V6* **Verkhnyaya Inta** Respublika Komi, NW Russian Federation
125 *O10* **Verkhnyaya Toyma** Arkhangel'skaya Oblast', NW Russian Federation
126 *K6* **Verkhov'ye** Orlovskaya Oblast', W Russian Federation
116 *I8* **Verkhovyna** Ivano-Frankivs'ka Oblast', W Ukraine
123 *P8* **Verkhoyanskiy Khrebet** ▲▲ NE Russian Federation
117 *T7* **Verkhn'odniprovs'k** Dnipropetrovs'ka Oblast', E Ukraine
101 *G14* **Verl** Nordrhein-Westfalen, NW Germany
92 *N1* **Verlegenhuken** *headland* N Svalbard
82 *A9* **Vermelha, Ponta** *headland* NW Angola
103 *P7* **Vermenton** Yonne, C France
11 *R14* **Vermilion** Alberta, SW Canada
31 *T11* **Vermilion** Ohio, N USA
22 *I10* **Vermilion Bay** *bay* Louisiana, S USA
29 *V4* **Vermilion Lake** ◎ Minnesota, N USA
14 *F9* **Vermilion River** ≈ Ontario, S Canada
30 *L12* **Vermilion River** ≈ Illinois, N USA
29 *R12* **Vermillion** South Dakota, N USA
29 *R12* **Vermillion River** ≈ South Dakota, N USA
15 *O9* **Vermillon, Rivière** ≈ Québec, SE Canada
115 *E14* **Vérmio** ▲▲ N Greece
18 *L8* **Vermont** ***off.*** State of Vermont; also known as The Green Mountain State. ◈ *state* NE USA
113 *K16* **Vermosh** ***var.*** Vermoshi. Shkodër, N Albania
Vermoshi *see* Vermosh
37 *O3* **Vernal** Utah, W USA
14 *G11* **Verner** Ontario, S Canada
102 *M5* **Verneuil-sur-Avre** Eure, N France
114 *D13* **Vérno** ▲▲ N Greece
11 *N17* **Vernon** British Columbia, SW Canada
102 *M4* **Vernon** Eure, N France
23 *N3* **Vernon** Alabama, S USA
31 *P15* **Vernon** Indiana, N USA
25 *Q4* **Vernon** Texas, SW USA
32 *G10* **Vernonia** Oregon, NW USA
14 *G12* **Vernon, Lake** ◎ Ontario, S Canada
22 *G7* **Vernon Lake** ▣ Louisiana, S USA
23 *Y13* **Vero Beach** Florida, SE USA
Verőcze *see* Virovitica
Verodunum *see* Verdun
115 *E14* **Véroia** ***var.*** Veria, Vérroia, ***Turk.*** Karaferiye. Kentrikí Makedonía, N Greece
106 *E8* **Verolanuova** Lombardia, N Italy
14 *K14* **Verona** Ontario, SE Canada
106 *G8* **Verona** Veneto, NE Italy
29 *P6* **Verona** North Dakota, N USA
30 *L9* **Verona** Wisconsin, N USA
61 *E20* **Verónica** Buenos Aires, E Argentina
22 *J9* **Verret, Lake** ◎ Louisiana, S USA
Vérroia *see* Véroia
103 *N5* **Versailles** Yvelines, N France
31 *P15* **Versailles** Indiana, N USA
20 *M5* **Versailles** Kentucky, S USA
27 *U5* **Versailles** Missouri, C USA
31 *Q13* **Versailles** Ohio, N USA
Versecz *see* Vršac
108 *A10* **Versoix** Genève, SW Switzerland
15 *Z6* **Verte, Pointe** *headland* Québec, SE Canada
111 *I22* **Vértes** ▲▲ NW Hungary
44 *G6* **Vertientes** Camagüey, C Cuba
114 *G13* **Vertískos** ▲▲ N Greece
102 *I8* **Vertou** Loire-Atlantique, NW France
Verulamium *see* St Albans
99 *L19* **Verviers** Liège, E Belgium
103 *Y14* **Vescovato** Corse, France, C Mediterranean Sea
99 *L20* **Vesdre** ≈ E Belgium
117 *U10* **Vesele** ***Rus.*** Veseloye. Zaporiz'ka Oblast', S Ukraine
111 *D18* **Veselí nad Lužnicí** ***var.*** Weseli an der Lainsitz, ***Ger.*** Frohenbruck. Jihočeský Kraj, S Czech Republic
114 *M9* **Veselinovo** Shumen, E Bulgaria
126 *L12* **Veselovskoye Vodokhranilishche** ▣ SW Russian Federation
Veseloye *see* Vesele
117 *Q9* **Veselynove** Mykolayivs'ka Oblast', S Ukraine
Veseya *see* Vyasyeya
126 *M10* **Veshenskaya** Rostovskaya Oblast', SW Russian Federation
127 *Q5* **Veshkayma** Ul'yanovskaya Oblast', W Russian Federation
Vesisaari *see* Vadsø
Vesontio *see* Besançon
103 *T7* **Vesoul** ***anc.*** Vesulium, Vesulum. Haute-Saône, E France
95 *J20* **Vessigebro** Halland, S Sweden
95 *D17* **Vest-Agder** ◈ *county* S Norway
23 *P4* **Vestavia Hills** Alabama, S USA
92 *G10* **Vesterålen** *island group* N Norway
92 *H2* **Vestfirdhir** ◈ *region* NW Iceland
92 *G11* **Vestfjorden** *fjord* C Norway
95 *G16* **Vestfold** ◈ *county* S Norway
95 *B18* **Vestmanna** ***Dan.*** Vestmanhavn Faeroe Islands
92 *I4* **Vestmannaeyjar** Sudhurland, S Iceland
94 *E9* **Vestnes** Møre og Romsdal, S Norway
95 *I23* **Vestsjælland** ***off.*** Vestsjællands Amt. ◈ *county* E Denmark
92 *H3* **Vesturland** ◈ *region* W Iceland
92 *G11* **Vestvågøya** *island* C Norway
Vesulium/Vesulum *see* Vesoul
Vesuna *see* Périgueux
107 *K17* **Vesuvio** ***Eng.*** Vesuvius. ⛰ S Italy
Vesuvius *see* Vesuvio
124 *K14* **Ves'yegonsk** Tverskaya Oblast', W Russian Federation
111 *I23* **Veszprém** ***Ger.*** Veszprim. Veszprém, W Hungary
111 *H23* **Veszprém** ***off.*** Veszprém Megye. ◈ *county* W Hungary
Veszprim *see* Veszprém
Vetka *see* Vyetka
95 *M19* **Vetlanda** Jönköping, S Sweden
127 *P1* **Vetluga** Nizhegorodskaya Oblast', W Russian Federation
127 *P14* **Vetluga** ≈ NW Russian Federation
125 *O14* **Vetluzhskiy** Kostromskaya Oblast', NW Russian Federation
127 *P2* **Vetluzhskiy** Nizhegorodskaya Oblast', W Russian Federation
107 *H14* **Vetralla** Lazio, C Italy
114 *M9* **Vetren** ***prev.*** Zhitarovo. Burgas, E Bulgaria
114 *M8* **Vetrino** Varna, E Bulgaria
Vetrino *see* Vyetryna
122 *L7* **Vetrovaya, Gora** ▲ N Russian Federation
Vetter, Lake *see* Vättern

◆ COUNTRY
● COUNTRY CAPITAL
◇ DEPENDENT TERRITORY
○ DEPENDENT TERRITORY CAPITAL
◈ ADMINISTRATIVE REGION
✕ INTERNATIONAL AIRPORT
▲ MOUNTAIN
▲▲ MOUNTAIN RANGE
⛰ VOLCANO
≈ RIVER
◎ LAKE
▣ RESERVOIR

Vettore, Monte – Viseu ••• 341

106 J13 Vettore, Monte ▲ C Italy
99 A17 Veurne var. Furnes. West-Vlaanderen, W Belgium
31 Q15 Vevay Indiana, N USA
108 C10 Vevey Ger. Vivis; anc. Vibiscum. Vaud, SW Switzerland
Vexiö see Växjö
103 S13 Veynes Hautes-Alpes, SE France
103 N11 Vézère ⁓ W France
114 I9 Vezhen ▲ C Bulgaria
136 K11 Vezirköprü Samsun, N Turkey
57 J18 Viacha La Paz, W Bolivia
27 R10 Vian Oklahoma, C USA
Viana de Castelo see Viana do Castelo
104 H12 Viana do Alentejo Évora, S Portugal
104 I4 Viana do Bolo Galicia, NW Spain
104 G5 Viana do Castelo var. Viana de Castelo; anc. Velobriga. Viana do Castelo, NW Portugal
104 G5 Viana do Castelo var. Viana de Castelo. ◈ district N Portugal
98 J12 Vianen Zuid-Holland, C Netherlands
167 Q8 Viangchan Eng./Fr. Vientiane. ● (Laos) C Laos
167 P6 Viangphoukha var. Vieng Pou Kha. Louang Namtha, N Laos
104 K13 Viar ⁓ SW Spain
106 E11 Viareggio Toscana, C Italy
103 O14 Viaur ⁓ S France
Vibiscum see Vevey
95 G21 Viborg Viborg, NW Denmark
29 R12 Viborg South Dakota, N USA
95 F21 Viborg off. Viborg Amt. ◈ county NW Denmark
107 N22 Vibo Valentia prev. Monteleone di Calabria; anc. Hipponium. Calabria, SW Italy
105 W5 Vic var. Vich; anc. Ausa, Vicus Ausonensis. Cataluña, NE Spain
102 K16 Vic-en-Bigorre Hautes-Pyrénées, S France
40 K10 Vicente Guerrero Durango, C Mexico
41 P10 Vicente Guerrero, Presa var. Presa de las Adjuntas. ⊞ NE Mexico
Vicentia see Vicenza
106 G8 Vicenza anc. Vicentia. Veneto, NE Italy
Vich see Vic
54 J10 Vichada off. Comisaría del Vichada. ◈ province E Colombia
54 K10 Vichada, Río ⁓ E Colombia
61 G17 Vichadero Rivera, NE Uruguay
Vichegda see Vychegda
124 M16 Vichuga Ivanovskaya Oblast', W Russian Federation
103 P10 Vichy Allier, C France
26 K9 Vici Oklahoma, C USA
31 P10 Vicksburg Michigan, N USA
22 J5 Vicksburg Mississippi, S USA
103 O12 Vic-sur-Cère Cantal, C France
29 X14 Victor Iowa, C USA
59 I21 Victor Mato Grosso do Sul, SW Brazil
182 I10 Victor Harbor South Australia
61 C18 Victoria Entre Ríos, E Argentina
10 L17 Victoria Vancouver Island, British Columbia, SW Canada
45 R14 Victoria NW Grenada
42 H6 Victoria Yoro, NW Honduras
121 O15 Victoria var. Rabat. Gozo, NW Malta
116 I12 Victoria Ger. Viktoriastadt. Brașov, C Romania
172 H17 Victoria ● (Seychelles) Mahé, SW Seychelles
25 U13 Victoria Texas, SW USA
183 N12 Victoria ◈ state SE Australia
181 O3 Victoria ⁓ Northern Territory, Australia
Victoria see Labuan, East Malaysia
Victoria see Masvingo, Zimbabwe
Victoria Bank see Vitória Seamount
11 Y15 Victoria Beach Manitoba, S Canada
Victoria de Durango see Durango
Victoria de las Tunas see Las Tunas
83 I16 Victoria Falls Matabeleland North, W Zimbabwe
83 I16 Victoria Falls ✕ Matabeleland North, W Zimbabwe
83 I16 Victoria Falls waterfall Zambia/Zimbabwe
Victoria Falls see Iguaçu, Salto do
63 F19 Victoria, Isla island Archipiélago de los Chonos, S Chile
8 K6 Victoria Island island Northwest Territories/Nunavut, NW Canada
182 L8 Victoria, Lake ◎ New South Wales, SE Australia
81 F19 Victoria, Lake var. Victoria Nyanza. ◎ E Africa
195 S13 Victoria Land physical region Antarctica
166 L5 Victoria, Mount ▲ W Myanmar
187 X14 Victoria, Mount ▲ Viti Levu, W Fiji
186 E9 Victoria, Mount ▲ S PNG
81 F17 Victoria Nile var. Somerset Nile. ⁓ C Uganda
Victoria Nyanza see Victoria, Lake
42 G3 Victoria Peak ▲ SE Belize
185 H16 Victoria Range ⛰ South Island, NZ
181 O3 Victoria River ⁓ Northern Territory, N Australia
181 P3 Victoria River Roadhouse Northern Territory, N Australia
15 Q11 Victoriaville Québec, SE Canada
Victoria-Wes see Victoria West
83 G24 Victoria West Afr. Victoria-Wes. Northern Cape, W South Africa
62 J13 Victorica La Pampa, C Argentina
195 T3 Victor, Mount ▲ Antarctica
35 U14 Victorville California, W USA
62 G9 Vicuña Coquimbo, N Chile
62 K11 Vicuña Mackenna Córdoba, C Argentina
Vicus Ausonensis see Vic
Vicus Elbii see Viterbo
33 X7 Vida Montana, NW USA
23 V6 Vidalia Georgia, SE USA
22 J7 Vidalia Louisiana, S USA
95 F22 Videbæk Ringkøbing, C Denmark
60 I13 Videira Santa Catarina, S Brazil
116 J14 Videle Teleorman, S Romania
Videm-Krško see Krško
Vídeň see Wien
104 H12 Vidigueira Beja, S Portugal
114 J9 Vidima ⁓ N Bulgaria
114 G7 Vidin anc. Bononia. Vidin, NW Bulgaria
114 F8 Vidin ◈ province NW Bulgaria
154 H10 Vidisha Madhya Pradesh, C India
25 Y10 Vidor Texas, SW USA
95 L20 Vidöstern ◎ S Sweden
92 J13 Vidsel Norrbotten, N Sweden
118 H9 Vidzemes Augstiene ▲ C Latvia
118 J12 Vidzy Rus. Vidzy. Vitsyebskaya Voblasts', NW Belarus
63 L16 Viedma Río Negro, E Argentina
63 H22 Viedma, Lago ◎ S Argentina
45 O11 Vieille Case var. Itassi. N Dominica
104 M2 Vieja, Peña ▲ N Spain
40 E4 Viejo, Cerro ▲ NW Mexico
56 B9 Viejo, Cerro ▲ N Peru
118 E10 Viekšniai Telšiai, NW Lithuania
105 U3 Vielha var. Viella. Cataluña, NE Spain
Viella see Vielha
99 L21 Vielsalm Luxembourg, E Belgium
Vieng Pou Kha see Viangphoukha
23 T6 Vienna Georgia, SE USA
30 L17 Vienna Illinois, N USA
27 V5 Vienna Missouri, C USA
21 Q3 Vienna West Virginia, NE USA
Vienna see Wien, Austria
Vienna see Vienne, France
103 R11 Vienne anc. Vienna. Isère, E France
102 L10 Vienne ◈ department W France
102 L9 Vienne ⁓ W France
Vientiane see Viangchan
Vientos, Paso de los see Windward Passage
45 V6 Vieques var. Isabel Segunda. E Puerto Rico
45 V6 Vieques, Isla de island E Puerto Rico
45 V6 Vieques, Pasaje de passage E Puerto Rico
45 V5 Vieques, Sonda de sound E Puerto Rico
Vierdörfer see Săcele
93 M15 Vieremä Itä-Suomi, C Finland
99 M14 Vierlingsbeek Noord-Brabant, SE Netherlands
101 G20 Viernheim Hessen, W Germany
101 D15 Viersen Nordrhein-Westfalen, W Germany
108 G8 Vierwaldstätter See Eng. Lake of Lucerne. ◎ C Switzerland
103 N8 Vierzon Cher, C France
40 L8 Viesca Coahuila de Zaragoza, NE Mexico
118 H10 Viesīte Ger. Eckengraf. Jēkabpils, S Latvia
107 N15 Vieste Puglia, SE Italy
167 T8 Vietnam off. Socialist Republic of Vietnam Vtn. Công Hoa Xa Hôi Chu Nghia Việt Nam. ◆ republic SE Asia
167 S5 Việt Quang Ha Giang, N Vietnam
Vietri see Viêt Tri
167 S6 Việt Tri var. Vietri. Vinh Phu, N Vietnam
30 L4 Vieux Desert, Lac ◎ Michigan/Wisconsin, N USA
45 Y13 Vieux Fort S Saint Lucia
45 X6 Vieux-Habitants Basse Terre, SW Guadeloupe
119 G14 Vievis Vilnius, S Lithuania
171 N2 Vigan Luzon, N Philippines
106 D8 Vigevano Lombardia, N Italy
107 N18 Viggiano Basilicata, S Italy
58 L12 Vigia Pará, NE Brazil
41 Y12 Vigía Chico Quintana Roo, SE Mexico
Vigie see George FL Charles
102 K17 Vignemale var. Pic de Vignemale. ▲ France/Spain
Vignemale, Pic de see Vignemale
106 G10 Vignola Emilia-Romagna, C Italy
104 G4 Vigo Galicia, NW Spain
104 G4 Vigo, Ría de estuary NW Spain
94 D9 Vigra island S Norway
95 C17 Vigrestad Rogaland, S Norway
93 L15 Vihanti Oulu, C Finland
149 U10 Vihāri Punjab, E Pakistan
102 K8 Vihiers Maine-et-Loire, NW France
111 O19 Vihorlat ▲ E Slovakia
93 L19 Vihti Etelä-Suomi, S Finland
Viipuri see Vyborg
93 M16 Viitasaari Länsi-Suomi, W Finland
118 K3 Viivikonna Ida-Virumaa, NE Estonia
155 K16 Vijayawāda prev. Bezwada. Andhra Pradesh, SE India
Vijosa/Vijosë see Aóos, Albania/Greece
Vijosa/Vijosë see Vjosës, Lumi i, Albania/Greece
Vik see Vikøyri
92 J4 Vík Sudhurland, S Iceland
94 I13 Vika Dalarna, C Sweden
92 L12 Vikajärvi Lappi, N Finland
94 L13 Vikarbyn Dalarna, C Sweden
95 J22 Viken Skåne, S Sweden
95 L17 Viken ◎ C Sweden
95 G15 Vikersund Buskerud, S Norway
114 G11 Vikhren ▲ SW Bulgaria
11 R15 Viking Alberta, SW Canada
95 M14 Vikmanshyttan Dalarna, C Sweden
94 D12 Vikøyri var. Vik. Sogn og Fjordane, S Norway
93 H17 Viksjö Västernorrland, C Sweden
Viktoriastadt see Victoria
Vila see Port-Vila
Vila Arriaga see Bibala
Vila Artur de Paiva see Cubango
Vila Bela da Santissima Trindade see Mato Grosso
58 B12 Vila Bittencourt Amazonas, NW Brazil
Vila da Ponte see Cubango
64 O2 Vila da Praia da Vitória Terceira, Azores, Portugal, NE Atlantic Ocean
Vila de Aljustrel see Cangamba
Vila de Almoster see Chiange
Vila de João Belo see Xai-Xai
Vila de Macia see Macia
Vila de Manhiça see Manhiça
Vila de Manica see Manica
Vila de Mocímboa da Praia see Mocímboa da Praia
83 N16 Vila de Sena var. Sena. Sofala, C Mozambique
104 F14 Vila do Bispo Faro, S Portugal
104 G6 Vila do Conde Porto, NW Portugal
Vila do Maio see Maio
64 P3 Vila do Porto Santa Maria, Azores, Portugal, NE Atlantic Ocean
83 K15 Vila do Zumbo prev. Vila do Zumbu, Zumbo. Tete, NW Mozambique
Vila do Zumbu see Vila do Zumbo
104 I6 Vila Flor var. Vila Flôr. Bragança, N Portugal
105 V6 Vilafranca del Penedès var. Villafranca del Panadés. Cataluña, NE Spain
104 F10 Vila Franca de Xira var. Vilafranca de Xira. Lisboa, C Portugal
Vila Gago Coutinho see Lumbala N'Guimbo
104 G3 Vilagarcía de Arousa var. Villagarcía de Arosa. Galicia, NW Spain
Vila General Machado see Camacupa
Vila Henrique de Carvalho see Saurimo
102 I7 Vilaine ⁓ NW France
Vila João de Almeida see Chibia
118 K8 Viļaka Ger. Marienhausen. Balvi, NE Latvia
104 I2 Vilalba Galicia, NW Spain
Vila Marechal Carmona see Uíge
Vila Mariano Machado see Ganda
172 G3 Vilanandro, Tanjona headland W Madagascar
Vilanculos see Vilankulo
118 J10 Viļāni Rēzekne, E Latvia
83 N19 Vilankulo var. Vilanculos. Inhambane, E Mozambique
Vila Norton de Matos see Balombo
104 G6 Vila Nova de Famalicão var. Vila Nova de Famalicao. Braga, N Portugal
104 I6 Vila Nova de Foz Côa var. Vila Nova de Fozcôa. Guarda, N Portugal
104 F6 Vila Nova de Gaia Porto, NW Portugal
Vila Nova de Portimão see Portimão
105 V6 Vilanova i La Geltrú Cataluña, NE Spain
Vila Pereira de Eça see N'Giva
104 H6 Vila Pouca de Aguiar Vila Real, N Portugal
104 H6 Vila Real var. Vila Rial. Vila Real, N Portugal
104 H6 Vila Real ◈ district N Portugal
105 T9 Vila-real de los Infantes var. Villarreal. País Valenciano, E Spain
104 H14 Vila Real de Santo António Faro, S Portugal
104 I7 Vilar Formoso Guarda, N Portugal
Vila Rial see Vila Real
59 J15 Vila Rica Mato Grosso, W Brazil
Vila Robert Williams see Caála
Vila Salazar see N'Dalatando
Vila Serpa Pinto see Menongue
Vila Teixeira da Silva see Bailundo
Vila Teixeira de Sousa see Luau
104 H9 Vila Velha de Ródão Castelo Branco, C Portugal
104 G5 Vila Verde Braga, N Portugal
104 H11 Vila Viçosa Évora, S Portugal
57 G15 Vilcabamba, Cordillera de ⛰ C Peru
Vîlcea see Vâlcea
122 J4 Vil'cheka, Zemlya Eng Wilczek Land. island Zemlya Frantsa-Iosifa, NW Russian Federation
95 F22 Vildbjerg Ringkøbing, C Denmark
Vileyka see Vilyeyka
93 H15 Vilhelmina Västerbotten, N Sweden
59 F17 Vilhena Rondônia, W Brazil
115 G19 Vilia Attikí, C Greece
119 I14 Viliya Lith. Neris, Rus. Viliya. ⁓ W Belarus
Viliya see Neris
118 H5 Viljandi Ger. Fellin. Viljandimaa, S Estonia
118 H5 Viljandimaa off. Viljandi Maakond. ◈ province SW Estonia
119 E14 Vilkaviškis Pol. Wyłkowyszki. Marijampolė, SW Lithuania
118 F13 Vilkija Kaunas, C Lithuania
197 V9 Vil'kitskogo, Proliv strait N Russian Federation
Vilkovo see Vylkove
57 L21 Villa Abecia Chuquisaca, S Bolivia
41 N5 Villa Acuña var. Ciudad Acuña. Coahuila de Zaragoza, NE Mexico
40 J4 Villa Ahumada Chihuahua, N Mexico
45 O9 Villa Altagracia C Dominican Republic
56 L13 Villa Bella Beni, N Bolivia
104 J3 Villablino Castilla-León, N Spain
54 K6 Villa Bruzual Portuguesa, N Venezuela
105 O9 Villacañas Castilla-La Mancha, C Spain
105 O12 Villacarrillo Andalucía, S Spain
104 M7 Villacastín Castilla-León, N Spain
Villa Cecilia see Ciudad Madero
109 S9 Villach Slvn. Beljak. Kärnten, S Austria
107 B20 Villacidro Sardegna, Italy, C Mediterranean Sea
Villa Concepción see Concepción
104 L4 Villada Castilla-León, N Spain
40 M10 Villa de Cos Zacatecas, C Mexico
54 L5 Villa de Cura var. Cura. Aragua, N Venezuela
Villa del Nevoso see Ilirska Bistrica
Villa del Pilar see Pilar
104 M13 Villa del Río Andalucía, S Spain
Villa de Méndez see Méndez
42 H6 Villa de San Antonio Comayagua, W Honduras
105 N4 Villadiego Castilla-León, N Spain
105 T8 Villafames País Valenciano, E Spain
41 U16 Villa Flores Chiapas, SE Mexico
104 J3 Villafranca del Bierzo Castilla-León, N Spain
105 S8 Villafranca del Cid País Valenciano, E Spain
104 J11 Villafranca de los Barros Extremadura, W Spain
105 N10 Villafranca de los Caballeros Castilla-La Mancha, C Spain
Villafranca del Panadés see Vilafranca del Penedès
106 F8 Villafranca di Verona Veneto, NE Italy
107 J23 Villafrati Sicilia, Italy, C Mediterranean Sea
Villagarcía de Arosa see Vilagarcía de Arousa
41 O9 Villagrán Tamaulipas, C Mexico
61 C17 Villaguay Entre Ríos, E Argentina
62 O6 Villa Hayes Presidente Hayes, S Paraguay
41 U15 Villahermosa prev. San Juan Bautista. Tabasco, SE Mexico
105 O11 Villahermosa Castilla-La Mancha, C Spain
64 O11 Villahermoso Gomera, Islas Canarias, Spain, NE Atlantic Ocean
Villa Hidalgo see Hidalgo
105 T12 Villajoyosa Cat. La Vila Joiosa. País Valenciano, E Spain
Villa Juárez see Juárez
Villalba see Collado Villalba
41 N8 Villaldama Nuevo León, NE Mexico
104 L5 Villalón de Campos Castilla-León, N Spain
61 A25 Villalonga Buenos Aires, E Argentina
104 L5 Villalpando Castilla-León, N Spain
40 K9 Villa Madero var. Francisco I.Madero. Durango, C Mexico
41 O9 Villa Mainero Tamaulipas, C Mexico
Villamaña see Villamañán
104 L4 Villamañán var. Villamaña. Castilla-León, N Spain
62 L10 Villa María Córdoba, C Argentina
61 C17 Villa María Grande Entre Ríos, E Argentina
57 K21 Villa Martín Potosí, SW Bolivia
104 K15 Villamartín Andalucía, S Spain
62 J8 Villa Mazán La Rioja, NW Argentina
Villa Mercedes see Mercedes
Villamil see Puerto Villamil
Villa Nador see Nador
54 G5 Villanueva La Guajira, N Colombia
42 H5 Villanueva Cortés, NW Honduras
40 L11 Villanueva Zacatecas, C Mexico
42 I9 Villa Nueva Chinandega, NW Nicaragua
37 T11 Villanueva New Mexico, SW USA
104 M12 Villanueva de Córdoba Andalucía, S Spain
105 O12 Villanueva del Arzobispo Andalucía, S Spain
104 K11 Villanueva de la Serena Extremadura, W Spain
104 L5 Villanueva del Campo Castilla-León, N Spain
105 O11 Villanueva de los Infantes Castilla-La Mancha, C Spain
61 C14 Villa Ocampo Santa Fe, C Argentina
40 J8 Villa Ocampo Durango, C Mexico
40 J7 Villa Orestes Pereyra Durango, C Mexico
105 N3 Villarcayo Castilla-León, N Spain
104 L5 Villardefrades Castilla-León, N Spain
105 S9 Villar del Arzobispo País Valenciano, E Spain
105 Q6 Villaroya de la Sierra Aragón, NE Spain
Villarreal see Vila-real de los Infantes
62 P6 Villarrica Guairá, SE Paraguay
63 G15 Villarrica, Volcán ※ S Chile
105 P10 Villarrobledo Castilla-La Mancha, C Spain
105 N10 Villarrubia de los Ojos Castilla-La Mancha, C Spain
18 J17 Villas New Jersey, NE USA
105 O3 Villasana de Mena Castilla-León, N Spain
107 M23 Villa San Giovanni Calabria, S Italy
61 D18 Villa San José Entre Ríos, E Argentina
Villa Sanjurjo see Al-Hoceïma
105 P6 Villasayas Castilla-León, N Spain
107 C20 Villasimius Sardegna, Italy, C Mediterranean Sea
41 N6 Villa Unión Coahuila de Zaragoza, NE Mexico
40 K10 Villa Unión Durango, C Mexico
40 J10 Villa Unión Sinaloa, C Mexico
62 K12 Villa Valeria Córdoba, C Argentina
105 N8 Villaverde Madrid, C Spain
54 F10 Villavicencio Meta, C Colombia
104 L2 Villaviciosa Asturias, N Spain
104 L12 Villaviciosa de Córdoba Andalucía, S Spain
57 L22 Villazón Potosí, S Bolivia
14 J8 Villebon, Lac ◎ Québec, SE Canada
Ville de Kinshasa see Kinshasa
102 J5 Villedieu-les-Poêles Manche, N France
Villefranche see Villefranche-sur-Saône
103 N16 Villefranche-de-Lauragais Haute-Garonne, S France
103 N14 Villefranche-de-Rouergue Aveyron, S France
103 R10 Villefranche-sur-Saône var. Villefranche. Rhône, E France
14 H9 Ville-Marie Québec, SE Canada
102 M15 Villemur-sur-Tarn Haute-Garonne, S France
105 S11 Villena País Valenciano, E Spain
Villeneuve-d'Agen see Villeneuve-sur-Lot
102 L13 Villeneuve-sur-Lot var. Villeneuve-d'Agen; hist. Gajac. Lot-et-Garonne, SW France
103 P6 Villeneuve-sur-Yonne Yonne, C France
22 H8 Ville Platte Louisiana, S USA
103 R11 Villeurbanne Rhône, E France
101 G23 Villingen-Schwenningen Baden-Württemberg, S Germany
29 T15 Villisca Iowa, C USA
Villmanstrand see Lappeenranta
Vilna see Vilnius
119 H14 Vilnius Pol. Wilno, Ger. Wilna; prev. Rus. Vilna. ● (Lithuania) Vilnius, SE Lithuania
119 H15 Vilnius ◈ province SE Lithuania
119 H14 Vilnius ✕ Vilnius, SE Lithuania
117 S7 Vil'nohirs'k Dnipropetrovs'ka Oblast', E Ukraine
117 U8 Vil'nyans'k Zaporiz'ka Oblast', SE Ukraine
93 L17 Vilppula Länsi-Suomi, W Finland
101 M20 Vils ⁓ SE Germany
118 C5 Vilsandi Saar island W Estonia
117 P8 Vil'shanka Rus. Olshanka. Kirovohrads'ka Oblast', C Ukraine
101 O22 Vilshofen Bayern, SE Germany
155 J20 Viluppuram Tamil Nādu, SE India
113 J16 Vilusi Montenegro, SW Serbia and Montenegro (Yugo.)
99 G18 Vilvoorde Fr. Vilvorde. Vlaams Brabant, C Belgium
Vilvorde see Vilvoorde
119 J14 Vilyeyka Pol. Wilejka, Rus. Vileyka. Minskaya Voblasts', NW Belarus
123 V11 Vilyuchinsk Kamchatskaya, Oblast', E Russian Federation
123 P10 Vilyuy ⁓ NE Russian Federation
123 P10 Vilyuysk Respublika Sakha (Yakutiya), NE Russian Federation
123 N10 Vilyuyskoye Vodokhranilishche ⊞ NE Russian Federation
104 G2 Vimianzo Galicia, NW Spain
95 M19 Vimmerby Kalmar, S Sweden
102 L5 Vimoutiers Orne, N France
93 L16 Vimpeli Länsi-Suomi, W Finland
79 G14 Vina ⁓ Cameroon/Chad
62 G11 Viña del Mar Valparaíso, C Chile
19 R8 Vinalhaven Island island Maine, NE USA
105 T8 Vinaròs País Valenciano, E Spain
Vînători see Vânători
31 N15 Vincennes Indiana, N USA
195 Y12 Vincennes Bay bay Antarctica
25 O7 Vincent Texas, SW USA
95 H24 Vindeby Fyn, C Denmark
93 I15 Vindeln Västerbotten, N Sweden
95 F21 Vinderup Ringkøbing, C Denmark
Vindhya Mountains see Vindhya Range
153 N14 Vindhya Range var. Vindhya Mountains. ⛰ N India
Vindobona see Wien
20 K6 Vine Grove Kentucky, S USA
18 J17 Vineland New Jersey, NE USA
116 E11 Vinga Arad, W Romania
95 M16 Vingåker Södermanland, C Sweden
167 S8 Vinh Nghê An, N Vietnam
104 I5 Vinhais Bragança, N Portugal
167 T9 Vinh Linh Quang Tri, C Vietnam
Vinh Loi see Bac Liêu
157 S14 Vinh Long var. Vinhlong. Vinh Long, S Vietnam
113 Q18 Vinica NE FYR Macedonia
109 V13 Vinica SE Slovenia
114 G8 Vinishte Montana, NW Bulgaria
27 Q8 Vinita Oklahoma, C USA
Vinju Mare see Vânju Mare
98 I11 Vinkeveen Utrecht, C Netherlands
116 L6 Vin'kivtsi Khmel'nyts'ka Oblast', W Ukraine
112 I10 Vinkovci Ger. Winkowitz, Hung. Vinkovcze. Vukovar-Srijem, E Croatia
Vinkovcze see Vinkovci
Vinnitsa see Vinnytsya
Vinnitskaya Oblast'/Vinnytsya see Vinnyts'ka Oblast'
116 M7 Vinnyts'ka Oblast' var. Vinnytsya, Rus. Vinnitskaya Oblast'. ◈ province C Ukraine
117 N6 Vinnytsya Rus. Vinnitsa. Vinnyts'ka Oblast', C Ukraine
117 N6 Vinnytsya ✕ Vinnyts'ka Oblast', N Ukraine
Vinogradov see Vynohradiv
194 L8 Vinson Massif ▲ Antarctica
94 G11 Vinstra Oppland, S Norway
116 K12 Vintilă Vodă Buzău, SE Romania
29 X13 Vinton Iowa, C USA
22 F9 Vinton Louisiana, S USA
155 J17 Vinukonda Andhra Pradesh, E India
Vioara see Ocnele Mari
83 E23 Vioolsdrif Northern Cape, SW South Africa
109 S12 Vipava ⁓ SW Slovenia
82 M13 Viphya Mountains ⛰ C Malawi
171 Q4 Virac Catanduanes Island, N Philippines
124 K8 Virandozero Respublika Kareliya, NW Russian Federation
137 P16 Viranşehir Şanlıurfa, SE Turkey
154 D13 Virār Mahārāshtra, W India
11 W16 Virden Manitoba, S Canada
30 K14 Virden Illinois, N USA
Virdois see Virrat
102 J5 Vire Calvados, N France
102 J4 Vire ⁓ N France
83 A15 Virei Namibe, SW Angola
Vîrful Moldoveanu see Vârful Moldoveanu
35 R5 Virgina Peak ▲ Nevada, W USA
45 U9 Virgin Gorda island C British Virgin Islands
83 I22 Virginia Free State, C South Africa
30 K13 Virginia Illinois, N USA
29 W4 Virginia Minnesota, N USA
21 T6 Virginia off. Commonwealth of Virginia; also known as Mother of Presidents, Mother of States, Old Dominion. ◈ state NE USA
21 Y7 Virginia Beach Virginia, NE USA
33 R11 Virginia City Montana, NW USA
35 Q6 Virginia City Nevada, W USA
14 H8 Virginiatown Ontario, S Canada
Virgin Islands see British Virgin Islands
45 T9 Virgin Islands (US) var. Virgin Islands of the United States; prev. Danish West Indies. ◇ US unincorporated territory E West Indies
45 T9 Virgin Passage passage Puerto Rico/Virgin Islands (US)
35 Y10 Virgin River ⁓ Nevada/Utah, W USA
Virihaur see Virihaure
92 H12 Virihaure var. Virihaur. ◎ N Sweden
167 T11 Virôchey Rôtânôkiri, NE Cambodia
93 N19 Virolahti Etelä-Suomi, S Finland
30 J8 Viroqua Wisconsin, N USA
112 G8 Virovitica Ger. Virovititz, Hung. Verőcze; prev. Ger. Werowitz. Virovitica-Podravina, NE Croatia
112 G8 Virovitica-Podravina off. Virovitičko-Podravska Županija. ◈ province NE Croatia
Virovititz see Virovitica
113 J17 Virpazar Montenegro, SW Serbia and Montenegro (Yugo.)
93 L17 Virrat Swe. Virdois. Länsi-Suomi, SW Finland
95 M20 Virserum Kalmar, S Sweden
99 K25 Virton Luxembourg, SE Belgium
118 F5 Virtsu Ger. Werder. Läänemaa, W Estonia
56 C12 Virú La Libertad, C Peru
Virudhunagar see Virudunagar
155 H23 Virudunagar var. Virudhunagar. Tamil Nādu, SE India
118 I3 Viru-Jaagupi Ger. Sankt-Jakobi. Lääne-Virumaa, NE Estonia
57 N19 Viru-Viru var. Santa Cruz. ✕ (Santa Cruz) Santa Cruz, C Bolivia
113 E15 Vis It. Lissa; anc. Issa. island S Croatia
Vis see Fish
118 I12 Visaginas prev. Sniečkus. Utena, E Lithuania
155 M15 Visākhapatnam Andhra Pradesh, SE India
35 R11 Visalia California, W USA
Vişău see Vişeu
95 P19 Visby Ger. Wisby. Gotland, SE Sweden
197 N9 Viscount Melville Sound prev. Melville Sound. sound Northwest Territories/Nunavut, N Canada
99 L19 Visé Liège, E Belgium
112 K13 Višegrad Republika Srpska, E Bosnia and Herzegovina
58 L12 Viseu Pará, NE Brazil
104 H7 Viseu prev. Vizeu. Viseu, N Portugal

◆ Country ● Country Capital ◇ Dependent Territory ○ Dependent Territory Capital ◈ Administrative Region ✕ International Airport ▲ Mountain ⛰ Mountain Range ※ Volcano ⁓ River ◎ Lake ⊞ Reservoir

◆ COUNTRY   ◇ DEPENDENT TERRITORY   ◆ ADMINISTRATIVE REGION   ▲ MOUNTAIN   ✕ VOLCANO   ☐ LAKE
● COUNTRY CAPITAL   ○ DEPENDENT TERRITORY CAPITAL   ✕ INTERNATIONAL AIRPORT   ▲ MOUNTAIN RANGE   ⚥ RIVER   ☐ RESERVOIR

WADDINGTON, MOUNT – WATTAY ••• 343

10 L16 **Waddington, Mount** ▲ British Columbia, SW Canada
98 H12 **Waddinxveen** Zuid-Holland, C Netherlands
11 U15 **Wadena** Saskatchewan, S Canada
29 T6 **Wadena** Minnesota, N USA
108 G7 **Wädenswil** Zürich, N Switzerland
21 S11 **Wadesboro** North Carolina, SE USA
155 G16 **Wādi** Karnātaka, C India
138 G10 **Wādī as Sīr** *var.* Wadi es Sir. 'Al 'Ammān, NW Jordan
Wadi es Sir *see* Wādī as Sīr
80 F5 **Wadi Halfa** *var.* Wādī Ḥalfā'. Northern, N Sudan
138 G13 **Wādī Mūsā** *var.* Petra. Ma'ān, S Jordan
23 V4 **Wadley** Georgia, SE USA
Wad Madanī *see* Wad Medani
80 G10 **Wad Medani** *var.* Wad Madanī. Gezira, C Sudan
80 F10 **Wad Nimr** White Nile, C Sudan
165 U16 **Wadomari** Kagoshima, Okinoerabu-jima, SW Japan
111 K17 **Wadowice** Małopolskie, S Poland
35 R5 **Wadsworth** Nevada, W USA
31 T12 **Wadsworth** Ohio, N USA
25 T11 **Waelder** Texas, SW USA
Waereghem *see* Waregem
163 U13 **Wafangdian** *var.* Fuxian, Fu Xian. Liaoning, NE China
171 R13 **Waflia** Pulau Buru, E Indonesia
Wagadugu *see* Ouagadougou
98 K12 **Wageningen** Gelderland, SE Netherlands
55 V9 **Wageningen** Nickerie, NW Suriname
9 O8 **Wager Bay** *inlet* Nunavut, N Canada
183 P10 **Wagga Wagga** New South Wales, SE Australia
180 J13 **Wagin** Western Australia
108 H8 **Wägitaler See** ◎ SW Switzerland
29 P12 **Wagner** South Dakota, N USA
27 Q9 **Wagoner** Oklahoma, C USA
37 U10 **Wagon Mound** New Mexico, SW USA
32 J14 **Wagontire** Oregon, NW USA
110 H10 **Wągrowiec** Wielkopolskie, NW Poland
149 U6 **Wāh** Punjab, NE Pakistan
171 S13 **Wahai** Pulau Seram, E Indonesia
169 V10 **Wahau, Sungai** ↝ Borneo, C Indonesia
Wahaybah, Ramlat Al *see* Wahībah, Ramlat Āl
80 D13 **Wahda** *var.* Unity State. ◆ *state* S Sudan
38 D9 **Wahiawā** *var.* Wahiawa. O'ahu, Hawai'i, USA, C Pacific Ocean
Wahībah, Ramlat Ahl *see* Wahībah, Ramlat Āl
141 Y9 **Wahībah, Ramlat Āl** *var.* Ramlat Ahl Wahībah, Ramlat Al Wahaybah, *Eng.* Wahibah Sands. *desert* N Oman
Wahibah Sands *see* Wahībah, Ramlat Āl
101 E16 **Wahn** ✕ (Köln) Nordrhein-Westfalen, W Germany
29 R15 **Wahoo** Nebraska, C USA
29 R6 **Wahpeton** North Dakota, N USA
Wahran *see* Oran
36 J6 **Wah Wah Mountains** ▲ Utah, W USA
38 D9 **Waialua** O'ahu, Hawai'i, USA, C Pacific Ocean
38 D9 **Wai'anae** *var.* Waianae. O'ahu, Hawai'i, USA, C Pacific Ocean
184 Q8 **Waiapu** ↝ North Island, NZ
185 I17 **Waiau** Canterbury, South Island, NZ
185 I17 **Waiau** ↝ South Island, NZ
185 B23 **Waiau** ↝ South Island, NZ
101 H21 **Waiblingen** Baden-Württemberg, S Germany
Waidhofen *see* Waidhofen an der Ybbs, Niederösterreich, Austria
Waidhofen *see* Waidhofen an der Thaya, Niederösterreich, Austria
109 V2 **Waidhofen an der Thaya** *var.* Waidhofen. Niederösterreich, NE Austria
109 U5 **Waidhofen an der Ybbs** *var.* Waidhofen. Niederösterreich, E Austria
171 T11 **Waigeo, Pulau** *island* Maluku, E Indonesia
184 L5 **Waiheke Island** *island* N NZ
184 M7 **Waihi** Waikato, North Island, NZ
185 C20 **Waihou** ↝ North Island, NZ
Waikaboebak *see* Waikabubak
170 M17 **Waikabubak** *prev.* Waikaboebak. Pulau Sumba, C Indonesia
185 D23 **Waikaia** ↝ South Island, NZ
185 D23 **Waikaka** Southland, South Island, NZ
184 L13 **Waikanae** Wellington, North Island, NZ
184 M7 **Waikare, Lake** ◎ North Island, NZ
184 O9 **Waikaremoana, Lake** ◎ North Island, NZ
185 I17 **Waikari** Canterbury, South Island, NZ
184 L8 **Waikato** *off.* Waikato Region. ◆ *region* North Island, NZ
184 M8 **Waikato** ↝ North Island, NZ
182 J9 **Waikerie** South Australia
185 F23 **Waikouaiti** Otago, South Island, NZ
38 H11 **Wailea** Hawai'i, USA, C Pacific Ocean
38 F10 **Wailuku** Maui, Hawai'i, USA, C Pacific Ocean
185 H18 **Waimakariri** ↝ South Island, NZ
38 D9 **Waimānalo Beach** *var.* Waimanalo Beach. O'ahu, Hawai'i, USA, C Pacific Ocean
185 G15 **Waimangaroa** West Coast, South Island, NZ
185 G21 **Waimate** Canterbury, South Island, NZ
38 G11 **Waimea** *var.* Kamuela. Hawai'i, USA, C Pacific Ocean
38 D9 **Waimea** *var.* Maunawai. O'ahu, Hawai'i, USA, C Pacific Ocean
38 B8 **Waimea** Kaua'i, Hawai'i, USA, C Pacific Ocean
99 M20 **Waimes** Liège, E Belgium
154 J11 **Wainganga** *var.* Wain River. ↝ C India
Waingapoe *see* Waingapu
171 N17 **Waingapu** *prev.* Waingapoe. Pulau Sumba, C Indonesia
55 S7 **Waini** ↝ N Guyana
55 S7 **Waini Point** *headland* NW Guyana
Wain River *see* Wainganga
11 R15 **Wainwright** Alberta, SW Canada
39 O5 **Wainwright** Alaska, USA
184 K4 **Waiotira** Northland, North Island, NZ
184 M11 **Waiouru** Manawatu-Wanganui, North Island, NZ
171 W14 **Waipa** Papua, E Indonesia
184 L8 **Waipa** ↝ North Island, NZ
184 P9 **Waipaoa** ↝ North Island, NZ
185 D25 **Waipapa Point** *headland* South Island, NZ
185 I18 **Waipara** Canterbury, South Island, NZ
184 N12 **Waipawa** Hawke's Bay, North Island, NZ
184 K4 **Waipu** Northland, North Island, NZ
184 N12 **Waipukurau** Hawke's Bay, North Island, NZ
171 U14 **Wair** Pulau Kai Besar, E Indonesia
Wairakai *see* Wairakei
184 N9 **Wairakei** *var.* Wairakai. Waikato, North Island, NZ
185 M14 **Wairarapa, Lake** ◎ North Island, NZ
185 J15 **Wairau** ↝ South Island, NZ
184 Q10 **Wairoa** Hawke's Bay, North Island, NZ
184 P10 **Wairoa** ↝ North Island, NZ
184 J4 **Wairoa** ↝ North Island, NZ
184 N9 **Waitahanui** Waikato, North Island, NZ
184 M6 **Waitakaruru** Waikato, North Island, NZ
185 F21 **Waitaki** ↝ South Island, NZ
184 K10 **Waitara** Taranaki, North Island, NZ
184 M7 **Waitoa** Waikato, North Island, NZ
184 L8 **Waitomo Caves** Waikato, North Island, NZ
184 L11 **Waitotara** Taranaki, North Island, NZ
184 L11 **Waitotara** ↝ North Island, NZ
32 L10 **Waitsburg** Washington, NW USA
Waitzen *see* Vác
184 L6 **Waiuku** Auckland, North Island, NZ
164 L10 **Wajima** *var.* Wazima. Ishikawa, Honshū, SW Japan
81 K17 **Wajir** North Eastern, NE Kenya
81 I14 **Waka** Southern, SW Ethiopia
79 J17 **Waka** Equateur, NW Dem. Rep. Congo
14 D9 **Wakami Lake** ◎ Ontario, S Canada
164 I12 **Wakasa** Tottori, Honshū, SW Japan
164 J12 **Wakasa-wan** *bay* C Japan
185 C22 **Wakatipu, Lake** ◎ South Island, NZ
11 T15 **Wakaw** Saskatchewan, S Canada
164 I14 **Wakayama** Wakayama, Honshū, SW Japan
164 I15 **Wakayama** *off.* Wakayama-ken. ◆ *prefecture* Honshū, SW Japan
26 K4 **Wa Keeney** Kansas, C USA
185 I14 **Wakefield** Tasman, South Island, NZ
97 M17 **Wakefield** N England, UK
27 O4 **Wakefield** Kansas, C USA
30 L4 **Wakefield** Michigan, N USA
21 U9 **Wake Forest** North Carolina, SE USA
Wakeham Bay *see* Kangiqsujuaq
189 Y11 **Wake Island** ◇ *US unincorporated territory* NW Pacific Ocean
189 Y12 **Wake Island** ✕ NW Pacific Ocean
189 Y12 **Wake Island** *atoll* NW Pacific Ocean
189 X12 **Wake Lagoon** *lagoon* Wake Island, NW Pacific Ocean
166 L8 **Wakema** Irrawaddy, SW Myanmar
Wakhan *see* Khandūd
164 H14 **Waki** Tokushima, Shikoku, SW Japan
165 T1 **Wakkanai** Hokkaidō, NE Japan
83 K22 **Wakkerstroom** Mpumalanga, E South Africa
14 C10 **Wakomata Lake** ◎ Ontario, S Canada
183 N10 **Wakool** New South Wales, SE Australia
Wakra *see* Al Wakrah
Waku Kungo *see* Uaco Cungo
186 J7 **Wakunai** Bougainville Island, NE PNG
Walachei/Walachia *see* Wallachia
155 K26 **Walawe Ganga** ↝ S Sri Lanka
111 F15 **Wałbrzych** *Ger.* Waldenburg, Waldenburg in Schlesien. Dolnośląskie, SW Poland
183 T6 **Walcha** New South Wales, SE Australia
101 K24 **Walchensee** ◎ SE Germany
99 D14 **Walcheren** *island* SW Netherlands
29 Z14 **Walcott** Iowa, C USA
33 W16 **Walcott** Wyoming, C USA
99 G21 **Walcourt** Namur, S Belgium
110 G9 **Wałcz** *Ger.* Deutsch Krone. Zachodnio-pomorskie, NW Poland
108 H7 **Wald** Zürich, N Switzerland
109 U3 **Waldaist** ↝ N Austria
180 I9 **Waldburg Range** ▲ Western Australia
37 R3 **Walden** Colorado, C USA
18 K13 **Walden** New York, NE USA
Waldenburg/Waldenburg in Schlesien *see* Wałbrzych
11 T15 **Waldheim** Saskatchewan, S Canada
Waldia *see* Weldiya
101 M23 **Waldkraiburg** Bayern, SE Germany
27 T14 **Waldo** Arkansas, C USA
23 V9 **Waldo** Florida, SE USA
19 R7 **Waldoboro** Maine, NE USA
21 W4 **Waldorf** Maryland, NE USA
32 F12 **Waldport** Oregon, NW USA
27 S11 **Waldron** Arkansas, C USA
195 Y13 **Waldron, Cape** *headland* Antarctica
101 F24 **Waldshut-Tiengen** Baden-Württemberg, S Germany
171 P12 **Walea, Selat** *strait* Sulawesi, C Indonesia
Wałeckie Międzyrzecze *see* Valašské Meziříčí
108 H8 **Walensee** ◎ NW Switzerland
38 L8 **Wales** Alaska, USA
97 J20 **Wales** *Wel.* Cymru. *national region* UK
9 O7 **Wales Island** *island* Nunavut, NE Canada
77 P14 **Walewale** N Ghana
99 M24 **Walferdange** Luxembourg, C Luxembourg
183 Q5 **Walgett** New South Wales, SE Australia
194 K10 **Walgreen Coast** *physical region* Antarctica
29 Q2 **Walhalla** North Dakota, N USA
21 O11 **Walhalla** South Carolina, SE USA
79 O19 **Walikale** Nord Kivu, E Dem. Rep. Congo
Walk *see* Valga, Estonia
Walk *see* Valka, Latvia
29 U5 **Walker** Minnesota, N USA
15 V4 **Walker, Lac** ◎ Québec, SE Canada
35 S7 **Walker Lake** ◎ Nevada, W USA
35 R6 **Walker River** ↝ Nevada, W USA
28 K10 **Wall** South Dakota, N USA
173 U9 **Wallaby Plateau** *undersea feature* E Indian Ocean
33 N8 **Wallace** Idaho, NW USA
21 V11 **Wallace** North Carolina, SE USA
14 D17 **Wallaceburg** Ontario, S Canada
22 F5 **Wallace Lake** ▣ Louisiana, S USA
11 P13 **Wallace Mountain** ▲ Alberta, W Canada
116 J14 **Wallachia** *var.* Walachia, *Ger.* Walachei, *Rom.* Valachia. *cultural region* S Romania
Wallachisch-Meseritsch *see* Valašské Meziříčí
183 U4 **Wallangarra** New South Wales, SE Australia
182 I8 **Wallaroo** South Australia
32 L10 **Walla Walla** Washington, NW USA
45 V9 **Wallblake** ✕ (The Valley) C Anguilla
101 H19 **Walldürn** Baden-Württemberg, SW Germany
100 F12 **Wallenhorst** Niedersachsen, NW Germany
Wallenthal *see* Haţeg
109 S4 **Wallern** Oberösterreich, N Austria
Wallern *see* Wallern im Burgenland
109 Z5 **Wallern im Burgenland** *var.* Wallern. Burgenland, E Austria
18 M9 **Wallingford** Vermont, NE USA
25 V11 **Wallis** Texas, SW USA
Wallis *see* Valais
192 K9 **Wallis and Futuna** *Fr.* Territoire de Wallis et Futuna. ◇ *French overseas territory* C Pacific Ocean
108 G7 **Wallisellen** Zürich, N Switzerland
190 H11 **Wallis, Îles** *island group* N Wallis and Futuna
99 H19 **Wallon Brabant** ◆ *province* C Belgium
31 Q5 **Walloon Lake** ◎ Michigan, N USA
32 K10 **Wallula** Washington, NW USA
32 K10 **Wallula, Lake** ◎ Washington, NW USA
21 S8 **Walnut Cove** North Carolina, SE USA
35 N8 **Walnut Creek** California, W USA
26 K5 **Walnut Creek** ↝ Kansas, C USA
27 W9 **Walnut Ridge** Arkansas, C USA
25 S7 **Walnut Springs** Texas, SW USA
182 L10 **Walpeup** Victoria, SE Australia
187 R17 **Walpole, Île** *island* SE New Caledonia
39 N13 **Walrus Islands** *island group* Alaska, USA
97 L19 **Walsall** C England, UK
37 T7 **Walsenburg** Colorado, C USA
11 S17 **Walsh** Alberta, SW Canada
37 W7 **Walsh** Colorado, C USA
100 I11 **Walsrode** Niedersachsen, NW Germany
Waltenberg *see* Zalău
21 R14 **Walterboro** South Carolina, SE USA
Walter F. George Lake *see* Walter F. George Reservoir
23 R6 **Walter F. George Reservoir** *var.* Walter F. George Lake. ▣ Alabama/Georgia, SE USA
26 M12 **Walters** Oklahoma, C USA
101 J16 **Waltershausen** Thüringen, C Germany
173 N10 **Walters Shoal** *var.* Walters Shoals. *reef* S Madagascar
Walters Shoals *see* Walters Shoal
22 M3 **Walthall** Mississippi, S USA
20 M4 **Walton** Kentucky, S USA
18 J11 **Walton** New York, NE USA
79 O20 **Walungu** Sud Kivu, E Dem. Rep. Congo
Walvisbaai *see* Walvis Bay
83 C19 **Walvis Bay** *Afr.* Walvisbaai. Erongo, NW Namibia
83 B19 **Walvis Bay** *bay* NW Namibia
Walvish Ridge *see* Walvis Ridge
65 O17 **Walvis Ridge** *var.* Walvish Ridge. *undersea feature* E Atlantic Ocean
171 X16 **Wamal** Papua, E Indonesia
171 U15 **Wamar, Pulau** *island* Kepulauan Aru, E Indonesia
77 V15 **Wamba** Nassarawa, C Nigeria
79 O17 **Wamba** Orientale, NE Dem. Rep. Congo
79 H22 **Wamba** *var.* Uamba. ↝ Angola/Dem. Rep. Congo
27 P4 **Wamego** Kansas, C USA
18 I10 **Wampsville** New York, NE USA
42 K6 **Wampú, Río** ↝ E Honduras
171 X16 **Wan** Papua, E Indonesia
Wan *see* Anhui
183 N4 **Wanaaring** New South Wales, SE Australia
185 D21 **Wanaka** Otago, South Island, NZ
185 D20 **Wanaka, Lake** ◎ South Island, NZ
171 W14 **Wanapiri** Papua, E Indonesia
14 F9 **Wanapitei** ↝ Ontario, S Canada
14 F10 **Wanapitei Lake** ◎ Ontario, S Canada
18 K14 **Wanaque** New Jersey, NE USA
171 U12 **Wanau** Papua, E Indonesia
185 F22 **Wanbrow, Cape** *headland* South Island, NZ
Wanchuan *see* Zhangjiakou
171 W13 **Wandai** *var.* Komeyo. Papua, E Indonesia
163 Z8 **Wanda Shan** ▲ NE China
197 R11 **Wandel Sea** *sea* Arctic Ocean
160 D13 **Wanding** *var.* Wandingzhen. Yunnan, SW China
Wandingzhen *see* Wanding
99 H20 **Wanfercée-Baulet** Hainaut, S Belgium
184 L12 **Wanganui** Manawatu-Wanganui, North Island, NZ
184 L11 **Wanganui** ↝ North Island, NZ
183 P11 **Wangaratta** Victoria, SE Australia
160 J8 **Wangcang** *var.* Hongjiang; *prev.* Fengjiaba. Sichuan, C China
Wangda *see* Zogang
101 I24 **Wangen im Allgäu** Baden-Württemberg, S Germany
Wangerin *see* Węgorzyno
100 F9 **Wangerooge** *island* NW Germany
171 W13 **Wanggar** Papua, E Indonesia
160 J13 **Wangmo** *var.* Fuxing. Guizhou, S China
Wangolodougou *see* Ouangolodougou
161 S9 **Wangpan Yang** *sea* E China
163 Y10 **Wangqing** Jilin, NE China
167 P8 **Wang Saphung** Loei, C Thailand
167 O6 **Wan Hsa-la** Shan State, E Myanmar
55 W9 **Wanica** ◆ *district* N Suriname
79 M18 **Wanie-Rukula** Orientale, C Dem. Rep. Congo
Wankie *see* Hwange
Wanki, Río *see* Coco, Río
81 N17 **Wanlaweyn** *var.* Wanle Weyn, *It.* Uanle Uen. Shabeellaha Hoose, SW Somalia
Wanle Weyn *see* Wanlaweyn
180 I12 **Wanneroo** Western Australia
160 L17 **Wanning** Hainan, S China
167 Q8 **Wanon Niwat** Sakon Nakhon, E Thailand
155 H16 **Wanparti** Andhra Pradesh, C India
Wansen *see* Wiązów
160 L11 **Wanshan** Guizhou, S China
99 M14 **Wanssum** Limburg, SE Netherlands
184 N12 **Wanstead** Hawke's Bay, North Island, NZ
Wanxian *see* Wanzhou
188 F16 **Wanyaan** Yap, Micronesia
160 K8 **Wanyuan** Sichuan, C China
161 O11 **Wanzai** *var.* Kangle. Jiangxi, S China
99 J20 **Wanze** Liège, E Belgium
160 K9 **Wanzhou** *var.* Wanxian. Chongqing Shi, C China
31 R12 **Wapakoneta** Ohio, N USA
12 D7 **Wapaseese** ↝ Ontario, C Canada
32 I10 **Wapato** Washington, NW USA
29 Y15 **Wapello** Iowa, C USA
11 N13 **Wapiti** ↝ Alberta/British Columbia, SW Canada
27 X7 **Wappapello Lake** ▣ Missouri, C USA
18 K13 **Wappingers Falls** New York, NE USA
29 X13 **Wapsipinicon River** ↝ Iowa, C USA
14 L9 **Wapus** ↝ Québec, SE Canada
160 H7 **Waqên** Sichuan, C China
21 Q7 **War** West Virginia, NE USA
80 D13 **Warab** Warab, SW Sudan
81 D14 **Warab** ◆ *state* SW Sudan
155 J15 **Warangal** Andhra Pradesh, C India
Warasdin *see* Varaždin
183 O16 **Waratah** Tasmania, SE Australia
183 O14 **Waratah Bay** *bay* Victoria, SE Australia
101 H15 **Warburg** Nordrhein-Westfalen, W Germany
182 I1 **Warburton Creek** *seasonal river* South Australia
180 M9 **Warburton** Western Australia
99 M20 **Warche** ↝ E Belgium
149 P5 **Wardag** *var.* Wardak, *Per.* Vardak. ◆ *province* E Afghanistan
Wardak *see* Wardag
32 K9 **Warden** Washington, NW USA
154 I12 **Wardha** Mahārāshtra, W India
121 N15 **Wardija, Ras il-** *var.* Wardija Point. *headland* Gozo, NW Malta
139 P3 **Wardīyah** N Iraq
185 E19 **Ward, Mount** ▲ South Island, NZ
10 L11 **Ware** British Columbia, W Canada
99 D18 **Waregem** *var.* Waereghem. West-Vlaanderen, W Belgium
99 J19 **Waremme** Liège, E Belgium
100 N10 **Waren** Mecklenburg-Vorpommern, NE Germany
171 W13 **Waren** Papua, E Indonesia
101 F14 **Warendorf** Nordrhein-Westfalen, W Germany
21 P12 **Ware Shoals** South Carolina, SE USA
98 N4 **Warffum** Groningen, NE Netherlands
81 O15 **Wargalo** Mudug, E Somalia
146 M12 **Warganza** *Rus.* Varganzi. Qashqadaryo Viloyati, S Uzbekistan
Wargla *see* Ouargla
183 T4 **Warialda** New South Wales, SE Australia
154 F13 **Wāri Godri** Mahārāshtra, C India
167 R10 **Warin Chamrap** Ubon Ratchathani, E Thailand
25 R11 **Waring** Texas, SW USA
39 O8 **Waring Mountains** ▲ Alaska, USA
110 M12 **Warka** Mazowieckie, E Poland
184 L5 **Warkworth** Auckland, North Island, NZ
171 U12 **Warmandi** Papua, E Indonesia
83 E22 **Warmbad** Karas, S Namibia
98 H8 **Warmenhuizen** Noord-Holland, NW Netherlands
110 L8 **Warmińsko-Mazurskie** ◆ *province* NE Poland
97 L22 **Warminster** S England, UK
18 I15 **Warminster** Pennsylvania, NE USA
35 V8 **Warm Springs** Nevada, W USA
32 H12 **Warm Springs** Oregon, NW USA
21 S5 **Warm Springs** Virginia, NE USA
100 M8 **Warnemünde** Mecklenburg-Vorpommern, NE Germany
27 Q10 **Warner** Oklahoma, C USA
35 Q2 **Warner Mountains** ▲ California, W USA
23 T5 **Warner Robins** Georgia, SE USA
57 N18 **Warnes** Santa Cruz, C Bolivia
100 M9 **Warnow** ↝ NE Germany
Warnsdorf *see* Varnsdorf
98 M11 **Warnsveld** Gelderland, E Netherlands
154 I13 **Warora** Mahārāshtra, C India
182 L11 **Warracknabeal** Victoria, SE Australia
183 O13 **Warragul** Victoria, SE Australia
183 O4 **Warrego River** *seasonal river* New South Wales/Queensland, E Australia
183 Q6 **Warren** New South Wales, SE Australia
11 X16 **Warren** Manitoba, S Canada
27 V14 **Warren** Arkansas, C USA
31 S10 **Warren** Michigan, N USA
29 R3 **Warren** Minnesota, N USA
31 U11 **Warren** Ohio, N USA
18 D12 **Warren** Pennsylvania, NE USA
25 X10 **Warren** Texas, SW USA
97 G16 **Warrenpoint** *Ir.* An Pointe. SE Northern Ireland, UK
27 S4 **Warrensburg** Missouri, C USA
83 H22 **Warrenton** Northern Cape, N South Africa
23 U4 **Warrenton** Georgia, SE USA
27 W4 **Warrenton** Missouri, C USA
21 V8 **Warrenton** North Carolina, SE USA
21 V4 **Warrenton** Virginia, NE USA
77 U17 **Warri** Delta, S Nigeria
97 L18 **Warrington** C England, UK
23 O9 **Warrington** Florida, SE USA
23 P3 **Warrior** Alabama, S USA
182 L13 **Warrnambool** Victoria, SE Australia
29 T2 **Warroad** Minnesota, N USA
183 S6 **Warrumbungle Range** ▲ New South Wales, SE Australia
154 J12 **Wārsa** Mahārāshtra, C India
31 P11 **Warsaw** Indiana, N USA
20 L4 **Warsaw** Kentucky, S USA
27 T5 **Warsaw** Missouri, C USA
18 E10 **Warsaw** New York, NE USA
21 V10 **Warsaw** North Carolina, SE USA
21 X5 **Warsaw** Virginia, NE USA
Warsaw/Warschau *see* Warszawa
81 N17 **Warshiikh** Shabeellaha Dhexe, C Somalia
101 G15 **Warstein** Nordrhein-Westfalen, W Germany
110 M11 **Warszawa** *Eng.* Warsaw, *Ger.* Warschau, *Rus.* Varshava. ● (Poland) Mazowieckie, C Poland
110 J13 **Warta** Sieradz, C Poland
110 D11 **Warta** *Ger.* Warthe. ↝ W Poland
Wartberg *see* Senec
20 M9 **Wartburg** Tennessee, S USA
108 J7 **Warth** Vorarlberg, NW Austria
Warthe *see* Warta
169 U12 **Waru** Borneo, C Indonesia
171 T13 **Waru** Pulau Seram, E Indonesia
139 N6 **Wa'r, Wādī al** *dry watercourse* E Syria
183 U3 **Warwick** Queensland, E Australia
15 Q11 **Warwick** Québec, SE Canada
97 M20 **Warwick** C England, UK
18 K13 **Warwick** New York, NE USA
29 P4 **Warwick** North Dakota, N USA
19 O12 **Warwick** Rhode Island, NE USA
97 L20 **Warwickshire** *cultural region* C England, UK
14 G14 **Wasaga Beach** Ontario, S Canada
77 U13 **Wasagu** Kebbi, NW Nigeria
36 M2 **Wasatch Range** ▲ W USA
35 R12 **Wasco** California, W USA
29 V10 **Waseca** Minnesota, N USA
14 H13 **Washago** Ontario, S Canada
19 S2 **Washburn** Maine, NE USA
28 M5 **Washburn** North Dakota, N USA
30 K3 **Washburn** Wisconsin, N USA
31 S14 **Washburn Hill** *hill* Ohio, N USA
154 H13 **Wāshīm** Mahārāshtra, C India
97 M14 **Washington** NE England, UK
23 U3 **Washington** Georgia, SE USA
30 L12 **Washington** Illinois, N USA
31 N15 **Washington** Indiana, N USA
29 X15 **Washington** Iowa, C USA
27 O3 **Washington** Kansas, C USA
27 W5 **Washington** Missouri, C USA
21 X9 **Washington** North Carolina, SE USA
18 B15 **Washington** Pennsylvania, NE USA
25 V10 **Washington** Texas, SW USA
36 J8 **Washington** Utah, W USA
21 V4 **Washington** Virginia, NE USA
32 I9 **Washington** *off.* State of Washington; also known as Chinook State, Evergreen State. ◆ *state* NW USA
Washington *see* Washington Court House
31 S14 **Washington Court House** *var.* Washington. Ohio, NE USA
21 W4 **Washington DC** ● (USA) District of Columbia, NE USA
31 O5 **Washington Island** *island* Wisconsin, N USA
Washington Island *see* Teraina
19 O7 **Washington, Mount** ▲ New Hampshire, NE USA
26 M11 **Washita River** ↝ Oklahoma/Texas, C USA
97 O18 **Wash, The** *inlet* E England, UK
32 L9 **Washtucna** Washington, NW USA
Wasiliszki *see* Vasilishki
110 P9 **Wasilków** Podlaskie, NE Poland
39 R11 **Wasilla** Alaska, USA
55 U9 **Wasjabo** Sipaliwini, NW Suriname
11 X11 **Waskaiowaka Lake** ◎ Manitoba, C Canada
11 T14 **Waskesiu Lake** Saskatchewan, C Canada
25 X7 **Waskom** Texas, SW USA
110 G13 **Wąsosz** Dolnośląskie, SW Poland
42 M6 **Waspam** *var.* Waspán. Región Autónoma Atlántico Norte, NE Nicaragua
Waspán *see* Waspam
165 T3 **Wassamu** Hokkaidō, NE Japan
108 G9 **Wassen** Uri, C Switzerland
98 G11 **Wassenaar** Zuid-Holland, W Netherlands
99 N24 **Wasserbillig** Grevenmacher, E Luxembourg
Wasserburg *see* Wasserburg am Inn
101 M23 **Wasserburg am Inn** *var.* Wasserburg. Bayern, SE Germany
101 I17 **Wasserkuppe** ▲ C Germany
103 R5 **Wassy** Haute-Marne, N France
171 N14 **Watampone** *var.* Bone. Sulawesi, C Indonesia
171 R13 **Watawa** Pulau Buru, E Indonesia
Watenstedt-Salzgitter *see* Salzgitter
18 M13 **Waterbury** Connecticut, NE USA
21 R11 **Wateree Lake** ▣ South Carolina, SE USA
21 R12 **Wateree River** ↝ South Carolina, SE USA
97 E20 **Waterford** *Ir.* Port Láirge. S Ireland
31 S9 **Waterford** Michigan, N USA
97 E20 **Waterford** *Ir.* Port Láirge. *cultural region* S Ireland
97 E21 **Waterford Harbour** *Ir.* Cuan Phort Láirge. *inlet* S Ireland
98 G12 **Wateringen** Zuid-Holland, W Netherlands
99 G19 **Waterloo** Wallon Brabant, C Belgium
14 F16 **Waterloo** Ontario, S Canada
15 P12 **Waterloo** Québec, SE Canada
30 K16 **Waterloo** Illinois, N USA
29 X13 **Waterloo** Iowa, C USA
18 G10 **Waterloo** New York, NE USA
30 L4 **Watersmeet** Michigan, N USA
23 V9 **Watertown** Florida, SE USA
18 I8 **Watertown** New York, NE USA
29 R9 **Watertown** South Dakota, N USA
30 M8 **Watertown** Wisconsin, N USA
22 L3 **Water Valley** Mississippi, S USA
27 O3 **Waterville** Kansas, C USA
17 V6 **Waterville** Maine, NE USA
29 V10 **Waterville** Minnesota, N USA
18 I10 **Waterville** New York, NE USA
14 E16 **Watford** Ontario, S Canada
97 N21 **Watford** SE England, UK
28 K4 **Watford City** North Dakota, N USA
141 X12 **Wātif** S Oman
18 G11 **Watkins Glen** New York, NE USA
Watlings Island *see* San Salvador
171 U15 **Watnil** Pulau Kai Kecil, E Indonesia
26 M10 **Watonga** Oklahoma, C USA
11 T16 **Watrous** Saskatchewan, S Canada
37 T10 **Watrous** New Mexico, SW USA
79 P16 **Watsa** Orientale, NE Dem. Rep. Congo
31 N12 **Watseka** Illinois, N USA
79 J19 **Watsikengo** Equateur, C Dem. Rep. Congo
182 C5 **Watson** South Australia
11 U15 **Watson** Saskatchewan, S Canada
195 O10 **Watson Escarpment** ▲ Antarctica
10 K9 **Watson Lake** Yukon Territory, W Canada
35 N10 **Watsonville** California, W USA
167 Q8 **Wattay** ✕ (Viangchan) Viangchan, C Laos

◆ COUNTRY
● COUNTRY CAPITAL
◇ DEPENDENT TERRITORY
○ DEPENDENT TERRITORY CAPITAL
◆ ADMINISTRATIVE REGION
✕ INTERNATIONAL AIRPORT
▲ MOUNTAIN
▲ MOUNTAIN RANGE
⚠ VOLCANO
↝ RIVER
◎ LAKE
▣ RESERVOIR

344 ••• Wattens – Whitefish Point

109 N7 **Wattens** Tirol, W Austria
20 M9 **Watts Bar Lake** ⊟ Tennessee, S USA
108 H7 **Wattwil** Sankt Gallen, NE Switzerland
171 T14 **Watubela, Kepulauan** island group E Indonesia
101 N24 **Watzmann** ▲ SE Germany
186 E8 **Wau** Morobe, C PNG
81 D14 **Wau** var. Wāw. Western Bahr el Ghazal, S Sudan
29 Q8 **Waubay** South Dakota, N USA
29 Q8 **Waubay Lake** ◎ South Dakota, N USA
183 U7 **Wauchope** New South Wales, SE Australia
23 W13 **Wauchula** Florida, SE USA
30 M10 **Wauconda** Illinois, N USA
182 J7 **Waukaringa** South Australia
31 N10 **Waukegan** Illinois, N USA
30 M9 **Waukesha** Wisconsin, N USA
29 X11 **Waukon** Iowa, C USA
30 L8 **Waunakee** Wisconsin, N USA
30 L7 **Waupaca** Wisconsin, N USA
30 M8 **Waupun** Wisconsin, N USA
26 M13 **Waurika** Oklahoma, C USA
26 M12 **Waurika Lake** ⊟ Oklahoma, C USA
30 L6 **Wausau** Wisconsin, N USA
31 R11 **Wauseon** Ohio, N USA
30 L7 **Wautoma** Wisconsin, N USA
30 M9 **Wauwatosa** Wisconsin, N USA
22 L9 **Waveland** Mississippi, S USA
97 Q20 **Waveney** ≈ E England, UK
184 L11 **Waverley** Taranaki, North Island, NZ
29 W12 **Waverly** Iowa, C USA
27 T4 **Waverly** Missouri, C USA
29 R15 **Waverly** Nebraska, C USA
18 G12 **Waverly** New York, NE USA
20 H8 **Waverly** Tennessee, S USA
21 W7 **Waverly** Virginia, NE USA
99 H19 **Wavre** Wallon Brabant, C Belgium
166 M8 **Waw** Pegu, SW Myanmar
Wāw see Wau
14 B7 **Wawa** Ontario, S Canada
77 T14 **Wawa** Niger, W Nigeria
75 Q11 **Wāw al Kabīr** S Libya
43 N7 **Wawa, Río** var. Rio Huahua. ≈ NE Nicaragua
186 B8 **Wawoi** ≈ SW PNG
25 T7 **Waxahachie** Texas, SW USA
158 L9 **Waxxari** Xinjiang Uygur Zizhiqu, NW China
23 V7 **Waycross** Georgia, SE USA
180 K10 **Way, Lake** ◎ Western Australia
31 P9 **Wayland** Michigan, N USA
29 R13 **Wayne** Nebraska, C USA
18 K14 **Wayne** New Jersey, NE USA
21 P5 **Wayne** West Virginia, NE USA
23 V4 **Waynesboro** Georgia, SE USA
22 M7 **Waynesboro** Mississippi, S USA
20 H10 **Waynesboro** Tennessee, S USA
21 U5 **Waynesboro** Virginia, NE USA
18 B16 **Waynesburg** Pennsylvania, NE USA
27 U6 **Waynesville** Missouri, C USA
21 O10 **Waynesville** North Carolina, SE USA
26 L8 **Waynoka** Oklahoma, C USA
Wazan see Ouazzane
Wazima see Wajima
149 V7 **Wazīrābād** Punjab, NE Pakistan
Wazzan see Ouazzane
110 I8 **Wda** var. Czarna Woda, Ger. Schwarzwasser. ≈ N Poland
187 Q16 **Wé** Province des Îles Loyauté, E New Caledonia
97 O23 **Weald, The** lowlands SE England, UK
186 A9 **Weam** Western, SW PNG
97 L15 **Wear** ≈ N England, UK
Wearmouth see Sunderland
26 L10 **Weatherford** Oklahoma, C USA
25 S6 **Weatherford** Texas, SW USA
34 M3 **Weaverville** California, W USA
27 R7 **Webb City** Missouri, C USA
192 G8 **Weber Basin** undersea feature S Ceram Sea
Webfoot State see Oregon
18 F9 **Webster** New York, NE USA
29 Q8 **Webster** South Dakota, N USA
29 V13 **Webster City** Iowa, C USA
27 X5 **Webster Groves** Missouri, C USA
21 S4 **Webster Springs** var. Addison. West Virginia, NE USA
171 S11 **Weda, Teluk** bay Pulau Halmahera, E Indonesia
65 B25 **Weddell Island** var. Isla San José. Island W Falkland Islands
65 K22 **Weddell Plain** undersea feature SW Atlantic Ocean
65 K23 **Weddell Sea** sea SW Atlantic Ocean
65 B25 **Weddell Settlement** Weddell Island, W Falkland Islands
182 M11 **Wedderburn** Victoria, SE Australia
100 I9 **Wedel** Schleswig-Holstein, N Germany
92 N3 **Wedel Jarlsberg Land** physical region SW Svalbard
100 I12 **Wedemark** Niedersachsen, NW Germany
10 M17 **Wedge Mountain** ▲ British Columbia, SW Canada
23 R4 **Wedowee** Alabama, S USA
171 U15 **Weduar** Pulau Kai Besar, E Indonesia
35 N2 **Weed** California, W USA
15 Q12 **Weedon Centre** Québec, SE Canada
18 E13 **Weedville** Pennsylvania, NE USA
100 F10 **Weener** Niedersachsen, NW Germany
29 S16 **Weeping Water** Nebraska, C USA
99 L16 **Weert** Limburg, SE Netherlands
98 I10 **Weesp** Noord-Holland, C Netherlands
183 S5 **Wee Waa** New South Wales, SE Australia
110 N7 **Węgorzewo** Ger. Angerburg. Warmińsko-Mazurskie, NE Poland
110 E9 **Węgorzyno** Ger. Wangerin. Zachodnio-pomorskie, NW Poland
110 N11 **Węgrów** Ger. Bingerau. Mazowieckie, E Poland
98 N5 **Wehe-Den Hoorn** Groningen, NE Netherlands
98 M12 **Wehl** Gelderland, E Netherlands
Wehlau see Znamensk
168 F7 **Weh, Pulau** island NW Indonesia
Wei see Weifang
161 P1 **Weichang** prev. Zhuizishan. Hebei, E China
Weichsel see Wisła
101 M16 **Weida** Thüringen, C Germany
Weiden see Weiden in der Oberpfalz
101 M19 **Weiden in der Oberpfalz** var. Weiden. Bayern, SE Germany
161 Q4 **Weifang** var. Wei, Wei-fang; prev. Weihsien. Shandong, E China
161 S4 **Weihai** Shandong, E China
160 K6 **Wei He** ≈ C China
Weihsien see Weifang
101 G17 **Weilburg** Hessen, W Germany
101 K24 **Weilheim in Oberbayern** Bayern, SE Germany
183 P4 **Weilmoringle** New South Wales, SE Australia
101 L16 **Weimar** Thüringen, C Germany
25 U11 **Weimar** Texas, SW USA
160 L6 **Weinan** Shaanxi, C China
108 H6 **Weinfelden** Thurgau, NE Switzerland
101 I24 **Weingarten** Baden-Württemberg, S Germany
101 G20 **Weinheim** Baden-Württemberg, SW Germany
160 H11 **Weining** var. Weining Yizu Huizu Miaozu Zizhixian. Guizhou, S China
Weining Yizu Huizu Miaozu Zizhixian see Weining
181 V2 **Weipa** Queensland, NE Australia
11 Y11 **Weir River** Manitoba, C Canada
21 R1 **Weirton** West Virginia, NE USA
32 M13 **Weiser** Idaho, NW USA
161 F12 **Weishan** Yunnan, SW China
161 P6 **Weishan Hu** ◎ E China
101 M15 **Weisse Elster** Eng. White Elster. ≈ Czech Republic/Germany
Weisse Körös/Weisse Kreisch see Crişul Alb
108 L7 **Weissenbach am Lech** Tirol, W Austria
101 K21 **Weissenburg in Bayern** Bayern, SE Germany
Weissenburg see Wissembourg, France
Weissenburg see Alba Iulia, Romania
101 M15 **Weissenfels** var. Weißenfels. Sachsen-Anhalt, C Germany
109 R9 **Weissensee** ◎ S Austria
Weissenstein see Paide
108 E11 **Weisshorn** var. Flüela Wisshorn. ▲ SW Switzerland
Weisskirchen see Bela Crkva
23 R3 **Weiss Lake** ⊟ Alabama, S USA
101 Q14 **Weisswasser** Lus. Běla Woda. Sachsen, E Germany
99 M22 **Weiswampach** Diekirch, N Luxembourg
109 U2 **Weitra** Niederösterreich, N Austria
161 O4 **Weixian** var. Wei Xian. Hebei, E China
159 V11 **Weiyuan** Gansu, C China
Weiyuan see Shuangjiang
160 F14 **Weiyuan Jiang** ≈ SW China
109 W7 **Weiz** Steiermark, SE Austria
Weizhou see Wenchuan
160 K16 **Weizhou Dao** island S China
110 I6 **Wejherowo** Pomorskie, NW Poland
27 Q8 **Welch** Oklahoma, C USA
24 M6 **Welch** Texas, SW USA
21 Q6 **Welch** West Virginia, NE USA
45 O14 **Welchman Hall** C Barbados
80 J11 **Weldiya** var. Waldia, It. Valdia. Amhara, N Ethiopia
21 W8 **Weldon** North Carolina, SE USA
25 V9 **Weldon** Texas, SW USA
99 M19 **Welkenraedt** Liège, E Belgium
193 O2 **Welker Seamount** undersea feature N Pacific Ocean
83 I22 **Welkom** Free State, C South Africa
14 H16 **Welland** Ontario, S Canada
14 G16 **Welland** ≈ Ontario, S Canada
97 O19 **Welland** ≈ C England, UK
14 H17 **Welland Canal** canal Ontario, S Canada
155 K25 **Wellawaya** Uva Province, SE Sri Lanka
Welle see Uele
181 T4 **Wellesley Islands** island group Queensland, N Australia
99 J22 **Wellin** Luxembourg, SE Belgium
97 N20 **Wellingborough** C England, UK
183 R7 **Wellington** New South Wales, SE Australia
14 J15 **Wellington** Ontario, SE Canada
185 L14 **Wellington** ● (NZ) Wellington, North Island, NZ
83 E26 **Wellington** Western Cape, SW South Africa
37 T2 **Wellington** Colorado, C USA
27 N7 **Wellington** Kansas, C USA
35 R7 **Wellington** Nevada, W USA
31 T11 **Wellington** Ohio, N USA
25 P3 **Wellington** Texas, SW USA
36 M4 **Wellington** Utah, W USA
185 M14 **Wellington** off. Wellington Region. ◈ region North Island, NZ
185 L14 **Wellington** ✈ Wellington, North Island, NZ
Wellington see Wellington, Isla
63 F22 **Wellington, Isla** var. Wellington. island S Chile
183 P12 **Wellington, Lake** ◎ Victoria, SE Australia
29 X14 **Wellman** Iowa, C USA
24 M6 **Wellman** Texas, SW USA
97 K22 **Wells** SW England, UK
29 V11 **Wells** Minnesota, N USA
35 X2 **Wells** Nevada, W USA
25 W8 **Wells** Texas, SW USA
18 F12 **Wellsboro** Pennsylvania, NE USA
21 R1 **Wellsburg** West Virginia, NE USA
184 K4 **Wellsford** Auckland, North Island, NZ
180 L9 **Wells, Lake** ◎ Western Australia
181 N4 **Wells, Mount** ▲ Western Australia
97 P18 **Wells-next-the-Sea** E England, UK
31 T15 **Wellston** Ohio, N USA
27 O10 **Wellston** Oklahoma, C USA
18 E11 **Wellsville** New York, NE USA
31 V12 **Wellsville** Ohio, N USA
36 L1 **Wellsville** Utah, W USA
36 I14 **Wellton** Arizona, SW USA
109 S4 **Wels** anc. Ovilava. Oberösterreich, N Austria
99 K15 **Welschap** ✈ (Eindhoven) Noord-Brabant, S Netherlands
100 P10 **Welse** ≈ NE Germany
22 H9 **Welsh** Louisiana, S USA
97 K19 **Welshpool** Wel. Y Trallwng. E Wales, UK
97 O21 **Welwyn Garden City** SE England, UK
79 K18 **Wema** Equateur, NW Dem. Rep. Congo
81 G21 **Wembere** ≈ C Tanzania
11 N13 **Wembley** Alberta, W Canada
12 I9 **Wemindji** prev. Nouveau-Comptoir, Paint Hills. Québec, C Canada
99 G18 **Wemmel** Vlaams Brabant, C Belgium
32 J8 **Wenatchee** Washington, NW USA
160 M17 **Wenchang** Hainan, S China
161 R11 **Wencheng** var. Daxue. Zhejiang, SE China
77 P16 **Wenchi** W Ghana
Wen-chou/Wenchow see Wenzhou
160 H8 **Wenchuan** var. Weizhou. Sichuan, C China
Wendau see Võnnu
Wenden see Cēsis
161 S4 **Wendeng** Shandong, E China
81 J14 **Wendo** Southern, S Ethiopia
36 J2 **Wendover** Utah, W USA
14 D9 **Wenebegon** ≈ Ontario, S Canada
14 D8 **Wenebegon Lake** ◎ Ontario, S Canada
108 E9 **Wengen** Bern, W Switzerland
161 O13 **Wengyuan** var. Longxian. Guangdong, S China
189 P15 **Weno** prev. Moen. Chuuk, C Micronesia
189 V12 **Weno** prev. Moen. atoll Chuuk Islands, C Micronesia
158 N13 **Wenquan** Qinghai, C China
159 H4 **Wenquan** var. Arixang. Xinjiang Uygur Zizhiqu, NW China
Wenquan see Yingshan
160 H14 **Wenshan** var. Kaihua. Yunnan, SW China
158 H6 **Wensu** Xinjiang Uygur Zizhiqu, W China
182 L8 **Wentworth** New South Wales, SE Australia
27 W4 **Wentzville** Missouri, C USA
159 V12 **Wenxian** var. Wen Xian. Gansu, C China
161 S10 **Wenzhou** var. Wen-chou, Wenchow. Zhejiang, SE China
34 L4 **Weott** California, W USA
99 I20 **Wépion** Namur, SE Belgium
100 O11 **Werbellinsee** ◎ NE Germany
99 L21 **Werbomont** Liège, E Belgium
83 G20 **Werda** Kgalagadi, S Botswana
Werder see Virtsu
81 N14 **Werdër** Somali, E Ethiopia
Werenów see Voranava
171 U13 **Weri** Papua, E Indonesia
98 I13 **Werkendam** Noord-Brabant, S Netherlands
101 M20 **Wernberg-Köblitz** Bayern, SE Germany
101 J18 **Werneck** Bayern, C Germany
101 K14 **Wernigerode** Sachsen-Anhalt, C Germany
Werowitz see Virovitica
101 J16 **Werra** ≈ C Germany
183 N12 **Werribee** Victoria, SE Australia
183 T6 **Werris Creek** New South Wales, SE Australia
Werro see Võru
Werschetz see Vršac
101 K23 **Wertach** ≈ S Germany
101 I19 **Wertheim** Baden-Württemberg, SW Germany
98 J8 **Wervershoof** Noord-Holland, NW Netherlands
Wervicq see Wervik
99 C18 **Wervik** var. Wervicq, Werwick. West-Vlaanderen, W Belgium
Werwick see Wervik
101 D14 **Wesel** Nordrhein-Westfalen, W Germany
Weseli an der Lainsitz see Veselí nad Lužnicí
Wesenberg see Rakvere
100 H12 **Weser** ≈ NW Germany
Wes-Kaap see Western Cape
25 S17 **Weslaco** Texas, SW USA
14 J13 **Weslemkoon Lake** ◎ Ontario, SE Canada
181 R1 **Wessel Islands** island group Northern Territory, N Australia
29 P9 **Wessington** South Dakota, N USA
29 P10 **Wessington Springs** South Dakota, N USA
25 T8 **West** Texas, SW USA
West see Ouest
30 M9 **West Allis** Wisconsin, N USA
182 E8 **Westall, Point** headland South Australia
West Antarctica see Lesser Antarctica
14 G11 **West Arm** Ontario, S Canada
West Azerbaijan see Āzarbāyjān-e Gharbī
138 F10 **West Bank** disputed region SW Asia
11 N17 **Westbank** British Columbia, SW Canada
14 E11 **West Bay** Manitoulin Island, Ontario, S Canada
22 L11 **West Bay** bay Louisiana, S USA
30 M8 **West Bend** Wisconsin, N USA
153 R16 **West Bengal** ◈ state NE India
West Borneo see Kalimantan Barat
29 Y14 **West Branch** Iowa, C USA
31 R7 **West Branch** Michigan, N USA
18 F13 **West Branch Susquehanna River** ≈ Pennsylvania, NE USA
97 L20 **West Bromwich** C England, UK
19 P8 **Westbrook** Maine, NE USA
29 T10 **Westbrook** Minnesota, N USA
29 Y15 **West Burlington** Iowa, C USA
96 L2 **West Burra** island NE Scotland, UK
30 J8 **Westby** Wisconsin, N USA
44 L6 **West Caicos** island W Turks and Caicos Islands
185 A24 **West Cape** headland South Island, NZ
18 I16 **West Chester** Pennsylvania, NE USA
185 E18 **West Coast** off. West Coast Region. ◈ region South Island, NZ
25 V12 **West Columbia** Texas, SW USA
29 W10 **West Concord** Minnesota, N USA
29 V14 **West Des Moines** Iowa, C USA
37 Q6 **West Elk Peak** ▲ Colorado, C USA
44 F1 **West End** Grand Bahama Island, N Bahamas
44 F1 **West End Point** headland Grand Bahama Island, N Bahamas
98 O7 **Westerbork** Drenthe, NE Netherlands
98 N3 **Westereems** strait Germany/Netherlands
98 O9 **Westerhaar-Vriezenveensewijk** Overijssel, E Netherlands
100 G6 **Westerland** Schleswig-Holstein, N Germany
99 I17 **Westerlo** Antwerpen, N Belgium
19 N13 **Westerly** Rhode Island, NE USA
81 G18 **Western** ◈ province W Kenya
153 N11 **Western** ◈ zone C Nepal
186 A8 **Western** ◈ province SW PNG
186 J8 **Western** off. Western Province. ◈ province NW Solomon Islands
83 G15 **Western** ◈ province SW Zambia
180 K8 **Western Australia** ◈ state W Australia
80 A13 **Western Bahr el Ghazal** ◈ state SW Sudan
Western Bug see Bug
83 F25 **Western Cape** off. Western Cape Province, Afr. Wes-Kaap. ◈ province SW South Africa
80 A11 **Western Darfur** ◈ state W Sudan
Western Desert see Sahara el Gharbîya
118 G9 **Western Dvina** Bel. Dzvina, Ger. Düna, Latv. Daugava, Rus. Zapadnaya Dvina. ≈ W Europe
81 D15 **Western Equatoria** ◈ state SW Sudan
155 E16 **Western Ghats** ⛰ SW India
186 C7 **Western Highlands** ◈ province C PNG
Western Isles see Outer Hebrides
80 C12 **Western Kordofan** ◈ state C Sudan
21 T3 **Westernport** Maryland, NE USA
155 J26 **Western Province** ◈ province SW Sri Lanka
74 B10 **Western Sahara** ◇ disputed territory N Africa
Western Samoa see Samoa
Western Sayans see Zapadnyy Sayan
Western Scheldt see Westerschelde
Western Sierra Madre see Madre Occidental, Sierra
99 E15 **Westerschelde** Eng. Western Scheldt; prev. Honte. inlet S North Sea
31 S13 **Westerville** Ohio, N USA
101 F17 **Westerwald** ⛰ W Germany
65 C25 **West Falkland** var. Gran Malvina, Isla Gran Malvina. island W Falkland Islands
29 R5 **West Fargo** North Dakota, N USA
188 M15 **West Fayu Atoll** atoll Caroline Islands, C Micronesia
18 C11 **Westfield** New York, NE USA
30 L7 **Westfield** Wisconsin, N USA
West Flanders see West-Vlaanderen
27 S10 **West Fork** Arkansas, C USA
29 P16 **West Fork Big Blue River** ≈ Nebraska, C USA
29 U12 **West Fork Des Moines River** ≈ Iowa/Minnesota, C USA
25 S5 **West Fork Trinity River** ≈ Texas, SW USA
30 L16 **West Frankfort** Illinois, N USA
98 I8 **West-Friesland** physical region NW Netherlands
West Frisian Islands see Waddeneilanden
19 T5 **West Grand Lake** ◎ Maine, NE USA
18 M12 **West Hartford** Connecticut, NE USA
18 M13 **West Haven** Connecticut, NE USA
27 X12 **West Helena** Arkansas, C USA
28 M2 **Westhope** North Dakota, N USA
195 Y8 **West Ice Shelf** ice shelf Antarctica
West Irian see Papua
West Java see Jawa Barat
36 L3 **West Jordan** Utah, W USA
West Kalimantan see Kalimantan Barat
99 D14 **Westkapelle** Zeeland, SW Netherlands
31 O13 **West Lafayette** Indiana, N USA
31 T13 **West Lafayette** Ohio, N USA
West Lake see Kagera
29 Y14 **West Liberty** Iowa, C USA
21 O5 **West Liberty** Kentucky, S USA
Westliche Morava see Zapadna Morava
10 J13 **Westlock** Alberta, SW Canada
14 E17 **West Lorne** Ontario, S Canada
96 J12 **West Lothian** cultural region S Scotland, UK
99 H16 **Westmalle** Antwerpen, N Belgium
192 G6 **West Mariana Basin** var. Perece Vela Basin. undersea feature W Pacific Ocean
97 E17 **Westmeath** Ir. An Iarmhí, Na h-Iarmhidhe. cultural region C Ireland
27 Y11 **West Memphis** Arkansas, C USA
21 W2 **Westminster** Maryland, NE USA
21 O11 **Westminster** South Carolina, SE USA
22 I5 **West Monroe** Louisiana, S USA
18 D15 **Westmont** Pennsylvania, NE USA
27 O3 **Westmoreland** Kansas, C USA
35 W17 **Westmorland** California, W USA
186 E6 **West New Britain** ◈ province E PNG
West New Guinea see Papua
83 K18 **West Nicholson** Matabeleland South, S Zimbabwe
29 T14 **West Nishnabotna River** ≈ Iowa, C USA
192 K11 **West Norfolk Ridge** undersea feature W Pacific Ocean
25 P12 **West Nueces River** ≈ Texas, SW USA
West Nusa Tenggara see Nusa Tenggara Barat
29 T11 **West Okoboji Lake** ◎ Iowa, C USA
33 R16 **Weston** Idaho, NW USA
21 R4 **Weston** West Virginia, NE USA
97 J22 **Weston-super-Mare** SW England, UK
23 Z14 **West Palm Beach** Florida, SE USA
West Papua see Papua
188 E9 **West Passage** passage Babeldaob, N Palau
23 O9 **West Pensacola** Florida, SE USA
27 V8 **West Plains** Missouri, C USA
35 P7 **West Point** California, W USA
23 R5 **West Point** Georgia, SE USA
22 M3 **West Point** Mississippi, S USA
29 R14 **West Point** Nebraska, C USA
21 X6 **West Point** Virginia, NE USA
182 G10 **West Point** headland South Australia
65 B24 **Westpoint Island Settlement** Westpoint Island, NW Falkland Islands
23 R4 **West Point Lake** ⊟ Alabama/Georgia, SE USA
97 B16 **Westport** Ir. Cathair na Mart. W Ireland
185 G15 **Westport** West Coast, South Island, NZ
32 F10 **Westport** Oregon, NW USA
32 F9 **Westport** Washington, NW USA
31 S15 **West Portsmouth** Ohio, N USA
West Punjab see Punjab
11 V14 **Westray** Manitoba, C Canada
96 J4 **Westray** island NE Scotland, UK
14 F9 **Westree** Ontario, S Canada
97 L16 **West Riding** cultural region N England, UK
West River see Xi Jiang
30 J7 **West Salem** Wisconsin, N USA
65 H21 **West Scotia Ridge** undersea feature W Scotia Sea
West Sepik see Sandaun
173 N4 **West Sheba Ridge** undersea feature W Indian Ocean
West Siberian Plain see Zapadno-Sibirskaya Ravnina
31 S11 **West Sister Island** island Ohio, N USA
West-Skylge see West-Terschelling
West Sumatra see Sumatera Barat
98 J5 **West-Terschelling** Fris. West-Skylge. Friesland, N Netherlands
64 J7 **West Thulean Rise** undersea feature N Atlantic Ocean
29 X12 **West Union** Iowa, C USA
31 R15 **West Union** Ohio, N USA
21 R3 **West Union** West Virginia, NE USA
31 N13 **Westville** Illinois, N USA
21 R3 **West Virginia** off. State of West Virginia; also known as The Mountain State. ◈ state NE USA
99 A17 **West-Vlaanderen** Eng. West Flanders. ◈ province W Belgium
35 R7 **West Walker River** ≈ California/Nevada, W USA
35 P4 **Westwood** California, W USA
183 P9 **West Wyalong** New South Wales, SE Australia
171 Q16 **Wetar, Pulau** island Kepulauan Damar, E Indonesia
171 R16 **Wetar, Selat** var. Wetar Strait. strait Nusa Tenggara, S Indonesia
Wetar Strait see Wetar, Selat
11 Q15 **Wetaskiwin** Alberta, SW Canada
81 K21 **Wete** Pemba, E Tanzania
166 M4 **Wetlet** Sagaing, C Myanmar
37 T6 **Wet Mountains** ⛰ Colorado, C USA
101 E15 **Wetter** Nordrhein-Westfalen, W Germany
101 H17 **Wetter** ≈ W Germany
99 F17 **Wetteren** Oost-Vlaanderen, NW Belgium
108 F7 **Wettingen** Aargau, N Switzerland
27 P11 **Wetumka** Oklahoma, C USA
23 Q5 **Wetumpka** Alabama, S USA
108 G7 **Wetzikon** Zürich, N Switzerland
101 G17 **Wetzlar** Hessen, W Germany
99 C18 **Wevelgem** West-Vlaanderen, W Belgium
38 M6 **Wevok** var. Wewuk. Alaska, USA
23 R9 **Wewahitchka** Florida, SE USA
186 C6 **Wewak** East Sepik, NW PNG
27 O11 **Wewoka** Oklahoma, C USA
Wewuk see Wevok
97 F20 **Wexford** Ir. Loch Garman. SE Ireland
97 F20 **Wexford** Ir. Loch Garman. cultural region SE Ireland
30 L7 **Weyauwega** Wisconsin, N USA
11 U17 **Weyburn** Saskatchewan, S Canada
Weyer see Weyer Markt
109 U5 **Weyer Markt** var. Weyer. Oberösterreich, N Austria
100 H11 **Weyhe** Niedersachsen, NW Germany
97 L24 **Weymouth** S England, UK
19 P11 **Weymouth** Massachusetts, NE USA
99 H18 **Wezembeek-Oppem** Vlaams Brabant, C Belgium
98 M9 **Wezep** Gelderland, E Netherlands
184 M9 **Whakamaru** Waikato, North Island, NZ
184 O8 **Whakatane** Bay of Plenty, North Island, NZ
184 O8 **Whakatane** ≈ North Island, NZ
9 O9 **Whale Cove** Nunavut, C Canada
96 M2 **Whalsay** island NE Scotland, UK
184 L11 **Whangaehu** ≈ North Island, NZ
184 M6 **Whangamata** Waikato, North Island, NZ
184 Q9 **Whangara** Gisborne, North Island, NZ
184 K3 **Whangarei** Northland, North Island, NZ
184 K3 **Whangaruru Harbour** inlet North Island, NZ
25 V12 **Wharton** Texas, SW USA
173 U8 **Wharton Basin** var. West Australian Basin. undersea feature E Indian Ocean
185 E18 **Whataroa** West Coast, South Island, NZ
8 K10 **Wha Ti** prev. Lac La Martre. Northwest Territories, W Canada
184 K6 **Whatipu** Auckland, North Island, NZ
33 Y16 **Wheatland** Wyoming, C USA
14 D18 **Wheatley** Ontario, S Canada
30 M10 **Wheaton** Illinois, N USA
29 R7 **Wheaton** Minnesota, N USA
37 T4 **Wheat Ridge** Colorado, C USA
25 P2 **Wheeler** Texas, SW USA
23 O2 **Wheeler Lake** ⊟ Alabama, S USA
35 Y6 **Wheeler Peak** ▲ Nevada, W USA
37 T9 **Wheeler Peak** ▲ New Mexico, SW USA
31 S15 **Wheelersburg** Ohio, N USA
21 R2 **Wheeling** West Virginia, NE USA
97 L16 **Whernside** ▲ N England, UK
182 F9 **Whidbey, Point** headland South Australia
180 I7 **Whim Creek** Western Australia
10 L17 **Whistler** British Columbia, SW Canada
21 W8 **Whitakers** North Carolina, SE USA
14 H15 **Whitby** Ontario, S Canada
97 N15 **Whitby** N England, UK
10 G6 **White** ≈ Yukon Territory, W Canada
13 T11 **White Bay** bay Newfoundland and Labrador, E Canada
20 I8 **White Bluff** Tennessee, S USA
28 J6 **White Butte** ▲ North Dakota, N USA
19 R5 **White Cap Mountain** ▲ Maine, NE USA
22 J9 **White Castle** Louisiana, S USA
182 M5 **White Cliffs** New South Wales, SE Australia
31 P8 **White Cloud** Michigan, N USA
11 P14 **Whitecourt** Alberta, SW Canada
25 O2 **White Deer** Texas, SW USA
White Elster see Weisse Elster
24 M5 **Whiteface** Texas, SW USA
18 K7 **Whiteface Mountain** ▲ New York, NE USA
29 W5 **Whiteface Reservoir** ⊟ Minnesota, N USA
33 O7 **Whitefish** Montana, NW USA
31 N9 **Whitefish Bay** Wisconsin, N USA
31 Q3 **Whitefish Bay** lake bay Canada/USA
14 E11 **Whitefish Falls** Ontario, S Canada
14 B7 **Whitefish Lake** ◎ Ontario, S Canada
29 U6 **Whitefish Lake** ◎ Minnesota, C USA
31 Q3 **Whitefish Point** headland Michigan, N USA

◆ Country ● Country Capital ◇ Dependent Territory ○ Dependent Territory Capital ◈ Administrative Region ✈ International Airport ▲ Mountain ⛰ Mountain Range ▲ Volcano ≈ River ◎ Lake ⊟ Reservoir

WHITEFISH RIVER – WOODLAND ••• 345

31 C4 **Whitefish River** Michigan, N USA
25 C4 **Whiteflat** Texas, SW USA
27 V12 **White Hall** Arkansas, C USA
30 K14 **White Hall** Illinois, N USA
31 C8 **Whitehall** Michigan, N USA
18 L9 **Whitehall** New York, NE USA
31 S13 **Whitehall** Ohio, N USA
30 J7 **Whitehall** Wisconsin, N USA
97 J15 **Whitehaven** NW England, UK
10 I8 **Whitehorse** *territory capital* Yukon Territory, W Canada
184 G7 **White Island** *island* NE NZ
14 K13 **White Lake** ◎ Ontario, SE Canada
22 H10 **White Lake** ◎ Louisiana, S USA
186 G7 **Whiteman Range** ▲ New Britain, E PNG
183 Q15 **Whitemark** Tasmania, SE Australia
35 S9 **White Mountains** ▲ California/Nevada, W USA
19 N7 **White Mountains** ▲ Maine/New Hampshire, NE USA
80 F11 **White Nile** ◆ *state* C Sudan
81 E14 **White Nile** *Ar.* Al Baḥr al Abyaḍ, An Nīl al Abyaḍ, Bahr el Jebel. SE Sudan
25 W5 **White Oak Creek** Texas, SW USA
10 H9 **White Pass** *pass* Canada/USA
32 I9 **White Pass** *pass* Washington, NW USA
21 O9 **White Pine** Tennessee, S USA
18 K14 **White Plains** New York, NE USA
25 O5 **White River** Texas, SW USA
28 M11 **White River** South Dakota, N USA
27 W12 **White River** Arkansas, SE USA
37 P3 **White River** Colorado/Utah, C USA
31 N15 **White River** Indiana, N USA
31 O8 **White River** Michigan, N USA
28 K11 **White River** South Dakota, N USA
18 M8 **White River** Vermont, NE USA
37 N13 **Whiteriver** Arizona, SW USA
25 O5 **White River Lake** ▣ Texas, SW USA
32 H11 **White Salmon** Washington, NW USA
18 I10 **Whitesboro** New York, NE USA
25 T5 **Whitesboro** Texas, SW USA
21 O7 **Whitesburg** Kentucky, S USA
White Sea *see* Beloye More
White Sea-Baltic Canal/White Sea Canal *see* Belomorsko-Baltiyskiy Kanal
63 I25 **Whiteside, Canal** *channel* S Chile
33 S10 **White Sulphur Springs** Montana, NW USA
21 R6 **White Sulphur Springs** West Virginia, NE USA
20 J6 **Whitesville** Kentucky, S USA
32 I19 **White Swan** Washington, NW USA
21 U12 **Whiteville** North Carolina, SE USA
20 F10 **Whiteville** Tennessee, S USA
77 Q13 **White Volta** *var.* Nakambé, *Fr.* Volta Blanche. Burkina/Ghana
30 M9 **Whitewater** Wisconsin, N USA
37 P14 **Whitewater Baldy** ▲ New Mexico, SW USA
23 X17 **Whitewater Bay** *bay* Florida, SE USA
31 Q14 **Whitewater River** Indiana/Ohio, N USA
11 V16 **Whitewood** Saskatchewan, S Canada
28 J9 **Whitewood** South Dakota, N USA
25 U5 **Whitewright** Texas, SW USA
97 I15 **Whithorn** S Scotland, UK
184 M6 **Whitianga** Waikato, North Island, NZ
19 N11 **Whitinsville** Massachusetts, NE USA
20 M8 **Whitley City** Kentucky, S USA
21 Q11 **Whitmire** South Carolina, SE USA
31 R10 **Whitmore Lake** Michigan, N USA
195 N9 **Whitmore Mountains** ▲ Antarctica
14 I12 **Whitney** Ontario, SE Canada
25 T8 **Whitney** Texas, SW USA
25 S8 **Whitney, Lake** ▣ Texas, SW USA
35 S11 **Whitney, Mount** ▲ California, W USA
181 Y6 **Whitsunday Group** *island group* Queensland, E Australia
25 S6 **Whitt** Texas, SW USA
29 U12 **Whittemore** Iowa, C USA
39 R12 **Whittier** Alaska, USA
35 T15 **Whittier** California, W USA
83 I25 **Whittlesea** Eastern Cape, S South Africa
20 K10 **Whitwell** Tennessee, S USA
8 L10 **Wholdaia Lake** ◎ Northwest Territories, NW Canada
182 H7 **Whyalla** South Australia
Whydah *see* Ouidah
14 F13 **Wiarton** Ontario, S Canada
171 O13 **Wiau** Sulawesi, C Indonesia
111 H15 **Wiązów** *Ger.* Wansen. Dolnośląskie, SW Poland
33 Y8 **Wibaux** Montana, NW USA
27 N6 **Wichita** Kansas, C USA
25 R5 **Wichita Falls** Texas, SW USA
26 L11 **Wichita Mountains** ▲ Oklahoma, C USA
25 R5 **Wichita River** Texas, SW USA
96 K6 **Wick** N Scotland, UK
36 K13 **Wickenburg** Arizona, SW USA
24 L8 **Wickett** Texas, SW USA
180 I7 **Wickham** Western Australia
182 M14 **Wickham, Cape** *headland* Tasmania, SE Australia
20 G7 **Wickliffe** Kentucky, S USA
97 G19 **Wicklow** *Ir.* Cill Mhantáin. E Ireland
97 F19 **Wicklow** *Ir.* Cill Mhantáin. *cultural region* E Ireland
97 G19 **Wicklow Head** *Ir.* Ceann Chill Mhantáin. *headland* E Ireland
97 F18 **Wicklow Mountains** *Ir.* Sléibhte Chill Mhantáin. ▲ E Ireland
14 H10 **Wicksteed Lake** ◎ Ontario, S Canada
Wida *see* Ouidah
65 G15 **Wideawake Airfield** ✕ (Georgetown) SW Ascension Island
97 K18 **Widnes** C England, UK
110 H9 **Więcbork** *Ger.* Vandsburg. Kujawsko-pomorskie, C Poland
101 E17 **Wied** W Germany
101 F16 **Wiehl** Nordrhein-Westfalen, W Germany
111 L17 **Wieliczka** Małopolskie, S Poland
110 G12 **Wielkopolskie** ◆ *province* C Poland
111 J14 **Wieluń** Sieradz, C Poland
109 X4 **Wien** *Eng.* Vienna, *Hung.* Bécs, *Slvk.* Vídeň, *Slvn.* Dunaj; *anc.* Vindobona. ● (Austria) Wien, NE Austria
109 X4 **Wien** *off.* Land Wien, *Eng.* Vienna. ◆ *state* NE Austria
109 X5 **Wiener Neustadt** Niederösterreich, E Austria
110 G7 **Wieprza** *Ger.* Wipper. NW Poland
98 O10 **Wierden** Overijssel, E Netherlands
98 I7 **Wieringerwerf** Noord-Holland, NW Netherlands
Wieruschow *see* Wieruszów
111 I14 **Wieruszów** *Ger.* Wieruschow. Łódzkie, C Poland
109 V9 **Wies** Steiermark, SE Austria
Wiesbachhorn *see* Grosses Wiesbachhorn
101 G18 **Wiesbaden** Hessen, W Germany
Wieselburg and Ungarisch-Altenburg/Wieselburg-Ungarisch-Altenburg *see* Mosonmagyaróvár
Wiesenhof *see* Ostrołęka
101 G20 **Wiesloch** Baden-Württemberg, SW Germany
100 F10 **Wiesmoor** Niedersachsen, NW Germany
110 I7 **Wieżyca** *Ger.* Turmberg. *hill* Pomorskie, N Poland
97 L17 **Wigan** NW England, UK
37 U3 **Wiggins** Colorado, C USA
22 M8 **Wiggins** Mississippi, S USA
Wigorna Ceaster *see* Worcester
97 I14 **Wigtown** S Scotland, UK
97 H14 **Wigtown** *cultural region* SW Scotland, UK
97 I15 **Wigtown Bay** *bay* SW Scotland, UK
98 L13 **Wijchen** Gelderland, SE Netherlands
92 N1 **Wijdefjorden** *fjord* NW Svalbard
98 M10 **Wijhe** Overijssel, E Netherlands
98 J12 **Wijk bij Duurstede** Utrecht, C Netherlands
98 J13 **Wijk en Aalburg** Noord-Brabant, S Netherlands
99 H16 **Wijnegem** Antwerpen, N Belgium
14 E11 **Wikwemikong** Manitoulin Island, Ontario, S Canada
108 H7 **Wil** Sankt Gallen, NE Switzerland
29 R16 **Wilber** Nebraska, C USA
32 K8 **Wilbur** Washington, NW USA
27 Q11 **Wilburton** Oklahoma, C USA
182 M6 **Wilcannia** New South Wales, SE Australia
18 D12 **Wilcox** Pennsylvania, NE USA
Wilczek Land *see* Vil'cheka, Zemlya
109 U6 **Wildalpen** Steiermark, E Austria
31 O13 **Wildcat Creek** Indiana, N USA
108 L9 **Wilde Kreuzspitze** *It.* Picco di Croce. ▲ Austria/Italy
Wildenschwert *see* Ústí nad Orlicí
98 O6 **Wildervank** Groningen, NE Netherlands
100 G11 **Wildeshausen** Niedersachsen, NW Germany
108 D10 **Wildhorn** ▲ SW Switzerland
11 R17 **Wild Horse** Alberta, SW Canada
27 N12 **Wildhorse Creek** Oklahoma, C USA
28 L14 **Wild Horse Hill** ▲ Nebraska, C USA
109 W8 **Wildon** Steiermark, SE Austria
24 M2 **Wildorado** Texas, SW USA
29 R6 **Wild Rice River** Minnesota/North Dakota, N USA
Wilejka *see* Vilyeyka
195 Y9 **Wilhelm II Coast** *physical region* Antarctica
195 X9 **Wilhelm II Land** *physical region* Antarctica
55 U11 **Wilhelmina Gebergte** ▲ C Suriname
18 B13 **Wilhelm, Lake** ▣ Pennsylvania, NE USA
92 O2 **Wilhelmøya** *island* C Svalbard
Wilhelm-Pieck-Stadt *see* Guben
109 W4 **Wilhelmsburg** Niederösterreich, E Austria
100 G10 **Wilhelmshaven** Niedersachsen, NW Germany
Wilia/Wilja *see* Neris
18 H13 **Wilkes Barre** Pennsylvania, NE USA
21 R9 **Wilkesboro** North Carolina, SE USA
195 W15 **Wilkes Coast** *physical region* Antarctica
189 W12 **Wilkes Island** *island* N Wake Island
195 X12 **Wilkes Land** *physical region* Antarctica
11 S15 **Wilkie** Saskatchewan, S Canada
194 I6 **Wilkins Ice Shelf** *ice shelf* Antarctica
182 D4 **Wilkinsons Lakes** *salt lake* South Australia
Wilkomierz *see* Ukmerge
182 K11 **Willalooka** South Australia
32 G11 **Willamette River** Oregon, NW USA
183 O8 **Willandra Billabong Creek** *seasonal river* New South Wales, SE Australia
32 F9 **Willapa Bay** *inlet* Washington, NW USA
27 T7 **Willard** Missouri, C USA
37 S12 **Willard** New Mexico, SW USA
31 S12 **Willard** Ohio, N USA
36 L1 **Willard** Utah, W USA
186 G6 **Willaumez Peninsula** *headland* New Britain, E PNG
37 N15 **Willcox** Arizona, SW USA
37 N16 **Willcox Playa** *salt flat* Arizona, SW USA
99 G17 **Willebroek** Antwerpen, C Belgium
45 P16 **Willemstad** ○ (Netherlands Antilles) Curaçao, Netherlands Antilles
99 G14 **Willemstad** Noord-Brabant, S Netherlands
11 S11 **William** Saskatchewan, C Canada
23 O6 **William "Bill" Dannelly Reservoir** ▣ Alabama, S USA
182 G3 **William Creek** South Australia
181 T15 **William, Mount** ▲ South Australia
36 K11 **Williams** Arizona, SW USA
29 X14 **Williamsburg** Iowa, C USA
20 M8 **Williamsburg** Kentucky, S USA
31 R15 **Williamsburg** Ohio, N USA
21 X6 **Williamsburg** Virginia, NE USA
10 M15 **Williams Lake** British Columbia, SW Canada
21 P6 **Williamson** West Virginia, NE USA
31 N13 **Williamsport** Indiana, N USA
18 G13 **Williamsport** Pennsylvania, NE USA
21 W9 **Williamston** North Carolina, SE USA
21 P11 **Williamston** South Carolina, SE USA
20 M4 **Williamstown** Kentucky, S USA
18 L10 **Williamstown** Massachusetts, NE USA
18 J16 **Willingboro** New Jersey, NE USA
11 Q14 **Willingdon** Alberta, SW Canada
25 W10 **Willis** Texas, SW USA
108 F8 **Willisau** Luzern, W Switzerland
83 F24 **Williston** Northern Cape, W South Africa
23 V10 **Williston** Florida, SE USA
28 J3 **Williston** North Dakota, N USA
21 Q13 **Williston** South Carolina, SE USA
10 L12 **Williston Lake** ▣ British Columbia, W Canada
34 L5 **Willits** California, W USA
29 T8 **Willmar** Minnesota, N USA
10 K11 **Will, Mount** ▲ British Columbia, W Canada
31 T11 **Willoughby** Ohio, N USA
11 U17 **Willow Bunch** Saskatchewan, S Canada
32 J11 **Willow Creek** Oregon, NW USA
39 R11 **Willow Lake** Alaska, USA
8 I9 **Willowlake** Northwest Territories, NW Canada
83 H25 **Willowmore** Eastern Cape, S South Africa
30 L5 **Willow Reservoir** ▣ Wisconsin, N USA
35 N5 **Willows** California, W USA
27 V7 **Willow Springs** Missouri, C USA
182 I7 **Wilmington** South Australia
21 Y2 **Wilmington** Delaware, NE USA
21 V12 **Wilmington** North Carolina, SE USA
31 R14 **Wilmington** Ohio, N USA
20 M6 **Wilmore** Kentucky, S USA
29 R8 **Wilmot** South Dakota, N USA
Wilna/Wilno *see* Vilnius
101 G16 **Wilnsdorf** Nordrhein-Westfalen, W Germany
99 G16 **Wilrijk** Antwerpen, N Belgium
100 I10 **Wilseder Berg** *hill* NW Germany
21 V9 **Wilson** North Carolina, SE USA
25 N5 **Wilson** Texas, SW USA
182 A7 **Wilson Bluff** *headland* South Australia/Western Australia
35 Y7 **Wilson Creek Range** ▲ Nevada, W USA
23 O1 **Wilson Lake** ▣ Alabama, S USA
26 M4 **Wilson Lake** ▣ Kansas, SE USA
37 P7 **Wilson, Mount** ▲ Colorado, C USA
183 P13 **Wilsons Promontory** *peninsula* Victoria, SE Australia
29 Y14 **Wilton** Iowa, C USA
19 P7 **Wilton** Maine, NE USA
28 M5 **Wilton** North Dakota, N USA
97 L22 **Wiltshire** *cultural region* S England, UK
99 M23 **Wiltz** Diekirch, NW Luxembourg
180 K9 **Wiluna** Western Australia
99 M23 **Wilwerwiltz** Diekirch, NE Luxembourg
29 P5 **Wimbledon** North Dakota, N USA
42 K7 **Wina** *var.* Güina. Jinotega, N Nicaragua
31 O12 **Winamac** Indiana, N USA
81 G19 **Winam Gulf** *var.* Kavirondo Gulf. *gulf* SW Kenya
83 I22 **Winburg** Free State, C South Africa
19 N10 **Winchendon** Massachusetts, NE USA
14 M13 **Winchester** Ontario, SE Canada
97 M23 **Winchester** *hist.* Wintanceaster, *Lat.* Venta Belgarum. S England, UK
32 M10 **Winchester** Idaho, NW USA
30 J14 **Winchester** Illinois, N USA
31 Q13 **Winchester** Indiana, N USA
20 M5 **Winchester** Kentucky, S USA
18 M10 **Winchester** New Hampshire, NE USA
20 K10 **Winchester** Tennessee, S USA
21 V3 **Winchester** Virginia, NE USA
99 L22 **Wincrange** Diekirch, NW Luxembourg
10 I5 **Wind** Yukon Territory, NW Canada
183 S8 **Windamere, Lake** ◎ New South Wales, SE Australia
Windau *see* Ventspils, Latvia
Windau *see* Venta, Latvia/Lithuania
18 D15 **Windber** Pennsylvania, NE USA
23 T3 **Winder** Georgia, SE USA
97 K15 **Windermere** NW England, UK
14 C7 **Windermere Lake** ◎ Ontario, S Canada
31 U11 **Windham** Ohio, N USA
83 D19 **Windhoek** *Ger.* Windhuk. ● (Namibia) Khomas, C Namibia
83 D20 **Windhoek** ✕ Khomas, C Namibia
Windhuk *see* Windhoek
15 O8 **Windigo** Québec, SE Canada
15 O8 **Windigo** Québec, SE Canada
Windischfeistritz *see* Slovenska Bistrica
109 T6 **Windischgarsten** Oberösterreich, W Austria
Windischgraz *see* Slovenj Gradec
37 T16 **Wind Mountain** ▲ New Mexico, SW USA
29 T10 **Windom** Minnesota, N USA
37 Q7 **Windom Peak** ▲ Colorado, C USA
181 U9 **Windorah** Queensland, C Australia
37 O10 **Window Rock** Arizona, SW USA
31 N9 **Wind Point** *headland* Wisconsin, N USA
33 U14 **Wind River** Wyoming, C USA
13 P15 **Windsor** Nova Scotia, SE Canada
14 C17 **Windsor** Ontario, S Canada
15 Q12 **Windsor** Québec, SE Canada
97 N22 **Windsor** S England, UK
37 T3 **Windsor** Colorado, C USA
18 M12 **Windsor** Connecticut, NE USA
27 T5 **Windsor** Missouri, C USA
21 X9 **Windsor** North Carolina, SE USA
18 M12 **Windsor Locks** Connecticut, NE USA
25 R5 **Windthorst** Texas, SW USA
45 Z14 **Windward Islands** *island group* E West Indies
Windward Islands *see* Vent, Îles du, Archipel de la Société, French Polynesia
Windward Islands *see* Barlavento, Ilhas de, Cape Verde
44 K8 **Windward Passage** *Sp.* Paso de los Vientos. *channel* Cuba/Haiti
55 T9 **Wineperu** C Guyana
23 O3 **Winfield** Alabama, S USA
29 Y15 **Winfield** Iowa, C USA
27 O7 **Winfield** Kansas, C USA
25 W6 **Winfield** Texas, SW USA
21 Q4 **Winfield** West Virginia, NE USA
29 N5 **Wing** North Dakota, N USA
183 U7 **Wingham** New South Wales, SE Australia
12 G16 **Wingham** Ontario, S Canada
33 T8 **Winifred** Montana, NW USA
12 E8 **Winisk** Ontario, C Canada
12 E9 **Winisk Lake** ◎ Ontario, C Canada
24 L8 **Wink** Texas, SW USA
36 M14 **Winkelman** Arizona, SW USA
11 X17 **Winkler** Manitoba, S Canada
109 Q9 **Winklern** Tirol, W Austria
Winkowitz *see* Vinkovci
32 G9 **Winlock** Washington, NW USA
77 P17 **Winneba** SE Ghana
29 U11 **Winnebago** Minnesota, N USA
29 R13 **Winnebago** Nebraska, C USA
30 M7 **Winnebago, Lake** ◎ Wisconsin, N USA
30 M7 **Winneconne** Wisconsin, N USA
35 T3 **Winnemucca** Nevada, W USA
35 R4 **Winnemucca Lake** ◎ Nevada, W USA
101 H21 **Winnenden** Baden-Württemberg, SW Germany
29 N11 **Winner** South Dakota, N USA
33 U9 **Winnett** Montana, NW USA
14 I9 **Winneway** Québec, SE Canada
22 H6 **Winnfield** Louisiana, S USA
29 U4 **Winnibigoshish, Lake** ◎ Minnesota, N USA
25 X11 **Winnie** Texas, SW USA
11 Y16 **Winnipeg** Manitoba, S Canada
11 X16 **Winnipeg** ✕ Manitoba, S Canada
11 X16 **Winnipeg Beach** Manitoba, S Canada
11 W14 **Winnipeg, Lake** ◎ Manitoba, C Canada
11 W15 **Winnipegosis** Manitoba, S Canada
11 W15 **Winnipegosis, Lake** ◎ Manitoba, C Canada
19 O8 **Winnipesaukee, Lake** ◎ New Hampshire, NE USA
22 I6 **Winnsboro** Louisiana, S USA
21 R12 **Winnsboro** South Carolina, SE USA
25 W6 **Winnsboro** Texas, SW USA
29 X10 **Winona** Minnesota, N USA
22 L4 **Winona** Mississippi, S USA
27 W7 **Winona** Missouri, C USA
25 W7 **Winona** Texas, SW USA
18 M7 **Winooski River** Vermont, NE USA
98 P6 **Winschoten** Groningen, NE Netherlands
100 J10 **Winsen** Niedersachsen, N Germany
36 M11 **Winslow** Arizona, SW USA
19 Q7 **Winslow** Maine, NE USA
18 M12 **Winsted** Connecticut, NE USA
32 F14 **Winston** Oregon, NW USA
21 S9 **Winston Salem** North Carolina, SE USA
98 N5 **Winsum** Groningen, NE Netherlands
Wintanceaster *see* Winchester
23 W11 **Winter Garden** Florida, SE USA
10 J16 **Winter Harbour** Vancouver Island, British Columbia, SW Canada
23 W12 **Winter Haven** Florida, SE USA
23 X11 **Winter Park** Florida, SE USA
25 P8 **Winters** Texas, SW USA
29 U15 **Winterset** Iowa, C USA
98 O12 **Winterswijk** Gelderland, E Netherlands
108 G6 **Winterthur** Zürich, NE Switzerland
29 U9 **Winthrop** Minnesota, N USA
32 J7 **Winthrop** Washington, NW USA
181 V7 **Winton** Queensland, E Australia
185 C24 **Winton** Southland, South Island, NZ
21 X8 **Winton** North Carolina, SE USA
101 K15 **Wipper** C Germany
101 K14 **Wipper** C Germany
Wipper *see* Wieprza
182 G6 **Wirraminna** South Australia
182 F4 **Wirrida** South Australia
182 F7 **Wirrulla** South Australia
Wirsitz *see* Wyrzysk
Wirz-See *see* Võrtsjärv
97 O19 **Wisbech** E England, UK
Wisby *see* Visby
19 Q8 **Wiscasset** Maine, NE USA
Wischau *see* Vyškov
30 J5 **Wisconsin** *off.* State of Wisconsin; also known as The Badger State. ◆ *state* N USA
30 L8 **Wisconsin Dells** Wisconsin, N USA
30 L8 **Wisconsin, Lake** ▣ Wisconsin, N USA
30 L7 **Wisconsin Rapids** Wisconsin, N USA
30 L7 **Wisconsin River** Wisconsin, N USA
33 P11 **Wisdom** Montana, NW USA
21 P7 **Wise** Virginia, NE USA
39 Q7 **Wiseman** Alaska, USA
96 J12 **Wishaw** W Scotland, UK
29 O6 **Wishek** North Dakota, N USA
32 I11 **Wishram** Washington, NW USA
111 J17 **Wisła** Śląskie, S Poland
110 K11 **Wisła** *Eng.* Vistula, *Ger.* Weichsel. C Poland
Wiślany, Zalew *see* Vistula Lagoon
111 M16 **Wisłoka** SE Poland
100 L9 **Wismar** Mecklenburg-Vorpommern, N Germany
29 R14 **Wisner** Nebraska, C USA
103 V4 **Wissembourg** *var.* Weissenburg. Bas-Rhin, NE France
30 J6 **Wissota, Lake** ▣ Wisconsin, N USA
97 O18 **Witham** E England, UK
97 O17 **Withernsea** E England, UK
37 Q13 **Withington, Mount** ▲ New Mexico, SW USA
23 U8 **Withlacoochee River** Florida/Georgia, SE USA
110 H11 **Witkowo** Wielkopolskie, C Poland
97 M21 **Witney** S England, UK
101 E15 **Witten** Nordrhein-Westfalen, W Germany
101 N14 **Wittenberg** Sachsen-Anhalt, E Germany
30 L6 **Wittenberg** Wisconsin, N USA
100 L11 **Wittenberge** Brandenburg, N Germany
103 U7 **Wittenheim** Haut-Rhin, NE France
180 I7 **Wittenoom** Western Australia
Wittingau *see* Třeboň
100 K12 **Wittingen** Niedersachsen, C Germany
101 E14 **Wittlich** Rheinland-Pfalz, SW Germany
100 F9 **Wittmund** Niedersachsen, NW Germany
100 M10 **Wittstock** Brandenburg, NE Germany
186 F6 **Witu Islands** *island group* E PNG
110 O7 **Wiżajny** Podlaskie, NE Poland
55 W10 **W.J. van Blommesteinmeer** ▣ E Suriname
110 L11 **Wkra** *Ger.* Soldau. C Poland
110 I6 **Władysławowo** Pomorskie, N Poland
Wlaschim *see* Vlašim
111 E14 **Wleń** *Ger.* Lähn. Dolnośląskie, SW Poland
110 J11 **Włocławek** *Ger./Rus.* Vlotslavsk. Kujawsko-pomorskie, C Poland
110 P13 **Włodawa** *Rus.* Vlodava. Lubelskie, SE Poland
Włodzimierz *see* Volodymyr-Volyns'kyy
111 K15 **Włoszczowa** Świętokrzyskie, C Poland
83 C19 **Wlotzkasbaken** Erongo, W Namibia
15 R12 **Woburn** Québec, SE Canada
19 O11 **Woburn** Massachusetts, NE USA
Wocheiner Feistritz *see* Bohinjska Bistrica
Wöchma *see* Võhma
147 S11 **Wodil** *var.* Vuadil'. Farg'ona Viloyati, E Uzbekistan
181 V14 **Wodonga** Victoria, SE Australia
111 I17 **Wodzisław Śląski** *Ger.* Loslau. Śląskie, S Poland
98 I11 **Woerden** Zuid-Holland, C Netherlands
98 I8 **Wognum** Noord-Holland, NW Netherlands
Wohlau *see* Wołów
108 F7 **Wohlen** Aargau, NW Switzerland
195 R2 **Wohlthat Mountains** ▲ Antarctica
Wojerecy *see* Hoyerswerda
Wōjjā *see* Wotje Atoll
Wojwodina *see* Vojvodina
171 V15 **Wokam, Pulau** *island* Kepulauan Aru, E Indonesia
97 N22 **Woking** SE England, UK
Woldenberg Neumark *see* Dobiegniew
188 K15 **Woleai Atoll** *atoll* Caroline Islands, W Micronesia
Woleu *see* Uolo, Río
79 E17 **Woleu-Ntem** *off.* Province du Woleu-Ntem, *var.* Le Woleu-Ntem. ◆ *province* W Gabon
32 F15 **Wolf Creek** Oregon, NW USA
26 K9 **Wolf Creek** Oklahoma/Texas, SW USA
37 R7 **Wolf Creek Pass** *pass* Colorado, C USA
19 O9 **Wolfeboro** New Hampshire, NE USA
25 U5 **Wolfe City** Texas, SW USA
14 L15 **Wolfe Island** *island* Ontario, SE Canada
101 M14 **Wolfen** Sachsen-Anhalt, E Germany
100 J13 **Wolfenbüttel** Niedersachsen, C Germany
109 T4 **Wolfern** Oberösterreich, N Austria
109 Q6 **Wolfgangsee** *var.* Abersee, St Wolfgangsee. ◎ N Austria
39 P9 **Wolf Mountain** ▲ Alaska, USA
33 X7 **Wolf Point** Montana, NW USA
22 L8 **Wolf River** Mississippi, S USA
30 M7 **Wolf River** Wisconsin, N USA
109 U9 **Wolfsberg** Kärnten, SE Austria
100 K12 **Wolfsburg** Niedersachsen, N Germany
57 B17 **Wolf, Volcán** Galapagos Islands, Ecuador, E Pacific Ocean
100 O8 **Wolgast** Mecklenburg-Vorpommern, NE Germany
108 F8 **Wolhusen** Luzern, W Switzerland
110 D8 **Wolin** *Ger.* Wollin. Zachodnio-pomorskie, NW Poland
109 Y3 **Wolkersdorf** Niederösterreich, NE Austria
Wołkowysk *see* Vawkavysk
Wöllan *see* Velenje
8 J6 **Wollaston, Cape** *headland* Victoria Island, Northwest Territories, NW Canada
63 J25 **Wollaston, Isla** *island* S Chile
11 U11 **Wollaston Lake** Saskatchewan, C Canada
11 T10 **Wollaston Lake** ◎ Saskatchewan, C Canada
8 J6 **Wollaston Peninsula** *peninsula* Victoria Island, Northwest Territories/Nunavut, NW Canada
Wollin *see* Wolin
183 S9 **Wollongong** New South Wales, SE Australia
Wolmar *see* Valmiera
100 L13 **Wolmirstedt** Sachsen-Anhalt, C Germany
110 M11 **Wołomin** Mazowieckie, C Poland
110 G13 **Wołów** *Ger.* Wohlau. Dolnośląskie, SW Poland
Wołożyn *see* Valozhyn
14 G11 **Wolseley Bay** Ontario, S Canada
29 P10 **Wolsey** South Dakota, N USA
110 F12 **Wolsztyn** Wielkopolskie, W Poland
98 M7 **Wolvega** *Fris.* Wolvegea. Friesland, N Netherlands
Wolvegea *see* Wolvega
97 K19 **Wolverhampton** C England, UK
Wolverine State *see* Michigan
99 G18 **Wolvertem** Vlaams Brabant, C Belgium
99 H16 **Wommelgem** Antwerpen, N Belgium
186 D7 **Wonenara** *var.* Wonerara. Eastern Highlands, C PNG
Wonerara *see* Wonenara
Wongalara Lake *see* Wongalarroo Lake
183 N6 **Wongalarroo Lake** *var.* Wongalara Lake. *seasonal lake* New South Wales, SE Australia
163 Y15 **Wŏnju** *Jap.* Genshū. N South Korea
10 M12 **Wonowon** British Columbia, W Canada
163 X13 **Wŏnsan** SE North Korea
183 O13 **Wonthaggi** Victoria, SE Australia
23 N2 **Woodall Mountain** ▲ Mississippi, S USA
23 W7 **Woodbine** Georgia, SE USA
29 S14 **Woodbine** Iowa, C USA
18 J17 **Woodbine** New Jersey, NE USA
21 W4 **Woodbridge** Virginia, NE USA
183 V4 **Woodburn** New South Wales, SE Australia
32 G11 **Woodburn** Oregon, NW USA
20 K9 **Woodbury** Tennessee, S USA
183 V5 **Wooded Bluff** *headland* New South Wales, SE Australia
183 V3 **Woodenbong** New South Wales, SE Australia
35 R11 **Woodlake** California, W USA
35 N7 **Woodland** California, W USA
19 T5 **Woodland** Maine, NE USA

◆ Country ● Country Capital ◇ Dependent Territory ○ Dependent Territory Capital ◆ Administrative Region ✕ International Airport ▲ Mountain ▲ Mountain Range Volcano River ◎ Lake ▣ Reservoir

YANDAMA CREEK – YUEXI ••• 347

182 K4 **Yandama Creek** *seasonal river* New South Wales/South Australia
161 S11 **Yandang Shan** ▲ SE China
Yandua *see* Yadua
159 O6 **Yandun** Xinjiang Uygur Zizhiqu, W China
76 L13 **Yanfolila** Sikasso, SW Mali
79 M18 **Yangambi** Orientale, N Dem. Rep. Congo
158 M15 **Yangbajain** Xizang Zizhiqu, W China
Yangchow *see* Yangzhou
160 M15 **Yangchun** Guangdong, S China
161 N2 **Yanggao** Shanxi, C China
Yanggeta *see* Yaqeta
Yangiabad *see* Yangiobod
Yangibazar *see* Dzhany-Bazar, Kyrgyzstan
Yangi-Bazar *see* Kofarnihon, Tajikistan
Yangiklshak *see* Yangiqishloq
146 M13 **Yangi-Nishon** *Rus.* Yang-Nishan. Qashqadaryo Viloyati, S Uzbekistan
147 Q9 **Yangiobod** *Rus.* Yangiabad. Toshkent Viloyati, E Uzbekistan
147 O10 **Yangiqishloq** *Rus.* Yangiklshak. Jizzax Viloyati, C Uzbekistan
147 P11 **Yangiyer** Sirdaryo Viloyati, E Uzbekistan
147 P9 **Yangiyo'l** *Rus.* Yangiyul'. Toshkent Viloyati, E Uzbekistan
160 M15 **Yangjiang** Guangdong, S China
Yangku *see* Taiyuan
Yang-Nishan *see* Yangi-Nishon
166 L8 **Yangon** *Eng.* Rangoon. ● (Myanmar) Yangon, S Myanmar
166 M8 **Yangon** *Eng.* Rangoon. ❖ *division* SW Myanmar
160 K17 **Yangpu Gang** *harbour* Hainan, S China
161 N4 **Yangquan** Shanxi, C China
161 N13 **Yangshan** Guangdong, S China
167 U12 **Yang Sin, Chu** ▲ S Vietnam
Yangtze *see* Chang Jiang/Jinsha Jiang
Yangtze Kiang *see* Chang Jiang
161 R7 **Yangzhou** *var.* Yangchow. Jiangsu, E China
160 L5 **Yan He** ≈ C China
163 Y10 **Yanji** Jilin, NE China
Yanji *see* Longjing
Yanjing *see* Yanyuan
29 Q12 **Yankton** South Dakota, N USA
161 O12 **Yanling** *prev.* Lingxian, Ling Xian. Hunan, S China
Yannina *see* Ioánnina
123 Q7 **Yano-Indigirskaya Nizmennost'** *plain* NE Russian Federation
Yanovichi *see* Yanavichy
155 K24 **Yan Oya** ≈ N Sri Lanka
158 K6 **Yanqi** *var.* Yanqi Huizu Zizhixian. Xinjiang Uygur Zizhiqu, NW China
Yanqi Huizu Zizhixian *see* Yanqi
161 Q10 **Yanshan** *var.* Hekou. Jiangxi, S China
160 H14 **Yanshan** *var.* Jiangna. Yunnan, SW China
161 P2 **Yan Shan** ▲ E China
163 X8 **Yanshou** Heilongjiang, NE China
123 Q7 **Yanskiy Zaliv** *bay* N Russian Federation
183 O4 **Yantabulla** New South Wales, SE Australia
161 R4 **Yantai** *var.* Yan-t'ai; *prev.* Chefoo, Chih-fu. Shandong, E China
118 A13 **Yantarnyy** *Ger.* Palmnicken. Kaliningradskaya Oblast', W Russian Federation
114 J9 **Yantra** Gabrovo, N Bulgaria
114 K9 **Yantra** ≈ N Bulgaria
160 G11 **Yanyuan** *var.* Yanjing. Sichuan, C China
161 P5 **Yanzhou** Shandong, E China
79 E16 **Yaoundé** *var.* Yaunde. ● (Cameroon) Centre, S Cameroon
188 I14 **Yap** ❖ *state* W Micronesia
188 F16 **Yap** *island* Caroline Islands, W Micronesia
57 M18 **Yapacani, Rio** ≈ C Bolivia
171 W14 **Yapa Kopra** Papua, E Indonesia
Yapan *see* Yapen, Selat
Yapanskoye More *see* East Sea/Japan, Sea of
77 P15 **Yapei** N Ghana
12 M10 **Yapeitso, Mont** ▲ Québec, E Canada
171 W12 **Yapen, Pulau** *prev.* Japen. *island* E Indonesia
171 W12 **Yapen, Selat** *var.* Yapan. *strait* Papua, E Indonesia
61 E15 **Yapeyú** Corrientes, NE Argentina
136 I11 **Yapraklı** Çankırı, N Turkey
192 H7 **Yap Trench** *var.* Yap Trough. *undersea feature* Philippine Sea
Yap Trough *see* Yap Trench
Yapurá *see* Caquetá, Río, Brazil/Colombia
Yapurá *see* Japurá, Rio, Brazil/Colombia
197 I12 **Yaqaga** *island* N Fiji
197 H12 **Yaqeta** *prev.* Yanggeta. *island* Yasawa Group, NW Fiji
40 G6 **Yaqui** Sonora, NW Mexico
32 E12 **Yaquina Bay** *bay* Oregon, NW USA
40 G6 **Yaqui, Río** ≈ NW Mexico
54 K5 **Yaracuy** *off.* Estado Yaracuy. ❖ *state* NW Venezuela
Yaradzhi *see* Yarajy
146 E13 **Yarajy** *Rus.* Yaradzhi. Ahal Welaýaty, C Turkmenistan
125 Q15 **Yaransk** Kirovskaya Oblast', NW Russian Federation
136 F17 **Yardımcı Burnu** *headland* SW Turkey
97 Q19 **Yare** ≈ E England, UK
125 S9 **Yarega** Respublika Komi, NW Russian Federation
116 I7 **Yaremcha** Ivano-Frankivs'ka Oblast', W Ukraine
189 Q9 **Yaren** SW Nauru
125 Q10 **Yarensk** Arkhangel'skaya Oblast', NW Russian Federation
155 F16 **Yargatti** Karnātaka, W India
164 M12 **Yariga-take** ▲ Honshū, S Japan
141 O15 **Yarim** W Yemen
54 F14 **Yarí, Río** ≈ SW Colombia
54 K5 **Yaritagua** Yaracuy, N Venezuela
Yarkand *see* Yarkant He
Yarkant *see* Shache
158 E9 **Yarkant He** *var.* Yarkand. ≈ NW China
149 U3 **Yarkhūn** ≈ NW Pakistan
Yarlung Zangbo Jiang *see* Brahmaputra
116 L6 **Yarmolyntsi** Khmel'nyts'ka Oblast', W Ukraine
13 O16 **Yarmouth** Nova Scotia, SE Canada
Yarmouth *see* Great Yarmouth
Yaroslav *see* Jarosław
124 L15 **Yaroslavl'** Yaroslavskaya Oblast', W Russian Federation
124 K14 **Yaroslavskaya Oblast'** ❖ *province* W Russian Federation
123 N11 **Yaroslavskiy** Respublika Sakha (Yakutiya), NE Russian Federation
183 P13 **Yarram** Victoria, SE Australia
183 O11 **Yarrawonga** Victoria, SE Australia
182 L4 **Yarriarraburra Swamp** *wetland* New South Wales, SE Australia
122 I8 **Yar-Sale** Yamalo-Nenetskiy Avtonomnyy Okrug, N Russian Federation
122 K11 **Yartsevo** Krasnoyarskiy Kray, C Russian Federation
126 I4 **Yartsevo** Smolenskaya Oblast', W Russian Federation
54 E8 **Yarumal** Antioquia, NW Colombia
187 W14 **Yasawa Group** *island group* NW Fiji
77 V12 **Yashi** Katsina, N Nigeria
77 S14 **Yashikera** Kwara, W Nigeria
147 T14 **Yashilkŭl** *Rus.* Ozero Yashil'kul'. ◎ SE Tajikistan
Yashil'kul', Ozero *see* Yashilkŭl
165 P9 **Yashima** Akita, Honshū, C Japan
127 P13 **Yashkul'** Respublika Kalmykiya, SW Russian Federation
146 F13 **Yashlyk** Ahal Welaýaty, C Turkmenistan
Yasinovataya *see* Yasynuvata
114 N10 **Yasna Polyana** Burgas, SE Bulgaria
167 R10 **Yasothon** Yasothon, E Thailand
183 R10 **Yass** New South Wales, SE Australia
Yassy *see* Iaşi
164 H12 **Yasugi** Shimane, Honshū, SW Japan
143 N10 **Yāsūj** *var.* Yesuj; *prev.* Tal-e Khosravī. Kohgīlūyeh va Būyer Aḩmad, C Iran
136 M11 **Yasun Burnu** *headland* N Turkey
117 X8 **Yasynuvata** *Rus.* Yasinovataya. Donets'ka Oblast', SE Ukraine
136 C15 **Yatağan** Muğla, SW Turkey
165 Q7 **Yatate-tōge** *pass* Honshū, C Japan
187 Q17 **Yaté** Province Sud, S New Caledonia
27 P6 **Yates Center** Kansas, C USA
185 B21 **Yates Point** *headland* South Island, NZ
9 N9 **Yathkyed Lake** ◎ Nunavut, NE Canada
171 T16 **Yatoke** Pulau Babar, E Indonesia
79 M18 **Yatolema** Orientale, N Dem. Rep. Congo
164 C15 **Yatsushiro** *var.* Yatusiro. Kumamoto, Kyūshū, SW Japan
164 C15 **Yatsushiro-kai** *bay* SW Japan
138 F11 **Yatta** *var.* Yuta. S West Bank
81 J20 **Yatta Plateau** *plateau* SE Kenya
Yatusiro *see* Yatsushiro
57 F17 **Yauca, Río** ≈ SW Peru
45 S6 **Yauco** W Puerto Rico
Yaunde *see* Yaoundé
Yavan *see* Yovon
Yavarí *see* Javari, Rio
56 G9 **Yavari Mirim, Río** ≈ NE Peru
40 G7 **Yavaros** Sonora, NW Mexico
154 I13 **Yavatmāl** Mahārāshtra, C India
54 M9 **Yaví, Cerro** ▲ C Venezuela
43 W16 **Yaviza** Darién, SE Panama
138 F10 **Yavne** Central, W Israel
116 H5 **Yavoriv** *Pol.* Jaworów, *Rus.* Yavorov. L'vivs'ka Oblast', NW Ukraine
Yavorov *see* Yavoriv
164 F14 **Yawatahama** Ehime, Shikoku, SW Japan
Ya Xian *see* Sanya
136 L17 **Yayladağı** Hatay, S Turkey
125 V13 **Yayva** Permskaya Oblast', NW Russian Federation
127 V12 **Yayva** ≈ NW Russian Federation
143 Q9 **Yazd** *var.* Yezd. Yazd, C Iran
143 Q8 **Yazd** *off.* Ostān-e Yazd, *var.* Yezd. ❖ *province* C Iran
Yazgulemskiy Khrebet *see* Yazgulom, Qatorkŭhi
147 S13 **Yazgulom, Qatorkŭhi** *Rus.* Yazgulemskiy Khrebet. ▲ S Tajikistan
22 K5 **Yazoo City** Mississippi, S USA
22 K5 **Yazoo River** ≈ Mississippi, S USA
127 Q5 **Yazykovo** Ul'yanovskaya Oblast', W Russian Federation
109 U4 **Ybbs** Niederösterreich, NE Austria
109 U4 **Ybbs** ≈ C Austria
95 G22 **Yding Skovhøj** *hill* C Denmark
115 G20 **Ýdra** *var.* Ídhra, Idra. Ýdra, S Greece
115 G21 **Ýdra** *var.* Ídhra. *island* S Greece
115 G20 **Ýdras, Kólpos** *strait* S Greece
167 N10 **Ye** Mon State, S Myanmar
183 O12 **Yea** Victoria, SE Australia
Yebaishou *see* Jianping
78 I5 **Yebbi-Bou** Borkou-Ennedi-Tibesti, N Chad
158 F9 **Yecheng** *var.* Kargilik. Xinjiang Uygur Zizhiqu, NW China
105 R11 **Yecla** Murcia, SE Spain
40 H6 **Yécora** Sonora, NW Mexico
Yedintsy *see* Edineţ
124 J13 **Yefimovskiy** Leningradskaya Oblast', NW Russian Federation
126 K6 **Yefremov** Tul'skaya Oblast', W Russian Federation
Yêgainnyin *see* Henan
137 U12 **Yeghegis** *Rus.* Yekhegis. ≈ C Armenia
145 T10 **Yegindybulak** *Kaz.* Egindibulaq. Karaganda, C Kazakhstan
126 L4 **Yegor'yevsk** Moskovskaya Oblast', W Russian Federation
Yehuda, Haré *see* Judaean Hills
81 E15 **Yei** ≈ S Sudan
161 P8 **Yeji** *var.* Yejiaji. Anhui, E China
Yejiaji *see* Yeji
122 G10 **Yekaterinburg** *prev.* Sverdlovsk. Sverdlovskaya Oblast', C Russian Federation
Yekaterinodar *see* Krasnodar
Yekaterinoslav *see* Dnipropetrovs'k
123 R13 **Yekaterinoslavka** Amurskaya Oblast', SE Russian Federation
127 O7 **Yekaterinovka** Saratovskaya Oblast', W Russian Federation
76 K16 **Yekepa** NE Liberia
127 T3 **Yelabuga** Respublika Tatarstan, W Russian Federation
Yela Island *see* Rossel Island
127 O8 **Yelan'** Volgogradskaya Oblast', SW Russian Federation
117 Q9 **Yelanets'** *Rus.* Yelanets. Mykolayivs'ka Oblast', S Ukraine
126 L7 **Yelets** Lipetskaya Oblast', W Russian Federation
125 W4 **Yeletskiy** Respublika Komi, NW Russian Federation
76 J11 **Yélimané** Kayes, W Mali
Yelisavetpol *see* Gäncä
Yelizavetgrad *see* Kirovohrad
123 T12 **Yelizavety, Mys** *headland* SE Russian Federation
Yelizovo *see* Yalizava
127 S5 **Yelkhovka** Samarskaya Oblast', W Russian Federation
96 M1 **Yell** *island* NE Scotland, UK
155 E17 **Yellāpur** Karnātaka, W India
11 U17 **Yellow Grass** Saskatchewan, S Canada
Yellowhammer State *see* Alabama
11 O15 **Yellowhead Pass** *pass* Alberta/British Columbia, SW Canada
8 K10 **Yellowknife** *territory capital* Northwest Territories, W Canada
8 K9 **Yellowknife** ≈ Northwest Territories, NW Canada
23 P8 **Yellow River** ≈ Alabama/Florida, S USA
30 I4 **Yellow River** ≈ Wisconsin, N USA
30 J6 **Yellow River** ≈ Wisconsin, N USA
30 K7 **Yellow River** ≈ Wisconsin, N USA
Yellow River *see* Huang He
157 V8 **Yellow Sea** *Chin.* Huang Hai, *Kor.* Hwang-Hae. *sea* E Asia
33 S13 **Yellowstone Lake** ◎ Wyoming, C USA
33 T13 **Yellowstone National Park** *national park* Wyoming, NW USA
33 Y8 **Yellowstone River** ≈ Montana/Wyoming, NW USA
96 L1 **Yell Sound** *strait* N Scotland, UK
27 U9 **Yellville** Arkansas, C USA
122 K10 **Yeloguy** ≈ C Russian Federation
Yëloten *see* Yolöten
119 M20 **Yel'sk** *Rus.* Yel'sk. Homyel'skaya Voblasts', SE Belarus
77 T13 **Yelwa** Kebbi, W Nigeria
21 R15 **Yemassee** South Carolina, SE USA
141 O15 **Yemen** *off.* Republic of Yemen, *Ar.* Al Jumhūrīyah al Yamanīyah, Al Yaman. ◆ *republic* SW Asia
116 M4 **Yemil'chyne** Zhytomyrs'ka Oblast', N Ukraine
124 M10 **Yemtsa** Arkhangel'skaya Oblast', NW Russian Federation
126 M10 **Yemtsa** ≈ NW Russian Federation
125 R10 **Yemva** *prev.* Zheleznodorozhnyy. Respublika Komi, NW Russian Federation
77 U17 **Yenagoa** Bayelsa, S Nigeria
117 X7 **Yenakiyeve** *Rus.* Yenakiyevo; *prev.* Ordzhonikidze, Rykovo. Donets'ka Oblast', E Ukraine
Yenakiyevo *see* Yenakiyeve
166 L6 **Yenangyaung** Magwe, W Myanmar
167 S5 **Yên Bai** Yên Bai, N Vietnam
183 P9 **Yenda** New South Wales, SE Australia
77 Q14 **Yendi** NE Ghana
Yêndum *see* Zhag'yab
158 E8 **Yengisar** Xinjiang Uygur Zizhiqu, NW China
121 R1 **Yenierenköy** *var.* Yialousa, *Gk.* Agialoúsa. NE Cyprus
Yenipazar *see* Novi Pazar
136 E12 **Yenişehir** Bursa, NW Turkey
Yenisei Bay *see* Yeniseyskiy Zaliv
122 K12 **Yeniseysk** Krasnoyarskiy Kray, C Russian Federation
197 W10 **Yeniseyskiy Zaliv** *var.* Yenisei Bay. *bay* N Russian Federation
127 Q12 **Yenotayevka** Astrakhanskaya Oblast', SW Russian Federation
126 L4 **Yenozero, Ozero** ◎ NW Russian Federation
Yenping *see* Nanping
39 Q11 **Yentna River** ≈ Alaska, USA
180 M10 **Yeo, Lake** *salt lake* Western Australia
183 R7 **Yeoval** New South Wales, SE Australia
97 K23 **Yeovil** SW England, UK
40 H6 **Yepachic** Chihuahua, N Mexico
181 Y8 **Yeppoon** Queensland, E Australia
126 M5 **Yerakhtur** Ryazanskaya Oblast', W Russian Federation
Yeraliyev *see* Kuryk
146 F12 **Yerbent** Ahal Welaýaty, C Turkmenistan
123 N11 **Yerbogachen** Irkutskaya Oblast', C Russian Federation
137 T12 **Yerevan** *Eng.* Erivan. ● (Armenia) C Armenia
137 U12 **Yerevan** ✕ C Armenia
145 R9 **Yereymentau** *var.* Jermentau, Yermentau, *Kaz.* Ereymentaū. Akmola, C Kazakhstan
127 O12 **Yergeni** *hill range* SW Russian Federation
Yeriho *see* Jericho
35 R6 **Yerington** Nevada, W USA
136 J13 **Yerköy** Yozgat, C Turkey
114 L13 **Yerlisu** Edirne, NW Turkey
Yermak *see* Aksu
145 R9 **Yermentau** *Kaz.* Ereymentaū, Jermentau. Akmola, C Kazakhstan
145 R9 **Yermentau, Gory** ▲ C Kazakhstan
125 R5 **Yermitsa** Respublika Komi, NW Russian Federation
35 V14 **Yermo** California, W USA
123 P13 **Yerofey Pavlovich** Amurskaya Oblast', SE Russian Federation
99 F15 **Yerseke** Zeeland, SW Netherlands
127 Q8 **Yershov** Saratovskaya Oblast', W Russian Federation
125 P9 **Yërtom** Respublika Komi, NW Russian Federation
56 D13 **Yerupaja, Nevado** ▲ C Peru
Yerushalayim *see* Jerusalem
105 R4 **Yesa, Embalse de** ⊠ NE Spain
144 F9 **Yesensay** Zapadnyy Kazakhstan, NW Kazakhstan
145 V15 **Yesik** *Kaz.* Esik; *prev.* Issyk. Almaty, SE Kazakhstan
145 O8 **Yesil'** *Kaz.* Esil. Akmola, C Kazakhstan
136 K15 **Yeşilhisar** Kayseri, C Turkey
136 L11 **Yeşilırmak** *anc.* Iris. ≈ N Turkey
37 U12 **Yeso** New Mexico, SW USA
Yeso *see* Hokkaidō
127 N15 **Yessentuki** Stavropol'skiy Kray, SW Russian Federation
122 M9 **Yessey** Evenkiyskiy Avtonomnyy Okrug, N Russian Federation
105 P12 **Yeste** Castilla-La Mancha, C Spain
Yesuj *see* Yāsūj
183 T4 **Yetman** New South Wales, SE Australia
76 L4 **Yetti** *physical region* N Mauritania
166 M4 **Ye-u** Sagaing, C Myanmar
102 H9 **Yeu, Île d'** *island* NW France
Yevlakh *see* Yevlax
137 W11 **Yevlax** *Rus.* Yevlakh. C Azerbaijan
117 S13 **Yevpatoriya** Respublika Krym, S Ukraine
126 K12 **Yeya** ≈ SW Russian Federation
158 I10 **Yeyik** Xinjiang Uygur Zizhiqu, W China
126 K12 **Yeysk** Krasnodarskiy Kray, SW Russian Federation
Yezd *see* Yazd
Yezerishche *see* Yezyaryshcha
Yezhou *see* Jianshi
Yezo *see* Hokkaidō
118 N11 **Yezyaryshcha** *Rus.* Yezerishche. Vitsyebskaya Voblasts', NE Belarus
Yialí *see* Gyalí
Yialousa *see* Yenierenköy
163 V7 **Yi'an** Heilongjiang, NE China
Yiannitsá *see* Giannitsá
160 I10 **Yibin** Sichuan, C China
158 K13 **Yibug Caka** ◎ W China
160 M9 **Yichang** Hubei, C China
160 L5 **Yichuan** Shaanxi, C China
157 W3 **Yichun** Heilongjiang, NE China
163 X6 **Yichun** *var.* I-ch'un. Heilongjiang, NE China
161 O11 **Yichun** Jiangxi, S China
160 M9 **Yidu** *prev.* Zhicheng. Hubei, C China
Yidu *see* Qingzhou
188 C15 **Yigo** NE Guam
161 Q5 **Yi He** ≈ E China
163 X8 **Yilan** Heilongjiang, NE China
136 C9 **Yıldız Dağları** ▲ NW Turkey
136 L13 **Yıldızeli** Sivas, N Turkey
163 U4 **Yilehuli Shan** ▲ NE China
163 S7 **Yimin He** ≈ NE China
159 W8 **Yinchuan** *var.* Yinch'uan, Yin-ch'uan, Yinchwan. Ningxia, N China
Yinchwan *see* Yinchuan
Yindu He *see* Indus
161 N14 **Yingde** Guangdong, S China
161 O7 **Ying He** ≈ C China
163 U13 **Yingkou** *var.* Ying-k'ou, Yingkow; *prev.* Newchwang, Niuchwang. Liaoning, NE China
Yingkow *see* Yingkou
161 P9 **Yingshan** *var.* Wenquan. Hubei, C China
Yingshan *see* Guangshui
161 Q10 **Yingtan** Jiangxi, S China
Yin-hsien *see* Ningbo
158 H5 **Yining** *var.* I-ning, *Uigh.* Gulja, Kuldja. Xinjiang Uygur Zizhiqu, NW China
160 K11 **Yinjiang** *var.* Yinjiang Tujiazu Miaozu Zizhixian. Guizhou, S China
Yinjiang Tujiazu Miaozu Zizhixian *see* Yinjiang
166 L4 **Yinmabin** Sagaing, C Myanmar
163 N13 **Yin Shan** ▲ N China
Yin-tu Ho *see* Indus
159 P15 **Yi'ong Zangbo** ≈ W China
Yioúra *see* Gyáros
81 J14 **Yirga 'Alem** *It.* Irgalem. Southern, S Ethiopia
61 E19 **Yí, Río** ≈ C Uruguay
81 E14 **Yirol** El Buhayrat, S Sudan
163 S8 **Yirshi** *var.* Yirxie. Nei Mongol Zizhiqu, N China
Yirxie *see* Yirshi
161 Q5 **Yishui** Shandong, E China
Yisrael/Yisra'el *see* Israel
Yíthion *see* Gýtheio
Yitiaoshan *see* Jingtai
163 W10 **Yitong** *var.* Yitong Manzu Zizhixian. Jilin, NE China
Yitong Manzu Zizhixian *see* Yitong
159 P5 **Yiwu** *var.* Aratürük. Xinjiang Uygur Zizhiqu, NW China
163 U12 **Yiwulü Shan** ▲ N China
163 T12 **Yixian** *var.* Yizhou. Liaoning, NE China
161 N10 **Yiyang** Hunan, S China
161 Q10 **Yiyang** Jiangxi, S China
161 N13 **Yizhang** Hunan, S China
Yizhou *see* Yixian
93 K19 **Yläne** Länsi-Suomi, W Finland
93 L14 **Yli-Ii** Oulu, C Finland
93 L14 **Ylikiiminki** Oulu, C Finland
92 N13 **Yli-Kitka** ◎ NE Finland
93 K17 **Ylistaro** Länsi-Suomi, W Finland
92 K13 **Ylitornio** Lappi, NW Finland
93 L15 **Ylivieska** Oulu, W Finland
93 L18 **Ylöjärvi** Länsi-Suomi, W Finland
95 N17 **Yngaren** ◎ C Sweden
25 T12 **Yoakum** Texas, SW USA
77 X13 **Yobe** ❖ *state* NE Nigeria
165 R3 **Yobetsu-dake** ⛰ Hokkaidō, NE Japan
80 L11 **Yoboki** C Djibouti
22 M4 **Yockanookany River** ≈ Mississippi, S USA
22 L2 **Yocona River** ≈ Mississippi, S USA
171 Y15 **Yodom** Papua, E Indonesia
169 Q16 **Yogyakarta** *prev.* Djokjakarta, Jogjakarta, Jokyakarta. Jawa, C Indonesia
169 P17 **Yogyakarta** *off.* Daerah Istimewa Yogyakarta, *var.* Djokjakarta, Jogjakarta, Jokyakarta. ❖ *autonomous district* S Indonesia
165 Q3 **Yoichi** Hokkaidō, NE Japan
42 G6 **Yojoa, Lago de** ◎ NW Honduras
79 G16 **Yokadouma** Est, SE Cameroon
Yokaiti *see* Yōkaichi
164 K13 **Yokkaichi** *var.* Yokkaiti. Mie, Honshū, SW Japan
Yokkaiti *see* Yokkaichi
79 E15 **Yoko** Centre, C Cameroon
165 V15 **Yokoate-jima** *island* Nansei-shotō, SW Japan
165 R6 **Yokohama** Aomori, Honshū, C Japan
165 O14 **Yokosuka** Kanagawa, Honshū, S Japan
164 G12 **Yokota** Shimane, Honshū, SW Japan
165 Q9 **Yokote** Akita, Honshū, C Japan
77 Y14 **Yola** Adamawa, E Nigeria
79 L19 **Yolombo** Equateur, C Dem. Rep. Congo
146 J14 **Yolöten** *Rus.* Yëloten; *prev.* Iolotan'. Mary Welaýaty, S Turkmenistan
165 Y15 **Yome-jima** *island* Ogasawara-shotō, SE Japan
76 K16 **Yomou** Guinée-Forestière, SE Guinea
171 Y15 **Yomuka** Papua, E Indonesia
188 C16 **Yona** E Guam
164 H12 **Yonago** Tottori, Honshū, SW Japan
165 N16 **Yonaguni** Okinawa, SW Japan
165 N16 **Yonaguni-jima** *island* Nansei-shotō, SW Japan
165 T16 **Yonaha-dake** ▲ Okinawa, SW Japan
163 X14 **Yonan** SW North Korea
165 P10 **Yonezawa** Yamagata, Honshū, C Japan
161 Q12 **Yong'an** *var.* Yongan. Fujian, SE China
Yongan *see* Fengjie
159 T9 **Yongchang** Gansu, N China
161 P7 **Yongcheng** Henan, C China
163 Z15 **Yŏngch'ŏn** *Jap.* Eisen. SE South Korea
160 J10 **Yongchuan** Chongqing Shi, C China
159 U10 **Yongdeng** Gansu, C China
Yongding *see* Yongren
161 P11 **Yongfeng** *var.* Enjiang. Jiangxi, S China
158 L5 **Yongfengqu** Xinjiang Uygur Zizhiqu, W China
160 L13 **Yongfu** Guangxi Zhuangzu Zizhiqu, S China 24.57
163 X13 **Yŏnghŭng** E North Korea
159 U10 **Yongjing** Gansu, C China
Yongjing *see* Xifeng
163 Y15 **Yŏngju** *Jap.* Eishū. C South Korea
Yongning *see* Xuyong
160 E12 **Yongping** Yunnan, SW China
160 G12 **Yongren** *var.* Yongding. Yunnan, SW China
160 L10 **Yongshun** *var.* Lingxi. Hunan, S China
161 P10 **Yongxiu** *var.* Tujiabu. Jiangxi, S China
160 M12 **Yongzhou** Hunan, S China
18 K14 **Yonkers** New York, NE USA
103 Q7 **Yonne** ❖ *department* C France
103 P6 **Yonne** ≈ C France
54 H9 **Yopal** *var.* El Yopal. Casanare, C Colombia
158 E8 **Yopurga** *var.* Yukuriawat. Xinjiang Uygur Zizhiqu, NW China
147 S11 **Yordon** *var.* Iordan, *Rus.* Jardan. Farg'ona Viloyati, E Uzbekistan
180 J12 **York** Western Australia
97 M16 **York** *anc.* Eboracum, Eburacum. N England, UK
23 N5 **York** Alabama, S USA
29 Q15 **York** Nebraska, C USA
18 G16 **York** Pennsylvania, NE USA
21 R11 **York** South Carolina, SE USA
14 J13 **York** ≈ Ontario, SE Canada
15 X6 **York** ≈ Québec, SE Canada
181 V1 **York, Cape** *headland* Queensland, NE Australia
182 I9 **Yorke Peninsula** *peninsula* South Australia
182 I9 **Yorketown** South Australia
19 P9 **York Harbor** Maine, NE USA
21 X6 **York River** ≈ Virginia, NE USA
97 M16 **Yorkshire** *cultural region* N England, UK
97 L16 **Yorkshire Dales** *physical region* N England, UK
11 V16 **Yorkton** Saskatchewan, S Canada
25 T12 **Yorktown** Texas, SW USA
21 X6 **Yorktown** Virginia, NE USA
30 M11 **Yorkville** Illinois, N USA
42 I5 **Yoro** Yoro, C Honduras
42 H5 **Yoro** ❖ *department* N Honduras
165 T16 **Yoron-jima** *island* Nansei-shotō, SW Japan
77 N13 **Yorosso** Sikasso, S Mali
35 R8 **Yosemite National Park** *national park* California, W USA
127 Q3 **Yoshkar-Ola** Respublika Mariy El, W Russian Federation
Yosino Gawa *see* Yoshino-gawa
Yösönbulag *see* Altay
171 Y16 **Yos Sudarso, Pulau** *var.* Pulau Dolak, Pulau Kolepom; *prev.* Jos Sudarso. *island* E Indonesia
163 Y17 **Yŏsu** *Jap.* Reisui. S South Korea
165 R4 **Yōtei-zan** ▲ Hokkaidō, NE Japan
97 D21 **Youghal** *Ir.* Eochaill. S Ireland
97 D21 **Youghal Bay** *Ir.* Cuan Eochaille. *inlet* S Ireland
18 C15 **Youghiogheny River** ≈ Pennsylvania, NE USA
160 K14 **You Jiang** ≈ S China
183 Q9 **Young** New South Wales, SE Australia
11 T15 **Young** Saskatchewan, S Canada
61 E18 **Young** Río Negro, W Uruguay
182 G5 **Younghusband, Lake** *salt lake* South Australia
182 J10 **Younghusband Peninsula** *peninsula* South Australia
184 Q10 **Young Nicks Head** *headland* North Island, NZ
185 D20 **Young Range** ▲ South Island, NZ
191 Q15 **Young's Rock** *island* Pitcairn Island, Pitcairn Islands
11 R16 **Youngstown** Alberta, SW Canada
31 V12 **Youngstown** Ohio, N USA
159 N9 **Youshashan** Qinghai, C China
Youth, Isle of *see* Juventud, Isla de la
77 N11 **Youvarou** Mopti, C Mali
160 K10 **Youyang** *var.* Zhongduo. Chongqing Shi, C China
163 Y7 **Youyi** Heilongjiang, NE China
147 P13 **Yovon** *Rus.* Yavan. SW Tajikistan
136 J13 **Yozgat** Yozgat, C Turkey
136 K13 **Yozgat** ❖ *province* C Turkey
62 O6 **Ypacaraí** *var.* Ypacaray. Central, S Paraguay
Ypacaray *see* Ypacaraí
62 P5 **Ypané, Río** ≈ C Paraguay
Ypres *see* Ieper
114 I13 **Ypsário** *var.* Ipsario. ▲ Thásos, E Greece
31 R10 **Ypsilanti** Michigan, N USA
34 M1 **Yreka** California, W USA
Yrendagüé *see* General Eugenio A. Garay
186 G5 **Ysabel Channel** *channel* N PNG
14 K8 **Yser, Lac** ◎ Québec, SE Canada
147 Y8 **Yshtyk** Issyk-Kul'skaya Oblast', E Kyrgyzstan
Yssel *see* IJssel
103 Q12 **Yssingeaux** Haute-Loire, C France
95 K23 **Ystad** Skåne, S Sweden
Ysyk-Köl *see* Balykchy, Kyrgyzstan
Ysyk-Köl *see* Issyk-Kul', Ozero, Kyrgyzstan
Ysyk-Köl Oblasty *see* Issyk-Kul'skaya Oblast'
96 L8 **Ythan** ≈ NE Scotland, UK
Y Trallwng *see* Welshpool
94 C13 **Ytre Arna** Hordaland, S Norway
94 B12 **Ytre Sula** *island* S Norway
93 G17 **Ytterhogdal** Jämtland, C Sweden
Yu *see* Henan
Yuan Jiang *see* Red River
161 S13 **Yüanlin** *Jap.* Inrin. C Taiwan
161 N3 **Yuanping** Shanxi, C China
Yuanquan *see* Anxi
Yuanshan *see* Lianping
161 O11 **Yuan Shui** ≈ S China
35 O6 **Yuba City** California, W USA
35 O6 **Yuba River** ≈ California, W USA
80 H13 **Yubdo** Oromo, C Ethiopia
165 U3 **Yūbetsu** Hokkaidō, NE Japan
Yūbetsu-gawa *see* Yubetsu-gawa
126 L3 **Yubileynyy** Moskovskaya Oblast', SW Russian Federation
41 X12 **Yucatán** ❖ *state* SE Mexico
Yucatán, Canal de *see* Yucatan Channel
41 Y10 **Yucatan Channel** *Sp.* Canal de Yucatán. *channel* Cuba/Mexico
Yucatan Peninsula *see* Yucatán, Península de
41 X13 **Yucatán, Península de** *Eng.* Yucatan Peninsula. *peninsula* Guatemala/Mexico
36 I11 **Yucca** Arizona, SW USA
35 V15 **Yucca Valley** California, W USA
161 P4 **Yucheng** Shandong, E China
Yuci *see* Jinzhong
161 P12 **Yudu** *var.* Gongjiang. Jiangxi, C China
Yue *see* Guangdong
Yuecheng *see* Yuexi
160 M12 **Yuecheng Ling** ▲ S China
Yuegaitan *see* Qumarlêb
181 P7 **Yuendumu** Northern Territory, N Australia
160 H10 **Yuexi** *var.* Yuecheng. Sichuan, C China

◆ COUNTRY ◇ DEPENDENT TERRITORY ❖ ADMINISTRATIVE REGION ▲ MOUNTAIN ⛰ VOLCANO ◎ LAKE
● COUNTRY CAPITAL ○ DEPENDENT TERRITORY CAPITAL ✕ INTERNATIONAL AIRPORT ▲ MOUNTAIN RANGE ≈ RIVER ⊠ RESERVOIR

348 ••• YUEYANG – ŽEPČE

161 N10 **Yueyang** Hunan, S China
125 U14 **Yug** Permskaya Oblast', NW Russian Federation
127 P13 **Yug** ≈ NW Russian Federation
123 R10 **Yugorenok** Respublika Sakha (Yakutiya), NE Russian Federation
122 H9 **Yugorsk** Khanty-Mansiyskiy Avtonomnyy Okrug, C Russian Federation
122 H7 **Yugorskiy Poluostrov** *peninsula* NW Russian Federation
Yugoslavia *see* Serbia and Montenegro (Yugo.)
146 K14 **Yugo-Vostochnyye Garagumy** *prev.* Yugo-Vostochnyye Karakumy. *desert* E Turkmenistan
Yugo-Vostochnyye Karakumy *see* Yugo-Vostochnyye Garagumy
Yuhu *see* Eryuan
161 S10 **Yuhuan Dao** *island* SE China
160 L14 **Yu Jiang** ≈ S China
Yujin *see* Qianwei
123 S7 **Yukagirskoye Ploskogor'ye** *plateau* NE Russian Federation
118 L11 **Yukhavichy** *Rus.* Yukhovichi. Vitsyebskaya Voblasts', N Belarus
126 J4 **Yukhnov** Kaluzhskaya Oblast', W Russian Federation
Yukhovichi *see* Yukhavichy
79 J20 **Yuki** *var.* Yuki Kengunda. Bandundu, W Dem. Rep. Congo
Yuki Kengunda *see* Yuki
26 M10 **Yukon** Oklahoma, C USA
39 Q8 **Yukon** ≈ Canada/USA
Yukon *see* Yukon Territory
39 S7 **Yukon Flats** *salt flat* Alaska, USA
10 I5 **Yukon Territory** *var.* Yukon, *Fr.* Territoire du Yukon. ⬖ *territory* NW Canada
137 T16 **Yüksekova** Hakkâri, SE Turkey
123 N10 **Yukta** Evenkiyskiy Avtonomnyy Okrug, C Russian Federation
165 O13 **Yukuhashi** *var.* Yukuhasi. Fukuoka, Kyūshū, SW Japan
Yukuhasi *see* Yukuhashi
Yukuriawat *see* Yopurga
127 O9 **Yula** ≈ NW Russian Federation
181 P8 **Yulara** Northern Territory, N Australia
127 W6 **Yuldybayevo** Respublika Bashkortostan, W Russian Federation
23 W8 **Yulee** Florida, SE USA
158 K7 **Yuli** *var.* Lopnur. Xinjiang Uygur Zizhiqu, NW China
161 T14 **Yüli** C Taiwan
160 L15 **Yulin** Guangxi Zhuangzu Zizhiqu, S China
160 L4 **Yulin** Shaanxi, C China
161 T14 **Yüli Shan** ▲ E Taiwan
160 F11 **Yulong Xueshan** ▲ SW China
36 H14 **Yuma** Arizona, SW USA
37 W3 **Yuma** Colorado, C USA
54 K5 **Yumare** Yaracuy, N Venezuela
63 G14 **Yumbel** Bío Bío, C Chile
79 N19 **Yumbi** Maniema, E Dem. Rep. Congo
159 R8 **Yumen** *var.* Laojunmiao, Yümen. Gansu, N China
159 Q7 **Yumenzhen** Gansu, N China
158 J3 **Yumin** Xinjiang Uygur Zizhiqu, NW China
Yun *see* Yunnan
136 G14 **Yunak** Konya, W Turkey
45 O8 **Yuna, Río** ≈ E Dominican Republic
38 I17 **Yunaska Island** *island* Aleutian Islands, Alaska, USA
160 M6 **Yuncheng** Shanxi, C China
161 N14 **Yunfu** Guangdong, S China
57 L18 **Yungas** *physical region* E Bolivia
Yungki *see* Jilin
Yung-ning *see* Nanning
160 I12 **Yungui Gaoyuan** *plateau* SW China
Yunjinghong *see* Jinghong
160 M15 **Yunkai Dashan** ▲▲ S China
Yunki *see* Jilin
160 E11 **Yun Ling** ▲▲ SW China
161 N9 **Yunmeng** Hubei, C China
157 N14 **Yunnan** *var.* Yun, Yunnan Sheng, Yünnan, Yun-nan. ⬖ *province* SW China
Yunnan *see* Kunming
Yunnan Sheng *see* Yunnan
165 P15 **Yunomae** Kumamoto, Kyūshū, SW Japan
161 N8 **Yun Shui** ≈ C China
182 J7 **Yunta** South Australia
161 Q14 **Yunxiao** Fujian, SE China
160 K9 **Yunyang** Sichuan, C China
193 S9 **Yupanqui Basin** *undersea feature* E Pacific Ocean
Yuping Guizhou, China *see* Libo
Yuping Yunnan, China *see* Pingbian
Yuratishki *see* Yuratsishki
119 I15 **Yuratsishki** *Pol.* Juraciszki, *Rus.* Yuratishki. Hrodzyenskaya Voblasts', W Belarus
Yurev *see* Tartu
122 J12 **Yurga** Kemerovskaya Oblast', S Russian Federation
56 E10 **Yurimaguas** Loreto, N Peru
127 P3 **Yurino** Respublika Mariy El, W Russian Federation
41 N13 **Yuriria** Guanajuato, C Mexico
125 T13 **Yurla** Komi-Permyatskiy Avtonomnyy Okrug, NW Russian Federation
Yuruá, Río *see* Juruá, Rio
114 M13 **Yürük** Tekirdağ, NW Turkey
158 G10 **Yurungkax He** ≈ W China
125 Q14 **Yur'ya** *var.* Jarja. Kirovskaya Oblast', NW Russian Federation
Yur'yev *see* Tartu
125 N16 **Yur'yevets** Ivanovskaya Oblast', W Russian Federation
126 M3 **Yur'yev-Pol'skiy** Vladimirskaya Oblast', W Russian Federation
117 V7 **Yur"yivka** Dnipropetrovs'ka Oblast', E Ukraine
42 I7 **Yuscarán** El Paraíso, S Honduras
161 P12 **Yu Shan** ▲ S China
159 R13 **Yushu** *var.* Gyêgu. Qinghai, C China
127 P12 **Yusta** Respublika Kalmykiya, SW Russian Federation
124 I10 **Yustozero** Respublika Kareliya, NW Russian Federation
137 Q11 **Yusufeli** Artvin, NE Turkey
164 F14 **Yusuhara** Kōchi, Shikoku, SW Japan
125 T14 **Yus'va** Permskaya Oblast', NW Russian Federation
Yuta *see* Yatta
161 P2 **Yutian** Hebei, E China
158 H10 **Yutian** *var.* Keriya. Xinjiang Uygur Zizhiqu, NW China
62 K5 **Yuto** Jujuy, NW Argentina
62 P7 **Yuty** Caazapá, S Paraguay
160 G13 **Yuxi** Yunnan, SW China
161 O2 **Yuxian** *prev.* Yu Xian. Hebei, E China
165 Q9 **Yuzawa** Akita, Honshū, C Japan
125 N16 **Yuzha** Ivanovskaya Oblast', W Russian Federation
Yuzhno-Alichurskiy Khrebet *see* Alichuri Janubí, Qatorkŭhi
Yuzhno-Kazakhstanskaya Oblast' *see* Yuzhnyy Kazakhstan
123 T13 **Yuzhno-Sakhalinsk** *Jap.* Toyohara; *prev.* Vladimirovka. Ostrov Sakhalin, Sakhalinskaya Oblast', SE Russian Federation
127 P14 **Yuzhno-Sukhokumsk** Respublika Dagestan, SW Russian Federation
145 Z10 **Yuzhnyy Altay, Khrebet** ▲▲ E Kazakhstan
Yuzhnyy Bug *see* Pivdennyy Buh
145 O15 **Yuzhnyy Kazakhstan** *off.* Yuzhno-Kazakhstanskaya Oblast', *Eng.* South Kazakhstan, *Kaz.* Ongtüstik Qazaqstan Oblysy; *prev.* Chimkentskaya Oblast'. ⬖ *province* S Kazakhstan
123 U10 **Yuzhnyy, Mys** *headland* E Russian Federation
127 W6 **Yuzhnyy Ural** *var.* Southern Urals. ▲▲ W Russian Federation
159 V10 **Yuzhong** Gansu, C China
Yuzhou *see* Chongqing
103 N5 **Yvelines** ⬖ *department* N France
108 B9 **Yverdon** *var.* Yverdon-les-Bains, *Ger.* Iferten; *anc.* Eborodunum. Vaud, W Switzerland
Yverdon-les-Bains *see* Yverdon
102 M3 **Yvetot** Seine-Maritime, N France
146 H8 **Ýylanly** *Rus.* Il'yaly. Daşoguz Welaýaty, N Turkmenistan

Z

147 T12 **Zaalayskiy Khrebet** *Taj.* Qatorkŭhi Pasi Oloy. ▲▲ Kyrgyzstan/Tajikistan
Zaamin *see* Zomin
Zaandam *see* Zaanstad
98 I10 **Zaanstad** *prev.* Zaandam. Noord-Holland, C Netherlands
Zabadani *see* Az Zabdānī
119 L18 **Zabalatstsye** *Rus.* Zabolot'ye. Homyel'skaya Voblasts', SE Belarus
112 L9 **Žabalj** *Ger.* Josefsdorf, *Hung.* Zsablya; *prev.* Józseffalva;. Serbia, N Serbia and Montenegro (Yugo.)
Zāb aş Şaghīr, Nahraz *see* Little Zab
123 P14 **Zabaykal'sk** Chitinskaya Oblast', S Russian Federation
Zāb-e Kūchek, Rūdkhāneh-ye *see* Little Zab
Zabeln *see* Sabile
Zabéré *see* Zabré
Zabern *see* Saverne
141 N16 **Zabīd** W Yemen
141 O16 **Zabīd, Wādī** *dry watercourse* SW Yemen
Žabinka *see* Zhabinka
Ząbkowice *see* Ząbkowice Śląskie
111 G15 **Ząbkowice Śląskie** *var.* Ząbkowice, *Ger.* Frankenstein, Frankenstein in Schlesien. Dolnośląskie, SW Poland
110 P10 **Zabłudów** Podlaskie, NE Poland
112 D8 **Žabok** Krapina-Zagorje, N Croatia
143 W9 **Zābol** *var.* Shahr-i-Zabul, Zabul; *prev.* Nasratabad. Sīstān va Balūchestān, E Iran
Zābol *see* Zābul
143 W13 **Zāboli** Sīstān va Balūchestān, SE Iran
Zabolot'ye *see* Zabalatstsye
77 Q13 **Zabré** *var.* Zabéré. S Burkina
111 G17 **Zábřeh** *Ger.* Hohenstadt. Olomoucký Kraj, E Czech Republic
111 J16 **Zabrze** *Ger.* Hindenburg, Hindenburg in Oberschlesien. Śląskie, S Poland
149 O7 **Zābul** *Per.* Zābol. ⬖ *province* SE Afghanistan
Zabul *see* Zābol
42 E6 **Zacapa** Zacapa, E Guatemala
42 A3 **Zacapa** *off.* Departamento de Zacapa. ⬖ *department* E Guatemala
40 M14 **Zacapú** Michoacán de Ocampo, SW Mexico
41 V14 **Zacatal** Campeche, SE Mexico
40 M11 **Zacatecas** Zacatecas, C Mexico
40 L10 **Zacatecas** ⬖ *state* C Mexico
42 F8 **Zacatecoluca** La Paz, S El Salvador
41 P15 **Zacatepec** Morelos, S Mexico
41 Q13 **Zacatlán** Puebla, S Mexico
144 F8 **Zachagansk** Zapadnyy Kazakhstan, NW Kazakhstan
115 D20 **Zacháro** *var.* Zaharo, Zakháro. Dytikí Ellás, S Greece
22 J8 **Zachary** Louisiana, S USA
117 U6 **Zachepylivka** Kharkivs'ka Oblast', E Ukraine
Zachist'ye *see* Zachystsye
110 E9 **Zachodnio-pomorskie** ⬖ *province* NW Poland
119 L14 **Zachystsye** *Rus.* Zachist'ye. Minskaya Voblasts', NW Belarus
40 L13 **Zacoalco** *var.* Zacoalco de Torres. Jalisco, SW Mexico
Zacoalco de Torres *see* Zacoalco
41 P13 **Zacualtipán** Hidalgo, C Mexico
112 C12 **Zadar** *It.* Zara; *anc.* Iader. Zadar, W Croatia
112 C12 **Zadar** *off.* Zadarsko-Kninska Županija *prev.* Zadar-Knin. ⬖ *province* SW Croatia
Zadar-Knin *see* Zadar
166 M14 **Zadetkyi Kyun** *var.* St. Matthew's Island. *island* Mergui Archipelago, S Myanmar
159 Q13 **Zadoi** *var.* Qapugtang. Qinghai, C China
126 L7 **Zadonsk** Lipetskaya Oblast', W Russian Federation
75 X8 **Za'farâna** E Egypt
149 W7 **Zafarwāl** Punjab, E Pakistan
121 Q1 **Zafer Burnu** *var.* Cape Andreas, Cape Apostolas Andreas, *Gk.* Akrotíri Apostólou Andréa. *headland* NE Cyprus
107 J23 **Zafferano, Capo** *headland* Sicilia, Italy, C Mediterranean Sea
114 M7 **Zafirovo** Silistra, NE Bulgaria
115 L23 **Zaforá** *island* Kykládes, Greece, Aegean Sea
104 J12 **Zafra** Extremadura, W Spain
110 E13 **Żagań** *var.* Zagań, Żegań, *Ger.* Sagan. Lubuskie, W Poland
118 F10 **Žagarė** *Pol.* Żagory. Šiauliai, N Lithuania
75 W7 **Zagazig** *var.* Az Zaqāzīq. N Egypt
74 M5 **Zaghouan** *var.* Zaghwān. NE Tunisia
Zaghwān *see* Zaghouan
115 G16 **Zagorá** Thessalía, C Greece
Zagorod'ye *see* Zaharoddzye
Żagory *see* Žagarė
Zágráb *see* Zagreb
112 E8 **Zagreb** *Ger.* Agram, *Hung.* Zágráb. ● (Croatia) Zagreb, N Croatia
112 E8 **Zagreb** *prev.* Grad Zagreb. ⬖ *province* NC Croatia
142 L7 **Zāgros, Kūhhā-ye** *Eng.* Zagros Mountains. ▲▲ W Iran
Zagros Mountains *see* Zāgros, Kūhhā-ye
112 O12 **Žagubica** Serbia, E Serbia and Montenegro (Yugo.)
Zagunao *see* Lixian
111 L22 **Zagyva** ≈ N Hungary
Zaharo *see* Zacháro
119 G19 **Zaharoddzye** *Rus.* Zagorod'ye. *physical region* SW Belarus
143 W11 **Zāhedān** *var.* Zahidan; *prev.* Duzdab. Sīstān va Balūchestān, SE Iran
Zahidan *see* Zāhedān
Zaḥlah *see* Zahlé
138 H7 **Zahlé** *var.* Zaḥlah. C Lebanon
146 J14 **Zähmet** *Rus.* Zakhmet. Mary Welaýaty, C Turkmenistan
111 O20 **Záhony** Szabolcs-Szatmár-Bereg, NE Hungary
141 N13 **Zahrān** 'Asīr, S Saudi Arabia
139 R12 **Zahrat al Baṭn** *hill range* S Iraq
120 H11 **Zahrez Chergui** *var.* Zahrez Chergúi. *marsh* N Algeria
Zainlha *see* Xinjin
127 S4 **Zainsk** Respublika Tatarstan, W Russian Federation
82 A10 **Zaire** *prev.* Congo. ⬖ *province* NW Angola
Zaire *see* Congo (Democratic Republic of)
Zaire *see* Congo (river)
112 P13 **Zaječar** Serbia, E Serbia and Montenegro (Yugo.)
83 L18 **Zaka** Masvingo, E Zimbabwe
122 M14 **Zakamensk** Respublika Buryatiya, S Russian Federation
116 G7 **Zakarpats'ka Oblast'** *Eng.* Transcarpathian Oblast, *Rus.* Zakarpatskaya Oblast'. ⬖ *province* W Ukraine
Zakarpatskaya Oblast' *see* Zakarpats'ka Oblast'
Zakataly *see* Zaqatala
Zakháro *see* Zacháro
Zakhidnyy Buh/Zakhodni Buh *see* Bug
Zakhmet *see* Zähmet
139 Q1 **Zākhō** *var.* Zākhū. N Iraq
Zākhū *see* Zākhō
Zákinthos *see* Zákynthos
111 L18 **Zakopane** Małopolskie, S Poland
78 J12 **Zakouma** Salamat, S Chad
115 L25 **Zákros** Kríti, Greece, E Mediterranean Sea
115 C19 **Zákynthos** *var.* Zákinthos. Zákynthos, W Greece
115 C20 **Zákynthos** *var.* Zákinthos, *It.* Zante. *island* Iónioi Nísoi, Greece, C Mediterranean Sea
115 C19 **Zakýnthou, Porthmós** *strait* SW Greece
111 G24 **Zala** *off.* Zala Megye. ⬖ *county* W Hungary
111 G24 **Zala** ≈ W Hungary
138 M4 **Zalābiyah** Dayr az Zawr, C Syria
111 G24 **Zalaegerszeg** Zala, W Hungary
104 K11 **Zalamea de la Serena** Extremadura, W Spain
104 J13 **Zalamea la Real** Andalucía, S Spain
163 U7 **Zalantun** *var.* Butha Qi. Nei Mongol Zizhiqu, N China
111 G23 **Zalaszentgrót** Zala, SW Hungary
Zalatna *see* Zlatna
116 G9 **Zalău** *Ger.* Waltenberg, *Hung.* Zilah; *prev. Ger.* Zillenmarkt. Sălaj, NW Romania
109 V10 **Žalec** *Ger.* Sachsenfeld. C Slovenia
117 S9 **Zalenodol's'k** Dnipropetrovs'ka Oblast', E Ukraine
110 K8 **Zalewo** *Ger.* Saalfeld. Warmińsko-Mazurskie, NE Poland
141 N9 **Ẓalim** Makkah, W Saudi Arabia
80 A11 **Zalingei** *var.* Zalinje. Western Darfur, W Sudan
Zalinje *see* Zalingei
116 K7 **Zalishchyky** Ternopil's'ka Oblast', W Ukraine
Zallah *see* Zillah
98 J13 **Zaltbommel** Gelderland, C Netherlands
124 H15 **Zaluch'ye** Novgorodskaya Oblast', NW Russian Federation
Zamak *see* Zamakh
141 Q14 **Zamakh** *var.* Zamak. N Yemen
136 K15 **Zamantı Irmağı** ≈ C Turkey
Zambesi/Zambeze *see* Zambezi
83 G14 **Zambezi** North Western, W Zambia
83 K15 **Zambezi** *var.* Zambesi, *Port.* Zambeze. ≈ S Africa
83 O15 **Zambézia** *off.* Província da Zambézia. ⬖ *province* C Mozambique
83 I14 **Zambia** *off.* Republic of Zambia; *prev.* Northern Rhodesia. ◆ *republic* S Africa
171 O8 **Zamboanga** *off.* Zamboanga City. Mindanao, S Philippines
54 E5 **Zambrano** Bolívar, N Colombia
110 N10 **Zambrów** Łomża, E Poland
83 L14 **Zambué** Tete, NW Mozambique
77 T13 **Zamfara** ≈ NW Nigeria
Zamkog *see* Zamtang
56 C9 **Zamora** Zamora Chinchipe, S Ecuador
104 K6 **Zamora** Castilla-León, NW Spain
104 K5 **Zamora** ⬖ *province* Castilla-León, NW Spain
Zamora *see* Barinas
56 A13 **Zamora Chinchipe** ⬖ *province* S Ecuador
40 M13 **Zamora de Hidalgo** Michoacán de Ocampo, SW Mexico
111 P15 **Zamość** *Rus.* Zamoste. Lubelskie, E Poland
Zamoste *see* Zamość
160 G7 **Zamtang** *var.* Zarkog; *prev.* Gamba. Sichuan, C China
75 O8 **Zamzam, Wādī** *dry watercourse* NW Libya
79 F20 **Zanaga** La Lékoumou, S Congo
41 T16 **Zanatepec** Oaxaca, SE Mexico
105 P9 **Záncara** ≈ C Spain
Zancle *see* Messina
158 G14 **Zanda** Xizang Zizhiqu, W China
98 H10 **Zandvoort** Noord-Holland, W Netherlands
39 P8 **Zane Hills** *hill range* Alaska, USA
31 T13 **Zanesville** Ohio, N USA
Zanga *see* Hrazdan
142 L4 **Zanjān** *var.* Zenjan, Zinjan. Zanjān, NW Iran
142 L4 **Zanjān** *off.* Ostān-e Zanjān, *var.* Zenjan, Zinjan. ⬖ *province* NW Iran
Zante *see* Zákynthos
81 J22 **Zanzibar** Zanzibar, E Tanzania
81 J22 **Zanzibar** ⬖ *region* E Tanzania
81 J22 **Zanzibar** *Swa.* Unguja. *island* E Tanzania
81 J22 **Zanzibar Channel** *channel* E Tanzania
165 P10 **Zaō-san** ▲ Honshū, C Japan
161 N8 **Zaoyang** Hubei, C China
124 J2 **Zaozërsk** Murmanskaya Oblast', NW Russian Federation
161 Q6 **Zaozhuang** Shandong, E China
28 L4 **Zap** North Dakota, N USA
112 L13 **Zapadna Morava** *Ger.* Westliche Morava. ≈ C Serbia and Montenegro (Yugo.)
124 H16 **Zapadnaya Dvina** Tverskaya Oblast', W Russian Federation
Zapadnaya Dvina *see* Western Dvina
122 I9 **Zapadno-Sibirskaya Ravnina** *Eng.* West Siberian Plain. *plain* C Russian Federation
Zapadnyy Bug *see* Bug
144 E9 **Zapadnyy Kazakhstan** *off.* Zapadno-Kazakhstanskaya Oblast', *Eng.* West Kazakhstan, *Kaz.* Batys Qazaqstan Oblysy; *prev.* Ural'skaya Oblast'. ⬖ *province* NW Kazakhstan
122 K13 **Zapadnyy Sayan** *Eng.* Western Sayans. ▲▲ S Russian Federation
63 H15 **Zapala** Neuquén, W Argentina
62 I4 **Zapaleri, Cerro** *var.* Cerro Sapaleri. ▲ N Chile
25 Q16 **Zapata** Texas, SW USA
44 D5 **Zapata, Península de** *peninsula* W Cuba
61 G19 **Zapicán** Lavalleja, S Uruguay
65 J19 **Zapiola Ridge** *undersea feature* SW Atlantic Ocean
65 L19 **Zapiola Seamount** *undersea feature* S Atlantic Ocean
124 I2 **Zapolyarnyy** Murmanskaya Oblast', NW Russian Federation
117 U8 **Zaporizhzhya** *Rus.* Zaporozh'ye; *prev.* Aleksandrovsk. Zaporiz'ka Oblast', SE Ukraine
Zaporizhzhya *see* Zaporiz'ka Oblast'
117 U9 **Zaporiz'ka Oblast'** *var.* Zaporizhzhya, *Rus.* Zaporozhskaya Oblast'. ⬖ *province* SE Ukraine
Zaporozhskaya Oblast' *see* Zaporiz'ka Oblast'
Zaporozh'ye *see* Zaporizhzhya
40 L14 **Zapotiltic** Jalisco, SW Mexico
158 G13 **Zapug** Xizang Zizhiqu, W China
137 V10 **Zaqatala** *Rus.* Zakataly. NW Azerbaijan
159 P13 **Zaqên** Qinghai, W China
159 Q13 **Za Qu** ≈ C China
136 M13 **Zara** Sivas, C Turkey
Zara *see* Zadar
Zarafshan *see* Zarafshon
147 P12 **Zarafshon** *Rus.* Zeravshan. W Tajikistan
146 L9 **Zarafshon** *Rus.* Zarafshan. Navoiy Viloyati, N Uzbekistan
Zarafshon *see* Zeravshan
147 O12 **Zarafshon, Qatorkŭhi** *Rus.* Zeravshanskiy Khrebet, *Uzb.* Zarafshon Tizmasi. ▲▲ Tajikistan/Uzbekistan
Zarafshon Tizmasi *see* Zarafshon, Qatorkŭhi
54 E7 **Zaragoza** Antioquia, N Colombia
40 I5 **Zaragoza** Chihuahua, N Mexico
41 N6 **Zaragoza** Coahuila de Zaragoza, NE Mexico
41 O10 **Zaragoza** Nuevo León, NE Mexico
105 R5 **Zaragoza** *Eng.* Saragossa; *anc.* Caesaraugusta, Salduba. Aragón, NE Spain
105 R6 **Zaragoza** ⬖ *province* Aragón, NE Spain
105 R5 **Zaragoza** ✕ Aragón, NE Spain
143 S10 **Zarand** Kermān, C Iran
148 J9 **Zaranj** Nīmrūz, SW Afghanistan
118 I11 **Zarasai** Utena, E Lithuania
62 N12 **Zárate** *prev.* General José F.Uriburu. Buenos Aires, E Argentina
105 Q2 **Zarautz** *var.* Zarauz. País Vasco, N Spain
Zarauz *see* Zarautz
Zaravecchia *see* Biograd na Moru
Zarāyīn *see* Zarēn
126 L4 **Zaraysk** Moskovskaya Oblast', W Russian Federation
55 N6 **Zaraza** Guárico, N Venezuela
Zarbdar *see* Zarbdor
147 P11 **Zarbdor** *Rus.* Zarbdar. Jizzax Viloyati, C Uzbekistan
142 M8 **Zard Kūh** ▲ SW Iran
124 I5 **Zarechensk** Murmanskaya Oblast', NW Russian Federation
127 P6 **Zarechnyy** Penzenskaya Oblast', W Russian Federation
149 Q7 **Zareh Sharan** Paktīkā, E Afghanistan
39 Y14 **Zarembo Island** *island* Alexander Archipelago, Alaska, USA
139 V4 **Zarēn** *var.* Zarāyīn. E Iraq
149 Q7 **Zarghūn Shahr** *var.* Katawaz. Paktīkā, SE Afghanistan
77 V13 **Zaria** Kaduna, C Nigeria
116 K2 **Zarichne** Rivnens'ka Oblast', NW Ukraine
122 J13 **Zarinsk** Altayskiy Kray, S Russian Federation
116 J12 **Zărneşti** *Hung.* Zernest. Braşov, C Romania
115 J25 **Zarós** Kríti, Greece, E Mediterranean Sea
100 O9 **Zarow** ≈ NE Germany
Zarqa/Zarqā', Muḥāfaẓat az *see* Az Zarqā'
111 G20 **Záruby** ▲ W Slovakia
56 B8 **Zaruma** El Oro, SW Ecuador
110 E13 **Żary** *Ger.* Sorau, Sorau in der Niederlausitz. Lubuskie, W Poland
54 D10 **Zarzal** Valle del Cauca, W Colombia
42 I7 **Zarzalar, Cerro** ▲ S Honduras
152 I5 **Zāskār** ≈ NE India
152 I5 **Zāskār Range** ▲▲ NE India
119 K15 **Zaslawye** Minskaya Voblasts', C Belarus
116 K7 **Zastavna** Chernivets'ka Oblast', W Ukraine
111 B16 **Žatec** *Ger.* Saaz. Ústecký Kraj, NW Czech Republic
Zaumgarten *see* Chrzanów
Zaunguzskiye Garagumy *see* Üngüz Angyrsyndaky Garagum
25 X9 **Zavalla** Texas, SW USA
99 H18 **Zaventem** Vlaams Brabant, C Belgium
99 H18 **Zaventem** ✕ (Brussel/Bruxelles) Vlaams Brabant, C Belgium
Zavertse *see* Zawiercie
114 L7 **Zavet** Razgrad, NE Bulgaria
127 O12 **Zavetnoye** Rostovskaya Oblast', SW Russian Federation
156 M3 **Zavhan Gol** ≈ W Mongolia
112 H12 **Zavidoviċi** Federacija Bosna I Hercegovina, N Bosnia and Herzegovina
123 R13 **Zavitinsk** Amurskaya Oblast', SE Russian Federation
Zawia *see* Az Zāwiyah
111 K15 **Zawiercie** *Rus.* Zavertse. Śląskie, S Poland
75 P11 **Zawīlah** *var.* Zuwaylah, *It.* Zueila. C Libya
138 I4 **Zāwīyah, Jabal az** ▲▲ NW Syria
109 Y3 **Zaya** ≈ NE Austria
166 M8 **Zayatkyi** Pegu, C Myanmar
145 Y11 **Zaysan** Vostochnyy Kazakhstan, E Kazakhstan
Zaysan Köl *see* Zaysan, Ozero
145 Y11 **Zaysan, Ozero** *Kaz.* Zaysan Köl. ◎ E Kazakhstan
159 R16 **Zayü** *var.* Gyigang. Xizang Zizhiqu, W China
Zayyq *see* Ural
44 F6 **Zaza** ≈ C Cuba
116 K5 **Zbarazh** Ternopil's'ka Oblast', W Ukraine
116 J5 **Zboriv** Ternopil's'ka Oblast', W Ukraine
111 F18 **Zbraslav** Jihomoravský Kraj, SE Czech Republic
116 K6 **Zbruch** ≈ W Ukraine
Žďár *see* Žďár nad Sázavou
111 F17 **Žďár nad Sázavou** *Ger.* Saar in Mähren; *prev.* Žďár. Vysočina, C Czech Republic
116 K4 **Zdolbuniv** *Pol.* Zdołbunów, *Rus.* Zdolbunov. Rivnens'ka Oblast', NW Ukraine
Zdolbunov/Zdołbunów *see* Zdolbuniv
110 J13 **Zduńska Wola** Sieradz, C Poland
117 O4 **Zdvizh** ≈ N Ukraine
Zdzięciół *see* Dzyatlava
111 I16 **Zdzieszowice** *Ger.* Odertal. Opolskie, S Poland
Zealand *see* Sjælland
188 K6 **Zealandia Bank** *undersea feature* C Pacific Ocean
63 H20 **Zeballos, Monte** ▲ S Argentina
83 K20 **Zebediela** Limpopo, NE South Africa
113 L18 **Zebë, Mal** *var.* Mali i Zebës. ▲ NE Albania
Zebës, Mali i *see* Zebë, Mal
21 V9 **Zebulon** North Carolina, SE USA
112 K8 **Žednik** *Hung.* Bácsjózseffalva. Serbia, N Serbia and Montenegro (Yugo.)
99 C15 **Zeebrugge** West-Vlaanderen, NW Belgium
183 N16 **Zeehan** Tasmania, SE Australia
99 L14 **Zeeland** Noord-Brabant, SE Netherlands
29 N7 **Zeeland** North Dakota, N USA
99 E14 **Zeeland** ⬖ *province* SW Netherlands
83 I21 **Zeerust** North-West, N South Africa
98 K10 **Zeewolde** Flevoland, C Netherlands
138 G8 **Ẕefat** *var.* Safed, Tsefat, *Ar.* Safad. Northern, N Israel
Żegań *see* Żagań
Zehden *see* Cedynia
100 O11 **Zehdenick** Brandenburg, NE Germany
Zē-i Bādīnān *see* Great Zab
Zeiden *see* Codlea
146 M14 **Zeidskoye Vodokhranilishche** ⊞ E Turkmenistan
Zē-i Kōya *see* Little Zab
181 P7 **Zeil, Mount** ▲ Northern Territory, C Australia
98 J12 **Zeist** Utrecht, C Netherlands
101 M16 **Zeitz** Sachsen-Anhalt, E Germany
159 T11 **Zêkog** *var.* Sonag. Qinghai, C China
Zelaya Norte *see* Atlántico Norte, Región Autónoma
Zelaya Sur *see* Atlántico Sur, Región Autónoma
99 F17 **Zele** Oost-Vlaanderen, NW Belgium
110 N12 **Żelechów** Lubelskie, E Poland
113 H14 **Zelena Glava** ▲ SE Bosnia and Herzegovina
113 I14 **Zelengora** ▲▲ S Bosnia and Herzegovina
124 I5 **Zelenoborskiy** Murmanskaya Oblast', NW Russian Federation
127 R3 **Zelenodol'sk** Respublika Tatarstan, W Russian Federation
122 L12 **Zelenogorsk** Krasnoyarskiy Kray, C Russian Federation
124 G12 **Zelenogorsk** *Fin.* Terijoki. Leningradskaya Oblast', NW Russian Federation
126 K3 **Zelenograd** Moskovskaya Oblast', W Russian Federation
118 B13 **Zelenogradsk** *Ger.* Cranz, Kranz. Kaliningradskaya Oblast', W Russian Federation
127 O15 **Zelenokumsk** Stavropol'skiy Kray, SW Russian Federation
165 X4 **Zelënyy, Ostrov** *var.* Shibotsu-jima. *island* NE Russian Federation
Železna Kapela *see* Eisenkappel
Železna Vrata *see* Demir Kapija
112 L11 **Železniki** Serbia, N Serbia and Montenegro (Yugo.)
98 N12 **Zelhem** Gelderland, E Netherlands
113 N18 **Želino** NW FYR Macedonia
113 M14 **Željin** ▲ C Serbia and Montenegro (Yugo.)
101 K17 **Zella-Mehlis** Thüringen, C Germany
109 P7 **Zell am See** *var.* Zell-am-See. Salzburg, S Austria
109 N7 **Zell am Ziller** Tirol, W Austria
Zelle *see* Celle
109 W2 **Zellerndorf** Niederösterreich, NE Austria
109 U7 **Zeltweg** Steiermark, S Austria
119 G17 **Zel'va** *Pol.* Zelwa. Hrodzyenskaya Voblasts', W Belarus
118 H13 **Želva** Vilnius, C Lithuania
Zelwa *see* Zel'va
99 E16 **Zelzate** *var.* Selzaete. Oost-Vlaanderen, NW Belgium
118 E11 **Žemaičių Aukštumas** *physical region* W Lithuania
118 C12 **Žemaičių Naumiestis** Klaipėda, SW Lithuania
Zembin *see* Zyembin
127 N6 **Zemetchino** Penzenskaya Oblast', W Russian Federation
79 M15 **Zémio** Haut-Mbomou, E Central African Republic
41 R16 **Zempoaltepec, Cerro** ▲ SE Mexico
99 G17 **Zemst** Vlaams Brabant, C Belgium
112 L11 **Zemun** Serbia, N Serbia and Montenegro (Yugo.)
Zendajan *see* Zendeh Jan
148 J5 **Zendeh Jan** *var.* Zendajan, Zindajān. Herāt, NW Afghanistan
Zengg *see* Senj
112 H12 **Zenica** Federacija Bosna I Hercegovina, C Bosnia and Herzegovina
Zenjan *see* Zanjān
Zen'kov *see* Zin'kiv
Zenshū *see* Chŏnju
Zenta *see* Senta
Zentûzi *see* Zentsūji
82 B11 **Zenza do Itombe** Cuanza Norte, NW Angola
112 H12 **Žepče** Federacija Bosna I Hercegovina, N Bosnia and Herzegovina

◆ Country ● Country Capital ◇ Dependent Territory ○ Dependent Territory Capital ⬖ Administrative Region ✕ International Airport ▲ Mountain ▲▲ Mountain Range Ѫ Volcano ≈ River ◎ Lake ⊞ Reservoir

ZEPHYRHILLS – ŻYWIEC ••• 349

23 W12 **Zephyrhills** Florida, SE USA
192 L9 **Zephyr Reef** *reef* Pacific Ocean
158 F9 **Zepu** *var.* Poskam. Xinjiang Uygur Zizhiqu, NW China
147 Q12 **Zeravshan** *Taj./Uzb.* Zarafshon. ≈ Tajikistan/Uzbekistan
Zeravshan *see* Zarafshon
Zeravshanskiy Khrebet *see* Zarafshon, Qatorkŭhi
101 M14 **Zerbst** Sachsen-Anhalt, E Germany
145 P8 **Zerenda** Akmola, N Kazakhstan
110 H12 **Żerków** Wielkopolskie, C Poland
108 E11 **Zermatt** Valais, SW Switzerland
Zernest *see* Zărnești
108 J9 **Zernez** Graubünden, SE Switzerland
126 L12 **Zernograd** Rostovskaya Oblast', SW Russian Federation
Zestafoni *see* Zestap'oni
137 S9 **Zestap'oni** *Rus.* Zestafoni. C Georgia
98 H12 **Zestienhoven** ✕ (Rotterdam) Zuid-Holland, SW Netherlands
113 J16 **Zeta** ≈ SW Serbia and Montenegro (Yugo.)
8 L6 **Zeta Lake** ◎ Victoria Island, Nunavut, N Canada
98 L12 **Zetten** Gelderland, SE Netherlands
101 M17 **Zeulenroda** Thüringen, C Germany
100 H10 **Zeven** Niedersachsen, NW Germany
98 M12 **Zevenaar** Gelderland, SE Netherlands
99 H14 **Zevenbergen** Noord-Brabant, S Netherlands
123 R13 **Zeya** ≈ SE Russian Federation
Zeya Reservoir *see* Zeyskoye Vodokhranilishche
143 T11 **Zeynalābād** Kermān, C Iran
123 R12 **Zeyskoye Vodokhranilishche** *Eng.* Zeya Reservoir. ⊠ SE Russian Federation
104 H8 **Zêzere, Rio** ≈ C Portugal
Zgerzh *see* Zgierz
138 H6 **Zgharta** N Lebanon
110 K12 **Zgierz** *Ger.* Neuhof, *Rus.* Zgerzh. Łódź, C Poland
111 E14 **Zgorzelec** *Ger.* Görlitz. Dolnośląskie, SW Poland
158 L15 **Zhabdün** Xizang Zizhiqu, W China
119 F19 **Zhabinka** *Pol.* Żabinka, *Rus.* Zhabinka. Brestskaya Voblasts', SW Belarus
Zhaggo *see* Luhuo
159 R15 **Zhag'yab** *var.* Yêndum. Xizang Zizhiqu, W China
144 L9 **Zhailma** *Kaz.* Zhayylma. Kostanay, N Kazakhstan
145 V16 **Zhalanash** Almaty, SE Kazakhstan
Zhalanash *see* Dzhalagash
145 S7 **Zhalauly, Ozero** ◎ NE Kazakhstan
144 E9 **Zhalpaktal** *prev.* Furmanovo. Zapadnyy Kazakhstan, W Kazakhstan
119 G16 **Zhaludok** *Rus.* Zheludok. Hrodzyenskaya Voblasts', W Belarus
Zhaman-Akkol', Ozero *see* Akkol', Ozero
Zhambyl *see* Taraz
145 Q14 **Zhambyl** *off.* Zhambylskaya Oblast', *Kaz.* Zhambyl Oblysy; *prev.* Dzhambulskaya Oblast'. ◆ *province* S Kazakhstan
Zhambyl Oblysy/ Zhambylskaya Oblast' *see* Zhambyl
Zhamo *see* Bomi
145 S12 **Zhamshy** ≈ C Kazakhstan
144 M15 **Zhanadar'ya** Kzylorda, S Kazakhstan
145 O15 **Zhanakorgan** *Kaz.* Zhangaqorghan. Kzylorda, S Kazakhstan
159 N16 **Zhanang** *var.* Chatang. Xizang Zizhiqu, W China
145 T12 **Zhanaortalyk** Karaganda, C Kazakhstan
144 F15 **Zhanaozen** *Kaz.* Zhangaözen, *prev.* Novyy Uzen'. Mangistau, W Kazakhstan
145 Q16 **Zhanatas** Zhambyl, S Kazakhstan
Zhangaözen *see* Zhanaozen
Zhangaqazaly *see* Ayteke Bi
Zhangaqorghan *see* Zhanakorgan
161 O2 **Zhangbei** Hebei, E China
Zhangdian *see* Zibo
Zhanggu *see* Danba
163 X9 **Zhangguangcai Ling** ▲ NE China
145 W10 **Zhangiztobe** Vostochnyy Kazakhstan, E Kazakhstan
159 W11 **Zhangjiachuan** Gansu, N China
160 L10 **Zhangjiajie** *var.* Dayong. Hunan, S China
161 O2 **Zhangjiakou** *var.* Changkiakow, Zhang-chia-k'ou, *Eng.* Kalgan; *prev.* Wanchuan. Hebei, E China
161 Q13 **Zhangping** Fujian, SE China
161 Q13 **Zhangpu** *var.* Sui'an. Fujian, SE China
163 U11 **Zhangwu** Liaoning, NE China
159 S8 **Zhangye** *var.* Ganzhou. Gansu, N China
161 Q13 **Zhangzhou** Fujian, SE China
163 W6 **Zhan He** ≈ NE China
Zhanibek/Zhänibek *see* Dzhanibek
160 L16 **Zhanjiang** *var.* Chanchiang, Chan-chiang, *Cant.* Tsamkong, *Fr.* Fort-Bayard. Guangdong, S China
Zhansügirov *see* Dzhansugurov
163 V8 **Zhaodong** Heilongjiang, NE China
Zhaoge *see* Qixian
160 H11 **Zhaojue** *var.* Xincheng. Sichuan, C China
161 N14 **Zhaoqing** Guangdong, S China
Zhaoren *see* Changwu
158 H5 **Zhaosu** *var.* Mongolküre. Xinjiang Uygur Zizhiqu, NW China
160 H11 **Zhaotong** Yunnan, SW China
163 V5 **Zhaoyuan** Heilongjiang, NE China
163 V5 **Zhaozhou** Heilongjiang, NE China
145 X13 **Zharbulak** Vostochnyy Kazakhstan, E Kazakhstan
158 J15 **Zhari Namco** ◎ W China
144 I12 **Zharkamys** *Kaz.* Zharqamys. Aktyubinsk, W Kazakhstan
145 W15 **Zharkent** *prev.* Panfilov. Almaty, SE Kazakhstan
124 H17 **Zharkovskiy** Tverskaya Oblast', W Russian Federation
145 W11 **Zharma** Vostochnyy Kazakhstan, E Kazakhstan
144 F14 **Zharmysh** Mangistau, SW Kazakhstan
Zharqamys *see* Zharkamys
118 L13 **Zhary** *Rus.* Zhary. Vitsyebskaya Voblasts', N Belarus
Zhaslyk *see* Jasliq
158 J14 **Zhaxi Co** ◎ W China
Zhayylma *see* Zhailma
Zhdanov *see* Beyläqan, Azerbaijan
Zhdanov *see* Mariupol', Ukraine
Zhe *see* Zhejiang
161 R10 **Zhejiang** *var.* Che-chiang, Chekiang, Zhe, Zhejiang Sheng. ◆ *province* SE China
Zhejiang Sheng *see* Zhejiang
145 S7 **Zhelezinka** Pavlodar, N Kazakhstan
119 C14 **Zheleznodorozhnyy** *Ger.* Gerdauen. Kaliningradskaya Oblast', W Russian Federation
Zheleznodorozhnyy *see* Yemva
122 K12 **Zheleznogorsk** Krasnoyarskiy Kray, C Russian Federation
126 J7 **Zheleznogorsk** Kurskaya Oblast', W Russian Federation
127 N15 **Zheleznovodsk** Stavropol'skiy Kray, SW Russian Federation
Zhëltyye Vody *see* Zhovti Vody
Zheludok *see* Zhaludok
Zhem *see* Emba
160 K7 **Zhenba** Shaanxi, C China
160 I13 **Zhenfeng** Guizhou, S China
Zhengjiatun *see* Shuangliao
159 X10 **Zhengning** Gansu, N China
Zhengxiangbai Qi *see* Qagan Nur
161 N6 **Zhengzhou** *var.* Ch'eng-chou, Chengchow; *prev.* Chenghsien. Henan, C China
161 R8 **Zhenjiang** *var.* Chenkiang. Jiangsu, E China
163 U9 **Zhenlai** Jilin, NE China
160 I11 **Zhenxiong** Yunnan, SW China
160 K11 **Zhenyuan** *var.* Wuyang. Guizhou, S China
161 R11 **Zherong** *var.* Shuangcheng. Fujian, SE China
145 U15 **Zhetigen** *prev.* Nikolayevka. Almaty, SE Kazakhstan
Zhetiqara *see* Zhitikara
144 F15 **Zhetybay** Mangistau, SW Kazakhstan
145 P17 **Zhetysay** *var.* Dzhetysay. Yuzhnyy Kazakhstan, S Kazakhstan
160 M11 **Zhexi Shuiku** ⊠ C China
145 O12 **Zhezdy** Karaganda, C Kazakhstan
145 O12 **Zhezkazgan** *Kaz.* Zhezqazghan; *prev.* Dzhezkazgan. Karaganda, C Kazakhstan
Zhezqazghan *see* Zhezkazgan
Zhicheng *see* Yidu
Zhidachov *see* Zhydachiv
159 Q12 **Zhidoi** *var.* Gyaijêpozhanggê. Qinghai, C China
122 M13 **Zhigalovo** Irkutskaya Oblast', S Russian Federation
127 R6 **Zhigulevsk** Samarskaya Oblast', W Russian Federation
118 D13 **Zhilino** *Ger.* Schillen. Kaliningradskaya Oblast', W Russian Federation
Zhiloy, Ostrov *see* Çiloy Adası
127 O8 **Zhirnovsk** Volgogradskaya Oblast', SW Russian Federation
Zhitarovo *see* Vetren
144 L8 **Zhitikara** *Kaz.* Zhetiqara. *prev.* Dzhetygara, NW Kazakhstan
Zhitkovichi *see* Zhytkavichy
127 P10 **Zhitkur** Volgogradskaya Oblast', SW Russian Federation
Zhitomir *see* Zhytomyr
Zhitomirskaya Oblast' *see* Zhytomyrs'ka Oblast'
126 J5 **Zhizdra** Kaluzhskaya Oblast', W Russian Federation
119 N18 **Zhlobin** Homyel'skaya Voblasts', SE Belarus
Zhmerinka *see* Zhmerynka
116 M7 **Zhmerynka** *Rus.* Zhmerinka. Vinnyts'ka Oblast', C Ukraine
149 R9 **Zhob** *var.* Fort Sandeman. Baluchistān, SW Pakistan
149 R8 **Zhob** ≈ C Pakistan
Zhodino *see* Zhodzina
119 L15 **Zhodzina** *Rus.* Zhodino. Minskaya Voblasts', C Belarus
123 Q5 **Zhokhova, Ostrov** *island* Novosibirskiye Ostrova, NE Russian Federation
Zholkev/Zholkva *see* Zhovkva
Zholsaly *see* Dzhusaly
Zhondor *see* Jondor
158 I15 **Zhongba** *var.* Tuoji. Xizang Zizhiqu, W China
160 F11 **Zhongdian** Yunnan, SW China
Zhongduo *see* Youyang
Zhonghe *see* Xiushan
Zhonghua Renmin Gongheguo *see* China
159 V9 **Zhongning** Ningxia, N China
Zhongping *see* Huize
161 N15 **Zhongshan** Guangdong, S China
195 X7 **Zhongshan** *Chinese research station* Antarctica
160 M6 **Zhongtiao Shan** ▲ C China
159 V9 **Zhongwei** Ningxia, N China
160 K9 **Zhongxian** *var.* Zhong Xian, Zhongzhou. Chongqing Shi, C China
161 N9 **Zhongxiang** Hubei, C China
Zhongzhou *see* Zhongxian
161 O7 **Zhoukou** *var.* Zhoukouzhen. Henan, C China
Zhoukouzhen *see* Zhoukou
161 S9 **Zhoushan** Zhejiang, S China
161 S9 **Zhoushan Qundao** *Eng.* Zhoushan Islands. *island group* SE China
116 I5 **Zhovkva** *Pol.* Żółkiew, *Rus.* Zholkev, Zholkva; *prev.* Nesterov. L'vivs'ka Oblast', NW Ukraine
117 S7 **Zhovti Vody** *Rus.* Zhëltyye Vody. Dnipropetrovs'ka Oblast', E Ukraine
117 Q10 **Zhovtneve** *Rus.* Zhovtnevoye. Mykolayivs'ka Oblast', S Ukraine
Zhovtnevoye *see* Zhovtneve
114 K9 **Zhrebchevo, Yazovir** ⊠ C Bulgaria
163 V13 **Zhuanghe** Liaoning, NE China
159 W11 **Zhuanglang** *var.* Shuiluocheng. Gansu, C China
145 P15 **Zhuantobe** *Kaz.* Zhūantöbe. Yuzhnyy Kazakhstan, S Kazakhstan
161 Q5 **Zhucheng** Shandong, E China
159 V12 **Zhugqu** Gansu, C China
161 N15 **Zhuhai** Guangdong, S China
Zhuizishan *see* Weichang
Zhuji *see* Shangqiu
126 I5 **Zhukovka** Bryanskaya Oblast', W Russian Federation
161 N7 **Zhumadian** Henan, C China
161 O3 **Zhuozhou** *prev.* Zhuo Xian. Hebei, E China
162 L14 **Zhuozi Shan** ▲ N China
Zhuravichi *see* Zhuravichy
119 O17 **Zhuravichy** *Rus.* Zhuravichi. Homyel'skaya Voblasts', SE Belarus
145 Q8 **Zhuravlevka** Akmola, N Kazakhstan
117 Q4 **Zhurivka** Kyyivs'ka Oblast', N Ukraine
144 J11 **Zhuryn** Aktyubinsk, W Kazakhstan
145 T15 **Zhusandala, Step'** *grassland* SE Kazakhstan
160 L8 **Zhushan** Hubei, C China
Zhushan *see* Xuan'en
Zhuyang *see* Dazhu
161 N11 **Zhuzhou** Hunan, S China
116 I6 **Zhydachiv** *Pol.* Żydaczów, *Rus.* Zhidachov. L'vivs'ka Oblast', NW Ukraine
144 G9 **Zhympity** *prev.* Dzhambeyty. Zapadnyy Kazakhstan, W Kazakhstan
119 K19 **Zhytkavichy** *Rus.* Zhitkovichi. Homyel'skaya Voblasts', SE Belarus
117 N4 **Zhytomyr** *Rus.* Zhitomir. Zhytomyrs'ka Oblast', NW Ukraine
Zhytomyr *see* Zhytomyrs'ka Oblast'
116 M4 **Zhytomyrs'ka Oblast'** *var.* Zhytomyr, *Rus.* Zhitomirskaya Oblast'. ◆ *province* N Ukraine
153 U15 **Zia** ✕ (Dhaka) Dhaka, C Bangladesh
111 J20 **Žiar nad Hronom** *var.* Sväty Kríž nad Hronom, *Ger.* Heiligenkreuz, *Hung.* Garamszentkereszt. Banskobystrický Kraj, C Slovakia
161 Q4 **Zibo** *var.* Zhangdian. Shandong, E China
160 L4 **Zichang** *prev.* Wayaobu. Shaanxi, C China
Zichenau *see* Ciechanów
111 G15 **Ziębice** *Ger.* Münsterberg in Schlesien. Dolnośląskie, SW Poland
Ziebingen *see* Cybinka
Ziegenhais *see* Głuchołazy
110 E12 **Zielona Góra** *Ger.* Grünberg, Grünberg in Schlesien, Grüneberg. Lubuskie, W Poland
99 F14 **Zierikzee** Zeeland, SW Netherlands
160 I10 **Zigong** *var.* Tzekung. Sichuan, C China
76 G12 **Ziguinchor** SW Senegal
41 N16 **Zihuatanejo** Guerrero, S Mexico
Ziketan *see* Xinghai
Zilah *see* Zalău
127 W7 **Zilair** Respublika Bashkortostan, W Russian Federation
136 L12 **Zile** Tokat, N Turkey
111 J18 **Žilina** *Ger.* Sillein, *Hung.* Zsolna. Žilinský Kraj, N Slovakia
111 J19 **Žilinský Kraj** ◆ *region* N Slovakia
75 Q9 **Zillah** *var.* Zallah. C Libya
Zillenmarkt *see* Zalău
109 N7 **Ziller** ≈ W Austria
Zillertal Alps *see* Zillertaler Alpen
109 N8 **Zillertaler Alpen** *Eng.* Zillertal Alps, *It.* Alpi Aurine. ▲ Austria/Italy
118 K10 **Zilupe** *Ger.* Rosenhof. Ludza, E Latvia
41 O13 **Zimapán** Hidalgo, C Mexico
83 I16 **Zimba** Southern, S Zambia
83 J17 **Zimbabwe** *off.* Republic of Zimbabwe; *prev.* Rhodesia. ◆ *republic* S Africa
116 H10 **Zimbor** *Hung.* Magyarzsombor. Sălaj, NW Romania
Zimmerbude *see* Svetlyy
116 J15 **Zimnicea** Teleorman, S Romania
114 L9 **Zimnitsa** Yambol, E Bulgaria
127 N12 **Zimovniki** Rostovskaya Oblast', SW Russian Federation
Zindajän *see* Zendeh Jan
77 V12 **Zinder** Zinder, S Niger
77 W11 **Zinder** ◆ *department* S Niger
77 P12 **Ziniaré** C Burkina
Zinjan *see* Zanjān
141 P16 **Zinjibār** SW Yemen
117 T4 **Zin'kiv** *var.* Zen'kov. Poltavs'ka Oblast', NE Ukraine
Zinov'yevsk *see* Kirovohrad
Zintenhof *see* Sindi
31 N10 **Zion** Illinois, N USA
54 F10 **Zipaquirá** Cundinamarca, C Colombia
Zipser Neudorf *see* Spišská Nová Ves
111 H23 **Zirc** Veszprém, W Hungary
113 D14 **Žirje** *It.* Zuri. *island* S Croatia
Zirknitz *see* Cerknica
108 M7 **Zirl** Tirol, W Austria
101 K20 **Zirndorf** Bayern, SE Germany
160 M11 **Zi Shui** ≈ C China
109 Y3 **Zistersdorf** Niederösterreich, NE Austria
41 O14 **Zitácuaro** Michoacán de Ocampo, SW Mexico
Zito *see* Lhorong
101 Q16 **Zittau** Sachsen, E Germany
112 I12 **Živinice** Federacija Bosna I Hercegovina, E Bosnia and Herzegovina
Ziwa Magharibi *see* Kagera
81 J14 **Ziway Häyk'** ◎ C Ethiopia
161 N12 **Zixing** Hunan, S China
127 W7 **Ziyanchurino** Orenburgskaya Oblast', W Russian Federation
160 K8 **Ziyang** Shaanxi, C China
Zizhixian *see* Taxkorgan
111 I20 **Zlaté Moravce** *Hung.* Aranyosmarót. Nitriansky Kraj, SW Slovakia
112 K13 **Zlatibor** ▲ W Serbia and Montenegro (Yugo.)
114 L9 **Zlati Voyvoda** Sliven, E Bulgaria
116 G11 **Zlatna** *Ger.* Kleinschlatten, *Hung.* Zalatna; *prev. Ger.* Goldmarkt. Alba, C Romania
114 I8 **Zlatna Panega** Lovech, N Bulgaria
114 N8 **Zlatni Pyasŭtsi** Dobrich, NE Bulgaria
122 F11 **Zlatoust** Chelyabinskaya Oblast', C Russian Federation
111 M19 **Zlatý Stôl** *Ger.* Goldener Tisch, *Hung.* Aranyosasztal. ▲ C Slovakia
113 P18 **Zletovo** NE FYR Macedonia
111 H18 **Zlín** *prev.* Gottwaldov. Zlínský Kraj, SE Czech Republic
113 H19 **Zlínský Kraj** ◆ *region* E Czech Republic
75 O7 **Zlīṭan** W Libya
110 F9 **Złocieniec** *Ger.* Falkenburg in Pommern. Zachodnio-pomorskie, NW Poland
110 J13 **Złoczew** Sieradz, S Poland
Zloczów *see* Zolochiv
111 F14 **Złotoryja** *Ger.* Goldberg. Dolnośląskie, W Poland
110 G9 **Złotów** Wielkopolskie, NW Poland
110 G13 **Żmigród** *Ger.* Trachenberg. Dolnośląskie, SW Poland
126 J6 **Zmiyevka** Orlovskaya Oblast', W Russian Federation
117 V5 **Zmiyiv** Kharkivs'ka Oblast', E Ukraine
Zna *see* Tsna
Znaim *see* Znojmo
126 M7 **Znamenka** Tambovskaya Oblast', W Russian Federation
Znamenka *see* Znam"yanka
127 P11 **Znamensk** Astrakhanskaya Oblast', SW Russian Federation
119 C14 **Znamensk** *Ger.* Wehlau. Kaliningradskaya Oblast', W Russian Federation
117 R7 **Znam"yanka** *Rus.* Znamenka. Kirovohrads'ka Oblast', C Ukraine
110 H10 **Żnin** Kujawsko-pomorskie, C Poland
111 F19 **Znojmo** *Ger.* Znaim. Jihomoravský Kraj, S Czech Republic
79 N16 **Zobia** Orientale, N Dem. Rep. Congo
83 N15 **Zóbuè** Tete, NW Mozambique
98 G12 **Zoetermeer** Zuid-Holland, W Netherlands
108 E7 **Zofingen** Aargau, N Switzerland
159 R15 **Zogang** *var.* Wangda. Xizang Zizhiqu, W China
106 E7 **Zogno** Lombardia, N Italy
142 M10 **Zohreh, Rūd-e** ≈ SW Iran
160 H7 **Zoigê** *var.* Dagcagoin. Sichuan, C China
Zółkiew *see* Zhovkva
108 D8 **Zollikofen** Bern, W Switzerland
Zolochev *see* Zolochiv
117 U4 **Zolochiv** *Rus.* Zolochev. Kharkivs'ka Oblast', E Ukraine
116 J5 **Zolochiv** *Pol.* Złoczów, *Rus.* Zolochev. L'vivs'ka Oblast', W Ukraine
117 X7 **Zolote** *Rus.* Zolotoye. Luhans'ka Oblast', E Ukraine
117 Q6 **Zolotonosha** Cherkas'ka Oblast', C Ukraine
Zolotoye *see* Zolote
Zólyom *see* Zvolen
83 N15 **Zomba** Southern, S Malawi
Zombor *see* Sombor
99 D17 **Zomergem** Oost-Vlaanderen, NW Belgium
147 P11 **Zomin** *Rus.* Zaamin. Jizzax Viloyati, C Uzbekistan
79 I15 **Zongo** Equateur, N Dem. Rep. Congo
136 G10 **Zonguldak** Zonguldak, NW Turkey
136 H10 **Zonguldak** ◆ *province* NW Turkey
99 K17 **Zonhoven** Limburg, NE Belgium
142 J2 **Zonūz** Āżarbāyjān-e Khāvarī, NW Iran
103 Y16 **Zonza** Corse, France, C Mediterranean Sea
Zoppot *see* Sopot
Zorgho *see* Zorgo
77 Q13 **Zorgo** *var.* Zorgho. C Burkina
104 K10 **Zorita** Extremadura, W Spain
147 U14 **Zorkŭl** *Rus.* Ozero Zorkul'. ◎ SE Tajikistan
Zorkul', Ozero *see* Zorkŭl
56 A8 **Zorritos** Tumbes, N Peru
111 J16 **Żory** *var.* Zory, *Ger.* Sohrau. Śląskie, S Poland
76 K15 **Zorzor** N Liberia
99 E18 **Zottegem** Oost-Vlaanderen, NW Belgium
77 R15 **Zou** ≈ S Benin
78 H6 **Zouar** Borkou-Ennedi-Tibesti, N Chad
76 J6 **Zouérat** *var.* Zouérate, Zouīrât. Tiris Zemmour, N Mauritania
Zouérate *see* Zouérat
Zoug *see* Zug
Zouīrât *see* Zouérat
76 M16 **Zoukougbeu** C Ivory Coast
98 M5 **Zoutkamp** Groningen, NE Netherlands
99 J18 **Zoutleeuw** *Fr.* Leau. Vlaams Brabant, C Belgium
112 L9 **Zrenjanin** *prev.* Petrovgrad, Veliki Bečkerek, *Ger.* Grossbetschkerek, *Hung.* Nagybecskerek. Serbia, N Serbia and Montenegro (Yugo.)
112 E10 **Zrinska Gora** ▲ C Croatia
Zsablya *see* Žabalj
101 N16 **Zschopau** ≈ E Germany
Zsebely *see* Jebel
Zsibó *see* Jibou
Zsil/Zsily *see* Jiu
Zsilyvajdevulkán *see* Vulcan
Zsolna *see* Žilina
Zsombolya *see* Jimbolia
Zsupanya *see* Županja
55 N7 **Zuata** Anzoátegui, NE Venezuela
105 N14 **Zubia** Andalucía, S Spain
65 P16 **Zubov Seamount** *undersea feature* E Atlantic Ocean
124 I16 **Zubtsov** Tverskaya Oblast', W Russian Federation
108 M8 **Zuckerhütl** ▲ SW Austria
Zueila *see* Zawīlah
76 M16 **Zuénoula** C Ivory Coast
105 S5 **Zuera** Aragón, NE Spain
141 V13 **Ẓufār** *Eng.* Dhofar. *physical region* SW Oman
108 G8 **Zug** *Fr.* Zoug. Zug, C Switzerland
108 G8 **Zug** *Fr.* Zoug. ◆ *canton* C Switzerland
137 R9 **Zugdidi** W Georgia
108 G8 **Zuger See** ◎ NW Switzerland
101 K25 **Zugspitze** ▲ S Germany
99 E15 **Zuid-Beveland** *var.* South Beveland. *island* SW Netherlands
98 K10 **Zuidelijk-Flevoland** *polder* C Netherlands
Zuider Zee *see* IJsselmeer
98 G12 **Zuid-Holland** *Eng.* South Holland. ◆ *province* W Netherlands
98 N5 **Zuidhorn** Groningen, NE Netherlands
98 O6 **Zuidlaardermeer** ◎ NE Netherlands
98 O6 **Zuidlaren** Drenthe, NE Netherlands
99 K14 **Zuid-Willemsvaart Kanaal** *canal* S Netherlands
98 N8 **Zuidwolde** Drenthe, NE Netherlands
Zuitai/Zuitaizi *see* Kangxian
105 O14 **Zújar** Andalucía, S Spain
104 L11 **Zújar** ≈ W Spain
104 L11 **Zújar, Embalse del** ⊠ W Spain
80 J9 **Zula** E Eritrea
54 G6 **Zulia** *off.* Estado Zulia. ◆ *state* NW Venezuela
Zullapara *see* Sinchaingbyin
Züllichau *see* Sulechów
105 P3 **Zumárraga** País Vasco, N Spain
112 D8 **Žumberačko Gorje** *var.* Gorjanči, Uskocke Planine, Žumberak, *Ger.* Uskokengebirge; *prev.* Sichelbuger Gebirge. ▲ Croatia/Slovenia *see also* Gorjanci
Žumberak *see* Gorjanci/Žumberačko Gorje
194 K7 **Zumberge Coast** *coastal feature* Antarctica
Zumbo *see* Vila do Zumbo
29 W10 **Zumbro Falls** Minnesota, N USA
29 W10 **Zumbro River** ≈ Minnesota, N USA
29 W10 **Zumbrota** Minnesota, N USA
99 H15 **Zundert** Noord-Brabant, S Netherlands
77 U14 **Zungeru** Niger, C Nigeria
161 P2 **Zunhua** Hebei, E China
37 O11 **Zuni** New Mexico, SW USA
37 P11 **Zuni Mountains** ▲ New Mexico, SW USA
160 J11 **Zunyi** Guizhou, S China
160 J15 **Zuo Jiang** ≈ China/Vietnam
108 J9 **Zuoz** Graubünden, SE Switzerland
112 I10 **Županja** *Hung.* Zsupanya. Vukovar-Srijem, E Croatia
113 M17 **Žur** Serbia, S Serbia and Montenegro (Yugo.)
127 T2 **Zura** Udmurtskaya Respublika, NW Russian Federation
139 V8 **Zurbāṭiyah** E Iraq
Zuri *see* Žirje
108 F7 **Zürich** *Eng./Fr.* Zurich, *It.* Zurigo. Zürich, N Switzerland
108 G6 **Zürich** *Eng./Fr.* Zurich. ◆ *canton* N Switzerland
Zurich, Lake *see* Zürichsee
108 G7 **Zürichsee** *Eng.* Lake Zurich. ◎ NE Switzerland
Zurigo *see* Zürich
149 V1 **Zūrkūl** *Pash.* Sarī Qūl, *Rus.* Ozero Zurkul'. ◎ Afghanistan/Tajikistan *see also* Sarī Qūl
Zurkul', Ozero *see* Sarī Qūl/Zūrkūl
110 K10 **Żuromin** Mazowieckie, N Poland
108 J8 **Zürs** Vorarlberg, W Austria
77 T13 **Zuru** Kebbi, W Nigeria
108 F6 **Zurzach** Aargau, N Switzerland
101 J22 **Zusam** ≈ S Germany
98 M11 **Zutphen** Gelderland, E Netherlands
75 N7 **Zuwārah** NW Libya
Zuwaylah *see* Zawīlah
125 R14 **Zuyevka** Kirovskaya Oblast', NW Russian Federation
161 N10 **Zuzhou** Hunan, S China
Zvenigorodka *see* Zvenyhorodka
117 P6 **Zvenyhorodka** *Rus.* Zvenigorodka. Cherkas'ka Oblast', C Ukraine
123 N12 **Zvezdnyy** Irkutskaya Oblast', C Russian Federation
125 U14 **Zvëzdnyy** Permskaya Oblast', NW Russian Federation
83 K18 **Zvishavane** *prev.* Shabani. Matabeleland South, S Zimbabwe
111 J20 **Zvolen** *Ger.* Altsohl, *Hung.* Zólyom. Banskobystrický Kraj, C Slovakia
112 J12 **Zvornik** E Bosnia and Herzegovina
98 M5 **Zwaagwesteinde** *Fris.* De Westerein. Friesland, N Netherlands
98 H10 **Zwanenburg** Noord-Holland, C Netherlands
98 L8 **Zwarte Meer** ◎ N Netherlands
98 M9 **Zwarte Water** ≈ N Netherlands
98 M8 **Zwartsluis** Overijssel, E Netherlands
76 L17 **Zwedru** *var.* Tchien. E Liberia
98 O8 **Zweeloo** Drenthe, NE Netherlands
101 E20 **Zweibrücken** *Fr.* Deux-Ponts; *Lat.* Bipontium. Rheinland-Pfalz, SW Germany
108 D9 **Zweisimmen** Fribourg, W Switzerland
101 M15 **Zwenkau** Sachsen, E Germany
109 V3 **Zwettl** Wien, NE Austria
109 T3 **Zwettl an der Rodl** Oberösterreich, N Austria
99 D18 **Zwevegem** West-Vlaanderen, W Belgium
101 M17 **Zwickau** Sachsen, E Germany
101 O21 **Zwiesel** Bayern, SE Germany
98 H13 **Zwijndrecht** Zuid-Holland, SW Netherlands
101 N16 **Zwikauer Mulde** ≈ E Germany
Zwischenwässern *see* Medvode
Zwittau *see* Svitavy
110 N13 **Zwoleń** Mazowieckie, SE Poland
98 M9 **Zwolle** Overijssel, E Netherlands
22 G6 **Zwolle** Louisiana, S USA
110 K12 **Żychlin** Łodzkie, C Poland
Żydaczów *see* Zhydachiv
119 L14 **Zyembin** *Rus.* Zembin. Minskaya Voblasts', C Belarus
Zyôetu *see* Jōetsu
110 L12 **Żyrardów** Mazowieckie, C Poland
123 S8 **Zyryanka** Respublika Sakha (Yakutiya), NE Russian Federation
145 Y9 **Zyryanovsk** Vostochnyy Kazakhstan, E Kazakhstan
111 J17 **Żywiec** *Ger.* Bäckermühle Schulzenmühle. Śląskie, S Poland

◆ Country ◇ Dependent Territory ◆ Administrative Region ▲ Mountain ✕ Volcano ◎ Lake
● Country Capital ○ Dependent Territory Capital ✕ International Airport ▲ Mountain Range ≈ River ⊠ Reservoir

PICTURE CREDITS

PICTURE CREDITS
Dorling Kindersley would like to thank
Georgina Garner for help with picture research.

Key:
t=top; b=bottom; c=centre; l=left; r=right;
A=above; B=below.

i DK Images: Christopher & Sally Gable.
ii–iii Getty Images: Jeff Spielman.
xviii–1 Getty Images: Simon Wilkinson.
2–3 Corbis: Jim Craigmyle br; Jim Reed cAr;
DK Images: Andy Holligan cBl, tcl; Francesca
Yorke bl.
4–5 Alamy Images: Bryan & Cherry Alexander
Photography cr; **DK Images:** Francesca Yorke
cBr; Kim Sayer cl.
6–7 Corbis: Richard Berenholtz cAl; Richard
Cummins br; Royalty-Free bl; **DK Images:**
Topbar (8); Dave King Topbar (10); David
Lyons Topbar (7); Demetrio Carrasco cAr,
Topbar (3), Topbar (5); Gunter Marx Topbar
(4); Linda Whitwam Topbar (6), Topbar (9);
Peter Wilson Topbar (1); Scott Pitts Topbar (2).
8–9 DK Images: Barnabas Kindersley tcr;
Francesca Yorke bl; Gunter Marx tl.
10–11 DK Images: Gunter Marx cl; Peter
Wilson cr, tcr.
12–13 DK Images: Alan Keohane bcr, tcr;
Francesca Yorke cr.
14–15 DK Images: Alan Keohane tr, tcr;
Francesca Yorke tcl.
16–17 DK Images: Andy Holligan bl; Dave
King tr; Demetrio Carrasco br.
18–19 Alamy Images: Pegaz tcl; **DK Images:**
Alan Briere tr; Michael Moran cr.
20–21 DK Images: Jon Spaull bl; Kim Sayer br;
Kit Houghton tcl.
22–23 DK Images: Linda Whitwam bcl, cBr;
Peter Wilson cl.
24–25 Corbis: Danny Lehman tr; **DK Images:**
Peter Wilson cl, tcl.
26–27 DK Images: Jon Spaull cl, bcl; Peter
Wilson bcr.
28–29 DK Images: Jon Spaull cl, bl, tcl.
30–31 DK Images: Andrew Leyerle cl; Jon
Spaull tr, tl.
32–33 DK Images: Andy Holligan tcl; Bruce
Forster cl; Scott Pitts tr.
34–35 DK Images: Andrew McKinney cl; Andy
Keohane bcl; Demetrio Carrasco tcl.
36–37 DK Images: Andy Keohane clB;
Demetrio Carrasco crB, bl.
38–39 DK Images: tcr; Andy Holligan cr; Rob
Reichenfeld cAl.
40–41 DK Images: Demetrio Carrasco cr, bcl;
Linda Whitwam tr.
42–43 Corbis: Macduff Everton tcr; ML
Sinibaldi bcl; Stephen Frink cr.
44–45 Corbis: Carl & Ann Purcell tr; Macduff

Everton bcl; **DK Images:** Lucio Rossi tc.
46–47 Getty Images: Andy Caulfield.
48–49 Alamy Images: Sue Cunningham
Photographic cr; **Corbis:** bcl; Layne Kennedy
tcl; **DK Images:** Barnabas Kindersley clB; **JPG
Photo:** Chris Jagger br.
50–51 Alamy Images: Eye Ubiquitous / David
Cumming tcl; **Corbis:** Jeffrey L. Rotman cl;
JPG Photo: Chris Jagger tcl.
52–53 Alamy Images: Apex News and Pictures
Agency / Tim Cuff Topbar (5); ImageState /
Frank Chmura br; Stock Connection / Jacques
Jangoux Topbar (1); **Corbis:** Charles & Josette
Lenars Topbar (4); Charles O'Rear Topbar (6);
Eduardo Longoni Topbar (2); Galen Rowell
Topbar (8); Jeremy Horner clA; Kevin Schafer
bcl; Reuters / Bruno Domingos Topbar (9);
Reuters / David Mercado Topbar (7); Reuters /
Jorge Silva Topbar (10); **JPG Photo:** Chris
Jagger crA, Topbar (3).
54–55 Alamy Images: Edward Parker bl; Tom
Till cr; **Corbis:** Eye Ubiquitous / Laurence
Fordyce tcr.
56–57 Corbis: Craig Lovell bl; Tiziana and
Gianni Baldizzone crA.; **JPG Photo:** Chris
Jagger br.
58–59 Corbis: Ricardo Azoury tcl; Richard T.
Nowitz clB; Tom Brakefield crA.
60–61 Alamy Images: PCL bc; Stock
Connection / James May clA; **JPG Photo:** Ian
Powell tc.
62–63 Alamy Images: blickwinkel crB; **Corbis:**
Ludovic Maisant clA; **JPG Photo:** Laurence
Postgate bl.
64–65 DK Images: cl; Linda Whitwam tc.
66–67 Getty Images: Stan Osolinski.
68–69 Alamy Images: Gary Cook bl; Nature
Picture Library / Bernard Castelein cl; **DK
Images:** Max Alexander br; Shaen Adey tcl; **JPG
Photo:** Carolyn Postgate cr.
70–71 DK Images: c, br; Cecile Treal & Jean-
Michel Ruiz cl.
72–73 Corbis: Christine Osbourne Topbar (9);
Dave G. Houser Topbar (8); Inge Yspeert bl; Joe
McDonald crA; Jonathan Blair cl; Martin
Harvey / Gallo Images Topbar (6); Patrick Ward
br; Peter Johnson Topbar (10); **DK Images:**
Peter Wilson Topbar (5); Angus Beare Topbar
(4); Cecile Treal & Jean-Michel Ruiz Topbar (7);
Christopher & Sally Gable Topbar (1); Irv
Beckman Topbar (2); Shaen Adey Topbar (3).
74–75 DK Images: Alistair Duncan br; Cecile
Treal & Jean-Michel Ruiz cl; Peter Wilson tcl.
76–77 Alamy Images: Adrian Arbib tr; **DK
Images:** Christopher & Sally Gable tcl, tcr.
78–79 Alamy Images: Gary Cook clA; **DK
Images:** Christopher & Sally Gable crA; Irv
Beckman bcl.
80–81 Alamy Images: Robert Preston br;
Corbis: Tim Davis crA; **DK Images:** Irv

Beckman bl.
82–83 DK Images: br; Christopher & Sally
Gable bl; Shaen Adey cA.
84–85 Alamy Images: Oliver Benn.
86–87 Alamy Images: Andre Jenny cAr;
Karsten Wrobel clA; Worldwide Picture Library
/ John Cleare tcl; **DK Images:** Erik Svensson &
Jeppe Wilkstrom bcl; Paul Harris tr.
88–89 Alamy Images: Michelle Chaplow tcr;
Pat Behnke bcr; **DK Images:** John Hesteltine tcl.
90–91 Corbis: Ashley Cooper Topbar (2); Barry
Lewis cl; Bob Krist Topbar (4); Craig Aurness
Topbar (10); Gideon Mendel Topbar (9); Jose
Fusle Raga crA; Kevin Schafer clB; **DK Images:**
Topbar (8); Barnabas Kindersley Topbar (7);
Demetrio Carrasco Topbar (3); Linda Whitwam
Topbar (6); Max Alexander Topbar (1); Nigel
Hicks br; Rupert Horrox Topbar (5).
92–93 Alamy Images: Imagebroker / Harald
Theissen cAl; **DK Images:** Demetrio Carrasco
crA; Linda Whitwam bcr.
94–95 DK Images: Demetrio Carrasco br; Erik
Svensson crA; Linda Whitwam tc.
96–97 DK Images: Joe Cornish bl; Paul Harris
tc; Rob Reichenfeld cr.
98–99 DK Images: tc; Demetrio Carrasco br;
Paul Kenward bl.
100–101 DK Images: Dorota and Marius
Jarymowicz clA, crB; Pawel Wojcik tc.
102–103 DK Images: John Parker tr; Kim Sayer
cl; Max Alexander tcl.
104–105 DK Images: Ella Milroy / Departure
Lounge bcr; Linda Whitwam bl; Neil Lukas tl.
106–107 DK Images: Demetrio Carrasco cr;
John Heseltine tr; Kim Sayer cBl.
108–109 DK Images: Kim Sayer bcr; Peter
Wilson bcl; **JPG Photo:** Chris Jagger tc.
110–111 DK Images: Kit Houghton br; Peter
Wilson clA; Stanislaw Michta tc.
112–113 Corbis: Otto Lang crA; Setboun bl;
DK Images: Lucio Rossi tr.
114–115 DK Images: Peter Wilson bl; Rob
Reichenfeld crB; Rupert Horrox clA.
116–117 Corbis: Catherine Karnow br;
Lawrence Manning tr; Tiziana and Gianni
Baldizzone cl.
118–119 DK Images: Demetrio Carrasco tr, bc;
JPG Photo: Chris Jagger clB.
120–121 DK Images: Joe Cornish bcl; Peter
Wilson br; Rob Reichenfeld tc.
122–123 Corbis: Joe McDonald bcl; **DK
Images:** Demetrio Carrasco tcr, cr.
124–125 Corbis: Demetrio Carrasco br; Diego
Lezama Orezzoli bl; **DK Images:** John Heseltine
tcr.
126–127 Corbis: Dean Conger bl; **DK Images:**
Demetrio Carrasco cl, br.
128–129 Alamy Images: ViewStock.
130–131 Alamy Images: Jamie Marshall cAr;
Louise Murray bl; Worldwide Picture Library /

Colin Monteath tcl; **DK Images:** Barnabas
Kindersley clA; Philip Blenkinsop br.
132–133 DK Images: Demetrio Carrasco cr; M.
Balan cAr.
134–135 Corbis: Benjamin Rondel cl; Catherine
Karnow Topbar (8); Dean Conger bcr; Free
Agents Limited bcl; Galen Rowell Topbar (4);
Sygma / Jacques Langevin Topbar (10); **DK
Images:** Chris Stowers Topbar (3); Christopher
& Sally Gable Topbar (5), Topbar (9); Dinesh
Khanna Topbar (1); Kate Clow, Terry
Richardson, Dominic Whiting Topbar (7);
Stuart Isett cr, Topbar (2); Tim Stuart Topbar
(6).
136–137 DK Images: cAl; Christopher & Sally
Gable br; Francesca Yorke tcr.
138–139 DK Images: Alastair Duncan tr, br;
Magnus Rew bcl.
140–141 Alamy Images: Robert Harding
Picture Library tr; **JPG Photo:** Chris Jagger cl,
br.
142–143 Alamy Images: Robert Harding
Picture Library bcl; **Corbis:** Carl & Ann Purcell
cl; **DK Images:** Christopher & Sally Gable tr.
144–145 Alamy Images: Jon Arnold Images /
Gavin Hellier tcl; Michael Grant tcr; Robert
Harding Picture Library bl.
146–147 Alamy Images: TNT Magazine tr;
Corbis: David Samuel Robbins br; Janet
Wishnetsky bl.
148–149 Alamy Images: Robert Harding
Picture Library / Sybil Sassoon crB; **DK Images:**
Christopher & Sally Gable cl, bl.
150–151 Alamy Images: Jon Arnold Images br;
DK Images: Barnabas Kindersley bl; B.P.S.
Walia cr.
152–153 DK Images: Amit Pashricha tr;
Christopher & Sally Gable bl, cAr.
154–155 DK Images: Christopher & Sally Gable
crA, cl, br.
156–157 Alamy Images: View Stock China br;
Corbis: Free Agents Limited bl; Liu Ligun cl.
158–159 Alamy Images: Marco Brivio bl;
Corbis: Galen Rowell tr; **DK Images:** Ken
Robertson br.
160–161 Alamy Images: View Stock China tcl;
Corbis: Reuters / Bobby Yip br; **DK Images:**
Chris Stowers bl.
162–163 Corbis: Jose Fuste Raga tr; Setboun
bcr; **DK Images:** Barnabas Kindersley bl.
164–165 Alamy Images: Chad Ehlers cl; **DK
Images:** Demetrio Carrasco tc, cr.
166–167 Corbis: Ken Roberston tr; **DK Images:**
Michael Spencer bcl; Philip Blenkinsop cl.
168–169 Alamy Images: Bildagentur Franz
Waldhaeusl / Cromorange bcl; Bruce Coleman /
Tom Brakefield tcl; **DK Images:** Koes Karnadi
tr.
170–171 Corbis: Paul Almasy bcl; Wolfgang
Kaehler tcl; **DK Images:** Tim Stuart tr.

172–173 Alamy Images: ImageState / Pictor
International bl; **Corbis:** Wolfgang Kaehler cl.
174–175 Alamy Images: SCPhotos / Dallas &
John Heaton.
176–177 Alamy Images: Penny Tweedie tcr;
DK Images: Max Alexander tcl; Ron Redfern cl.
178–179 Corbis: Adam Woolfitt bl; Craig Lovell
cAr; Jack Fields Topbar (1); Massimo
Mastrorillo clA; Peter Guttman Topbar (8);
Theo Allofs Topbar (4); **DK Images:** Topbar (5);
Alan Keohane Topbar (9); Lloyd Park br, Topbar
(6); Max Alexander Topbar (7); Peter Bush
Topbar (10), Topbar (3); Rob Reichenfeld
Topbar (2).
180–181 DK Images: Alan Keohane bl, bcr;
Max Alexander tcl.
182–183 DK Images: tcr; Max Alexander bcl,
bcr.
184–185 DK Images: Gerald Lopez cAl; Lloyd
Park crB; Ron Redfern cl.
186–187 Alamy Images: David Wall cr; **Corbis:**
Bob Krist bcl; **DK Images:** Mark O'Shea tcr.
188–189 Alamy Images: David Fleetham bcl;
Greg Vaughn cBr; Sylvia Cordaiy Photo Library
Ltd / Matt Harris crA.
190–191 Alamy Images: Jan Stromme br; Mark
Lewis bl; **Corbis:** Free Agents Limited tcl; Jim
Zuckerman cBr.
192–193 Alamy Images: Stephen Frink
Collection / James D. Watt bcr; **Corbis:** Anders
Ryman tr.
194–195 Corbis: Kevin Schafer cl; Ralph A.
Clevenger bcl; Wolfgang Kaehler br.
196–197 Corbis: Alaska Stock LLC tcl;
Corbis: Frank Lane Picture Agency / Christiana
Carvalho cl; Hubert Stadler bcl.

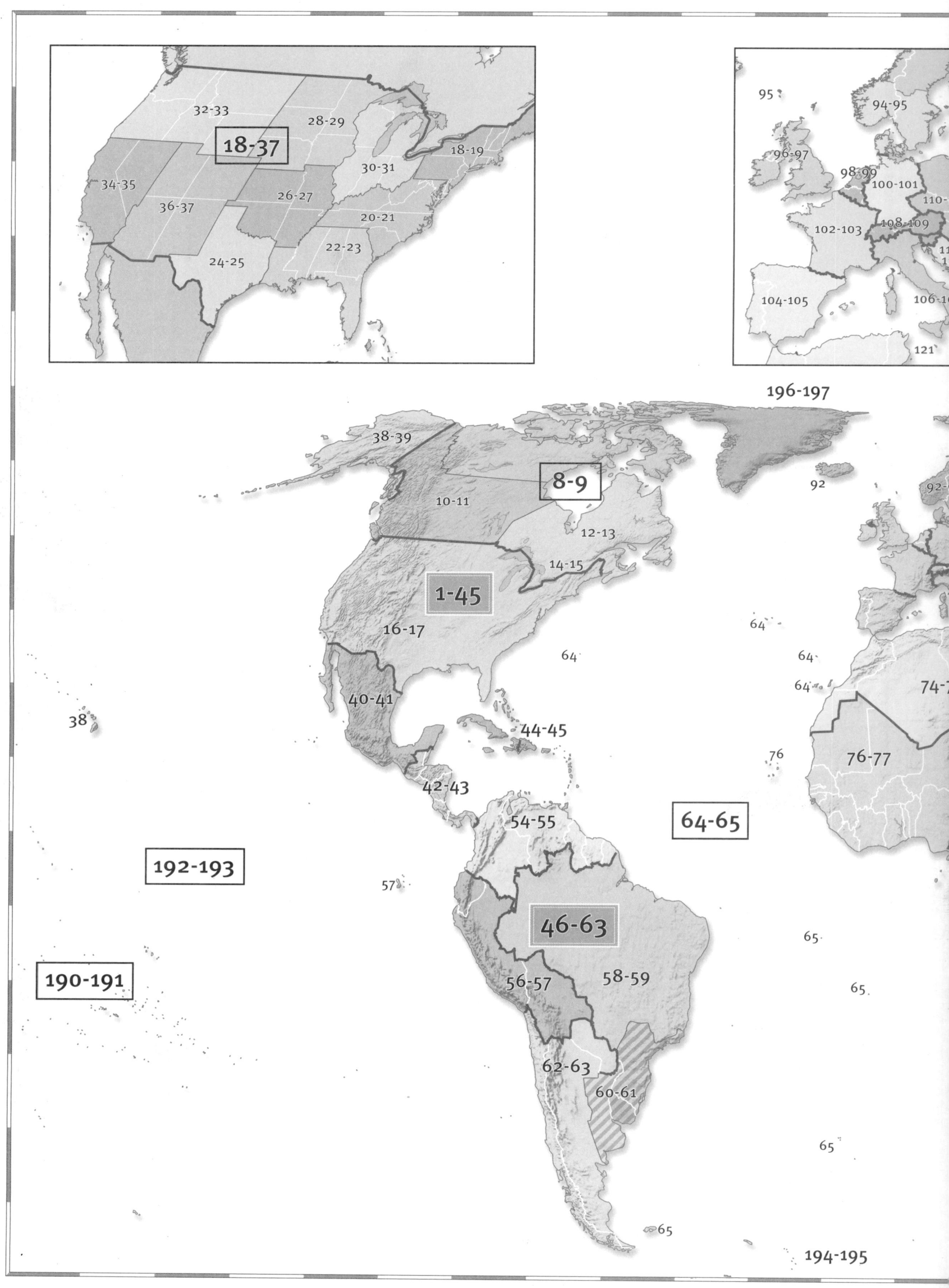